新舊約全書

聯合聖經公會出版

聖經
和合本(神版)

THE HOLY BIBLE
Chinese Union Version
(Shen Edition)

格式及插圖
© 聯合聖經公會版權所有 1961
Format and Illustrations
© United Bible Societies

版權代理：
香港聖經公會
香港九龍尖沙咀漆咸道南六十七號
安年大廈九〇二室

Copyright Agent:
Hong Kong Bible Society
Room 902, Oriental Centre
67 Chatham Road South, Tsimshatsui
Kowloon, Hong Kong

採用此版本任何部份請與香港聖經公會聯絡
Permission to use any part of this edition should
be requested from Hong Kong Bible Society

CU60A Series 1998 — 22.7M
CU63A ISBN 962 293 010 7
CU67A ISBN 962 293 012 3
CU67AZ ISBN 962 293 523 0

新舊約全書目錄

舊約全書

目錄

新約全書

說明

新約書中、常有引舊約書中的話、或申明上文、或證實句中的本意、或彰顯古時的豫言、已得應驗．每遇此話、加以引號、用註指明何書何章何節．但書目字數太多、用註不便、特於各書中簡取一二字代用、附入目錄之下、以便讀者查對、列表如前。

凡例

書中的圈點、是要將意思更顯明．所用的諸點式、都擺列如左。

凡一句而意思不全的、就用尖點、

凡一氣而意思不全的、就用圓點．

凡一氣或數氣而意思已全的、就用小圈。

凡引證話、就前後加雙鈎、『　』名叫引號。

凡申明話、就前後加括弓、（　）名叫解號。

每逢字旁有小點、⋯⋯是指明原文沒有此字、必須加上纔清楚、這都是要叫原文的意思更顯明。

舊約全書

舊約全書

創世記

神創造天地

一 二 第一章 一起初 神創造天地。二地是空虛混沌淵面
三 黑暗．神的靈運行在水面上。三神說、要有光、就有了
四 五 光。四神看光是好的、就把光暗分開了。五神稱光爲晝、
六 稱暗爲夜．有晚上有早晨、這是頭一日。○ 六神說、諸水
七 之間要有空氣、將水分爲上下。七神就造出空氣、將空
氣以下的水、空氣以上的水分開了．事就這樣成了。
八 九 八神稱空氣爲天．有晚上、有早晨、是第二日。○ 九神說、天
下的水要聚在一處、使旱地露出來．事就這樣成了。
十 十神稱旱地爲地、稱水的聚處爲海．神看着是好的。
十一 十一神說、地要發生青草、和結種子的菜蔬、並結果子的樹
十二 木、各從其類、果子都包着核．事就這樣成了。十二於是地發
生了青草、和結種子的菜蔬、各從其類、並結果子的樹
十三 木、各從其類、果子都包着核．神看着是好的。十三有晚上、
十四 有早晨、是第三日。○ 十四神說、天上要有光體、可以分晝

十五 夜、作記號、定節令、日子、年歲．十五並要發光在天空、普照在
十六 地上．事就這樣成了。十六於是神造了兩個大光、大的管
十七 晝、小的管夜．又造衆星。十七就把這些光擺列在天空、普照
十八 十九 在地上、十八管理晝夜、分別明暗．神看着是好的。十九有晚上、
二十 有早晨、是第四日。○ 二十神說、水要多多滋生有生命的
二一 物、要有雀鳥飛在地面以上、天空之中。二一神就造出大
魚、和水中所滋生各樣有生命的動物、各從其類．又造
二二 出各樣飛鳥、各從其類．神看着是好的。二二神就賜福
給這一切、說、滋生繁多、充滿海中的水．雀鳥也要多生
二三 二四 在地上。二三有晚上、有早晨、是第五日。○ 二四神說、地要生出
活物來、各從其類．牲畜、昆蟲、野獸、各從其類．事就這樣
二五 成了。二五於是神造出野獸、各從其類．牲畜各從其類．地
上一切昆蟲、各從其類．神看着是好的。

照自己之像造人

二六 二六神說、我們要照着我們的形像、按着我們的樣式造
人、使他們管理海裏的魚、空中的鳥、地上的牲畜、和全
二七 地、並地上所爬的一切昆蟲。二七神就照着自己的形像
二八 造人、乃是照着他的形像造男造女。二八神就賜福給他

們又對他們說、要生養衆多、遍滿地面、治理這地。也要
管理海裏的魚、空中的鳥、和地上各樣行動的活物。
二九 神說、看哪、我將遍地上一切結種子的菜蔬、和一切樹
三十 上所結有核的果子、全賜給你們作食物。至於地上的
走獸、和空中的飛鳥、並各樣爬在地上有生命的物、我
三一 將青草賜給他們作食物。事就這樣成了。神看着一
切所造的都甚好。有晚上、有早晨、是第六日。
一 二 **第二章** 天地萬物都造齊了。到第七日、神造物
的工已經完畢、就在第七日歇了他一切的工、安息了。
三 神賜福給第七日、定爲聖日、因爲在這日神歇了
四 他一切創造的工、就安息了。〇創造天地的來歷、在耶
五 和華神造天地的日子、乃是這樣。野地還沒有草木、
田間的菜蔬還沒有長起來、因爲耶和華神還沒有
六 降雨在地上、也沒有人耕地。但有霧氣從地上騰、滋潤
七 遍地。耶和華神用地上的塵土造人、將生氣吹在他
鼻孔裏、他就成了有靈的活人、名叫亞當。

立伊甸園

八 耶和華神在東方的伊甸立了一個園子、把所造的
九 人安置在那裏。耶和華神使各樣的樹從地裏長出
來、可以悅人的眼目、其上的果子好作食物。園子當中
十 又有生命樹、和分別善惡的樹。有河從伊甸流出來滋
十一 潤那園子、從那裏分爲四道。第一道名叫比遜、就是環
十二 繞哈腓拉全地的。在那裏有金子、並且那地的金子是
十三 好的。在那裏又有珍珠和紅瑪瑙。第二道河名叫基訓、
十四 就是環繞古實全地的。第三道河名叫希底結、流在亞
十五 述的東邊。第四道河就是伯拉河。耶和華神將那人
十六 安置在伊甸園、使他修理看守。耶和華神吩咐他說、
十七 園中各樣樹上的果子、你可以隨意喫。只是分別善惡
樹上的果子、你不可喫、因爲你喫的日子必定死。

爲男人造配偶

十八 耶和華神說、那人獨居不好、我要爲他造一個配偶
十九 幫助他。耶和華神用土所造成的野地各樣走獸、和
空中各樣飛鳥、都帶到那人面前、看他叫甚麼。那人怎
二十 樣叫各樣的活物、那就是他的名字。那人便給一切牲
畜、和空中飛鳥、野地走獸都起了名。只是那人沒有遇
二一 見配偶幫助他。耶和華神使他沉睡、他就睡了。於是

二二 取下他的一條肋骨、又把肉合起來。二二耶和華 神就用
那人身上所取的肋骨造成一個女人、領他到那人跟
二三 前。二三那人說、這是我骨中的骨、肉中的肉、可以稱他為女
二四 人、因為他是從男人身上取出來的。二四因此、人要離開父
二五 母、與妻子連合、二人成為一體。二五當時夫妻二人、赤身露
體、並不羞恥。

始祖被誘惑

一 **第三章** 一耶和華 神所造的、惟有蛇比田野一切
的活物更狡猾。蛇對女人說、神豈是真說、不許你們
二 喫園中所有樹上的果子麼。二女人對蛇說、園中樹上的
三 果子我們可以喫、三惟有園當中那棵樹上的果子、神
四 曾說、你們不可喫、也不可摸、免得你們死。四蛇對女人說、
五 你們不一定死、五因為 神知道、你們喫的日子眼睛就
明亮了、你們便如 神能知道善惡。

違背主命

六 六於是女人見那棵樹的果子好作食物、也悅人的眼目、
且是可喜愛的、能使人有智慧、就摘下果子來喫了、又
七 給他丈夫、他丈夫也喫了。七他們二人的眼睛就明亮了、
纔知道自己是赤身露體、便拿無花果樹的葉子、為自
八 己編作裙子。八天起了涼風、耶和華 神在園中行走、那
人和他妻子聽見 神的聲音、就藏在園裏的樹木中、
九 躲避耶和華 神的面。九耶和華 神呼喚那人、對他說、
十 你在那裏。十他說、我在園中聽見你的聲音、我就害怕、因
十一 為我赤身露體、我便藏了。十一耶和華說、誰告訴你赤身露
體呢、莫非你喫了我吩咐你不可喫的那樹上的果子
十二 麼。十二那人說、你所賜給我、與我同居的女人、他把那樹上
十三 的果子給我、我就喫了。十三耶和華 神對女人說、你作的
十四 是甚麼事呢。女人說、那蛇引誘我、我就喫了。十四耶和華
神對蛇說、你既作了這事、就必受咒詛、比一切的牲畜
十五 野獸更甚、你必用肚子行走、終身喫土。十五我又要叫你和
女人彼此為仇、你的後裔和女人的後裔、也彼此為仇.
十六 女人的後裔要傷你的頭、你要傷他的腳跟。十六又對女人
說、我必多多加增你懷胎的苦楚、你生產兒女必多受
十七 苦楚.你必戀慕你丈夫、你丈夫必管轄你。十七又對亞當說、
你既聽從妻子的話、喫了我所吩咐你不可喫的那樹
上的果子、地必為你的緣故受咒詛、你必終身勞苦纔

十八 能從地裏得喫的。十八地、必給你長出荊棘和蒺藜來、你也
十九 要喫田間的菜蔬。十九你必汗流滿面、纔得餬口、直到你歸
了土、因爲你是從土而出的、你本是塵土、仍要歸於塵
二十 二十一 土。二十亞當給他妻子起名叫夏娃、因爲他是衆生之母。二十一耶
和華　神爲亞當和他妻子用皮子作衣服、給他們穿。

逐出伊甸

二十二 二十二耶和華　神說、那人已經與我們相似、能知道善惡、現
二十三 在恐怕他伸手又摘生命樹的果子喫、就永遠活着。二十三耶
和華　神便打發他出伊甸園去、耕種他所自出之土。
二十四 二十四於是把他趕出去了、又在伊甸園的東邊安設基路伯、
和四面轉動發火燄的劍、要把守生命樹的道路。

第四章

生該隱亞伯

一 一有一日、那人和他妻子夏娃同房、夏娃就
二 懷孕、生了該隱、（就是得的意思）便說、耶和華使我得了一個男
三 子。二又生了該隱的兄弟亞伯、亞伯是牧羊的、該隱是種
四 地的。三有一日、該隱拿地裏的出產爲供物獻給耶和華。
五 四亞伯也將他羊羣中頭生的、和羊的脂油獻上。耶和華
看中了亞伯和他的供物。五只是看不中該隱和他的供

六 物。該隱就大大的發怒、變了臉色。六耶和華對該隱說、你
七 爲甚麼發怒呢、你爲甚麼變了臉色呢。七你若行得好、豈
不蒙悅納、你若行得不好、罪就伏在門前、他必戀慕你、
你卻要制伏他。

該隱殺其弟

八 八該隱與他兄弟亞伯說話、二人正在田間、該隱起來打
九 他兄弟亞伯、把他殺了。◯九耶和華對該隱說、你兄弟亞
十 伯在那裏。他說、我不知道、我豈是看守我兄弟的麼。十耶
和華說、你作了甚麼事呢、你兄弟的血、有聲音從地裏
十一 向我哀告。十一地開了口、從你手裏接受你兄弟的血。現在
十二 你必從這地受咒詛。十二你種地、地不再給你效力、你必流
十三 離飄蕩在地上。十三該隱對耶和華說、我的刑罰太重、過於
十四 我所能當的。十四你如今趕逐我離開這地、以致不見你面。
十五 我必流離飄蕩在地上、凡遇見我的必殺我。十五耶和華對
他說、凡殺該隱的必遭報七倍。耶和華就給該隱立一
十六 個記號、免得人遇見他就殺他。◯十六於是該隱離開耶和
十七 華的面、去住在伊甸東邊挪得之地。十七該隱與妻子同房、
他妻子就懷孕、生了以諾、該隱建造了一座城、就按着

十八 他兒子的名將那城叫作以諾。[十八]以諾生以拿、以拿生米
十九 戶雅利、米戶雅利生瑪士撒利、瑪士撒利生拉麥。[十九]拉麥
二十 娶了兩個妻、一個名叫亞大、一個名叫洗拉。[二十]亞大生雅
二一 八、雅八就是住帳棚牧養牲畜之人的祖師。[二一]雅八的兄
二二 弟名叫猶八、他是一切彈琴吹簫之人的祖師。[二二]洗拉又
生了土八該隱、他是打造各樣銅鐵利器的、或作是銅匠鐵匠的祖師
二三 土八該隱的妹子是拿瑪。[二三]拉麥對他兩個妻子說、亞大、
洗拉、聽我的聲音、拉麥的妻子細聽我的話語、壯年人
傷我、我把他殺了、少年人損我、我把他害了。或作我殺壯士卻傷
二四 自己我害幼童卻損本身 [二四]若殺該隱、遭報七倍、殺拉麥、必遭報七十
二五 七倍。[二五]亞當又與妻子同房、他就生了一個兒子、起名
叫塞特、意思說、神另給我立了一個兒子代替亞伯、
二六 因為該隱殺了他。[二六]塞特也生了一個兒子、起名叫以挪
士、那時候人纔求告耶和華的名。

亞當之後裔

一 **第五章** [一]亞當的後代、記在下面。當 神造人的日
二 子、是照着自己的樣式造的、[二]並且造男造女、在他們被
三 造的日子、神賜福給他們、稱他們為人。[三]亞當活到一
百三十歲、生了一個兒子、形像樣式和自己相似、就給
四 他起名叫塞特。[四]亞當生塞特之後、又在世八百年、並且
五六 生兒養女。[五]亞當共活了九百三十歲就死了。○[六]塞特活
七 到一百零五歲、生了以挪士。[七]塞特生以挪士之後、又活
八 了八百零七年、並且生兒養女。[八]塞特共活了九百一十
九十 二歲就死了。○[九]以挪士活到九十歲、生了該南。[十]以挪士
十一 生該南之後、又活了八百一十五年、並且生兒養女。[十一]以
十二 挪士共活了九百零五歲就死了。○[十二]該南活到七十歲、
十三 生了瑪勒列。[十三]該南生瑪勒列之後、又活了八百四十年、
十四十五 並且生兒養女。[十四]該南共活了九百一十歲就死了。○[十五]瑪
十六 勒列活到六十五歲、生了雅列。[十六]瑪勒列生雅列之後、又
十七 活了八百三十年、並且生兒養女。[十七]瑪勒列共活了八百
十八 九十五歲就死了。○[十八]雅列活到一百六十二歲、生了以
十九二十 諾。[十九]雅列生以諾之後、又活了八百年、並且生兒養女。[二十]雅
列共活了九百六十二歲就死了。

以諾被主接去

二一二二 [二一]以諾活到六十五歲、生了瑪士撒拉。[二二]以諾生瑪士撒拉
二三 之後、與 神同行三百年、並且生兒養女。[二三]以諾共活了

二四 三百六十五歲。以[二四]諾與神同行、神將他取去、他就
二五 不在世了。◯瑪[二五]土撒拉活到一百八十七歲、生了拉麥。
二六 [二六]瑪土撒拉生拉麥之後、又活了七百八十二年．並且生
二七 二八 兒養女。[二七]瑪土撒拉共活了九百六十九歲就死了。◯拉[二八]
二九 麥活到一百八十二歲、生了一個兒子、給[二九]他起名叫挪
亞、說、這個兒子必為我們的操作、和手中的勞苦、安慰
三十 我們．這操作勞苦是因為耶和華咒詛地。[三十]拉麥生挪亞
三一 之後、又活了五百九十五年．並且生兒養女。[三一]拉麥共活
三二 了七百七十七歲就死了。[三二]挪亞五百歲生了閃、含、雅弗。

第六章

一 當[一]人在世上多起來、又生女兒的時候、
二 [二]神的兒子們看見人的女子美貌、就隨意挑選、娶來為
三 妻。[三]耶和華說、人既屬乎血氣、我的靈就不永遠住在他
四 裏面、然而他的日子還可到一百二十年。[四]那時候有偉
人在地上、後來 神的兒子們和人的女子們交合生
子、那就是上古英武有名的人。

耶和華後悔造人於地

五 [五]耶和華見人在地上罪惡很大、終日所思想的盡都是
六 七 惡．[六]耶和華就後悔造人在地上、心中憂傷。[七]耶和華說、我
要將所造的人、和走獸、並昆蟲、以及空中的飛鳥、都從
八 地上除滅、因為我造他們後悔了。[八]惟有挪亞在耶和華
九 眼前蒙恩。◯[九]挪亞的後代、記在下面。挪亞是個義人、在
十 當時的世代是個完全人、挪亞與 神同行。[十]挪亞生了
十一 三個兒子、就是閃、含、雅弗。[十一]世界在 神面前敗壞、地上
十二 滿了強暴。[十二]神觀看世界、見是敗壞了．凡有血氣的人、
在地上都敗壞了行為。

神命挪亞造方舟

十三 [十三]神就對挪亞說、凡有血氣的人、他的盡頭已經來到
我面前、因為地上滿了他們的強暴、我要把他們和地
十四 一併毀滅。[十四]你要用歌斐木造一隻方舟、分一間一間的
十五 造、裏外抹上松香。[十五]方舟的造法乃是這樣、要長三百肘、
十六 寬五十肘、高三十肘。[十六]方舟上邊要留透光處、高一肘．方
十七 舟的門要開在旁邊．方舟要分上、中、下三層。[十七]看哪、我要
使洪水氾濫在地上、毀滅天下、凡地上有血肉、有氣息
十八 的活物、無一不死。[十八]我卻要與你立約、你同你的妻、與兒
十九 子、兒婦、都要進入方舟。[十九]凡有血肉的活物、每樣兩個、一
二十 公一母、你要帶進方舟、好在你那裏保全生命。[二十]飛鳥各

從其類、牲畜各從其類、地上的昆蟲各從其類、每樣兩
二一 個、要到你那裏、好保全生命。[二一]你要拿各樣食物積蓄起
二二 來、好作你和他們的食物。[二二]挪亞就這樣行。凡　神所吩
咐的、他都照樣行了。

第七章

挪亞進方舟

一 [一]耶和華對挪亞說、你和你的全家都要進
入方舟、因爲在這世代中、我見你在我面前是義人。凡[二]
二 潔淨的畜類、你要帶七公七母．不潔淨的畜類、你要帶
三 一公一母．[三]空中的飛鳥、也要帶七公七母、可以留種、活
四 在全地上．[四]因爲再過七天、我要降雨在地上四十晝夜、
五 把我所造的各種活物、都從地上除滅。[五]挪亞就遵着耶
六 和華所吩咐的行了。〇[六]當洪水氾濫在地上的時候、挪
七 亞整六百歲。[七]挪亞就同他的妻、和兒子、兒婦、都進入方
八 舟、躲避洪水。[八]潔淨的畜類、和不潔淨的畜類、飛鳥並地
九 上一切的昆蟲、[九]都是一對一對的有公有母、到挪亞那
十 裏進入方舟、正如　神所吩咐挪亞的。[十]過了那七天、洪
十一 水氾濫在地上。[十一]當挪亞六百歲、二月十七日那一天、大
十二 淵的泉源、都裂開了、天上的窗戶也敞開了。[十二]四十晝夜

十三 降大雨在地上。〇[十三]正當那日、挪亞和他三個兒子、閃、含、
十四 雅弗、並挪亞的妻子、和三個兒婦、都進入方舟。[十四]他們和
百獸、各從其類、一切牲畜、各從其類、爬在地上的昆蟲、
十五 各從其類、一切禽鳥、各從其類、都進入方舟。[十五]凡有血肉、
有氣息的活物、都一對一對的到挪亞那裏、進入方舟。
十六 [十六]凡有血肉進入方舟的、都是有公有母、正如　神所吩
咐挪亞的．耶和華就把他關在方舟裏頭。

洪水氾濫四十日

十七 [十七]洪水氾濫在地上四十天、水往上長、把方舟從地上漂
十八 起。[十八]水勢浩大、在地上大大的往上長、方舟在水面上漂
十九 來漂去。[十九]水勢在地上極其浩大、天下的高山都淹沒了。
二十 二一 [二十]水勢比山高過十五肘、山嶺都淹沒了。[二一]凡在地上有血
肉的動物、就是飛鳥、牲畜、走獸、和爬在地上的昆蟲、以
二二 及所有的人、都死了。[二二]凡在旱地上、鼻孔有氣息的生靈
二三 都死了。[二三]凡地上各類的活物、連人帶牲畜、昆蟲、以及空
中的飛鳥、都從地上除滅了、只留下挪亞和那些與他
二四 同在方舟裏的。[二四]水勢浩大、在地上共一百五十天。

洪水消落

一 第八章 神記念挪亞、和挪亞方舟裏的一切走
二 獸牲畜。神叫風吹地、水勢漸落。淵源和天上的窗戶、
三 都閉塞了、天上的大雨也止住了。水從地上漸退。過了
四 一百五十天、水就漸消。七月十七日、方舟停在亞拉臘
五 山上。水又漸消、到十月初一日、山頂都現出來了。

挪亞放烏鴉與鴿出方舟

六七 過了四十天、挪亞開了方舟的窗戶、放出一隻烏鴉去、
八 那烏鴉飛來飛去、直到地上的水都乾了。他又放出一
九 隻鴿子去、要看看水從地上退了沒有。但遍地上都是
水、鴿子找不着落脚之地、就回到方舟挪亞那裏、挪亞
十 伸手把鴿子接進方舟來。他又等了七天、再把鴿子從
十一 方舟放出去。到了晚上、鴿子回到他那裏、嘴裏叼着一
個新擰下來的橄欖葉子、挪亞就知道地上的水退了。
十二十三 他又等了七天、放出鴿子去、鴿子就不再回來了。◯到
挪亞六百零一歲、正月初一日、地上的水都乾了。挪亞
十四 撤去方舟的蓋觀看、便見地面上乾了。到了二月二十
七日、地就都乾了。

挪亞和全家出方舟

十五十六 神對挪亞說、你和你的妻子、兒子、兒婦都可以出方
十七 舟。在你那裏凡有血肉的活物、就是飛鳥牲畜、和一切
爬在地上的昆蟲、都要帶出來、叫他在地上多多滋生、
十八 大大興旺。於是挪亞和他的妻子、兒子、兒婦都出來了。
十九 一切走獸、昆蟲、飛鳥、和地上所有的動物、各從其類也
都出了方舟。

挪亞築壇獻祭

二十 挪亞爲耶和華築了一座壇、拿各類潔淨的牲畜飛鳥、
二一 獻在壇上爲燔祭。耶和華聞那馨香之氣、就心裏說、我
不再因人的緣故咒詛地、(人從小時心裏懷着惡念)
二二 也不再按着我纔行的、滅各種的活物了。地還存留的
時候、稼穡寒暑、冬夏晝夜、就永不停息了。

神賜福給挪亞

一 第九章 神賜福給挪亞和他的兒子、對他們說、
二 你們要生養衆多、遍滿了地。凡地上的走獸和空中的
飛鳥、都必驚恐懼怕你們、連地上一切的昆蟲、並海裏
三 一切的魚、都交付你們的手。凡活着的動物、都可以作

你們的食物這一切我都賜給你們如同菜蔬一樣。四惟
獨肉帶着血、那就是他的生命、你們不可喫。五流你們血
害你們命的、無論是獸、是人、我必討他的罪、就是向各
人的弟兄也是如此。六凡流人血的、他的血也必被人所
流、因為　神造人是照自己的形像造的。七你們要生養
衆多、在地上昌盛繁茂。○八神曉諭挪亞和他的兒子
說、九我與你們和你們的後裔立約、十並與你們這裏的一
切活物、就是飛鳥、牲畜、走獸、凡從方舟裏出來的活物
立約。十一我與你們立約、凡有血肉的、不再被洪水滅絕、也
不再有洪水毀壞地了。

立虹為記

十二神說、我與你們、並你們這裏的各樣活物所立的永
約、是有記號的。十三我把虹放在雲彩中、這就可作我與地
立約的記號了。十四我使雲彩蓋地的時候、必有虹現在雲
彩中、十五我便記念我與你們、和各樣有血肉的活物所立
的約、水就再不氾濫毀壞一切有血肉的物了。十六虹必現
在雲彩中、我看見、就要記念我與地上各樣有血肉的
活物所立的永約。十七神對挪亞說、這就是我與地上一
切有血肉之物立約的記號了。○十八出方舟挪亞的兒子、
就是閃、含、雅弗。含是迦南的父親。十九這是挪亞的三個兒
子、他們的後裔分散在全地。○二十挪亞作起農夫來、栽了
一個葡萄園。二一他喝了園中的酒便醉了、在帳棚裏赤着
身子。二二迦南的父親含、看見他父親赤身、就到外邊告訴
他兩個弟兄。二三於是閃和雅弗拿件衣服搭在肩上、倒退
着進去、給他父親蓋上、他們背着臉就看不見父親的
赤身。

迦南受咒詛

二四挪亞醒了酒、知道小兒子向他所作的事、二五就說、迦南當
受咒詛、必給他弟兄作奴僕的奴僕。二六又說、耶和華閃的
神、是應當稱頌的、願迦南作閃的奴僕。二七願　神使雅
弗擴張、使他住在閃的帳棚裏、又願迦南作他的奴僕。
○二八洪水以後、挪亞又活了三百五十年。二九挪亞共活了九
百五十歲就死了。

第十章　閃含雅弗之後裔

一挪亞的兒子閃、含、雅弗的後代、記在下面。
洪水以後、他們都生了兒子。○二雅弗的兒子是歌篾、瑪

各、瑪代、雅完、土巴、米設、提拉、[三]歌篾的兒子是亞實基拿、
利法、陀迦瑪。[四]雅完的兒子是以利沙、他施、基提、多單、[五]這
些人的後裔將各國的地土、海島、分開居住、各隨各的
方言宗族立國。○[六]含的兒子是古實、麥西、弗、迦南、[七]古實
的兒子是西巴、哈腓拉、撒弗他、拉瑪、撒弗提迦、拉瑪的
兒子是示巴、底但。[八]古實又生寧錄、他爲世上英雄之首。
[九]他在耶和華面前是個英勇的獵戶、所以俗語說、像寧
錄在耶和華面前是個英勇的獵戶。[十]他國的起頭是巴
別、以力、亞甲、甲尼、都在示拿地。[十一]他從那地出來往亞述、
去建造尼尼微、利河伯、迦拉、[十二]和尼尼微迦拉中間的利
鮮、這就是那大城。[十三]麥西生路低人、亞拿米人、利哈比人、
拿弗土希人、[十四]帕斯魯細人、迦斯路希人、迦斐託人、從迦
斐託出來的有非利士人。○[十五]迦南生長子西頓、又生赫、
[十六]和耶布斯人、亞摩利人、[十七]革迦撒人、希未人、亞基人、西尼
人、[十八]亞瓦底人、洗瑪利人、哈馬人、後來迦南的諸族分散
了。[十九]迦南的境界是從西頓向基拉耳的路上、直到迦薩、
又向所多瑪、蛾摩拉、押瑪、洗扁的路上、直到拉沙。[二十]這就
是含的後裔、各隨他們的宗族、方言、所住的地土、邦國。

○[二十一]雅弗的哥哥閃、是希伯子孫之祖、他也生了兒子。[二十二]閃
的兒子是以攔、亞述、亞法撒、路德、亞蘭。[二十三]亞蘭的兒子是
烏斯、戶勒、基帖、瑪施。[二十四]亞法撒生沙拉、沙拉生希伯、[二十五]希伯
生了兩個兒子、一個名叫法勒、法勒就是分的意思因爲那時人
就分地居住。法勒的兄弟名叫約坍。[二十六]約坍生亞摩答、沙
列、哈薩瑪非、耶拉、[二十七]哈多蘭、烏薩、德拉、[二十八]俄巴路、亞比瑪利、
示巴、[二十九]阿斐、哈腓拉、約巴、這都是約坍的兒子。[三十]他們所住
的地方、是從米沙、直到西發東邊的山。[三十一]這就是閃的子
孫、各隨他們的宗族、方言、所住的地土、邦國。○[三十二]這些都
是挪亞三個兒子的宗族、各隨他們的支派立國、洪水
以後他們在地上分爲邦國。

第十一章

[一]那時、天下人的口音言語、都是一樣。[二]他
們往東邊遷移的時候、在示拿地遇見一片平原、就住
在那裏。[三]他們彼此商量說、來罷、我們要作甎、把甎燒透
了。他們就拿甎當石頭、又拿石漆當灰泥。[四]他們說、來罷、
我們要建造一座城、和一座塔、塔頂通天、爲要傳揚我
們的名、免得我們分散在全地上。[五]耶和華降臨要看看
世人所建造的城和塔。

變亂口音

六 六耶和華說、看哪、他們成為一樣的人民、都是一樣的言
語、如今既作起這事來、以後他們所要作的事、就沒有
七 不成就的了。七我們下去、在那裏變亂他們的口音、使他
八 們的言語、彼此不通。八於是耶和華使他們從那裏分散
九 在全地上．他們就停工、不造那城了。九因為耶和華在那
裏變亂天下人的言語、使眾人分散在全地上、所以那
十 城名叫巴別。（就是變亂的意思）○十閃的後代記在下面．洪水以
十一 後二年、閃一百歲生了亞法撒。十一閃生亞法撒之後、又活
十二 了五百年、並且生兒養女。十二亞法撒活到三十五歲、生了
十三 沙拉．十三亞法撒生沙拉之後、又活了四百零三年、並且生
十四十五 兒養女。十四沙拉活到三十歲、生了希伯．十五沙拉生希伯之後、
十六 又活了四百零三年、並且生兒養女。十六希伯活到三十四
十七 歲、生了法勒．十七希伯生法勒之後、又活了四百三十年、並
十八十九 且生兒養女。十八法勒活到三十歲、生了拉吳．十九法勒生拉吳
二十 之後、又活了二百零九年、並且生兒養女。二十拉吳活到三
二一 十二歲、生了西鹿．二一拉吳生西鹿之後、又活了二百零七
二二二三 年、並且生兒養女。二二西鹿活到三十歲、生了拿鶴．二三西鹿生

二四 拿鶴之後、又活了二百年、並且生兒養女。二四拿鶴活到二
二五 十九歲、生了他拉。二五拿鶴生他拉之後、又活了一百一十
二六 九年、並且生兒養女。二六他拉活到七十歲、生了亞伯蘭、拿
鶴、哈蘭。

亞伯蘭離吾珥往迦南

二七 二七他拉的後代、記在下面．他拉生亞伯蘭、拿鶴、哈蘭．哈蘭
二八 生羅得。二八哈蘭死在他的本地迦勒底的吾珥、在他父親
二九 他拉之先。二九亞伯蘭、拿鶴、各娶了妻．亞伯蘭的妻子名叫
撒萊．拿鶴的妻子名叫密迦、是哈蘭的女兒．哈蘭是密
三十三一 迦和亦迦的父親。三十撒萊不生育、沒有孩子。三一他拉帶着他
兒子亞伯蘭、和他孫子哈蘭的兒子羅得、並他兒婦亞
伯蘭的妻子撒萊、出了迦勒底的吾珥、要往迦南地去、
三二 他們走到哈蘭、就住在那裏。三二他拉共活了二百零五歲、
就死在哈蘭。

第十二章

應許萬族因亞伯蘭得福

一 一耶和華對亞伯蘭說、你要離開本地、本
二 族、父家、往我所要指示你的地去。二我必叫你成為大國．
三 我必賜福給你、叫你的名為大、你也要叫別人得福．三為

你祝福的、我必賜福與他、那咒詛你的、我必咒詛他、地
四 上的萬族都要因你得福。四亞伯蘭就照着耶和華的吩
咐去了。五羅得也和他同去。亞伯蘭出哈蘭的時候、年七
五 十五歲。亞伯蘭將他妻子撒萊、和姪兒羅得、連他們在
哈蘭所積蓄的財物、所得的人口、都帶往迦南地去。他
六 們就到了迦南地。六亞伯蘭經過那地、到了示劍地方摩
七 利橡樹那裏。那時迦南人住在那地。七耶和華向亞伯蘭
顯現、說、我要把這地賜給你的後裔。亞伯蘭就在那裏
八 為向他顯現的耶和華築了一座壇。八從那裏他又遷到
伯特利東邊的山、支搭帳棚。西邊是伯特利、東邊是艾。
他在那裏又為耶和華築了一座壇、求告耶和華的名。
九 九後來亞伯蘭又漸漸遷往南地去。

亞伯蘭因饑荒下埃及

十 十那地遭遇饑荒、因饑荒甚大、亞伯蘭就下埃及去、要在
十一 那裏暫居。十一將近埃及、就對他妻子撒萊說、我知道你是
十二 容貌俊美的婦人、十二埃及人看見你必說、這是他的妻子、
十三 他們就要殺我、卻叫你存活。十三求你說、你是我的妹子、使
十四 我因你得平安、我的命也因你存活。十四及至亞伯蘭到了
十五 埃及、埃及人看見那婦人極其美貌。十五法老的臣宰看見
了他、就在法老面前誇獎他、那婦人就被帶進法老的
十六 宮去。十六法老因這婦人就厚待亞伯蘭、亞伯蘭得了許多
十七 牛羊、駱駝、公驢、母驢、僕婢。十七耶和華因亞伯蘭妻子撒萊
的緣故、降大災與法老和他的全家。

法老責備亞伯蘭

十八 十八法老就召了亞伯蘭來、說、你這向我作的是甚麼事呢、
十九 為甚麼沒有告訴我他是你的妻子。十九為甚麼說、他是你
的妹子、以致我把他取來要作我的妻子、現在你的妻
二十 子在這裏、可以帶他走罷。二十於是法老吩咐人將亞伯蘭
和他妻子、並他所有的都送走了。

第十三章

一 一亞伯蘭帶着他的妻子與羅得、並一切
二 所有的、都從埃及上南地去。二亞伯蘭的金、銀、牲畜極多。
三 三他從南地漸漸往伯特利去、到了伯特利和艾的中間、
四 就是從前支搭帳棚的地方、四也是他起先築壇的地方。
五 他又在那裏求告耶和華的名。五與亞伯蘭同行的羅得、
六 也有牛羣、羊羣、帳棚。六那地容不下他們、因為他們的財
七 物甚多、使他們不能同居。七當時迦南人與比利洗人在

那地居住。亞伯蘭的牧人、和羅得的牧人相爭。

亞伯蘭與羅得分離

八 八亞伯蘭就對羅得說、你我不可相爭、你的牧人和我的
九 牧人也不可相爭、因為我們是骨肉。(原文作弟兄)九遍地不都
在你眼前麼、請你離開我、你向左、我就向右、你向右、我
十 就向左。十羅得舉目看見約但河的全平原、直到瑣珥、都
是滋潤的、那地在耶和華未滅所多瑪、蛾摩拉以先、如
十一 同耶和華的園子、也像埃及地。十一於是羅得選擇約但河
十二 的全平原、往東遷移、他們就彼此分離了。十二亞伯蘭住在
迦南地、羅得住在平原的城邑、漸漸挪移帳棚、直到所
十三 十四 多瑪。十三所多瑪人在耶和華面前罪大惡極。○十四羅得離別
亞伯蘭以後、耶和華對亞伯蘭說、從你所在的地方、你
十五 舉目向東西南北觀看。十五凡你所看見的一切地、我都要
十六 賜給你和你的後裔、直到永遠。十六我也要使你的後裔如
同地上的塵沙那樣多、人若能數算地上的塵沙、纔能
十七 數算你的後裔。十七你起來、縱橫走遍這地、因為我必把這
十八 地賜給你。十八亞伯蘭就搬了帳棚、來到希伯崙幔利的橡
樹那裏居住、在那裏為耶和華築了一座壇。

四王與五王戰

第十四章

一 一當暗拉非作示拿王、亞略作以拉撒王、
二 基大老瑪作以攔王、提達作戈印王的時候、二他們都攻
打所多瑪王比拉、蛾摩拉王比沙、押瑪王示納、洗扁王
三 善以別、和比拉王、比拉就是瑣珥。三這五王都在西訂谷
四 會合、西訂谷就是鹽海。四他們已經事奉基大老瑪十二
五 年、到十三年就背叛了。五十四年基大老瑪和同盟的王、
都來在亞特律加寧殺敗了利乏音人、在哈麥殺敗了
六 蘇西人、在沙微基列亭殺敗了以米人、六在何利人的西
珥山殺敗了何利人、一直殺到靠近曠野的伊勒巴蘭。
七 七他們回到安密巴、就是加低斯、殺敗了亞瑪力全地的
八 人、以及住在哈洗遜他瑪的亞摩利人。八於是所多瑪王、
蛾摩拉王、押瑪王、洗扁王、和比拉王、(比拉就是瑣珥)
九 都出來、在西訂谷擺陣與他們交戰。九就是與以攔王基
大老瑪、戈印王提達、示拿王暗拉非、以拉撒王亞略交
十 戰、乃是四王與五王交戰。十西訂谷有許多石漆坑、所多
瑪王、和蛾摩拉王逃跑、有掉在坑裏的、其餘的人都往
十一 山上逃跑。十一四王就把所多瑪和蛾摩拉所有的財物並

十二 一切的糧食都擄掠去了。十二又把亞伯蘭的姪兒羅得和
羅得的財物擄掠去了．當時羅得正住在所多瑪。

亞伯蘭救回羅得

十三 十三有一個逃出來的人、告訴希伯來人亞伯蘭．亞伯蘭正
住在亞摩利人幔利的橡樹那裏．幔利和以實各並亞
十四 乃、都是弟兄．曾與亞伯蘭聯盟。十四亞伯蘭聽見他姪兒（原文作弟兄）
被擄去、就率領他家裏生養的精練壯丁三百一
十五 十八人、直追到但．十五便在夜間、自己同僕人分隊殺敗敵
十六 人、又追到大馬色左邊的何把．十六將被擄掠的一切財物
奪回來、連他姪兒羅得和他的財物、以及婦女人民、也
都奪回來。

麥基洗德為亞伯蘭祝福

十七 十七亞伯蘭殺敗基大老瑪、和與他同盟的王回來的時候、
十八 所多瑪王出來、在沙微谷迎接他．沙微谷就是王谷。十八又
有撒冷王麥基洗德帶着餅和酒出來迎接．他是至高
十九 神的祭司。十九他為亞伯蘭祝福說、願天地的主至高的
二十 神、賜福與亞伯蘭．二十至高的　神把敵人交在你手裏、
是應當稱頌的。亞伯蘭就把所得的、拿出十分之一來、
二一 給麥基洗德。二一所多瑪王對亞伯蘭說、你把人口給我、財
二二 物你自己拿去罷。二二亞伯蘭對所多瑪王說、我已經向天
二三 地的主至高的　神耶和華起誓．二三凡是你的東西、就是
一根線、一根鞋帶、我都不拿、免得你說、我使亞伯蘭富
二四 足．二四只有僕人所喫的、並與我同行的亞乃、以實各、幔利、
所應得的分、可以任憑他們拿去。

神應許亞伯蘭之後裔多如衆星

一 **第十五章**　一這事以後、耶和華在異象中有話對亞
伯蘭說、亞伯蘭、你不要懼怕、我是你的盾牌、必大大的
二 賞賜你。二亞伯蘭說、主耶和華阿、我既無子、你還賜我甚
三 麽呢．並且要承受我家業的、是大馬色人以利以謝。三亞
伯蘭又說、你沒有給我兒子、那生在我家中的人、就是
四 我的後嗣。四耶和華又有話對他說、這人必不成為你的
五 後嗣、你本身所生的、纔成為你的後嗣。五於是領他走到
外邊、說、你向天觀看、數算衆星、能數得過來麽．又對他
六 說、你的後裔將要如此。六亞伯蘭信耶和華、耶和華就以
七 此為他的義。七耶和華又對他說、我是耶和華、曾領你出
八 了迦勒底的吾珥、為要將這地賜你為業。八亞伯蘭說、主

九 耶和華阿、我怎能知道必得這地爲業呢。九他說、你爲我
取一隻三年的母牛、一隻三年的母山羊、一隻三年的
十 公綿羊、一隻班鳩、一隻雛鴿。十亞伯蘭就取了這些來、每
樣劈開分成兩半、一半對着一半的擺列、只有鳥沒有
十一 劈開。十一有鷙鳥下來落在那死畜的肉上、亞伯蘭就把他
十二 嚇飛了。十二日頭正落的時候、亞伯蘭沉沉的睡了。忽然
十三 有驚人的大黑暗落在他身上。十三耶和華對亞伯蘭說、你
要的確知道、你的後裔必寄居別人的地、又服事那地
十四 的人、那地的人要苦待他們四百年。十四並且他們所要服
事的那國、我要懲罰、後來他們必帶着許多財物、從那
十五 裏出來。十五但你要享大壽數、平平安安的歸到你列祖那
十六 裏、被人埋葬。十六到了第四代、他們必回到此地、因爲亞摩
十七 利人的罪孽還沒有滿盈。十七日落天黑、不料有冒烟的爐
十八 並燒着的火把、從那些肉塊中經過。十八當那日耶和華與
亞伯蘭立約、說、我已賜給你的後裔、從埃及河直到伯
十九 二十 拉大河之地、十九就是基尼人、基尼洗人、甲摩尼人、二十赫人、比
二一 利洗人、利乏音人、二一亞摩利人、迦南人、革迦撒人、耶布斯
人之地。

第十六章

一 一亞伯蘭的妻子撒萊不給他生兒女。撒
二 萊有一個使女、名叫夏甲、是埃及人。二撒萊對亞伯蘭說、
耶和華使我不能生育、求你和我的使女同房、或者我
可以因他得孩子。得孩子原文作被建立 亞伯蘭聽從了撒萊的
三 話。三於是亞伯蘭的妻子撒萊、將使女埃及人夏甲給了
丈夫爲妾。那時亞伯蘭在迦南已經住了十年。

撒萊苦待夏甲

四 四亞伯蘭與夏甲同房、夏甲就懷了孕。他見自己有孕、就
五 小看他的主母。五撒萊對亞伯蘭說、我因你受屈、我將我
的使女放在你懷中、他見自己有了孕、就小看我、願耶
六 和華在你我中間判斷。六亞伯蘭對撒萊說、使女在你手
下、你可以隨意待他。撒萊苦待他、他就從撒萊面前逃
七 走了。七耶和華的使者在曠野、書珥路上的水泉旁遇
八 見他、八對他說、撒萊的使女夏甲、你從那裏來、要往那裏
九 去。夏甲說、我從我的主母撒萊面前逃出來。九耶和華的
十 使者對他說、你回到你主母那裏、服在他手下。十又說、我
十一 必使你的後裔極其繁多、甚至不可勝數。十一並說、你如今
懷孕要生一個兒子、可以給他起名叫以實瑪利、因爲

十二 耶和華聽見了你的苦情。（以實瑪利就是神聽見的意思）他爲人必
像野驢．他的手要攻打人、人的手也要攻打他、他必住
十三 在衆弟兄的東邊。夏甲就稱那對他說話的耶和華爲
看顧人的神．因而說、在這裏我也看見那看顧我的
十四 麼。所以這井名叫庇耳拉海萊．這井正在加低斯和巴
十五 列中間。〇後來夏甲給亞伯蘭生了一個兒子．亞伯蘭
十六 給他起名叫以實瑪利。夏甲給亞伯蘭生以實瑪利的
時候、亞伯蘭年八十六歲。

第十七章

神易亞伯蘭名爲亞伯拉罕

一 亞伯蘭年九十九歲的時候、耶和華向
他顯現、對他說、我是全能的 神、你當在我面前作完
二三 全人。我就與你立約、使你的後裔極其繁多。亞伯蘭俯
四 伏在地、 神又對他說、我與你立約、你要作多國的父。
五 從此以後、你的名不再叫亞伯蘭、要叫亞伯拉罕、因爲
六 我已立你作多國的父。我必使你的後裔極其繁多、國
七 度從你而立、君王從你而出。我要與你並你世世代代
的後裔堅立我的約、作永遠的約、是要作你和你後裔
八 的神。我要將你現在寄居的地、就是迦南全地、賜給
你和你的後裔、永遠爲業．我也必作他們的 神。

始定割禮

九 神又對亞伯拉罕說、你和你的後裔必世世代代遵
十 守我的約。你們所有的男子、都要受割禮．這就是我與
十一 你、並你的後裔所立的約、是你們所當遵守的。你們都
要受割禮．（受割禮原文作割陽皮十四二十三二十四二十五節同）這是我與你們
十二 立約的證據。你們世世代代的男子、無論是家裏生的、
是在你後裔之外用銀子從外人買的、生下來第八日、
十三 都要受割禮。你家裏生的、和你用銀子買的、都必須受
十四 割禮．這樣、我的約就立在你們肉體上、作永遠的約。但
不受割禮的男子、必從民中剪除、因他背了我的約。

易撒萊名爲撒拉

十五 神又對亞伯拉罕說、你的妻子撒萊、不可再叫撒萊、
十六 他的名要叫撒拉。我必賜福給他、也要使你從他得一
個兒子、我要賜福給他、他也要作多國之母、必有百姓
十七 的君王從他而出。亞伯拉罕就俯伏在地喜笑、心裏說、
一百歲的人、還能得孩子麼．撒拉已經九十歲了、還能
十八 生養麼。亞伯拉罕對 神說、但願以實瑪利活在你面

前。

應許生以撒

十九 神十九說、不然、你妻子撒拉要給你生一個兒子、你要給
他起名叫以撒、我要與他堅定所立的約、作他後裔永
二十 遠的約。二十至於以實瑪利、我也應允你、我必賜福給他、使
他昌盛、極其繁多、他必生十二個族長、我也要使他成
二一 爲大國。二一到明年這時節、撒拉必給你生以撒、我要與他
堅定所立的約。

始受割禮

二二二三 二二神和亞伯拉罕說完了話、就離開他上升去了。二三正當
那日、亞伯拉罕遵着　神的命、給他的兒子以實瑪利
和家裏的一切男子、無論是在家裏生的、是用銀子買
二四 的、都行了割禮。二四亞伯拉罕受割禮的時候、年九十九歲。
二五二六 二五他兒子以實瑪利受割禮的時候、年十三歲。二六正當那日、
二七 亞伯拉罕和他兒子以實瑪利、一同受了割禮。二七家裏所
有的人、無論是在家裏生的、是用銀子從外人買的、也
都一同受了割禮。

第十八章

亞伯拉罕接待天使

一 一耶和華在幔利橡樹那裏、向亞伯拉罕
二 顯現出來。那時正熱、亞伯拉罕坐在帳棚門口。二舉目觀
看、見有三個人在對面站着。他一見、就從帳棚門口跑
三 去迎接他們、俯伏在地、說、三我主、我若在你眼前蒙恩、求
四 你不要離開僕人往前去。四容我拿點水來、你們洗洗脚、
五 在樹下歇息歇息。五我再拿一點餅來、你們可以加添心
力、然後往前去。你們既到僕人這裏來、理當如此。他們
六 說、就照你說的行罷。六亞伯拉罕急忙進帳棚見撒拉說、
七 你速速拿三細亞細麵調和作餅。七亞伯拉罕又跑到牛
羣裏、牽了一隻又嫩又好的牛犢來、交給僕人、僕人急
八 忙豫備好了。八亞伯拉罕又取了奶油和奶、並豫備好的
牛犢來、擺在他們面前、自己在樹下站在旁邊、他們就
喫了。

應許撒拉生子

九 九他們問亞伯拉罕說、你妻子撒拉在那裏、他說、在帳棚
十 裏。十三人中有一位說、到明年這時候、我必要回到你這
裏、你的妻子撒拉必生一個兒子。撒拉在那人後邊的

十一 帳棚門口也聽見了這話。十一亞伯拉罕和撒拉年紀老邁、
十二 撒拉的月經已斷絕了。十二撒拉心裏暗笑說、我既已衰敗、
十三 我主也老邁、豈能有這喜事呢。十三耶和華對亞伯拉罕說、
十四 撒拉爲甚麼暗笑說、我既已年老、果眞能生養麼。十四耶和
華豈有難成的事麼．到了日期、明年這時候、我必回到
十五 你這裏、撒拉必生一個兒子。十五撒拉就害怕、不承認、說、我
十六 沒有笑．那位說、不然、你實在笑了。◎十六三人就從那裏起
行、向所多瑪觀看、亞伯拉罕也與他們同行、要送他們
十七 一程。十七耶和華說、我所要作的事、豈可瞞着亞伯拉罕呢．
十八 亞伯拉罕必要成爲強大的國、地上的萬國都必因他
十九 得福。十九我眷顧他、爲要叫他吩咐他的衆子、和他的眷屬、
遵守我的道、秉公行義、使我所應許亞伯拉罕的話都
成就了。

神將滅所多瑪蛾摩拉

二十 二十一 二十耶和華說、所多瑪和蛾摩拉的罪惡甚重、聲聞於我。二十一我
現在要下去、察看他們所行的、果然盡像那達到我耳
中的聲音一樣麼．若是不然、我也必知道。

亞伯拉罕爲所多瑪祈求

二十二 二十二二人轉身離開那裏、向所多瑪去、但亞伯拉罕仍舊站
二十三 在耶和華面前。二十三亞伯拉罕近前來說、無論善惡、你都要
二十四 剿滅麼。二十四假若那城裏有五十個義人、你還剿滅那地方
二十五 麼、不爲城裏這五十個義人、饒恕其中的人麼。二十五將義人
與惡人同殺、將義人與惡人一樣看待、這斷不是你所
二十六 行的．審判全地的主、豈不行公義麼．二十六耶和華說、我若在
所多瑪城裏見有五十個義人、我就爲他們的緣故、饒
二十七 恕那地方的衆人。二十七亞伯拉罕說、我雖然是灰塵、還敢對
二十八 主說話．二十八假若這五十個義人短了五個、你就因爲短了
五個毀滅全城麼．他說、我在那裏若見有四十五個、也
二十九 不毀滅那城。二十九亞伯拉罕又對他說、假若在那裏見有四
十個怎麼樣呢．他說、爲這四十個的緣故、我也不作這
三十 事。三十亞伯拉罕說、求主不要動怒、容我說、假若在那裏見
有三十個怎麼樣呢．他說、我在那裏若見有三十個、我
三十一 也不作這事。三十一亞伯拉罕說、我還敢對主說話、假若在那
裏見有二十個怎麼樣呢．他說、爲這二十個的緣故、我
三十二 也不毀滅那城。三十二亞伯拉罕說、求主不要動怒、我再說這

一次、假若在那裏見有十個呢．他說、爲這十個的緣故、
三三 我也不毀滅那城。三三耶和華與亞伯拉罕說完了話就走
了．亞伯拉罕也回到自己的地方去了。

羅得接待二天使

一 **第十九章** 一那兩個天使晚上到了所多瑪．羅得正
坐在所多瑪城門口．看見他們、就起來迎接、臉伏於地
二 下拜、二說、我主阿、請你們到僕人家裏洗洗脚、住一夜、淸
三 早起來再走．他們說、不、我們要在街上過夜。三羅得切切
的請他們、他們這纔進去到他屋裏．羅得爲他們豫備
四 筵席、烤無酵餅、他們就喫了。四他們還沒有躺下、所多瑪
五 城裏各處的人、連老帶少、都來圍住那房子．五呼叫羅得
說、今日晚上到你這裏來的人在那裏呢．把他們帶出
六七 來、任我們所爲。六羅得出來、把門關上、到衆人那裏、說、七衆
八 弟兄請你們不要作這惡事。八我有兩個女兒、還是處女、
容我領出來、任憑你們的心願而行、只是這兩個人既
九 然到我舍下、不要向他們作甚麼。九衆人說、退去罷．又說、
這個人來寄居、還想要作官哪．現在我們要害你比害
他們更甚、衆人就向前擁擠羅得、要攻破房門。

天使救援羅得

十十一 十只是那二人伸出手來、將羅得拉進屋去、把門關上．十一並
且使門外的人、無論老少、眼都昏迷、他們摸來摸去、總
十二 尋不着房門。○十二二人對羅得說、你這裏還有甚麼人嗎、
無論是女婿、是兒女、和這城中一切屬你的人、你都要
十三 將他們從這地方帶出去。十三我們要毀滅這地方、因爲城
內罪惡的聲音、在耶和華面前甚大、耶和華差我們來、
十四 要毀滅這地方。十四羅得就出去、告訴娶了他女兒的女婿
們、（娶了或作將要娶）說、你們起來離開這地方、因爲耶和華要
毀滅這城．他女婿們卻以爲他說的是戲言。

引領羅得避災

十五 十五天明了、天使催逼羅得說、起來、帶着你的妻子、和你在
這裏的兩個女兒出去、免得你因這城裏的罪惡、同被
十六 剿滅。十六但羅得遲延不走．二人因爲耶和華憐恤羅得、就
拉着他的手、和他妻子的手、並他兩個女兒的手、把他
十七 們領出來、安置在城外。十七領他們出來以後、就說、逃命罷．
不可回頭看、也不可在平原站住、要往山上逃跑、免得
十八十九 你被剿滅。十八羅得對他們說、我主阿、不要如此．十九你僕人已

經在你眼前蒙恩、你又向我顯出莫大的慈愛、救我的
性命、我不能逃到山上去、恐怕這災禍臨到我、我便死
二十 了。看哪、這座城又小又近、容易逃到、這不是一個小的
二一 麼．求你容我逃到那裏、我的性命就得存活。天使對他
二二 說、這事我也應允你、我不傾覆你所說的這城、你要速
速的逃到那城、因爲你還沒有到那裏我不能作甚麼。
因此那城名叫瑣珥。（瑣珥就是小的意思）

毀滅所多瑪蛾摩拉

二三 二四 羅得到了瑣珥、日頭已經出來了。當時耶和華將硫磺
二五 與火從天上耶和華那裏、降與所多瑪和蛾摩拉、把那
些城、和全平原、並城裏所有的居民、連地上生長的、都
二六 毀滅了。羅得的妻子在後邊回頭一看、就變成了一根
二七 鹽柱。亞伯拉罕清早起來、到了他從前站在耶和華面
二八 前的地方、向所多瑪和蛾摩拉、與平原的全地觀看．不
二九 料、那地方烟氣上騰、如同燒窰一般。○當　神毀滅平
原諸城的時候、他記念亞伯拉罕、正在傾覆羅得所住
三十 之城的時候、就打發羅得從傾覆之中出來。○羅得因
爲怕住在瑣珥、就同他兩個女兒從瑣珥上去、住在山
三一 裏．他和兩個女兒住在一個洞裏。大女兒對小女兒說、
我們的父親老了、地上又無人按着世上的常規進到
三二 我們這裏來．我們可以叫父親喝酒、與他同寢．這樣我
三三 們好從他存留後裔。於是那夜他們叫父親喝酒、大女
兒就進去和他父親同寢．他幾時躺下、幾時起來、父親
三四 都不知道。第二天、大女兒對小女兒說、我昨夜與父親
同寢、今夜我們再叫他喝酒、你可以進去與他同寢．這
三五 樣、我們好從父親存留後裔．於是那夜他們又叫父親
喝酒、小女兒起來與他父親同寢．他幾時躺下、幾時起
三六 來、父親都不知道。這樣、羅得的兩個女兒都從他父親
三七 懷了孕。大女兒生了兒子、給他起名叫摩押、就是現今
三八 摩押人的始祖。小女兒也生了兒子、給他起名叫便亞
米、就是現今亞捫人的始祖。

第二十章

一 亞伯拉罕從那裏向南地遷去、寄居在
二 加低斯和書珥中間的基拉耳。亞伯拉罕稱他的妻撒
三 拉爲妹子、基拉耳王亞比米勒差人把撒拉取了去。但
夜間　神來在夢中對亞比米勒說、你是個死人、因
四 爲你取了那女人來、他原是別人的妻子。亞比米勒卻

還沒有親近撒拉．他說、主阿、連有義的國你也要毀滅
五 麽。五那人豈不是自己對我說、他是我的妹子麽．就是女
人也自己說、他是我的哥哥。我作這事、是心正手潔的。
六 六神在夢中對他說、我知道你作這事是心中正直、我
七 也攔阻了你、免得你得罪我、所以我不容你沾着他。七現
在你把這人的妻子歸還他、因爲他是先知、他要爲你
禱告、使你存活．你若不歸還他、你當知道、你和你所有
的人都必要死。

亞比米勒責亞伯拉罕

八 八亞比米勒清早起來、召了衆臣僕來、將這些事都說給
九 他們聽、他們都甚懼怕。九亞比米勒召了亞伯拉罕來、對
他說、你怎麽向我這樣行呢、我在甚麽事上得罪了你、
你竟使我和我國裏的人陷在大罪裏．你向我行不當
十 行的事了。十亞比米勒又對亞伯拉罕說、你見了甚麽纔
十一 作這事呢。十一亞伯拉罕說、我以爲這地方的人總不懼怕
十二 神、必爲我妻子的緣故殺我。十二況且他也實在是我的
十三 妹子、他與我是同父異母、後來作了我的妻子。十三當 神
叫我離開父家飄流在外的時候、我對他說、我們無論
走到甚麽地方、你可以對人說、他是我的哥哥．這就是
十四 你待我的恩典了。十四亞比米勒把牛羊、僕婢、賜給亞伯拉
十五 罕、又把他的妻子撒拉歸還他。十五亞比米勒又說、看哪、我
十六 的地都在你面前、你可以隨意居住。十六又對撒拉說、我給
你哥哥一千銀子、作爲你在閤家人面前遮羞的(羞原文作眼)
十七 你就在衆人面前沒有不是了。十七亞伯拉罕禱告 神、
神就醫好了亞比米勒和他的妻子、並他的衆女僕、他
十八 們便能生育。十八因耶和華爲亞伯拉罕的妻子撒拉的緣
故、已經使亞比米勒家中的婦人不能生育。

第二十一章

以撒生

一 一耶和華按着先前的話、眷顧撒拉、便
二 照他所說的給撒拉成就。二當亞伯拉罕年老的時候、撒
拉懷了孕、到 神所說的日期、就給亞伯拉罕生了一
三四 個兒子。三亞伯拉罕給撒拉所生的兒子起名叫以撒。四以
撒生下來第八日、亞伯拉罕照着 神所吩咐的、給以
五 撒行了割禮。五他兒子以撒生的時候、亞伯拉罕年一百
六 歲。六撒拉說、神使我喜笑、凡聽見的必與我一同喜笑。
七 七又說、誰能豫先對亞伯拉罕說、撒拉要乳養嬰孩呢、因

爲在他年老的時候、我給他生了一個兒子。

夏甲與其子被逐

八孩子漸長、就斷了奶以撒斷奶的日子、亞伯拉罕設擺
豐盛的筵席。九當時、撒拉看見埃及人夏甲給亞伯拉罕
所生的兒子戲笑、十就對亞伯拉罕說、你把這使女和他
兒子趕出去、因爲這使女的兒子、不可與我的兒子以
撒、一同承受產業。十一亞伯拉罕因他兒子的緣故很憂愁。
十二神對亞伯拉罕說、你不必爲這童子和你的使女憂
愁、凡撒拉對你說的話、你都該聽從、因爲從以撒生的、
纔要稱爲你的後裔。十三至於使女的兒子、我也必使他的
後裔成立一國、因爲他是你所生的。十四亞伯拉罕清早起
來、拿餅和一皮袋水、給了夏甲、搭在他的肩上、又把孩
子交給他、打發他走。夏甲就走了、在別是巴的曠野走
迷了路。十五皮袋的水用盡了、夏甲就把孩子撇在小樹底
下、十六自己走開約有一箭之遠、相對而坐、說、我不忍見孩
子死、就相對而坐、放聲大哭。

天使安慰夏甲

十七神聽見童子的聲音。神的使者從天上呼叫夏甲
說、夏甲、你爲何這樣呢、不要害怕、神已經聽見童子
的聲音了。十八起來、把童子抱在懷中、（懷原文作手）我必使他的
後裔成爲大國。十九神使夏甲的眼睛明亮、他就看見一
口水井、便去將皮袋盛滿了水、給童子喝。二十神保佑童
子、他就漸長、住在曠野、成了弓箭手。二一他住在巴蘭的曠
野、他母親從埃及地給他娶了一個妻子。

亞伯拉罕與亞比米勒立約

二二當那時候、亞比米勒同他軍長非各、對亞伯拉罕說、凡
你所行的事、都有神的保佑。二三我願你如今在這裏指
着神對我起誓、不要欺負我與我的兒子、並我的子
孫、我怎樣厚待了你、你也要照樣厚待我、與你所寄居
這地的民。二四亞伯拉罕說、我情願起誓。二五從前亞比米勒的
僕人、霸佔了一口水井、亞伯拉罕爲這事指責亞比米
勒。二六亞比米勒說、誰作這事我不知道、你也沒有告訴我、
今日我纔聽見了。二七亞伯拉罕把羊和牛給了亞比米勒、
二人就彼此立約。二八亞伯拉罕把七隻母羊羔另放在一
處。二九亞比米勒問亞伯拉罕說、你把這七隻母羊羔另放
在一處、是甚麼意思呢。三十他說、你要從我手裏受這七隻

母羊羔、作我挖這口井的證據。三一所以他給那地方起名
叫別是巴、因爲他們二人在那裏起了誓。別是巴就是盟誓的井
三二他們在別是巴立了約。亞比米勒就同他軍長非各起
身回非利士地去了。三三亞伯拉罕在別是巴栽上一棵垂
絲柳樹、又在那裏求告耶和華永生 神的名。三四亞伯拉
罕在非利士人的地寄居了多日。

神試驗亞伯拉罕

第二十二章

一這些事以後、 神要試驗亞伯拉罕、
就呼叫他說、亞伯拉罕、他說、我在這裏。二神說、你帶着
你的兒子、就是你獨生的兒子、你所愛的以撒、往摩利
亞地去、在我所要指示你的山上、把他獻爲燔祭。三亞伯
拉罕清早起來、備上驢、帶着兩個僕人和他兒子以撒、
也劈好了燔祭的柴、就起身往 神所指示他的地方
去了。四到了第三日、亞伯拉罕舉目遠遠的看見那地方。
五亞伯拉罕對他的僕人說、你們和驢在此等候、我與童
子往那裏去拜一拜、就回到你們這裏來。六亞伯拉罕把
燔祭的柴放在他兒子以撒身上、自己手裏拿着火與
刀、於是二人同行。七以撒對他父親亞伯拉罕說、父親哪、
亞伯拉罕說、我兒、我在這裏。以撒說、請看、火與柴都有
了、但燔祭的羊羔在那裏呢。八亞伯拉罕說、我兒、 神必
自己豫備作燔祭的羊羔。於是二人同行。○九他們到了
神所指示的地方、亞伯拉罕在那裏築壇、把柴擺好、
捆綁他的兒子以撒、放在壇的柴上。十亞伯拉罕就伸手
拿刀、要殺他的兒子。十一耶和華的使者從天上呼叫他說、
亞伯拉罕、亞伯拉罕、他說、我在這裏。十二天使說、你不可在
這童子身上下手、一點不可害他。現在我知道你是敬
畏 神的了、因爲你沒有將你的兒子、就是你獨生的
兒子、留下不給我。十三亞伯拉罕舉目觀看、不料、有一隻公
羊、兩角扣在稠密的小樹中、亞伯拉罕就取了那隻公
羊來、獻爲燔祭、代替他的兒子。十四亞伯拉罕給那地方起
名叫耶和華以勒、意思就是耶和華必豫備直到今日人還說、在耶
和華的山上必有豫備。十五耶和華的使者第二次從天上
呼叫亞伯拉罕說、十六耶和華說、你既行了這事、不留下你
的兒子、就是你獨生的兒子、我便指着自己起誓說、十七論
福、我必賜大福給你、論子孫、我必叫你的子孫多起來、
如同天上的星、海邊的沙、你子孫必得着仇敵的城門。

十八 十八並且地上萬國都必因你的後裔得福、因爲你聽從了
十九 我的話。十九於是亞伯拉罕回到他僕人那裏、他們一同起
二十 身往別是巴去、亞伯拉罕就住在別是巴。○二十這事以後、
有人告訴亞伯拉罕說、密迦給你兄弟拿鶴生了幾個
二一 兒子、二一長子是烏斯、他的兄弟是布斯、和亞蘭的父親基
二二 母利、二二並基薛、哈瑣、必達、益拉、彼土利、（彼土利生利百
二三 加）二三這八個人、都是密迦給亞伯拉罕的兄弟拿鶴生
二四 的。二四拿鶴的妾名叫流瑪、生了提八、迦含、他轄、和瑪迦。

第二十三章

一 一撒拉享壽一百二十七歲、這是撒拉
二 一生的歲數。二撒拉死在迦南地的基列亞巴、就是希伯
三 崙、亞伯拉罕爲他哀慟哭號。三後來亞伯拉罕從死人面
四 前起來、對赫人說、四我在你們中間是外人、是寄居的、求
你們在這裏給我一塊地、我好埋葬我的死人、使他不
五六 在我眼前。五赫人回答亞伯拉罕說、六我主請聽、你在我們
中間是一位尊大的王子、只管在我們最好的墳地裏
埋葬你的死人、我們沒有一人不容你在他的墳地裏
七 埋葬你的死人。七亞伯拉罕就起來、向那地的赫人下拜。
八 八對他們說、你們若有意叫我埋葬我的死人、使他不在
九 我眼前、就請聽我的話、爲我求瑣轄的兒子以弗崙、九把
田頭上那麥比拉洞給我、他可以按着足價賣給我、作
十 我在你們中間的墳地。十當時以弗崙正坐在赫人中間．
於是赫人以弗崙在城門出入的赫人面前、對亞伯拉
十一 罕說、十一不然、我主請聽、我送給你這塊田、連田間的洞、也
送給你、在我同族的人面前都給你、你可以埋葬你的死
十二十三 人。十二亞伯拉罕就在那地的人民面前下拜。十三在他們面前
對以弗崙說、你若應允、請聽我的話、我要把田價給你、
十四 求你收下、我就在那裏埋葬我的死人。十四以弗崙回答亞
十五 伯拉罕說、十五我主請聽、値四百舍客勒銀子的一塊田、在
十六 你我中間還算甚麼呢、只管埋葬你的死人罷。十六亞伯拉
罕聽從了以弗崙、照着他在赫人面前所說的話、把買
賣通用的銀子、平了四百舍客勒給以弗崙。

撒拉埋葬

十七 十七於是麥比拉、幔利前、以弗崙的那塊田、和其中的洞、並
十八 田間四圍的樹木、十八都定準歸與亞伯拉罕、乃是他在赫
十九 人面前、並城門出入的人面前買妥的。十九此後、亞伯拉罕
把他妻子撒拉埋葬在迦南地幔利前的麥比拉田間

二十 的洞裏、幔利就是希伯崙。二十從此、那塊田、和田間的洞、就
藉着赫人定準歸與亞伯拉罕作墳地。

亞伯拉罕遣僕爲子娶妻

第二十四章

一 一亞伯拉罕年紀老邁、向來在一切事
二 上、耶和華都賜福給他。二亞伯拉罕對管理他全業最老
三 的僕人說、請你把手放在我大腿底下。三我要叫你指着
耶和華天地的主起誓、不要爲我兒子娶這迦南地中
四 的女子爲妻。四你要往我本地本族去、爲我的兒子以撒
五 娶一個妻子。五僕人對他說、倘若女子不肯跟我到這地
六 方來、我必須將你的兒子帶回你原出之地麼。六亞伯拉
七 罕對他說、你要謹慎、不要帶我的兒子回那裏去。七耶和
華天上的主、曾帶領我離開父家和本族的地、對我說
話向我起誓、說、我要將這地賜給你的後裔、他必差遣
使者在你面前、你就可以從那裏爲我兒子娶一個妻
八 子。八倘若女子不肯跟你來、我使你起的誓就與你無干
九 了、只是不可帶我的兒子回那裏去。九僕人就把手放在
十 他主人亞伯拉罕的大腿底下、爲這事向他起誓。○十那
僕人從他主人的駱駝裏取了十匹駱駝、並帶些他主

人各樣的財物、起身往米所波大米去、到了拿鶴的城。
十一 十一天將晚、衆女子出來打水的時候、他便叫駱駝跪在城
十二 外的水井那裏。十二他說、耶和華我主人亞伯拉罕的神
阿、求你施恩給我主人亞伯拉罕、使我今日遇見好機
十三 會。十三我現今站在井旁、城內居民的女子們正出來打水。
十四 十四我向那一個女子說、請你拿下水瓶來、給我水喝、他若
說、請喝、我也給你的駱駝喝、願那女子就作你所豫定
給你僕人以撒的妻、這樣、我便知道你施恩給我主人
十五 了。十五話還沒有說完、不料、利百加肩頭上扛着水瓶出來、
利百加是彼土利所生的、彼土利是亞伯拉罕兄弟拿
十六 鶴妻子密迦的兒子。十六那女子容貌極其俊美、還是處女、
十七 也未曾有人親近他、他下到井旁打滿了瓶、又上來。十七僕
人跑上前去迎着他說、求你將瓶裏的水給我一點喝。
十八 十八女子說、我主請喝、就急忙拿下瓶來、托在手上給他喝。
十九 十九女子給他喝了、就說、我再爲你的駱駝打水、叫駱駝也
二十 喝足。二十他就急忙把瓶裏的水倒在槽裏、又跑到井旁打
二一 水、就爲所有的駱駝打上水來。二一那人定睛看他、一句話
二二 也不說、要曉得耶和華賜他通達的道路沒有。二二駱駝喝

二三 足了、那人就拿一個金環、重半舍客勒、兩個金鐲、重十
舍客勒、給了那女子、二三說請告訴我、你是誰的女兒、你父
二四 親家裏有我們住宿的地方沒有。二四女子說、我是密迦與
二五 拿鶴之子彼土利的女兒。二五又說、我們家裏足有糧草、也
二六 二七 有住宿的地方。二六那人就低頭向耶和華下拜、二七說耶和華
我主人亞伯拉罕的　神是應當稱頌的、因他不斷的
以慈愛誠實待我主人。至於我、耶和華在路上引領我、
直走到我主人的兄弟家裏。

拉班迎接僕人

二八 二八女子跑回去、照着這些話告訴他母親和他家裏的人。
二九 三十 二九—三十利百加有一個哥哥、名叫拉班、看見金環、又看見金鐲
在他妹子的手上、並聽見他妹子利百加的話、說那人
對我如此如此說、拉班就跑出來往井旁去、到那人跟
三一 前見他仍站在駱駝旁邊的井旁那裏。三一便對他說、你這
蒙耶和華賜福的、請進來、為甚麼站在外邊、我已經收
拾了房屋、也為駱駝預備了地方。

僕人述說來意

三二 三二那人就進了拉班的家、拉班卸了駱駝、用草料餵上、拿
三三 水給那人和跟隨的人洗脚。三三把飯擺在他面前、叫他喫、
他卻說、我不喫、等我說明白我的事情再喫。拉班說、請
三四 三五 說。三四他說、我是亞伯拉罕的僕人。三五耶和華大大的賜福給
我主人、使他昌大、又賜給他羊羣、牛羣、金銀、僕婢、駱駝、
三六 和驢。三六我主人的妻子撒拉年老的時候、給我主人生了
一個兒子。我主人也將一切所有的都給了這個兒子。
三七 三七我主人叫我起誓說、你不要為我兒子娶迦南地的女
三八 子為妻。三八你要往我父家、我本族那裏去、為我的兒子娶
三九 四十 一個妻子。三九我對我主人說、恐怕女子不肯跟我來。四十他就
說、我所事奉的耶和華必要差遣他的使者與你同去、
叫你的道路通達、你就得以在我父家、我本族那裏、給
四一 我的兒子娶一個妻子。四一只要你到了我本族那裏、我使
你起的誓、就與你無干、他們若不把女子交給你、我使
四二 你起的誓也與你無干。四二我今日到了井旁、便說、耶和華
我主人亞伯拉罕的　神阿、願你叫我所行的道路通
四三 達。四三我如今站在井旁、對那一個出來打水的女子說、請
四四 你把你瓶裏的水給我一點喝。四四他若說、你只管喝、我也
為你的駱駝打水、願那女子就作耶和華給我主人兒

四五 子所豫定的妻。四五我心裏的話還沒有說完、利百加就出
來、肩頭上扛着水瓶、下到井旁打水．我便對他說、請你
四六 給我水喝。四六他就急忙從肩頭上拿下瓶來、說、請喝、我也
四七 給你的駱駝喝．我便喝了．他又給我的駱駝喝了。四七我問
他說、你是誰的女兒．他說、我是密迦與拿鶴之子彼土
利的女兒．我就把環子戴在他鼻子上、把鐲子戴在他
四八 兩手上。四八隨後我低頭向耶和華下拜、稱頌耶和華我主
人亞伯拉罕的　神、因爲他引導我走合式的道路、使
四九 我得着我主人兄弟的孫女、給我主人的兒子爲妻。四九現
在你們若願以慈愛誠實待我主人、就告訴我．若不然、
也告訴我、使我可以或向左、或向右。

拉班彼土利允諾

五十 五十拉班和彼土利回答說、這事乃出於耶和華、我們不能
五一 向你說好說歹。五一看哪、利百加在你面前、可以將他帶去、
五二 照着耶和華所說的、給你主人的兒子爲妻。五二亞伯拉罕
五三 的僕人聽見他們這話、就向耶和華俯伏在地。五三當下僕
人拿出金器、銀器、和衣服、送給利百加．又將寶物送給
五四 他哥哥、和他母親。五四僕人和跟從他的人、喫了喝了、住了

一夜、早晨起來、僕人就說、請打發我回我主人那裏去
五五 罷。五五利百加的哥哥和他母親說、讓女子同我們再住幾
五六 天、至少十天、然後他可以去。五六僕人說、耶和華既賜給我
通達的道路、你們不要耽誤我、請打發我走、回我主人
五七 五八 那裏去罷。五七他們說、我們把女子叫來問問他。五八就叫了利
五九 百加來問他說、你和這人同去麼．利百加說、我去。五九於是
他們打發妹子利百加、和他的乳母、同亞伯拉罕的僕
六十 人、並跟從僕人的、都走了。六十他們就給利百加祝福、說、我
們的妹子阿、願你作千萬人的母、願你的後裔得着仇
敵的城門。

以撒娶利百加爲妻

六一 六一利百加和他的使女們起來、騎上駱駝、跟着那僕人．僕
六二 人就帶着利百加走了。六二那時、以撒住在南地、剛從庇耳
六三 拉海萊回來。六三天將晚、以撒出來在田間默想．舉目一看、
六四 見來了些駱駝。六四利百加舉目看見以撒、就急忙下了駱
六五 駝．六五問那僕人說、這田間走來迎接我們的是誰．僕人說、
六六 是我的主人．利百加就拿帕子蒙上臉。六六僕人就將所辦
六七 的一切事、都告訴以撒。六七以撒便領利百加進了他母親

撒拉的帳棚、娶了他爲妻、並且愛他。以撒自從他母親
不在了、這纔得了安慰。

第二十五章　亞伯拉罕繼娶基土拉

一 一亞伯拉罕又娶了一妻、名叫基土拉、
二 二基土拉給他生了心蘭、約珊、米但、米甸、伊施巴、和書亞。
三 三約珊生了示巴、和底但。底但的子孫、是亞書利族、利都
四 是族、和利烏米族。四米甸的兒子是以法、以弗、哈諾、亞比
五 大、和以勒大、這都是基土拉的子孫。五亞伯拉罕將一切
六 所有的都給了以撒。六亞伯拉罕把財物分給他庶出的
眾子、趁着自己還在世的時候、打發他們離開他的兒
子以撒往東方去。

亞伯拉罕壽終

七 七亞伯拉罕一生的年日、是一百七十五歲。
八 八亞伯拉罕壽高年邁、氣絕而死、歸到他列祖（原文作本民）那裏。
九 九他兩個兒子以撒、以實瑪利、把他埋葬在麥比拉洞裏。這洞在幔
十 利前、赫人瑣轄的兒子以弗崙的田中。十就是亞伯拉罕
向赫人買的那塊田。亞伯拉罕和他妻子撒拉、都葬在
十一 那裏。十一亞伯拉罕死了以後、神賜福給他的兒子以撒。
以撒靠近庇耳拉海萊居住。

以實瑪利之後裔

十二 十二撒拉的使女埃及人夏甲給亞伯拉罕所生的兒子、是
十三 以實瑪利。十三以實瑪利兒子們的名字、按着他們的家譜、
記在下面。以實瑪利的長子是尼拜約、又有基達、亞德
十四 十五 別、米比衫、十四米施瑪、度瑪、瑪撒、十五哈大、提瑪、伊突、拿非施、基
十六 底瑪。十六這是以實瑪利眾子的名字、照着他們的村莊營
十七 寨、作了十二族的族長。十七以實瑪利享壽一百三十七歲、
十八 氣絕而死、歸到他列祖（原文作本民）那裏。十八他子孫的住處在
他眾弟兄東邊、從哈腓拉直到埃及前的書珥、正在亞
述的道上。

以掃雅各生

十九 十九亞伯拉罕的兒子以撒的後代、記在下面。亞伯拉罕生
二十 以撒。二十以撒娶利百加爲妻的時候、正四十歲。利百加是
巴旦亞蘭地的亞蘭人彼土利的女兒、是亞蘭人拉班
二一 的妹子。二十一以撒因他妻子不生育、就爲他祈求耶和華。耶
二二 和華應允他的祈求、他的妻子利百加就懷了孕。二十二孩子
們在他腹中彼此相爭、他就說、若是這樣、我爲甚麼活

着呢。(或作我爲甚麼如此呢)他就去求問耶和華。二三耶和華對他說、
兩國在你腹內、兩族要從你身上出來、這族必強於那
族、將來大的要服事小的。二四生產的日子到了、腹中果然
是雙子。二五先產的身體發紅、渾身有毛、如同皮衣、他們就
給他起名叫以掃。(以掃就是有毛的意思)二六隨後又生了以掃的兄
弟、手抓住以掃的腳跟、因此給他起名叫雅各。(雅各就是抓住
的意思)利百加生下兩個兒子的時候、以撒年正六十歲。

以掃賣長子之分

二七兩個孩子漸漸長大、以掃善於打獵、常在田野。雅各爲
人安靜、常住在帳棚裏。二八以撒愛以掃、因爲常喫他的野
味。利百加卻愛雅各。二九有一天、雅各熬湯、以掃從田野回
來累昏了。三十以掃對雅各說、我累昏了、求你把這紅湯給
我喝。因此以掃又叫以東。(以東就是紅的意思)三一雅各說、你今日把
長子的名分賣給我罷。三二以掃說、我將要死、這長子的名
分於我有甚麼益處呢。三三雅各說、你今日對我起誓罷。以
掃就對他起了誓、把長子的名分賣給雅各。三四於是雅各
將餅和紅豆湯給了以掃、以掃喫了喝了、便起來走了。
這就是以掃輕看了他長子的名分。

第二十六章

以撒居基拉耳

一在亞伯拉罕的日子、那地有一次饑
荒。這時又有饑荒、以撒就往基拉耳去、到非利士人的
王亞比米勒那裏。二耶和華向以撒顯現、說、你不要下埃
及去、要住在我所指示你的地。三你寄居在這地、我必與
你同在、賜福給你、因爲我要將這些地都賜給你和你
的後裔、我必堅定我向你父亞伯拉罕所起的誓。四我要
加增你的後裔像天上的星那樣多、又要將這些地都
賜給你的後裔。並且地上萬國必因你的後裔得福。五都
因亞伯拉罕聽從我的話、遵守我的吩咐、和我的命令、
律例、法度。

受亞比米勒之責

六以撒就住在基拉耳。七那地方的人問到他的妻子、他便
說、那是我的妹子。原來他怕說、是我的妻子。他心裏想、
恐怕這地方的人、爲利百加的緣故殺我、因爲他容貌
俊美。八他在那裏住了許久、有一天、非利士人的王亞比
米勒從窗戶裏往外觀看、見以撒和他的妻子利百加
戲玩。九亞比米勒召了以撒來、對他說、他實在是你的妻

子．你怎麽說、他是你的妹子．以撒說、我心裏想、恐怕我
十 因他而死。十亞比米勒說、你向我們作的是甚麽事呢、民
十一 中險些有人和你的妻同寢、把我們陷在罪裏。十一於是亞
比米勒曉諭衆民說、凡沾着這個人、或是他妻子的、定
十二 要把他治死。○十二以撒在那地耕種、那一年有百倍的收
十三 成、耶和華賜福給他。十三他就昌大、日增月盛、成了大富戶。
十四 十五 十四他有羊羣、牛羣、又有許多僕人．非利士人就嫉妒他。十五當
他父親亞伯拉罕在世的日子、他父親的僕人所挖的
十六 井、非利士人全都塞住、填滿了土。十六亞比米勒對以撒說、
十七 你離開我們去罷、因為你比我們強盛得多。十七以撒就離
十八 開那裏、在基拉耳谷支搭帳棚、住在那裏。○十八當他父親
亞伯拉罕在世之日所挖的水井、因非利士人在亞伯
拉罕死後塞住了、以撒就重新挖出來、仍照他父親所
十九 叫的、叫那些井的名字。十九以撒的僕人在谷中挖井、便得
二十 了一口活水井。二十基拉耳的牧人與以撒的牧人爭競、說、
這水是我們的．以撒就給那井起名叫埃色、因為他們
二一 和他相爭。埃色就是相爭的意思二一以撒的僕人又挖了一口井、他
們又為這井爭競因此以撒給這井起名叫西提拿。西提
二二 拿就是為敵的意思二二以撒離開那裏、又挖了一口井、他們不為這
井爭競了、他就給那井起名叫利河伯．就是寬闊的意思他說、
耶和華現在給我們寬闊之地、我們必在這地昌盛。○
二三 二四 二三以撒從那裏上別是巴去。二四當夜耶和華向他顯現說、我
是你父親亞伯拉罕的神、不要懼怕、因為我與你同
在、要賜福給你、並要為我僕人亞伯拉罕的緣故、使你
二五 的後裔繁多。二五以撒就在那裏築了一座壇、求告耶和華
的名、並且支搭帳棚．他的僕人便在那裏挖了一口井。

以撒與亞比米勒結盟

二六 二六亞比米勒同他的朋友亞戶撒、和他的軍長非各、從基
二七 拉耳來見以撒。二七以撒對他們說、你們既然恨我、打發我
二八 走了、為甚麽到我這裏來呢。二八他們說、我們明明的看見
耶和華與你同在、便說、不如我們兩下彼此起誓、彼此
二九 立約。二九使你不害我們、正如我們未曾害你、一味的厚待
你、並且打發你平平安安的走．你是蒙耶和華賜福的
三十 三一 了。三十以撒就為他們設擺筵席、他們便喫了喝了。三一他們清
早起來彼此起誓．以撒打發他們走、他們就平平安安
三二 的離開他走了。三二那一天以撒的僕人來、將挖井的事告

三三 訴他說、我們得了水了。三三他就給那井起名叫示巴、因此
那城叫作別是巴、直到今日。

以掃娶二妻

三四 三四以掃四十歲的時候、娶了赫人比利的女兒猶滴、與赫
三五 人以倫的女兒巴實抹為妻。三五他們常使以撒和利百加
心裏愁煩。

第二十七章

一 一以撒年老、眼睛昏花、不能看見、就叫
二 了他大兒子以掃來、說、我兒。以掃說、我在這裏。二他說、我
三 如今老了、不知道那一天死。三現在拿你的器械、就是箭
四 囊、和弓、往田野去、為我打獵。四照我所愛的作成美味、拿
五 來給我喫、使我在未死之先、給你祝福。○五以撒對他兒
子以掃說話、利百加也聽見了。以掃往田野去打獵、要
六 得野味帶來。六利百加就對他兒子雅各說、我聽見你父
七 親對你哥哥以掃說、七你去把野獸帶來、作成美味給我
八 喫、我好在未死之先、在耶和華面前給你祝福。八現在我
九 兒、你要照着我所吩咐你的、聽從我的話。九你到羊羣裏
去、給我拿兩隻肥山羊羔來、我便照你父親所愛的、給
十 他作成美味。十你拿到你父親那裏給他喫、使他在未死
十一 之先、給你祝福。十一雅各對他母親利百加說、我哥哥以掃
十二 渾身是有毛的、我身上是光滑的。十二倘若我父親摸着我、
十三 必以我為欺哄人的、我就招咒詛、不得祝福。十三他母親對
他說、我兒、你招的咒詛歸到我身上、你只管聽我的話、
十四 去把羊羔給我拿來。十四他便去拿來、交給他母親、他母親
十五 就照他父親所愛的、作成美味。十五利百加又把家裏所存
十六 大兒子以掃上好的衣服、給他小兒子雅各穿上。十六又用
十七 山羊羔皮、包在雅各的手上、和頸項的光滑處。十七就把所
作的美味和餅、交在他兒子雅各的手裏。

雅各欺父

十八 十八雅各到他父親那裏、說、我父親。他說、我在這裏、我兒、你
十九 是誰。十九雅各對他父親說、我是你的長子以掃、我已照你
所吩咐我的行了。請起來坐着、喫我的野味、好給我祝
二十 福。二十以撒對他兒子說、我兒、你如何找得這麼快呢。他說、
二一 因為耶和華你的神使我遇見好機會得着的。二一以撒
對雅各說、我兒、你近前來、我摸摸你、知道你真是我的
二二 兒子以掃不是。二二雅各就挨近他父親以撒、以撒摸着他
二三 說、聲音是雅各的聲音、手卻是以掃的手。二三以撒就辨不

出他來、因爲他手上有毛、像他哥哥以掃的手一樣、就
二四 二五 給他祝福。二四又說、你眞是我兒子以掃麽．他說、我是。二五以撒
說、你遞給我、我好喫我兒子的野味、給你祝福。雅各就
二六 遞給他、他便喫了．又拿酒給他、他也喝了。二六他父親以撒
二七 對他說、我兒、你上前來與我親嘴。二七他就上前與父親親
嘴．他父親一聞他衣服上的香氣、就給他祝福、說、我兒
二八 的香氣如同耶和華賜福之田地的香氣一樣。二八願神
二九 賜你天上的甘露、地上的肥土、並許多五穀新酒．二九願多
民事奉你、多國跪拜你．願你作你弟兄的主、你母親的
兒子向你跪拜．凡咒詛你的、願他受咒詛．爲你祝福的、
願他蒙福。

以掃痛哭求父祝福

三十 三十以撒爲雅各祝福已畢、雅各從他父親那裏纔出來、他
三一 哥哥以掃正打獵回來。三一他也作了美味、拿來給他父親、說、
三二 請父親起來、喫你兒子的野味、好給我祝福。三二他父親以
三三 撒對他說、你是誰、他說、我是你的長子以掃。三三以撒就大
大的戰兢說、你未來之先、是誰得了野味拿來給我呢、
三四 我已經喫了、爲他祝福、他將來也必蒙福。三四以掃聽了他
三五 父親的話、就放聲痛哭、說、我父阿、求你也爲我祝福。三五以
三六 撒說、你兄弟已經用詭計來將你的福分奪去了。三六以掃
說、他名雅各豈不是正對麽．因爲他欺騙了我兩次、他
從前奪了我長子的名分、你看、他現在又奪了我的福
三七 分。以掃又說、你沒有留下爲我可祝的福麽。三七以撒回答
以掃說、我已立他爲你的主、使他的弟兄都給他作僕
人、並賜他五穀新酒可以養生、我兒、現在我還能爲你
三八 作甚麽呢。三八以掃對他父親說、父阿、你只有一樣可祝的
三九 福麽、我父阿、求你也爲我祝福．以掃就放聲而哭。三九他父
親以撒說、地上的肥土必爲你所住、天上的甘露必爲
四十 你所得．四十你必倚靠刀劍度日、又必事奉你的兄弟、到你
強盛的時候、必從你頸項上掙開他的軛。

以掃怨恨雅各欲殺之

四一 四一以掃因他父親給雅各祝的福、就怨恨雅各、心裏說、爲
我父親居喪的日子近了、到那時候、我要殺我的兄弟
四二 雅各。四二有人把利百加大兒子以掃的話告訴利百加、他
就打發人去、叫了他小兒子雅各來、對他說、你哥哥以
四三 掃想要殺你、報仇雪恨。四三現在我兒你要聽我的話、起來

四四 逃往哈蘭我哥哥拉班那裏去、同他住些日子、直等你
四五 哥哥的怒氣消了。你哥哥向你消了怒氣、忘了你向他
所作的事、我便打發人去把你從那裏帶回來。爲甚麽
四六 一日喪你們二人呢。○利百加對以撒說、我因這赫人
的女子、連性命都厭煩了。倘若雅各也娶赫人的女子
爲妻、像這些一樣、我活着還有甚麽益處呢。

以撒遣雅各娶妻於舅家

一 **第二十八章** 以撒叫了雅各來、給他祝福、並囑咐
二 他說、你不要娶迦南的女子爲妻。你起身往巴旦亞蘭
去、到你外祖彼土利家裏、在你母舅拉班的女兒中、娶
三 一女爲妻。願全能的神賜福給你、使你生養衆多、成
四 爲多族、將應許亞伯拉罕的福賜給你、和你的後裔、使
你承受你所寄居的地爲業、就是神賜給亞伯拉罕
五 的地。以撒打發雅各走了、他就往巴旦亞蘭去、到亞蘭
人彼土利的兒子拉班那裏。拉班是雅各以掃的母舅。
六 以掃見以撒已經給雅各祝福、而且打發他往巴旦亞
蘭去、在那裏娶妻、並見祝福的時候囑咐他說、不要娶
七 迦南的女子爲妻、又見雅各聽從父母的話、往巴旦亞
八 蘭去了。以掃就曉得他父親以撒看不中迦南的女子、
九 便往以實瑪利那裏去、在他二妻之外、又娶了瑪哈拉
爲妻。他是亞伯拉罕兒子以實瑪利的女兒、尼拜約的
妹子。

雅各夢中得指示

十 十一 雅各出了別是巴、向哈蘭走去。到了一個地方、因爲太
陽落了、就在那裏住宿、便拾起那地方的一塊石頭、枕
十二 在頭下、在那裏躺臥睡了。夢見一個梯子立在地上、梯
十三 子的頭頂着天、有神的使者在梯子上、上去下來。耶
和華站在梯子以上、（或作站在他旁邊）說、我是耶和華你祖亞
伯拉罕的神、也是以撒的神、我要將你現在所躺
十四 臥之地賜給你、和你的後裔。你的後裔必像地上的塵
沙那樣多、必向東西南北開展。地上萬族必因你和你
十五 的後裔得福。我也與你同在、你無論往那裏去、我必保
佑你、領你歸回這地、總不離棄你、直到我成全了向你
十六 所應許的。雅各睡醒了、說、耶和華眞在這裏、我竟不知
十七 道。就懼怕說、這地方何等可畏、這不是別的、乃是神
的殿、也是天的門。

雅各許願

十八雅各清早起來、把所枕的石頭立作柱子、澆油在上面。
十九他就給那地方起名叫伯特利、就是神殿的意思但那地方起
先名叫路斯。二十雅各許願說、神若與我同在、在我所行
的路上保佑我、又給我食物喫、衣服穿、二一使我平平安安
的回到我父親的家、我就必以耶和華為我的　神、二二我
所立為柱子的石頭、也必作　神的殿。凡你所賜給我
的、我必將十分之一獻給你。

第二十九章

雅各遇拉結

一雅各起行、到了東方人之地。二看見田
間有一口井、有三羣羊臥在井旁、因為人飲羊羣、都是
用那井裏的水。井口上的石頭是大的。三常有羊羣在那
裏聚集、牧人把石頭轉離井口飲羊、隨後又把石頭放
在井口的原處。四雅各對牧人說、弟兄們、你們是那裏來
的。他們說、我們是哈蘭來的。五他問他們說、拿鶴的孫子
拉班、你們認識麼。他們說、我們認識。六雅各說、他平安麼。
他們說、平安。看哪、他女兒拉結領着羊來了。七雅各說、日
頭還高、不是羊羣聚集的時候、你們不如飲羊再去放
一放。八他們說、我們不能、必等羊羣聚齊、人把石頭轉離
井口、纔可飲羊。九雅各正和他們說話的時候、拉結領着
他父親的羊來了、因為那些羊是他牧放的。十雅各看見
母舅拉班的女兒拉結、和母舅拉班的羊羣、就上前把
石頭轉離井口、飲他母舅拉班的羊羣。十一雅各與拉結親
嘴、就放聲而哭。十二雅各告訴拉結、自己是他父親的外甥、
是利百加的兒子。拉結就跑去告訴他父親。

拉班迎接雅各

十三拉班聽見外甥雅各的信息、就跑去迎接、抱着他與他
親嘴、領他到自己的家。雅各將一切的情由告訴拉班。
十四拉班對他說、你實在是我的骨肉。雅各就和他同住了
一個月。十五拉班對雅各說、你雖是我的骨肉、原文作弟兄豈可
白白的服事我、請告訴我、你要甚麼為工價。十六拉班有兩
個女兒、大的名叫利亞、小的名叫拉結。十七利亞的眼睛沒
有神氣、拉結卻生得美貌俊秀。十八雅各愛拉結、就說、我願
為你小女兒拉結服事你七年。十九拉班說、我把他給你勝
似給別人、你與我同住罷。二十雅各就為拉結服事了七年、
他因為深愛拉結、就看這七年如同幾天。

拉班以利亞妻雅各

二一 二一雅各對拉班說、日期已經滿了、求你把我的妻子給我、
二二 我好與他同房。二二拉班就擺設筵席、請齊了那地方的衆
二三 人。二三到晚上、拉班將女兒利亞送來給雅各、雅各就與他
二四 二五 同房。二四拉班又將婢女悉帕給女兒利亞作使女。二五到了早
晨、雅各一看是利亞、就對拉班說、你向我作的是甚麼
二六 事呢。我服事你、不是爲拉結麽。你爲甚麽欺哄我呢。二六拉
班說、大女兒還沒有給人、先把小女兒給人、在我們這
地方沒有這規矩。

雅各又娶拉結

二七 二七你爲這個滿了七日、我就把那個也給你、你再爲他服
二八 事我七年。二八雅各就如此行、滿了利亞的七日、拉班便將
二九 女兒拉結給雅各爲妻。二九拉班又將婢女辟拉給女兒拉
三十 結作使女。三十雅各也與拉結同房、並且愛拉結勝似愛利
亞。於是又服事了拉班七年。

利亞與兩妾生子

三一 三一耶和華見利亞失寵、(原文作被恨下同)就使他生育。拉結卻不
三二 生育。三二利亞懷孕生子、就給他起名叫流便、(就是有兒子的意思)因
三三 而說、耶和華看見我的苦情、如今我的丈夫必愛我。三三他
又懷孕生子、就說、耶和華因爲聽見我失寵、所以又賜
三四 給我這個兒子。於是給他起名叫西緬。(就是聽見的意思)三四他又
懷孕生子、起名叫利未、(就是聯合的意思)說、我給丈夫生了三
三五 個兒子、他必與我聯合。三五他又懷孕生子、說、這回我要讚
美耶和華、因此給他起名叫猶大。(就是讚美的意思)這纔停了
生育。

第三十章

一 一拉結見自己不給雅各生子、就嫉妒他
二 姐姐、對雅各說、你給我孩子、不然我就死了。二雅各向拉
結生氣、說、叫你不生育的是神、我豈能代替他作主
三 呢。三拉結說、有我的使女辟拉在這裏、你可以與他同房、
使他生子在我膝下、我便因他也得孩子。(得孩子原文作被建立)
四 四拉結就把他的使女辟拉給丈夫爲妾、雅各便與他同
五 六 房。五辟拉就懷孕給雅各生了一個兒子。六拉結說、神伸
了我的冤、也聽了我的聲音、賜我一個兒子、因此給他
七 起名叫但。(就是伸冤的意思)七拉結的使女辟拉又懷孕給雅各
八 生了第二個兒子。八拉結說、我與我姐姐大大相爭、並且
九 得勝。於是給他起名叫拿弗他利。(就是相爭的意思)〇九利亞見

十 自己停了生育、就把使女悉帕給雅各爲妾。十利亞的使
十一 女悉帕給雅各生了一個兒子。十一利亞說、萬幸、於是給他
十二 起名叫迦得。(就是萬幸的意思)十二利亞的使女悉帕又給雅各生
十三 了第二個兒子。十三利亞說、我有福阿、衆女子都要稱我是
十四 有福的。於是給他起名叫亞設。(就是有福的意思)○十四割麥子的
時候、流便往田裏去尋見風茄、拿來給他母親利亞。拉
十五 結對利亞說、請你把你兒子的風茄給我些。十五利亞說、你
奪了我的丈夫還算小事麼、你又要奪我兒子的風茄
十六 麼。拉結說、爲你兒子的風茄、今夜他可以與你同寢。十六到
了晚上、雅各從田裏回來、利亞出來迎接他、說、你要與
我同寢、因爲我實在用我兒子的風茄、把你雇下了。那
十七 一夜雅各就與他同寢。十七神應允了利亞、他就懷孕、給
十八 雅各生了第五個兒子。十八利亞說、神給了我價值、因爲
我把使女給了我丈夫、於是給他起名叫以薩迦。(就是價值
十九 二十 的意思)十九利亞又懷孕、給雅各生了第六個兒子。二十利亞說、
神賜我厚賞、我丈夫必與我同住、因我給他生了六個
二一 兒子。於是給他起名叫西布倫。(就是同住的意思)二一後來又生了
二二 一個女兒、給他起名叫底拿。二二神顧念拉結、應允了他、

二三 使他能生育。二三拉結懷孕生子、說、神除去了我的羞恥。
二四 二四就給他起名叫約瑟、(就是增添的意思)意思說、願耶和華再增
添我一個兒子。

雅各與拉班定工價

二五 二五拉結生約瑟之後、雅各對拉班說、請打發我走、叫我回
二六 到我本鄉本土去。二六請你把我服事你所得的妻子、和兒
二七 女給我、讓我走。我怎樣服事你、你都知道。二七拉班對他說、
我若在你眼前蒙恩、請你仍與我同住、因爲我已算定、
二八 耶和華賜福與我、是爲你的緣故。二八又說、請你定你的工
二九 價、我就給你。二九雅各對他說、我怎樣服事你、你的牲畜在
三十 我手裏怎樣、是你知道的。三十我未來之先、你所有的很少、
現今卻發大衆多、耶和華隨我的脚步賜福與你。如今
三一 我甚麼時候纔爲自己興家立業呢。三一拉班說、我當給你
甚麼呢。雅各說、甚麼你也不必給我、只有一件事你若
三二 應承、我便仍舊牧放你的羊羣。三二今天我要走遍你的羊
羣、把綿羊中凡有點的、有斑的、和黑色的、並山羊中凡
有斑的、有點的、都挑出來、將來這一等的、就算我的工
三三 價。三三以後你來查看我的工價、凡在我手裏的山羊不是

有點有斑的綿羊不是黑色的、那就算是我偷的、這樣、
三四 便可證出我的公義來。三四拉班說、好阿、我情願照着你的
三五 話行。三五當日拉班把有紋的、有斑的公山羊、有點的、有斑
的、有雜白紋的母山羊、並黑色的綿羊、都挑出來、交在
三六 他兒子們的手下。三六又使自己和雅各相離三天的路程。
雅各就牧養拉班其餘的羊。

雅各用策致富

三七 三七雅各拿楊樹、杏樹、楓樹的嫩枝、將皮剝成白紋、使枝子
三八 露出白的來。三八將剝了皮的枝子、對着羊羣、插在飲羊的
三九 水溝裏、和水槽裏、羊來喝的時候牝牡配合。三九羊對着枝
四十 子配合、就生下有紋的、有點的、有斑的來。四十雅各把羊羔
分出來、使拉班的羊、與這有紋和黑色的羊相對、把自
四一 己的羊另放一處、不叫他和拉班的羊混雜。四一到羊羣肥
壯配合的時候、雅各就把枝子插在水溝裏、使羊對着
四二 枝子配合。四二只是到羊瘦弱配合的時候、就不插枝子。這
四三 樣、瘦弱的就歸拉班、肥壯的就歸雅各。四三於是雅各極其
發大、得了許多的羊羣、僕婢、駱駝、和驢。

第三十一章

雅各思歸故土

一 一雅各聽見拉班的兒子們有話說、雅
各把我們父親所有的都奪了去、並藉着我們父親的、
二 得了這一切的榮耀。（榮耀或作財）二雅各見拉班的氣色向他
三 不如從前了。三耶和華對雅各說、你要回你祖你父之地、
四 到你親族那裏去、我必與你同在。四雅各就打發人、叫拉
五 結和利亞到田野羊羣那裏來。五對他們說、我看你們父
親的氣色向我不如從前了。但我父親的神向來與
六 我同在。六你們也知道、我盡了我的力量服事你們的父
七 親。七你們的父親欺哄我、十次改了我的工價。然而神
八 不容他害我。八他若說、有點的歸你作工價、羊羣所生的
都有點。他若說、有紋的歸你作工價、羊羣所生的都有
九 十 紋。九這樣、神把你們父親的牲畜奪來賜給我了。十羊配
合的時候、我夢中舉目一看、見跳母羊的公羊、都是有
十一 紋的、有點的、有花斑的。十一神的使者在那夢中呼叫我
十二 說、雅各、我說、我在這裏。十二他說、你舉目觀看、跳母羊的公
羊、都是有紋的、有點的、有花斑的．凡拉班向你所作的、
十三 我都看見了。十三我是伯特利的神、你在那裏用油澆過

柱子、向我許過願．現今你起來離開這地、回你本地去
十四 罷。十四拉結和利亞回答雅各說、在我們父親的家裏還有
十五 我們可得的分麼、還有我們的產業麼。十五我們不是被他
十六 當作外人麼．因爲他賣了我們、吞了我們的價值。十六神
從我們父親所奪出來的一切財物、那就是我們和我
們孩子們的．現今凡　神所吩咐你的、你只管去行罷。

雅各背逃

十七 十八 十七雅各起來、使他的兒子和妻子都騎上駱駝．十八又帶着他
在巴旦亞蘭所得的一切牲畜和財物、往迦南地、他父
十九 親以撒那裏去了。十九當時拉班剪羊毛去了．拉結偷了他
二十 父親家中的神像。二十雅各背着亞蘭人拉班偷走了、並不
二一 告訴他。二一就帶着所有的逃跑．他起身過大河、面向基列
山行去。

拉班追之

二二 二三 二二到第三日、有人告訴拉班、雅各逃跑了。二三拉班帶領他的
二四 衆弟兄去追趕、追了七日、在基列山就追上了。二四夜間
神到亞蘭人拉班那裏、在夢中對他說、你要小心、不可
二五 與雅各說好說歹。二五拉班追上雅各．雅各在山上支搭帳

二六 棚．拉班和他的衆弟兄也在基列山上支搭帳棚。二六拉班
二七 對雅各說、你作的是甚麼事呢、你背着我偷走了、又把
二八 我的女兒們帶了去、如同用刀劍擄去的一般。二七你爲甚
二九 麼暗暗的逃跑、偷着走、並不告訴我、叫我可以歡樂、唱
歌、擊鼓、彈琴的送你回去。二八又不容我與外孫和女兒親
嘴．你所行的眞是愚昧。二九我手中原有能力害你、只是你
父親的　神昨夜對我說、你要小心、不可與雅各說好
說歹。

拉班責雅各竊其神像

三十 三十現在你雖然想你父家、不得不去、爲甚麼又偷了我的
三一 神像呢。三一雅各回答拉班說、恐怕你把你的女兒從我奪
三二 去、所以我逃跑。三二至於你的神像、你在誰那裏搜出來、就
不容誰存活．當着我們的衆弟兄、你認一認、在我這裏
有甚麼東西是你的、就拿去。原來雅各不知道拉結偷
三三 了那些神像。○三三拉班進了雅各、利亞、並兩個使女的帳
棚、都沒有搜出來．就從利亞的帳棚出來、進了拉結的
三四 帳棚。三四拉結已經把神像藏在駱駝的馱簍裏、便坐在上
三五 頭、拉班摸遍了那帳棚、並沒有摸着。三五拉結對他父親說、

現在我身上不便、不能在你面前起來、求我主不要生
氣。這樣、拉班搜尋神像、竟沒有搜出來。

雅各斥責拉班

三六 三六雅各就發怒斥責拉班說、我有甚麼過犯、有甚麼罪惡、
三七 你竟這樣火速的追我。三七你摸遍了我一切的家具、你搜
出甚麼來呢、可以放在你我弟兄面前、叫他們在你我
三八 中間辨別辨別。三八我在你家這二十年、你的母綿羊、母山
三九 羊、沒有掉過胎、你羣中的公羊、我沒有喫過。三九被野獸撕
裂的、我沒有帶來給你、是我自己賠上、無論是白日是
四十 黑夜、被偷去的、你都向我索要。四十我白日受盡乾熱、黑夜
四一 受盡寒霜、不得合眼睡着、我常是這樣。四一我這二十年在
你家裏、為你的兩個女兒服事你十四年、為你的羊羣
四二 服事你六年、你又十次改了我的工價。四二若不是我父親
以撒所敬畏的神、就是亞伯拉罕的神與我同在、
你如今必定打發我空手而去。神看見我的苦情、和
我的勞碌、就在昨夜責備你。

二人立約

四三 四三拉班回答雅各說、這女兒是我的女兒、這些孩子是我

的孩子、這些羊羣也是我的羊羣、凡在你眼前的都是
我的、我的女兒、並他們所生的孩子、我今日能向他們
四四 作甚麼呢。四四來罷、你我二人可以立約、作你我中間的證
四五 四六 據。四五雅各就拿一塊石頭立作柱子。四六又對衆弟兄說、你們
堆聚石頭、他們就拿石頭來堆成一堆、大家便在旁邊
四七 喫喝。四七拉班稱那石堆為伊迦爾撒哈杜他、雅各卻稱那
四八 石堆為迦累得。都是以石堆為證的意思 四八拉班說、今日這石堆作你
四九 我中間的證據。因此這地方名叫迦累得、四九又叫米斯巴、
意思說、我們彼此離別以後、願耶和華在你我中間鑒
五十 察。五十你若苦待我的女兒、又在我的女兒以外另娶妻、雖
五一 沒有人知道、卻有神在你我中間作見證。五一拉班又說、
五二 你看我在你我中間所立的這石堆、和柱子。五二這石堆作
證據、這柱子也作證據、我必不過這石堆去害你、你也
五三 不可過這石堆和柱子、來害我。五三但願亞伯拉罕的神、
和拿鶴的神、就是他們父親的神、在你我中間判
五四 斷。雅各就指着他父親以撒所敬畏的神起誓。五四又在
山上獻祭、請衆弟兄來喫飯、他們喫了飯、便在山上住
五五 宿。五五拉班清早起來、與他外孫和女兒親嘴、給他們祝福、

回往自己的地方去了。

第三十二章

雅各懼怕以掃

一雅各仍舊行路、神的使者遇見他。
二雅各看見他們就說、這是神的軍兵。於是給那地方
起名叫瑪哈念。就是二軍兵的意思 三雅各打發人先往西珥地去、
就是以東地、見他哥哥以掃、四吩咐他們說、你們對我主
以掃說、你的僕人雅各這樣說、我在拉班那裏寄居、直
到如今。五我有牛、驢、羊羣、僕婢、現在打發人來報告我主、
爲要在你眼前蒙恩。六所打發的人回到雅各那裏、說、我
們到了你哥哥以掃那裏、他帶着四百人、正迎着你來。
七雅各就甚懼怕、而且愁煩、便把那與他同在的人口和
羊羣、牛羣、駱駝、分作兩隊、八說、以掃若來擊殺這一隊、剩
下的那一隊還可以逃避。九雅各說、耶和華我祖亞伯拉
罕的神、我父親以撒的神阿、你曾對我說、回你本
地本族去、我要厚待你。十你向僕人所施的一切慈愛和
誠實、我一點也不配得。我先前只拿着我的杖過這約
但河、如今我卻成了兩隊了。十一求你救我脫離我哥哥以
掃的手、因爲我怕他來殺我、連妻子帶兒女一同殺了。
十二你曾說、我必定厚待你、使你的後裔如同海邊的沙、多
得不可勝數。

送禮物給以掃

十三當夜雅各在那裏住宿、就從他所有的物中拿禮物、要
送給他哥哥以掃。十四母山羊二百隻、公山羊二十隻、母綿
羊二百隻、公綿羊二十隻、十五奶崽子的駱駝三十隻、各帶
着崽子、母牛四十隻、公牛十隻、母驢二十匹、驢駒十匹。
十六每樣各分一羣、交在僕人手下、就對僕人說、你們要在
我前頭過去、使羣羣相離有空閒的地方。十七又吩咐儘先
走的說、我哥哥以掃遇見你的時候、問你說、你是那家
的人、要往那裏去、你前頭這些是誰的。十八你就說、是你僕
人雅各的、是送給我主以掃的禮物、他自己也在我們
後邊。十九又吩咐第二第三、和一切趕羣畜的人說、你們遇
見以掃的時候、也要這樣對他說。二十並且你們要說、你僕
人雅各在我們後邊。因雅各心裏說、我藉着在我前頭
去的禮物解他的恨、然後再見他的面、或者他容納我。
二十一於是禮物先過去了。那夜雅各在隊中住宿。

雅各與天使摔跤而勝之

二二他夜間起來、帶着兩個妻子、兩個使女、並十一個兒子
都過了雅博渡口。二三先打發他們過河、又打發所有的都
過去。二四只剩下雅各一人。有一個人來和他摔跤、直到黎
明。二五那人見自己勝不過他、就將他的大腿窩摸了一把、
雅各的大腿窩、正在摔跤的時候就扭了。二六那人說、天黎
明了、容我去罷。雅各說、你不給我祝福、我就不容你去。

神賜名以色列

二七那人說、你名叫甚麼。他說、我名叫雅各。二八那人說、你的名
不要再叫雅各、要叫以色列、因為你與神與人較力、都
得了勝。二九雅各問他說、請將你的名告訴我。那人說、何必
問我的名。於是在那裏給雅各祝福。三十雅各便給那地方
起名叫毘努伊勒。(就是神之面的意思)意思說、我面對面見了
神、我的性命仍得保全。三一日頭剛出來的時候、雅各經
過毘努伊勒、他的大腿就瘸了。三二故此以色列人不喫大
腿窩的筋、直到今日、因為那人摸了雅各大腿窩的筋。

第三十三章

弟兄相見

一雅各舉目觀看、見以掃來了、後頭跟
着四百人、他就把孩子們分開交給利亞、拉結、和兩個
使女。二並且叫兩個使女和他們的孩子在前頭、利亞和
他的孩子在後頭、拉結和約瑟在儘後頭。三他自己在他
們前頭過去、一連七次俯伏在地、纔就近他哥哥。四以掃
跑來迎接他、將他抱住、又摟着他的頸項與他親嘴、兩
個人就哭了。五以掃舉目看見婦人孩子、就說、這些和你
同行的是誰呢。雅各說、這些孩子是神施恩給你僕
人的。六於是兩個使女和他們的孩子前來下拜。七利亞和
他的孩子也前來下拜。隨後約瑟和拉結也前來下拜。
八以掃說、我所遇見的這些羣畜是甚麼意思呢。雅各說、
是要在我主面前蒙恩的。九以掃說、兄弟阿、我的已經彀
了、你的仍歸你罷。十雅各說、不然、我若在你眼前蒙恩就
求你從我手裏收下這禮物、因為我見了你的面、如同
見了神的面、並且你容納了我。十一求你收下我帶來給
你的禮物、因為神恩待我、使我充足。雅各再三的求
他、他纔收下了。十二以掃說、我們可以起身前往、我在你前
頭走。十三雅各對他說、我主知道孩子們年幼嬌嫩、牛羊也
正在乳養的時候、若是催趕一天、羣畜都必死了。十四求我

主在僕人前頭走．我要量着在我面前羣畜和孩子的
十五 力量慢慢的前行、直走到西珥我主那裏。十五以掃說容我
把跟隨我的人留幾個在你這裏．雅各說何必呢、只要
十六 在我主眼前蒙恩就是了。十六於是以掃當日起行、回往西
十七 珥去了。十七雅各就往疎割去、在那裏爲自己蓋造房屋、又
爲牲畜搭棚．因此那地方名叫疎割。就是棚的意思

雅各往示劍

十八 十八雅各從巴旦亞蘭回來的時候、平平安安的到了迦南
十九 地的示劍城、在城東支搭帳棚。十九就用一百塊銀子、向示
二十 劍的父親哈抹的子孫、買了支帳棚的那塊地。二十在那裏
築了一座壇、起名叫伊利伊羅伊以色列。就是神以色列神的意思

雅各子用計戮示劍族

第三十四章

一 利亞給雅各所生的女兒底拿出去、
二 要見那地的女子們。二那地的主希未人哈抹的兒子示
三 劍、看見他、就拉住他、與他行淫、玷辱他。三示劍的心繫戀
四 雅各的女兒底拿、喜愛這女子、甜言蜜語的安慰他。四示
五 劍對他父親哈抹說、求你爲我聘這女子爲妻。五雅各聽
見示劍玷汚了他的女兒底拿．那時他的兒子們正和
六 羣畜在田野、雅各就閉口不言、等他們回來。六示劍的父
七 親哈抹出來見雅各、要和他商議。七雅各的兒子們聽見
這事、就從田野回來、人人忿恨、十分惱怒、因示劍在以
色列家作了醜事、與雅各的女兒行淫、這本是不該作
八 的事。八哈抹和他們商議說、我兒子示劍的心戀慕這女
九 子、求你們將他給我的兒子爲妻。九你們與我們彼此結
十 親、你們可以把女兒給我們、也可以娶我們的女兒。十你
們與我們同住罷、這地都在你們面前、只管在此居住、
十一 作買賣、置產業。十一示劍對女兒的父親和弟兄們說、但願
十二 我在你們眼前蒙恩、你們向我要甚麼、我必給你們。十二任
憑向我要多重的聘金和禮物、我必照你們所說的給
十三 你們、只要把女子給我爲妻。十三雅各的兒子們、因爲示劍
玷汚了他們的妹子底拿、就用詭詐的話回答示劍和
十四 他父親哈抹．十四對他們說、我們不能把我們的妹子給沒
十五 有受割禮的人爲妻、因爲那是我們的羞辱．十五惟有一件
纔可以應允、若你們所有的男丁都受割禮、和我們一
十六 樣、十六我們就把女兒給你們、也娶你們的女兒、我們便與
十七 你們同住、兩下成爲一樣的人民。十七倘若你們不聽從我

十八 們受割禮、我們就帶着妹子走了。○哈抹和他的兒子
十九 示劍喜歡這話。那少年人作這事並不遲延、因爲他喜
二十 愛雅各的女兒.他在他父親家中也是人最尊重的。哈
二一 抹和他兒子示劍到本城的門口、對本城的人說、這些
人與我們和睦、不如許他們在這地居住作買賣.這地
也寬闊、足可容下他們、我們可以娶他們的女兒爲妻、
二二 也可以把我們的女兒嫁給他們。惟有一件事我們必
須作、他們纔肯應允和我們同住、成爲一樣的人民、就
二三 是我們中間所有的男丁、都要受割禮、和他們一樣。他
們的羣畜貨財、和一切的牲口、豈不都歸我們麽.只要
二四 依從他們、他們就與我們同住。凡從城門出入的人、就
都聽從哈抹和他兒子示劍的話、於是凡從城門出入
二五 的男丁、都受了割禮。到第三天、衆人正在疼痛的時候、
雅各的兩個兒子、就是底拿的哥哥西緬和利未、各拿
刀劍、趁着衆人想不到的時候、來到城中、把一切男丁
二六 都殺了。又用刀殺了哈抹和他兒子示劍、把底拿從示
二七 劍家裏帶出來、就走了。雅各的兒子們因爲他們的妹
二八 子受了玷污、就來到被殺的人那裏、擄掠那城。奪了他
二九 們的羊羣、牛羣、和驢、並城裏田間所有的.又把他們一
三十 切貨財、孩子、婦女、並各房中所有的、都擄掠去了。雅各
對西緬和利未說、你們連累我、使我在這地的居民中、
就是在迦南人和比利洗人中、有了臭名、我的人丁既
然稀少、他們必聚集來擊殺我、我和全家的人、都必滅
三一 絕。他們說、他豈可待我們的妹子如同妓女麽。

第三十五章

雅各往伯特利築壇

一 神對雅各說、起來、上伯特利去住
在那裏、要在那裏築一座壇給神、就是你逃避你哥
二 哥以掃的時候向你顯現的那位。雅各就對他家中的
人、並一切與他同在的人說、你們要除掉你們中間的
三 外邦神、也要自潔、更換衣裳。我們要起來、上伯特利去.
在那裏我要築一座壇給神、就是在我遭難的日子、
四 應允我的禱告、在我行的路上、保佑我的那位。他們就
把外邦人的神像、和他們耳朶上的環子、交給雅各.雅
五 各都藏在示劍那裏的橡樹底下。他們便起行前往.
神使那周圍城邑的人都甚驚懼、就不追趕雅各的衆
六 子了。於是雅各和一切與他同在的人、到了迦南地的

七 路斯、就是伯特利。七他在那裏築了一座壇、就給那地方
起名叫伊勒伯特利、（就是伯特利之神的意思）因爲他逃避他哥
八 哥的時候、神在那裏向他顯現。八利百加的奶母底波
拉死了、就葬在伯特利下邊橡樹底下、那棵樹名叫亞
九 倫巴古。○九雅各從巴旦亞蘭回來、神又向他顯現賜
十 福與他、十且對他說、你的名原是雅各、從今以後不要再
十一 叫雅各、要叫以色列、這樣、他就改名叫以色列。十一神又
對他說、我是全能的神、你要生養衆多、將來有一族、
十二 和多國的民從你而生、又有君王從你而出。十二我所賜給
十三 亞伯拉罕和以撒的地、我要賜給你與你的後裔。十三神
十四 就從那與雅各說話的地方升上去了。十四雅各便在那裏
十五 立了一根石柱、在柱子上奠酒澆油。十五雅各就給那地方
起名叫伯特利。

拉結生子而死

十六 十六他們從伯特利起行、離以法他還有一段路程、拉結臨
十七 產甚是艱難。十七正在艱難的時候、收生婆對他說、不要怕、
十八 你又要得一個兒子了。十八他將近於死、靈魂要走的時候、
就給他兒子起名叫便俄尼、他父親卻給他起名叫便

十九 雅憫。十九拉結死了、葬在以法他的路旁、以法他就是伯利
二十 恆。二十雅各在他的墳上立了一統碑、就是拉結的墓碑、到
二一 今日還在。二一以色列起行前往、在以得臺那邊支搭帳棚。
二二 二二以色列住在那地的時候、流便去與他父親的妾辟拉
二三 同寢、以色列也聽見了。○雅各共有十二個兒子。二三利亞
所生的、是雅各的長子流便、還有西緬、利未、猶大、以薩
二四 二五 迦西布倫。二四拉結所生的、是約瑟、便雅憫。二五拉結的使女辟
二六 拉所生的、是但、拿弗他利。二六利亞的使女悉帕所生的是
二七 迦得、亞設、這是雅各在巴旦亞蘭所生的兒子。二七雅各來
到他父親以撒那裏、到了基列亞巴的幔利、乃是亞伯
拉罕和以撒寄居的地方、基列亞巴就是希伯崙。

以撒壽終

二八 二九 二八以撒共活了一百八十歲。二九以撒年紀老邁、日子滿足、氣
絕而死、歸到他列祖（原文作本民）那裏。他兩個兒子以掃雅
各把他葬埋了。

第三十六章　以掃之後裔

一 一以掃就是以東、他的後代記在下面。
二 二以掃娶迦南的女子爲妻、就是赫人以倫的女兒亞大、

三 和希未人祭便的孫女、亞拿的女兒阿何利巴瑪。三又娶
四 了以實瑪利的女兒尼拜約的妹子巴實抹。四亞大給以
五 掃生了以利法、巴實抹生了流珥。五阿何利巴瑪生了耶
烏施、雅蘭、可拉。這都是以掃的兒子、是在迦南地生的。
六 六以掃帶着他的妻子、兒女、與家中一切的人口、並他的
牛羊、牲畜、和一切貨財、就是他在迦南地所得的、往別
七 處去、離了他兄弟雅各。七因為二人的財物羣畜甚多、寄
八 居的地方容不下他們、所以不能同居。八於是以掃住在
九 西珥山裏。以掃就是以東。〇九以掃是西珥山裏以東人
十 的始祖。他的後代、記在下面。十以掃眾子的名字如下。以
掃的妻子亞大生以利法、以掃的妻子巴實抹生流珥。
十一 十二 十一以利法的兒子是提幔、阿抹、洗玻、迦坦、基納斯。十二亭納是
以掃兒子以利法的妾、他給以利法生了亞瑪力、這是
十三 以掃的妻子亞大的子孫。十三流珥的兒子是拿哈、謝拉、沙
十四 瑪、米撒。這是以掃妻子巴實抹的子孫。十四以掃的妻子阿
何利巴瑪、是祭便的孫女、亞拿的女兒、他給以掃生了
十五 耶烏施、雅蘭、可拉。〇十五以掃子孫中作族長的、記在下面。
以掃的長子以利法的子孫中、有提幔族長、阿抹族長、

十六 洗玻族長、基納斯族長、十六可拉族長、迦坦族長、亞瑪力族
長。這是在以東地從以利法所出的族長、都是亞大的
十七 子孫。十七以掃的兒子流珥的子孫中、有拿哈族長、謝拉族
長、沙瑪族長、米撒族長。這是在以東地從流珥所出的
十八 族長、都是以掃妻子巴實抹的子孫。十八以掃的妻子阿何
利巴瑪的子孫中、有耶烏施族長、雅蘭族長、可拉族長。
這是從以掃妻子、亞拿的女兒阿何利巴瑪子孫中所
十九 出的族長。十九以上的族長、都是以掃的子孫、以掃就是以
東。

西珥之後裔

二十 二十那地原有的居民、何利人、西珥的子孫、記在下面、就是
二一 羅坍、朔巴、祭便、亞拿、二一底順、以察、底珊。這是從以東地的
何利人、西珥子孫中所出的族長。二二羅坍的兒子是何利、
二二
二三 希幔。羅坍的妹子是亭納。二三朔巴的兒子是亞勒文、瑪拿
二四 轄、以巴錄、示玻、阿南。二四祭便的兒子是亞雅、亞拿。當時在
二五 曠野、放他父親祭便的驢、遇着溫泉的、就是這亞拿。二五亞
二六 拿的兒子是底順、亞拿的女兒是阿何利巴瑪。二六底順的
二七 兒子是欣但、伊是班、益蘭、基蘭。二七以察的兒子是辟罕、撒

二八 二九 番、亞干。二八底珊的兒子是烏斯、亞蘭。二九從何利人所出的族
長、記在下面．就是羅坍族長、朔巴族長、祭便族長、亞拿
三十 族長、三十底順族長、以察族長、底珊族長．這是從何利人所
出的族長、都在西珥地、按着宗族作族長。

記以東諸王

三一 三一以色列人未有君王治理以先、在以東地作王的、記在
三二 下面。三二比珥的兒子比拉在以東作王、他的京城名叫亭
三三 哈巴。三三比拉死了、波斯拉人謝拉的兒子約巴接續他作
三四 三五 王。三四約巴死了、提幔地的人戶珊接續他作王。三五戶珊死了、
比達的兒子哈達接續他作王．這哈達就是在摩押地
三六 殺敗米甸人的、他的京城名叫亞未得。三六哈達死了、瑪士
三七 利加人桑拉接續他作王。三七桑拉死了、大河邊的利河伯
三八 人掃羅接續他作王。三八掃羅死了、亞革波的兒子巴勒哈
三九 南接續他作王。三九亞革波的兒子巴勒哈南死了、哈達接
續他作王、他的京城名叫巴烏．他的妻子名叫米希他
四十 別、是米薩合的孫女、瑪特列的女兒。○四十從以掃所出的
族長、按着他們的宗族、住處、名字、記在下面．就是亭納
四一 族長、亞勒瓦族長、耶帖族長、四一阿何利巴瑪族長、以拉族
四二 四三 長、比嫩族長、四二基納斯族長、提幔族長、米比薩族長、四三瑪基
疊族長、以蘭族長．這是以東人在所得為業的地上、按
着他們的住處、所有的族長、都是以東人的始祖、以掃
的後代。

約瑟以兄過告父

一 **第三十七章**　雅各住在迦南地、就是他父親寄居
二 的地。二雅各的記略如下．約瑟十七歲與他哥哥們一同
牧羊．他是個童子、與他父親的妾、辟拉悉帕的兒子們
常在一處．約瑟將他哥哥們的惡行、報給他們的父親。
三 三以色列原來愛約瑟過於愛他的衆子、因為約瑟是他
四 年老生的、他給約瑟作了一件彩衣。四約瑟的哥哥們見
父親愛約瑟過於愛他們、就恨約瑟、不與他說和睦的
話。

約瑟得夢述於諸兄

六三 五約瑟作了一夢、告訴他哥哥們、他們就越發恨他。六約瑟
七 對他們說、請聽我所作的夢．七我們在田裏捆禾稼、我的
八 捆起來站着、你們的捆來圍着我的捆下拜。八他的哥哥
們回答說、難道你真要作我們的王麼、難道你真要管

九 轄我們麼．他們就因爲他的夢、和他的話、越發恨他。後
來他又作了一夢、也告訴他的哥哥們說、看哪、我又作
十 了一夢、夢見太陽、月亮、與十一個星、向我下拜。約瑟將
這夢告訴他父親和他哥哥們、他父親就責備他說、你
作的這是甚麼夢．難道我和你母親、你弟兄、果然要來
十一 俯伏在地、向你下拜麼。他哥哥們都嫉妒他．他父親卻
十二 把這話存在心裏。○約瑟的哥哥們往示劍去、放他們
十三 父親的羊。以色列對約瑟說、你哥哥們不是在示劍放
羊麼、你來、我要打發你往他們那裏去。約瑟說、我在這
十四 裏。以色列說、你去看看你哥哥們平安不平安、羣羊平
安不平安、就回來報信給我．於是打發他出希伯崙谷、
十五 他就往示劍去了。有人遇見他在田野走迷了路、就問
十六 他說、你找甚麼。他說、我找我的哥哥們、求你告訴我他
十七 們在何處放羊。那人說、他們已經走了、我聽見他們說、
要往多坍去．約瑟就去追趕他哥哥們、遇見他們在多
十八 坍。○他們遠遠的看見他、趁他還沒有走到跟前、大家
十九 二十 就同謀要害死他。彼此說、你看、那作夢的來了。來罷、我
們將他殺了、丟在一個坑裏、就說有惡獸把他喫了、我
二十一 們且看他的夢將來怎麼樣。流便聽見了、要救他脫離
二十二 他們的手、說、我們不可害他的性命。又說、不可流他的
血、可以把他丟在這野地的坑裏、不可下手害他．流便
的意思是要救他脫離他們的手、把他歸還他的父親。
二十三 約瑟到了他哥哥們那裏、他們就剝了他的外衣、就是
二十四 他穿的那件彩衣．把他丟在坑裏．那坑是空的、裏頭沒
有水。

賣約瑟給以實瑪利人

二十五 他們坐下喫飯、舉目觀看、見有一夥米甸的以實瑪利
人、從基列來、用駱駝馱着香料、乳香、沒藥、要帶下埃及
二十六 去。猶大對衆弟兄說、我們殺我們的兄弟、藏了他的血、
二十七 有甚麼益處呢。我們不如將他賣給以實瑪利人、不可
下手害他．因爲他是我們的兄弟、我們的骨肉、衆弟兄
二十八 就聽從了他。有些米甸的商人、從那裏經過、哥哥們就
把約瑟從坑裏拉上來、講定二十舍客勒銀子、把約瑟
賣給以實瑪利人．他們就把約瑟帶到埃及去了。

雅各裂衣爲子悲哀

二十九 三十 流便回到坑邊、見約瑟不在坑裏、就撕裂衣服。回到兄

三一 弟們那裏說、童子沒有了、我往那裏去纔好呢。三一他們宰
三二 了一隻公山羊、把約瑟的那件彩衣染了血．三二打發人送
到他們的父親那裏說、我們撿了這個、請認一認、是你
三三 兒子的外衣不是。三三他認得、就說、這是我兒子的外衣、有
三四 惡獸把他喫了、約瑟被撕碎了、撕碎了。三四雅各便撕裂衣
三五 服、腰間圍上麻布、爲他兒子悲哀了多日．三五他的兒女都
起來安慰他．他卻不肯受安慰、說、我必悲哀着下陰間
三六 到我兒子那裏、約瑟的父親就爲他哀哭。三六米甸人帶約
瑟到埃及、把他賣給法老的內臣、護衛長波提乏。

第三十八章

一 一那時猶大離開他弟兄下去、到一個
二 亞杜蘭人名叫希拉的家裏去。二猶大在那裏看見一個
三 迦南人名叫書亞的女兒、就娶他爲妻、與他同房、三他就
四 懷孕生了兒子、猶大給他起名叫珥。四他又懷孕生了兒
五 子、母親給他起名叫俄南。五他復又生了兒子、給他起名
六 叫示拉．他生示拉的時候、猶大正在基悉。六猶大爲長子
七 珥娶妻、名叫他瑪。七猶大的長子珥在耶和華眼中看爲
八 惡、耶和華就叫他死了。八猶大對俄南說、你當與你哥哥
的妻子同房、向他盡你爲弟的本分、爲你哥哥生子立
九 後。九俄南知道生子不歸自己、所以同房的時候、便遺在
十 地、免得給他哥哥留後。十俄南所作的、在耶和華眼中看
十一 爲惡、耶和華也就叫他死了。十一猶大心裏說、恐怕示拉也
死、像他兩個哥哥一樣、就對他兒婦他瑪說、你去在你
父親家裏守寡、等我兒子示拉長大．他瑪就回去住在
十二 他父親家裏。○十二過了許久、猶大的妻子書亞的女兒死
了、猶大得了安慰、就和他朋友亞杜蘭人希拉上亭拿
十三 去、到他剪羊毛的人那裏。十三有人告訴他瑪說、你的公公
十四 上亭拿剪羊毛去了。十四他瑪見示拉已經長大、還沒有娶
他爲妻、就脫了他作寡婦的衣裳、用帕子蒙着臉、又遮
十五 住身體、坐在亭拿路上的伊拿印城門口。十五猶大看見他、
十六 以爲是妓女、因爲他蒙着臉。十六猶大就轉到他那裏去、說、
來罷、讓我與你同寢．他原不知道是他的兒婦。他瑪說、
十七 你要與我同寢、把甚麼給我呢。十七猶大說、我從羊羣裏取
一隻山羊羔打發人送來給你．他瑪說、在未送以先、你
十八 願意給我一個當頭麼。十八他說、我給你甚麼當頭呢、他瑪
說、你的印、你的帶子、和你手裏的杖。猶大就給了他、與
十九 他同寢．他就從猶大懷了孕。十九他瑪起來走了、除去帕子、

二十 仍舊穿上作寡婦的衣裳。二十猶大託他朋友亞杜蘭人送
一隻山羊羔去、要從那女人手裏取回當頭來、卻找不
二一 着他、二一就問那地方的人說、伊拿印路旁的妓女在那裏、
二二 他們說、這裏並沒有妓女。二二他回去見猶大說、我沒有找
二三 着他、並且那地方的人說、這裏沒有妓女。二三猶大說、我把
這山羊羔送去了、你竟找不着他、任憑他拿去罷、免得
我們被羞辱。

他瑪孿生二子

二四 二四約過了三個月、有人告訴猶大說、你的兒婦他瑪作了
妓女、且因行淫有了身孕。猶大說、拉出他來把他燒了。
二五 二五他瑪被拉出來的時候、便打發人去見他公公、對他說、
這些東西是誰的、我就是從誰懷的孕、請你認一認、這
二六 印和帶子、並杖、都是誰的。二六猶大承認說、他比我更有義、
因為我沒有將他給我的兒子示拉、從此猶大不再與
二七 二八 他同寢了。二七他瑪將要生產、不料他腹裏是一對雙生。二八到
生產的時候、一個孩子伸出一隻手來、收生婆拿紅綫
二九 拴在他手上、說、這是頭生的。二九隨後這孩子把手收回去、
他哥哥生出來了、收生婆說、你為甚麼搶着來呢、因此
三十 給他起名叫法勒斯。三十後來他兄弟那手上有紅綫的也
生出來、就給他起名叫謝拉。

第三十九章

一 約瑟被帶下埃及去、有一個埃及人
是法老的內臣、護衛長波提乏、從那些帶下他來的以
二 實瑪利人手下買了他去。二約瑟住在他主人埃及人的
三 家中、耶和華與他同在、他就百事順利。三他主人見耶和
華與他同在、又見耶和華使他手裏所辦的盡都順利。
四 四約瑟就在主人眼前蒙恩、伺候他主人、並且主人派他
五 管理家務、把一切所有的都交在他手裏。五自從主人派
約瑟管理家務、和他一切所有的、耶和華就因約瑟的
緣故、賜福與那埃及人的家、凡家裏和田間一切所有
六 的、都蒙耶和華賜福。六波提乏將一切所有的都交在約
瑟的手中、除了自己所喫的飯、別的事一概不知、約瑟
原來秀雅俊美。

主母誣約瑟

七 七這事以後、約瑟主人的妻以目送情給約瑟、說、你與我
八 同寢罷。八約瑟不從、對他主人的妻說、看哪、一切家務我
九 主人都不知道、他把所有的都交在我手裏。九在這家裏

沒有比我大的、並且他沒有留下一樣不交給我、只留
下了你、因爲你是他的妻子、我怎能作這大惡、得罪
十 神呢。十後來他天天和約瑟說、約瑟卻不聽從他、不與他
十一 同寢、也不和他在一處。十一有一天、約瑟進屋裏去辦事、家
十二 中人沒有一個在那屋裏。十二婦人就拉住他的衣裳說、你
與我同寢罷。約瑟把衣裳丟在婦人手裏、跑到外邊去
十三 十四 了。十三婦人看見約瑟把衣裳丟在他手裏跑出去了、十四就叫
了家裏的人來、對他們說、你們看、他帶了一個希伯來
人進入我們家裏、要戲弄我們、他到我這裏來、要與我
十五 同寢、我就大聲喊叫。十五他聽見我放聲喊起來、就把衣裳
十六 丟在我這裏、跑到外邊去了。十六婦人把約瑟的衣裳放在
十七 自己那裏、等着他主人回家、十七就對他如此如此說、你所
十八 帶到我們這裏的那希伯來僕人、進來要戲弄我、十八我放
聲喊起來、他就把衣裳丟在我這裏跑出去了。

波提乏囚約瑟於監

十九 十九約瑟的主人聽見他妻子對他所說的話、說、你的僕人
二十 如此如此待我、他就生氣、二十把約瑟下在監裏、就是王的
二十一 囚犯被囚的地方、於是約瑟在那裏坐監。二十一但耶和華與
二十二 約瑟同在、向他施恩、使他在司獄的眼前蒙恩。二十二司獄就
把監裏所有的囚犯、都交在約瑟的手下、他們在那裏
二十三 所辦的事、都是經他的手。二十三凡在約瑟手下的事、司獄一
概不察、因爲耶和華與約瑟同在、耶和華使他所作的
盡都順利。

酒政膳長同夜得夢

一 **第四十章** 一這事以後、埃及王的酒政和膳長、得罪
二 了他們的主埃及王。二法老就惱怒酒政和膳長這二臣、
三 三把他們下在護衛長府內的監裏、就是約瑟被囚的地
四 方。四護衛長把他們交給約瑟、約瑟便伺候他們、他們有
五 些日子在監裏。五被囚在監之埃及王的酒政和膳長、二
六 人同夜各作一夢、各夢都有講解。六到了早晨、約瑟進到
七 他們那裏、見他們有愁悶的樣子。七他便問法老的二臣、
就是與他同囚在他主人府裏的、說、你們今日爲甚麼
八 面帶愁容呢。八他們對他說、我們各人作了一夢、沒有人
能解、約瑟說、解夢不是出於 神麼、請你們將夢告訴
我。

約瑟解酒政之夢

九 酒政便將他的夢告訴約瑟說、我夢見在我面前有一
十 棵葡萄樹、樹上有三根枝子、好像發了芽、開了花、上頭
十一 的葡萄都成熟了。法老的杯在我手中、我就拿葡萄擠
十二 在法老的杯裏、將杯遞在他手中。約瑟對他說、你所作
十三 的夢是這樣解、三根枝子就是三天。三天之內、法老必
提你出監、叫你官復原職、你仍要遞杯在法老的手中、
十四 和先前作他的酒政一樣。但你得好處的時候、求你記
十五 念我、施恩與我、在法老面前題說我、救我出這監牢。我
實在是從希伯來人之地被拐來的、我在這裏也沒有
作過甚麼、叫他們把我下在監裏。

解膳長之夢

十六 膳長見夢解得好、就對約瑟說、我在夢中見我頭上頂
十七 着三筐白餅。極上的筐子裏、有為法老烤的各樣食物、
十八 有飛鳥來喫我頭上筐子裏的食物。約瑟說、你的夢是
十九 這樣解、三個筐子就是三天。三天之內、法老必斬斷你
二十 的頭、把你挂在木頭上、必有飛鳥來喫你身上的肉。到
了第三天、是法老的生日、他為衆臣僕設擺筵席、把酒
二十一 政和膳長提出監來、使酒政官復原職、他仍舊遞杯在
二十二 法老手中。但把膳長挂起來、正如約瑟向他們所解的
二十三 話。酒政卻不記念約瑟、竟忘了他。

第四十一章

法老連得二夢

一 過了兩年、法老作夢、夢見自己站在
二 河邊。有七隻母牛從河裏上來、又美好、又肥壯、在蘆荻
三 中喫草。隨後又有七隻母牛從河裏上來、又醜陋、又乾
四 瘦、與那七隻母牛一同站在河邊。這又醜陋又乾瘦的
七隻母牛、喫盡了那又美好、又肥壯的七隻母牛、法老
五 就醒了。他又睡着、第二回作夢、夢見一棵麥子長了七
六 個穗子、又肥大、又佳美。隨後又長了七個穗子、又細弱、
七 又被東風吹焦了。這細弱的穗子、吞了那七個又肥大
八 又飽滿的穗子。法老醒了、不料是個夢。到了早晨、法老
心裏不安、就差人召了埃及所有的術士和博士來。法
老就把所作的夢告訴他們、卻沒有人能給法老圓解。

酒政薦約瑟

九 十 那時酒政對法老說、我今日想起我的罪來。從前法老
十一 惱怒臣僕、把我和膳長下在護衛長府內的監裏。我們

十二 二人同夜各作一夢、各夢都有講解。十二在那裏同着我們
有一個希伯來的少年人、是護衛長的僕人、我們告訴
十三 他、他就把我們的夢圓解、是按着各人的夢圓解的。十三後
來正如他給我們圓解的成就了．我官復原職、膳長被
十四 挂起來了。○十四法老遂卽差人去召約瑟、他們便急忙帶
十五 他出監、他就剃頭、刮臉、換衣裳、進到法老面前。十五法老對
約瑟說、我作了一夢、沒有人能解、我聽見人說、你聽了
十六 夢就能解。十六約瑟回答法老說、這不在乎我、 神必將平
十七 安的話回答法老。十七法老對約瑟說、我夢見我站在河邊．
十八 有十八七隻母牛從河裏上來、又肥壯、又美好、在蘆荻中喫
十九 草。十九隨後又有七隻母牛上來、又輭弱、又醜陋、又乾瘦、在
二十 埃及遍地、我沒有見過這樣不好的。二十這又乾瘦、又醜陋
二一 的母牛、喫盡了那以先的七隻肥母牛。二一喫了以後、卻看
不出是喫了、那醜陋的樣子仍舊和先前一樣．我就醒
二二 了。二二我又夢見一棵麥子、長了七個穗子、又飽滿、又佳美．
二三 二四 隨二三後又長了七個穗子、枯槁細弱、被東風吹焦了。二四這些
細弱的穗子、吞了那七個佳美的穗子．我將這夢告訴
了術士、卻沒有人能給我解說。

約瑟為法老解夢

二五 約二五瑟對法老說、法老的夢乃是一個、 神已將所要作
二六 的事指示法老了。二六七隻好母牛是七年．七個好穗子也
二七 是七年．這夢乃是一個。二七那隨後上來的七隻又乾瘦、又
醜陋的母牛、是七年．那七個虛空被東風吹焦的穗子
二八 也是七年．都是七個荒年。二八這就是我對法老所說、 神
二九 已將所要作的事顯明給法老了。二九埃及遍地必來七個
三十 大豐年。三十隨後又要來七個荒年、甚至在埃及地都忘了
三一 先前的豐收、全地必被饑荒所滅。三一因那以後的饑荒甚
三二 大、便不覺得先前的豐收了。三二至於法老兩回作夢、是因
三三 神命定這事、而且必速速成就。三三所以法老當揀選一
三四 個有聰明有智慧的人、派他治理埃及地。三四法老當這樣
行、又派官員管理這地．當七個豐年的時候、征收埃及
三五 地的五分之一．三五叫他們把將來豐年一切的糧食聚斂
起來、積蓄五穀、收存在各城裏作食物、歸於法老的手
三六 下。三六所積蓄的糧食、可以防備埃及地將來的七個荒年、
免得這地被饑荒所滅。

法老立約瑟爲埃及宰

三七 三八 三七法老和他一切臣僕、都以這事爲妙。三八法老對臣僕說、像
這樣的人、有神的靈在他裏頭、我們豈能找得着呢。
三九 三九法老對約瑟說、神既將這事都指示你、可見沒有人
四十 像你這樣有聰明有智慧。四十你可以掌管我的家、我的民
四一 都必聽從你的話、惟獨在寶座上我比你大。四一法老又對
四二 約瑟說、我派你治理埃及全地。四二法老就摘下手上打印
的戒指、戴在約瑟的手上。給他穿上細麻衣、把金鍊戴
四三 在他的頸項上。四三又叫約瑟坐他的副車、喝道的在前呼
四四 叫說、跪下。這樣、法老派他治理埃及全地。四四法老對約瑟
說、我是法老、在埃及全地、若沒有你的命令、不許人擅
四五 自辦事。（原文作動手動脚）四五法老賜名給約瑟、叫撒發那忒巴內
亞。又將安城的祭司波提非拉的女兒亞西納、給他爲
四六 妻。約瑟就出去巡行埃及地。〇四六約瑟見埃及王法老的
四七 時候、年三十歲。他從法老面前出去遍行埃及全地。四七七
四八 個豐年之內、地的出產極豐極盛。（原文作一把一把的）四八約瑟聚斂
埃及地七個豐年一切的糧食、把糧食積存在各城裏、
四九 各城周圍田地的糧食、都積存在本城裏。四九約瑟積蓄五
五十 糓甚多、如同海邊的沙、無法計算、因爲糓不可勝數。五十荒
年未到以前、安城的祭司波提非拉的女兒亞西納給
五一 約瑟生了兩個兒子。五一約瑟給長子起名叫瑪拿西、（就是使之
忘了的意思）因爲他說、神使我忘了一切的困苦、和我父
五二 的全家。五二他給次子起名叫以法蓮、（就是使之昌盛的意思）因爲他
五三 說、神使我在受苦的地方昌盛。五三埃及地的七個豐年
五四 一完、五四七個荒年就來了、正如約瑟所說的。各地都有饑
五五 荒、惟獨埃及全地有糧食。五五及至埃及全地有了饑荒、衆
民向法老哀求糧食、法老對他們說、你們往約瑟那裏
五六 去、凡他所說的你們都要作。五六當時饑荒遍滿天下、約瑟
五七 開了各處的倉、糶糧給埃及人。在埃及地饑荒甚大。五七各
地的人都往埃及去、到約瑟那裏糴糧、因爲天下的饑
荒甚大。

第四十二章

雅各遣子往埃及糴糧

一 一雅各見埃及有糧、就對兒子們說、你
二 們爲甚麼彼此觀望呢。二我聽見埃及有糧、你們可以下
去從那裏爲我們糴些來、使我們可以存活、不至於死。
三 四 三於是約瑟的十個哥哥都下埃及糴糧去了。四但約瑟的

兄弟便雅憫、雅各沒有打發他和哥哥們同去、因為雅
五 各說、恐怕他遭害。五來糴糧的人中有以色列的兒子們、
六 因為迦南地也有饑荒。六當時治理埃及地的是約瑟、糴
糧給那地眾民的就是他。約瑟的哥哥們來了、臉伏於
七 地、向他下拜。七約瑟看見他哥哥們、就認得他們、卻裝作
生人向他們說些嚴厲話、問他們說、你們從那裏來。他
八 們說、我們從迦南地來糴糧。八約瑟認得他哥哥們、他們
九 卻不認得他。九約瑟想起從前所作的那兩個夢、就對他
十 們說、你們是奸細、來窺探這地的虛實。十他們對他說、我
十一 主阿、不是的、僕人們是糴糧來的、十一我們都是一個人的
十二 兒子、是誠實人、僕人們並不是奸細。十二約瑟說、不然、你們
十三 必是窺探這地的虛實來的。十三他們說、僕人們本是弟兄
十二人、是迦南地一個人的兒子、頂小的現今在我們
的父親那裏、有一個沒有了。

約瑟囚兄令攜弟至

十四 十五 十四約瑟說、我纔說你們是奸細、這話實在不錯、十五我指着法
老的性命起誓、若是你們的小兄弟、不到這裏來、你們
十六 就不得出這地方、從此就可以把你們證驗出來了。十六須

要打發你們中間一個人去、把你們的兄弟帶來、至於
你們都要囚在這裏、好證驗你們的話眞不眞、若不眞、
十七 我指着法老的性命起誓、你們一定是奸細。十七於是約瑟
十八 把他們都下在監裏三天。〇十八到第三天、約瑟對他們說、
十九 我是敬畏　神的、你們照我的話行、就可以存活。十九你們
如果是誠實人、可以留你們中間的一個人囚在監裏、
二十 但你們可以帶着糧食回去、救你們家裏的饑荒。二十把你
們的小兄弟帶到我這裏來、如此、你們的話便有證據、
二十一 你們也不至於死。他們就照樣而行。二十一他們彼此說、我們
在兄弟身上實在有罪、他哀求我們的時候、我們見他
心裏的愁苦、卻不肯聽、所以這場苦難臨到我們身上。
二十二 流便說、我豈不是對你們說過、不可傷害那孩子麼、只
二十三 是你們不肯聽、所以流他血的罪向我們追討。二十三他們不
二十四 知道約瑟聽得出來、因為在他們中間用通事傳話。二十四約
瑟轉身退去、哭了一場、又回來對他們說話、就從他們
二十五 中間挑出西緬來、在他們眼前把他捆綁。二十五約瑟吩咐人
把糧食裝滿他們的器具、把各人的銀子歸還在各人
的口袋裏、又給他們路上用的食物。人就照他的話辦

了。

見金在囊則懼

二六二七 二六他們就把糧食馱在驢上、離開那裏去了。二七到了住宿的
地方、他們中間有一個人打開口袋要拿料餧驢、纔看
二八 見自己的銀子仍在口袋裏。二八就對弟兄們說、我的銀子
歸還了、看哪、仍在我口袋裏。他們就提心吊膽、戰戰兢
二九 兢的彼此說、這是神向我們作甚麽呢。二九他們來到迦
南地他們的父親雅各那裏、將所遭遇的事都告訴他、
三十 說、三十那地的主對我們說嚴厲的話、把我們當作窺探那
三一三二 地的奸細。三一我們對他說、我們是誠實人、並不是奸細。三二我
們本是弟兄十二人、都是一個父親的兒子、有一個沒
三三 有了、頂小的如今同我們的父親在迦南地。三三那地的主
對我們說、若要我知道你們是誠實人、可以留下你們
中間的一個人在我這裏、你們可以帶着糧食回去、救
三四 你們家裏的饑荒。三四把你們的小兄弟帶到我這裏來、我
便知道你們不是奸細、乃是誠實人。這樣、我就把你們
的弟兄交給你們、你們也可以在這地作買賣。

雅各不容攜幼子去

三五 三五後來他們倒口袋、不料各人的銀包都在口袋裏、他們
三六 和父親看見銀包就都害怕。三六他們的父親雅各對他們
說、你們使我喪失我的兒子、約瑟沒有了、西緬也沒有
了、你們又要將便雅憫帶去、這些事都歸到我身上了。
三七 三七流便對他父親說、我若不帶他回來交給你、你可以殺
我的兩個兒子、只管把他交在我手裏、我必帶他回來
三八 交給你。三八雅各說、我的兒子不可與你們一同下去、他哥
哥死了、只剩下他、他若在你們所行的路上遭害、那便
是你們使我白髮蒼蒼、悲悲慘慘的下陰間去了。

雅各遣子再往糴糧

一二 **第四十三章** 一那地的饑荒甚大。二他們從埃及帶來
的糧食喫盡了、他們的父親就對他們說、你們再去、給
三 我糴些糧來。三猶大對他說、那人諄諄的誥誡我們、說、你
四 們的兄弟若不與你們同來、你們就不得見我的面。四你
若打發我們的兄弟與我們同去、我們就下去給你糴
五 糧。五你若不打發他去、我們就不下去、因為那人對我們
說、你們的兄弟若不與你們同來、你們就不得見我的

六 面。以色列說、你們爲甚麼這樣害我、告訴那人你們還
七 有兄弟呢。他們回答說、那人詳細問到我們、和我們的
親屬說、你們的父親還在麼．你們還有兄弟麼．我們就
按着他所問的告訴他、焉能知道他要說、必須把你們
八 的兄弟帶下來呢。猶大又對他父親以色列說、你打發
童子與我同去、我們就起身下去、好叫我們和你、並我
九 們的婦人孩子、都得存活、不至於死。我爲他作保、你可
以從我手中追討、我若不帶他回來交在你面前、我情
十 願永遠擔罪。我們若沒有躭擱、如今第二次都回來了。
十一 他們的父親以色列說、若必須如此、你們就當這樣行、
可以將這地土產中最好的乳香、蜂蜜、香料、沒藥、榧子、
杏仁、都取一點收在器具裏、帶下去送給那人作禮物。
十二 又要手裏加倍的帶銀子、並將歸還在你們口袋內的
十三 銀子、仍帶在手裏．那或者是錯了。也帶着你們的兄弟、
十四 起身去見那人。但願全能的神使你們在那人面前
蒙憐憫、釋放你們的那弟兄和便雅憫回來．我若喪了
十五 兒子、就喪了罷。於是他們拿着那禮物、又手裏加倍的
帶銀子、並且帶着便雅憫、起身下到埃及、站在約瑟面
前。

約瑟爲弟兄設席

十六 約瑟見便雅憫和他們同來、就對家宰說、將這些人領
到屋裏、要宰殺牲畜、預備筵席、因爲晌午這些人同我
十七 喫飯。家宰就遵着約瑟的命去行、領他們進約瑟的屋
十八 裏。他們因爲被領到約瑟的屋裏、就害怕、說、領我們到
這裏來、必是因爲頭次歸還在我們口袋裏的銀子、找
我們的錯縫、下手害我們、強取我們爲奴僕、搶奪我們
十九 二十 的驢。他們就挨近約瑟的家宰、在屋門口和他說話說
二十一 我主阿、我們頭次下來實在是要糴糧。後來到了住宿
的地方、我們打開口袋、不料各人的銀子分量足數、仍
二十二 在各人的口袋內、現在我們手裏又帶回來了。另外又
帶下銀子來糴糧、不知道先前誰把銀子放在我們的
二十三 口袋裏。家宰說、你們可以放心、不要害怕、是你們的
神、和你們父親的神、賜給你們財寶在你們的口袋
裏．你們的銀子我早已收了．他就把西緬帶出來交給
二十四 他們。家宰就領他們進約瑟的屋裏、給他們水洗脚、又
二十五 給他們草料餵驢。他們就豫備那禮物、等候約瑟晌午

二六 來。因為他們聽見要在那裏喫飯。○約瑟來到家裏、他
們就把手中的禮物拿進屋去給他、又俯伏在地向他
二七 下拜。約瑟問他們好、又問、你們的父親、就是你們所說
二八 的那老人家平安麼、他還在麼。他們回答說、你僕人我
二九 們的父親平安、他還在。於是他們低頭下拜。約瑟舉目
看見他同母的兄弟便雅憫、就說、你們向我所說那頂
小的兄弟、就是這位麼。又說、小兒阿、願　神賜恩給你。
三十 約瑟愛弟之情發動、就急忙尋找可哭之地、進入自己
三一 的屋裏、哭了一塲。他洗了臉出來、勉強隱忍、吩咐人擺
三二 飯。他們就為約瑟單擺了一席、為那些人又擺了一席、
也為和約瑟同喫飯的埃及人另擺了一席。因為埃及
人不可和希伯來人一同喫飯、那原是埃及人所厭惡
三三 的。約瑟使眾弟兄在他面前排列坐席、都按着長幼的
三四 次序、眾弟兄就彼此詫異。約瑟把他面前的食物分出
來、送給他們、但便雅憫所得的、比別人多五倍、他們就
飲酒、和約瑟一同宴樂。

第四十四章

約瑟用策留弟以試諸兄

一 約瑟吩咐家宰說、把糧食裝滿這些
人的口袋、儘着他們的驢所能馱的、又把各人的銀子
二 放在各人的口袋裏。並將我的銀杯、和那少年人糴糧
的銀子、一同裝在他的口袋裏。家宰就照約瑟所說的
三 四 話行了。天一亮、就打發那些人帶着驢走了。他們出城
走了不遠、約瑟對家宰說、起來、追那些人去、追上了、就
五 對他們說、你們為甚麼以惡報善呢。這不是我主人飲
酒的杯麼、豈不是他占卜用的麼、你們這樣行是作惡
六 七 了。家宰追上他們、將這些話對他們說了。他們回答說、
我主為甚麼說這樣的話呢、你僕人斷不能作這樣的
八 事。你看、我們從前在口袋裏所見的銀子、尚且從迦南
九 地帶來還你、我們怎能從你主人家裏偷竊金銀呢。你
僕人中、無論在誰那裏搜出來、就叫他死、我們也作我
十 主的奴僕。家宰說、現在就照你們的話行罷、在誰那裏
十一 搜出來、誰就作我的奴僕、其餘的都沒有罪。於是他們
十二 各人急忙把口袋卸在地下、各人打開口袋。家宰就搜
查、從年長的起、到年幼的為止、那杯竟在便雅憫的口
十三 袋裏搜出來。他們就撕裂衣服、各人把馱子抬在驢上、
十四 回城去了。○猶大和他弟兄們來到約瑟的屋中、約瑟

十五 還在那裏、他們就在他面前俯伏於地。十五約瑟對他們說、
你們作的是甚麼事呢、你們豈不知像我這樣的人必
十六 能占卜麼。十六猶大說、我們對我主說甚麼呢。還有甚麼話
可說呢。我們怎能自己表白出來呢。神已經查出僕
人的罪孽了。我們與那在他手中搜出杯來的都是我
十七 主的奴僕。十七約瑟說、我斷不能這樣行、在誰的手中搜出
杯來、誰就作我的奴僕。至於你們、可以平平安安的上
十八 你們父親那裏去。○十八猶大挨近他說、我主阿、求你容僕
人說一句話給我主聽、不要向僕人發烈怒、因爲你如
十九 同法老一樣。十九我主曾問僕人們說、你們有父親有兄弟
二十 沒有。二十我們對我主說、我們有父親、已經年老、還有他老
年所生的一個小孩子、他哥哥死了、他母親只撇下他
二一 一人、他父親疼愛他。二一你對僕人說、把他帶到我這裏來、
二二 叫我親眼看看他。二二我們對我主說、童子不能離開他父
二三 親、若是離開、他父親必死。二三你對僕人說、你們的小兄弟
二四 若不與你們一同下來、你們就不得再見我的面。二四我們
上到你僕人我們父親那裏、就把我主的話告訴了他。
二五 二六 二五我們的父親說、你們再去給我糴些糧來。二六我們就說、我
們不能下去、我們的小兄弟若和我們同往、我們就可
以下去、因爲小兄弟若不與我們同往、我們必不得見
二七 那人的面。二七你僕人我父親對我們說、你們知道我的妻
二八 子給我生了兩個兒子。二八一個離開我出去了、我說、他必
二九 是被撕碎了、直到如今我也沒有見他。二九現在你們又要
把這個帶去離開我、倘若他遭害、那便是你們使我白
三十 髮蒼蒼、悲悲慘慘的下陰間去了。三十我父親的命與這童
子的命相連、如今我回到你僕人我父親那裏、若沒有
三一 童子與我們同在、三一我們的父親見沒有童子、他就必死。
這便是我們使你僕人我們的父親白髮蒼蒼、悲悲慘
三二 慘的下陰間去了。三二因爲僕人曾向我父親爲這童子作
保、說、我若不帶他回來交給父親、我便在父親面前永
三三 遠擔罪。三三現在求你容僕人住下、替這童子作我主的奴
三四 僕、叫童子和他哥哥們一同上去。三四若童子不和我同去、
我怎能上去見我父親呢、恐怕我看見災禍臨到我父
親身上。

第四十五章　約瑟與弟兄相認

一 約瑟在左右站着的人面前、情不自

禁、吩咐一聲說、人都要離開我出去。約瑟和弟兄們相
二 認的時候、並沒有一人站在他面前。二他就放聲大哭、埃
三 及人、和法老家中的人都聽見了。三約瑟對他弟兄們說、
我是約瑟、我的父親還在麼。他弟兄不能回答、因爲在
四 他面前都驚惶。四約瑟又對他弟兄們說、請你們近前來、
他們就近前來。他說、我是你們的兄弟約瑟、就是你們
五 所賣到埃及的。五現在不要因爲把我賣到這裏、自憂自
六 恨、這是 神差我在你們以先來、爲要保全生命。六現在
這地的饑荒已經二年了、還有五年不能耕種、不能收
七 成。七 神差我在你們以先來、爲要給你們存留餘種在
八 世上、又要大施拯救、保全你們的生命。八這樣看來、差我
到這裏來的不是你們、乃是 神、他又使我如法老的
九 父、作他全家的主、並埃及全地的宰相。九你們要趕緊上
到我父親那裏、對他說、你兒子約瑟這樣說、 神使我
十 作全埃及的主、請你下到我這裏來、不要躭延。十你和你
的兒子、孫子、連牛羣、羊羣、並一切所有的、都可以住在
十一 歌珊地、與我相近。十一我要在那裏奉養你。因爲還有五年
的饑荒、免得你和你的眷屬、並一切所有的、都敗落了。
十二 十二況且你們的眼、和我兄弟便雅憫的眼、都看見是我親
十三 口對你們說話。十三你們也要將我在埃及一切的榮耀、和
你們所看見的事、都告訴我父親、又要趕緊的將我父
十四 親搬到我這裏來。十四於是約瑟伏在他兄弟便雅憫的頸
十五 項上哭、便雅憫也在他的頸項上哭。十五他又與衆弟兄親
嘴、抱着他們哭、隨後他弟兄們就和他說話。

法老命約瑟迎父

十六 十六這風聲傳到法老的宮裏、說、約瑟的弟兄們來了。法老
十七 和他的臣僕都很喜歡。十七法老對約瑟說、你吩咐你的弟
兄們說、你們要這樣行、把馱子抬在牲口上、起身往迦
十八 南地去。十八將你們的父親和你們的眷屬都搬到我這裏
來、我要把埃及地的美物賜給你們、你們也要喫這地
十九 肥美的出產。十九現在我吩咐你們要這樣行、從埃及地帶
着車輛去、把你們的孩子、和妻子、並你們的父親都搬
二十 來。二十你們眼中不要愛惜你們的家具、因爲埃及全地的
二一 美物、都是你們的。◯二一以色列的兒子們就如此行、約瑟
二二 照着法老的吩咐給他們車輛、和路上用的食物。二二又給
他們各人一套衣服、惟獨給便雅憫三百銀子、五套衣

二三 服。二三送給他父親公驢十匹、馱着埃及的美物、母驢十匹、
二四 馱着糧食與餅和菜、爲他父親路上用。二四於是約瑟打發
二五 他弟兄們回去、又對他們說、你們不要在路上相爭。二五他
二六 們從埃及上去、來到迦南地他們的父親雅各那裏。二六告
訴他說、約瑟還在、並且作埃及全地的宰相。雅各心裏
二七 冰涼、因爲不信他們。二七他們便將約瑟對他們說的一切
話、都告訴了他、他們父親雅各又看見約瑟打發來接
二八 他的車輛、心就甦醒了。二八以色列說、罷了、罷了、我的兒子
約瑟還在、趁我未死以先、我要去見他一面。

第四十六章

一 一以色列帶着一切所有的、起身來到
二 別是巴、就獻祭給他父親以撒的　神。二夜間　神在異
三 象中對以色列說、雅各、雅各、他說、我在這裏。三　神說、我
是　神、就是你父親的　神、你下埃及去不要害怕、因
四 爲我必使你在那裏成爲大族。四我要和你同下埃及去、
五 也必定帶你上來、約瑟必給你送終。(原文作將手按在你的眼睛上)五雅
各就從別是巴起行、以色列的兒子們使他們的父親
雅各、和他們的妻子兒女、都坐在法老爲雅各送來的
六 車上。六他們又帶着在迦南地所得的牲畜貨財、來到埃

七 及。雅各和他的一切子孫都一同來了。七雅各把他的兒
子、孫子、女兒、孫女、並他的子子孫孫、一同帶到埃及。

記雅各家下埃及者之名

八 八來到埃及的以色列人、名字記在下面。雅各和他的兒
九 孫、雅各的長子是流便。九流便的兒子是哈諾、法路、希斯
十 倫、迦米。十西緬的兒子是耶母利、雅憫、阿轄、雅斤、瑣轄、還
十一 有迦南女子所生的掃羅。十一利未的兒子是革順、哥轄、米
十二 拉利。十二猶大的兒子是珥、俄南、示拉、法勒斯、謝拉．惟有珥
與俄南死在迦南地。法勒斯的兒子是希斯倫、哈母勒。
十三 十四 十三以薩迦的兒子是陀拉、普瓦、約伯、伸崙。十四西布倫的兒子
十五 是西烈、以倫、雅利。十五這是利亞在巴旦亞蘭給雅各所生
十六 的兒子、還有女兒底拿。兒孫共有三十三人。十六迦得的兒
十七 子是洗非芸、哈基、書尼、以斯本、以利、亞羅底、亞列利。十七亞
設的兒子是音拿、亦施瓦、亦施韋、比利亞、還有他們的
十八 妹子西拉。比利亞的兒子是希別、瑪結。十八這是拉班給他
女兒利亞的婢女悉帕從雅各所生的兒孫、共有十六
十九 二十 人。十九雅各之妻拉結的兒子、是約瑟和便雅憫。二十約瑟在埃
及地生了瑪拿西和以法蓮、就是安城的祭司波提非

二一 拉的女兒亞西納給約瑟生的。二一便雅憫的兒子是比拉、
二二 比結、亞實別、基拉、乃幔、以希、羅實、母平、戶平、亞勒。二二這是
二三 拉結給雅各所生的兒孫、共有十四人。二三但的兒子是戶
二四 二五 伸。二四拿弗他利的兒子是雅薛、沽尼、耶色、示冷。二五這是拉班
給他女兒拉結的婢女辟拉、從雅各所生的兒孫、共有
二六 七人。二六那與雅各同到埃及的、除了他兒婦之外、凡從他
二七 所生的、共有六十六人。二七還有約瑟在埃及所生的兩個
兒子。雅各家來到埃及的共有七十人。

約瑟往歌珊迎父

二八 二八雅各打發猶大先去見約瑟、請派人引路往歌珊去、於
二九 是他們來到歌珊地。二九約瑟套車往歌珊去、迎接他父親
三十 以色列。及至見了面、就伏在父親的頸項上、哭了許久。
三十以色列對約瑟說、我既得見你的面、知道你還在、就是
三一 死我也甘心。三一約瑟對他的弟兄和他父的全家說、我要
上去告訴法老、對他說、我的弟兄和我父的全家、從前
三二 在迦南地、現今都到我這裏來了。三二他們本是牧羊的人、
以養牲畜為業、他們把羊群、牛群、和一切所有的都帶
三三 來了。三三等法老召你們的時候、問你們說、你們以何事為
三四 業、三四你們要說、你的僕人從幼年直到如今、都以養牲畜
為業、連我們的祖宗也都以此為業。這樣你們可以住
在歌珊地。因為凡牧羊的、都被埃及人所厭惡。

第四十七章

約瑟薦弟兄見法老

一 約瑟進去告訴法老說、我的父親和
我的弟兄帶着羊群、牛群、並一切所有的、從迦南地來
二 了、如今在歌珊地。二約瑟從他弟兄中挑出五個人來、引
三 他們去見法老。三法老問約瑟的弟兄說、你們以何事為
業。他們對法老說、你僕人是牧羊的、連我們的祖宗也
四 是牧羊的。四他們又對法老說、迦南地的饑荒甚大、僕人
的羊群沒有草喫、所以我們來到這地寄居。現在求你
五 容僕人住在歌珊地。五法老對約瑟說、你父親和你弟兄
六 到你這裏來了。六埃及地都在你面前、只管叫你父親和
你弟兄住在國中最好的地、他們可以住在歌珊地。你
若知道他們中間有甚麼能人、就派他們看管我的牲
畜。

約瑟引雅各見法老

七 七約瑟領他父親雅各進到法老面前、雅各就給法老祝

九八 福。八法老問雅各說、你平生的年日是多少呢。九雅各對法
老說、我寄居在世的年日是一百三十歲、我平生的年
十 日又少又苦、不及我列祖在世寄居的年日。十雅各又給
十一 法老祝福、就從法老面前出去了。十一約瑟遵着法老的命、
把埃及國最好的地、就是蘭塞境內的地給他父親和
十二 弟兄居住、作為產業。十二約瑟用糧食奉養他父親、和他弟
兄、並他父親全家的眷屬、都是照各家的人口奉養他
十三 們。○十三饑荒甚大、全地都絕了糧、甚至埃及地和迦南地
十四 的人、因那饑荒的緣故、都餓昏了。十四約瑟收聚了埃及地
和迦南地所有的銀子、就是眾人糴糧的銀子、約瑟就
十五 把那銀子帶到法老的宮裏。十五埃及地和迦南地的銀子
都花盡了、埃及眾人都來見約瑟說、我們的銀子都用
盡了、求你給我們糧食、我們為甚麼死在你面前呢。

約瑟以糧易畜

十六 約瑟說、若是銀子用盡了、可以把你們的牲畜給我、我
十七 就為你們的牲畜給你們糧食。十七於是他們把牲畜趕到
約瑟那裏、約瑟就拿糧食換了他們的牛、羊、驢、馬、那一
十八 年因換他們一切的牲畜、就用糧食養活他們。十八那一年

過去、第二年他們又來見約瑟說、我們不瞞我主、我們
的銀子都花盡了、牲畜也都歸了我主、我們在我主眼
十九 前除了我們的身體和田地之外、一無所剩。十九你何忍見
我們人死地荒呢．求你用糧食買我們和我們的地、我
們和我們的地就要給法老效力．又求你給我們種子、
使我們得以存活、不至死亡、地土也不至荒涼。

以糧易地

二十 於是約瑟為法老買了埃及所有的地、埃及人因被饑
二一 荒所迫、各都賣了自己的田地．那地就都歸了法老。二一至
於百姓、約瑟叫他們從埃及這邊直到埃及那邊、都各
二二 歸各城。二二惟有祭司的地、約瑟沒有買、因為祭司有從法
老所得的常俸、他們喫法老所給的常俸、所以他們不
二三 賣自己的地。二三約瑟對百姓說、我今日為法老買了你們、
和你們的地、看哪、這裏有種子給你們、你們可以種地。
二四 後來打糧食的時候、你們要把五分之一納給法老、四
分可以歸你們作地裏的種子、也作你們和你們家口
二五 孩童的食物。二五他們說、你救了我們的性命、但願我們在
二六 我主眼前蒙恩、我們就作法老的僕人。二六於是約瑟為埃

及地定下常例直到今日、法老必得五分之一、惟獨祭
司的地不歸法老。

雅各遺命於約瑟

二七 以色列人住在埃及的歌珊地、他們在那裏置了產業、
二八 並且生育甚多。二八雅各住在埃及地十七年、雅各平生的
二九 年日是一百四十七歲。二九以色列的死期臨近了、他就叫
了他兒子約瑟來、說、我若在你眼前蒙恩、請你把手放
在我大腿底下、用慈愛和誠實待我、請你不要將我葬
三十 在埃及。三十我與我祖我父同睡的時候、你要將我帶出埃
及、葬在他們所葬的地方。約瑟說、我必遵着你的命而
三一 行。三一雅各說、你要向我起誓。約瑟就向他起了誓。於是以
色列在牀頭上（或作扶着杖頭）敬拜　神。

第四十八章　約瑟攜二子見雅各

一 這事以後、有人告訴約瑟說、你的父
二 親病了。他就帶着兩個兒子瑪拿西和以法蓮同去。二有
人告訴雅各說、請看、你兒子約瑟到你這裏來了。以色
三 列就勉強在牀上坐起來。三雅各對約瑟說、全能的　神
四 曾在迦南地的路斯向我顯現、賜福與我。四對我說、我必
使你生養衆多、成爲多民、又要把這地賜給你的後裔、
五 永遠爲業。五我未到埃及見你之先、你在埃及地所生的
以法蓮和瑪拿西這兩個兒子是我的、正如流便和西
六 緬是我的一樣。六你在他們以後所生的、就是你的、他們
七 可以歸於他們弟兄的名下得產業。七至於我、我從巴旦
來的時候、拉結死在我眼前、在迦南地的路上、離以法
他還有一段路程、我就把他葬在以法他的路上、以法
他就是伯利恆。

雅各給約瑟祝福

八 九 八以色列看見約瑟的兩個兒子、就說、這是誰。九約瑟對他
父親說、這是　神在這裏賜給我的兒子。以色列說、請
十 你領他們到我跟前、我要給他們祝福。十以色列年紀老
邁、眼睛昏花、不能看見。約瑟領他們到他跟前、他就和
十一 他們親嘴、抱着他們。十一以色列對約瑟說、我想不到得見
十二 你的面、不料、　神又使我得見你的兒子。十二約瑟把兩個
兒子從以色列兩膝中領出來、自己就臉伏於地下拜。
十三 十三隨後約瑟又拉着他們兩個、以法蓮在他的右手裏、對
着以色列的左手、瑪拿西在他的左手裏、對着以色列

十四 的右手、領他們到以色列的跟前。十四以色列伸出右手來、
按在以法蓮的頭上．以法蓮乃是次子、又剪搭過左手
十五 來按在瑪拿西的頭上、瑪拿西原是長子．十五他就給約瑟
祝福、說、願我祖亞伯拉罕、和我父以撒所事奉的神、
十六 就是一生牧養我直到今日的神十六救贖我脫離一切
患難的那使者、賜福與這兩個童子、願他們歸在我的
名下、和我祖亞伯拉罕我父以撒的名下、又願他們在
十七 世界中生養衆多。十七約瑟見他父親把右手按在以法蓮
的頭上、就不喜悅、便提起他父親的手、要從以法蓮頭
十八 上挪到瑪拿西的頭上。十八約瑟對他父親說、我父不是這
十九 樣、這本是長子、求你把右手按在他的頭上。十九他父親不
從、說、我知道、我兒我知道、他也必成爲一族、也必昌大、
只是他的兄弟將來比他還大、他兄弟的後裔要成爲
二十 多族。二十當日就給他們祝福、說、以色列人要指着你們祝
福、說、願神使你如以法蓮瑪拿西一樣．於是立以法
二一 蓮在瑪拿西以上。二一以色列又對約瑟說、我要死了、但
二二 神必與你們同在、領你們回到你們列祖之地。二二並且我
從前用弓用刀、從亞摩利人手下奪的那塊地、我都賜
給你、使你比衆弟兄多得一分。

第四十九章

雅各作歌豫言將來之事

一 一雅各叫了他的兒子們來、說、你們都
二 來聚集、我好把你們日後必遇的事告訴你們。二雅各的
兒子們、你們要聚集而聽、要聽你們父親以色列的話。
三 三○流便哪、你是我的長子、是我力量強壯的時候生的、
四 本當大有尊榮、權力超衆．四但你放縱情慾、滾沸如水、必
不得居首位、因爲你上了你父親的牀、汚穢了我的榻。
五六 五○西緬和利未是弟兄、他們的刀劍是殘忍的器具。六我
的靈阿、不要與他們同謀、我的心哪、不要與他們聯絡、
七 因爲他們趁怒殺害人命、任意砍斷牛腿大筋．七他們的
怒氣暴烈可咒、他們的忿恨殘忍可詛．我要使他們分
八 居在雅各家裏、散住在以色列地中。八○猶大阿、你弟兄
們必讚美你、你手必掐住仇敵的頸項、你父親的兒子
九 們必向你下拜。九猶大是個小獅子．我兒阿、你抓了食便
十 上去．你屈下身去、臥如公獅、蹲如母獅、誰敢惹你。十圭必
不離猶大、杖必不離他兩脚之間、直等細羅就是賜平安者來
十一 到、萬民都必歸順。十一猶大把小驢拴在葡萄樹上、把驢駒

拴在美好的葡萄樹上、他在葡萄酒中洗了衣服、在葡
十二 萄汁中洗了袍褂。十二他的眼睛必因酒紅潤、他的牙齒必
十三 因奶白亮。◯十三西布倫必住在海口、必成爲停船的海口．
十四 他的境界必延到西頓。◯十四以薩迦是個強壯的驢、臥在
十五 羊圈之中．十五他以安靜爲佳、以肥地爲美、便低肩背重、成
十六 爲服苦的僕人。◯十六但必判斷他的民、作以色列支派之
十七 一。十七但必作道上的蛇、路中的虺、咬傷馬蹄、使騎馬的墜
十八 十九 落於後。十八耶和華阿、我向來等候你的救恩。◯十九迦得必被
二十 敵軍追逼、他卻要追逼他們的脚跟。◯二十亞設之地必出
二一 肥美的糧食、且出君王的美味。◯二一拿弗他利是被釋放
二二 的母鹿、他出嘉美的言語。◯二二約瑟是多結果子的樹枝、
二三 是泉旁多結果的枝子、他的枝條探出牆外。二三弓箭手將
二四 他苦害、向他射箭、逼迫他．二四但他的弓仍舊堅硬、他的手
健壯敏捷．這是因以色列的牧者、以色列的磐石、就是
二五 雅各的大能者．二五你父親的神必幫助你、那全能者必
將天上所有的福、地裏所藏的福、以及生產乳養的福、
二六 都賜給你。二六你父親所祝的福、勝過我祖先所祝的福、如
永世的山嶺、至極的邊界、這些福必降在約瑟的頭上、

二七 臨到那與弟兄迥別之人的頂上。◯二七便雅憫是個撕掠
的狠、早晨要喫他所抓的、晚上要分他所奪的。

遺囑葬事

二八 這二八一切是以色列的十二支派．這也是他們的父親對
他們所說的話、爲他們所祝的福、都是按着各人的福
二九 分、爲他們祝福。二九他又囑咐他們說、我將要歸到我列祖
(原文作本民)那裏、你們要將我葬在赫人以弗崙田間的洞
三十 裏、與我祖我父在一處、三十就是在迦南地幔利前、麥比拉
田間的洞．那洞和田、是亞伯拉罕向赫人以弗崙買來
三一 爲業、作墳地的。三一他們在那裏葬了亞伯拉罕和他妻子
撒拉．又在那裏葬了以撒和他妻子利百加．我也在那
三二 三三 裏葬了利亞。三二那塊田和田間的洞、原是向赫人買的。三三雅
各囑咐眾子已畢、就把脚收在牀上、氣絕而死、歸他列
祖(原文作本民)那裏去了。

約瑟歸葬其父

一 **第五十章** 一約瑟伏在他父親的面上哀哭、與他親
二 嘴。二約瑟吩咐伺候他的醫生、用香料薰他父親、醫生就
三 用香料薰了以色列。三薰屍的常例是四十天、那四十天

四 滿了、埃及人爲他哀哭了七十天。〇爲他哀哭的日子
過了、約瑟對法老家中的人說、我若在你們眼前蒙恩、
五 請你們報告法老說、我父親要死的時候、叫我起誓、說、
你要將我葬在迦南地、在我爲自己所掘的墳墓裏．現
六 在求你讓我上去葬我父親、以後我必回來。法老說、你
七 可以上去、照着你父親叫你起的誓、將他葬埋。於是約
瑟上去葬他父親．與他一同上去的、有法老的臣僕、和
八 法老家中的長老、並埃及國的長老、還有約瑟的全家、
和他的弟兄們、並他父親的眷屬．只有他們的婦人孩
九 子、和羊羣、牛羣、都留在歌珊地。又有車輛、馬兵、和他一
十 同上去．那一幫人甚多。他們到了約但河外亞達的禾
場、就在那裏大大的號咷痛哭．約瑟爲他父親哀哭了
十一 七天。迦南的居民、見亞達禾場上的哀哭、就說、這是埃
及人一場極大的哀哭、因此那地方名叫亞伯麥西、是
十二 在約但河東。雅各的兒子們、就遵着他父親所吩咐的
十三 辦了、把他搬到迦南地、葬在幔利前、麥比拉田間的洞
裏．那洞和田、是亞伯拉罕向赫人以弗崙買來爲業作
十四 墳地的。約瑟葬了他父親以後、就和衆弟兄、並一切同

十五 他上去葬他父親的人都回埃及去了。〇約瑟的哥哥
們見父親死了、就說、或者約瑟懷恨我們、照着我們從
十六 前待他一切的惡、足足的報復我們。他們就打發人去
十七 見約瑟說、你父親未死以先、吩咐說、你們要對約瑟這
樣說、從前你哥哥們惡待你、求你饒恕他們的過犯、和
罪惡．如今求你饒恕你父親 神之僕人的過犯。他們
十八 對約瑟說這話、約瑟就哭了。他的哥哥們又來俯伏在
十九 他面前說、我們是你的僕人。約瑟對他們說、不要害怕、
二十 我豈能代替 神呢。從前你們的意思是要害我、但
神的意思原是好的、要保全許多人的性命、成就今日
二一 的光景。現在你們不要害怕、我必養活你們、和你們的
婦人孩子。於是約瑟用親愛的話安慰他們。

約瑟遺囑弟兄將其骸骨攜歸故土

二二 約瑟和他父親的眷屬、都住在埃及．約瑟活了一百一
二三 十歲。約瑟得見以法蓮第三代的子孫、瑪拿西的孫子
二四 瑪吉的兒子、也養在約瑟的膝上。約瑟對他弟兄們說、
我要死了、但 神必定看顧你們、領你們從這地上去、
二五 到他起誓所應許給亞伯拉罕以撒雅各之地。約瑟叫

以色列的子孫起誓說、神必定看顧你們、你們要把
我的骸骨從這裏搬上去。
二六約瑟死了、正一百一十歲。人
用香料將他薰了、把他收殮在棺材裏、停在埃及。

出埃及記

第一章 一以色列的衆子、各帶家眷和雅各一同來
到埃及、他們的名字記在下面。二流便西緬利未猶大、
三以薩迦西布倫便雅憫、四但拿弗他利迦得亞設。五凡從雅
各而生的、共有七十人。約瑟已經在埃及。六約瑟和他的
弟兄、並那一代的人都死了。七以色列人生養衆多、並且
繁茂、極其強盛、滿了那地。

埃及新王虐待以色列人

八有不認識約瑟的新王起來、治理埃及。九對他的百姓說、
看哪、這以色列民比我們還多、又比我們強盛。十來罷、我
們不如用巧計待他們、恐怕他們多起來、日後若遇甚
麼爭戰的事、就連合我們的仇敵攻擊我們、離開這地
去了。十一於是埃及人派督工的轄制他們、加重擔苦害他
們。他們爲法老建造兩座積貨城、就是比東和蘭塞。十二只
是越發苦害他們、他們越發多起來、越發蔓延、埃及人
就因以色列人愁煩。十三埃及人嚴嚴的使以色列人作工。
十四使他們因作苦工覺得命苦、無論是和泥、是做磚、是作
田間各樣的工、在一切的工上都嚴嚴的待他們。

收生者敬畏神存留男子

十五有希伯來的兩個收生婆、一名施弗拉、一名普阿、埃及
王對他們說、十六你們爲希伯來婦人收生、看他們臨盆的
時候、若是男孩、就把他殺了、若是女孩、就留他存活。十七但
是收生婆敬畏神、不照埃及王的吩咐行、竟存留男
孩的性命。十八埃及王召了收生婆來、說、你們爲甚麼作這
事、存留男孩的性命呢。十九收生婆對法老說、因爲希伯來
婦人與埃及婦人不同、希伯來婦人本是健壯的、原文作活
潑的收生婆還沒有到、他們已經生產了。二十神厚待收生
婆、以色列人多起來、極其強盛。二十一收生婆因爲敬畏神、
神便叫他們成立家室。二十二法老吩咐他的衆民說、以色
列人所生的男孩、你們都要丟在河裏、一切的女孩、你
們要存留他的性命。

第二章　摩西生藏匿三月

一有一個利未家的人、娶了一個利未女子
爲妻。二那女人懷孕生一個兒子、見他俊美、就藏了他三
個月。三後來不能再藏、就取了一個蒲草箱、抹上石漆和

四 石油、將孩子放在裏頭、把箱子擱在河邊的蘆荻中。孩
五 子的姐姐遠遠站着、要知道他究竟怎麼樣。法老的女
兒來到河邊洗澡、他的使女們在河邊行走．他看見箱
六 子在蘆荻中、就打發一個婢女拿來。他打開箱子、看見
那孩子、孩子哭了．他就可憐他、說、這是希伯來人的一
七 個孩子。孩子的姐姐對法老的女兒說、我去在希伯來
八 婦人中叫一個奶媽來、為你奶這孩子、可以不可以。法
九 老的女兒說、可以．童女就去叫了孩子的母親來。法老
的女兒對他說、你把這孩子抱去、為我奶他、我必給你
十 工價．婦人就抱了孩子去奶他。孩子漸長、婦人把他帶
到法老的女兒那裏、就作了他的兒子．他給孩子起名
叫摩西、意思說、因我把他從水裏拉出來。

摩西逃往米甸

十一 後來摩西長大、他出去到他弟兄那裏、看他們的重擔、
十二 見一個埃及人打希伯來人的一個弟兄。他左右觀看、
十三 見沒有人、就把埃及人打死了、藏在沙土裏。第二天他
出去見有兩個希伯來人爭鬬、就對那欺負人的說、你
十四 為甚麼打你同族的人呢。那人說、誰立你作我們的首
領和審判官呢、難道你要殺我、像殺那埃及人麼。摩西
十五 便懼怕、說、這事必是被人知道了。法老聽見這事、就想
十六 殺摩西、但摩西躲避法老、逃往米甸地居住。○一日他
在井旁坐下、米甸的祭司有七個女兒、他們來打水、打
十七 滿了槽、要飲父親的羣羊。有牧羊的人來把他們趕走
十八 了．摩西卻起來幫助他們、又飲了他們的羣羊。他們來
到父親流珥那裏、他說、今日你們為何來得這麼快呢。
十九 他們說、有一個埃及人救我們脫離牧羊人的手、並且
二十 為我們打水飲了羣羊。他對女兒們說、那個人在那裏、
二一 你們為甚麼撇下他呢、你們去請他來喫飯。摩西甘心
二二 和那人同住．那人把他的女兒西坡拉給摩西為妻。西
坡拉生了一個兒子、摩西給他起名叫革舜、意思說、因
二三 我在外邦作了寄居的。○過了多年、埃及王死了．以色
二四 列人因作苦工、就歎息哀求．他們的哀聲達於神。
神聽見他們的哀聲、就記念他與亞伯拉罕、以撒、雅各
二五 所立的約。神看顧以色列人、也知道他們的苦情。

第三章

耶和華顯現於荊棘火中

一 摩西牧養他岳父米甸祭司葉忒羅的羊

二 羣、一日領羊羣往野外去、到了　神的山、就是何烈山。
二耶和華的使者從荊棘裏火燄中向摩西顯現。摩西觀
三 看、不料、荊棘被火燒着、卻沒有燒燬。三摩西說、我要過去
四 看這大異象、這荊棘爲何沒有燒壞呢。四耶和華　神見
他過去要看、就從荊棘裏呼叫說、摩西、摩西。他說、我在
五 這裏。五神說、不要近前來．當把你腳上的鞋脫下來、因
六 爲你所站之地是聖地。六又說、我是你父親的　神、是亞
伯拉罕的　神、以撒的　神、雅各的　神。摩西蒙上臉、
因爲怕看　神。

遣摩西領以色列人出埃及

七 七耶和華說、我的百姓在埃及所受的困苦、我實在看見
了．他們因受督工的轄制所發的哀聲、我也聽見了．我
八 原知道他們的痛苦。八我下來是要救他們脫離埃及人
的手、領他們出了那地、到美好寬闊流奶與蜜之地、就
是到迦南人、赫人、亞摩利人、比利洗人、希未人、耶布斯
九 人之地。九現在以色列人的哀聲達到我耳中、我也看見
十 埃及人怎樣欺壓他們。十故此我要打發你去見法老、使
十一 你可以將我的百姓以色列人從埃及領出來。十一摩西對
十二 　神說、我是甚麼人、竟能去見法老、將以色列人從埃
及領出來呢。十二神說、我必與你同在、你將百姓從埃及
領出來之後、你們必在這山上事奉我．這就是我打發
十三 你去的證據。○十三摩西對　神說、我到以色列人那裏、對
他們說、你們祖宗的　神打發我到你們這裏來．他們
十四 若問我說、他叫甚麼名字、我要對他們說甚麼呢。十四神
對摩西說、我是自有永有的．又說、你要對以色列人這
十五 樣說、那自有的打發我到你們這裏來。十五神又對摩西
說、你要對以色列人這樣說、耶和華你們祖宗的　神、
就是亞伯拉罕的　神、以撒的　神、雅各的　神、打發
我到你們這裏來．耶和華是我的名、直到永遠、這也是
十六 我的記念、直到萬代。十六你去招聚以色列的長老、對他們
說、耶和華你們祖宗的　神、就是亞伯拉罕的　神、以
撒的　神、雅各的　神、向我顯現、說、我實在眷顧了你
十七 們、我也看見埃及人怎樣待你們。十七我也說、要將你們從
埃及的困苦中領出來、往迦南人、赫人、亞摩利人、比利
洗人、希未人、耶布斯人的地去、就是到流奶與蜜之地。
十八 十八他們必聽你的話．你和以色列的長老要去見埃及王、

對他說、耶和華希伯來人的神、遇見了我們．現在求
你容我們往曠野去、走三天的路程、爲要祭祀耶和華
十九 我們的神。十九我知道雖用大能的手、埃及王也不容你
二十 們去。二十我必伸手、在埃及中間施行我一切的奇事、攻擊
二一 那地、然後他纔容你們去。二一我必叫你們在埃及人眼前
二二 蒙恩、你們去的時候、就不至於空手而去．二二但各婦女必
向他的鄰舍、並居住在他家裏的女人、要金器、銀器、和
衣裳、好給你們的兒女穿戴．這樣你們就把埃及人的
財物奪去了。

第四章

杖變蛇爲證

一 一摩西回答說、他們必不信我、也不聽我的
二 話、必說、耶和華並沒有向你顯現。二耶和華對摩西說、你
三 手裏是甚麼．他說、是杖。三耶和華說、丟在地上．他一丟下
四 去、就變作蛇、摩西便跑開。四耶和華對摩西說、伸出手來
五 拿住他的尾巴．他必在你手中仍變爲杖。五如此好叫他
們信耶和華他們祖宗的神、就是亞伯拉罕的神、
以撒的神、雅各的神、是向你顯現了。

手生大痲瘋爲證

六 六耶和華又對他說、把手放在懷裏．他就把手放在懷裏、
七 及至抽出來、不料、手長了大痲瘋、有雪那樣白。七耶和華
說、再把手放在懷裏．他就再把手放在懷裏、及至從懷
八 裏抽出來、不料、手已經復原、與周身的肉一樣。八又說、倘
或他們不聽你的話、也不信頭一個神蹟、他們必信第
九 二個神蹟。九這兩個神蹟若都不信、也不聽你的話、你就
從河裏取些水、倒在旱地上、你從河裏取的水必在旱
十 地上變作血。○十摩西對耶和華說、主阿、我素日不是能
言的人、就是從你對僕人說話以後、也是這樣、我本是
十一 拙口笨舌的。十一耶和華對他說、誰造人的口呢、誰使人口
十二 啞、耳聾、目明、眼瞎呢．豈不是我耶和華麼．十二現在去罷、我
十三 必賜你口才、指教你所當說的話。十三摩西說、主阿、你願意
十四 打發誰、就打發誰去罷。十四耶和華向摩西發怒說、不是有
你的哥哥利未人亞倫麼、我知道他是能言的、現在他
十五 出來迎接你、他一見你、心裏就歡喜。十五你要將當說的話
傳給他、我也要賜你和他口才、又要指教你們所當行
十六 的事。十六他要替你對百姓說話、你要以他當作口、他要以

你當作神。十七你手裏要拿這杖、好行神蹟。

耶和華命摩西行奇事於法老前

十八 十八於是摩西回到他岳父葉忒羅那裏、對他說、求你容我
回去見我在埃及的弟兄、看他們還在不在。葉忒羅對
十九 摩西說、你可以平平安安的去罷。十九耶和華在米甸對摩
二十 西說、你要回埃及去、因爲尋索你命的人都死了。二十摩西
就帶着妻子和兩個兒子、叫他們騎上驢回埃及地去．摩西
二一 摩西手裏拿着神的杖。二一耶和華對摩西說、你回到埃
及的時候要留意、將我指示你的一切奇事、行在法老
面前、但我要使(或作任憑下同)他的心剛硬、他必不容百姓去。
二二 二二你要對法老說、耶和華這樣說、以色列是我的兒子、我
二三 的長子。二三我對你說過、容我的兒子去好事奉我、你還是
二四 不肯容他去、看哪、我要殺你的長子。○二四摩西在路上住
二五 宿的地方、耶和華遇見他、想要殺他。二五西坡拉就拿一塊
火石、割下他兒子的陽皮、丟在摩西脚前、說、你眞是我
二六 的血郎了。二六這樣耶和華纔放了他．西坡拉說、你因割禮
二七 就是血郎了。○二七耶和華對亞倫說、你往曠野去迎接摩
二八 西、他就去、在神的山遇見摩西、和他親嘴。二八摩西將耶
和華打發他所說的言語、和囑咐他所行的神蹟、都告
二九 三十 訴了亞倫。二九摩西亞倫就去招聚以色列的衆長老。三十亞倫
將耶和華對摩西所說的一切話、述說了一遍、又在百
三一 姓眼前行了那些神蹟。三一百姓就信了．以色列人聽見耶
和華眷顧他們、鑒察他們的困苦、就低頭下拜。

第五章

法老益虐以色列人

一 一後來摩西亞倫去對法老說、耶和華以色
二 列的神這樣說、容我的百姓去、在曠野向我守節。二法
老說、耶和華是誰、使我聽他的話、容以色列人去呢、我
三 不認識耶和華、也不容以色列人去。三他們說、希伯來人
的神遇見了我們、求你容我們往曠野去、走三天的
路程、祭祀耶和華我們的神、免得他用瘟疫、刀兵、攻
四 擊我們。四埃及王對他們說、摩西亞倫、你們爲甚麼叫百
五 姓曠工呢．你們去擔你們的擔子罷。五又說、看哪、這地的
六 以色列人、如今衆多、你們竟叫他們歇下擔子。六當天法
七 老吩咐督工的和官長說、七你們不可照常把草給百姓
八 作磚、叫他們自己去撿草。八他們素常作磚的數目、你們
仍舊向他們要、一點不可減少、因爲他們是懶惰的、所

九 以呼求說、容我們去祭祀我們的　神。你們要把更重
的工夫加在這些人身上、叫他們勞碌、不聽虛謊的言
十 語。〇督工的和官長出來對百姓說、法老這樣說、我不
十一 給你們草．你們自己在那裏能找草、就往那裏去找罷、
十二 但你們的工一點不可減少。於是百姓散在埃及遍地、
十三 撿碎稭當作草。督工的催着說、你們一天當完一天的
十四 工、與先前有草一樣。法老督工的責打他所派以色列
人的官長說、你們昨天今天爲甚麼沒有照向來的數
十五 目作磚、完你們的工作呢。〇以色列人的官長就來哀
十六 求法老說、爲甚麼這樣待你的僕人．督工的不把草給
僕人、並且對我們說、作磚罷．看哪、你僕人捱了打、其實
十七 是你百姓的錯。但法老說、你們是懶惰的、你們是懶惰
十八 的、所以說、容我們去祭祀耶和華。現在你們去作工罷、
十九 草是不給你們的、磚卻要如數交納。以色列人的官長
聽說、你們每天作磚的工作一點不可減少、就知道是
二十 遭遇禍患了。他們離了法老出來、正遇見摩西亞倫站
二十一 在對面、就向他們說、願耶和華鑒察你們、施行判斷、因
你們使我們在法老和他臣僕面前有了臭名、把刀遞

二十二 在他們手中殺我們。〇摩西回到耶和華那裏說、主阿、
二十三 你爲甚麼苦待這百姓呢、爲甚麼打發我去呢、自從我
去見法老奉你的名說話、他就苦待這百姓、你一點也
沒有拯救他們。

第六章 神復言所許

一 耶和華對摩西說、現在你必看見我向法
老所行的事、使他因我大能的手容以色列人去、且把
二 三 他們趕出他的地。〇神曉諭摩西說、我是耶和華．我
從前向亞伯拉罕、以撒、雅各顯現爲全能的　神、至於
四 我名耶和華、他們未曾知道。我與他們堅定所立的約、
五 要把他們寄居的迦南地賜給他們。我也聽見以色列
六 人被埃及人苦待的哀聲、我也記念我的約。所以你要
對以色列人說、我是耶和華、我要用伸出來的膀臂重
重的刑罰埃及人、救贖你們脫離他們的重擔、不作他
七 們的苦工。我要以你們爲我的百姓、我也要作你們的
　神、你們要知道我是耶和華你們的　神、是救你們
八 脫離埃及人之重擔的。我起誓應許給亞伯拉罕、以撒、
雅各的那地、我要把你們領進去將那地賜給你們爲

九 業、我是耶和華。摩西將這話告訴以色列人、只是他們
十 十一 因苦工愁煩、不肯聽他的話。○耶和華曉諭摩西說、你
十二 進去對埃及王法老說、要容以色列人出他的地。摩西
在耶和華面前說、以色列人尚且不聽我的話、法老怎
十三 肯聽我這拙口笨舌的人呢。耶和華吩咐摩西亞倫往
以色列人和埃及王法老那裏去、把以色列人從埃及
地領出來。

記以色列人族長之名

十四 以色列人家長的名字記在下面。以色列長子流便的
十五 兒子是哈諾、法路、希斯崙、迦米、這是流便的各家。西緬
的兒子是耶母利、雅憫、阿轄、雅斤、瑣轄、和迦南女子的
十六 兒子掃羅、這是西緬的各家。利未衆子的名字、按着他
們的後代記在下面、就是革順、哥轄、米拉利。利未一生
十七 的歲數是一百三十七歲。革順的兒子按着家室、是立
十八 尼、示每。哥轄的兒子是暗蘭、以斯哈、希伯倫、烏薛。哥轄
十九 一生的歲數是一百三十三歲。米拉利的兒子是抹利、
二十 和母示。這是利未的家、都按着他們的後代。暗蘭娶了
他父親的妹妹約基別為妻、他給他生了亞倫和摩西。

二一 暗蘭一生的歲數是一百三十七歲。以斯哈的兒子是
二二 可拉、尼斐、細基利。烏薛的兒子是米沙利、以利撒反、西
二三 提利。亞倫娶了亞米拿達的女兒拿順的妹妹以利沙
二四 巴為妻、他給他生了拿答、亞比戶、以利亞撒、以他瑪。可
拉的兒子是亞惜、以利加拿、亞比亞撒、這是可拉的各
二五 家。亞倫的兒子以利亞撒娶了普鐵的一個女兒為妻、
他給他生了非尼哈。這是利未人的家長、都按着他們
二六 的家。耶和華說、將以色列人按着他們的軍隊從埃及
二七 地領出來、這是對那亞倫摩西說的。對埃及王法老說、
要將以色列人從埃及領出來的、就是這摩西亞倫。○
二八 二九 當耶和華在埃及地對摩西說話的日子、他向摩西說、
我是耶和華、我對你說的一切話、你都要告訴埃及王
三十 法老。摩西在耶和華面前說、看哪、我是拙口笨舌的人、
法老怎肯聽我呢。

第七章　摩西亞倫受神命

一 耶和華對摩西說、我使你在法老面前代
二 替神、你的哥哥亞倫是替你說話的。凡我所吩咐你
的、你都要說、你的哥哥亞倫要對法老說、容以色列人

三 出他的地。三我要使法老的心剛硬、也要在埃及地多行
四 神蹟奇事。四但法老必不聽你們、我要伸手重重的刑罰
五 埃及、將我的軍隊以色列民、從埃及地領出來。五我伸手
攻擊埃及、將以色列人從他們中間領出來的時候、埃
六 及人就要知道我是耶和華。六摩西亞倫這樣行、耶和華
七 怎樣吩咐他們、他們就照樣行了。七摩西亞倫與法老說
話的時候、摩西八十歲、亞倫八十三歲。

杖變蛇為證

八九 八耶和華曉諭摩西亞倫說、九法老若對你們說、你們行件
奇事罷、你就吩咐亞倫說、把杖丟在法老面前、使杖變
十 作蛇。十摩西亞倫進去見法老、就照耶和華所吩咐的行、
十一 亞倫把杖丟在法老和臣僕面前、杖就變作蛇。十一於是法
老召了博士和術士來、他們是埃及行法術的、也用邪
十二 術照樣而行。十二他們各人丟下自己的杖、杖就變作蛇、但
亞倫的杖吞了他們的杖。

法老剛硬其心

十三 十三法老心裏剛硬、不肯聽從摩西亞倫、正如耶和華所說
十四 的。十四耶和華對摩西說、法老心裏固執、不肯容百姓去。
十五 十五明日早晨他出來往水邊去、你要往河邊迎接他、手裏
十六 要拿着那變過蛇的杖、十六對他說、耶和華希伯來人的
神打發我來見你、說、容我的百姓去、好在曠野事奉我、
十七 到如今你還是不聽。十七耶和華這樣說、我要用我手裏的
杖擊打河中的水、水就變作血、因此、你必知道我是耶
十八 和華。十八河裏的魚必死、河也要腥臭、埃及人就要厭惡喫
十九 這河裏的水。十九耶和華曉諭摩西說、你對亞倫說、把你的
杖伸在埃及所有的水以上、就是在他們的江、河、池塘
以上、叫水都變作血、在埃及遍地、無論在木器中、石器
中、都必有血。

水變血之災

二十 二十摩西亞倫就照耶和華所吩咐的行、亞倫在法老和臣
二一 僕眼前舉杖擊打河裏的水、河裏的水都變作血了。二一河
裏的魚死了、河也腥臭了、埃及人就不能喫這河裏的
二二 水、埃及遍地都有了血。二二埃及行法術的也用邪術照樣
而行、法老心裏剛硬、不肯聽摩西亞倫、正如耶和華所
二三二四 說的。二三法老轉身進宮、也不把這事放在心上。二四埃及人都
在河的兩邊挖地、要得水喝、因為他們不能喝這河裏

二五 的水。二五耶和華擊打河以後滿了七天。
一 **第八章** 耶一和華吩咐摩西說、你進去見法老對他
二 說、耶和華這樣說、容我的百姓去、好事奉我。二你若不肯
三 容他們去、我必使青蛙蹧蹋你的四境。三河裏要滋生青
蛙、這青蛙要上來進你的宮殿、和你的臥房、上你的牀
榻、進你臣僕的房屋、上你百姓的身上、進你的爐竈、和
四 你的摶麵盆。四又要上你和你百姓並你衆臣僕的身上。

蛙災

五 五耶和華曉諭摩西說、你對亞倫說、把你的杖伸在江、河、
六 池以上、使青蛙到埃及地上來。六亞倫便伸杖在埃及的
七 諸水以上、青蛙就上來遮滿了埃及地。七行法術的也用
八 他們的邪術照樣而行、叫青蛙上了埃及地。〇八法老召
了摩西亞倫來說、請你們求耶和華使這青蛙離開我
九 和我的民、我就容百姓去祭祀耶和華。九摩西對法老說、
任憑你罷、我要何時爲你和你的臣僕並你的百姓、祈
十 求除滅青蛙離開你和你的宮殿、只留在河裏呢。十他說、
明天。摩西說、可以照你的話罷、好叫你知道沒有像耶
十一 和華我們神的。十一青蛙要離開你和你的宮殿並你的
十二 臣僕與你的百姓、只留在河裏。十二於是摩西亞倫離開法
十三 老出去、摩西爲擾害法老的青蛙呼求耶和華。十三耶和華
就照摩西的話行、凡在房裏院中田間的青蛙都死了。
十四十五 十四衆人把青蛙聚攏成堆、遍地就都腥臭。十五但法老見災禍
鬆緩、就硬着心不肯聽他們、正如耶和華所說的。

虱災

十六 十六耶和華吩咐摩西說、你對亞倫說、伸出你的杖擊打地
十七 上的塵土、使塵土在埃及遍地變作虱子。（或作蛇蚤下同）十七他們
就這樣行。亞倫伸杖擊打地上的塵土、就在人身上和
牲畜身上有了虱子、埃及遍地的塵土、都變成虱子了。
十八 十八行法術的也用邪術要生出虱子來、卻是不能。於是在
十九 人身上、和牲畜身上、都有了虱子。十九行法術的就對法老
說、這是神的手段。法老心裏剛硬、不肯聽摩西亞倫、
正如耶和華所說的。

蠅災

二十 二十耶和華對摩西說、你清早起來、法老來到水邊、你站在
他面前、對他說、耶和華這樣說、容我的百姓去、好事奉
二一 我。二一你若不容我的百姓去、我要叫成羣的螥蠅到你和

你臣僕、並你百姓的身上、進你的房屋．並且埃及人的
二二 房屋、和他們所住的地、都要滿了成羣的螥蠅。二二當那日
我必分別我百姓所住的歌珊地、使那裏沒有成羣的
二三 螥蠅、好叫你知道我是天下的耶和華。二三我要將我的百
二四 姓和你的百姓分別出來．明天必有這神蹟。二四耶和華就
這樣行、螥蠅成了大羣、進入法老的宮殿、和他臣僕的
二五 房屋．埃及遍地、就因這成羣的螥蠅敗壞了。○二五法老召
了摩西亞倫來、說、你們去、在這地祭祀你們的神罷。
二六 二六摩西說、這樣行本不相宜、因爲我們要把埃及人所厭
惡的祭祀耶和華我們的神．若把埃及人所厭惡的
二七 在他們眼前獻爲祭、他們豈不拿石頭打死我們麼。二七我
們要往曠野去、走三天的路程、照着耶和華我們 神
二八 所要吩咐我們的、祭祀他。二八法老說、我容你們去在曠野
祭祀耶和華你們的 神、只是不要走得很遠．求你們
二九 爲我祈禱。二九摩西說、我要出去求耶和華、使成羣的螥蠅
明天離開法老、和法老的臣僕、並法老的百姓、法老卻
三十 不可再行詭詐、不容百姓去祭祀耶和華。三十於是摩西離
三一 開法老去求耶和華。三一耶和華就照摩西的話行、叫成羣

的螥蠅離開法老、和他的臣僕、並他的百姓、一個也沒
三二 有留下。三二這一次法老又硬着心、不容百姓去。

第九章

一 畜疫之災

一 耶和華吩咐摩西說、你進去見法老、對他
說、耶和華希伯來人的 神這樣說、容我的百姓去、好
二 三 事奉我。二你若不肯容他們去、仍舊強留他們、三耶和華的
手加在你田間的牲畜上、就是在馬、驢、駱駝、牛羣、羊羣
四 上、必有重重的瘟疫。四耶和華要分別以色列的牲畜和
五 埃及的牲畜、凡屬以色列人的、一樣都不死。五耶和華就
六 定了時候、說、明天耶和華必在此地行這事。六第二天耶
和華就行這事、埃及的牲畜幾乎都死了、只是以色列
七 人的牲畜一個都沒有死。七法老打發人去看、誰知、以色
列人的牲畜連一個都沒有死．法老的心卻是固執、不
容百姓去。

瘡災

八 八耶和華吩咐摩西亞倫說、你們取幾捧爐灰、摩西要在
九 法老面前向天揚起來。九這灰要在埃及全地變作塵土、
十 在人身上和牲畜身上、成了起泡的瘡。十摩西亞倫取了

十一 爐灰、站在法老面前、摩西向天揚起來、就在人身上和
牲畜身上、成了起泡的瘡。十一行法術的在摩西面前站立
不住、因爲在他們身上、和一切埃及人身上、都有這瘡。
十二 十二耶和華使法老的心剛硬、不聽他們、正如耶和華對摩
十三 西所說的。○十三耶和華對摩西說、你清早起來、站在法老
面前、對他說、耶和華希伯來人的神、這樣說、容我的
十四 百姓去、好事奉我。十四因爲這一次我要叫一切的災殃臨
到你、和你臣僕、並你百姓的身上、叫你知道在普天下
十五 沒有像我的。十五我若伸手用瘟疫攻擊你和你的百姓、你
十六 早就從地上除滅了。十六其實我叫你存立、是特要向你顯
十七 我的大能、並要使我的名傳遍天下。十七你還向我的百姓
十八 自高、不容他們去麽。十八到明天約在這時候、我必叫重大
十九 的冰雹降下、自從埃及開國以來、沒有這樣的冰雹。十九現
在你要打發人把你的牲畜、和你田間一切所有的催
進來、凡在田間不收回家的、無論是人是牲畜、冰雹必
二十 降在他們身上、他們就必死。二十法老的臣僕中、懼怕耶和
二一 華這話的、便叫他的奴僕和牲畜、跑進家來。二一但那不把
耶和華這話放在心上的、就將他的奴僕和牲畜、留在
田裏。

雹災

二二 二二耶和華對摩西說、你向天伸杖、使埃及遍地的人身上、
二三 和牲畜身上、並田間各樣菜蔬上、都有冰雹。二三摩西向天
伸杖、耶和華就打雷下雹、有火閃到地上、耶和華下雹
二四 在埃及地上。二四那時、雹與火攙雜、甚是利害、自從埃及成
二五 國以來、遍地沒有這樣的。二五在埃及遍地、雹擊打了田間
所有的人和牲畜、並一切的菜蔬、又打壞田間一切的
二六 二七 樹木。二六惟獨以色列人所住的歌珊地、沒有冰雹。○二七法老
打發人召摩西亞倫來、對他們說、這一次我犯了罪了、
二八 耶和華是公義的、我和我的百姓是邪惡的。二八這雷轟和
冰雹已經彀了、請你們求耶和華、我就容你們去、不再
二九 留住你們。二九摩西對他說、我一出城、就要向耶和華舉手
禱告、雷必止住、也不再有冰雹、叫你知道全地都是屬
三十 耶和華的。三十至於你和你的臣僕、我知道你們還是不懼
三一 怕耶和華　神。三一那時、麻和大麥被雹擊打、因爲大麥已
三二 經吐穗、麻也開了花。三二只是小麥和粗麥沒有被擊打、因
三三 爲還沒有長成。三三摩西離了法老出城、向耶和華舉手禱

三四 告、雷和雹就止住、雨也不再澆在地上了。法老見雨和
三五 雹與雷止住、就越發犯罪、他和他的臣僕都硬着心。法
老的心剛硬、不容以色列人去、正如耶和華藉着摩西
所說的。

第十章

一 耶和華對摩西說、你進去見法老、我使他
和他臣僕的心剛硬、為要在他們中間顯我這些神蹟。
二 並要叫你將我向埃及人所作的事、和在他們中間所
行的神蹟、傳於你兒子和你孫子的耳中、好叫你們知
三 道我是耶和華。摩西亞倫就進去見法老、對他說、耶和
華希伯來人的神這樣說、你在我面前不肯自卑、要
四 到幾時呢、容我的百姓去、好事奉我。你若不肯容我的
五 百姓去、明天我要使蝗蟲進入你的境內、遮滿地面、甚
至看不見地、並且喫那冰雹所剩的、和田間所長的一
六 切樹木。你的宮殿和你眾臣僕的房屋、並一切埃及人
的房屋、都要被蝗蟲佔滿了、自從你祖宗和你祖宗的
祖宗在世以來、直到今日、沒有見過這樣的災。摩西就
七 轉身離開法老出去。法老的臣僕對法老說、這人為我
們的網羅、要到幾時呢、容這些人去、事奉耶和華他們
八 的神罷。埃及已經敗壞了、你還不知道麼。於是摩西
亞倫被召回來見法老、法老對他們說、你們去事奉耶
九 和華你們的神、但那要去的是誰呢。摩西說、我們要
和我們老的少的、兒子女兒同去、且把羊羣牛羣一同
十 帶去、因為我們務要向耶和華守節。法老對他們說、我
容你們和你們婦人孩子去的時候、耶和華與你們同
十一 在罷。你們要謹慎、因為有禍在你們眼前。（或作你們存着惡意）不
可都去、你們這壯年人去事奉耶和華罷、因為這是你
們所求的。於是把他們從法老面前攆出去。

蝗災

十二 耶和華對摩西說、你向埃及地伸杖、使蝗蟲到埃及地
十三 上來、喫地上一切的菜蔬、就是冰雹所剩的。摩西就向
埃及地伸杖、那一晝一夜、耶和華使東風颳在埃及地
十四 上、到了早晨、東風把蝗蟲颳了來。蝗蟲上來、落在埃及
十五 的四境、甚是利害、以前沒有這樣的、以後也必沒有。因
為這蝗蟲遮滿地面、甚至地都黑暗了、又喫地上一切
的菜蔬、和冰雹所剩樹上的果子、埃及遍地、無論是樹
十六 木、是田間的菜蔬、連一點青的也沒有留下。於是法老

急忙召了摩西亞倫來、說、我得罪耶和華你們的　神、
十七 又得罪了你們。十七現在求你只這一次饒恕我的罪、求耶
十八 和華你們的　神、使我脫離這一次的死亡。十八摩西就離
十九 開法老去求耶和華。十九耶和華轉了極大的西風、把蝗蟲
二十 颳起、吹入紅海、在埃及的四境連一個也沒有留下。二十但
耶和華使法老的心剛硬、不容以色列人去。

黑暗之災

二一 二一耶和華對摩西說、你向天伸杖、使埃及地黑暗、這黑暗
二二 似乎摸得着。二二摩西向天伸杖、埃及遍地就烏黑了三天。
二三 二三三天之久、人不能相見、誰也不敢起來離開本處、惟有
二四 以色列人家中都有亮光。二四法老就召摩西來、說、你們去
事奉耶和華、只是你們的羊羣牛羣要留下、你們的婦
二五 人孩子可以和你們同去。二五摩西說、你總要把祭物和燔
祭牲交給我們、使我們可以祭祀耶和華我們的　神。
二六 二六我們的牲畜也要帶去、連一蹄也不留下、因為我們要
從其中取出來事奉耶和華我們的　神、我們未到那
二七 裏、還不知道用甚麼事奉耶和華。二七但耶和華使法老的
二八 心剛硬、不肯容他們去。二八法老對摩西說、你離開我去罷、
你要小心、不要再見我的面、因為你見我面的那日、你
二九 就必死。二九摩西說、你說得好、我必不再見你的面了。

第十一章　以末次之災警告法老

一 一耶和華對摩西說、我再使一樣的災殃
臨到法老和埃及、然後他必容你們離開這地。他容你
二 們去的時候、總要催逼你們都從這地出去。二你要傳於
三 百姓的耳中、叫他們男女各人向鄰舍要金器銀器。三耶
和華叫百姓在埃及人眼前蒙恩、並且摩西在埃及地
四 法老臣僕和百姓的眼中、看為極大。〇四摩西說、耶和華
五 這樣說、約到半夜、我必出去巡行埃及遍地。五凡在埃及
地、從坐寶座的法老、直到磨子後的婢女所有的長子、
六 以及一切頭生的牲畜、都必死。六埃及遍地必有大哀號、
七 從前沒有這樣的、後來也必沒有。七至於以色列中、無論
是人是牲畜、連狗也不敢向他們搖舌、好叫你們知道
八 耶和華是將埃及人和以色列人分別出來。八你這一切
臣僕都要俯伏來見我、說、求你和跟從你的百姓都出
去、然後我要出去。於是摩西氣忿忿的離開法老出去
九 了。〇九耶和華對摩西說、法老必不聽你們、使我的奇事

十 在埃及地多起來。十摩西亞倫在法老面前行了這一切
奇事、耶和華使法老的心剛硬、不容以色列人出離他
的地。

第十二章　定逾越節之禮

一二 一耶和華在埃及地曉諭摩西亞倫說、你二
三 們要以本月為正月、為一年之首。三你們吩咐以色列全
會眾說、本月初十日、各人要按着父家取羊羔、一家一
四 隻。四若是一家的人太少、喫不了一隻羊羔、本人就要和
他隔壁的鄰舍共取一隻、你們豫備羊羔、要按着人數
五 和飯量計算。五要無殘疾一歲的公羊羔、你們或從綿羊
六 裏取、或從山羊裏取、都可以。六要留到本月十四日、在黃
七 昏的時候、以色列全會眾把羊羔宰了。七各家要取點血
八 塗在喫羊羔的房屋左右的門框上、和門楣上。八當夜要
九 喫羊羔的肉、用火烤了、與無酵餅和苦菜同喫。九不可喫
生的、斷不可喫水煮的、要帶着頭腿五臟、用火烤了喫。
十 十一 十不可剩下一點留到早晨、若留到早晨、要用火燒了。十一你
們喫羊羔當腰間束帶、腳上穿鞋、手中拿杖、趕緊的喫、
十二 這是耶和華的逾越節。十二因為那夜我要巡行埃及地、把
埃及地一切頭生的、無論是人是牲畜、都擊殺了、又要
十三 敗壞埃及一切的神、我是耶和華。十三這血要在你們所住
的房屋上作記號、我一見這血、就越過你們去、我擊殺
埃及地頭生的時候、災殃必不臨到你們身上滅你們。
十四 十四你們要記念這日、守為耶和華的節、作為你們世世代
十五 代永遠的定例。○十五你們要喫無酵餅七日、頭一日要把
酵從你們各家中除去、因為從頭一日起、到第七日為
十六 止、凡喫有酵之餅的、必從以色列中剪除。十六頭一日你們
當有聖會、第七日也當有聖會、這兩日之內、除了豫備
十七 各人所要喫的以外、無論何工都不可作。十七你們要守無
酵節、因為我正當這日把你們的軍隊從埃及地領出
十八 來、所以你們要守這日、作為世世代代永遠的定例。十八從
正月十四日晚上、直到二十一日晚上、你們要喫無酵
十九 餅。十九在你們各家中、七日之內不可有酵、因為凡喫有酵
之物的、無論是寄居的、是本地的、必從以色列的會中
二十 剪除。二十有酵的物、你們都不可喫、在你們一切住處要喫
二十一 無酵餅。○二十一於是摩西召了以色列的眾長老來、對他們
說、你們要按着家口取出羊羔、把這逾越節的羊羔宰

了。二二拿一把牛膝草、蘸盆裏的血、打在門楣上、和左右的
門框上．你們誰也不可出自己的房門、直到早晨。二三因為
耶和華要巡行擊殺埃及人、他看見血在門楣上、和左
右的門框上、就必越過那門、不容滅命的進你們的房
屋、擊殺你們。二四這例你們要守着、作為你們和你們子孫
永遠的定例。二五日後你們到了耶和華按着所應許賜給
你們的那地、就要守這禮。二六你們的兒女問你們說、行這
禮是甚麼意思。二七你們就說、這是獻給耶和華逾越節的
祭．當以色列人在埃及的時候、他擊殺埃及人、越過以
色列人的房屋、救了我們各家。於是百姓低頭下拜。二八耶
和華怎樣吩咐摩西亞倫、以色列人就怎樣行。

耶和華擊殺埃及長子

二九到了半夜、耶和華把埃及地所有的長子、就是從坐寶
座的法老、直到被擄囚在監裏之人的長子、以及一切
頭生的牲畜、盡都殺了。三十法老和一切臣僕、並埃及眾人、
夜間都起來了．在埃及有大哀號、無一家不死一個人
的。三一夜間法老召了摩西亞倫來、說、起來、連你們帶以色
列人、從我民中出去、依你們所說的、去事奉耶和華罷．
三二也依你們所說的、連羊羣牛羣帶着走罷、並要為我祝
福。三三埃及人催促百姓、打發他們快快出離那地、因為埃
及人說、我們都要死了。三四百姓就拿着沒有酵的生麵、把
摶麵盆包在衣服中、扛在肩頭上。三五以色列人照着摩西
的話行、向埃及人要金器銀器、和衣裳。三六耶和華叫百姓
在埃及人眼前蒙恩、以致埃及人給他們所要的．他們
就把埃及人的財物奪去了。

以色列人出埃及

三七以色列人從蘭塞起行、往疏割去、除了婦人孩子、步行
的男人約有六十萬。三八又有許多閒雜人、並有羊羣牛羣
和他們一同上去。三九他們用埃及帶出來的生麵、烤成無
酵餅．這生麵原沒有發起、因為他們被催逼離開埃及
不能躭延、也沒有為自己豫備甚麼食物。四十以色列人住
在埃及共有四百三十年。四一正滿了四百三十年的那一
天、耶和華的軍隊都從埃及地出來了。四二這夜是耶和華
的夜、因耶和華領他們出了埃及地、所以當向耶和華
謹守、是以色列眾人世世代代該謹守的。

申明逾越節例

四三 耶和華對摩西亞倫說、逾越節的例是這樣、外邦人都
四四 不可喫這羊羔。四四但各人用銀子買的奴僕、既受了割禮、
四五 四六 就可以喫。四五寄居的、和雇工人、都不可喫。四六應當在一個房
子裏喫、不可把一點肉從房子裏帶到外頭去。羊羔的
四七 四八 骨頭、一根也不可折斷。四七以色列全會衆都要守這禮。四八若
有外人寄居在你們中間、願向耶和華守逾越節、他所
有的男子務要受割禮、然後纔容他前來遵守、他也就
四九 像本地人一樣。但未受割禮的、都不可喫這羊羔。四九本地
五十 人和寄居在你們中間的外人、同歸一例。五十耶和華怎樣
五一 吩咐摩西亞倫、以色列衆人就怎樣行了。五一正當那日、耶
和華將以色列人按着他們的軍隊、從埃及地領出來。

第十三章　以色列中凡首生者當分別爲聖

一 二 一耶和華曉諭摩西說、二以色列中凡頭生
三 的、無論是人是牲畜、都是我的、要分別爲聖歸我。○三摩
西對百姓說、你們要記念從埃及爲奴之家出來的這
日、因爲耶和華用大能的手將你們從這地方領出來。
四 有酵的餅都不可喫。四亞筆月間的這日、是你們出來的
五 日子。五將來耶和華領你進迦南人、赫人、亞摩利人、希未
人、耶布斯人之地、就是他向你的祖宗起誓應許給你
六 那流奶與蜜之地、那時你要在這月間守這禮。六你要喫
七 無酵餅七日、到第七日要向耶和華守節。七這七日之久、
要喫無酵餅、在你四境之內不可見有酵的餅、也不可
八 見發酵的物。八當那日、你要告訴你的兒子說、這是因耶
九 和華在我出埃及的時候爲我所行的事。九這要在你手
上作記號、在你額上作記念、使耶和華的律法常在你
口中、因爲耶和華曾用大能的手將你從埃及領出來。
十 十一 十所以你每年要按着日期守這例。十一○將來耶和華照他
向你和你祖宗所起的誓、將你領進迦南人之地、把這
十二 地賜給你、十二那時你要將一切頭生的、並牲畜中頭生的、
十三 歸給耶和華。公的都要屬耶和華。十三凡頭生的驢、你要用
羊羔代贖、若不代贖、就要打折他的頸項。凡你兒子中
十四 頭生的都要贖出來。十四日後、你的兒子問你說、這是甚麼
意思、你就說、耶和華用大能的手將我們從埃及爲奴
十五 之家領出來。十五那時法老幾乎不容我們去、耶和華就把
埃及地所有頭生的、無論是人是牲畜、都殺了、因此我

把一切頭生的公牲畜獻給耶和華爲祭、但將頭生的
十六 兒子都贖出來。這要在你手上作記號、在你額上作經
文、因爲耶和華用大能的手將我們從埃及領出來。○
十七 法老容百姓去的時候、非利士地的道路雖近、神卻
不領他們從那裏走、因爲神說、恐怕百姓遇見打仗
十八 後悔就回埃及去。所以神領百姓繞道而行、走紅海
十九 曠野的路。以色列人出埃及地、都帶着兵器上去。摩西
把約瑟的骸骨一同帶去、因爲約瑟曾叫以色列人嚴
嚴的起誓、對他們說、神必眷顧你們、你們要把我的
二十 骸骨從這裏一同帶上去。他們從疏割起行、在曠野邊
二一 的以倘安營。日間耶和華在雲柱中領他們的路、夜間
二二 在火柱中光照他們、使他們日夜都可以行走。日間雲
柱、夜間火柱、總不離開百姓的面前。

法老追襲以色列人

第十四章

一 二 耶和華曉諭摩西說、你吩咐以色列人
轉回、安營在比哈希錄前、密奪和海的中間、對着巴力
三 洗分、靠近海邊安營。法老必說、以色列人在地中繞迷
四 了、曠野把他們困住了。我要使法老的心剛硬、他要追
趕他們、我便在法老和他全軍身上得榮耀、埃及人就
五 知道我是耶和華。於是以色列人這樣行了。有人告訴
埃及王說、百姓逃跑、法老和他的臣僕就向百姓變心、
說、我們容以色列人去不再服事我們、這作的是甚麼
六 七 事呢。法老就豫備他的車輛、帶領軍兵同去。並帶着六
八 百輛特選的車、和埃及所有的車、每輛都有車兵長。耶
和華使埃及王法老的心剛硬、他就追趕以色列人、因
九 爲以色列人是昂然無懼的出埃及。埃及人追趕他們。
法老一切的馬匹車輛、馬兵與軍兵、就在海邊上靠近
比哈希錄、對着巴力洗分、在他們安營的地方追上了。
十 ○法老臨近的時候、以色列人舉目看見埃及人趕來、
十一 就甚懼怕、向耶和華哀求。他們對摩西說、難道在埃及
沒有墳地、你把我們帶來死在曠野麼。你爲甚麼這樣
十二 待我們、將我們從埃及領出來呢。我們在埃及豈沒有
對你說過、不要攪擾我們、容我們服事埃及人麼、因爲
十三 服事埃及人比死在曠野還好。摩西對百姓說、不要懼
怕、只管站住、看耶和華今天向你們所要施行的救恩、
因爲你們今天所看見的埃及人、必永遠不再看見了。

十四十五 十四耶和華必爲你們爭戰、你們只管靜默、不要作聲。○耶十五
和華對摩西說、你爲甚麼向我哀求呢、你吩咐以色列
十六 人往前走。十六你舉手向海伸杖、把水分開、以色列人要下
十七 海中走乾地。十七我要使埃及人的心剛硬、他們就跟着下
十八 去、我要在法老和他的全軍、車輛、馬兵上得榮耀。十八我在
法老、和他的車輛、馬兵上得榮耀的時候、埃及人就知
十九 道我是耶和華了。十九在以色列營前行走　神的使者、轉
到他們後邊去、雲柱也從他們前邊轉到他們後邊立
二十 住．二十在埃及營和以色列營中間有雲柱、一邊黑暗、一邊
二十一 發光、終夜兩下不得相近。○二十一摩西向海伸杖、耶和華便
用大東風、使海水一夜退去、水便分開、海就成了乾地。
二十二 二十二以色列人下海中走乾地、水在他們的左右作了牆垣。
二十三 二十三埃及人追趕他們、法老一切的馬匹、車輛、和馬兵、都跟
二十四 着下到海中。二十四到了晨更的時候、耶和華從雲火柱中向
二十五 埃及的軍兵觀看、使埃及的軍兵混亂了。二十五又使他們的
車輪脫落、難以行走、以致埃及人說、我們從以色列人
面前逃跑罷、因耶和華爲他們攻擊我們了。

投埃及人於海

二十六 二十六耶和華對摩西說、你向海伸杖、叫水仍合在埃及人並
二十七 他們的車輛、馬兵身上。二十七摩西就向海伸杖、到了天一亮、
海水仍舊復原、埃及人避水逃跑的時候、耶和華把他
二十八 們推翻在海中。二十八水就回流、淹沒了車輛、和馬兵、那些跟
二十九 着以色列人下海法老的全軍、連一個也沒有剩下。二十九以
色列人卻在海中走乾地、水在他們的左右作了牆垣。
三十 三十當日耶和華這樣拯救以色列人脫離埃及人的手、以
三十一 色列人看見埃及人的死屍都在海邊了。三十一以色列人看
見耶和華向埃及人所行的大事、就敬畏耶和華、又信
服他和他的僕人摩西。

第十五章

摩西歌頌耶和華

一 一那時摩西和以色列人、向耶和華唱歌
說、我要向耶和華歌唱、因他大大戰勝、將馬和騎馬的
二 投在海中。二耶和華是我的力量、我的詩歌、也成了我的
拯救．這是我的　神、我要讚美他、是我父親的　神、我
三四 要尊崇他。三耶和華是戰士、他的名是耶和華。四法老的車
輛、軍兵、耶和華已拋在海中、他特選的軍長、都沉於紅

六五 海。五深水淹沒他們、他們如同石頭墜到深處。六耶和華阿
你的右手施展能力顯出榮耀．耶和華阿、你的右手摔
七 碎仇敵。七你大發威嚴推翻那些起來攻擊你的、你發出
八 烈怒如火燒滅他們像燒碎秸一樣。八你發鼻中的氣、水
九 便聚起成堆、大水直立如壘、海中的深水凝結。九仇敵說、
我要追趕、我要追上、我要分擄物、我要在他們身上稱
十 我的心願、我要拔出刀來、親手殺滅他們。十你叫風一吹、
十一 海就把他們淹沒、他們如鉛沉在大水之中。十一耶和華阿、
衆神之中誰能像你、誰能像你至聖至榮、可頌可畏、施
十二十三 行奇事。十二你伸出右手、地便吞滅他們．十三你憑慈愛、領了你
十四 所贖的百姓．你憑能力引他們到了你的聖所。十四外邦人
十五 聽見就發顫、疼痛抓住非利士的居民。十五那時以東的族
長驚惶、摩押的英雄被戰兢抓住、迦南的居民、心都消
十六 化了。十六驚駭恐懼臨到他們．耶和華阿、因你膀臂的大能、
他們如石頭寂然不動、等候你的百姓過去、等候你所
十七 贖的百姓過去。十七你要將他們領進去栽於你產業的山
上、耶和華阿、就是你為自己所造的住處．主阿、就是你
十八 手所建立的聖所。十八耶和華必作王、直到永永遠遠。

米利暗歌頌耶和華

十九 十九法老的馬匹車輛、和馬兵下到海中、耶和華使海水回
二十 流淹沒他們、惟有以色列人在海中走乾地。二十亞倫的姐
姐女先知米利暗、手裏拿着鼓、衆婦女也跟他出去拿
二一 鼓跳舞。二一米利暗應聲說、你們要歌頌耶和華、因他大大
戰勝、將馬和騎馬的投在海中。

以色列人至瑪拉

二二 二二摩西領以色列人從紅海往前行、到了書珥的曠野、在
二三 曠野走了三天找不着水。二三到了瑪拉、不能喝那裏的水、
二四 因為水苦、所以那地名叫瑪拉。二四百姓就向摩西發怨言、
二五 說、我們喝甚麼呢。二五摩西呼求耶和華、耶和華指示他一
棵樹、他把樹丟在水裏、水就變甜了。耶和華在那裏為
二六 他們定了律例、典章、在那裏試驗他們。二六又說、你若留意
聽耶和華你　神的話、又行我眼中看為正的事、留心
聽我的誡命、守我一切的律例、我就不將所加與埃及
人的疾病加在你身上、因為我耶和華是醫治你的。

至以琳遇水泉十二

二七 二七他們到了以琳、在那裏有十二股水泉、七十棵棕樹、他

們就在那裏的水邊安營。

第十六章　以色列人至曠野

一 一以色列全會眾從以琳起行、在出埃及
後第二個月十五日、到了以琳和西乃中間汛的曠野。
二三 二以色列全會眾在曠野向摩西亞倫發怨言、說、三巴不得
我們早死在埃及地耶和華的手下、那時我們坐在肉
鍋旁邊、喫得飽足．你們將我們領出來、到這曠野、是要
四 叫這全會眾都餓死阿。○四耶和華對摩西說、我要將糧
食從天降給你們、百姓可以出去、每天收每天的分、我
五 好試驗他們遵不遵我的法度。五到第六天他們要把所
六 收進來的豫備好了、比每天所收的多一倍。六摩西亞倫
對以色列眾人說、到了晚上、你們要知道是耶和華將
七 你們從埃及地領出來的．七早晨、你們要看見耶和華的
榮耀、因為耶和華聽見你們向他所發的怨言了．我們
八 算甚麼、你們竟向我們發怨言呢。八摩西又說、耶和華晚
上必給你們肉喫、早晨必給你們食物得飽、因為你們
向耶和華發的怨言、他都聽見了．我們算甚麼、你們的
九 怨言不是向我們發的、乃是向耶和華發的。九摩西對亞
倫說、你告訴以色列全會眾說、你們就近耶和華面前、
十 因為他已經聽見你們的怨言了。十亞倫正對以色列全
會眾說話的時候、他們向曠野觀看、不料、耶和華的榮
十一十二 光在雲中顯現。十一耶和華曉諭摩西說、十二我已經聽見以色
列人的怨言．你告訴他們說、到黃昏的時候、你們要喫
肉、早晨必有食物得飽、你們就知道我是耶和華你們
的神。

使鵪鶉至降嗎哪

十三 到十三了晚上、有鵪鶉飛來、遮滿了營．早晨在營四圍的地
十四 上有露水、十四露水上升之後、不料、野地面上有如白霜的
十五 小圓物。十五以色列人看見、不知道是甚麼、就彼此對問說、
這是甚麼呢．摩西對他們說、這就是耶和華給你們喫
十六 的食物。十六耶和華所吩咐的是這樣．你們要按着各人的
飯量、為帳棚裏的人、按着人數、收起來、各拿一俄梅珥。
十七十八 十七以色列人就這樣行、有多收的、有少收的。十八及至用俄梅
珥量一量、多收的也沒有餘、少收的也沒有缺、各人按
十九 着自己的飯量收取。十九摩西對他們說、所收的、不許甚麼
二十 人留到早晨。二十然而他們不聽摩西的話、內中有留到早

晨的、就生蟲變臭了。摩西便向他們發怒。

收取嗎哪之例

二一 二一他們每日早晨按着各人的飯量收取、日頭一發熱、就
二二 消化了。二二到第六天、他們收了雙倍的食物、每人兩俄梅
二三 珥、會衆的官長來告訴摩西。二三摩西對他們說、耶和華這
樣說、明天是聖安息日、是向耶和華守的聖安息日、你
二四 們要烤的就烤了、要煮的就煮了、所剩下的都留到早
晨。二四他們就照摩西的吩咐留到早晨、也不臭、裏頭也沒
二五 有蟲子。二五摩西說、你們今天喫這個罷、因為今天是向耶
二六 和華守的安息日、你們在田野必找不着了。二六六天可以
二七 收取、第七天乃是安息日、那一天必沒有了。二七第七天百
二八 姓中有人出去收、甚麼也找不着。二八耶和華對摩西說、你
二九 們不肯守我的誡命和律法、要到幾時呢。二九你們看、耶和
華既將安息日賜給你們、所以第六天他賜給你們兩
天的食物、第七天各人要住在自己的地方、不許甚麼
三十 三一 人出去。三十於是百姓第七天安息了。○三一這食物以色列家
叫嗎哪、樣子像芫荽子、顏色是白的、滋味如同攙蜜的
三二 薄餅。三二摩西說、耶和華所吩咐的是這樣、要將一滿俄梅
珥嗎哪留到世世代代、使後人可以看見我當日將你
三三 們領出埃及地、在曠野所給你們喫的食物。三三摩西對亞
倫說、你拿一個罐子、盛一滿俄梅珥嗎哪、存在耶和華
三四 面前、要留到世世代代。三四耶和華怎麼吩咐摩西、亞倫就
三五 怎麼行、把嗎哪放在法櫃前存留。三五以色列人喫嗎哪共
四十年、直到進了有人居住之地、就是迦南的境界。俄梅
珥乃伊法十分之一。

第十七章

耶和華命摩西擊磐出水

一 第十七章 一以色列全會衆都遵耶和華的吩咐、按
着站口從汛的曠野往前行、在利非訂安營、百姓沒有
二 水喝。二所以與摩西爭鬧、說、給我們水喝罷。摩西對他們
三 說、你們為甚麼與我爭鬧、為甚麼試探耶和華呢。三百姓
在那裏甚渴、要喝水、就向摩西發怨言、說、你為甚麼將
我們從埃及領出來、使我們和我們的兒女並牲畜、都
四 渴死呢。四摩西就呼求耶和華說、我向這百姓怎樣行呢、
五 他們幾乎要拿石頭打死我。五耶和華對摩西說、你手裏
拿着你先前擊打河水的杖、帶領以色列的幾個長老、
六 從百姓面前走過去。六我必在何烈的磐石那裏站在你

面前。你要擊打磐石、從磐石裏必有水流出來、使百姓
七 可以喝。摩西就在以色列的長老眼前這樣行了。七他給
那地方起名叫瑪撒、(就是試探的意思)又叫米利巴、(就是爭鬧的意思)
因以色列人爭鬧、又因他們試探耶和華說、耶和華是
在我們中間不是。

戰敗亞瑪力人

八九 八那時亞瑪力人來在利非訂、和以色列人爭戰。九摩西對
約書亞說、你爲我們選出人來、出去和亞瑪力人爭戰。
十 明天我手裏要拿着神的杖站在山頂上。十於是約書
亞照着摩西對他所說的話行、和亞瑪力人爭戰。摩西、
十一 亞倫與戶珥、都上了山頂。十一摩西何時舉手、以色列人就
十二 得勝、何時垂手、亞瑪力人就得勝。十二但摩西的手發沉、他
們就搬石頭來、放在他以下、他就坐在上面。亞倫與戶
珥扶着他的手、一個在這邊、一個在那邊、他的手就穩
十三 住、直到日落的時候。十三約書亞用刀殺了亞瑪力王和他
十四 的百姓。十四耶和華對摩西說、我要將亞瑪力的名號從天
下全然塗抹了、你要將這話寫在書上作記念、又念給
十五 約書亞聽。十五摩西築了一座壇、起名叫耶和華尼西。(就是耶和
十六 華是我旌旗的意思)十六又說、耶和華已經起了誓、必世世代代和亞
瑪力人爭戰。

第十八章

一摩西的岳父米甸祭司葉忒羅、聽見
一 神爲摩西和神的百姓以色列所行的一切事、就是
二 耶和華將以色列從埃及領出來的事。二便帶着摩西的
三 妻子西坡拉、就是摩西從前打發回去的、三又帶着西坡
拉的兩個兒子、一個名叫革舜、因爲摩西說、我在外邦
四 作了寄居的。四一個名叫以利以謝、因爲他說、我父親的
五 神幫助了我、救我脫離法老的刀。五摩西的岳父葉忒
六 羅、帶着摩西的妻子和兩個兒子、來到神的山、就是
摩西在曠野安營的地方。六他對摩西說、我是你岳父葉
七 忒羅、帶着你的妻子和兩個兒子、來到你這裏。七摩西迎
接他的岳父、向他下拜、與他親嘴、彼此問安、都進了帳
八 棚。八摩西將耶和華爲以色列的緣故向法老和埃及人
所行的一切事、以及路上所遭遇的一切艱難、並耶和
九 華怎樣搭救他們、都述說與他岳父聽。九葉忒羅因耶和
華待以色列的一切好處、就是拯救他們脫離埃及人
十 的手、便甚歡喜。十葉忒羅說、耶和華是應當稱頌的、他救

了你們脫離埃及人和法老的手、將這百姓從埃及人
十一 的手下救出來。十一我現今在埃及人向這百姓發狂傲的
十二 事上得知耶和華比萬神都大。十二摩西的岳父葉忒羅、把
燔祭和平安祭獻給 神、亞倫和以色列的衆長老都
來了、與摩西的岳父在 神面前喫飯。

葉忒羅獻策

十三 第二天摩西坐着審判百姓、百姓從早到晚都站在摩
十四 西的左右。十四摩西的岳父看見他向百姓所作的一切事、
就說、你向百姓作的是甚麼事呢、你為甚麼獨自坐着、
十五 衆百姓從早到晚都站在你的左右呢。十五摩西對岳父說、
十六 這是因百姓到我這裏來求問 神。十六他們有事的時候、
就到我這裏來、我便在兩造之間施行審判．我又叫他
十七 們知道 神的律例、和法度。十七摩西的岳父說、你這作的
十八 不好。十八你和這些百姓必都疲憊、因為這事太重、你獨自
十九 一人辦理不了。十九現在你要聽我的話、我為你出個主意、
願 神與你同在．你要替百姓到 神面前、將案件奏
二十 告 神．二十又要將律例和法度教訓他們、指示他們當行
二一 的道、當作的事。二一並要從百姓中揀選有才能的人、就是

敬畏 神、誠實無妄、恨不義之財的人、派他們作千夫
二二 長、百夫長、五十夫長、十夫長、管理百姓．二二叫他們隨時審
判百姓、大事都要呈到你這裏、小事他們自己可以審
二三 判．這樣、你就輕省些、他們也可以同當此任。二三你若這樣
行、 神也這樣吩咐你、你就能受得住、這百姓也都平
二四 平安安歸回他們的住處。二四於是摩西聽從他岳父的話、
二五 按着他所說的去行。二五摩西從以色列人中揀選了有才
能的人、立他們為百姓的首領、作千夫長、百夫長、五十
二六 夫長、十夫長。二六他們隨時審判百姓、有難斷的案件就呈
二七 到摩西那裏、但各樣小事他們自己審判。二七此後摩西讓
他的岳父去、他就往本地去了。

以色列人至西乃山

一 **第十九章** 以色列人出埃及地以後、滿了三個月
二 的那一天、就來到西乃的曠野。二他們離了利非訂來到
三 西乃的曠野、就在那裏的山下安營。三摩西到 神那裏、
耶和華從山上呼喚他說、你要這樣告訴雅各家、曉諭
四 以色列人說、四我向埃及人所行的事、你們都看見了、且
五 看見我、如鷹將你們背在翅膀上、帶來歸我。五如今你們

若實在聽從我的話、遵守我的約、就要在萬民中作屬
六 我的子民因爲全地都是我的.六你們要歸我作祭司的
七 國度、爲聖潔的國民.這些話你要告訴以色列人。○七摩
西去召了民間的長老來、將耶和華所吩咐他的話、都
八 在他們面前陳明。八百姓都同聲回答說、凡耶和華所說
九 的我們都要遵行。摩西就將百姓的話回覆耶和華。九耶
和華對摩西說、我要在密雲中臨到你那裏、叫百姓在
我與你說話的時候可以聽見、也可以永遠信你了。於
十 是摩西將百姓的話奏告耶和華。十耶和華又對摩西說、
你往百姓那裏去、叫他們今天明天自潔、又叫他們洗
十一 衣服.十一到第三天要豫備好了、因爲第三天耶和華要在
十二 衆百姓眼前降臨在西乃山上。十二你要在山的四圍給百
姓定界限、說、你們當謹愼、不可上山去、也不可摸山的
十三 邊界、凡摸這山的、必要治死他。十三不可用手摸他、必用石
頭打死、或用箭射透、無論是人、是牲畜、都不得活.到角
十四 聲拖長的時候、他們纔可到山根來。十四摩西下山往百姓
十五 那裏去、叫他們自潔、他們就洗衣服。十五他對百姓說、到第
三天要豫備好了、不可親近女人。

耶和華於火中降臨西乃山

十六 到十六了第三天早晨、在山上有雷轟、閃電、和密雲.並且角
十七 聲甚大.營中的百姓盡都發顫。十七摩西率領百姓出營迎
十八 接神、都站在山下。十八西乃全山冒煙、因爲耶和華在火
中降於山上、山的煙氣上騰、如燒窰一般.遍山大大的
十九 震動。十九角聲漸漸的高而又高、摩西就說話、神有聲音
二十 答應他。二十耶和華降臨在西乃山頂上、耶和華召摩西上
二一 山頂、摩西就上去。二一耶和華對摩西說、你下去囑咐百姓、
二二 不可闖過來到我面前觀看、恐怕他們有多人死亡。二二又
二三 叫親近我的祭司自潔、恐怕我忽然出來擊殺他們。二三摩
西對耶和華說、百姓不能上西乃山、因爲你已經囑咐
二四 我們說、要在山的四圍定界限、叫山成聖。二四耶和華對他
說、下去罷、你要和亞倫一同上來、只是祭司和百姓不
二五 可闖過來上到我面前、恐怕我忽然出來擊殺他們。二五於
是摩西下到百姓那裏告訴他們。

第二十章　**傳十誡**

一二 神吩咐這一切的話、說、二我是耶和華
三 你的　神、曾將你從埃及地爲奴之家領出來。○三除了

四 我以外、你不可有別的神。〇四不可爲自己雕刻偶像、也
不可作甚麽形像、彷彿上天、下地、和地底下、水中的百⋮
五 ⋮物五不可跪拜那些像、也不可事奉他因爲我耶和華你
的　神是忌邪的　神、恨我的、我必追討他的罪、自父
六 及子、直到三四代。六愛我守我誡命的、我必向他們發慈
七 愛、直到千代。〇七不可妄稱耶和華你　神的名、因爲妄
八 稱耶和華名的、耶和華必不以他爲無罪。〇八當記念安
九 十 息日守爲聖日。九六日要勞碌作你一切的工。十但第七日
是向耶和華你　神當守的安息日。這⋮⋮一日你和你的
兒女、僕婢、牲畜、並你城裏寄居的客旅、無論何工都不
十一 可作。十一因爲六日之內、耶和華造天、地、海、和其中的萬物、
第七日便安息。所以耶和華賜福與安息日、定爲聖日。
十二 〇十二當孝敬父母、使你的日子在耶和華你　神所賜你
十三 十四 十五 的地上、得以長久。〇十三不可殺人。〇十四不可姦淫。〇十五不可偷
十六 十七 盜。〇十六不可作假見證陷害人。〇十七不可貪戀人的房屋、也
不可貪戀人的妻子、僕婢、牛驢、並他一切所有的。

民戰懼

十八 十八衆百姓見雷轟、閃電、角聲、山上冒煙、就都發顫、遠遠的
十九 站立。十九對摩西說、求你和我們說話、我們必聽、不要　神
二十 和我們說話、恐怕我們死亡。二十摩西對百姓說、不要懼怕、
因爲　神降臨是要試驗你們、叫你們時常敬畏他、不
二一 至犯罪。二一於是百姓遠遠的站立、摩西就挨近　神所在
的幽暗之中。

禁造像

二二 二二耶和華對摩西說、你要向以色列人這樣說、你們自己
二三 看見我從天上和你們說話了。二三你們不可作甚麽神像⋮
二四 ⋮與我相配、不可爲自己作金銀的神像。二四你要爲我築土
壇、在上面以牛羊獻爲燔祭、和平安祭。凡記下我名的
二五 地方、我必到那裏賜福給你。二五你若爲我築一座石壇、不
可用鑿成的石頭、因你在上頭一動家具、就把壇汚穢
二六 了。二六你上我的壇、不可用臺堦、免得露出你的下體來。

第二十一章　宣律例首論待僕

一 一你在百姓面前所要立的典章是這
二 樣。二你若買希伯來人作奴僕、他必服事你六年、第七年
三 他可以自由、白白的出去。三他若孤身來、就可以孤身去。
四 他若有妻、他的妻就可以同他出去。四他主人若給他妻

子、妻子給他生了兒子、或女兒、妻子和兒女要歸主人、
五 他要獨自出去。五倘或奴僕明說、我愛我的主人、和我的
六 妻子兒女、不願意自由出去。六他的主人就要帶他到審
判官那裏、(審判官或作神下同)又要帶他到門前、靠着門框、用
七 錐子穿他的耳朵、他就永遠服事主人。○七人若賣女兒
八 作婢女、婢女不可像男僕那樣出去。八主人選定他歸自
己、若不喜歡他、就要許他贖身、主人既然用詭詐待他、
九 就沒有權柄賣給外邦人。九主人若選定他給自己的兒
十 子、就當待他如同女兒。十若另娶一個、那女子的喫食衣
十一 服、並好合的事、仍不可減少。十一若不向他行這三樣、他就
可以不用錢贖、白白的出去。

殺人之例

十二 十三 十二打人以至打死的、必要把他治死。十三人若不是埋伏着殺
人、乃是神交在他手中、我就設下一個地方、他可以
十四 往那裏逃跑。十四人若任意用詭計殺了他的鄰舍、就是逃
十五 到我的壇那裏、也當捉去把他治死。○十五打父母的、必要
十六 把他治死。○十六拐帶人口、或是把人賣了、或是留在他手
十七 十八 下、必要把他治死。○十七咒罵父母的、必要把他治死。○十八人

若彼此相爭、這個用石頭或是拳頭打那個、倘且不至
十九 於死、不過躺臥在牀、十九若再能起來扶杖而出、那打他的
可算無罪、但要將他躭悞的工夫、用錢賠補、並要將他
二十 全然醫好。○二十人若用棍子打奴僕、或婢女、立時死在他
二十一 的手下、他必要受刑。二十一若過一兩天纔死、就可以不受刑、
二十二 因為是用錢買的。○二十二人若彼此爭鬬、傷害有孕的婦人、
甚至墮胎、隨後卻無別害、那傷害他的、總要按婦人的
二十三 丈夫所要的、照審判官所斷的受罰。二十三若有別害、就要以
二十四 二十五 命償命、二十四以眼還眼、以牙還牙、以手還手、以脚還脚、二十五以烙
二十六 還烙、以傷還傷、以打還打。○二十六人若打壞了他奴僕、或是
二十七 婢女的一隻眼、就要因他的眼放他去得以自由。二十七若打
掉了他奴僕或是婢女的一個牙、就要因他的牙放他
二十八 去得以自由。○二十八牛若觸死男人、或是女人、總要用石頭
二十九 打死那牛、卻不可喫他的肉、牛的主人可算無罪。二十九倘若
那牛素來是觸人的、有人報告了牛主、他竟不把牛拴
着、以致把男人或是女人觸死、就要用石頭打死那牛、
三十 牛主也必治死。三十若罰他贖命的價銀、他必照所罰的贖
三十一 他的命。三十一牛無論觸了人的兒子、或是女兒、必照這例辦

三二 理。牛若觸了奴僕、或是婢女、必將銀子三十舍客勒給
三三 他們的主人、也要用石頭把牛打死。○人若敞着井口、
三四 或挖井不遮蓋、有牛或驢掉在裏頭、井主要拿錢賠還
三五 本主人、死牲畜要歸自己。○這人的牛若傷了那人的
牛、以致於死、他們要賣了活牛、平分價值、也要平分死
三六 牛。人若知道這牛素來是觸人的、主人竟不把牛拴着、
他必要以牛還牛、死牛要歸自己。

第二十二章

待賊盜之例

一 人若偷牛、或羊、無論是宰了、是賣了、
二 他就要以五牛賠一牛、四羊賠一羊。人若遇見賊挖窟
三 窿、把賊打了、以致於死、就不能爲他有流血的罪。若太
陽已經出來、就爲他有流血的罪。賊若被拿、總要賠還、
四 若他一無所有、就要被賣、頂他所偷的物。若他所偷的、
或牛、或驢、或羊、仍在他手下存活、他就要加倍賠還。○
五 人若在田間、或在葡萄園裏放牲畜、任憑牲畜上別人
的田裏去喫、就必拿自己田間上好的、和葡萄園上好
六 的賠還。○若點火焚燒荊棘、以致將別人堆積的禾捆、
站着的禾稼、或是田園、都燒盡了、那點火的必要賠還。

七 ○人若將銀錢、或家具、交付鄰舍看守、這物從那人的
八 家被偷去、若把賊找到了、賊要加倍賠還。若找不到賊、
那家主必就近審判官、要看看他拿了原主的物件沒
九 有。兩個人的案件、無論是爲甚麼過犯、或是爲牛、爲驢、
爲羊、爲衣裳、或是爲甚麼失掉之物、有一人說、這是我
的、兩造就要將案件稟告審判官、審判官定誰有罪、誰
十 就要加倍賠還。○人若將驢、或牛、或羊、或別的牲畜、交
十一 付鄰舍看守、牲畜或死、或受傷、或被趕去、無人看見、那
看守的人、要憑着耶和華起誓、手裏未曾拿鄰舍的物、
十二 本主就要罷休、看守的人不必賠還。牲畜若從看守的
十三 那裏被偷去、他就要賠還本主。若被野獸撕碎、看守的
十四 要帶來當作證據、所撕的不必賠還。○人若向鄰舍借
甚麼、所借的或受傷、或死、本主沒有同在一處、借的人
十五 總要賠還。若本主同在一處、他就不必賠還。若是雇的、
十六 也不必賠還、本是爲雇價來的。○人若引誘沒有受聘
十七 的處女、與他行淫、他總要交出聘禮、娶他爲妻。若女子
的父親決不肯將女子給他、他就要按處女的聘禮、交
十八 出錢來。○行邪術的女人、不可容他存活。

戒民數例

十九二十 十九凡與獸淫合的、總要把他治死。〇二十祭
二一 祀耶和華的、那人必要滅絕。〇二一不可虧負寄居的、也不
二二 可欺壓他、因為你們在埃及地也作過寄居的。二二不可苦
二三 待寡婦和孤兒。二三若是苦待他們一點、他們向我一哀求、
二四 我總要聽他們的哀聲。二四並要發烈怒、用刀殺你們、使你
二五 們的妻子為寡婦、兒女為孤兒。〇二五我民中有貧窮人與
二六 你同住、你若借錢給他、不可如放債的向他取利。二六你卽
二七 或拿鄰舍的衣服作當頭、必在日落以先歸還他。二七因他
只有這一件當蓋頭、是他蓋身的衣服、若是沒有他拿
甚麼睡覺呢。他哀求我、我就應允、因為我是有恩惠的。
二八二九 〇二八不可毀謗　神、也不可毀謗你百姓的官長。二九你要從
你莊稼中的穀、和酒醡中滴出來的酒、拿來獻上、不可
三十 遲延。你要將頭生的兒子歸給我。三十你牛羊頭生的、也要
三一 這樣、七天當跟着母、第八天要歸給我。三一你們要在我面
前為聖潔的人、因此田間被野獸撕裂牲畜的肉、你們
不可喫、要丟給狗喫。

一 **第二十三章** 一不可隨夥佈散謠言、不可與惡人連

二 手妄作見證。二不可隨衆行惡、不可在爭訟的事上隨衆
三 偏行、作見證屈枉正直。三也不可在爭訟的事上、偏護窮
四 人。〇四若遇見你仇敵的牛、或驢、失迷了路、總要牽回來
五 交給他。五若看見恨你人的驢壓臥在重馱之下、不可走
六 開、務要和驢主一同抬開重馱。〇六不可在窮人爭訟的
七 事上屈枉正直。七當遠離虛假的事。不可殺無辜和有義
八 的人、因我必不以惡人為義。八不可受賄賂、因為賄賂能
九 叫明眼人變瞎了、又能顛倒義人的話。九不可欺壓寄居
的、因為你們在埃及地作過寄居的、知道寄居的心。

安息年

十十一 十六年你要耕種田地、收藏土產、十一只是第七年、要叫地歇
息、不耕不種、使你民中的窮人有喫的、他們所剩下的、
十二 野獸可以喫。你的葡萄園和橄欖園、也要照樣辦理。十二六
十三 日你要作工、第七日要安息、使牛、驢、可以歇息、並使你
婢女的兒子和寄居的、都可以舒暢。十三凡我對你們說的
話、你們要謹守。別神的名你不可題、也不可從你口中
傳說。

當守之節期

十四十五 十四一年三次、你要向我守節。十五你要守除酵節、照我所吩咐
你的、在亞筆月內所定的日期、喫無酵餅七天．誰也不
十六 可空手朝見我、因爲你是這月出了埃及。十六又要守收割
節、所收的是你田間所種勞碌得來初熟之物．並在年
十七 底收藏、要守收藏節。十七一切的男丁要一年三次朝見主
耶和華。

當獻初熟之物

十八 十八不可將我祭牲的血、和有酵的餅、一同獻上．也不可將
十九 我節上祭牲的脂油留到早晨。十九地裏首先初熟之物、要
送到耶和華你　神的殿。不可用山羊羔母的奶煮山
羊羔。

復許導以色列民進迦南

二十 二十看哪、我差遣使者在你前面、在路上保護你、領你到我
二一 所豫備的地方去。二一他是奉我名來的、你們要在他面前
謹慎、聽從他的話、不可惹他、惹或作違背因爲他必不赦免
二二 你們的過犯。二二你若實在聽從他的話、照着我一切所說
的去行、我就向你的仇敵作仇敵、向你的敵人作敵人。

二三 二三我的使者要在你前面行、領你到亞摩利人、赫人、比利
洗人、迦南人、希未人、耶布斯人那裏去．我必將他們剪
二四 除。二四你不可跪拜他們的神、不可事奉他、也不可效法他
二五 們的行爲、卻要把神像盡行拆毀、打碎他們的柱像。二五你
們要事奉耶和華你們的　神、他必賜福與你的糧、與
二六 你的水、也必從你們中間除去疾病。二六你境內必沒有墜
二七 胎的、不生產的．我要使你滿了你年日的數目。二七凡你所
到的地方、我要使那裏的衆民、在你面前驚駭、擾亂、又
二八 要使你一切仇敵、轉背逃跑。二八我要打發黃蜂飛在你前
二九 面、把希未人、迦南人、赫人、攆出去。二九我不在一年之內、將
他們從你面前攆出去、恐怕地成爲荒涼、野地的獸多
三十 起來害你。三十我要漸漸的將他們從你面前攆出去、等到
三一 你的人數加多、承受那地爲業。三一我要定你的境界、從紅
海直到非利士海、又從曠野直到大河．我要將那地的
三二 居民交在你手中、你要將他們從你面前攆出去。三二不可
三三 和他們並他們的神立約。三三他們不可住在你的地上、恐
怕他們使你得罪我．你若事奉他們的神、這必成爲你
的網羅。

耶和華召摩西登山

一 第二十四章 耶和華對摩西說、你和亞倫、拿答、亞
比戶、並以色列長老中的七十人、都要上到我這裏來、
二 遠遠的下拜。惟獨你可以親近耶和華、他們卻不可親
三 近、百姓也不可和你一同上來。摩西下山、將耶和華的
命令、典章、都述說與百姓聽。衆百姓齊聲說、耶和華所
四 吩咐的、我們都必遵行。摩西將耶和華的命令都寫上、
清早起來、在山下築一座壇、按以色列十二支派、立十
五 二根柱子、又打發以色列人中的少年人去獻燔祭、又
六 向耶和華獻牛爲平安祭。摩西將血一半盛在盆中、一
七 半灑在壇上。又將約書念給百姓聽、他們說、耶和華所
八 吩咐的、我們都必遵行。摩西將血灑在百姓身上、說、你
看、這是立約的血、是耶和華按這一切話與你們立約
九 的憑據。○摩西、亞倫、拿答、亞比戶、並以色列長老中的
十 七十人、都上了山。他們看見以色列的　神、他腳下彷
十一 彿有平鋪的藍寶石、如同天色明淨。他的手不加害在
以色列的尊者身上。他們觀看　神、他們又喫又喝。

摩西復登西乃山

十二 耶和華對摩西說、你上山到我這裏來、住在這裏、我要
將石版、並我所寫的律法和誡命賜給你、使你可以教
十三 訓百姓。摩西和他的幫手約書亞起來、上了　神的山、
十四 摩西對長老說、你們在這裏等着、等到我們再回來、有
亞倫、戶珥與你們同在、凡有爭訟的、都可以就近他們
十五 十六 去。摩西上山、有雲彩把山遮蓋。耶和華的榮耀停於西
十七 乃山、雲彩遮蓋山六天、第七天他從雲中召摩西。耶和
十八 華的榮耀在山頂上、在以色列人眼前、形狀如烈火。摩
西進入雲中上山、在山上四十晝夜。
一 二 第二十五章 耶和華曉諭摩西說、你告訴以色列
人當爲我送禮物來、凡甘心樂意的、你們就可以收下
三 四 歸我。所要收的禮物、就是金、銀、銅、藍色紫色朱紅色綫、
五 六 細麻、山羊毛、染紅的公羊皮、海狗皮、皂莢木、點燈的油、
七 並作膏油和香的香料、紅瑪瑙與別樣的寶石、可以鑲
八 嵌在以弗得和胸牌上。又當爲我造聖所、使我可以住
九 在他們中間。製造帳幕和其中的一切器具、都要照我
所指示你的樣式。

造櫃之法則

十要用皂莢木作一櫃、長二肘半、寬一肘半、高一肘半。十一要裏外包上精金、四圍鑲上金牙邊。十二也要鑄四個金環、安在櫃的四脚上、這邊兩環、那邊兩環。十三要用皂莢木作兩根杠、用金包裹。十四要把杠穿在櫃旁的環內、以便抬櫃。十五這杠要常在櫃的環內、不可抽出來。十六必將我所要賜給你的法版、放在櫃裏。十七要用精金作施恩座、（施恩或作蔽罪下同）長二肘半、寬一肘半。十八要用金子錘出兩個嗟嚕咱來、安在施恩座的兩頭。十九這頭作一個嗟嚕咱、那頭作一個嗟嚕咱、二嗟嚕咱要接連一塊、在施恩座的兩頭。二十二嗟嚕咱要高張翅膀、遮掩施恩座、嗟嚕咱要臉對臉、朝着施恩座。二十一要將施恩座安在櫃的上邊、又將我所要賜給你的法版、放在櫃裏。二十二我要在那裏與你相會、又要從法櫃施恩座上二嗟嚕咱中間、和你說我所要吩咐你傳給以色列人的一切事。

造桌之法則

二十三要用皂莢木作一張桌子、長二肘、寬一肘、高一肘半。二十四要包上精金、四圍鑲上金牙邊。二十五桌子的四圍、各作一掌寬的橫梁、橫梁上鑲着金牙邊。二十六要作四個金環、安在桌子的四角上、就是桌子四脚上的四角。二十七安環子的地方要挨近橫梁、可以穿杠抬桌子。二十八要用皂莢木作兩根杠、用金包裹、以便抬桌子。二十九要作桌子上的盤子、調羹、並奠酒的爵和瓶、這都要用精金製作。三十又要在桌子上、在我面前、常擺陳設餅。

造燈臺之法則

三十一要用精金作一個燈臺、燈臺的座、和榦、與杯、球、花、都要接連一塊錘出來。三十二燈臺兩旁要杈出六個枝子、這旁三個、那旁三個。三十三這旁每枝上有三個杯、形狀像杏花、有球、有花、那旁每枝上也有三個杯、形狀像杏花、有球、有花、從燈臺杈出來的六個枝子、都是如此。三十四燈臺上有四個杯、形狀像杏花、有球、有花。三十五燈臺每兩個枝子以下、有球、與枝子接連一塊、燈臺出的六個枝子、都是如此。三十六球和枝子要接連一塊、都是一塊精金錘出來的。三十七要作燈臺的七個燈盞、祭司要點這燈、使燈光對照。三十八燈臺的蠟剪、和蠟花盤、也是要精金的。三十九作燈臺和這一切的器具、要用精金一他連得。四十要謹慎作這些物件、都要照着在山

上指示你的樣式。

第二十六章

造幕幔之法則

一 一你要用十幅幔子作帳幕。這些幔子
要用撚的細麻、和藍色紫色朱紅色綫、製造。並用巧匠
二 的手工、繡上嘍略咱。二每幅幔子、要長二十八肘、寬四肘、
三 幔子都要一樣的尺寸。三這五幅幔子要幅幅相連。那五
四 幅幔子也要幅幅相連。四在這相連的幔子末幅邊上、要
作藍色的鈕扣。在那相連的幔子末幅邊上、也要照樣
五 作。五要在這相連的幔子上、作五十個鈕扣、在那相連的
六 幔子上也作五十個鈕扣、都要兩兩相對。六又要作五十
七 個金鉤、用鉤使幔子相連、這纔成了一個帳幕。七〇你要
八 用山羊毛織十一幅幔子、作為帳幕以上的罩棚。八每幅
幔子要長三十肘、寬四肘。十一幅幔子、都要一樣的尺
九 寸。九要把五幅幔子連成一幅。又把六幅幔子連成一幅、
十 這第六幅幔子、要在罩棚的前面摺上去。十在這相連的
幔子末幅邊上、要作五十個鈕扣在那相連的幔子末
十一 幅邊上、也作五十個鈕扣。十一又要作五十個銅鉤、鉤在鈕
十二 扣中、使罩棚連成一個。十二罩棚的幔子所餘那垂下來的
十三 半幅幔子、要垂在帳幕的後頭。十三罩棚的幔子所餘長的、
十四 這邊一肘、那邊一肘、要垂在帳幕的兩旁、遮蓋帳幕。十四又
要用染紅的公羊皮、作罩棚的蓋、再用海狗皮作一層
罩棚上的頂蓋。

造幕板之法則

十五 十六 十五你要用皂莢木作帳幕的豎板。十六每塊要長十肘、寬一肘
十七 十八 半。十七每塊必有兩榫相對。帳幕一切的板、都要這樣作。十八帳
十九 幕的南面要作板二十塊。十九在這二十塊板底下、要作四
十個帶卯的銀座、兩卯接這塊板上的兩榫、兩卯接那
二十 塊板上的兩榫。二十帳幕第二面就是北面、也要作板二十
二一 塊、二一和帶卯的銀座四十個。這板底下有兩卯、那板底下
二二 二三 也有兩卯。二二帳幕的後面、就是西面、要作板六塊。二三帳幕後
二四 面的拐角、要作板兩塊。二四板的下半截要雙的、上半截要
二五 整的、直頂到第一個環子、兩塊都要這樣作兩個拐角。二五
必有八塊板、和十六個帶卯的銀座、這板底下有兩卯、
二六 那板底下也有兩卯。二六〇你要用皂莢木作門、為帳幕這
二七 面的板作五門。二七為帳幕那面的板作五門、又為帳幕後
二八 面的板作五門。二八板腰間的中門、要從這一頭通到那一

二九 頭。二九板要用金子包裹、又要作板上的金環套門、門也要
三十 用金子包裹。三十要照着在山上指示你的樣式、立起帳幕。

造隔聖所與至聖所幔之法則

三一 三一你要用藍色紫色朱紅色綫、和撚的細蔴、織幔子．以巧
三二 匠的手工繡上噻嘧咱。三二要把幔子挂在四根包金的皂
莢木柱子上、柱子上當有金鈎、柱子安在四個帶卯的
三三 銀座上。三三要使幔子垂在鈎子下、把法櫃抬進幔子內、這
三四 幔子要將聖所和至聖所隔開。三四又要把施恩座安在至
三五 聖所內的法櫃上。三五把桌子安在幔子外帳幕的北面．把
三六 燈臺安在帳幕的南面、彼此相對。○三六你要拿藍色紫色
朱紅色綫、和撚的細蔴、用繡花的手工織帳幕的門簾。
三七 三七要用皂莢木為簾子作五根柱子、用金子包裹柱子上
當有金鈎、又要為柱子用銅鑄造五個帶卯的座。

造祭壇之法則

一 **第二十七章**　一你要用皂莢木作壇．這壇要四方的、
二 長五肘、寬五肘、高三肘。二要在壇的四拐角上作四個角、
三 與壇接連一塊、用銅把壇包裹。三要作盆、收去壇上的灰、
又作鏟子、盤子、肉鍤子、火鼎、壇上一切的器具都用銅
四 五 作。四要為壇作一個銅網．在網的四角上、作四個銅環。五把
網安在壇四面的圍腰板以下、使網從下達到壇的半
六 七 腰。六又要用皂莢木為壇作杠、用銅包裹。七這杠要穿在壇
八 兩旁的環子內、用以抬壇。八要用板作壇．壇是空的、都照
九 着在山上指示你的樣式作。○九你要作帳幕的院子．院
十 子的南面、要用撚的細蔴作帷子．長一百肘。十帷子的柱
子要二十根．帶卯的銅座二十個．柱子上的鈎子、和杄
十一 子、都要用銀子作。十一北面也當有帷子．長一百肘、帷子的
柱子二十根、帶卯的銅座二十個．柱子上的鈎子、和杄
十二 子、都要用銀子作。十二院子的西面當有帷子．寬五十肘．帷
十三 子的柱子十根、帶卯的座十個。十三院子的東面要寬五十
十四 肘。十四門這邊的帷子要十五肘．帷子的柱子三根、帶卯的
十五 座三個。十五門那邊的帷子也要十五肘．帷子的柱子三根、
十六 帶卯的座三個。十六院子的門當有簾子．長二十肘．要拿藍
色紫色朱紅色綫、和撚的細蔴、用繡花的手工織成．柱
十七 子四根．帶卯的座四個。十七院子四圍一切的柱子、都要用
銀杄連絡．柱子上的鈎子要用銀作．帶卯的座要用銅
十八 作。十八院子要長一百肘、寬五十肘、高五肘．帷子要用撚的

十九 細麻作帶卯的座要用銅作。十九帳幕各樣用處的器具、並
帳幕一切的橛子、和院子裏一切的橛子、都要用銅作。

燃燈之例

二十 你要吩咐以色列人、把那爲點燈搗成的清橄欖油拿
二一 來給你、使燈常常點着。二十一在會幕中法櫃前的幔外、亞倫
和他的兒子、從晚上到早晨、要在耶和華面前經理這
燈。這要作以色列人世世代代永遠的定例。

命爲亞倫作聖衣

一 第二十八章 一你要從以色列人中使你的哥哥亞
倫、和他的兒子拿答、亞比戶、以利亞撒、以他瑪、一同就
二 近你、給我供祭司的職分。二你要給你哥哥亞倫作聖衣
三 爲榮耀、爲華美。三又要吩咐一切心中有智慧的就是我
用智慧的靈所充滿的、給亞倫作衣服、使他分別爲聖、
四 可以給我供祭司的職分。四所要作的、就是胸牌、以弗得、
外袍、雜色的內袍、冠冕、腰帶、使你哥哥亞倫和他兒子
五 穿這聖服、可以給我供祭司的職分。五要用金線、和藍色
六 紫色朱紅色線、並細麻去作。○六他們要拿金線、和藍色
紫色朱紅色線、並撚的細麻、用巧匠的手工作以弗得。

七八 七以弗得當有兩條肩帶、接上兩頭、使他相連。八其上巧工
織的帶子、要和以弗得一樣的作法、用以束上、與以弗
得接連一塊、要用金線、和藍色紫色朱紅色線、並撚的
九 細麻作成。九要取兩塊紅瑪瑙、在上面刻以色列兒子的
十 名字。十六個名字在這塊寶石上、六個名字在那塊寶石
十一 上、都照他們生來的次序。十一要用刻寶石的手工、彷彿刻
圖書、按着以色列兒子的名字、刻這兩塊寶石、要鑲在
十二 金槽上。十二要將這兩塊寶石、安在以弗得的兩條肩帶上、
爲以色列人作記念石。亞倫要在兩肩上、擔他們的名
十三十四 字、在耶和華面前作爲記念。十三要用金子作二槽。十四又拿精
金、用擰工彷彿擰繩子、作兩條鍊子、把這擰成的鍊子
搭在二槽上。

作胸牌之法則

十五 十五你要用巧匠的手工、作一個決斷的胸牌。要和以弗得
十六 一樣的作法、用金線、和藍色紫色朱紅色線、並撚的細
十七 麻作成。十六這胸牌要四方的、疊爲兩層、長一虎口、寬一虎
十八十九 口。十七要在上面鑲寶石四行。第一行是紅寶石、紅璧璽、紅
玉。十八第二行是綠寶石、藍寶石、金鋼石。十九第三行是紫瑪瑙、

二十 白瑪瑙、紫晶。二十第四行是水蒼玉、紅瑪瑙、碧玉．這都要鑲
二一 在金槽中。二一這些寶石、都要按着以色列十二個兒子的
二二 名字、彷彿刻圖書、刻十二個支派的名字。二二要在胸牌上、
二三 用精金擰成如繩的鍊子。二三在胸牌上也要作兩個金環、
二四 安在胸牌的兩頭。二四要把那兩條擰成的金鍊子、穿過胸
二五 牌兩頭的環子。二五又要把鍊子的那兩頭、接在兩槽上、安
二六 在以弗得前面肩帶上。二六要作兩個金環、安在胸牌的兩
二七 頭、在以弗得裏面的邊上。二七又要作兩個金環安在以弗
得前面兩條肩帶的下邊、挨近相接之處、在以弗得巧
二八 工織的帶子以上。二八要用藍細帶子、把胸牌的環子與以
弗得的環子繫住、使胸牌貼在以弗得巧工織的帶子
二九 上、不可與以弗得離縫。二九亞倫進聖所的時候、要將決斷
胸牌、就是刻着以色列兒子名字的帶在胸前、在耶和
三十 華面前常作記念。三十又要將烏陵和土明、放在決斷的胸
牌裏、亞倫進到耶和華面前的時候、要帶在胸前、在耶
和華面前常將以色列人的決斷牌帶在胸前。

作外袍之法則

三一 三二 三一你要作以弗得的外袍、顏色全是藍的。三二袍上要爲頭留
一領口、口的周圍織出領邊來、彷彿鎧甲的領口、免得
三三 破裂。三三袍子周圍底邊上、要用藍色紫色朱紅色綫、作石
三四 榴、在袍子周圍的石榴中間、要有金鈴鐺。三四一個金鈴鐺、
一個石榴、一個金鈴鐺、一個石榴、在袍子周圍的底邊
三五 上。三五亞倫供職的時候、要穿這袍子．他進聖所到耶和華
面前、以及出來的時候、袍上的響聲必被聽見、使他不
三六 至於死亡。三六○你要用精金作一面牌、在上面按刻圖書
三七 之法刻着、歸耶和華爲聖。三七要用一條藍細帶子、將
三八 牌繫在冠冕的前面。三八這牌必在亞倫的額上、亞倫要擔
當干犯聖物條例的罪孽．這聖物是以色列人在一切
的聖禮物上所分別爲聖的．這牌要常在他的額上、使
三九 他們可以在耶和華面前蒙悅納。三九要用雜色細麻綫織
內袍、用細麻布作冠冕、又用繡花的手工作腰帶。

爲祭司製衣冠

四十 四十你要爲亞倫的兒子作內袍、腰帶、裏頭巾、爲榮耀、爲華
四一 美．四一要把這些給你的哥哥亞倫和他的兒子穿戴．又要
四二 膏他們、將他們分別爲聖、好給我供祭司的職分。四二要給
他們作細麻布褲子、遮掩下體．褲子當從腰達到大腿。

四三 亞倫和他兒子進入會幕、或就近壇、在聖所供職的時
候必穿上、免得擔罪而死。這要為亞倫和他的後裔作
永遠的定例。

示以立亞倫及其子為祭司當獻之物當行之禮

一 **第二十九章** 你使亞倫和他兒子成聖、給我供祭
司的職分、要如此行。取一隻公牛犢、兩隻無殘疾的公
二 綿羊、無酵餅、和調油的無酵餅、與抹油的無酵薄餅。這
三 都要用細麥麵作成。這餅要裝在一個筐子裏、連筐子
四 帶來、又把公牛和兩隻公綿羊牽來。要使亞倫和他兒
五 子到會幕門口來、用水洗身。要給亞倫穿上內袍、和以
弗得的外袍、並以弗得、又帶上胸牌、束上以弗得巧工
六七 織的帶子。把冠冕戴在他頭上、將聖冠加在冠冕上。就
八 把膏油倒在他頭上膏他。要叫他的兒子來、給他們穿
九 上內袍。給亞倫和他兒子束上腰帶、包上裹頭巾、他們
就憑永遠的定例、得了祭司的職任。又要將亞倫和他
十 兒子分別為聖。○你要把公牛牽到會幕前、亞倫和他
十一 兒子要按手在公牛的頭上。你要在耶和華面前、在會
十二 幕門口、宰這公牛。要取些公牛的血、用指頭抹在壇的
十三 四角上、把血都倒在壇腳那裏。要把一切蓋臟的脂油、
與肝上的網子、並兩個腰子、和腰子上的脂油、都燒在
十四 壇上。只是公牛的皮、肉、糞、都要用火燒在營外。這牛是
十五 贖罪祭。○你要牽一隻公綿羊來、亞倫和他兒子、要按
十六十七 手在這羊的頭上。要宰這羊、把血灑在壇的周圍。要把
羊切成塊子、洗淨五臟、和腿、連塊子帶頭、都放在一處。
十八 要把全羊燒在壇上、是給耶和華獻的燔祭、是獻給耶
十九 和華為馨香的火祭。○你要將那一隻公綿羊牽來、亞
二十 倫和他兒子、要按手在羊的頭上。你要宰這羊、取點血、
抹在亞倫的右耳垂上、和他兒子的右耳垂上、又抹在
他們右手的大拇指上、和右腳的大拇指上、並要把血
二一 灑在壇的四圍。你要取點膏油和壇上的血、彈在亞倫
和他的衣服上、並他兒子和他兒子的衣服上、他們和
二二 他們的衣服就一同成聖。你要取這羊的脂油、和肥尾
巴、並蓋臟的脂油、與肝上的網子、兩個腰子、和腰子上
二三 的脂油、並右腿。(這是承接聖職所獻的羊、)再從耶
和華面前裝無酵餅的筐子中取一個餅、一個調油的
二四 餅、和一個薄餅。都放在亞倫的手上、和他兒子的手上、

二五 作爲搖祭、在耶和華面前搖一搖。二五要從他們手中接過
來、燒在耶和華面前壇上的燔祭上、是獻給耶和華爲
馨香的火祭。

祭司當得之分

二六 二六你要取亞倫承接聖職所獻公羊的胸、作爲搖祭、在耶
二七 和華面前搖一搖、這就可以作你的分。二七那搖祭的胸、和
舉祭的腿、就是承接聖職所搖的、所舉的、是歸亞倫和
二八 他兒子的．這些你都要成爲聖、二八作亞倫和他子孫從以
色列人中永遠所得的分、因爲是舉祭．這要從以色列
二九 人的平安祭中、作爲獻給耶和華的舉祭。○二九亞倫的聖
衣要留給他的子孫、可以穿着受膏．又穿着承接聖職。
三十 三十他的子孫接續他當祭司的、每逢進會幕在聖所供職
三一 的時候、要穿七天。○三一你要將承接聖職所獻公羊的肉、
三二 煮在聖處。三二亞倫和他兒子要在會幕門口、喫這羊的肉、
三三 和筐內的餅。三三他們喫那些贖罪之物、好承接聖職、使他
三四 們成聖．只是外人不可喫、因爲這是聖物。三四那承接聖職
所獻的肉、或餅、若有一點留到早晨、就要用火燒了、不
三五 可喫這物、因爲是聖物。○三五你要這樣照我一切所吩咐
三六 的、向亞倫和他兒子行承接聖職的禮七天。三六每天要獻
公牛一隻、爲贖罪祭．你潔淨壇的時候、壇就潔淨了．且
三七 要用膏抹壇、使壇成聖。三七要潔淨壇七天、使壇成聖、壇就
成爲至聖．凡挨着壇的都成爲聖。

每日當獻之祭

三八 三九 三八你每天所要獻在壇上的、就是兩隻一歲的羊羔、三九早晨
四十 要獻這一隻、黃昏的時候要獻那一隻。四十和這一隻羊羔
同獻的、要用細麵伊法十分之一、與搗成的油一欣四
四一 分之一調和．又用酒一欣四分之一、作爲奠祭。四一那一隻
羊羔要在黃昏的時候獻上、照着早晨的素祭、和奠祭
四二 的禮辦理、作爲獻給耶和華馨香的火祭。四二這要在耶和
華面前、會幕門口、作你們世世代代常獻的燔祭．我要
四三 在那裏與你們相會、和你們說話。四三我要在那裏與以色
四四 列人相會、會幕就要因我的榮耀成爲聖。四四我要使會幕
和壇成聖、也要使亞倫和他的兒子成聖、給我供祭司
四五 四六 的職分。四五我要住在以色列人中間、作他們的神。四六他們
必知道我是耶和華他們的神、是將他們從埃及地
領出來的、爲要住在他們中間．我是耶和華他們的

神。

造香壇之法則

第三十章

一 二 你要用皂莢木作一座燒香的壇。這壇
三 要四方的、長一肘、寬一肘、高二肘。壇的四角、要與壇接
連一塊。要用精金、把壇的上面、與壇的四圍、並壇的四
四 角包裹。又要在壇的四圍鑲上金牙邊。要作兩個金環、
安在牙子邊以下、在壇的兩旁、兩根橫撐上、作為穿杠
五 六 的用處、以便抬壇。要用皂莢木作杠、用金包裹。要把壇
放在法櫃前的幔子外、對着法櫃上的施恩座、就是我
七 要與你相會的地方。亞倫在壇上要燒馨香料作的香。
八 每早晨他收拾燈的時候、要燒這香。黃昏點燈的時候、
他要在耶和華面前燒這香、作為世世代代常燒的香。
九 在這壇上不可奉上異樣的香、不可獻燔祭、素祭、也不
十 可澆上奠祭。亞倫一年一次要在壇的角上行贖罪之
禮。他一年一次要用贖罪祭牲的血、在壇上行贖罪之
禮、作為世世代代的定例。這壇在耶和華面前為至聖。

每人當獻贖命之價

十一 十二 耶和華曉諭摩西說、你要按以色列人被數的、計算總
數、你數的時候、他們各人要為自己的生命、把贖價奉
十三 給耶和華、免得數的時候、在他們中間有災殃。凡過去
歸那些被數之人的、每人要按聖所的平拿銀子半舍
客勒、這半舍客勒是奉給耶和華的禮物、一舍客勒是
十四 二十季拉。凡過去歸那些被數的人、從二十歲以外的、
十五 要將這禮物奉給耶和華。他們為贖生命將禮物奉給
耶和華、富足的不可多出、貧窮的也不可少出、各人要
十六 出半舍客勒。你要從以色列人收這贖罪銀、作為會幕
的使用、可以在耶和華面前為以色列人作記念、贖生
命。

當以銅作浴盆

十七 十八 耶和華曉諭摩西說、你要用銅作洗濯盆、和盆座、以便
十九 洗濯。要將盆放在會幕和壇的中間、在盆裏盛水。亞倫
二十 和他的兒子、要在這盆裏洗手洗腳。他們進會幕、或是
就近壇前供職、給耶和華獻火祭的時候、必用水洗濯、
二十一 免得死亡。他們洗手洗腳、就免得死亡。這要作亞倫和
他後裔世世代代永遠的定例。

製聖膏之法則

二三 耶和華曉諭摩西說、你要取上品的香料、就是流質的
沒藥五百舍客勒、香肉桂一半、就是二百五十舍客勒、
菖蒲二百五十舍客勒、二四 桂皮五百舍客勒、都按着聖所
的平、又取橄欖油一欣。二五 按作香之法、調和作成聖膏油。
二六 要用這膏油抹會幕、和法櫃、二七 桌子、與桌子的一切器具、
燈臺、和燈臺的器具、並香壇、二八 燔祭壇、和壇的一切器具、
洗濯盆、和盆座。二九 要使這些物成爲聖、好成爲至聖。凡挨
着的都成爲聖。三十 要膏亞倫和他的兒子、使他們成爲聖、
可以給我供祭司的職分。三一 你要對以色列人說、這油我
要世世代代以爲聖膏油。三二 不可倒在別人的身上、也不
可按這調和之法、作與此相似的、這膏油是聖的、你們
也要以爲聖。三三 凡調和與此相似的、或將這膏膏在別人
身上的、這人要從民中剪除。

製聖香之法則

三四 耶和華吩咐摩西說、你要取馨香的香料、就是拿他弗、
施喜列、喜利比拏、這馨香的香料、和淨乳香、各樣要一
般大的分量。三五 你要用這些加上鹽、按作香之法、作成清
淨聖潔的香。三六 這香要取點搗得極細、放在會幕內法櫃
前、我要在那裏與你相會、你們要以這香爲至聖。三七 你們
不可按這調和之法、爲自己作香、要以這香爲聖、歸耶
和華。三八 凡作香和這香一樣、爲要聞香味的、這人要從民
中剪除。

特簡比撒列亞何利亞伯製造會幕及諸器

第三十一章 一 耶和華曉諭摩西說、二 看哪、猶大支派
中戶珥的孫子、烏利的兒子比撒列、我已經題他的名
召他。三 我也以我的靈充滿了他、使他有智慧、有聰明、有
知識、能作各樣的工、四 能想出巧工、用金銀銅製造各物、
五 又能刻寶石、可以鑲嵌、能雕刻木頭、能作各樣的工。六 我
分派但支派中亞希撒抹的兒子亞何利亞伯與他同
工、凡心裏有智慧的、我更使他們有智慧、能作我一切
所吩咐的、七 就是會幕、和法櫃、並其上的施恩座、與會幕
中一切的器具、八 桌子、和桌子的器具、精金的燈臺、和燈
臺的一切器具、並香壇、九 燔祭壇、和壇的一切器具、並洗
濯盆、與盆座、十 精工作的禮服、和祭司亞倫、並他兒子用
以供祭司職分的聖衣、十一 膏油、和爲聖所用馨香的香料、

他們都要照我一切所吩咐的去作。

十二 當守安息日爲證

十二 十三 耶和華曉諭摩西說、十三你要吩咐以色列人說、你們務要
守我的安息日因爲這是你我之間世世代代的證據、
十四 使你們知道我耶和華是叫你們成爲聖的。十四所以你們
要守安息日、以爲聖日、凡干犯這日的、必要把他治死、
十五 凡在這日作工的、必從民中剪除。十五六日要作工、但第七
日是安息聖日、是向耶和華守爲聖的、凡在安息日作
十六 工的、必要把他治死。十六故此、以色列人要世世代代守安
十七 息日爲永遠的約。十七這是我和以色列人永遠的證據、因
爲六日之內耶和華造天地、第七日便安息舒暢。

以二法版賜摩西

十八 十八耶和華在西乃山和摩西說完了話、就把兩塊法版交
給他、是 神用指頭寫的石版。

第三十二章　亞倫造犢

一 一百姓見摩西遲延不下山、就大家聚
集到亞倫那裏、對他說、起來、爲我們作神像、可以在我
們前面引路、因爲領我們出埃及地的那個摩西、我們

二 不知道他遭了甚麼事。二亞倫對他們說、你們去摘下你
三 們妻子兒女耳上的金環、拿來給我。三百姓就都摘下他
四 們耳上的金環、拿來給亞倫。四亞倫從他們手裏接過來、
鑄了一隻牛犢、用雕刻的器具作成。他們就說、以色列
五 阿、這是領你出埃及地的神。五亞倫看見、就在牛犢面前
六 築壇、且宣告說、明日要向耶和華守節。六次日清早、百姓
七 起來獻燔祭、和平安祭、就坐下喫喝、起來玩耍。〇七耶和
華吩咐摩西說、下去罷、因爲你的百姓、就是你從埃及
八 地領出來的、已經敗壞了。八他們快快偏離了我所吩咐
的道、爲自己鑄了一隻牛犢、向他下拜獻祭、說、以色列
九 阿、這就是領你出埃及地的神。九耶和華對摩西說、我看
十 這百姓眞是硬着頸項的百姓。十你且由着我、我要向他
十一 們發烈怒、將他們滅絕、使你的後裔成爲大國。十一摩西便
懇求耶和華他的 神、說、耶和華阿、你爲甚麼向你的
百姓發烈怒呢、這百姓是你用大力和大能的手、從埃
十二 及地領出來的。十二爲甚麼使埃及人議論說、他領他們出
去、是要降禍與他們、把他們殺在山中、將他們從地上
除滅。求你轉意、不發你的烈怒、後悔、不降禍與你的百

十三 姓。十三求你記念你的僕人亞伯拉罕、以撒、以色列．你曾指
着自己起誓說、我必使你們的後裔像天上的星那樣
多、並且我所應許的這全地、必給你們的後裔、他們要
十四 永遠承受爲業。十四於是耶和華後悔、不把所說的禍降與
他的百姓。

摩西怒碎法版

十五 十五摩西轉身下山、手裏拿着兩塊法版、這版是兩面寫的、
十六 這面那面都有字。十六是神的工作、字是神寫的、刻在
十七 版上。十七約書亞一聽見百姓呼喊的聲音、就對摩西說、在
十八 營裏有爭戰的聲音。十八摩西說、這不是人打勝仗的聲音、
也不是人打敗仗的聲音、我所聽見的、乃是人歌唱的
十九 聲音。十九摩西挨近營前、就看見牛犢、又看見人跳舞、便發
二十 烈怒、把兩塊版扔在山下摔碎了。二十又將他們所鑄的牛
犢、用火焚燒、磨得粉碎、撒在水面上、叫以色列人喝。○
二一 二一摩西對亞倫說、這百姓向你作了甚麼、你竟使他們陷
二二 在大罪裏。二二亞倫說、求我主不要發烈怒．這百姓專於作
二三 惡、是你知道的。二三他們對我說、你爲我們作神像、可以在
我們前面引路、因爲領我們出埃及地的那個摩西、我
二四 們不知道他遭了甚麼事。二四我對他們說、凡有金環的、可
以摘下來、他們就給了我、我把金環扔在火中、這牛犢
二五 便出來了。○二五摩西見百姓放肆、（亞倫縱容他們、使他
二六 們在仇敵中間被譏刺、）二六就站在營門中說、凡屬耶和
華的、都要到我這裏來．於是利未的子孫、都到他那裏
二七 聚集。二七他對他們說、耶和華以色列的神這樣說、你們
各人把刀跨在腰間、在營中往來、從這門到那門、各人
二八 殺他的弟兄、與同伴、並鄰舍。二八利未的子孫照摩西的話
二九 行了．那一天百姓中被殺的約有三千。二九摩西說、今天你
們要自潔、歸耶和華爲聖、各人攻擊他的兒子、和弟兄、
使耶和華賜福與你們。

耶和華討民之罪

三十 三十到了第二天、摩西對百姓說、你們犯了大罪、我如今要
三一 上耶和華那裏去、或者可以爲你們贖罪。三一摩西回到耶
三二 和華那裏說、唉、這百姓犯了大罪、爲自己作了金像。三二倘
或你肯赦免他們的罪、……不然、求你從你所寫的冊
三三 上塗抹我的名。三三耶和華對摩西說、誰得罪我、我就從我
三四 的冊上塗抹誰的名。三四現在你去領這百姓、往我所告訴

你的地方去、我的使者必在你前面引路．只是到我追
三五 討的日子、我必追討他們的罪。三五耶和華殺百姓的緣故、
是因他們同亞倫作了牛犢。

耶和華不欲與民偕往

一 第三十三章 一耶和華吩咐摩西說、我曾起誓應許
亞伯拉罕、以撒、雅各說、要將迦南地賜給你的後裔．現
在你和你從埃及地所領出來的百姓、要從這裏往那
二 地去。二我要差遣使者在你前面、攆出迦南人、亞摩利人、
三 赫人、比利洗人、希未人、耶布斯人、三領你到那流奶與蜜
之地．我自己不同你們上去、因為你們是硬着頸項的
四 百姓、恐怕我在路上把你們滅絕。四百姓聽見這兇信就
五 悲哀、也沒有人佩戴妝飾。五耶和華對摩西說、你告訴以
色列人說、耶和華說、你們是硬着頸項的百姓、我若一
霎時臨到你們中間、必滅絕你們．現在你們要把身上
六 的妝飾摘下來、使我可以知道怎樣待你們。六以色列人
七 從住何烈山以後、就把身上的妝飾摘得乾淨。○七摩西
素常將帳棚支搭在營外、離營卻遠、他稱這帳棚為會
八 幕．凡求問耶和華的、就到營外的會幕那裏去。八當摩西
出營到會幕去的時候、百姓就都起來、各人站在自己
九 帳棚的門口、望着摩西、直等到他進了會幕。九摩西進會
幕的時候、雲柱降下來、立在會幕的門前、耶和華便與
十 摩西說話。十眾百姓看見雲柱立在會幕門前、就都起來
十一 各人在自己帳棚的門口下拜。十一耶和華與摩西面對面
說話、好像人與朋友說話一般．摩西轉到營裏去、惟有
他的幫手一個少年人嫩的兒子約書亞、不離開會幕。

摩西祈耶和華與之偕往

十二 十二摩西對耶和華說、你吩咐我說、將這百姓領上去、卻沒
有叫我知道你要打發誰與我同去．只說、我按你的名
十三 認識你、你在我眼前也蒙了恩。十三我如今若在你眼前蒙
恩、求你將你的道指示我、使我可以認識你、好在你眼
十四 前蒙恩．求你想到這民是你的民。十四耶和華說、我必親自
十五 和你同去、使你得安息。十五摩西說、你若不親自和我同去、
十六 就不要把我們從這裏領上去。十六人在何事上得以知道
我和你的百姓、在你眼前蒙恩呢、豈不是因你與我們
十七 同去、使我和你的百姓與地上的萬民有分別麼。○十七耶
和華對摩西說、你這所求的我也要行、因為你在我眼

十八 前蒙了恩、並且我按你的名認識你。十八摩西說、求你顯出
十九 你的榮耀給我看。十九耶和華說、我要顯我一切的恩慈、在
二十 你面前經過、宣告我的名．我要恩待誰、就恩待誰．要憐
二一 憫誰、就憐憫誰。二十又說、你不能看見我的面、因為人見我
二二 的面不能存活。二一耶和華說、看哪、在我這裏有地方、你要
二三 站在磐石上．二二我的榮耀經過的時候、我必將你放在磐
石穴中、用我的手遮掩你、等我過去．二三然後我要將我的
手收回、你就得見我的背、卻不得見我的面。

第三十四章

復造法版

一 一耶和華吩咐摩西說、你要鑿出兩塊
石版、和先前你摔碎的那版一樣．其上的字我要寫在
二 這版上。二明日早晨你要豫備好了、上西乃山、在山頂上
三 站在我面前。三誰也不可和你一同上去、遍山都不可有
四 人、在山根也不可叫羊羣牛羣喫草。四摩西就鑿出兩塊
石版、和先前的一樣．清晨起來、照耶和華所吩咐的上
五 西乃山去、手裏拿着兩塊石版。五耶和華在雲中降臨、和
六 摩西一同站在那裏、宣告耶和華的名。六耶和華在他面
前宣告說、耶和華、耶和華、是有憐憫有恩典的神、不
七 輕易發怒、並有豐盛的慈愛和誠實。七為千萬人存留慈
愛、赦免罪孽過犯、和罪惡．萬不以有罪的為無罪、必追
八 討他的罪、自父及子、直到三四代。八摩西急忙伏地下拜、
九 九說、主阿、我若在你眼前蒙恩、求你在我們中間同行．因
為這是硬着頸項的百姓．又求你赦免我們的罪孽和
罪惡、以我們為你的產業。

勿拜別神

十 十耶和華說、我要立約、要在百姓面前行奇妙的事、是在
遍地萬國中所未曾行的．在你四圍的外邦人、就要看
十一 見耶和華的作為、因我向你所行的是可畏懼的事。十一我
今天所吩咐你的、你要謹守．我要從你面前攆出亞摩
十二 利人、迦南人、赫人、比利洗人、希未人、耶布斯人。十二你要謹
慎、不可與你所去那地的居民立約、恐怕成為你們中
十三 間的網羅．十三卻要拆毀他們的祭壇、打碎他們的柱像、砍
十四 下他們的木偶。十四不可敬拜別神、因為耶和華是忌邪的
十五 神、名為忌邪者。十五只怕你與那地的居民立約、百姓隨
從他們的神、就行邪淫、祭祀他們的神、有人叫你、你便
十六 喫他的祭物。十六又為你的兒子娶他們的女兒為妻、他們

的女兒隨從他們的神就行邪淫、使你的兒子也隨從
十七 十八 他們的神行邪淫。不可為自己鑄造神像。○你要守除
酵節、照我所吩咐你的、在亞筆月內所定的日期、喫無
十九 酵餅七天、因為你是這亞筆月內出了埃及。凡頭生的
都是我的、一切牲畜頭生的、無論是牛、是羊、公的都是
二十 我的。頭生的驢、要用羊羔代贖、若不代贖、就要打折他
的頸項。凡頭生的兒子都要贖出來。誰也不可空手朝
二一 見我。○你六日要作工、第七日要安息、雖在耕種收割
二二 的時候、也要安息。在收割初熟麥子的時候、要守七七
二三 節、又在年底要守收藏節。你們一切男丁、要一年三次
二四 朝見主耶和華以色列的神。我要從你面前趕出外
邦人、擴張你的境界．你一年三次上去朝見耶和華你
二五 神的時候、必沒有人貪慕你的地土。○你不可將我
祭物的血、和有酵的餅、一同獻上．逾越節的祭物、也不
二六 可留到早晨。地裏首先初熟之物、要送到耶和華你
二七 神的殿。不可用山羊羔母的奶、煮山羊羔。○耶和華吩
咐摩西說、你要將這些話寫上、因為我是按這話與你
二八 和以色列人立約。摩西在耶和華那裏四十晝夜、也不
喫飯、也不喝水．耶和華將這約的話、就是十條誡、寫在
兩塊版上。

民見摩西面容發光

二九 摩西手裏拿着兩塊法版、下西乃山的時候、不知道自
三十 己的面皮因耶和華和他說話就發了光。亞倫和以色
三一 列眾人看見摩西的面皮發光、就怕挨近他。摩西叫他
們來、於是亞倫和會眾的官長都到他那裏去、摩西就
三二 與他們說話。隨後以色列眾人都近前來、他就把耶和
三三 華在西乃山與他所說的一切話、都吩咐他們。摩西與
三四 他們說完了話、就用帕子蒙上臉。但摩西進到耶和華
面前與他說話、就揭去帕子．及至出來的時候、便將耶
三五 和華所吩咐的告訴以色列人。以色列人看見摩西的
面皮發光．摩西又用帕子蒙上臉、等到他進去與耶和
華說話、就揭去帕子。

第三十五章

守安息日之例

一 摩西招聚以色列全會眾、對他們說、
二 這是耶和華所吩咐的話、叫你們照着行。六日要作工、
第七日乃為聖日、當向耶和華守為安息聖日、凡這日

之內作工的、必把他治死。三當安息日、不可在你們一切
的住處生火。

諭民獻禮物

四摩西對以色列全會衆說、耶和華所吩咐的是這樣。五你
們中間要拿禮物獻給耶和華、凡樂意獻的、可以拿耶
和華的禮物來、就是金、銀、銅、六藍色紫色朱紅色綫、細麻、
山羊毛、七染紅的公羊皮、海狗皮、皂莢木、八點燈的油、並作
膏油、和香的香料、九紅瑪瑙、與別樣的寶石、可以鑲嵌在
以弗得和胸牌上。十○你們中間凡心裏有智慧的、都要
來作耶和華一切所吩咐的、十一就是帳幕、和帳幕的罩棚、
並帳幕的蓋、鉤子、板、門、柱子、帶卯的座、十二櫃和櫃的杠、施
恩座、和遮掩櫃的幔子、十三桌子和桌子的杠、與桌子的一
切器具、並陳設餅、十四燈臺和燈臺的器具、燈盞、並點燈的
油、十五香壇、和壇的杠、膏油、和馨香的香料、並帳幕門口的
簾子、十六燔祭壇、和壇的銅網、壇的杠、並壇的一切器具、洗
濯盆、和盆座、十七院子的帷子、和帷子的柱子、帶卯的座、和
院子的門簾、十八帳幕的橛子、並院子的橛子、和這兩處的
繩子、十九精工作的禮服、和祭司亞倫並他兒子在聖所用
以供祭司職分的聖衣。二十○以色列全會衆從摩西面前
退去。二十一凡心裏受感、和甘心樂意的、都拿耶和華的禮物
來、用以作會幕和其中一切的使用、又用以作聖衣。二十二凡
心裏樂意獻禮物的、連男帶女、各將金器、就是胸前鍼、
耳環或作鼻環、打印的戒指、和手釧、帶來獻給耶和華。二十三凡有
藍色紫色朱紅色綫、細麻、山羊毛、染紅的公羊皮、海狗
皮的、都拿了來。二十四凡獻銀子和銅給耶和華爲禮物的、都
拿了來。凡有皂莢木可作甚麼使用的、也拿了來。二十五凡心
中有智慧的婦女、親手紡綫、把所紡的藍色紫色朱紅
色綫、和細麻、都拿了來。二十六凡有智慧心裏受感的婦女就
紡山羊毛。二十七○衆官長把紅瑪瑙、和別樣的寶石、可以鑲嵌
在以弗得與胸牌上的、都拿了來。二十八又拿香料作香、拿油
點燈作膏油。二十九以色列人無論男女、凡甘心樂意獻禮物
給耶和華的、都將禮物拿來、作耶和華藉摩西所吩咐
的一切工。三十○摩西對以色列人說、猶大支派中、戶珥的
孫子、烏利的兒子比撒列、耶和華已經題他的名召他。
三十一又以　神的靈充滿了他、使他有智慧、聰明、知識、能作
各樣的工。三十二能想出巧工、用金、銀、銅、製造各物。三十三又能刻寶

三四 石、可以鑲嵌、能雕刻木頭、能作各樣的巧工。三四耶和華又
使他和但支派中亞希撒抹的兒子亞何利亞伯、心裏
三五 靈明、能教導人。三五耶和華使他們的心、滿有智慧、能作各
樣的工、無論是雕刻的工、巧匠的工、用藍色紫色朱紅
色綫、和細麻繡花的工、並機匠的工、他們都能作、也能
想出奇巧的工。

第三十六章

一 一比撒列和亞何利亞伯、並一切心裏
有智慧的、就是蒙耶和華賜智慧聰明、叫他知道作聖
所各樣使用之工的、都要照耶和華所吩咐的作工。○
二 二凡耶和華賜他心裏有智慧、而且受感前來作這工的、
三 摩西把他們和比撒列、並亞何利亞伯、一同召來。三這些
人就從摩西收了以色列人為作聖所、並聖所使用之
工所拿來的禮物。百姓每早晨還把甘心獻的禮物拿
四 來。四凡作聖所一切工的智慧人、各都離開他所作的工、
五 五來對摩西說、百姓為耶和華吩咐使用之工所拿來的、
六 富富有餘。六摩西傳命、他們就在全營中宣告說、無論男
女、不必再為聖所拿甚麼禮物來。這樣纔攔住百姓不
七 再拿禮物來。七因為他們所有的材料、彀作一切當作的
物、而且有餘。

造幕幔

八 八他們中間凡心裏有智慧作工的、用十幅幔子作帳幕。
這幔子是比撒列用撚的細麻、和藍色紫色朱紅色綫、
九 製造的、並用巧匠的手工繡上基路伯。九每幅幔子長二
十 十八肘、寬四肘、都是一樣的尺寸。十他使這五幅幔子幅
十一 幅相連、又使那五幅幔子、幅幅相連。十一在這相連的幔子
末幅邊上、作藍色的鈕扣、在那相連的幔子末幅邊上、
十二 也照樣作。十二在這相連的幔子上、作五十個鈕扣、在那相
十三 連的幔子上、也作五十個鈕扣、都是兩兩相對。十三又作五
十四 十個金鉤、使幔子相連、這纔成了一個帳幕。十四○他用山
十五 羊毛織十一幅幔子、作為帳幕以上的罩棚。十五每幅幔子
十六 長三十肘、寬四肘、十一幅幔子、都是一樣的尺寸。十六他把
十七 五幅幔子連成一幅、又把六幅幔子連成一幅。十七在這相
連的幔子末幅邊上、作五十個鈕扣在那相連的幔子
十八 末幅邊上、也作五十個鈕扣。十八又作五十個銅鈎、使罩棚
十九 連成一個。十九並用染紅的公羊皮作罩棚的蓋、再用海狗
皮作一層罩棚上的頂蓋。

造幕板

二十 他用皂莢木作帳幕的豎板。二一 每塊長十肘、寬一肘半。二二 每塊有兩榫相對、帳幕一切的板都是這樣作。二三 帳幕的南面、作板二十塊。二四 在這二十塊板底下、又作四十個帶卯的銀座、兩卯接這塊板上的兩榫、兩卯接那塊板上的兩榫。二五 帳幕的第二面、就是北面、也作板二十塊、二六 和帶卯的銀座四十個。這板底下有兩卯、那板底下也有兩卯。二七 帳幕的後面、就是西面、作板六塊。二八 帳幕後面的拐角、作板兩塊。二九 板的下半截是雙的、上半截是整的、直到第一個環子、在帳幕的兩個拐角上、都是這樣作。三十 有八塊板、和十六個帶卯的銀座。每塊板底下有兩卯。○三一 他用皂莢木作閂、為帳幕這面的板作五閂、三二 為帳幕那面的板作五閂。又為帳幕後面的板作五閂。三三 使板腰間的中閂、從這一頭通到那一頭。三四 用金子將板包裹。又作板上的金環套閂、閂也用金子包裹。

造簾

三五 他用藍色紫色朱紅色線、和撚的細麻、織幔子、以巧匠的手工繡上基路伯。三六 為幔子作四根皂莢木柱子、用金包裹。柱子上有金鉤、又為柱子鑄了四個帶卯的銀座。三七 拿藍色紫色朱紅色線、和撚的細麻、用繡花的手工織帳幕的門簾。三八 又為簾子作五根柱子、和柱子上的鉤子、用金子把柱頂、和柱子上的杆子包裹。柱子有五個帶卯的座、是銅的。

第三十七章

造法櫃

一 比撒列用皂莢木作櫃、長二肘半、寬一肘半、高一肘半。二 裏外包上精金、四圍鑲上金牙邊。三 又鑄四個金環、安在櫃的四腳上、這邊兩環、那邊兩環。四 用皂莢木作兩根杠、用金包裹。五 把杠穿在櫃旁的環內、以便抬櫃。六 用精金作施恩座、長二肘半、寬一肘半。七 用金子鎚出兩個基路伯來、安在施恩座的兩頭。八 這頭作一個基路伯、那頭作一個基路伯、二基路伯接連一塊在施恩座的兩頭。九 二基路伯高張翅膀、遮掩施恩座、基路伯是臉對臉、朝着施恩座。

造桌

十 他用皂莢木作一張桌子、長二肘、寬一肘、高一肘半。十一 又包上精金、四圍鑲上金牙邊。十二 桌子的四圍各作一掌寬

的橫梁、橫梁上鑲着金牙邊。[十三]又鑄了四個金環、安在桌子四脚的四角上。[十四]安環子的地方、是挨近橫梁、可以穿杠抬桌子。[十五]他用皂莢木作兩根杠、用金包裹、以便抬桌子。[十六]又用精金作桌子上的器皿、就是盤子、調羹、並奠酒的瓶、和爵。

造燈臺

[十七]他用精金作一個燈臺、這燈臺的座、和榦、與杯、球、花、都是接連一塊鎚出來的。[十八]燈臺兩旁杈出六個枝子、這旁三個、那旁三個。[十九]這旁每枝上有三個杯、形狀像杏花、有球、有花．那旁每枝上也有三個杯、形狀像杏花、有球、有花．從燈臺杈出來的六個枝子、都是如此。[二十]燈臺上有四個杯、形狀像杏花、有球、有花。[二一]燈臺每兩個枝子以下有球、與枝子接連一塊．燈臺杈出的六個枝子、都是如此。[二二]球和枝子是接連一塊、都是一塊精金鎚出來的。[二三]用精金作燈臺的七個燈盞、並燈臺的蠟剪、和蠟花盤。[二四]他用精金一他連得、作燈臺和燈臺的一切器具。

造香壇

[二五]他用皂莢木作香壇、是四方的、長一肘、寬一肘、高二肘．壇的四角、與壇接連一塊。[二六]又用精金、把壇的上面與壇的四面、並壇的四角包裹．又在壇的四圍、鑲上金牙邊。[二七]作兩個金環、安在牙子邊以下、在壇的兩旁兩根橫撐上、作為穿杠的用處、以便抬壇。[二八]用皂莢木作杠、用金包裹。[二九]又按作香之法、作聖膏油、和馨香料的淨香。

第三十八章

造祭壇

[一]他用皂莢木作燔祭壇、是四方的、長五肘、寬五肘、高三肘。[二]在壇的四拐角上作四個角、與壇接連一塊．用銅把壇包裹。[三]他作壇上的盆、鏟子、盤子、肉鍤子、火鼎．這一切器具、都是用銅作的。[四]又為壇作一個銅網、安在壇四面的圍腰板以下、從下達到壇的半腰。[五]為銅網的四角、鑄四個環子、作為穿杠的用處。[六]用皂莢木作杠、用銅包裹。[七]把杠穿在壇兩旁的環子內、用以抬壇．並用板作壇、壇是空的。

造浴盆

[八]他用銅作洗濯盆、和盆座、是用會幕門前伺候的婦人之鏡子作的。

立幕院

九他作帳幕的院子。院子的南面、用撚的細麻作帷子、寬
一百肘。十帷子的柱子二十根、帶卯的銅座二十個。柱子
上的鈎子、和杆子、都是用銀子作的。十一北面也有帷子、寬
一百肘。帷子的柱子二十根、帶卯的銅座二十個、柱子
上的鈎子、和杆子、都是用銀子作的。十二院子的西面有帷
子、寬五十肘。帷子的柱子十根、帶卯的座十個。柱子的
鈎子、和杆子、都是用銀子作的。十三院子的東面、寬五十肘。
十四門這十五邊的帷子十五肘、那邊也是一樣。帷子的柱子三
根、帶卯的座三個。在門的左右各有帷子十五肘、帷子
的柱子三根、帶卯的座三個。十六院子四面的帷子、都是用
撚的細麻作的。十七柱子帶卯的座是銅的、柱子上的鈎子、
和杆子、是銀的、柱頂是用銀子包的。院子一切的柱子、
都是用銀杆連絡的。十八院子的門簾、是以繡花的手工、用
藍色紫色朱紅色綫、和撚的細麻織的。寬二十肘、高五
肘、與院子的帷子相配。十九帷子的柱子四根、帶卯的銅座
四個。柱子上的鈎子、和杆子、是銀的。柱頂是用銀子包
的。二十帳幕一切的橛子、和院子四圍的橛子、都是銅的。

核計民獻金銀銅之數

二一這是法櫃的帳幕中利未人所用物件的總數、是照摩
西的吩咐、經祭司亞倫的兒子以他瑪的手數點的。二二凡
耶和華所吩咐摩西的、都是猶大支派戶珥的孫子烏
利的兒子比撒列作的。二三與他同工的、有但支派中、亞希
撒抹的兒子亞何利亞伯。他是雕刻匠、又是巧匠、又能
用藍色紫色朱紅色綫、和細麻繡花。二四為聖所一切工作
使用所獻的金子、按聖所的平、有二十九他連得並七
百三十舍客勒。二五會中被數的人所出的銀子、按聖所的
平、有一百他連得並一千七百七十五舍客勒。二六凡過去
歸那些被數之人的、從二十歲以外、有六十萬零三千
五百五十人、按聖所的平、每人出銀半舍客勒就是一
比加。二七用那一百他連得銀子、鑄造聖所帶卯的座、和幔
子柱子帶卯的座、一百他連得共一百帶卯的座、每帶
卯的座、用一他連得。二八用那一千七百七十五舍客勒銀
子、作柱子上的鈎子、包裹柱頂、並柱子上的杆子。二九所獻
的銅、有七十他連得並二千四百舍客勒。三十用這銅作會
幕門帶卯的座、和銅壇、並壇上的銅網、和壇的一切器

具。三一並院子四圍帶卯的座、和院門帶卯的座、與帳幕一切的橛子、和院子四圍所有的橛子。

第三十九章

作聖衣

一比撒列用藍色紫色朱紅色綫、作精緻的衣服、在聖所用以供職、又爲亞倫作聖衣、是照耶和華所吩咐摩西的。〇二他用金綫、和藍色紫色朱紅色綫、並撚的細麻作以弗得。三把金子錘成薄片、剪出綫來、與藍色紫色朱紅色綫、用巧匠的手工一同繡上。四又爲以弗得作兩條相連的肩帶、接連在以弗得的兩頭。五其上巧工織的帶子、和以弗得一樣的作法、用以束上、與以弗得接連一塊、是用金綫、和藍色紫色朱紅色綫、並撚的細麻作的．是照耶和華所吩咐摩西的。〇六又琢出兩塊紅瑪瑙、鑲在金槽上、彷彿刻圖書、按着以色列兒子的名字雕刻。七將這兩塊寶石、安在以弗得的兩條肩帶上、爲以色列人作記念石．是照耶和華所吩咐摩西的。

作胸牌

八他用巧匠的手工作胸牌、和以弗得一樣的作法．用金綫、與藍色紫色朱紅色綫、並撚的細麻作的。〇九胸牌是四方的、疊爲兩層．這兩層長一虎口、寬一虎口。十上面鑲着寶石四行、第一行是紅寶石、紅璧璽、紅玉。十一第二行是綠寶石、藍寶石、金鋼石。十二第三行是紫瑪瑙、白瑪瑙、紫晶。十三第四行是水蒼玉、紅瑪瑙、碧玉．這都鑲在金槽中。十四這些寶石、都是按着以色列十二個兒子的名字、彷彿刻圖書、刻十二個支派的名字。十五在胸牌上、用精金擰成如繩子的鍊子。十六又作兩個金槽、和兩個金環、安在胸牌的兩頭．十七把那兩條擰成的金鍊子、穿過胸牌兩頭的環子。十八又把鍊子的那兩頭接在兩槽上、安在以弗得前面肩帶上。十九作兩個金環、安在胸牌的兩頭、在以弗得裏面的邊上。二十又作兩個金環、安在以弗得前面兩條肩帶的下邊、挨近相接之處、在以弗得巧工織的帶子以上。二一用一條藍細帶子、把胸牌的環子、和以弗得的環子繫住、使胸牌貼在以弗得巧工織的帶子上、不可與以弗得離縫．是照耶和華所吩咐摩西的。

作外袍

二二他用織工作以弗得的外袍、顏色全是藍的。二三袍上留一

領口、口的周圍織出領邊來、彷彿鎧甲的領口、免得破
二四 裂。二四在袍子底邊上、用藍色紫色朱紅色線、並撚的細麻、
二五 作石榴。二五又用精金作鈴鐺、把鈴鐺釘在袍子周圍底邊
二六 上的石榴中間。二六一個鈴鐺、一個石榴、一個鈴鐺、一個石
榴、在袍子周圍底邊上、用以供職．是照耶和華所吩咐
摩西的。

作內袍

二七二八 他二七用織成的細麻布、為亞倫和他的兒子作內袍。二八並用
細麻布作冠冕、和華美的裏頭巾．用撚的細麻布作褲
二九 子。二九又用藍色紫色朱紅色線、並撚的細麻、以繡花的手
工作腰帶．是照耶和華所吩咐摩西的。

造冕牌

三十 他三十用精金作聖冠上的牌、在上面按刻圖書之法、刻着
三一 **歸耶和華為聖**。三一又用一條藍細帶子、將牌繫在冠
冕上．是照耶和華所吩咐摩西的。

幕工告竣

三二 帳三二幕、就是會幕、一切的工就這樣作完了．凡耶和華所
三三 吩咐摩西的、以色列人都照樣作了。三三他們送到摩西那
裏、帳幕、和帳幕的一切器具、就是鈎子、板、門、柱子、帶卯
三四 的座、三四染紅公羊皮的蓋、海狗皮的頂蓋、和遮掩櫃的幔
三五三六 子、法三五櫃、和櫃的杠、並施恩座、三六桌子、和桌子的一切器具、
三七 並陳設餅、三七精金的燈臺、和擺列的燈盞、與燈臺的一切
三八 器具、並點燈的油、三八金壇、膏油、馨香的香料、會幕的門簾、
三九 銅三九壇、和壇上的銅網、壇的杠、並壇的一切器具、洗濯盆、
四十 和盆座、院四十子的帷子、和柱子、並帶卯的座、院子的門簾、
四一 繩子、橛子、並帳幕和會幕中一切使用的器具、四一精工作
的禮服、和祭司亞倫並他兒子在聖所用以供祭司職
四二 分的聖衣。四二這一切工作、都是以色列人照耶和華所吩
四三 咐摩西作的。四三耶和華怎樣吩咐的、他們就怎樣作了．摩
西看見一切的工都作成了、就給他們祝福。

第四十章

命摩西建會幕

一二 一耶和華曉諭摩西說、二正月初一日、你要
三四 立起帳幕．三把法櫃安放在裏面、用幔子將櫃遮掩．四把桌
子搬進去、擺設上面的物．把燈臺搬進去、點其上的燈．
五六 五把燒香的金壇、安在法櫃前、掛上帳幕的門簾．六把燔祭
七 壇、安在帳幕門前．七把洗濯盆、安在會幕和壇的中間、在

八 九 盆裏盛水。八又在四圍立院帷、把院子的門簾掛上。九用膏
油把帳幕和其中所有的都抹上、使帳幕和一切器具
十 成聖、就都成聖。十又要抹燔祭壇、和一切器具使壇成聖、
十一 十二 就都成為至聖。十一要抹洗濯盆、和盆座、使盆成聖。十二要使亞
十三 倫和他兒子到會幕門口來、用水洗身。十三要給亞倫穿上
十四 聖衣、又膏他使他成聖、可以給我供祭司的職分。十四又要
十五 使他兒子來、給他們穿上內袍。十五怎樣膏他們的父親、也
要照樣膏他們、使他們給我供祭司的職分·他們世世
十六 代代凡受膏的、就永遠當祭司的職任。十六摩西這樣行、都
十七 是照耶和華所吩咐他的。○十七第二年正月初一日帳幕
十八 就立起來。十八摩西立起帳幕、安上帶卯的座、立上板、穿上
十九 門、立起柱子、十九在帳幕以上搭罩棚、把罩棚的頂蓋蓋在
二十 其上·是照耶和華所吩咐他的。二十又把法版放在櫃裏、把
二十一 杠穿在櫃的兩旁、把施恩座安在櫃上·二一把櫃抬進帳幕、
掛上遮掩櫃的幔子、把法櫃遮掩了·是照耶和華所吩
二十二 咐他的。二二又把桌子安在會幕內、在帳幕北邊、在幔子外、
二十三 二三在桌子上將餅陳設在耶和華面前·是照耶和華所吩
二十四 咐他的。二四又把燈臺安在會幕內、在帳幕南邊、與桌子相
二十五 二十六 對、二五在耶和華面前點燈·是照耶和華所吩咐他的。二六把金
二十七 壇安在會幕內的幔子前、二七在壇上燒了馨香料作的香·
二十八 二十九 是照耶和華所吩咐他的。二八又掛上帳幕的門簾·二九在會幕
的帳幕門前安設燔祭壇、把燔祭、和素祭、獻在其上·是
三十 照耶和華所吩咐他的。三十把洗濯盆安在會幕和壇的中
三十一 間、盆中盛水、以便洗濯。三一摩西和亞倫並亞倫的兒子、在
三十二 這盆裏洗手洗腳·三二他們進會幕、或就近壇的時候、便都
三十三 洗濯·是照耶和華所吩咐他的。三三在帳幕和壇的四圍、立
了院帷、把院子的門簾掛上·這樣摩西就完了工。

耶和華之榮光充盈會幕

三十四 三十五 三四當時雲彩遮蓋會幕、耶和華的榮光就充滿了帳幕。三五摩
西不能進會幕、因為雲彩停在其上、並且耶和華的榮
三十六 光、充滿了帳幕。三六每逢雲彩從帳幕收上去、以色列人就
三十七 起程前往·三七雲彩若不收上去、他們就不起程、直等到雲
三十八 彩收上去。三八日間耶和華的雲彩、是在帳幕以上、夜間雲
中有火、在以色列全家的眼前、在他們所行的路上、都
是這樣。

第一章 燔祭之例

一耶和華從會幕中呼叫摩西、二對他說、你曉
諭以色列人說、你們中間若有人獻供物給耶和華、要
從牛羣羊羣中、獻牲畜為供物。三◯他的供物若以牛為
燔祭、就要在會幕門口獻一隻沒有殘疾的公牛、可以
在耶和華面前蒙悅納。四他要按手在燔祭牲的頭上、燔
祭便蒙悅納、為他贖罪。五他要在耶和華面前宰公牛、亞
倫子孫作祭司的、要奉上血、把血灑在會幕門口壇的
周圍。六那人要剝去燔祭牲的皮、把燔祭牲切成塊子。七祭
司亞倫的子孫、要把火放在壇上、把柴擺在火上。八亞倫
子孫作祭司的、要把肉塊和頭並脂油、擺在壇上火的
柴上。九但燔祭的臟腑與腿、要用水洗．祭司就要把一切
全燒在壇上、當作燔祭、獻與耶和華為馨香的火祭。◯
十人的供物若以綿羊、或山羊為燔祭、就要獻上沒有殘
疾的公羊。十一要把羊宰於壇的北邊、在耶和華面前、亞倫
子孫作祭司的、要把羊血灑在壇的周圍。十二要把燔祭牲
切成塊子、連頭和脂油、祭司就要擺在壇上火的柴上。
但十三臟腑與腿、要用水洗．祭司就要全然奉獻燒在壇上．
這是燔祭、是獻與耶和華為馨香的火祭。◯十四人奉給耶
和華的供物、若以鳥為燔祭、就要獻斑鳩、或是雛鴿為
供物。十五祭司要把鳥拿到壇前、揪下頭來、把鳥燒在壇上．
鳥的血要流在壇的旁邊．十六又要把鳥的嗉子、和髒物除
掉、(髒物或作翎毛)丟在壇的東邊、倒灰的地方。十七要拿着鳥的兩
個翅膀、把鳥撕開、只是不可撕斷．祭司要在壇上在火
的柴上焚燒．這是燔祭、是獻與耶和華為馨香的火祭。

第二章 素祭之例

一若有人獻素祭為供物給耶和華、要用細
麵澆上油、加上乳香．二帶到亞倫子孫作祭司的那裏、祭
司就要從細麵中取出一把來、並取些油、和所有的乳
香、然後要把所取的這些、作為記念、燒在壇上、是獻與
耶和華為馨香的火祭。三素祭所剩的、要歸給亞倫和他
的子孫、這是獻與耶和華的火祭中為至聖的。◯四若用
爐中烤的物為素祭、就要用調油的無酵細麵餅、或是
抹油的無酵薄餅。五若用鐵鏊上作的物為素祭、就要用

六七 調油的無酵細麵。六分成塊子、澆上油、這是素祭。七若用煎
八 盤作的物爲素祭、就要用油與細麵作成。八要把這些東
西作的素祭、帶到耶和華面前、並奉給祭司帶到壇前。
九 九祭司要從素祭中取出作爲記念的、燒在壇上、是獻與
十 耶和華爲馨香的火祭。十素祭所剩的要歸給亞倫和他
十一 的子孫。這是獻與耶和華的火祭中爲至聖的。○十一凡獻
給耶和華的素祭、都不可有酵、因爲你們不可燒一點
十二 酵一點蜜、當作火祭獻給耶和華。十二這些物要獻給耶和
華、作爲初熟的供物、只是不可在壇上獻爲馨香的祭。
十三 十三凡獻爲素祭的供物、都要用鹽調和、在素祭上不可缺
十四 了你　神立約的鹽、一切的供物、都要配鹽而獻。○十四若
向耶和華獻初熟之物爲素祭、要獻上烘了的禾穗子、
十五 就是軋了的新穗子、當作初熟之物的素祭。十五並要抹上
十六 油、加上乳香、這是素祭。十六祭司要把其中作爲記念的、就
是一些軋了的禾穗子、和一些油並所有的乳香、都焚
燒、是向耶和華獻的火祭。

第三章　平安祭之例

一 一人獻供物爲平安祭、（平安或作酬恩下同）若是從牛
羣中獻、無論是公的是母的、必用沒有殘疾的獻在耶
二 和華面前。二他要按手在供物的頭上、宰於會幕門口、亞
三 倫子孫作祭司的、要把血灑在壇的周圍。三從平安祭中、
將火祭獻給耶和華、也要把蓋臟的脂油和臟上所有
四 的脂油、四並兩個腰子、和腰子上的脂油、就是靠腰兩旁
五 的脂油與肝上的網子、和腰子、一概取下。五亞倫的子孫、
要把這些燒在壇的燔祭上、就是在火的柴上、是獻與
六 耶和華爲馨香的火祭。○六人向耶和華獻供物爲平安
祭、若是從羊羣中獻、無論是公的、是母的、必用沒有殘
七八 疾的。七若獻一隻羊羔爲供物、必在耶和華面前獻上。八並
要按手在供物的頭上、宰於會幕前、亞倫的子孫要把
九 血灑在壇的周圍。九從平安祭中將火祭獻給耶和華。其
中的脂油、和整肥尾巴、都要在靠近脊骨處取下、並要
十 把蓋臟的脂油、和臟上所有的脂油、十兩個腰子、和腰子
上的脂油、就是靠腰兩旁的脂油、並肝上的網子、和腰
十一 子、一概取下。十一祭司要在壇上焚燒、是獻給耶和華爲食
十二 物的火祭。○十二人的供物若是山羊、必在耶和華面前獻
十三 上。十三要按手在山羊頭上、宰於會幕前、亞倫的子孫要把

十四 十五 血灑在壇的周圍。又把蓋臟的脂油、和臟上所有的脂
油、兩個腰子、和腰子上的脂油、就是靠腰兩旁的脂油、
並肝上的網子、和腰子、一概取下、獻給耶和華爲火祭。
十六 祭司要在壇上焚燒、作爲馨香火祭的食物。脂油都是
十七 耶和華的。在你們一切的住處、脂油和血都不可喫、這
要成爲你們世世代代永遠的定例。

贖罪祭之例

一 二 **第四章** 耶和華對摩西說、你曉諭以色列人說、若
有人在耶和華所吩咐不可行的甚麼事上、誤犯了一
三 件、或是受膏的祭司犯罪、使百姓陷在罪裏、就當爲他
所犯的罪、把沒有殘疾的公牛犢、獻給耶和華爲贖罪
四 祭。他要牽公牛到會幕門口、在耶和華面前、按手在牛
五 的頭上、把牛宰於耶和華面前。受膏的祭司要取些公
六 牛的血、帶到會幕、把指頭蘸於血中、在耶和華面前、對
七 着聖所的幔子、彈血七次。又要把些血抹在會幕內耶
和華面前香壇的四角上、再把公牛所有的血、倒在會
八 幕門口燔祭壇的脚那裏。要把贖罪祭公牛所有的脂
九 油、乃是蓋臟的脂油、和臟上所有的脂油、並兩個腰子、
和腰子上的脂油、就是靠腰兩旁的脂油、與肝上的網
十 子、和腰子、一概取下、與平安祭公牛上所取的一樣。祭
十一 司要把這些燒在燔祭的壇上。公牛的皮、和所有的肉、
十二 並頭、腿、臟、腑、糞、就是全公牛、要搬到營外潔淨之地、倒
灰之所、用火燒在柴上。

爲會衆獻贖罪祭

十三 以色列全會衆若行了耶和華所吩咐不可行的甚麼
十四 事、誤犯了罪、是隱而未現、會衆看不出來的。會衆一知
道所犯的罪、就要獻一隻公牛犢爲贖罪祭、牽到會幕
十五 前。會中的長老、就要在耶和華面前按手在牛的頭上、
十六 將牛在耶和華面前宰了。受膏的祭司要取些公牛的
十七 血、帶到會幕。把指頭蘸於血中、在耶和華面前、對着幔
十八 子、彈血七次。又要把些血抹在會幕內耶和華面前壇
的四角上、再把所有的血、倒在會幕門口燔祭壇的脚
十九 二十 那裏。把牛所有的脂油都取下、燒在壇上。收拾這牛、與
那贖罪祭的牛一樣。祭司要爲他們贖罪、他們必蒙赦
二十一 免。他要把牛搬到營外燒了、像燒頭一個牛一樣、這是
會衆的贖罪祭。

為官長獻贖罪祭

二二 二二官長若行了耶和華他神所吩咐不可行的甚麼事、
二三 誤犯了罪、所二三犯的罪自己知道了、就要牽一隻沒有殘
二四 疾的公山羊為供物．二四按手在羊的頭上、宰於耶和華面
二五 前宰燔祭牲的地方、這是贖罪祭。二五祭司要用指頭蘸些
贖罪祭牲的血、抹在燔祭壇的四角上、把血倒在燔祭
二六 壇的脚那裏。二六所有的脂油、祭司都要燒在壇上、正如平
安祭的脂油一樣．至於他的罪、祭司要為他贖了、他必
蒙赦免。

為庶民獻贖罪祭

二七 二七民中若有人行了耶和華所吩咐不可行的甚麼事、誤
二八 犯了罪、所二八犯的罪自己知道了、就要為所犯的罪、牽一
二九 隻沒有殘疾的母山羊為供物．二九按手在贖罪祭牲的頭
三十 上、在那宰燔祭牲的地方宰了。三十祭司要用指頭蘸些羊
的血、抹在燔祭壇的四角上、所有的血都要倒在壇的
三一 脚那裏．三一又要把羊所有的脂油都取下、正如取平安祭
牲的脂油一樣．祭司要在壇上焚燒、在耶和華面前作
三二 為馨香的祭、為他贖罪、他必蒙赦免。三二○人若牽一隻綿
三三 羊羔為贖罪祭的供物、必要牽一隻沒有殘疾的母羊．
三三按手在贖罪祭牲的頭上、在那宰燔祭牲的地方宰了、
三四 作贖罪祭。三四祭司要用指頭蘸些贖罪祭牲的血、抹在燔
三五 祭壇的四角上．所有的血、都要倒在壇的脚那裏．三五又要
把所有的脂油都取下、正如取平安祭羊羔的脂油一
樣．祭司要按獻給耶和華火祭的條例、燒在壇上．至於
所犯的罪、祭司要為他贖了、他必蒙赦免。

贖愆祭之例

一 **第五章** 一若有人聽見發誓的聲音、（或作若有人聽見人發誓的聲音）
他本是見證、卻不把所看見的所知道的說出來、這就
二 是罪．他要擔當他的罪孽。二或是有人摸了不潔的物、無
論是不潔的死獸、是不潔的死畜、是不潔的死蟲、他卻
三 不知道、因此成了不潔、就有了罪。三或是他摸了別人的
汚穢、無論是染了甚麼汚穢、他卻不知道、一知道了、就
四 有了罪。四或是有人嘴裏冒失發誓、要行惡、要行善、無論
人在甚麼事上冒失發誓、他卻不知道、一知道了、就要
五 在這其中的一件上有了罪。五他有了罪的時候、就要承
六 認所犯的罪．六並要因所犯的罪、把他的贖愆祭牲、就是

羊羣中的母羊、或是一隻羊羔、或是一隻山羊、牽到耶
和華面前爲贖罪祭．至於他的罪、祭司要爲他贖了。◯
七 七他的力量若不彀獻一隻羊羔、就要因所犯的罪、把兩
隻班鳩、或是兩隻雛鴿、帶到耶和華面前爲贖愆祭．一
八 隻作贖罪祭、一隻作燔祭。八把這些帶到祭司那裏、祭司
就要先把那贖罪祭獻上、從鳥的頸項上揪下頭來、只
九 是不可把鳥撕斷。九也把些贖罪祭牲的血、彈在壇的旁
十 邊．剩下的血要流在壇的脚那裏．這是贖罪祭。十他要照
例獻第二隻爲燔祭、至於他所犯的罪、祭司要爲他贖
十一 了、他必蒙赦免。◯十一他的力量若不彀獻兩隻班鳩、或是
兩隻雛鴿、就要因所犯的罪帶供物來、就是細麵伊法
十分之一、爲贖罪祭、不可加上油、也不可加上乳香、因
十二 爲是贖罪祭。十二他要把供物帶到祭司那裏、祭司要取出
自己的一把來、作爲記念、按獻給耶和華火祭的條例、
十三 燒在壇上．這是贖罪祭。十三至於他在這幾件事中所犯的
罪、祭司要爲他贖了、他必蒙赦免．剩下的麵、都歸與祭
十四 十五 司、和素祭一樣。◯十四耶和華曉諭摩西說、十五人若在耶和華
的聖物上誤犯了罪、有了過犯、就要照你所估的、按聖
所的舍客勒拿銀子、將贖愆祭牲、就是羊羣中一隻沒
十六 有殘疾的公綿羊、牽到耶和華面前爲贖愆祭．十六並且他
因在聖物上的差錯要償還、另外加五分之一、都給祭
司．祭司要用贖愆祭的公綿羊、爲他贖罪、他必蒙赦免。
十七 ◯十七若有人犯罪、行了耶和華所吩咐不可行的甚麼事、
十八 他雖然不知道、還是有了罪、就要擔當他的罪孽。十八也要
照你所估定的價、從羊羣中牽一隻沒有殘疾的公綿
羊來、給祭司作贖愆祭．至於他誤行的那錯事、祭司要
十九 爲他贖罪、他必蒙赦免。十九這是贖愆祭因他在耶和華面
前實在有了罪。

一 二 **第六章** 一耶和華曉諭摩西說、二若有人犯罪、干犯耶
和華、在鄰舍交付他的物上、或是在交易上、行了詭詐、
三 或是搶奪人的財物、或是欺壓鄰舍、三或是在撿了遺失
的物上行了詭詐、說謊起誓、在這一切的事上犯了甚
四 麼罪。四他既犯了罪、有了過犯、就要歸還他所搶奪的、或
是因欺壓所得的、或是人交付他的、或是人遺失他所
五 撿的物、五或是他因甚麼物起了假誓、就要如數歸還、另
外加上五分之一、在查出他有罪的日子、要交還本主。

六也要照你所估定的價、把贖愆祭牲、就是羊羣中一隻
沒有殘疾的公綿羊、牽到耶和華面前、給祭司爲贖愆
祭。七祭司要在耶和華面前爲他贖罪、他無論行了甚麽
事、使他有了罪、都必蒙赦免。

祭司獻燔祭之任

八耶和華曉諭摩西說、九你要吩咐亞倫和他的子孫說、燔
祭的條例、乃是這樣、燔祭要放在壇的柴上、從晚上到
天亮、壇上的火要常常燒着。十祭司要穿上細麻布衣服、
又要把細麻布褲子穿在身上、把壇上所燒的燔祭灰
收起來、倒在壇的旁邊。十一隨後要脫去這衣服、穿上別的
衣服、把灰拿到營外潔淨之處。十二壇上的火要在其上常
常燒着、不可熄滅。祭司要每日早晨在上面燒柴、並要
把燔祭擺在壇上、在其上燒平安祭牲的脂油。十三在壇上
必有常常燒着的火、不可熄滅。

祭司獻素祭之任

十四素祭的條例、乃是這樣、亞倫的子孫要在壇前、把這祭
獻在耶和華面前。十五祭司要從其中、就是從素祭的細麵
中、取出自己的一把、又要取些油、和素祭上所有的乳
香、燒在壇上、奉給耶和華爲馨香素祭的記念。十六所剩下
的、亞倫和他子孫要喫、必在聖處不帶酵而喫、要在會
幕的院子裏喫。十七烤的時候不可攙酵、這是從所獻給我
的火祭中、賜給他們的分、是至聖的、和贖罪祭並贖愆
祭一樣。十八凡獻給耶和華的火祭、亞倫子孫中的男丁、都
要喫這一分、直到萬代作他們永得的分、摸這些祭物
的、都要成爲聖。〇十九耶和華曉諭摩西說、二十當亞倫受膏的
日子、他和他子孫所要獻給耶和華的供物、就是細麵
伊法十分之一、爲常獻的素祭、早晨一半、晚上一半。二十一要
在鐵鏊上用油調和作成、調勻了、你就拿進來烤好了、
分成塊子、獻給耶和華爲馨香的素祭。二十二亞倫的子孫中、
接續他爲受膏的祭司、要把這素祭獻上、要全燒給耶
和華、這是永遠的定例。二十三祭司的素祭都要燒了、卻不可
喫。

祭司獻贖罪祭之任

二十四耶和華曉諭摩西說、二十五你對亞倫和他的子孫說、贖罪祭
的條例、乃是這樣、要在耶和華面前宰燔祭牲的地方、
宰贖罪祭牲、這是至聖的。二十六爲贖罪獻這祭的祭司要喫、

二七 要在聖處、就是在會幕的院子裏喫。[二七]凡摸這祭肉的、要
成為聖．這祭牲的血、若彈在甚麼衣服上、所彈的那一
二八 件、要在聖處洗淨。[二八]惟有煮祭物的瓦器要打碎、若是煮
二九 在銅器裏、這銅器要擦磨、在水中涮淨。[二九]凡祭司中的男
三十 丁、都可以喫．這是至聖的。[三十]凡贖罪祭、若將血帶進會幕
在聖所贖罪、那肉都不可喫、必用火焚燒。

第七章　祭司獻贖愆祭之任

一 [一]贖愆祭的條例、乃是如此．這祭是至聖的。
二 [二]人在那裏宰燔祭牲、也要在那裏宰贖愆祭牲．其血、祭
三四 司要灑在壇的周圍．[三]又要將肥尾巴、和蓋臟的脂油、[四]兩
個腰子、和腰子上的脂油、就是靠腰兩旁的脂油、並肝
五 上的網子、和腰子、一概取下．[五]祭司要在壇上焚燒、為獻
六 給耶和華的火祭．是贖愆祭。[六]祭司中的男丁、都可以喫
七 這祭物、要在聖處喫．是至聖的。[七]贖罪祭怎樣、贖愆祭也
是怎樣、兩個祭是一個條例．獻贖愆祭贖罪的祭司、要
八 得這祭物。[八]獻燔祭的祭司、無論為誰奉獻、要親自得他
九 所獻那燔祭牲的皮。[九]凡在爐中烤的素祭、和煎盤中作
十 的、並鐵鏊上作的、都要歸那獻祭的祭司。[十]凡素祭、無論
是油調和的、是乾的、都要歸亞倫的子孫、大家均分。

祭司獻平安祭之任

十一十二 [十一]人獻與耶和華平安祭的條例、乃是這樣．[十二]他若為感謝
獻上、就要用調油的無酵餅、和抹油的無酵薄餅、並用
十三 油調勻細麵作的餅、與感謝祭一同獻上。[十三]要用有酵的
十四 餅、和為感謝獻的平安祭、與供物一同獻上。[十四]從各樣的
供物中、他要把一個餅獻給耶和華為舉祭、是要歸給
十五 灑平安祭牲血的祭司。○[十五]為感謝獻平安祭牲的肉、要
十六 在獻的日子喫、一點不可留到早晨。[十六]若所獻的、是為還
願、或是甘心獻的、必在獻祭的日子喫、所剩下的、第二
十七 天也可以喫。[十七]但所剩下的祭肉、到第三天要用火焚燒．
十八 [十八]第三天若喫了平安祭的肉、這祭必不蒙悅納、人所獻
的也不算為祭、反為可憎嫌的、喫這祭肉的、就必擔當
十九 他的罪孽。○[十九]挨了污穢物的肉、就不可喫、要用火焚燒．
二十 至於平安祭的肉、凡潔淨的人都要喫．[二十]只是獻與耶和
華平安祭的肉、人若不潔淨而喫了、這人必從民中剪
二一 除。[二一]有人摸了甚麼不潔淨的物、或是人的不潔淨、或是
不潔淨的牲畜、或是不潔可憎之物、喫了獻與耶和華

二二 平安祭的肉、這人必從民中剪除。○二二耶和華對摩西說、
二三 二三你曉諭以色列人說、牛的脂油綿羊的脂油、山羊的脂
二四 油、你們都不可喫。二四自死的、和被野獸撕裂的、那脂油可
二五 以作別的使用、只是你們萬不可喫。二五無論何人喫了獻
二六 給耶和華當火祭牲畜的脂油、那人必從民中剪除。二六在
你們一切的住處、無論是雀鳥的血、是野獸的血、你們
二七 都不可喫。二七無論是誰喫血、那人必從民中剪除。

祭司當得之分

二八 二九 二八耶和華對摩西說、二九你曉諭以色列人說、獻平安祭給耶
三十 和華的、要從平安祭中取些來、奉給耶和華。三十他親手獻
給耶和華的火祭、就是脂油和胸要帶來、好把胸在耶
三一 和華面前作搖祭、搖一搖。三一祭司要把脂油在壇上焚燒、
三二 但胸要歸亞倫和他的子孫。三二你們要從平安祭中把右
三三 腿作舉祭、奉給祭司。三三亞倫子孫中、獻平安祭牲血和脂
三四 油的、要得這右腿為分。三四因為我從以色列人的平安祭
中、取了這搖的胸、和舉的腿、給祭司亞倫和他子孫、作
三五 他們從以色列人中所永得的分。○三五這是從耶和華火
祭中、作亞倫受膏的分、和他子孫受膏的分、正在摩西
(原文作他)叫他們前來給耶和華供祭司職分的日子、三六就是
三六 在摩西(原文作他)膏他們的日子、耶和華吩咐以色列人給
三七 他們的。這是他們世世代代永得的分。○三七這就是燔祭、
素祭、贖罪祭、贖愆祭、和平安祭的條例、並承接聖職的
三八 禮。三八都是耶和華在西乃山所吩咐摩西的、就是他在西
乃曠野吩咐以色列人獻供物給耶和華之日所說的。

第八章

一 二 一耶和華曉諭摩西說、二你將亞倫和他兒子
一同帶來、並將聖衣、膏油、與贖罪祭的一隻公牛、兩隻
三 公綿羊、一筐無酵餅、都帶來。三又招聚會衆到會幕門口。
四 四摩西就照耶和華所吩咐的行了。於是會衆聚集在會
五 幕門口。五摩西告訴會衆說、這就是耶和華所吩咐當行
六 七 的事。○六摩西帶了亞倫和他兒子來、用水洗了他們。七給
亞倫穿上內袍、束上腰帶、穿上外袍、又加上以弗得、用
八 其上巧工織的帶子、把以弗得繫在他身上。八又給他戴
九 上胸牌、把烏陵和土明、放在胸牌內、九把冠冕戴在他頭
上、在冠冕的前面釘上金牌、就是聖冠、都是照耶和華
所吩咐摩西的。

膏亞倫使之成聖

十摩西用膏油抹帳幕和其中所有的、使他成聖。十一又用膏
油在壇上彈了七次、又抹了壇、和壇的一切器皿、並洗
濯盆、和盆座、使他成聖。十二又把膏油倒在亞倫的頭上膏
他、使他成聖。十三摩西帶了亞倫的兒子來、給他們穿上內
袍、束上腰帶、包上裹頭巾。都是照耶和華所吩咐摩西
的。〇十四他牽了贖罪祭的公牛來、亞倫和他兒子、按手在
贖罪祭公牛的頭上、十五就宰了公牛。摩西用指頭蘸血、抹
在壇上四角的周圍、使壇潔淨、把血倒在壇的脚那裏、
使壇成聖、壇就潔淨了。十六又取臟上所有的脂油、和肝上
的網子、並兩個腰子、與腰子上的脂油、都燒在壇上。十七惟
有公牛連皮帶肉、並糞、用火燒在營外。都是照耶和華
所吩咐摩西的。〇十八他奉上燔祭的公綿羊。亞倫和他兒
子、按手在羊的頭上、十九就宰了公羊。摩西把血灑在壇的
周圍。二十把羊切成塊子、把頭、和肉塊、並脂油、都燒了。二十一用水
洗了臟腑、和腿、就把全羊燒在壇上、為馨香的燔祭、是
獻給耶和華的火祭。都是照耶和華所吩咐摩西的。

亞倫與其子任聖職

二十二他又奉上第二隻公綿羊、就是承接聖職之禮的羊。亞
倫和他兒子、按手在羊的頭上、二十三就宰了羊。摩西把些血
抹在亞倫的右耳垂上、和右手的大拇指上、並右脚的
大拇指上。二十四又帶了亞倫的兒子來、把些血抹在他們的
右耳垂上、和右手的大拇指上、並右脚的大拇指上。又
把血灑在壇的周圍。二十五取脂油、和肥尾巴、並臟上一切的
脂油、與肝上的網子、兩個腰子、和腰子上的脂油、並右
腿。二十六再從耶和華面前盛無酵餅的筐子裏、取出一個無
酵餅、一個油餅、一個薄餅、都放在脂油和右腿上。二十七把這
一切放在亞倫的手上、和他兒子的手上、作搖祭、在耶
和華面前搖一搖。二十八摩西從他們的手上拿下來、燒在壇
上的燔祭上。都是為承接聖職獻給耶和華馨香的火
祭。二十九摩西拿羊的胸作為搖祭、在耶和華面前搖一搖、是
承接聖職之禮、歸摩西的分。都是照耶和華所吩咐摩
西的。〇三十摩西取點膏油、和壇上的血、彈在亞倫和他的
衣服上、並他兒子和他兒子的衣服上、使他和他們的
衣服、一同成聖。〇三十一摩西對亞倫和他兒子說、把肉煮在

會幕門口、在那裏喫、又喫承接聖職筐子裏的餅、按我
所吩咐的說、(或作按所吩咐我的說)這是亞倫和他兒子要喫的。
三二 三三 三二剩下的肉和餅、你們要用火焚燒。三三你們七天不可出會
幕的門、等到你們承接聖職的日子滿了、因為主叫你
三四 們七天承接聖職。三四像今天所行的、都是耶和華吩咐行
三五 的、為你們贖罪。三五七天你們要晝夜住在會幕門口、遵守
耶和華的吩咐、免得你們死亡、因為所吩咐我的就是
三六 這樣。三六於是亞倫和他兒子行了耶和華藉着摩西所吩
咐的一切事。

第九章　亞倫獻祭

一 一到了第八天、摩西召了亞倫和他兒子、並
二 以色列的眾長老來、二對亞倫說、你當取牛羣中的一隻
公牛犢作贖罪祭、一隻公綿羊作燔祭、都要沒有殘疾
三 的、獻在耶和華面前。三你也要對以色列人說、你們當取
一隻公山羊作贖罪祭、又取一隻牛犢和一隻綿羊羔、
四 都要一歲沒有殘疾的、作燔祭。四又取一隻公牛、一隻公
綿羊、作平安祭、獻在耶和華面前、並取調油的素祭、因
五 為今天耶和華要向你們顯現。五於是他們把摩西所吩

咐的、帶到會幕前、全會眾都近前來、站在耶和華面前。
六 六摩西說、這是耶和華吩咐你們所當行的、耶和華的榮
七 光就要向你們顯現。七摩西對亞倫說、你就近壇前、獻你
的贖罪祭和燔祭、為自己與百姓贖罪、又獻上百姓的
八 供物、為他們贖罪、都照耶和華所吩咐的。八〇於是亞倫
九 就近壇前、宰了為自己作贖罪祭的牛犢。九亞倫的兒子
把血奉給他、他就把指頭蘸在血中、抹在壇的四角上、
十 又把血倒在壇腳那裏。十惟有贖罪祭的脂油、和腰子、並
肝上取的網子、都燒在壇上、是照耶和華所吩咐摩西
十一 十二 的。十一又用火將肉和皮燒在營外。〇十二亞倫宰了燔祭牲、他
十三 兒子把血遞給他、他就灑在壇的周圍。十三又把燔祭一塊
十四 一塊的、連頭遞給他、他都燒在壇上。十四又洗了臟腑和腿、
十五 燒在壇上的燔祭上。〇十五他奉上百姓的供物、把那給百
姓作贖罪祭的公山羊宰了、為罪獻上、和先獻的一樣。
十六 十七 十六也奉上燔祭、照例而獻。十七他又奉上素祭、從其中取一滿
十八 把、燒在壇上、這是在早晨的燔祭以外。〇十八亞倫宰了那
給百姓作平安祭的公牛、和公綿羊、他兒子把血遞給
十九 他、他就灑在壇的周圍。十九又把公牛和公綿羊的脂油、肥

尾巴、並蓋臟的脂油、與腰子、和肝上的網子、都遞給他。
二十 二一 把脂油放在胸上、他就把脂油燒在壇上。胸和右腿、亞
倫當作搖祭、在耶和華面前搖一搖。都是照摩西所吩
二二 咐的。○亞倫向百姓舉手、爲他們祝福。他獻了贖罪祭、
二三 燔祭、平安祭、就下來了。摩西亞倫進入會幕、又出來爲
二四 百姓祝福、耶和華的榮光就向衆民顯現。有火從耶和
華面前出來、在壇上燒盡燔祭、和脂油。衆民一見、就都
歡呼、俯伏在地。

第十章

拿答亞比戶干罪

一 亞倫的兒子拿答亞比戶、各拿自己的香
爐、盛上火、加上香、在耶和華面前獻上凡火、是耶和華
二 沒有吩咐他們的。就有火從耶和華面前出來、把他們
三 燒滅、他們就死在耶和華面前。於是摩西對亞倫說、這
就是耶和華所說、我在親近我的人中、要顯爲聖、在衆
四 民面前、我要得榮耀。亞倫就默默不言。摩西召了亞倫
叔父烏薛的兒子米沙利、以利撒反來、對他們說、上前
五 來把你們的親屬從聖所前抬到營外。於是二人上前
六 來、把他們穿着袍子抬到營外、是照摩西所吩咐的。摩
西對亞倫和他兒子以利亞撒、以他瑪說、不可蓬頭散
髮、也不可撕裂衣裳、免得你們死亡、又免得耶和華向
會衆發怒、只要你們的弟兄以色列全家、爲耶和華所
七 發的火哀哭。你們也不可出會幕的門、恐怕你們死亡、
因爲耶和華的膏油在你們的身上。他們就照摩西的
話行了。

祭司入會幕之例

八 九 耶和華曉諭亞倫說、你和你兒子進會幕的時候、清酒、
濃酒、都不可喝、免得你們死亡。這要作你們世世代代
十 永遠的定例。使你們可以將聖的、俗的、潔淨的、不潔淨
十一 的、分別出來。又使你們可以將耶和華藉摩西曉諭以
色列人的一切律例、教訓他們。

祭司食祭物之例

十二 摩西對亞倫和他剩下的兒子以利亞撒、以他瑪、說、你
們獻給耶和華火祭中所剩的素祭、要在壇旁、不帶酵
十三 而喫、因爲是至聖的。你們要在聖處喫、因爲在獻給耶
和華的火祭中、這是你的分、和你兒子的分。所吩咐我
十四 的本是這樣。所搖的胸、所舉的腿、你們要在潔淨地方

十五 喫、你和你的兒女都要同喫、因爲這些是從以色列人
平安祭中給你、當你的分、和你兒子的分。十五所舉的腿、所
搖的胸、他們要與火祭的脂油一同帶來、當搖祭、在耶
和華面前搖一搖、這要歸你和你兒子當作永得的分.
十六 都是照耶和華所吩咐的。〇十六當下摩西急切的尋找作
贖罪祭的公山羊、誰知已經焚燒了、便向亞倫剩下的
十七 兒子以利亞撒、以他瑪發怒、說、十七這贖罪祭既是至聖的、
主又給了你們、爲要你們擔當會衆的罪孽、在耶和華
十八 面前爲他們贖罪、你們爲何沒有在聖所喫呢.十八看哪、這
祭牲的血、並沒有拿到聖所裏去、你們本當照我所吩
十九 咐的、在聖所裏喫這祭肉。十九亞倫對摩西說、今天他們在
耶和華面前獻上贖罪祭、和燔祭、我又遇見這樣的災、
二十 若今天喫了贖罪祭、耶和華豈能看爲美呢。二十摩西聽見
這話、便以爲美。

第十一章　示潔與不潔之生物

一 二 一耶和華對摩西亞倫說、二你們曉諭以色
三 列人說、在地上一切走獸中可喫的、乃是這些.三凡蹄分
四 兩瓣、倒嚼的走獸、你們都可以喫。四但那倒嚼、或分蹄之
中不可喫的、乃是駱駝、因爲倒嚼不分蹄、就與你們不
五 六 潔淨。五沙番、因爲倒嚼不分蹄、就與你們不潔淨。六兔子、因
七 爲倒嚼不分蹄、就與你們不潔淨。七猪、因爲蹄分兩瓣、卻
八 不倒嚼、就與你們不潔淨。八這些獸的肉、你們不可喫、死
九 的你們不可摸、都與你們不潔淨。〇九水中可喫的、乃是
十 這些.凡在水裏、海裏、河裏、有翅有鱗的、都可以喫。十凡在
海裏、河裏、並一切水裏游動的活物、無翅無鱗的、你們
十一 都當以爲可憎.十一這些無翅無鱗以爲可憎的、你們不可
十二 喫他的肉、死的也當以爲可憎。十二凡水裏無翅無鱗的、你
十三 們都當以爲可憎。〇十三雀鳥中你們當以爲可憎不可喫
十四 十五 的、乃是鵰、狗頭鵰、紅頭鵰、十四鷂鷹、小鷹、與其類.十五烏鴉、與其
十六 十七 十八 類.十六鴕鳥、夜鷹、魚鷹、鷹、與其類.十七鴞鳥、鸕鶿、貓頭鷹、十八角鴟、鵜
十九 二十 鶘、禿鵰、十九鸛、鷺鷥、與其類.戴鵀、與蝙蝠。〇二十凡有翅膀用四
二一 足爬行的物、你們都當以爲可憎。二一只是有翅膀用四足
爬行的物中、有足有腿、在地上蹦跳的、你們還可以喫。
二二 其二二中有蝗蟲、螞蚱、蟋蟀、與其類.蚱蜢、與其類.這些、你們
二三 都可以喫。二三但是有翅膀有四足的爬物、你們都當以爲
二四 可憎。二四這些都能使你們不潔淨.凡摸了死的、必不潔淨

二五二六 到晚上。二五凡拿了死的、必不潔淨到晚上、並要洗衣服。二六凡
走獸分蹄不成兩瓣、也不倒嚼的、是與你們不潔淨．凡
二七 摸了的、就不潔淨。二七凡四足的走獸、用掌行走的、是與你
二八 們不潔淨．摸其屍的、必不潔淨到晚上。二八拿其屍的、必不
潔淨到晚上、並要洗衣服．這些是與你們不潔淨的。○
二九 二九地上爬物與你們不潔淨的、乃是這些．鼬鼠、鼫鼠、蜥蜴、
三十三一 與其類．三十壁虎、龍子、守宮、蛇醫、蝘蜓．三一這些爬物都是與你
們不潔淨的．在他死了以後、凡摸了的、必不潔淨到晚
三二 上。三二其中死了的掉在甚麼東西上、這東西就不潔淨、無
論是木器、衣服、皮子、口袋、不拘是作甚麼工用的器皿、
三三 須要放在水中、必不潔淨到晚上、到晚上纔潔淨了。三三若
有死了掉在瓦器裏的、其中不拘有甚麼、就不潔淨、你
三四 們要把這瓦器打破了．三四其中一切可喫的食物、沾水的
就不潔淨．並且那樣器皿中一切可喝的、也必不潔淨。
三五 三五其中已死的、若有一點掉在甚麼物件上、那物件就不
潔淨、不拘是爐子、是鍋臺、就要打碎、都不潔淨、也必與
三六 你們不潔淨。三六但是泉源、或是聚水的池子、仍是潔淨．惟
三七 挨了那死的、就不潔淨。三七若是死的、有一點掉在要種的

三八 子粒上、子粒仍是潔淨．三八若水已經澆在子粒上、那死的
有一點掉在上頭、這子粒就與你們不潔淨。

捫自斃之物必蒙不潔

三九 三九你們可喫的走獸、若是死了、有人摸他、必不潔淨到晚
四十 上．四十有人喫那死了的走獸、必不潔淨到晚上、並要洗衣
服．拿了死走獸的、必不潔淨到晚上、並要洗衣服。

禁食地上爬行之物

四一四二 ○四一凡地上的爬物、是可憎的、都不可喫。四二凡用肚子行走的、
和用四足行走的、或是有許多足的、就是一切爬在地
四三 上的、你們都不可喫、因為是可憎的。四三你們不可因甚麼
爬物使自己成為可憎的、也不可因這些使自己不潔
四四 淨、以致染了污穢。四四我是耶和華你們的神、所以你們
要成為聖潔、因為我是聖潔的．你們也不可在地上的
四五 爬物污穢自己．四五我是把你們從埃及地領出來的耶和
華、要作你們的神、所以你們要聖潔、因為我是聖潔
四六 的。○四六這是走獸、飛鳥、和水中游動的活物、並地上爬物
四七 的條例．四七要把潔淨的、和不潔淨的、可喫的、與不可喫的
活物、都分別出來。

第十二章 婦人生子成潔之例

一二 耶和華對摩西說、你曉諭以色列人說、
若有婦人懷孕生男孩他就不潔淨七天、像在月經汚
三四 穢的日子不潔淨一樣。第八天要給嬰孩行割禮。婦人
在產血不潔之中、要家居三十三天、他潔淨的日子未
五 滿、不可摸聖物、也不可進入聖所。他若生女孩、就不潔
淨兩個七天、像汚穢的時候一樣、要在產血不潔之中、
六 家居六十六天。○滿了潔淨的日子、無論是爲男孩、是
爲女孩、他要把一歲的羊羔爲燔祭、一隻雛鴿、或是一
七 隻班鳩爲贖罪祭、帶到會幕門口、交給祭司。祭司要獻
在耶和華面前、爲他贖罪、他的血源就潔淨了。這條例
八 是爲生育的婦人、無論是生男生女。他的力量若不彀
獻一隻羊羔、他就要取兩隻班鳩、或是兩隻雛鴿、一隻
爲燔祭、一隻爲贖罪祭。祭司要爲他贖罪、他就潔淨了。

第十三章 檢驗大痲瘋病之例

一二 耶和華曉諭摩西亞倫說、人的肉皮上
若長了癤子、或長了癬、或長了火斑、在他肉皮上成了
大痲瘋的災病、就要將他帶到祭司亞倫、或亞倫作祭
三 司的一個子孫面前。祭司要察看肉皮上的災病、若災
病處的毛、已經變白、災病的現象、深於肉上的皮、這便
四 是大痲瘋的災病。祭司要察看他、定他爲不潔淨。若火
斑在他肉皮上是白的、現象不深於皮、其上的毛也沒
五 有變白、祭司就要將有災病的人關鎖七天。第七天祭
司要察看他、若看災病止住了、沒有在皮上發散、祭司
六 還要將他關鎖七天。第七天祭司要再察看他、若災病
發暗、而且沒有在皮上發散、祭司要定他爲潔淨、原來
七 是癬。那人就要洗衣服、得爲潔淨。但他爲得潔淨將身
體給祭司察看以後、癬若在皮上發散開了、他要再將
八 身體給祭司察看。祭司要察看、癬若在皮上發散、就要
九 定他爲不潔淨、是大痲瘋。○人有了大痲瘋的災病、就
十 要將他帶到祭司面前。祭司要察看、皮上若長了白癤、
十一 使毛變白、在長白癤之處有了紅瘀肉、這是肉皮上的
舊大痲瘋、祭司要定他爲不潔淨、不用將他關鎖、因爲
十二 他是不潔淨了。大痲瘋若在皮上四外發散、長滿了患
十三 災病人的皮、據祭司察看、從頭到脚無處不有、祭司就
要察看。全身的肉、若長滿了大痲瘋、就要定那患災病

十四 的爲潔淨、全身都變爲白、他乃潔淨了。十四但紅肉幾時顯

十五 在他的身上、就幾時不潔淨。十五祭司一看那紅肉、就定他

十六 爲不潔淨．紅肉本是不潔淨、是大痲瘋。十六紅肉若復原、又

十七 變白了、他就要來見祭司．十七祭司要察看．災病處若變白

十八 了、祭司就要定那患災病的爲潔淨、他乃潔淨了。○十八人

十九 若在皮肉上長瘡、卻治好了、十九在長瘡之處、又起了白癤、

二十 或是白中帶紅的火斑、就要給祭司察看．二十祭司要察看．

若現象窪於皮、其上的毛也變白了、就要定他爲不潔

二一 淨、是大痲瘋的災病發在瘡中。二一祭司若察看、其上沒有

二二 白毛、也沒有窪於皮、乃是發暗、就要將他關鎖七天．二二若

二三 在皮上發散開了、祭司就要定他爲不潔淨、是災病。二三火

斑若在原處止住、沒有發散、便是瘡的痕跡、祭司就要

二四 定他爲潔淨。○二四人的皮肉上若起了火毒、火毒的瘀肉：

二五 成了火斑、或是白中帶紅的、或是全白的、二五祭司就要察

看．火斑中的毛若變白了、現象又深於皮、是大痲瘋在

二六 火毒中發出、就要定他爲不潔淨、是大痲瘋的災病。二六但

是祭司察看、在火斑中若沒有白毛、也沒有窪於皮、乃

二七 是發暗、就要將他關鎖七天．二七到第七天祭司要察看他、

二八 火斑若在皮上發散開了、就要定他爲不潔淨、是大痲

瘋的災病。二八火斑若在原處止住、沒有在皮上發散、乃是

發暗、是起的火毒、祭司要定他爲潔淨、不過是火毒的

二九 痕跡。○二九無論男女、若在頭上有災病、或是男人鬍鬚上

三十 有災病、三十祭司就要察看、這災病現象若深於皮、其間有

細黃毛、就要定他爲不潔淨、這是頭疥、是頭上、或是鬍

三一 鬚上的大痲瘋。三一祭司若察看頭疥的災病、現象不深於

皮、其間也沒有黑毛、就要將長頭疥災病的關鎖七天．

三二 第七天祭司要察看災病、若頭疥沒有發散、其間也沒

三三 有黃毛、頭疥的現象不深於皮、三三那人就要剃去鬚髮、但

他不可剃頭疥之處、祭司要將那長頭疥的再關鎖七

三四 天．三四第七天祭司要察看頭疥、頭疥若沒有在皮上發散、

現象也不深於皮、就要定他爲潔淨、他要洗衣服、便成

三五 三六 爲潔淨。三五但他得潔淨以後、頭疥若在皮上發散開了、三六祭

司就要察看他、頭疥若在皮上發散、就不必找那黃毛、

三七 他是不潔淨了。三七祭司若看頭疥已經止住、其間也長了

黑毛、頭疥已然痊癒、那人是潔淨了、就要定他爲潔淨。

三八 三九 ○三八無論男女、皮肉上若起了火斑、就是白火斑、三九祭司就

要察看他們肉皮上的火斑、若白中帶黑、這是皮上發
四十 出的白癬、那人是潔淨了。○四十人頭上的髮若掉了、他不
四一 過是頭禿、還是潔淨。四一他頂前若掉了頭髮、他不過是頂
四二 門禿、還是潔淨。四二頭禿處、或是頂門禿處、若有白中帶紅
的災病、這就是大痲瘋、發在他頭禿處、或是頂門禿處.
四三 四三祭司就要察看他起的那災病、若在頭禿處、或是頂門
四四 禿處有白中帶紅的、像肉皮上大痲瘋的現象.四四那人就
是長大痲瘋不潔淨的、祭司總要定他為不潔淨、他的
四五 災病是在頭上。○四五身上有長大痲瘋災病的、他的衣服
要撕裂、也要蓬頭散髮、蒙着上唇、喊叫說、不潔淨了、不
四六 潔淨了。四六災病在他身上的日子、他便是不潔淨、他既是
四七 不潔淨、就要獨居營外。○四七染了大痲瘋災病的衣服、無
四八 論是羊毛衣服、是麻布衣服、四八無論是在經上、在緯上、是
麻布的、是羊毛的、是在皮子上、或在皮子作的甚麼物
四九 件上、四九或在衣服上、皮子上、經上、緯上、或在皮子作的甚
麼物件上、這災病若是發綠、或是發紅、是大痲瘋的災
五十 病、要給祭司察看。五十祭司就要察看那災病、把染了災病
五一 的物件、關鎖七天。五一第七天他要察看那災病、災病或在

衣服上、經上、緯上、皮子上、若發散、這皮子無論當作何
五二 用、這災病是蠶食的大痲瘋、都是不潔淨了。五二那染了災
病的衣服、或是經上緯上、羊毛上、麻衣上、或是皮子作
的甚麼物件上、他都要焚燒.因為這是蠶食的大痲瘋、
五三 必在火中焚燒。○五三祭司要察看、若災病在衣服上、經上、
五四 緯上、或是皮子作的甚麼物件上、沒有發散.五四祭司就要
五五 吩咐他們、把染了災病的物件洗了、再關鎖七天.五五洗過
以後、祭司要察看.那物件若沒有變色、災病也沒有消
散、那物件就不潔淨、是透重的災病、無論正面反面都
五六 要在火中焚燒。○五六洗過以後、祭司要察看.若見那災病
發暗、他就要把那災病從衣服上、皮子上、經上、緯上、都
五七 撕去。五七若仍現在衣服上、或是經上、緯上、皮子作的甚麼
物件上、這就是災病又發了、必用火焚燒那染災病的
五八 物件。五八所洗的衣服、或是經、或是緯、或是皮子作的甚麼
五九 物件、若災病離開了、要再洗、就潔淨了。○五九這就是大痲
瘋災病的條例、無論是在羊毛衣服上、麻布衣服上、經
上、緯上、和皮子作的甚麼物件上、可以定為潔淨、或是
不潔淨。

第十四章

患大痲瘋者成潔之例

一二 耶和華曉諭摩西說、長大痲瘋得潔淨
三 的日子、其例乃是這樣、要帶他去見祭司。祭司要出到
四 營外察看。若見他的大痲瘋痊癒了、就要吩咐人為那
求潔淨的、拿兩隻潔淨的活鳥、和香柏木、朱紅色綫、並
五 牛膝草來。祭司要吩咐用瓦器盛活水、把一隻鳥宰在
六 上面。至於那隻活鳥、祭司要把他和香柏木、朱紅色綫、
七 並牛膝草、一同蘸於宰在活水上的鳥血中、用以在那
長大痲瘋求潔淨的人身上灑七次、就定他為潔淨。又
八 把活鳥放在田野裏。求潔淨的人當洗衣服、剃去毛髮、
用水洗澡、就潔淨了。然後可以進營、只是要在自己的
九 帳棚外居住七天。第七天、再把頭上所有的頭髮、與鬍
鬚、眉毛、並全身的毛、都剃了。又要洗衣服、用水洗身、就
十 潔淨了。◯第八天、他要取兩隻沒有殘疾的公羊羔、和
一隻沒有殘疾一歲的母羊羔、又要把調油的細麵伊
十一 法十分之三、為素祭、並油一羅革、一同取來。行潔淨之
禮的祭司、要將那求潔淨的人、和這些東西、安置在會
十二 幕門口、耶和華面前。祭司要取一隻公羊羔、獻為贖愆
祭、和那一羅革油、一同作搖祭、在耶和華面前搖一搖。
十三 把公羊羔宰於聖地、就是宰贖罪祭牲、和燔祭牲之地。
十四 贖愆祭要歸祭司、與贖罪祭一樣、是至聖的。祭司要取
些贖愆祭牲的血、抹在求潔淨人的右耳垂上、和右手
十五 的大拇指上、並右腳的大拇指上。祭司要從那一羅革
十六 油中取些、倒在自己的左手掌裏。把右手的一個指頭、
十七 蘸在左手的油裏、在耶和華面前用指頭彈七次。將手
裏所剩的油、抹在那求潔淨人的右耳垂上、和右手的
大拇指上、並右腳的大拇指上、就是抹在贖愆祭牲的
十八 血上。祭司手裏所剩的油、要抹在那求潔淨人的頭上、
十九 在耶和華面前為他贖罪。祭司要獻贖罪祭、為那本不
二十 潔淨求潔淨的人贖罪。然後要宰燔祭牲。把燔祭和素
二十一 祭、獻在壇上、為他贖罪、他就潔淨了。◯他若貧窮不能
豫備穀數、就要取一隻公羊羔作贖愆祭、可以搖一搖、
為他贖罪、也要把調油的細麵伊法十分之一、為素祭、
二十二 和油一羅革、一同取來。又照他的力量取兩隻班鳩、或
二十三 是兩隻雛鴿、一隻作贖罪祭、一隻作燔祭。第八天、要為
二十四 潔淨、把這些帶到會幕門口、耶和華面前、交給祭司。祭

司要把贖愆祭的羊羔、和那一羅革油、一同作搖祭、在
二五 耶和華面前搖一搖。二五要宰了贖愆祭的羊羔取些贖愆
祭牲的血、抹在那求潔淨人的右耳垂上、和右手的大
二六 拇指上、並右腳的大拇指上。二六祭司要把些油倒在自己
二七 的左手掌裏。二七把左手裏的油、在耶和華面前、用右手的
二八 一個指頭彈七次。二八又把手裏的油、抹些在那求潔淨人
的右耳垂上、和右手的大拇指上、並右腳的大拇指上、
二九 就是抹贖愆祭之血的原處。二九祭司手裏所剩的油、要抹
三十 在那求潔淨人的頭上、在耶和華面前為他贖罪。三十那人
三一 又要照他的力量獻上一隻班鳩、或是一隻雛鴿、三一就是
他所能辦的．一隻為贖罪祭、一隻為燔祭、與素祭一同
三二 獻上．祭司要在耶和華面前、為他贖罪。三二這是那有大痲
瘋災病的人、不能將關乎得潔淨之物豫備彀數的條
例。

染疾之宅成潔之例

三三 三四 三三耶和華曉諭摩西亞倫說、三四你們到了我賜給你們為業
的迦南地、我若使你們所得為業之地的房屋中、有大
三五 痲瘋的災病、三五房主就要去告訴祭司說、據我看、房屋中
三六 似乎有災病。三六祭司還沒有進去察看災病以前、就要吩
咐人把房子騰空、免得房子裏所有的都成了不潔淨．
三七 然後祭司要進去察看房子。三七他要察看那災病、災病若
在房子的牆上有發綠或發紅的凹斑紋、現象窪於牆、
三八 三九 三八祭司就要出到房門外、把房子封鎖七天。三九第七天祭司
四十 要再去察看．災病若在房子的牆上發散、四十就要吩咐人
四一 把那有災病的石頭挖出來、扔在城外不潔淨之處．四一也
要叫人刮房內的四圍、所刮掉的灰泥、要倒在城外不
四二 潔淨之處。四二又要用別的石頭、代替那挖出來的石頭、要
四三 另用灰泥墁房子。四三〇他挖出石頭、刮了房子、墁了以後、
四四 災病若在房子裏又發現、四四祭司就要進去察看．災病若
在房子裏發散、這就是房內蠶食的大痲瘋、是不潔淨。
四五 四五他就要拆毀房子、把石頭、木頭、灰泥、都搬到城外不潔
四六 淨之處。四六在房子封鎖的時候、進去的人必不潔淨到晚
四七 上。四七在房子裏躺着的、必洗衣服．在房子裏喫飯的、也必
四八 洗衣服。〇四八房子墁了以後、祭司若進去察看、見災病在
房內沒有發散、就要定房子為潔淨、因為災病已經消
四九 除。四九要為潔淨房子、取兩隻鳥、和香柏木、朱紅色綫、並牛

五十 五十一 膝草．用五十瓦器盛活水、把一隻鳥宰在上面、五一把香柏木、牛
膝草、朱紅色綫、並那活鳥、都蘸在被宰的鳥血中、與活
五二 水中、用以灑房子七次．五二要用鳥血、活水、活鳥、香柏木、牛
五三 膝草、並朱紅色綫、潔淨那房子。五三但要把活鳥放在城外
五四 田野裏．這樣潔淨房子、原文作為房子贖罪房子就潔淨了。○五四這
五五 是為各類大痲瘋的災病、和頭疥、五五並衣服與房子的大
五六 五七 痲瘋、五六以及瘤子、癬、火斑、所立的條例．五七指明何時為潔淨、
何時為不潔淨．這是大痲瘋的條例。

第十五章 患漏症等疾之例

一 二 一耶和華對摩西亞倫說、二你們曉諭以色
三 列人說、人若身患漏症、他因這漏症就不潔淨了。三他患
四 漏症、無論是下流的、是止住的、都是不潔淨。四他所躺的
五 牀、都為不潔淨、所坐的物、也為不潔淨。五凡摸那牀的、必
六 不潔淨到晚上、並要洗衣服、用水洗澡。六那坐患漏症人
所坐之物的、必不潔淨到晚上、並要洗衣服、用水洗澡。
七 七那摸患漏症人身體的、必不潔淨到晚上、並要洗衣服、
八 用水洗澡。八若患漏症人吐在潔淨的人身上、那人必不
九 潔淨到晚上、並要洗衣服、用水洗澡。九患漏症人所騎的

十 鞍子、也為不潔淨。十凡摸了他身下之物的、必不潔淨到
晚上．拿了那物的、必不潔淨到晚上．並要洗衣服、用水
十一 洗澡。十一患漏症的人、沒有用水涮手、無論摸了誰、誰必不
十二 潔淨到晚上．並要洗衣服、用水洗澡。十二患漏症人所摸的
十三 瓦器、就必打破．所摸的一切木器、也必用水涮洗。○十三患
漏症的人痊癒了、就要為潔淨自己計算七天、也必洗
十四 衣服、用活水洗身、就潔淨了。十四第八天要取兩隻班鳩、或
是兩隻雛鴿、來到會幕門口、耶和華面前、把鳥交給祭
十五 司．十五祭司要獻上一隻為贖罪祭、一隻為燔祭、因那人患
十六 的漏症、祭司要在耶和華面前為他贖罪。○十六人若夢遺、
十七 他必不潔淨到晚上、並要用水洗全身。十七無論是衣服、是
十八 皮子、被精所染、必不潔淨到晚上、並要用水洗。十八若男女
十九 交合、兩個人必不潔淨到晚上．並要用水洗澡。○十九女人
二十 行經、必汚穢七天．凡摸他的、必不潔淨到晚上。二十女人在
汚穢之中、凡他所躺的物件、都為不潔淨．所坐的物件、
二一 也都不潔淨。二一凡摸他牀的、必不潔淨到晚上、並要洗衣
二二 服、用水洗澡。二二凡摸他所坐甚麼物件的、必不潔淨到晚
二三 上．並要洗衣服、用水洗澡。二三在女人的牀上、或在他坐的

二四 物上、若有別的物件、人一摸了、必不潔淨到晚上。男人
若與那女人同房、染了他的汙穢、就要七天不潔淨．所
二五 躺的牀、也爲不潔淨。○女人若在經期以外、患多日的
血漏、或是經期過長、有了漏症、他就因這漏症不潔淨、
二六 與他在經期不潔淨一樣。他在患漏症的日子所躺的
牀、所坐的物、都要看爲不潔淨、與他月經的時候一樣。
二七 凡摸這些物件的、就爲不潔淨．必不潔淨到晚上、並要
二八 洗衣服、用水洗澡。女人的漏症若好了、就要計算七天、
二九 然後纔爲潔淨。第八天要取兩隻班鳩、或是兩隻雛鴿、
三十 帶到會幕門口給祭司。祭司要獻一隻爲贖罪祭、一隻
爲燔祭、因那人血漏不潔淨、祭司要在耶和華面前爲他
三一 贖罪。○你們要這樣使以色列人與他們的汙穢隔絕、
三二 免得他們玷汙我的帳幕、就因自己的汙穢死亡。○這
三三 是患漏症、和夢遺而不潔淨的、並有月經病的、和患漏
症的無論男女、並人與不潔淨女人同房的條例。
一 **第十六章** 亞倫的兩個兒子近到耶和華面前死
二 了．死了之後、耶和華曉諭摩西說、要告訴你哥哥亞倫、
不可隨時進聖所的幔子內、到櫃上的施恩座前、免得

三 他死亡、因爲我要從雲中顯現在施恩座上。亞倫進聖
四 所要帶一隻公牛犢爲贖罪祭、一隻公綿羊爲燔祭。要
穿上細麻布聖內袍、把細麻布褲子穿在身上、腰束細
麻布帶子、頭戴細麻布冠冕、這都是聖服．他要用水洗
五 身、然後穿戴。要從以色列會衆取兩隻公山羊爲贖罪
六 祭、一隻公綿羊爲燔祭。○亞倫要把贖罪祭的公牛奉
七 上、爲自己和本家贖罪．也要把兩隻公山羊、安置在會
八 幕門口、耶和華面前。爲那兩隻羊拈鬮、一鬮歸與耶和
九 華、一鬮歸與阿撒瀉勒。亞倫要把那拈鬮歸與耶和華
十 的羊、獻爲贖罪祭．但那拈鬮歸與阿撒瀉勒的羊、要活
着安置在耶和華面前、用以贖罪、打發人送到曠野去、
十一 歸與阿撒瀉勒。○亞倫要把贖罪祭的公牛牽來宰了、
十二 爲自己和本家贖罪．拿香爐、從耶和華面前的壇上盛
十三 滿火炭、又拿一捧擣細的香料、都帶入幔子內．在耶和
華面前、把香放在火上、使香的烟雲遮掩法櫃上的施
十四 恩座、免得他死亡．也要取些公牛的血、用指頭彈在施
十五 恩座的東面、又在施恩座的前面、彈血七次。○隨後他
要宰那爲百姓作贖罪祭的公山羊、把羊的血帶入幔

十六 子內、彈在施恩座的上面、和前面、好像彈公牛的血一
樣。十六他因以色列人諸般的汚穢、過犯、就是他們一切的
罪愆、當這樣在聖所行贖罪之禮、並因會幕在他們汚
十七 穢之中、也要照樣而行。十七他進聖所贖罪的時候、會幕裏
不可有人、直等到他爲自己和本家、並以色列全會衆、
十八 贖了罪出來。十八他出來、要到耶和華面前的壇那裏、在壇
上行贖罪之禮、又要取些公牛的血、和公山羊的血、抹
十九 在壇上四角的周圍。十九也要用指頭把血彈在壇上七次、
潔淨了壇、從壇上除掉以色列人諸般的汚穢、使壇成
二十 聖。二十○亞倫爲聖所、和會幕、並壇、獻完了贖罪祭、就要把
二一 那隻活着的公山羊奉上。二一兩手按在羊頭上、承認以色
列人諸般的罪孽、過犯、就是他們一切的罪愆、把這罪
二二 都歸在羊的頭上、藉着所派之人的手、送到曠野去。二二要
把這羊放在曠野。這羊要擔當他們一切的罪孽、帶到
二三 無人之地。二三○亞倫要進會幕、把他進聖所時所穿的細
二四 麻布衣服脫下、放在那裏。二四又要在聖處用水洗身、穿上
衣服、出來、把自己的燔祭、和百姓的燔祭獻上、爲自己
二五 二六 和百姓贖罪。二五贖罪祭牲的脂油、要在壇上焚燒。二六那放羊

二七 歸與阿撒瀉勒的人、要洗衣服、用水洗身、然後進營。二七作
贖罪祭的公牛、和公山羊的血、旣帶入聖所贖罪、這牛
二八 羊就要搬到營外、將皮、肉、糞、用火焚燒。二八焚燒的人要洗
衣服、用水洗身、然後進營。

每歲當守贖罪日一次

二九 二九每逢七月初十日、你們要刻苦己心、無論是本地人、是
寄居在你們中間的外人、甚麽工都不可作。這要作你
三十 們永遠的定例。三十因在這日要爲你們贖罪、使你們潔淨。
三一 你們要在耶和華面前得以潔淨脫盡一切的罪愆。三一這
日你們要守爲聖安息日、要刻苦己心。這爲永遠的定
三二 例。三二那受膏接續他父親承接聖職的祭司、要穿上細麻
三三 布的聖衣、行贖罪之禮。三三他要在至聖所、和會幕、與壇、行
三四 贖罪之禮、並要爲衆祭司、和會衆的百姓贖罪。三四這要作
你們永遠的定例、就是因以色列人一切的罪、要一年
一次爲他們贖罪。於是亞倫照耶和華所吩咐摩西的
行了。

第十七章　宰牛羊之規

一 二 耶和華對摩西說、二你曉諭亞倫和他兒

三 子、並以色列衆人說、耶和華所吩咐的、乃是這樣．三凡以
色列家中的人、宰公牛、或是綿羊羔、或是山羊、不拘宰
四 於營內營外、四若未曾牽到會幕門口、耶和華的帳幕前、
獻給耶和華爲供物、流血的罪必歸到那人身上．他流
五 了血、要從民中剪除。五這是爲要使以色列人把他們在
田野裏所獻的祭、帶到會幕門口耶和華面前、交給祭
六 司、獻與耶和華爲平安祭。六祭司要把血灑在會幕門口
耶和華的壇上、把脂油焚燒、獻給耶和華爲馨香的祭。
七 七他們不可再獻祭給他們行邪淫所隨從的鬼魔．（原文作公
八 山羊）這要作他們世世代代永遠的定例。◯八你要曉諭他
們說、凡以色列家中的人、或是寄居在他們中間的外
九 人、獻燔祭、或是平安祭、九若不帶到會幕門口獻給耶和
華、那人必從民中剪除。

禁食血

十 十凡以色列家中的人、或是寄居在他們中間的外人、若
喫甚麼血、我必向那喫血的人變臉、把他從民中剪除。
十一 十一因爲活物的生命是在血中．我把這血賜給你們、可以
在壇上爲你們的生命贖罪．因血裏有生命、所以能贖
十二 罪。十二因此我對以色列人說、你們都不可喫血、寄居在你
十三 們中間的外人、也不可喫血。十三凡以色列人、或是寄居在
他們中間的外人、若打獵得了可喫的禽獸、必放出他
十四 的血來、用土掩蓋。◯十四論到一切活物的生命、就在血中、
所以我對以色列人說、無論甚麼活物的血、你們都不
可喫、因爲一切活物的血、就是他的生命．凡喫了血的、
十五 必被剪除。十五凡喫自死的、或是被野獸撕裂的、無論是本
地人、是寄居的、必不潔淨到晚上、都要洗衣服、用水洗
十六 身、到了晚上纔爲潔淨。十六但他若不洗衣服、也不洗身、就
必擔當他的罪孽。
一 二 **第十八章** 一耶和華對摩西說、二你曉諭以色列人說、
三 我是耶和華你們的神。三你們從前住的埃及地、那裏
人的行爲、你們不可效法．我要領你們到的迦南地、那
四 裏人的行爲、也不可效法、也不可照他們的惡俗行。四你
們要遵我的典章、守我的律例、按此而行．我是耶和華
五 你們的神。五所以你們要守我的律例典章．人若遵行、
就必因此活着．我是耶和華。

勿亂骨肉之親

六 六你們都不可露骨肉之親的下體、親近他們．我是耶和
七 華。七不可露你母親的下體、羞辱了你父親．他是你的母
八 親、不可露他的下體。八不可露你繼母的下體、這本是你
九 父親的下體。九你的姐妹、不拘是異母同父的、是異父同
母的、無論是生在家、生在外的、都不可露他們的下體。
十 十不可露你孫女、或是外孫女的下體、露了他們的下體、
十一 就是露了自己的下體。十一你繼母從你父親生的女兒、本
十二 是你的妹妹、不可露他的下體。十二不可露你姑母的下體、
十三 他是你父親的骨肉之親。十三不可露你姨母的下體、他是
十四 你母親的骨肉之親。十四不可親近你伯叔之妻、羞辱了你
十五 伯叔、他是你的伯叔母。十五不可露你兒婦的下體、他是你
十六 兒子的妻、不可露他的下體。十六不可露你弟兄妻子的下
十七 體、這本是你弟兄的下體。十七不可露了婦人的下體、又露
他女兒的下體、也不可娶他孫女、或是外孫女、露他們
十八 的下體、他們是骨肉之親、這本是大惡。十八你妻還在的時
十九 候、不可另娶他的姐妹作對頭、露他的下體。十九○女人行
二十 經不潔淨的時候、不可露他的下體、與他親近。二十不可與

二一 鄰舍的妻行淫、玷汚自己。二一不可使你的兒女經火歸與
二二 摩洛、也不可褻瀆你　神的名．我是耶和華。二二不可與男
二三 人苟合、像與女人一樣、這本是可憎惡的。二三不可與獸淫
合、玷汚自己．女人也不可站在獸前、與他淫合、這本是
二四 逆性的事。○二四在這一切的事上、你們都不可玷汚自己、
因爲我在你們面前所逐出的列邦、在這一切的事上、
二五 玷汚了自己。二五連地也玷汚了、所以我追討那地的罪孽、
二六 那地也吐出他的居民。二六故此你們要守我的律例、典章．
這一切可憎惡的事、無論是本地人、是寄居在你們中
二七 間的外人、都不可行。二七（在你們以先居住那地的人、行
二八 了這一切可憎惡的事、地就玷汚了。）二八免得你們玷汚
那地的時候、地就把你們吐出、像吐出在你們以先的
二九 國民一樣。二九無論甚麼人、行了其中可憎的一件事、必從
三十 民中剪除。三十所以你們要守我所吩咐的、免得你們隨從
那些可憎的惡俗、就是在你們以先的人所常行的、以
致玷汚了自己．我是耶和華你們的　神。

一 二 **第十九章**　戒民數例　一耶和華對摩西說、二你曉諭以色列全會

衆說、你們要聖潔、因爲我耶和華你們的神是聖潔
三 的。三你們各人都當孝敬父母、也要守我的安息日、我是
四 耶和華你們的神。四你們不可偏向虛無的神、也不可
五 爲自己鑄造神像、我是耶和華你們的神。五○你們獻
六 平安祭給耶和華的時候、要獻得可蒙悅納。六這祭物要
在獻的那一天和第二天喫、若有剩到第三天的、就必
七 用火焚燒。七第三天若再喫、這就爲可憎惡的、必不蒙悅
八 納。八凡喫的人、必擔當他的罪孽、因爲他褻瀆了耶和華
九 的聖物、那人必從民中剪除。九○在你們的地收割莊稼、
十 不可割盡田角、也不可拾取所遺落的。十不可摘盡葡萄
園的果子、也不可拾取葡萄園所掉的果子、要留給窮
十一 人和寄居的、我是耶和華你們的神。十一○你們不可偷
十二 盜、不可欺騙、也不可彼此說謊。十二不可指着我的名起假
十三 誓、褻瀆你神的名、我是耶和華。十三○不可欺壓你的鄰
舍、也不可搶奪他的物、雇工人的工價、不可在你那裏
十四 過夜留到早晨。十四不可咒罵聾子、也不可將絆脚石放在
十五 瞎子面前、只要敬畏你的神、我是耶和華。十五○你們施
行審判、不可行不義、不可偏護窮人、也不可重看有勢

十六 力的人、只要按着公義審判你的鄰舍。十六不可在民中往
來搬弄是非、也不可與鄰舍爲敵、置之於死。原文作流他的血
十七 我是耶和華。十七○不可心裏恨你的弟兄、總要指摘你的
十八 鄰舍、免得因他擔罪。十八不可報仇、也不可埋怨你本國的
十九 子民、卻要愛人如己、我是耶和華。十九○你們要守我的律
例。不可叫你的牲畜與異類配合、不可用兩樣攙雜的
種、種你的地、也不可用兩樣攙雜的料作衣服、穿在身
二十 上。二十婢女許配了丈夫、還沒有被贖得釋放、人若與他行
淫、二人要受刑罰、卻不把他們治死、因爲婢女還沒有
二一 得自由。二一那人要把贖愆祭、就是一隻公綿羊、牽到會幕
二二 門口、耶和華面前。二二祭司要用贖愆祭的羊、在耶和華面
二三 前贖他所犯的罪、他的罪就必蒙赦免。二三○你們到了迦
南地、栽種各樣結果子的樹木、就要以所結的果子如
未受割禮的一樣、三年之久、你們要以這些果子、如未
二四 受割禮的、是不可喫的。二四但第四年所結的果子、全要成
二五 爲聖、用以讚美耶和華。二五第五年你們要喫那樹上的果
子、好叫樹給你們結果子更多、我是耶和華你們的
二六 神。○二六你們不可喫帶血的物、不可用法術、也不可觀兆。

二七 二八 二七頭的周圍不可剃、作周圍或兩鬢鬍鬚的周圍也不可損壞。二八不
可為死人用刀劃身、也不可在身上刺花紋。我是耶和
二九 華。二九不可辱沒你的女兒、使他為娼妓、恐怕地上的人
三十 專向淫亂、地就滿了大惡。三十你們要守我的安息日、敬我
三一 的聖所。我是耶和華。三一不可偏向那些交鬼的、和行巫
術的、不可求問他們、以致被他們玷汚了。我是耶和華
三二 你們的 神。三二在白髮的人面前、你要站起來、也要尊
三三 敬老人、又要敬畏你的 神。我是耶和華。三三若有外人
三四 在你們國中和你同居、就不可欺負他。三四和你們同居的
外人、你們要看他如本地人一樣、並要愛他如己、因為
你們在埃及地也作過寄居的。我是耶和華你們的
三五 神。三五你們施行審判、不可行不義。在尺、秤、升、斗上、也是
三六 如此。三六要用公道天平、公道法碼、公道升斗、公道秤。我是
三七 耶和華你們的 神、曾把你們從埃及地領出來的。三七你
們要謹守遵行我一切的律例、典章。我是耶和華。

禁以子女獻摩洛

第二十章

一 二 一耶和華對摩西說、二你還要曉諭以色列
人說、凡以色列人、或是在以色列中寄居的外人、把自
己的兒女獻給摩洛的、總要治死他。本地人要用石頭
三 把他打死。三我也要向那人變臉、把他從民中剪除、因為
四 他把兒女獻給摩洛、玷汚我的聖所、褻瀆我的聖名。四那
人把兒女獻給摩洛、本地人若佯為不見、不把他治死、
五 五我就要向這人和他的家變臉、把他和一切隨他與摩
六 洛行邪淫的人、都從民中剪除。六人偏向交鬼的、和行
巫術的、隨他們行邪淫、我要向那人變臉、把他從民中
七 剪除。七所以你們要自潔成聖、因為我是耶和華你們的
八 神。八你們要謹守遵行我的律例。我是叫你們成聖的
九 耶和華。九凡咒罵父母的、總要治死他。他咒罵了父母、他
的罪要歸到他身上。罪原文作血本章同

禁淫人之妻

十 十一 十與鄰舍之妻行淫的、姦夫淫婦、都必治死。十一與繼母行淫
的、就是羞辱了他父親、總要把他們二人治死、罪要歸
十二 到他們身上。十二與兒婦同房的、總要把他們二人治死、他
十三 們行了逆倫的事、罪要歸到他們身上。十三人若與男人苟
合、像與女人一樣、他們二人行了可憎的事、總要把他
十四 們治死、罪要歸到他們身上。十四人若娶妻、並娶其母、便是

十五 大惡、要把這三人用火焚燒、使你們中間免去大惡。[十五]人
十六 若與獸淫合、總要治死他、也要殺那獸。[十六]女人若與獸親
近、與他淫合、你要殺那女人和那獸、總要把他們治死、
十七 罪要歸到他們身上。○[十七]人若娶他的姐妹、無論是異母
同父的、是異父同母的、彼此見了下體、這是可恥的事、
他們必在本民的眼前被剪除。他露了姐妹的下體、必
十八 擔當自己的罪孽。[十八]婦人有月經、若與他同房、露了他的
下體、就是露了婦人的血源、婦人也露了自己的血源、
十九 二人必從民中剪除。[十九]不可露姨母、或是姑母的下體、這
二十 是露了骨肉之親的下體、二人必擔當自己的罪孽。[二十]人
若與伯叔之妻同房、就羞辱了他的伯叔、二人要擔當
二一 自己的罪、必無子女而死。[二一]人若娶弟兄之妻、這本是污
穢的事、羞辱了他的弟兄、二人必無子女。

當遵守耶和華之律例典章

二二 [二二]所以你們要謹守遵行我一切的律例、典章、免得我領
二三 你們去住的那地、把你們吐出。[二三]我在你們面前所逐出
的國民、你們不可隨從他們的風俗、因為他們行了這
二四 一切的事、所以我厭惡他們。[二四]但我對你們說過、你們要
承受他們的地、就是我要賜給你們為業流奶與蜜之
地、我是耶和華你們的　神、使你們與萬民有分別的。
二五 [二五]所以你們要把潔淨和不潔淨的禽獸、分別出來、不可
因我給你們分為不潔淨的禽獸、或是滋生在地上的
二六 活物、使自己成為可憎惡的。[二六]你們要歸我為聖、因為我
耶和華是聖的、並叫你們與萬民有分別、使你們作我
二七 的民。○[二七]無論男女、是交鬼的、或行巫術的、總要治死他
們、人必用石頭把他們打死、罪要歸到他們身上。

第二十一章

祭司勿從俗自污

一 [一]耶和華對摩西說、你告訴亞倫子孫
二 作祭司的說、祭司不可為民中的死人沾染自己。[二]除非
三 為他骨肉之親的父母、兒女、弟兄、[三]和未曾出嫁作處女
四 的姐妹、纔可以沾染自己。[四]祭司既在民中為首、就不可
五 從俗沾染自己。[五]不可使頭光禿、不可剃除鬍鬚的周圍、
六 也不可用刀劃身。[六]要歸　神為聖、不可褻瀆　神的名、
因為耶和華的火祭、就是　神的食物、是他們獻的、所
七 以他們要成為聖。[七]不可娶妓女、或被污的女人為妻、也
八 不可娶被休的婦人為妻、因為祭司是歸　神為聖。[八]所

以你要使他成聖、因爲他奉獻你　神的食物。你要以
九他爲聖、因爲我使你們成聖的耶和華是聖的。九祭司的
女兒若行淫、辱沒自己、就辱沒了父親、必用火將他焚
十燒。○十在弟兄中作大祭司、頭上倒了膏油、又承接聖職、
十一穿了聖衣的、不可蓬頭散髮、也不可撕裂衣服。十一不可挨
十二近死屍、也不可爲父母沾染自己。十二不可出聖所、也不可
褻瀆　神的聖所、因爲　神膏油的冠冕在他頭上。我
十三十四是耶和華。十三他要娶處女爲妻。十四寡婦、或是被休的婦人、或
是被汚爲妓的女人、都不可娶、只可娶本民中的處女
十五爲妻。十五不可在民中辱沒他的兒女、因爲我是叫他成聖
的耶和華。

體有殘缺者不可作祭司

十六十七十六耶和華對摩西說、十七你告訴亞倫說、你世世代代的後裔、
十八凡有殘疾的、都不可近前來獻他　神的食物。十八因爲凡
有殘疾的、無論是瞎眼的、瘸腿的、塌鼻子的、肢體有餘
十九二十的、十九折腳折手的、二十駝背的、矮矬的、眼睛有毛病的、長癬的、
二十一長疥的、或是損壞腎子的、都不可近前來。二十一祭司亞倫的
後裔、凡有殘疾的、都不可近前來將火祭獻給耶和華、
二十二他有殘疾、不可近前來獻　神的食物。二十二　神的食物、無
二十三論是聖的、至聖的、他都可以喫。二十三但不可進到幔子前、也
不可就近壇前、因爲他有殘疾、免得褻瀆我的聖所、我
二十四是叫他成聖的耶和華。二十四於是摩西曉諭亞倫、和亞倫的
子孫、並以色列衆人。

第二十二章

祭司若蒙不潔勿近聖物

一二一耶和華對摩西說、二你吩咐亞倫和他
子孫說、要遠離以色列人所分別爲聖歸給我的聖物、
三免得褻瀆我的聖名。我是耶和華。三你要對他們說、你們
世世代代的後裔、凡身上有汚穢、親近以色列人所分
別爲聖歸耶和華聖物的、那人必在我面前剪除。我是
四耶和華。四亞倫的後裔、凡長大痲瘋的、或是有漏症的、不
可喫聖物、直等他潔淨了。無論誰摸那因死屍不潔淨
五的物、（物或作人）或是遺精的人、五或是摸甚麽使他不潔淨的
爬物、或是摸那使他不潔淨的人、（不拘那人有甚麽
六不潔淨、）六摸了這些人物的、必不潔淨到晚上、若不用
七水洗身、就不可喫聖物。七日落的時候、他就潔淨了、然後
八可以喫聖物、因爲這是他的食物。八自死的、或是被野獸

九 撕裂的、他不可喫、因此汚穢自己．我是耶和華。所以他
們要守我所吩咐的、免得輕忽了、因此擔罪而死．我是
十 叫他們成聖的耶和華。◯凡外人不可喫聖物、寄居在
十一 祭司家的、或是雇工人、都不可喫聖物。倘若祭司買人、
是他的錢買的、那人就可以喫聖物．生在他家的人、也
十二 可以喫。祭司的女兒若嫁外人、就不可喫舉祭的聖物。
十三 但祭司的女兒若是寡婦、或是被休的、沒有孩子、又歸
回父家、與他青年一樣、就可以喫他父親的食物．只是
十四 外人不可喫。若有人誤喫了聖物、要照聖物的原數加
十五 上五分之一、交給祭司。祭司不可褻瀆以色列人所獻
十六 給耶和華的聖物、免得他們在喫聖物上、自取罪孽．因
爲我是叫他們成聖的耶和華。

牲若有疵勿獻爲祭

十七 十八 耶和華對摩西說、你曉諭亞倫和他子孫、並以色列衆
人說、以色列家中的人、或在以色列中寄居的、凡獻供
物、無論是所許的願、是甘心獻的、就是獻給耶和華作
十九 燔祭的．要將沒有殘疾的公牛、或是綿羊、或是山羊獻：
二十 上、如此方蒙悅納。凡有殘疾的、你們不可獻上、因爲這

二一 不蒙悅納。凡從牛羣、或是羊羣中、將平安祭獻給耶和
華、爲要還特許的願、或是作甘心獻的、所獻的必純全
二二 無殘疾的、纔蒙悅納。瞎眼的、折傷的、殘廢的、有瘤子的、
長癬的、長疥的、都不可獻給耶和華、也不可在壇上作
二三 爲火祭獻給耶和華。無論是公牛、是綿羊羔、若肢體有
餘的、或是缺少的、只可作甘心祭獻上、用以還願、卻不
二四 蒙悅納。腎子損傷的、或是壓碎的、或是破裂的、或是騸
了的、不可獻給耶和華、在你們的地上、也不可這樣行。
二五 這類的物、你們從外人的手、一樣也不可接受、作你們
神的食物獻上、因爲這些都有損壞、有殘疾、不蒙悅
二六 二七 納。◯耶和華曉諭摩西說、纔生的公牛、或是綿羊、或是
山羊、七天當跟着母、從第八天以後、可以當供物蒙悅
二八 納、作爲耶和華的火祭。無論是母牛、是母羊、不可同日
二九 宰母和子。你們獻感謝祭給耶和華、要獻得可蒙悅納。
三十 三一 要當天喫、一點不可留到早晨、我是耶和華。你們要謹
三二 守遵行我的誡命．我是耶和華。你們不可褻瀆我的聖
名、我在以色列人中、卻要被尊爲聖、我是叫你們成聖
三三 的耶和華．把你們從埃及地領出來、作你們的神．我

是耶和華。

第二十三章

當守之節期

[1]耶和華對摩西說、[2]你曉諭以色列人
說、耶和華的節期、你們要宣告為聖會的節期．

安息日

[3]六日要作工、第七日是聖安息日、當有聖會、你們甚麼
工都不可作、這是在你們一切的住處向耶和華守的
安息日。

無酵節

[4]耶和華的節期、就是你們到了日期要宣告為聖會的、
乃是這些．[5]正月十四日黃昏的時候、是耶和華的逾越
節。[6]這月十五日、是向耶和華守的無酵節．你們要喫無
酵餅七日。[7]第一日當有聖會、甚麼勞碌的工都不可作．
[8]要將火祭獻給耶和華七日．第七日是聖會、甚麼勞碌
的工都不可作。〇[9]耶和華對摩西說、[10]你曉諭以色列人
說、你們到了我賜給你們的地、收割莊稼的時候、要將
初熟的莊稼一捆帶給祭司．[11]他要把這一捆在耶和華
面前搖一搖、使你們得蒙悅納．祭司要在安息日的次
日、把這捆搖一搖。[12]搖這捆的日子、你們要把一歲沒有
殘疾的公綿羊羔、獻給耶和華為燔祭。[13]同獻的素祭、就
是調油的細麵伊法十分之二、作為馨香的火祭、獻給
耶和華．同獻的奠祭、要酒一欣四分之一。[14]無論是餅、是
烘的子粒、是新穗子、你們都不可喫、直等到把你們獻
給神的供物帶來的那一天、纔可以喫．這在你們一
切的住處、作為世世代代永遠的定例。

五旬節

[15]你們要從安息日的次日、獻禾捆為搖祭的那日算起、
要滿了七個安息日。[16]到第七個安息日的次日、共計五
十天、又要將新素祭獻給耶和華。[17]要從你們的住處取
出細麵伊法十分之二、加酵烤成兩個搖祭的餅、當作
初熟之物、獻給耶和華。[18]又要將一歲沒有殘疾的羊羔
七隻、公牛犢一隻、公綿羊兩隻、和餅一同奉上、這些與
同獻的素祭和奠祭、要作為燔祭獻給耶和華、就是作
馨香的火祭獻給耶和華。[19]你們要獻一隻公山羊為贖
罪祭、兩隻一歲的公綿羊羔為平安祭。[20]祭司要把這些、
和初熟麥子作的餅、一同作搖祭、在耶和華面前搖一

二一 搖、這是獻與耶和華爲聖物歸給祭司的。二一當這日、你們
要宣告聖會、甚麼勞碌的工都不可作。這在你們一切
二二 的住處、作爲世世代代永遠的定例。○在二二你們的地收
割莊稼、不可割盡田角、也不可拾取所遺落的、要留給
二三 窮人和寄居的。我是耶和華你們的神。○耶二三和華對
二四 摩西說、二四你曉諭以色列人說、七月初一、你們要守爲聖
二五 安息日、要吹角作記念、當有聖會。二五甚麼勞碌的工都不
可作。要將火祭獻給耶和華。

贖罪日

二六二七 耶二六和華曉諭摩西說、二七七月初十是贖罪日、你們要守爲
二八 聖會、並要刻苦己心、也要將火祭獻給耶和華。二八當這日、
甚麼工都不可作、因爲是贖罪日、要在耶和華你們的
二九 神面前贖罪。二九當這日、凡不刻苦己心的、必從民中剪
三十三一 除。凡三十這日作甚麼工的、我必將他從民中除滅。三一你們甚
麼工都不可作。這在你們一切的住處、作爲世世代代
三二 永遠的定例。三二你們要守這日爲聖安息日、並要刻苦己
心。從這月初九日晚上、到次日晚上、要守爲安息日。

住棚節

三三三四 耶三三和華對摩西說、三四你曉諭以色列人說、這七月十五日
三五 是住棚節、要在耶和華面前守這節七日。三五第一日當有
三六 聖會。甚麼勞碌的工都不可作。三六七日內要將火祭獻給
耶和華。第八日、當守聖會、要將火祭獻給耶和華。這是
三七 嚴肅會、甚麼勞碌的工都不可作。○這三七是耶和華的節
期、就是你們要宣告爲聖會的節期、要將火祭、燔祭、素
三八 祭、祭物、並奠祭、各歸各日、獻給耶和華。三八這是在耶和華
的安息日以外、又在你們的供物、和所許的願、並甘心
三九 獻給耶和華的以外。○你三九們收藏了地的出產、就從七
月十五日起、要守耶和華的節七日。第一日爲聖安息、
四十 第八日也爲聖安息。四十第一日要拿美好樹上的果子、和
棕樹上的枝子、與茂密樹的枝條、並河旁的柳枝、在耶
四一 和華你們的神面前歡樂七日。四一每年七月間、要向耶
四二 和華守這節七日。這爲你們世世代代永遠的定例。你四二
們要住在棚裏七日。凡以色列家的人、都要住在棚裏、
四三 好四三叫你們世世代代知道我領以色列人出埃及地的
四四 時候、會使他們住在棚裏。我是耶和華你們的神。四四於

是摩西將耶和華的節期、傳給以色列人。
一 二 **第二十四章**　**燃燈之例**　一耶和華曉諭摩西說、二要吩咐以色列
人、把那爲點燈搗成的清橄欖油、拿來給你使燈常常
三 點着。三在會幕中法櫃的幔子外、亞倫從晚上到早晨、必
在耶和華面前經理這燈．這要作你們世世代代永遠
四 的定例。四他要在耶和華面前常收拾精金燈臺上的燈。

陳設餅

五 五你要取細麵烤成十二個餅、每餅用麵伊法十分之二。
六 六要把餅擺列兩行、(行或作摞下同)每行六個、在耶和華面前精
七 金的桌子上。七又要把淨乳香放在每行餅上、作爲記念、
八 就是作爲火祭獻給耶和華。八每安息日要常擺在耶和
九 華面前．這爲以色列人作永遠的約。九這餅是要給亞倫
和他子孫的、他們要在聖處喫、爲永遠的定例、因爲在
十 獻給耶和華的火祭中是至聖的。〇十有一個以色列婦
人的兒子、他父親是埃及人、一日閒遊在以色列人中、
十一 十一這以色列婦人的兒子、和一個以色列人在營裏爭鬭。
這以色列婦人的兒子褻瀆了聖名、並且咒詛、就有人
把他送到摩西那裏．(他母親名叫示羅密、是但支派
十二 底伯利的女兒。)十二他們把那人收在監裏、要得耶和華
所指示的話。

詛聖名者殺勿赦

十三 十四 十三耶和華曉諭摩西說、十四把那咒詛聖名的人帶到營外、叫
聽見的人都放手在他頭上、全會衆就要用石頭打死
十五 他。十五你要曉諭以色列人說、凡咒詛 神的、必擔當他的
十六 罪。十六那褻瀆耶和華名的、必被治死、全會衆總要用石頭
打死他．不管是寄居的、是本地人、他褻瀆耶和華名的
十七 十八 時候、必被治死。十七打死人的、必被治死。十八打死牲畜的、必賠
十九 上牲畜．以命償命。十九人若使他鄰舍的身體有殘疾、他怎
二十 樣行、也要照樣向他行。二十以傷還傷、以眼還眼、以牙還牙．
二一 他怎樣叫人的身體有殘疾、也要照樣向他行。二一打死牲
二二 畜的、必賠上牲畜．打死人的、必被治死。二二不管是寄居的、
二三 是本地人、同歸一例．我是耶和華你們的神。二三於是摩
西曉諭以色列人、他們就把那咒詛聖名的人帶到營
外、用石頭打死。以色列人就照耶和華所吩咐摩西的
行了。

第二十五章　安息年

一耶和華在西乃山對摩西說、二你曉諭
以色列人說、你們到了我所賜你們那地的時候、地就
要向耶和華守安息。三六年要耕種田地、也要修理葡萄
園、收藏地的出產。四第七年地要守聖安息、就是向耶和
華守的安息、不可耕種田地、也不可修理葡萄園。五遺落
自長的莊稼不可收割、沒有修理的葡萄樹、也不可摘
取葡萄．這年地要守聖安息。六地在安息年所出的、要給
你和你的僕人、婢女、雇工人、並寄居的外人當食物。七這
年的土產也要給你的牲畜和你地上的走獸當食物。

禧年

八你要算計七個安息年、就是七七年．這便為你成了七
個安息年、共是四十九年。九當年七月初十日、你要大發
角聲、這日就是贖罪日、要在遍地發出角聲。十第五十年
你們要當作聖年、在遍地給一切的居民宣告自由．這
年必為你們的禧年、各人要歸自己的產業、各歸本家。
十一第五十年要作為你們的禧年．這年不可耕種、地中自
長的、不可收割．沒有修理的葡萄樹、也不可摘取葡萄。
十二因為這是禧年、你們要當作聖年．喫地中自出的土產。
十三○這禧年、你們各人要歸自己的地業。十四你若賣甚麼給
鄰舍、或是從鄰舍的手中買甚麼、彼此不可虧負。十五你要
按禧年以後的年數向鄰舍買他、他也要按年數的收成、
賣給你。十六年歲若多、要照數加添價值．年歲若少、要照數
減去價值．因為他照收成的數目賣給你。十七你們彼此不
可虧負、只要敬畏你們的　神、因為我是耶和華你們
的神。十八○我的律例你們要遵行、我的典章你們要謹
守、就可以在那地上安然居住。十九地必出土產、你們就要
喫飽、在那地上安然居住。二十你們若說、這第七年我們不
耕種、也不收藏土產、喫甚麼呢。二一我必在第六年將我所
命的福賜給你們、地便生三年的土產。二二第八年你們要
耕種、也要喫陳糧、等到第九年出產收來的時候、你們
還喫陳糧。

贖地之例

二三地不可永賣、因為地是我的、你們在我面前是客旅、是
寄居的。二四在你們所得為業的全地、也要准人將地贖回。
二五你的弟兄、（弟兄指本國人說下同）若漸漸窮乏、賣了幾分地業、他

二六 至近的親屬、就要來把弟兄所賣的贖回。二六若沒有能給
二七 他贖回的、他自己漸漸富足、能穀贖回、二七就要算出賣地
的年數、把餘剩年數的價值、還那買主、自己便歸回自
二八 己的地業。二八倘若不能爲自己得回所賣的、仍要存在買
主的手裏、直到禧年、到了禧年、地業要出買主的手、自
己便歸回自己的地業。

贖宅之例

二九 二九人若賣城內的住宅、賣了以後、一年之內、可以贖回、在
三十 一整年、必有贖回的權柄。三十若在一整年之內不贖回、這
城內的房屋、就定準永歸買主世世代代爲業、在禧年
三一 也不得出買主的手。三一但房屋在無城牆的村莊裏、要看
如鄉下的田地一樣、可以贖回、到了禧年、都要出買主
三二 的手。三二然而利未人所得爲業的城邑、其中的房屋、利未
三三 人可以隨時贖回。三三若是一個利未人不將所賣的房屋
贖回、是在所得爲業的城內、到了禧年、就要出買主的
手、因爲利未人城邑的房屋、是他們在以色列人中的
三四 產業。三四只是他們各城郊野之地、不可賣、因爲是他們永
遠的產業。

勿取貧者之利

三五 三五你的弟兄在你那裏若漸漸貧窮、手中缺乏、你就要幫
三六 補他、使他與你同住、像外人和寄居的一樣。三六不可向他
取利、也不可向他多要、只要敬畏你的神、使你的弟
三七 兄與你同住。三七你借錢給他、不可向他取利、借糧給他、也
三八 不可向他多要。三八我是耶和華你們的神、曾領你們從
埃及地出來、爲要把迦南地賜給你們、要作你們的
神。

窮乏者自鬻之例

三九 三九你的弟兄若在你那裏漸漸窮乏、將自己賣給你、不可
四十 叫他像奴僕服事你。四十他要在你那裏像雇工人和寄居
四一 的一樣、要服事你直到禧年。四一到了禧年、他和他兒女要
離開你、一同出去歸回本家、到他祖宗的地業那裏去。
四二 四二因爲他們是我的僕人、是我從埃及地領出來的、不可
四三 四四 賣爲奴僕。四三不可嚴嚴的轄管他、只要敬畏你的神。四四至
四五 於你的奴僕婢女、可以從你四圍的國中買。四五並且那寄
居在你們中間的外人、和他們的家屬、在你們地上所
生的、你們也可以從其中買人、他們要作你們的產業。

四六 你們要將他們遺留給你們的子孫爲產業．要永遠從
他們中間揀出奴僕．只是你們的弟兄以色列人、你們
不可嚴嚴的轄管。

鬻於外人者宜贖之

四七 住在你那裏的外人、或是寄居的、若漸漸富足、你的弟
兄却漸漸窮乏、將自己賣給那外人、或是寄居的、或是
四八 外人的宗族．賣了以後、可以將他贖回．無論是他的弟
四九 兄、或伯叔、伯叔的兒子、本家的近支、都可以贖他．他自
五十 己若漸漸富足、也可以自贖。他要和買主計算、從賣自
己的那年起、算到禧年、所賣的價值照着年數多少．好
五一 像工人每年的工價。若缺少的年數多、就要按着年數、
五二 從買價中償還他的贖價。若到禧年只缺少幾年、就要
五三 按着年數、和買主計算、償還他的贖價。他和買主同住、
五四 要像每年雇的工人、買主不可嚴嚴的轄管他。他若不
五五 這樣被贖、到了禧年、要和他的兒女一同出去。因爲以
色列人都是我的僕人、是我從埃及地領出來的．我是
耶和華你們的神。

第二十六章

遵命者降之福

一 你們不可作甚麼虛無的神像、不可
立雕刻的偶像、或是柱像、也不可在你們的地上安甚
麼鏨成的石像、向他跪拜．因爲我是耶和華你們的
二 神。你們要守我的安息日、敬我的聖所．我是耶和華。○
三 四 你們若遵行我的律例、謹守我的誡命、我就給你們降
五 下時雨、叫地生出土產、田野的樹木結果子。你們打糧
食要打到摘葡萄的時候、摘葡萄要摘到撒種的時候、
六 並且要喫得飽足、在你們的地上安然居住。我要賜平
安在你們的地上、你們躺臥、無人驚嚇．我要叫惡獸從
七 你們的地上息滅、刀劍也必不經過你們的地。你們要
八 追趕仇敵、他們必倒在你們刀下。你們五個人要追趕
一百人、一百人要追趕一萬人、仇敵必倒在你們刀下。
九 我要眷顧你們、使你們生養衆多、也要與你們堅定所
十 十一 立的約。你們要喫陳糧、又因新糧挪開陳糧。我要在你
十二 們中間立我的帳幕、我的心也不厭惡你們。我要在你
們中間行走．我要作你們的神、你們要作我的子民。
十三 我是耶和華你們的神、曾將你們從埃及地領出來、

使你們不作埃及人的奴僕、我也折斷你們所負的軛、
叫你們挺身而走。

逆命者降之災

十四 十五 你們十四若不聽從我、不遵行我的誡命、十五厭棄我的律例、厭
十六 惡我的典章、不遵行我一切的誡命、背棄我的約、十六我待
你們就要這樣、我必命定驚惶、叫眼目乾癟、精神消耗
的癆病、熱病、轄制你們．你們也要白白的撒種、因爲仇
十七 敵要喫你們所種的。十七我要向你們變臉、你們就要敗在
仇敵面前．恨惡你們的必轄管你們．無人追趕、你們卻
十八 要逃跑。十八你們因這些事若還不聽從我、我就要爲你們
十九 的罪加七倍懲罰你們。十九我必斷絕你們因勢力而有的
二十 驕傲．又要使覆你們的天如鐵、載你們的地如銅。二十你們
要白白的勞力、因爲你們的地不出土產、其上的樹木
二一 也不結果子。○二一你們行事若與我反對、不肯聽從我、我
二二 就要按你們的罪加七倍、降災與你們。二二我也要打發野
地的走獸到你們中間、搶喫你們的兒女、吞滅你們的
二三 牲畜、使你們的人數減少、道路荒涼。○二三你們因這些事、
二四 若仍不改正歸我、行事與我反對、二四我就要行事與你們

二五 反對、因你們的罪、擊打你們七次。二五我又要使刀劍臨到
你們、報復你們背約的仇、聚集你們在各城內、降瘟疫
二六 在你們中間、也必將你們交在仇敵的手中。二六我要折斷
你們的杖、就是斷絕你們的糧、那時、必有十個女人在
一個爐子給你們烤餅、按分量秤給你們、你們要喫、也
二七 喫不飽。○二七你們因這一切的事、若不聽從我、卻行事與
二八 我反對、二八我就要發烈怒、行事與你們反對．又因你們的
二九 罪、懲罰你們七次。二九並且你們要喫兒子的肉、也要喫女
三十 兒的肉。三十我又要毀壞你們的邱壇、砍下你們的日像、把
你們的屍首扔在你們偶像的身上．我的心也必厭惡
三一 你們。三一我要使你們的城邑變爲荒涼、使你們的衆聖所
三二 成爲荒場．我也不聞你們馨香的香氣。三二我要使地成爲
三三 荒場、住在其上的仇敵就因此詫異。三三我要把你們散在
列邦中、我也要拔刀追趕你們．你們的地要成爲荒場、
三四 你們的城邑要變爲荒涼。○三四你們在仇敵之地居住的
時候、你們的地荒涼要享受衆安息、正在那時候地要
三五 歇息、享受安息。三五地多時爲荒場、就要多時歇息．地這樣
三六 歇息、是你們住在其上的安息年所不能得的。三六至於你

們剩下的人、我要使他們在仇敵之地、心驚膽怯．葉子
被風吹的響聲、要追趕他們、他們要逃避、像人逃避刀
三七 劍、無人追趕、卻要跌倒。三七無人追趕、他們要彼此撞跌、像
三八 在刀劍之前．你們在仇敵面前、也必站立不住。三八你們要
三九 在列邦中滅亡．仇敵之地要吞喫你們。三九你們剩下的人、
必因自己的罪孽、和祖宗的罪孽、在仇敵之地消滅。

承認罪孽始蒙垂念

四十 四十他們要承認自己的罪、和他們祖宗的罪、就是干犯我
四一 的那罪、並且承認自己行事與我反對、四一我所以行事與
他們反對、把他們帶到仇敵之地．那時他們未受割禮
四二 的心、若謙卑了、他們也服了罪孽的刑罰、四二我就要記念
我與雅各所立的約、與以撒所立的約、與亞伯拉罕所
四三 立的約．並要記念這地。四三他們離開這地、地在荒廢無人
的時候、就要享受安息．並且他們要服罪孽的刑罰、因
四四 為他們厭棄了我的典章、心中厭惡了我的律例。四四雖是
這樣、他們在仇敵之地、我卻不厭棄他們、也不厭惡他
們、將他們盡行滅絕、也不背棄我與他們所立的約、因
四五 為我是耶和華他們的神。四五我卻要為他們的緣故、記
念我與他們先祖所立的約、他們的先祖是我在列邦
人眼前、從埃及地領出來的、為要作他們的神．我是
四六 耶和華。四六○這些律例、典章、和法度、是耶和華與以色列
人在西乃山藉着摩西立的。

許願之例

一 二 **第二十七章** 一耶和華對摩西說、二你曉諭以色列人
說、人還特許的願、被許的人、要按你所估的價值歸給
三 耶和華。三你估定的、從二十歲到六十歲的男人、要按聖
四 所的平、估定價銀五十舍客勒。四若是女人、你要估定三
五 十舍客勒。五若是從五歲到二十歲、男子你要估定二十
六 舍客勒、女子估定十舍客勒。六若是從一月到五歲、男子
七 你要估定五舍客勒、女子估定三舍客勒。七若是從六十
歲以上、男人你要估定十五舍客勒、女人估定十舍客
八 勒。八他若貧窮不能照你所估定的價、就要把他帶到祭
九 司面前、祭司要按許願人的力量估定他的價。九○所許
的、若是牲畜、就是人獻給耶和華為供物的、凡這一類
十 獻給耶和華的、都要成為聖。十人不可改換、也不可更換、
或是好的換壞的、或是壞的換好的．若以牲畜更換牲

十一 畜、所許的與所換的都要成爲聖。若牲畜不潔淨、是不
可獻給耶和華爲供物的、就要把牲畜安置在祭司面
十二 前。祭司就要估定價值、牲畜是好是壞、祭司怎樣估定、
十三 就要以怎樣爲是。他若一定要贖回、就要在你所估定
十四 的價值以外、加上五分之一。○人將房屋分別爲聖歸
給耶和華、祭司就要估定價值。房屋是好是壞、祭司怎
十五 樣估定、就要以怎樣爲定。將房屋分別爲聖的人若要
贖回房屋、就必在你所估定的價值以外、加上五分之
十六 一、房屋仍舊歸他。○人若將承受爲業的幾分地分別
爲聖、歸給耶和華、你要按這地撒種多少估定價值、若
十七 撒大麥一賀梅珥、要估價五十舍客勒。他若從禧年將
十八 地分別爲聖、就要以你所估定的價爲定。倘若他在禧
年以後將地分別爲聖、祭司就要按着未到禧年所剩
十九 的年數、推算價值、也要從你所估的減去價值。將地分
別爲聖的人若定要把地贖回、他便要在你所估的價
二十 值以外、加上五分之一、地就准定歸他。他若不贖回那
二一 地、或是將地賣給別人、就再不能贖了。但到了禧年、那
地從買主手下出來的時候、就要歸耶和華爲聖、和永
二二 獻的地一樣、要歸祭司爲業。他若將所買的一塊地、不
二三 是承受爲業的分別爲聖歸給耶和華、祭司就要將你
所估的價值給他推算到禧年。當日他要以你所估的
二四 價銀爲聖、歸給耶和華。到了禧年、那地要歸賣主、就是
二五 那承受爲業的原主。凡你所估定的價銀、都要按着聖
二六 所的平。二十季拉爲一舍客勒。○惟獨牲畜中頭生的、
無論是牛、是羊、既歸耶和華、誰也不可再分別爲聖、因
二七 爲這是耶和華的。若是不潔淨的牲畜生的、就要按你
所估定的價值、加上五分之一贖回、若不贖回、就要按
二八 你所估定的價值賣了。○但一切永獻的、就是人從他
所有永獻給耶和華的、無論是人、是牲畜、是他承受爲
業的地、都不可賣、也不可贖．凡永獻的是歸給耶和華
二九 爲至聖。凡從人中當滅的、都不可贖、必被治死。

什輸其一

三十 地上所有的、無論是地上的種子、是樹上的果子、十分
三一 之一是耶和華的、是歸給耶和華爲聖的。人若要贖這
三二 十分之一的甚麼物、就要加上五分之一。凡牛羣羊羣
中、一切從杖下經過的、每第十隻要歸給耶和華爲聖。

三三 不可問是好是壞、也不可更換、若定要更換、所更換的
與本來的牲畜都要成爲聖、不可贖回。○三四 這就是耶和
華在西乃山爲以色列人所吩咐摩西的命令。

利未記：十一章廿九、三十節

民數記

核以色列族能臨陣男丁之總數

第一章 一以色列人出埃及地後、第二年二月初一
日、耶和華在西乃的曠野、會幕中曉諭摩西說、二你要按
以色列全會衆的家室、宗族、人名的數目、計算所有的
男丁。三凡以色列中、從二十歲以外、能出去打仗的、你和
亞倫要照他們的軍隊數點。四每支派中、必有一人作本
支派的族長、幫助你們。五他們的名字、屬流便的、有示丟
珥的兒子以利蓿。六屬西緬的、有蘇利沙代的兒子示路
蔑。七屬猶大的、有亞米拿達的兒子拿順。八屬以薩迦的、有
蘇押的兒子拿坦業。九屬西布倫的、有希倫的兒子以利
押。十約瑟子孫屬以法蓮的、有亞米忽的兒子以利沙瑪。
屬瑪拿西的、有比大蓿的兒子迦瑪列。十一屬便雅憫的、有
基多尼的兒子亞比但。十二屬但的、有亞米沙代的兒子亞
希以謝。十三屬亞設的、有俄蘭的兒子帕結。十四屬迦得的、有丟
珥的兒子以利雅薩。十五屬拿弗他利的、有以南的兒子亞
希拉。十六這都是從會中選召的、各作本支派的首領、都是
以色列軍中的統領。十七於是摩西亞倫帶着這些按名指
定的人、十八當二月初一日招聚全會衆。會衆就照他們的
家室、宗族、人名的數目、從二十歲以外的、都述說自己
的家譜。十九耶和華怎樣吩咐摩西、他就怎樣在西乃的曠
野數點他們。○二十以二十一色列的長子、流便子孫的後代、照着
家室、宗族、人名的數目、從二十歲以外、凡能出去打仗
被數的男丁、共有四萬六千五百名。○西二十二緬二十三子孫的後
代、照着家室、宗族、人名的數目、從二十歲以外、凡能出
去打仗被數的男丁、共有五萬九千三百名。○迦二十四得二十五子
孫的後代、照着家室、宗族、人名的數目、從二十歲以外、
凡能出去打仗被數的、共有四萬五千六百五十名。○
猶二十六大二十七子孫的後代、照着家室、宗族、人名的數目、從二十
歲以外、凡能出去打仗被數的、共有七萬四千六百名。
○以二十八薩二十九迦子孫的後代、照着家室、宗族、人名的數目、從
二十歲以外、凡能出去打仗被數的、共有五萬四千四
百名。○西三十布三十一倫子孫的後代、照着家室、宗族、人名的數
目、從二十歲以外、凡能出去打仗被數的、共有五萬七
千四百名。○約三十二瑟三十三子孫、屬以法蓮子孫的後代、照着家

室、宗族、人名的數目、從二十歲以外、凡能出去打仗被
數的、共有四萬零五百名。○三四 三五 瑪拿西子孫的後代、照着
家室、宗族、人名的數目、從二十歲以外、凡能出去打仗
被數的、共有三萬二千二百名。○三六 三七 便雅憫子孫的後代、
照着家室、宗族、人名的數目、從二十歲以外、凡能出去
打仗被數的、共有三萬五千四百名。○三八 三九 但子孫的後代、
照着家室、宗族、人名的數目、從二十歲以外、凡能出去
打仗被數的、共有六萬二千七百名。○四十 四一 亞設子孫的後
代、照着家室、宗族、人名的數目、從二十歲以外、凡能出
去打仗被數的、共有四萬一千五百名。○四二 四三 拿弗他利子
孫的後代、照着家室、宗族、人名的數目、從二十歲以外、
凡能出去打仗被數的、共有五萬三千四百名。○四四 這些
就是被數點的、是摩西亞倫和以色列中十二個首領
所數點的.這十二個人各作各宗族的代表。四五 四六 這樣凡以
色列人中被數的、照着宗族從二十歲以外、能出去打
仗被數的、共有六十萬零三千五百五十名。

利未支派不列其數

四七 利未人卻沒有按着支派數在其中、四八 因為耶和華曉諭
摩西說、四九 惟獨利未支派你不可數點、也不可在以色列
人中計算他們的總數。五十 只要派利未人管法櫃的帳幕、
和其中的器具、並屬乎帳幕的.他們要抬帳幕和其中
的器具、（抬或作搬運）並要辦理帳幕的事、在帳幕的四圍安
營。五一 帳幕將往前行的時候、利未人要拆卸、將支搭的時
候、利未人要豎起。近前來的外人、必被治死。五二 以色列人
支搭帳棚、要照他們的軍隊、各歸本營、各歸本纛。五三 但利
未人要在法櫃帳幕的四圍安營、免得忿怒臨到以色
列會衆.利未人並要謹守法櫃的帳幕。五四 以色列人就這
樣行.凡耶和華所吩咐摩西的、他們就照樣行了。

第二章　記各支派首領及安營之所

一 耶和華曉諭摩西亞倫說、二 以色列人要各
歸自己的纛下、在本族的旗號那裏、對着會幕的四圍
安營。三 在東邊向日出之地、照着軍隊安營的、是猶大營
的纛.有亞米拿達的兒子拿順、作猶大人的首領.四 他軍
隊被數的、共有七萬四千六百名。五 挨着他安營的、是以
薩迦支派.有蘇押的兒子拿坦業、作以薩迦人的首領。
六 他軍隊被數的、共有五萬四千四百名。七 又有西布倫支

八 派。希倫的兒子以利押、作西布倫人的首領。八他軍隊被
九 數的、共有五萬七千四百名。九凡屬猶大營按着軍隊被
數的、共有十八萬六千四百名。要作第一隊往前行。◎
十 十在南邊按着軍隊、是流便營的纛。有示丟珥的兒子以
十一 利蓿、作流便人的首領。十一他軍隊被數的、共有四萬六千
十二 五百名。十二挨着他安營的、是西緬支派。蘇利沙代的兒子
十三 示路蔑、作西緬人的首領。十三他軍隊被數的、共有五萬九
十四 千三百名。十四又有迦得支派。丟珥的兒子以利雅薩、作迦
十五 得人的首領。十五他軍隊被數的、共有四萬五千六百五十
十六 名。十六凡屬流便營按着軍隊被數的、共有十五萬一千四
十七 百五十名。要作第二隊往前行。十七◎隨後會幕要往前行、
有利未營在諸營中間。他們怎樣安營、就怎樣往前行。
十八 各按本位、各歸本纛。十八◎在西邊按着軍隊、是以法蓮營
十九 的纛。亞米忽的兒子以利沙瑪、作以法蓮人的首領。十九他
二十 軍隊被數的、共有四萬零五百名。二十挨着他的是瑪拿西
二一 支派。比大蓿的兒子迦瑪列、作瑪拿西人的首領。二一他軍
二二 隊被數的、共有三萬二千二百名。二二又有便雅憫支派。基
二三 多尼的兒子亞比但、作便雅憫人的首領。二三他軍隊被數

二四 的、共有三萬五千四百名。二四凡屬以法蓮營按着軍隊被
數的、共有十萬零八千一百名。要作第三隊往前行。◎
二五 二五在北邊按着軍隊、是但營的纛。亞米沙代的兒子亞希
二六 以謝、作但人的首領。二六他軍隊被數的、共有六萬二千七
二七 百名。二七挨着他安營的、是亞設支派。俄蘭的兒子帕結、作
二八 亞設人的首領。二八他軍隊被數的、共有四萬一千五百名。
二九 二九又有拿弗他利支派。以南的兒子亞希拉、作拿弗他利
三十 三一 人的首領。三十他軍隊被數的、共有五萬三千四百名。三一凡但
營被數的、共有十五萬七千六百名。要歸本纛作末隊
三二 往前行。◎三二這些以色列人、照他們的宗族、按他們的軍
隊、在諸營中被數的、共有六十萬零三千五百五十名。
三三 三三惟獨利未人沒有數在以色列人中、是照耶和華所吩
三四 咐摩西的。三四以色列人就這樣行、各人照他們的家室、宗
族、歸於本纛安營、起行、都是照耶和華所吩咐摩西的。
一 **第三章** 一耶和華在西乃山曉諭摩西的日子、亞倫
二 和摩西的後代如下。二亞倫的兒子、長子名叫拿答、還有
三 亞比戶、以利亞撒、以他瑪。三這是亞倫兒子的名字、都是
受膏的祭司、是摩西叫他們承接聖職供祭司職分的。

四拿答、亞比戶、在西乃的曠野向耶和華獻凡火的時候、
就死在耶和華面前了、他們也沒有兒子．以利亞撒、以
他瑪、在他們的父親亞倫面前供祭司的職分。

區別利未人服事亞倫

五耶和華曉諭摩西說、六你使利未支派近前來、站在祭司
亞倫面前、好服事他。七替他和會衆在會幕前守所吩咐
的、辦理帳幕的事。八又要看守會幕的器具、並守所吩咐
以色列人的、辦理帳幕的事。九你要將利未人給亞倫和
他的兒子、因為他們是從以色列人中選出來給他的．
十你要囑咐亞倫和他兒子、謹守自己祭司的職任、近前
來的外人、必被治死。○十一耶和華曉諭摩西說、十二我從以色
列人中揀選了利未人、代替以色列人一切頭生的．利
未人要歸我。十三因為凡頭生的是我的、我在埃及地擊殺
一切頭生的那日、就把以色列中一切頭生的、連人帶
牲畜都分別為聖歸我、他們定要屬我．我是耶和華。

利未男丁之數與其職守

十四耶和華在西乃的曠野曉諭摩西說、十五你要照利未人的
宗族、家室、數點他們．凡一個月以外的男子、都要數點。
十六於是摩西照耶和華所吩咐的數點他們。十七利未衆子的
名字是革順、哥轄、米拉利。十八革順的兒子、按着家室、是立
尼、示每。十九哥轄的兒子、按着家室、是暗蘭、以斯哈、希伯倫、
烏薛。二十米拉利的兒子、按着家室、是抹利、母示．這些按着
宗族是利未人的家室。○二十一屬革順的、有立尼族、示每族．
這是革順的二族。二十二其中被數從一個月以外所有的男
子、共有七千五百名。二十三這革順的二族、要在帳幕後西邊
安營。二十四拉伊勒的兒子以利雅薩、作革順人宗族的首領。
二十五革順的子孫在會幕中所要看守的、就是帳幕、和罩棚、
並罩棚的蓋與會幕的門簾、二十六院子的帷子、和門簾、（院
子是圍帳幕和壇的）並一切使用的繩子。○二十七屬哥轄
的、有暗蘭族、以斯哈族、希伯倫族、烏薛族．這是哥轄的
諸族。二十八按所有男子的數目、從一個月以外看守聖所的、
共有八千六百名。二十九哥轄兒子的諸族、要在帳幕的南邊
安營。三十烏薛的兒子以利撒反、作哥轄宗族家室的首領。
三十一他們所要看守的是約櫃、桌子、燈臺、兩座壇、與聖所內
使用的器皿、並簾子、和一切使用之物。三十二祭司亞倫的兒
子以利亞撒、作利未人衆首領的領袖、要監察那些看

守聖所的人。○三三屬米拉利的、有抹利族、母示族．這是米
拉利的二族。三四他們被數的、按所有男子的數目、從一個
月以外的、共有六千二百名。三五亞比亥的兒子蘇列、作米
拉利二宗族的首領．他們要在帳幕的北邊安營。三六米拉
利子孫的職分、是看守帳幕的板、門、柱子、帶卯的座、和
帳幕一切所使用的器具、院子三七四圍的柱子、帶卯的座、
橛子和繩子。○三八在帳幕前東邊、向日出之地安營的、是
摩西、亞倫、和亞倫的兒子．他們看守聖所、替以色列人
守耶和華所吩咐的．近前來的外人、必被治死。三九凡被數
的利未人、就是摩西、亞倫照耶和華吩咐所數的、按着
家室從一個月以外的男子、共有二萬二千名。○四十耶和
華對摩西說、你要從以色列人中數點一個月以外凡
頭生的男子、把他們的名字記下。四一我是耶和華．你要揀
選利未人歸我、代替以色列人所有頭生的、也取利未
人的牲畜代替以色列所有頭生的牲畜。四二摩西就照耶
和華所吩咐的、把以色列人頭生的都數點了。四三按人名
的數目、從一個月以外、凡頭生的男子、共有二萬二千
二百七十三名。

利未人代替以色列族首生之男

四四耶和華曉諭摩西說、四五你揀選利未人代替以色列人所
有頭生的、也取利未人的牲畜代替以色列人的牲畜、
利未人要歸我．我是耶和華。四六以色列人中頭生的男子、
比利未人多二百七十三個、必當將他們贖出來。四七你要
按人丁、照聖所的平、每人取贖銀五舍客勒、（一舍客
勒是二十季拉）四八把那多餘之人的贖銀交給亞倫和
他的兒子。四九於是摩西從那被利未人所贖以外的人取
了贖銀。五十從以色列人頭生的所取之銀、按聖所的平、有
一千三百六十五舍客勒．五一摩西照耶和華的話、把這贖
銀給亞倫和他的兒子、正如耶和華所吩咐的。

哥轄子孫之職任

第四章 一耶和華曉諭摩西、亞倫說、二你從利未人中、
將哥轄子孫的總數、照他們的家室、宗族、三從三十歲直
到五十歲、凡前來任職在會幕裏辦事的、全都計算。四哥
轄子孫在會幕搬運至聖之物、所辦的事、乃是這樣．五起
營的時候、亞倫和他兒子要進去摘下遮掩櫃的幔子、
用以蒙蓋法櫃、六又用海狗皮蓋在上頭、再蒙上純藍色

七 的毯子、把杠穿上。七又用藍色毯子鋪在陳設餅的桌子
上、將盤子、調羹、奠酒的爵和杯、擺在上頭．桌子上也必
八 有常設的餅。八在其上又要蒙朱紅色的毯子、再蒙上海
九 狗皮、把杠穿上。九要拿藍色毯子、把燈臺、和燈臺上所用
十 的燈盞、剪子、蠟花盤、並一切盛油的器皿、全都遮蓋。十又
要把燈臺和燈臺的一切器具包在海狗皮裏、放在抬
十一 架上。十一在金壇上要鋪藍色毯子、蒙上海狗皮、把杠穿上。
十二 十二又要把聖所用的一切器具、包在藍色毯子裏、用海狗
十三 皮蒙上、放在抬架上。十三要收去壇上的灰、把紫色毯子鋪
十四 在壇上。十四又要把所用的一切器具、就是火鼎、肉鍤子、鏟
子、盤子、一切屬壇的器具、都擺在壇上、又蒙上海狗皮、
十五 把杠穿上。十五將要起營的時候、亞倫和他兒子把聖所、和
聖所的一切器具遮蓋完了、哥轄的子孫就要來抬、只
是不可摸聖物、免得他們死亡．會幕裏這些物件、是哥
十六 轄子孫所當抬的。十六祭司亞倫的兒子以利亞撒所要看
守的、是點燈的油、與香料、並當獻的素祭、和膏油、也要
看守全帳幕與其中所有的、並聖所、和聖所的器具。◯
十七 十八 十七耶和華曉諭摩西亞倫說、十八你們不可將哥轄人的支派

十九 從利未人中剪除。十九他們挨近至聖物的時候、亞倫和他
兒子要進去派他們各人所當辦的、所當抬的、這樣待
二十 他們、好使他們活着、不至死亡。二十只是他們連片時不可
進去觀看聖所、免得他們死亡。

革順子孫之職任

二一 二二 二一耶和華曉諭摩西說、二二你要將革順子孫的總數、照着宗
二三 族、家室、二三從三十歲直到五十歲、凡前來任職在會幕裏
二四 辦事的、全都數點。二四革順人各族所辦的事、所抬的物、乃
二五 是這樣．二五他們要抬帳幕的幔子、和會幕、並會幕的蓋、與
二六 其上的海狗皮、和會幕的門簾、二六院子的帷子和門簾、（
院子是圍帳幕和壇的）繩子、並所用的器具、不論是
二七 作甚麼用的、他們都要經理。二七革順的子孫在一切抬物
辦事之上、都要憑亞倫和他兒子的吩咐．他們所當抬
二八 的、要派他們看守。二八這是革順子孫的各族、在會幕裏所
辦的事．他們所看守的、必在祭司亞倫兒子以他瑪的
手下。

米拉利子孫之職任

二九 二九至於米拉利的子孫、你要照着家室、宗族、把他們數點。

從[三十]三十歲直到五十歲、凡前來任職在會幕裏辦事的、
你都要數點。[三一]他們辦理會幕的事、就是抬帳幕的板、閂、
柱子、和帶卯的座、[三二]院子四圍的柱子、和其上帶卯的座、
橛子、繩子、並一切使用的器具．他們所抬的器具、你們
要按名指定。[三三]這是米拉利子孫各族在會幕裏所辦的
事、都在祭司亞倫兒子以他瑪的手下。○[三四]摩西亞倫與
會衆的諸首領、將哥轄的子孫照着家室、宗族、[三五]從三十
歲直到五十歲、凡前來任職在會幕裏辦事的、都數點
了。[三六]被數的共有二千七百五十名。[三七]這是哥轄各族中被
數的、是在會幕裏辦事的、就是摩西亞倫照耶和華藉
摩西所吩咐數點的。○[三八]革順子孫中被數的、照着家室、
宗族、從[三九]三[四十]十歲直到五十歲、凡前來任職在會幕裏辦
事的、共有二千六百三十名。[四一]這是革順子孫各族中被
數的、是在會幕裏辦事的、就是摩西亞倫照耶和華藉
摩西所吩咐數點的。○[四二]米拉利子孫中各族被數的、照
着家室、宗族、從[四三]三[四四]十歲直到五十歲、凡前來任職在會
幕裏辦事的、共有三千二百名。[四五]這是米拉利子孫各族
中被數的、就是摩西亞倫照耶和華藉摩西所吩咐數
點的。

記利未人自三十歲至五十歲者之數

[四六]凡被數的利未人、就是摩西亞倫並以色列衆首領、照
着家室、宗族、所數點的、[四七]從三[四八]十歲直到五十歲、凡前來
任職在會幕裏作抬物之工的、共有八千五百八十名。
[四九]摩西按他們所辦的事、所抬的物、憑耶和華的吩咐數
點他們、他們這樣被摩西數點、正如耶和華所吩咐他
的。

第五章 凡不潔者屏諸營外

[一]耶和華曉諭摩西說、[二]你吩咐以色列人使
一切長大痲瘋的、患漏症的、並因死屍不潔淨的、都出
營外去．[三]無論男女、都要使他們出到營外、免得汚穢他
們的營、這營是我所住的。[四]以色列人就這樣行、使他們
出到營外．耶和華怎樣吩咐摩西、以色列人就怎樣行
了。○[五]耶和華對摩西說、[六]你曉諭以色列人說、無論男女、
若犯了人所常犯的罪、以至干犯耶和華、那人就有了
罪。[七]他要承認所犯的罪、將所虧負人的、如數賠還、另外
加上五分之一、也歸與所虧負的人。[八]那人若沒有親屬

可受所賠還的、那所賠還的就要歸與服事耶和華的
九 祭司。至於那爲他贖罪的公羊是在外。九以色列人一切
十 的聖物中、所奉給祭司的舉祭、都要歸與祭司。十各人所
分別爲聖的物、無論是甚麼、都要歸給祭司。

疑妻行淫試驗之法

十一 十二 十一耶和華對摩西說、十二你曉諭以色列人說、人的妻若有邪
十三 行、得罪他丈夫、十三有人與他行淫、事情嚴密、瞞過他丈夫、
而且他被玷污、沒有作見證的人、當他行淫的時候也
十四 沒有被捉住、十四他丈夫生了疑恨的心、疑恨他、他是被玷
污、或是他丈夫生了疑恨的心、疑恨他、他並沒有被玷
十五 污、十五這人就要將妻送到祭司那裏、又爲他帶着大麥麵
伊法十分之一作供物、不可澆上油、也不可加上乳香、
因爲這是疑恨的素祭、是思念的素祭、使人思念罪孽。
十六 十七 ○十六祭司要使那婦人近前來、站在耶和華面前。十七祭司要
把聖水盛在瓦器裏、又從帳幕的地上取點塵土放在
十八 水中。十八祭司要叫那婦人蓬頭散髮、站在耶和華面前、把
思念的素祭、就是疑恨的素祭、放在他手中。祭司手裏
十九 拿着致咒詛的苦水。十九要叫婦人起誓、對他說、若沒有人
與你行淫、也未曾背着丈夫作污穢的事、你就免受這
二十 致咒詛苦水的災。二十你若背着丈夫行了污穢的事、在你
二一 丈夫以外有人與你行淫、二一（祭司叫婦人發咒起誓）
願耶和華叫你大腿消瘦、肚腹發脹、使你在你民中被
二二 人咒詛、成了誓語。二二並且這致咒詛的水入你的腸中、要
叫你的肚腹發脹、大腿消瘦。婦人要回答說、阿們、阿們。
二三 二四 ○二三祭司要寫這咒詛的話、將所寫的字抹在苦水裏、二四又
叫婦人喝這致咒詛的苦水。這水要進入他裏面變苦
二五 了。二五祭司要從婦人的手中取那疑恨的素祭、在耶和華
二六 面前搖一搖、拿到壇前。二六又要從素祭中取出一把、作爲
二七 這事的記念、燒在壇上、然後叫婦人喝這水。二七叫他喝了
以後、他若被玷污得罪了丈夫、這致咒詛的水必進入
他裏面變苦了、他的肚腹就要發脹、大腿就要消瘦、那
二八 婦人便要在他民中被人咒詛。二八若婦人沒有被玷污、卻
二九 是清潔的、就要免受這災、且要懷孕。○二九妻子背着丈夫
三十 行了污穢的事、三十或是人生了疑恨的心、疑恨他的妻、就
有這疑恨的條例。那時他要叫婦人站在耶和華面前、
三一 祭司要在他身上照這條例而行。三一男人就爲無罪、婦人

必擔當自己的罪孽。

一二 第六章 一作拿細耳人之例 耶和華對摩西說、二你曉諭以色列人說、無
論男女許了特別的願、就是拿細耳人的願、（拿細耳就是歸主的
三 意思下同）要離俗歸耶和華、三他就要遠離淸酒濃酒、也不可
喝甚麼淸酒濃酒作的醋、不可喝甚麼葡萄汁、也不可
四 喫鮮葡萄和乾葡萄。四在一切離俗的日子、凡葡萄樹上
五 結的、自核至皮所作的物、都不可喫。○五在他一切許願
離俗的日子、不可用剃頭刀剃頭、要由髮綹長長了、他
六 要聖潔、直到離俗歸耶和華的日子滿了。○六在他離俗
七 歸耶和華的一切日子、不可挨近死屍。七他的父母、或是
弟兄、姐妹、死了的時候、他不可因他們使自己不潔淨、
八 因爲那離俗歸 神的憑據是在他頭上。八在他一切離
九 俗的日子、是歸耶和華爲聖。○九若在他旁邊忽然有人
死了、以致沾染了他離俗的頭、他要在第七日得潔淨
十 的時候剃頭。十第八日他要把兩隻斑鳩、或兩隻雛鴿、帶
十一 到會幕門口交給祭司。十一祭司要獻一隻作贖罪祭、一隻
作燔祭、爲他贖那因死屍而有的罪、並要當日使他的

十二 頭成爲聖潔。十二他要另選離俗歸耶和華的日子、又要牽
一隻一歲的公羊羔來作贖愆祭、但先前的日子要歸
十三 徒然、因爲他在離俗之間被玷汚了。○十三拿細耳人滿了
十四 離俗的日子、乃有這條例、人要領他到會幕門口。十四他要
將供物奉給耶和華、就是一隻沒有殘疾一歲的公羊
羔作燔祭、一隻沒有殘疾一歲的母羊羔作贖罪祭、和
十五 一隻沒有殘疾的公綿羊作平安祭、十五並一筐子無酵調
油的細麵餅與抹油的無酵薄餅、並同獻的素祭、和奠
十六十七 祭。十六祭司要在耶和華面前獻那人的贖罪祭、和燔祭。十七也
要把那隻公羊、和那筐無酵餅、獻給耶和華作平安祭。
十八 又要將同獻的素祭和奠祭獻上。十八拿細耳人要在會幕
門口剃離俗的頭、把離俗頭上的髮、放在平安祭下的
十九 火上。十九他剃了以後、祭司就要取那已煮的公羊一條前
腿、又從筐子裏取一個無酵餅、和一個無酵薄餅、都放
二十 在他手上。二十祭司要拿這些作爲搖祭、在耶和華面前搖
一搖、這與所搖的胸、所舉的腿、同爲聖物歸給祭司。然
二一 後拿細耳人可以喝酒。○二一許願的拿細耳人爲離俗所
獻的供物、和他以外所能得的獻給耶和華、就有這條

例．他怎樣許願、就當照離俗的條例行。

祭司爲以色列人祝福之語

二二 二三 二二耶和華曉諭摩西說、二三你告訴亞倫和他兒子說、你們要
二四 這樣爲以色列人祝福、說、二四願耶和華賜福給你、保護你。
二五 二六 二五願耶和華使他的臉光照你、賜恩給你。二六願耶和華向你
二七 仰臉、賜你平安。二七他們要如此奉我的名、爲以色列人祝
福．我也要賜福給他們。

第七章　會幕建立族長獻禮

一 一摩西立完了帳幕、就把帳幕用膏抹了、使
他成聖．又把其中的器具和壇、並壇上的器具都抹了、
二 使他成聖。二當天以色列的衆首領、就是各族的族長、都
三 來奉獻。他們是各支派的首領、管理那些被數的人。三他
們把自己的供物送到耶和華面前、就是六輛篷子車、
和十二隻公牛．每兩個首領奉獻一輛車、每首領奉獻
四 一隻牛．他們把這些都奉到帳幕前。四耶和華曉諭摩西
五 說、五你要收下這些、好作會幕的使用、都要照利未人所
六 辦的事交給他們。六於是摩西收了車和牛、交給利未人。
七 八 七把兩輛車、四隻牛、照革順子孫所辦的事交給他們。八又
把四輛車、八隻牛、照米拉利子孫所辦的事交給他們．
九 他們都在祭司亞倫的兒子以他瑪手下。九但車與牛都
沒有交給哥轄子孫、因爲他們辦的是聖所的事、在肩
十 頭上抬聖物。十用膏抹壇的日子、首領都來行奉獻壇的
十一 禮、衆首領就在壇前獻供物。十一耶和華對摩西說、衆首領
十二 爲行奉獻壇的禮、要每天一個首領來獻供物。○十二頭一
十三 日獻供物的、是猶大支派的亞米拿達的兒子拿順。十三他
的供物是一個銀盤子、重一百三十舍客勒、一個銀碗、
重七十舍客勒、都是按聖所的平、也都盛滿了調油的
十四 十五 細麵作素祭。十四一個金盂、重十舍客勒、盛滿了香。十五一隻公
十六 牛犢、一隻公綿羊、一隻一歲的公羊羔、作燔祭。十六一隻公
十七 山羊作贖罪祭。十七兩隻公牛、五隻公綿羊、五隻公山羊、五
隻一歲的公羊羔、作平安祭．這是亞米拿達兒子拿順
十八 的供物。○十八第二日來獻的、是以薩迦子孫的首領、蘇押
十九 的兒子拿坦業。十九他獻爲供物的是一個銀盤子、重一百
三十舍客勒、一個銀碗、重七十舍客勒、都是按聖所的
二十 平、也都盛滿了調油的細麵、作素祭。二十一個金盂、重十舍
二一 客勒、盛滿了香。二一一隻公牛犢、一隻公綿羊、一隻一歲的

二二 二三 公羊羔、作燔祭。一隻公山羊作贖罪祭。兩隻公牛、五隻
公綿羊五隻公山羊、五隻一歲的公羊羔、作平安祭．這
二四 是蘇押兒子拿坦業的供物。○第三日來獻的、是西布
二五 倫子孫的首領、希倫的兒子以利押。他的供物是一個
銀盤子、重一百三十舍客勒、一個銀碗、重七十舍客勒、
二六 都是按聖所的平、也都盛滿了調油的細麵、作素祭。一
二七 個金盂、重十舍客勒、盛滿了香。一隻公牛犢、一隻公綿
二八 羊、一隻一歲的公羊羔、作燔祭。一隻公山羊作贖罪祭。
二九 兩隻公牛、五隻公綿羊五隻公山羊、五隻一歲的公羊
三十 羔、作平安祭．這是希倫兒子以利押的供物。○第四日
三一 來獻的、是流便子孫的首領、示丟珥的兒子以利蓿。他
的供物是一個銀盤子、重一百三十舍客勒、一個銀碗、
重七十舍客勒、都是按聖所的平、也都盛滿了調油的
三二 三三 細麵、作素祭。一個金盂、重十舍客勒、盛滿了香。一隻公
三四 牛犢、一隻公綿羊、一隻一歲的公羊羔、作燔祭。一隻公
三五 山羊作贖罪祭。兩隻公牛、五隻公綿羊、五隻公山羊、五
隻一歲的公羊羔、作平安祭．這是示丟珥的兒子以利
三六 蓿的供物。○第五日來獻的、是西緬子孫的首領蘇利

三七 沙代的兒子示路蔑。他的供物是一個銀盤子、重一百
三十舍客勒、一個銀碗、重七十舍客勒、都是按聖所的
三八 平、也都盛滿了調油的細麵、作素祭。一個金盂、重十舍
三九 客勒、盛滿了香。一隻公牛犢、一隻公綿羊、一隻一歲的
四十 四一 公羊羔、作燔祭。一隻公山羊作贖罪祭。兩隻公牛、五隻
公綿羊、五隻公山羊、五隻一歲的公羊羔、作平安祭．這
四二 是蘇利沙代兒子示路蔑的供物。○第六日來獻的、是
四三 迦得子孫的首領、丟珥的兒子以利雅薩。他的供物是
一個銀盤子、重一百三十舍客勒、一個銀碗、重七十舍
客勒、都是按聖所的平、也都盛滿了調油的細麵、作素
四四 四五 祭。一個金盂、重十舍客勒、盛滿了香。一隻公牛犢、一隻
四六 公綿羊、一隻一歲的公羊羔、作燔祭。一隻公山羊作贖
四七 罪祭。兩隻公牛、五隻公綿羊、五隻公山羊、五隻一歲的
公羊羔、作平安祭．這是丟珥的兒子以利雅薩的供物。
四八 ○第七日來獻的、是以法蓮子孫的首領亞米忽的兒
四九 子以利沙瑪。他的供物是一個銀盤子、重一百三十舍
客勒、一個銀碗、重七十舍客勒、都是按聖所的平、也都
五十 盛滿了調油的細麵、作素祭。一個金盂、重十舍客勒、盛

五一 滿了香。一隻公牛犢、一隻公綿羊、一隻一歲的公羊羔、
五二 五三 作燔祭。一隻公山羊作贖罪祭。兩隻公牛、五隻公綿羊、
五隻公山羊、五隻一歲的公羊羔、作平安祭．這是亞米
五四 忽兒子以利沙瑪的供物。◯第八日來獻的、是瑪拿西
五五 子孫的首領比大蓿的兒子迦瑪列。他的供物是一個
銀盤子、重一百三十舍客勒、一個銀碗、重七十舍客勒、
五六 都是按聖所的平、也都盛滿了調油的細麵、作素祭。一
五七 個金盂、重十舍客勒、盛滿了香。一隻公牛犢、一隻公綿
五八 羊、一隻一歲的公羊羔、作燔祭。一隻公山羊作贖罪祭。
五九 兩隻公牛、五隻公綿羊、五隻公山羊、五隻一歲的公羊
六十 羔、作平安祭．這是比大蓿兒子迦瑪列的供物。◯第九
日來獻的、是便雅憫子孫的首領基多尼的兒子亞比
六一 但。他的供物是一個銀盤子、重一百三十舍客勒、一個
銀碗、重七十舍客勒、都是按聖所的平、也都盛滿了調
六二 六三 油的細麵、作素祭。一個金盂、重十舍客勒、盛滿了香。一
六四 隻公牛犢、一隻公綿羊、一隻一歲的公羊羔、作燔祭。一
六五 隻公山羊作贖罪祭。兩隻公牛、五隻公綿羊、五隻公山
羊、五隻一歲的公羊羔、作平安祭．這是基多尼兒子亞

六六 比但的供物。◯第十日來獻的、是但子孫的首領亞米
六七 沙代的兒子亞希以謝。他的供物是一個銀盤子、重一
百三十舍客勒、一個銀碗、重七十舍客勒、都是按聖所
六八 的平、也都盛滿了調油的細麵、作素祭。一個金盂、重十
六九 舍客勒、盛滿了香。一隻公牛犢、一隻公綿羊、一隻一歲
七十 七一 的公羊羔、作燔祭。一隻公山羊作贖罪祭。兩隻公牛、五
隻公綿羊、五隻公山羊、五隻一歲的公羊羔、作平安祭．
七二 這是亞米沙代兒子亞希以謝的供物。◯第十一日來
七三 獻的、是亞設子孫的首領俄蘭的兒子帕結。他的供物
是一個銀盤子、重一百三十舍客勒、一個銀碗、重七十
舍客勒、都是按聖所的平、也都盛滿了調油的細麵、作
七四 七五 素祭。一個金盂、重十舍客勒、盛滿了香。一隻公牛犢、一
七六 隻公綿羊、一隻一歲的公羊羔、作燔祭。一隻公山羊作
七七 贖罪祭。兩隻公牛、五隻公綿羊、五隻公山羊、五隻一歲
七八 的公羊羔、作平安祭．這是俄蘭兒子帕結的供物。◯第
十二日來獻的、是拿弗他利子孫的首領以南的兒子
七九 亞希拉。他的供物是一個銀盤子、重一百三十舍客勒、
一個銀碗、重七十舍客勒、都是按聖所的平、也都盛滿

八十 了調油的細麵、作素祭。一個金盂、重十舍客勒、盛滿了
八一 香。一隻公牛犢、一隻公綿羊、一隻一歲的公羊羔、作燔
八二 八三 祭。一隻公山羊作贖罪祭。兩隻公牛、五隻公綿羊、五隻
公山羊、五隻一歲的公羊羔、作平安祭．這是以南兒子
八四 亞希拉的供物。○用膏抹壇的日子、以色列的衆首領
爲行獻壇之禮所獻的、是銀盤子十二個、銀碗十二個、
八五 金盂十二個。每盤子重一百三十舍客勒、每碗重七十
舍客勒、一切器皿的銀子、按聖所的平、共有二千四百
八六 舍客勒。十二個金盂盛滿了香、按聖所的平、每盂重十
八七 舍客勒、所有的金子共一百二十舍客勒。作燔祭的、共
有公牛十二隻、公羊十二隻、一歲的公羊羔十二隻、並
八八 同獻的素祭作贖罪祭的公山羊十二隻。作平安祭的、
共有公牛二十四隻、公綿羊六十隻、公山羊六十隻、一
歲的公羊羔六十隻．這就是用膏抹壇之後、爲行奉獻
八九 壇之禮所獻的。○摩西進會幕要與耶和華說話的時
候、聽見法櫃的施恩座以上、二基路伯中間、有與他說
話的聲音、就是耶和華與他說話。

第八章

燃燈之例

一 二 耶和華曉諭摩西說、你告訴亞倫說、點燈
三 的時候、七盞燈都要向燈臺前面發光。亞倫便這樣行．
他點燈臺上的燈、使燈向前發光、是照耶和華所吩咐
四 摩西的。這燈臺的作法、是用金子鎚出來的、連座帶花
都是鎚出來的．摩西製造燈臺、是照耶和華所指示的
樣式。

潔利未人之例

五 六 耶和華曉諭摩西說、你從以色列人中選出利未人來、
七 潔淨他們。潔淨他們當這樣行、用除罪水彈在他們身
八 上、又叫他們用剃頭刀刮全身、洗衣服潔淨自己。然後
叫他們取一隻公牛犢、並同獻的素祭、就是調油的細
九 麵．你要另取一隻公牛犢作贖罪祭。將利未人奉到會
十 幕前、招聚以色列全會衆．將利未人奉到耶和華面前、
十一 以色列人要按手在他們頭上。亞倫也將他們奉到耶
和華面前、爲以色列人當作搖祭、使他們好辦耶和華
十二 的事。利未人要按手在那兩隻牛的頭上、你要將一隻
十三 作贖罪祭、一隻作燔祭、獻給耶和華、爲利未人贖罪。你

也要使利未人站在亞倫和他兒子面前、將他們當作
十四 搖祭奉給耶和華。這樣、你從以色列人中將利未人分
十五 別出來、利未人便要歸我。此後利未人要進去辦會幕
十六 的事。你要潔淨他們、將他們當作搖祭奉上。因為他們
是從以色列人中全然給我的、我揀選他們歸我、是代
十七 替以色列人中一切頭生的、以色列人中一切頭生的、
連人帶牲畜、都是我的、我在埃及地擊殺一切頭生的
十八 那天、將他們分別為聖歸我。我揀選利未人代替以色
十九 列人中一切頭生的。我從以色列人中將利未人當作
賞賜給亞倫和他的兒子、在會幕中辦以色列人的事、
又為以色列人贖罪、免得他們挨近聖所有災殃臨到
二十 他們中間。摩西、亞倫、並以色列全會眾、便向利未人如
此行。凡耶和華指着利未人所吩咐摩西的、以色列人
二一 就向他們這樣行。於是利未人潔淨自己、除了罪、洗了
衣服、亞倫將他們當作搖祭奉到耶和華面前、又為他
二二 們贖罪潔淨他們。然後利未人進去、在亞倫和他兒子
面前、在會幕中辦事。耶和華指着利未人怎樣吩咐摩
二三 西、以色列人就怎樣向他們行了。○耶和華曉諭摩西
二四 說、利未人是這樣。從二十五歲以外、他們要前來任職、
二五 二六 辦會幕的事。到了五十歲要停工退任、不再辦事。只要
在會幕裏、和他們的弟兄一同伺候、謹守所吩咐的、不
再辦事了。至於所吩咐利未人的、你要這樣向他們行。

當守逾越節

第九章

一 以色列人出埃及地以後、第二年正月、耶
二 和華在西乃的曠野吩咐摩西說、以色列人應當在所
三 定的日期守逾越節、就是本月十四日黃昏的時候、你
們要在所定的日期守這節、要按這節的律例典章而
四 五 守。於是摩西吩咐以色列人守逾越節。他們就在西乃
的曠野、正月十四日黃昏的時候、守逾越節。凡耶和華
六 所吩咐摩西的、以色列人都照樣行了。有幾個人因死
屍而不潔淨、不能在那日守逾越節、當日他們到摩西
七 亞倫面前、說、我們雖因死屍而不潔淨、為何被阻止不
八 得同以色列人、在所定的日期獻耶和華的供物呢。摩
西對他們說、你們暫且等候、我可以去聽耶和華指着
九 十 你們是怎樣吩咐的。○耶和華對摩西說、你曉諭以色
列人說、你們和你們後代中、若有人因死屍而不潔淨、

十一 或在遠方行路、還要向耶和華守逾越節。十一他們要在二
月十四日、黃昏的時候、守逾越節、要用無酵餅與苦菜、
十二 和逾越節的羊羔同喫。十二一點不可留到早晨、羊羔的骨
頭一根也不可折斷、他們要照逾越節的一切律例而
十三 守。十三那潔淨而不行路的人、若推辭不守逾越節、那人要
從民中剪除、因爲他在所定的日期不獻耶和華的供
十四 物、應該擔當他的罪。十四若有外人寄居在你們中間、願意
向耶和華守逾越節、他要照逾越節的律例典章行、不
管是寄居的、是本地人、同歸一例。

雲覆會幕

十五 十五立起帳幕的那日、有雲彩遮蓋帳幕、就是法櫃的帳幕、
十六 從晚上到早晨、雲彩在其上、形狀如火。十六常是這樣、雲彩
十七 遮蓋帳幕、夜間形狀如火。十七雲彩幾時從帳幕收上去、以
色列人就幾時起行、雲彩在那裏停住、以色列人就在
十八 那裏安營。十八以色列人遵耶和華的吩咐起行、也遵耶和
華的吩咐安營、雲彩在帳幕上停住幾時、他們就住營
十九 幾時。十九雲彩在帳幕上停留許多日子、以色列人就守耶
二十 和華所吩咐的、不起行。二十有時雲彩在帳幕上幾天、他們
二十一 就照耶和華的吩咐住營、也照耶和華的吩咐起行。二十一有
時從晚上到早晨、有這雲彩在帳幕上、早晨雲彩收上
去、他們就起行、有時晝夜雲彩停在帳幕上、收上去的
二十二 時候、他們就起行。二十二雲彩停留在帳幕上、無論是兩天、是
一月、是一年、以色列人就住營不起行、但雲彩收上去、
二十三 他們就起行。二十三他們遵耶和華的吩咐安營、也遵耶和華
的吩咐起行、他們守耶和華所吩咐的、都是憑耶和華
吩咐摩西的。

第十章

製銀號

一二 一耶和華曉諭摩西說、二你要用銀子作兩枝
三 號、都要錘出來的、用以招聚會衆、並叫衆營起行。三吹這
四 號的時候、全會衆要到你那裏、聚集在會幕門口。四若單
吹一枝、衆首領就是以色列軍中的統領、要聚集到你
五六 那裏。五吹出大聲的時候、東邊安的營都要起行。六二次吹
出大聲的時候、南邊安的營都要起行、他們將起行必
七 吹出大聲。七但招聚會衆的時候、你們要吹號、卻不要吹
八 出大聲。八亞倫子孫作祭司的要吹這號、這要作你們世
九 世代代永遠的定例。九你們在自己的地、與欺壓你們的

敵人打仗、就要用號吹出大聲、便在耶和華你們的
十 神面前得蒙記念、也蒙拯救脫離仇敵。十在你們快樂的
日子和節期、並月朔、獻燔祭和平安祭、也要吹號．這都
要在你們的 神面前作爲記念．我是耶和華你們的
神。

以色列人離西乃野至巴蘭野按站啓行

十一 十二 十一第二年二月二十日、雲彩從法櫃的帳幕收上去。十二以色
列人就按站往前行、離開西乃的曠野、雲彩停住在巴
十三 蘭的曠野。十三這是他們照耶和華藉摩西所吩咐的、初次
十四 往前行。十四按着軍隊首先往前行的、是猶大營的纛、統領
十五 軍隊的、是亞米拿達的兒子拿順。十五統領以薩迦支派軍
十六 隊的、是蘇押的兒子拿坦業。十六統領西布倫支派軍隊的、
十七 是希倫的兒子以利押。○十七帳幕拆卸、革順的子孫、和米
十八 拉利的子孫、就抬着帳幕先往前行。十八按着軍隊往前行
的、是流便營的纛、統領軍隊的、是示丟珥的兒子以利
十九 藿。十九統領西緬支派軍隊的、是蘇利沙代的兒子示路蔑。
二十 二十一 二十統領迦得支派軍隊的、是丟珥的兒子以利雅薩。○二十一哥
轄人抬着聖物先往前行、他們未到以前抬帳幕的已

二二 經把帳幕支好。二二按着軍隊往前行的、是以法蓮營的纛、
二三 統領軍隊的、是亞米忽的兒子以利沙瑪。二三統領瑪拿西
二四 支派軍隊的、是比大藿的兒子迦瑪列。二四統領便雅憫支
二五 派軍隊的、是基多尼的兒子亞比但。○二五在諸營末後的
是但營的纛、按着軍隊往前行、統領軍隊的、是亞米沙
二六 代的兒子亞希以謝。二六統領亞設支派軍隊的、是俄蘭的
二七 兒子帕結。二七統領拿弗他利支派軍隊的、是以南的兒子
二八 二九 亞希拉。二八以色列人按着軍隊往前行、就是這樣。○二九摩西
對他岳父或作內兄米甸人流珥的兒子何巴說、我們要行
路往耶和華所應許之地去、他曾說、我要將這地賜給
你們、現在求你和我們同去、我們必厚待你、因爲耶和
三十 華指着以色列人已經應許給好處。三十何巴回答說、我不
三一 去、我要回本地本族那裏去。三一摩西說、求你不要離開我
們、因爲你知道我們要在曠野安營、你可以當作我們
三二 的眼目。三二你若和我們同去、將來耶和華有甚麼好處待
三三 我們、我們也必以甚麼好處待你。○三三以色列人離開耶
和華的山、往前行了三天的路程、耶和華的約櫃在前
三四 頭行了三天的路程、爲他們尋找安歇的地方。三四他們拔

三五 營往前行、日間有耶和華的雲彩在他們以上。○約櫃
往前行的時候、摩西就說、耶和華阿、求你興起、願你的
三六 仇敵四散、願恨你的人從你面前逃跑。約櫃停住的時
候、他就說、耶和華阿、求你回到以色列的千萬人中。

第十一章　民發怨言干耶和華怒

一 衆百姓發怨言、他們的惡語達到耶和
華的耳中、耶和華聽見了就怒氣發作、使火在他們中
二 間焚燒、直燒到營的邊界。百姓向摩西哀求、摩西祈求
三 耶和華、火就熄了。那地方便叫作他備拉、因爲耶和華
四 的火燒在他們中間。○他們中間的閒雜人大起貪慾
五 的心、以色列人又哭號說、誰給我們肉喫呢。我們記得
在埃及的時候、不花錢就喫魚、也記得有黃瓜、西瓜、韭
六 菜、葱、蒜。現在我們的心血枯竭了、除這嗎哪以外、在我
七 們眼前並沒有別的東西。這嗎哪彷彿芫荽子、又好像
八 珍珠。百姓周圍行走、把嗎哪收起來、或用磨推、或用臼
九 搗、煮在鍋中、又作成餅、滋味好像新油。夜間露水降在
十 營中、嗎哪也隨着降下。○摩西聽見百姓、各在各家的
帳棚門口哭號。耶和華的怒氣便大發作、摩西就不喜
十一 悅。摩西對耶和華說、你爲何苦待僕人、我爲何不在你
十二 眼前蒙恩、竟把這管理百姓的重任加在我身上呢。這
百姓豈是我懷的胎、豈是我生下來的呢。你竟對我說、
把他們抱在懷裏、如養育之父抱喫奶的孩子、直抱到
十三 你起誓應許給他們祖宗的地去。我從那裏得肉給這
十四 百姓喫呢。他們都向我哭號說、你給我們肉喫罷。管理
十五 這百姓的責任太重了、我獨自擔當不起。你這樣待我、
我若在你眼前蒙恩、求你立時將我殺了、不叫我見自
己的苦情。

簡長老七十人輔助摩西

十六 耶和華對摩西說、你從以色列的長老中招聚七十個
人、就是你所知道作百姓的長老、和官長的、到我這裏
十七 來、領他們到會幕前、使他們和你一同站立。我要在那
裏降臨與你說話、也要把降於你身上的靈分賜他們、
他們就和你同當這管百姓的重任、免得你獨自擔當。
十八 又要對百姓說、你們應當自潔、豫備明天喫肉、因爲你
們哭號說、誰給我們肉喫、我們在埃及很好。這聲音達
十九 到了耶和華的耳中、所以他必給你們肉喫。你們不止

二十 喫一天、兩天、五天、十天、二十天、要二十喫一個整月、甚至肉
從你們鼻孔裏噴出來、使你們厭惡了、因為你們厭棄
住在你們中間的耶和華、在他面前哭號說、我們為何
二一 出了埃及呢。二一摩西對耶和華說、這與我同住的百姓、步
行的男人有六十萬、你還說、我要把肉給他們、使他們
二二 可以喫一個整月。二二難道給他們宰了羊羣牛羣、或是把
二三 海中所有的魚都聚了來、就彀他們喫麼。二三耶和華對摩
西說、耶和華的膀臂豈是縮短了麼、現在要看我的話、
二四 向你應驗不應驗。二四摩西出去將耶和華的話告訴百
姓、又招聚百姓的長老中七十個人來、使他們站在會
二五 幕的四圍。二五耶和華在雲中降臨、對摩西說話、把降與他
身上的靈分賜那七十個長老、靈停在他們身上的時
候、他們就受感說話、以後卻沒有再說。

伊利達米達感靈而言

二六 二六但有兩個人仍在營裏、一個名叫伊利達、一個名叫米
達、他們本是在那些被錄的人中、卻沒有到會幕那裏
二七 去、靈停在他們身上、他們就在營裏說豫言。二七有個少年
二八 人跑來告訴摩西說、伊利達、米達、在營裏說豫言。二八摩西
的幫手、嫩的兒子約書亞、就是摩西所揀選的一個人、
二九 說、請我主摩西禁止他們。二九摩西對他說、你為我的緣故
嫉妒人麼、惟願耶和華的百姓都受感說話、願耶和華
三十 把他的靈降在他們身上。三十於是摩西和以色列的長老、
都回到營裏去了。

民食鶉而遘重災

三一 三一有風從耶和華那裏颳起、把鵪鶉由海面颳來、飛散在
營邊和營的四圍、這邊約有一天的路程、那邊約有一
三二 天的路程、離地面約有二肘。三二百姓起來、終日終夜、並次
日一整天、捕取鵪鶉、至少的也取了十賀梅珥、為自己
三三 擺列在營的四圍。三三肉在他們牙齒之間、尚未嚼爛、耶和
華的怒氣就向他們發作、用最重的災殃擊殺了他們。
三四 三四那地方便叫作基博羅哈他瓦、基博羅哈他瓦就是貪欲之人的墳墓因為他們
三五 在那裏葬埋那起貪慾之心的人。三五百姓從基博羅哈他
瓦走到哈洗錄、就住在哈洗錄。

第十二章

一 摩西娶了古實女子為妻、米利暗和亞
二 倫因他所娶的古實女子、就毀謗他、二說、難道耶和華單
與摩西說話、不也與我們說話麼、這話耶和華聽見了。

三 四 摩西為人極其謙和、勝過世上的衆人。〇耶和華忽然
對摩西、亞倫、米利暗說、你們三個人都出來到會幕這
五 裏、他們三個人就出來了。耶和華在雲柱中降臨、站在
六 會幕門口、召亞倫和米利暗、二人就出來了。耶和華說、
你們且聽我的話、你們中間若有先知、我耶和華必在
七 異象中向他顯現、在夢中與他說話。我的僕人摩西不
八 是這樣、他是在我全家盡忠的。我要與他面對面說話、
乃是明說、不用謎語、並且他必見我的形像。你們毀謗
九 我的僕人摩西、為何不懼怕呢。耶和華就向他們二人
發怒而去。

米利暗患大痲瘋

十 雲彩從會幕上挪開了、不料、米利暗長了大痲瘋、有雪
十一 那樣白。亞倫一看米利暗長了大痲瘋、就對摩西說、我
主阿、求你不要因我們愚昧犯罪、便將這罪加在我們
十二 十三 身上。求你不要使他像那出母腹、肉已半爛的死胎。於
十四 是摩西哀求耶和華說、神阿、求你醫治他。耶和華對
摩西說、他父親若吐唾沫在他臉上、他豈不蒙羞七天
麼。現在要把他在營外關鎖七天、然後纔可以領他進
十五 來。於是米利暗關鎖在營外七天、百姓沒有行路、直等
十六 到把米利暗領進來。〇以後百姓從哈洗錄起行、在巴
蘭的曠野安營。

第十三章　摩西遣人窺迦南地

一 二 耶和華曉諭摩西說、你打發人去窺探
我所賜給以色列人的迦南地、他們每支派中要打發
三 一個人、都要作首領的。摩西就照耶和華的吩咐、從巴
四 蘭的曠野打發他們去、他們都是以色列人的族長。他
五 們的名字、屬流便支派的、有撒刻的兒子沙母亞。屬西
六 緬支派的、有何利的兒子沙法。屬猶大支派的、有耶孚
七 尼的兒子迦勒。屬以薩迦支派的、有約色的兒子以迦
八 九 屬以法蓮支派的、有嫩的兒子何西阿。屬便雅憫支派
十 的、有拉孚的兒子帕提。屬西布倫支派的、有梭底的兒
十一 子迦疊。約瑟的子孫屬瑪拿西支派的、有穌西的兒子
十二 十三 迦底。屬但支派的、有基瑪利的兒子亞米利。屬亞設支
十四 派的、有米迦勒的兒子西帖。屬拿弗他利支派的、有縛
十五 十六 西的兒子拿比。屬迦得支派的、有瑪基的兒子臼利。這
就是摩西所打發窺探那地之人的名字。摩西就稱嫩

十七 的兒子何西阿爲約書亞。○十七摩西打發他們去窺探迦
十八 南地、說、你們從南地上山地去。十八看那地如何、其中所住
十九 的民是強是弱、是多是少。十九所住之地是好是歹、所住之
二十 處是營盤是堅城。二十又看那地土是肥美是瘠薄、其中有
樹木沒有。你們要放開膽量、把那地的果子帶些來。那
二一 時正是葡萄初熟的時候。○二一他們上去窺探那地、從尋
二二 的曠野到利合、直到哈馬口。二二他們從南地上去、到了希
伯崙、在那裏有亞衲族人亞希幔、示篩、撻買、原來希伯
二三 崙城被建造比埃及的鎖安城早七年。二三他們到了以實
各谷、從那裏砍了葡萄樹的一枝、上頭有一挂葡萄、兩
二四 個人用杠抬着。又帶了些石榴和無花果來。二四因爲以色
列人從那裏砍來的那挂葡萄、所以那地方叫作以實
各谷。

窺地者復命

二五 二六 二五過了四十天、他們窺探那地纔回來。二六到了巴蘭曠野的
加低斯、見摩西、亞倫、並以色列的全會衆、回報摩西、亞
二七 倫、並全會衆、又把那地的果子給他們看。二七又告訴摩西
說、我們到了你所打發我們去的那地、果然是流奶與
二八 蜜之地、這就是那地的果子。二八然而住那地的民強壯、城
邑也堅固寬大、並且我們在那裏看見了亞衲族的人。
二九 二九亞瑪力人住在南地、赫人、耶布斯人、亞摩利人住在山
三十 地、迦南人住在海邊、並約但河旁。○三十迦勒在摩西面前
安撫百姓、說、我們立刻上去得那地罷、我們足能得勝。
三一 三一但那些和他同去的人說、我們不能上去攻擊那民、因
三二 爲他們比我們強壯。三二探子中有人論到所窺探之地、向
以色列人報惡信、說、我們所窺探經過之地、是吞喫居
三三 民之地、我們在那裏所看見的人民、都身量高大。三三我們
在那裏看見亞衲族人、就是偉人、他們是偉人的後裔、
據我們看自己就如蚱蜢一樣、據他們看我們也是如
此。

第十四章

以色列衆向摩西亞倫發怨言

一 一當下全會衆大聲喧嚷、那夜百姓都哭
二 號。二以色列衆人向摩西、亞倫發怨言、全會衆對他們說、
三 巴不得我們早死在埃及地、或是死在這曠野。三耶和華
爲甚麼把我們領到那地、使我們倒在刀下呢。我們的
四 妻子和孩子、必被擄掠、我們回埃及去豈不好麼。○四衆

五 人彼此說、我們不如立一個首領、回埃及去罷。[五]摩西亞
六 倫就俯伏在以色列全會衆面前。[六]窺探地的人中、嫩的
七 兒子約書亞、和耶孚尼的兒子迦勒、撕裂衣服、[七]對以色
八 列全會衆說、我們所窺探經過之地、是極美之地。[八]耶和
華若喜悅我們、就必將我們領進那地、把地賜給我們、
九 那地原是流奶與蜜之地。[九]但你們不可背叛耶和華、也
不要怕那地的居民、因為他們是我們的食物、並且蔭
庇他們的已經離開他們、有耶和華與我們同在、不要
十 怕他們。[十]但全會衆說、拿石頭打死他們二人。忽然耶和
華的榮光、在會幕中向以色列衆人顯現。

耶和華怒民違逆欲殲滅之

十一 [十一]耶和華對摩西說、這百姓藐視我要到幾時呢、我在他
們中間行了這一切神蹟、他們還不信我要到幾時呢。
十二 [十二]我要用瘟疫擊殺他們、使他們不得承受那地、叫你的
後裔成為大國、比他們強勝。

摩西為民求赦

十三 [十三]摩西對耶和華說、埃及人必聽見這事、因為你曾施展
十四 大能、將這百姓從他們中間領上來。[十四]埃及人要將這事
傳給迦南地的居民、那民已經聽見你耶和華是在這
百姓中間、因為你面對面被人看見、有你的雲彩停在
他們以上、你日間在雲柱中、夜間在火柱中、在他們前
十五 面行。[十五]如今你若把這百姓殺了、如殺一人、那些聽見你
十六 名聲的列邦必議論說、[十六]耶和華因為不能把這百姓領
進他向他們起誓應許之地、所以在曠野把他們殺了。
十七 十八 [十七]現在求主大顯能力、照你所說過的話說、[十八]耶和華不輕
易發怒、並有豐盛的慈愛、赦免罪孽和過犯、萬不以有
十九 罪的為無罪、必追討他的罪、自父及子、直到三四代。[十九]求
你照你的大慈愛、赦免這百姓的罪孽、好像你從埃及
二十 到如今、常赦免他們一樣。○[二十]耶和華說、我照着你的話
二一 赦免了他們。[二一]然我指着我的永生起誓、遍地要被我的
二二 榮耀充滿。[二二]這些人雖看見我的榮耀、和我在埃及與曠
二三 野所行的神蹟、仍然試探我這十次、不聽從我的話、[二三]他
們斷不得看見我向他們的祖宗所起誓應許之地、凡
二四 藐視我的、一個也不得看見、[二四]惟獨我的僕人迦勒、因他
另有一個心志、專一跟從我、我就把他領進他所去過
二五 的那地、他的後裔也必得那地為業。[二五]亞瑪力人和迦南

人住在谷中、明天你們要轉回、從紅海的路往曠野去。

二六 二七 **以色列衆發怨言者必死於野**

耶和華對摩西亞倫說、二七這惡會衆向我發怨言、我忍耐
他們要到幾時呢、以色列人向我所發的怨言、我都聽
二八 見了。二八你們告訴他們、耶和華說、我指着我的永生起誓、
二九 我必要照你們達到我耳中的話待你們。二九你們的屍首
必倒在這曠野、並且你們中間凡被數點、從二十歲以
三十 外向我發怨言的、三十必不得進我起誓應許叫你們住的
那地、惟有耶孚尼的兒子迦勒、和嫩的兒子約書亞、纔
三一 能進去。三一但你們的婦人孩子、就是你們所說、要被擄掠
的、我必把他們領進去、他們就得知你們所厭棄的那
三二 三三 地。三二至於你們、你們的屍首必倒在這曠野。三三你們的兒女
必在曠野飄流四十年、擔當你們淫行的罪、直到你們
三四 的屍首在曠野消滅。三四按你們窺探那地的四十日、一年
頂一日、你們要擔當罪孽四十年、就知道我與你們疎
三五 遠了。三五我耶和華說過、我總要這樣待這一切聚集敵我
三六 的惡會衆、他們必在這曠野消滅、在這裏死亡。○三六摩西
所打發窺探那地的人回來、報那地的惡信、叫全會衆
三七 向摩西發怨言、三七這些報惡信的人、都遭瘟疫、死在耶和
三八 華面前。三八其中惟有嫩的兒子約書亞、和耶孚尼的兒子
迦勒、仍然存活。

民至何珥瑪為敵所敗

三九 四十 三九摩西將這些話告訴以色列衆人、他們就甚悲哀。四十清早
起來上山頂去、說、我們在這裏、我們有罪了、情願上耶
四一 和華所應許的地方去。四一摩西說、你們為何違背耶和華
四二 的命令呢、這事不能順利了。四二不要上去、因為耶和華不
四三 在你們中間、恐怕你們被仇敵殺敗了。四三亞瑪力人和迦
南人都在你們面前、你們必倒在刀下、因你們退回不
四四 跟從耶和華、所以他必不與你們同在。四四他們卻擅敢上
四五 山頂去、然而耶和華的約櫃和摩西沒有出營。四五於是亞
瑪力人、和住在那山上的迦南人、都下來、擊打他們、把
他們殺退了、直到何珥瑪。

獻祭之例

一 二 **第十五章**　一耶和華對摩西說、二你曉諭以色列人說、
三 你們到了我所賜給你們居住的地、三若願意從牛羣羊
羣中、取牛羊作火祭、獻給耶和華、無論是燔祭、是平安

祭、爲要還特許的願、或是作甘心祭、或是逢你們節期
四 獻的、都要奉給耶和華爲馨香之祭。四那獻供物的、就要
將細麵伊法十分之一、並油一欣四分之一、調和作素
五 祭、獻給耶和華。五無論是燔祭是平安祭、你要爲每隻綿
六 羊羔一同豫備奠祭的酒一欣四分之一。六爲公綿羊豫
備細麵伊法十分之二、並油一欣三分之一、調和作素
七 祭。七又用酒一欣三分之一作奠祭、獻給耶和華爲馨香
八 之祭。八你豫備公牛作燔祭、或是作平安祭、爲要還特許
九 的願、或是作平安祭獻給耶和華、九就要把細麵伊法十
十 分之三、並油半欣、調和作素祭、和公牛一同獻上。十又用
十一 酒半欣作奠祭、獻給耶和華爲馨香的火祭。十一○獻公牛、
十二 公綿羊、綿羊羔、山羊羔、每隻都要這樣辦理。十二照你們所
十三 豫備的數目、按着隻數、都要這樣辦理。十三凡本地人將馨
十四 香的火祭獻給耶和華、都要這樣辦理。十四若有外人和你
們同居、或有人世世代代住在你們中間、願意將馨香
的火祭獻給耶和華、你們怎樣辦理、他也要照樣辦理。
十五 十五至於會衆、你們和同居的外人都歸一例、作爲你們世
世代代永遠的定例、在耶和華面前你們怎樣、寄居的

十六 也要怎樣。十六你們並與你們同居的外人、當有一樣的條
十七 十八 例、一樣的典章。○十七耶和華對摩西說、十八你曉諭以色列人
十九 說、你們到了我所領你們進去的那地、十九喫那地的糧食、
二十 就要把舉祭獻給耶和華。二十你們要用初熟的麥子磨麵、
作餅當舉祭奉獻。你們舉上、好像舉禾塲的舉祭一樣。
二十一 二十一你們世世代代要用初熟的麥子磨麵、當舉祭獻給耶
和華。

爲誤犯獻祭之例

二十二 二十二你們有錯誤的時候、不守耶和華所曉諭摩西的這一
二十三 切命令、二十三就是耶和華藉摩西一切所吩咐你們的、自那
二十四 日以至你們的世世代代、二十四若有誤行、是會衆所不知道
的、後來全會衆就要將一隻公牛犢作燔祭、並照典章
把素祭、和奠祭、一同獻給耶和華爲馨香之祭、又獻一
二十五 隻公山羊作贖罪祭。二十五祭司要爲以色列全會衆贖罪、他
們就必蒙赦免、因爲這是錯誤、他們又因自己的錯誤、
把供物、就是向耶和華獻的火祭、和贖罪祭、一並奉到
二十六 耶和華面前。二十六以色列全會衆、和寄居在他們中間的外
二十七 人、就必蒙赦免、因爲這罪是百姓誤犯的。○二十七若有一個

二八 人誤犯了罪、他就要獻一歲的母山羊作贖罪祭。二八那誤
行的人、犯罪的時候、祭司要在耶和華面前為他贖罪、
二九 他就必蒙赦免。二九以色列中的本地人、和寄居在他們中
三十 間的外人、若誤行了甚麼事、必歸一樣的條例。三十但那擅
敢行事的、無論是本地人、是寄居的、他褻瀆了耶和華、
三一 必從民中剪除。三一因他藐視耶和華的言語、違背耶和華
的命令、那人總要剪除．他的罪孽要歸到他身上。

犯安息日者致之死

三二 三二以色列人在曠野的時候、遇見一個人在安息日撿柴。
三三 三三遇見他撿柴的人、就把他帶到摩西亞倫、並全會衆那
三四三五 裏、三四將他收在監內、因為當怎樣辦他、還沒有指明。三五耶和
華吩咐摩西說、總要把那人治死、全會衆要在營外用
三六 石頭把他打死。三六於是全會衆將他帶到營外、用石頭打
死他、是照耶和華所吩咐摩西的。

命於衣邊綴繸

三七三八 三七耶和華曉諭摩西說、三八你吩咐以色列人、叫他們世世代
代在衣服邊上作繸子、又在底邊的繸子上、釘一根藍
三九 細帶子。三九你們佩帶這繸子、好叫你們看見就記念遵行
耶和華一切的命令、不隨從自己的心意眼目、行邪淫、
四十 像你們素常一樣。四十使你們記念遵行我一切的命令、成
四一 為聖潔、歸與你們的神。四一我是耶和華你們的神、曾
把你們從埃及地領出來、要作你們的神．我是耶和
華你們的神。

第十六章　可拉黨叛逆

一 一利未的曾孫、哥轄的孫子、以斯哈的兒
子可拉、和流便子孫中以利押的兒子大坍、亞比蘭、與
二 比勒的兒子安、二並以色列會中的二百五十個首領、就
三 是有名望、選入會中的人、在摩西面前一同起來、三聚集
攻擊摩西亞倫、說、你們擅自專權、全會衆個個既是聖
潔、耶和華也在他們中間、你們為甚麼自高超過耶和
四五 華的會衆呢。○四摩西聽見這話、就俯伏在地．五對可拉和
他一黨的人說、到了早晨、耶和華必指示誰是屬他的、
誰是聖潔的、就叫誰親近他、他所揀選的是誰、必叫誰
六 親近他。六可拉阿、你們要這樣行、你和你的一黨、要拿香
七 爐來。七明日在耶和華面前把火盛在爐中、把香放在其
上、耶和華揀選誰、誰就為聖潔．你們這利未的子孫擅

八 自專權了。八摩西又對可拉說、利未的子孫哪、你們聽我
九 說。九以色列的神從以色列會中將你們分別出來、使
你們親近他、辦耶和華帳幕的事、並站在會衆面前替
十 他們當差。十耶和華又使你、和你一切弟兄利未的子孫、
一同親近他、這豈爲小事、你們還要求祭司的職任麼。
十一 十一你和你一黨的人聚集、是要攻擊耶和華、亞倫算甚麼、
十二 你們竟向他發怨言呢。〇十二摩西打發人去召以利押的
十三 兒子大坍亞比蘭、他們說、我們不上去。十三你將我們從流
奶與蜜之地領上來、要在曠野殺我們、這豈爲小事、你
十四 還要自立爲王轄管我們麼。十四並且你沒有將我們領到
流奶與蜜之地、也沒有把田地和葡萄園、給我們爲業。
十五 難道你要剜這些人的眼睛麼、我們不上去。〇十五摩西就
甚發怒、對耶和華說、求你不要享受他們的供物、我並
十六 沒有奪過他們一匹驢、也沒有害過他們一個人。十六摩西
對可拉說、明天你和你一黨的人、並亞倫、都要站在耶
十七 和華面前。十七各人要拿一個香爐、共二百五十個、把香放
在上面、到耶和華面前。你和亞倫也各拿自己的香爐。
十八 十八於是他們各人拿一個香爐、盛上火、加上香、同摩西亞

十九 倫站在會幕門前。十九可拉招聚全會衆到會幕門前、要攻
二十 擊摩西亞倫、耶和華的榮光就向全會衆顯現。〇二十耶和
二一 華曉諭摩西亞倫說、二一你們離開這會衆、我好在轉眼之
二二 間把他們滅絕。二二摩西亞倫就俯伏在地、說、神萬人之
二三 靈的 神阿、一人犯罪、你就要向全會衆發怒麼。二三耶和
二四 華曉諭摩西說、二四你吩咐會衆說、你們離開可拉大坍亞
二五 比蘭帳棚的四圍。〇二五摩西起來、往大坍亞比蘭那裏去、
二六 以色列的長老、也隨着他去。二六他吩咐會衆說、你們離開
這惡人的帳棚罷。他們的物件、甚麼都不可摸、恐怕你
二七 們陷在他們的罪中、與他們一同消滅。二七於是衆人離開
可拉、大坍、亞比蘭帳棚的四圍。大坍亞比蘭帶着妻子、
二八 兒女、小孩子、都出來站在自己的帳棚門口。二八摩西說我
行的這一切事、本不是憑我自己心意行的、乃是耶和
二九 華打發我行的、必有證據使你們知道。二九這些人死、若與
世人無異、或是他們所遭的、與世人相同、就不是耶和
三十 華打發我來的。三十倘若耶和華創作一件新事、使地開口、
把他們和一切屬他們的都吞下去、叫他們活活的墜
落陰間、你們就明白這些人是藐視耶和華了。

可拉黨受刑

三一摩西剛說完了這一切話、他們腳下的地就開了口、把三二
他們和他們的家眷、並一切屬可拉的人丁、財物、都吞
下去。三三這樣、他們和一切屬他們的、都活活的墜落陰間、
地口在他們上頭照舊合閉、他們就從會中滅亡。三四在他
們四圍的以色列衆人聽他們呼號、就都逃跑、說、恐怕
地也把我們吞下去。三五又有火從耶和華那裏出來、燒滅
了那獻香的二百五十個人。○三六耶和華曉諭摩西說、三七你
吩咐祭司亞倫的兒子以利亞撒、從火中撿起那些香
爐來、把火撒在別處、因爲那些香爐是聖的。三八把那些犯
罪自害己命之人的香爐、叫人錘成片子、用以包壇。那
些香爐本是他們在耶和華面前獻過的、所以是聖的。
並且可以給以色列人作記號。三九於是祭司以利亞撒、將
被燒之人所獻的銅香爐拿來、人就錘出來用以包壇。
四十給以色列人作記念、使亞倫後裔之外的人、不得近前
來在耶和華面前燒香、免得他遭可拉和他一黨所遭
的。這乃是照耶和華藉着摩西所吩咐的。

民怨摩西亞倫致遘疫癘

四一第二天、以色列全會衆都向摩西亞倫發怨言、說、你們
殺了耶和華的百姓了。四二會衆聚集攻擊摩西亞倫的時
候、向會幕觀看、不料、有雲彩遮蓋了、耶和華的榮光顯
現。四三摩西亞倫就來到會幕前。四四耶和華吩咐摩西說、四五你們
離開這會衆、我好在轉眼之間把他們滅絕。他們二人
就俯伏於地。四六摩西對亞倫說、拿你的香爐、把壇上的火
盛在其中、又加上香、快快帶到會衆那裏、爲他們贖罪、
因爲有忿怒從耶和華那裏出來、瘟疫已經發作了。四七亞
倫照着摩西所說的拿來、跑到會中、不料、四八瘟疫在百姓
中已經發作了。他就加上香、爲百姓贖罪。他站在活人
死人中間、瘟疫就止住了。四九除了因可拉事情死的以外、
遭瘟疫死的、共有一萬四千七百人。五十亞倫回到會幕
口、到摩西那裏、瘟疫已經止住了。

第十七章

一耶和華對摩西說、二你曉諭以色列人、從
他們手下取杖、每支派一根、從他們所有的首領、按着
支派、共取十二根、你要將各人的名字寫在各人的杖
上。三並要將亞倫的名字寫在利未的杖上、因爲各族長

四 必有一根杖。四你要把這些杖存在會幕內法櫃前、就是
五 我與你們相會之處。五後來我所揀選的那人、他的杖必
發芽、這樣我必使以色列人向你們所發的怨言止息、
六 不再達到我耳中。六於是摩西曉諭以色列人、他們的首
領就把杖交給他、按着支派每首領一根、共有十二根。
七 亞倫的杖也在其中。七摩西就把杖存在法櫃的帳幕內、
在耶和華面前。

亞倫之杖發芽開花

八 八第二天摩西進法櫃的帳幕去、誰知、利未族亞倫的杖
九 已經發了芽、生了花苞、開了花、結了熟杏。九摩西就把所
有的杖從耶和華面前拿出來給以色列衆人看、他們
十 看見了、各首領就把自己的杖拿去。十耶和華吩咐摩西
說、把亞倫的杖還放在法櫃前、給這些背叛之子留作
記號、這樣你就使他們向我發的怨言止息、免得他們
十一 死亡。十一摩西就這樣行、耶和華怎樣吩咐他他就怎樣行
十二 了。◎十二以色列人對摩西說、我們死喇、我們滅亡喇、都滅
十三 亡喇。十三凡挨近耶和華帳幕的、是必死的、我們都要死亡
麼。

第十八章

祭司與利未人之職

一 一耶和華對亞倫說、你和你的兒子、並你
本族的人要一同擔當干犯聖所的罪孽、你和你的兒
二 子、也要一同擔當干犯祭司職任的罪孽、二你要帶你弟
兄利未人、就是你祖宗支派的人前來、使他們與你聯
合服事你、只是你和你的兒子、要一同在法櫃的帳幕
三 前供職。三他們要守所吩咐你的、並守全帳幕、只是不可
四 挨近聖所的器具和壇、免得他們和你們都死亡。四他們
要與你聯合、也要看守會幕、辦理帳幕一切的事、只是
五 外人不可挨近你們。五你們要看守聖所和壇、免得忿怒
六 再臨到以色列人。六我已將你們的弟兄利未人、從以色
列人中揀選出來歸耶和華、是給你們爲賞賜的、爲要
七 辦理會幕的事。七你和你的兒子要爲一切屬壇和幔子
內的事、一同守祭司的職任、你們要這樣供職、我將祭
司的職任給你們當作賞賜事奉我、凡挨近的外人必
被治死。

祭司當得之物

八 八耶和華曉諭亞倫說、我已將歸我的舉祭、就是以色列

人一切分別為聖的物交給你經管、因你受過膏、把這
九 些都賜給你和你的子孫、當作永得的分。以色列人歸
給我至聖的供物、就是一切的素祭、贖罪祭、贖愆祭、其
中所有存留不經火的、都為至聖的物、要歸給你、和你
十 的子孫。你要拿這些當至聖物喫、凡男丁都可以喫、你
十一 當以此物為聖。以色列人所獻的舉祭、並搖祭、都是你
的、我已賜給你、和你的兒女當作永得的分、凡在你家
十二 中的潔淨人都可以喫。凡油中、新酒中、五穀中、至好的、
就是以色列人所獻給耶和華初熟之物、我都賜給你。
十三 凡從他們地上所帶來給耶和華初熟之物、也都要歸
十四 與你、你家中的潔淨人都可以喫。以色列中一切永獻
十五 的都必歸與你。他們所有奉給耶和華的、連人帶牲畜、
凡頭生的都要歸給你、只是人頭生的、總要贖出來、不
十六 潔淨牲畜頭生的、也要贖出來。其中在一月之外所當
贖的、要照你所估定的價、按聖所的平、用銀子五舍客
十七 勒贖出來.（一舍客勒是二十季拉）只是頭生的牛、
或是頭生的綿羊、和山羊、必不可贖、都是聖的、要把他
的血灑在壇上、把他的脂油焚燒、當作馨香的火祭獻

十八 給耶和華。他的肉必歸你、像被搖的胸、被舉的右腿歸
十九 你一樣。凡以色列人所獻給耶和華聖物中的舉祭、我
都賜給你和你的兒女、當作永得的分、這是給你和你
二十 的後裔、在耶和華面前作為永遠的鹽約。鹽即不廢壞的意思耶
和華對亞倫說、你在以色列人的境內不可有產業、在
他們中間也不可有分。我就是你的分、是你的產業。

十取其一歸利未人

二一 凡以色列中出產的十分之一、我已賜給利未的子孫
為業、因他們所辦的是會幕的事、所以賜給他們為酬
二二 他們的勞。從今以後、以色列人不可挨近會幕、免得他
二三 們擔罪而死。惟獨利未人要辦會幕的事、擔當罪孽、這
要作你們世世代代永遠的定例.他們在以色列人中
二四 不可有產業.因為以色列人中出產的十分之一、就是
獻給耶和華為舉祭的、我已賜給利未人為業.所以我
二五 對他們說、在以色列人中不可有產業。○耶和華吩咐
二六 摩西說、你曉諭利未人說、你們從以色列人中所取的
十分之一、就是我給你們為業的、要再從那十分之一
二七 中取十分之一、作為舉祭獻給耶和華。這舉祭要算為

二八 你們塲上的穀、又如滿酒醡的酒。二八這樣、你們從以色列
人中所得的十分之一、也要作舉祭獻給耶和華、從這
十分之一中、將所獻給耶和華的舉祭、歸給祭司亞倫。
二九 二九奉給你們的一切禮物、要從其中將至好的就是分別
三十 爲聖的、獻給耶和華爲舉祭。三十所以你要對利未人說、你
們從其中將至好的舉起、這就算爲你們塲上的糧、又
三一 如酒醡的酒。三一你們和你們家屬隨處可以喫、這原是你
三二 們的賞賜、是酬你們在會幕裏辦事的勞。三二你們從其中
將至好的舉起、就不至因這物擔罪。你們不可褻瀆以
色列人的聖物、免得死亡。

第十九章

命焚紅母牛爲灰以潔不潔之民

一 耶和華曉諭摩西、亞倫說、二耶和華命定
律法中的一條律例、乃是這樣說、你要吩咐以色列人、
把一隻沒有殘疾、未曾負軛、純紅的母牛、牽到你這裏
三 來、三交給祭司以利亞撒、他必牽到營外、人就把牛宰在
四 他面前。四祭司以利亞撒要用指頭蘸這牛的血、向會幕
五 前面彈七次。五人要在他眼前把這母牛焚燒、牛的皮、肉、
六 血、糞、都要焚燒。六祭司要把香柏木、牛膝草、朱紅色綫、都
七 丟在燒牛的火中。七祭司必不潔淨到晚上、要洗衣服、用
八 水洗身、然後可以進營。八燒牛的人必不潔淨到晚上、也
九 要洗衣服、用水洗身。九必有一個潔淨的人收起母牛的
灰、存在營外潔淨的地方、爲以色列會衆調作除汚穢
十 的水、這本是除罪的。十收起母牛灰的人、必不潔淨到晚
上、要洗衣服、這要給以色列人和寄居在他們中間的
十一 外人、作爲永遠的定例。十一○摸了人死屍的、就必七天不
十二 潔淨。十二那人到第三天、要用這除汚穢的水潔淨自己、第
七天就潔淨了、他若在第三天不潔淨自己、第七天就
十三 不潔淨了。十三凡摸了人死屍、不潔淨自己的、就玷汚了耶
和華的帳幕、這人必從以色列中剪除、因爲那除汚穢
的水沒有灑在他身上、他就爲不潔淨、汚穢還在他身
十四 上。十四○人死在帳棚裏的條例乃是這樣、凡進那帳棚的、
十五 和一切在帳棚裏的、都必七天不潔淨。十五凡敞口的器皿、
十六 就是沒有紮上蓋的、也是不潔淨。十六無論何人在田野裏
摸了被刀殺的、或是屍首、或是人的骨頭、或是墳墓、就
十七 要七天不潔淨。十七要爲這不潔淨的人、拿些燒成的除罪
十八 灰、放在器皿裏、倒上活水。十八必當有一個潔淨的人、拿牛

膝草蘸在這水中、把水灑在帳棚上、和一切器皿、並帳
棚內的眾人身上、又灑在摸了骨頭、或摸了被殺的、或
摸了自死的、或摸了墳墓的那人身上。十九第三天、和第七
天、潔淨的人要灑水在不潔淨的人身上、第七天就使
他成為潔淨.那人要洗衣服、用水洗澡、到晚上就潔淨
了。○二十但那污穢而不潔淨自己的、要將他從會中剪除、
因為他玷污了耶和華的聖所.除污穢的水沒有灑在
他身上、他是不潔淨的。二一這要給你們作為永遠的定例.
並且那灑除污穢水的人、要洗衣服.凡摸除污穢水的、
必不潔淨到晚上。二二不潔淨人所摸的一切物、就不潔淨.
摸了這物的人、必不潔淨到晚上。

米利暗卒

第二十章

一正月間以色列全會眾、到了尋的曠野、
就住在加低斯、米利暗死在那裏、就葬在那裏。○二會眾
沒有水喝、就聚集攻擊摩西、亞倫。三百姓向摩西爭鬧說、
我們的弟兄曾死在耶和華面前、我們恨不得與他們
同死。四你們為何把耶和華的會眾領到這曠野、使我們
和牲畜都死在這裏呢。五你們為何逼着我們出埃及、領
我們到這壞地方呢.這地方不好撒種、也沒有無花果
樹、葡萄樹、石榴樹、又沒有水喝。六摩西、亞倫離開會眾到
會幕門口、俯伏在地.耶和華的榮光向他們顯現。七耶和
華曉諭摩西說、八你拿着杖去、和你的哥哥亞倫招聚會
眾、在他們眼前吩咐磐石發出水來、水就從磐石流出
給會眾和他們的牲畜喝。九於是摩西照耶和華所吩咐
的、從耶和華面前取了杖去。

摩西在米利巴擊磐出水

十摩西、亞倫就招聚會眾到磐石前、摩西說、你們這些背
叛的人聽我說、我為你們使水從這磐石中流出來麼。
十一摩西舉手、用杖擊打磐石兩下、就有許多水流出來、會
眾和他們的牲畜都喝了。十二耶和華對摩西、亞倫說、因為
你們不信我、不在以色列人眼前尊我為聖、所以你們
必不得領這會眾進我所賜給他們的地去。十三這水名叫
米利巴水、是因以色列人向耶和華爭鬧、耶和華就在
他們面前顯為聖。（米利巴就是爭鬧的意思）

以東不允以色列人過其境

十四摩西從加低斯差遣使者去見以東王、說、你的弟兄以

十五 色列人這樣說、我們所遭遇的一切艱難、十五就是我們的
列祖下到埃及、我們在埃及久住、埃及人惡待我們的
十六 列祖、和我們、十六我們哀求耶和華的時候、他聽了我們的
聲音、差遣使者把我們從埃及領出來、這事你都知道。
十七 如今我們在你邊界上的城加低斯。十七求你容我們從你
的地經過、我們不走田間和葡萄園、也不喝井裏的水、
十八 只走大道、原文作王道不偏左右、直到過了你的境界。十八以東
王說、你不可從我的地經過、免得我帶刀出去攻擊你。
十九 十九以色列人說、我們要走大道上去、我們和牲畜若喝你
的水、必給你價值、不求別的、只求你容我們步行過去。
二十 二十以東王說、你們不可經過。就率領許多人出來、要用強
二一 硬的手攻擊以色列人。二一這樣、以東王不肯容以色列人
從他的境界過去。於是他們轉去離開他。

亞倫卒

二二 二三 二二以色列全會眾從加低斯起行、到了何珥山。二三耶和華在
二四 附近以東邊界的何珥山上、曉諭摩西、亞倫、說、二四亞倫要
歸到他列祖原文作本民那裏、他必不得入我所賜給以色
二五 列人的地、因為在米利巴水你們違背了我的命。二五你帶
二六 亞倫、和他的兒子以利亞撒上何珥山。二六把亞倫的聖衣
脫下來、給他的兒子以利亞撒穿上、亞倫必死在那裏
二七 歸他列祖。二七摩西就照耶和華所吩咐的行。三人當着會
二八 眾的眼前上了何珥山。二八摩西把亞倫的聖衣脫下來、給
他的兒子以利亞撒穿上。亞倫就死在山頂那裏。於是
二九 摩西和以利亞撒下了山。二九全會眾、就是以色列全家、見
亞倫已經死了、便都為亞倫哀哭了三十天。

第二十一章

一 一住南地的迦南人亞拉得王、聽說以
色列人從亞他林路來、就和以色列人爭戰、擄了他們
二 幾個人。二以色列人向耶和華發願、說、你若將這民交付
三 我手、我就把他們的城邑盡行毀滅。三耶和華應允了以
色列人、把迦南人交付他們、他們就把迦南人和迦南
人的城邑、盡行毀滅。那地方的名便叫何珥瑪。何珥瑪就是毀滅的意思

火蛇與銅蛇

四 四他們從何珥山起行、往紅海那條路走、要繞過以東地。
五 百姓因這路難行、心中甚是煩燥。五就怨讟神和摩西、
說、你們為甚麼把我們從埃及領出來、使我們死在曠

野呢。這裏沒有糧、沒有水、我們的心厭惡這淡薄的食
六 物。六於是耶和華使火蛇進入百姓中間、蛇就咬他們、以
七 色列人中死了許多。七百姓到摩西那裏說、我們怨讟耶
和華和你、有罪了、求你禱告耶和華叫這些蛇離開我
八 們。於是摩西為百姓禱告。八耶和華對摩西說、你製造一
九 條火蛇、挂在杆子上、凡被咬的、一望這蛇、就必得活。九摩
西便製造一條銅蛇、挂在杆子上。凡被蛇咬的、一望這
銅蛇就活了。

民由阿伯啓行至毘斯迦山

十 十一 十以色列人起行、安營在阿伯。十一又從阿伯起行、安營在以
十二 耶亞巴琳與摩押相對的曠野、向日出之地。十二從那裏起
十三 行、安營在撒烈谷。十三從那裏起行、安營在亞嫩河那邊。這
亞嫩河是在曠野、從亞摩利的境界流出來的。原來亞
嫩河是摩押的邊界、在摩押和亞摩利人搭界的地方。
十四 所十四以耶和華的戰記上說、蘇法的哇哈伯、與亞嫩河的
十五 谷、十五並向亞珥城眾谷的下坡、是靠近摩押的境界。十六以色
十六 列人從那裏起行、到了比珥。比珥就是井的意思 從前耶和華吩
咐摩西說、招聚百姓、我好給他們水喝、說的就是這井。
十七 十七當時、以色列人唱歌說、井阿、湧上水來、你們要向這井
十八 歌唱。十八這井是首領和民中的尊貴人、用圭、用杖、所挖所
十九 掘的。以色列人從曠野往瑪他拿去、十九從瑪他拿到拿哈
二十 列、從拿哈列到巴末、二十從巴末到了摩押地的谷、又到那
下望曠野之毘斯迦的山頂。

擊敗亞摩利巴珊二王

二十一 二十二 二十一以色列人差遣使者去見亞摩利人的王西宏說、二十二求你
容我們從你的地經過、我們不偏入田間、和葡萄園、也
不喝井裏的水、只走大道、原文作王道 直到過了你的境界。
二十三 二十三西宏不容以色列人從他的境界經過、就招聚他的眾
民出到曠野、要攻擊以色列人、到了雅雜、與以色列人
二十四 爭戰。二十四以色列人用刀殺了他、得了他的地、從亞嫩河到
雅博河、直到亞捫人的境界、因為亞捫人的境界多有
二十五 堅壘。二十五以色列人奪取這一切的城邑、也住亞摩利人的
二十六 城邑、就是希實本與希實本的一切鄉村。二十六這希實本是
亞摩利王西宏的京城。西宏曾與摩押的先王爭戰、從
二十七 他手中奪取了全地、直到亞嫩河。二十七所以那些作詩歌的
二十八 說、你們來到希實本、願西宏的城被修造、被建立。二十八因為

有火從希實本發出、有火焰出於西宏的城、燒盡摩押
二九 的亞珥、和亞嫩河邱壇的祭司。（祭司原文作主）二九摩押阿、你有禍
了。基抹的民哪、你們滅亡了。基抹的男子逃奔、女子被
三十 擄、交付亞摩利的王西宏。三十我們射了他們、希實本直到
底本盡皆毀滅。我們使地變爲荒塲直到挪法、這挪法
三一 直延到米底巴。三一這樣、以色列人就住在亞摩利人之地。
三二 三二摩西打發人去窺探雅謝、以色列人就佔了雅謝的鎮
三三 市、趕出那裏的亞摩利人。三三以色列人轉回向巴珊去。
巴珊王噩和他的衆民都出來在以得來與他們交戰。
三四 三四耶和華對摩西說、不要怕他、因我已將他和他的衆民、
並他的地、都交在你手中、你要待他像從前待住希實
三五 本的亞摩利王西宏一般。三五於是他們殺了他、和他的衆
子、並他的衆民、沒有留下一個、就得了他的地。

第二十二章

巴勒召巴蘭

一 一以色列人起行、在摩押平原、約但河
二 東、對着耶利哥安營。二以色列人向亞摩利人所行的
三 一切事、西撥的兒子巴勒都看見了。三摩押人因以色列
四 民甚多、就大大懼怕、心內憂急。四對米甸的長老說、現在
這衆人要把我們四圍所有的、一概餂盡、就如牛餂盡
五 田間的草一般。那時西撥的兒子巴勒作摩押王。五他差
遣使者往大河邊的毘奪去、到比珥的兒子巴蘭本鄉
那裏、召巴蘭來、說有一宗民從埃及出來、遮滿地面、與
六 我對居。六這民比我強盛、現在求你來爲我咒詛他們、或
者我能得勝、攻打他們、趕出此地、因爲我知道你爲誰
七 祝福、誰就得福、你咒詛誰、誰就受咒詛。七摩押的長老
和米甸的長老、手裏拿着卦金、到了巴蘭那裏、將巴勒
八 的話都告訴了他。八巴蘭說、你們今夜在這裏住宿、我必
照耶和華所曉諭我的、回報你們。摩押的使臣就在巴
九 蘭那裏住下了。九神臨到巴蘭那裏說、在你這裏的人
十 都是誰。十巴蘭回答說、是摩押王西撥的兒子巴勒打發
十一 人到我這裏來、說、十一從埃及出來的民遮滿地面、你來爲
我咒詛他們、或者我能與他們爭戰、把他們趕出去。
十二 十二神對巴蘭說、你不可同他們去、也不可咒詛那民、因爲
十三 那民是蒙福的。十三巴蘭早晨起來、對巴勒的使臣說、你們
十四 回本地去罷、因爲耶和華不容我和你們同去。十四摩押的
使臣就起來、回巴勒那裏去、說、巴蘭不肯和我們同來。

十五 十六 ○十五巴勒又差遣使臣、比先前的又多又尊貴。十六他們到了
巴蘭那裏、對他說、西撥的兒子巴勒這樣說、求你不容
十七 甚麼事攔阻你不到我這裏來、十七因爲我必使你得極大
的尊榮、你向我要甚麼、我就給你甚麼。只求你來爲我
十八 咒詛這民。十八巴蘭回答巴勒的臣僕說、巴勒就是將他滿
屋的金銀給我、我行大事小事也不得越過耶和華我
十九 神的命。十九現在我請你們今夜在這裏住宿、等我得知
二十 耶和華還要對我說甚麼。二十當夜 神臨到巴蘭那裏說、
這些人若來召你、你就起來同他們去、你只要遵行我
對你所說的話。

天使阻巴蘭

二一 二二 二一巴蘭早晨起來、備上驢、和摩押的使臣一同去了。二二 神
因他去就發了怒。耶和華的使者站在路上敵擋他。他
二三 騎着驢有兩個僕人跟隨他。二三驢看見耶和華的使者站
在路上、手裏有拔出來的刀、就從路上跨進田間、巴蘭
二四 便打驢要叫他回轉上路。二四耶和華的使者就站在葡萄
二五 園的窄路上、這邊有牆、那邊也有牆。二五驢看見耶和華的
二六 使者就貼靠牆、將巴蘭的脚擠傷了、巴蘭又打驢。二六耶和
華的使者又往前去、站在狹窄之處、左右都沒有轉折
二七 的地方。二七驢看見耶和華的使者就臥在巴蘭底下、巴蘭
二八 發怒用杖打驢。二八耶和華叫驢開口對巴蘭說、我向你行
二九 了甚麼、你竟打我這三次呢。二九巴蘭對驢說、因爲你戲弄
三十 我、我恨不能手中有刀、把你殺了。三十驢對巴蘭說、我不是
你從小時直到今日所騎的驢麼、我素常向你這樣行
過麼。巴蘭說沒有。

天使責言

三一 三一當時、耶和華使巴蘭的眼目明亮、他就看見耶和華的
使者站在路上、手裏有拔出來的刀。巴蘭便低頭俯伏
三二 在地。三二耶和華的使者對他說、你爲何這三次打你的驢
三三 呢。我出來敵擋你、因你所行的在我面前偏僻。三三驢看見
我就三次從我面前偏過去、驢若沒有偏過去、我早把
三四 你殺了、留他存活。三四巴蘭對耶和華的使者說、我有罪了、
我不知道你站在路上阻擋我、你若不喜歡我去、我就
三五 轉回。三五耶和華的使者對巴蘭說、你同這些人去罷、你只
要說我對你說的話。於是巴蘭同着巴勒的使臣去了。

巴勒迎巴蘭

三六 三六巴勒聽見巴蘭來了、就往摩押京城去迎接他．這城是
三七 在邊界上、在亞嫩河旁。三七巴勒對巴蘭說、我不是急急的
打發人到你那裏去召你麼、你爲何不到我這裏來呢、
三八 我豈不能使你得尊榮麼。三八巴蘭說、我已經到你這裏來
了、現在我豈能擅自說甚麼呢．神將甚麼話傳給我、
三九 四十 我就說甚麼。三九巴蘭和巴勒同行、來到基列胡瑣。四十巴勒宰
四一 了（原文作獻）牛羊、送給巴蘭和陪伴的使臣。○四一到了早晨、巴
勒領巴蘭到巴力的高處、巴蘭從那裏觀看以色列營
的邊界。

巴蘭歌詩

一 **第二十三章** 一巴蘭對巴勒說、你在這裏給我築七
二 座壇、爲我豫備七隻公牛、七隻公羊。二巴勒照巴蘭的話
行了。巴勒和巴蘭在每座壇上獻一隻公牛、一隻公羊。
三 三巴蘭對巴勒說、你站在你的燔祭旁邊、我且往前去、或
者耶和華來迎見我、他指示我甚麼、我必告訴你．於是
四 巴蘭上一淨光的高處。四神迎見巴蘭、巴蘭說、我豫備
五 了七座壇、在每座壇上獻了一隻公牛、一隻公羊。五耶和
華將話傳給巴蘭、又說、你回到巴勒那裏、要如此如此
六 說。六他就回到巴勒那裏、見他同摩押的使臣都站在燔
七 祭旁邊。七巴蘭便題起詩歌說、巴勒引我出亞蘭、摩押王
引我出東山、說、來阿、爲我咒詛雅各、來阿、怒罵以色列。
八 八神沒有咒詛的、我焉能咒詛、耶和華沒有怒罵的、我
九 焉能怒罵。九我從高峯看他、從小山望他、這是獨居的民、
十 不列在萬民中。十誰能數點雅各的塵土、誰能計算以色
列的四分之一．我願如義人之死而死、我願如義人之
十一 終而終。十一巴勒對巴蘭說、你向我作的是甚麼事呢．我領
十二 你來咒詛我的仇敵、不料你竟爲他們祝福。十二他回答說、
耶和華傳給我的話、我能不謹愼傳說麼。

復歌詩

十三 十三巴勒說、求你同我往別處去、在那裏可以看見他們、你
不能全看見、只能看見他們邊界上的人、在那裏要爲
十四 我咒詛他們。十四於是領巴蘭到了瑣腓田、上了毘斯迦山
十五 頂、築了七座壇、每座壇上獻一隻公牛、一隻公羊。十五巴蘭
對巴勒說、你站在這燔祭旁邊、等我往那邊去迎見耶
十六 和華。十六耶和華臨到巴蘭那裏、將話傳給他、又說、你回到

十七 巴勒那裏、要如此如此說。他就回到巴勒那裏、見他站
在燔祭旁邊、摩押的使臣也和他在一處。巴勒問他說、
十八 耶和華說了甚麽話呢。巴蘭就題詩歌說、巴勒你起來
十九 聽、西撥的兒子、你聽我言。神非人、必不致說謊、也非
人子、必不致後悔、他說話豈不照着行呢、他發言豈不
二十 要成就呢。我奉命祝福、神也曾賜福、此事我不能翻
二一 轉。他未見雅各中有罪孽、也未見以色列中有奸惡、耶
和華他的　神和他同在、有歡呼王的聲音在他們中
二二 二三 間。神領他們出埃及、他們似乎有野牛之力。斷沒有
法術可以害雅各、也沒有占卜可以害以色列、現在必
有人論及雅各、就是論及以色列說、神爲他行了何
二四 等的大事。這民起來彷彿母獅、挺身好像公獅、未曾喫
二五 野食、未曾喝被傷者之血、決不躺臥。巴勒對巴蘭說、你
二六 一點不要咒詛他們、也不要爲他們祝福。巴蘭回答巴
勒說、我豈不是告訴你說、凡耶和華所說的、我必須遵
二七 行麽。〇巴勒對巴蘭說、來罷、我領你往別處去、或者
二八 神喜歡你在那裏爲我咒詛他們。巴勒就領巴蘭到那
二九 下望曠野的毘珥山頂上。巴蘭對巴勒說、你在這裏爲
三十 我築七座壇、又在這裏爲我豫備七隻公牛、七隻公羊。
巴勒就照巴蘭的話行、在每座壇上獻一隻公牛、一隻
公羊。

第二十四章

巴蘭三歌詩

一 巴蘭見耶和華喜歡賜福與以色列、
二 就不像前兩次去求法術、卻面向曠野。巴蘭舉目、看見
三 以色列人照着支派居住、　神的靈就臨到他身上。他
便題起詩歌說、比珥的兒子巴蘭說、眼目閉住的人說、
四 (閉住或作睜開)得聽　神的言語、得見全能者的異象、眼目睜
五 開而仆倒的人說、雅各阿、你的帳棚何等華美、以色列
六 阿、你的帳幕何其華麗。如接連的山谷、如河旁的園子、
七 如耶和華所栽的沉香樹、如水邊的香柏木。水要從他
的桶裏流出、種子要撒在多水之處。他的王必超過亞
八 甲、他的國必要振興。神領他出埃及、他似乎有野牛
之力、他要吞喫敵國、折斷他們的骨頭、用箭射透他們。
九 他蹲如公獅、臥如母獅、誰敢惹他。凡給你祝福的、願他
十 蒙福。凡咒詛你的、願他受咒詛。巴勒向巴蘭生氣、就拍
起手來、對巴蘭說、我召你來爲我咒詛仇敵、不料你這

十一 三次竟爲他們祝福。十一如今你快回本地去罷．我想使你
得大尊榮、耶和華卻阻止你不得尊榮。
四歌詩
十二 十二巴蘭對巴勒說、我豈不是對你所差遣到我那裏的使
十三 者說、十三巴勒就是將他滿屋的金銀給我、我也不得越過
耶和華的命、憑自己的心意行好、行歹．耶和華說甚麼、
十四 我就要說甚麼。十四現在我要回本族去．你來、我告訴你這
十五 民日後要怎樣待你的民。十五他就題起詩歌說、比珥的兒
十六 子巴蘭說、眼目閉住的人說、(閉住或作睜開)十六得聽　神的言語、
明白至高者的意旨、看見全能者的異象、眼目睜開而
十七 仆倒的人說、十七我看他卻不在現時、我望他卻不在近日．
有星要出於雅各、有杖要興於以色列、必打破摩押的
十八 四角、毀壞擾亂之子。十八他必得以東爲基業、又得仇敵之
十九 地西珥爲產業．以色列必行事勇敢。十九有一位出於雅各
二十 的、必掌大權、他要除滅城中的餘民。二十巴蘭觀看亞瑪力、
就題起詩歌說、亞瑪力原爲諸國之首、但他終必沉淪。
二一 二一巴蘭觀看基尼人、就題起詩歌說、你的住處本是堅固、
二二 你的窩巢作在巖穴中、二二然而基尼必至衰微、直到亞述
二三 把你擄去。二三巴蘭又題起詩歌說、哀哉、　神行這事、誰能
二四 得活。二四必有人乘船從基提界而來、苦害亞述、苦害希伯、
二五 他也必至沉淪。二五於是巴蘭起來回他本地去、巴勒也回
去了。

以色列人在什亭奉巴力毘珥

一 **第二十五章** 一以色列人住在什亭百姓與摩押女
二 子行起淫亂．二因爲這女子叫百姓來、一同給他們的神
三 獻祭、百姓就喫他們的祭物、跪拜他們的神。三以色列人
與巴力毘珥連合、耶和華的怒氣就向以色列人發作。
四 四耶和華吩咐摩西說、將百姓中所有的族長、在我面前
對着日頭懸挂、使我向以色列人所發的怒氣、可以消
五 了。五於是摩西吩咐以色列的審判官說、凡屬你們的人、
六 有與巴力毘珥連合的、你們各人要把他們殺了。〇六摩
西和以色列全會衆、正在會幕門前哭泣的時候、誰知、
有以色列中的一個人、當他們眼前、帶着一個米甸女
七 人到他弟兄那裏去。七祭司亞倫的孫子、以利亞撒的兒
八 子非尼哈看見了、就從會中起來、手裏拿着槍．八跟隨那
以色列人進亭子裏去、便將以色列人和那女人由腹

九 中刺透、這樣在以色列人中瘟疫就止息了。九那時遭瘟
疫死的有二萬四千人。

非尼哈之熱衷

十一 十耶和華曉諭摩西說、十一祭司亞倫的孫子、以利亞撒的兒
子非尼哈使我向以色列人所發的怒消了、因他在他
十二十三 們中間以我的忌邪爲心、使我不在忌邪中把他們除
滅。十二因此你要說、我將我平安的約賜給他。十三這約要給他
和他的後裔作爲永遠當祭司職任的約、因他爲神
十四 有忌邪的心、爲以色列人贖罪。十四○那與米甸女人一同
被殺的以色列人、名叫心利、是撒路的兒子、是西緬一
十五 個宗族的首領。十五那被殺的米甸女人名叫哥斯比、是蘇
十六 珥的女兒、這蘇珥是米甸一個宗族的首領。十六○耶和華
十七十八 曉諭摩西說、十七你要擾害米甸人、擊殺他們、十八因爲他們用
詭計擾害你們、在毘珥的事上、和他們的姊妹米甸首
領的女兒哥斯比的事上、用這詭計誘惑了你們。這哥
斯比當瘟疫流行的日子、因毘珥的事被殺了。

第二十六章　核民數

一 一瘟疫之後、耶和華曉諭摩西、和祭司
二 亞倫的兒子以利亞撒、二說、你們要將以色列全會衆、按
他們的宗族、凡以色列中從二十歲以外能出去打仗
三 的、計算總數。三摩西和祭司以利亞撒、在摩押平原與耶
四 利哥相對的約但河邊、向以色列人說、四將你們中間從
二十歲以外的計算總數、是照耶和華吩咐出埃及地
五 的摩西、和以色列人的話。五○以色列的長子是流便、流
六 便的衆子、屬哈諾的、有哈諾族、屬法路的、有法路族、六屬
七 希斯倫的、有希斯倫族、屬迦米的、有迦米族。七這就是流
八 便的各族、其中被數的、共有四萬三千七百三十名。八法
九 路的兒子是以利押。九以利押的衆子是尼母利、大坍、亞
比蘭。這大坍亞比蘭、就是從會中選召的、與可拉一黨
十 同向耶和華爭鬧的時候、也向摩西亞倫爭鬧、十地便開
十一 口吞了他們、和可拉、可拉的黨類一同死亡。那時火燒
十二 滅了二百五十個人、他們就作了警戒。十一然而可拉的衆
十三 子沒有死亡。十二○按着家族、西緬的衆子、屬尼母利的、有
十四 尼母利族、屬雅憫的、有雅憫族、屬雅斤的、有雅斤族、十三屬
十五 謝拉的、有謝拉族、屬掃羅的、有掃羅族。十四這就是西緬的
各族、共有二萬二千二百名。十五○按着家族、迦得的衆子、

屬洗分的、有洗分族．屬哈基的、有哈基族．屬書尼的、有
書尼族．十六屬阿斯尼的、有阿斯尼族．屬以利的、有以利族．
十七屬亞律的、有亞律族．屬亞列利的、有亞列利族。十八這就是
迦得子孫的各族、照他們中間被數的、共有四萬零五
百名。〇十九猶大的兒子是珥和俄南．這珥、和俄南、死在迦
南地。二十按着家族、猶大其餘的衆子．屬示拉的、有示拉族．
屬法勒斯的、有法勒斯族．屬謝拉的、有謝拉族。二一法勒斯
的兒子．屬希斯倫的、有希斯倫族．屬哈母勒的、有哈母
勒族。二二這就是猶大的各族、照他們中間被數的、共有七
萬六千五百名。〇二三按着家族、以薩迦的衆子．屬陀拉的、
有陀拉族．屬普瓦的、有普瓦族．二四屬雅述的、有雅述族．屬
伸崙的、有伸崙族。二五這就是以薩迦的各族、照他們中間
被數的、共有六萬四千三百名。〇二六按着家族、西布倫的
衆子．屬西烈的、有西烈族．屬以倫的、有以倫族．屬雅利
的、有雅利族。二七這就是西布倫的各族、照他們中間被數
的、共有六萬零五百名。〇二八按着家族、約瑟的兒子、有瑪
拿西、以法蓮。二九瑪拿西的衆子．屬瑪吉的、有瑪吉族．瑪吉
生基列．屬基列的、有基列族。三十基列的衆子．屬伊以謝的、

有伊以謝族．屬希勒的、有希勒族．三一屬亞斯烈的、有亞斯
烈族．屬示劍的、有示劍族．三二屬示米大的、有示米大族．屬
希弗的、有希弗族。三三希弗的兒子西羅非哈沒兒子、只有
女兒、西羅非哈女兒的名字、就是瑪拉、挪阿、曷拉、密迦、
得撒。三四這就是瑪拿西的各族、他們中間被數的、共有五
萬二千七百名。〇三五按着家族、以法蓮的衆子．屬書提拉
的、有書提拉族．屬比結的、有比結族．屬他罕的、有他罕
族。三六書提拉的衆子．屬以蘭的、有以蘭族。三七這就是以法蓮
子孫的各族、照他們中間被數的、共有三萬二千五百
名．按着家族、這都是約瑟的子孫。〇三八按着家族、便雅憫
的衆子．屬比拉的、有比拉族．屬亞實別的、有亞實別族．
屬亞希蘭的、有亞希蘭族．三九屬書反的、有書反族．屬戶反
的、有戶反族。四十比拉的衆子是亞勒、乃幔．屬亞勒的、有亞
勒族．屬乃幔的、有乃幔族。四一按着家族、這就是便雅憫的
子孫、其中被數的、共有四萬五千六百名。〇四二按着家族、
但的衆子．屬書含的、有書含族．按着家族、這就是但的
各族。四三照其中被數的、書含所有的各族、共有六萬四千
四百名。〇四四按着家族、亞設的衆子．屬音拿的、有音拿族．

四五 屬亦施韋的、有亦施韋族．屬比利亞的、有比利亞族。四五比
利亞的衆子．屬希別的、有希別族．屬瑪結的、有瑪結族。
四六 四七 亞四六設的女兒名叫西拉。四七這就是亞設子孫的各族、照他
四八 們中間被數的、共有五萬三千四百名。○四八按着家族、拿
弗他利的衆子．屬雅薛的、有雅薛族．屬沽尼的、有沽尼
四九 五十 族．四九屬耶色的、有耶色族．屬示冷的、有示冷族。五十按着家族、
這就是拿弗他利的各族、他們中間被數的、共有四萬
五一 五千四百名。○五一以色列人中被數的、共有六十萬零一
五二 五三 千七百三十名。○五二耶和華曉諭摩西說、五三你要按着人名
五四 的數目、將地分給這些人爲業。五四人多的、你要把產業多
分給他們、人少的、你要把產業少分給他們、要照被數
五五 的人數、把產業分給各人。五五雖是這樣、還要拈鬮分地、他
五六 們要按着祖宗各支派的名字、承受爲業。五六要按着所拈
五七 的鬮、看人數多、人數少、把產業分給他們。○五七利未人、按
着他們的各族被數的、屬革順的、有革順族．屬哥轄的、
五八 有哥轄族．屬米拉利的、有米拉利族。五八利未的各族、有立
五九 尼族、希伯倫族、瑪利族、母示族、可拉族．哥轄生暗蘭。五九暗
蘭的妻、名叫約基別、是利未女子、生在埃及．他給暗蘭
六十 生了亞倫、摩西、並他們的姐姐米利暗。六十亞倫生拿答、亞
六一 比戶、以利亞撒、以他瑪。六一拿答、亞比戶、在耶和華面前獻
六二 凡火的時候、就死了。六二利未人中、凡一個月以外被數的
男丁、共有二萬三千．他們本來沒有數在以色列人中、
六三 因爲在以色列人中、沒有分給他們產業。○六三這些就是
被摩西和祭司以利亞撒所數的、他們在摩押平原、與
六四 耶利哥相對的約但河邊、數點以色列人。六四但被數的人
中沒有一個是摩西和祭司亞倫從前在西乃的曠野
六五 所數的以色列人．六五因爲耶和華論到他們說、他們必要
死在曠野、所以除了耶孚尼的兒子迦勒和嫩的兒子
約書亞以外、連一個人也沒有存留。

西羅非哈之女求產業

第二十七章

一 一屬約瑟的兒子瑪拿西的各族、有瑪
拿西的玄孫、瑪吉的曾孫、基列的孫子、希弗的兒子西
羅非哈的女兒名叫瑪拉、挪阿、曷拉、密迦、得撒。他們前
二 來、二站在會幕門口、在摩西和祭司以利亞撒、並衆首領、
三 與全會衆面前、說、三我們的父親死在曠野、他不與可拉
同黨聚集攻擊耶和華、是在自己罪中死的、他也沒有

四 兒子。為甚麼因我們的父親沒有兒子、就把他的名從
他族中除掉呢．求你們在我們父親的弟兄中分給我
五 們產業。於是摩西將他們的案件呈到耶和華面前。○
六七 耶和華曉諭摩西說、西羅非哈的女兒說的有理．你定
要在他們父親的弟兄中、把地分給他們為業、要將他
八 們父親的產業歸給他們。你也要曉諭以色列人說、人
九 若死了沒有兒子、就要把他的產業歸給他的女兒。他
十 若沒有女兒、就要把他的產業給他的弟兄。他若沒有
十一 弟兄、就要把他的產業給他父親的弟兄。他父親若沒
有弟兄、就要把他的產業給他族中最近的親屬、他便
要得為業．這要作以色列人的律例典章、是照耶和華
所吩咐摩西的。

示摩西將歸其列祖

十二 耶和華對摩西說、你上這亞巴琳山、觀看我所賜給以
十三 色列人的地。看了以後、你也必歸到你列祖（原文作本民）那
十四 裏像你哥哥亞倫一樣．因為你們在尋的曠野、當會眾
爭鬧的時候、違背了我的命、沒有在湧水之地會眾眼
前尊我為聖。（這水就是尋的曠野加低斯米利巴水）

簡約書亞繼摩西職

十五十六 摩西對耶和華說、願耶和華萬人之靈的神、立一個
十七 人治理會眾．可以在他們面前出入、也可以引導他們、
十八 免得耶和華的會眾如同沒有牧人的羊羣一般。耶和
華對摩西說、嫩的兒子約書亞、是心中有聖靈的、你將
十九 他領來按手在他頭上．使他站在祭司以利亞撒和全
二十 會眾面前、囑咐他。又將你的尊榮給他幾分、使以色列
二十一 全會眾都聽從他。他要站在祭司以利亞撒面前、以利
亞撒要憑烏陵的判斷、在耶和華面前為他求問．他和
二十二 以色列全會眾、都要遵以利亞撒的命出入。於是摩西
照耶和華所吩咐的、將約書亞領來、使他站在祭司以
二十三 利亞撒和全會眾面前、按手在他頭上、囑咐他、是照耶
和華藉摩西所說的話。

第二十八章

恒獻燔祭之例

一二 耶和華曉諭摩西說、你要吩咐以色
列人說、獻給我的供物、就是獻給我作馨香火祭的食
三 物、你們要按日期獻給我。又要對他們說、你們要獻給
耶和華的火祭、就是沒有殘疾一歲的公羊羔、每日兩

四 隻、作爲常獻的燔祭。四早晨要獻一隻、黃昏的時候要獻
五 一隻。五又用細麵伊法十分之一、並搗成的油一欣四分
六 之一、調和作爲素祭。六這是在西乃山所命定爲常獻的
七 燔祭、是獻給耶和華爲馨香的火祭。七爲這一隻羊羔要
同獻奠祭的酒、一欣四分之一、在聖所中你要將醇酒
八 奉給耶和華爲奠祭。八晚上、你要獻那一隻羊羔、必照早
晨的素祭、和同獻的奠祭獻上、作爲馨香的火祭獻給
耶和華。

安息日當獻之祭

九 九當安息日、要獻兩隻沒有殘疾一歲的公羊羔、並用調
油的細麵伊法十分之二爲素祭、又將同獻的奠祭獻
十 上。十這是每安息日獻的燔祭、那常獻的燔祭和同獻的
奠祭在外。

月朔當獻之祭

十一 十一每月朔、你們要將兩隻公牛犢、一隻公綿羊、七隻沒有
十二 殘疾一歲的公羊羔、獻給耶和華爲燔祭。十二每隻公牛、要
用調油的細麵伊法十分之三、作爲素祭、那隻公羊也
十三 用調油的細麵伊法十分之二、作爲素祭。十三每隻羊羔要
用調油的細麵伊法十分之一、作爲素祭、和馨香的燔
十四 祭、是獻給耶和華的火祭。十四一隻公牛要奠酒半欣、一隻
公羊要奠酒一欣三分之一、一隻羊羔也奠酒一欣四
十五 分之一、這是每月的燔祭、一年之中要月月如此。十五又要
將一隻公山羊爲贖罪祭、獻給耶和華、要獻在常獻的
燔祭、和同獻的奠祭以外。

逾越節當獻之祭

十六 十七 十六正月十四日、是耶和華的逾越節。十七這月十五日是節期、
十八 要喫無酵餅七日。十八第一日當有聖會、甚麼勞碌的工都
十九 不可作。十九當將公牛犢兩隻、公綿羊一隻、一歲的公羊羔
二十 七隻、都要沒有殘疾的、用火獻給耶和華爲燔祭。二十同獻
的素祭用調油的細麵、爲一隻公牛要獻伊法十分之
二十一 三。爲一隻公羊要獻伊法十分之二。二十一爲那七隻羊羔、每
二十二 隻要獻伊法十分之一。二十二並獻一隻公山羊作贖罪祭、爲
二十三 二十四 你們贖罪。二十三你們獻這些、要在早晨常獻的燔祭以外。二十四一
連七日、每日要照這例、把馨香火祭的食物獻給耶和
二十五 華、是在常獻的燔祭、和同獻的奠祭以外。二十五第七日當有
聖會、甚麼勞碌的工都不可作。

七七節當獻之祭

二六 七七節莊稼初熟你們獻新素祭給耶和華的日子、當
二七 有聖會、甚麼勞碌的工都不可作。只要將公牛犢兩隻、
公綿羊一隻、一歲的公羊羔七隻、作為馨香的燔祭、獻
二八 給耶和華。同獻的素祭用調油的細麵、為每隻公牛要
二九 獻伊法十分之三．為一隻公羊要獻伊法十分之二．為
三十 那七隻羊羔、每隻要獻伊法十分之一．並獻一隻公山
三一 羊為你們贖罪。這些、你們要獻在常獻的燔祭、和同獻
的素祭並同獻的奠祭以外、都要沒有殘疾的。

第二十九章

吹角日當獻之祭

一 七月初一日、你們當有聖會、甚麼勞
二 碌的工都不可作、是你們當守為吹角的日子。你們要
將公牛犢一隻、公綿羊一隻、沒有殘疾一歲的公羊羔
三 七隻、作為馨香的燔祭、獻給耶和華。同獻的素祭用調
四 油的細麵、為一隻公牛要獻伊法十分之三．為一隻公
羊要獻伊法十分之二．為那七隻羊羔、每隻要獻伊法
五 六 十分之一。又獻一隻公山羊作贖罪祭、為你們贖罪。這
些是在月朔的燔祭、和同獻的素祭、並常獻的燔祭、與
同獻的素祭、以及照例同獻的奠祭以外．都作為馨香
的火祭獻給耶和華。

贖罪日當獻之祭

七 七月初十日、你們當有聖會、要刻苦己心、甚麼工都不
八 可作。只要將公牛犢一隻、公綿羊一隻、一歲的公羊羔
七隻、都要沒有殘疾的、作為馨香的燔祭獻給耶和華。
九 同獻的素祭用調油的細麵、為一隻公牛要獻伊法十
十 分之三．為一隻公羊要獻伊法十分之二．為那七隻羊
十一 羔每隻要獻伊法十分之一。又獻一隻公山羊為贖罪
祭、這是在贖罪祭、和常獻的燔祭、與同獻的素祭、並同
獻的奠祭以外。

住棚節當獻之祭

十二 七月十五日、你們當有聖會、甚麼勞碌的工都不可作、
十三 要向耶和華守節七日。又要將公牛犢十三隻、公綿羊
兩隻、一歲的公羊羔十四隻、都要沒有殘疾的、用火獻
十四 給耶和華為馨香的燔祭。同獻的素祭、用調油的細麵、
為那十三隻公牛、每隻要獻伊法十分之三．為那兩隻
十五 公羊、每隻要獻伊法十分之二．為那十四隻羊羔、每隻

十六 要獻伊法十分之一。十六並獻一隻公山羊爲贖罪祭。這是
在常獻的燔祭、和同獻的素祭並同獻的奠祭以外。◯
十七 十七第二日要獻公牛犢十二隻、公綿羊兩隻、沒有殘疾一
十八 歲的公羊羔十四隻。十八並爲公牛、公羊、和羊羔、按數照例
十九 獻同獻的素祭、和同獻的奠祭。十九又要獻一隻公山羊爲
贖罪祭。這是在常獻的燔祭、和同獻的素祭、並同獻的
二十 奠祭以外。◯二十第三日要獻公牛十一隻、公羊兩隻、沒有
二一 殘疾一歲的公羊羔十四隻。二一並爲公牛、公羊、和羊羔、按
二二 數照例獻同獻的素祭、和同獻的奠祭。二二又要獻一隻公
山羊爲贖罪祭。這是在常獻的燔祭、和同獻的素祭、並
二三 同獻的奠祭以外。◯二三第四日要獻公牛十隻、公羊兩隻、
二四 沒有殘疾一歲的公羊羔十四隻。二四並爲公牛、公羊、和羊
二五 羔、按數照例獻同獻的素祭、和同獻的奠祭。二五又要獻一
隻公山羊爲贖罪祭。這是在常獻的燔祭和同獻的素
二六 祭、並同獻的奠祭以外。◯二六第五日要獻公牛九隻、公羊
二七 兩隻、沒有殘疾一歲的公羊羔十四隻。二七並爲公牛、公羊、
二八 和羊羔、按數照例獻同獻的素祭、和同獻的奠祭。二八又要
獻一隻公山羊爲贖罪祭。這是在常獻的燔祭、和同獻

二九 的素祭、並同獻的奠祭以外。◯二九第六日要獻公牛八隻、
三十 公羊兩隻、沒有殘疾一歲的公羊羔十四隻。三十並爲公牛、
公羊、和羊羔、按數照例獻同獻的素祭、和同獻的奠祭。
三一 三一又要獻一隻公山羊爲贖罪祭。這是在常獻的燔祭、和
三二 同獻的素祭、並同獻的奠祭以外。◯三二第七日要獻公牛
三三 七隻、公羊兩隻、沒有殘疾一歲的公羊羔十四隻。三三並爲
公牛、公羊、和羊羔、按數照例獻同獻的素祭、和同獻的
三四 奠祭。三四又要獻一隻公山羊爲贖罪祭。這是在常獻的燔
三五 祭、和同獻的素祭、並同獻的奠祭以外。三五◯第八日你們
三六 當有嚴肅會、甚麼勞碌的工都不可作。三六只要將公牛一
隻、公羊一隻、沒有殘疾一歲的公羊羔七隻、作火祭、獻
三七 給耶和華爲馨香的燔祭。三七並爲公牛、公羊、和羊羔、按數
三八 照例獻同獻的素祭、和同獻的奠祭。三八又要獻一隻公山
羊爲贖罪祭。這是在常獻的燔祭、和同獻的素祭、並同
三九 獻的奠祭以外。三九◯這些祭要在你們的節期獻給耶和
華、都在所許的願、並甘心所獻的以外、作爲你們的燔
四十 祭、素祭、奠祭、和平安祭。四十於是摩西照耶和華所吩咐他
的一切話、告訴以色列人。

一 第三十章 許願之例 [一]摩西曉諭以色列各支派的首領、說、耶
二 和華所吩咐的乃是這樣。[二]人若向耶和華許願、或起誓、
要約束自己、就不可食言、必要按口中所出的一切話
三 行。[三]女子年幼還在父家的時候、若向耶和華許願要約
四 束自己。[四]他父親也聽見他所許的願、並約束自己的話、
卻向他默默不言、他所許的願、並約束自己的話、就都
五 要爲定。[五]但他父親聽見的日子、若不應承、他所許的願、
和約束自己的話、就都不得爲定。耶和華也必赦免他、
六 因爲他父親不應承。[六]○他若出了嫁、有願在身、或是口
七 中出了約束自己的冒失話。[七]他丈夫聽見的日子、卻向
他默默不言、他所許的願、並約束自己的話、就都要爲
八 定。[八]但他丈夫聽見的日子、若不應承、就算廢了他所許
的願、和他出口約束自己的冒失話、耶和華也必赦免
九 他。[九]○寡婦或是被休的婦人所許的願、就是他約束自
十 己的話、都要爲定。[十]他若在丈夫家裏許了願、或起了誓、
十一 約束自己。[十一]丈夫聽見卻向他默默不言、也沒有不應承、
十二 他所許的願、並約束自己的話、就都要爲定。[十二]丈夫聽見

的日子、若把這兩樣全廢了、婦人口中所許的願、或是
約束自己的話、就都不得爲定。因他丈夫已經把這兩
十三 樣廢了。耶和華也必赦免他。[十三]凡他所許的願、和刻苦約
十四 束自己所起的誓、他丈夫可以堅定、也可以廢去。[十四]倘若
他丈夫天天向他默默不言、就算是堅定他所許的願、
和約束自己的話、因丈夫聽見的日子向他默默不言、
十五 就使這兩樣堅定。[十五]但他丈夫聽見以後、若使這兩樣全
十六 廢了、就要擔當婦人的罪孽。[十六]這是丈夫待妻子、父親待
女兒、女兒年幼還在父家、耶和華所吩咐摩西的律例。

一 二 第三十一章 戮米甸人 [一]耶和華吩咐摩西說、[二]你要在米甸人
身上報以色列人的仇、後來要歸到你列祖(原文作本民)那
三 裏。[三]摩西吩咐百姓說、要從你們中間叫人帶兵器出去
四 攻擊米甸、好在米甸人身上爲耶和華報仇。[四]從以色列
五 衆支派中每支派要打發一千人去打仗。[五]於是從以色
列千萬人中、每支派交出一千人、共一萬二千人、帶着
六 兵器豫備打仗。[六]摩西就打發每支派的一千人去打仗、
並打發祭司以利亞撒的兒子非尼哈同去、非尼哈手

七 裏拿着聖所的器皿、和吹大聲的號筒。七他們就照耶和
八 華所吩咐摩西的、與米甸人打仗、殺了所有的男丁。八在
所殺的人中、殺了米甸的五王、就是以未、利金、蘇珥、戶
九 珥、利巴、又用刀殺了比珥的兒子巴蘭。九以色列人擄了
米甸人的婦女孩子、並將他們的牲畜、羊羣、和所有的
十 財物都奪了來、當作擄物。十又用火焚燒他們所住的城
十一 邑、和所有的營寨。十一把一切所奪的、所擄的、連人帶牲畜
十二 都帶了去。十二將所擄的人、所奪的牲畜財物、都帶到摩押
平原、在約但河邊與耶利哥相對的營盤、交給摩西、和
十三 祭司以利亞撒、並以色列的會衆。○十三摩西和祭司以利
十四 亞撒、並會衆一切的首領、都出到營外迎接他們。十四摩西
十五 向打仗回來的軍長、就是千夫長、百夫長、發怒。十五對他們
十六 說、你們要存留這一切婦女的活命麼。十六這些婦女、因巴
蘭的計謀、叫以色列人在毘珥的事上得罪耶和華、以
十七 致耶和華的會衆遭遇瘟疫。十七所以你們要把一切的男
十八 孩、和所有已嫁的女子、都殺了。十八但女孩子中、凡沒有出
十九 嫁的、你們都可以存留他的活命。十九你們要在營外駐紮
七日、凡殺了人的、和一切摸了被殺的、並你們所擄來

二十 的人口、第三日、第七日、都要潔淨自己。二十也要因一切的
衣服、皮物、山羊毛織的物、和各樣的木器潔淨自己。○
二十一 二十一祭司以利亞撒對打仗回來的兵丁說、耶和華所吩咐
二十二 二十三 摩西律法中的條例、乃是這樣。二十二金、銀、銅、鐵、錫、鉛、二十三凡能見
火的、你們要叫他經火、就爲潔淨、然而還要用除汚穢
二十四 的水潔淨他、凡不能見火的、你們要叫他過水。二十四第七日、
你們要洗衣服、就爲潔淨、然後可以進營。

分所獲之物

二十五 二十六 二十五耶和華曉諭摩西說、二十六你和祭司以利亞撒、並會衆的各
二十七 族長、要計算所擄來的人口、和牲畜的總數。二十七把所擄來
的、分作兩半、一半歸與出去打仗的精兵、一半歸與全
二十八 會衆。二十八又要從出去打仗所得的人口、牛、驢、羊羣中、每五
二十九 百取一、作爲貢物奉給耶和華。二十九從他們一半之中要取
三十 出來交給祭司以利亞撒、作爲耶和華的舉祭。三十從以色
列人的一半之中、就是從人口、牛、驢、羊羣、各樣牲畜中、
三十一 每五十取一、交給看守耶和華帳幕的利未人。三十一於是摩
西和祭司以利亞撒、照耶和華所吩咐摩西的行了。

五輪其一貢於耶和華
三二除了兵丁所奪的財物以外、所擄來的、羊六十七萬五
千隻．三三牛七萬二千隻．三四驢六萬一千匹．三五女人共三萬二千
口都是沒有出嫁的。三六出去打仗之人的分、就是他們所
得的那一半、共計羊三十三萬七千五百隻．三七從其中歸
耶和華爲貢物的、有六百七十五隻．三八牛三萬六千隻．從
其中歸耶和華爲貢物的、有七十二隻．三九驢三萬零五百
匹、從其中歸耶和華爲貢物的、有六十一匹．四十人一萬六
千口、從其中歸耶和華的、有三十二口。四一摩西把貢物就
是歸與耶和華的舉祭、交給祭司以利亞撒、是照耶和
華所吩咐摩西的。◯四二以色列人所得的那一半、就是摩
西從打仗的人取來分給他們的、四三（會衆的那一半、有
羊三十三萬七千五百隻．四四牛三萬六千隻．四五驢三萬零五
百匹．四六人一萬六千口）四七無論是人口、是牲畜、摩西每五
十取一、交給看守耶和華帳幕的利未人．是照耶和華
所吩咐摩西的。◯四八帶領千軍的各軍長、就是千夫長、百
夫長、都近前來見摩西、四九對他說、僕人權下的兵、已經計
算總數、並不短少一人。五十如今我們將各人所得的金器、

就是腳鍊子、鐲子、打印的戒指、耳環、手釧、都送來爲耶
和華的供物、好在耶和華面前、爲我們的生命贖罪。五一摩
西和祭司以利亞撒、就收了他們的金子、都是打成的
器皿。五二千夫長、百夫長、所獻給耶和華爲舉祭的金子、共
有一萬六千七百五十舍客勒。五三各兵丁都爲自己奪了
財物。五四摩西和祭司以利亞撒、收了千夫長、百夫長的金
子、就帶進會幕、在耶和華面前作爲以色列人的記念。

流便迦得二支派求業於約但河東

第三十二章

一流便子孫和迦得子孫的牲畜、極其
衆多．他們看見雅謝地、和基列地、是可牧放牲畜之地、
二就來見摩西、和祭司以利亞撒、並會衆的首領、說、三亞大
錄、底本、雅謝、寧拉、希實本、以利亞利、示班、尼波、比穩、四就
是耶和華在以色列會衆前面所攻取之地、是可牧放
牲畜之地、你僕人也有牲畜。五又說、我們若在你眼前蒙
恩、求你把這地給我們爲業、不要領我們過約但河。◯
六摩西對迦得子孫和流便子孫說、難道你們的弟兄去
打仗、你們竟坐在這裏麽。七你們爲何使以色列人灰心
喪膽、不過去進入耶和華所賜給他們的那地呢。八我先

前從加低斯巴尼亞打發你們先祖去窺探那地、他們
九 也是這樣行。九他們上以實各谷去窺探那地回來的時
候、使以色列人灰心喪膽、不進入耶和華所賜給他們
十 十一 的地。十當日耶和華的怒氣發作、就起誓說、十一凡從埃及上
來二十歲以外的人、斷不得看見我對亞伯拉罕、以撒、
十二 雅各起誓應許之地、因為他們沒有專心跟從我。十二惟有
基尼洗族、耶孚尼的兒子迦勒、和嫩的兒子約書亞、可
十三 以看見、因為他們專心跟從我。十三耶和華的怒氣向以色
列人發作、使他們在曠野飄流四十年、等到在耶和華
十四 眼前行惡的那一代人、都消滅了。十四誰知、你們起來接續
先祖、增添罪人的數目、使耶和華向以色列大發烈怒。
十五 十五你們若退後不跟從他、他還要把以色列人撇在曠野、
十六 便是你們使這衆民滅亡。○十六兩支派的人挨近摩西說、
十七 我們要在這裏為牲畜壘圈、為婦人孩子造城。十七我們自
己要帶兵器、行在以色列人的前頭、好把他們領到他
們的地方、但我們的婦人孩子、因這地居民的緣故、要
十八 住在堅固的城內。十八我們不回家、直等到以色列人各承
十九 受自己的產業。十九我們不和他們在約但河那邊一帶之

地同受產業、因為我們的產業是坐落在約但河東邊
二十 這裏。○二十摩西對他們說、你們若這樣行、在耶和華面前
二一 帶着兵器出去打仗。二一所有帶兵器的人、都要在耶和華
二二 面前過約但河、等他趕出他的仇敵、二二那地被耶和華制
伏了、然後你們可以回來、向耶和華和以色列纔為無
二三 罪、這地也必在耶和華面前歸你們為業。二三倘若你們不
這樣行、就得罪耶和華、要知道你們的罪必追上你們。
二四 二四如今你們口中所出的、只管去行、為你們的婦人孩子
二五 造城、為你們的羊羣壘圈。二五迦得子孫和流便子孫對摩
二六 西說、僕人要照我主所吩咐的去行。二六我們的妻子、孩子、
二七 羊羣和所有的牲畜、都要留在基列的各城。二七但你的僕
人、凡帶兵器的、都要照我主所說的話、在耶和華面前
二八 過去打仗。○二八於是摩西為他們囑咐祭司以利亞撒、和
二九 嫩的兒子約書亞、並以色列衆支派的族長、二九說、迦得子
孫和流便子孫、凡帶兵器在耶和華面前去打仗的、若
與你們一同過約但河、那地被你們制伏了、你們就要
三十 把基列地給他們為業。三十倘若他們不帶兵器和你們一
三一 同過去、就要在迦南地你們中間得產業。三一迦得子孫、和

流便子孫回答說、耶和華怎樣吩咐僕人、僕人就怎樣
三二 行。三二我們要帶兵器在耶和華面前過去、進入迦南地、只
是約但河這邊我們所得爲業之地、仍歸我們。

以約但河東地給流便迦得二支派及瑪拿西支派之半

三三 三三摩西將亞摩利王西宏的國、和巴珊王噩的國、連那地
和周圍的城邑、都給了迦得子孫、和流便子孫、並約瑟
三四 的兒子瑪拿西半個支派。三四迦得子孫建造底本、亞他錄、
三五三六 亞羅珥、三五亞他錄朔反、雅謝、約比哈、三六伯寧拉、伯哈蘭、都是
三七 堅固城、他們又壘羊圈。三七流便子孫建造希實本、以利亞
三八 利、基列亭、三八尼波、巴力免、西比瑪、（尼波、巴力免、名字是
三九 改了的）又給他們所建造的城另起別名。三九瑪拿西的
兒子瑪吉、他的子孫往基列去、佔了那地、趕出那裏的
四十 亞摩利人。四十摩西將基列賜給瑪拿西的兒子瑪吉、他子
四一 孫就住在那裏。四一瑪拿西的子孫睚珥去佔了基列的村
四二 莊、就稱這些村莊爲哈倭特睚珥。四二挪巴去佔了基納和
基納的鄉村、就按自己的名稱基納爲挪巴。

記以色列人由蘭塞啓行至亞伯什亭

一 **第三十三章** 一以色列人按着軍隊、在摩西亞倫的
二 手下出埃及地所行的路程、（或作站口下同）二記在下面。摩西遵
着耶和華的吩咐、記載他們所行的路程、其路程乃是
三 這樣。三正月十五日、就是逾越節的次日、以色列人從蘭
四 塞起行、在一切埃及人眼前昂然無懼的出去。四那時埃
及人正葬埋他們的長子、就是耶和華在他們中間所
五 擊殺的。耶和華也敗壞他們的神。○五以色列人從蘭塞
六 起行、安營在疎割。六從疎割起行、安營在曠野邊的以倘。
七 七從以倘起行、轉到比哈希錄、是在巴力洗分對面、就在
八 密奪安營。八從比哈希錄對面起行、經過海中、到了書珥
曠野．又在伊坦的曠野走了三天的路程、就安營在瑪
九 拉。九從瑪拉起行、來到以琳、以琳有十二股水泉、七十棵
十十一 棕樹、就在那裏安營。十從以琳起行、安營在紅海邊。十一從紅
十二 海邊起行、安營在汛的曠野。十二從汛的曠野起行、安營在
十三十四 脫加。十三從脫加起行、安營在亞錄。十四從亞錄起行、安營在利
十五 非訂、在那裏百姓沒有水喝。十五從利非訂起行、安營在西
十六 乃的曠野。十六從西乃的曠野起行、安營在基博羅哈他瓦。

十七從基博羅哈他瓦起行、安營在哈洗錄。十八從哈洗錄起行、
安營在利提瑪。十九從利提瑪起行、安營在臨門帕烈。二十從臨
門帕烈起行、安營在立拿。二十一從立拿起行、安營在勒撒。二十二從
勒撒起行、安營在基希拉他。二十三從基希拉他起行、安營在
沙斐山。二十四從沙斐山起行、安營在哈拉大。二十五從哈拉大起行、
安營在瑪吉希錄。二十六從瑪吉希錄起行、安營在他哈。二十七從他
哈起行、安營在他拉。二十八從他拉起行、安營在密加。二十九從密加
起行、安營在哈摩拿。三十從哈摩拿起行、安營在摩西錄。三十一從
摩西錄起行、安營在比尼亞干。三十二從比尼亞干起行、安營
在曷哈及甲。三十三從曷哈及甲起行、安營在約巴他。三十四從約巴
他起行、安營在阿博拿。三十五從阿博拿起行、安營在以旬迦
別。三十六從以旬迦別起行、安營在尋的曠野、就是加低斯。三十七從
加低斯起行、安營在何珥山以東地的邊界。〇三十八以色列
人出了埃及地後四十年五月初一日、祭司亞倫遵着
耶和華的吩咐、上何珥山、就死在那裏。三十九亞倫死在何珥
山的時候、年一百二十三歲。〇四十住在迦南南地的迦南
人亞拉得王、聽說以色列人來了。〇四十一以色列人從何珥
山起行、安營在撒摩拿。四十二從撒摩拿起行、安營在普嫩。四十三從
普嫩起行、安營在阿伯。四十四從阿伯起行、安營在以耶亞巴
琳摩押的邊界。四十五從以耶亞巴琳起行、安營在底本迦得。
四十六從底本迦得起行、安營在亞門低比拉太音。四十七從亞門低
比拉太音起行、安營在尼波對面的亞巴琳山裏。四十八從亞
巴琳山起行、安營在摩押平原、約但河邊耶利哥對面。
四十九他們在摩押平原沿約但河邊安營、從伯耶施末直到
亞伯什亭。〇五十耶和華在摩押平原約但河邊、耶利哥對
面曉諭摩西說、五十一你吩咐以色列人說、你們過約但河進
迦南地的時候、五十二就要從你們面前趕出那裏所有的居
民、毀滅他們一切鏨成的石像、和他們一切鑄成的偶
像、又拆毀他們一切的邱壇。五十三你們要奪那地住在其中、
因我把那地賜給你們爲業。五十四你們要按家室拈鬮承受
那地、人多的要把產業多分給他們、人少的要把產業
少分給他們、拈出何地給何人、就要歸何人、你們要按
宗族的支派承受。五十五倘若你們不趕出那地的居民、所容
留的居民、就必作你們眼中的刺、肋下的荊棘、也必在
你們所住的地上擾害你們。五十六而且我素常有意怎樣待
他們、也必照樣待你們。

一二 第三十四章 命定迦南地之境界
一耶和華曉諭摩西說、二你吩咐以色列
人說、你們到了迦南地、就是歸你們為業的迦南四境
三 之地、三南角要從尋的曠野、貼着以東的邊界、南界要從
四 鹽海東頭起、四繞到亞克拉濱坡的南邊、接連到尋、直通
到加低斯巴尼亞的南邊、又通到哈薩亞達、接連到押
五六 們、五從押們轉到埃及小河、直通到海為止。六〇西邊要以
七 大海為界、這就是你們的西界。七〇北界要從大海起畫
八九 到何珥山、八從何珥山畫到哈馬口、通到西達達、九又通到
十 西斐崙、直到哈薩以難、這要作你們的北界。十〇你們要
十一 從哈薩以難、畫到示番為東界。十一這界要從示番下到亞
十二 延東邊的利比拉、又要達到基尼烈湖的東邊、十二這界要
下到約但河、通到鹽海為止、這四圍的邊界以內、要作
十三 你們的地。十三〇摩西吩咐以色列人說、這地就是耶和華
十四 吩咐拈鬮給九個半支派承受為業的、十四因為流便支派、
和迦得支派、按着宗族受了產業、瑪拿西半個支派也
十五 受了產業。十五這兩個半支派、已經在耶利哥對面、約但河
東向日出之地受了產業。

揀選分地之人
十六十七 十六耶和華曉諭摩西說、十七要給你們分地為業之人的名字、
十八 是祭司以利亞撒、和嫩的兒子約書亞。十八又要從每支派
十九 中、選一個首領幫助他們。十九這些人的名字、猶大支派有
二十 耶孚尼的兒子迦勒。二十西緬支派有亞米忽的兒子示母
二十一二十二 利。二十一便雅憫支派有基斯倫的兒子以利達。二十二但支派有一
二十三 個首領、約利的兒子布基。二十三約瑟的子孫瑪拿西支派有
二十四 一個首領、以弗的兒子漢聶。二十四以法蓮支派有一個首領、
二十五 拾弗但的兒子基母利。二十五西布倫支派有一個首領、帕納
二十六 的兒子以利撒番。二十六以薩迦支派有一個首領、阿散的兒
二十七 子帕鐵。二十七亞設支派有一個首領、示羅米的兒子亞希忽。
二十八二十九 二十八拿弗他利支派有一個首領、亞米忽的兒子比大黑。二十九這
些人就是耶和華所吩咐、在迦南地把產業分給以色
列人的。

一 第三十五章 命以色列人以邑予利未人
一耶和華在摩押平原、約但河邊、耶利
二 哥對面、曉諭摩西說、二你吩咐以色列人、要從所得為業
的地中、把些城給利未人居住、也要把這城四圍的郊

三 野給利未人。三這城邑要歸他們居住、城邑的郊野、可以
牧養他們的牛羊、和各樣的牲畜、又可以安置他們的
四 財物。四你們給利未人的郊野、要從城根起、四圍往外量
五 一千肘。五另外東量二千肘、南量二千肘、西量二千肘、北
量二千肘爲邊界、城在當中．這要歸他們作城邑的郊
六 野。六你們給利未人的城邑、其中當有六座逃城、使誤殺
七 人的可以逃到那裏．此外還要給他們四十二座城。七你
們要給利未人的城、共有四十八座．連城帶郊野都要
八 給他們。八以色列人所得的地業、從中要把些城邑給利
未人、人多的就多給、人少的就少給、各支派要按所承
受爲業之地、把城邑給利未人。

簡邑爲逃城

九十 九耶和華曉諭摩西說、十你吩咐以色列人說、你們過約但
十一 河、進了迦南地、十一就要分出幾座城、爲你們作逃城、使誤
十二 殺人的可以逃到那裏。十二這些城、可以作逃避報仇人的
城、使誤殺人的不至於死、等他站在會衆面前聽審判。
十三十四 十三你們所分出來的城、要作六座逃城。十四在約但河東要分
十五 出三座城、在迦南地也要分出三座城、都作逃城。十五這六

座城要給以色列人、和他們中間的外人、並寄居的、作
十六 爲逃城、使誤殺人的都可以逃到那裏。十六○倘若人用鐵
器打人、以致打死、他就是故殺人的、故殺人的必被治
十七 死。十七若用可以打死人的石頭打死了人、他就是故殺人
十八 的、故殺人的必被治死。十八若用可以打死人的木器打死
十九 了人、他就是故殺人的、故殺人的必被治死。十九報血仇的、
二十 必親自殺那故殺人的、一遇見就殺他。二十人若因怨恨把
二十一 人推倒、或是埋伏往人身上扔物、以致於死、二十一或是因仇
恨用手打人、以致於死、那打人的必被治死、他是故殺
二十二 人的、報血仇的一遇見就殺他。○二十二倘若人沒有仇恨、忽
二十三 然將人推倒、或是沒有埋伏、把物扔在人身上、二十三或是沒
有看見的時候、用可以打死人的石頭、扔在人身上、以
二十四 致於死、本來與他無仇、也無意害他、二十四會衆就要照典章、
二十五 在打死人的、和報血仇的中間審判。二十五會衆要救這誤殺
人的脫離報血仇人的手、也要使他歸入逃城．他要住
二十六 在其中、直等到受聖膏的大祭司死了。二十六但誤殺人的無
二十七 論甚麽時候、若出了逃城的境外．二十七報血仇的在逃城境
二十八 外遇見他、將他殺了、報血仇的就沒有流血之罪。二十八因爲

誤殺人的該住在逃城裏、等到大祭司死了、大祭司死
了以後、誤殺人的纔可以回到他所得為業之地。

故殺之例

二九 二九這在你們一切的住處、要作你們世世代代的律例、典
三十 章。三十無論誰故殺人、要憑幾個見證人的口、把那故殺人
三一 的殺了、只是不可憑一個見證的口叫人死。三一故殺人犯
三二 死罪的、你們不可收贖價代替他的命、他必被治死。三二那
逃到逃城的人、你們不可為他收贖價、使他在大祭司
三三 未死以先、再來住在本地。三三這樣、你們就不汚穢所住之
地、因為血是汚穢地的、若有在地上流人血的、非流那
三四 殺人者的血、那地就不得潔淨。潔淨原文作贖三四你們不可玷汚
所住之地、就是我住在其中之地、因為我耶和華住在
以色列人中間。

承業之女適人之例

第三十六章

一 一約瑟的後裔瑪拿西的孫子、瑪吉的
兒子基列、他子孫中的諸族長來到摩西和作首領的
二 以色列人族長面前、二說、耶和華曾吩咐我主、拈鬮分地
給以色列人為業、我主也受了耶和華的吩咐、將我們

三 兄弟西羅非哈的產業分給他的衆女兒。三他們若嫁以
色列別支派的人、就必將我們祖宗所遺留的產業、加
在他們丈夫支派的產業中、這樣、我們拈鬮所得的產
四 業。就要減少了。四到了以色列人的禧年、這女兒的產業
就必加在他們丈夫支派的產業上、這樣、我們祖宗支
五 派的產業、就減少了。○五摩西照耶和華的話、吩咐以色
六 列人說、約瑟支派的人說的有理。六論到西羅非哈的衆
女兒、耶和華這樣吩咐說、他們可以隨意嫁人、只是要
七 嫁同宗支派的人。七這樣、以色列人的產業就不從這支
派歸到那支派、因為以色列人要各守各祖宗支派的
八 產業。八凡在以色列支派中得了產業的女子、必作同宗
支派人的妻、好叫以色列人、各自承受他祖宗的產業。
九 九這樣、他們的產業、就不從這支派歸到那支派、因為以
十 色列支派的人、要各守各的產業。○十耶和華怎樣吩咐
十一 摩西、西羅非哈的衆女兒就怎樣行。十一西羅非哈的女兒
十二 瑪拉、得撒、曷拉、密迦、挪阿、都嫁了他們伯叔的兒子。十二他
們嫁入約瑟兒子、瑪拿西子孫的族中、他們的產業仍
十三 留在同宗支派中。○十三這是耶和華在摩押平原、約但河

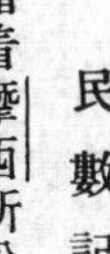

邊、耶利哥對面藉着摩西所吩咐以色列人的命令、典章。

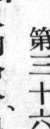

摩西宣述昔從何烈啓行之事

一 第一章 一以下所記的、是摩西在約但河東的曠野、
疎弗對面的亞拉巴、就是巴蘭、陀弗、拉班、哈洗錄、底撒
二 哈中間、向以色列衆人所說的話。二從何烈山經過西珥
三 山、到加低斯巴尼亞、有十一天的路程。三出埃及第四十
年、十一月初一日、摩西照耶和華藉着他所吩咐以色
四 列人的話、都曉諭他們。四那時他已經擊殺了住希實本
的亞摩利王西宏、和住以得來亞斯他錄的巴珊王噩。
五六 五摩西在約但河東的摩押地講律法說、六耶和華我們的
神在何烈山曉諭我們說、你們在這山上住的日子
七 彀了．七要起行轉到亞摩利人的山地、和靠近這山地的
各處、就是亞拉巴、山地、高原、南地、沿海一帶迦南人的
八 地、並利巴嫩山、又到伯拉大河．八如今我將這地擺在你
們面前、你們要進去得這地、就是耶和華向你們列祖
亞伯拉罕、以撒、雅各、起誓應許賜給他們和他們後裔
爲業之地。

簡智慧人爲長

九 九那時我對你們說、管理你們的重任、我獨自擔當不起。
十 十耶和華你們的　神使你們多起來、看哪、你們今日像
十一 天上的星那樣多。十一惟願耶和華你們列祖的　神、使你
們比如今更多千倍、照他所應許你們的話、賜福與你
十二 們。十二但你們的麻煩、和管理你們的重任、並你們的爭訟、
十三 我獨自一人怎能擔當得起呢。十三你們要按着各支派選
舉有智慧、有見識、爲衆人所認識的、我立他們爲你們
十四十五 的首領。十四你們回答我說、照你所說的行了爲妙。十五我便將
你們各支派的首領、有智慧爲衆人所認識的、照你們
的支派、立他們爲官長、千夫長、百夫長、五十夫長、十夫
十六 長、管理你們。十六當時、我囑咐你們的審判官說、你們聽訟、
無論是弟兄彼此爭訟、是與同居的外人爭訟、都要按
十七 公義判斷。十七審判的時候、不可看人的外貌．聽訟不可分
貴賤、不可懼怕人、因爲審判是屬乎　神的．若有難斷
十八 的案件、可以呈到我這裏、我就判斷。十八那時、我將你們所
當行的事、都吩咐你們了。

遣人窺地

十九 十九我們照着耶和華我們　神所吩咐的、從何烈山起行、
經過你們所看見那大而可怕的曠野、往亞摩利人的
二十 山地去、到了加低斯巴尼亞。二十我對你們說、你們已經到
了耶和華我們　神所賜給我們的亞摩利人之山地。
二一 二一看哪、耶和華你的　神已將那地擺在你面前、你要照
耶和華你列祖的　神所說的上去得那地為業．不要
二二 懼怕、也不要驚惶。二二你們都就近我來說、我們要先打發
人去、為我們窺探那地、將我們上去該走何道、必進何
二三 城、都回報我們。二三這話我以為美、就從你們中間選了十
二四 二個人、每支派一人。二四於是他們起身上山地去、到以實
二五 各谷、窺探那地。二五他們手裏拿着那地的果子下來、到我
們那裏、回報說、耶和華我們的　神所賜給我們的是
美地。

民衆弗信

二六 二六你們卻不肯上去、竟違背了耶和華你們　神的命令．
二七 二七在帳棚內發怨言、說、耶和華因為恨我們、所以將我們
二八 從埃及地領出來、要交在亞摩利人手中、除滅我們。二八我
們上那裏去呢．我們的弟兄使我們的心消化、說、那地：
的：民比我們又大又高、城邑又廣大又堅固、高得頂天、
二九 並且我們在那裏看見亞衲族的人。二九我就對你們說、不
三十 要驚恐、也不要怕他們。三十在你們前面行的耶和華你們
的　神、必為你們爭戰、正如他在埃及和曠野、在你們
三一 眼前所行的一樣。三一你們在曠野所行的路上、也曾見耶
和華你們的　神撫養你們、如同人撫養兒子一般、直
三二 等你們來到這地方。三二你們在這事上卻不信耶和華你
三三 們的　神。三三他在路上、在你們前面行、為你們找安營的
地方、夜間在火柱裏、日間在雲柱裏、指示你們所當行
三四 三五 的路。三四○耶和華聽見你們這話、就發怒起誓說、三五這惡世
代的人、連一個也不得見我起誓應許賜給你們列祖
三六 的美地．三六惟有耶孚尼的兒子迦勒、必得看見、並且我要
將他所踏過的地賜給他、和他的子孫、因為他專心跟
三七 從我。三七耶和華為你的緣故、也向我發怒、說、你必不得進
三八 入那地。三八伺候你嫩的兒子約書亞、他必得進入那地、你
三九 要勉勵他、因為他要使以色列人承受那地為業。三九並且
你們的婦人孩子、就是你們所說必被擄掠的、和今日

四十 不知善惡的兒女、必進入那地、我要將那地賜給他們、
他們必得爲業。至於你們、要轉回、從紅海的路往曠野
四一 去。〇那時、你們回答我說、我們得罪了耶和華、情願照
耶和華我們　神一切所吩咐的、上去爭戰。於是你們
各人帶着兵器、爭先上山地去了。

在何珥瑪敗績

四二 耶和華吩咐我說、你對他們說、不要上去、也不要爭戰、
四三 因我不在你們中間、恐怕你們被仇敵殺敗了。我就告
訴了你們、你們卻不聽從、竟違背耶和華的命令、擅自
四四 上山地去了。住那山地的亞摩利人、就出來攻擊你們、
追趕你們、如蜂擁一般、在西珥殺退你們、直到何珥瑪。
四五 你們便回來、在耶和華面前哭號、耶和華卻不聽你們
四六 的聲音、也不向你們側耳。於是你們在加低斯住了許
多日子。

第二章

自加低斯巴尼亞至撒烈溪之路

一 此後、我們轉回、從紅海的路往曠野去、是
照耶和華所吩咐我的。我們在西珥山繞行了許多日
二三 子。耶和華對我說、你們繞行這山的日子彀了、要轉向
四 北去。你吩咐百姓說、你們弟兄以掃的子孫、住在西珥、
你們要經過他們的境界。他們必懼怕你們、所以你們
五 要分外謹慎。不可與他們爭戰、他們的地、連腳掌可踏
之處、我都不給你們、因我已將西珥山賜給以掃爲業。
六 你們要用錢向他們買糧喫、也要用錢向他們買水喝。
七 因爲耶和華你的　神、在你手裏所辦的一切事上、已
賜福與你、你走這大曠野、他都知道了。這四十年、耶和
八 華你的　神常與你同在、故此你一無所缺。於是我們
離了我們弟兄以掃子孫所住的西珥、從亞拉巴的路、
九 經過以拉他、以旬迦別、轉向摩押曠野的路去。耶和華
吩咐我說、不可擾害摩押人、也不可與他們爭戰。他們
的地、我不賜給你爲業、因我已將亞珥賜給羅得的子
十 孫爲業。（先前、有以米人住在那裏、民數衆多、身體高
十一 大、像亞衲人一樣。這以米人、像亞衲人、也算爲利乏音
十二 人、摩押人稱他們爲以米人。先前、何利人也住在西珥、
但以掃的子孫將他們除滅、得了他們的地、接着居住、
就如以色列在耶和華賜給他爲業之地所行的一
十三十四 樣。）現在起來過撒烈溪。於是我們過了撒烈溪。自從

離開加低斯巴尼亞、到過了撒烈溪的時候、共有三十
八年、等那世代的兵丁都從營中滅盡、正如耶和華向
十五 他們所起的誓。十五耶和華的手也攻擊他們、將他們從營
中除滅、直到滅盡。

經過摩押亞捫之地

十六 十七 十八 十六兵丁從民中都滅盡死亡以後、十七耶和華吩咐我說、十八你今
十九 天要從摩押的境界亞珥經過、十九走近亞捫人之地、不可
擾害他們、也不可與他們爭戰、亞捫人的地我不賜給
二十 你們為業、因我已將那地賜給羅得的子孫為業。二十（那
地也算為利乏音人之地、先前、利乏音人住在那裏、亞
二一 捫人稱他們為散送冥。二一那民眾多、身體高大、像亞納人
一樣、但耶和華從亞捫人面前除滅他們、亞捫人就得
二二 了他們的地、接着居住。二二正如耶和華從前為住西珥的
以掃子孫、將何利人從他們面前除滅、他們得了何利
二三 人的地、接着居住一樣、直到今日。二三從迦斐託出來的迦
斐託人、將先前住在鄉村直到迦薩的亞衛人除滅、接
二四 着居住。）二四你們起來前往、過亞嫩谷、我已將亞摩利人
希實本王西宏、和他的地、交在你手中、你要與他爭戰

二五 得他的地為業。二五從今日起、我要使天下萬民聽見你的
名聲都驚恐懼怕、且因你發顫傷慟。

戰敗希實本王西宏

二六 二六我從基底莫的曠野、差遣使者去見希實本王西宏、用
二七 和睦的話說、二七求你容我從你的地經過、只走大道、不偏
二八 左右。二八你可以賣糧給我喫、也可以賣水給我喝、只要容
二九 我步行過去。二九就如住西珥的以掃子孫、和住亞珥的摩
押人待我一樣、等我過了約但河、好進入耶和華我們
三十 神所賜給我們的地。三十但希實本王西宏不容我們從
他那裏經過、因為耶和華你的神使他心中剛硬、性
三一 情頑梗、為要將他交在你手中、像今日一樣。三一耶和華對
我說、從此起首、我要將西宏和他的地交給你、你要得
三二 他的地為業。三二那時西宏和他的眾民、出來攻擊我們、在
三三 雅雜與我們交戰。三三耶和華我們的神將他交給我們、
三四 我們就把他和他的兒子、並他的眾民都擊殺了。三四我們
奪了他的一切城邑、將有人煙的各城、連女人帶孩子、
三五 盡都毀滅、沒有留下一個。三五惟有牲畜、和所奪的各城、並
三六 其中的財物、都取為自己的掠物。三六從亞嫩谷邊的亞羅

珥、和谷中的城、直到基列、耶和華我們的　神都交給
三七 我們了、沒有一座城高得使我們不能攻取的。惟有亞
捫人之地、凡靠近雅博河的地、並山地的城邑、與耶和
華我們　神所禁止我們去的地方、都沒有挨近。

第三章　戰敗巴珊王噩

一 以後我們轉回向巴珊去、巴珊王噩和他
二 的衆民都出來、在以得來與我們交戰。耶和華對我說、
不要怕他、因我已將他和他的衆民、並他的地、都交在
你手中、你要待他像從前待住希實本的亞摩利王西
三 宏一樣。於是耶和華我們的　神也將巴珊王噩和他
的衆民、都交在我們手中、我們殺了他們、沒有留下一
四 個。那時我們奪了他所有的城、共有六十座、沒有一座
城不被我們所奪、這爲亞珥歌伯的全境、就是巴珊地
五 噩王的國。這些城都有堅固的高牆、有門有閂.此外還
六 有許多無城牆的鄉村。我們將這些都毀滅了、像從前
待希實本王西宏一樣、把有人煙的各城、連女人帶孩
七 子、盡都毀滅。惟有一切牲畜、和城中的財物、都取爲自
八 己的掠物。那時我們從約但河東兩個亞摩利王的手、
九 將亞嫩谷直到黑門山之地奪過來。（這黑門山、西頓
十 人稱爲西連、亞摩利人稱爲示尼珥。）就是奪了平原
的各城、基列全地、巴珊全地、直到撒迦和以得來、都是
十一 巴珊王噩國內的城邑。（利乏音人所剩下的、只有巴
珊王噩。他的牀是鐵的、長九肘、寬四肘、都是以人肘爲
度.現今豈不是在亞捫人的拉巴嗎。）

以約但東地給予二支派有半

十二 那時我們得了這地、從亞嫩谷邊的亞羅珥起、我將基
列山地的一半、並其中的城邑、都給了流便人和迦得
十三 人。其餘的基列地、和巴珊全地、就是噩王的國、我給了
瑪拿西半支派.亞珥歌伯全地乃是巴珊全地、這叫作
十四 利乏音人之地。瑪拿西的子孫睚珥、佔了亞珥歌伯全
境、直到基述人和瑪迦人的交界、就按自己的名稱這
十五 巴珊地爲哈倭特睚珥、直到今日。我又將基列給了瑪
十六 吉。從基列到亞嫩谷、以谷中爲界、直到亞捫人交界的
十七 雅博河、我給了流便人和迦得人.又將亞拉巴和靠近
約但河之地、從基尼烈直到亞拉巴海、就是鹽海、並毘
十八 斯迦山根東邊之地、都給了他們.……○那時我吩咐你們

說、耶和華你們的　神已將這地賜給你們為業．你們
所有的勇士、都要帶着兵器、在你們的弟兄以色列人
十九 前面過去。十九但你們的妻子、孩子、牲畜、(我知道你們有
二十 許多的牲畜)可以住在我所賜給你們的各城裏．等二十
到你們弟兄在約但河那邊、也得耶和華你們　神所
賜給他們的地、又使他們得享平安、與你們一樣、你們
二一 纔可以回到我所賜給你們為業之地。二一那時我吩咐約
書亞說、你親眼看見了耶和華你　神向這二王所行
二二 的、耶和華也必向你所要去的各國照樣行。二二你不要怕
他們、因那為你爭戰的是耶和華你的　神。

摩西不得渡約但

二三 二四 二三那時我懇求耶和華說、二四主耶和華阿、你已將你的大力
大能顯給僕人看、在天上、在地下、有甚麼神能像你行
二五 事、像你有大能的作為呢。二五求你容我過去、看約但河那
二六 邊的美地、就是那佳美的山地、和利巴嫩。二六但耶和華因
你們的緣故向我發怒、不應允我、對我說、罷了、你不要
二七 向我再題這事。二七你且上毘斯迦山頂去、向東、西、南、北、舉
二八 目觀望、因為你必不能過這約但河。二八你卻要囑咐約書
亞、勉勵他、使他膽壯、因為他必在這百姓前面過去、使
二九 他們承受你所要觀看之地。二九於是我們住在伯毘珥對
面的谷中。

勸民遵行耶和華之律例典章

一 **第四章**　一以色列人哪、現在我所教訓你們的律例、
典章、你們要聽從遵行、好叫你們存活、得以進入耶和
二 華你們列祖之　神所賜給你們的地、承受為業。二所吩
咐你們的話、你們不可加添、也不可刪減、好叫你們遵
三 守我所吩咐的、就是耶和華你們　神的命令。三耶和華
因巴力毘珥的事所行的、你們親眼看見了。凡隨從巴
力毘珥的人、耶和華你們的　神都從你們中間除滅
四 了。四惟有你們專靠耶和華你們　神的人、今日全都存
五 活。五我照着耶和華我　神所吩咐的、將律例、典章教訓
六 你們、使你們在所要進去得為業的地上遵行。六所以你
們要謹守遵行、這就是你們在萬民眼前的智慧、聰明．
他們聽見這一切律例、必說、這大國的人眞是有智慧、
七 有聰明。七那一大國的人有神與他們相近、像耶和華我
八 們的　神、在我們求告他的時候與我們相近呢。八又那

一大國有這樣公義的律例、典章、像我今日在你們面
九 前所陳明的這一切律法呢。○你只要謹慎、殷懃保守
你的心靈、免得忘記你親眼所看見的事、又免得你一
十 生這事離開你的心．總要傳給你的子子孫孫。你在何
烈山站在耶和華你　神面前的那日．耶和華對我說、
你爲我招聚百姓、我要叫他們聽見我的話、使他們存
活在世的日子、可以學習敬畏我、又可以教訓兒女這
十一 樣行。那時你們近前來、站在山下、山上有火焰冲天、並
十二 有昏黑、密雲、幽暗。耶和華從火焰中對你們說話、你們
十三 只聽見聲音、卻沒有看見形像。他將所吩咐你們當守
的約、指示你們、就是十條誡．並將這誡寫在兩塊石版
十四 上。那時耶和華又吩咐我將律例、典章教訓你們、使你
十五 們在所要過去得爲業的地上遵行。所以你們要分外
謹慎、因爲耶和華在何烈山、從火中對你們說話的那
十六 日、你們沒有看見甚麼形像．惟恐你們敗壞自己、雕刻
十七 偶像、彷彿甚麼男像、女像、或地上走獸的像、或空中飛
十八 十九 鳥的像、或地上爬物的像、或地底下水中魚的像。又恐
怕你向天舉目觀看、見耶和華你的　神爲天下萬民

所擺列的日月星、就是天上的萬象、自己便被勾引敬
二十 拜事奉他。耶和華將你們從埃及領出來、脫離鐵爐、要
二一 特作自己產業的子民、像今日一樣。耶和華又因你們
的緣故、向我發怒、起誓必不容我過約但河、也不容我
二二 進入耶和華你　神所賜你爲業的那美地。我只得死
二三 在這地、不能過約但河．但你們必過去得那美地。你們
要謹慎、免得忘記耶和華你們　神與你們所立的約、
爲自己雕刻偶像、就是耶和華你　神所禁止你作的
二四 偶像。因爲耶和華你的　神乃是烈火、是忌邪的　神。
二五 ○你們在那地住久了、生子生孫、就雕刻偶像彷彿甚
麼形像、敗壞自己、行耶和華你　神眼中看爲惡的事、
二六 惹他發怒．我今日呼天喚地向你們作見證、你們必在
過約但河得爲業的地上、速速滅盡．你們不能在那地
二七 上長久、必盡行除滅。耶和華必使你們分散在萬民中、
二八 在他所領你們到的萬國裏、你們剩下的人數稀少。在
那裏你們必事奉人手所造的神、就是用木石造成、不
二九 能看、不能聽、不能喫、不能聞的神。但你們在那裏必尋
求耶和華你的　神．你盡心盡性尋求他的時候、就必

三十 尋見。[三十]日後你遭遇一切患難的時候、你必歸回耶和華
三一 你的神、聽從他的話。[三一]耶和華你　神原是有憐憫的
神、他總不撇下你、不滅絕你、也不忘記他起誓與你
三二三三 列祖所立的約。○[三二]你[三三]且考察在你以前的世代、自　神
造人在世以來、從天這邊到天那邊、曾有何民聽見
神在火中說話的聲音、像你聽見還能存活呢．這樣的
三四 大事、何曾有、何曾聽見呢。[三四]　神何曾從別的國中將一
國的人民領出來、用試驗、神蹟、奇事、爭戰、大能的手、和
伸出來的膀臂、並大可畏的事、像耶和華你們的　神
三五 在埃及、在你們眼前爲你們所行的一切事呢。[三五]這是顯
給你看、要使你知道惟有耶和華他是　神、除他以外、
三六 再無別神。[三六]他從天上使你聽見他的聲音、爲要教訓你、
又在地上使你看見他的烈火、並且聽見他從火中所
三七 說的話。[三七]因他愛你的列祖、所以揀選他們的後裔、用大
三八 能親自領你出了埃及、[三八]要將比你強大的國民從你面
前趕出、領你進去、將他們的地賜你爲業、像今日一樣。
三九 [三九]所以今日你要知道、也要記在心上、天上地下、惟有耶
四十 和華他是　神、除他以外、再無別神。[四十]我今日將他的律

例、誡命、曉諭你、你要遵守、使你和你的子孫可以得福、
並使你的日子在耶和華你　神所賜的地上、得以長
久。

設立河東之逃城

四一四二 [四一]那時摩西在約但河東、向日出之地、分定三座城、[四二]使那
素無仇恨無心殺了人的、可以逃到這三城之中的一
四三 座城、就得存活。[四三]爲流便人分定曠野平原的比悉．爲迦
得人分定基列的拉末．爲瑪拿西人分定巴珊的哥蘭。
四四四五 ○[四四]摩西在以色列人面前所陳明的律法、[四五]就是摩西在
四六 以色列人出埃及後、所傳給他們的法度、律例、典章。[四六]在
約但河東伯毘珥對面的谷中、在住希實本亞摩利王
西宏之地．這西宏是摩西和以色列人出埃及後所擊
四七 殺的。[四七]他們得了他的地、又得了巴珊王噩的地、就是兩
四八 個亞摩利王、在約但河東向日出之地．[四八]從亞嫩谷邊的
四九 亞羅珥、直到西雲山、就是黑門山．[四九]還有約但河東的全
亞拉巴、直到亞拉巴海、靠近毘斯迦山根。

第五章　神在何烈山與民立約

一 [一]摩西將以色列衆人召了來、對他們說、以

色列人哪、我今日曉諭你們的律例典章、你們要聽、可
二 以學習、謹守遵行。耶和華我們的　神在何烈山與我
三 們立約。這約不是與我們列祖立的、乃是與我們今日
四 在這裏存活之人立的。耶和華在山上從火中、面對面
五 與你們說話。（那時我站在耶和華和你們中間、要將
耶和華的話傳給你們、因為你們懼怕那火、沒有上
六 山）說、我是耶和華你的　神、曾將你從埃及地為奴
七 之家領出來。○除了我以外、你不可有別的神。

復述十誡

八 不可為自己雕刻偶像、也不可作甚麼形像、彷彿上天、
九 下地、和地底下水中的百物。不可跪拜那些像、也不可
事奉他、因為我耶和華你的　神、是忌邪的　神、恨我
十 的、我必追討他的罪、自父及子、直到三四代、愛我守我
十一 誡命的、我必向他們發慈愛、直到千代。○不可妄稱耶
和華你　神的名、因為妄稱耶和華名的、耶和華必不
十二 以他為無罪。○當照耶和華你　神所吩咐的、守安息
十三 十四 日為聖日。六日要勞碌作你一切的工、但第七日、是向
耶和華你　神當守的安息日、這一日你和你的兒女、
僕婢、牛、驢、牲畜、並在你城裏寄居的客旅、無論何工都
十五 不可作、使你的僕婢可以和你一樣安息。你也要記念
你在埃及地作過奴僕、耶和華你　神用大能的手、和
伸出來的膀臂、將你從那裏領出來、因此、耶和華你的
十六 神吩咐你守安息日。○當照耶和華你　神所吩咐
的、孝敬父母、使你得福、並使你的日子在耶和華你
十七 十八 神所賜你的地上、得以長久。○不可殺人。○不可姦淫。
十九 二十 二十一 ○不可偷盜。○不可作假見證陷害人。○不可貪戀人
的妻子、也不可貪圖人的房屋、田地、僕婢、牛、驢、並他一
切所有的。

民見火焚於山而懼

二二 這些話是耶和華在山上、從火中、雲中、幽暗中、大聲曉
諭你們全會衆的、此外並沒有添別的話、他就把這話
二三 寫在兩塊石版上、交給我了。那時火焰燒山、你們聽見
從黑暗中出來的聲音、你們支派中所有的首領、和長
二四 老、都來就近我。說、看哪、耶和華我們　神將他的榮光、
和他的大能顯給我們看、我們又聽見他的聲音從火
二五 中出來、今日我們得見　神與人說話、人還存活。現在

二六 這大火將要燒滅我們、我們何必冒死呢．若再聽見耶
和華我們　神的聲音、就必死亡。二六凡屬血氣的、曾有何
人聽見永生　神的聲音從火中出來、像我們聽見、還
二七 能存活呢。二七求你近前去、聽耶和華我們　神所要說的
一切話、將他對你說的話都傳給我們、我們就聽從遵
二八 行。○二八你們對我說的話、耶和華都聽見了．耶和華對我
二九 說、這百姓的話我聽見了、他們所說的、都是。二九惟願他們
存這樣的心、敬畏我、常遵守我的一切誡命、使他們和
三十 他們的子孫、永遠得福。三十你去對他們說、你們回帳棚去
三一 罷。三一至於你、可以站在我這裏、我要將一切誡命、律例、典
章、傳給你、你要教訓他們、使他們在我賜他們為業的
三二 地上遵行。三二所以你們要照耶和華你們　神所吩咐的
三三 謹守遵行．不可偏離左右。三三耶和華你們　神所吩咐你
們行的、你們都要去行、使你們可以存活得福、並使你
們的日子、在所要承受的地上得以長久。

第六章　勸民畢生遵行誡命

一 一這是耶和華你們　神所吩咐教訓你們
的誡命、律例、典章、使你們在所要過去得為業的地上、
二 遵行。二好叫你和你子子孫孫、一生敬畏耶和華你的
神、謹守他的一切律例、誡命、就是我所吩咐你的、使你
三 的日子得以長久。三以色列阿、你要聽、要謹守遵行、使你
可以在那流奶與蜜之地、得以享福、人數極其增多、正
四 如耶和華你列祖的　神所應許你的。○四以色列阿、你
五 要聽、耶和華我們　神、是獨一的主。五你要盡心、盡性、盡
六 力、愛耶和華你的　神。六我今日所吩咐你的話、都要記
七 在心上．七也要殷勤教訓你的兒女、無論你坐在家裏、行
八 在路上、躺下、起來、都要談論。八也要繫在手上為記號、戴
九 在額上為經文。九又要寫在你房屋的門框上、並你的城
門上。

勿從他神

十 十耶和華你的　神、領你進他向你列祖亞伯拉罕、以撒、
雅各、起誓應許給你的地．那裏有城邑、又大又美、非你
十一 所建造的．十一有房屋、裝滿各樣美物、非你所裝滿的．有鑿
成的水井、非你所鑿成的．還有葡萄園、橄欖園、非你所
十二 栽種的．你喫了而且飽足．十二那時你要謹慎、免得你忘記
十三 將你從埃及地為奴之家、領出來的耶和華。十三你要敬畏

十四 耶和華你的　神、事奉他、指着他的名起誓。十四不可隨從
十五 別神、就是你們四圍國民的神。十五因爲在你們中間的耶
和華你　神、是忌邪的　神、惟恐耶和華你　神的怒
十六 氣向你發作、就把你從地上除滅。○十六你們不可試探耶
十七 和華你們的　神、像你們在瑪撒那樣試探他。十七要留意
十八 遵守耶和華你們　神所吩咐的誡命、法度、律例。十八耶和
華眼中看爲正、看爲善的、你都要遵行、使你可以享福、
並可以進去得耶和華向你列祖起誓應許的那美地。
十九 二十 十九照耶和華所說的、從你面前攆出你的一切仇敵。○二十日
後、你的兒子問你說、耶和華我們　神吩咐你們的這
二一 些法度、律例、典章、是甚麼意思呢。二一你就告訴你的兒子
說、我們在埃及作過法老的奴僕、耶和華用大能的手、
二二 將我們從埃及領出來。二二在我們眼前、將重大可怕的神
二三 蹟奇事、施行在埃及地、和法老並他全家的身上。二三將我
們從那裏領出來、要領我們進入他向我們列祖起誓
二四 應許之地、把這地賜給我們。二四耶和華又吩咐我們遵行
這一切律例、要敬畏耶和華我們的　神、使我們常得
二五 好處、蒙他保全我們的生命、像今日一樣。二五我們若照耶
和華我們　神所吩咐的一切誡命、謹守遵行、這就是
我們的義了。

第七章

戒民陷於拜像之罪

一 一耶和華你　神領你進入要得爲業之地、
從你面前趕出許多國民、就是赫人、革迦撒人、亞摩利
人、迦南人、比利洗人、希未人、耶布斯人、共七國的民、都
二 比你強大。二耶和華你　神將他們交給你擊殺、那時你
要把他們滅絕淨盡、不可與他們立約、也不可憐恤他
三 們。三不可與他們結親、不可將你的女兒嫁他們的兒子、
四 也不可叫你的兒子娶他們的女兒。四因爲他必使你兒
子轉離不跟從主、去事奉別神、以致耶和華的怒氣向
五 你們發作、就速速的將你們滅絕。五你們卻要這樣待他
們、拆毀他們的祭壇、打碎他們的柱像、砍下他們的木
六 偶、用火焚燒他們雕刻的偶像。六因爲你歸耶和華你
神爲聖潔的民、耶和華你　神從地上的萬民中揀選
七 你、特作自己的子民。七耶和華專愛你們、揀選你們、並非
因你們的人數多於別民、原來你們的人數在萬民中
八 是最少的。八只因耶和華愛你們、又因要守他向你們列

祖所起的誓、就用大能的手領你們出來、從爲奴之家
救贖你們脫離埃及王法老的手。九所以你要知道耶和
華你的神、他是神、是信實的神、向愛他守他誡
命的人、守約施慈愛、直到千代．十向恨他的人當面報應
他們、將他們滅絕．凡恨他的人、必報應他們、決不遲延。
十一所以你要謹守遵行我今日所吩咐你的誡命律例典
章。

聽從典章必蒙賜福

十二你們果然聽從這些典章、謹守遵行、耶和華你神就
必照他向你列祖所起的誓、守約施慈愛。十三他必愛你、賜
福與你、使你人數增多、也必在他向你列祖起誓應許
給你的地上、賜福與你身所生的、地所產的、並你的五
穀、新酒、和油、以及牛犢、羊羔。十四你必蒙福勝過萬民、你們
的男女沒有不能生養的、牲畜也沒有不能生育的。十五耶
和華必使一切的病症離開你、你所知道埃及各樣的
惡疾、他不加在你身上、只加在一切恨你的人身上。十六耶
和華你神所要交給你的一切人民、你要將他們除
滅、你眼不可顧惜他們．你也不可事奉他們的神、因這
必成爲你的網羅。

勸民勿懼必勝諸敵

十七你若心裏說、這些國的民比我更多、我怎能趕出他們
呢。十八你不要懼怕他們、要牢牢記念耶和華你神向法
老和埃及全地所行的事、十九就是你親眼所看見的大試
驗、神蹟、奇事、和大能的手、並伸出來的膀臂、都是耶和
華你神領你出來所用的．耶和華你神必照樣待
你所懼怕的一切人民。二十並且耶和華你神必打發黃
蜂、飛到他們中間、直到那剩下而藏躲的人、從你面前
滅亡。二一你不要因他們驚恐、因爲耶和華你神在你們
中間、是大而可畏的神。二二耶和華你神必將這些國
的民、從你面前漸漸趕出、你不可把他們速速滅盡、恐
怕野地的獸多起來害你。二三耶和華你神必將他們交
給你、大大的擾亂他們、直到他們滅絕了。二四又要將他們
的君王交在你手中、你就使他們的名從天下消滅．必
無一人能在你面前站立得住、直到你將他們滅絕了。
二五他們雕刻的神像、你們要用火焚燒．其上的金銀你不
可貪圖、也不可收取、免得你因此陷入網羅．這原是耶

二六 和華你　神所憎惡的。二六可憎的物、你不可帶進家去、不
然、你就成了當毀滅的、與那物一樣．你要十分厭惡、十
分憎嫌、因爲這是當毀滅的物。

當記念　神之引導

一 **第八章** 一我今日所吩咐的一切誡命、你們要謹守
遵行、好叫你們存活、人數增多、且進去得耶和華向你
二 們列祖起誓應許的那地。二你也要記念耶和華你的
神在曠野引導你這四十年、是要苦煉你、試驗你、要知
三 道你心內如何、肯守他的誡命不肯。三他苦煉你、任你飢
餓、將你和你列祖所不認識的嗎哪賜給你喫、使你知
道人活着、不是單靠食物、乃是靠耶和華口裏所出的
四 一切話。四這四十年、你的衣服沒有穿破、你的脚也沒有
五 腫。五你當心裏思想、耶和華你　神管教你、好像人管教
六 兒子一樣。六你要謹守耶和華你　神的誡命、遵行他的
七 道、敬畏他。七因爲耶和華你　神領你進入美地、那地有
八 河、有泉、有源、從山谷中流出水來。八那地有小麥、大麥、葡
九 萄樹、無花果樹、石榴樹、橄欖樹、和蜜。九你在那地不缺食
十 物、一無所缺．那地的石頭是鐵、山內可以挖銅。十你喫得
飽足、就要稱頌耶和華你的　神、因他將那美地賜給
你了。

愼起驕傲致忘耶和華恩

十一 十一你要謹愼、免得忘記耶和華你的　神、不守他的誡命、
十二 典章、律例、就是我今日所吩咐你的。十二恐怕你喫得飽足、
十三 建造美好的房屋居住．十三你的牛羊加多、你的金銀增添、
十四 並你所有的全都加增、十四你就心高氣傲、忘記耶和華你
十五 的　神、就是將你從埃及地、爲奴之家領出來的、十五引你
經過那大而可怕的曠野、那裏有火蛇、蠍子、乾旱無水
十六 之地．他曾爲你使水從堅硬的磐石中流出來．十六又在曠
野、將你列祖所不認識的嗎哪賜給你喫、是要苦煉你、
十七 試驗你、叫你終久享福。十七恐怕你心裏說、這貨財是我力
十八 量我能力得來的。十八你要記念耶和華你的　神、因爲得
貨財的力量是他給你的、爲要堅定他向你列祖起誓
十九 所立的約、像今日一樣。十九你若忘記耶和華你的　神、隨
從別神、事奉敬拜、你們必定滅亡、這是我今日警戒你
二十 們的。二十耶和華在你們面前怎樣使列國的民滅亡、你們
也必照樣滅亡、因爲你們不聽從耶和華你們　神的

話。
一 **第九章** [一]以色列阿、你當聽．你今日要過約但河、進
去趕出比你強大的國民、得着廣大堅固高得頂天的
二 城邑。[二]那民是亞衲族的人、又大又高、是你所知道的、也
曾聽見有人指着他們說、誰能在亞衲族人面前站立
三 得住呢。[三]你今日當知道、耶和華你的　神在你前面過
去、如同烈火、要滅絕他們、將他們制伏在你面前．這樣
你就要照耶和華所說的、趕出他們、使他們速速滅亡。
四 [四]耶和華你的　神將這些國民從你面前攆出以後、你
心裏不可說、耶和華將我領進來得這地、是因我的義．
其實耶和華將他們從你面前趕出去、是因他們的惡。
五 [五]你進去得他們的地、並不是因你的義、也不是因你心
裏正直、乃是因這些國民的惡、耶和華你的　神將他
們從你面前趕出去、又因耶和華要堅定他向你列祖
亞伯拉罕、以撒、雅各、起誓所應許的話。

復述耶和華賜法版

六 [六]你當知道、耶和華你　神將這美地賜你爲業、並不是
七 因你的義、你本是硬着頸項的百姓。[七]你當記念不忘、你
在曠野怎樣惹耶和華你　神發怒．自從你出了埃及
地的那日、直到你們來到這地方、你們時常悖逆耶和
八 華。[八]你們在何烈山又惹耶和華發怒、他惱怒你們、要滅
九 絕你們。[九]我上了山、要領受兩塊石版、就是耶和華與你
們立約的版．那時我在山上住了四十晝夜、沒有喫飯、
十 也沒有喝水。[十]耶和華把那兩塊石版交給我、是　神用
指頭寫的、版上所寫的、是照耶和華在大會的日子在
十一 山上、從火中對你們所說的一切話。[十一]過了四十晝夜、耶
和華把那兩塊石版、就是約版、交給我．

民鑄犢像

十二 [十二]對我說、你起來趕快下去、因爲你從埃及領出來的百
姓、已經敗壞了自己．他們快快的偏離了我所吩咐的
十三 道、爲自己鑄成了偶像。[十三]耶和華又對我說、我看這百姓
十四 是硬着頸項的百姓。[十四]你且由着我、我要滅絕他們、將他
們的名從天下塗抹、使你的後裔比他們成爲更大更
十五 強的國。[十五]於是我轉身下山、山被火燒着．兩塊約版在我
十六 兩手之中。[十六]我一看見你們得罪了耶和華你們的　神、
鑄成了牛犢、快快的偏離了耶和華所吩咐你們的道、

十七我就把那兩塊版從我手中扔下去、在你們眼前摔碎
十八了。十八因你們所犯的一切罪、行了耶和華眼中看爲惡的
事、惹他發怒、我就像從前俯伏在耶和華面前四十晝
十九夜、沒有喫飯、也沒有喝水。十九我因耶和華向你們大發烈
怒、要滅絕你們、就甚害怕、但那次耶和華又應允了我。
二十耶和華也向亞倫甚是發怒、要滅絕他、那時我又爲亞
二一倫祈禱。二一我把那叫你們犯罪所鑄的牛犢、用火焚燒、又
搗碎磨得很細、以至細如灰塵．我就把這灰塵撒在從
二二山上流下來的溪水中。○二二你們在他備拉、瑪撒、基博羅
二三哈他瓦、又惹耶和華發怒。二三耶和華打發你們離開加低
斯巴尼亞、說、你們上去、得我所賜給你們的地、那時你
們違背了耶和華你們神的命令、不信服他、不聽從
二四他的話。二四自從我認識你們以來、你們常常悖逆耶和華。

民衆悖逆摩西爲之祈禱

二五我因耶和華說要滅絕你們、就在耶和華面前照舊俯
二六伏四十晝夜。二六我祈禱耶和華說、主耶和華阿、求你不要
滅絕你的百姓、他們是你的產業、是你用大力救贖的、
二七用大能從埃及領出來的。二七求你記念你的僕人亞伯拉
二八罕、以撒、雅各、不要想念這百姓的頑梗、邪惡、罪過．二八免得
你領我們出來的那地之人說、耶和華因爲不能將這
百姓領進他所應許之地、又因恨他們、所以領他們出
二九去、要在曠野殺他們。二九其實他們是你的百姓、你的產業、
是你用大能、和伸出來的膀臂領出來的。

摩西復居於山四十晝夜

第十章
一那時耶和華吩咐我說、你要鑿出兩塊石
版、和先前的一樣、上山到我這裏來、又要作一木櫃。二你
二先前摔碎的那版其上的字、我要寫在這版上、你要將
這版放在櫃中。三於是我用皂莢木作了一櫃、又鑿出兩
三塊石版和先前的一樣、手裏拿這兩塊版上山去了。四耶
四和華將那大會之日、在山上從火中所傳與你們的十
條誡、照先前所寫的、寫在這版上、將版交給我了。五我轉
五身下山、將這版放在我所作的櫃中、現今還在那裏、正
如耶和華所吩咐我的。六（以色列人從比羅比尼亞干
六(或作亞干井)起行、到了摩西拉、亞倫死在那裏、就葬在那裏．
他兒子以利亞撒接續他供祭司的職分。七他們從那裏
七起行、到了谷歌大、又從谷歌大到了有溪水之地的約

八 巴他。那時耶和華將利未支派分別出來、抬耶和華的
約櫃、又侍立在耶和華面前事奉他、奉他的名祝福、直
九 到今日。所以利未人在他弟兄中無分無業、耶和華是
十 他的產業、正如耶和華你　神所應許他的。）我又像
從前在山上住了四十晝夜。那次耶和華也應允我、不
十一 忍將你滅絕。耶和華吩咐我說、你起來引導這百姓、使
他們進去得我向他們列祖起誓應許所賜之地。

勸民敬畏耶和華遵行其道

十二 以色列阿、現在耶和華你　神向你所要的是甚麼呢、
只要你敬畏耶和華你的　神、遵行他的道、愛他、盡心
十三 盡性事奉他、遵守他的誡命、律例、就是我今日所吩咐
十四 你的、為要叫你得福。看哪、天和天上的天、地和地上所
十五 有的、都屬耶和華你的　神。耶和華但喜悅你的列祖、
愛他們、從萬民中揀選他們的後裔、就是你們、像今日
十六 一樣。所以你們要將心裏的污穢除掉、不可再硬着頸
十七 項。因為耶和華你們的　神他是萬神之神、萬主之主、
至大的　神、大有能力、大而可畏、不以貌取人、也不受
十八 賄賂。他為孤兒寡婦伸冤、又憐愛寄居的、賜給他衣食。
十九 所以你們要憐愛寄居的、因為你們在埃及地也作過
二十 寄居的。你要敬畏耶和華你的　神、事奉他、專靠他、也
二一 要指着他的名起誓。他是你所讚美的、是你的　神、為
二二 你作了那大而可畏的事、是你親眼所看見的。你的列
祖七十人下埃及、現在耶和華你的　神使你如同天
上的星那樣多。

一 **第十一章** 你要愛耶和華你的　神、常守他的吩
二 咐、律例、典章、誡命。你們今日當知道、我本不是和你們
的兒女說話、因為他們不知道、也沒有看見耶和華你
三 們　神的管教、威嚴、大能的手、和伸出來的膀臂、並他
在埃及中向埃及王法老和其全地所行的神蹟奇事、
四 也沒有看見他怎樣待埃及的軍兵、車馬、他們追趕你
們的時候、耶和華怎樣使紅海的水淹沒他們、將他們
五 滅絕直到今日。並他在曠野怎樣待你們、以至你們來
六 到這地方。也沒有看見他怎樣待流便子孫以利押的
兒子大坍亞比蘭、地怎樣在以色列人中間開口吞了
七 他們、和他們的家眷、並帳棚、與跟他們的一切活物。惟
有你們親眼看見耶和華所作的一切大事。

遵守誡命必蒙福祉

八所以你們要守我今日所吩咐的一切誡命、使你們膽
壯、能以進去得你們所要得的那地．九並使你們的日子、
在耶和華向你們列祖起誓應許給他們、和他們後裔
的地上、得以長久．那是流奶與蜜之地。十你要進去得為
業的那地、本不像你出來的埃及地、你在那裏撒種、用
腳澆灌、像澆灌菜園一樣。十一你們要過去得為業的那地、
乃是有山有谷、雨水滋潤之地。十二是耶和華你　神所眷
顧的、從歲首到年終、耶和華你　神的眼目時常看顧
那地。○十三你們若留意聽從我今日所吩咐的誡命、愛耶
和華你們的　神、盡心、盡性、事奉他、十四他（原文作我）必按時降
秋雨春雨在你們的地上、使你們可以收藏五穀、新酒、
和油．十五也必使你喫得飽足、並使田野為你的牲畜長草。
十六你們要謹慎、免得心中受迷惑、就偏離正路、去事奉敬
拜別神。十七耶和華的怒氣向你們發作、就使天閉塞不下
雨、地也不出產、使你們在耶和華所賜給你們的美地
上速速滅亡。

當恆憶耶和華之言

十八你們要將我這話存在心內、留在意中、繫在手上為記
號、戴在額上為經文．十九也要教訓你們的兒女、無論坐在
家裏、行在路上、躺下、起來、都要談論。二十又要寫在房屋的
門框上、並城門上、二一使你們和你們子孫的日子、在耶和
華向你們列祖起誓應許給他們的地上、得以增多、如
天覆地的日子那樣多。二二你們若留意謹守遵行我所吩
咐這一切的誡命、愛耶和華你們的　神、行他的道、專
靠他、二三他必從你們面前趕出這一切國民、就是比你們
更大更強的國民、你們也要得他們的地。二四凡你們腳掌
所踏之地、都必歸你們、從曠野和利巴嫩、並伯拉大河、
直到西海、都要作你們的境界。二五必無一人能在你們面
前站立得住．耶和華你們的　神、必照他所說的、使懼
怕驚恐臨到你們所踏之地的居民。

論詛與祝

二六看哪、我今日將祝福與咒詛的話、都陳明在你們面前。
二七你們若聽從耶和華你們　神的誡命、就是我今日所
吩咐你們的、就必蒙福．二八你們若不聽從耶和華你們

神的誡命、偏離我今日所吩咐你們的道、去事奉你們
二九 素來所不認識的別神、就必受禍。二九及至耶和華你的
神領你進入要去得為業的那地、你就要將祝福的話
陳明在基利心山上、將咒詛的話陳明在以巴路山上。
三十 三十這二山豈不是在約但河那邊、日落之處、在住亞拉巴
三一 的迦南人之地、與吉甲相對、靠近摩利橡樹麼。三一你們要
過約但河進去得耶和華你們 神所賜你們為業之
三二 地、在那地居住。三二你們要謹守遵行我今日在你們面前
所陳明的一切律例、典章。

一 ## 第十二章

獻祭當詣耶和華選擇之處

一你們存活於世的日子、在耶和華你們
列祖的 神所賜你們為業的地上、要謹守遵行的律
二 例、典章、乃是這些。二你們要將所趕出的國民事奉神的
各地方、無論是在高山、在小山、在各青翠樹下、都毀壞
三 了。三也要拆毀他們的祭壇、打碎他們的柱像、用火焚燒
他們的木偶、砍下他們雕刻的神像、並將其名從那地
四 方除滅。四你們不可照他們那樣事奉耶和華你們的
五 神。五但耶和華你們的 神從你們各支派中、選擇何處
為立他名的居所、你們就當往那裏去求問。
六 六將你們的燔祭、平安祭、十分取一之物、和手中的舉祭、並還願祭、
七 甘心祭、以及牛羣羊羣中頭生的、都奉到那裏。七在那裏、
耶和華你們 神的面前、你們和你們的家屬、都可以
喫、並且因你手所辦的一切事、蒙耶和華你的 神賜
八 福、就都歡樂。八我們今日在這裏所行的、是各人行自己
九 眼中看為正的事、你們將來不可這樣行。九因為你們還
沒有到耶和華你 神所賜你的安息地、所給你的產
十 業。十但你們過了約但河、得以住在耶和華你們 神使
你們承受為業之地、又使你們太平、不被四圍的一切
十一 仇敵擾亂、安然居住。十一那時要將我所吩咐你們的燔祭
平安祭、十分取一之物、和手中的舉祭、並向耶和華許
願獻的一切美祭、都奉到耶和華你們 神所選擇要
十二 立為他名的居所。十二你們和兒女僕婢、並住在你們城裏
無分無業的利未人、都要在耶和華你們的 神面前
十三 十四 歡樂。十三你要謹慎、不可在你所看中的各處獻燔祭。十四惟獨
耶和華從你那一支派中所選擇的地方、你就要在那
裏獻燔祭、行我一切所吩咐你的。

宰牲食肉之例

十五 十五然而在你各城裏、都可以照耶和華你　神所賜你的
福分、隨心所欲宰牲喫肉、無論潔淨人、不潔淨人、都可
十六 以喫、就如喫羚羊、與鹿一般。十六只是不可喫血、要倒在地
十七 上、如同倒水一樣。十七你的五穀、新酒、和油的十分之一、或
是牛羣羊羣中頭生的、或是你許願獻的、甘心獻的、或
十八 是手中的舉祭、都不可在你城裏喫、十八但要在耶和華你
的　神面前喫、在耶和華你　神所要選擇的地方、你
和兒女、僕婢、並住在你城裏的利未人、都可以喫、也要
十九 因你手所辦的、在耶和華你　神面前歡樂。十九你要謹慎、
二十 在你所住的地方、永不可丟棄利未人。○二十耶和華你的
神照他所應許、擴張你境界的時候、你心裏想要喫
二一 肉、說、我要喫肉、就可以隨心所欲的喫肉。二一耶和華你
神所選擇要立他名的地方、若離你太遠、就可以照我
所吩咐的、將耶和華賜給你的牛羊取些宰了、可以隨
二二 心所欲在你城裏喫。二二你喫那肉、要像喫羚羊、與鹿一般、
二三 無論潔淨人、不潔淨人、都可以喫。二三只是你要心意堅定
不可喫血、因為血是生命、不可將血（原文作生命）與肉同喫。

二四 二五 二四不可喫血、要倒在地上、如同倒水一樣。二五不可喫血、這樣、
你行耶和華眼中看為正的事、你和你的子孫就可以
二六 得福。二六只是你分別為聖的物、和你的還願祭、要奉到耶
二七 和華所選擇的地方去。二七你的燔祭、連肉帶血、都要獻在
耶和華你　神的壇上．平安祭的血、要倒在耶和華你
神的壇上．平安祭的肉、你自己可以喫。二八你要謹守聽
二八 從我所吩咐的一切話、行耶和華你　神眼中看為善、
看為正的事、這樣、你和你的子孫就可以永遠享福。○
二九 二九耶和華你　神將你要去趕出的國民、從你面前剪除、
三十 你得了他們的地居住、三十那時就要謹慎、不可在他們除
滅之後、隨從他們的惡俗、陷入網羅、也不可訪問他們
的神、說、這些國民怎樣事奉他們的神、我也要照樣行。
三一 三一你不可向耶和華你的　神這樣行、因為他們向他們
的神、行了耶和華所憎嫌所恨惡的一切事、甚至將自
三二 己的兒女用火焚燒、獻與他們的神。○三二凡我所吩咐的、
你們都要謹守遵行、不可加添、也不可刪減。

第十三章　戒受引誘從事他神

一 一你們中間若有先知、或是作夢的起來、

二 向你顯個神蹟奇事、[二]對你說、我們去隨從你素來所不
認識的別神事奉他罷。他所顯的神蹟奇事、雖有應驗、
三 [三]你也不可聽那先知、或是那作夢之人的話、因爲這是
耶和華你們的　神試驗你們、要知道你們是盡心、盡
四 性、愛耶和華你們的　神不是。[四]你們要順從耶和華你
們的　神、敬畏他、謹守他的誡命、聽從他的話、事奉他、
五 專靠他。[五]那先知或是那作夢的、既用言語叛逆那領你
們出埃及‖地、救贖你脫離爲奴之家的耶和華你們的
神、要勾引你離開耶和華你　神所吩咐你行的道、
你便要將他治死。這樣就把那惡從你們中間除掉。◯
六 [六]你的同胞弟兄、或是你的兒女、或是你懷中的妻、或是
如同你性命的朋友、若暗中引誘你、說、我們不如去事
七 奉你和你列祖素來所不認識的別神、[七]是你四圍列國
的神、無論是離你近、離你遠、從地這邊到地那邊的神、
八 [八]你不可依從他、也不可聽從他、眼不可顧惜他、你不可
九 憐恤他、也不可遮庇他、[九]總要殺他、你先下手、然後衆民
十 也下手、將他治死。[十]要用石頭打死他、因爲他想要勾引
你離開那領你出埃及‖地爲奴之家的耶和華你的

十一 神。[十一]以色列‖衆人都要聽見害怕、就不敢在你們中間再
十二 十三 行這樣的惡了。◯[十二]在[十三]耶和華你　神所賜你居住的各
城中、你若聽人說、有些匪類從你們中間的一座城出
來勾引本城的居民、說、我們不如去事奉你們素來所
十四 不認識的別神。[十四]你就要探聽、查究、細細的訪問、果然是
十五 眞、準有這可憎惡的事行在你們中間、[十五]你必要用刀殺
十六 那城裏的居民、把城裏所有的連牲畜都用刀殺盡。[十六]你
從那城裏所奪的財物、都要堆積在街市上、用火將城
和其內所奪的財物、都在耶和華你　神面前燒盡。那
十七 十八 城就永爲荒堆、不可再建造。[十七]那當毀滅的物、連一點都
不可粘你的手。你要聽從耶和華你　神的話、遵守我
今日所吩咐你的一切誡命、行耶和華你　神眼中看
爲正的事、耶和華就必轉意不發烈怒、恩待你、憐恤你、
照他向你列祖所起的誓、使你人數增多。

第十四章

禁爲死者劃身剃額

一 [一]你們是耶和華你們　神的兒女。不可
二 爲死人用刀劃身、也不可將額上剃光。[二]因爲你歸耶和
華你　神爲聖潔的民、耶和華從地上的萬民中、揀選

你特作自己的子民。

示以潔與不潔之物

三 四 [三]凡可憎的物、都不可喫。[四]可喫的牲畜、就是牛、綿羊、山羊、
五 六 [五]鹿、羚羊、麅子、野山羊、麋鹿、黃羊、青羊。[六]凡分蹄成為兩瓣、
七 又倒嚼的走獸、你們都可以喫。[七]但那些倒嚼、或是分蹄
之中不可喫的、乃是駱駝、兔子、沙番、因為是倒嚼不分
八 蹄、就與你們不潔淨。[八]豬因為是分蹄卻不倒嚼、就與你
們不潔淨．這些獸的肉你們不可喫、死的也不可摸。○
九 十 [九]水中可喫的、乃是這些．凡有翅有鱗的、都可以喫。[十]凡無
十一 翅無鱗的、都不可喫、是與你們不潔淨。○[十一]凡潔淨的鳥、
十二 十三 你們都可以喫。[十二]不可喫的、乃是鵰、狗頭鵰、紅頭鵰、[十三]鸇、小
十四 十五 鷹、鷂鷹與其類．[十四]烏鴉與其類．[十五]鴕鳥、夜鷹、魚鷹、鷹與其類．
十六 十七 十八 [十六]鴞鳥、貓頭鷹、角鴟、[十七]鵜鶘、禿鵰、鸕鶿、[十八]鸛、鷺鷥與其類、戴鵀
十九 與蝙蝠。[十九]凡有翅膀爬行的物、是與你們不潔淨、都不可
二十 二十一 喫。[二十]凡潔淨的鳥、你們都可以喫。○[二十一]凡自死的、你們都不
可喫、可以給你城裏寄居的喫、或賣與外人喫．因為你
是歸耶和華你　神為聖潔的民。不可用山羊羔母的
二十二 奶煮山羊羔。○[二十二]你要把你撒種所產的、就是你田地每
二十三 年所出的、十分取一分。[二十三]又要把你的五穀、新酒、和油的
十分之一、並牛羣羊羣中頭生的、喫在耶和華你　神
面前、就是他所選擇要立為他名的居所．這樣、你可以
二十四 學習時常敬畏耶和華你的　神。[二十四]當耶和華你　神賜
福與你的時候、耶和華你　神所選擇要立為他名的
地方、若離你太遠、那路也太長、使你不能把這物帶到
二十五 那裏去、[二十五]你就可以換成銀子、將銀子包起來拿在手中、
二十六 往耶和華你　神所要選擇的地方去。[二十六]你用這銀子、隨
心所欲、或買牛羊、或買清酒濃酒、凡你心所想的、都可
以買．你和你的家屬在耶和華你　神的面前、喫喝快
二十七 樂。[二十七]住在你城裏的利未人、你不可丟棄他、因為他在你
二十八 們中間無分無業。○[二十八]每逢三年的末一年、你要將本年
二十九 的土產十分之一、都取出來、積存在你的城中。[二十九]在你城
裏無分無業的利未人、和你城裏寄居的、並孤兒寡婦、
都可以來喫得飽足．這樣、耶和華你的　神必在你手
裏所辦的一切事上、賜福與你。

第十五章　論豁免年

一 [一]每逢七年末一年、你要施行豁免。[二]豁免

的定例乃是這樣．凡債主要把所借給鄰舍的豁免了、
不可向鄰舍和弟兄追討、因為耶和華的豁免年已經
三 宣告了。三若借給外邦人、你可以向他追討、但借給你弟
五四 兄無論是甚麼、你要鬆手豁免了。四五你若留意聽從耶和
華你神的話、謹守遵行我今日所吩咐你這一切的
命令、就必在你們中間沒有窮人了．（在耶和華你
六 神所賜你為業的地上、耶和華必大大賜福與你）六因
為耶和華你的神、必照他所應許你的賜福與你、你
必借給許多國民、卻不至向他們借貸．你必管轄許多
國民、他們卻不能管轄你。

宜濟貧乏

七 七在耶和華你神所賜你的地上、無論那一座城裏、你
弟兄中若有一個窮人、你不可忍着心揝着手不幫補
八 你窮乏的弟兄。八總要向他鬆開手、照他所缺乏的借給
九 他、補他的不足。九你要謹慎、不可心裏起惡念、說、第七年
的豁免年快到了、你便惡眼看你窮乏的弟兄、甚麼都
十 不給他、以致他因你求告耶和華、罪便歸於你了。十你總
要給他、給他的時候、心裏不可愁煩、因耶和華你的
神必在你這一切所行的、並你手裏所辦的事上、賜福
十一 與你。十一原來那地上的窮人永不斷絕、所以我吩咐你說、
總要向你地上困苦窮乏的弟兄鬆開手。

釋放奴婢之例

十二 十二你弟兄中若有一個希伯來男人、或希伯來女人被賣
十三 給你、服事你六年、到第七年就要任他自由出去。十三你任
十四 他自由的時候、不可使他空手而去．十四要從你羊羣、禾場、
酒醡之中、多多的給他．耶和華你的神怎樣賜福與
十五 你、你也要照樣給他。十五要記念你在埃及地作過奴僕、耶
和華你的神將你救贖、因此我今日吩咐你這件事。
十六 十六他若對你說、我不願意離開你、是因他愛你和你的家、
十七 且因在你那裏很好、十七你就要拿錐子將他的耳朵在門
十八 上刺透、他便永為你的奴僕了．你待婢女也要這樣。十八你
任他自由的時候、不可以為難事、因他服事你六年、較
比雇工的工價多加一倍了．耶和華你的神就必在
十九 你所作的一切事上、賜福與你。○十九你牛羣羊羣中頭生
的、凡是公的、都要分別為聖歸耶和華你的神．牛羣
二十 中頭生的、不可用他耕地．羊羣中頭生的不可剪毛。二十這

頭生的、你和你的家屬、每年要在耶和華所選擇的地
二一 方在耶和華你　神面前喫。二一這頭生的、若有甚麼殘疾、
就如瘸腿的、瞎眼的、無論有甚麼惡殘疾、都不可獻給
二二 耶和華你的　神。二二可以在你城裏喫、潔淨人與不潔淨
二三 人都可以喫、就如喫羚羊與鹿一般。二三只是不可喫他的
血、要倒在地上、如同倒水一樣。

逾越節

一 **第十六章**　一你要注意亞筆月、向耶和華你的　神
守逾越節因爲耶和華你的　神在亞筆月夜間、領你
二 出埃及。二你當在耶和華所選擇要立爲他名的居所、從
牛羣羊羣中、將逾越節的祭牲獻給耶和華你的　神
三 三你喫這祭牲、不可喫有酵的餅、七日之內要喫無酵餅、
就是困苦餅．（你本是急忙出了埃及地）要叫你一
四 生一世記念你從埃及地出來的日子。四在你四境之內、
七日不可見麵酵．頭一日晚上所獻的肉、一點不可留
五 到早晨。五在耶和華你　神所賜的各城中、你不可獻逾
六 越節的祭、六只當在耶和華你　神所選擇要立爲他名
的居所、晚上日落的時候、乃是你出埃及的時候、獻逾

七 越節的祭。七當在耶和華你　神所選擇的地方、把肉烤
八 了喫．（烤或作煮）次日早晨就回到你的帳棚去。八你要喫無酵
餅六日、第七日要向耶和華你的　神守嚴肅會、不可
作工。

七七節

九 九你要計算七七日、從你開鐮收割禾稼時算起、共計七
十 七日。十你要照耶和華你　神所賜你的福、手裏拿着甘
十一 心祭、獻在耶和華你的　神面前守七七節。十一你和你兒
女、僕婢、並住在你城裏的利未人、以及在你們中間寄
居的、與孤兒寡婦、都要在耶和華你　神所選擇立爲
十二 他名的居所、在耶和華你的　神面前歡樂。十二你也要記
念你在埃及作過奴僕．你要謹守遵行這些律例。

住棚節

十三 十三你把禾場的穀、酒醡的酒、收藏以後、就要守住棚節七
十四 日。十四守節的時候、你和你兒女、僕婢、並住在你城裏的利
十五 未人、以及寄居的、與孤兒寡婦、都要歡樂。十五在耶和華所
選擇的地方、你當向耶和華你的　神守節七日．因爲
耶和華你　神在你一切的土產上、和你手裏所辦的

十六 事上、要賜福與你、你就非常的歡樂。十六你一切的男丁、要
在除酵節七七節住棚節、一年三次在耶和華你 神
十七 所選擇的地方朝見他、卻不可空手朝見。十七各人要按自
己的力量、照耶和華你 神所賜的福分、奉獻禮物。○
十八 十八你要在耶和華你 神所賜的各城裏、按着各支派、設
十九 立審判官、和官長。他們必按公義的審判、判斷百姓。十九不
可屈枉正直、不可看人的外貌、也不可受賄賂、因為賄
二十 賂能叫智慧人的眼變瞎了、又能顛倒義人的話。二十你要
追求至公至義、好叫你存活、承受耶和華你 神所賜
二十一 你的地。○二十一你為耶和華你 神築壇、不可在壇旁栽
二十二 甚麼樹木作為木偶。二十二也不可為自己設立柱像、這是耶
和華你 神所恨惡的。

第十七章

牲若有疵勿獻為祭

一 一凡有殘疾、或有甚麼惡病的牛羊、你都
不可獻給耶和華你的 神、因為這是耶和華你 神
二 所憎惡的。○二在你們中間、在耶和華你 神所賜你的
諸城中、無論那座城裏、若有人、或男或女、行耶和華你
三 神眼中看為惡的事、違背了他的約、三去事奉敬拜別
四 神、或拜日頭、或拜月亮、或拜天象、是主不曾吩咐的。四有
人告訴你、你也聽見了、就要細細的探聽、果然是真、準
五 有這可憎惡的事行在以色列中、五你就要將行這惡事
六 的男人、或女人、拉到城門外、用石頭將他打死。六要憑兩
三個人的口作見證、將那當死的人治死、不可憑一個
七 人的口作見證、將他治死。七見證人要先下手、然後眾民
也下手、將他治死。這樣、就把那惡從你們中間除掉。

訟事難斷須請示

八 八你城中若起了爭訟的事、或因流血、或因爭競、或因毆
打、是你難斷的案件、你就當起來往耶和華你 神所
九 選擇的地方、九去見祭司利未人、並當時的審判官、求問
十 他們、他們必將判語指示你。十他們在耶和華所選擇的
地方指示你的判語、你必照着他們所指教你的一切
十一 話、謹守遵行。十一要按他們所指教你的律法、照他們所斷
十二 定的去行、他們所指示你的判語、你不可偏離左右。十二若
有人擅敢不聽從那侍立在耶和華你 神面前的祭
司、或不聽從審判官、那人就必治死。這樣、便將那惡從
十三 以色列中除掉。十三眾百姓都要聽見害怕、不再擅敢行事。

立王必以　神揀選

十四 到[十四]了耶和華你　神所賜你的地、得了那地、居住的時
十五 候、若說、我要立王治理我、像四圍的國一樣。[十五]你總要立
耶和華你　神所揀選的人爲王．必從你弟兄中立一
十六 人、不可立你弟兄以外的人爲王。[十六]只是王不可爲自己
加添馬匹、也不可使百姓回埃及去、爲要加添他的馬
十七 匹。因耶和華曾吩咐你們說、不可再回那條路去。[十七]他也
不可爲自己多立妃嬪、恐怕他的心偏邪．也不可爲自
十八 己多積金銀。○[十八]他登了國位、就要將祭司利未人面前
十九 的這律法書、爲自己抄錄一本、[十九]存在他那裏、要平生誦
讀、好學習敬畏耶和華他的　神、謹守遵行這律法書
二十 上的一切言語、和這些律例．[二十]免得他向弟兄心高氣傲、
偏左偏右、離了這誡命．這樣、他和他的子孫、便可在以
色列中在國位上年長日久。

利未人之業

第十八章

一 [一]祭司利未人、和利未全支派、必在以色
列中無分無業、他們所喫用的、就是獻給耶和華的火
二 祭、和一切所捐的。[二]他們在弟兄中必沒有產業、耶和華
三 是他們的產業、正如耶和華所應許他們的。[三]祭司從百
四 姓所當得的分乃是這樣．凡獻牛或羊爲祭的、要把前
腿、和兩腮、並脾胃給祭司。[四]初收的五穀、新酒、和油、並初
五 剪的羊毛、也要給他。[五]因爲耶和華你的　神從你各支
派中將他揀選出來、使他和他子孫、永遠奉耶和華的
六 名侍立事奉。○[六]利未人無論寄居在以色列中的那一
座城、若從那裏出來、一心願意到耶和華所選擇的地
七 方、[七]就要奉耶和華他　神的名事奉、像他衆弟兄利未
八 人侍立在耶和華面前事奉一樣。[八]除了他賣祖父產業
所得的以外、還要得一分祭物與他們同喫。

勿從異邦惡俗

九 [九]你到了耶和華你　神所賜之地、那些國民所行可憎
十 惡的事、你不可學着行。[十]你們中間不可有人使兒女經
十一 火、也不可有占卜的、觀兆的、用法術的、行邪術的、[十一]用迷
十二 術的、交鬼的、行巫術的、過陰的。[十二]凡行這些事的都爲耶
和華所憎惡．因那些國民行這可憎惡的事、所以耶和
十三 華你的　神將他們從你面前趕出。[十三]你要在耶和華你
十四 的　神面前作完全人。[十四]因你所要趕出的那些國民、都

聽信觀兆的、和占卜的、至於你、耶和華你的　神從來
不許你這樣行。

許以興起先知

十五 耶十五和華你的　神要從你們弟兄中間、給你興起一位
十六 先知像我、你們要聽從他。十六正如你在何烈山大會的日
子、求耶和華你　神一切的話說、求你不再叫我聽見
耶和華我　神的聲音、也不再叫我看見這大火、免得
十七 十八 我死亡。十七耶和華就對我說、他們所說的是。十八我必在他們
弟兄中間、給他們興起一位先知像你、我要將當說的
十九 話傳給他、他要將我一切所吩咐的、都傳給他們。十九誰不
聽他奉我名所說的話、我必討誰的罪。

待假先知之例

二十 若二十有先知擅敢託我的名、說我所未曾吩咐他說的話、
二十一 或是奉別神的名說話、那先知就必治死。二十一你心裏若說、
二十二 耶和華所未曾吩咐的話、我們怎能知道呢。二十二先知託耶
和華的名說話、所說的若不成就、也無效驗、這就是耶
和華所未曾吩咐的、是那先知擅自說的、你不要怕他。

設立逃城

一 第十九章　耶一和華你　神將列國之民剪除的時
候、耶和華你　神也將他們的地賜給你、你接着住他
二 們的城邑、並他們的房屋、二就要在耶和華你　神所賜
三 你爲業的地上、分定三座城。三要將耶和華你　神使你
承受爲業的地、分爲三段、又要豫備道路、使誤殺人的、
四 都可以逃到那裏去。○四誤殺人的逃到那裏可以存活、
五 定例乃是這樣．凡素無仇恨、無心殺了人的、五就如人與
鄰舍同入樹林砍伐樹木、手拿斧子一砍、本想砍下樹
木、不料、斧頭脫了把、飛落在鄰舍身上、以致於死、這人
六 逃到那些城的一座城、就可以存活。六免得報血仇的、心
中火熱追趕他、因路遠就追上將他殺死、其實他不該
七 死、因爲他與被殺的素無仇恨。七所以我吩咐你說、要分
八 定三座城。八耶和華你　神若照他向你列祖所起的誓、
九 擴張你的境界、將所應許賜你列祖的地、全然給你、九你
若謹守遵行我今日所吩咐的這一切誡命、愛耶和華
你的　神、常常遵行他的道、就要在這三座城之外、再
十 添三座城．十免得無辜之人的血、流在耶和華你　神所

十一 賜你為業的地上流血的罪就歸於你。○十一若有人恨他
的鄰舍、埋伏着起來擊殺他、以致於死、便逃到這些城
十二 的一座城。十二本城的長老就要打發人去、從那裏帶出他
十三 來、交在報血仇的手中將他治死。十三你眼不可顧惜他、卻
要從以色列中除掉流無辜血的罪、使你可以得福。

勿移界址

十四 十四在耶和華你神所賜你承受為業之地、不可挪移你
鄰舍的地界、那是先人所定的。

證者惟一不能定讞

十五 十五人無論犯甚麼罪、作甚麼惡、不可憑一個人的口作見
十六 證、總要憑兩三個人的口作見證、纔可定案。十六若有兇惡
十七 的見證人起來、見證某人作惡、十七這兩個爭訟的人就要
十八 站在耶和華面前、和當時的祭司、並審判官面前。十八審判
官要細細的查究、若見證人果然是作假見證的、以假
十九 見證陷害弟兄、十九你們就要待他如同他想要待的弟兄。
二十 這樣就把那惡從你們中間除掉。二十別人聽見都要害怕、
二十一 就不敢在你們中間再行這樣的惡了。二十一你眼不可顧惜、
要以命償命、以眼還眼、以牙還牙、以手還手、以腳還腳。

可免戰者

一 **第二十章** 一你出去與仇敵爭戰的時候、看見馬匹、
車輛、並有比你多的人民、不要怕他們、因為領你出埃
二 及地的耶和華你神與你同在。二你們將要上陣的時
三 候、祭司要到百姓面前宣告、三說、以色列人哪、你們當聽、
你們今日將要與仇敵爭戰、不要膽怯、不要懼怕戰兢、
四 也不要因他們驚恐。四因為耶和華你們的神與你們
五 同去、要為你們與仇敵爭戰、拯救你們。五官長也要對百
姓宣告說、誰建造房屋、尚未奉獻、他可以回家去、恐怕
六 他陣亡、別人去奉獻。六誰種葡萄園、尚未用所結的果子、
七 他可以回家去、恐怕他陣亡、別人去用。七誰聘定了妻、尚
八 未迎娶、他可以回家去、恐怕他陣亡、別人去娶。八官長又
要對百姓宣告說、誰懼怕膽怯、他可以回家去、恐怕他
九 弟兄的心消化、和他一樣。九官長對百姓宣告完了、就當
派軍長率領他們。

攻城先告以和

十 十你臨近一座城要攻打的時候、先要對城裏的民宣告
十一 和睦的話。十一他們若以和睦的話回答你、給你開了城、城

十二 裏所有的人都要給你効勞服事你。十二若不肯與你和好、
十三 反要與你打仗、你就要圍困那城。十三耶和華你的　神把
十四 城交付你手、你就要用刀殺盡這城的男丁。十四惟有婦女、
孩子、牲畜、和城內一切的財物、你可以取為自己的掠
物、耶和華你　神把你仇敵的財物賜給你、你可以喫
十五 用。十五離你甚遠的各城、不是這些國民的城、你都要這樣
十六 待他。十六但這些國民的城、耶和華你　神既賜你為業、其
十七 中凡有氣息的、一個不可存留。十七只要照耶和華你　神
所吩咐的、將這赫人、亞摩利人、迦南人、比利洗人、希未
十八 人、耶布斯人、都滅絕淨盡。十八免得他們教導你們學習一
切可憎惡的事、就是他們向自己　神所行的、以致你們
十九 得罪耶和華你們的　神。◯十九你若許久圍困攻打所要
取的一座城、就不可舉斧子砍壞樹木、因為你可以喫
那樹上的果子、不可砍伐。田間的樹木豈是人、叫你蹧
二十 蹋麽。二十惟獨你所知道不是結果子的樹木、可以毀壞砍
伐、用以修築營壘、攻擊那與你打仗的城、直到攻塌了。

第二十一章

察究見殺者之例

一 在耶和華你　神所賜你為業的地
二 上、若遇見被殺的人倒在田野、不知道是誰殺的。二長老
和審判官就要出去、從被殺的人那裏量起、直量到四
三 圍的城邑。三看那城離被殺的人最近、那城的長老就要
四 從牛羣中取一隻未曾耕地、未曾負軛的母牛犢。四把母
牛犢牽到流水未曾耕種的山谷去、在谷中打折母牛
五 犢的頸項。五祭司利未的子孫要近前來、因為耶和華你
的　神揀選了他們事奉他、奉耶和華的名祝福、所有
六 爭訟毆打的事、都要憑他們判斷。六那城的衆長老、就是
離被殺的人最近的、要在那山谷中、在所打折頸項的
七 母牛犢以上洗手、七禱告（原文作回答）說、我們的手未曾流這
八 人的血、我們的眼也未曾看見這事。八耶和華阿、求你赦
免你所救贖的以色列民、不要使流無辜血的罪歸在
九 你的百姓以色列中間。這樣流血的罪必得赦免。九你行
耶和華眼中看為正的事、就可以從你們中間除掉流
無辜血的罪。

納被擄婦女為妻之例

十 你出去與仇敵爭戰的時候、耶和華你的　神將他們
十一 交在你手中、你就擄了他們去。十一若在被擄的人中見有

十二 美貌的女子、戀慕他要娶他爲妻．十二就可以領他到你家
十三 裏去、他便要剃頭髮、修指甲、十三脫去被擄時所穿的衣服、
住在你家裏哀哭父母一個整月、然後可以與他同房．
十四 你作他的丈夫、他作你的妻子。十四後來你若不喜悅他、就
要由他隨意出去、決不可爲錢賣他、也不可當婢女待
他、因爲你玷汙了他。

勿以私愛廢冢子

十五 十五人若有二妻、一爲所愛、一爲所惡、所愛的所惡的、都給
十六 他生了兒子、但長子是所惡之妻生的．十六到了把產業分
給兒子承受的時候、不可將所愛之妻生的兒子立爲
十七 長子、在所惡之妻生的兒子以上、十七卻要認所惡之妻生
的兒子爲長子、將產業多加一分給他、因這兒子是他
力量強壯的時候生的、長子的名分本當歸他。

待逆子之例

十八 十八人若有頑梗悖逆的兒子、不聽從父母的話、他們雖懲
十九 治他、他仍不聽從。十九父母就要抓住他、將他帶到本地的
二十 城門、本城的長老那裏．二十對長老說、我們這兒子頑梗悖
二一 逆、不聽從我們的話、是貪食好酒的人。二一本城的衆人就
要用石頭將他打死．這樣就把那惡從你們中間除掉．
二二 以色列衆人都要聽見害怕。○二二人若犯該死的罪、被治
二三 死了、你將他掛在木頭上。二三他的屍首不可留在木頭上
過夜、必要當日將他葬埋、免得玷汙了耶和華你　神
所賜你爲業之地．因爲被掛的人是在　神面前受咒
詛的。

應守之數例

一 第二十二章 一你若看見弟兄的牛、或羊、失迷了路、
二 不可佯爲不見、總要把他牽回來交給你的弟兄。二你弟
兄若離你遠、或是你不認識他、就要牽到你家去、留在
三 你那裏、等你弟兄來尋找就還給他。三你的弟兄無論失
落甚麼、或是驢、或是衣服、你若遇見、都要這樣行、不可
四 佯爲不見。四你若看見弟兄的牛、或驢、跌倒在路上、不可
五 佯爲不見、總要幫助他拉起來。○五婦女不可穿戴男子
所穿戴的、男子也不可穿婦女的衣服、因爲這樣行都
六 是耶和華你　神所憎惡的。○六你若路上遇見鳥窩、或
在樹上、或在地上、裏頭有雛、或有蛋、母鳥伏在雛上、或
七 在蛋上、你不可連母帶雛一併取去．七總要放母、只可取

八 雛。這樣你就可以享福、日子得以長久。〇八你若建造房
屋、要在房上的四圍安欄杆、免得有人從房上掉下來、
九 流血的罪就歸於你家。〇九不可把兩樣種子種在你的
葡萄園裏、免得你撒種所結的、和葡萄園的果子都要
十 十一 充公。十不可並用牛驢耕地。十一不可穿羊毛細麻兩樣攙雜
十二 料作的衣服。〇十二你要在所披的外衣上四圍作繸子。

禁止行淫

十三 十四 十三人若娶妻、與他同房之後恨惡他、十四信口說他、將醜名加
在他身上、說、我娶了這女子與他同房、見他沒有貞潔
十五 的憑據。十五女子的父母就要把女子貞潔的憑據拿出來、
十六 帶到本城門長老那裏。十六女子的父親要對長老說、我將
十七 我的女兒給這人爲妻、他恨惡他、十七信口說他、說、我見你
的女兒沒有貞潔的憑據、其實這就是我女兒貞潔的
十八 憑據。父母就把那布鋪在本城的長老面前。十八本城的長
十九 老要拿住那人懲治他、十九並要罰他一百舍客勒銀子、給
女子的父親、因爲他將醜名加在以色列的一個處女
二十 身上。女子仍作他的妻、終身不可休他。二十但這事若是眞
二一 的、女子沒有貞潔的憑據、二一就要將女子帶到他父家的
門口、本城的人要用石頭將他打死、因爲他在父家行
了淫亂、在以色列中作了醜事。這樣、就把那惡從你們
二二 中間除掉。〇二二若遇見人與有丈夫的婦人行淫、就要將
姦夫淫婦、一併治死。這樣、就把那惡從以色列中除掉。
二三 〇二三若有處女已經許配丈夫、有人在城裏遇見他、與他
二四 行淫、二四你們就要把這二人帶到本城門、用石頭打死、女
子是因爲雖在城裏、卻沒有喊叫、男子是因爲玷汚別
二五 人的妻。這樣就把那惡從你們中間除掉。〇二五若有男子
在田野遇見已經許配人的女子、強與他行淫、只要將
二六 那男子治死。二六但不可辦女子、他本沒有該死的罪、這事
二七 就類乎人起來攻擊鄰舍、將他殺了一樣。二七因爲男子是
在田野遇見那已經許配人的女子、女子喊叫並無人
二八 救他。〇二八若有男子遇見沒有許配人的處女、抓住他與
二九 他行淫、被人看見、二九這男子就要拿五十舍客勒銀子、給
女子的父親、因他玷汚了這女子、就要娶他爲妻、終身
三十 不可休他。〇三十人不可娶繼母爲妻、不可掀開他父親的
衣襟。

不得入耶和華會者
一 ○**第二十三章**　一凡外腎受傷的、或被閹割的、不可入
二 耶和華的會。二私生子不可入耶和華的會、他的子孫
三 直到十代、也不可入耶和華的會。三亞捫人、或是摩押
人、不可入耶和華的會．他們的子孫雖過十代、也永不
四 可入耶和華的會。四因爲你們出埃及的時候、他們沒有
拿食物和水在路上迎接你們、又因他們雇了米所波
五 大米的毘奪人比珥的兒子巴蘭來咒詛你們。五然而耶
和華你的　神不肯聽從巴蘭、卻使那咒詛的言語變
六 爲祝福的話、因爲耶和華你的　神愛你。六你一生一世
七 永不可求他們的平安、和他們的利益。七不可憎惡以
東人、因爲他是你的弟兄．不可憎惡埃及人、因爲你在
八 他的地上作過寄居的。八他們第三代子孫可以入耶和
華的會。

出戰攻敵營潔爲務

九 十 九你出兵攻打仇敵、就要遠避諸惡。十你們中間若有人、夜
十一 間偶然夢遺不潔淨、就要出到營外、不可入營。十一到傍晚
十二 的時候、他要用水洗澡、及至日落了纔可以入營。十二你在

十三 營外也該定出一個地方作爲便所。十三在你器械之中當
豫備一把鍬、你出營外便溺以後、用以鏟土、轉身掩蓋。
十四 十四因爲耶和華你的　神常在你營中行走、要救護你、將
仇敵交給你、所以你的營理當聖潔、免得他見你那裏
十五 有污穢、就離開你。十五若有奴僕脫了主人的手、逃到你
十六 那裏、你不可將他交付他的主人。十六他必在你那裏與你
同住、在你的城邑中、要由他選擇一個所喜悅的地方
十七 居住．你不可欺負他。十七以色列的女子中不可有妓女、
十八 以色列的男子中不可有孌童。十八娼妓所得的錢、或孌童
原文作狗所得的價、你不可帶入耶和華你　神的殿還願．
十九 因爲這兩樣都是耶和華你　神所憎惡的。十九你借給
你弟兄的、或是錢財、或是糧食、無論甚麼可生利的物、
二十 都不可取利。二十借給外邦人可以取利、只是借給你弟兄
不可取利．這樣、耶和華你　神必在你所去得爲業的
地上、和你手裏所辦的一切事上、賜福與你。

許願之例

二十一 二十一你向耶和華你的　神許願、償還不可遲延、因爲耶和
二十二 華你的　神必定向你追討、你不償還就有罪。二十二你若不

二三 許願、倒無罪。二三你嘴裏所出的、就是你口中應許、甘心所
二四 獻的、要照你向耶和華你 神所許的願謹守遵行。○
二四你進了鄰舍的葡萄園、可以隨意喫飽了葡萄、只是不
二五 可裝在器皿中。二五你進了鄰舍站着的禾稼、可以用手摘
穗子、只是不可用鐮刀割取禾稼。

休妻之例

一 **第二十四章** 一人若娶妻以後、見他有甚麼不合理
的事、不喜悅他、就可以寫休書交在他手中、打發他離
二三 開夫家。二婦人離開夫家以後、可以去嫁別人。三後夫若恨
惡他、寫休書交在他手中、打發他離開夫家、或是娶他
四 為妻的後夫死了、四打發他去的前夫、不可在婦人玷污
之後再娶他為妻、因為這是耶和華所憎惡的。不可使
五 耶和華你 神所賜為業之地被玷污了。○五新娶妻之
人、不可從軍出征、也不可託他辦理甚麼公事、可以在
六 家清閒一年、使他所娶的妻快活。○六不可拿人的全盤
磨石、或是上磨石作當頭、因為這是拿人的命作當頭。
七 ○七若遇見人拐帶以色列中的一個弟兄、當奴才待他、
或是賣了他、那拐帶人的就必治死。這樣便將那惡從

八 你們中間除掉。○八在大痲瘋的災病上、你們要謹慎、照
祭司利未人一切所指教你們的、留意遵行、我怎樣吩
九 咐他們、你們要怎樣遵行。九當記念出埃及後、在路上耶
和華你 神向米利暗所行的事。

貨物取質之例

十 十一 十你借給鄰舍不拘是甚麼、不可進他家拿他的當頭。十一要
站在外面、等那向你借貸的人把當頭拿出來交給你。
十二 十三 十二他若是窮人、你不可留他的當頭過夜。十三日落的時候、總
要把當頭還他、使他用那件衣服蓋着睡覺、他就為你
祝福。這在耶和華你 神面前、就是你的義了。

勿欺窮乏之雇工

十四 十四困苦窮乏的雇工、無論是你的弟兄、或是在你城裏寄
十五 居的、你不可欺負他。十五要當日給他工價、不可等到日落、
因為他窮苦、把心放在工價上、恐怕他因你求告耶和
十六 華、罪便歸你了。○十六不可因子殺父、也不可因父殺子。凡
被殺的都為本身的罪。

審斷宜公

十七 十七你不可向寄居的和孤兒屈枉正直、也不可拿寡婦的

十八 衣裳作當頭。要記念你在埃及作過奴僕、耶和華你的
神從那裏將你救贖、所以我吩咐你這樣行。

收割田禾之例

十九 你在田間收割莊稼、若忘下一捆、不可回去再取、要留
給寄居的、與孤兒寡婦、這樣、耶和華你　神必在你手
二十 裏所辦的一切事上、賜福與你。你打橄欖樹、枝上剩下
二一 的不可再打、要留給寄居的、與孤兒寡婦。你摘葡萄園
的葡萄、所剩下的不可再摘、要留給寄居的、與孤兒寡
二二 婦。你也要記念你在埃及地作過奴僕、所以我吩咐你
這樣行。

笞責之限

一 **第二十五章** 人若有爭訟、來聽審判、審判官就要
二 定義人有理、定惡人有罪。惡人若該受責打、審判官就
三 要叫他當面伏在地上、按着他的罪照數責打。只可打
他四十下、不可過數、若過數、便是輕賤你的弟兄了。◯
四 牛在場上踹穀的時候、不可籠住他的嘴。

弟宜爲兄立嗣

五 弟兄同居、若死了一個沒有兒子、死人的妻不可出嫁

外人、他丈夫的兄弟當盡弟兄的本分、娶他爲妻、與他
六 同房。婦人生的長子必歸死兄的名下、免得他的名在
七 以色列中塗抹了。那人若不願意娶他哥哥的妻、他哥
哥的妻就要到城門長老那裏說、我丈夫的兄弟不肯
在以色列中興起他哥哥的名字、不給我盡弟兄的本
八 分。本城的長老就要召那人來問他、他若執意說、我不
九 願意娶他。他哥哥的妻就要當着長老到那人的跟前、
脫了他的鞋、吐唾沫在他臉上、說、凡不爲哥哥建立家
十 室的、都要這樣待他。在以色列中、他的名必稱爲脫鞋
十一 之家。◯若有二人爭鬬、這人的妻近前來、要救他丈夫
十二 脫離那打他丈夫之人的手、抓住那人的下體。就要砍
十三 斷婦人的手、眼不可顧惜他。◯你囊中不可有一大一
十四 小兩樣的法碼。你家裏不可有一大一小、兩樣的升斗。
十五 當用對準公平的法碼、公平的升斗、這樣、在耶和華你
十六 神所賜你的地上、你的日子就可以長久。因爲行非
義之事的人、都是耶和華你　神所憎惡的。

宜滅亞瑪力族

十七 你要記念你們出埃及的時候、亞瑪力人在路上怎樣

待你。十八他們在路上遇見你、趁你疲乏困倦、擊殺你儘後
邊軟弱的人、並不敬畏　神。十九所以耶和華你　神使你
不被四圍一切的仇敵擾亂、在耶和華你　神賜你為
業的地上、得享平安．那時你要將亞瑪力的名號、從天
下塗抹了．不可忘記。

第二十六章

獻初熟土產之例

一你進去得了耶和華你　神所賜你
為業之地居住、就二要從耶和華你　神賜你的地上、將
所收的各種初熟的土產、取些來、盛在筐子裏、往耶和
華你　神所選擇要立為他名的居所去．三見當時作祭
司的、對他說、我今日向耶和華你　神、明認我已來到
耶和華向我們列祖起誓應許賜給我們的地。四祭司就
從你手裏取過筐子來、放在耶和華你　神的壇前。五你
要在耶和華你　神面前說、我祖原是一個將亡的亞
蘭人、下到埃及寄居．他人口稀少、在那裏卻成了又大、
又強、人數很多的國民。六埃及人惡待我們、苦害我們、將
苦工加在我們身上．七於是我們哀求耶和華我們列祖
的　神、耶和華聽見我們的聲音、看見我們所受的困
苦、勞碌、欺壓、八他就用大能的手、和伸出來的膀臂、並大
可畏的事、與神蹟奇事、領我們出了埃及．九將我們領進
這地方、把這流奶與蜜之地賜給我們。十耶和華阿、現在
我把你所賜給我地上初熟的土產奉了來．隨後你要
把筐子放在耶和華你　神面前、向耶和華你的　神
下拜。十一你和利未人、並在你們中間寄居的、要因耶和華
你　神所賜你和你家的一切福分歡樂。○十二每逢三年、
就是十分取一之年、你取完了一切土產的十分之一、
要分給利未人、和寄居的、與孤兒寡婦、使他們在你城
中可以喫得飽足。十三你又要在耶和華你　神面前說、我
已將聖物從我家裏拿出來、給了利未人和寄居的、與
孤兒寡婦、是照你所吩咐我的一切命令．你的命令我
都沒有違背、也沒有忘記。十四我守喪的時候、沒有喫這聖
物、不潔淨的時候、也沒有拿出來、又沒有為死人送去、
我聽從了耶和華我　神的話、都照你所吩咐的行了。
十五求你從天上你的聖所垂看、賜福給你的百姓以色列、
與你所賜給我們的地、就是你向我們列祖起誓賜我
們流奶與蜜之地。○十六耶和華你的　神今日吩咐你行

十七 這些律例、典章、所以你要盡心、盡性、謹守遵行。你今日
認耶和華爲你的神、應許遵行他的道、謹守他的律
十八 例、誡命、典章、聽從他的話。耶和華今日照他所應許你
十九 的、也認你爲他的子民、使你謹守他的一切誡命、又使
你得稱讚、美名、尊榮、超乎他所造的萬民之上、並照他
所應許的、使你歸耶和華你 神爲聖潔的民。

命立石錄律

一 **第二十七章** 摩西和以色列的衆長老吩咐百姓
二 說、你們要遵守我今日所吩咐的一切誡命。你們過約
但河、到了耶和華你 神所賜給你的地、當天要立起
三 幾塊大石頭、墁上石灰、把這律法的一切話寫在石頭
上、你過了河、可以進入耶和華你 神所賜你流奶與
四 蜜之地、正如耶和華你列祖之 神所應許你的。你們
過了約但河、就要在以巴路山上照我今日所吩咐的、
五 將這些石頭立起來、墁上石灰。在那裏要爲耶和華你
六 的 神築一座石壇、在石頭上不可動鐵器、要用沒有
鑿過的石頭築耶和華你 神的壇、在壇上要將燔祭
七 獻給耶和華你的 神。又要獻平安祭、且在那裏喫、在
八 耶和華你的 神面前歡樂。你要將這律法的一切話
九 明明的寫在石頭上。○摩西和祭司利未人曉諭以色
列衆人說、以色列阿、要默默靜聽、你今日成爲耶和華
十 你 神的百姓了。所以要聽從耶和華你 神的話、遵
行他的誡命律例、就是我今日所吩咐你的。

祝福於基利心山

十一 十二 當日摩西囑咐百姓說、你們過了約但河、西緬、利未、猶
大、以薩迦、約瑟、便雅憫六個支派的人、都要站在基利
心山上爲百姓祝福。

宣詛於以巴路山

十三 流便、迦得、亞設、西布倫、但、拿弗他利六個支派的人、都
十四 要站在以巴路山上宣布咒詛。利未人要向以色列衆
十五 人高聲說、有人製造耶和華所憎惡的偶像、或雕刻、或
鑄造、就是工匠手所作的、在暗中設立、那人必受咒詛。
十六 百姓都要答應說、阿們。○輕慢父母的、必受咒詛。百姓
十七 都要說、阿們。○挪移鄰舍地界的、必受咒詛。百姓都要
十八 說、阿們。○使瞎子走差路的、必受咒詛。百姓都要說、阿
十九 們。○向寄居的和孤兒寡婦屈枉正直的、必受咒詛。百

二十 姓都要說、阿們。○與繼母行淫的必受咒詛、因爲掀開
二一 他父親的衣襟。百姓都要說、阿們。○與獸淫合的、必受
二二 咒詛。百姓都要說、阿們。○與異母同父、或異父同母的
二三 姐妹行淫的、必受咒詛。百姓都要說、阿們。○與岳母行
二四 淫的、必受咒詛。百姓都要說、阿們。○暗中殺人的、必受
二五 咒詛。百姓都要說、阿們。○受賄賂害死無辜之人的、必
二六 受咒詛。百姓都要說、阿們。○不堅守遵行這律法言語
的、必受咒詛。百姓都要說、阿們。

第二十八章

遵行誡命必蒙福祉

一 你若留意聽從耶和華你 神的話、
謹守遵行他的一切誡命、就是我今日所吩咐你的、他
二 必使你超乎天下萬民之上。你若聽從耶和華你 神
三 的話、這以下的福必追隨你、臨到你身上。你在城裏必
四 蒙福、在田間也必蒙福。你身所生的、地所產的、牲畜所
五 下的、以及牛犢羊羔、都必蒙福。你的筐子和你的摶麵
六七 盆、都必蒙福。你出也蒙福、入也蒙福。○仇敵起來攻擊
你、耶和華必使他們在你面前被你殺敗。他們從一條
八 路來攻擊你、必從七條路逃跑。在你倉房裏、並你手所
辦的一切事上、耶和華所命的福必臨到你。耶和華你
九 神也要在所給你的地上賜福與你。你若謹守耶和
華你 神的誡命、遵行他的道、他必照着向你所起的
十 誓立你作爲自己的聖民。天下萬民見你歸在耶和華
十一 的名下、就要懼怕你。你在耶和華向你列祖起誓應許
賜你的地上、他必使你身所生的、牲畜所下的、地所產
十二 的、都綽綽有餘。耶和華必爲你開天上的府庫、按時降
雨在你的地上。在你手裏所辦的一切事上賜福與你。
十三十四 你必借給許多國民、卻不至向他們借貸。你若聽從耶
和華你 神的誡命、就是我今日所吩咐你的、謹守遵
行、不偏左右、也不隨從事奉別神、耶和華就必使你作
首不作尾、但居上不居下。

違逆主言必受重禍

十五 你若不聽從耶和華你 神的話、不謹守遵行他的一
切誡命律例、就是我今日所吩咐你的、這以下的咒詛
十六 都必追隨你、臨到你身上。你在城裏必受咒詛、在田間
十七十八 也必受咒詛。你的筐子和你的摶麵盆、都必受咒詛。你
十九 身所生的、地所產的、以及牛犢、羊羔、都必受咒詛。你出

二十 也受咒詛、入也受咒詛。〇二十耶和華因你行惡離棄他、必
在你手裏所辦的一切事上、使咒詛、擾亂、責罰臨到你、
二一 直到你被毀滅、速速的滅亡。二一耶和華必使瘟疫貼在你
二二 身上、直到他將你從所進去得為業的地上滅絕。二二耶和
華要用癆病、熱病、火症、瘧疾、刀劍、旱風、（或作乾旱）霉爛攻擊
二三 你．這都要追趕你、直到你滅亡。二三你頭上的天要變為銅、
二四 腳下的地要變為鐵。二四耶和華要使那降在你地上的雨、
二五 變為塵沙、從天臨在你身上、直到你滅亡。〇二五耶和華必
使你敗在仇敵面前、你從一條路去攻擊他們、必從七
二六 條路逃跑．你必在天下萬國中拋來拋去。二六你的屍首必
二七 給空中的飛鳥、和地上的走獸作食物、並無人鬨趕。二七耶
和華必用埃及人的瘡、並痔瘡、牛皮癬、與疥、攻擊你、使
二八二九 你不能醫治。二八耶和華必用癲狂、眼瞎、心驚、攻擊你。二九你必
在午間摸索、好像瞎子在暗中摸索一樣．你所行的必
三十 不亨通、時常遭遇欺壓、搶奪、無人搭救。三十你聘定了妻、別
人必與他同房．你建造房屋、不得住在其內、你栽種葡
三一 萄園、也不得用其中的果子。三一你的牛在你眼前宰了、你
必不得喫他的肉．你的驢在你眼前被搶奪、不得歸還．

三二 你的羊歸了仇敵、無人搭救。三二你的兒女必歸與別國的
三三 民、你的眼目終日切望、甚至失明、你手中無力拯救。三三你
的土產、和你勞碌得來的、必被你所不認識的國民喫
三四 盡．你時常被欺負受壓制．三四甚至你因眼中所看見的、必
三五 致瘋狂。三五耶和華必攻擊你、使你膝上、腿上、從腳掌到頭
三六 頂、長毒瘡無法醫治。〇三六耶和華必將你和你所立的王、
領到你和你列祖素不認識的國去、在那裏你必事奉
三七 木頭石頭的神。三七你在耶和華領你到的各國中、要令人
三八 驚駭、笑談、譏誚。三八你帶到田間的種子雖多、收進來的卻
三九 少、因為被蝗蟲喫了。三九你栽種修理葡萄園、卻不得收葡
四十 萄、也不得喝葡萄酒、因為被蟲子喫了。四十你全境有橄欖
四一 樹、卻不得其油抹身、因為樹上的橄欖不熟自落了。四一你
四二 生兒養女、卻不算是你的、因為必被擄去。四二你所有的樹
四三 木、和你地裏的出產、必被蝗蟲所喫。四三在你中間寄居的、
必漸漸上升、比你高而又高、你必漸漸下降、低而又低。
四四四五 四四他必借給你、你卻不能借給他、他必作首、你必作尾。四五這
一切咒詛必追隨你、趕上你、直到你滅亡、因為你不聽
從耶和華你　神的話、不遵守他所吩咐的誡命律例。

四六 四六這些咒詛、必在你和你後裔的身上成爲異蹟、奇事、直
四七 到永遠。○四七因爲你富有的時候、不歡心樂意的事奉耶
四八 和華你的　神、四八所以你必在飢餓、乾渴、赤露、缺乏之中、
事奉耶和華所打發來攻擊你的仇敵.他必把鐵軛加
四九 在你的頸項上、直到將你滅絕。四九耶和華要從遠方地極
帶一國的民、如鷹飛來攻擊你.這民的言語你不懂得。
五十 五一 五十這民的面貌兇惡、不顧恤年老的、也不恩待年少的。五一他
們必喫你牲畜所下的、和你地土所產的、直到你滅亡.
你的五穀、新酒、和油、以及牛犢、羊羔、都不給你留下、直
五二 到將你滅絕。五二他們必將你困在你各城裏、直到你所倚
靠高大堅固的城牆都被攻塌.他們必將你困在耶和
五三 華你　神所賜你遍地的各城裏。五三你在仇敵圍困窘迫
之中、必喫你本身所生的、就是耶和華你　神所賜給
五四 你的兒女之肉。五四你們中間柔弱嬌嫩的人、必惡眼看他
五五 弟兄、和他懷中的妻、並他餘剩的兒女.五五甚至在你受仇
敵圍困窘迫的城中、他要喫兒女的肉、不肯分一點給
五六 他的親人、因爲他一無所剩。五六你們中間柔弱嬌嫩的婦
人、是因嬌嫩柔弱不肯把脚踏地的、必惡眼看他懷中

五七 的丈夫、和他的兒女。五七他兩腿中間出來的嬰孩、與他所
要生的兒女他因缺乏一切、就要在你受仇敵圍困窘
五八 五九 迫的城中、將他們暗暗的喫了。○五八這書上所寫律法的
一切話、是叫你敬畏耶和華你　神可榮可畏的名.你
若不謹守遵行、耶和華就必將奇災、五九就是至大至長的
六十 災、至重至久的病、加在你和你後裔的身上.六十也必使你
六一 所懼怕埃及人的病、都臨到你、貼在你身上.六一又必將沒
有寫在這律法書上的各樣疾病、災殃、降在你身上、直
六二 到你滅亡。六二你們先前雖然像天上的星那樣多、卻因不
六三 聽從耶和華你　神的話、所剩的人數就稀少了。六三先前
耶和華怎樣喜悅善待你們、使你們衆多、也要照樣喜
悅毀滅你們、使你們滅亡.並且你們從所要進去得的
六四 地上、必被拔除。六四耶和華必使你們分散在萬民中、從地
這邊到地那邊.你必在那裏事奉你和你列祖素不認
六五 識木頭石頭的神。六五在那些國中、你必不得安逸、也不得
落脚之地.耶和華卻使你在那裏心中跳動、眼目失明、
六六 精神消耗。六六你的性命必懸懸無定、你晝夜恐懼、自料性
六七 命難保。六七你因心裏所恐懼的、眼中所看見的、早晨必說、

六八 巴不得到晚上纔好、晚上必說、巴不得到早晨纔好。六八耶
和華必使你坐船回埃及去、走我曾告訴你不得再見
的路、在那裏你必賣己身與仇敵作奴婢、卻無人買。

第二十九章

在摩押與以色列人立約之言

一 這是耶和華在摩押地、吩咐摩西與
以色列人立約的話、是在他和他們於何烈山所立的
二 約之外。○二摩西召了以色列衆人來、對他們說、耶和華
在埃及地、在你們眼前向法老和他衆臣僕、並他全地
三 所行的一切事、三你們都看見了。就是你親眼看見的大
四 試驗、和神蹟、並那些大奇事。四但耶和華到今日沒有使
五 你們心能明白、眼能看見、耳能聽見。五我領你們在曠野
六 四十年、你們身上的衣服並沒有穿破、脚上的鞋也沒
七 有穿壞。六你們沒有喫餅、也沒有喝淸酒濃酒、這要使你
八 們知道耶和華是你們的　神。七你們來到這地方、希實
九 本王西宏、巴珊王噩、都出來與我們交戰、我們就擊殺
十 了他們、八取了他們的地給流便支派、迦得支派、和瑪拿
十一 西半支派爲業。九所以你們要謹守遵行這約的話、好叫
你們在一切所行的事上亨通。○十今日你們的首領族
長、原文作支派長老、官長、以色列的男丁、十一你們的妻子、兒女、
和營中寄居的、以及爲你們劈柴挑水的人、都站在耶
十二 和華你們的　神面前。十二爲要你順從耶和華你　神今
十三 日與你所立的約、向你所起的誓。十三這樣、他要照他向你
所應許的話、又向你列祖亞伯拉罕、以撒、雅各、所起的
十四 誓、今日立你作他的子民、他作你的　神。○十四我不但與
十五 你們立這約、起這誓。十五凡與我們一同站在耶和華我們
　神面前的、並今日不在我們這裏的人、我也與他們
十六 立這約、起這誓。十六（我們曾住過埃及地、也從列國經過、
十七 這是你們知道的。十七你們也看見他們中間可憎之物、並
十八 他們木、石、金、銀的偶像。）十八惟恐你們中間或男、或女、或
族長、或支派長、今日心裏偏離耶和華我們的　神、去
事奉那些國的神。又怕你們中間有惡根生出苦菜和
十九 茵蔯來。十九聽見這咒詛的話、心裏仍是自誇說、我雖然行
二十 事心裏頑梗、連累衆人、卻還是平安。二十耶和華必不饒恕
他、耶和華的怒氣、與憤恨要向他發作、如煙冒出、將這
書上所寫的一切咒詛、都加在他身上、耶和華又要從
二一 天下塗抹他的名。二一也必照着寫在律法書上約中的一

切咒詛、將他從以色列衆支派中分別出來、使他受禍。
二二 ○你們的後代、就是以後興起來的子孫、和遠方來的
外人看見這地的災殃、並耶和華所降與這地的疾病、
二三 又看見遍地有硫磺、有鹽鹵、有火跡、沒有耕種、沒有出
產、連草都不生長、好像耶和華在忿怒中所傾覆的所
二四 多瑪、蛾摩拉、押瑪、洗扁一樣。所看見的人、連萬國人、都
必問說、耶和華爲何向此地這樣行呢。這樣大發烈怒
二五 是甚麼意思呢。人必回答說、是因這地的人離棄了耶
和華他們列祖的 神、領他們出埃及地的時候與他
二六 們所立的約、去事奉敬拜素不認識的別神、是耶和華
二七 所未曾給他們安排的。所以耶和華的怒氣向這地發
二八 作、將這書上所寫的一切咒詛、都降在這地上。耶和華
在怒氣、忿怒、大惱恨中、將他們從本地拔出來、扔在別
二九 的地上、像今日一樣。隱祕的事、是屬耶和華我們 神
的、惟有明顯的事、是永遠屬我們和我們子孫的、好叫
我們遵行這律法上的一切話。

第三十章 應許與誡命

一 我所陳明在你面前的這一切咒詛、都
臨到你身上、你在耶和華你 神追趕你到的萬國中、
二 必心裏追念祝福的話。你和你的子孫、若盡心盡性歸
向耶和華你的 神、照着我今日一切所吩咐的聽從
三 他的話、那時、耶和華你的 神必憐恤你、救回你這被
擄的子民、耶和華你的 神要回轉過來、從分散你到
四 的萬民中、將你招聚回來。你被趕散的人、就是在天涯
五 的、耶和華你的 神也必從那裏將你招聚回來。耶和
華你的 神必領你進入你列祖所得的地、使你可以
六 得着。又必善待你、使你的人數比你列祖衆多。耶和華
你 神必將你心裏、和你後裔心裏的汚穢除掉、好叫
七 你盡心盡性愛耶和華你的 神、使你可以存活。耶和
華你的 神必將這一切咒詛加在你仇敵、和恨惡你、
八 逼迫你的人身上。你必歸回聽從耶和華的話、遵行他
九十 的一切誡命、就是我今日所吩咐你的。你若聽從耶和
華你 神的話、謹守這律法書上所寫的誡命律例、又
盡心盡性歸向耶和華你的 神、他必使你手裏所辦
的一切事、並你身所生的、牲畜所下的、地土所產的、都
綽綽有餘。因爲耶和華必再喜悅你、降福與你、像從前

十一 喜悅你列祖一樣。○我今日所吩咐你的誡命、不是你
十二 難行的、也不是離你遠的。不是在天上、使你說、誰替我
十三 們上天取下來、使我們聽見可以遵行呢。也不是在海
外、使你說、誰替我們過海取了來、使我們聽見可以遵
十四 行呢。這話卻離你甚近、就在你口中、在你心裏、使你可
十五 以遵行。○看哪、我今日將生與福、死與禍、陳明在你面
十六 前。吩咐你愛耶和華你的　神、遵行他的道、謹守他的
誡命、律例、典章、使你可以存活、人數增多、耶和華你
十七 神就必在你所要進去得為業的地上、賜福與你。倘若
十八 你心裏偏離不肯聽從、卻被勾引去敬拜事奉別神、我
今日明明告訴你們、你們必要滅亡、在你過約但河進
十九 去得為業的地上、你的日子必不長久。我今日呼天喚
地向你作見證、我將生死、禍福、陳明在你面前、所以你
二十 要揀選生命、使你和你的後裔都得存活。且愛耶和華
你的　神、聽從他的話、專靠他、因為他是你的生命。你
的日子長久、也在乎他。這樣、你就可以在耶和華向你
列祖亞伯拉罕、以撒、雅各、起誓應許所賜的地上居住。

摩西臨終之勸勉

一二 **第三十一章** 摩西去告訴以色列眾人、說、我現在
一百二十歲了、不能照常出入、耶和華也曾對我說、你
三 必不得過這約但河。耶和華你的　神必引導你們
過去、將這些國民在你們面前滅絕、你們就得他們的
四 地。約書亞必引導你們過去、正如耶和華所說的。耶和
華必待他們、如同從前待他所滅絕的亞摩利二王西
五 宏與噩、以及他們的國一樣。耶和華必將他們交給你
六 們、你們要照我所吩咐的一切命令待他們。你們當剛
強壯膽、不要害怕、也不要畏懼他們、因為耶和華你的
七 神和你同去、他必不撇下你、也不丟棄你。摩西召了
約書亞來、在以色列眾人眼前對他說、你當剛強壯膽、
因為你要和這百姓一同進入耶和華向他們列祖起
八 誓應許所賜之地、你也要使他們承受那地為業。耶和
華必在你前面行、他必與你同在、必不撇下你、也不丟
棄你。不要懼怕、也不要驚惶。

授律書於祭司

九 摩西將這律法寫出來、交給抬耶和華約櫃的祭司利

十 未子孫、和以色列的衆長老。摩西吩咐他們說、每逢七
十一 年的末一年、就在豁免年的定期住棚節的時候、以色
列衆人來到耶和華你　神所選擇的地方朝見他、那
十二 時你要在以色列衆人面前、將這律法念給他們聽。要
招聚他們男、女孩子、並城裏寄居的、使他們聽、使他們
學習好敬畏耶和華你們的　神、謹守遵行這律法的
十三 一切話。也使他們未曾曉得這律法的兒女得以聽見、
學習敬畏耶和華你們的　神、在你們過約但河要得
十四 爲業之地、存活的日子、常常這樣行。○耶和華對摩西
說、你的死期臨近了、要召約書亞來、你們二人站在會
幕裏、我好囑咐他。於是摩西和約書亞去站在會幕裏。
十五 耶和華在會幕裏雲柱中顯現、雲柱停在會幕門以上。
十六 耶和華又對摩西說、你必和你列祖同睡。這百姓要起
來、在他們所要去的地上、在那地的人中、隨從外邦神
十七 行邪淫、離棄我、違背我與他們所立的約。那時我的怒
氣必向他們發作、我也必離棄他們、掩面不顧他們、以
致他們被吞滅、並有許多的禍患災難臨到他們、那日
他們必說、這些禍患臨到我們、豈不是因我們的神
十八 不在我們中間麽。那時、因他們偏向別神所行的一切
十九 惡、我必定掩面不顧他們。現在你要寫一篇歌、教導以
二十 色列人、傳給他們、使這歌見證他們的不是。因爲我將
他們領進我向他們列祖起誓應許那流奶與蜜之地、
他們在那裏喫得飽足、身體肥胖、就必偏向別神事奉
二一 他們、藐視我、背棄我的約。那時、有許多禍患災難臨到
他們、這歌必在他們面前作見證、他們後裔的口中必
念誦不忘。我未領他們到我所起誓應許之地以先、他
二二 們所懷的意念我都知道了。當日摩西就寫了一篇歌、
教導以色列人。

特命約書亞

二三 耶和華囑咐嫩的兒子約書亞說、你當剛強壯膽、因爲
你必領以色列人進我所起誓應許他們的地、我必與
你同在。

命置律書於約櫃側

二四 二五 摩西將這律法的話寫在書上、及至寫完了、就吩咐抬
二六 耶和華約櫃的利未人說、將這律法書放在耶和華你
們　神的約櫃旁、可以在那裏見證以色列人的不是。

二七 二七因爲我知道你們是悖逆的、是硬着頸項的、我今日還
活着與你們同在、你們尚且悖逆耶和華、何况我死後
二八 呢。二八你們要將你們支派的衆長老和官長都招聚了來、
我好將這些話說與他們聽、並呼天喚地見證他們的
二九 不是。二九我知道我死後你們必全然敗壞、偏離我所吩咐
你們的道、行耶和華眼中看爲惡的事、以手所作的惹
三十 他發怒、日後必有禍患臨到你們。〇三十摩西將這一篇歌
的話、都說與以色列全會衆聽。

摩西作歌

一 **第三十二章** 一諸天哪、側耳、我要說話、願地也聽我
二 口中的言語。二我的教訓要淋漓如雨、我的言語要滴落
三 如露、如細雨降在嫩草上、如甘霖降在菜蔬中。三我要宣
四 告耶和華的名。你們要將大德歸與我們的神。四他是
磐石、他的作爲完全、他所行的無不公平、是誠實無僞
五 的神、又公義、又正直。五這乖僻彎曲的世代、向他行事
六 邪僻、有這弊病、就不是他的兒女。六愚昧無知的民哪、你
們這樣報答耶和華麼。他豈不是你的父、將你買來的
七 麼。他是製造你、建立你的。七你當追想上古之日、思念歷
代之年。問你的父親、他必指示你、問你的長者、他必告
八 訴你。八至高者將地業賜給列邦、將世人分開、就照以色
九 列人的數目、立定萬民的疆界。九耶和華的分本是他的
十 百姓、他的產業本是雅各。十耶和華遇見他在曠野荒涼
野獸吼叫之地、就環繞他、看顧他、保護他、如同保護眼
十一 中的瞳人。十一又如鷹攪動巢窩、在雛鷹以上兩翅搧展、接
十二 取雛鷹、背在兩翼之上、十二這樣耶和華獨自引導他、並無
十三 外邦神與他同在。十三耶和華使他乘駕地的高處、得喫田
十四 間的土產、又使他從磐石中咂蜜、從堅石中吸油、十四也喫
牛的奶油、羊的奶、羊羔的脂油、巴珊所出的公綿羊、和
十五 山羊、與上好的麥子、也喝葡萄汁釀的酒。十五但耶書崙漸
漸肥胖、粗壯、光潤、踢跳奔跑、便離棄造他的神、輕看
十六 救他的磐石。十六敬拜別神、觸動神的憤恨、行可憎惡的
十七 事惹了他的怒氣。十七所祭祀的鬼魔、並非眞神、乃是素不
十八 認識的神、是近來新興的、是你列祖所不畏懼的。十八你輕
十九 忽生你的磐石、忘記產你的神。十九耶和華看見他的兒
二十 女惹動他、就厭惡他們……。二十說、我要向他們掩面、看他們的
結局如何。他們本是極乖僻的族類、心中無誠實的兒

二一 女。二一他們以那不算爲神的、觸動我的憤恨、以虛無的神、
惹了我的怒氣、我也要以那不成子民的、觸動他們的
二二 憤恨、以愚昧的國民、惹了他們的怒氣。二二因爲在我怒中
有火燒起、直燒到極深的陰間、把地和地的出產、盡都
二三 焚燒、山的根基也燒燬了。二三我要將禍患堆在他們身上、
二四 把我的箭向他們射盡。二四他們必因飢餓消瘦、被炎熱苦
毒吞滅。我要打發野獸用牙齒咬他們、並土中腹行的、
二五 用毒氣害他們。二五外頭有刀劍、內室有驚恐、使人喪亡、使
二六 少男、童女、喫奶的、白髮的、盡都滅絕。二六我說、我必將他們
二七 分散遠方、使他們的名號從人間除滅、二七惟恐仇敵惹動
我、只怕敵人錯看、說是我們手的能力、並非耶和華所
二八 二九 行的。二八因爲以色列民毫無計謀、心中沒有聰明。二九惟願他
三十 們有智慧、能明白這事、肯思念他們的結局。三十若不是他
們的磐石賣了他們、若不是耶和華交出他們、一人焉
三一 能追趕他們千人、二人焉能使萬人逃跑呢。三一據我們的
三二 仇敵自己斷定、他們的磐石不如我們的磐石。三二他們的
葡萄樹是所多瑪的葡萄樹、蛾摩拉田園所生的、他們
三三 的葡萄是毒葡萄、全挂都是苦的。三三他們的酒是大蛇的

三四 毒氣、是虺蛇殘害的惡毒。三四這不都是積蓄在我這裏、封
三五 鎖在我府庫中麼。三五他們失脚的時候、伸冤報應在我。因
他們遭災的日子近了、那要臨在他們身上的、必速速
三六 來到。三六耶和華見他百姓毫無能力、無論困住的、自由的、
三七 都沒有剩下、就必爲他們伸冤、爲他的僕人後悔。三七他必
三八 說、他們的神、他們所投靠的磐石、三八就是向來喫他們祭
牲的脂油、喝他們奠祭之酒的、在那裏呢。他可以興起
三九 幫助你們、護衛你們。三九你們如今要知道、我、惟有我是神、
在我以外並無別神。我使人死、我使人活、我損傷、我也
四十 醫治、並無人能從我手中救出來。四十我向天舉手說、我憑
四一 我的永生起誓。四一我若磨我閃亮的刀、手掌審判之權、就
四二 必報復我的敵人、報應恨我的人。四二我要使我的箭飲血
飲醉、就是被殺被擄之人的血。我的刀要喫肉、乃是仇
四三 敵中首領之頭的肉。四三你們外邦人、當與主的百姓一同
歡呼、因他要伸他僕人流血的冤、報應他的敵人、潔淨
他的地、救贖他的百姓。

勸民守律

四四 四四摩西和嫩的兒子約書亞、去將這歌的一切話、說給百

四五 四六 姓聽。四五摩西向以色列衆人說完了這一切的話。四六又說、我
今日所警教你們的、你們都要放在心上、要吩咐你們
四七 的子孫謹守遵行這律法上的話。四七因爲這不是虛空與
你們無關的事、乃是你們的生命、在你們過約但河要
得爲業的地上、必因這事日子得以長久。

命摩西登尼波山

四八 四九 四八當日耶和華吩咐摩西說、四九你上這亞巴琳山中的尼波
山去、在摩押地與耶利哥相對、觀看我所要賜給以色
五十 列人爲業的迦南地。五十你必死在你所登的山上、歸你列
祖原文作本民去、像你哥哥亞倫死在何珥山上、歸他的列
五一 祖一樣。五一因爲你們在尋的曠野、加低斯的米利巴水、在
五二 以色列人中沒有尊我爲聖、得罪了我。五二我所賜給以色
列人的地、你可以遠遠的觀看、卻不得進去。

摩西祝福以色列人

第三十三章

一 一以下是神人摩西在未死之先、爲以
二 色列人所祝的福。二他說、耶和華從西乃而來、從西珥向
他們顯現、從巴蘭山發出光輝、從萬萬聖者中來臨、從
三 他右手爲百姓傳出烈火的律法。三他疼愛百姓、衆聖徒
都在他手中。他們坐在他的腳下、領受他的言語。
四 四摩西將律法傳給我們、作爲雅各會衆的產業。
五 五百姓的衆首領、以色列的各支派、一同聚會的時候、耶和華原文作他在
耶書崙中爲王。
六 ○六願流便存活不至死亡、願他人數不至稀少。
七 ○七爲猶大祝福說、求耶和華俯聽猶大的聲音、
引導他歸於本族。他曾用手爲自己爭戰、你必幫助他
攻擊敵人。
八 ○八論利未說、耶和華阿、你的土明、和烏陵、都
在你的虔誠人那裏、你在瑪撒曾試驗他、在米利巴水
與他爭論。
九 九他論自己的父母說、我未曾看見他、也不承
認弟兄、也不認識自己的兒女、這是因利未人遵行你
的話、謹守你的約。
十 十他們要將你的典章教訓雅各、將你
的律法教訓以色列。他們要把香焚在你面前、把全牲
的燔祭獻在你的壇上。
十一 十一求耶和華降福在他的財物上、
悅納他手裏所辦的事。那些起來攻擊他和恨惡他的
人、願你刺透他們的腰、使他們不得再起來。
十二 ○十二論便雅
憫說、耶和華所親愛的、必同耶和華安然居住、耶和華
終日遮蔽他、也住在他兩肩之中。
十三 ○十三論約瑟說、願他的
地蒙耶和華賜福、得天上的寶物、甘露、以及地裏所藏

十四十五 的泉水。十四得太陽所曬熟的美果、月亮所養成的寶物。十五得
十六 上古之山的至寶、永世之嶺的寶物。十六得地和其中所充
滿的寶物、並住荊棘中上主的喜悅。願這些福都歸於
十七 約瑟的頭上、歸於那與弟兄迥別之人的頂上。十七他為牛
羣中頭生的、有威嚴。他的角是野牛的角、用以牴觸萬
邦、直到地極。這角是以法蓮的萬萬、瑪拿西的千千。○
十八 十八論西布倫說、西布倫哪、你出外可以歡喜。以薩迦阿、在
十九 你帳棚裏可以快樂。十九他們要將列邦召到山上、在那裏
獻公義的祭、因為他們要吸取海裏的豐富、並沙中所
二十 藏的珍寶。○二十論迦得說、使迦得擴張的、應當稱頌。迦得
二一 住如母獅、他撕裂膀臂、連頭頂也撕裂。二一他為自己選擇
頭一段地、因在那裏有設立律法者的分存留。他與百
姓的首領同來、他施行耶和華的公義、和耶和華與以
二二 色列所立的典章。○二二論但說、但為小獅子、從巴珊跳出
二三 來。○二三論拿弗他利說、拿弗他利阿、你足沾恩惠、滿得耶
二四 和華的福、可以得西方和南方為業。○二四論亞設說、願亞
設享受多子的福樂、得他弟兄的喜悅、可以把腳蘸在
二五 油中。二五你的門閂（門閂或作鞋）是銅的、鐵的。你的日子如何、你
二六 的力量也必如何。○二六耶書崙哪、沒有能比　神的、他為
二七 幫助你、乘在天空、顯其威榮、駕行穹蒼。二七永生的　神是
你的居所、他永久的膀臂在你以下。他在你前面攆出
二八 仇敵、說、毀滅罷。二八以色列安然居住、雅各的本源獨居五
二九 穀新酒之地、他的天也滴甘露。二九以色列阿、你是有福的、
誰像你這蒙耶和華所拯救的百姓呢。他是你的盾牌
幫助你、是你威榮的刀劍。你的仇敵必投降你、你必踏
在他們的高處。

第三十四章　摩西卒

一 一摩西從摩押平原登尼波山、上了那
與耶利哥相對的毘斯迦山頂。耶和華把基列全地直
二 到但、二拿弗他利全地、以法蓮、瑪拿西的地、猶大全地直
三 到西海、三南地、和棕樹城耶利哥的平原、直到瑣珥、都指
四 給他看。四耶和華對他說、這就是我向亞伯拉罕、以撒、雅
各、起誓應許之地、說、我必將這地賜給你的後裔。現在
五 我使你眼睛看見了、你卻不得過到那裏去。五於是耶和
六 華的僕人摩西死在摩押地、正如耶和華所說的。六耶和
華將他埋葬在摩押地、伯毘珥對面的谷中、只是到今

日沒有人知道他的墳墓。七摩西死的時候、年一百二十
歲．眼目沒有昏花、精神沒有衰敗。八以色列人在摩押平
原為摩西哀哭了三十日、為摩西居喪哀哭的日子就
滿了。○九嫩的兒子約書亞、因為摩西曾按手在他頭上、
就被智慧的靈充滿、以色列人便聽從他、照着耶和華
吩咐摩西的行了。十以後以色列中再沒有興起先知像
摩西的．他是耶和華面對面所認識的。十一耶和華打發他
在埃及地、向法老和他的一切臣僕、並他的全地、行各
樣神蹟奇事。十二又在以色列衆人眼前顯大能的手、行一
切大而可畏的事。

申命記：廿二章十節

申命記：十四章十五、十六節

約書亞記

耶和華勉勵約書亞

一 第一章 一耶和華的僕人摩西死了以後、耶和華曉
二 諭摩西的幫手嫩的兒子約書亞說、二我的僕人摩西死
了．現在你要起來、和衆百姓過這約但河、往我所要賜
三 給以色列人的地去。三凡你們脚掌所踏之地、我都照着
四 我所應許摩西的話賜給你們了。四從曠野、和這利巴嫩、
直到伯拉大河、赫人的全地、又到大海日落之處、都要
五 作你們的境界。五你平生的日子、必無一人能在你面前
站立得住．我怎樣與摩西同在、也必照樣與你同在．我
六 必不撇下你、也不丟棄你。六你當剛強壯膽．因爲你必使
這百姓承受那地爲業、就是我向他們列祖起誓應許
七 賜給他們的地。七只要剛強、大大壯膽、謹守遵行我僕人
摩西所吩咐你的一切律法．不可偏離左右、使你無論
八 往那裏去、都可以順利。八這律法書不可離開你的口．總
要晝夜思想、好使你謹守遵行這書上所寫的一切話．
九 如此你的道路就可以亨通、凡事順利。九我豈沒有吩咐
你麼．你當剛強壯膽．不要懼怕、也不要驚惶．因爲你無
論往那裏去、耶和華你的神必與你同在。

約書亞豫備濟約但

十 十一 十於是約書亞吩咐百姓的官長、說、十一你們要走遍營中、吩
咐百姓說、當豫備食物．因爲三日之內、你們要過這約
十二 但河、進去得耶和華你們　神賜你們爲業之地。十二○約
十三 書亞對流便人、迦得人、和瑪拿西半支派的人、說、十三你們
要追念耶和華的僕人摩西所吩咐你們的話、說、耶和
華你們的　神使你們得享平安、也必將這地賜給你
十四 們。十四你們的妻子、孩子、和牲畜、都可以留在約但河東摩
西所給你們的地．但你們中間一切大能的勇士、都要
十五 帶着兵器、在你們的弟兄前面過去、幫助他們．十五等到耶
和華使你們的弟兄、像你們一樣得享平安、並且得着
耶和華你們　神所賜他們爲業之地．那時纔可以回
你們所得之地、承受爲業、就是耶和華的僕人摩西在
十六 約但河東向日出之地所給你們的。十六他們回答約書亞
說、你所吩咐我們行的、我們都必行．你所差遣我們去
十七 的、我們都必去。十七我們從前在一切事上怎樣聽從摩西、

現在也必照樣聽從你．惟願耶和華你的　神與你同
在、像與摩西同在一樣。十八無論甚麼人違背你的命令、不
聽從你所吩咐他的一切話、就必治死他．你只要剛強
壯膽。

第二章　遣二偵往窺耶利哥

一當下嫩的兒子約書亞從什亭暗暗打發
兩個人作探子、吩咐說、你們去窺探那地、和耶利哥。於
是二人去了、來到一個妓女名叫喇合的家裏、就在那
裏躺臥。二有人告訴耶利哥王說、今夜有以色列人來到
這裏窺探此地。三耶利哥王打發人去見喇合說、那來到
你這裏、進了你家的人、要交出來．因為他們來窺探全
地。四女人將二人隱藏、就回答說、那人果然到我這裏來．
他們是那裏來的我卻不知道．五天黑、要關城門的時候、
他們出去了．往那裏去我卻不知道．你們快快的去追
趕、就必追上。六（先是女人領二人上了房頂、將他們藏
在那裏所擺的麻稭中。）七那些人就往約但河的渡口
追趕他們去了．追趕他們的人一出去、城門就關了。

二偵者與喇合盟誓

八二人還沒有躺臥、女人就上房頂到他們那裏、九對他們
說、我知道耶和華已經把這地賜給你們、並且因你們
的緣故我們都驚慌了．這地的一切居民、在你們面前
心都消化了。十因為我們聽見你們出埃及的時候、耶和
華怎樣在你們前面使紅海的水乾了．並且你們怎樣
待約但河東的兩個亞摩利王西宏和噩、將他們盡行
毀滅。十一我們一聽見這些事、心就消化了．因你們的緣故、
並無一人有膽氣．耶和華你們的　神、本是上天下地
的　神。十二現在我既是恩待你們、求你們指着耶和華向
我起誓、也要恩待我父家、並給我一個實在的證據、十三要
救活我的父母、弟兄、姐妹、和一切屬他們的、拯救我們
性命不死。十四二人對他說、你若不洩漏我們這件事、我們
情願替你們死．耶和華將這地賜給我們的時候、我們
必以慈愛誠實待你。○十五於是女人用繩子將二人從窗
戶裏縋下去．因他的房子是在城牆邊上、他也住在城
牆上。十六他對他們說、你們且往山上去、恐怕追趕的人碰
見你們．要在那裏隱藏三天、等追趕的人回來、然後纔

十七 可以走你們的路。二人對他說、你要這樣行、不然你叫
十八 我們所起的誓、就與我們無干了。我們來到這地的時
候、你要把這條朱紅綫繩繫在縋我們下去的窗戶上．
並要使你的父母、弟兄、和你父的全家、都聚集在你家
十九 中。凡出了你家門往街上去的、他的罪必歸到自己的
頭上、(罪原文作血)與我們無干了．凡在你家裏的、若有人下
二十 手害他、流他血的罪、就歸到我們的頭上。你若洩漏我
二一 們這件事、你叫我們所起的誓、就與我們無干了。女人
說、照你們的話行罷。於是打發他們去了．又把朱紅綫
二二 繩繫在窗戶上。○二人到山上、在那裏住了三天、等着
二三 追趕的人回去了。追趕的人一路找他們、卻找不着。二
人就下山回來、過了河、到嫩的兒子約書亞那裏、向他
二四 述說所遭遇的一切事。又對約書亞說、耶和華果然將
那全地交在我們手中、那地的一切居民、在我們面前
心都消化了。

約書亞率民濟約但

一 **第三章** 約書亞清早起來、和以色列衆人都離開
二 什亭、來到約但河、就住在那裏、等候過河。過了三天、官
三 長走遍營中、吩咐百姓說、你們看見耶和華你們　神
的約櫃、又見祭司利未人抬着、就要離開所住的地方、
四 跟着約櫃去。只是你們和約櫃相離、要量二千肘．不可
與約櫃相近、使你們知道所當走的路．因爲這條路你
五 們向來沒有走過。約書亞吩咐百姓說、你們要自潔．因
六 爲明天耶和華必在你們中間行奇事。約書亞又吩咐
祭司說、你們抬起約櫃、在百姓前頭過去。於是他們抬
七 起約櫃、在百姓前頭走。○耶和華對約書亞說、從今日
起、我必使你在以色列衆人眼前尊大、使他們知道我
八 怎樣與摩西同在、也必照樣與你同在。你要吩咐抬約
櫃的祭司說、你們到了約但河的水邊上、就要在約但
九 河水裏站住。約書亞對以色列人說、你們近前來、聽耶
十 十一 和華你們　神的話。約書亞說、看哪、普天下主的約櫃
必在你們前頭過去到約但河裏．因此你們就知道在
你們中間有永生　神．並且他必在你們面前趕出迦
南人、赫人、希未人、比利洗人、革迦撒人、亞摩利人、耶布
十二 斯人。你們現在要從以色列支派中揀選十二個人、每
十三 支派一人。等到抬普天下主耶和華約櫃的祭司把脚

站在約但河水裏、約但河的水、就是從上往下流的水、
十四 必然斷絕、立起成壘。○十四百姓離開帳棚、要過約但河的
十五 時候、抬約櫃的祭司、乃在百姓的前頭。十五他們到了約但
河、脚一入水、（原來約但河水在收割的日子、漲過兩
十六 岸）十六那從上往下流的水、便在極遠之地、撒拉但旁的
亞當城那裏停住、立起成壘。那往亞拉巴的海、就是鹽
海、下流的水、全然斷絕。於是百姓在耶利哥的對面過
十七 去了。十七抬耶和華約櫃的祭司、在約但河中的乾地上站
定。以色列衆人都從乾地上過去、直到國民盡都過了
約但河。

第四章

命取約但河石立之爲記

一 國民盡都過了約但河、耶和華就對約書
二三 亞說、二你從民中要揀選十二個人、每支派一人、三吩咐他
們說、你們從這裏、從約但河中、祭司脚站定的地方、取
四 十二塊石頭帶過去、放在你們今夜要住宿的地方。四於
是約書亞將他從以色列人中所豫備的那十二個人、
五 每支派一人、都召了來。五對他們說、你們下約但河中、過
到耶和華你們神的約櫃前頭、按着以色列人十二
六 支派的數目、每人取一塊石頭扛在肩上。六這些石頭在
你們中間、可以作爲證據。日後你們的子孫問你們說、
七 這些石頭、是甚麼意思。七你們就對他們說、這是因爲約
但河的水、在耶和華的約櫃前斷絕。約櫃過約但河的
時候、約但河的水就斷絕了。這些石頭要作以色列人
八 永遠的記念。○八以色列人就照約書亞所吩咐的、按着
以色列人支派的數目、從約但河中取了十二塊石頭、
都遵耶和華所吩咐約書亞的行了。他們把石頭帶過
九 去、到他們所住宿的地方、就放在那裏。九約書亞另把十
二塊石頭立在約但河中、在抬約櫃的祭司脚站立的
十 地方。直到今日、那石頭還在那裏。十抬約櫃的祭司站在
約但河中、等到耶和華曉諭約書亞吩咐百姓的事辦
完了、是照摩西所吩咐約書亞的一切話。於是百姓急
十一 速過去了。十一衆百姓盡都過了河、耶和華的約櫃和祭司
十二 就在百姓面前過去。十二流便人、迦得人、瑪拿西半支派的
人、都照摩西所吩咐他們的、帶着兵器在以色列人前
十三 頭過去。十三約有四萬人、都準備打仗、在耶和華面前過去、
十四 到耶利哥的平原、等候上陣。十四當那日耶和華使約書亞

在以色列衆人眼前尊大．在他平生的日子、百姓敬畏
十五 十六 他、像從前敬畏摩西一樣。〇十五耶和華曉諭約書亞說、你十六
十七 吩咐抬法櫃的祭司、從約但河裏上來。十七約書亞就吩咐
十八 祭司說、你們從約但河裏上來。十八抬耶和華約櫃的祭司
從約但河裏上來、腳掌剛落旱地、約但河的水就流到
十九 原處、仍舊漲過兩岸。〇十九正月初十日、百姓從約但河裏
二十 上來、就在吉甲在耶利哥的東邊安營。二十他們從約但河
二一 中取來的那十二塊石頭、約書亞就立在吉甲．二一對以色
列人說、日後你們的子孫問他們的父親說、這些石頭
二二 是甚麼意思．二二你們就告訴他們說、以色列人曾走乾地
二三 過這約但河．二三因爲耶和華你們的　神在你們前面、使
約但河的水乾了、等着你們過來、就如耶和華你們的
神從前在我們前面、使紅海乾了、等着我們過來一
二四 樣．二四要使地上萬民都知道耶和華的手、大有能力．也要
使你們永遠敬畏耶和華你們的　神。

第五章

迦南人聞而膽消

一 一約但河西亞摩利人的諸王、和靠海迦南
人的諸王、聽見耶和華在以色列人前面使約但河的
水乾了、等到我們過去、他們的心因以色列人的緣故
二 就消化了、不再有膽氣。〇二那時耶和華吩咐約書亞說、
三 你製造火石刀、第二次給以色列人行割禮。三約書亞就
四 製造了火石刀、在除皮山那裏給以色列人行割禮。四約
書亞行割禮的緣故、是因爲從埃及出來的衆民、就是
一切能打仗的男丁、出了埃及以後、都死在曠野的路
五 上。五因爲出來的衆民都受過割禮．惟獨出埃及以後、在
六 曠野的路上所生的衆民、都沒有受過割禮。六以色列人
在曠野走了四十年、等到國民、就是出埃及的兵丁、都
消滅了、因爲他們沒有聽從耶和華的話．耶和華曾向
他們起誓、必不容他們看見耶和華向他們列祖起誓
七 應許賜給我們的地、就是流奶與蜜之地。七他們的子孫、
就是耶和華所興起來接續他們的、都沒有受過割禮、
因爲在路上沒有給他們行割禮、約書亞這纔給他們
八 行了。八國民都受完了割禮、就住在營中自己的地方、等
九 到痊癒了。九耶和華對約書亞說、我今日將埃及的羞辱
從你們身上輥去了。因此那地方名叫吉甲、直到今日。

吉甲就是輥的意思

書

守逾越節
十 十以色列人在吉甲安營、正月十四日晚上、在耶利哥的
十一 平原守逾越節。十一逾越節的次日他們就喫了那地的出
產。正當那日喫無酵餅、和烘的穀。
嗎哪止降
十二 十二他們喫了那地的出產第二日嗎哪就止住了、以色列
人也不再有嗎哪了。那一年他們卻喫迦南地的出產。
約書亞見耶和華軍帥
十三 十三約書亞靠近耶利哥的時候、舉目觀看、不料、有一個人
手裏有拔出來的刀、對面站立。約書亞到他那裏、問他
十四 說、你是幫助我們呢、是幫助我們敵人呢。十四他回答說、不
是的。我來是要作耶和華軍隊的元帥。十五約書亞就俯伏
十五 在地下拜、說、我主有甚麼話吩咐僕人。耶和華軍隊的
元帥對約書亞說、把你脚上的鞋脫下來、因爲你所站
的地方是聖的。約書亞就照着行了。

命以色列人繞耶利哥城
一 **第六章** 一耶利哥的城門因以色列人就關得嚴緊、
二 無人出入。二耶和華曉諭約書亞說、看哪、我已經把耶利
三 哥、和耶利哥的王、並大能的勇士、都交在你手中。三你們
的一切兵丁、要圍繞這城、一日圍繞一次、六日都要這
四 樣行。四七個祭司要拿七個羊角、走在約櫃前、到第七日
五 你們要繞城七次、祭司也要吹角。五他們吹的角聲拖長、
你們聽見角聲、衆百姓要大聲呼喊、城牆就必塌陷、各
六 人都要往前直上。六嫩的兒子約書亞召了祭司來、吩咐
他們說、你們抬起約櫃來、要有七個祭司拿七個羊角
七 走在耶和華的約櫃前。七又對百姓說、你們前去繞城、帶
八 兵器的要走在耶和華的約櫃前。○八約書亞對百姓說
完了話、七個祭司拿七個羊角、走在耶和華面前吹角、
九 耶和華的約櫃在他們後面跟隨。九帶兵器的、走在吹角
十 的祭司前面、後隊隨着約櫃行、祭司一面走一面吹。十約
書亞吩咐百姓說、你們不可呼喊、不可出聲、連一句話
也不可出你們的口、等到我吩咐你們呼喊的日子、那
十一 時纔可以呼喊。十一這樣、他使耶和華的約櫃繞城、把城繞
十二 了一次、衆人回到營裏、就在營裏住宿。○十二約書亞清早
十三 起來、祭司又抬起耶和華的約櫃。十三七個祭司拿七個羊
角在耶和華的約櫃前、時常行走吹角、帶兵器的在他

們前面走。後隊隨着耶和華的約櫃行、祭司一面走一
十四 面吹。十四第二日衆人把城繞了一次、就回營裏去。六日都
是這樣行。

城垣傾圮

十五 十五第七日清早黎明的時候、他們起來、照樣繞城七次。惟
十六 獨這日把城繞了七次。十六到了第七次、祭司吹角的時候、
約書亞吩咐百姓說、呼喊罷。因爲耶和華已經把城交
十七 給你們了。十七這城和其中所有的、都要在耶和華面前毀
滅。只有妓女喇合、與他家中所有的、可以存活、因爲他
十八 隱藏了我們所打發的使者。十八至於你們、務要謹慎、不可
取那當滅的物、恐怕你們取了那當滅的物、就連累以
十九 色列的全營、使全營受咒詛。十九惟有金子、銀子、和銅鐵的
二十 器皿、都要歸耶和華爲聖。必入耶和華的庫中。二十於是百
姓呼喊、祭司也吹角。百姓聽見角聲、便大聲呼喊、城牆
二一 就塌陷、百姓便上去進城、各人往前直上、將城奪取。二一又
將城中所有的、不拘男女老少、牛羊、和驢、都用刀殺盡。

喇合蒙救

二二 二二約書亞吩咐窺探地的兩個人說、你們進那妓女的家、
照着你們向他所起的誓、將那女人、和他所有的、都從
二三 那裏帶出來。二三當探子的兩個少年人就進去、將喇合與
他的父母、弟兄、和他所有的、並他一切的親眷、都帶出
二四 來、安置在以色列的營外。二四衆人就用火將城、和其中所
有的焚燒了。惟有金子、銀子、和銅鐵的器皿、都放在耶
二五 和華殿的庫中。二五約書亞卻把妓女喇合、與他父家、並他
所有的、都救活了。因爲他隱藏了約書亞所打發窺探
二六 耶利哥的使者。他就住在以色列中、直到今日。二六當時約
書亞叫衆人起誓說、有興起重修這耶利哥城的人、當
在耶和華面前受咒詛。他立根基的時候、必喪長子、安
二七 門的時候、必喪幼子。二七耶和華與約書亞同在、約書亞的
聲名傳揚遍地。

第七章　以色列人敗於艾城

一 一以色列人在當滅的物上犯了罪。因爲猶
大支派中、謝拉的曾孫、撒底的孫子、迦米的兒子亞干、
取了當滅的物。耶和華的怒氣、就向以色列人發作。〇
二 二當下約書亞從耶利哥打發人往伯特利東邊靠近伯
亞文的艾城去、吩咐他們說、你們上去窺探那地。他們

三 就上去窺探艾城。他們回到約書亞那裏、對他說、衆民
不必都上去、只要二三千人上去、就能攻取艾城．不必
四 勞累衆民都去、因爲那裏的人少。於是民中約有三千
五 人上那裏去、竟在艾城人面前逃跑了。艾城的人擊殺
了他們三十六人．從城門前追趕他們、直到示巴琳、在
六 下坡殺敗他們．衆民的心就消化如水。約書亞便撕裂
衣服．他和以色列的長老把灰撒在頭上、在耶和華的
七 約櫃前、俯伏在地、直到晚上。約書亞說、哀哉、主耶和華
阿、你爲甚麽竟領這百姓過約但河、將我們交在亞摩
利人的手中、使我們滅亡呢．我們不如住在約但河那
八 邊倒好。主阿、以色列人既在仇敵面前轉背逃跑…我還
九 有甚麽可說的呢。迦南人和這地一切的居民聽見了、
就必圍困我們、將我們的名從地上除滅．那時你爲你
十 的大名要怎樣行呢。○耶和華吩咐約書亞說、起來、你
十一 爲何這樣俯伏在地呢．以色列人犯了罪、違背了我所
吩咐他們的約、取了當滅的物．又偷竊、又行詭詐、又把
十二 那當滅的放在他們的家具裏。因此、以色列人在仇敵
面前站立不住．他們在仇敵面前轉背逃跑…是因成了
被咒詛的．你們若不把當滅的物、從你們中間除掉、我
十三 就不再與你們同在了。你起來、叫百姓自潔、對他們說、
你們要自潔、豫備明天．因爲耶和華以色列的神這
樣說、以色列阿、你們中間有當滅的物、你們若不除掉、
十四 在仇敵面前、必站立不住。到了早晨、你們要按着支派
近前來．耶和華所取的支派要按着宗族近前來．耶和
華所取的宗族、要按着家室近前來．耶和華所取的家
十五 室、要按着人丁一個一個的近前來。被取的人、有當滅
的物在他那裏、他和他所有的、必被火焚燒．因他違背
了耶和華的約、又因他在以色列中行了愚妄的事。

亞干認罪

十六 於是約書亞清早起來、使以色列人按着支派近前來．
十七 取出來的、是猶大支派．使猶大支派（原文作宗族）近前來、就
取了謝拉的宗族．使謝拉的宗族、按着家室、人丁一個
十八 一個的近前來、取出來的是撒底．使撒底的家室、按着
人丁、一個一個的近前來、就取出猶大支派的人謝拉
十九 的曾孫、撒底的孫子、迦米的兒子亞干。約書亞對亞干
說、我兒、我勸你將榮耀歸給耶和華以色列的神、在

二十 他面前認罪、將你所作的事告訴我．不要向我隱瞞。二十亞
干回答約書亞說、我實在得罪了耶和華以色列的
二一 神．我所作的事、如此如此。二一我在所奪的財物中、看見一
件美好的示拿衣服、二百舍客勒銀子、一條金子、重五
十舍客勒、我就貪愛這些物件、便拿去了．現今藏在我
二二 帳棚內的地裏、銀子在衣服底下。〇二二約書亞就打發人
跑到亞干的帳棚裏．那件衣服果然藏在他帳棚內、銀
二三 子在底下。二三他們就從帳棚裏取出來、拿到約書亞和以
二四 色列眾人那裏、放在耶和華面前。二四約書亞和以色列眾
人、把謝拉的曾孫亞干、和那銀子、那件衣服、那條金子、
並亞干的兒女、牛、驢、羊、帳棚、以及他所有的、都帶到亞
二五 割谷去。二五約書亞說、你為甚麼連累我們呢．今日耶和華
必叫你受連累。於是以色列眾人用石頭打死他、將石
二六 頭扔在其上．又用火焚燒他所有的。（他所有的原文作他們）二六眾人
在亞干身上堆成一大堆石頭、直存到今日．於是耶和
華轉意、不發他的烈怒。因此那地方名叫亞割谷、直到
今日。（亞割就是連累的意思）

第八章

約書亞再攻艾城

一 一耶和華對約書亞說、不要懼怕、也不要驚
惶．你起來率領一切兵丁、上艾城去．我已經把艾城的
二 王、和他的民、他的城、並他的地、都交在你手裏。二你怎樣
待耶利哥和耶利哥的王、也當照樣待艾城和艾城的
王．只是城內所奪的財物、和牲畜、你們可以取為自己
三 的掠物．你要在城後設下伏兵。〇三於是約書亞和一切
兵丁、都起來要上艾城去．約書亞選了三萬大能的勇
四 士、夜間打發他們前往．四吩咐他們說、你們要在城後埋
五 伏、不可離城太遠、都要各自準備。五我與我所帶領的眾
民、要向城前往．城裏的人像初次出來攻擊我們的時
六 候、我們就在他們面前逃跑．六他們必出來追趕我們、直
到我們引誘他們離開城．因為他們必說、這些人像初
七 次在我們面前逃跑．所以我們要在他們面前逃跑．七你
們就從埋伏的地方起來、奪取那城．因為耶和華你們
八 的神、必把城交在你們手裏。八你們奪了城以後、就放
九 火燒城．要照耶和華的話行．這是我吩咐你們的。九約書
亞打發他們前往．他們就上埋伏的地方去、住在伯特

利和艾城的中間．就是在艾城的西邊．這夜約書亞卻
十 在民中住宿○十約書亞清早起來、點齊百姓、他和以色
十一 列的長老在百姓前面上艾城去。十一衆民就是他所帶領
的兵丁都上去、向前直往、來到城前、在艾城北邊安營．
十二 在約書亞和艾城中間有一山谷。十二他挑了約有五千人、
使他們埋伏在伯特利和艾城的中間就是在艾城的
十三 西邊。十三於是安置了百姓、就是城北的全軍、和城西的伏
十四 兵．這夜約書亞進入山谷之中。十四艾城的王看見這景況、
就和全城的人、清早急忙起來、按所定的時候出到亞
拉巴前、要與以色列人交戰．王卻不知道在城後有伏
十五 兵。十五約書亞和以色列衆人在他們面前裝敗、往那通曠
十六 野的路逃跑。十六城內的衆民、都被招聚、追趕他們．艾城人
十七 追趕的時候、就被引誘離開城。十七艾城、和伯特利城、沒有
一人不出來追趕以色列人的、撇了敞開的城門、去追
趕以色列人。

取艾城而焚之

十八 十八耶和華吩咐約書亞說、你向艾城伸出手裏的短鎗、因
為我要將城交在你手裏．約書亞就向城伸出手裏的
十九 短鎗。十九他一伸手、伏兵就從埋伏的地方急忙起來、奪了
二十 城、跑進城去、放火焚燒。二十艾城的人回頭一看、不料城中
煙氣沖天．他們就無力向左向右逃跑．那往曠野逃跑
二一 的百姓、便轉身攻擊追趕他們的人。二一約書亞和以色列
衆人見伏兵已經奪了城、城中煙氣飛騰、就轉身回去、
二二 擊殺艾城的人。二二伏兵也出城迎擊艾城人．艾城人就困
在以色列人中間、前後都是以色列人．於是以色列人
二三 擊殺他們、沒有留下一個也沒有一個逃脫的。二三生擒了
二四 艾城的王、將他解到約書亞那裏。○二四以色列人在田間
和曠野殺盡所追趕一切艾城的居民．艾城人倒在刀
下、直到滅盡．以色列衆人就回到艾城、用刀殺了城中
二五 的人。二五當日殺斃的人、連男帶女、共有一萬二千、就是艾
二六 城所有的人。二六約書亞沒有收回手裏所伸出來的短鎗、
二七 直到把艾城的一切居民盡行殺滅。二七惟獨城中的牲畜、
和財物、以色列人都取為自己的掠物、是照耶和華所
二八 吩咐約書亞的話。二八約書亞將艾城焚燒、使城永為高堆、
二九 荒塲、直到今日。二九又將艾城王掛在樹上、直到晚上．日落
的時候、約書亞吩咐人把屍首從樹上取下來、丟在城

門口、在屍首上堆成一大堆石頭、直存到今日。

約書亞築壇錄法於石

三十 那時約書亞在以巴路山上、爲耶和華以色列的神、
三一 築一座壇、是用沒有動過鐵器的整石頭築的、照着耶
和華僕人摩西所吩咐以色列人的話、正如摩西律法
書上所寫的。衆人在這壇上給耶和華奉獻燔祭、和平
三二 安祭。約書亞在那裏、當着以色列人面前、將摩西所寫
三三 的律法抄寫在石頭上。以色列衆人無論是本地人、是
寄居的、和長老、官長、並審判官、都站在約櫃兩旁、在抬
耶和華約櫃的祭司利未人面前、一半對着基利心山、
一半對着以巴路山、爲以色列民祝福、正如耶和華僕
三四 人摩西先前所吩咐的。隨後約書亞將律法上祝福咒
三五 詛的話、照着律法書上一切所寫的、都宣讀了一遍。摩
西所吩咐的一切話、約書亞在以色列全會衆、和婦女、
孩子、並他們中間寄居的外人面前、沒有一句不宣讀
的。

第九章

諸王會盟謀攻以色列人

一 約但河西住山地、高原、並對着利巴嫩山：
沿大海一帶的諸王、就是赫人、亞摩利人、迦南人、比利
二 洗人、希未人、耶布斯人的諸王、聽見這事、就都聚集同
心合意的要與約書亞和以色列人爭戰。

基遍人設詭計

三 基遍的居民聽見約書亞向耶利哥和艾城所行的事、
四 就設詭計、假充使者、拿舊口袋、和破裂縫補的舊皮酒
五 袋、駄在驢上、將補過的舊鞋穿在脚上、把舊衣服穿在
六 身上、他們所帶的餅都是乾的、長了霉了。他們到吉甲
營中見約書亞、對他和以色列人說、我們是從遠方來
七 的。現在求你與我們立約。以色列人對這些希未人說、
只怕你們是住在我們中間的、若是這樣、怎能和你們
八 立約呢。他們對約書亞說、我們是你的僕人。約書亞問
九 他們說、你們是甚麼人、是從那裏來的。他們回答說、僕
人從極遠之地而來、是因聽見耶和華你神的名聲、
十 和他在埃及所行的一切事、並他向約但河東的兩個
亞摩利王、就是希實本王西宏、和在亞斯他錄的巴珊
十一 王噩、一切所行的事。我們的長老和我們那地的一切
居民對我們說、你們手裏要帶着路上用的食物去迎

接以色列人、對他們說、我們是你們的僕人．現在求你
十二 們與我們立約。十二我們出來要往你們這裏來的日子、從
家裏帶出來的這餅還是熱的．看哪、現在都乾了、長了
十三 霉了。十三這皮酒袋、我們盛酒的時候、還是新的．看哪、現在
已經破裂．我們這衣服和鞋、因為道路甚遠、也都穿舊
十四 十五 了。十四以色列人受了他們些食物、並沒有求問耶和華。十五於
是約書亞與他們講和、與他們立約、容他們活着．會衆
的首領也向他們起誓。

奴役基遍人

十六 十六以色列人與他們立約之後、過了三天、纔聽見他們是
十七 近鄰、住在以色列人中間的。十七以色列人起行、第三天到
十八 了他們的城邑、就是基遍、基非拉、比錄、基列耶琳。十八因為
會衆的首領已經指着耶和華以色列的神向他們
十九 起誓。十九所以以色列人不擊殺他們．全會衆就向首領發
怨言。衆首領對全會衆說、我們已經指着耶和華以色
二十 列的神向他們起誓、現在我們不能害他們。二十我們要
如此待他們、容他們活着．免得有忿怒因我們所起的
二一 誓臨到我們身上。二一首領又對會衆說、要容他們活着．於

是他們為全會衆作了劈柴挑水的人、正如首領對他
二二 們所說的話。○二二約書亞召了他們來、對他們說、為甚麼
欺哄我們說、我們離你們甚遠呢．其實你們是住在我
二三 們中間。二三現在你們是被咒詛的、你們中間的人、必斷不
二四 了作奴僕、為我神的殿作劈柴挑水的人。二四他們回答
約書亞說、因為有人實在告訴你的僕人、耶和華你的
神曾吩咐他的僕人摩西、把這全地賜給你們、並在
你們面前滅絕這地的一切居民．所以我們為你們的
二五 緣故、甚怕喪命、就行了這事。二五現在我們在你手中、你以
二六 怎樣待我們為善為正、就怎樣作罷。二六於是約書亞這樣
待他們、救他們脫離以色列人的手、以色列人就沒有
二七 殺他們。二七當日約書亞使他們在耶和華所要選擇的地
方、為會衆和耶和華的壇、作劈柴挑水的人、直到今日。

第十章　五王合攻基遍

一 一耶路撒冷王亞多尼洗德聽見約書亞奪
了艾城、盡行毀滅、怎樣待耶利哥和耶利哥的王、也照
樣待艾城和艾城的王．又聽見基遍的居民與以色列
二 人立了和約、住在他們中間、就甚懼怕、因為基遍是一

座大城、如都城一般、比艾城更大、並且城內的人都是
三 勇士。三所以耶路撒冷王亞多尼洗德打發人去見希伯
崙王何咸、耶末王毘蘭、拉吉王雅非亞、和伊磯倫王底
四 壁、說、四求你們上來幫助我、我們好攻打基遍．因為他們
五 與約書亞和以色列人立了和約。五於是五個亞摩利王、
就是耶路撒冷王、希伯崙王、耶末王、拉吉王、伊磯倫王、
大家聚集、率領他們的衆軍上去、對着基遍安營、攻打
六 基遍。六○基遍人就打發人往吉甲的營中去見約書亞、
說、你不要袖手不顧你的僕人．求你速速上來拯救我
們、幫助我們．因為住山地亞摩利人的諸王都聚集攻
七 擊我們。七於是約書亞、和他一切兵丁、並大能的勇士、都
八 從吉甲上去。八耶和華對約書亞說、不要怕他們、因為我
已將他們交在你手裏．他們無一人能在你面前站立
九 得住。九約書亞就終夜從吉甲上去、猛然臨到他們那裏。
十 十耶和華使他們在以色列人面前潰亂．約書亞在基遍
大大的殺敗他們、追趕他們在伯和崙的上坡路、擊殺
十一 他們直到亞西加、和瑪基大。十一他們在以色列人面前逃
跑、正在伯和崙下坡的時候、耶和華從天上降大冰雹

在他們身上、冰雹原文作石頭直降到亞西加、打死他們．被冰
雹打死的、比以色列人用刀殺死的還多。

日月停止

十二 當耶和華將亞摩利人交付以色列人的日子、約書亞
就禱告耶和華、在以色列人眼前說、日頭阿、你要停在
十三 基遍．月亮阿、你要止在亞雅崙谷。十三於是日頭停留、月亮
止住、直等國民向敵人報仇．這事豈不是寫在雅煞珥
書上麼．日頭在天當中停住、不急速下落、約有一日之
十四 久。十四在這日以前、這日以後、耶和華聽人的禱告、沒有像
十五 這日的．是因耶和華為以色列爭戰。十五○約書亞和以色
列衆人回到吉甲的營中。

五王被擒見殺

十六 十七 十六那五王逃跑、藏在瑪基大洞裏。十七有人告訴約書亞說、那
十八 五王已經找到了、都藏在瑪基大洞裏。十八約書亞說、你們
十九 把幾塊大石頭輥到洞口、派人看守．十九你們卻不可耽延．
要追趕你們的仇敵、擊殺他們儘後邊的人、不容他們
進自己的城邑．因為耶和華你們的神已經把他們
二十 交在你們手裏。二十約書亞和以色列人大大殺敗他們、直

二一 到將他們滅盡．其中剩下的人都進了堅固的城。衆百
姓就安然回瑪基大營中、到約書亞那裏．沒有一人敢
二二 向以色列人饒舌。○約書亞說、打開洞口、將那五王從
二三 洞裏帶出來、領到我面前。衆人就這樣行、將那五王、就
是耶路撒冷王、希伯崙王、耶末王、拉吉王、伊磯倫王、從
二四 洞裏帶出來、領到約書亞面前。帶出那五王到約書亞
面前的時候、約書亞就召了以色列衆人來、對那些和
他同去的軍長說、你們近前來、把腳踏在這些王的頸
二五 項上．他們就近前來、把腳踏在這些王的頸項上。約書
亞對他們說、你們不要懼怕、也不要驚惶．應當剛強壯
膽．因爲耶和華必這樣待你們所要攻打的一切仇敵。
二六 隨後約書亞將這五王殺死、掛在五棵樹上．他們就在
二七 樹上直掛到晚上。日頭要落的時候、約書亞一吩咐、人
就把屍首從樹上取下來、丟在他們藏過的洞裏、把幾
塊大石頭放在洞口、直存到今日。

約書亞攻取諸邑

二八 當日約書亞奪了瑪基大、用刀擊殺城中的人、和王．將
其中一切人口盡行殺滅、沒有留下一個．他待瑪基大
二九 王像從前待耶利哥王一樣。○約書亞和以色列衆人
三十 從瑪基大往立拿去、攻打立拿。耶和華將立拿和立拿
的王、也交在以色列人手裏．約書亞攻打這城、用刀擊
殺了城中的一切人口、沒有留下一個．他待立拿王、像
三一 從前待耶利哥王一樣。○約書亞和以色列衆人從立
三二 拿往拉吉去、對着拉吉安營、攻打這城。耶和華將拉吉
交在以色列人的手裏．第二天約書亞就奪了拉吉、用
刀擊殺了城中的一切人口、是照他向立拿一切所行
三三 的。○那時基色王荷蘭上來幫助拉吉、約書亞就把他
三四 和他的民都擊殺了、沒有留下一個。○約書亞和以色
列衆人從拉吉往伊磯倫去、對着伊磯倫安營、攻打這
三五 城．當日就奪了城、用刀擊殺了城中的人．那日約書亞
將城中的一切人口盡行殺滅．是照他向拉吉一切所
三六 行的。○約書亞和以色列衆人從伊磯倫上希伯崙去、
三七 攻打這城．就奪了希伯崙和屬希伯崙的諸城邑、用刀
將城中的人、與王、並那些城邑中的人口、都擊殺了、沒
有留下一個．是照他向伊磯倫所行的、把城中的一切
三八 人口盡行殺滅。○約書亞和以色列衆人回到底壁、攻

三九 打這城．就奪了底壁、和屬底壁的城邑、又擒獲底壁的
王、用刀將這些城中的人口盡行殺滅、沒有留下一個．
他待底壁和底壁王、像從前待希伯崙和立拿與立拿
四十 王一樣。○這樣約書亞擊殺全地的人、就是山地、南地、
高原、山坡的人、和那些地的諸王、沒有留下一個．將凡
有氣息的盡行殺滅、正如耶和華以色列的神所吩
四一 咐的。約書亞從加低斯巴尼亞攻擊到迦薩、又攻擊歌
四二 珊全地、直到基遍。約書亞一時殺敗了這些王、並奪了
他們的地．因為耶和華以色列的神、為以色列爭戰。
四三 於是約書亞和以色列眾人回到吉甲的營中。

第十一章

一 夏瑣王耶賓聽見這事、就打發人去見
二 瑪頓王約巴、伸崙王、押煞王、與北方山地、基尼烈南邊
三 的亞拉巴、高原、並西邊多珥山崗的諸王．又去見東方
和西方的迦南人、與山地的亞摩利人、赫人、比利洗人、
四 耶布斯人、並黑門山根米斯巴地的希未人。這些王和
他們的眾軍都出來、人數多如海邊的沙．並有許多馬
五 匹車輛。這諸王會合、來到米倫水邊、一同安營、要與以
六 色列人爭戰。○耶和華對約書亞說、你不要因他們懼
怕．明日這時、我必將他們交付以色列人全然殺了．你
七 要砍斷他們馬的蹄筋、用火焚燒他們的車輛。於是約
書亞率領一切兵丁、在米倫水邊突然向前、攻打他們。
八 耶和華將他們交在以色列人手裏、以色列人就擊殺
他們、追趕他們到西頓大城、到米斯利弗瑪音、直到東
九 邊米斯巴的平原、將他們擊殺、沒有留下一個。約書亞
就照耶和華所吩咐他的去行、砍斷他們馬的蹄筋、用
火焚燒他們的車輛。

焚夏瑣

十 當時約書亞轉回奪了夏瑣、用刀擊殺夏瑣王．素來夏
十一 瑣在這諸國中是為首的。以色列人用刀擊殺城中的
人口、將他們盡行殺滅．凡有氣息的沒有留下一個．約
十二 書亞又用火焚燒夏瑣。約書亞奪了這些王的一切城
邑、擒獲其中的諸王、用刀擊殺他們、將他們盡行殺滅、
十三 正如耶和華僕人摩西所吩咐的。至於造在山崗上的
城、除了夏瑣以外、以色列人都沒有焚燒．約書亞只將
十四 夏瑣焚燒了。那些城邑所有的財物和牲畜、以色列人
都取為自己的掠物．惟有一切人口都用刀擊殺、直到

十五 殺盡．凡有氣息的沒有留下一個。十五耶和華怎樣吩咐他
僕人摩西、摩西就照樣吩咐約書亞、約書亞也照樣行．
凡耶和華所吩咐摩西的、約書亞沒有一件懈怠不行
的。

約書亞攻取之地

十六 十六約書亞奪了那全地、就是山地、一帶南地、歌珊全地、高
十七 原、亞拉巴、以色列的山地、和山下的高原。十七從上西珥的
哈拉山直到黑門山下利巴嫩平原的巴力迦得．並且
十八 擒獲那些地的諸王、將他們殺死。十八約書亞和這諸王爭
十九 戰了許多年日。十九除了基遍的希未人之外、沒有一城與
二十 以色列人講和的．都是以色列人爭戰奪來的。二十因為耶
和華的意思、是要使他們心裏剛硬、來與以色列人爭
戰、好叫他們盡被殺滅、不蒙憐憫、正如耶和華所吩咐
二一 摩西的。○二一當時約書亞來到、將住山地、希伯崙、底壁、亞
拿伯、猶大山地、以色列山地所有的亞衲族人剪除了．
二二 約書亞將他們和他們的城邑盡都毀滅。二二在以色列人
的地沒有留下一個亞衲族人．只在迦薩、迦特、和亞實
二三 突有留下的。二三這樣、約書亞照着耶和華所吩咐摩西的

一切話、奪了那全地、就按着以色列支派的宗族、將地
分給他們為業。於是國中太平沒有爭戰了。

第十二章

一 一以色列人在約但河外向日出之地、擊
殺二王、得他們的地、就是從亞嫩谷直到黑門山、並東
二 邊的全亞拉巴之地。二這二王、有住希實本亞摩利人的
王西宏．他所管之地、是從亞嫩谷邊的亞羅珥、和谷中
三 的城、並基列一半、直到亞捫人的境界、雅博河．三與約但
河東邊的亞拉巴、直到基尼烈海、又到亞拉巴的海、就
是鹽海、通伯耶西末的路、以及南方、直到毘斯迦的山
四 根。四又有巴珊王噩．他是利乏音人所剩下的、住在亞斯
五 他錄和以得來．五他所管之地、是黑門山、撒迦、巴珊全地、
直到基述人和瑪迦人的境界、並基列一半、直到希實
六 本王西宏的境界。六這二王是耶和華僕人摩西和以色
列人所擊殺的．耶和華僕人摩西將他們的地賜給流
便人、迦得人、和瑪拿西半支派的人為業。

約書亞擊殺之王

七 七約書亞和以色列人在約但河西擊殺了諸王．他們的
地、是從利巴嫩平原的巴力迦得、直到上西珥的哈拉

山約書亞就將那地按着以色列支派的宗族分給他
八 們爲業。八就是赫人、亞摩利人、迦南人、比利洗人、希未人、
九 耶布斯人的山地、高原、亞拉巴、山坡、曠野、和南地。九他們
的王、一個是耶利哥王、一個是靠近伯特利的艾城王、
十 十一 十一個是耶路撒冷王、一個是希伯崙王、十一一個是耶末王、
十二 十三 一個是拉吉王、十二一個是伊磯倫王、一個是基色王、十三一個
十四 是底璧王、一個是基德王、十四一個是何珥瑪王、一個是亞
十五 十六 拉得王、十五一個是立拿王、一個是亞杜蘭王、十六一個是瑪基
十七 大王、一個是伯特利王、十七一個是他普亞王、一個是希弗
十八 十九 王、十八一個是亞弗王、一個是拉沙崙王、十九一個是瑪頓王、一
二十 二十一 個是夏瑣王、二十一個是伸崙米崙王、一個是押煞王、二十一一個
二十二 是他納王、一個是米吉多王、二十二一個是基低斯王、一個是
二十三 靠近迦密的約念王、二十三一個是多珥山崗的多珥王、一個
二十四 是吉甲的戈印王、二十四一個是得撒王、共計三十一個王。

第十三章

命分未取之地

一 一約書亞年紀老邁、耶和華對他說、你年
二 紀老邁了、還有許多未得之地、二就是非利士人的全境、
三 和基述人的全地。三從埃及前的西曷河往北、直到以革
倫的境界、就算屬迦南人之地。有非利士人五個首領
所管的迦薩人、亞實突人、亞實基倫人、迦特人、以革倫
四 人之地。並有南方亞衛人之地。四又有迦南人的全地。並
五 屬西頓人的米亞拉、到亞弗、直到亞摩利人的境界。五還
有迦巴勒人之地、並向日出的全利巴嫩、就是從黑門
六 山根的巴力迦得、直到哈馬口。六山地的一切居民、從利
巴嫩直到米斯利弗瑪音、就是所有的西頓人、我必在
以色列人面前趕出他們去。你只管照我所吩咐的、將
七 這地拈鬮分給以色列人爲業。七現在你要把這地分給
九個支派、和瑪拿西半個支派爲業。

二支派半所得之地

八 八瑪拿西那半支派、和流便迦得二支派、已經受了產業、
就是耶和華的僕人摩西在約但河東所賜給他們的、
九 九是從亞嫩谷邊的亞羅珥和谷中的城、並米底巴的全
十 平原、直到底本、十和在希實本作王亞摩利王西宏的諸
十一 城、直到亞捫人的境界。十一又有基列地、基述人、瑪迦人的
十二 地界、並黑門全山、巴珊全地、直到撒迦、十二又有巴珊王噩
的全國。他在亞斯他錄和以得來作王、利乏音人所存

留的只剩下他．這些地的人、都是摩西所擊殺所趕逐
十三 的。十三以色列人卻沒有趕逐基述人、瑪迦人、這些人仍住
十四 在以色列中、直到今日。十四只是利未支派、摩西（原文作他）沒有
把產業分給他們．他們的產業、乃是獻與耶和華以色
十五 列　神的火祭．正如耶和華所應許他們的。○十五摩西按
十六 着流便支派的宗族、分給他們產業．十六他們的境界、是亞
嫩谷邊的亞羅珥、和谷中的城、靠近米底巴的全平原．
十七 十七希實本、並屬希實本平原的各城、底本、巴末巴力、伯巴
十八 十九 力勉、十八雅雜、基底莫、米法押、十九基列亭、西比瑪、谷中山的細
二十 二一 列哈沙轄、二十伯毘珥、毘斯迦山坡、伯耶西末．二一平原的各城、
並亞摩利王西宏的全國、這西宏曾在希實本作王、摩
西把他和米甸的族長、以未、利金、蘇珥、戶珥、利巴、擊殺
二二 了．這都是住那地屬西宏爲首領的。二二那時以色列人在
二三 所殺的人中、也用刀殺了比珥的兒子術士巴蘭。二三流便
人的境界、就是約但河與靠近約但河的地．以上是流
二四 便人按着宗族所得爲業的諸城、並屬城的村莊。○二四摩
二五 西按着迦得支派的宗族、分給他們產業．二五他們的境界、
是雅謝、和基列的各城、並亞扪人的一半地、直到拉巴

二六 前的亞羅珥。二六從希實本、到拉抹米斯巴、和比多寧、又從
二七 瑪哈念、到底璧的境界．二七並谷中的伯亞蘭、伯寧拉、疎割、
撒分、就是希實本王西宏國中的餘地．以及約但河與
靠近約但河的地、直到基尼烈海的極邊、都在約但河
二八 東．二八以上是迦得人按着宗族所得爲業的諸城．並屬城
二九 的村莊。○二九摩西把產業分給瑪拿西半支派、是按着瑪
三十 拿西半支派的宗族所分的．三十他們的境界、是從瑪哈念
起、包括巴珊全地、就是巴珊王噩的全國、並在巴珊、睚
三一 珥的一切城邑、共六十個。三一基列的一半、並亞斯他錄、以
得來、就是屬巴珊王噩國的二城、是按着宗族給瑪拿
三二 西的兒子瑪吉的一半子孫。○三二以上是摩西在約但河
三三 東對着耶利哥的摩押平原、所分給他們的產業。三三只是
利未支派、摩西沒有把產業分給他們．耶和華以色列
的　神是他們的產業．正如耶和華所應許他們的。

第十四章　九支派半所得之地

一 一以色列人在迦南地所得的產業、就是
祭司以利亞撒、和嫩的兒子約書亞、並以色列各支派
二 的族長所分給他們的、都記在下面．二是照耶和華藉摩

西所吩咐的、把產業拈鬮分給九個半支派。

利未人無地爲業

三 三原來摩西在約但河東已經把產業分給那兩個半支
四 派、只是在他們中間沒有把產業分給利未人。四因爲約
瑟的子孫、是兩個支派、就是瑪拿西和以法蓮、所以沒
有把地分給利未人、但給他們城邑居住、並城邑的郊
五 野、可以牧養他們的牲畜、安置他們的財物。五耶和華怎
六 樣吩咐摩西、以色列人就照樣行、把地分了。○六那時猶
大人來到吉甲見約書亞、有基尼洗族耶孚尼的兒子
迦勒對約書亞說、耶和華在加低斯巴尼亞、指着我與
七 你對神人摩西所說的話、你都知道了。七耶和華的僕人
摩西從加低斯巴尼亞打發我窺探這地、那時我正四
八 十歲。我按着心意回報他。八然而同我上去的衆弟兄、使
九 百姓的心消化、但我專心跟從耶和華我的神。九當日
摩西起誓說、你脚所踏之地、定要歸你和你的子孫、永
十 遠爲業。因爲你專心跟從耶和華我的神。十自從耶和
華對摩西說這話的時候、耶和華照他所應許的、使我
存活這四十五年。其間以色列人在曠野行走、看哪、現
十一 今我八十五歲了、十一我還是強壯、像摩西打發我去的那
天一樣。無論是爭戰、是出入、我的力量那時如何、現在
十二 還是如何。十二求你將耶和華那日應許我的這山地給我。
那裏有亞衲族人、並寬大堅固的城、你也曾聽見了。或
者耶和華照他所應許的與我同在、我就把他們趕出
去。

迦勒得希伯崙爲業

十三 十三於是約書亞爲耶孚尼的兒子迦勒祝福、將希伯崙給
十四 他爲業。十四所以希伯崙作了基尼洗族耶孚尼的兒子迦
勒的產業、直到今日。因爲他專心跟從耶和華以色列
十五 的神。十五希伯崙從前名叫基列亞巴、亞巴是亞衲族中
最尊大的人。於是國中太平沒有爭戰了。

第十五章

猶大所得之地

一 一猶大支派按着宗族拈鬮所得之地、是
二 在儘南邊、到以東的交界、向南直到尋的曠野。二他們的
三 南界、是從鹽海的儘邊、就是從朝南的海汊起、三通到亞
克拉濱坡的南邊、接連到尋、上到加低斯巴尼亞的南
四 邊、又過希斯崙上到亞達珥、繞到甲加、四接連到押們通

到埃及小河、直通到海爲止．這就是他們的南界。五東界、
是從鹽海南邊到約但河口。北界是從約但河口的海
汊起、六上到伯曷拉、過伯亞拉巴的北邊、上到流便之子
波罕的磐石．七從亞割谷往北、上到底璧、直向河南亞都
冥坡對面的吉甲．又接連到隱示麥泉、直通到隱羅結、
八上到欣嫩子谷、貼近耶布斯的南界．（耶布斯就是耶
路撒冷）又上到欣嫩谷西邊的山頂、就是在利乏音
谷極北的邊界．九又從山頂延到尼弗多亞的水源、通到
以弗崙山的城邑、又延到巴拉．（巴拉就是基列耶琳）
十又從巴拉往西繞到西珥山、接連到耶琳山的北邊．
（耶琳就是基撒崙）又下到伯示麥、過亭納、十一通到以
革倫北邊、延到施基崙、接連到巴拉山、又通到雅比聶、
直通到海爲止。十二西界就是大海和靠近大海之地．這是
猶大人按着宗族所得之地四圍的交界。

俄陀聶攻取基列西弗

十三約書亞照耶和華所吩咐的、將猶大人中的一段地、就
是基列亞巴分給耶孚尼的兒子迦勒．亞巴是亞衲族
的始祖．（基列亞巴就是希伯崙）十四迦勒就從那裏趕
出亞衲族的三個族長、就是示篩、亞希幔、撻買．十五又從那
裏上去、攻擊底璧的居民．這底璧從前名叫基列西弗。
十六迦勒說、誰能攻打基列西弗將城奪取、我就把我女兒
押撒給他爲妻．十七迦勒兄弟基納斯的兒子俄陀聶奪取
了那城、迦勒就把女兒押撒給他爲妻。十八押撒過門的時
候、勸丈夫向他父親求一塊田．押撒一下驢、迦勒問他
說、你要甚麼．十九他說、求你賜福給我、你既將我安置在南
地、求你也給我水泉．他父親就把上泉下泉賜給他。

猶大所得之邑

二十以下是猶大支派按着宗族所得的產業。○二十一猶大支派
儘南邊的城邑、與以東交界相近的就是甲薛、以得、雅
姑珥、二十二基拿、底摩拿、亞大達、二十三基低斯、夏瑣、以提楠、二十四西弗、提
鍊、比亞綠、二十五夏瑣哈大他、加略希斯崙、（加略希斯崙就
是夏瑣）二十六亞曼、示瑪、摩拉大、二十七哈薩迦大、黑實門、伯帕列、
二十八哈薩書亞、別是巴、比斯約他、二十九巴拉、以因、以森、三十伊勒多臘、
基失、何珥瑪、三十一洗革拉、麥瑪拿、三撒拿、三十二利巴勿、實忻、亞因、
臨門、共二十九座城、還有屬城的村莊。○三十三在高原有以
實陶、瑣拉、亞實拿、三十四撒挪亞、隱干寧、他普亞、三十五以楠、耶末、亞

杜蘭、棱哥、亞西加、三六沙拉音、亞底他音、基底拉、基底羅他
音、共十四座城、還有屬城的村莊。○三七又有洗楠、哈大沙、
麥大迦得、三八底連、米斯巴、約帖、三九拉吉、波斯加、伊磯倫、四十迦本、
拉幔、基提利、四一基低羅、伯大袞、拿瑪、瑪基大、共十六座城、
還有屬城的村莊。○四二又有立拿、以帖、亞珊、四三益弗他、亞實
拿、尼悉、四四基伊拉、亞革悉、瑪利沙、共九座城、還有屬城的
村莊。○四五又有以革倫、和屬以革倫的鎮市村莊、四六從以革
倫直到海、一切靠近亞實突之地、並屬其地的村莊。○
四七亞實突、和屬亞實突的鎮市村莊、迦薩、和屬迦薩的鎮
市村莊、直到埃及小河、並大海和靠近大海之地。○四八在
山地有沙密、雅提珥、梭哥、四九大拿、基列薩拿、(基列薩拿
就是底壁)五十亞拿伯、以實提莫、亞念、五一歌珊、何倫、基羅、共
十一座城、還有屬城的村莊。○五二又有亞拉、度瑪、以珊、五三雅
農、伯他普亞、亞非加、五四宏他、基列亞巴、(基列亞巴就是
希伯崙)洗珥、共九座城、還有屬城的村莊。○五五又有瑪
雲、迦密、西弗、淤他、五六耶斯列、約甸、撒挪亞、五七該隱、基比亞、亭
納、共十座城、還有屬城的村莊。○五八又有哈忽、伯夙、基突、
五九瑪臘、伯亞諾、伊勒提君、共六座城、還有屬城的村莊。○
六十又有基列巴力、(基列巴力、就是基列耶琳)拉巴、共
兩座城、還有屬城的村莊。○六一在曠野有伯亞拉巴、密丁、
西迦迦、六二匿珊、鹽城、隱基底、共六座城、還有屬城的村莊。
○六三至於住耶路撒冷的耶布斯人、猶大人不能把他們
趕出去、耶布斯人卻在耶路撒冷與猶大人同住、直到
今日。

第十六章 以法蓮所得之地

一約瑟的子孫拈鬮所得之地、是從靠近
耶利哥的約但河起、以耶利哥東邊的水爲界、從耶利
哥上去、通過山地的曠野、到伯特利、二又從伯特利到路
斯、接連到亞基人的境界至亞他綠、三又往西下到押利
提人的境界、到下伯和崙的境界、直到基色、通到海爲
止。四約瑟的兒子瑪拿西以法蓮、就得了他們的地業。○
五以法蓮子孫的境界、按着宗族所得的、記在下面、他們
地業的東界、是亞他綠亞達、到上伯和崙、六往西通到北
邊的密米他、又向東繞到他納示羅、又接連到雅挪哈
的東邊、七從雅挪哈下到亞他綠、又到拿拉、達到耶利哥、
通到約但河爲止。八從他普亞往西、到加拿河、直通到海

九 爲止．這就是以法蓮支派按着宗族所得的地業。九另外
在瑪拿西人地業中、得了些城邑、和屬城的村莊．這都
十 是分給以法蓮子孫的．十他們沒有趕出住基色的迦南
人、迦南人卻住在以法蓮人中間、成爲作苦工的僕人、
直到今日。

第十七章

一 一瑪拿西是約瑟的長子．他的支派拈鬮
所得之地、記在下面、至於瑪拿西的長子基列之父（或
作主）瑪吉、因爲是勇士……就得了基列和巴珊．二瑪拿西其餘
二 的子孫、按着宗族拈鬮分地、就是亞比以謝子孫、希勒
子孫、亞斯列子孫、示劍子孫、希弗子孫、示米大子孫、這
三 些按着宗族、都是約瑟兒子瑪拿西子孫的男丁。三瑪拿
西的元孫、瑪吉的曾孫、基列的孫子、希弗的兒子西羅
非哈、沒有兒子、只有女兒、他的女兒名叫瑪拉、挪阿、曷
四 拉、密迦、得撒．四他們來到祭司以利亞撒和嫩的兒子約
書亞並衆首領面前、說、耶和華曾吩咐摩西在我們弟
兄中分給我們產業。於是約書亞照耶和華所吩咐的、
五 在他們伯叔中、把產業分給他們。五除了約但河東的基
六 列、和巴珊地之外、還有十分地歸瑪拿西．六因爲瑪拿西
的孫女們、在瑪拿西的孫子中、得了產業．基列地是屬
瑪拿西其餘的子孫。

瑪拿西所得之地

七 七瑪拿西的境界、從亞設起、到示劍前的密米他、往北到
八 隱他普亞居民之地……八他普亞地歸瑪拿西．只是瑪拿西
九 境界上的他普亞城歸以法蓮子孫。九其界下到加拿河
的南邊、在瑪拿西城邑中的這些城邑、都歸以法蓮．瑪
十 拿西的地界是在河北、直通到海爲止。十南歸以法蓮．北
十一 歸瑪拿西、以海爲界．北邊到亞設、東邊到以薩迦。十一瑪拿
西在以薩迦和亞設境內、有伯善和屬伯善的鎮市、以
伯蓮和屬以伯蓮的鎮市．多珥的居民和屬多珥的鎮
市．又有三處山岡、就是隱多珥和屬隱多珥的鎮市．他
納的居民、和屬他納的鎮市．米吉多的居民和屬米吉
十二 多的鎮市．十二只是瑪拿西子孫、不能趕出這些城的居民、
十三 迦南人偏要住在那地．十三及至以色列人強盛了、就使迦
南人作苦工、沒有把他們全然趕出。

約瑟子孫得地二區

十四 十四約瑟的子孫對約書亞說、耶和華到如今既然賜福與

我們、我們也族大人多、你爲甚麽但將一鬮一段之地、
十五 分給我們爲業呢。十五約書亞說、你們如果族大人多、嫌以
法蓮山地窄小、就可以上比利洗人、利乏音人之地、在
十六 樹林中砍伐樹木……。十六約瑟的子孫說、那山地容不下我們、
並且住平原的迦南人、就是住伯善和屬伯善的鎮市、
十七 並住耶斯列平原的人、都有鐵車。十七約書亞對約瑟家就
是以法蓮和瑪拿西人說、你是族大人多、並且強盛、不
十八 可僅有一鬮之地。十八山地也要歸你、雖是樹林你也可以
砍伐、靠近之地、必歸你。迦南人雖有鐵車、雖是強盛、你
也能把他們趕出去。

餘地繪圖以備鬮分

一 **第十八章** 一以色列的全會衆都聚集在示羅、把會
二 幕設立在那裏、那地已經被他們制伏了。二以色列人中
三 其餘的七個支派、還沒有分給他們地業。三約書亞對以
色列人說、耶和華你們列祖的神所賜給你們的地、
四 你們躭延不去得、要到幾時呢。四你們每支派當選舉三
個人、我要打發他們去、他們就要起身走遍那地、按着
五 各支派應得的地業寫明、(或作畫圖)就回到我這裏來。五他們
要將地分作七分、猶大仍在南方、住在他的境內。約瑟
六 家仍在北方、住在他的境內。六你們要將地分作七分、寫
明了、拿到我這裏來。我要在耶和華我們神面前、爲
七 你們拈鬮。七利未人在你們中間沒有分、因爲供耶和華
祭司的職任就是他們的產業。迦得支派、流便支派、和
瑪拿西半支派、已經在約但河東得了地業、就是耶和
八 華僕人摩西所給他們的。八○劃地勢的人起身去的時
候、約書亞囑咐他們說、你們去走遍那地、劃明地勢、就
回到我這裏來、我要在示羅這裏耶和華面前、爲你們
九 拈鬮。九他們就去了、走遍那地、按着城邑分作七分、寫在
十 冊子上、回到示羅營中見約書亞。十約書亞就在示羅耶
和華面前、爲他們拈鬮、約書亞在那裏按着以色列人
的支派、將地分給他們。

便雅憫所得之地

十一 十一便雅憫支派按着宗族拈鬮所得之地、是在猶大、約瑟
十二 子孫中間。十二他們的北界、是從約但河起、往上貼近耶利
十三 哥的北邊、又往西通過山地、直到伯亞文的曠野。十三從那
裏往南接連到路斯、貼近路斯、(路斯就是伯特利)

十四 又下到亞他綠亞達、靠近下伯和崙南邊的山。從那裏
往西、又轉向南、從伯和崙南對面的山、直達到猶大人
的城基列巴力、（基列巴力就是基列耶琳）這是西
十五 界。南界、是從基列耶琳的儘邊起、往西達到尼弗多亞
十六 的水源。又下到欣嫩子谷對面山的儘邊、就是利乏音
谷北邊的山。又下到欣嫩谷、貼近耶布斯的南邊、又下
十七 到隱羅結。又往北通到隱示麥、達到亞都冥坡對面的
十八 基利綠、又下到流便之子波罕的磐石。又接連到亞拉
十九 巴對面、往北下到亞拉巴。又接連到伯曷拉的北邊、直
二十 通到鹽海的北汊、就是約但河的南頭。這是南界。東界、
是約但河。這是便雅憫人按着宗族照他們四圍的交
界所得的地業。

便雅憫所得之邑

二一 便雅憫支派按着宗族所得的城邑、就是耶利哥、伯曷
二二 二三 拉、伊麥基悉、伯亞拉巴、洗瑪臉、伯特利、亞文、巴拉、俄弗
二四 拉、基法阿摩尼、俄弗尼、迦巴、共十二座城、還有屬城的
二五 二六 二七 村莊。又有基遍、拉瑪、比錄、米斯巴、基非拉、摩撒、利堅、伊
二八 利毘勒、他拉拉、洗拉、以利弗、耶布斯、（耶布斯就是耶
路撒冷）基比亞、基列、共十四座城、還有屬城的村莊。
這是便雅憫人按着宗族所得的地業。

西緬所得之地

第十九章

一 為西緬支派的人、按着宗族、拈出第二
二 鬮。他們所得的地業、是在猶大人地業中間。他們所得
三 為業之地、就是別是巴、（或名示巴）摩拉大、哈薩書
四 五 亞、巴拉、以森、伊利多拉、比土力、何珥瑪、洗革拉、伯瑪加
六 博、哈薩蘇撒、伯利巴勿、沙魯險、共十三座城、還有屬城
七 的村莊。又有亞因、利門、以帖、亞珊、共四座城、還有屬城
八 的村莊。並有這些城邑四圍一切的村莊、直到巴拉比
珥、就是南地的拉瑪。這是西緬支派按着宗族所得的
九 地業。西緬人的地業、是從猶大人地業中得來的、因為
猶大人的分過多、所以西緬人在他們的地業中得了
地業。

西布倫所得之地

十 為西布倫人、按着宗族、拈出第三鬮。他們地業的境界、
十一 是到撒立。往西上到瑪拉拉、達到大巴設、又達到約念
十二 前的河。又從撒立往東轉向日出之地、到吉斯綠他泊

十三 的境界、又通到大比拉、上到雅非亞。十三從那裏往東、接連
十四 到迦特希弗、至以特加汛、通到臨門、臨門延到尼亞、十四又
十五 繞過尼亞的北邊、轉到哈拿頓、通到伊弗他伊勒谷。十五還
有加他、拿哈拉、伸崙、以大拉、伯利恆、共十二座城、還有
十六 屬城的村莊。十六這些城、並屬城的村莊、就是西布倫人按
着宗族所得的地業。

以薩迦所得之地

十七 十八 十七為以薩迦人、按着宗族、拈出第四鬮。十八他們的境界、是到
十九 二十 耶斯列、基蘇律、書念、十九哈弗連、示按、亞拿哈拉、二十拉壁、基善、
二十一 二十二 亞別、二十一利篾、隱干寧、隱哈大、伯帕薛、二十二又達到他泊、沙哈洗
瑪、伯示麥、直通到約但河為止、共十六座城、還有屬城
二十三 的村莊。二十三這些城、並屬城的村莊、就是以薩迦支派按着
宗族所得的地業。

亞設所得之地

二十四 二十五 二十四為亞設支派、按着宗族、拈出第五鬮。二十五他們的境界、是黑
二十六 甲、哈利、比田、押煞、二十六亞拉米勒、亞末、米沙勒、往西達到迦
二十七 密、又到希曷立納、二十七轉向日出之地、到伯大袞、達到細步
綸、往北到伊弗他伊勒谷、到伯以墨、和尼業、也通到迦
二十八 步勒的左邊。二十八又到義伯崙、利合、哈們、加拿、直到西頓大
二十九 城。二十九轉到拉瑪、和堅固城推羅、又轉到何薩、靠近亞革悉
三十 一帶地方、直通到海。三十又有烏瑪、亞弗、利合、共二十二座
三十一 城、還有屬城的村莊。三十一這些城、並屬城的村莊、就是亞設
支派按着宗族所得的地業。

拿弗他利所得之地

三十二 三十三 三十二為拿弗他利人、按着宗族、拈出第六鬮。三十三他們的境界、是
從希利弗、從撒拿音的橡樹、從亞大米尼吉、和雅比聶、
三十四 直到拉共、通到約但河。三十四又轉向西到亞斯納他泊、從那
裏通到戶割、南邊到西布倫、西邊到亞設、又向日出之
三十五 地、達到約但河那裏的猶大。三十五堅固的城、就是西丁、側耳、
三十六 三十七 哈末、拉甲、基尼烈、三十六亞大瑪、拉瑪、夏瑣、三十七基低斯、以得來、隱
三十八 夏瑣、三十八以利穩、密大伊勒、和璉、伯亞納、伯示麥、共十九座
三十九 城、還有屬城的村莊。三十九這些城、並屬城的村莊、就是拿弗
他利支派按着宗族所得的地業。

但所得之地

四十 四十一 四十為但支派、按着宗族、拈出第七鬮。四十一他們地業的境界、是
四十二 四十三 瑣拉、以實陶、伊珥示麥、四十二沙拉賓、亞雅崙、伊提拉、四十三以倫亭

四四 四五 拿他、以革倫、伊利提基、基比頓、巴拉、伊胡得、比尼比拉、
四六 四七 迦特臨門、美耶昆、拉昆、並約帕對面的地界。但人的地
界、越過原得的地界、因為但人上去攻取利善、用刀擊
殺城中的人、得了那城、住在其中、以他們先祖但的名、
四八 將利善改名為但。這些城、並屬城的村莊、就是但支派
按着宗族所得的地業。

以亭拿西拉邑予約書亞為業

四九 以色列人按着境界分完了地業、就在他們中間將地
五十 給嫩的兒子約書亞為業。是照耶和華的吩咐、將約書
亞所求的城、就是以法蓮山地的亭拿西拉城、給了他。
五一 他就修那城、住在其中。◎這就是祭司以利亞撒、和嫩
的兒子約書亞、並以色列各支派的族長、在示羅會幕
門口、耶和華面前、拈鬮所分的地業。這樣、他們把地分
完了。

第二十章　簡立逃城

一 二 耶和華曉諭約書亞說、你吩咐以色列
人說、你們要照着我藉摩西所曉諭你們的、為自己設
三 立逃城、使那無心而誤殺人的、可以逃到那裏、這些城
四 可以作你們逃避報血仇人的地方。那殺人的要逃到
這些城中的一座城、站在城門口、將他的事情說給城
內的長老們聽。他們就把他收進城裏、給他地方、使他
五 住在他們中間。若是報血仇的追了他來、長老不可將
他交在報血仇的手裏、因為他是素無仇恨、無心殺了
六 人的。他要住在那城裏、站在會眾面前聽審判、等到那
時的大祭司死了、殺人的纔可以回到本城本家、就是
七 他所逃出來的那城。◎於是以色列人在拿弗他利山
地、分定加利利的基低斯、在以法蓮山地、分定示劍、在
猶大山地、分定基列亞巴、（基列亞巴就是希伯崙）
八 又在約但河外耶利哥東、從流便支派中、在曠野的平
原、設立比悉、從迦得支派中、設立基列的拉末、從瑪拿
九 西支派中、設立巴珊的哥蘭。這都是為以色列眾人、和
在他們中間寄居的外人所分定的地邑、使誤殺人的
都可以逃到那裏、不死在報血仇人的手中、等他站在
會眾面前聽審判。⋯⋯

第二十一章　利未人所得之邑

一 那時利未人的眾族長、來到祭司以

利亞撒、和嫩的兒子約書亞、並以色列各支派的族長
二 面前。在迦南地的示羅對他們說、從前耶和華藉着摩
西吩咐給我們城邑居住、並城邑的郊野、可以牧養我
三 們的牲畜。於是以色列人照耶和華所吩咐的、從自己
的地業中、將以下所記的城邑、和城邑的郊野、給了利
四 未人。〇為哥轄族拈鬮、利未人的祭司亞倫的子孫、從
猶大支派、西緬支派、便雅憫支派的地業中、按鬮得了
五 十三座城。〇哥轄其餘的子孫、從以法蓮支派、但支派、
六 瑪拿西半支派的地業中、按鬮得了十座城。〇革順的
子孫、從以薩迦支派、亞設支派、拿弗他利支派、住巴珊
七 的瑪拿西半支派的地業中、按鬮得了十三座城。〇米
拉利的子孫、按着宗族、從流便支派、迦得支派、西布倫
八 支派的地業中、按鬮得了十二座城。〇以色列人照着
耶和華藉摩西所吩咐的、將這些城邑、和城邑的郊野、
九 十 按鬮分給利未人。從猶大支派、西緬支派的地業中、將
以下所記的城、給了利未支派哥轄宗族亞倫的子孫、
十一 因為給他們拈出頭一鬮．將猶大山地的基列亞巴、和
四圍的郊野、給了他們．亞巴是亞衲族的始祖．（基列
十二 亞巴就是希伯崙）惟將屬城的田地、和村莊、給了耶
十三 孚尼的兒子迦勒為業。以色列人將希伯崙、就是誤殺
人的逃城、和屬城的郊野、給了祭司亞倫的子孫．又給
十四 他們立拿和屬城的郊野．雅提珥和屬城的郊野．以實
十五 提莫和屬城的郊野．何崙和屬城的郊野．底壁和屬城
十六 的郊野．亞因和屬城的郊野．淤他和屬城的郊野．伯示
麥和屬城的郊野．共九座城、都是從這二支派中分出
十七 來的。又從便雅憫支派的地業中、給了他們基遍和屬
十八 城的郊野．迦巴和屬城的郊野．亞拿突和屬城的郊野、
十九 亞勒們和屬城的郊野．共四座城。亞倫子孫作祭司的、
二十 共有十三座城、還有屬城的郊野。〇利未支派中哥轄
的宗族、就是哥轄其餘的子孫、拈鬮所得的城、有從以
二一 法蓮支派中分出來的．以色列人將以法蓮山地的示
劍、就是誤殺人的逃城、和屬城的郊野、給了他們．又給
二二 他們基色和屬城的郊野．基伯先和屬城的郊野．伯和
二三 崙和屬城的郊野．共四座城。又從但支派的地業中、給
了他們伊利提基和屬城的郊野．基比頓和屬城的郊
二四 野．亞雅崙和屬城的郊野．迦特臨門和屬城的郊野．共

二五 四座城。二五又從瑪拿西半支派的地業中、給了他們他納
二六 和屬城的郊野、迦特臨門和屬城的郊野、共兩座城。二六哥
二七 轄其餘的子孫、共有十座城還有屬城的郊野。○二七以色
列人又從瑪拿西半支派的地業中、將巴珊的哥蘭、就
是誤殺人的逃城、和屬城的郊野、給了利未支派革順
的子孫、又給他們比施提拉和屬城的郊野、共兩座城。
二八 二八又從以薩迦支派的地業中、給了他們基善和屬城的
二九 郊野、大比拉和屬城的郊野、二九耶末和屬城的郊野、隱干
三十 寧和屬城的郊野、共四座城。三十又從亞設支派的地業中、
給了他們米沙勒和屬城的郊野、押頓和屬城的郊野、三一
三一三二 黑甲和屬城的郊野、利合和屬城的郊野、共四座城。三二又
從拿弗他利支派的地業中、將加利利的基低斯、就是
誤殺人的逃城、和屬城的郊野、給了他們、又給他們哈
末多珥和屬城的郊野、加珥坦和屬城的郊野、共三座
三三 城。三三革順人按着宗族所得的城、共十三座、還有屬城的
三四 郊野。○三四其餘利未支派米拉利子孫、從西布倫支派的
地業中所得的、就是約念和屬城的郊野、加珥他和屬
三五 城的郊野、三五丁拿和屬城的郊野、拿哈拉和屬城的郊野、

三六 共四座城。三六又從流便支派的地業中、給了他們比悉和
三七 屬城的郊野、雅雜和屬城的郊野、三七基底莫和屬城的郊
三八 野、米法押和屬城的郊野、共四座城。三八又從迦得支派的
地業中、將基列的拉末、就是誤殺人的逃城、和屬城的
三九 郊野、給了他們、又給他們瑪哈念和屬城的郊野、三九希實
四十 本和屬城的郊野、雅謝和屬城的郊野、共四座城。四十其餘
利未支派的人、就是米拉利的子孫、按着宗族拈鬮所
四一 得的、共十二座城。○四一利未人在以色列人的地業中所
四二 得的城、共四十八座、並有屬城的郊野。四二這些城四圍都
四三 有屬城的郊野、城城都是如此。○四三這樣、耶和華將從前
向他們列祖起誓所應許的全地、賜給以色列人、他們
四四 就得了為業、住在其中。四四耶和華照着向他們列祖起誓
所應許的、使他們四境平安、他們一切仇敵中、
沒有一人在他們面前站立得住、耶和華把一切仇敵
四五 都交在他們手中。四五耶和華應許賜福給以色列家的話、
一句也沒有落空、都應驗了。

約書亞祝福二支派半人遣歸其地

第二十二章

一 一當時約書亞召了流便人、迦得人、和

二 瑪拿西半支派的人來對他們說、耶和華僕人摩西所
吩咐你們的、你們都遵守了．我所吩咐你們的、你們也
三 都聽從了．三你們這許多日子、總沒有撇離你們的弟兄、
直到今日．並守了耶和華你們　神所吩咐你們當守
四 的．四如今耶和華你們　神照着他所應許的、使你們弟
兄得享平安．現在可以轉回你們的帳棚、到耶和華的
五 僕人摩西在約但河東所賜你們爲業之地．五只要切切
的謹愼遵行耶和華僕人摩西所吩咐你們的誡命律
法．愛耶和華你們的　神、行他一切的道、守他的誡命．
六 專靠他、盡心盡性事奉他。六於是約書亞爲他們祝福、打
七 發他們去、他們就回自己的帳棚去了。○七瑪拿西那半
支派、摩西早已在巴珊分給他們地業．這半支派、約書
亞在約但河西在他們弟兄中分給他們地業．約書亞
八 打發他們回帳棚的時候、爲他們祝福．八對他們說、你們
帶許多財物、許多牲畜、和金、銀、銅、鐵、並許多衣服、回你
們的帳棚去．要將你們從仇敵奪來的物、與你們衆弟
九 兄同分。九於是流便人、迦得人、瑪拿西半支派的人、從迦
南地的示羅起行、離開以色列人、回往他們得爲業的
基列地、就是照耶和華藉摩西所吩咐的得了爲業之
地。

二支派半人築壇於約但河濱

十 十流便人、迦得人、和瑪拿西半支派的人、到了靠近約但
河的一帶迦南地、就在約但河那裏、築了一座壇．那壇
十一 看着高大。十一以色列人聽說流便人、迦得人、瑪拿西半支
派的人、靠近約但河邊、在迦南地屬以色列人的那邊
十二 築了一座壇．十二全會衆一聽見、就聚集在示羅、要上去攻
打他們。

以色列人生疑忌

十三 十三以色列人打發祭司以利亞撒的兒子非尼哈、往基列
十四 地去見流便人、迦得人、瑪拿西半支派的人。十四又打發十
個首領與非尼哈同去．就是以色列每支派的一個首
十五 領、都是以色列軍中的統領。十五他們到了基列地、見流便
十六 人、迦得人、和瑪拿西半支派的人、對他們說、十六耶和華全
會衆這樣說、你們今日轉去不跟從耶和華、干犯以色
列的　神、爲自己築一座壇、悖逆了耶和華、這犯的是
十七 甚麼罪呢．十七從前拜毘珥的罪孽、還算小麼．雖然瘟疫臨

十八 到耶和華的會衆、到今日我們還沒有洗淨這罪。十八你們
今日竟轉去不跟從耶和華麽、你們今日旣悖逆耶和
十九 華、明日他必向以色列全會衆發怒。十九你們所得爲業之
地、若嫌不潔淨、就可以過到耶和華之地、就是耶和華
的帳幕所住之地、在我們中間得地業。只是不可悖逆
耶和華、也不可得罪我們、在耶和華我們　神的壇以
二十 外爲自己築壇。二十從前謝拉的曾孫亞干、豈不是在那當
滅的物上犯了罪、就有忿怒臨到以色列全會衆麽。那
人在所犯的罪中、不獨一人死亡。

釋疑修睦

二一 於是流便人、迦得人、瑪拿西半支派的人、回答以色列
二二 軍中的統領說、二二大能者　神耶和華、大能者　神耶和
華、他是知道的、以色列人也必知道、我們若有悖逆的
二三 意思、或是干犯耶和華、(願你今日不保佑我們)二三爲
自己築壇、要轉去不跟從耶和華、或是要將燔祭素祭、
二四 平安祭獻在壇上、願耶和華親自討我們的罪。二四我們行
這事並非無故、是特意作的、說、恐怕日後你們的子孫
對我們的子孫說、你們與耶和華以色列的　神、有何

二五 關涉呢。二五因爲耶和華把約但河定爲我們和你們這流
便人、迦得人的交界。你們與耶和華無分了、這樣、你們
二六 的子孫、就使我們的子孫、不再敬畏耶和華了。二六因此我
們說、不如爲自己築一座壇、不是爲獻燔祭、也不是爲
二七 獻別的祭、二七乃是爲你我中間、和你我後人中間作證據、
好叫我們也在耶和華面前獻燔祭、平安祭、和別的祭
事奉他、免得你們的子孫日後對我們的子孫說、你們
二八 與耶和華無分了。二八所以我們說、日後你們對我們、或對
我們的後人這樣說、我們就可以回答說、你們看我們
列祖所築的壇、是耶和華壇的樣式、這並不是爲獻燔
二九 祭、也不是爲獻別的祭、乃是爲作你我中間的證據。二九我
們在耶和華我們　神帳幕前的壇以外、另築一座壇、
爲獻燔祭素祭和別的祭、悖逆耶和華、今日轉去不跟
三十 從他、我們斷沒有這個意思。○三十祭司非尼哈與會中的
首領、就是與他同來以色列軍中的統領、聽見流便人、
三一 迦得人、瑪拿西人所說的話、就都以爲美。三一祭司以利亞
撒的兒子非尼哈、對流便人、迦得人、瑪拿西人說、今日
我們知道耶和華在我們中間、因爲你們沒有向他犯

了這罪．現在你們救以色列人脫離耶和華的手了。三二祭
司以利亞撒的兒子非尼哈、與衆首領離了流便人、迦
得人從基列地回往迦南地、到了以色列人那裏、便將
這事回報他們。三三以色列人以這事為美．就稱頌神、不
再題上去攻打流便人、迦得人毀壞他們所住的地了。
三四流便人迦得人給壇起名叫證壇．意思說、這壇在我們
中間證明耶和華是神。

約書亞之遺命

第二十三章

一耶和華使以色列人安靜、不與四圍
的一切仇敵爭戰、已經多日、約書亞年紀老邁、二就把以
色列衆人的長老、族長、審判官、並官長、都召了來、對他
們說、我年紀已經老邁．三耶和華你們的神、因你們的
緣故、向那些國所行的一切事、你們親眼看見了．因那
為你們爭戰的、是耶和華你們的神。四我所剪除和所
剩下的各國、從約但河起、到日落之處的大海、我已經
拈鬮分給你們各支派為業．五耶和華你們的神必將
他們從你們面前趕出去、使他們離開你們、你們就必
得他們的地為業、正如耶和華你們的神所應許的。
六所以你們要大大壯膽、謹守遵行寫在摩西律法書上
的一切話．不可偏離左右．七不可與你們中間所剩下的
這些國民攙雜．他們的神、你們不可題他的名、不可指
着他起誓、也不可事奉、叩拜．八只要照着你們到今日所
行的、專靠耶和華你們的神。九因為耶和華已經把又
大又強的國民、從你們面前趕出．直到今日沒有一人
在你們面前站立得住。十你們一人必追趕千人、因耶和
華你們的神照他所應許的、為你們爭戰。十一你們要分
外謹慎、愛耶和華你們的神。十二你們若稍微轉去、與你
們中間所剩下的這些國民聯絡、彼此結親、互相往來．
十三你們要確實知道、耶和華你們的神、必不再將他們
從你們眼前趕出．他們卻要成為你們的網羅、機檻、肋
上的鞭、眼中的刺、直到你們在耶和華你們神所賜
的這美地上滅亡。◯十四我現在要走世人必走的路、你們
是一心一意的知道耶和華你們神所應許賜福與
你們的話、沒有一句落空、都應驗在你們身上了。十五耶和
華你們神所應許的一切福氣、怎樣臨到你們身上、
耶和華也必照樣使各樣禍患臨到你們身上、直到把

十六 你們從耶和華你們　神所賜的這美地上除滅。你們
若違背耶和華你們　神吩咐你們所守的約、去事奉
別神、叩拜他、耶和華的怒氣、必向你們發作、使你們在
他所賜的美地上、速速滅亡。

約書亞於示劍述　神之恩惠

一 **第二十四章**　約書亞將以色列的眾支派聚集在
示劍、召了以色列的長老、族長、審判官、並官長來、他們
二 就站在　神面前。約書亞對眾民說、耶和華以色列的
神如此說、古時你們的列祖、就是亞伯拉罕和拿鶴
三 的父親他拉、住在大河那邊事奉別神。我將你們的祖
宗亞伯拉罕、從大河那邊帶來、領他走遍迦南全地、又
四 使他的子孫眾多、把以撒賜給他。又把雅各和以掃賜
給以撒、將西珥山賜給以掃為業。後來雅各和他的子
五 孫下到埃及去了。我差遣摩西、亞倫、並照我在埃及中
六 所行的降災與埃及、然後把你們領出來。我領你們列
祖出埃及、他們就到了紅海、埃及人帶領車輛馬兵、追
七 趕你們列祖到紅海。你們列祖哀求耶和華、他就使你
們和埃及人中間黑暗了、又使海水淹沒埃及人。我在
埃及所行的事、你們親眼見過。你們在曠野也住了許
八 多年日。我領你們到約但河東、亞摩利人所住之地。他
們與你們爭戰、我將他們交在你們手中、你們便得了
九 他們的地為業、我也在你們面前將他們滅絕。那時摩
押王西撥的兒子巴勒起來攻擊以色列人、打發人召
十 了比珥的兒子巴蘭來咒詛你們。我不肯聽巴蘭的話、
所以他倒為你們連連祝福、這樣、我便救你們脫離巴
十一 勒的手。你們過了約但河、到了耶利哥、耶利哥人、亞摩
利人、比利洗人、迦南人、赫人、革迦撒人、希未人、耶布斯
十二 人、都與你們爭戰、我把他們交在你們手裏。我打發黃
蜂飛在你們前面、將亞摩利人的二王、從你們面前攆
十三 出、並不是用你的刀、也不是用你的弓。我賜給你們地
土、非你們所修治的。我賜給你們城邑、非你們所建造
的。你們就住在其中、又得喫非你們所栽種的葡萄園、
橄欖園的果子。

勸民事奉耶和華

十四 現在你們要敬畏耶和華、誠心實意的事奉他、將你們
列祖在大河那邊和在埃及所事奉的神除掉、去事奉

十五 耶和華．若是你們以事奉耶和華為不好、今日就可以
選擇所要事奉的．是你們列祖在大河那邊所事奉的
神呢、是你們所住這地的亞摩利人的神呢．至於我、和
十六 我家、我們必定事奉耶和華。○百姓回答說、我們斷不
十七 敢離棄耶和華去事奉別神．因耶和華我們的　神、曾
將我們和我們列祖從埃及地的為奴之家領出來、在
我們眼前行了那些大神蹟、在我們所行的道上、所經
十八 過的諸國、都保護了我們。耶和華又把住此地的亞摩
利人、都從我們面前趕出去．所以我們必事奉耶和華、
因為他是我們的神。

與民立約

十九 約書亞對百姓說、你們不能事奉耶和華．因為他是聖
潔的　神、是忌邪的　神、必不赦免你們的過犯罪惡．
二十 你們若離棄耶和華去事奉外邦神、耶和華在降福之
二一 後、必轉而降禍與你們、把你們滅絕。百姓回答約書亞
二二 說、不然、我們定要事奉耶和華。約書亞對百姓說、你們
選定耶和華要事奉他、你們自己作見證罷。他們說、我
二三 們願意作見證。約書亞說、你們現在要除掉你們中間

二四 的外邦神、專心歸向耶和華以色列的神。百姓回答
約書亞說、我們必事奉耶和華我們的　神、聽從他的
二五 話。當日約書亞就與百姓立約、在示劍為他們立定律
二六 例典章。約書亞將這些話都寫在　神的律法書上．又
二七 將一塊大石頭、立在橡樹下耶和華的聖所旁邊。約書
亞對百姓說、看哪、這石頭可以向我們作見證．因為是
聽見了耶和華所吩咐我們的一切話、倘或你們背棄
你們的　神、這石頭就可以向你們作見證。倘或云云或作所以
二八 要向你們作見證免得你們背棄耶和華你們的神。於是約書亞打發百姓各
歸自己的地業去了。

約書亞卒

二九 這些事以後、耶和華的僕人嫩的兒子約書亞、正一百
三十 一十歲就死了。以色列人將他葬在他地業的境內、就
三一 是在以法蓮山地的亭拿西拉、在迦實山的北邊。約書
亞在世、和約書亞死後、那些知道耶和華為以色列人
所行諸事的長老還在的時候、以色列人事奉耶和華。
三二 ○以色列人從埃及所帶來約瑟的骸骨、葬埋在示劍
就是在雅各從前用一百塊銀子向示劍的父親哈抹

的子孫所買的那塊地裏．這就作了約瑟子孫的產業。
三三亞倫的兒子以利亞撒也死了、就把他葬在他兒子非
尼哈以法蓮山地所得的小山上。

士師記

猶大人取比色耶路撒冷希伯崙底璧諸邑

一 **第一章** 一約書亞死後、以色列人求問耶和華說、我
二 們中間誰當首先上去攻擊迦南人、與他們爭戰。二耶和
三 華說、猶大當先上去．我已將那地交在他手中。三猶大對
他哥哥西緬說、請你同我到拈鬮所得之地去、好與迦
南人爭戰．以後我也同你到你拈鬮所得之地去．於是
四 西緬與他同去。四猶大就上去．耶和華將迦南人和比利
五 洗人交在他們手中．他們在比色擊殺了一萬人。五又在
那裏遇見亞多尼比色、與他爭戰、殺敗迦南人和比利
六 洗人。六亞多尼比色逃跑．他們追趕、拿住他、砍斷他手脚
七 的大拇指。七亞多尼比色說、從前有七十個王、手脚的大
拇指都被我砍斷、在我桌子底下拾取零碎食物．現在
神按着我所行的報應我了。於是他們將亞多尼比
八 色帶到耶路撒冷、他就死在那裏。○八猶大人攻打耶路
九 撒冷、將城攻取、用刀殺了城內的人、並且放火燒城。九後
來猶大人下去、與住山地南地和高原的迦南人爭戰。
十 十猶大人去攻擊住希伯崙的迦南人、殺了示篩、亞希幔、
十一 撻買．希伯崙從前名叫基列亞巴。○十一他們從那裏去攻
十二 擊底璧的居民．底璧從前名叫基列西弗。十二迦勒說、誰能
攻打基列西弗、將城奪取、我就把我女兒押撒給他為
十三 妻。十三迦勒兄弟基納斯的兒子俄陀聶奪取了那城．迦勒
十四 就把女兒押撒給他為妻。十四押撒過門的時候、勸丈夫向
他父親求一塊田．押撒一下驢、迦勒問他說、你要甚麼．
十五 十五他說、求你賜福給我．你既將我安置在南地、求你也給
十六 我水泉．迦勒就把上泉下泉賜給他。○十六摩西的內兄（或作
岳父）是基尼人、他的子孫與猶大人一同離了棕樹城往
十七 亞拉得以南的猶大曠野去、就住在民中。十七猶大和他哥
哥西緬同去、擊殺了住洗法的迦南人、將城盡行毀滅。
十八 那城的名便叫何珥瑪。十八猶大又取了迦薩和迦薩的四
境、亞實基倫和亞實基倫的四境、以革倫和以革倫的
十九 四境。十九耶和華與猶大同在、猶大就趕出山地的居民．只
二十 是不能趕出平原的居民、因為他們有鐵車。二十以色列人
照摩西所說的、將希伯崙給了迦勒．迦勒就從那裏趕
二十一 出亞衲族的三個族長。二十一便雅憫人沒有趕出住耶路撒

冷的耶布斯人、耶布斯人仍在耶路撒冷與便雅憫人
二二 同住、直到今日。○二二約瑟家也上去攻打伯特利、耶和華
二三 與他們同在。二三約瑟家打發人去窺探伯特利。那城起先
二四 名叫路斯。二四窺探的人看見一個人從城裏出來、就對他
二五 說、求你將進城的路指示我們、我們必恩待你。二五那人將
進城的路指示他們、他們就用刀擊殺了城中的居民、
二六 但將那人和他全家放去。二六那人往赫人之地去、築了一
座城、起名叫路斯、那城到如今還叫這名。

以色列人未逐之族

二七 二七瑪拿西沒有趕出伯善和屬伯善鄉村的居民、他納和
屬他納鄉村的居民、多珥和屬多珥鄉村的居民、以伯
蓮和屬以伯蓮鄉村的居民、米吉多和屬米吉多鄉村
二八 的居民。迦南人卻執意住在那些地方。二八及至以色列強
二九 盛了、就使迦南人作苦工、沒有把他們全然趕出。○二九以
法蓮沒有趕出住基色的迦南人、於是迦南人仍住在
三十 基色、在以法蓮中間。○三十西布倫沒有趕出基倫的居民、
和拿哈拉的居民、於是迦南人仍住在西布倫中間、成
三一 了服苦的人。○三一亞設沒有趕出亞柯和西頓的居民、亞
三二 黑拉和亞革悉的居民、黑巴、亞弗革與利合的居民。三二於
是亞設因為沒有趕出那地的迦南人、就住在他們中
三三 間。○三三拿弗他利沒有趕出伯示麥和伯亞納的居民、於
是拿弗他利就住在那地的迦南人中間、然而伯示麥
三四 和伯亞納的居民、成了服苦的人。○三四亞摩利人強逼但
三五 人住在山地、不容他們下到平原。三五亞摩利人卻執意住
在希烈山和亞雅倫並沙賓、然而約瑟家勝了他們、使
三六 他們成了服苦的人。三六亞摩利人的境界、是從亞克拉濱
坡、從西拉而上。

耶和華使者顯於波金

一 **第二章** 一耶和華的使者從吉甲上到波金、對以色
列人說、我使你們從埃及上來、領你們到我向你們列
祖起誓應許之地、我又說、我永不廢棄與你們所立的
二 約。二你們也不可與這地的居民立約、要拆毀他們的祭
三 壇。你們竟沒有聽從我的話、為何這樣行呢。三因此我又
說、我必不將他們從你們面前趕出、他們必作你們肋
四 下的荊棘、他們的神、必作你們的網羅。四耶和華的使者、
五 向以色列衆人說這話的時候、百姓就放聲而哭。五於是

給那地方起名叫波金。就是哭的意思衆人在那裏向耶和華
獻祭。
約書亞卒後以色列人違背耶和華
六 六從前約書亞打發以色列百姓去的時候、他們各歸自
七 己的地業、佔據地土。七約書亞在世和約書亞死後、那些
見耶和華爲以色列人所行大事的長老還在的時候、
八 百姓都事奉耶和華。八耶和華的僕人嫩的兒子約書亞、
九 正一百一十歲就死了。九以色列人將他葬在他地業的
境內、就是在以法蓮山地的亭拿希烈、在迦實山的北
十 邊。十那世代的人也都歸了自己的列祖、後來有別的世
代興起、不知道耶和華、也不知道耶和華爲以色列人
十一 所行的事。十一○以色列人行耶和華眼中看爲惡的事、去
十二 事奉諸巴力、十二離棄了領他們出埃及地的耶和華他們
列祖的神、去叩拜別神、就是四圍列國的神、惹耶和
十三 十四 華發怒。十三並離棄耶和華、去事奉巴力和亞斯他錄。十四耶和
華的怒氣向以色列人發作、就把他們交在搶奪他們
的人手中、又將他們付與四圍仇敵的手中、甚至他們
十五 在仇敵面前再不能站立得住。十五他們無論往何處去、耶
和華都以災禍攻擊他們、正如耶和華所說的話、又如
十六 耶和華向他們所起的誓。他們便極其困苦。十六○耶和華
十七 興起士師、士師就拯救他們脫離搶奪他們人的手。十七他
們卻不聽從士師、竟隨從叩拜別神、行了邪淫、速速的
偏離他們列祖所行的道、不如他們列祖順從耶和華
十八 的命令。十八耶和華爲他們興起士師、就與那士師同在。士
師在世的一切日子、耶和華拯救他們脫離仇敵的手。
他們因受欺壓擾害、就哀聲歎氣、所以耶和華後悔了。
十九 十九及至士師死後、他們就轉去行惡、比他們列祖更甚、去
二十 事奉叩拜別神、總不斷絕頑梗的惡行。二十於是耶和華的
怒氣向以色列人發作。他說、因這民違背我吩咐他們
二一 列祖所守的約、不聽從我的話、二一所以約書亞死的時候
二二 所剩下的各族、我必不再從他們面前趕出。二二爲要藉此
試驗以色列人、看他們肯照他們列祖謹守遵行我的
二三 道不肯。二三這樣耶和華留下各族、不將他們速速趕出、也
沒有交付約書亞的手。

第三章

遺留數族以試以色列人

一 一耶和華留下這幾族、爲要試驗那不曾知

二 道與迦南爭戰之事的以色列人。二好叫以色列的後代、
三 又知道又學習未曾曉得的戰事。三所留下的就是非利
士的五個首領、和一切迦南人、西頓人、並住利巴嫩山
四 的希未人、從巴力黑們山直到哈馬口。四留下這幾族、為
要試驗以色列人、知道他們肯聽從耶和華藉摩西吩
五 咐他們列祖的誡命不肯。五以色列人竟住在迦南人、赫
六 人、亞摩利人、比利洗人、希未人、耶布斯人中間、六娶他們
的女兒為妻、將自己的女兒嫁給他們的兒子、並事奉
他們的神。

俄陀聶興起為救者

七 七以色列人行耶和華眼中看為惡的事、忘記耶和華他
八 們的神、去事奉諸巴力和亞舍拉。八所以耶和華的怒
氣向以色列人發作、就把他們交在米所波大米王古
九 珊利薩田的手中。以色列人服事古珊利薩田八年。九以
色列人呼求耶和華的時候、耶和華就為他們興起一
位拯救者救他們、就是迦勒兄弟基納斯的兒子俄陀
十 聶。十耶和華的靈降在他身上、他就作了以色列的士師、
出去爭戰。耶和華將米所波大米王古珊利薩田交在
十一 他手中、他便勝了古珊利薩田。十一於是國中太平四十年。
十二 基納斯的兒子俄陀聶死了。○十二以色列人又行耶和華
眼中看為惡的事、耶和華就使摩押王伊磯倫強盛、攻
十三 擊以色列人。十三伊磯倫招聚亞捫人和亞瑪力人、去攻打
十四 以色列人、佔據棕樹城。十四於是以色列人服事摩押王伊
磯倫十八年。

以笏興起

十五 十五以色列人呼求耶和華的時候、耶和華就為他們興起
一位拯救者、就是便雅憫人基拉的兒子以笏、他是左
十六 手便利的。以色列人託他送禮物給摩押王伊磯倫。十六以
笏打了一把兩刃的劍、長一肘、帶在右腿上衣服裏面。
十七 十七他將禮物獻給摩押王伊磯倫、原來伊磯倫極其肥胖。
十八十九 十八以笏獻完禮物、便將抬禮物的人打發走了。十九自己卻從
靠近吉甲鑿石之地回來、說、王阿、我有一件機密事奏
二十 告你。王說、迴避罷。於是左右侍立的人都退去了。二十以笏
來到王面前。王獨自一人坐在涼樓上。以笏說、我奉
二一 神的命報告你一件事。王就從座位上站起來。二一以笏便
二二 伸左手、從右腿上拔出劍來、刺入王的肚腹。二二連劍把都

刺進去了.劍被肥肉夾住、他沒有從王的肚腹拔出來、
二三 且穿通了後身。二三以笏就出到遊廊、將樓門盡都關鎖。◯
二四 二四以笏出來之後、王的僕人到了、看見樓門關鎖、就說、他
二五 必是在樓上大解。二五他們等煩了、見仍不開樓門、就拿鑰
二六 匙開了.不料、他們的主人已死、倒在地上。◯二六他們躭延
二七 的時候以笏就逃跑了.經過鑿石之地、逃到西伊拉。二七到
了、就在以法蓮山地吹角、以色列人隨着他下了山地。
二八 他在前頭引路、二八對他們說、你們隨我來、因爲耶和華已
經把你們的仇敵摩押人交在你們手中。於是他們跟
二九 着他下去、把守約但河的渡口、不容摩押一人過去。二九那
時擊殺了摩押人約有一萬、都是強壯的勇士、沒有一
三十 人逃脫。三十這樣摩押就被以色列人制伏了。國中太平八
十年。

珊迦擊敗非利士人

三一 三一以笏之後、有亞拿的兒子珊迦、他用趕牛的棍子打死
六百非利士人、他也救了以色列人。

底波拉作士師

第四章

一 以笏死後、以色列人又行耶和華眼中看
二 爲惡的事。二耶和華就把他們付與在夏瑣作王的迦南
王耶賓手中.他的將軍是西西拉、住在外邦人的夏羅
三 設。三耶賓王有鐵車九百輛.他大大欺壓以色列人二十
四 年、以色列人就呼求耶和華。◯四有一位女先知名叫底
五 波拉、是拉比多的妻、當時作以色列的士師。五他住在以
法蓮山地拉瑪和伯特利中間、在底波拉的棕樹下.以
六 色列人都上他那裏去聽判斷。六他打發人從拿弗他利
的基低斯將亞比挪菴的兒子巴拉召了來、對他說、耶
和華以色列的神吩咐你說、你率領一萬拿弗他利
七 和西布倫人上他泊山去。七我必使耶賓的將軍西西拉
率領他的車輛和全軍、往基順河、到你那裏去.我必將
八 他交在你手中。八巴拉說、你若同我去、我就去.你若不同
九 我去、我就不去。九底波拉說、我必與你同去.只是你在所
行的路上、得不着榮耀.因爲耶和華要將西西拉交在
一個婦人手裏。於是底波拉起來、與巴拉一同往基低
十 斯去了。十巴拉就招聚西布倫人和拿弗他利人到基低
十一 斯.跟他上去的有一萬人.底波拉也同他上去。◯十一摩西
岳父(或作內兄)何巴的後裔基尼人希百曾離開基尼族、到

靠近基低斯撒拿音的橡樹旁、支搭帳棚。

巴拉底波拉戰敗西西拉

十二 十二有人告訴西西拉說、亞比挪菴的兒子巴拉已經上他
十三 泊山了。十三西西拉就聚集所有的鐵車九百輛、和跟隨他
十四 的全軍、從外邦人的夏羅設出來、到了基順河。十四底波拉
對巴拉說、你起來、今日就是耶和華將西西拉交在你
手的日子．耶和華豈不在你前頭行麼．於是巴拉下了
十五 他泊山、跟隨他有一萬人。十五耶和華使西西拉和他一切
車輛全軍潰亂、在巴拉面前被刀殺敗．西西拉下車步
十六 行逃跑。十六巴拉追趕車輛軍隊、直到外邦人的夏羅設．西
西拉的全軍、都倒在刀下、沒有留下一人。

雅億殺西西拉

十七 十七只有西西拉步行逃跑、到了基尼人希百之妻雅億的
十八 帳棚．因為夏瑣王耶賓與基尼人希百家和好。十八雅億出
來迎接西西拉、對他說、請我主進來、不要懼怕．西西拉
十九 就進了他的帳棚．雅億用被將他遮蓋。十九西西拉對雅億
說、我渴了．求你給我一點水喝．雅億就打開皮袋、給他
二十 奶子喝、仍舊把他遮蓋。二十西西拉又對雅億說、請你站在
帳棚門口．若有人來問你說、有人在這裏沒有．你就說
二一 沒有。二一希百的妻雅億、取了帳棚的橛
子、手裏拿着錘子、輕悄悄的到他旁邊、將橛子從他鬢
二二 邊釘進去、釘入地裏．西西拉就死了。二二巴拉追趕西西拉
的時候、雅億出來迎接他、說、來罷、我將你所尋找的人
給你看．他就進入帳棚、看見西西拉已經死了、倒在地
二三 上、橛子還在他鬢中。〇二三這樣、神使迦南王耶賓被以
二四 色列人制伏了。二四從此以色列人的手、越發有力、勝了迦
南王耶賓、直到將他滅絕了。

底波拉巴拉作歌

一 **第五章** 一那時底波拉和亞比挪菴的兒子巴拉作
二 歌、說、二因為以色列中有軍長率領、百姓也甘心犧牲自
三 己、你們應當頌讚耶和華。三君王阿、要聽、王子阿、要側耳
而聽．我要向耶和華歌唱、我要歌頌耶和華以色列的
四 神。四耶和華阿、你從西珥出來、由以東地行走、那時地
五 震天漏、雲也落雨。五山見耶和華的面、就震動、西乃山見
六 耶和華以色列 神的面、也是如此。〇六在亞拿之子珊
迦的時候、又在雅億的日子、大道無人行走、都是繞道

七 而行。七以色列中的官長停職、直到我底波拉興起、等我
八 興起作以色列的母。八以色列人選擇新神、爭戰的事就
臨到城門。那時以色列四萬人中豈能見籐牌槍矛呢。
九 九我心傾向以色列的首領、他們在民中甘心犧牲自己。
十 你們應當頌讚耶和華。十騎白驢的、坐繡花毯子的、行路
十一 的、你們都當傳揚。十一在遠離弓箭響聲打水之處、人必述
說耶和華公義的作爲、就是他治理以色列公義的作
十二 爲。那時耶和華的民下到城門。○十二底波拉阿、興起、興起、
你當興起、興起、唱歌。亞比挪菴的兒子巴拉阿、你當奮
十三 興、擄掠你的敵人。十三那時有餘剩的貴冑、和百姓一同下
十四 來。耶和華降臨、爲我攻擊勇士。十四有根本在亞瑪力人的、
地、從以法蓮下來的、便雅憫在民中跟隨你。有掌權的、
十五 從瑪吉下來。有持杖檢點民數的、從西布倫下來。十五以薩
迦的首領與底波拉同來。以薩迦怎樣、巴拉也怎樣。衆
人都跟隨巴拉衝下平原。在流便的溪水旁有心中定
十六 大志的。十六你爲何坐在羊圈內、聽羣中吹笛的聲音呢。在
十七 流便的溪水旁有心中設大謀的。十七基列人安居在約但
河外。但人爲何等在船上。亞設人在海口靜坐、在港口
十八 安居。十八西布倫人是拚命敢死的、拿弗他利人在田野的
十九 高處、也是如此。○十九君王都來爭戰。那時迦南諸王在米
二十 吉多水旁的他納爭戰、卻未得擄掠銀錢。二十星宿從天上
二一 爭戰、從其軌道攻擊西西拉。二一基順古河、把敵人沖沒。我
二二 二三 的靈阿、應當努力前行。二二那時壯馬馳驅踴跳奔騰。二三耶和
華的使者說、應當咒詛米羅斯、大大咒詛其中的居民。
因爲他們不來幫助耶和華、不來幫助耶和華攻擊勇
二四 士。○二四願基尼人希百的妻雅億、比衆婦人多得福氣、比
二五 住帳棚的婦人更蒙福祉。二五西西拉求水、雅億給他奶子、
二六 用寶貴的盤子給他奶油。二六雅億左手拿着帳棚的橛子、
右手拿着匠人的錘子、擊打西西拉、打傷他的頭、把他
二七 的鬢角打破穿通。二七西西拉在他腳前曲身仆倒、在他腳
二八 前曲身倒臥。在那裏曲身、就在那裏死亡。○二八西西拉的
母親從窗戶裏往外觀看、從窗櫺中呼叫說、他的戰車、
二九 爲何躭延不來呢。他的車輪、爲何行得慢呢。二九聰明的宮
三十 女安慰他、(原文作回答他)他也自言自語的說、三十他們莫非得財
而分。每人得了一兩個女子。西西拉得了彩衣爲擄物、
得繡花的彩衣爲掠物。這彩衣兩面繡花。乃是披在被

三一 擄之人頸項上的。三一耶和華阿、願你的仇敵都這樣滅亡、
願愛你的人如日頭出現光輝烈烈。這樣國中太平四
十年。

以色列人爲米甸人所虐

一 **第六章** 一以色列人又行耶和華眼中看爲惡的事．
二 耶和華就把他們交在米甸人手裏七年。二米甸人壓制
以色列人、以色列人因爲米甸人、就在山中挖穴、挖洞、
三 建造營寨。三以色列人每逢撒種之後、米甸人、亞瑪力人、
四 和東方人都上來攻打他們、四對着他們安營、毀壞土產、
直到迦薩、沒有給以色列人留下食物．牛羊驢也沒有
五 留下。五因爲那些人帶着牲畜帳棚來、像蝗蟲那樣多．人
六 和駱駝無數、都進入國內、毀壞全地。六以色列人因米甸
七 人的緣故、極其窮乏、就呼求耶和華。〇七以色列人因米
八 甸人的緣故、呼求耶和華、八耶和華就差遣先知到以色
列人那裏、對他們說、耶和華以色列的　神如此說、我
九 曾領你們從埃及上來、出了爲奴之家、九救你們脫離埃
及人的手、並脫離一切欺壓你們之人的手、把他們從
十 你們面前趕出、將他們的地賜給你們．十又對你們說、我
是耶和華你們的　神．你們住在亞摩利人的地、不可
敬畏他們的神、你們竟不聽從我的話。

耶和華之使者向基甸顯現

十一 十一耶和華的使者到了俄弗拉、坐在亞比以謝族人約阿
施的橡樹下。約阿施的兒子基甸正在酒醡那裏打麥
十二 子、爲要防備米甸人。十二耶和華的使者向基甸顯現、對他
十三 說、大能的勇士阿、耶和華與你同在。十三基甸說、主阿、耶和
華若與我們同在、我們何至遭遇這一切事呢．我們的
列祖不是向我們說、耶和華領我們從埃及上來麼．他
那樣奇妙的作爲在那裏呢．現在他卻丟棄我們、將我
十四 們交在米甸人手裏。十四耶和華觀看基甸、說、你靠着你這
能力去從米甸人手裏拯救以色列人．不是我差遣你
十五 去的麼。十五基甸說、主阿、我有何能拯救以色列人呢．我家
在瑪拿西支派中是至貧窮的．我在我父家是至微小
十六 的。十六耶和華對他說、我與你同在、你就必擊打米甸人、如
十七 擊打一人一樣。十七基甸說、我若在你眼前蒙恩、求你給我
十八 一個證據、使我知道與我說話的就是主。十八求你不要離
開這裏、等我歸回、將禮物帶來供在你面前．主說、我必

等你回來。○十九基甸去豫備了一隻山羊羔、用一伊法細
麵作了無酵餅、將肉放在筐內、把湯盛在壺中、帶到橡
樹下、獻在使者面前。二十神的使者吩咐基甸說、將肉和
無酵餅放在這磐石上、把湯倒出來。他就這樣行了。二一耶
和華的使者伸出手內的杖、杖頭挨了肉和無酵餅、就
有火從磐石中出來、燒盡了肉和無酵餅．耶和華的使
者也就不見了。二二基甸見他是耶和華的使者、就說、哀哉、
主耶和華阿、我不好了、因為我覿面看見耶和華的使
者。二三耶和華對他說、你放心、不要懼怕、你必不至死。二四於是
基甸在那裏為耶和華築了一座壇、起名叫耶和華沙
龍。就是耶和華賜平安的意思這壇在亞比以謝族的俄弗拉直到
如今

基甸奉命毀巴力祭壇

二五當那夜耶和華吩咐基甸說、你取你父親的牛來、就是
或作和那七歲的第二隻牛、並拆毀你父親為巴力所築
的壇、砍下壇旁的木偶。二六在這磐石上、原文作保障整整齊齊
的為耶和華你的神築一座壇、將第二隻牛獻為燔
祭、用你所砍下的木偶作柴。二七基甸就從他僕人中挑了
十個人、照着耶和華吩咐他的行了．他因怕父家和本
城的人、不敢在白晝行這事、就在夜間行了。○二八城裏的
人清早起來、見巴力的壇拆毀、壇旁的木偶砍下、第二
隻牛獻在新築的壇上、二九就彼此說、這事是誰作的呢．他
們訪查之後、就說、這是約阿施的兒子基甸作的。三十城裏
的人對約阿施說、將你兒子交出來、好治死他、因為他
拆毀了巴力的壇、砍下壇旁的木偶。三一約阿施回答站着
攻擊他的眾人說、你們是為巴力爭論麼．你們要救他
麼．誰為他爭論、趁早將誰治死．巴力若果是神、有人拆
毀他的壇、讓他為自己爭論罷。三二所以當日人稱基甸為
耶路巴力、意思說、他拆毀巴力的壇、讓巴力與他爭論。
○三三那時米甸人、亞瑪力人、和東方人、都聚集過河、在耶
斯列平原安營。三四耶和華的靈降在基甸身上、他就吹角．
亞比以謝族都聚集跟隨他。三五他打發人走遍瑪拿西地、
瑪拿西人也聚集跟隨他．又打發人去見亞設人、西布
倫人、拿弗他利人、他們也都出來與他們會合。

以羊毛乾濕為證

三六基甸對神說、你若果照着所說的話、藉我手拯救以

色列人、三七我就把一團羊毛放在禾場上、若單是羊毛上
有露水、別的地方都是乾的、我就知道你必照着所說
的話、藉我手拯救以色列人。三八次日早晨基甸起來、見果
然是這樣．將羊毛擠一擠、從羊毛中擰出滿盆的露水
來。三九基甸又對　神說、求你不要向我發怒、我再說這一
次．讓我將羊毛再試一次．但願羊毛是乾的、別的地方
都有露水。四十這夜　神也如此行．獨羊毛上是乾的、別的
地方都有露水。

第七章

留三百人以擊米甸

一耶路巴力、就是基甸、他和一切跟隨的人、
早晨起來、在哈律泉旁安營．米甸營在他們北邊的平
原、靠近摩利岡。◎二耶和華對基甸說、跟隨你的人過多、
我不能將米甸人交在他們手中、免得以色列人向我
誇大說、是我們自己的手救了我們。三現在你要向這些
人宣告說、凡懼怕膽怯的、可以離開基列山回去．於是
有二萬二千人回去、只剩下一萬。◎四耶和華對基甸說、
人還是過多．你要帶他們下到水旁、我好在那裏爲你
試試他們．我指點誰說、這人可以同你去、他就可以同
你去．我指點誰說、這人不可同你去、他就不可同你去。
五基甸就帶他們下到水旁．耶和華對基甸說、凡用舌頭
餂水、像狗餂的、要使他單站在一處．凡跪下喝水的、也
要使他單站在一處。六於是用手捧着餂水的有三百人．
其餘的都跪下喝水。七耶和華對基甸說、我要用這餂水
的三百人拯救你們、將米甸人交在你手中．其餘的人、
都可以各歸各處去。八這三百人就帶着食物和角．其餘
的以色列人基甸都打發他們各歸各的帳棚、只留下
這三百人。米甸營在他下邊的平原裏。◎九當那夜耶和
華吩咐基甸說、起來、下到米甸營裏去．因我已將他們
交在你手中。十倘若你怕下去、就帶你的僕人普拉下到
那營裏去。十一你必聽見他們所說的．然後你就有膽量下
去攻營．於是基甸帶着僕人普拉下到營旁。十二米甸人亞
瑪力人和一切東方人、都布散在平原、如同蝗蟲那樣
多．他們的駱駝無數、多如海邊的沙。十三基甸到了、就聽見
一人將夢告訴同伴說、我作了一夢、夢見一個大麥餅
輥入米甸營中、到了帳幕、將帳幕撞倒、帳幕就翻轉傾
覆了。十四那同伴說、這不是別的、乃是以色列人約阿施的

兒子基甸的刀．神已將米甸、和全軍、都交在他的手
十五 中。◯十五基甸聽見這夢、和夢的講解就敬拜神．回到以
色列營中、說、起來罷．耶和華已將米甸的軍隊交在你
十六 們手中了。十六於是基甸將三百人分作三隊、把角和空瓶
十七 交在各人手裏、瓶內都藏着火把．十七吩咐他們說、你們要
看我行事．我到了營的旁邊怎樣行、你們也要怎樣行。
十八 十八我和一切跟隨我的人吹角的時候、你們也要在營的
四圍吹角、喊叫說、耶和華和基甸的刀。

基甸用策驚潰敵軍

十九 十九基甸和跟隨他的一百人、在三更之初、纔換更的時候、
二十 來到營旁、就吹角、打破手中的瓶。二十三隊的人就都吹角、
打破瓶子、左手拿着火把、右手拿着角、喊叫說、耶和華
二一 和基甸的刀。二一他們在營的四圍各站各的地方．全營的
二二 人都亂竄．三百人吶喊、使他們逃跑。二二三百人就吹角、耶
和華使全營的人用刀互相擊殺、逃到西利拉的伯哈
二三 示他直逃到靠近他巴的亞伯米何拉。二三以色列人就從
拿弗他利、亞設、和瑪拿西全地聚集來、追趕米甸人。

俄立西伊伯被誅

二四 二四基甸打發人走遍以法蓮山地、說、你們下來攻擊米甸
人、爭先把守約但河的渡口、直到伯巴拉。於是以法蓮
二五 的衆人聚集、把守約但河的渡口、直到伯巴拉．二五捉住了
米甸人的兩個首領、一名俄立、一名西伊伯．將俄立殺
在俄立磐石上、將西伊伯殺在西伊伯酒醡那裏、又追
趕米甸人、將俄立和西伊伯的首級、帶過約但河、到基
甸那裏。

第八章

基甸婉言慰以法蓮人

一 一以法蓮人對基甸說、你去與米甸人爭戰、
沒有招我們同去、為甚麼這樣待我們呢．他們就與基
二 甸大大的爭吵。二基甸對他們說、我所行的、豈能比你們
所行的呢．以法蓮拾取剩下的葡萄、不強過亞比以謝
三 所摘的葡萄麼。三神已將米甸人的兩個首領俄立和
西伊伯、交在你們手中．我所行的、豈能比你們所行的
四 呢．基甸說了這話、以法蓮人的怒氣就消了。◯四基甸和
五 跟隨他的三百人、到約但河過渡、雖然疲乏、還是追趕。
五基甸對疏割人說、求你們拿餅來給跟隨我的人喫．因

爲他們疲乏了、我們追趕米甸人的兩個王西巴和撒
六 慕拿。六疏割人的首領回答說、西巴和撒慕拿已經在你
七 手裏、你使我們將餅給你的軍兵麼。七基甸說、耶和華將
西巴和撒慕拿交在我手之後、我就用野地的荊條和
八 枳棘打傷你們。八基甸從那裏上到毘努伊勒、對那裏的
人也是這樣說．毘努伊勒人也與疏割人回答他的話
九 一樣。九他向毘努伊勒人說、我平平安安回來的時候、我
十 必拆毀這樓。○十那時西巴和撒慕拿並跟隨他們的軍
隊、都在加各、約有一萬五千人、就是東方人全軍所剩
十一 下的．已經被殺約有十二萬拿刀的。十一基甸就由挪巴和
約比哈東邊、從住帳棚人的路上去、殺敗了米甸人的
十二 軍兵．因爲他們坦然無懼。十二西巴和撒慕拿逃跑、基甸追
趕他們、捉住米甸的二王西巴和撒慕拿、驚散全軍。○
十三 十四 十三約阿施的兒子基甸由希列斯坡從陣上回來、十四捉住疏
割的一個少年人、問他疏割的首領長老是誰．他就將
十五 首領長老七十七個人的名字寫出來。十五基甸到了疏割、
對那裏的人說、你們從前譏誚我說、西巴和撒慕拿已
經在你手裏、你使我們將餅給跟隨你的疲乏之人麼．現

十六 在西巴和撒慕拿在這裏。十六於是捉住那城內的長老、用
十七 野地的荊條和枳棘責打（原文作指教）疏割人。十七又拆了毘努
伊勒的樓、殺了那城裏的人。

西巴撒慕拿被誅

十八 十八基甸問西巴和撒慕拿說、你們在他泊山所殺的人是
甚麼樣式。回答說、他們好像你、各人都有王子的樣式。
十九 十九基甸說、他們是我同母的弟兄．我指着永生的耶和華
起誓、你們從前若存留他們的性命、我如今就不殺你
二十 們了。二十於是對他的長子益帖說、你起來殺他們．但益帖
二十一 因爲是童子、害怕不敢拔刀。二十一西巴和撒慕拿說、你自己
起來殺我們罷．因爲人如何、力量也是如何。基甸就起
來、殺了西巴和撒慕拿、奪獲他們駱駝項上戴的月牙
圈。

基甸治理以色列人

二十二 二十二以色列人對基甸說、你既救我們脫離米甸人的手、願
二十三 你和你的兒孫管理我們。二十三基甸說、我不管理你們、我的
二十四 兒子也不管理你們．惟有耶和華管理你們。二十四基甸又對
他們說、我有一件事求你們．請你們各人將所奪的耳

二五 環給我原來仇敵是以實瑪利人、都是戴金耳環的。他
們說、我們情願給你就鋪開一件外衣、各人將所奪的
二六 耳環丟在其上。基甸所要出來的金耳環、重一千七百
舍客勒金子。此外還有米甸王所戴的月環、耳墜、和所
二七 穿的紫色衣服、並駱駝項上的金鍊子。基甸以此製造
了一個以弗得、設立在本城俄弗拉。後來以色列人拜
那以弗得、行了邪淫。這就作了基甸和他全家的網羅。
二八 這樣、米甸人被以色列人制伏了、不敢再抬頭。基甸還
二九 在的日子、國中太平四十年。◎約阿施的兒子耶路巴
三十 力回去、住在自己家裏。基甸有七十個親生的兒子。因
三一 為他有許多的妻。他的妾住在示劍、也給他生了一個
三二 兒子、基甸與他起名叫亞比米勒。約阿施的兒子基甸、
年紀老邁而死、葬在亞比以謝族的俄弗拉、在他父親
三三 約阿施的墳墓裏。◎基甸死後、以色列人又去隨從諸
三四 巴力行邪淫、以巴力比利土為他們的神。以色列人不
記念耶和華他們的神、就是拯救他們脫離四圍仇
三五 敵之手的。也不照着耶路巴力、就是基甸向他們所施
的恩惠、厚待他的家。

第九章

亞比米勒殺基甸眾子

一 耶路巴力的兒子亞比米勒、到了示劍見
二 他的眾母舅、對他們和他外祖全家的人說、請你們問
示劍的眾人說、是耶路巴力的眾子七十人都管理你
們好呢、還是一人管理你們好呢。你們又要記念我是
三 你們的骨肉。他的眾母舅便將這一切話、為他說給示
劍人聽。示劍人的心就歸向亞比米勒。他們說、他原是
四 我們的弟兄。就從巴力比利土的廟中、取了七十舍客
勒銀子給亞比米勒。亞比米勒用以雇了些匪徒跟隨
五 他。他往俄弗拉到他父親的家、將他弟兄耶路巴力的
眾子七十人、都殺在一塊磐石上。只剩下耶路巴力的
六 小兒子約坦、因為他躲藏了。示劍人和米羅人都一同
聚集、往示劍橡樹旁的柱子那裏、立亞比米勒為王。

約坦宣喻責示劍人

七 有人將這事告訴約坦、他就去站在基利心山頂上、向
眾人大聲喊叫、說、示劍人哪、你們要聽我的話、神也
八 就聽你們的話。有一時樹木要膏一樹為王、管理他們、
九 就去對橄欖樹說、請你作我們的王。橄欖樹回答說、我

豈肯止住供奉神明和尊重人的油、飄颻在衆樹之上
十 十一 呢。十樹木對無花果樹說、請你來作我們的王。十一無花果樹
回答說、我豈肯止住所結甜美的果子、飄颻在衆樹之
十二 十三 上呢。十二樹木對葡萄樹說、請你來作我們的王。十三葡萄樹回
答說、我豈肯止住使神明和人喜樂的新酒、飄颻在衆
十四 十五 樹之上呢。十四衆樹對荊棘說、請你來作我們的王。十五荊棘回
答說、你們若誠誠實實的膏我爲王、就要投在我的蔭
十六 下．不然、願火從荊棘裏出來、燒滅利巴嫩的香柏樹。十六現
在你們立亞比米勒爲王．若按誠實正直善待耶路巴
十七 力和他的全家、這就是酬他的勞。十七從前我父冒死、爲你
十八 們爭戰、救了你們脫離米甸人的手。十八你們如今起來攻
擊我的父家、將他衆子七十人殺在一塊磐石上、又立
他婢女所生的兒子亞比米勒爲示劍人的王．他原是
十九 你們的弟兄。十九你們如今若按誠實正直待耶路巴力和
他的家、就可因亞比米勒得歡樂、他也可因你們得歡
二十 樂。二十不然、願火從亞比米勒發出、燒滅示劍人和米羅衆
人．又願火從示劍人和米羅人中出來、燒滅亞比米勒。
二十一 約二十一坦、因怕他弟兄亞比米勒、就逃跑、來到比珥住在那

二十二 二十三 裏。○二十二亞比米勒管理以色列人三年。二十三神使惡魔降在
亞比米勒和示劍人中間、示劍人就以詭詐待亞比米
二十四 勒。二十四這是要叫耶路巴力七十個兒子所受的殘害、歸與
他們的哥哥亞比米勒．又叫那流他們血的罪、歸與幫
二十五 助他殺弟兄的示劍人。二十五示劍人在山頂上設埋伏、等候
亞比米勒．凡從他們那裏經過的人、他們就搶奪．有人
將這事告訴亞比米勒。

迦勒謀攻亞比米勒

二十六 以二十六別的兒子迦勒和他的弟兄來到示劍．示劍人都信
二十七 靠他。二十七示劍人出城到田間去、摘下葡萄、踹酒、設擺筵宴、
二十八 進他們神的廟中喫喝、咒詛亞比米勒。二十八以別的兒子迦
勒說、亞比米勒是誰、示劍是誰、使我們服事他呢．他不
是耶路巴力的兒子麼．他的幫手不是西布勒麼．你們
可以服事示劍的父親哈抹的後裔．我們爲何服事亞
二十九 比米勒呢。二十九惟願這民歸我的手下、我就除掉亞比米勒．
三十 迦勒又對亞比米勒說、增添你的軍兵出來罷。○三十邑宰
三十一 西布勒聽見以別的兒子迦勒的話、就發怒、三十一悄悄的打
發人去見亞比米勒、說、以別的兒子迦勒和他的弟兄

三二 到了示劍、煽惑城中的民攻擊你。[三二]現在你和跟隨你的
三三 人今夜起來、在田間埋伏。[三三]到早晨太陽一出、你就起來、
闖城。迦勒和跟隨他的人出來攻擊你的時候、你便向
他們見機而作。

亞比米勒擊敗迦勒

三四 [三四]於是亞比米勒和跟隨他的衆人夜間起來、分作四隊、
三五 埋伏等候示劍人。[三五]以別的兒子迦勒出去、站在城門口。
三六 亞比米勒和跟隨他的人從埋伏之處起來。[三六]迦勒看見
那些人、就對西布勒說、看哪、有人從山頂上下來了。西
三七 布勒說、你看見山的影子、以為是人。[三七]迦勒又說、看哪、有
人從高處下來、又有一隊從米惡尼尼橡樹的路上而
三八 來。[三八]西布勒對他說、你曾說、亞比米勒是誰、叫我們服事
他。你所誇的口在那裏呢。這不是你所藐視的民嗎。你
三九 現在出去、與他們交戰罷。[三九]於是迦勒率領示劍人出去、
四十 與亞比米勒交戰。[四十]亞比米勒追趕迦勒、迦勒在他面前
四一 逃跑、有許多受傷仆倒的、直到城門。〇[四一]亞比米勒住在
亞魯瑪。西布勒趕出迦勒和他弟兄、不准他們住在示
四二 四三 劍。[四二]次日民出到田間。有人告訴亞比米勒。[四三]他就把他的
人分作三隊、埋伏在田間。看見示劍人從城裏出來、就
四四 起來擊殺他們。[四四]亞比米勒和跟隨他的一隊向前闖去、
四五 站在城門口、那兩隊直闖到田間、擊殺了衆人。[四五]亞比米
勒整天攻打城、將城奪取、殺了其中的居民、將城拆毀、
撒上了鹽。

焚示劍樓

四六 四七 [四六]示劍樓的人聽見了、就躲入巴力比利土廟的衛所。[四七]有
四八 人告訴亞比米勒說、示劍樓的人都聚在一處。[四八]亞比米
勒和跟隨他的人就都上撒們山。亞比米勒手拿斧子、
砍下一根樹枝、扛在肩上、對跟隨他的人說、你們看我
四九 所行的、也當趕緊照樣行。[四九]衆人就各砍一枝、跟隨亞比
米勒、把樹枝堆在衛所的四圍、放火燒了衛所、以致示
劍樓的人都死了。男女約有一千。

亞比米勒被傷而亡

五十 五一 [五十]亞比米勒到提備斯、向提備斯安營、就攻取了那城。[五一]城
中有一座堅固的樓、城裏的衆人、無論男女、都逃進樓
五二 去、關上門、上了樓頂。[五二]亞比米勒到了樓前攻打、挨近樓
五三 門、要用火焚燒。[五三]有一個婦人把一塊上磨石拋在亞比

五四 米勒的頭上、打破了他的腦骨。五四他就急忙喊叫拿他兵
器的少年人對他說、拔出你的刀來、殺了我罷．免得人
議論我說、他爲一個婦人所殺。於是少年人把他刺透、
五五 他就死了。五五以色列人見亞比米勒死了、便各回自己的
五六 地方去了。五六這樣、神報應亞比米勒向他父親所行的
五七 惡、就是殺了弟兄七十個人的惡。五七示劍人的一切惡、
神也都報應在他們頭上．耶路巴力的兒子約坦的咒
詛、歸到他們身上了。

第十章

陀拉作士師

一 一亞比米勒以後、有以薩迦人朵多的孫子、
普瓦的兒子陀拉興起拯救以色列人．他住在以法蓮
二 山地的沙密。二陀拉作以色列的士師二十三年、就死了、
葬在沙密。

睚珥作士師

三 三在他以後有基列人睚珥興起、作以色列的士師二十
四 二年。四他有三十個兒子、騎着三十匹驢駒．他們有三十
五 座城邑、叫作哈倭特睚珥、直到如今、都是在基列地。五睚
珥死了、就葬在加們。

以色列人違逆耶和華

六 六以色列人又行耶和華眼中看爲惡的事、去事奉諸巴
力、和亞斯他錄、並亞蘭的神、西頓的神、摩押的神、亞捫
七 人的神、非利士人的神、離棄耶和華、不事奉他。七耶和華
的怒氣向以色列人發作、就把他們交在非利士人和
八 亞捫人的手中。八從那年起、他們擾害欺壓約但河那邊
九 住亞摩利人之基列地的以色列人、共有十八年。九亞捫
人又渡過約但河去攻打猶大和便雅憫、並以法蓮族．
十 以色列人就甚覺窘迫。○十以色列人哀求耶和華、說、我
十一 們得罪了你．因爲離棄了我們　神、去事奉諸巴力。十一耶
和華對以色列人說、我豈沒有救過你們脫離埃及人、
十二 亞摩利人、亞捫人、和非利士人麼。十二西頓人、亞瑪力人、馬
雲人、也都欺壓你們．你們哀求我、我也拯救你們脫離
十三 他們的手。十三你們竟離棄我、事奉別神、所以我不再救你
十四 們了。十四你們去哀求所選擇的神、你們遭遇急難的時候、
十五 讓他救你們罷。十五以色列人對耶和華說、我們犯罪了、任
十六 憑你隨意待我們罷．只求你今日拯救我們。十六以色列人
就除掉他們中間的外邦神、事奉耶和華．耶和華因以

十七 色列人受的苦難、就心中擔憂。○當時亞捫人聚集、安
十八 營在基列。以色列人也聚集安營在米斯巴。基列的民
和衆首領彼此商議、說、誰能先去攻打亞捫人、誰必作
基列一切居民的領袖。

民立耶弗他作首領

一 第十一章　基列人耶弗他是個大能的勇士、是妓
二 女的兒子。耶弗他是基列所生的。基列的妻也生了幾
個兒子。他妻所生的兒子長大了、就趕逐耶弗他、說、你
三 不可在我們父家承受產業、因爲你是妓女的兒子。耶
弗他就逃避他的弟兄、去住在陀伯地、有些匪徒到他
四 那裏聚集、與他一同出入。○過了些日子、亞捫人攻打
五 以色列。亞捫人攻打以色列的時候、基列的長老到陀
六 伯地去、要叫耶弗他回來。對耶弗他說、請你來作我們
七 的元帥、我們好與亞捫人爭戰。耶弗他回答基列的長
老說、從前你們不是恨我、趕逐我出離父家麼。現在你
八 們遭遇急難、爲何到我這裏來呢。基列的長老回答耶
弗他說、現在我們到你這裏來、是要你同我們去、與亞
九 捫人爭戰。你可以作基列一切居民的領袖。耶弗他對
基列的長老說、你們叫我回去、與亞捫人爭戰、耶和華
十 把他交給我、我可以作你們的領袖麼。基列的長老回
答耶弗他說、有耶和華在你我中間作見證、我們必定
十一 照你的話行。於是耶弗他同基列的長老回去、百姓就
立耶弗他作領袖作元帥。耶弗他在米斯巴將自己的
一切話陳明在耶和華面前。

耶弗他與亞捫人辯理

十二 耶弗他打發使者去見亞捫人的王、說、你與我有甚麼
十三 相干、竟來到我國中攻打我呢。亞捫人的王回答耶弗
他的使者說、因爲以色列人從埃及上來的時候、佔據
我的地、從亞嫩河到雅博河、直到約但河、現在你要好
十四 好的將這地歸還罷。耶弗他又打發使者去見亞捫人
十五 的王、對他說、耶弗他如此說、以色列人並沒有佔據摩
十六 押地、和亞捫人的地。以色列人從埃及上來、乃是經過
十七 曠野到紅海、來到加低斯。就打發使者去見以東王、說、
求你容我從你的地經過。以東王卻不應允。又照樣打
發使者去見摩押王。他也不允准。以色列人就住在加
十八 低斯。他們又經過曠野、遶着以東和摩押地、從摩押地

的東邊過來、在亞嫩河邊安營、並沒有入摩押的境內、
十九 因爲亞嫩河是摩押的邊界。十九以色列人打發使者去見
亞摩利王西宏、就是希實本的王、對他說、求你容我們
二十 從你的地經過、往我們自己的地方去．二十西宏卻不信服
以色列人、不容他們經過他的境界、乃招聚他的衆民、
二一 在雅雜安營、與以色列人爭戰。二一耶和華以色列的神、
將西宏和他的衆民都交在以色列人手中、以色列人
二二 就擊殺他們、得了亞摩利人的全地、二二從亞嫩河到雅博
二三 河、從曠野直到約但河。二三耶和華以色列的神、在他百
姓以色列面前趕出亞摩利人、你竟要得他們的地麼．
二四 你的神基抹所賜你的地、你不是得爲業麼。耶和華我
們的神在我們面前所趕出的人、我們就得他的地．
二五 難道你比摩押王西撥的兒子巴勒還強麼、他曾與以
二六 色列人爭競、或是與他們爭戰麼。二六以色列人住希實本
和屬希實本的鄉村、亞羅珥和屬亞羅珥的鄉村、並沿
亞嫩河的一切城邑、已經有三百年了．在這三百年之
二七 內、你們爲甚麼沒有取回這些地方呢．二七原來我沒有得
罪你、你卻攻打我、惡待我．願審判人的耶和華今日在
二八 以色列人和亞捫人中間、判斷是非。二八但亞捫人的王不
肯聽耶弗他打發人說的話。

耶弗他許願

二九 耶和華的靈降在耶弗他身上、他就經過基列和瑪拿
西、來到基列的米斯巴、又從米斯巴來到亞捫人那裏。
三十 耶弗他就向耶和華許願說、你若將亞捫人交在我手
三一 中、三一我從亞捫人那裏平平安安回來的時候、無論甚麼
人先從我家門出來迎接我、我就必歸你、我也必將他獻
三二 上爲燔祭。三二於是耶弗他往亞捫人那裏去、與他們爭戰．
三三 耶和華將他們交在他手中。三三他就大大殺敗他們、從亞
羅珥到米匿、直到亞備勒基拉明、攻取了二十座城、這
三四 樣亞捫人就被以色列人制伏了。○三四耶弗他回米斯巴
到了自己的家、不料、他女兒拿着鼓跳舞出來迎接他、
三五 是他獨生的、此外無兒無女。三五耶弗他看見他、就撕裂衣
服、說、哀哉、我的女兒阿、你使我甚是愁苦、叫我作難了．
三六 因爲我已經向耶和華開口許願、不能挽回。三六他女兒回
答說、父阿、你既向耶和華開口、就當照你口中所說的
向我行、因耶和華已經在仇敵亞捫人身上爲你報仇。

三七又對父親說、有一件事求你允准．容我去兩個月、與同
伴在山上、好哀哭我終為處女。三八耶弗他說、你去罷．就容
他去兩個月．他便和同伴去了、在山上為他終為處女
哀哭。三九兩月已滿、他回到父親那裏、父親就照所許的願
向他行了．女兒終身沒有親近男子。四十此後以色列中有
個規矩、每年以色列的女子去為基列人耶弗他的女
兒哀哭四天。

第十二章

以法蓮人怨耶弗他

一以法蓮人聚集、到了北方、對耶弗他說、
你去與亞捫人爭戰、為甚麼沒有招我們同去呢．我們
必用火燒你和你的房屋。二耶弗他對他們說、我和我的
民與亞捫人大大爭戰．我招你們來、你們竟沒有來救
我脫離他們的手。三我見你們不來救我、我就拚命前去
攻擊亞捫人、耶和華將他們交在我手中．你們今日為
甚麼上我這裏來攻打我呢。四於是耶弗他招聚基列人、
與以法蓮人爭戰．基列人擊殺以法蓮人、是因他們說、
你們基列人在以法蓮瑪拿西中間、不過是以法蓮逃
亡的人。五基列人把守約但河的渡口、不容以法蓮人過
去。以法蓮逃走的人若說、容我過去、基列人就問他說、
你是以法蓮人不是．他若說、不是、六就對他說、你說示播
列．以法蓮人因為咬不真字音、便說西播列．基列人就
將他拿住、殺在約但河的渡口。那時以法蓮人被殺的、
有四萬二千人。

耶弗他卒

七耶弗他作以色列的士師六年。基列人耶弗他死了、葬
在基列的一座城裏。○八耶弗他以後、有伯利恆人以比
讚、作以色列的士師。九他有三十個兒子、三十個女兒、女
兒都嫁出去了．他給眾子從外鄉娶了三十個媳婦．他
作以色列的士師七年。十以比讚死了、葬在伯利恆。○十一以
比讚之後、有西布倫人以倫作以色列的士師十年。十二西
布倫人以倫死了、葬在西布倫地的亞雅崙。○十三以倫之
後、有比拉頓人希列的兒子押頓、作以色列的士師。十四他
有四十個兒子、三十個孫子、騎着七十匹驢駒．押頓作
以色列的士師八年。十五比拉頓人希列的兒子押頓死了、
葬在以法蓮地的比拉頓、在亞瑪力人的山地。

以色列人為非利士人所制
第十三章 一以色列人又行耶和華眼中看為惡的
事、耶和華將他們交在非利士人手中四十年。
瑪挪亞與妻見天使
二那時有一個瑣拉人、是屬但族的、名叫瑪挪亞．他的妻
不懷孕、不生育。三耶和華的使者向那婦人顯現、對他說、
向來你不懷孕、不生育、如今你必懷孕生一個兒子．四所
以你當謹慎、清酒濃酒都不可喝、一切不潔之物也不
可喫。五你必懷孕生一個兒子、不可用剃頭刀剃他的頭、
因為這孩子一出胎就歸　神作拿細耳人．他必起首
拯救以色列人脫離非利士人的手。六婦人就回去對丈
夫說、有一個神人到我面前來、他的相貌如　神使者
的相貌、甚是可畏、我沒有問他從那裏來、他也沒有將
他的名告訴我、七卻對我說、你要懷孕生一個兒子、所以
清酒濃酒都不可喝、一切不潔之物也不可喫、因為這
孩子從出胎一直到死必歸　神作拿細耳人。〇八瑪挪
亞就祈求耶和華說、主阿、求你再差遣那神人到我們
這裏來、好指教我們怎樣待這將要生的孩子。九神應
允瑪挪亞的話．婦人正坐在田間的時候、　神的使者
又到他那裏、他丈夫瑪挪亞卻沒有同他在一處。十婦人
急忙跑去告訴丈夫說、那日到我面前來的人、又向我
顯現。十一瑪挪亞起來跟隨他的妻來到那人面前、對他說、
與這婦人說話的就是你麼．他說、是我。十二瑪挪亞說、願你
的話應驗．我們當怎樣待這孩子、他後來當怎樣呢。十三耶
和華的使者對瑪挪亞說、我告訴婦人的一切事、他都
當謹慎。十四葡萄樹所結的都不可喫．清酒濃酒都不可喝．
一切不潔之物也不可喫．凡我所吩咐的他都當遵守。
〇十五瑪挪亞對耶和華的使者說、求你容我們款留你、好
為你預備一隻山羊羔。十六耶和華的使者對瑪挪亞說、你
雖然款留我、我卻不喫你的食物．你若預備燔祭就當
獻與耶和華。原來瑪挪亞不知道他是耶和華的使者。
十七瑪挪亞對耶和華的使者說、請將你的名告訴我、到你
話應驗的時候、我們好尊敬你。十八耶和華的使者對他說、
你何必問我的名、我名是奇妙的。十九瑪挪亞將一隻山羊
羔和素祭、在磐石上獻與耶和華．使者行奇妙的事、瑪
挪亞和他的妻觀看．二十見火燄從壇上往上升、耶和華的

二一 使者在壇上的火燄中也升上去了．瑪挪亞和他的妻
看見就俯伏於地○二一耶和華的使者不再向瑪挪亞和
二二 他的妻顯現．瑪挪亞纔知道他是耶和華的使者。二二瑪挪
二三 亞對他的妻說、我們必要死、因為看見了神。二三他的妻
卻對他說、耶和華若要殺我們、必不從我們手裏收納
燔祭和素祭、並不將這一切事指示我們、今日也不將
這些話告訴我們。

參孫生

二四 二四後來婦人生了一個兒子、給他起名叫參孫．孩子長大、
二五 耶和華賜福與他。二五在瑪哈尼但、就是瑣拉和以實陶中
間、耶和華的靈纔感動他。

參孫娶非利士女為妻

一 **第十四章**　一參孫下到亭拿、在那裏看見一個女子、
二 是非利士人的女兒。二參孫上來稟告他父母說、我在亭
拿看見一個女子、是非利士人的女兒、願你們給我娶
三 來為妻。三他父母說、在你弟兄的女兒中、或在本國的民
中、豈沒有一個女子、何至你去在未受割禮的非利士
人中娶妻呢．參孫對他父親說、願你給我娶那女子、因
四 我喜悅他。四他的父母卻不知道這事是出於耶和華、因
為他找機會攻擊非利士人．那時非利士人轄制以色
列人。

路殺壯獅

五 五參孫跟他父母下亭拿去．到了亭拿的葡萄園、見有一
六 隻少壯獅子向他吼叫．六耶和華的靈大大感動參孫、他
雖然手無器械、卻將獅子撕裂、如同撕裂山羊羔一樣．
七 他行這事並沒有告訴父母。七參孫下去與女子說話、就
八 喜悅他。八過了些日子、再下去要娶那女子、轉向道旁要
九 看死獅、見有一羣蜂子和蜜在死獅之內．九就用手取蜜、
且喫且走、到了父母那裏給他父母、他們也喫了．只是
沒有告訴這蜜是從死獅之內取來的。

以謎語難客

十 十他父親下去見女子．參孫在那裏設擺筵宴、因為向來
十一 少年人都有這個規矩。十一衆人看見參孫、就請了三十個
十二 人陪伴他。十二參孫對他們說、我給你們出一個謎語、你們
在七日筵宴之內、若能猜出意思告訴我、我就給你們
十三 三十件裏衣、三十套衣裳．十三你們若不能猜出意思告訴

十四 我、你們就給我三十件裏衣三十套衣裳。他們說、請將
謎語說給我們聽。十四參孫對他們說、喫的從喫者出來、甜
十五 的從強者出來。他們三日不能猜出謎語的意思。〇十五到
第七天他們對參孫的妻說、你誆哄你丈夫探出謎語
的意思告訴我們、免得我們用火燒你和你父家。你們
十六 請了我們來是要奪我們所有的麼。十六參孫的妻在丈夫
面前啼哭說、你是恨我、不是愛我、你給我本國的人出
謎語、卻沒有將意思告訴我。參孫回答說、連我父母我
十七 都沒有告訴、豈可告訴你呢。十七七日筵宴之內、他在丈夫
面前啼哭、到第七天逼着他、他纔將謎語的意思告訴
十八 他妻、他妻就告訴本國的人。十八到第七天、日頭未落以前、
那城裏的人對參孫說、有甚麼比蜜還甜呢、有甚麼比
獅子還強呢。參孫對他們說、你們若非用我的母牛犢
十九 耕地、就猜不出我謎語的意思來。十九耶和華的靈大大感
動參孫、他就下到亞實基倫、擊殺了三十個人、奪了他
們的衣裳、將衣裳給了猜出謎語的人。參孫發怒、就上
二十 父家去了。二十參孫的妻便歸了參孫的陪伴、就是作過他
朋友的。

參孫束炬於狐尾燒禾稼

第十五章

一 一過了些日子、到割麥子的時候、參孫帶
着一隻山羊羔去看他的妻、說、我要進內室見我的妻。
二 他岳父不容他進去、二說、我估定你是極其恨他、因此我
將他給了你的陪伴。他的妹子不是比他還美麗麼、你
三 可以娶來代替他罷。三參孫說、這回我加害於非利士人
四 不算有罪。四於是參孫去捉了三百隻狐狸、(或作野狗)將狐狸
五 尾巴一對一對的捆上、將火把捆在兩條尾巴中間、點五
爇火把、就放狐狸進入非利士人站着的禾稼、將堆集
六 的禾捆、和未割的禾稼、並橄欖園盡都燒了。六非利士人
說、這事是誰作的呢。有人說、是亭拿人的女婿參孫、因
為他岳父將他的妻給了他的陪伴。於是非利士人上
七 去、用火燒了婦人和他的父親。七參孫對非利士人說、你
八 們既然這樣行、我必向你們報仇纔肯罷休。八參孫就大
大擊殺他們、連腿帶腰都砍斷了。他便下去住在以坦
磐的穴內。

猶大人縛參孫

十九 九非利士人上去安營在猶大、布散在利希。十猶大人說、你

們爲何上來攻擊我們呢、他們說、我們上來是要捆綁
十一 參孫、他向我們怎樣行、我們也要向他怎樣行。十一於是有
三千猶大人下到以坦磐的穴內、對參孫說、非利士人
轄制我們、你不知道麼、你向我們行的是甚麼事呢。他
十二 回答說、他們向我怎樣行、我也要向他們怎樣行。十二猶大
人對他說、我們下來是要捆綁你、將你交在非利士人
手中。參孫說、你們要向我起誓、應承你們自己不害死
十三 我。十三他們說、我們斷不殺你、只要將你捆綁交在非利士
人手中。於是用兩條新繩捆綁參孫、將他從以坦磐帶
十四 上去。○十四參孫到了利希、非利士人都迎着喧嚷。耶和華
的靈大大感動參孫、他臂上的繩、就像火燒的麻一樣、
十五 他的綁繩都從他手上脫落下來。十五他見一塊未乾的驢
十六 腮骨、就伸手拾起來、用以擊殺一千人。十六參孫說、我用驢
十七 腮骨殺人成堆、用驢腮骨殺了一千人。十七說完這話、就把
十八 那腮骨從手裏拋出去了。那地便叫拉末利希。十八參孫甚
覺口渴、就求告耶和華說、你既藉僕人的手施行這麼
大的拯救、豈可任我渴死、落在未受割禮的人手中呢。
十九 十九神就使利希的窪處裂開、有水從其中湧出來。參孫
喝了、精神復原。因此那泉名叫隱哈歌利、那泉直到今
二十 日還在利希。二十當非利士人轄制以色列人的時候、參孫
作以色列的士師二十年。

第十六章　大利拉誘詰參孫力何由至

一 一參孫到了迦薩、在那裏看見一個妓女、
二 就與他親近。有人告訴迦薩人說、參孫到這裏來了。二他
們就把他團團圍住、終夜在城門悄悄埋伏、說、等到天
三 亮我們便殺他。三參孫睡到半夜、起來、將城門的門扇門
框門閂、一齊拆下來、扛在肩上、扛到希伯崙前的山頂
四 上。○四後來參孫在梭烈谷喜愛一個婦人、名叫大利拉。
五 五非利士人的首領上去見那婦人、對他說、求你誆哄參
孫、探探他因何有這麼大的力氣、我們用何法能勝他、
捆綁尅制他、我們就每人給你一千一百舍客勒銀子。
六 六大利拉對參孫說、求你告訴我、你因何有這麼大的力
七 氣、當用何法捆綁尅制你。七參孫回答說、人若用七條未
八 乾的青繩子捆綁我、我就輭弱像別人一樣。八於是非利
士人的首領拿了七條未乾的青繩子來、交給婦人、他
九 就用繩子捆綁參孫。九有人豫先埋伏在婦人的內室裏。

婦人說、參孫哪、非利士人拿你來了。參孫就挣斷繩子、
如挣斷經火的麻綫一般。這樣他力氣的根由人還是
不知道。◯十大利拉對參孫說、你欺哄我、向我說謊言。現
在求你告訴我當用何法捆綁你。十一參孫回答說、人若用
沒有使過的新繩捆綁我、我就輭弱像別人一樣。十二大利
拉就用新繩捆綁他、對他說、參孫哪、非利士人拿你來
了。有人豫先埋伏在內室裏。參孫將臂上的繩挣斷了、
如挣斷一條綫一樣。◯十三大利拉對參孫說、你到如今還
是欺哄我、向我說謊言。求你告訴我、當用何法捆綁你。
參孫回答說、你若將我頭上的七條髮綹與緯綫同織
就可以了。十四於是大利拉將他的髮綹與緯綫同織、用橛
子釘住、對他說、參孫哪、非利士人拿你來了。參孫從睡
中醒來、將機上的橛子和緯綫、一齊都拔出來了。

參孫洩其有力之故

十五大利拉對參孫說、你既不與我同心、怎麼說你愛我呢。
你這三次欺哄我、沒有告訴我、你因何有這麼大的力
氣。十六大利拉天天用話催逼他、甚至他心裏煩悶要死。十七參
孫就把心中所藏的都告訴了他、對他說、向來人沒有
用剃頭刀剃我的頭、因為我自出母胎就歸　神作拿
細耳人若剃了我的頭髮、我的力氣就離開我、我便輭
弱像別人一樣。◯十八大利拉見他把心中所藏的都告訴
了他、就打發人到非利士人的首領那裏、對他們說、他
已經把心中所藏的都告訴了我、請你們再上來一次。
於是非利士人的首領手裏拿着銀子、上到婦人那裏。
十九大利拉使參孫枕着他的膝睡覺、叫了一個人來剃除
他頭上的七條髮綹。於是大利拉尅制他、他的力氣就
離開他了。二十大利拉說、參孫哪、非利士人拿你來了。參孫
從睡中醒來、心裏說、我要像前幾次出去活動身體。他
卻不知道耶和華已經離開他了。二一非利士人將他拿住、
剜了他的眼睛、帶他下到迦薩、用銅鍊拘索他。他就在
監裏推磨。二二然而他的頭髮被剃之後、又漸漸長起來了。

非利士人戲侮參孫

二三非利士人的首領聚集、要給他們的神大袞獻大祭、並
且歡樂、因為他們說、我們的神將我們的仇敵參孫交
在我們手中了。二四衆人看見參孫、就讚美他們的神、說、我
們的神將毀壞我們地、殺害我們許多人的仇敵、交在

我們手中了。二五他們正宴樂的時候、就說、叫參孫來、在我
們面前戲耍戲耍。於是將參孫從監裏提出來、他就在
衆人面前戲耍。他們使他站在兩柱中間。二六參孫向拉他
手的童子說、求你讓我摸着托房的柱子、我要靠一靠。
二七那時房內充滿男女、非利士人的衆首領也都在那裏。
房的平頂上約有三千男女、觀看參孫戲耍。

參孫傾覆神室與敵偕亡

二八參孫求告耶和華說、主耶和華阿、求你眷念我。神阿、
求你賜我這一次的力量、使我在非利士人身上報那
剜我雙眼的仇。二九參孫就抱住托房的那兩根柱子、左手
抱一根、右手抱一根、三十說、我情願與非利士人同死。就盡
力屈身、房子倒塌、壓住首領和房內的衆人。這樣、參孫
死時所殺的人、比活着所殺的還多。三一參孫的弟兄和他
父的全家、都下去取他的屍首、抬上來、葬在瑣拉和以
實陶中間、在他父瑪挪亞的墳墓裏。參孫作以色列的
士師二十年。

第十七章

米迦立像

一以法蓮山地有一個人名叫米迦。二他對
母親說、你那一千一百舍客勒銀子被人拿去、你因此
咒詛、並且告訴了我、看哪、這銀子在我這裏、是我拿去
了。他母親說、我兒阿、願耶和華賜福與你。三米迦就把這
一千一百舍客勒銀子還他母親。他母親說、我分出這
銀子來、爲你獻給耶和華、好雕刻一個像、鑄成一個像、
現在我還是交給你。四米迦將銀子還他母親、他母親將
二百舍客勒銀子交給銀匠、雕刻一個像、鑄成一個像、
安置在米迦的屋內。五這米迦有了神堂、又製造以弗得、
和家中的神像、分派他一個兒子作祭司。六那時以色列
中沒有王、各人任意而行。○七猶大伯利恆有一個少年
人、是猶大族的利未人、他在那裏寄居。八這人離開猶大
伯利恆城、要找一個可住的地方、行路的時候、到了以
法蓮山地、走到米迦的家。九米迦問他說、你從那裏來。他
回答說、從猶大伯利恆來、我是利未人、要找一個可住
的地方。十米迦說、你可以住在我這裏、我以你爲父爲祭
司。我每年給你十舍客勒銀子、一套衣服、和度日的食
物。利未人就進了他的家。十一利未人情願與那人同住、那
人看這少年人如自己的兒子一樣。十二米迦分派這少年

的利未人作祭司、他就住在米迦的家裏。十三米迦說、現在
我知道耶和華必賜福與我、因我有一個利未人作祭
司。

第十八章　但族遣人覓地

一那時以色列中沒有王。但支派的人仍
是尋地居住、因爲到那日子、他們還沒有在以色列支
派中得地爲業。二但人從瑣拉和以實陶、打發本族中的
五個勇士、去仔細窺探那地、吩咐他們說、你們去窺探
那地。他們來到以法蓮山地、進了米迦的住宅、就在那
裏住宿。三他們臨近米迦的住宅、聽出那少年利未人的
口音來、就進去問他說、誰領你到這裏來、你在這裏作
甚麼、你在這裏得甚麼。四他回答說、米迦待我如此如此、
請我作祭司。五他們對他說、請你求問神、使我們知道
所行的道路、通達不通達。六祭司對他們說、你們可以平
平安安的去、你們所行的道路、是在耶和華面前的。◎
七五人就走了、來到拉億、見那裏的民安居無慮、如同西
頓人安居一樣、在那地沒有人掌權擾亂他們、他們離
西頓人也遠、與別人沒有來往。八五人回到瑣拉和以實
陶、見他們的弟兄。弟兄問他們說、你們有甚麼話。九他們
回答說、起來、我們上去攻擊他們罷。我們已經窺探那
地、見那地甚好。你們爲何靜坐不動呢。要急速前往得
那地爲業、不可遲延。十你們到了那裏、必看見安居無慮
的民、地也寬闊。神已將那地交在你們手中。那地百
物俱全、一無所缺。◎十一於是但族中的六百人、各帶兵器、
從瑣拉和以實陶前往。十二上到猶大的基列耶琳、在基列
耶琳後邊安營。因此那地方名叫瑪哈尼但、直到今日。
十三他們從那裏往以法蓮山地去、來到米迦的住宅。

取米迦家之像與祭司

十四從前窺探拉億地的五個人、對他們的弟兄說、這宅子
裏有以弗得、和家中的神像、並雕刻的像、與鑄成的像、
你們知道麼。現在你們要想一想當怎樣行。十五五人就進
入米迦的住宅、到了那少年利未人的房內問他好。十六那
六百但人、各帶兵器、站在門口。十七窺探地的五個人走進
去、將雕刻的像、以弗得、家中的神像、並鑄成的像、都拿
了去。祭司和帶兵器的六百人、一同站在門口。十八那五個
人進入米迦的住宅、拿出雕刻的像、以弗得、家中的神

十九 像、並鑄成的像、祭司就問他們說、你們作甚麼呢。十九他們
回答說、不要作聲、用手摀口、跟我們去罷、我們必以你
爲父、爲祭司。你作一家的祭司好呢、還是作以色列一
二十 族一支派的祭司好呢。二十祭司心裏喜悅、便拿着以弗得、
二一 和家中的神像、並雕刻的像、進入他們中間。○二一他們就
二二 轉身離開那裏、妻子兒女牲畜財物都在前頭。二二離米迦
二三 的住宅已遠、米迦的近鄰都聚集來追趕但人、二三呼叫但
人。但人回頭問米迦說、你聚集這許多人來作甚麼呢。
二四 二四米迦說、你們將我所作的神像、和祭司都帶了去、我還
二五 有所剩的麼、怎麼還問我說、作甚麼呢。二五但人對米迦說、
你不要使我們聽見你的聲音、恐怕有性暴的人攻擊
二六 你、以致你和你的全家盡都喪命。二六但人還是走他們的
路。米迦見他們的勢力比自己強盛、就轉身回家去了。

取拉億更名爲但……

二七 二七但人將米迦所作的神像、和他的祭司都帶到拉億、見
二八 安居無慮的民、就用刀殺了那民、又放火燒了那城。二八並
無人搭救、因爲離西頓遠、他們又與別人沒有來往、城
在平原、那平原靠近伯利合。但人又在那裏修城居住、
二九 二九照着他們始祖以色列之子但的名字、給那城起名叫
三十 但、原先那城名叫拉億。三十但人就爲自己設立那雕刻的
像。摩西的孫子、革舜的兒子約拿單、和他的子孫、作但
三一 支派的祭司、直到那地遭擄掠的日子。三一神的殿在示
羅多少日子、但人爲自己設立米迦所雕刻的像、也在
但多少日子。

利未人至伯利恆迎其妾

一 **第十九章** 一當以色列中沒有王的時候、有住以法
蓮山地那邊的一個利未人、娶了一個猶大伯利恆的
二 女子爲妾。二妾行淫離開丈夫、回猶大伯利恆到了父家、
三 在那裏住了四個月。三他丈夫起來、帶着一個僕人兩匹
驢去見他、用好話勸他回來、女子就引丈夫進入父家。
四 他父見了那人、便歡歡喜喜的迎接。四那人的岳父、就是
女子的父親、將那人留下住了三天、於是二人一同喫
五 喝、住宿。五到第四天、利未人清早起來要走、女子的父親
六 對女婿說、請你喫點飯、加添心力、然後可以行路。六於是
二人坐下一同喫喝、女子的父親對那人說、請你再住
七 一夜暢快你的心。七那人起來要走、他岳父強留他、他又

八 住了一宿。八到第五天、他清早起來要走、女子的父親說、
請你喫點飯、加添心力、等到日頭偏西再走。於是二人
九 一同喫飯。九那人同他的妾和僕人起來要走、他岳父、就
是女子的父親、對他說、看哪、日頭偏西了、請你再住一
夜、天快晚了、可以在這裏住宿、暢快你的心、明天早早
十 起行回家去。○十那人不願再住一夜、就備上那兩匹驢、
帶着妾起身走了、來到耶布斯的對面、耶布斯就是耶
十一 路撒冷。十一臨近耶布斯的時候、日頭快要落了、僕人對主
十二 人說、我們不如進這耶布斯人的城裏住宿。十二主人回答
說、我們不可進不是以色列人住的外邦城、不如過到
十三 基比亞去。十三又對僕人說、我們可以到一個地方、或住在
十四 基比亞、或住在拉瑪。十四他們就往前走、將到便雅憫的基
十五 比亞、日頭已經落了。十五他們進入基比亞、要在那裏住宿、
十六 就坐在城裏的街上、因為無人接他們進家住宿。○十六晚
上有一個老年人、從田間作工回來、他原是以法蓮山
十七 地的人、住在基比亞、那地方的人、卻是便雅憫人。十七老年
人舉目看見客人坐在城裏的街上、就問他說、你從那
十八 裏來、要往那裏去。十八他回答說、我們從猶大伯利恆來、要
往以法蓮山地那邊去、我原是那裏的人、到過猶大伯
利恆、現在我往耶和華的殿去、在這裏無人接我進他
十九 的家。十九其實我有糧草可以餵驢、我與我的妾、並我的僕
二十 人有餅有酒、並不缺少甚麼。二十老年人說、願你平安、你所
二一 需用的我都給你、只是不可在街上過夜。二一於是領他們
到家裏、餵上驢、他們就洗腳喫喝。

基比亞匪類之惡行

二二 二二他們心裏正歡暢的時候、城中的匪徒圍住房子、連連
叩門、對房主老人說、你把那進你家的人帶出來、我們
二三 要與他交合。二三那房主出來對他們說、弟兄們哪、不要這
樣作惡、這人既然進了我的家、你們就不要行這醜事。
二四 二四我有個女兒、還是處女、並有這人的妾、我將他們領出
來任憑你們玷辱他們、只是向這人不可行這樣的醜
二五 事。二五那些人卻不聽從他的話、那人就把他的妾拉出去
交給他們、他們便與他交合、終夜凌辱他、直到天色快
二六 亮纔放他去。二六天快亮的時候、婦人回到他主人住宿的
二七 房門前、就仆倒在地、直到天亮。○二七早晨、他的主人起來
開了房門出去要行路、不料那婦人仆倒在房門前、兩

手搭在門檻上。[二八]就對婦人說、起來、我們走罷．婦人卻不
回答。那人便將他馱在驢上、起身回本處去了。[二九]到了家
裏、用刀將妾的屍身切成十二塊、使人拿着傳送以色
列的四境。[三十]凡看見的人都說、從以色列人出埃及地直
到今日、這樣的事沒有行過、也沒有見過．現在應當思
想、大家商議當怎樣辦理。……

第二十章　民衆集議攻討基比亞

[一]於是以色列從但到別是巴、以及住基
列地的衆人、都出來如同一人、聚集在米斯巴耶和華
面前。[二]以色列民的首領、就是各支派的軍長、都站在
神百姓的會中．拿刀的步兵共有四十萬。[三]以色列人上
到米斯巴．便雅憫人都聽見了。以色列人說、請你將這
件惡事的情由對我們說明。[四]那利未人、就是被害之婦
人的丈夫回答說、我和我的妾到了便雅憫的基比亞
住宿。[五]基比亞人夜間起來、圍了我住的房子、想要殺我．
又將我的妾強姦致死。[六]我就把我妾的屍身切成塊子、
使人拿着傳送以色列得為業的全地．因為基比亞人、
在以色列中行了兇淫醜惡的事。[七]你們以色列人都當

籌畫商議。[八]○衆民都起來如同一人、說、我們連一人都
不回自己帳棚、自己房屋去。[九]我們向基比亞人必這樣
行、照所掣的籤去攻擊他們。[十]我們要在以色列各支派
中、一百人挑取十人、一千人挑取百人、一萬人挑取千
人、為民運糧．等大衆到了便雅憫的基比亞、就照基比
亞人在以色列中所行的醜事征伐他們。[十一]於是以色列
衆人彼此連合如同一人、聚集攻擊那城。○[十二]以色列衆
支派打發人去、問便雅憫支派的各家說、你們中間怎
麼作了這樣的惡事呢。[十三]現在你們要將基比亞的那些
匪徒交出來、我們好治死他們、從以色列中除掉這惡．
便雅憫人卻不肯聽從他們弟兄以色列人的話。[十四]便雅
憫人從他們的各城裏出來、聚集到了基比亞、要與以
色列人打仗。[十五]那時便雅憫人從各城裏點出拿刀的共
有二萬六千．另外還有基比亞人點出七百精兵。[十六]在衆
軍之中有揀選的七百精兵、都是左手便利的、能用機
弦甩石打人、毫髮不差。

[十七]以色列人求問耶和華

便雅憫人之外、點出以色列人拿刀的、共有四十萬、都

十八 是戰士。十八以色列人就起來、到伯特利去求問　神、說、我
十九 們中間誰當首先上去與便雅憫人爭戰呢．耶和華說、
二十 猶大當先上去……。〇十九以色列人早晨起來、對着基比亞安
二一 營。二十以色列人出來、要與便雅憫人打仗、就在基比亞前
二二 擺陣。二一便雅憫人就從基比亞出來、當日殺死以色列人
二三 二萬二千。二二以色列人彼此奮勇、仍在頭一日擺陣的地
方又擺陣。二三未擺陣之先、以色列人上去、在耶和華面前
哭號直到晚上、求問耶和華說、我們再去與我們弟兄
便雅憫人打仗、可以不可以．耶和華說、可以上去攻擊
二四 二五 他們。〇二四第二日以色列人就上前攻擊便雅憫人。二五便雅
憫人也在這日從基比亞出來、與以色列人接戰、又殺
二六 死他們一萬八千、都是拿刀的。二六以色列衆人就上到伯
特利、坐在耶和華面前哭號、當日禁食直到晚上．又在
二七 二八 耶和華面前獻燔祭和平安祭。二七二八那時、神的約櫃在那
裏、亞倫的孫子、以利亞撒的兒子非尼哈侍立在約櫃
前、以色列人問耶和華說、我們當再出去與我們弟兄
便雅憫人打仗呢、還是罷兵呢．耶和華說、你們當上去、
因爲明日我必將他們交在你們手中。

便雅憫人敗

二九 三十 二九以色列人在基比亞的四圍、設下伏兵。三十第三日、以色列
人又上去攻擊便雅憫人、在基比亞前擺陣、與前兩次
三一 一樣。三一便雅憫人也出來迎敵、就被引誘離城、在田間兩
條路上、一通伯特利、一通基比亞、像前兩次、動手殺死
三二 以色列人約有三十個。三二便雅憫人說、他們仍舊敗在我
們面前．但以色列人說、我們不如逃跑引誘他們離開
三三 城到路上來。三三以色列衆人都起來、在巴力他瑪擺陣．以
三四 色列的伏兵、從馬利迦巴埋伏的地方衝上前去。三四有以
色列人中的一萬精兵、來到基比亞前接戰、勢派甚是
三五 兇猛．便雅憫人卻不知道災禍臨近了。三五耶和華使以色
列人殺敗便雅憫人、那日以色列人殺死便雅憫人二
三六 萬五千一百、都是拿刀的。三六〇於是便雅憫人知道自己
敗了．先是以色列人因爲靠着基比亞前所設的伏
三七 兵、就在便雅憫人面前詐敗。三七伏兵急忙闖進基比亞、用
三八 刀殺死全城的人。三八以色列人豫先同伏兵約定、在城內
三九 放火、以煙氣上騰爲號。三九以色列人臨退陣的時候、便雅
憫人動手殺死以色列人、約有三十個、就說、他們仍像

四十 前次被我們殺敗了。四十當煙氣如柱從城中上騰的時候、
四一 便雅憫人回頭觀看、見全城的煙氣冲天。四一以色列人又
轉身回來、便雅憫人就甚驚惶、因爲看見災禍臨到自
四二 己了。四二他們在以色列人面前轉身往曠野逃跑、以色列
人在後面追殺、那從各城裏出來的、也都夾攻殺滅他
四三 們。四三以色列人圍繞便雅憫人、追趕他們、在他們歇脚之
四四 處、對着日出之地的基比亞、踐踏他們。四四便雅憫人死了
四五 的、有一萬八千、都是勇士。四五其餘的人轉身向曠野逃跑、
往臨門磐去、以色列人在道路上殺了他們五千人、如
四六 拾取遺穗一樣、追到基頓、又殺了他們二千人。四六那日便
四七 雅憫死了的、共有二萬五千人、都是拿刀的勇士。四七只剩
下六百人、轉身向曠野逃跑、到了臨門磐、就在那裏住
四八 了四個月。四八以色列人又轉到便雅憫地、將各城的人和
牲畜、並一切所遇見的、都用刀殺盡、又放火燒了一切
城邑。

第二十一章

一 一以色列人在米斯巴曾起誓說、我們
二 都不將女兒給便雅憫人爲妻。二以色列人來到伯特利、
三 坐在神面前、直到晚上、放聲痛哭、三說、耶和華以色列
四 的神阿、爲何以色列中有這樣缺了一支派的事呢。
五 四次日清早、百姓起來、在那裏築了一座壇、獻燔祭和平
安祭。五以色列人彼此問說、以色列各支派中、誰沒有同
會衆上到耶和華面前來呢。先是以色列人起過大誓
六 說、凡不上米斯巴到耶和華面前來的、必將他治死。六以
色列人爲他們的弟兄便雅憫後悔、說、如今以色列中
七 絕了一個支派了。七我們既在耶和華面前起誓說、必不
將我們的女兒給便雅憫人爲妻、現在我們當怎樣辦
理、使他們剩下的人有妻呢。

爲便雅憫人取女爲妻

八 八又彼此問說、以色列支派中誰沒有上米斯巴到耶和
華面前來呢。他們就查出基列雅比沒有一人進營到
九 會衆那裏。九因爲百姓被數的時候、沒有一個基列雅比
十 人在那裏。十會衆就打發一萬二千大勇士、吩咐他們說、
十一 你們去用刀將基列雅比人連婦女帶孩子都擊殺了。
十二 十一所當行的就是這樣、要將一切男子、和已嫁的女子盡
十三 行殺戮。十二他們在基列雅比人中、遇見了四百個未嫁的
處女、就帶到迦南地的示羅營裏。◯十三全會衆打發人到

十四 臨門磐的便雅憫人那裏、向他們說和睦的話。十四當時便
雅憫人回來了、以色列人就把所存活基列雅比的女
十五 子給他們爲妻、還是不彀。十五百姓爲便雅憫人後悔、因爲
耶和華使以色列人缺了一個支派。原文作使以色列中有了破口○
十六 十六會中的長老說、便雅憫中的女子既然除滅了、我們當
十七 怎樣辦理、使那餘剩的人有妻呢。十七又說、便雅憫逃脫的
十八 人當有地業、免得以色列中塗抹了一個支派。十八只是我
們不能將自己的女兒給他們爲妻、因爲以色列人曾
十九 起誓說、有將女兒給便雅憫人爲妻的、必受咒詛。十九他們
又說、在利波拿以南、伯特利以北、在示劍大路以東的
二十 示羅、年年有耶和華的節期。二十就吩咐便雅憫人說、你們
二十一 去在葡萄園中埋伏、二十一若看見示羅的女子出來跳舞、就
從葡萄園出來、在示羅的女子中各搶一個爲妻、回便
二十二 雅憫地去。二十二他們的父親或是弟兄若來與我們爭競、我
們就說、求你們看我們的情面、施恩給這些人、因我們
在爭戰的時候沒有給他們留下女子爲妻、這也不是
二十三 你們將女子給他們的、若是你們給的、就算有罪。○二十三於
是便雅憫人照樣而行、按着他們的數目從跳舞的女
子中搶去爲妻、就回自己的地業去、又重修城邑居住。
二十四 二十四當時以色列人離開那裏、各歸本支派本宗族本地業
二十五 去了。○二十五那時以色列中沒有王、各人任意而行。

路得記

以利米勒攜妻及子居摩押地

第一章 一當士師秉政的時候、國中遭遇饑荒、在猶
大伯利恆有一個人帶着妻子和兩個兒子往摩押地
去寄居。二這人名叫以利米勒、他的妻名叫拿俄米、他兩
個兒子、一個名叫瑪倫、一個名叫基連、都是猶大伯利
恆的以法他人、他們到了摩押地、就住在那裏。三後來拿
俄米的丈夫以利米勒死了、剩下婦人和他兩個兒子。
四這兩個兒子娶了摩押女子為妻、一個名叫俄珥巴、一
個名叫路得、在那裏住了約有十年。五瑪倫和基連二人
也死了、剩下拿俄米沒有丈夫、也沒有兒子。六○他就與
兩個兒婦起身、要從摩押地歸回、因為他在摩押地、聽
見耶和華眷顧自己的百姓、賜糧食與他們。七於是他和
兩個兒婦起行、離開所住的地方、要回猶大地去。八拿俄
米對兩個兒婦說、你們各人回娘家去罷、願耶和華恩
待你們、像你們恩待已死的人與我一樣。九願耶和華使
你們各在新夫家中得平安．於是拿俄米與他們親嘴、
他們就放聲而哭、十說、不然、我們必與你一同回你本國
去。十一拿俄米說、我女兒們哪、回去罷、為何要跟我去呢、我
還能生子作你們的丈夫麼．十二我女兒們哪、回去罷、我年
紀老邁、不能再有丈夫、即或說、我還有指望、今夜有丈
夫可以生子。十三你們豈能等着他們長大呢、你們豈能等
着他們不嫁別人呢．我女兒們哪、不要這樣、我為你們
的緣故、甚是愁苦、因為耶和華伸手攻擊我。十四兩個兒婦
又放聲而哭、俄珥巴與婆婆親嘴而別、只是路得捨不
得拿俄米。

拿俄米路得同歸猶大地

十五拿俄米說、看哪、你嫂子已經回他本國、和他所拜的神
那裏去了、你也跟着你嫂子回去罷。十六路得說、不要催我
回去不跟隨你、你往那裏去、我也往那裏去、你在那裏
住宿、我也在那裏住宿．你的國就是我的國、你的神
就是我的神。十七你在那裏死、我也在那裏死、也葬在那
裏．除非死能使你我相離、不然、願耶和華重重的降罰
與我。十八拿俄米見路得定意要跟隨自己去、就不再勸他
了。十九○於是二人同行、來到伯利恆、他們到了伯利恆、合

二十 城的人就都驚訝、婦女們說、這是拿俄米麼。二十拿俄米對
他們說、不要叫我拿俄米、（拿俄米就是甜的意思）要叫我瑪拉、（瑪拉
二一 就是苦的意思）因為全能者使我受了大苦。二一我滿滿的出去、耶
和華使我空空的回來、耶和華降禍與我、全能者使我
二二 受苦、既是這樣、你們為何還叫我拿俄米呢。二二拿俄米和
他兒婦摩押女子路得、從摩押地回來到伯利恆、正是
動手割大麥的時候。

第二章

路得往波阿斯田拾遺穗

一 一拿俄米的丈夫以利米勒的親族中、有一
二 個人名叫波阿斯、是個大財主。二摩押女子路得對拿俄
米說、容我往田間去、我蒙誰的恩、就在誰的身後拾取
三 麥穗。拿俄米說、女兒阿、你只管去。三路得就去了、來到田
間、在收割的人身後拾取麥穗、他恰巧到了以利米勒
四 本族的人波阿斯那塊田裏。四波阿斯正從伯利恆來、對
收割的人說、願耶和華與你們同在。他們回答說、願耶
五 和華賜福與你。五波阿斯問監管收割的僕人說、那是誰
六 家的女子。六監管收割的僕人回答說、是那摩押女子、跟
七 隨拿俄米從摩押地回來的。七他說、請你容我跟着收割
的人拾取打捆剩下的麥穗、他從早晨直到如今、除了
在屋子裏坐一會兒、常在這裏。

波阿斯厚遇路得

八 八波阿斯對路得說、女兒阿、聽我說、不要往別人田裏拾
九 取麥穗、也不要離開這裏、要常與我使女們在一處。九我
的僕人在那塊田收割、你就跟着他們去、我已經吩咐
僕人不可欺負你、你若渴了、就可以到器皿那裏喝僕
十 人打來的水。十路得就俯伏在地叩拜、對他說、我既是外
十一 邦人、怎麼蒙你的恩、這樣顧恤我呢。十一波阿斯回答說、自
從你丈夫死後、凡你向婆婆所行的、並你離開父母和
十二 本地、到素不認識的民中、這些事人全都告訴我了。十二願
耶和華照你所行的賞賜你、你來投靠耶和華以色列
十三 神的翅膀下、願你滿得他的賞賜。十三路得說、我主阿、願
在你眼前蒙恩、我雖然不及你的一個使女、你還用慈
十四 愛的話安慰我的心。○十四到了喫飯的時候、波阿斯對路
得說、你到這裏來喫餅、將餅蘸在醋裏、路得就在收割
的人旁邊坐下、他們把烘了的穗子遞給他、他喫飽了、
十五 還有餘剩的。十五他起來又拾取麥穗、波阿斯吩咐僕人說、

十六 他就是在捆中拾取麥穗也可以容他、不可羞辱他。並
要從捆裏抽出些來、留在地下任他拾取、不可叱嚇他。
十七 ○這樣、路得在田間拾取麥穗直到晚上、將所拾取的
十八 打了、約有一伊法大麥。他就把所拾取的帶進城去給
十九 婆婆看、又把他喫飽了、所剩的給了婆婆。婆婆問他說、
你今日在那裏拾取麥穗、在那裏作工呢、願那顧恤你
的得福。路得就告訴婆婆說、我今日在一個名叫波阿
二十 斯的人那裏作工。拿俄米對兒婦說、願那人蒙耶和華
賜福、因為他不斷的恩待活人死人。拿俄米又說、那是
二一 我們本族的人、是一個至近的親屬。摩押女子路得說、
他對我說、你要緊隨我的僕人拾取麥穗、直等他們收
二二 完了我的莊稼。拿俄米對兒婦路得說、女兒阿、你跟着
他的使女出去、不叫人遇見你在別人田間、這纔為好。
二三 於是路得與波阿斯的使女、常在一處拾取麥穗、直到
收完了大麥和小麥。路得仍與婆婆同住。

第三章 路得有求於波阿斯

一 路得的婆婆拿俄米對他說、女兒阿、我不
二 當為你找個安身之處、使你享福麼。你與波阿斯的使
女常在一處、波阿斯不是我們的親族麼、他今夜在場
三 上簸大麥。你要沐浴抹膏、換上衣服、下到場上、卻不要
四 使那人認出你來、你等他喫喝完了、到他睡的時候、你
看準他睡的地方、就進去掀開他腳上的被、躺臥在那
五 裏、他必告訴你所當作的事。路得說、凡你所吩咐的、我
六 必遵行。○路得就下到場上、照他婆婆所吩咐他的而
七 行。波阿斯喫喝完了、心裏歡暢、就去睡在麥堆旁邊。路
八 得便悄悄的來掀開他腳上的被、躺臥在那裏。到了夜
半、那人忽然驚醒、翻過身來、不料有女子躺在他的腳
九 下。他就說、你是誰、回答說、我是你的婢女路得、求你用
十 你的衣襟遮蓋我、因為你是我一個至近的親屬。波阿
斯說、女兒阿、願你蒙耶和華賜福。你末後的恩比先前
十一 更大、因為少年人無論貧富、你都沒有跟從。女兒阿、現
在不要懼怕、凡你所說的、我必照着行、我本城的人都
十二 知道你是個賢德的女子。我實在是你一個至近的親
十三 屬、只是還有一個人比我更近。你今夜在這裏住宿、明
早他若肯為你盡親屬的本分、就由他罷、倘若不肯、我
指着永生的耶和華起誓、我必為你盡了本分、你只管

十四 躺到天亮。◎路得便在他脚下躺到天快亮、人彼此不
能辨認的時候、就起來了。波阿斯說、不可使人知道有
十五 女子到場上來。又對路得說、打開你所披的外衣、他打
開了、波阿斯就撮了六簸箕大麥、幫他扛在肩上、他便
十六 進城去了。路得回到婆婆那裏、婆婆說、女兒阿、怎麼樣
十七 了。路得就將那人向他所行的述說了一遍。又說、那人
給了我六簸箕大麥、對我說、你不可空手回去見你的
十八 婆婆。婆婆說、女兒阿、你只管安坐等候、看這事怎樣成
就、因爲那人今日不辦成這事必不休息。

第四章

波阿斯贖以利米勒之產

一 波阿斯到了城門、坐在那裏、恰巧波阿斯
所說的那至近的親屬經過、波阿斯說、某人哪、你來坐
二 在這裏、他就來坐下。波阿斯又從本城的長老中揀選
三 了十人、對他們說、請你們坐在這裏、他們就都坐下。波
阿斯對那至近的親屬說、從摩押地回來的拿俄米、現
四 在要賣我們族兄以利米勒的那塊地。我想當贖那塊
地的是你、其次是我、以外再沒有別人了、你可以在這
裏的人面前、和我本國的長老面前說明、你若肯贖就
五 贖、若不肯贖就告訴我。那人回答說、我肯贖。波阿斯說、
你從拿俄米手中買這地的時候、也當娶〔原文作買十節同〕死
人的妻摩押女子路得、使死人在產業上存留他的名。
六 那人說、這樣我就不能贖了、恐怕於我的產業有礙、你
可以贖我所當贖的、我不能贖了。

波阿斯娶路得爲妻

七 從前在以色列中要定奪甚麼事、或贖回、或交易、這人
八 就脫鞋給那人、以色列人都以此爲證據。那人對波阿
九 斯說、你自己買罷、於是將鞋脫下來了。波阿斯對長老
和衆民說、你們今日作見證、凡屬以利米勒和基連瑪
十 倫的、我都從拿俄米手中置買了。又娶了瑪倫的妻摩
押女子路得爲妻、好在死人的產業上存留他的名、免
十一 得他的名在本族本鄉滅沒、你們今日可以作見證。在
城門坐着的衆民和長老都說、我們作見證、願耶和華
使進你家的這女子、像建立以色列家的拉結、利亞二
十二 人一樣。又願你在以法他得亨通、在伯利恆得名聲。願
耶和華從這少年女子賜你後裔、使你的家像他瑪從
猶大所生法勒斯的家一般。

生子俄備得爲大衛之祖

十三 十三於是波阿斯娶了路得爲妻、與他同房、耶和華使他懷
十四 孕生了一個兒子。十四婦人們對拿俄米說、耶和華是應當
稱頌的、因爲今日沒有撇下你、使你無至近的親屬、願
十五 這孩子在以色列中得名聲。十五他必提起你的精神、奉養
你的老、因爲是愛慕你的那兒婦所生的、有這兒婦比
十六 有七個兒子還好。十六拿俄米就把孩子抱在懷中、作他的
十七 養母。十七鄰舍的婦人說、拿俄米得孩子了、就給孩子起名
叫俄備得、這俄備得是耶西的父、耶西是大衛的父。○
十八 十九 十八法勒斯的後代、記在下面、法勒斯生希斯崙、十九希斯崙生
二十 二十一 蘭、二十蘭生亞米拿達、亞米拿達生拿順、拿順生撒門、二十一撒門
二十二 生波阿斯、波阿斯生俄備得、二十二俄備得生耶西、耶西生大
衛。

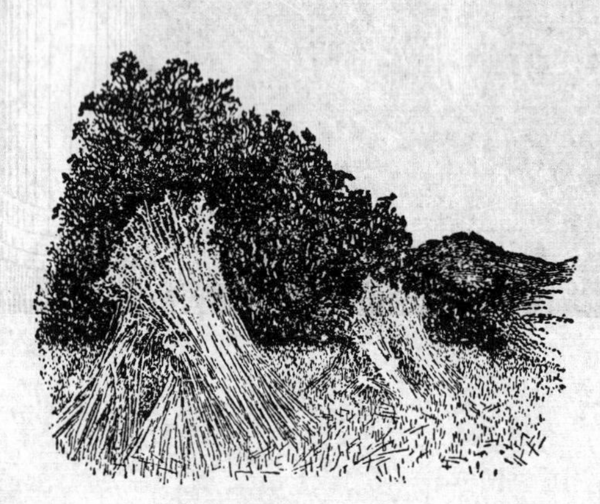

路得記：二章三節

撒母耳記上

以利加拿攜二妻至示羅獻祭

一 **第一章** 一以法蓮山地的拉瑪瑣非、有一個以法蓮
人、名叫以利加拿、是蘇弗的玄孫、託戶的曾孫、以利戶
二 的孫子、耶羅罕的兒子。二他有兩個妻、一名哈拿、一名毘
三 尼拿。毘尼拿有兒女、哈拿沒有兒女。三這人每年從本城
上到示羅、敬拜祭祀萬軍之耶和華．在那裏有以利的
四 兩個兒子、何弗尼、非尼哈、當耶和華的祭司。四以利加拿
每逢獻祭的日子、將祭肉分給他的妻毘尼拿和毘尼
五 拿所生的兒女。五給哈拿的、卻是雙分．因為他愛哈拿．無
六 奈耶和華不使哈拿生育。六毘尼拿見耶和華不使哈拿
七 生育、就作他的對頭、大大激動他、要使他生氣。七每年上
到耶和華殿的時候、以利加拿都以雙分給哈拿．毘尼
八 拿仍是激動他、以致他哭泣不喫飯。八他丈夫以利加拿
對他說、哈拿阿、你為何哭泣、不喫飯、心裏愁悶呢．有我
不比十個兒子還好麼。

哈拿祈子

九 九他們在示羅喫喝完了、哈拿就站起來。祭司以利、在耶
十 和華殿的門框旁邊、坐在自己的位上。十哈拿心裏愁苦、
十一 就痛痛哭泣、祈禱耶和華．十一許願說、萬軍之耶和華阿、你
若垂顧婢女的苦情、眷念不忘婢女、賜我一個兒子、我
十二 必使他終身歸與耶和華、不用剃頭刀剃他的頭。○十二哈
十三 拿在耶和華面前不住的祈禱、以利定睛看他的嘴。十三原
來哈拿心中默禱、只動嘴唇、不出聲音、因此以利以為
十四 他喝醉了。十四以利對他說、你要醉到幾時呢．你不應該喝
十五 酒。十五哈拿回答說、主阿、不是這樣、我是心裏愁苦的婦人、
十六 清酒濃酒都沒有喝、但在耶和華面前傾心吐意。十六不要
將婢女看作不正經的女子．我因被人激動愁苦太多、
十七 所以祈求到如今。十七以利說、你可以平平安安的回去．願
十八 以色列的　神允准你向他所求的。十八哈拿說、願婢女在
你眼前蒙恩。於是婦人走去喫飯、面上再不帶愁容了。

撒母耳生

十九 十九次日清早他們起來、在耶和華面前敬拜、就回拉瑪、到
二十 了家裏。以利加拿和妻哈拿同房、耶和華顧念哈拿．二十哈

拿就懷孕日期滿足生了一個兒子、給他起名叫撒母
耳說、這是我從耶和華那裏求來的。

撒母耳被獻於耶和華

二一以利加拿和他全家都上示羅去、要向耶和華獻年祭、
並還所許的願。二二哈拿卻沒有上去、對丈夫說、等孩子斷
了奶、我便帶他上去朝見耶和華、使他永遠住在那裏。
二三他丈夫以利加拿說、就隨你的意行罷、可以等兒子斷
了奶、但願耶和華應驗他的話。於是婦人在家裏乳養
兒子、直到斷了奶。二四既斷了奶、就把孩子帶上示羅、到了
耶和華的殿、又帶了三隻公牛、一伊法細麵、一皮袋酒。
那時孩子還小。二五宰了一隻公牛、就領孩子到以利面前。
二六婦人說、主阿、我敢在你面前起誓、從前在你這裏站着
祈求耶和華的那婦人、就是我。二七我祈求為要得這孩子、
耶和華已將我所求的賜給我了。二八所以我將這孩子歸
與耶和華、使他終身歸與耶和華。於是在那裏敬拜耶
和華。

哈拿禱頌耶和華

第二章 一哈拿禱告說、我的心因耶和華快樂。我的

角因耶和華高舉。我的口向仇敵張開。我因耶和華的
救恩歡欣。二只有耶和華為聖、除他以外沒有可比的、也
沒有磐石像我們的 神。三人不要誇口說驕傲的話、也
不要出狂妄的言語、因耶和華是大有智識的 神、人
的行為被他衡量。四勇士的弓都已折斷、跌倒的人以力
量束腰。五素來飽足的、反作傭人求食、飢餓的再不飢餓。
不生育的、生了七個兒子、多有兒女的、反倒衰微。六耶和
華使人死、也使人活、使人下陰間、也使人往上升。七他使
人貧窮、也使人富足、使人卑微、也使人高貴。八他從灰塵
裏抬舉貧寒人、從糞堆中提拔窮乏人、使他們與王子
同坐、得着榮耀的座位。地的柱子屬於耶和華、他將世
界立在其上。九他必保護聖民的腳步、使惡人在黑暗中
寂然不動。人都不能靠力量得勝。十與耶和華爭競的、必
被打碎。耶和華必從天上以雷攻擊他、必審判地極的
人、將力量賜與所立的王、高舉受膏者的角。○十一以利加
拿往拉瑪回家去了。那孩子在祭司以利面前事奉耶
和華。

以利二子之劣行

十二十三 以十二利的兩個兒子是惡人、不認識耶和華。十三這二祭司待
百姓是這樣的規矩．凡有人獻祭、正煮肉的時候、祭司
十四 的僕人就來手拿三齒的叉子、十四將叉子往罐裏、或鼎裏、
或釜裏、或鍋裏一插、插上來的肉、祭司都取了去．凡上
十五 到示羅的以色列人、他們都是這樣看待。十五又在未燒脂
油以前、祭司的僕人就來對獻祭的人說、將肉給祭司
十六 叫他烤罷．他不要煮過的、要生的。十六獻祭的人若說、必須
先燒脂油、然後你可以隨意取肉．僕人就說、你立時給
十七 我、不然我便搶去。十七如此這二少年人的罪在耶和華面
前甚重了、因為他們藐視耶和華的祭物。（或作他們使人厭棄給耶和華獻祭）
十八 〇十八那時撒母耳還是孩子、穿着細麻布的以弗得、
十九 侍立在耶和華面前。十九他母親每年為他作一件小外袍、
二十 同着丈夫上來獻年祭的時候、帶來給他。二十以利為以利
加拿和他的妻祝福、說、願耶和華由這婦人再賜你後
裔、代替你從耶和華求來的孩子．他們就回本鄉去了。
二一 二一耶和華眷顧哈拿、他就懷孕生了三個兒子、兩個女兒。
二二 那孩子撒母耳、在耶和華面前漸漸長大。〇二二以利年甚

老邁．聽見他兩個兒子待以色列眾人的事、又聽見他
二三 們與會幕門前伺候的婦人苟合。二三他就對他們說、你們
為何行這樣的事呢．我從這眾百姓聽見你們的惡行。
二四 二四我兒阿、不可這樣、我聽見你們的風聲不好、你們使耶
二五 和華的百姓犯了罪。二五人若得罪人、有士師審判他、人若
得罪耶和華、誰能為他祈求呢．然而他們還是不聽父
二六 親的話、因為耶和華想要殺他們。二六孩子撒母耳漸漸長
大、耶和華與人越發喜愛他。

預言以利家必遘奇禍

二七 二七有神人來見以利、對他說、耶和華如此說、你祖父在埃
二八 及法老家作奴僕的時候、我不是向他們顯現麼。二八在以
色列眾支派中、我不是揀選人作我的祭司、使他燒香、
在我壇上獻祭、在我面前穿以弗得、又將以色列人所
二九 獻的火祭、都賜給你父家麼。二九我所吩咐獻在我居所的
祭物、你們為何踐踏、尊重你的兒子過於尊重我、將我
三十 民以色列所獻美好的祭物肥己呢。三十因此耶和華以色
列的　神說、我曾說、你和你父家必永遠行在我面前、
現在我卻說、決不容你們這樣行、因為尊重我的、我必

三一 重看他、藐視我的、他必被輕視。三一日子必到、我要折斷你
的膀臂、和你父家的膀臂、使你家中沒有一個老年人。
三二 在三二 神使以色列人享福的時候、你必看見我居所的
三三 敗落。在你家中必永遠沒有一個老年人。三三我必不從我
壇前滅盡你家中的人、那未滅的必使你眼目乾癟、心
三四 中憂傷、你家中所生的人都必死在中年。三四你的兩個兒
子何弗尼、非尼哈所遭遇的事、可作你的證據、他們二
三五 人必一日同死。三五我要為自己立一個忠心的祭司、他必
照我的心意而行、我要為他建立堅固的家、他必永遠
三六 行在我的受膏者面前。三六你家所剩下的人都必來叩拜
他、求塊銀子、求個餅、說、求你賜我祭司的職分、好叫我
得點餅喫。

撒母耳初得啓示

一 **第三章** 一童子撒母耳在以利面前事奉耶和華。當
二 那些日子、耶和華的言語稀少、不常有默示。二一日以利
三 睡臥在自己的地方、他眼目昏花、看不分明。三 神的燈
在 神耶和華殿內約櫃那裏還沒有熄滅、撒母耳已
四 五 經睡了。四耶和華呼喚撒母耳、撒母耳說、我在這裏。五就跑
到以利那裏、說、你呼喚我、我在這裏。以利回答說、我沒
六 有呼喚你、你去睡罷。他就去睡了。六耶和華又呼喚撒母
耳。撒母耳起來、到以利那裏、說、你呼喚我、我在這裏。以
七 利回答說、我的兒、我沒有呼喚你、你去睡罷。七那時撒母
八 耳還未認識耶和華、也未得耶和華的默示。八耶和華第
三次呼喚撒母耳、撒母耳起來、到以利那裏、說、你又呼
九 喚我、我在這裏。以利纔明白是耶和華呼喚童子。九因此、
以利對撒母耳說、你仍去睡罷、若再呼喚你、你就說、耶
十 和華阿、請說、僕人敬聽。撒母耳就去仍睡在原處。○十耶
和華又來站着、像前三次呼喚說、撒母耳阿、撒母耳阿。
十一 撒母耳回答說、請說、僕人敬聽。十一耶和華對撒母耳說、我
十二 在以色列中必行一件事、叫聽見的人都必耳鳴。十二我指
着以利家所說的話、到了時候我必始終應驗在以利
十三 身上。十三我曾告訴他必永遠降罰與他的家、因他知道兒
十四 子作孽、自招咒詛、卻不禁止他們。十四所以我向以利家起
誓說、以利家的罪孽、雖獻祭奉禮物、永不能得贖去。○
十五 十五撒母耳睡到天亮、就開了耶和華的殿門、不敢將默示
十六 告訴以利。十六以利呼喚撒母耳說、我兒撒母耳阿、撒母耳

十七 回答說、我在這裏。以利說、耶和華對你說甚麼、你不要
向我隱瞞．你若將　神對你所說的隱瞞一句、願他重
十八 重的降罰與你。撒母耳就把一切話都告訴了以利、並
沒有隱瞞．以利說、這是出於耶和華、願他憑自己的意
旨而行。

立撒母耳爲先知

十九 撒母耳長大了、耶和華與他同在、使他所說的話、一句
二十 都不落空。從但到別是巴所有的以色列人、都知道耶
二十一 和華立撒母耳爲先知。耶和華又在示羅顯現．因爲耶
和華將自己的話默示撒母耳、撒母耳就把這話傳遍
以色列地。

非利士人戰敗以色列人

一 第四章　以色列人出去與非利士人打仗、安營在
二 以便以謝．非利士人安營在亞弗。非利士人向以色列
人擺陣．兩軍交戰的時候、以色列人敗在非利士人面
前．非利士人在戰場上殺了他們的軍兵約有四千人。
三 百姓回到營裏、以色列的長老說、耶和華今日爲何使
我們敗在非利士人面前呢．我們不如將耶和華的約
櫃、從示羅抬到我們這裏來、好在我們中間救我們脫
四 離敵人的手。於是百姓打發人到示羅、從那裏將坐在
二基路伯上萬軍之耶和華的約櫃抬來．以利的兩個
五 兒子何弗尼、非尼哈與　神的約櫃同來。○耶和華的
六 約櫃到了營中、以色列衆人就大聲歡呼、地便震動。非
利士人聽見歡呼的聲音、就說、在希伯來人營裏大聲
歡呼、是甚麼緣故呢．隨後就知道耶和華的約櫃到了
七 營中。非利士人就懼怕起來、說、有神到了他們營中．又
八 說、我們有禍了．向來不曾有這樣的事。我們有禍了、誰
能救我們脫離這些大能之神的手呢．從前在曠野用
九 各樣災殃擊打埃及人的、就是這些神。非利士人哪、你
們要剛強、要作大丈夫．免得作希伯來人的奴僕、如同
他們作你們的奴僕一樣．你們要作大丈夫與他們爭
十 戰。非利士人和以色列人打仗．以色列人敗了、各向各
十一 家奔逃．被殺的人甚多、以色列的步兵仆倒了三萬。
神的約櫃被擄去．以利的兩個兒子何弗尼、非尼哈也
都被殺了。

約櫃被擄

十二 十二當日有一個便雅憫人從陣上逃跑、衣服撕裂、頭蒙灰
十三 塵、來到示羅。十三到了的時候、以利正在道旁坐在自己的
位上觀望、爲 神的約櫃心裏擔憂。那人進城報信、合
十四 城的人就都呼喊起來。十四以利聽見呼喊的聲音、就問說、
十五 這喧嚷是甚麼緣故呢。那人急忙來報信給以利。十五那時
十六 以利九十八歲了、眼目發直、不能看見。十六那人對以利說、
我是從陣上來的、今日我從陣上逃回。以利說、我兒事
十七 情怎樣。十七報信的回答說、以色列人在非利士人面前逃
跑、民中被殺的甚多、你的兩個兒子何弗尼、非尼哈也
都死了、並且 神的約櫃被擄去。

以利死

十八 十八他一題 神的約櫃、以利就從他的位上往後跌倒、在
門旁折斷頸項而死、因爲他年紀老邁、身體沉重。以利
十九 作以色列的士師四十年。○十九以利的兒婦非尼哈的妻
懷孕將到產期、他聽見 神的約櫃被擄去、公公和丈
二十 夫都死了、就猛然疼痛、曲身生產。二十將要死的時候、旁邊
站着的婦人們對他說、不要怕、你生了男孩子了。他卻

二一 不回答、也不放在心上。二十一他給孩子起名叫以迦博、說、榮
耀離開以色列了。這是因 神的約櫃被擄去、又因他
二二 公公和丈夫都死了。二十二他又說、榮耀離開以色列、因爲
神的約櫃被擄去了。

置約櫃於大袞廟

一 **第五章** 一非利士人將 神的約櫃從以便以謝抬
二 到亞實突。二非利士人將 神的約櫃抬進大袞廟、放在
三 大袞的旁邊。三次日清早、亞實突人起來、見大袞仆倒在
四 耶和華的約櫃前、臉伏於地、就把大袞仍立在原處。四又
次日清早起來、見大袞仆倒在耶和華的約櫃前、臉伏
於地、並且大袞的頭和兩手都在門檻上折斷、只剩下
五 大袞的殘體。五因此大袞的祭司、和一切進亞實突大袞
廟的人、都不踏大袞廟的門檻、直到今日。

非利士人患痔

六 六耶和華的手重重加在亞實突人身上、敗壞他們、使他
七 們生痔瘡、亞實突、和亞實突的四境、都是如此。七亞實突
人見這光景、就說、以色列 神的約櫃不可留在我們
這裏、因爲他的手重重加在我們、和我們神大袞的身

上。八就打發人去請非利士的衆首領來聚集、問他們說、
我們向以色列神的約櫃應當怎樣行呢。他們回答
說、可以將以色列神的約櫃運到迦特去。於是將以
色列神的約櫃運到那裏去。九運到之後、耶和華的手
攻擊那城、使那城的人大大驚慌、無論大小都生痔瘡。
十他們就把神的約櫃送到以革倫。神的約櫃到了、
以革倫人就喊嚷起來說、他們將以色列神的約櫃
運到我們這裏、要害我們和我們的衆民。十一於是打發人
去請非利士的衆首領來、說、願你們將以色列神的
約櫃送回原處、免得害了我們和我們的衆民。原來
神的手重重攻擊那城、城中的人有因驚慌而死的。十二未
曾死的人都生了痔瘡、合城呼號、聲音上達於天。

第六章

送約櫃獻陪罪祭

一耶和華的約櫃在非利士人之地七個月。
二非利士人將祭司和占卜的聚了來、問他們說、我們向
耶和華的約櫃應當怎樣行、請指示我們用何法將約
櫃送回原處。三他們說、若要將以色列神的約櫃送回
去、不可空空的送去、必要給他獻賠罪的禮物、然後你
們可得痊癒、並知道他的手爲何不離開你們。四非利士
人說、應當用甚麼獻爲賠罪的禮物呢。他們回答說、當
照非利士首領的數目、用五個金痔瘡、五個金老鼠、因
爲在你們衆人和你們首領的身上、都是一樣的災。五所
以當製造你們痔瘡的像、和毀壞你們田地老鼠的像、
並要歸榮耀給以色列的神、或者他向你們和你們
的神、並你們的田地、把手放輕些。六你們爲何硬着心像
埃及人和法老一樣呢。神在埃及人中間行奇事、埃
及人豈不釋放以色列人、他們就去了麽。七現在你們應
當造一輛新車、將兩隻未曾負軛有乳的母牛套在車
上、使牛犢回家去、離開母牛。八把耶和華的約櫃放在車
上、將所獻賠罪的金物裝在匣子裏、放在櫃旁、將櫃送
去。九你們要看看、車若直行以色列的境界到伯示麥去、
這大災就是耶和華降在我們身上的、若不然、便可以
知道不是他的手擊打我們、是我們偶然遇見的。○十非
利士人就這樣行、將兩隻有乳的母牛套在車上、將牛
犢關在家裏。十一把耶和華的約櫃、和裝金老鼠並金痔瘡
像的匣子、都放在車上。十二牛直行大道往伯示麥去、一面

走一面叫、不偏左右．非利士的首領跟在後面、直到伯
示麥的境界。十三伯示麥人正在平原收割麥子、舉目看見
約櫃、就歡喜了。十四車到了伯示麥人約書亞的田間、就站
住了．在那裏有一塊大磐石、他們把車劈了、將兩隻母
牛獻給耶和華爲燔祭。十五利未人將耶和華的約櫃、和裝
金物的匣子拿下來放在大磐石上．當日伯示麥人將
燔祭和平安祭獻給耶和華。十六非利士人的五個首領看
見、當日就回以革倫去了。○十七非利士人獻給耶和華作
賠罪的金痔瘡像、就是這些．一個是爲亞實突、一個是
爲迦薩、一個是爲亞實基倫、一個是爲迦特、一個是爲
以革倫。十八金老鼠的數目、是照非利士五個首領的城邑、
就是堅固的城邑和鄉村、以及大磐石．這磐石是放耶
和華約櫃的、到今日還在伯示麥人約書亞的田間。○
十九耶和華因伯示麥人擅觀他的約櫃、就擊殺了他們七
十人．那時有五萬人在那裏．(原文作七十人加五萬人)百姓因耶和
華大大擊殺他們、就哀哭了。二十伯示麥人說、誰能在耶和
華這聖潔的神面前侍立呢．這約櫃可以從我們這
裏送到誰那裏去呢。二一於是打發人去見基列耶琳的居
民、說、非利士人將耶和華的約櫃送回來了、你們下來
將約櫃接到你們那裏去罷。

昇約櫃詣基列耶琳

第七章　一基列耶琳人就下來、將耶和華的約櫃接
上去、放在山上亞比拿達的家中、分派他兒子以利亞
撒、看守耶和華的約櫃。○二約櫃在基列耶琳許久、過了
二十年、以色列全家都傾向耶和華。三撒母耳對以色列
全家說、你們若一心歸順耶和華、就要把外邦的神、和
亞斯他錄、從你們中間除掉、專心歸向耶和華、單單的
事奉他．他必救你們脫離非利士人的手。四以色列人就
除掉諸巴力和亞斯他錄、單單的事奉耶和華。

撒母耳祈禱勝敵

五撒母耳說、要使以色列衆人聚集在米斯巴、我好爲你
們禱告耶和華。六他們就聚集在米斯巴、打水澆在耶和
華面前、當日禁食、說、我們得罪了耶和華．於是撒母耳
在米斯巴審判以色列人。七非利士人聽見以色列人聚
集在米斯巴、非利士的首領就上來要攻擊以色列人．
以色列人聽見就懼怕非利士人。八以色列人對撒母耳

說、願你不住的爲我們呼求耶和華我們的神、救我
九 們脫離非利士人的手。九撒母耳就把一隻喫奶的羊羔、
獻與耶和華作全牲的燔祭、爲以色列人呼求耶和華。
十 耶和華就應允他。十撒母耳正獻燔祭的時候、非利士人
前來要與以色列人爭戰。當日耶和華大發雷聲、驚亂
十一 非利士人、他們就敗在以色列人面前。十一以色列人從米
斯巴出來、追趕非利士人、擊殺他們直到伯甲的下邊。
十二 ◯十二撒母耳將一塊石頭立在米斯巴和善的中間、給石
十三 頭起名叫以便以謝、說、到如今耶和華都幫助我們。十三從
此非利士人就被制伏、不敢再入以色列人的境內。撒
十四 母耳作士師的時候、耶和華的手攻擊非利士人。十四非利
士人所取以色列人的城邑、從以革倫直到迦特、都歸
以色列人了。屬這些城的四境、以色列人也從非利士
十五 人手下收回。那時以色列人與亞摩利人和好。◯十五撒母
十六 耳平生作以色列的士師。十六他每年巡行到伯特利、吉甲、
十七 米斯巴、在這幾處審判以色列人。十七隨後回到拉瑪、因爲
他的家在那裏、也在那裏審判以色列人、且爲耶和華
築了一座壇。

以色列人求立王撒母耳不悅

一 **第八章** 一撒母耳年紀老邁、就立他兒子作以色列
二 的士師。二長子名叫約珥、次子名叫亞比亞。他們在別是
三 巴作士師。三他兒子不行他的道、貪圖財利、收受賄賂、屈
四 枉正直。◯四以色列的長老都聚集、來到拉瑪見撒母耳、
五 五對他說、你年紀老邁了、你兒子不行你的道。現在求你
六 爲我們立一個王治理我們、像列國一樣。六撒母耳不喜
七 悅他們說、立一個王治理我們、他就禱告耶和華。七耶和
華對撒母耳說、百姓向你說的一切話、你只管依從。因
爲他們不是厭棄你、乃是厭棄我、不要我作他們的王。
八 八自從我領他們出埃及到如今、他們常常離棄我、事奉
九 別神、現在他們向你所行的、是照他們素來所行的。九故
此你要依從他們的話、只是當警戒他們、告訴他們將
十 來那王怎樣管轄他們。◯十撒母耳將耶和華的話、都傳
十一 給求他立王的百姓、說、十一管轄你們的王必這樣行。他必
十二 派你們的兒子爲他趕車、跟馬奔走在車前。十二又派他們
作千夫長、五十夫長、爲他耕種田地、收割莊稼、打造軍
十三 器、和車上的器械。十三必取你們的女兒爲他製造香膏、作

十四 飯烤餅。十四也必取你們最好的田地、葡萄園、橄欖園、賜給
十五 他的臣僕。十五你們的糧食和葡萄園所出的、他必取十分
十六 之一、給他的太監和臣僕。十六又必取你們的僕人婢女、健
十七 壯的少年人、和你們的驢、供他的差役。十七你們的羊羣他
十八 必取十分之一、你們也必作他的僕人。十八那時你們必因
所選的王哀求耶和華、耶和華卻不應允你們。

耶和華命撒母耳從民言立王

十九 百姓竟不肯聽撒母耳的話、說、不然、我們定要一個王
二十 治理我們、二十使我們像列國一樣、有王治理我們、統領我
二一 們、為我們爭戰。二一撒母耳聽見百姓這一切話、就將這話
二二 陳明在耶和華面前。二二耶和華對撒母耳說、你只管依從
他們的話、為他們立王。撒母耳對以色列人說、你們各
歸各城去罷。

掃羅詣撒母耳

一 **第九章** 一有一個便雅憫人、名叫基士、是便雅憫人
亞斐亞的元孫、比歌拉的曾孫、洗羅的孫子、亞別的兒
二 子。是個大能的勇士。（或作大財主）二他有一個兒子、名叫掃羅、
又健壯、又俊美、在以色列人中沒有一個能比他的身
三 體比眾民高過一頭。三掃羅的父親基士、丟了幾頭驢。他
四 就吩咐兒子掃羅說、你帶一個僕人去尋找驢。四掃羅就
走過以法蓮山地、又過沙利沙地、都沒有找着。又過沙
五 琳地、驢也不在那裏。又過便雅憫地、還沒有找着。○五到
了蘇弗地、掃羅對跟隨他的僕人說、我們不如回去、恐
六 怕我父親不為驢掛心、反為我們擔憂。六僕人說、這城裏
有一位神人、是眾人所尊重的、凡他所說的全都應驗。
我們不如往他那裏去、或者他能將我們當走的路指
七 示我們。七掃羅對僕人說、我們若去、有甚麼可以送那人
呢。我們囊中的食物都喫盡了、也沒有禮物可以送那
八 神人、我們還有甚麼沒有。八僕人回答掃羅說、我手裏有
銀子一舍客勒的四分之一、可以送那神人、請他指示
九 我們當走的路。九（從前以色列中、若有人去問神、就
說、我們問先見去罷。現在稱為先知的、從前稱為先
十 見）十掃羅對僕人說、你說的是、我們可以去。於是他們
十一 往神人所住的城裏去了。○十一他們上坡要進城、就遇見
幾個少年女子出來打水、問他們說、先見在這裏沒有。
十二 女子回答說、在這裏、他在你們前面、快去罷、他今日正

十三 到城裏因爲今日百姓要在邱壇獻祭。十三在他還沒有上
邱壇喫祭物之先、你們一進城必遇見他、因他未到、百
姓不能喫、必等他先祝祭、然後請的客纔喫、現在你們
十四 上去、這時候必遇見他。十四二人就上去、將進城的時候、撒
母耳正迎着他們來、要上邱壇去。

撒母耳與掃羅偕食

十五 十六 掃羅十五未到的前一日、耶和華已經指示撒母耳說、十六明日
這時候、我必使一個人從便雅憫地到你這裏來、你要
膏他作我民以色列的君、他必救我民脫離非利士人
十七 的手、因我民的哀聲上達於我、我就眷顧他們。十七撒母耳
看見掃羅的時候、耶和華對他說、看哪、這人就是我對
十八 你所說的、他必治理我的民。十八掃羅在城門裏走到撒母
十九 耳跟前、說、請告訴我、先見的寓所在那裏。十九撒母耳回答
說、我就是先見、你在我前面上邱壇去、因爲你們今日
必與我同席、明日早晨我送你去、將你心裏的事都告
二十 訴你。二十至於你前三日所丟的那幾頭驢、你心裏不必掛
念、已經找着了、以色列衆人所仰慕的是誰呢、不是仰
二一 慕你、和你父的全家麽。二一掃羅說、我不是以色列支派中
二二 至小的便雅憫人麽、我家不是便雅憫支派中至小的
家麽、你爲何對我說這樣的話呢。○二二撒母耳領掃羅和
他僕人進了客堂、使他們在請來的客中坐首位、客約
二三 有三十個人。二三撒母耳對廚役說、我交給你收存的那一
二四 分祭肉、現在可以拿來。二四廚役就把收存的腿拿來、擺在
掃羅面前、撒母耳說、這是所留下的、放在你面前喫罷、
因我請百姓的時候、特意爲你存留這肉到此時、當日
二五 掃羅就與撒母耳同席。二五○衆人從邱壇下來進城、撒母
二六 耳和掃羅在房頂上說話。二六次日清早起來、黎明的時候、
掃羅在房頂上、撒母耳呼叫他說、起來罷、我好送你回
二七 去、掃羅就起來、和撒母耳一同出去。二七二人下到城角、撒
母耳對掃羅說、要吩咐僕人先走、（僕人就先走了）
你且站在這裏、等我將神的話傳與你聽。

撒母耳膏掃羅

第十章

一 一撒母耳拿瓶膏油倒在掃羅的頭上、與他
二 親嘴、說、這不是耶和華膏你作他產業的君麽。二你今日
與我離別之後、在便雅憫境內的泄撒、靠近拉結的墳
墓、要遇見兩個人、他們必對你說、你去找的那幾頭驢

已經找着了．現在你父親不為驢掛心、反為你擔憂、說、
三 我為兒子怎麽纔好呢。三你從那裏往前行、到了他泊的
橡樹那裏、必遇見三個往伯特利去拜　神的人、一個
帶着三隻山羊羔、一個帶着三個餅、一個帶着一皮袋
四 酒。四他們必問你安、給你兩個餅、你就從他們手中接過
五 來。五此後你到　神的山、在那裏有非利士人的防兵．你
到了城的時候、必遇見一班先知從邱壇下來、前面有
六 鼓瑟的、擊鼓的、吹笛的、彈琴的、他們都受感說話。六耶和
華的靈必大大感動你、你就與他們一同受感說話、你
七 要變為新人。七這兆頭臨到你、你就可以趁時而作、因為
八 神與你同在。八你當在我以先下到吉甲、我也必下到
那裏獻燔祭和平安祭、你要等候七日、等我到了那裏、
指示你當行的事。

掃羅感靈而言

九 九掃羅轉身離別撒母耳、　神就賜他一個新心．當日這
十 一切兆頭都應驗了。十掃羅到了那山、有一班先知遇見
十一 他、神的靈大大感動他、他就在先知中受感說話。十一素
來認識掃羅的、看見他和先知一同受感說話、就彼此
十二 說、基士的兒子遇見甚麽了、掃羅也列在先知中麽。十二那
地方有一個人說、這些人的父親是誰呢、此後有句俗
十三 語說、掃羅也列在先知中麽。十三掃羅受感說話已畢、就上
十四 邱壇去了。十四○掃羅的叔叔問掃羅和他僕人說、你們往
那裏去了．回答說、找驢去了．我們見沒有驢、就到了撒
十五 母耳那裏。十五掃羅的叔叔說、請將撒母耳向你們所說的
十六 話告訴我。十六掃羅對他叔叔說、他明明的告訴我們驢已
經找着了．至於撒母耳所說的國事、掃羅卻沒有告訴
叔叔。

掣籤得掃羅為王

十七十八 十七撒母耳將百姓招聚到米斯巴耶和華那裏。十八對他們說、
耶和華以色列的　神如此說、我領你們以色列人出
埃及、救你們脫離埃及人的手、又救你們脫離欺壓你
十九 們各國之人的手。十九你們今日卻厭棄了救你們脫離一
切災難的　神、說、求你立一個王治理我們．現在你們
二十 應當按着支派宗族都站在耶和華面前。二十於是撒母耳
使以色列衆支派宗族近前來掣籤、就掣出便雅憫支派來。
二十一 二十一又使便雅憫支派按着宗族近前來、就掣出瑪特利族、

從其中又掣出基士的兒子掃羅．眾人尋找他、卻尋不
二二 着、[二二]就問耶和華說、那人到這裏來了沒有。耶和華說、他
二三 藏在器具中了。[二三]眾人就跑去從那裏領出他來．他站在
二四 百姓中間、身體比眾民高過一頭。[二四]撒母耳對眾民說、你
們看耶和華所揀選的人、眾民中有可比他的麼．眾民
二五 就大聲歡呼說、願王萬歲。〇[二五]撒母耳將國法對百姓說
明、又記在書上、放在耶和華面前．然後遣散眾民、各回
二六 各家去了。[二六]掃羅往基比亞回家去、有 神感動的一羣
二七 人跟隨他。[二七]但有些匪徒說、這人怎能救我們呢．就藐視
他、沒有送他禮物．掃羅卻不理會。

第十一章

拿轄恐嚇雅比人

一 [一]亞捫人的王拿轄上來、對着基列雅比
安營．雅比眾人對拿轄說、你與我們立約、我們就服事
二 你。[二]亞捫人拿轄說、你們若由我剜出你們各人的右眼、
三 以此凌辱以色列眾人、我就與你們立約。[三]雅比的長老
對他說、求你寬容我們七日、等我們打發人往以色列
四 的全境去、若沒有人救我們、我們就出來歸順你。[四]使者
到了掃羅住的基比亞、將這話說給百姓聽、百姓就都
五 放聲而哭。[五]掃羅正從田間趕牛回來、問說、百姓為甚麼
哭呢．眾人將雅比人的話告訴他。

掃羅擊敗亞捫人

六七 [六]掃羅聽見這話、就被 神的靈大大感動、甚是發怒。[七]
將一對牛切成塊子、託付使者傳送以色列的全境、說、
凡不出來跟隨掃羅和撒母耳的、也必這樣切開他的
牛．於是耶和華使百姓懼怕他們、就都出來、如同一人。
八 [八]掃羅在比色數點他們．以色列人有三十萬、猶大人有
九 三萬。[九]眾人對那使者說、你們要回覆基列雅比人說、明
日太陽近午的時候、你們必得解救。使者回去告訴雅
十 比人、他們就歡喜了。[十]於是雅比人對亞捫人說、明日我
十一 們出來歸順你們、你們可以隨意待我們。[十一]第二日、掃羅
將百姓分為三隊、在晨更的時候入了亞捫人的營、擊
殺他們、直到太陽近午、剩下的人都逃散、沒有二人同
十二 在一處的。〇[十二]百姓對撒母耳說、那說掃羅豈能管理我
十三 們的、是誰呢．可以將他交出來、我們好殺死他。[十三]掃羅說、
今日耶和華在以色列中施行拯救、所以不可殺人。〇
十四十五 [十四]撒母耳對百姓說、我們要往吉甲去、在那裏立國。[十五]眾百

姓就到了吉甲那裏、在耶和華面前立掃羅爲王．又在
耶和華面前獻平安祭掃羅和以色列衆人大大歡喜。

第十二章

撒母耳自白於民衆

一 撒母耳對以色列衆人說、你們向我所
二 求的我已應允了、爲你們立了一個王。現在有這王在
你們前面行．我已年老髮白．我的兒子都在你們這裏．
三 我從幼年直到今日、都在你們前面行。我在這裏、你們
要在耶和華和他的受膏者面前、給我作見證、我奪過
誰的牛、搶過誰的驢、欺負過誰、虐待過誰、從誰手裏受
四 過賄賂因而眼瞎呢、若有、我必償還。衆人說、你未曾欺
五 負我們、虐待我們、也未曾從誰手裏受過甚麼。撒母耳
對他們說、你們在我手裏沒有找着甚麼、有耶和華和
六 他的受膏者今日爲證．他們說、願他爲證。○撒母耳對
百姓說、從前立摩西亞倫、又領你們列祖出埃及地的、
七 是耶和華。現在你們要站住、等我在耶和華面前對你
們講論耶和華向你們和你們列祖、所行一切公義的
八 事。從前雅各到了埃及、後來你們列祖呼求耶和華、耶
和華就差遣摩西、亞倫、領你們列祖出埃及、使他們在
九 這地方居住。他們卻忘記耶和華他們的神、他就把
他們付與夏瑣將軍西西拉的手裏、和非利士人並摩
十 押王的手裏．於是這些人常來攻擊他們。他們就呼求
耶和華、說、我們離棄耶和華、事奉巴力、和亞斯他錄、是
有罪了．現在求你救我們脫離仇敵的手、我們必事奉
十一 你。耶和華就差遣耶路巴力、比但、耶弗他、撒母耳、救你
十二 們脫離四圍仇敵的手、你們纔安然居住。你們見亞捫
人的王拿轄來攻擊你們、就對我說、我們定要一個王
十三 治理我們．其實耶和華你們的神是你們的王。現在
你們所求所選的王在這裏、看哪、耶和華已經爲你們
十四 立王了。你們若敬畏耶和華、事奉他、聽從他的話、不違
背他的命令、你們和治理你們的王、也都順從耶和華
十五 你們的神就好了。倘若不聽從耶和華的話、違背他
的命令、耶和華的手必攻擊你們、像從前攻擊你們列
十六 祖一樣。現在你們要站住、看耶和華在你們眼前要行
十七 一件大事。這不是割麥子的時候麼、我求告耶和華、他
必打雷降雨、使你們又知道又看出你們求立王的事、
十八 是在耶和華面前犯大罪了。於是撒母耳求告耶和華、

耶和華就在這日打雷降雨、衆民便甚懼怕耶和華和
十九 撒母耳。〇十九衆民對撒母耳說、求你爲僕人們禱告耶和
華你的神、免得我們死亡、因爲我們求立王的事、正
二十 是罪上加罪了。二十撒母耳對百姓說、不要懼怕、你們雖然
二一 行了這惡、卻不要偏離耶和華、只要盡心事奉他。二一若偏
二二 離耶和華去順從那不能救人的虛神、是無益的。二二耶和
華既喜悅選你們作他的子民、就必因他的大名不撇
二三 棄你們。二三至於我、斷不停止爲你們禱告、以致得罪耶和
二四 華。我必以善道正路指教你們。二四只要你們敬畏耶和華、
誠誠實實的盡心事奉他、想念他向你們所行的事何
二五 等大。二五你們若仍然作惡、你們和你們的王必一同滅亡。

掃羅率民擊非利士人

一 第十三章 一掃羅登基年四十歲、作以色列王二年
二 的時候、二就從以色列中揀選了三千人、二千跟隨掃羅
在密抹和伯特利山、一千跟隨約拿單在便雅憫的基
三 比亞、其餘的人掃羅都打發各回各家去了。三約拿單攻
擊迦巴非利士人的防營、非利士人聽見了。掃羅就在
四 遍地吹角、意思說、要使希伯來人聽見。四以色列衆人聽
見掃羅攻擊非利士人的防營、又聽見以色列人爲非
五 利士人所憎惡、就跟隨掃羅聚集在吉甲。〇五非利士人
聚集、要與以色列人爭戰、有車三萬輛、馬兵六千、步兵
像海邊的沙那樣多、就上來在伯亞文東邊的密抹安
六 營。六以色列百姓見自己危急窘迫、就藏在山洞、叢林、石
七 穴、隱密處、和坑中。七有些希伯來人過了約但河、逃到迦
得和基列地。掃羅還是在吉甲、百姓都戰戰兢兢的跟
隨他。

掃羅獻祭

八 八掃羅照着撒母耳所定的日期、等了七日。撒母耳還沒
九 有來到吉甲、百姓也離開掃羅散去了。九掃羅說、把燔祭
十 和平安祭帶到我這裏來。掃羅就獻上燔祭。十剛獻完燔
十一 祭、撒母耳就到了。掃羅出去迎接他、要問他好。十一撒母耳
說、你作的是甚麼事呢。掃羅說、因爲我見百姓離開我
散去、你也不照所定的日期來到、而且非利士人聚集
十二 在密抹、十二所以我心裏說、恐怕我沒有禱告耶和華、非利
十三 士人下到吉甲攻擊我、我就勉強獻上燔祭。十三撒母耳對
掃羅說、你作了糊塗事了、沒有遵守耶和華你 神所

十四 吩咐你的命令、若遵守耶和華必在以色列中堅立你
的王位直到永遠。十四現在你的王位必不長久。耶和華已
經尋着一個合他心意的人、立他作百姓的君、因為你
十五 沒有遵守耶和華所吩咐你的。十五撒母耳就起來、從吉甲
上到便雅憫的基比亞。○掃羅數點跟隨他的、約有六
十六 百人。十六掃羅和他兒子約拿單、並跟隨他們的人、都住在
十七 便雅憫的迦巴。但非利士人安營在密抹。十七有掠兵從非
利士營中出來、分為三隊、一隊往俄弗拉向書亞地去。
十八 十八一隊往伯和崙去。一隊往洗波音谷對面的地境向曠
野去。

以色列地乏軍械

十九 十九那時以色列全地沒有一個鐵匠、因為非利士人說、恐
二十 怕希伯來人製造刀槍。二十以色列人要磨鋤、犂、斧、鏟、就下
二一 到非利士人那裏去磨。二一但有銼可以銼鏟、犂、三齒叉、斧
二二 子、並趕牛錐。二二所以到了爭戰的日子、跟隨掃羅和約拿
單的人、沒有一個手裏有刀有槍的、惟獨掃羅和他兒
二三 子約拿單有。二三非利士人的一隊防兵、到了密抹的隘口。

第十四章

約拿單敗非利士人於密抹

一 一有一日掃羅的兒子約拿單、對拿他兵
器的少年人說、我們不如過到那邊、到非利士人的防
二 營那裏去。但他沒有告訴父親。二掃羅在基比亞的儘邊、
三 坐在米磯崙的石榴樹下、跟隨他的約有六百人。三在那
裏有亞希突的兒子亞希亞、穿着以弗得。亞希突是以
迦博的哥哥、非尼哈的兒子、以利的孫子。以利從前在
四 示羅作耶和華的祭司。約拿單去了、百姓卻不知道。四約
拿單要從隘口過到非利士防營那裏去、這隘口兩邊、
五 各有一個山峯、一名播薛、一名西尼。五一峯向北、與密抹
六 相對、一峯向南、與迦巴相對。六約拿單對拿兵器的少
年人說、我們不如過到未受割禮人的防營那裏去。或
者耶和華為我們施展能力、因為耶和華使人得勝、不
七 在乎人多人少。七拿兵器的對他說、隨你的心意行罷。你
八 可以上去、我必跟隨你、與你同心。八約拿單說、我們要過
九 到那些人那裏去、使他們看見我們。九他們若對我們說、
你們站住、等我們到你們那裏去、我們就站住、不上他
十 們那裏去。十他們若說、你們上到我們這裏來、這話就是

我們的證據、我們便上去、因為耶和華將他們交在我
十一 們手裏了。十一二人就使非利士的防兵看見．非利士人說、
十二 希伯來人從所藏的洞穴裏出來了。十二防兵對約拿單和
拿兵器的人說、你們上到這裏來、我們有一件事指示
你們．約拿單就對拿兵器的人說、你跟隨我上去、因為
十三 耶和華將他們交在以色列人手裏了。十三約拿單就爬上
去、拿兵器的人跟隨他．約拿單殺倒非利士人、拿兵器
十四 的人也隨着殺他們。十四約拿單和拿兵器的人起頭所殺
十五 的、約有二十人、都在一畝地的半犂溝之內。十五於是在營
中、在田野、在衆民內、都有戰兢、防兵和掠兵也都戰兢、
地也震動、戰兢之勢甚大。

以色列人追敵至伯亞文

十六 十六在便雅憫的基比亞、掃羅的守望兵、看見非利士的軍
十七 衆潰散、四圍亂竄。十七掃羅就對跟隨他的民說、你們查點
查點、看從我們這裏出去的是誰．他們一查點、就知道
十八 約拿單和拿兵器的人沒有在這裏。十八那時神的約：櫃
在以色列人那裏．掃羅對亞希亞說、你將神的約：櫃
十九 運了來。十九掃羅正與祭司說話的時候、非利士營中的喧
二十 嚷越發大了．掃羅就對祭司說、停手罷。二十掃羅和跟隨他
的人都聚集、來到戰塲、看見非利士人用刀互相擊殺、
二一 大大惶亂。二一從前由四方來跟隨非利士軍的希伯來人、
現在也轉過來、幫助跟隨掃羅和約拿單的以色列人
二二 了。二二那藏在以法蓮山地的以色列人、聽說非利士人逃
二三 跑、就出來緊緊的追殺他們。二三那日耶和華使以色列人
得勝、一直戰到伯亞文。

約拿單誤違父誓

二四 二四掃羅叫百姓起誓說、凡不等到晚上向敵人報完了仇
喫甚麼的、必受咒詛．因此這日百姓沒有喫甚麼、就極
二五 二六 其困憊。二五衆民進入樹林、見有蜜在地上．二六他們進了樹林、
見有蜜流下來、卻沒有人敢用手取：蜜：入口、因為他們
二七 怕那誓言。二七約拿單沒有聽見他父親叫百姓起誓、所以
伸手中的杖、用杖頭蘸在蜂房裏、轉手送入口內、眼睛
二八 就明亮了。二八百姓中有一人對他說、你父親曾叫百姓嚴
嚴的起誓、說、今日喫甚麼的、必受咒詛．因此百姓就疲
二九 乏了。二九約拿單說、我父親連累你們了．你看、我嘗了這一
三十 點蜜、眼睛就明亮了。三十今日百姓若任意喫了從仇敵所

三一 奪的物、擊殺的非利士人、豈不更多麽。◯三一這日以色列
人擊殺非利士人、從密抹直到亞雅崙、百姓甚是疲乏。
三二 三二就急忙將所奪的牛羊和牛犢、宰於地上、肉還帶血就
三三 喫了。三三有人告訴掃羅說、百姓喫帶血的肉得罪耶和華
了。掃羅說、你們有罪了、今日要將大石頭輥到我這裏
三四 來。三四掃羅又說、你們散在百姓中、對他們說、你們各人將
牛羊牽到我這裏來宰了喫、不可喫帶血的肉得罪耶
三五 和華。這夜百姓就把牛羊牽到那裏宰了。三五掃羅爲耶和
三六 華築了一座壇、這是他初次爲耶和華築的壇。◯三六掃羅
說、我們不如夜裏下去追趕非利士人、擄掠他們、直到
天亮、不留他們一人。衆民說、你看怎樣好就去行罷。祭
三七 司說、我們先當親近　神。三七掃羅求問　神說、我下去追
趕非利士人可以不可以、你將他們交在以色列人手
三八 裏不交。這日　神沒有回答他。三八掃羅說、你們百姓中的
三九 長老都上這裏來、查明今日是誰犯了罪。三九我指着救以
色列永生的耶和華起誓、就是我兒子約拿單犯了罪、
四十 他也必死。但百姓中無一人回答他。四十掃羅就對以色列
衆人說、你們站在一邊、我與我兒子約拿單也站在一

四一 邊。百姓對掃羅說、你看怎樣好就去行罷。四一掃羅禱告耶
和華以色列的　神說、求你指示實情。於是掣籤掣出
四二 掃羅和約拿單來、百姓盡都無事。四二掃羅說、你們再掣籤
看是我是我兒子約拿單、就掣出約拿單來。

掃羅欲殺約拿單衆民救之得免

四三 四三掃羅對約拿單說、你告訴我你作了甚麽事。約拿單說、
我實在以手裏的杖、用杖頭蘸了一點蜜嘗了一嘗、這
四四 樣我就死嗎。（嗎或作罷）四四掃羅說、約拿單哪、你定要死、若不然、
四五 願　神重重的降罰與我。四五百姓對掃羅說、約拿單在以
色列人中這樣大行拯救、豈可使他死呢、斷乎不可、我
們指着永生的耶和華起誓、連他的一根頭髮也不可
落地、因爲他今日與　神一同作事。於是百姓救約拿
四六 單免了死亡。四六掃羅回去不追趕非利士人、非利士人也
回本地去了。

掃羅之戰績

四七 四七掃羅執掌以色列的國權、常常攻擊他四圍的一切仇
敵、就是摩押人、亞捫人、以東人、和瑣巴諸王、並非利士
四八 人。他無論往何處去、都打敗仇敵。四八掃羅奮勇攻擊亞瑪

力人、救了以色列人脫離搶掠他們之人的手。

掃羅之族譜

四九 四九掃羅的兒子是約拿單、亦施韋、麥基舒亞、他的兩個女
五十 兒、長女名米拉、次女名米甲。五十掃羅的妻名叫亞希暖、是
亞希瑪斯的女兒。掃羅的元帥名叫押尼珥、是尼珥的
五一 兒子、尼珥是掃羅的叔叔。五一掃羅的父親基士、押尼珥的
五二 父親尼珥、都是亞別的兒子。○五二掃羅平生常與非利士
人大大爭戰．掃羅遇見有能力的人、或勇士、都招募了
來跟隨他。

命滅亞瑪力人

第十五章

一 一撒母耳對掃羅說、耶和華差遣我膏你
為王、治理他的百姓以色列．所以你當聽從耶和華的
二 話。二萬軍之耶和華如此說、以色列人出埃及的時候、在
路上亞瑪力人怎樣待他們、怎樣抵擋他們、我都沒忘。
三 三現在你要去擊打亞瑪力人、滅盡他們所有的、不可憐
惜他們、將男女孩童、喫奶的、並牛羊、駱駝、和驢盡行殺
死。

掃羅違命

四 四於是掃羅招聚百姓在提拉因、數點他們、共有步兵二
五 十萬、另有猶大人一萬。五掃羅到了亞瑪力的京城、在谷
六 中設下埋伏。六掃羅對基尼人說、你們離開亞瑪力人下
去罷、恐怕我將你們和亞瑪力人一同殺滅．因為以色
列人出埃及的時候、你們曾恩待他們．於是基尼人離
七 開亞瑪力人去了。七掃羅擊打亞瑪力人、從哈腓拉直到
八 埃及前的書珥。八生擒了亞瑪力王亞甲、用刀殺盡亞瑪
九 力的衆民。九掃羅和百姓卻憐惜亞甲、也愛惜上好的牛、
羊、牛犢、羊羔、並一切美物、不肯滅絕．凡下賤瘦弱的、盡
十 十一 都殺了。○十耶和華的話臨到撒母耳說、十一我立掃羅為王、
我後悔了．因為他轉去不跟從我、不遵守我的命令。撒
十二 母耳便甚憂愁、終夜哀求耶和華。十二撒母耳清早起來迎
接掃羅．有人告訴撒母耳說、掃羅到了迦密、在那裏立
十三 了記念碑、又轉身下到吉甲。十三撒母耳到了掃羅那裏、掃
羅對他說、願耶和華賜福與你、耶和華的命令我已遵
十四 守了。十四撒母耳說、我耳中聽見有羊叫、牛鳴、是從那裏來
十五 的呢。十五掃羅說、這是百姓從亞瑪力人那裏帶來的、因為

十六 他們愛惜上好的牛羊、要獻與耶和華你的 神．其餘
的我們都滅盡了。十六撒母耳對掃羅說、你住口罷、等我將
耶和華昨夜向我所說的話告訴你．掃羅說、請講。

撒母耳責掃羅

十七 撒母耳對掃羅說、從前你雖然以自己爲小、豈不是被
立爲以色列支派的元首麽。耶和華膏你作以色列的
十八 王。十八耶和華差遣你、吩咐你說、你去擊打那些犯罪的亞
十九 瑪力人、將他們滅絕淨盡。十九你爲何沒有聽從耶和華的
二十 命令、急忙擄掠財物、行耶和華眼中看爲惡的事呢。二十掃
羅對撒母耳說、我實在聽從了耶和華的命令、行了耶
和華所差遣我行的路、擒了亞瑪力王亞甲來、滅盡了
二一 亞瑪力人．二一百姓卻在所當滅的物中、取了最好的牛羊、
二二 要在吉甲獻與耶和華你的 神。二二撒母耳說、耶和華喜
悅燔祭和平安祭、豈如喜悅人聽從他的話呢．聽命勝
二三 於獻祭、順從勝於公羊的脂油。二三悖逆的罪、與行邪術的
罪相等．頑梗的罪、與拜虛神和偶像的罪相同．你既厭
棄耶和華的命令、耶和華也厭棄你作王。

掃羅認罪

二四 二四掃羅對撒母耳說、我有罪了、我因懼怕百姓聽從他們
二五 的話、就違背了耶和華的命令、和你的言語。二五現在求你
二六 赦免我的罪、同我回去、我好敬拜耶和華。二六撒母耳對掃
羅說、我不同你回去．因爲你厭棄耶和華的命令、耶和
二七 華也厭棄你作以色列的王。二七撒母耳轉身要走、掃羅就
二八 扯住他外袍的衣襟、衣襟就撕斷了。二八撒母耳對他說、如
此、今日耶和華使以色列國與你斷絕、將這國賜與比
二九 你更好的人。二九以色列的大能者、必不至說謊、也不至後
三十 悔．因爲他迥非世人、決不後悔。三十掃羅說、我有罪了、雖然
如此、求你在我百姓的長老和以色列人面前抬舉我、
三一 同我回去、我好敬拜耶和華你的 神。三一於是撒母耳轉
身跟隨掃羅回去、掃羅就敬拜耶和華。

誅亞甲王

三二 三二撒母耳說、要把亞瑪力王亞甲帶到我這裏來．亞甲就
歡歡喜喜的來到他面前、心裏說、死亡的苦難必定過
三三 去了。三三撒母耳說、你既用刀使婦人喪子、這樣、你母親在
婦人中也必喪子．於是撒母耳在吉甲耶和華面前、將

亞甲殺死。○三四撒母耳回了拉瑪．掃羅上他所住的基比
亞回自己的家去了。三五撒母耳直到死的日子、再沒有見
掃羅．但撒母耳為掃羅悲傷、是因耶和華後悔立他為
以色列的王。

第十六章

撒母耳詣耶西

一耶和華對撒母耳說、我既厭棄掃羅作
以色列的王、你為他悲傷要到幾時呢．你將膏油盛滿
了角、我差遣你往伯利恆人耶西那裏去．因為我在他
眾子之內、預定一個作王的。二撒母耳說、我怎能去呢．掃
羅若聽見、必要殺我．耶和華說、你可以帶一隻牛犢去、
就說、我來是要向耶和華獻祭。三你要請耶西來喫祭肉、
我就指示你所當行的事．我所指給你的人、你要膏他。
四撒母耳就照耶和華的話去行．到了伯利恆．那城裏的
長老都戰戰兢兢的出來迎接他．問他說、你是為平安
來的麼．五他說、為平安來的．我是給耶和華獻祭．你們當
自潔、來與我同喫祭肉．撒母耳就使耶西和他眾子自
潔、請他們來喫祭肉。

撒母耳膏大衛

六他們來的時候、撒母耳看見以利押、就心裏說、耶和華
的受膏者必定在他面前。七耶和華卻對撒母耳說、不要
看他的外貌、和他身材高大、我不揀選他．因為耶和華
不像人看人．人是看外貌．耶和華是看內心。八耶西叫亞
比拿達從撒母耳面前經過．撒母耳說、耶和華也不揀
選他。九耶西又叫沙瑪從撒母耳面前經過．撒母耳說、耶
和華也不揀選他。十耶西叫他七個兒子都從撒母耳面
前經過、撒母耳說、這都不是耶和華所揀選的。十一撒母耳
對耶西說、你的兒子都在這裏麼．他回答說、還有個小
的、現在放羊．撒母耳對耶西說、你打發人去叫他來．他
若不來、我們必不坐席。十二耶西就打發人去叫了他來．他
面色光紅、雙目清秀、容貌俊美．耶和華說、這就是他、你
起來膏他。十三撒母耳就用角裏的膏油、在他諸兄中膏了
他．從這日起、耶和華的靈就大大感動大衛．撒母耳起
身回拉瑪去了。

掃羅召大衛鼓琴驅魔

十四耶和華的靈離開掃羅、有惡魔從耶和華那裏來擾亂

他。十五掃羅的臣僕對他說、現在有惡魔從 神那裏來擾
亂你。十六我們的主可以吩咐面前的臣僕找一個善於彈
琴的來、等 神那裏來的惡魔臨到你身上的時候、使
他用手彈琴、你就好了。十七掃羅對臣僕說、你們可以為我
找一個善於彈琴的、帶到我這裏來。十八其中有一個少年
人說、我曾見伯利恆人耶西的一個兒子善於彈琴.是
大有勇敢的戰士、說話合宜、容貌俊美、耶和華也與他
同在。十九於是掃羅差遣使者去見耶西、說、請你打發你放
羊的兒子大衛到我這裏來。二十耶西就把幾個餅、和一皮
袋酒、並一隻山羊羔、都馱在驢上、交給他兒子大衛送
與掃羅。二一大衛到了掃羅那裏、就侍立在掃羅面前.掃羅
甚喜愛他、他就作了掃羅拿兵器的人。二二掃羅差遣人去
見耶西說、求你容大衛侍立在我面前、因為他在我眼
前蒙了恩。二三從 神那裏來的惡魔臨到掃羅身上的時
候、大衛就拿琴用手而彈、掃羅便舒暢爽快、惡魔離了
他。

第十七章　歌利亞狂語索戰

一非利士人招聚他們的軍旅、要來爭戰.
聚集在屬猶大的梭哥、安營在梭哥和亞西加中間的
以弗大憫。二掃羅和以色列人也聚集、在以拉谷安營、擺
列隊伍、要與非利士人打仗。三非利士人站在這邊山上、
以色列人站在那邊山上.當中有谷。四從非利士營中出
來一個討戰的人、名叫歌利亞.是迦特人、身高六肘零
一虎口.五頭戴銅盔、身穿鎧甲、甲重五千舍客勒。六腿上有
銅護膝、兩肩之中背負銅戟.七槍桿粗如織布的機軸、鐵
槍頭重六百舍客勒.有一個拿盾牌的人在他前面走。
八歌利亞對着以色列的軍隊站立、呼叫說、你們出來擺
列隊伍作甚麼呢.我不是非利士人麼.你們不是掃羅
的僕人麼.九可以從你們中間揀選一人、使他下到我這
裏來.他若能與我戰鬬、將我殺死、我們就作你們的僕
人.我若勝了他、將他殺死、你們就作我們的僕人、服事
我們。十那非利士人又說、我今日向以色列人的軍隊罵
陣、你們叫一個人出來、與我戰鬬。十一掃羅和以色列眾人
聽見非利士人的這些話、就驚惶、極其害怕.○十二大衛是
猶大伯利恆的以法他人耶西的兒子.耶西有八個兒
子.當掃羅的時候、耶西已經老邁。十三耶西的三個大兒子

跟隨掃羅出征．這出征的三個兒子、長子名叫以利押、
十四 次子名叫亞比拿達、三子名叫沙瑪。十四大衛是最小的．那
十五 三個大兒子跟隨掃羅。十五大衛有時離開掃羅回伯利恆、
十六 放他父親的羊。十六那非利士人早晚都出來站着、如此四
十日。

大衛聞歌利亞言則忿

十七 十七一日耶西對他兒子大衛說、你拿一伊法烘了的穗子、
十八 和十個餅、速速的送到營裏去、交給你哥哥們．十八再拿這
十塊奶餅送給他們的千夫長、且問你哥哥們好、向他
十九 們要一封信來。十九掃羅與大衛的三個哥哥、和以色列衆
二十 人在以拉谷與非利士人打仗。二十大衛早晨起來、將羊交
託一個看守的人照着他父親所吩咐的話、帶着食物
二一 去了．到了輜重營、軍兵剛出到戰塲、吶喊要戰。二一以色列
二二 人和非利士人都擺列隊伍、彼此相對。二二大衛把他帶來
的食物、留在看守物件人的手下、跑到戰塲、問他哥哥
二三 們安。二三與他們說話的時候、那討戰的、就是屬迦特的非
利士人歌利亞、從非利士隊中出來、說從前所說的話．
二四 大衛都聽見了。二四以色列衆人看見那人、就逃跑、極其害

二五 怕。二五以色列人彼此說、這上來的人、你看見了麼．他上來、
是要向以色列人罵陣．若有能殺他的、王必賞賜他大
財、將自己的女兒給他爲妻、並在以色列人中、免他父
二六 家納糧當差。二六大衛問站在旁邊的人說、有人殺這非利
士人、除掉以色列人的恥辱、怎樣待他呢．這未受割禮
的非利士人是誰呢、竟敢向永生神的軍隊罵陣麼。
二七 二七百姓照先前的話回答他說、有人能殺這非利士人、必
二八 如此如此待他。○二八大衛的長兄以利押聽見大衛與他
們所說的話、就向他發怒、說、你下來作甚麼呢．在曠野
的那幾隻羊、你交託了誰呢。我知道你的驕傲、和你心
二九 裏的惡意、你下來、特爲要看爭戰。二九大衛說、我作了甚麼
三十 呢．我來豈沒有緣故麼。三十大衛就離開他轉向別人、照先
前的話而問．百姓仍照先前的話回答他。

大衛自請出戰

三一 三一有人聽見大衛所說的話、就告訴了掃羅．掃羅便打發
三二 人叫他來．三二大衛對掃羅說、人都不必因那非利士人膽
三三 怯．你的僕人要去與那非利士人戰鬬。三三掃羅對大衛說、
你不能去與那非利士人戰鬬．因爲你年紀太輕、他自

三四 幼就作戰士。三四大衛對掃羅說、你僕人爲父親放羊．有時
三五 來了獅子、有時來了熊、從羣中啣一隻羊羔去。三五我就追
趕他、擊打他、將羊羔從他口中救出來．他起來要害我、
三六 我就揪着他的鬍子、將他打死。三六你僕人曾打死獅子和
熊．這未受割禮的非利士人向永生　神的軍隊罵陣、
三七 也必像獅子和熊一般。三七大衛又說、耶和華救我脫離獅
子和熊的爪、也必救我脫離這非利士人的手。掃羅對
三八 大衛說、你可以去罷．耶和華必與你同在。三八掃羅就把自
己的戰衣給大衛穿上、將銅盔給他戴上、又給他穿上
三九 鎧甲。三九大衛把刀跨在戰衣外、試試能走不能走．因爲素
來沒有穿慣、就對掃羅說、我穿戴這些不能走．因爲素
四十 來沒有穿慣。於是摘脫了。四十他手中拿杖、又在溪中挑選
了五塊光滑石子、放在袋裏、就是牧人帶的囊裏．手中
拿着甩石的機弦、就去迎那非利士人。

擊殺歌利亞

四一 四一非利士人也漸漸的迎着大衛來．拿盾牌的走在前頭。
四二 四二非利士人觀看、見了大衛、就藐視他．因爲他年輕、面色
四三 光紅、容貌俊美。四三非利士人對大衛說、你拿杖到我這裏
來、我豈是狗呢。非利士人就指着自己的神、咒詛大衛。
四四 四四非利士人又對大衛說、來罷、我將你的肉給空中的飛
四五 鳥田野的走獸喫。四五大衛對非利士人說、你來攻擊我、是
靠着刀槍和銅戟．我來攻擊你、是靠着萬軍之耶和華
四六 的名、就是你所怒罵帶領以色列軍隊的　神。四六今日耶
和華必將你交在我手裏．我必殺你、斬你的頭．又將非
利士軍兵的屍首給空中的飛鳥地上的野獸喫．使普
四七 天下的人都知道以色列中有　神．四七又使這衆人知道
耶和華使人得勝、不是用刀用槍．因爲爭戰的勝敗全
四八 在乎耶和華．他必將你們交在我們手裏。四八非利士人起
身、迎着大衛前來．大衛急忙迎着非利士人、往戰場跑
四九 去。四九大衛用手從囊中掏出一塊石子來、用機弦甩去、打
中非利士人的額．石子進入額內、他就仆倒、面伏於地。

非利士人潰敗

五十 五十這樣、大衛用機弦甩石、勝了那非利士人、打死他．大衛
五一 手中卻沒有刀。五一大衛跑去、站在非利士人身旁、將他的
刀從鞘中拔出來、殺死他、割了他的頭。五二非利士衆人看
五二 見他們討戰的勇士死了、就都逃跑。以色列人和猶大

人便起身、吶喊、追趕非利士人、直到迦特、或作該和以革
倫的城門。被殺的非利士人、倒在沙拉音的路上、直到
五三 迦特和以革倫。五三以色列人追趕非利士人回來、就奪了
五四 他們的營盤。五四大衛將那非利士人的頭、拿到耶路撒冷、
卻將他軍裝放在自己的帳棚裏。

押尼珥引大衛見掃羅

五五 五五掃羅看見大衛去攻擊非利士人、就問元帥押尼珥說、
押尼珥、阿那少年人是誰的兒子。押尼珥說、我敢在王
五六 面前起誓我不知道。五六王說、你可以問問那幼年人是誰
五七 的兒子。五七大衛打死非利士人回來、押尼珥領他到掃羅
五八 面前、他手中拿着非利士人的頭。五八掃羅問他說、少年人
哪、你是誰的兒子。大衛說、我是你僕人伯利恆人耶西
的兒子。

約拿單愛慕大衛

一 **第十八章** 一大衛對掃羅說完了話、約拿單的心、與
大衛的心、深相契合、約拿單愛大衛、如同愛自己的性
二三 命。二那日掃羅留住大衛、不容他再回父家。三約拿單愛大
四 衛、如同愛自己的性命、就與他結盟。四約拿單從身上脫
下外袍、給了大衛、又將戰衣、刀弓、腰帶、都給了他。

掃羅立之爲戰士長

五 五掃羅無論差遣大衛往何處去、他都作事精明。掃羅就
立他作戰士長、衆百姓和掃羅的臣僕、無不喜悅。

婦女讚大衛之勇掃羅不悅

六 六大衛打死了那非利士人、同衆人回來的時候、婦女們
從以色列各城裏出來、歡歡喜喜、打鼓擊磬、歌唱跳舞、
七 迎接掃羅王。七衆婦女舞蹈唱和說、掃羅殺死千千、大衛
八 殺死萬萬。八掃羅甚發怒、不喜悅這話、就說、將萬萬歸大
九 衛、千千歸我、只剩下王位沒有給他了。九從這日起、掃羅
十 就怒視大衛。○十次日、從　神那裏來的惡魔、大大降在
掃羅身上、他就在家中胡言亂語。大衛照常彈琴。掃羅
十一 手裏拿着槍。十一掃羅把槍一掄、心裏說、我要將大衛刺透、
十二 釘在牆上。大衛躲避他兩次。十二掃羅懼怕大衛、因爲耶和
十三 華離開自己、與大衛同在。所以十三掃羅使大衛離開自己、
十四 立他爲千夫長、他就領兵出入。十四大衛作事無不精明、耶
十五十六 和華也與他同在。十五掃羅見大衛作事精明、就甚怕他。十六但
以色列和猶大衆人、都愛大衛、因爲他領他們出入。

掃羅以女米拉許大衛

十七掃羅對大衛說、我將大女兒米拉給你爲妻．只要你爲
我奮勇、爲耶和華爭戰。掃羅心裏說、我不好親手害他、
要藉非利士人的手害他。十八大衛對掃羅說、我是誰、我是
甚麼出身、我父家在以色列中是何等的家、豈敢作王
的女婿呢。十九掃羅的女兒米拉到了當給大衛的時候、掃
羅卻給了米何拉人亞得列爲妻。二十掃羅的次女米甲愛
大衛．有人告訴掃羅、掃羅就喜悅。二一掃羅心裏說、我將這
女兒給大衛、作他的網羅、好藉非利士人的手害他。所
以掃羅對大衛說、你今日可以第二次作我的女婿。

掃羅畏大衛

二二掃羅吩咐臣僕說、你們暗中對大衛說、王喜悅你、王的
臣僕也都喜愛你．所以你當作王的女婿。二三掃羅的臣僕、
就照這話說給大衛聽。大衛說、你們以爲作王的女婿、
是一件小事麼．我是貧窮卑微的人。二四掃羅的臣僕回奏、
說大衛所說的如此如此。二五掃羅說、你們要對大衛這樣
說、王不要甚麼聘禮、只要一百非利士人的陽皮、好在
王的仇敵身上報仇。掃羅的意思要使大衛喪在非利
士人的手裏。二六掃羅的臣僕將這話告訴大衛、大衛就歡
喜作王的女婿．日期還沒有到、二七大衛和跟隨他的人起
身前往、殺了二百非利士人、將陽皮滿數交給王、爲要
作王的女婿。於是掃羅將女兒米甲給大衛爲妻。二八掃羅
見耶和華與大衛同在、又知道女兒米甲愛大衛．二九就更
怕大衛、常作大衛的仇敵。○三十每逢非利士軍長出來打
仗、大衛比掃羅的臣僕作事精明．因此他的名被人尊
重。

約拿單褒揚大衛

第十九章

一掃羅對他兒子約拿單和衆臣僕說、要
殺大衛。掃羅的兒子約拿單卻甚喜愛大衛。二約拿單告
訴大衛說、我父掃羅想要殺你．所以明日早晨你要小
心、到一個僻靜地方藏身．三我就出到你所藏的田裏、站
在我父親旁邊、與他談論．我看他情形怎樣、我必告訴
你。四約拿單向他父親掃羅替大衛說好話、說、王不可得
罪王的僕人大衛．因爲他未曾得罪你、他所行的、都與
你大有益處．五他拚命殺那非利士人、耶和華爲以色列
衆人大行拯救．那時你看見、甚是歡喜．現在爲何無故

要殺大衛、流無辜人的血、自己取罪呢。六掃羅聽了約拿
單的話、就指着永生的耶和華起誓說、我必不殺他。七約
拿單叫大衛來、把這一切事告訴他、帶他去見掃羅、他
就仍然侍立在掃羅面前。

米甲釋大衛

八此後、又有爭戰的事、大衛出去、與非利士人打仗、大大
殺敗他們、他們就在他面前逃跑。九從耶和華那裏來的
惡魔、又降在掃羅身上、（掃羅手裏拿槍坐在屋裏）
大衛就用手彈琴。十掃羅用槍想要刺透大衛、釘在牆上。
他卻躲開、掃羅的槍刺入牆內。當夜大衛逃走躲避了。
十一掃羅打發人到大衛的房屋那裏、窺探他、要等到天亮
殺他。大衛的妻米甲對他說、你今夜若不逃命、明日你
要被殺。十二於是米甲將大衛從窗戶裏縋下去、大衛就逃
走、躲避了。十三米甲把家中的神像、放在牀上、頭枕在山羊
毛裝的枕頭上、用被遮蓋。十四掃羅打發人去捉拿大衛、米
甲說他病了。十五掃羅又打發人去看大衛、說、當連牀將他
抬來、我好殺他。十六使者進去、看見牀上有神像、頭枕在山
羊毛裝的枕頭上。十七掃羅對米甲說、你為甚麼這樣欺哄
我、放我仇敵逃走呢。米甲回答說、他對我說、你放我走、
不然、我要殺你。

掃羅及其使感靈而言

十八大衛逃避、來到拉瑪見撒母耳、將掃羅向他所行的事、
述說了一遍。他和撒母耳就往拿約去居住。十九有人告訴
掃羅說、大衛在拉瑪的拿約。二十掃羅打發人去捉拿大衛、
去的人見有一班先知都受感說話、撒母耳站在其中
監管他們、打發去的人也受　神的靈感動說話。二十一有人
將這事告訴掃羅、他又打發人去、他們也受感說話。掃
羅第三次打發人去、他們也受感說話。二十二然後掃羅自己
往拉瑪去、到了西沽的大井、問人說、撒母耳和大衛在
那裏呢。有人說、在拉瑪的拿約。二十三他就往拉瑪的拿約去。
　神的靈也感動他、一面走、一面說話、直到拉瑪的拿
約。二十四他就脫了衣服、在撒母耳面前受感說話、一晝一夜、
露體躺臥。因此有句俗語說、掃羅也列在先知中麼。

第二十章

大衛自愬於約拿單

一大衛從拉瑪的拿約逃跑、來到約拿單
那裏、對他說、我作了甚麼、有甚麼罪孽呢、在你父親面

二 前犯了甚麼罪、他竟尋索我的性命呢。[二]約拿單回答說、
斷然不是。你必不至死。我父作事、無論大小、沒有不叫
三 我知道的。怎麼獨有這事隱瞞我呢。決不如此。[三]大衛又
起誓說、你父親準知我在你眼前蒙恩、他心裏說、不如
不叫約拿單知道、恐怕他愁煩。我指着永生的耶和華、
四 又敢在你面前起誓、我離死不過一步。[四]約拿單對大衛
五 說、你心裏所求的、我必為你成就。[五]大衛對約拿單說、明
日是初一、我當與王同席、求你容我去藏在田野、直到
六 第三日晚上。[六]你父親若見我不在席上、你就說、大衛切
求我許他回本城伯利恆去。因為他全家在那裏獻年
七 祭。[七]你父親若說好、僕人就平安了。他若發怒、你就知道
八 他決意要害我。[八]求你施恩與僕人。因你在耶和華面前
會與僕人結盟。我若有罪、不如你自己殺我、何必將我
九 交給你父親呢。[九]約拿單說、斷無此事。我若知道我父親
十 決意害你、我豈不告訴你呢。[十]大衛對約拿單說、你父親
十一 若用厲言回答你、誰來告訴我呢。[十一]約拿單對大衛說、你
我且往田野去。二人就往田野去了。

約拿單與大衛結盟

十二 [十二]約拿單對大衛說、願耶和華以色列的神為證……。明日
約在這時候、或第三日、我探我父親的意思、若向你有
十三 好意、我豈不打發人告訴你麼。[十三]我父親若有意害你、我
不告訴你、使你平平安安的走、願耶和華重重的降罰
與我。願耶和華與你同在、如同從前與我父親同在一
十四 樣。[十四]你要照耶和華的慈愛恩待我。不但我活着的時候、
十五 免我死亡。[十五]就是我死後、耶和華從地上剪除你仇敵的
十六 時候、你也永不可向我家絕了恩惠。[十六]於是約拿單與大
衛家結盟、說、願耶和華藉大衛的仇敵追討背約的罪。
十七 ◯[十七]約拿單因愛大衛如同愛自己的性命、就使他再起
十八 誓。[十八]約拿單對他說、明日是初一、你的座位空設、人必理
十九 會你不在那裏。[十九]你等三日、就要速速下去、到你從前遇
二十 事所藏的地方、在以色磐石那裏等候。[二十]我要向磐石旁
二一 邊射三箭、如同射箭靶一樣。[二一]我要打發童子、說、去把箭
找來。我若對童子說、箭在後頭、把箭拿來、你就可以回
二二 來。[二二]我指着永生的耶和華起誓、你必平安無事。我若對
童子說、箭在前頭、你就要去。因為是耶和華打發你去

二三 的。二三至於你我今日所說的話、有耶和華在你我中間為
二四 證、直到永遠。◯二四大衛就去藏在田野。到了初一日、王坐
二五 席要喫飯。二五王照常坐在靠牆的位上。約拿單侍立、押尼
二六 珥坐在掃羅旁邊。大衛的座位空設。二六然而這日掃羅沒
二七 有說甚麼。他想大衛遇事、偶染不潔。他必定是不潔。二七初
二日大衛的座位還空設。掃羅問他兒子約拿單說、耶
二八 西的兒子為何昨日今日沒有來喫飯呢。二八約拿單回答
二九 掃羅說、大衛切求我容他往伯利恆去。二九他說、求你容我
去。因為我家在城裏有獻祭的事。我長兄吩咐我去。如
今我若在你眼前蒙恩、求你容我去見我的弟兄。所以
大衛沒有赴王的席。

掃羅怒責約拿單

三十 三十掃羅向約拿單發怒、對他說、你這頑梗背逆之婦人所
生的、我豈不知道你喜悅耶西的兒子、自取羞辱、以致
三一 你母親露體蒙羞麼。三一耶西的兒子若在世間活着、你和
你的國位必站立不住。現在你要打發人去將他捉拿
三二 交給我。他是該死的。三二約拿單對父親掃羅說、他為甚麼
三三 該死呢。他作了甚麼呢。三三掃羅向約拿單掄槍要刺他。約

三四 拿單就知道他父親決意要殺大衛。三四於是約拿單氣忿
忿的從席上起來、在這初二日沒有喫飯。他因見父親
羞辱大衛、就為大衛愁煩。

大衛與約拿單泣別

三五 三五次日早晨、約拿單按着與大衛約會的時候、出到田野、
三六 有一個童子跟隨。三六約拿單對童子說、你跑去、把我所射
三七 的箭找來。童子跑去、約拿單就把箭射在童子前頭。三七童
子到了約拿單落箭之地、約拿單呼叫童子說、箭不是
三八 在你前頭麼。三八約拿單又呼叫童子說、速速的去、不要遲
三九 延。童子就拾起箭來、回到主人那裏。三九童子卻不知道這
四十 是甚麼意思。只有約拿單和大衛知道。四十約拿單將弓箭
四一 交給童子、吩咐說、你拿到城裏去。四一童子一去、大衛就從
磐石的南邊出來、俯伏在地、拜了三拜。二人親嘴、彼此
四二 哭泣。大衛哭的更慟。四二約拿單對大衛說、我們二人曾指
着耶和華的名起誓說、願耶和華在你我中間、並你我
後裔中間為證、直到永遠。如今你平平安安的去罷。大
衛就起身走了。約拿單也回城裏去了。

大衛至挪伯得助於亞希米勒

一 **第二十一章** 一大衛到了挪伯祭司亞希米勒那裏。
亞希米勒戰戰兢兢的出來迎接他、問他說、你為甚麼
二 獨自來、沒有人跟隨呢。二大衛回答祭司亞希米勒說、王
吩咐我一件事、說、我差遣你委託你的這件事、不要使
三 人知道。故此我已派定少年人在某處等候我。三現在你
四 手下有甚麼。求你給我五個餅、或是別樣的食物。四祭司
對大衛說、我手下沒有尋常的餅、只有聖餅。若少年人
五 沒有親近婦人纔可以給。五大衛對祭司說、實在約有三
日我們沒有親近婦人。我出來的時候、雖是尋常行路、
少年人的器皿還是潔淨的。何況今日不更是潔淨麼。
六 六祭司就拿聖餅給他。因為在那裏沒有別樣餅。只有更
七 換新餅、從耶和華面前撤下來的陳設餅。七〇當日有掃
羅的一個臣子留在耶和華面前。他名叫多益、是以東
八 人、作掃羅的司牧長。八大衛問亞希米勒說、你手下有槍
有刀沒有。因為王的事甚急、連刀劍器械我都沒有帶。
九 九祭司說、你在以拉谷殺非利士人歌利亞的那刀在這
裏、裹在布中、放在以弗得後邊。你要就可以拿去。除此
以外、再沒有別的。大衛說、這刀沒有可比的。求你給我。

大衛逃至迦特

十 十一 十那日大衛起來、躲避掃羅、逃到迦特王亞吉那裏。十一亞吉
的臣僕對亞吉說、這不是以色列國王大衛麼。那裏的
婦女跳舞唱和、不是指着他說、掃羅殺死千千、大衛殺
死萬萬麼。

在亞吉王前裝瘋

十二 十三 十二大衛將這話放在心裏、甚懼怕迦特王亞吉。十三就在衆人
面前改變了尋常的舉動、在他們手下假裝瘋癲、在城
十四 門的門扇上胡寫亂畫、使唾沫流在鬍子上。十四亞吉對臣
僕說、你們看、這人是瘋子。為甚麼帶他到我這裏來呢。
十五 十五我豈缺少瘋子、你們帶這人來在我面前瘋癲麼。這人
豈可進我的家呢。

大衛匿於亞杜蘭洞

一 **第二十二章** 一大衛就離開那裏、逃到亞杜蘭洞。二他
二 的弟兄和他父親的全家聽見了、就都下到他那裏。凡
受窘迫的、欠債的、心裏苦惱的、都聚集到大衛那裏。三大
三 衛就作他們的頭目。跟隨他的約有四百人。〇大衛從

那裏往摩押的米斯巴去、對摩押王說、求你容我父母
四 搬來住在你們這裏等我知道神要為我怎樣行。大
衛領他父母到摩押王面前．大衛住山寨多少日子、他
五 父母也住摩押王那裏多少日子。先知迦得對大衛說、
你不要住在山寨要往猶大地去．大衛就離開那裏進
入哈列的樹林。

掃羅責臣不忠於己

六 掃羅在基比亞的拉瑪坐在垂絲柳樹下、手裏拿着槍、
衆臣僕侍立在左右。掃羅聽見大衛和跟隨他的人在
七 何處、就對左右侍立的臣僕說、便雅憫人哪、你們要聽
我的話．耶西的兒子能將田地和葡萄園賜給你們各
八 人麼．能立你們各人作千夫長百夫長麼．你們竟都結
黨害我．我的兒子與耶西的兒子結盟的時候、無人告
訴我．我的兒子挑唆我的臣子謀害我、就如今日的光
九 景、也無人告訴我、為我憂慮。那時以東人多益站在掃
羅的臣僕中、對他說、我曾看見耶西的兒子到了挪伯
十 亞希突的兒子亞希米勒那裏。亞希米勒為他求問耶
和華、又給他食物、並給他殺非利士人歌利亞的刀。

多益殘殺挪伯諸祭司

十一 王就打發人將祭司亞希突的兒子亞希米勒、和他父
親的全家、就是住挪伯的祭司、都召了來．他們就來見
十二 王。掃羅說、亞希突的兒子、要聽我的話。他回答說、主阿、
十三 我在這裏。掃羅對他說、你為甚麼與耶西的兒子結黨
害我、將食物和刀給他、又為他求問神、使他起來謀
十四 害我、就如今日的光景。亞希米勒回答王說、王的臣僕
中有誰比大衛忠心呢．他是王的女婿、又是王的參謀、
十五 並且在王家中是尊貴的。我豈是從今日纔為他求問
神呢．斷不是這樣．王不要將罪歸我、和我父的全家．
十六 因為這事、無論大小、僕人都不知道。王說、亞希米勒阿、
十七 你和你父的全家、都是該死的。王就吩咐左右的侍衛
說、你們去殺耶和華的祭司．因為他們幫助大衛．又知
道大衛逃跑、竟沒有告訴我。掃羅的臣子卻不肯伸手
十八 殺耶和華的祭司。王吩咐多益說、你去殺祭司罷。以東
人多益就去殺祭司、那日殺了穿細麻布以弗得的八
十九 十五人。又用刀將祭司城挪伯中的男女孩童喫奶的、
和牛羊驢、盡都殺滅。

亞比亞他逃歸大衛

二十 二十亞希突的兒子亞希米勒有一個兒子、名叫亞比亞他、
二一 逃到大衛那裏。二一亞比亞他將掃羅殺耶和華祭司的事
二二 告訴大衛。二二大衛對亞比亞他說、那日我見以東人多益
在那裏、就知道他必告訴掃羅．你父的全家喪命、都是
二三 因我的緣故。二三你可以住在我這裏、不要懼怕。因為尋索
你命的、就是尋索我的命．你在我這裏、可得保全。

第二十三章

大衛救基伊拉

一 一有人告訴大衛說、非利士人攻擊基
二 伊拉、搶奪禾場。二所以大衛求問耶和華說、我去攻打那
些非利士人、可以不可以．耶和華對大衛說、你可以去
三 攻打非利士人、拯救基伊拉。三跟隨大衛的人對他說、我
們在猶大地這裏尚且懼怕．何況往基伊拉去攻打非
四 利士人的軍旅呢。四大衛又求問耶和華．耶和華回答說、
五 你起身、下基伊拉去．我必將非利士人交在你手裏。五大
衛和跟隨他的人往基伊拉去、與非利士人打仗、大大
殺敗他們、又奪獲他們的牲畜．這樣、大衛救了基伊拉
六 的居民。○六亞希米勒的兒子亞比亞他、逃到基伊拉見
大衛的時候、手裏拿着以弗得。

掃羅追索大衛

七 七有人告訴掃羅說、大衛到了基伊拉．掃羅說、他進了有
門有閂的城、困閉在裏頭．這是　神將他交在我手裏
八 了。八於是掃羅招聚眾民、要下去攻打基伊拉城、圍困大
九 衛和跟隨他的人。九大衛知道掃羅設計謀害他、就對祭
司亞比亞他說、將以弗得拿過來。

大衛去基伊拉

十 十大衛禱告說、耶和華以色列的　神阿、你僕人聽真了
十一 掃羅要往基伊拉來、為我的緣故滅城。十一基伊拉人將我
交在掃羅手裏不交．掃羅照着你僕人所聽的話下來
不下來．耶和華以色列的　神阿、求你指示僕人．耶和
十二 華說、掃羅必下來。十二大衛又說、基伊拉人將我和跟隨我
十三 的人、交在掃羅手裏不交．耶和華說、必交出來。十三大衛和
跟隨他的人約有六百人、就起身出了基伊拉、往他們所
能往的地方去。有人告訴掃羅、大衛離開基伊拉逃走．
十四 於是掃羅不出來了。十四大衛住在曠野的山寨裏、常在西
弗曠野的山地。掃羅天天尋索大衛、　神卻不將大衛

交在他手裏。

復與約拿單立約

十五 大衛知道掃羅出來尋索他的命。那時他住在西弗曠
十六 野的樹林裏。十六掃羅的兒子約拿單起身、往那樹林裏去
十七 見大衛、使他倚靠神得以堅固。十七對他說、不要懼怕。我
父掃羅的手、必不加害於你。你必作以色列的王、我也
十八 作你的宰相。這事我父掃羅知道了。十八於是二人在耶和
華面前立約。大衛仍住在樹林裏、約拿單回家去了。○
十九 西弗人上到基比亞見掃羅、說、大衛不是在我們那裏
二十 的樹林裏山寨中、曠野南邊的哈基拉山藏着麼。二十王阿、
請你隨你的心願下來、我們必親自將他交在王的手
二一 二二 裏。二一掃羅說、願耶和華賜福與你們、因你們顧恤我。二二請你
們回去、再確實查明他的住處、和行蹤、是誰看見他在
二三 那裏。因為我聽見人說他甚狡猾。二三所以要看準他藏匿
的地方、回來據實的告訴我、我就與你們同去。他若在
猶大的境內、我必從千門萬戶中搜出他來。

掃羅追大衛於瑪雲野

二四 西弗人就起身、在掃羅以先往西弗去。大衛和跟隨他
二五 的人、卻在瑪雲曠野南邊的亞拉巴。二五掃羅和跟隨他的
人去尋找大衛。有人告訴大衛、他就下到磐石、住在瑪
二六 雲的曠野。掃羅聽見、便在瑪雲的曠野、追趕大衛。二六掃羅
在山這邊走、大衛和跟隨他的人在山那邊走。大衛急
忙躲避掃羅。因為掃羅和跟隨他的人、四面圍住大衛
二七 和跟隨他的人、要拿獲他們。二七忽有使者來報告掃羅說、
二八 非利士人犯境搶掠、請王快快回去。二八於是掃羅不追趕
大衛、回去攻打非利士人。因此那地方名叫西拉哈瑪
二九 希羅結。二九大衛從那裏上去、住在隱基底的山寨裏。

大衛在隱基底不害掃羅

第二十四章

一 掃羅追趕非利士人回來、有人告訴
二 他說、大衛在隱基底的曠野。二掃羅就從以色列人中挑
選三千精兵、率領他們往野羊的磐石去、尋索大衛和
三 跟隨他的人。三到了路旁的羊圈、在那裏有洞。掃羅進去
四 大解。大衛和跟隨他的人正藏在洞裏的深處。四跟隨的
人對大衛說、耶和華曾應許你說、我要將你的仇敵交
在你手裏、你可以任意待他。五如今時候到了。大衛就起
五 來、悄悄的割下掃羅外袍的衣襟。隨後大衛心中自責、

六 因為割下掃羅的衣襟。六對跟隨他的人說、我的主乃是
耶和華的受膏者、我在耶和華面前萬不敢伸手害他、
七 因他是耶和華的受膏者。七大衛用這話攔住跟隨他的
人、不容他們起來害掃羅。掃羅起來、從洞裏出去行路。

大衛向掃羅自白

八 八隨後大衛也起來、從洞裏出去、呼叫掃羅說、我主、我王。
九 掃羅回頭觀看、大衛就屈身臉伏於地下拜。九大衛對掃
十 羅說、你為何聽信人的讒言、說大衛想要害你呢。十今日
你親眼看見在洞中耶和華將你交在我手裏。有人叫
我殺你、我卻愛惜你、說、我不敢伸手害我的主、因為他
十一 是耶和華的受膏者。十一我父阿、看看你外袍的衣襟在我
手中。我割下你的衣襟、沒有殺你、你由此可以知道我
沒有惡意叛逆你。你雖然獵取我的命、我卻沒有得罪
十二 你。十二願耶和華在你我中間判斷是非、在你身上為我伸
十三 寃。我卻不親手加害於你。十三古人有句俗語說、惡事出於
十四 惡人。我卻不親手加害於你。十四以色列王出來要尋找誰
十五 呢。追趕誰呢。不過追趕一條死狗、一個虼蚤就是了。十五願
耶和華在你我中間施行審判、斷定是非、並且鑒察、為
我伸寃、救我脫離你的手。

掃羅自承其過

十六 十六大衛向掃羅說完這話、掃羅說、我兒大衛、這是你的聲
十七 音麼。就放聲大哭。十七對大衛說、你比我公義、因為你以善
十八 待我、我卻以惡待你。十八你今日顯明是以善待我。因為耶
十九 和華將我交在你手裏、你卻沒有殺我。十九人若遇見仇敵、
豈肯放他平安無事的去呢。願耶和華因你今日向我
二十 所行的、以善報你。二十我也知道你必要作王、以色列的國、
二十一 必堅立在你手裏。二十一現在你要指着耶和華向我起誓、不
二十二 剪除我的後裔、在我父家不滅沒我的名。二十二於是大衛向
掃羅起誓。掃羅就回家去。大衛和跟隨他的人、上山寨
去了。

撒母耳卒

第二十五章

一 一撒母耳死了。以色列眾人聚集、為他
哀哭、將他葬在拉瑪他自己的墳墓裏。墳墓原文作房屋大衛
起身、下到巴蘭的曠野。

大衛遣僕求餽於拿八

二 二在瑪雲有一個人、他的產業在迦密、是一個大富戶、有

三 三千綿羊、一千山羊、他正在迦密剪羊毛。三那人名叫拿
八、是迦勒族的人、他的妻名叫亞比該、是聰明俊美的
四 婦人、拿八爲人剛愎兇惡。四大衛在曠野聽見說拿八剪
五 羊毛、五大衛就打發十個僕人、吩咐他們說、你們上迦密
六 去、見拿八、題我的名問他安。六要對那富戶如此說、願你
七 平安、願你家平安、願你一切所有的都平安。七現在我聽
說有人爲你剪羊毛。你的牧人在迦密的時候、和我們
八 在一處、我們沒有欺負他們、他們也未曾失落甚麽。八可
以問你的僕人、他們必告訴你。所以願我的僕人在你
眼前蒙恩。因爲是在好日子來的。求你隨手取點賜與
九 僕人、和你兒子大衛。九大衛的僕人到了、將這話題大衛
的名都告訴了拿八、就住了口。

拿八以惡語詈之

十 十拿八回答大衛的僕人說、大衛是誰。耶西的兒子是誰。
十一 近來悖逆主人奔逃的僕人甚多。十一我豈可將飲食、和爲
我剪羊毛人所宰的肉、給我不知道從那裏來的人呢。十二
十二十三 大衛的僕人就轉身、從原路回去、照這話告訴大衛。十三大
衛向跟隨他的人說、你們各人都要帶上刀。衆人就都

十四 帶上刀。大衛也帶上刀。跟隨大衛上去的約有四百人。
留下二百人看守器具。○十四有拿八的一個僕人告訴拿
八的妻亞比該說、大衛從曠野打發使者來問我主人
十五 的安。主人卻辱罵他們。十五但是那些人待我們甚好。我們
在田野與他們來往的時候、沒有受他們的欺負、也未
十六 曾失落甚麽。十六我們在他們那裏牧羊的時候、他們晝夜
十七 作我們的保障。十七所以你當籌畫、看怎樣行纔好。不然、禍
患定要臨到我主人、和他全家。他性情兇暴、無人敢與
十八 他說話。○十八亞比該急忙將二百餅、兩皮袋酒、五隻收拾
好了的羊、五細亞烘好了的穗子、一百葡萄餅、二百無
十九 花果餅、都馱在驢上。十九對僕人說、你們前頭走、我隨着你
二十 們去。這事他卻沒有告訴丈夫拿八。二十亞比該騎着驢、正
下山坡、見大衛和跟隨他的人從對面下來。亞比該就
二一 迎接他們。二一大衛曾說、我在曠野爲那人看守所有的、以
二二 致他一樣不失落、實在是徒然了。他向我以惡報善。二二凡
屬拿八的男丁、我若留一個到明日早晨、願 神重重
降罰與我。

亞比該求恕於大衛

二三亞比該見大衛便急忙下驢、在大衛面前臉伏於地、叩
拜、二四俯伏在大衛的腳前、說、我主阿、願這罪歸我、求你容
婢女向你進言、更求你聽婢女的話。二五我主不要理這壞
人拿八、他的性情與他的名相稱、他名叫拿八、(就是愚頑的意思)
他爲人果然愚頑、但我主所打發的僕人、婢女並沒有
看見。二六我主阿、耶和華既然阻止你親手報仇、取流血的
罪、所以我指着永生的耶和華、又敢在你面前起誓、說、
願你的仇敵和謀害你的人、都像拿八一樣。二七如今求你
將婢女送來的禮物、給跟隨你的僕人。二八求你饒恕婢女
的罪過。耶和華必爲我主建立堅固的家、因我主爲耶
和華爭戰。並且在你平生的日子、查不出有甚麼過來。
二九雖有人起來追逼你、尋索你的性命、你的性命卻在耶
和華你的神那裏蒙保護、如包裹寶器一樣。你仇敵
的性命、耶和華必拋去、如用機弦甩石一樣。三十三一我主現在
若不親手報仇、流無辜人的血、到了耶和華照所應許
你的話賜福與你、立你作以色列的王、那時我主必不
至心裏不安、覺得良心有虧。耶和華賜福與我主的時
候、求你記念婢女。

大衛釋怒

三二大衛對亞比該說、耶和華以色列的神、是應當稱頌
的、因爲他今日使你來迎接我。三三你和你的見識也當稱
讚、因爲你今日攔阻我親手報仇、流人的血。三四我指着阻
止我加害於你的耶和華以色列永生的神起誓、你
若不速速的來迎接我、到明日早晨、凡屬拿八的男丁、
必定不留一個。三五大衛受了亞比該送來的禮物、就對他
說、我聽了你的話、准了你的情面、你可以平平安安的
回家罷。

拿八死

三六亞比該到拿八那裏、見他在家裏設擺筵席、如同王的
筵席、拿八快樂大醉。亞比該無論大小事、都沒有告訴
他、就等到次日早晨。三七到了早晨、拿八醒了酒、他的妻將
這些事都告訴他、他就魂不附體、身僵如石頭一般。三八過
了十天、耶和華擊打拿八、他就死了。

大衛娶亞比該爲妻

三九大衛聽見拿八死了、就說、應當稱頌耶和華、因他伸了

拿八羞辱我的冤、又阻止僕人行惡．也使拿八的惡歸
到拿八的頭上。於是大衛打發人去、與亞比該說、要娶
四十 他爲妻。四十大衛的僕人到了迦密見亞比該、對他說、大衛
四一 打發我們來見你、想要娶你爲妻。四一亞比該就起來、俯伏
四二 在地說、我情願作婢女、洗我主僕人的脚。四二亞比該立刻
起身、騎上驢、帶着五個使女、跟從大衛的使者去了、就
四三 作了大衛的妻。◯四三大衛先娶了耶斯列人亞希暖、他們
四四 二人都作了他的妻。四四掃羅已將他的女兒米甲就是大
衛的妻、給了迦琳人拉億的兒子帕提爲妻。

掃羅復索大衛

第二十六章

一 一西弗人到基比亞見掃羅、說、大衛不
二 是在曠野前的哈基拉山藏着麽。二掃羅就起身、帶領以
色列人中挑選的三千精兵、下到西弗的曠野、要在那
三 裏尋索大衛。三掃羅在曠野前的哈基拉山、在道路上安
四 營。大衛住在曠野、聽說掃羅到曠野來追尋他、四就打發
五 人去探聽、便知道掃羅果然來到。五大衛起來、到掃羅安
營的地方、看見掃羅和他的元帥尼珥的兒子押尼珥
睡臥之處．掃羅睡在輜重營裏、百姓安營在他周圍。

大衛在西弗不害掃羅

六 六大衛對赫人亞希米勒、和洗魯雅的兒子約押的兄弟
亞比篩說、誰同我下到掃羅營裏去．亞比篩說、我同你
七 下去。七於是大衛和亞比篩夜間到了百姓那裏、見掃羅
睡在輜重營裏、他的槍在頭旁、插在地上．押尼珥和百
八 姓睡在他周圍。八亞比篩對大衛說、現在神將你的仇
敵交在你手裏．求你容我拿槍將他刺透在地．一刺就
九 成、不用再刺。九大衛對亞比篩說、不可害死他．有誰伸手
十 害耶和華的受膏者而無罪呢。十大衛又說、我指着永生
的耶和華起誓、他或被耶和華擊打、或是死期到了、或
十一 是出戰陣亡。十一我在耶和華面前、萬不敢伸手害耶和華
的受膏者．現在你可以將他頭旁的槍和水瓶拿來、我
十二 們就走。十二大衛從掃羅的頭旁、拿了槍和水瓶、二人就走
了、沒有人看見、沒有人知道、也沒有人醒起、都睡着了．
十三 因爲耶和華使他們沉沉的睡了。◯十三大衛過到那邊去、
十四 遠遠的站在山頂上、與他們相離甚遠。十四大衛呼叫百姓、
和尼珥的兒子押尼珥、說、押尼珥阿、你爲何不答應呢．
十五 押尼珥說、你是誰、竟敢呼叫王呢。十五大衛對押尼珥說、你

十六 不是個勇士麽．以色列中誰能比你呢．民中有人進來
要害死王你的主、你爲何沒有保護王你的主呢。十六你這
樣是不好的．我指着永生的耶和華起誓、你們都是該
死的、因爲沒有保護你們的主、就是耶和華的受膏者．
現在你看看王頭旁的槍和水瓶在那裏。

諫勸掃羅

十七 十七掃羅聽出是大衛的聲音、就說、我兒大衛、這是你的聲
十八 音麽．大衛說、主我的王阿、是我的聲音。十八又說、我作了甚
十九 麽．我手裏有甚麽惡事．我主竟追趕僕人呢。十九求我主我
王聽僕人的話．若是耶和華激發你攻擊我、願耶和華
收納祭物．若是人激發你、願他在耶和華面前受咒詛．
因爲他現今趕逐我、不容我在耶和華的產業上有分、
二十 說、你去事奉別神罷。二十現在求王不要使我的血流在離
耶和華遠的地方．以色列王出來、是尋找一個虼蚤、如
同人在山上獵取一個鷓鴣一般。

掃羅自承其謬

二一 二一掃羅說、我有罪了．我兒大衛、你可以回來．因你今日看
我的性命爲寶貴、我必不再加害於你．我是糊塗人、大
二二 大錯了。二二大衛說、王的槍在這裏、可以吩咐一個僕人過
二三 來拿去。二三今日耶和華將王交在我手裏、我卻不肯伸手
害耶和華的受膏者．耶和華必照各人的公義誠實報
二四 應他。二四我今日重看你的性命、願耶和華也重看我的性
二五 命、並且拯救我脫離一切患難。二五掃羅對大衛說、我兒大
衛、願你得福．你必作大事、也必得勝．於是大衛起行、掃
羅回他的本處去了。

大衛遁至非利士

第二十七章

一 一大衛心裏說、必有一日我死在掃羅
手裏．不如逃奔非利士地去．掃羅見我不在以色列的
境內、就必絕望、不再尋索我．這樣我可以脫離他的手。
二 二於是大衛起身、和跟隨他的六百人、投奔迦特王瑪俄
三 的兒子亞吉去了。三大衛和他的兩個妻、就是耶斯列人
亞希暖、和作過拿八妻的迦密人亞比該、並跟隨他的
四 人、連各人的眷屬、都住在迦特亞吉那裏。四有人告訴掃
五 羅說、大衛逃到迦特．掃羅就不再尋索他了。○五大衛對
亞吉說、我若在你眼前蒙恩、求你在京外的城邑中、賜
六 我一個地方居住．僕人何必與王同住京都呢。六當日亞

吉將洗革拉賜給他．因此洗革拉屬猶大王、直到今日。
七大衛在非利士地住了一年零四個月。○八大衛和跟隨
他的人上去、侵奪基述人、基色人、亞瑪力人之地．這幾
族歷來住在那地、從書珥直到埃及。九大衛擊殺那地的
人、無論男女都沒有留下一個．又奪獲牛羊、駱駝、驢、並
衣服．回來見亞吉。十亞吉說、你們今日侵奪了甚麼地方
呢。大衛說、侵奪了猶大的南方、耶拉篾的南方、基尼的
南方。十一無論男女、大衛沒有留下一個帶到迦特來．他說、
恐怕他們將我們的事告訴人說、大衛住在非利士地
的時候、常常這樣行。十二亞吉信了大衛、心裏說、大衛使本
族以色列人憎惡他、所以他必永遠作我的僕人了。

第二十八章

一那時非利士人聚集軍旅、要與以色
列人打仗。亞吉對大衛說、你當知道你和跟隨你的人、
都要隨我出戰。二大衛對亞吉說、僕人所能作的事、王必
知道。亞吉對大衛說、這樣、我立你永遠作我的護衛長。

掃羅往見隱多珥女巫

三那時撒母耳已經死了．以色列衆人為他哀哭、葬他在
拉瑪、就是在他本城裏。掃羅曾在國內不容有交鬼的
和行巫術的人。四非利士人聚集、來到書念安營．掃羅聚
集以色列衆人、在基利波安營。五掃羅看見非利士的軍
旅、就懼怕、心中發顫。六掃羅求問耶和華、耶和華卻不藉
夢、或烏陵、或先知回答他。七掃羅吩咐臣僕說、當為我找
一個交鬼的婦人、我好去問他．臣僕說、在隱多珥有一
個交鬼的婦人。

命招撒母耳

八於是掃羅改了裝、穿上別的衣服、帶着兩個人、夜裏去
見那婦人．掃羅說、求你用交鬼的法術、將我所告訴你
的死人、為我招上來。九婦人對他說、你知道掃羅從國中
剪除交鬼的、和行巫術的．你為何陷害我的性命、使我
死呢。十掃羅向婦人指着耶和華起誓、說、我指着永生的
耶和華起誓、你必不因這事受刑。十一婦人說、我為你招誰
上來呢．回答說、為我招撒母耳上來。十二婦人看見撒母耳
就大聲呼叫、對掃羅說、你是掃羅、為甚麼欺哄我呢。十三王
對婦人說、不要懼怕．你看見了甚麼呢．婦人對掃羅說、
我看見有神從地裏上來。十四掃羅說、他是怎樣的形狀．婦
人說、有一個老人上來、身穿長衣。掃羅知道是撒母耳、

就屈身、臉伏於地下拜。

撒母耳責掃羅

十五 十五撒母耳對掃羅說、你爲甚麼攪擾我、招我上來呢。掃羅
回答說、我甚窘急、因爲非利士人攻擊我、神也離開
我、不再藉先知、或夢、回答我。因此請你上來、好指示我
十六 應當怎樣行。十六撒母耳說、耶和華已經離開你、且與你爲
十七 敵、你何必問我呢。十七耶和華照他藉我說的話、已經從你
十八 手裏奪去國權、賜與別人、就是大衛。十八因你沒有聽從耶
和華的命令、他惱怒亞瑪力人、你沒有滅絕他們、所以
十九 今日耶和華向你這樣行。十九並且耶和華必將你和以色
列人交在非利士人的手裏。明日你和你衆子必與我
在一處了。耶和華必將以色列的軍兵交在非利士人
手裏。

掃羅驚懼而仆

二十 二十掃羅猛然仆倒、挺身在地。因撒母耳的話、甚是懼怕。那
二一 一晝一夜沒有喫甚麼、就毫無氣力。二一婦人到掃羅面前、
見他極其驚恐、對他說、婢女聽從你的話、不顧惜自己
二二 的性命、遵從你所吩咐的。二二現在求你聽婢女的話、容我
二三 在你面前擺上一點食物、你喫了、可以有氣力行路。二三掃
羅不肯、說、我不喫。但他的僕人和婦人再三勸他、他纔
二四 聽了他們的話、從地上起來、坐在牀上。二四婦人急忙將家
二五 裏的一隻肥牛犢宰了、又拿麵摶成無酵餅烤了。二五擺在
掃羅和他僕人面前。他們喫完、當夜就起身走了。

非利士人集於亞弗

一 **第二十九章**　一非利士人將他們的軍旅聚到亞弗。
二 以色列人在耶斯列的泉旁安營。二非利士人的首領、各
率軍隊、或百、或千、挨次前進。大衛和跟隨他的人、同着
三 亞吉跟在後邊。三非利士人的首領說、這些希伯來人在
這裏作甚麼呢。亞吉對他們說、這不是以色列王掃羅
的臣子大衛麼。他在我這裏有些年日了。自從他投降
我、直到今日、我未曾見他有過錯。

牧伯疑忌大衛

四 四非利士人的首領、向亞吉發怒、對他說、你要叫這人回
你所安置他的地方、不可叫他同我們出戰、恐怕他在
陣上反爲我們的敵人。他用甚麼與他主人復和呢。豈
五 不是用我們這些人的首級麼。五從前以色列的婦女跳

六 舞唱和、說、掃羅殺死千千、大衛殺死萬萬。所說的不是
這個大衛麼。〇亞吉叫大衛來對他說、我指着永生的
耶和華起誓、你是正直人。你隨我在軍中出入、我看你
甚好。自從你投奔我到如今、我未曾見你有甚麽過失。
七 只是衆首領不喜悅你。現在你可以平平安安的回去、
八 免得非利士人的首領不喜悅你。大衛對亞吉說、我作
了甚麽呢。自從僕人到你面前、直到今日、你查出我有
九 甚麽過錯、使我不去攻擊主我王的仇敵呢。亞吉說、我
知道你在我眼前是好人、如同神的使者一般。只是
十 非利士人的首領說、這人不可同我們出戰。故此你和
跟隨你的人、就是你本主的僕人、要明日早晨起來、等
十一 到天亮回去罷。於是大衛和跟隨他的人早晨起來、回
往非利士地去。非利士人也上耶斯列去了。

第三十章　亞瑪力人焚掠洗革拉

一 第三日大衛和跟隨他的人到了洗革
二 拉。亞瑪力人已經侵奪南地、攻破洗革拉、用火焚燒、擄
了城內的婦女、和其中的大小人口、卻沒有殺一個、都
三 帶着走了。大衛和跟隨他的人到了那城、不料城已燒
四 燬。他們的妻子兒女都被擄去了。大衛和跟隨他的人
五 就放聲大哭、直哭得沒有氣力。大衛的兩個妻耶斯列
人亞希暖、和作過拿八妻的迦密人亞比該、也被擄去
六 了。大衛甚是焦急、因衆人爲自己的兒女苦惱、說、要用
石頭打死他。大衛卻倚靠耶和華他的神、心裏堅固。

大衛追亞瑪力人

七 大衛對亞希米勒的兒子祭司亞比亞他說、請你將以
八 弗得拿過來。亞比亞他就將以弗得拿到大衛面前。大
衛求問耶和華說、我追趕敵軍、追得上追不上呢。耶和
九 華說、你可以追、必追得上、都救得回來。於是大衛和跟
隨他的六百人來到比梭溪、有不能前去的、就留在那
十 裏。大衛卻帶着四百人往前追趕。有二百人疲乏、不能
十一 過比梭溪、所以留在那裏。〇這四百人在田野遇見一
十二 個埃及人、就帶他到大衛面前、給他餅喫、給他水喝。又
給他一塊無花果餅、兩個葡萄餅。他喫了、就精神復原。
十三 因爲他三日三夜沒有喫餅、沒有喝水。大衛問他說、你
是屬誰的。你是那裏的人。他回答說、我是埃及的少年
人、是亞瑪力人的奴僕。因我三日前患病、我主人就把

十四 我撇棄了。十四我們侵奪了基利提的南方、和屬猶大的地、
十五 並迦勒地的南方、又用火燒了洗革拉。十五大衛問他說、你
肯領我們到敵軍那裏不肯。他回答說、你要向我指着
神起誓、不殺我、也不將我交在我主人手裏、我就領
你下到敵軍那裏。

盡返掠物

十六 十六那人領大衛下去、見他們散在地上、喫喝跳舞、因爲從
十七 非利士地和猶大地所擄來的財物甚多。十七大衛從黎明
直到次日晚上、擊殺他們、除了四百騎駱駝的少年人
十八 之外、沒有一個逃脫的。十八亞瑪力人所擄去的財物、大衛
十九 全都奪回、並救回他的兩個妻來。十九凡亞瑪力人所擄去
的、無論大小兒女財物、大衛都奪回來、沒有失落一個。
二十 二十大衛所奪來的牛羣羊羣、跟隨他的人趕在原有的羣
畜前邊、說、這是大衛的掠物。

定分擄物之例

二一 二一大衛到了那疲乏不能跟隨、留在比梭溪的二百人那
裏、他們出來迎接大衛、並跟隨的人、大衛前來問他們
二二 安。二二跟隨大衛人中的惡人和匪類說、這些人既然沒有
和我們同去、我們所奪的財物、就不分給他們、只將他
二三 們各人的妻子兒女給他們、使他們帶去就是了。二三大衛
說、弟兄們、耶和華所賜給我們的、不可不分給他們、因
爲他保佑我們、將那攻擊我們的敵軍交在我們手裏。
二四 二四這事誰肯依從你們呢。上陣的得多少、看守器具的也
二五 得多少、應當大家平分。二五大衛定此爲以色列的律例典
二六 章、從那日直到今日。○二六大衛到了洗革拉、從掠物中取
些送給他朋友猶大的長老、說、這是從耶和華仇敵那
二七 裏奪來的、送你們爲禮物。二七他送禮物給住伯特利的、南
二八 地拉末的、雅提珥的、二八住亞羅珥的、息末的、以實提莫的、
二九 三十 二九住拉哈勒的、耶拉篾各城的、基尼各城的、三十住何珥瑪的、
三一 歌拉珊的、亞撻的、三一住希伯崙的、並大衛和跟隨他的人
素來所到之處的人。

第三十一章

非利士戰敗以色列人

一非利士人與以色列人爭戰、以色列
一 人在非利士人面前逃跑、在基利波有被殺仆倒的。

掃羅自殺三子陣亡

二 二非利士人緊追掃羅和他兒子們、就殺了掃羅的兒子

約拿單、亞比拿達、麥基舒亞。三勢派甚大、掃羅被弓箭手
追上、射傷甚重。四就吩咐拿他兵器的人說、你拔出刀來、
將我刺死、免得那些未受割禮的人來刺我、凌辱我．但
拿兵器的人甚懼怕、不肯刺他．掃羅就自己伏在刀上
死了。五拿兵器的人見掃羅已死、也伏在刀上死了。六這樣、
掃羅和他三個兒子、與拿他兵器的人、以及跟隨他的
人、都一同死亡。

焚掃羅及子之屍葬於雅比

七住平原那邊並約但河西的以色列人、見以色列軍兵
逃跑、掃羅和他兒子都死了、也就棄城逃跑．非利士人
便來住在其中。八次日非利士人來剝那被殺之人的衣
服、看見掃羅和他三個兒子仆倒在基利波山．九就割下
他的首級、剝了他的軍裝、打發人到非利士地的四境、
（到或作送到）報信與他們廟裏的偶像、和衆民。十又將掃羅的
軍裝放在亞斯他錄廟裏、將他的屍身釘在伯珊的城
牆上。十一基列雅比的居民聽見非利士人向掃羅所行的
事、十二他們中間所有的勇士就起身、走了一夜、將掃羅和
他兒子的屍身、從伯珊城牆上取下來、送到雅比那裏、
十三用火燒了．將他們骸骨葬在雅比的垂絲柳樹下、就禁
食七日。

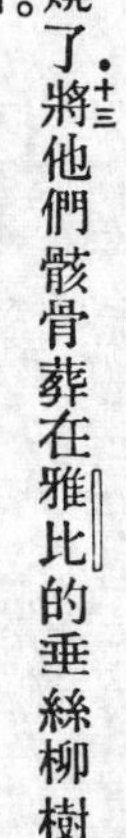

大衛聞報基利波山之噩耗

第一章　掃羅死後、大衛擊殺亞瑪力人回來、在洗
革拉住了兩天．二第三天有一人從掃羅的營裏出來、衣
服撕裂、頭蒙灰塵、到大衛面前伏地叩拜。三大衛問他說、
你從那裏來、他說、我從以色列的營裏逃來。四大衛又問
他說、事情怎樣、請你告訴我．他回答說、百姓從陣上逃
跑、也有許多人仆倒死亡、掃羅和他兒子約拿單也死
了。五大衛問報信的少年人說、你怎麼知道掃羅和他兒
子約拿單死了呢。六報信的少年人說、我偶然到基利波
山、看見掃羅伏在自己槍上、有戰車馬兵、緊緊的追他。七
他回頭看見我、就呼叫我、我說、我在這裏．八他問我說、你
是甚麼人、我說、我是亞瑪力人．九他說、請你來將我殺死、
因為痛苦抓住我、我的生命尚存。十我準知他仆倒、必不
能活、就去將他殺死、把他頭上的冠冕、臂上的鐲子、拿
到我主這裏。十一○大衛就撕裂衣服、跟隨他的人也是如
此。十二而且悲哀、哭號、禁食到晚上、是因掃羅和他兒子約
拿單、並耶和華的民以色列家的人、倒在刀下。十三大衛問
報信的少年人說、你是那裏的人、他說、我是亞瑪力客
人的兒子。十四大衛說、你伸手殺害耶和華的受膏者、怎麼
不畏懼呢。十五大衛叫了一個少年人來、說、你去殺他罷。十六大
衛對他說、你流人血的罪、歸到自己的頭上、因為你親
口作見證說、我殺了耶和華的受膏者。少年人就把他
殺了。

為掃羅及約拿單作哀歌

十七大衛作哀歌、弔掃羅和他兒子約拿單．十八且吩咐將這歌
教導猶大人．這歌名叫弓歌、寫在雅煞珥書上。十九歌中說、……
以色列阿、你尊榮者在山上被殺．大英雄何竟死亡。二十不
要在迦特報告、不要在亞實基倫街上傳揚、免得非利
士的女子歡樂、免得未受割禮之人的女子矜誇。二十一基利
波山哪、願你那裏沒有雨露．願你田地無土產可作供
物．因為英雄的盾牌、在那裏被污丟棄．掃羅的盾牌、彷
彿未曾抹油。二十二約拿單的弓箭、非流敵人的血不退縮．掃
羅的刀劍、非剖勇士的油不收回。二十三掃羅和約拿單、活時
相悅相愛、死時也不分離．他們比鷹更快、比獅子還強。

二四 以色列的女子阿、當爲掃羅哭號。他曾使你們穿朱紅
二五 色的美衣、使你們衣服有黃金的妝飾。英雄何竟在陣
二六 上仆倒。約拿單何竟在山上被殺。我兄約拿單哪、我爲
你悲傷。我甚喜悅你、你向我發的愛情奇妙、非常過於
二七 婦女的愛情。英雄何竟仆倒、戰具何竟滅沒。

大衛受膏作猶大王

第二章

一 此後、大衛問耶和華說、我上猶大的一個
城去可以麼。耶和華說、可以。大衛說、我上那一個城去
二 呢。耶和華說、上希伯崙去。於是大衛和他的兩個妻、一
個是耶斯列人亞希暖、一個是作過迦密人拿八妻的
三 亞比該、都上那裏去了。大衛也將跟隨他的人和他們
四 各人的眷屬、一同帶上去、住在希伯崙的城邑中。猶大
人來到希伯崙、在那裏膏大衛作猶大家的王。〇有人
五 告訴大衛說、葬埋掃羅的、是基列雅比人。大衛就差人
去見基列雅比人、對他們說、你們厚待你們的主掃羅、
將他葬埋、願耶和華賜福與你們。你們既行了這事、願
六 耶和華以慈愛誠實待你們。我也要爲此厚待你們。現
七 在你們的主掃羅死了、猶大家已經膏我作他們的王、
所以你們要剛強奮勇。

伊施波設作以色列王

八 掃羅的元帥尼珥的兒子押尼珥、曾將掃羅的兒子伊
九 施波設、帶過河到瑪哈念、立他作王治理基列、亞書利、
十 耶斯列、以法蓮、便雅憫、和以色列衆人。掃羅的兒子伊
施波設登基的時候年四十歲、作以色列王二年。惟獨
十一 猶大家歸從大衛。大衛在希伯崙作猶大家的王、共七
年零六個月。

押尼珥與以色列人敗遁

十二 尼珥的兒子押尼珥、和掃羅的兒子伊施波設的僕人、
十三 從瑪哈念出來、往基遍去。洗魯雅的兒子約押、和大衛
的僕人也出來、在基遍池旁與他們相遇。一班坐在池
十四 這邊、一班坐在池那邊。押尼珥對約押說、讓少年人起
十五 來、在我們面前戲耍罷。約押說、可以。就按着定數起來、
屬掃羅兒子伊施波設的便雅憫人過去十二名、大衛
十六 的僕人也過去十二名。彼此揪頭、用刀刺肋、一同仆倒、
十七 所以那地叫作希利甲哈素林、就在基遍。那日的戰事
兇猛、押尼珥和以色列人敗在大衛的僕人面前。

亞撒黑追趕押尼珥被殺

十八 十八在那裏有洗魯雅的三個兒子、約押、亞比篩、亞撒黑。亞
十九 撒黑脚快如野鹿一般。十九亞撒黑追趕押尼珥、直追趕他
二十 二一 不偏左右。二十押尼珥回頭說、你是亞撒黑麼、回答說、是。二一押
尼珥對他說、你或轉向左、轉向右、拿住一個少年人、剝
二二 去他的戰衣。亞撒黑卻不肯轉開不追趕他。二二押尼珥又
對亞撒黑說、你轉開不追趕我罷、我何必殺你呢。若殺
二三 你、有甚麼臉見你哥哥約押呢。二三亞撒黑仍不肯轉開、故
此押尼珥就用槍鐏刺入他的肚腹、甚至槍從背後透
出、亞撒黑就在那裏仆倒而死。眾人趕到亞撒黑仆倒
二四 而死的地方、就都站住。◯二四約押和亞比篩追趕押尼珥、
日落的時候、到了通基遍曠野的路旁、基亞對面的亞
二五 二六 瑪山。二五便雅憫人聚集、跟隨押尼珥、站在一個山頂上。二六押
尼珥呼叫約押說、刀劍豈可永遠殺人麼。你豈不知終
久必有苦楚麼。你要等何時纔叫百姓回去、不追趕弟
二七 兄呢。二七約押說、我指着永生的　神起誓、你若不說戲耍
二八 的那句話、今日早晨百姓就回去、不追趕弟兄了。二八於是
約押吹角、眾民就站住、不再追趕以色列人、也不再打
二九 仗了。二九押尼珥和跟隨他的人、整夜經過亞拉巴、過約但
三十 河、走過畢倫、到了瑪哈念。◯三十約押追趕押尼珥回來、聚
集眾民、見大衛的僕人中缺少了十九個人、和亞撒黑。
三一 三一但大衛的僕人殺了便雅憫人、和跟隨押尼珥的人、共
三二 三百六十名。三二眾人將亞撒黑送到伯利恆、葬在他父親
的墳墓裏。約押和跟隨他的人走了一夜、天亮的時候
到了希伯崙。

第三章　大衛初生之子

一 一掃羅家和大衛家爭戰許久。大衛家日見
二 強盛、掃羅家日見衰弱。◯二大衛在希伯崙、得了幾個兒
三 子、長子暗嫩、是耶斯列人亞希暖所生的。三次子基利押、
（基利押歷代上三章一節作但以利）是作過迦密人拿八的妻亞比該所
四 生的。四三子押沙龍、是基述王達買的女兒瑪迦所生的。
四子亞多尼雅、是哈及所生的。五子示法提雅、是亞比
五 他所生的。五六子以特念、是大衛的妻以格拉所生的。大
六 衛這六個兒子、都是在希伯崙生的。◯六掃羅家和大衛
七 家爭戰的時候、押尼珥在掃羅家大有權勢。七掃羅有一
妃嬪、名叫利斯巴、是愛亞的女兒。一日、伊施波設對押

八 尼珥說、你爲甚麼與我父的妃嬪同房呢。押尼珥因伊
施波設的話、就甚發怒說、我豈是猶大的狗頭呢。我恩
待你父掃羅的家、和他的弟兄朋友、不將你交在大衞
九 十 手裏、今日你竟爲這婦人責備我麼。我若不照着耶和
華起誓應許大衞的話行、廢去掃羅的位、建立大衞的
位、使他治理以色列和猶大、從但直到別是巴。願神
十一 重重的降罰與我。伊施波設懼怕押尼珥、不敢回答一
句。

押尼珥結約歸大衞

十二 押尼珥打發人去見大衞、替他說、這國歸誰呢。又說、你
十三 與我立約、我必幫助你、使以色列人都歸服你。大衞說、
好、我與你立約。但有一件、你來見我面的時候、若不將
十四 掃羅的女兒米甲帶來、必不得見我的面。大衞就打發
人去見掃羅的兒子伊施波設說、你要將我的妻米甲
歸還我。他是我從前用一百非利士人的陽皮所聘定
十五 的。伊施波設就打發人去、將米甲從拉億的兒子他丈
十六 夫帕鐵那裏接回來。米甲的丈夫跟着他、一面走一面
哭、直跟到巴戶琳。押尼珥說、你回去罷。帕鐵就回去了。

十七 ○押尼珥對以色列長老說、從前你們願意大衞作王
十八 治理你們。現在你們可以照心願而行、因爲耶和華曾
論到大衞說、我必藉我僕人大衞的手、救我民以色列
十九 脫離非利士人和衆仇敵的手。押尼珥也用這話、說給
便雅憫人聽。又到希伯崙將以色列人和便雅憫全家
二十 一切所喜悅的事、說給大衞聽。押尼珥帶着二十個人、
來到希伯崙見大衞。大衞就爲押尼珥和他帶來的人、
二一 設擺筵席。押尼珥對大衞說、我要起身去招聚以色列
衆人來見我主我王、與你立約、你就可以照着心願作
王。於是大衞送押尼珥去、押尼珥就平平安安的去了。

約押疑忌押尼珥

二二 約押和大衞的僕人、攻擊敵軍、帶回許多的掠物。那時
押尼珥不在希伯崙大衞那裏、因大衞已經送他去、他
二三 也平平安安的去了。約押和跟隨他的全軍到了、就有
人告訴約押說、尼珥的兒子押尼珥來見王、王送他去、
二四 他也平平安安的去了。約押去見王說、你這是作甚麼
呢。押尼珥來見你、你爲何送他去、他就蹤影不見了呢。
二五 你當曉得尼珥的兒子押尼珥來、是要誆哄你、要知道

二六 你的出入、和你一切所行的事。二六約押從大衛那裏出來、
就打發人去追趕押尼珥、在西拉井追上他、將他帶回
來．大衛卻不知道。

刺殺押尼珥

二七 二七押尼珥回到希伯崙、約押領他到城門的甕洞、假作要
與他說機密話、就在那裏刺透他的肚腹、他便死了．這
二八 是報殺他兄弟亞撒黑的仇。二八大衛聽見了就說、流尼珥
的兒子押尼珥的血、這罪在耶和華面前必永不歸我、
二九 和我的國。二九願流他血的罪歸到約押頭上、和他父的全
家．又願約押家不斷有患漏症的、長大痲瘋的、架楞而
三十 行的、被刀殺死的、缺乏飲食的。三十約押和他兄弟亞比篩
殺了押尼珥、是因押尼珥在基遍爭戰的時候殺了他
們的兄弟亞撒黑。

大衛哀悼押尼珥

三一 三一大衛吩咐約押和跟隨他的衆人、說、你們當撕裂衣服、
三二 腰束麻布、在押尼珥棺前哀哭．大衛王也跟在棺後。三二他
們將押尼珥葬在希伯崙．王在押尼珥的墓旁放聲而
三三 哭．衆民也都哭了。三三王為押尼珥舉哀、說、押尼珥何竟像
三四 愚頑人死呢。三四你手未曾捆綁、脚未曾鎖住．你死如人死
三五 在罪孽之輩手下一樣．於是衆民又為押尼珥哀哭。三五日
頭未落的時候、衆民來勸大衛喫飯．但大衛起誓、說、我
若在日頭未落以前喫飯、或喫別物、願 神重重的降
三六 罰與我。三六衆民知道了就都喜悅．凡王所行的、衆民無不
三七 喜悅。三七那日以色列衆民纔知道殺尼珥的兒子押尼珥、
三八 並非出於王意。三八王對臣僕說、你們豈不知今日以色列
三九 人中死了一個作元帥的大丈夫麼。三九我雖然受膏為王、
今日還是輭弱．這洗魯雅的兩個兒子比我剛強．願耶
和華照着惡人所行的惡報應他。

以色列人聞押尼珥死則恐惶

第四章

一 一掃羅的兒子伊施波設聽見押尼珥死在
二 希伯崙、手就發輭．以色列衆人也都驚惶。二掃羅的兒子
伊施波設有兩個軍長、一名巴拿、一名利甲、是便雅憫
三 支派比錄人臨門的兒子．比錄也屬便雅憫。三比錄人早
四 先逃到基他音、在那裏寄居、直到今日。〇四掃羅的兒子
約拿單有一個兒子、名叫米非波設、是瘸腿的．掃羅和
約拿單死亡的消息從耶斯列傳到的時候、他纔五歲．

他乳母抱着他逃跑、因爲跑得太急、孩子掉在地上、腿
就瘸了。

伊施波設被殺

五 五一日比錄人臨門的兩個兒子、利甲和巴拿出去、約在
午熱的時候、到了伊施波設的家、伊施波設正睡午覺。
六 六他們進了房子、假作要取麥子、就刺透伊施波設的肚
七 腹、逃跑了。七他們進房子的時候、伊施波設正在臥房裏
躺在牀上、他們將他殺死、割了他的首級、拿着首級在
八 亞拉巴走了一夜。八將伊施波設的首級拿到希伯崙見
大衛王、說、王的仇敵掃羅、曾尋索王的性命、看哪、這是
他兒子伊施波設的首級。耶和華今日爲我主我王、在
九 掃羅和他後裔的身上報了仇。九大衛對比錄人臨門的
兒子利甲和他兄弟巴拿說、我指着救我性命脫離一
十 切苦難、永生的耶和華起誓、十從前有人報告我說、掃羅
死了、他自以爲報好消息、我就拿住他、將他殺在洗革
十一 拉、這就作了他報消息的賞賜。十一何況惡人將義人殺在
他的牀上、我豈不向你們討流他血的罪、從世上除滅
十二 你們呢。十二於是大衛吩咐少年人將他們殺了、砍斷他們
的手腳、掛在希伯崙的池旁。卻將伊施波設的首級、葬
在希伯崙押尼珥的墳墓裏。

大衛作猶大及以色列王

一 第五章 一以色列衆支派來到希伯崙見大衛、說、我
們原是你的骨肉。二從前掃羅作我們王的時候、率領以
二 色列人出入的是你。耶和華也曾應許你說、你必牧養
三 我的民以色列、作以色列的君。三於是以色列的長老都
來到希伯崙見大衛王、大衛在希伯崙耶和華面前與
四 他們立約、他們就膏大衛作以色列的王。四大衛登基的
五 時候年三十歲、在位四十年。五在希伯崙作猶大王七年
零六個月。在耶路撒冷作以色列和猶大王三十三年。

攻取錫安保障

六 六大衛和跟隨他的人到了耶路撒冷、要攻打住那地方
的耶布斯人。耶布斯人對大衛說、你若不趕出瞎子瘸
七 子、必不能進這地方。心裏想大衛決不能進去。七然而大
八 衛攻取錫安的保障、就是大衛的城。八當日大衛說、誰攻
打耶布斯人、當上水溝攻打我心裏所恨惡的瘸子瞎
子。從此有俗語說、在那裏有瞎子、瘸子、他不能進屋去。

九大衛住在保障裏、給保障起名叫大衛城．大衛又從米
羅以裏、周圍築牆。十大衛日見強盛、因爲耶和華萬軍之
神與他同在。〇十一推羅王希蘭將香柏木運到大衛那
裏．又差遣使者、和木匠石匠、給大衛建造宮殿。十二大衛就
知道耶和華堅立他作以色列王、又爲自己的民以色
列使他的國興旺。〇十三大衛離開希伯崙之後、在耶路撒
冷又立后妃、又生兒女。十四在耶路撒冷所生的兒子、是沙
母亞、朔罷、拿單、所羅門、十五益轄、以利書亞、尼斐、雅非亞、十六以
利沙瑪、以利雅大、以利法列。

戰敗非利士人

十七非利士人聽見人膏大衛作以色列王、非利士衆人就
上來尋索大衛．大衛聽見、就下到保障。十八非利士人來了、
布散在利乏音谷。十九大衛求問耶和華說、我可以上去攻
打非利士人麼．你將他們交在我手裏麼．耶和華說、你
可以上去、我必將非利士人交在你手裏。二十大衛來到巴
力毘拉心、在那裏擊殺非利士人、說、耶和華在我面前
沖破敵人、如同水沖去一般．因此稱那地方爲巴力毘
拉心。二一非利士人將偶像撇在那裏、大衛和跟隨他的人
拿去了。〇二二非利士人又上來、布散在利乏音谷。二三大衛求
問耶和華、耶和華說、不要一直的上去、要轉到他們後
頭、從桑林對面攻打他們。二四你聽見桑樹梢上有腳步的
聲音、就要急速前去、因爲那時耶和華已經在你前頭
去攻打非利士人的軍隊。二五大衛就遵着耶和華所吩咐
的去行、攻打非利士人、從迦巴直到基色。

舁 神櫃至毘列斯烏撒

第六章

一大衛又聚集以色列中所有挑選的人三
萬。二大衛起身率領跟隨他的衆人前往、要從巴拉猶大
將 神的約櫃運來．這約櫃就是坐在二基路伯上萬
軍之耶和華留名的約櫃。三他們將 神的約櫃從岡上
亞比拿達的家裏抬出來、放在新車上．亞比拿達的兩
個兒子烏撒和亞希約趕這新車。四他們將 神的約櫃、
從岡上亞比拿達家裏抬出來的時候、亞希約在櫃前
行走。五大衛和以色列的全家、在耶和華面前用松木製
造的各樣樂器、和琴瑟鼓鈸鑼、作樂跳舞。

舁櫃入大衛城

六到了拿艮的禾場、因爲牛失前蹄、(或作驚跳)烏撒就伸手扶

住神的約櫃。七神耶和華向烏撒發怒．因這錯誤擊殺他、他就死在神的約櫃旁。八大衛因耶和華擊殺(原文作闖殺)烏撒、心裏愁煩、就稱那地方為毘列斯烏撒、直到今日。九那日大衛懼怕耶和華、說、耶和華的約櫃怎可運到我這裏來。十於是大衛不肯將耶和華的約櫃運進大衛的城、卻運到迦特人俄別以東的家中。十一耶和華的約櫃在迦特人俄別以東家中三個月．耶和華賜福給俄別以東和他的全家。十二有人告訴大衛王說、耶和華因為約櫃賜福給俄別以東的家、和一切屬他的．大衛就去、歡歡喜喜的將神的約櫃從俄別以東家中抬到大衛的城裏。十三抬耶和華約櫃的人走了六步、大衛就獻牛、與肥羊為祭。十四大衛穿着細麻布的以弗得、在耶和華面前極力跳舞。十五這樣、大衛和以色列的全家、歡呼吹角、將耶和華的約櫃抬上來。

掃羅女米甲見大衛舞蹈則輕視之

十六耶和華的約櫃進了大衛城的時候、掃羅的女兒米甲、從窗戶裏觀看、見大衛王在耶和華面前踴躍跳舞、心裏就輕視他。十七眾人將耶和華的約櫃請進去、安放在所豫備的地方、就是在大衛所搭的帳幕裏．大衛在耶和華面前獻燔祭和平安祭。十八大衛獻完了燔祭和平安祭、就奉萬軍之耶和華的名給民祝福．十九並且分給以色列眾人、無論男女每人一個餅、一塊肉、一個葡萄餅．眾人就各回各家去了。○二十大衛回家要給眷屬祝福．掃羅的女兒米甲、出來迎接他、說、以色列王今日在臣僕的婢女眼前露體、如同一個輕賤人無恥露體一樣、有好大的榮耀阿。二十一大衛對米甲說、這是在耶和華面前．耶和華已揀選我、廢了你父和你父的全家、立我作耶和華民以色列的君、所以我必在耶和華面前跳舞。二十二我也必更加卑微、自己看為輕賤．你所說的那些婢女、他們倒要尊敬我。二十三掃羅的女兒米甲、直到死日、沒有生養兒女。

第七章

大衛立意為耶和華建殿

一王住在自己宮中、耶和華使他安靖、不被四圍的仇敵擾亂。二那時、王對先知拿單說、看哪、我住在香柏木的宮中、神的約櫃反在幔子裏。三拿單對王說、你可以照你的心意而行、因為耶和華與你同在。四當夜耶和華的話臨到拿單說、五你去告訴我僕人大衛說、耶

六 和華如此說、你豈可建造殿宇給我居住呢。六自從我領
以色列人出埃及直到今日、我未曾住過殿宇、常在會
七 幕和帳幕中行走。七凡我同以色列人所走的地方、我何
曾向以色列一支派的士師、就是我吩咐牧養我民以
八 色列的、說、你們為何不給我建造香柏木的殿宇呢。八現
在你要告訴我僕人大衛說、萬軍之耶和華如此說、我
從羊圈中將你召來、叫你不再跟從羊羣、立你作我民
九 以色列的君。九你無論往那裏去、我常與你同在、剪除你
的一切仇敵．我必使你得大名、好像世上大大有名的
十 人一樣。十我必為我民以色列選定一個地方、栽培他們、
使他們住自己的地方、不再遷移．兇惡之子也不像從
十一 前擾害他們．十一並不像我命士師治理我民以色列的時
候一樣．我必使你安靖、不被一切仇敵擾亂．並且我耶
十二 和華應許你、必為你建立家室。十二你壽數滿足、與你列祖
同睡的時候、我必使你的後裔接續你的位、我也必堅
十三 定他的國。十三他必為我的名建造殿宇、我必堅定他的國
十四 位、直到永遠。十四我要作他的父、他要作我的子、他若犯了
十五 罪、我必用人的杖責打他、用人的鞭責罰他。十五但我的慈
愛仍不離開他、像離開在你面前所廢棄的掃羅一樣。
十六 十六你的家和你的國、必在我(原文作你)面前永遠堅立．你的國
十七 位也必堅定、直到永遠。十七拿單就按這一切話、照這默示
告訴大衛。

大衛之祈禱與頌感

十八 十八於是大衛王進去、坐在耶和華面前、說、主耶和華阿、我
十九 是誰、我的家算甚麼、你竟使我到這地步呢。十九主耶和華
阿、這在你眼中還看為小、又應許你僕人的家至於久
二十 遠．主耶和華阿、這豈是人所常遇的事麼。二十主耶和華阿、
二一 我還有何言可以對你說呢、因為你知道你的僕人。二一你
行這大事使僕人知道、是因你所應許的話、也是照你
二二 的心意。二二主耶和華阿、你本為大、照我們耳中聽見、沒有
二三 可比你的、除你以外再無　神。二三世上有何民能比你的
民以色列呢、你從埃及救贖他們作自己的子民、又在
你贖出來的民面前行大而可畏的事、驅逐列邦人和
二四 他們的神、顯出你的大名．二四你曾堅立你的民以色列作
二五 你的子民、直到永遠、你耶和華也作了他們的　神。二五耶
和華　神阿、你所應許僕人和僕人家的話、求你堅定

二六 直到永遠、照你所說的而行。願人永遠尊你的名為大、
說、萬軍之耶和華是治理以色列的神．這樣、你僕人
二七 大衛的家必在你面前堅立。萬軍之耶和華以色列的
神阿、因你啟示你的僕人、說、我必為你建立家室、所
二八 以僕人大膽向你如此祈禱。主耶和華阿、惟有你是
二九 神、你的話是真實的、你也應許將這福氣賜給僕人。現
在求你賜福與僕人的家、可以永存在你面前．主耶和
華阿、這是你所應許的、願你永遠賜福與僕人的家。

戰敗非利士人與摩押人

一 **第八章**　此後大衛攻打非利士人、把他們治服．從
二 他們手下奪取了京城的權柄。(原文作母城的嚼環)○又攻打摩
押人、使他們躺臥在地上、用繩量一量、量二繩的殺了、
量一繩的存留．摩押人就歸服大衛、給他進貢。

戰敗亞蘭人

三 瑣巴王利合的兒子哈大底謝、往大河去、要奪回他的
四 國權、大衛就攻打他、擒拿了他的馬兵一千七百、步兵
二萬、將拉戰車的馬砍斷蹄筋、但留下一百輛車的馬。
五 大馬色的亞蘭人來幫助瑣巴王哈大底謝、大衛就殺
六 了亞蘭人二萬二千。於是大衛在大馬色的亞蘭地設
立防營．亞蘭人就歸服他、給他進貢。大衛無論往那裏
七 去、耶和華都使他得勝。他奪了哈大底謝臣僕所拿的
八 金盾牌、帶到耶路撒冷。大衛王又從屬哈大底謝的比
九 他、和比羅他城中、奪取了許多的銅。○哈馬王陀以聽
十 見大衛殺敗哈大底謝的全軍、就打發他兒子約蘭去
見大衛王、問他的安、為他祝福、因為他殺敗了哈大底
謝、原來陀以與哈大底謝常常爭戰．約蘭帶了金銀銅
十一 的器皿來。大衛王將這些器皿、和他治服各國所得來
十二 的金銀、都分別為聖獻給耶和華．就是從亞蘭、摩押、亞
捫、非利士、亞瑪力人所得來的、以及從瑣巴王利合的
十三 兒子哈大底謝所掠之物。○大衛在鹽谷擊殺了亞蘭
十四 (或作以東見詩篇六十篇詩題)一萬八千人回來、就得了大名。又在以
東全地設立防營．以東人就都歸服大衛。大衛無論往
那裏去、耶和華都使他得勝。

為民施行公義

十五 十六 大衛作以色列眾人的王．又向眾民秉公行義。洗魯雅
十七 的兒子約押作元帥．亞希律的兒子約沙法作史官．亞

希突的兒子撒督、和亞比亞他的兒子亞希米勒、作祭
司長．西萊雅作書記．十八耶何耶大的兒子比拿雅、統轄基
利提人和比利提人．大衛的眾子都作領袖。

大衛以仁慈待米非波設

第九章 一大衛問說、掃羅家還有剩下的人沒有、我
要因約拿單的緣故向他施恩。二掃羅家有一個僕人名
叫洗巴、有人叫他來見大衛．王問他說、你是洗巴麼．回
答說、僕人是。三王說、掃羅家還有人沒有、我要照神的
慈愛恩待他．洗巴對王說、還有約拿單的一個兒子、是
瘸腿的。四王說、他在那裏．洗巴對王說、他在羅底巴亞米
利的兒子瑪吉家裏。五於是大衛王打發人去、從羅底巴
亞米利的兒子瑪吉家裏召了他來。六掃羅的孫子約拿
單的兒子米非波設、來見大衛、伏地叩拜．大衛說、米非
波設．米非波設說、僕人在此。七大衛說、你不要懼怕、我必
因你父親約拿單的緣故施恩與你、將你祖父掃羅的
一切田地都歸還你、你也可以常與我同席喫飯。八米非
波設又叩拜、說、僕人算甚麼、不過如死狗一般、竟蒙王
這樣眷顧。九○王召了掃羅的僕人洗巴來、對他說、我已
將屬掃羅和他的一切家產、都賜給你主人的兒子了．
十你和你的眾子僕人、要為你主人的兒子米非波設耕
種田地、把所產的拿來供他食用．他卻要常與我同席
喫飯。洗巴有十五個兒子、二十個僕人。十一洗巴對王說、凡
我主我王吩咐僕人的、僕人都必遵行。王又說、米非波
設必與我同席喫飯、如王的兒子一樣。十二米非波設有一
個小兒子名叫米迦。凡住在洗巴家裏的人、都作了米
非波設的僕人。十三於是米非波設住在耶路撒冷、常與王
同席喫飯．他兩腿都是瘸的。

大衛遣使詣哈嫩

第十章 一此後、亞捫人的王死了、他兒子哈嫩接續
他作王。二大衛說、我要照哈嫩的父親拿轄厚待我的恩
典厚待哈嫩。於是大衛差遣臣僕、為他喪父安慰他．大
衛的臣僕到了亞捫人的境內。三但亞捫人的首領對他
們的主哈嫩說、大衛差人來安慰你、你想他是尊敬你
父親麼．他差臣僕來不是詳察窺探、要傾覆這城麼。四哈
嫩便將大衛臣僕的鬍鬚剃去一半、又割斷他們下半
截的衣服、使他們露出下體、打發他們回去。五有人告訴

大衛他就差人去迎接他們、因爲他們甚覺羞恥、告訴
他們說、可以住在耶利哥、等到鬍鬚長起再回來。

遣將戰亞捫人與亞蘭人

六亞捫人知道大衛憎惡他們、就打發人去、招募伯利合
的亞蘭人、和瑣巴的亞蘭人、步兵二萬、與瑪迦王的人
一千、陀伯人一萬二千。七大衛聽見了、就差派約押統帶
勇猛的全軍出去。八亞捫人出來、在城門前擺陣、瑣巴與
利合的亞蘭人、陀伯人、並瑪迦人、另在郊野擺陣。

亞蘭亞捫二族敗遁

九約押看見敵人在他前後擺陣、就從以色列軍中挑選
精兵、使他們對着亞蘭人擺陣。十其餘的兵交與他兄弟
亞比篩、對着亞捫人擺陣。十一約押對亞比篩說、亞蘭人若
強過我、你就來幫助我、亞捫人若強過你、我就去幫助
你。十二我們都當剛強、爲本國的民和神的城邑作大丈
夫、願耶和華憑他的意旨而行。十三於是約押和跟隨他的
人前進攻打亞蘭人、亞蘭人在約押面前逃跑。十四亞捫人
見亞蘭人逃跑、他們也在亞比篩面前逃跑進城。約押
就離開亞捫人那裏、回耶路撒冷去了。◯十五亞蘭人見自
己被以色列人打敗、就又聚集。十六哈大底謝差遣人、將大
河那邊的亞蘭人調來、他們到了希蘭、哈大底謝的將
軍朔法、率領他們。十七有人告訴大衛、他就聚集以色列衆
人、過約但河、來到希蘭。亞蘭人迎着大衛擺陣與他打
仗。十八亞蘭人在以色列人面前逃跑。大衛殺了亞蘭七百
輛戰車的人、……四萬馬兵、又殺了亞蘭的將軍朔法。十九屬哈
大底謝的諸王、見自己被以色列人打敗、就與以色列
人和好、歸服他們。於是亞蘭人、不敢再幫助亞捫人了。

第十一章

大衛干罪

一過了一年、到列王出戰的時候、大衛又
差派約押、率領臣僕和以色列衆人出戰、他們就打敗
亞捫人、圍攻拉巴。大衛仍住在耶路撒冷。◯二一日太陽
平西、大衛從牀上起來、在王宮的平頂上遊行、看見一
個婦人沐浴、容貌甚美。三大衛就差人打聽那婦人是誰。
有人說、他是以連的女兒、赫人烏利亞的妻拔示巴。四大
衛差人去、將婦人接來、那時他的月經纔得潔淨、他來
了、大衛與他同房、他就回家去了。五於是他懷了孕、打發
人去告訴大衛說、我懷了孕。◯六大衛差人到約押那裏、

說、你打發赫人烏利亞到我這裏來。約押就打發烏利
七 亞去見大衛。七烏利亞來了、大衛問約押好、也問兵好、又
八 問爭戰的事怎樣。八大衛對烏利亞說、你回家去、洗洗腳
九 罷。烏利亞出了王宮、隨後王送他一分食物。九烏利亞卻
十 和他主人的僕人一同睡在宮門外、沒有回家去。十有人
告訴大衛說、烏利亞沒有回家去。大衛就問烏利亞說、
十一 你從遠路上來、爲甚麼不回家去呢。十一烏利亞對大衛說、
約櫃和以色列與猶大兵都住在棚裏、我主約押和我
主(或作王)的僕人、都在田野安營、我豈可回家喫喝、與妻
子同寢呢。我敢在王面前起誓、(原文作我指着王和王的性命起誓)我決
十二 不行這事。十二大衛吩咐烏利亞說、你今日仍住在這裏、明
日我打發你去。於是烏利亞那日和次日住在耶路撒
十三 冷。十三大衛召了烏利亞來、叫他在自己面前喫喝、使他喝
醉。到了晚上、烏利亞出去與他主的僕人一同住宿、還
沒有回到家裏去。

謀殺烏利亞

十四 十五 十四次日早晨、大衛寫信與約押、交烏利亞隨手帶去。十五信內
寫着說、要派烏利亞前進、到陣勢極險之處、你們便退
十六 後、使他被殺。十六約押圍城的時候、知道敵人那裏有勇士、
十七 便將烏利亞派在那裏。十七城裏的人出來、和約押打仗、大
十八 衛的僕人中有幾個被殺的、赫人烏利亞也死了。十八於是
十九 約押差人去將爭戰的一切事告訴大衛。十九又囑咐使者
二十 說、你把爭戰的一切事、對王說完了、二十王若發怒、問你說、
你們打仗爲甚麼挨近城牆呢、豈不知敵人必從城上
二一 射箭麼。二一從前打死耶路比設(就是耶路巴力見士師記九章一節)兒子亞
比米勒的是誰呢、豈不是一個婦人從城上拋下一塊
上磨石來、打在他身上、他就死在提備斯麼。你們爲甚
麼挨近城牆呢。你就說、王的僕人赫人烏利亞也死了。
二二 ○二二使者起身、來見大衛、照着約押所吩咐他的話奏告
二三 大衛。二三使者對大衛說、敵人強過我們、出到郊野與我們
二四 打仗、我們追殺他們、直到城門口。二四射箭的從城上射王
二五 的僕人、射死幾個、赫人烏利亞也死了。二五王向使者說、你
告訴約押說、不要因這事愁悶、刀劍或吞滅這人、或吞
滅那人、沒有一定的、你只管竭力攻城、將城傾覆、可以
用這話勉勵約押。

娶拔示巴

二六烏利亞的妻聽見丈夫烏利亞死了、就爲他哀哭。二七哀哭
的日子過了、大衛差人將他接到宮裏、他就作了大衛
的妻、給大衛生了一個兒子。但大衛所行的這事、耶和
華甚不喜悅。

拿單指大衛設喻

第十二章 一耶和華差遣拿單去見大衛。拿單到了
大衛那裏、對他說、在一座城裏有兩個人、一個是富戶、
一個是窮人。二富戶有許多牛羣羊羣。三窮人除了所買來
養活的一隻小母羊羔之外、別無所有。羊羔在他家裏
和他兒女一同長大、喫他所喫的、喝他所喝的、睡在他
懷中、在他看來如同女兒一樣。四有一客人來到這富戶
家裏。富戶捨不得從自己的牛羣羊羣中取一隻豫備
給客人喫、卻取了那窮人的羊羔、豫備給客人喫。五大衛
就甚惱怒那人、對拿單說、我指着永生的耶和華起誓、
行這事的人該死。六他必償還羊羔四倍、因爲他行這事、
沒有憐恤的心。

明斥其罪

七拿單對大衛說、你就是那人。耶和華以色列的神如
此說、我膏你作以色列的王、救你脫離掃羅的手。八我將
你主人的家業賜給你、將你主人的妻交在你懷裏、又
將以色列和猶大家賜給你。你若還以爲不足、我早就
加倍的賜給你。九你爲甚麼藐視耶和華的命令、行他眼
中看爲惡的事呢。你借亞捫人的刀殺害赫人烏利亞、
又娶了他的妻爲妻。十你既藐視我、娶了赫人烏利亞的
妻爲妻、所以刀劍必永不離開你的家。十一耶和華如此說、
我必從你家中興起禍患攻擊你。我必在你眼前把你
的妃嬪賜給別人、他在日光之下就與他們同寢。十二你在
暗中行這事、我卻要在以色列衆人面前日光之下報
應你。十三大衛對拿單說、我得罪耶和華了。拿單說、耶和華
已經除掉你的罪。你必不至於死。十四只是你行這事、叫耶
和華的仇敵大得褻瀆的機會、故此你所得的孩子、必
定要死。十五拿單就回家去了。

大衛子遘疾致死

耶和華擊打烏利亞妻給大衛所生的孩子、使他得重

十六 病。十六所以大衛爲這孩子懇求 神而且禁食、進入內室、
十七 終夜躺在地上。十七他家中的老臣來到他旁邊、要把他從
十八 地上扶起來．他卻不肯起來、也不同他們喫飯。十八到第七
日孩子死了。大衛的臣僕不敢告訴他孩子死了．因他
們說、孩子還活着的時候、我們勸他、他尚且不肯聽我
十九 們的話．若告訴他孩子死了、豈不更加憂傷麼。十九大衛見
臣僕彼此低聲說話、就知道孩子死了．問臣僕說、孩子
二十 死了麼．他們說、死了。二十大衛就從地上起來、沐浴抹膏換
了衣裳．進耶和華的殿敬拜．然後回宮．吩咐人擺飯、他
二一 便喫了。二一臣僕問他說、你所行的是甚麼意思．孩子活着
二二 的時候、你禁食哭泣．孩子死了、你倒起來喫飯。二二大衛說、
孩子還活着、我禁食哭泣、因爲我想、或者耶和華憐恤
二三 我、使孩子不死、也未可知。二三孩子死了、我何必禁食．我豈
能使他返回呢．我必往他那裏去、他卻不能回我這裏
來。

所羅門生

二四 二四大衛安慰他的妻拔示巴、與他同寢．他就生了兒子、給
二五 他起名叫所羅門。二五耶和華也喜愛他．就藉先知拿單賜
他一個名字叫耶底底亞、因爲耶和華愛他……。

攻取拉巴

二六 二六約押攻取亞捫人的京城拉巴。二七約押打發使者去見大
二七 二八 衛說、我攻打拉巴、取其水城。二八現在你要聚集其餘的軍
兵來、安營圍攻這城．恐怕我取了這城、人就以我的名
二九 叫這城。二九於是大衛聚集眾軍、往拉巴去攻城、就取了這
三十 城。三十奪了亞捫人之王所戴的金冠冕．王或作瑪勒堪瑪勒堪即米勒公又
名摩洛亞捫族之神名其上的金子重一他連得、又嵌着寶石。人
將這冠冕戴在大衛頭上。大衛從城裏奪了許多財物。
三一 三一將城裏的人拉出來、放在鋸下、或鐵耙下、或鐵斧下、或
叫他經過磚窰．或作強他們用鋸或用打糧食的鐵器或用鐵斧作工或使在磚窰裏服役
大衛待亞捫各城的居民、都是如此。其後大衛和眾軍
都回耶路撒冷去了。

暗嫩詐病汚他瑪

第十三章

一 一大衛的兒子押沙龍有一個美貌的妹
二 子、名叫他瑪．大衛的兒子暗嫩愛他。二暗嫩爲他妹子他
三 瑪憂急成病．他瑪還是處女、暗嫩以爲難向他行事。三暗
嫩有一個朋友、名叫約拿達、是大衛長兄示米亞的兒

四 子、這約拿達爲人極其狡猾。四他問暗嫩說、王的兒子阿、
爲何一天比一天瘦弱呢。請你告訴我。暗嫩回答說、我
五 愛我兄弟押沙龍的妹子他瑪。五約拿達說、你不如躺在
牀上裝病。你父親來看你、就對他說、求父叫我妹子他
瑪來在我眼前豫備食物、遞給我喫、使我看見、好從他
六 手裏接過來喫。六於是暗嫩躺臥裝病。王來看他、他對王
說、求父叫我妹子他瑪來、在我眼前爲我作兩個餅、我
七 好從他手裏接過來喫。○七大衛就打發人到宮裏、對他
八 瑪說、你往你哥哥暗嫩的屋裏去、爲他豫備食物。八他瑪
就到他哥哥暗嫩的屋裏。暗嫩正躺臥。他瑪摶麵、在他
九 眼前作餅、且烤熟了。九在他面前、將餅從鍋裏倒出來。他
卻不肯喫、便說、衆人離開我出去罷。衆人就都離開他
十 出去了。十暗嫩對他瑪說、你把食物拿進臥房、我好從你
手裏接過來喫。他瑪就把所作的餅、拿進臥房、到他哥
十一 哥暗嫩那裏。十一拿着餅上前給他喫、他便拉住他瑪、說、我
十二 妹妹、你來與我同寢。十二他瑪說、我哥哥、不要玷辱我。以色
十三 列人中不當這樣行。你不要作這醜事。十三你玷辱了我、我
何以掩蓋我的羞恥呢。你在以色列中也成了愚妄人。

十四 你可以求王、他必不禁止我歸你。十四但暗嫩不肯聽他的
十五 話。因比他力大、就玷辱他、與他同寢。○十五隨後、暗嫩極其
恨他、那恨他的心、比先前愛他的心更甚。對他說、你起
十六 來去罷。十六他瑪說、不要這樣、你趕出我去的這罪、比你纔
十七 行的更重。但暗嫩不肯聽他的話。十七就叫伺候自己的僕
人來、說、將這個女子趕出去、他一出去、你就關門上閂。
十八 十八那時他瑪穿着彩衣、因爲沒有出嫁的公主都是這樣
十九 穿。暗嫩的僕人就把他趕出去、關門上閂。十九他瑪把灰塵
撒在頭上、撕裂所穿的彩衣、以手抱頭、一面行走、一面
二十 哭喊。○二十他胞兄押沙龍問他說、莫非你哥哥暗嫩與你
親近了麼。我妹妹、暫且不要作聲、他是你的哥哥、不要
將這事放在心上。他瑪就孤孤單單的住在他胞兄押
二一 二二 沙龍家裏。二一大衛王聽見這事就甚發怒。二二押沙龍並不和
他哥哥暗嫩說好說歹、因爲暗嫩玷辱他妹妹他瑪、所
以押沙龍恨惡他。

押沙龍計復妹仇

二三 二三過了二年、在靠近以法蓮的巴力夏瑣、有人爲押沙龍
二四 剪羊毛。押沙龍請王的衆子與他同去。二四押沙龍來見王、

說、現在有人爲僕人剪羊毛、請王、和王的臣僕、與僕人
二五 同去。[二五]王對押沙龍說、我兒、我們不必都去、恐怕使你耗
費太多。押沙龍再三請王、王仍是不肯去、只爲他祝福。
二六 [二六]押沙龍說、王若不去、求王許我哥哥暗嫩同去、王說、何
二七 必要他去呢。[二七]押沙龍再三求王、王就許暗嫩、和王的衆
子、與他同去。

暗嫩被殺

二八 [二八]押沙龍吩咐僕人說、你們注意、看暗嫩飲酒暢快的時
候、我對你們說、殺暗嫩、你們便殺他、不要懼怕、這不是
二九 我吩咐你們的麼。你們只管壯膽奮勇。[二九]押沙龍的僕人
就照押沙龍所吩咐的、向暗嫩行了。王的衆子都起來、
三十 各人騎上騾子、逃跑了。〇[三十]他們還在路上、有風聲傳到
大衛那裏、說、押沙龍將王的衆子都殺了、沒有留下一
三一 個。[三一]王就起來、撕裂衣服、躺在地上。王的臣僕也都撕裂
三二 衣服、站在旁邊。[三二]大衛的長兄示米亞的兒子約拿達說、
我主不要以爲王的衆子少年人都殺了。只有暗嫩一
個人死了。自從暗嫩玷辱押沙龍妹子他瑪的那日、押
三三 沙龍就定意殺暗嫩了。[三三]現在我主我王、不要把這事放
在心上、以爲王的衆子都死了。只有暗嫩一個人死了。

押沙龍遁

三四 [三四]押沙龍逃跑了。守望的少年人舉目觀看、見有許多人
三五 從山坡的路上來。[三五]約拿達對王說、看哪、王的衆子都來
三六 了。果然與你僕人所說的相合。[三六]話纔說完、王的衆子都
三七 到了、放聲大哭。王和臣僕也都哭得甚慟。〇[三七]押沙龍逃
到基述王亞米忽的兒子達買那裏去了。大衛天天爲
三八 三九 他兒子悲哀。[三八]押沙龍逃到基述在那裏住了三年。[三九]暗嫩
死了以後、大衛王得了安慰、心裏切切想念押沙龍。

第十四章

約押藉哲婦感大衛

一 [一]洗魯雅的兒子約押、知道王心裏想念
二 押沙龍、[二]就打發人往提哥亞去、從那裏叫了一個聰明
的婦人來、對他說、請你假裝居喪的、穿上孝衣、不要用
三 膏抹身、要裝作爲死者許久悲哀的婦人。[三]進去見王、對
王如此如此說。於是約押將當說的話教導了婦人。〇
四 五 [四]提哥亞婦人到王面前、伏地叩拜、說、王阿、求你拯救。[五]王
問他說、你有甚麼事呢。回答說、婢女實在是寡婦、我丈
六 夫死了。[六]我有兩個兒子、一日在田間爭鬭、沒有人解勸、

這個就打死那個。七現在全家的人都起來攻擊婢女、說、
你將那打死兄弟的交出來、我們好治死他、償他打死
兄弟的命、滅絕那承受家業的。這樣、他們要將我剩下
的炭火滅盡、不與我丈夫留名留後在世上。八〇王對婦
人說、你回家去罷、我必爲你下令。九提哥亞婦人又對王
說、我主我王、願這罪歸我、和我父家、與王和王的位無
干。十王說、凡難爲你的、你就帶他到我這裏來、他必不再
攪擾你。十一婦人說、願王記念耶和華你的　神、不許報血
仇的人施行滅絕、恐怕他們滅絕我的兒子。王說、我指
着永生的耶和華起誓、你的兒子連一根頭髮也不至
落在地上。十二〇婦人說、求我主我王、容婢女再說一句話。
王說、你說罷。十三婦人說、王爲何也起意要害　神的民呢。
王不使那逃亡的人回來、王的這話、就是自證己錯了。
十四我們都是必死的、如同水潑在地上、不能收回。　神並
不奪取人的性命、乃設法使逃亡的人不至成爲趕出
回不來的。十五我來將這話告訴我主我王、是因百姓使我
懼怕。婢女想、不如將這話告訴王、或者王成就婢女所
求的。十六人要將我和我兒子從　神的地業上一同除滅。
王必應允救我脫離他的手。十七婢女又想、我主我王的話
必安慰我、因爲我主我王能辨別是非、如同　神的使
者一樣。惟願耶和華你的　神與你同在。十八〇王對婦人
說、我要問你一句話、你一點不要瞞我。婦人說、願我主
我王說。十九王說、你這些話莫非是約押的主意麼。婦人說、
我敢在我主我王面前起誓、王的話正對、不偏左右。是
王的僕人約押吩咐我的、這些話是他教導我的。二十王的
僕人約押如此行、爲要挽回這事、我主的智慧、卻如
神使者的智慧、能知世上一切事。

允押沙龍歸

二一王對約押說、我應允你這事。你可以去、把那少年人押
沙龍帶回來。二二約押就面伏於地叩拜、祝謝於王、又說、王
既應允僕人所求的、僕人今日知道在我主我王眼前
蒙恩了。二三於是約押起身往基述去、將押沙龍帶回耶路
撒冷。二四王說、使他回自己家裏去、不要見我的面、押沙龍
就回自己家裏去、沒有見王的面。

押沙龍之容儀

二五以色列全地之中、無人像押沙龍那樣俊美、得人的稱

二六 讚。從脚底到頭頂、毫無瑕疵。二六他的頭髮甚重、每到年底
剪髮一次。所剪下來的、按王的平稱一稱、重二百舍客
二七 勒。二七押沙龍生了三個兒子、一個女兒、女兒名叫他瑪、是
個容貌俊美的女子。

大衛召見押沙龍

二八 二九 二八押沙龍住在耶路撒冷足有二年、沒有見王的面。二九押沙
龍打發人去叫約押來、要託他去見王。約押卻不肯來。
三十 第二次打發人去叫他、他仍不肯來。三十所以押沙龍對僕
人說、你們看、約押有一塊田與我的田相近、其中有大
麥。你們去放火燒了。押沙龍的僕人就去放火燒了那
三一 田。三一於是約押起來、到了押沙龍家裏、問他說、你的僕人
三二 為何放火燒了我的田呢。三二押沙龍回答約押說、我打發
人去請你來、好託你去見王、替我說、我為何從基述回
來呢。不如仍在那裏。現在要許我見王的面。我若有罪、
三三 任憑王殺我就是了。三三於是約押去見王、將這話奏告王。
王便叫押沙龍來。押沙龍來見王、在王面前俯伏於地。
王就與押沙龍親嘴。

押沙龍結民謀位

第十五章

一 此後、一押沙龍為自己豫備車馬、又派五
二 十人在他前頭奔走。二押沙龍常常早晨起來、站在城門
的道旁、凡有爭訟要去求王判斷的、押沙龍就叫他過
來、問他說、你是那一城的人。回答說、僕人是以色列某
三 支派的人。三押沙龍對他說、你的事有情有理、無奈王沒
四 有委人聽你伸訴。四押沙龍又說、恨不得我作國中的士
五 師。凡有爭訟求審判的、到我這裏來、我必秉公判斷。五若
有人近前來要拜押沙龍、押沙龍就伸手拉住他、與他
六 親嘴。六以色列人中、凡去見王求判斷的、押沙龍都是如
此待他們。這樣、押沙龍暗中得了以色列人的心。

押沙龍叛

七 七滿了四十年、（有作四年的）押沙龍對王說、求你准我往希伯
八 崙去、還我向耶和華所許的願。八因為僕人住在亞蘭的
基述、曾許願說、耶和華若使我再回耶路撒冷、我必事
九 奉他。九王說、你平平安安的去罷。押沙龍就起身、往希伯
十 崙去了。十押沙龍打發探子走遍以色列各支派、說、你們
十一 一聽見角聲、就說、押沙龍在希伯崙作王了。十一押沙龍在

耶路撒冷請了二百人與他同去、都是誠誠實實去的、
十二 並不知道其中的眞情。十二押沙龍獻祭的時候、打發人去
將大衞的謀士基羅人亞希多弗從他本城請了來。於
是叛逆的勢派甚大、因爲隨從押沙龍的人民、日漸增
多。

大衞遁

十三十四 十三有人報告大衞說、以色列人的心、都歸向押沙龍了。十四大
衞就對耶路撒冷跟隨他的臣僕說、我們要起來逃走。
不然都不能躲避押沙龍了、要速速的去、恐怕他忽然
十五 來到加害於我們、用刀殺盡合城的人。十五王的臣僕對王
十六 說、我主我王所定的、僕人都願遵行。十六於是王帶着全家
十七 的人出去了、但留下十個妃嬪看守宮殿。十七王出去、衆民
十八 都跟隨他、到伯墨哈就住下了。十八王的臣僕都在他面前
過去、基利提人、比利提人、就是從迦特跟隨王來的六
十九 百人、也都在他面前過去。○十九王對迦特人以太說、你是
外邦逃來的人、爲甚麼與我們同去呢。你可以回去、與
二十 新王同住、或者回你本地去罷。二十你來的日子不多、我今
日怎好叫你與我們一同飄流、沒有一定的住處呢。你
不如帶你的弟兄回去罷。願耶和華用慈愛誠實待你。
二一 二一以太對王說、我指着永生的耶和華起誓、又敢在王面
二二 前起誓、無論生死、王在那裏、僕人也必在那裏。二二大衞對
以太說、你前去過河罷。於是迦特人以太帶着跟隨他
二三 的人、和所有的婦人孩子、就都過去了。二三本地的人都放
聲大哭、衆民盡都過去。王也過了汲淪溪、衆民往曠野
去了。

命撒督亞比亞他戶飾返耶路撒冷

二四 二四撒督和抬　神約櫃的利未人也一同來了、將　神的
約櫃放下。亞比亞他上來、等着衆民從城裏出來過去。
二五 二五王對撒督說、你將　神的約櫃抬回城去。我若在耶和
二六 華眼前蒙恩、他必使我回來、再見約櫃和他的居所。二六倘
若他說、我不喜悅你、看哪、我在這裏、願他憑自己的意
二七 旨待我。二七王又對祭司撒督說、你不是先見麼、你可以安
然回城、你兒子亞希瑪斯、和亞比亞他的兒子約拿單、
二八 都可以與你同去。二八我在曠野的渡口那裏等你們報信
二九 給我。二九於是撒督和亞比亞他將　神的約櫃抬回耶路
三十 撒冷、他們就住在那裏。○三十大衞蒙頭赤腳、上橄欖山一

面上、一面哭．跟隨他的人也都蒙頭哭着上去。三一有人告
訴大衞說、亞希多弗也在叛黨之中隨從押沙龍。大衞
禱告說、耶和華阿、求你使亞希多弗的計謀變爲愚拙。
三二大衞到了山頂敬拜神的地方、見亞基人戶篩衣服
撕裂、頭蒙灰塵、來迎接他。三三大衞對他說、你若與我同去、
必累贅我。三四你若回城去、對押沙龍說、王阿、我願作你的
僕人．我向來作你父親的僕人、現在我也照樣作你的
僕人．這樣、你就可以爲我破壞亞希多弗的計謀。三五祭司
撒督和亞比亞他、豈不都在那裏麼．你在王宮裏聽見
甚麼、就要告訴祭司撒督和亞比亞他。三六撒督的兒子亞
希瑪斯、亞比亞他的兒子約拿單、也都在那裏．凡你們
所聽見的、可以託這二人來報告我。三七於是大衞的朋友
戶篩進了城．押沙龍也進了耶路撒冷。

第十六章

洗巴誑言欺大衞

一大衞剛過山頂、見米非波設的僕人洗
巴拉着備好了的兩匹驢、驢上馱着二百麪餅、一百葡
萄餅、一百個夏天的果餅、一皮袋酒、來迎接他。二王問洗
巴說、你帶這些來是甚麼意思呢。洗巴說、驢是給王的
家眷騎的、麪餅、和夏天的果餅、是給少年人喫的．酒、是
給在曠野疲乏人喝的。三王問說、你主人的兒子在那裏
呢。洗巴回答王說、他仍在耶路撒冷、因他說、以色列人
今日必將我父的國歸還我。四王對洗巴說、凡屬米非波
設的都歸你了。洗巴說、我叩拜我主我王、願我在你眼
前蒙恩。

大衞容忍示每

五大衞王到了巴戶琳、見有一個人出來、是掃羅族基拉
的兒子、名叫示每．他一面走、一面咒罵．六又拿石頭砍大
衞王和王的臣僕．衆民和勇士都在王的左右。七示每咒
罵說、你這流人血的壞人哪．去罷去罷。八你流掃羅全家
的血、接續他作王．耶和華把這罪歸在你身上、將這國
交給你兒子押沙龍．現在你自取其禍、因爲你是流人
血的人。九○洗魯雅的兒子亞比篩對王說、這死狗。十豈可
咒罵我主我王呢。求你容我過去、割下他的頭來。王說、
洗魯雅的兒子、我與你們有何關涉呢．他咒罵、是因耶
和華吩咐他說、你要咒罵大衞．如此、誰敢說你爲甚麼
這樣行呢。十一大衞又對亞比篩和衆臣僕說、我親生的兒

子、尚且尋索我的性命、何況這便雅憫人呢。由他咒罵
十二 罷。因爲這是耶和華吩咐他的。十二或者耶和華見我遭難、
十三 爲我今日被這人咒罵、就施恩與我。十三於是大衛和跟隨
他的人往前行走。示每在大衛對面山坡、一面行走、一
十四 面咒罵、又拿石頭砍他、拿土揚他。十四王和跟隨他的衆人、
疲疲乏乏的到了一個地方、就在那裏歇息歇息。

戶篩詐歸押沙龍

十五 十五押沙龍和以色列衆人來到耶路撒冷、亞希多弗也與
十六 他同來。十六大衛的朋友亞基人戶篩去見押沙龍、對他說、
十七 願王萬歲、願王萬歲。十七押沙龍問戶篩說、這是你恩待朋
十八 友麼、爲甚麼不與你的朋友同去呢。十八戶篩對押沙龍說、
不然、耶和華和這民、並以色列衆人所揀選的、我必歸
十九 順他、與他同住。十九再者、我當服事誰呢、豈不是前王的兒
二十 子麼。我怎樣服事你父親、也必照樣服事你。○二十押沙龍
二十一 對亞希多弗說、你們出個主意、我們怎樣行纔好。二十一亞希
多弗對押沙龍說、你父所留下看守宮殿的妃嬪、你可
以與他們親近。以色列衆人聽見你父親憎惡你、凡歸
二十二 順你人的手、就更堅強。二十二於是人爲押沙龍在宮殿的平
頂上支搭帳棚。押沙龍在以色列衆人眼前、與他父的
二十三 妃嬪親近。二十三那時、亞希多弗所出的主意、好像人問神
的話一樣。他昔日給大衛、今日給押沙龍所出的主意、
都是這樣。

戶篩敗亞希多弗之策

第十七章

一 亞希多弗又對押沙龍說、求你准我挑
二 選一萬二千人、今夜我就起身追趕大衛。二趁他疲乏手
輭、我忽然追上他、使他驚惶、跟隨他的民必都逃跑、我
三 就單殺王一人。三使衆民都歸順你。你所尋找的人既然
四 死了、衆民就如已經歸順你、這樣、也都平安無事了。四押
五 沙龍和以色列的長老、都以這話爲美。○五押沙龍說、要
六 召亞基人戶篩來、我們也要聽他怎樣說。六戶篩到了押
沙龍面前、押沙龍向他說、亞希多弗是如此如此說的。
七 我們照着他的話行、可以不可以、若不可、你就說罷。七戶
八 篩對押沙龍說、亞希多弗這次所定的謀不善。八戶篩又
說、你知道你父親和跟隨他的人、都是勇士、現在他們
心裏惱怒、如同田野丟崽子的母熊一般、而且你父親
九 是個戰士、必不和民一同住宿。九他現今或藏在坑中、或

在別處．若有人首先被殺、凡聽見的必說、跟隨押沙龍
十 的民被殺了．十雖有人膽大如獅子、他的心也必消化．因
為以色列人都知道你父親是英雄、跟隨他的人也都
十一 是勇士。十一依我之計、不如將以色列眾人從但直到別是
巴、如同海邊的沙那樣多、聚集到你這裏來．你也親自
十二 率領他們出戰。十二這樣、我們在何處遇見他、就下到他那
裏、如同露水下在地上一般．連他帶跟隨他的人、一個
十三 也不留下。十三他若進了那一座城、以色列眾人必帶繩子
十四 去、將那城拉到河裏、甚至連一塊小石頭都不剩下。十四押
沙龍和以色列眾人說、亞基人戶篩的計謀、比亞希多
弗的計謀更好．這是因耶和華定意破壞亞希多弗的
良謀、為要降禍與押沙龍。

遣人告大衛速濟約但

十五 十五戶篩對祭司撒督和亞比亞他說、亞希多弗為押沙龍
和以色列的長老所定的計謀、是如此如此．我所定的
十六 計謀、是如此如此。十六現在你們要急速打發人去、告訴大
衛說、今夜不可住在曠野的渡口、務要過河．免得王和
十七 跟隨他的人都被吞滅。十七那時約拿單和亞希瑪斯在隱
羅結那裏等候不敢進城、恐怕被人看見．有一個使女
十八 出來、將這話告訴他們、他們就去報信給大衛王。十八然而
有一個童子看見他們、就去告訴押沙龍．他們急忙跑
到巴戶琳某人的家裏．那人院中有一口井、他們就下
十九 到井裏。十九那家的婦人用蓋蓋上井口、又在上頭鋪上碎
二十 麥、事就沒有洩漏。二十押沙龍的僕人來到那家、問婦人說、
亞希瑪斯和約拿單在那裏．婦人說、他們過了河了。僕
人找他們、找不着、就回耶路撒冷去了。

亞希多弗縊死

二一 二一他們走後、二人從井裏上來、去告訴大衛王說、亞希多
二二 弗如此如此定計害你．你們務要起來、快快過河．二二於是
大衛和跟隨他的人、都起來過約但河、到了天亮、無一
二三 人不過約但河的。二三亞希多弗見不依從他的計謀、就備
上驢、歸回本城、到了家、留下遺言、便弔死了、葬在他父
親的墳墓裏。

押沙龍追襲大衛

二四 二四大衛到了瑪哈念．押沙龍和跟隨他的以色列人也都
二五 過了約但河。二五押沙龍立亞瑪撒作元帥代替約押．亞瑪

撒是以實瑪利人、(又作以色列人)以特拉的兒子、以特拉曾與
拿轄的女兒亞比該親近。這亞比該與約押的母親洗
二六 魯雅是姐妹。二六押沙龍和以色列人都安營在基列地。○
二七 二七大衛到了瑪哈念、亞捫族的拉巴人拿轄的兒子朔比、
羅底巴人亞米利的兒子瑪吉、基列的羅基琳人巴西
二八 萊、二八帶着被褥、盆碗、瓦器、小麥、大麥、麥麵、炒穀、豆子、紅豆、
二九 炒豆、二九蜂蜜、奶油、綿羊、奶餅、供給大衛和跟隨他的人喫。
他們說、民在曠野、必飢渴困乏了。

押沙龍敗

一 **第十八章** 一大衛數點跟隨他的人、立千夫長百夫
二 長率領他們。二大衛打發軍兵出戰、分為三隊、一隊在約
押手下、一隊在洗魯雅的兒子約押兄弟亞比篩手下、
一隊在迦特人以太手下。大衛對軍兵說、我必與你們
三 一同出戰。三軍兵卻說、你不可出戰、若是我們逃跑、敵人
必不介意我們、陣亡一半、敵人也不介意、因為你一人
四 強似我們萬人、你不如在城裏豫備幫助我們。四王向他
們說、你們以為怎樣好、我就怎樣行。於是王站在城門
五 旁、軍兵或百或千的挨次出去了。五王囑咐約押、亞比篩、
以太、說、你們要為我的緣故、寬待那少年人押沙龍。王
六 為押沙龍囑咐眾將的話、兵都聽見了。○六兵就出到田
七 野迎着以色列人、在以法蓮樹林裏交戰。七以色列人敗
八 在大衛的僕人面前。那日陣亡的甚多、共有二萬人。八因
為在那裏四面打仗、死於樹林的、比死於刀劍的更多。

押沙龍死

九 九押沙龍偶然遇見大衛的僕人。押沙龍騎着騾子、從大
橡樹密枝底下經過、他的頭髮被樹枝繞住、就懸掛起
十 來。所騎的騾子便離他去了。十有個人看見、就告訴約押
十一 說、我看見押沙龍掛在橡樹上了。十一約押對報信的人說、
你既看見他、為甚麼不將他打死、落在地上呢。你若打
十二 死他、我就賞你十舍客勒銀子、一條帶子。十二那人對約押
說、我就是得你一千舍客勒銀子、我也不敢伸手害王
的兒子。因為我們聽見王囑咐你和亞比篩並以太說、
十三 你們要謹慎、不可害那少年人押沙龍。十三我若妄為害了
他的性命、就是你自己也必與我為敵。原來無論何事、
十四 都瞞不過王。十四約押說、我不能與你留連。約押手拿三杆
十五 短槍、趁押沙龍在橡樹上還活着、就刺透他的心。十五給約

十六 押拿兵器的十個少年人圍繞押沙龍、將他殺死。○約十六
十七 押吹角、攔阻衆人、他們就回來、不再追趕以色列人。十七他
們將押沙龍丟在林中一個大坑裏、上頭堆起一大堆
十八 石頭。以色列衆人都逃跑、各回各家去了。十八押沙龍活着
的時候、在王谷立了一根石柱。因他說、我沒有兒子爲
我留名。他就以自己的名、稱那石柱、叫押沙龍柱、直到
今日。

二人報信

十九 十九撒督的兒子亞希瑪斯說、容我跑去、將耶和華向仇敵
二十 給王報仇的信息報與王知。二十約押對他說、你今日不可
去報信、改日可以報信、因爲今日王的兒子死了、所以
二一 你不可去報信。二一約押對古示人說、你去將你所看見的
二二 告訴王。古示人在約押面前下拜、就跑去了。二二撒督的兒
子亞希瑪斯又對約押說、無論怎樣、求你容我隨着古
示人跑去。約押說、我兒、你報這信息、既不得賞賜、何必
二三 要跑去呢。二三他又說、無論怎樣、我要跑去。約押說、你跑去
二四 罷。亞希瑪斯就從平原往前跑、跑過古示人去了。○二四大
衛正坐在城甕裏、守望的人上城門樓的頂上、舉目觀
二五 看見有一個人獨自跑來。二五守望的人就大聲告訴王。王
二六 說、他若獨自來、必是報口信的。那人跑得漸漸近了。二六守
望的人又見一人跑來、就對守城門的人說、又有一人
二七 獨自跑來。王說、這也必是報信的。二七守望的人說、我看前
頭人的跑法、好像撒督的兒子亞希瑪斯的跑法一樣。
二八 王說、他是個好人、必是報好信息。○二八亞希瑪斯向王呼
叫說、平安了。就在王面前臉伏於地叩拜、說、耶和華你
的神是應當稱頌的、因他已將那舉手攻擊我主我
二九 王的人交給王了。二九王問說、少年人押沙龍平安不平安。
亞希瑪斯回答說、約押打發王的僕人那時、僕人聽見
三十 衆民大聲諠譁、卻不知道是甚麼事。三十王說、你退去、站在
旁邊。他就退去站在旁邊。

大衛聞信慟哭

三一 三一古示人也來到、說、有信息報給我主我王。耶和華今日
三二 向一切興起攻擊你的人給你報仇了。三二王問古示人說、
少年人押沙龍平安不平安。古示人回答說、願我主我
王的仇敵、和一切興起要殺害你的人、都與那少年人
三三 一樣。三三王就心裏傷慟、上城門樓去哀哭、一面走、一面說、

我兒押沙龍阿、我兒、我兒押沙龍阿．我恨不得替你死．
押沙龍阿、我兒、我兒。

第十九章　約押諫王

一 有人告訴約押說、王爲押沙龍哭泣悲
二 哀。二眾民聽說王爲他兒子憂愁、他們得勝的歡樂、卻變
三 成悲哀。三那日眾民暗暗的進城、就如敗陣逃跑慚愧的
四 民一般。四王蒙着臉、大聲哭號、說、我兒押沙龍阿、押沙龍、
五 我兒、我兒阿。五約押進去見王、說、你今日使你一切僕人
臉面慚愧了．他們今日救了你的性命、和你兒女妻妾
六 的性命．六你卻愛那恨你的人、恨那愛你的人。你今日明
明的不以將帥僕人爲念。我今日看明、若押沙龍活着、
七 我們都死亡、你就喜悅了。七現在你當出去、安慰你僕人
的心．我指着耶和華起誓、你若不出去、今夜必無一人
與你同在一處．這禍患就比你從幼年到如今所遭的
八 更甚。八於是王起來、坐在城門口．眾民聽說王坐在城門
口、就都到王面前。〇以色列人已經逃跑、各回各家去
九 了。九以色列眾支派的人紛紛議論、說、王曾救我們脫離
仇敵的手、又救我們脫離非利士人的手．現在他躲避
十 押沙龍逃走了。十我們膏押沙龍治理我們、他已經陣亡。
現在爲甚麼不出一言請王回來呢。

大衛返耶路撒冷

十一 十一大衛王差人去見祭司撒督和亞比亞他、說、你們當向
猶大長老說、以色列眾人已經有話請王回宮．你們爲
十二 甚麼落在他們後頭呢．十二你們是我的弟兄、是我的骨肉．
十三 爲甚麼在人後頭請王回來呢。十三也要對亞瑪撒說、你不
是我的骨肉麼．我若不立你替約押常作元帥、願神
十四 重重的降罰與我。十四他如此就挽回猶大眾人的心、如同一
人的心．他們便打發人去見王、說、請王和王的一切臣
十五 僕回來。十五王就回來、到了約但河．猶大人來到吉甲、要去
十六 迎接王、請他過約但河。〇十六巴戶琳的便雅憫人、基拉的
十七 兒子示每、急忙與猶大人一同下去迎接大衛王．十七跟從
示每的有一千便雅憫人．還有掃羅家的僕人洗巴、和
他十五個兒子、二十個僕人、他們都趟過約但河迎接
十八 王。十八有擺渡船過去、渡王的家眷、任王使用．王要過約但
十九 河的時候、基拉的兒子示每、就俯伏在王面前、十九對王說、
我主我王出耶路撒冷的時候、僕人行悖逆的事．現在

求我主不要因此加罪與僕人、不要記念、也不要放在
二十 心上。僕人明知自己有罪、所以約瑟全家之中、今日我
二一 首先下來迎接我主我王。○洗魯雅的兒子亞比篩說、
二二 示每既咒罵耶和華的受膏者、不應當治死他麼。大衛
說、洗魯雅的兒子、我與你們有何關涉、使你們今日與
我反對呢。今日在以色列中豈可治死人呢。我豈不知
二三 今日我作以色列的王麼。於是王對示每說、你必不死。
王就向他起誓。

米非波設向大衛自白

二四 掃羅的孫子米非波設也下去迎接王。他自從王去的
日子、直到王平平安安的回來、沒有修腳、沒有剃鬍鬚、
二五 也沒有洗衣服。他來到耶路撒冷迎接王的時候、王問
二六 他說、米非波設、你為甚麼沒有與我同去呢。他回答說、
我主我王、僕人是瘸腿的。那日我想要備驢騎上、與王
二七 同去。無奈我的僕人欺哄了我。又在我主我王面前讒
毀我。然而我主我王如同 神的使者一般。你看怎樣
二八 好、就怎樣行罷。因為我祖全家的人、在我主我王面前、
都算為死人。王卻使僕人在王的席上同人喫飯。我現
二九 在向王還能辨理訴冤麼。王對他說、你何必再題你的
三十 事呢。我說、你與洗巴均分地土。米非波設對王說、我主
我王既平平安安的回宮、就任憑洗巴都取了也可以。
三一 ○基列人巴西萊從羅基琳下來、要送王過約但河。就
三二 與王一同過了約但河。巴西萊年紀老邁、已經八十歲
了。王住在瑪哈念的時候、他就拿食物來供給王。他原
三三 是大富戶。王對巴西萊說、你與我同去、我要在耶路撒
三四 冷、那裏養你的老。巴西萊對王說、我在世的年日還能
三五 有多少、使我與王同上耶路撒冷呢。僕人現在八十歲
了。還能嘗出飲食的滋味、辨別美惡麼。還能聽男女歌
三六 唱的聲音麼。僕人何必累贅我主我王呢。僕人只要送
三七 王過約但河。王何必賜我這樣的恩典呢。求你准我回
去、好死在我本城、葬在我父母的墓旁。這裏有王的僕
三八 人金罕、讓他同我主我王過去。可以隨意待他。王說、金
罕可以與我同去。我必照你的心願待他。你向我求甚
三九 麼、我都必為你成就。於是眾民過約但河、王也過去。王
與巴西萊親嘴、為他祝福。巴西萊就回本地去了。

以色列人與猶大人互爭

四十 王過去、到了吉甲、金罕也跟他過去．猶大衆民和以色
列民的一半、也都送王過去。四一 以色列衆人來見王、對他
說、我們弟兄猶大人為甚麼暗暗送王、和王的家眷、並
跟隨王的人過約但河。四二 猶大衆人回答以色列人說、因
為王與我們是親屬．你們為何因這事發怒呢．我們喫
了王的甚麼呢．王賞賜了我們甚麼呢。四三 以色列人回答
猶大人說、按支派我們與王有十分的情分、在大衛身
上、我們也比你們更有情分、你們為何藐視我們、請王
回來、不先與我們商量呢。但猶大人的話、比以色列人
的話更硬。

示巴叛

第二十章 一 在那裏恰巧有一個匪徒、名叫示巴、是
便雅憫人比基利的兒子．他吹角說、我們與大衛無分、
與耶西的兒子無涉．以色列人哪、你們各回各家去罷。
二 於是以色列人都離開大衛、跟隨比基利的兒子示巴．
但猶大人從約但河直到耶路撒冷、都緊緊跟隨他們
的王。三 ○大衛王來到耶路撒冷、進了宮殿．就把從前留
下看守宮殿的十個妃嬪、禁閉在冷宮、養活他們、不與
他們親近。他們如同寡婦被禁、直到死的日子。

約押刺殺亞瑪撒

四 王對亞瑪撒說、你要在三日之內、將猶大人招聚了來、
你也回到這裏來。五 亞瑪撒就去招聚猶大人、卻躭延過
了王所限的日期。六 大衛對亞比篩說、現在恐怕比基利
的兒子示巴加害於我們、比押沙龍更甚．你要帶領你
主的僕人追趕他、免得他得了堅固城、躲避我們。七 約押
的人、和基利提人、比利提人、並所有的勇士、都跟着亞
比篩從耶路撒冷出去、追趕比基利的兒子示巴。八 他們
到了基遍的大磐石那裏、亞瑪撒來迎接他們．那時約
押穿着戰衣、腰束佩刀的帶子、刀在鞘內．約押前行、刀
從鞘內掉出來。九 約押左手拾起刀來、對亞瑪撒說、我兄
弟、你好阿．就用右手抓住亞瑪撒的鬍子、要與他親嘴。
十 亞瑪撒沒有防備約押手裏所拿的刀．約押用刀刺入
他的肚腹、他的腸子流在地上、沒有再刺他、就死了。

約押追趕示巴

約押和他兄弟亞比篩往前追趕比基利的兒子示巴。

十一 十一有約押的一個少年人站在亞瑪撒屍身旁邊、對衆人
十二 說、誰喜悅約押、誰歸順大衛、就當跟隨約押去。十二亞瑪撒
在道路上輥在自己的血裏。那人見衆民經過都站住、
十三 就把亞瑪撒的屍身從路上挪到田間、用衣服遮蓋。十三屍
身從路上挪移之後、衆民就都跟隨約押去追趕比基
利的兒子示巴。

示巴被殺

十四 十四他走遍以色列各支派、直到伯瑪迦的亞比拉、並比利
十五 人的全地。那些地方的人也都聚集跟隨他。十五約押和跟
隨的人到了伯瑪迦的亞比拉、圍困示巴、就對着城築
十六 壘。跟隨約押的衆民用錘撞城、要使城塌陷。十六有一個聰
明婦人從城上呼叫說、聽阿、聽阿、請約押近前來、我好
十七 與他說話。十七約押就近前來。婦人問他說、你是約押不是。
十八 他說、我是。婦人說、求你聽婢女的話。約押說、我聽。十八婦人
十九 說、古時有話說、當先在亞比拉求問、然後事就定妥。十九我
們這城的人、在以色列人中是和平忠厚的。你爲何要
二十 毀壞以色列中的大城、吞滅耶和華的產業呢。二十約押回
二一 答說、我決不吞滅毀壞。二一乃因以法蓮山地的一個人比
基利的兒子示巴、舉手攻擊大衛王。你們若將他一人
交出來、我便離城而去。婦人對約押說、那人的首級必
二二 從城牆上丟給你。二二婦人就憑他的智慧去勸衆人。他們
便割下比基利的兒子示巴的首級、丟給約押。約押吹
角、衆人就離城而散、各歸各家去了。約押回耶路撒冷
二三 到王那裏。○二三約押作以色列全軍的元帥。耶何耶大的
二四 兒子比拿雅統轄基利提人和比利提人、二四亞多蘭掌管
二五 服苦的人。亞希律的兒子約沙法作史官。二五示法作書記。
二六 撒督和亞比亞他作祭司長。二六睚珥人以拉作大衛的宰
相。

基遍人於掃羅家復仇

一 **第二十一章** 大衛年間有饑荒、一連三年。大衛就
求問耶和華。耶和華說、這饑荒是因掃羅和他流人血
二 之家、殺死基遍人。二基遍人原來不是以色列人、乃是
亞摩利人中所剩的。以色列人曾向他們起誓、不殺滅
他們。掃羅卻爲以色列人和猶大人發熱心、想要殺滅
三 他們。大衛王召了他們來、三問他們說、我當爲你們怎樣
行呢。可用甚麼贖這罪、使你們爲耶和華的產業祝福

四 呢。基遍人回答說、我們和掃羅與他家的事並不關乎
金銀．也不要因我們的緣故殺一個以色列人。大衛說、
五 你們怎樣說、我就爲你們怎樣行。他們對王說、那從前
謀害我們、要滅我們、使我們不得再住以色列境內的
六 人。現在願將他的子孫七人交給我們、我們好在耶和
華面前、將他們懸掛在耶和華揀選掃羅的基比亞。王
七 說、我必交給你們。◯王因爲曾與掃羅的兒子約拿單
指着耶和華起誓結盟、就愛惜掃羅的孫子、約拿單的
八 兒子米非波設、不交出來．卻把愛雅的女兒利斯巴給
掃羅所生的兩個兒子、亞摩尼、米非波設、和掃羅女兒
米甲的姐姐給米何拉人巴西萊兒子亞得列所生的
九 五個兒子、交在基遍人的手裏．基遍人就把他們在耶
和華面前、懸掛在山上、這七人就一同死亡．被殺的時
候、正是收割的日子、就是動手割大麥的時候。

利斯巴護屍

十 愛雅的女兒利斯巴用麻布在磐石上搭棚、從動手收
割的時候、直到天降雨在屍身上的時候、日間不容空
中的雀鳥落在屍身上、夜間不讓田野的走獸前來蹧
踐。

大衛葬掃羅與約拿單

十一 有人將掃羅的妃嬪愛雅女兒利斯巴所行的這事告
十二 訴大衛。大衛就去、從基列雅比人那裏將掃羅和他兒
子約拿單的骸骨搬了來．是因非利士人從前在基利
波殺掃羅、將屍身懸掛在伯珊的街市上、基列雅比人
十三 把屍身偷了去．大衛將掃羅和他兒子約拿單的骸骨
十四 從那裏搬了來、又收斂被懸掛七人的骸骨、將掃羅和
他兒子約拿單的骸骨葬在便雅憫的洗拉、在掃羅父
親基士的墳墓裏．衆人行了王所吩咐的。此後　神垂
聽國民所求的。

非利士人復與以色列戰

十五 非利士人與以色列人打仗、大衛帶領僕人下去、與非
十六 利士人接戰．大衛就疲乏了．偉人的一個兒子以實比
十七 諾要殺大衛．他的銅槍重三百舍客勒、又佩着新刀．但
洗魯雅的兒子亞比篩幫助大衛、攻打非利士人、將他
殺死。當日跟隨大衛的人向大衛起誓說、以後你不可
十八 再與我們一同出戰．恐怕熄滅以色列的燈。◯後來以

色列人在歌伯與非利士人打仗、戶沙人西比該殺了
十九 偉人的一個兒子撒弗。十九又在歌伯與非利士人打仗.伯
利恆人雅雷俄珥金的兒子伊勒哈難殺了迦特人歌
二十 利亞.這人的槍桿粗如織布的機軸。二十又在迦特打仗.那
裏有一個身量高大的人、手腳都是六指、共有二十四
二一 個指頭.他也是偉人的兒子。二一這人向以色列人罵陣、大
二二 衛的哥哥示米亞的兒子約拿單就殺了他。二二這四個人
是迦特偉人的兒子.都死在大衛和他僕人的手下。

第二十二章　大衛頌美之歌

一 一當耶和華救大衛脫離一切仇敵和
二 掃羅之手的日子、他向耶和華念這詩、二說、耶和華是我
三 的巖石、我的山寨、我的救主、三我的神、我的磐石、我所
投靠的.他是我的盾牌、是拯救我的角、是我的高臺、是
四 我的避難所.我的救主阿、你是救我脫離強暴的。四我要
求告當讚美的耶和華、這樣、我必從仇敵手中被救出
五六 來。五曾有死亡的波浪環繞我.匪類的急流使我驚懼.六陰
七 間的繩索纏繞我.死亡的網羅臨到我。七我在急難中求
告耶和華、向我的神呼求.他從殿中聽了我的聲音、

八 我的呼求入了他的耳中。八那時因他發怒、地就搖撼戰
九 抖、天的根基也震動搖撼。九從他鼻孔冒煙上騰、從他口
十 中發火焚燒、連炭也着了。十他又使天下垂、親自降臨.有
十一 黑雲在他腳下。十一他坐着基路伯飛行、在風的翅膀上顯
十二 現。十二他以黑暗和聚集的水、天空的厚雲、為他四圍的行
十三十四 宮。十三因他面前的光輝、炭都着了。十四耶和華從天上打雷、至
十五 高者發出聲音。十五他射出箭來、使仇敵四散.發出閃電、使
十六 他們擾亂。十六耶和華的斥責一發、鼻孔的氣一出、海底就
十七 出現、大地的根基也顯露。十七他從高天伸手抓住我.把我
十八 從大水中拉上來。十八他救我脫離我的勁敵、和那些恨我
十九 的人.因為他們比我強盛。十九我遭遇災難的日子、他們來
二十 攻擊我.但耶和華是我的倚靠。二十他又領我到寬闊之處.
二一 他救拔我、因他喜悅我。二一耶和華按着我的公義報答我、
二二 按着我手中的清潔賞賜我。二二因為我遵守了耶和華的
二三 道、未曾作惡離開我的神。二三他的一切典章、常在我面
二四 前.他的律例、我也未曾離棄。二四我在他面前作了完全人.
二五 我也保守自己遠離我的罪孽。二五所以耶和華按我的公
二六 義、按我在他眼前的清潔、賞賜我。二六慈愛的人、你以慈愛

二七 待他．完全的人、你以完全待他．二七清潔的人、你以清潔待
二八 他．乖僻的人、你以彎曲待他．二八困苦的百姓、你必拯救．但
二九 你的眼目察看高傲的人、使他降卑．二九耶和華阿、你是我
三十 的燈．耶和華必照明我的黑暗．三十我藉着你衝入敵軍、藉
三一 着我的神跳過牆垣．三一至於神、他的道是完全的．耶
和華的話、是煉淨的．凡投靠他的、他便作他們的盾牌．
三二 三二除了耶和華、誰是神呢．除了我們的神、誰是磐石
三三三四 呢．三三神是我堅固的保障．他引導完全人行他的路．三四他
三五 使我的腳、快如母鹿的蹄．又使我在高處安穩．三五他教導
三六 我的手、能以爭戰．甚至我的膀臂能開銅弓．三六你把你的
三七 救恩給我作盾牌．你的溫和使我為大．三七你使我腳下的
三八 地步寬闊．我的腳未曾滑跌．三八我追趕我的仇敵、滅絕了
三九 他們．未滅以先、我沒有歸回．三九我滅絕了他們、打傷了他
四十 們、使他們不能起來．他們都倒在我的腳下．四十因為你曾
以力量束我的腰、使我能爭戰．你也使那起來攻擊我
四一 的、都服在我以下．四一你又使我的仇敵在我面前轉背逃
四二 跑、叫我能以剪除那恨我的人．四二他們仰望、卻無人拯救．
四三 就是呼求耶和華、他也不應允．四三我搗碎他們、如同地上

四四 的灰塵．踐踏他們四散在地、如同街上的泥土．四四你救我
脫離我百姓的爭競、保護我作列國的元首．我素不認
四五 識的民、必事奉我．四五外邦人要投降我、一聽見我的名聲、
四六 就必順從我．四六外邦人要衰殘、戰戰兢兢的出他們的營
四七 寨．四七耶和華是活神．願我的磐石被人稱頌．願神那拯
四八 救我的磐石、被人尊崇．四八這位神就是那為我伸冤、使
四九 眾民服在我以下的．四九你救我脫離仇敵、又把我舉起高
五十 過那些起來攻擊我的．你救我脫離強暴的人．五十耶和華
五一 阿、因此我要在外邦中稱謝你、歌頌你的名．五一耶和華賜
極大的救恩給他所立的王．施慈愛給他的受膏者、就
是給大衛和他的後裔、直到永遠．

大衛末終之言

第二十三章

一 一以下是大衛末了的話．耶西的兒子
大衛得居高位、是雅各神所膏的、作以色列的美歌
二三 者說、二耶和華的靈藉着我說、他的話在我口中．三以色列
的神、以色列的磐石、曉諭我說、那以公義治理人民
四 的、敬畏神執掌權柄、四他必像日出的晨光、如無雲的
五 清晨、雨後的晴光、使地發生嫩草．五我家在神面前並

非如此。 神卻與我立永遠的約。這約凡事堅穩。關乎
我的一切救恩、和我一切所想望的他豈不為我成就
六 七 麼。但匪類都必像荊棘被丟棄。人不敢用手拿他。拿他
的人必帶鐵器和槍桿。終久他必被火焚燒。

記大衛之勇士

八 大衛勇士的名字、記在下面。他革捫人約設巴設、又稱
伊斯尼人亞底挪、他是軍長的統領、一時擊殺了八百
九 人。○其次是亞合人朵多的兒子以利亞撒。從前非利
士人聚集要打仗、以色列人迎着上去、有跟隨大衛的
十 三個勇士向非利士人罵陣、其中有以利亞撒。他起來
擊殺非利士人、直到手臂疲乏、手粘住刀把。那日耶和
華使以色列人大獲全勝。眾民在以利亞撒後頭專奪
十一 財物。○其次是哈拉人亞基的兒子沙瑪。一日非利士
人聚集成羣、在一塊長滿紅豆的田裏。眾民就在非利
十二 士人面前逃跑。沙瑪卻站在那田間、擊殺非利士人、救
十三 護了那田。耶和華使以色列人大獲全勝。○收割的時
候、有三十個勇士中的三個人、下到亞杜蘭洞見大衛。
十四 非利士的軍兵在利乏音谷安營。那時大衛在山寨。非
十五 利士人的防營在伯利恆。大衛渴想、說、甚願有人將伯
十六 利恆城門旁井裏的水打來給我喝。這三個勇士就闖
過非利士人的營盤、從伯利恆城門旁的井裏打水、拿
十七 來奉給大衛。他卻不肯喝、將水奠在耶和華面前、說耶
和華阿、這三個人冒死去打水。這水好像他們的血一
般。我斷不敢喝。如此大衛不肯喝、這是三個勇士所作
十八 的事。○洗魯雅的兒子約押的兄弟亞比篩是這三個
勇士的首領。他舉槍殺了三百人、就在三個勇士裏得
十九 了名。他在這三個勇士裏、是最尊貴的、所以作他們的
二十 首領。只是不及前三個勇士。○有甲薛勇士耶何耶大
的兒子比拿雅行過大能的事。他殺了摩押人亞利伊
勒的兩個兒子。又在下雪的時候下坑裏去、殺了一個
二一 獅子。又殺了一個強壯的埃及人。埃及人手裏拿着槍。
比拿雅只拿着棍子下去、從埃及人手裏奪過槍來、用
二二 那槍將他殺死。這是耶何耶大的兒子比拿雅所行的
二三 事、就在三個勇士裏得了名。他比那三十個勇士都尊
二四 貴、只是不及前三個勇士。大衛立他作護衛長。○三十
個勇士裏有約押的兄弟亞撒黑、伯利恆人朵多的兒

二五 二六 子伊勒哈難。二五哈律人沙瑪、哈律人以利加、二六帕勒提人希
二七 利斯、提哥亞人益吉的兒子以拉、二七亞拿突人亞比以謝、
二八 二九 戶沙人米本乃、二八亞合人撒們、尼陀法人瑪哈萊、二九尼陀法
人巴拿的兒子希立、便雅憫族基比亞人利拜的兒子
三十 三一 以太、三十比拉頓人比拿雅、迦實溪人希太、三一伯亞拉巴人亞
三二 比亞本、巴魯米人押斯瑪弗、三二沙本人以利雅哈巴、雅善
三三 兒子中的約拿單、三三哈拉人沙瑪、哈拉人沙拉的兒子亞
三四 希暗、三四瑪迦人亞哈拜的兒子以利法列、基羅人亞希多
三五 三六 弗的兒子以連、三五迦密人希斯萊、亞巴人帕萊、三六瑣巴人拿
三七 單的兒子以甲、迦得人巴尼、三七亞捫人洗勒、比錄人拿哈
三八 萊、是給洗魯雅的兒子約押拿兵器的、三八以帖人以拉、以
三九 帖人迦立、三九赫人烏利亞、共有三十七人。

第二十四章　核以色列人與猶大人

一 耶和華又向以色列人發怒、就激動
二 大衛、使他吩咐人去數點以色列人和猶大人。二大衛就
吩咐跟隨他的元帥約押說、你去走遍以色列衆支派、
三 從但直到別是巴、數點百姓、我好知道他們的數目。三約
押對王說、無論百姓多少、願耶和華你的神再加增
百倍、使我主我王親眼得見。我主我王何必喜悅行這
四 事呢。四但王的命令勝過約押和衆軍長。約押和衆軍長、
五 就從王面前出去、數點以色列的百姓。五他們過了約但
六 河、在迦得谷中城的右邊亞羅珥安營、與雅謝相對。六又
七 到了基列、和他停合示地、又到了但雅安、繞到西頓、七來
到推羅的保障、並希未人和迦南人的各城、又到猶大
八 南方的別是巴。八他們走遍全地、過了九個月零二十天、
九 就回到耶路撒冷。九約押將百姓的總數奏告於王、以色
十 列拏刀的勇士有八十萬。猶大有五十萬。〇十大衛數點
百姓以後、就心中自責、禱告耶和華說、我行這事大有
罪了。耶和華阿、求你除掉僕人的罪孽、因我所行的甚
十一 是愚昧。十一大衛早晨起來、耶和華的話臨到先知迦得、就
十二 是大衛的先見、說、十二你去告訴大衛說、耶和華如此說、我
十三 有三樣災、隨你選擇一樣、我好降與你。十三於是迦得來見
大衛、對他說、你願意國中有七年的饑荒呢、是在你敵
人面前逃跑、被追趕三個月呢、是在你國中有三日的
十四 瘟疫呢。現在你要揣摩思想、我好回覆那差我來的。十四大
衛對迦得說、我甚爲難、我願落在耶和華的手裏、因爲

他有豐盛的憐憫．我不願落在人的手裏。

耶和華怒降疫癘

十五 於十五是耶和華降瘟疫與以色列人、自早晨到所定的時
十六 候．從但直到別是巴、民間死了七萬人。十六天使向耶路撒
冷伸手要滅城的時候、耶和華後悔、就不降這災了、吩
咐滅民的天使說、彀了、住手罷。十七那時耶和華的使者在
十七 耶布斯人亞勞拿的禾塲那裏。大衛看見滅民的天使、
就禱告耶和華說、我犯了罪、行了惡．但這羣羊作了甚
麼呢．願你的手攻擊我、和我的父家。

大衛築壇獻祭

十八 當十八日迦得來見大衛、對他說、你上去、在耶布斯人亞勞
一九 拿的禾塲上、為耶和華築一座壇。十九大衛就照着迦得奉
二十 耶和華名所說的話、上去了。二十亞勞拿觀看、見王和他臣
二一 僕前來、就迎接出去、臉伏於地、向王下拜、二一說、我主我王
為何來到僕人這裏呢。大衛說、我要買你這禾塲、為耶
二二 和華築一座壇、使民間的瘟疫止住。二二亞勞拿對大衛說、
我主我王、你喜悅用甚麼、就拿去獻祭．看哪、這裏有牛、
可以作燔祭、有打糧的器具、和套牛的軛、可以當柴燒。

二三 王二三阿、這一切我亞勞拿都奉給你．又對王說、願耶和華
二四 你的　神悅納你。二四王對亞勞拿說、不然．我必要按着價
值向你買、我不肯用白得之物作燔祭、獻給耶和華我
的　神。二五大衛就用五十舍客勒銀子、買了那禾塲與牛。
二五 大衛在那裏為耶和華築了一座壇、獻燔祭和平安祭。
如此耶和華垂聽國民所求的、瘟疫在以色列人中就
止住了。

列王紀上

大衛王年邁之景況

一 第一章 一大衛王年紀老邁、雖用被遮蓋、仍不覺暖。
二 二所以臣僕對他說、不如爲我主我王尋找一個處女、使
他伺候王、奉養王、睡在王的懷中、好叫我主我王得暖。
三 三於是在以色列全境尋找美貌的童女、尋得書念的一
四 個童女亞比煞、就帶到王那裏。四這童女極其美貌、他奉
養王、伺候王、王卻沒有與他親近。

亞多尼雅謀竊王位

五 五那時、哈及的兒子亞多尼雅自尊、說、我必作王、就爲自
六 己豫備車輛、馬兵、又派五十人在他前頭奔走。六他父親
素來沒有使他憂悶、說、你是作甚麼呢。他甚俊美、生在
七 押沙龍之後。七亞多尼雅與洗魯雅的兒子約押和祭司
八 亞比亞他商議、二人就順從他、幫助他。八但祭司撒督、耶
何耶大的兒子比拿雅、先知拿單、示每、利以、並大衛的
九 勇士、都不順從亞多尼雅。九一日亞多尼雅在隱羅結旁、
瑣希列磐石那裏、宰了牛羊、肥犢、請他的諸弟兄、就是
十 王的衆子、並所有作王臣僕的猶大人、十惟獨先知拿單、
和比拿雅、並勇士、與他的兄弟所羅門、他都沒有請。◯
十一 十一拿單對所羅門的母親拔示巴說、哈及的兒子亞多尼
十二 雅作王了、你沒有聽見麼。我們的主大衛卻不知道。十二現
在我可以給你出個主意、好保全你和你兒子所羅門
十三 的性命。十三你進去見大衛王、對他說、我主我王阿、你不曾
向婢女起誓說、你兒子所羅門必接續我作王、坐在我
十四 的位上麼。現在亞多尼雅怎麼作了王呢。十四你還與王說
話的時候、我也隨後進去、證實你的話。

拔示巴覲王陳訴

十五 十五拔示巴進入內室見王、王甚老邁、書念的童女亞比煞
十六十七 正伺候王。十六拔示巴向王屈身下拜。王說、你要甚麼。十七他說、
我主阿、你曾向婢女指着耶和華你的神起誓說、你
十八 兒子所羅門必接續我作王、坐在我的位上。十八現在亞多
十九 尼雅作王了、我主我王卻不知道。十九他宰了許多牛羊、肥
犢、請了王的衆子、和祭司亞比亞他、並元帥約押、惟獨
二十 王的僕人所羅門、他沒有請。二十我主我王阿、以色列衆人
的眼目都仰望你、等你曉諭他們、在我主我王之後、誰

二一 坐你的位。二一若不然、到我主我王與列祖同睡以後、我和
二二 我兒子所羅門、必算為罪人了。○二二拔示巴還與王說話
二三 的時候、先知拿單也進來了。二三有人奏告王說、先知拿單
二四 來了。拿單進到王前、臉伏於地。二四拿單說、我主我王果然
應許亞多尼雅說、你必接續我作王、坐在我的位上麼。
二五 二五他今日下去、宰了許多牛羊肥犢、請了王的衆子和軍
長、並祭司亞比亞他、他們正在亞多尼雅面前喫喝、說、
二六 願亞多尼雅王萬歲。二六惟獨我、就是你的僕人、和祭司撒
督、耶何耶大的兒子比拿雅、並王的僕人所羅門、他都
二七 沒有請。二七這事果然出乎我主我王麼、王卻沒有告訴僕
人們、在我主我王之後、誰坐你的位。

大衛誓許所羅門為王

二八 二八大衛王吩咐說、叫拔示巴來、拔示巴就進來站在王面
二九 前。二九王起誓說、我指着救我性命脫離一切苦難、永生的
三十 耶和華起誓、三十我既然指着耶和華以色列的神向你
起誓說、你兒子所羅門必接續我作王、坐在我的位上、
三一 我今日就必照這話而行。三一於是拔示巴臉伏於地、向王
下拜、說、願我主大衛王萬歲。

所羅門在基訓受膏

三二 三二大衛王又吩咐說、將祭司撒督、先知拿單、耶何耶大的
三三 兒子比拿雅召來。他們就都來到王面前。三三王對他們說、
要帶領你們主的僕人、使我兒子所羅門騎我的騾子、
三四 送他下到基訓。三四在那裏祭司撒督和先知拿單要膏他
三五 作以色列的王。你們也要吹角、說、願所羅門王萬歲。三五然
後要跟隨他上來、使他坐在我的位上、接續我作王。我
三六 已立他作以色列和猶大的君。三六耶何耶大的兒子比拿
雅、對王說、阿們。願耶和華我主我王的　神、也這樣命
三七 定。三七耶和華怎樣與我主我王同在、願他照樣與所羅門
三八 同在、使他的國位、比我主大衛王的國位更大。○三八於是
祭司撒督、先知拿單、耶何耶大的兒子比拿雅、和基利
提人、比利提人、都下去、使所羅門騎大衛王的騾子、將
三九 他送到基訓。三九祭司撒督就從帳幕中取了盛膏油的角
來、用膏膏所羅門。人就吹角、衆民都說、願所羅門王萬
四十 四一 歲。四十衆民跟隨他上來、且吹笛、大大歡呼、聲音震地。○四一亞
多尼雅和所請的衆客筵宴方畢、聽見這聲音。約押聽
四二 見角聲就說、城中為何有這響聲呢。四二他正說話的時候、

祭司亞比亞他的兒子約拿單來了、亞多尼雅對他說、
四三 進來罷、你是個忠義的人、必是報好信息。四三約拿單對亞
四四 多尼雅說、我們的主大衛王、誠然立所羅門為王了。四四王
差遣祭司撒督、先知拿單、耶何耶大的兒子比拿雅、和
四五 基利提人、比利提人、都去使所羅門騎王的騾子。四五祭司
撒督和先知拿單在基訓已經膏他作王．衆人都從那
裏歡呼着上來、聲音使城震動、這就是你們所聽見的
四六 四七 聲音。四六並且所羅門登了國位。四七王的臣僕也來為我們的
主大衛王祝福說、願王的 神使所羅門的名、比王的
名更尊榮、使他的國位、比王的國位更大．王就在牀上
四八 屈身下拜。四八王又說、耶和華以色列的 神是應當稱頌
的、因他賜我一人今日坐在我的位上、我也親眼看見
了。

亞多尼雅聞信驚懼

四九 五十 四九亞多尼雅的衆客聽見這話、就都驚懼、起來四散。五十亞多
五一 尼雅懼怕所羅門、就起來去抓住祭壇的角。五一有人告訴
所羅門說、亞多尼雅懼怕所羅門王、現在抓住祭壇的
五二 角、說願所羅門王今日向我起誓、必不用刀殺僕人。五二所
羅門說、他若作忠義的人、連一根頭髮也不至落在地
五三 上．他若行惡、必要死亡。五三於是所羅門王差遣人使亞多
尼雅從壇上下來、他就來向所羅門王下拜、所羅門對
他說、你回家去罷。

大衛遺命所羅門

一 **第二章** 大衛的死期臨近了、就囑咐他兒子所羅
二 門說、二我現在要走世人必走的路、所以你當剛強作大
三 丈夫、三遵守耶和華你 神所吩咐的、照着摩西律法上
所寫的行主的道、謹守他的律例、誡命、典章、法度、這樣、
四 你無論作甚麼事、不拘往何處去、盡都亨通。四耶和華必
成就向我所應許的話說、你的子孫若謹慎自己的行
為、盡心盡意誠誠實實的行在我面前、就不斷人坐以
五 色列的國位。五你知道洗魯雅的兒子約押向我所行的、
就是殺了以色列的兩個元帥、尼珥的兒子押尼珥、和
益帖的兒子亞瑪撒、他在太平之時流這二人的血、如
在爭戰之時一樣、將這血染了腰間束的帶、和脚上穿
六 的鞋。六所以你要照你的智慧行、不容他白頭安然下陰
七 間。七你當恩待基列人巴西萊的衆子、使他們常與你同

席喫飯、因爲我躲避你哥哥押沙龍的時候、他們拿食
八 物來迎接我。八在你這裏有巴戶琳的便雅憫人基拉的
兒子示每、我往瑪哈念去的那日、他用狠毒的言語咒
罵我、後來卻下約但河迎接我、我就指着耶和華向他
九 起誓說、我必不用刀殺你。九現在你不要以他爲無罪、你
是聰明人、必知道怎樣待他、使他白頭見殺流血下到
陰間。

大衛壽終

十 十一 十大衛與他列祖同睡、葬在大衛城。十一大衛作以色列王四
十年、在希伯崙作王七年、在耶路撒冷作王三十三年。
十二 十二所羅門坐他父親大衛的位、他的國甚是堅固。

亞多尼雅求亞比煞爲妻

十三 十三哈及的兒子亞多尼雅、去見所羅門的母親拔示巴、拔
十四 示巴問他說、你來是爲平安麼。回答說、是爲平安。十四又說、
十五 我有話對你說、拔示巴說、你說罷。十五亞多尼雅說、你知道
國原是歸我的、以色列衆人也都仰望我作王、不料國
十六 反歸了我兄弟、因他得國是出乎耶和華。十六現在我有一
十七 件事求你、望你不要推辭。拔示巴說、你說罷。十七他說、求你
請所羅門王、將書念的女子亞比煞賜我爲妻、因他必
十八 不推辭你。十八拔示巴說、好、我必爲你對王題說。

亞多尼雅見殺

十九 十九於是拔示巴去見所羅門王、要爲亞多尼雅題說、王起
來迎接、向他下拜、就坐在位上、吩咐人爲王母設一座
二十 位、他便坐在王的右邊。二十拔示巴說、我有一件小事求你、
二一 望你不要推辭。王說、請母親說、我必不推辭。二一拔示巴說、
求你將書念的女子亞比煞賜給你哥哥亞多尼雅爲
二二 妻。二二所羅門王對他母親說、爲何單替他求書念的女子
亞比煞呢、也可以爲他求國罷。他是我的哥哥、他有祭
二三 司亞比亞他和洗魯雅的兒子約押爲輔佐。二三所羅門王
就指着耶和華起誓說、亞多尼雅這話是自己送命、不
二四 然、願　神重重的降罰與我。二四耶和華堅立我、使我坐在
父親大衛的位上、照着所應許的話爲我建立家室、現
在我指着永生的耶和華起誓、亞多尼雅今日必被治
二五 死。二五於是所羅門王差遣耶何耶大的兒子比拿雅、將亞
二六 多尼雅殺死。○二六王對祭司亞比亞他說、你回亞拿突歸
自己的田地去罷、你本是該死的、但因你在我父親大

二七 衛面前抬過主耶和華的約櫃、又與我父親同受一切
苦難。所以我今日不將你殺死。二七所羅門就革除亞比亞
他、不許他作耶和華的祭司、這樣便應驗耶和華在示
羅論以利家所說的話。

約押見殺

二八 二八約押雖然沒有歸從押沙龍、卻歸從了亞多尼雅．他聽
二九 見這風聲、就逃到耶和華的帳幕、抓住祭壇的角。二九有人
告訴所羅門王說、約押逃到耶和華的帳幕、現今在祭
壇的旁邊．所羅門就差遣耶何耶大的兒子比拿雅說、
三十 你去將他殺死。三十比拿雅來到耶和華的帳幕、對約押說、
王吩咐說、你出來罷．他說、我不出去、我要死在這裏．比
三一 拿雅就去回覆王說、約押如此如此回答我。三一王說、你可
以照着他的話行、殺死他、將他葬埋、好叫約押流無辜
三二 人血的罪、不歸我和我的父家了。三二耶和華必使約押流
人血的罪歸到他自己的頭上、因為他用刀殺了兩個
比他又義又好的人、就是以色列元帥尼珥的兒子押
尼珥、和猶大元帥益帖的兒子亞瑪撒、我父親大衛卻
三三 不知道。三三故此流這二人血的罪、必歸到約押和他後裔

三四 的頭上、直到永遠．惟有大衛和他的後裔、並他的家與
國、必從耶和華那裏得平安、直到永遠。三四於是耶何耶大
的兒子比拿雅上去、將約押殺死、葬在曠野約押自己
三五 的墳墓裏。(墳墓原文作房屋)三五王就立耶何耶大的兒子比拿雅
作元帥、代替約押．又使祭司撒督代替亞比亞他。

戒示每勿出耶路撒冷

三六 三六王差遣人將示每召來、對他說、你要在耶路撒冷建造
三七 房屋居住、不可出來往別處去。三七你當確實的知道、你何
日出來過汲淪溪、何日必死．你的罪(原文作血)必歸到自己
三八 的頭上。三八示每對王說、這話甚好．我主我王怎樣說、僕人
必怎樣行．於是示每多日住在耶路撒冷。

示每見殺

三九 三九過了三年、示每的兩個僕人逃到迦特王瑪迦的兒子
四十 亞吉那裏去．有人告訴示每說、你的僕人在迦特。四十示每
起來、備上驢、往迦特到亞吉那裏去找他的僕人．就從
四一 迦特帶他僕人回來。四一有人告訴所羅門說、示每出耶路
四二 撒冷往迦特去回來了。四二王就差遣人將示每召了來、對
他說、我豈不是叫你指着耶和華起誓、並且警戒你說、

你當確實的知道你那日出來往別處去、那日必死麼．
四三 你也對我說、這話甚好、我必聽從。四三現在你爲何不遵守
四四 你指着耶和華起的誓、和我所吩咐你的命令呢。四四王又
對示每說、你向我父親大衞所行的一切惡事、你自己
心裏也知道、所以耶和華必使你的罪惡歸到自己的
四五 頭上。四五惟有所羅門王必得福、並且大衞的國位必在耶
四六 和華面前堅定、直到永遠。四六於是王吩咐耶何耶大的兒
子比拿雅、他就去殺死示每．這樣便堅定了所羅門的
國位。

第三章　所羅門娶法老女爲妻

一 一所羅門與埃及王法老結親、娶了法老的
女兒爲妻、接他進入大衞城、直等到造完了自己的宮、
二 和耶和華的殿、並耶路撒冷周圍的城牆。二當那些日子、
百姓仍在邱壇獻祭、因爲還沒有爲耶和華的名建殿。
三 三所羅門愛耶和華、遵行他父親大衞的律例、只是還在
邱壇獻祭燒香。

所羅門求智慧

四 四所羅門王上基遍去獻祭、因爲在那裏有極大的邱壇．
五 （極大或作出名）他在那壇上獻一千犧牲作燔祭。五在基遍夜間
夢中、耶和華向所羅門顯現、對他說、你願我賜你甚麼、
六 你可以求。六所羅門說、你僕人我父親大衞、用誠實公義、
正直的心、行在你面前、你就向他大施恩典、又爲他存
留大恩、賜他一個兒子坐在他的位上、正如今日一樣。
七 七耶和華我的神阿、如今你使僕人接續我父親大衞
八 作王、但我是幼童、不知道應當怎樣出入．八僕人住在你
九 所揀選的民中、這民多得不可勝數。九所以求你賜我智
慧、可以判斷你的民、能辨別是非．不然誰能判斷這衆
十 十一 多的民呢。十○所羅門因爲求這事、就蒙主喜悅。十一神對
他說、你既然求這事、不爲自己求壽、求富、也不求滅絕
十二 你仇敵的性命、單求智慧可以聽訟、十二我就應允你所求
的、賜你聰明智慧、甚至在你以前沒有像你的、在你以
十三 後也沒有像你的．十三你所沒有求的我也賜給你、就是富
足、尊榮、使你在世的日子、列王中沒有一個能比你的。
十四 十四你若效法你父親大衞、遵行我的道、謹守我的律例、誡
十五 命、我必使你長壽。十五所羅門醒了、不料是個夢．他就回到
耶路撒冷、站在耶和華的約櫃前、獻燔祭和平安祭、又

爲他衆臣僕設擺筵席。

所羅門以智行鞫

十六一日有兩個妓女來、站在王面前。十七一個說、我主阿、我和
這婦人同住一房、他在房中的時候、我生了一個男孩。
十八我生孩子後第三日、這婦人也生了孩子。我們是同住
的、除了我們二人之外、房中再沒有別人。十九夜間這婦人
睡着的時候、壓死了他的孩子。二十他半夜起來、趁我睡着、
從我旁邊把我的孩子抱去、放在他懷裏、將他的死孩
子、放在我懷裏。二一天要亮的時候、我起來要給我的孩子
喫奶、不料、孩子死了。及至天亮、我細細的察看、不是我
所生的孩子。二二那婦人說、不然、活孩子是我的、死孩子是
你的。這婦人說、不然、死孩子是你的、活孩子是我的。他
們在王面前如此爭論。○二三王說、這婦人說活孩子是我
的、死孩子是你的。那婦人說、不然、死孩子是你的、活孩
子是我的。二四就吩咐說、拿刀來。人就拿刀來。二五王說、將活孩
子劈成兩半、一半給那婦人、一半給這婦人。二六活孩子的
母親爲自己的孩子心裏急痛、就說、求我主將活孩子
給那婦人罷、萬不可殺他。那婦人說、這孩子也不歸我、

也不歸你、把他劈了罷。二七王說、將活孩子給這婦人、萬不
可殺他、這婦人實在是他的母親。二八以色列衆人聽見王
這樣判斷、就都敬畏他、因爲見他心裏有　神的智慧、
能以斷案。

第四章

記所羅門諸臣之名

一所羅門作以色列衆人的王。二他的臣子記
在下面。撒督的兒子亞撒利雅作祭司。三示沙的兩個兒
子以利何烈、亞希亞作書記。亞希律的兒子約沙法作
史官。四耶何耶大的兒子比拿雅作元帥。撒督和亞比亞
他作祭司長。五拿單的兒子亞撒利雅作衆吏長。王的朋
友拿單的兒子撒布得作領袖。六亞希煞作家宰。亞比大
的兒子亞多尼蘭掌管服苦的人。○七所羅門在以色列
全地立了十二個官吏、使他們供給王和王家的食物。
每年各人供給一月。八他們的名字記在下面。在以法蓮
山地、有便戶珥。九在瑪迦斯、沙賓、伯示麥、以倫伯哈南、有
便底甲。十在亞魯泊、有便希悉、他管理梭哥和希弗全地。
十一在多珥山岡、或作全境有便亞比拿達、他娶了所羅門的女
兒他法爲妻。十二在他納、和米吉多、並靠近撒拉他拿、耶斯

列下邊的伯善全地、從伯善到亞伯米何拉直到約念
十三 之外、有亞希律的兒子巴拿。十三在基列的拉末有便基別、
他管理在基列的瑪拿西子孫睚珥的城邑、巴珊的亞
十四 珥歌伯地的大城六十座、都有城牆和銅閂。十四在瑪哈念
十五 有易多的兒子亞希拿達。十五在拿弗他利有亞希瑪斯、他
十六 也娶了所羅門的一個女兒巴實抹為妻。十六在亞設和亞
十七 祿有戶篩的兒子巴拿。十七在以薩迦有帕路亞的兒子約
十八 十九 沙法。十八在便雅憫有以拉的兒子示每。十九在基列地就是從
前屬亞摩利王西宏和巴珊王噩之地、有烏利的兒子
基別一人管理。

所羅門之富強

二十 二十猶大人和以色列人、如同海邊的沙那樣多、都喫喝快
二一 樂。二一所羅門統管諸國、從大河到非利士地、直到埃及的
二二 邊界。所羅門在世的日子、這些國都進貢服事他。二二所羅
二三 門每日所用的食物、細麵三十歌珥、粗麵六十歌珥、二三肥
牛十隻、草場的牛二十隻、羊一百隻、還有鹿、羚羊、麅子、
二四 並肥禽。二四所羅門管理大河西邊的諸王、以及從提弗薩
二五 直到迦薩的全地。四境盡都平安。二五所羅門在世的日子、
從但到別是巴的猶大人和以色列人、都在自己的葡
二六 萄樹下、和無花果樹下、安然居住。二六所羅門有套車的馬
二七 四萬、還有馬兵一萬二千。二七那十二個官吏、各按各月供
給所羅門王、並一切與他同席之人的食物、一無所缺。
二八 二八衆人各按各分、將養馬與快馬的大麥和乾草、送到官
吏那裏。

所羅門之智能

二九 二九神賜給所羅門極大的智慧聰明、和廣大的心、如同
三十 海沙不可測量。三十所羅門的智慧超過東方人和埃及人
三一 的一切智慧。三一他的智慧勝過萬人、勝過以斯拉人以探、
並瑪曷的兒子希幔、甲各、達大的智慧。他的名聲傳揚
三二 三三 在四圍的列國。三二他作箴言三千句、詩歌一千零五首。三三他
講論草木、自利巴嫩的香柏樹、直到牆上長的牛膝草、
三四 又講論飛禽走獸、昆蟲水族。三四天下列王聽見所羅門的
智慧、就都差人來聽他的智慧話。

第五章　與希蘭王立約建殿

一 一推羅王希蘭平素愛大衛。他聽見以色列
二 人膏所羅門、接續他父親作王、就差遣臣僕來見他。二所

三 羅門也差遣人去見希蘭、說、你知道我父親大衛、因四
圍的爭戰、不能爲耶和華他　神的名建殿、直等到耶
四 和華使仇敵都服在他腳下。現在耶和華我的　神使
五 我四圍平安、沒有仇敵、沒有災禍。我定意要爲耶和華
我　神的名建殿、是照耶和華應許我父親大衛的話、
說、我必使你兒子接續你坐你的位、他必爲我的名建
六 殿。所以求你吩咐你的僕人、在利巴嫩爲我砍伐香柏
木、我的僕人也必幫助他們、我必照你所定的、給你僕
人的工價、因爲你知道在我們中間沒有人像西頓人
七 善於砍伐樹木。○希蘭聽見所羅門的話、就甚喜悅、說、
今日應當稱頌耶和華、因他賜給大衛一個有智慧的
八 兒子、治理這衆多的民。希蘭打發人去見所羅門、說、你
差遣人向我所題的那事、我都聽見了、論到香柏木和
九 松木、我必照你的心願而行。我的僕人必將這木料從
利巴嫩運到海裏、紮成筏子、浮海運到你所指定我的
地方、在那裏拆開、你就可以收取、你也要成全我的心
十 願、將食物給我的家。於是希蘭照着所羅門所要的、給
十一 他香柏木和松木。所羅門給希蘭麥子二萬歌珥、清油
二十歌珥、作他家的食物。所羅門每年都是這樣給希
十二 蘭。耶和華照着所應許的、賜智慧給所羅門、希蘭與所
十三 羅門和好、彼此立約。○所羅門王從以色列人中挑取
十四 服苦的人、共有三萬、派他們輪流、每月一萬人上利巴
嫩去、一個月在利巴嫩、兩個月在家裏、亞多尼蘭掌管
十五 十六 他們。所羅門用七萬扛抬的、八萬在山上鑿石頭的、此
十七 外所羅門用三千三百督工的、監管工人。王下令、人就
十八 鑿出又大又寶貴的石頭來、用以立殿的根基。所羅門
的匠人、和希蘭的匠人、並迦巴勒人、都將石頭鑿好、豫
備木料和石頭建殿。

第六章

始建聖殿

一 以色列人出埃及地後四百八十年、所羅
門作以色列王、第四年西弗月、就是二月、開工建造耶
二 和華的殿。所羅門王爲耶和華所建的殿、長六十肘、寬
三 二十肘、高三十肘。殿前的廊子長二十肘、與殿的寬窄
四 五 一樣、闊十肘。又爲殿作了嚴緊的窗欞。靠着殿牆、圍着
六 外殿內殿、造了三層旁屋、下層寬五肘、中層寬六肘、上
層寬七肘。殿外旁屋的梁木、擱在殿牆坎上、免得插入

殿牆。七建殿是用山中鑿成的石頭．建殿的時候、鎚子、斧
子、和別樣鐵器的響聲都沒有聽見。八在殿右邊當中的
旁屋有門、門內有旋螺的樓梯、可以上到第二層、從第
二層可以上到第三層。九所羅門建殿、安置香柏木的棟
梁、又用香柏木板遮蓋。十靠着殿所造的旁屋、每層高五
肘、香柏木的棟梁、擱在殿牆坎上……。

耶和華之約

十一耶和華的話臨到所羅門說、十二論到你所建的這殿、你若
遵行我的律例、謹守我的典章、遵從我的一切誡命、我
必向你應驗我所應許你父親大衛的話。十三我必住在以
色列人中間、並不丟棄我民以色列。

造內殿

十四所羅門建造殿宇、十五殿裏面用香柏木板貼牆、從地到棚
頂、都用木板遮蔽、又用松木板鋪地。十六內殿就是至聖所、
長二十肘、從地到棚頂……、用香柏木板遮蔽。（或作隔斷）十七內殿前
的外殿、長四十肘。十八殿裏一點石頭都不顯露、一概用香
柏木遮蔽．上面刻着野瓜和初開的花。十九殿裏豫備了內
殿、好安放耶和華的約櫃。二十內殿長二十肘、寬二十肘、高
二十肘、牆面都貼上精金．又用香柏木作壇、包上精金。
二一所羅門用精金貼了殿內的牆．又用金鍊子掛在內殿
前門扇用金包裹。二二全殿都貼上金子、直到貼完．內殿前
的壇、也都用金包裹。

造二基路伯

二三他用橄欖木作兩個基路伯、各高十肘、安在內殿。二四這一
個基路伯有兩個翅膀、各長五肘、從這翅膀尖到那翅
膀尖、共有十肘。二五那一個基路伯的兩個翅膀也是十肘、
兩個基路伯的尺寸、形像都是一樣。二六這基路伯高十肘、
那基路伯也是如此。二七他將兩個基路伯安在內殿裏．基
路伯的翅膀是張開的、這基路伯的一個翅膀挨着這
邊的牆、那基路伯的一個翅膀挨着那邊的牆．裏邊的
兩個翅膀、在殿中間彼此相接。二八又用金子包裹二基路
伯。

殿之裝飾

二九內殿外殿周圍的牆上、都刻着基路伯、棕樹、和初開的
花。三十內殿外殿的地板、都貼上金子。三一又用橄欖木製造內
殿的門扇、門楣、門框、門口有牆的五分之一。三二在橄欖木

作的兩門扇上、刻着基路伯、棕樹、和初開的花、都貼上
三三 金子。三三又用橄欖木製造外殿的門框、門口有牆的四分
三四 之一。三四用松木作門兩扇、這扇分兩扇、是摺疊的、那扇分
三五 兩扇、也是摺疊的。三五上面刻着基路伯、棕樹、和初開的花、
三六 都用金子貼了。三六他又用鑿成的石頭三層、香柏木一層、
三七 建築內院。◎三七所羅門在位第四年、西弗月、立了耶和華
三八 殿的根基。三八到十一年、布勒月、就是八月、殿和一切屬殿
的、都按着樣式造成。他建殿的工夫共有七年。

建利巴嫩林宮

一 **第七章** 一所羅門為自己建造宮室、十三年方纔造
二 成。二又建造利巴嫩林宮、長一百肘、寬五十肘、高三十肘、
三 有香柏木柱三（原文作四）行、柱上有香柏木柁梁。三其上以香
四 柏木為蓋、每行柱子十五根、共有四十五根。四有窗戶三
五 層、窗與窗相對。五所有的門框、都是厚木見方的、有窗戶
六 三層、窗與窗相對。六並建造有柱子的廊子、長五十肘、寬
七 三十肘．在這廊前又有廊子、廊外有柱子和臺階。七又建
造一廊、其中設立審判的座位、這廊從地到頂都用香
八 柏木遮蔽。八廊後院內、有所羅門住的宮室、工作與這工
作相同。所羅門又為所娶法老的女兒建造一宮、作法
九 與這廊子一樣。◎九建造這一切所用的石頭、都是寶貴
的、是按着尺寸鑿成的、是用鋸裏外鋸齊的、從根基直
十 到檐石、從外頭直到大院、都是如此。十根基是寶貴的大
十一 石頭、有長十肘的、有長八肘的。十一上面有香柏木、和按着
十二 尺寸鑿成寶貴的石頭。十二大院周圍有鑿成的石頭三層、
香柏木一層．都照耶和華殿的內院、和殿廊的樣式。

戶蘭之巧技

十三十四 十三所羅門王差遣人往推羅去、將戶蘭召了來。十四他是拿弗
他利支派中一個寡婦的兒子、他父親是推羅人、作銅
匠的．戶蘭滿有智慧、聰明、技能、善於各樣銅作．他來到
所羅門王那裏、作王一切所要作的。

製銅柱

十五十六 十五他製造兩根銅柱、每根高十八肘、圍十二肘。十六又用銅鑄
十七 了兩個柱頂安在柱上、各高五肘。十七柱頂上有裝修的網
十八 子、和擰成的鍊索、每頂七個。十八網子周圍有兩行石榴遮
十九 蓋柱頂．兩個柱頂都是如此。十九廊子的柱頂徑四肘、刻着
二十 百合花。二十兩柱頂的鼓肚上、挨着網子、各有兩行石榴環

二一 繞、兩行共有二百。二一他將兩根柱子立在殿廊前頭、右邊
二二 立一根、起名叫雅斤．左邊立一根、起名叫波阿斯。二二在柱
頂上刻着百合花．這樣、造柱子的工就完畢了。

鑄銅海

二三 二三他又鑄一個銅海、樣式是圓的、高五肘、徑十肘、圍三十
二四 肘。二四在海邊之下、周圍有野瓜的樣式、每肘十瓜、共有兩
二五 行、是鑄海的時候鑄上的。二五有十二隻銅牛馱海．三隻向
北、三隻向西、三隻向南、三隻向東、海在牛上、牛尾都向
二六 內。二六海厚一掌、邊如杯邊、又如百合花、可容二千罷特。

製銅座

二七 二八 二七他用銅製造十個盆座、每座長四肘、寬四肘、高三肘。二八座
二九 的造法是這樣、四面都有心子、心子在邊子當中。二九心子
上有獅子和牛並基路伯、邊上有小座、獅子和牛以下、
三十 有垂下的瓔珞。三十每盆座有四個銅輪和銅軸．小座的四
三一 角上在盆以下、有鑄成的盆架、其旁都有瓔珞。三一小座高
一肘、口是圓的、彷彿座的樣式、徑一肘半、在口上有雕
三二 工、心子是方的、不是圓的。三二四個輪子在心子以下、輪軸
三三 與座相連、每輪高一肘半。三三輪的樣式如同車輪．軸、輞、輻、
三四 轂、都是鑄的。三四每座四角上都有盆架、是與座一同鑄成
三五 的。三五座上有圓架、高半肘．座上有撐子和心子、是與座一
三六 同鑄的。三六在撐子和心子上刻着基路伯、獅子、和棕樹、周
三七 圍有瓔珞。三七十個盆座都是這樣、鑄法、尺寸、樣式相同。

製銅盆

三八 三八又用銅製造十個盆、每盆可容四十罷特．盆徑四肘、在
三九 那十座上、每座安設一盆。三九五個安在殿門的右邊、五個
放在殿門的左邊．又將海放在殿門的右旁、就是南邊。
四十 四十戶蘭又造了盆、鏟子、和盤子．這樣、他為所羅門王作完
四一 了耶和華殿的一切工。四一所造的就是兩根柱子、和柱上
四二 兩個如球的頂、並兩個蓋柱頂的網子、四二和四百石榴、安
四三 在兩個網子上、每網兩行、蓋着兩個柱上如球的頂。四三十
四四 四五 個座、和其上的十個盆、四四海和海下的十二隻牛、四五盆、鏟子、
盤子．這一切都是戶蘭給所羅門王用光亮的銅為耶
四六 和華的殿造成的。四六是遵王命在約但平原、疏割和撒拉
四七 但中間、藉膠泥鑄成的。四七這一切所羅門都沒有過秤．因
四八 為甚多、銅的輕重也無法可查。○四八所羅門又造耶和華
四九 殿裏的金壇、和陳設餅的金桌子．四九內殿前的精金燈臺、

五十 右邊五個、左邊五個、並其上的金花、燈盞、蠟剪、五十與精金
的杯、盤、鑷子、調羹、火鼎、以及至聖所內殿的門樞、和外
殿的門樞。

殿工告竣

五一 五一所羅門王作完了耶和華殿的一切工、就把他父大衛
分別爲聖的金銀、和器皿、都帶來放在耶和華殿的府
庫裏。

第八章

運約櫃入殿

一 一那時所羅門將以色列的長老、和各支派
的首領、並以色列的族長、招聚到耶路撒冷、要把耶和
二 華的約櫃從大衛城就是錫安運上來。二以他念月、就是
三 七月在節前、以色列人都聚集到所羅門王那裏。三以色
四 列長老來到、祭司便抬起約櫃、四祭司和利未人將耶和
華的約櫃運上來、又將會幕和會幕的一切聖器具、都
五 帶上來。五所羅門王和聚集到他那裏的以色列全會衆、
六 一同在約櫃前獻牛羊爲祭、多得不可勝數。六祭司將耶
和華的約櫃抬進內殿、就是至聖所、放在兩個基路伯
七 的翅膀底下。七基路伯張着翅膀在約櫃之上、遮掩約櫃
八 和抬櫃的杠。八這杠甚長、杠頭在內殿前的聖所可以看
九 見在殿外卻不能看見直到如今還在那裏。九約櫃裏惟
有兩塊石版、就是以色列人出埃及地後、耶和華與他
們立約的時候、摩西在何烈山所放的、除此以外、並無
十 別物。十祭司從聖所出來的時候、有雲充滿耶和華的殿、
十一 十一甚至祭司不能站立供職、因爲耶和華的榮光充滿了
殿。

所羅門宣述建殿之來由

十二十三 十二那時所羅門說、耶和華曾說他必住在幽暗之處。十三我已
十四 經建造殿宇作你的居所、爲你永遠的住處。十四王轉臉爲
十五 以色列會衆祝福、以色列會衆就都站立。十五所羅門說、耶
和華以色列的神是應當稱頌的、因他親口向我父
十六 大衛所應許的、也親手成就了。十六他說、『自從我領我民
以色列出埃及以來、我未曾在以色列各支派中選擇
一城建造殿宇爲我名的居所、但揀選大衛治理我民
十七 以色列。』十七所羅門說、我父大衛曾立意要爲耶和華以
十八 色列神的名建殿。十八耶和華卻對我父大衛說、你立意
十九 爲我的名建殿、這意思甚好。十九只是你不可建殿、惟你所

二十 生的兒子必為我名建殿。二十現在耶和華成就了他所應
許的話、使我接續我父大衛、坐以色列的國位、又為耶
二一 和華以色列　神的名建造了殿。二一我也在其中為約櫃
豫備一處．約櫃內有耶和華的約、就是他領我們列祖
出埃及地的時候、與他們所立的約。

大伸祈禱

二二 所二二羅門當着以色列會眾、站在耶和華的壇前、向天舉
二三 手說、二三耶和華以色列的　神阿、天上地下沒有神可比
二四 你的．你向那盡心行在你面前的僕人、守約施慈愛．向二四
你僕人我父大衛所應許的話、現在應驗了．你親口應
二五 許、親手成就、正如今日一樣。二五耶和華以色列的　神阿、
你所應許你僕人我父大衛的話、說、你的子孫若謹慎
自己的行為、在我面前行事像你所行的一樣、就不斷
二六 人坐以色列的國位．現在求你應驗這話。二六以色列的
神阿、求你成就向你僕人我父大衛所應許的話。〇
二七 神二七果真住在地上麼、看哪、天和天上的天、尚且不足你
二八 居住的、何況我所建的這殿呢。二八惟求耶和華我的　神
垂顧僕人的禱告祈求、俯聽僕人今日在你面前的祈

二九 禱呼籲．二九願你晝夜看顧這殿、就是你應許立為你名的
三十 居所．求你垂聽僕人向此處禱告的話。三十你僕人和你民
以色列向此處祈禱的時候、求你在天上你的居所垂
三一 聽、垂聽而赦免。〇三一人若得罪鄰舍、有人叫他起誓、他來
三二 到這殿在你的壇前起誓．三二求你在天上垂聽、判斷你的
僕人、定惡人有罪、照他所行的報應在他頭上．定義人
三三 有理、照他的義賞賜他。〇三三你的民以色列若得罪你、敗
在仇敵面前、又歸向你、承認你的名、在這殿裏祈求禱
三四 告．三四求你在天上垂聽、赦免你民以色列的罪、使他們歸
三五 回你賜給他們列祖之地。〇三五你的民因得罪你、你懲罰
他們、使天閉塞不下雨．他們若向此處禱告、承認你的
三六 名、離開他們的罪、三六求你在天上垂聽、赦免你僕人以色
列民的罪、將當行的善道指教他們、且降雨在你的地、
三七 就是你賜給你民為業之地。〇三七國中若有饑荒、瘟疫、旱
風、霉爛、蝗蟲、螞蚱、或有仇敵犯境圍困城邑、無論遭遇
三八 甚麼災禍疾病、三八你的民以色列、或是眾人、或是一人、自
三九 覺有罪、原文作災向這殿舉手、無論祈求甚麼、禱告甚麼、求三九
你在天上你的居所垂聽赦免．你是知道人心的、要照

四十 各人所行的待他們、（惟有你知道世人的心）四十使他
四一 們在你賜給我們列祖之地上、一生一世敬畏你。○四一論
到不屬你民以色列的外邦人、爲你名從遠方而來、
四二 四二（他們聽人論說你的大名、和大能的手、並伸出來的
四三 膀臂）向這殿禱告、四三求你在天上你的居所垂聽、照着
外邦人所祈求的而行、使天下萬民都認識你的名、敬
畏你像你的民以色列一樣．又使他們知道我建造的
四四 這殿、是稱爲你名下的。○四四你的民若奉你的差遣、無論
往何處去與仇敵爭戰、向耶和華所選擇的城、與我爲
四五 你名所建造的殿禱告．四五求你在天上垂聽他們的禱告
四六 祈求、使他們得勝。○四六你的民若得罪你、（世上沒有不
犯罪的人）你向他們發怒、將他們交給仇敵擄到仇
四七 敵之地、或遠或近、四七他們若在擄到之地想起罪來、回心
轉意、懇求你說、我們有罪了、我們悖逆了、我們作惡了．
四八 四八他們若在擄到之地、盡心盡性歸服你、又向自己的地、
就是你賜給他們列祖之地、和你所選擇的城、並我爲
四九 你名所建造的殿禱告、四九求你在天上你的居所垂聽他
五十 們的禱告祈求、爲他們伸冤。五十饒恕得罪你的民、赦免他

五一 們的一切過犯、使他們在擄他們的人面前蒙憐恤．五一因
爲他們是你的子民、你的產業、是你從埃及領出來脫
五二 離鐵爐的。五二願你的眼目看顧僕人、聽你民以色列的祈
五三 求、無論何時向你祈求、願你垂聽。五三主耶和華阿、你將他
們從地上的萬民中分別出來、作你的產業、是照你領
我們列祖出埃及的時候、藉你僕人摩西所應許的話。

爲民祝福

五四 五四所羅門在耶和華的壇前屈膝跪着、向天舉手、在耶和
五五 華面前禱告祈求已畢、就起來、五五站着、大聲爲以色列全
五六 會衆祝福說、五六耶和華是應當稱頌的、因爲他照着一切
所應許的、賜平安給他的民以色列人、凡藉他僕人摩
五七 西應許賜福的話、一句都沒有落空。五七願耶和華我們的
　神與我們同在、像與我們列祖同在一樣、不撇下我
五八 們、不丟棄我們．五八使我們的心歸向他、遵行他的道、謹守
五九 他吩咐我們列祖的誡命、律例、典章。五九我在耶和華面前
祈求的這些話、願耶和華我們的　神晝夜垂念、每日
六十 爲他僕人與他民以色列伸冤．六十使地上的萬民都知道
六一 惟獨耶和華是　神、並無別神。六一所以你們當向耶和華

我們的神存誠實的心、遵行他的律例、謹守他的誠
命、至終如今日一樣。

獻祭

六二 王和以色列衆民一同在耶和華面前獻祭。六三 所羅門向
耶和華獻平安祭、用牛二萬二千、羊十二萬、這樣、王和
以色列衆民為耶和華的殿行奉獻之禮。六四 當日王因耶
和華殿前的銅壇太小、容不下燔祭素祭和平安祭牲
的脂油、便將耶和華殿前院子當中、分別為聖、在那裏
獻燔祭、素祭、和平安祭牲的脂油。六五 那時所羅門和以色
列衆人、就是從哈馬口直到埃及小河所有的以色列
人都聚集成為大會．在耶和華我們的神面前守節
七日、又七日、共十四日。六六 第八日王遣散衆民、他們都為
王祝福．因見耶和華向他僕人大衛和他民以色列所
施的一切恩惠、就都心中喜樂、各歸各家去了。

耶和華復與所羅門約

第九章 一 所羅門建造耶和華殿和王宮、並一切所
願意建造的、都完畢了、二 耶和華就二次向所羅門顯現、
如先前在基遍向他顯現一樣。三 對他說、你向我所禱告
祈求的、我都應允了．我已將你所建的這殿分別為聖、
使我的名永遠在其中．我的眼、我的心、也必常在那裏。
四 你若效法你父大衛、存誠實正直的心、行在我面前、遵
行我一切所吩咐你的、謹守我的律例典章、五 我就必堅
固你的國位在以色列中、直到永遠、正如我應許你父
大衛說、你的子孫、必不斷人坐以色列的國位。六 倘若你
們和你們的子孫轉去不跟從我、不守我指示你們的
誡命律例、去事奉敬拜別神、七 我就必將以色列人從我
賜給他們的地上剪除．並且我為己名所分別為聖的
殿、也必捨棄不顧．使以色列人在萬民中作笑談、被譏
誚。八 這殿雖然甚高、將來經過的人必驚訝、嗤笑、說、耶和
華為何向這地和這殿如此行呢。九 人必回答說、是因此
地的人離棄領他們列祖出埃及地之耶和華、他們的
神、去親近別神、事奉敬拜他．所以耶和華使這一切
災禍臨到他們。

所羅門以二十邑報希蘭

十 所羅門建造耶和華殿和王宮、這兩所、二十年纔完畢
了．十一（推羅王希蘭曾照所羅門所要的資助他香柏木、

松木、和金子）所羅門王就把加利利地的二十座城、給了希蘭。十二希蘭從推羅出來察看所羅門給他的城邑、就不喜悅、十三說我兄阿你給我的是甚麼城邑呢．他就給這城邑之地起名叫迦步勒、直到今日。十四希蘭給所羅門一百二十他連得金子。

徵異族人服役

十五所羅門王挑取服苦的人、是爲建造耶和華的殿、自己的宮、米羅、耶路撒冷的城牆、夏瑣、米吉多、並基色。十六先前埃及王法老上來攻取基色、用火焚燒．殺了城內居住的迦南人、將城賜給他女兒所羅門的妻作妝奩。十七所羅門建造基色、下伯和崙、十八巴拉、並國中曠野裏的達莫、十九又建造所有的積貨城、並屯車和馬兵的城、與耶路撒冷、利巴嫩、以及自己治理的全國中所願建造的。二十至於國中所剩下不屬以色列人的亞摩利人、赫人、比利洗人、希未人、耶布斯人、二一就是以色列人不能滅盡的、所羅門挑取他們的後裔作服苦的奴僕、直到今日。二二惟有以色列人、所羅門不使他們作奴僕、乃是作他的戰士、臣僕、統領、軍長、車兵長、馬兵長。○二三所羅門有五百五十督工的、監管工人。○二四法老的女兒從大衛城搬到所羅門爲他建造的宮裏．那時所羅門纔建造米羅。

獻祭歲凡三次

二五所羅門每年三次在他爲耶和華所築的壇上獻燔祭、和平安祭、又在耶和華面前的壇上燒香。這樣他建造殿的工程完畢了。

所羅門造船

二六所羅門王在以東地、紅海邊、靠近以祿的以旬迦別製造船隻。二七希蘭差遣他的僕人、就是熟悉泛海的船家、與所羅門的僕人、一同坐船航海。二八他們到了俄斐、從那裏得了四百二十他連得金子、運到所羅門王那裏。

第十章　示巴女王覲所羅門

一示巴女王聽見所羅門因耶和華之名所得的名聲、就來要用難解的話、試問所羅門。二跟隨他到耶路撒冷的人甚多．又有駱駝馱着香料、寶石、和許多金子．他來見了所羅門王、就把心裏所有的、對所羅門都說出來。三所羅門王將他所問的都答上了．沒有一句不明白、不能答的。四示巴女王見所羅門大有智慧、和他

五 所建造的宮室、五席上的珍饈美味、羣臣分列而坐、僕人
兩旁侍立、以及他們的衣服裝飾、和酒政的衣服裝飾、
又見他上耶和華殿的臺階、(或作他在耶和華殿裏所獻的燔祭)就詫異
六 得神不守舍。六對王說、我在本國裏所聽見論到你的事、
七 和你的智慧、實在是真的。七我先不信那些話、及至我來
親眼見了、纔知道人所告訴我的、還不到一半。你的智
八 慧和你的福分、越過我所聽見的風聲。八你的臣子、你的
九 僕人、常侍立在你面前、聽你智慧的話、是有福的。九耶和
華你的　神是應當稱頌的、他喜悅你、使你坐以色列
的國位、因為他永遠愛以色列、所以立你作王、使你秉
十 公行義。十於是示巴女王將一百二十他連得金子、和寶
石與極多的香料、送給所羅門王。他送給王的香料、以
十一 後奉來的不再有這樣多。十一○希蘭的船隻從俄斐運了
金子來、又從俄斐運了許多檀香木(或作烏木下同)和寶石來。
十二 十二王用檀香木為耶和華殿和王宮作欄杆、又為歌唱的
人作琴瑟、以後再沒有這樣的檀香木進國來、也沒有
人看見過、直到如今。

所羅門厚餽女王

十三 十三示巴女王一切所要所求的、所羅門王都送給他。另外
照自己的厚意餽送他。於是女王和他臣僕轉回本國
十四 去了。十四○所羅門每年所得的金子、共有六百六十六他
十五 連得。十五另外還有商人、和雜族的諸王、與國中的省長、所
十六 進的金子。(雜族歷代下九章十四節作亞拉伯)十六所羅門王用錘出來的金
十七 子、打成擋牌二百面、每面用金子六百舍客勒。十七又用錘
出來的金子、打成盾牌三百面、每面用金子三彌那、都
十八 放在利巴嫩林宮裏。十八王用象牙製造一個寶座、用精金
十九 包裹。十九寶座有六層臺階。座的後背是圓的、兩旁有扶手。
二十 靠近扶手有兩個獅子站立。二十六層臺階上有十二個獅
子站立、每層有兩個、左邊一個、右邊一個、在列國中沒
二一 有這樣作的。二一所羅門王一切的飲器、都是金子的。利巴
嫩林宮裏的一切器皿、都是精金的。所羅門年間銀子
二二 算不了甚麼。二二因為王有他施船隻、與希蘭的船隻一同
二三 航海、三年一次、裝載金銀、象牙、猿猴、孔雀回來。二三○所羅
二四 門王的財寶與智慧、勝過天下的列王。二四普天下的王、都
二五 求見所羅門、要聽　神賜給他智慧的話。二五他們各帶貢

物、就是金器、銀器、衣服、軍械、香料、騾馬、每年有一定之
例。
所羅門之車騎
二六所羅門聚集戰車馬兵、有戰車一千四百輛、馬兵一萬
二千名、安置在屯車的城邑、和耶路撒冷就是王那裏。
二七王在耶路撒冷使銀子多如石頭、香柏木多如高原的
桑樹。二八所羅門的馬是從埃及帶來的、是王的商人、一羣
一羣……按着定價買來的。二九從埃及買來的車、每輛價銀六
百舍客勒、馬每匹一百五十舍客勒、赫人諸王、和亞蘭
諸王、所買的車馬、也是按這價值經他們手買來的。
所羅門多寵異族之女
第十一章
一所羅門王在法老的女兒之外、又寵愛
許多外邦女子、就是摩押女子、亞捫女子、以東女子、西
頓女子、赫人女子。
所羅門干罪
二論到這些國的人、耶和華曾曉諭以色列人說、你們不
可與他們往來相通、因為他們必誘惑你們的心、去隨
從他們的神。所羅門卻戀愛這些女子。三所羅門有妃七
百、都是公主、還有嬪三百。這些妃嬪誘惑他的心。四所羅
門年老的時候、他的妃嬪誘惑他的心、去隨從別神、不
效法他父親大衛、誠誠實實的順服耶和華他的神。
五因為所羅門隨從西頓人的女神亞斯他錄、和亞捫人
可憎的神米勒公。六所羅門行耶和華眼中看為惡的事、
不效法他父親大衛、專心順從耶和華。七所羅門為摩押
可憎的神基抹、和亞捫人可憎的神摩洛、在耶路撒冷
對面的山上建築邱壇。八他為那些向自己的神燒香獻
祭的外邦女子、就是他娶來的妃嬪、也是這樣行。
耶和華怒所羅門
九耶和華向所羅門發怒、因為他的心偏離向他兩次顯
現的耶和華以色列的神。十耶和華曾吩咐他不可隨
從別神、他卻沒有遵守耶和華所吩咐的。十一所以耶和華
對他說、你既行了這事、不遵守我所吩咐你守的約和
律例、我必將你的國奪回、賜給你的臣子。十二然而因你父
親大衛的緣故、我不在你活着的日子行這事、必從你
兒子的手中將國奪回。十三只是我不將全國奪回、要因我
僕人大衛、和我所選擇的耶路撒冷、還留一支派給你

的兒子。
興起哈達作其敵
十四 十四耶和華使以東人哈達興起、作所羅門的敵人．他是以
十五 東王的後裔。十五先前大衛攻擊以東、元帥約押上去葬埋
十六 陣亡的人、將以東的男丁都殺了．十六約押和以色列衆人
十七 在以東住了六個月、直到將以東的男丁盡都剪除．十七那
時哈達還是幼童．他和他父親的臣僕、幾個以東人逃
十八 往埃及。十八他們從米甸起行、到了巴蘭．從巴蘭帶着幾個
人來到埃及、見埃及王法老．法老爲他派定糧食、又給
十九 他房屋田地。十九哈達在法老面前大蒙恩惠、以致法老將
二十 王后答比匿的妹子賜他爲妻。二十答比匿的妹子給哈達
生了一個兒子、名叫基努拔．答比匿使基努拔在法老
的宮裏斷奶．基努拔就與法老的衆子一同住在法老
二一 的宮裏。二一哈達在埃及聽見大衛與他列祖同睡、元帥約
二二 押也死了、就對法老說、求王容我回本國去。二二法老對他
說、你在我這裏有甚麼缺乏、你竟要回你本國去呢。他
回答說、我沒有缺乏甚麼．只是求王容我回去。

又興起利遜作其敵
二三 二三神又使以利亞大的兒子利遜興起、作所羅門的敵
二四 人．他先前逃避主人瑣巴王哈大底謝。二四大衛擊殺瑣巴
人的時候、利遜招聚了一羣人、自己作他們的頭目、往
二五 大馬色居住、在那裏作王。二五所羅門活着的時候、哈達爲
患之外、利遜也作以色列的敵人．他恨惡以色列人、且
作了亞蘭人的王。
耶羅波安叛
二六 二六所羅門的臣僕尼八的兒子耶羅波安、也舉手攻擊王．
他是以法蓮支派的洗利達人．他母親是寡婦、名叫洗
二七 魯阿。二七他舉手攻擊王的緣故、乃由先前所羅門建造米
二八 羅、修補他父親大衛城的破口。二八耶羅波安是大有才能
的人．所羅門見這少年人殷勤、就派他監管約瑟家的
一切工程。
亞希雅豫言國必分裂
二九 二九一日耶羅波安出了耶路撒冷、示羅人先知亞希雅在
路上遇見他．亞希雅身上穿着一件新衣．他們二人在
三十 田野、以外並無別人。三十亞希雅將自己穿的那件新衣撕

三一 成十二片．三一對耶羅波安說、你可以拿十片．耶和華以色
列的神如此說、我必將國從所羅門手裏奪回、將十
三二 個支派賜給你。三二（我因僕人大衛、和我在以色列衆支
派中所選擇的耶路撒冷城的緣故、仍給所羅門留一
三三 個支派）三三因爲他離棄我、敬拜西頓人的女神亞斯他
錄、摩押的神基抹、和亞捫人的神米勒公、沒有遵從我
的道、行我眼中看爲正的事、守我的律例典章、像他父
三四 親大衛一樣。三四但我不從他手裏將全國奪回、使他終身
爲君、是因我所揀選的僕人大衛謹守我的誡命律例．
三五 三五我必從他兒子的手裏將國奪回、以十個支派賜給你．
三六 三六還留一個支派給他的兒子、使我僕人大衛在我所選
三七 擇立我名的耶路撒冷城裏、在我面前長有燈光。三七我必
三八 揀選你、使你照心裏一切所願的、作王治理以色列．三八你
若聽從我一切所吩咐你的、遵行我的道、行我眼中看
爲正的事、謹守我的律例誡命、像我僕人大衛所行的、
我就與你同在、爲你立堅固的家、像我爲大衛所立的
三九 一樣、將以色列人賜給你。三九我必因所羅門所行的、使大
四十 衛後裔受患難、但不至於永遠。四十所羅門因此想要殺耶
羅波安．耶羅波安卻起身逃往埃及、到了埃及王示撒
那裏、就住在埃及、直到所羅門死了。

所羅門卒

四一 四一所羅門其餘的事、凡他所行的、和他的智慧、都寫在所
四二 羅門記上。四二所羅門在耶路撒冷作以色列衆人的王共
四三 四十年。四三所羅門與他列祖同睡、葬在他父親大衛的城
裏．他兒子羅波安接續他作王。

第十二章　羅波安繼位

一 一羅波安往示劍去．因爲以色列人都到
二 了示劍、要立他作王。二尼八的兒子耶羅波安先前躲避
三 所羅門王、逃往埃及、住在那裏。（他聽見這事）三以色
列人打發人去請他來．他就和以色列會衆都來見羅
四 波安、四對他說、你父親使我們負重軛、作苦工．現在求你
五 使我們作的苦工負的重軛輕鬆些．我們就事奉你。五羅
波安對他們說、你們暫且去、第三日再來見我。民就去
了。

違棄耆老之謀

六 六羅波安之父所羅門在世的日子、有侍立在他面前的

七 老年人、羅波安王和他們商議、說、你們給我出個甚麼
主意、我好回覆這民。七老年人對他說、現在王若服事這
民如僕人、用好話回答他們、他們就永遠作王的僕人。

偏聽少者之計

八 八王卻不用老年人給他出的主意、就和那些與他一同
九 長大在他面前侍立的少年人商議、九說、這民對我說、你
父親使我們負重軛、求你使我們輕鬆些、你們給我出
十 個甚麼主意、我好回覆他們。十那同他長大的少年人說、
這民對王說、你父親使我們負重軛、求你使我們輕鬆
些、王要對他們如此說、我的小拇指頭比我父親的腰
十一 還粗。十一我父親使你們負重軛、我必使你們負更重的軛、
我父親用鞭子責打你們、我要用蠍子鞭責打你們。〇
十二 十二耶羅波安和眾百姓遵着羅波安王所說、你們第三日
十三 再來見我的那話、第三日他們果然來了。十三王用嚴厲的
十四 話回答百姓、不用老年人給他所出的主意、十四照着少年
人所出的主意對民說、我父親使你們負重軛、我必使
你們負更重的軛、我父親用鞭子責打你們、我要用蠍
十五 子鞭責打你們。十五王不肯依從百姓、這事乃出於耶和華、
爲要應驗他藉示羅人亞希雅對尼八的兒子耶羅波
安所說的話。

以色列人叛

十六 十六以色列眾民見王不依從他們、就對王說、我們與大衛
有甚麼分兒呢、與耶西的兒子並沒有關涉、以色列人
哪、各回各家去罷。大衛家阿、自己顧自己罷。於是以色
十七 列人都回自己家裏去了。十七惟獨住猶大城邑的以色列
十八 人、羅波安仍作他們的王。十八羅波安王差遣掌管服苦之
人的亞多蘭、往以色列人那裏去、以色列人就用石頭
十九 打死他。羅波安王急忙上車、逃回耶路撒冷去了。十九這樣、
以色列人背叛大衛家、直到今日。

立耶羅波安作以色列王

二十 二十以色列眾人聽見耶羅波安回來了、就打發人去請他
到會眾面前、立他作以色列眾人的王。除了猶大支派
二十一 以外、沒有順從大衛家的。〇二十一羅波安來到耶路撒冷、招
聚猶大全家、和便雅憫支派的人、共十八萬、都是挑選
的戰士、要與以色列家爭戰、好將國奪回、再歸所羅門
二十二 的兒子羅波安。二十二但神的話臨到神人示瑪雅、說、你去

二四 告訴所羅門的兒子、猶大王羅波安、和猶大、便雅憫全
家、並其餘的民、說、二四耶和華如此說、你們不可上去、與你
們的弟兄以色列人爭戰。各歸各家去罷、因爲這事出
於我。衆人就聽從耶和華的話、遵着耶和華的命回去
了。

耶羅波安造犢陷民於罪

二五 二五耶羅波安在以法蓮山地建築示劍、就住在其中。又從
二六 示劍出去、建築毘努伊勒。二六耶羅波安心裏說、恐怕這國
二七 仍歸大衛家。二七這民若上耶路撒冷去、在耶和華的殿裏
獻祭、他們的心必歸向他們的主猶大王羅波安、就把
二八 我殺了、仍歸猶大王羅波安。二八耶羅波安王就籌畫定妥、
鑄造了兩個金牛犢、對衆民說、以色列人哪、你們上耶
二九 路撒冷去、實在是難。這就是領你們出埃及地的神。二九他
三十 就把牛犢一隻安在伯特利、一隻安在但。三十這事叫百姓
三一 陷在罪裏。因爲他們往但去、拜那牛犢。三一耶羅波安在邱
三二 壇那裏建殿、將那不屬利未人的凡民立爲祭司。三二耶羅
波安定八月十五日爲節期、像在猶大的節期一樣、自
已上壇獻祭。他在伯特利也這樣向他所鑄的牛犢獻

三三 祭、又將立爲邱壇的祭司安置在伯特利。三三他在八月十
五日、就是他私自所定的月、日、爲以色列人立作節期
的日子、在伯特利上壇燒香。

神僕警告耶羅波安

第十三章

一 一那時有一個神人奉耶和華的命從猶
二 大來到伯特利。耶羅波安正站在壇旁要燒香。二神人奉
耶和華的命向壇呼叫、說、壇哪、壇哪、耶和華如此說、大
衛家裏必生一個兒子、名叫約西亞。他必將邱壇的祭
司、就是在你上面燒香的、殺在你上面、人的骨頭也必
三 燒在你上面。三當日神人設個豫兆、說、這壇必破裂、壇上
四 的灰必傾撒。這是耶和華說的豫兆。四耶羅波安王聽見
神人向伯特利的壇所呼叫的話、就從壇上伸手、說、拿
五 住他罷。王向神人所伸的手就枯乾了、不能彎回。五壇也
破裂了、壇上的灰傾撒了、正如神人奉耶和華的命所
六 設的豫兆。六王對神人說、請你爲我禱告、求耶和華你
神的恩典、使我的手復原。於是神人祈禱耶和華、王的
七 手就復了原、仍如尋常一樣。七王對神人說、請你同我回
八 去喫飯、加添心力、我也必給你賞賜。八神人對王說、你就

是把你的宮一半給我、我也不同你進去、也不在這地
九 方喫飯喝水、九因爲有耶和華的話囑咐我、說、不可在伯
十 特利喫飯喝水、也不可從你去的原路回來。十於是神人
從別的路回去、不從伯特利來的原路回去。

神僕受誘違命

十一 十一有一個老先知住在伯特利、他兒子們來將神人當日
在伯特利所行的一切事、和向王所說的話、都告訴了
十二 父親。十二父親問他們說、神人從那條路去了呢、兒子們就
告訴他、原來他們看見那從猶大來的神人所去的路。
十三 十三老先知就吩咐他兒子們說、你們爲我備驢。他們備好
十四 了驢、他就騎上、十四去追趕神人、遇見他坐在橡樹底下、就
十五 問他說、你是從猶大來的神人不是。他說、是。十五老先知對
十六 他說、請你同我回家喫飯。十六神人說、我不可同你回去、進
十七 你的家、也不可在這裏同你喫飯喝水。十七因爲有耶和華
的話囑咐我說、你在那裏不可喫飯喝水、也不可從你
十八 去的原路回來。十八老先知對他說、我也是先知、和你一樣。
有天使奉耶和華的命對我說、你去把他帶回你的家、
十九 叫他喫飯喝水。這都是老先知誆哄他。十九於是神人同老
先知回去、在他家裏喫飯喝水。

見責於耶和華

二十 二十二人坐席的時候、耶和華的話臨到那帶神人回來的
二一 先知。二一他就對那從猶大來的神人說、耶和華如此說、你
二二 既違背耶和華的話、不遵守耶和華你神的命令。二二反
倒回來、在耶和華禁止你喫飯喝水的地方、喫了喝了。
因此你的屍身不得入你列祖的墳墓。

見噬於獅

二三 二四 二三喫喝完了、老先知爲所帶回來的先知備驢。二四他就去了。
在路上有個獅子遇見他、將他咬死、屍身倒在路上、驢
二五 站在屍身旁邊、獅子也站在屍身旁邊。二五有人從那裏經
過、看見屍身倒在路上、獅子站在屍身旁邊、就來到老
二六 先知所住的城裏述說這事。○二六那帶神人回來的先知
聽見這事就說、這是那違背了耶和華命令的神人。所
以耶和華把他交給獅子。獅子抓傷他、咬死他、是應驗
二七 耶和華對他說的話。二七老先知就吩咐他兒子們說、你們
二八 爲我備驢。他們就備了驢。二八他去了、看見神人的屍身倒
在路上、驢和獅子站在屍身旁邊、獅子卻沒有喫屍身、

也沒有抓傷驢。二九老先知就把神人的屍身馱在驢上、帶
回自己的城裏、要哀哭他、葬埋他。三十就把他的屍身葬在
自己的墳墓裏、哀哭他、說、哀哉、我兄阿。三一安葬之後、老先
知對他兒子們說、我死了你們要葬我在神人的墳墓
裏、使我的屍骨靠近他的屍骨。三二因為他奉耶和華的命
指着伯特利的壇、和撒瑪利亞各城有邱壇之殿、所說
的話、必定應驗。○三三這事以後、耶羅波安仍不離開他的
惡道、將凡民立為邱壇的祭司。凡願意的、他都分別為
聖、立為邱壇的祭司。三四這事叫耶羅波安的家陷在罪裏、
甚至他的家從地上除滅了。

第十四章　亞希雅豫言耶羅波安家遭災

一那時耶羅波安的兒子亞比雅病了。二耶
羅波安對他的妻說、你可以起來改裝、使人不知道你
是耶羅波安的妻、往示羅去。在那裏有先知亞希雅、他
曾告訴我說、你必作這民的王。三現在你要帶十個餅、與
幾個薄餅、和一瓶蜜、去見他、他必告訴你兒子將要怎
樣。四耶羅波安的妻就這樣行、起身往示羅去、到了亞希
雅的家。亞希雅因年紀老邁、眼目發直、不能看見。五耶和
華先曉諭亞希雅說、耶羅波安的妻要來問你、因他兒
子病了。你當如此如此告訴他。他進來的時候、必裝作
別的婦人。○六他剛進門、亞希雅聽見他腳步的響聲、就
說、耶羅波安的妻、進來罷。你為何裝作別的婦人呢。我
奉差遣將兇事告訴你。七你回去告訴耶羅波安說、耶和
華以色列的　神如此說、我從民中將你高舉、立你作
我民以色列的君。八將國從大衛家奪回、賜給你。你卻不
效法我僕人大衛、遵守我的誡命、一心順從我、行我眼
中看為正的事。九你竟行惡、比那在你以先的更甚、為自
己立了別神、鑄了偶像、惹我發怒、將我丟在背後。十因此
我必使災禍臨到耶羅波安的家、將屬耶羅波安的男
丁、無論困住的、自由的、都從以色列中剪除、必除盡耶
羅波安的家、如人除盡糞土一般。十一凡屬耶羅波安的人、
死在城中的、必被狗喫、死在田野的、必被空中的鳥喫。
這是耶和華說的。十二所以你起身回家去罷、你的腳一進
城、你兒子就必死了。十三以色列眾人必為他哀哭、將他葬
埋、凡屬耶羅波安的人、惟有他得入墳墓、因為在耶羅
波安的家中、只有他向耶和華以色列的　神、顯出善

十四 行。十四耶和華必另立一王治理以色列．到了日期、他必剪
十五 除耶羅波安的家．那日期已經到了。十五耶和華必擊打以
色列人、使他們搖動、像水中的蘆葦一般．又將他們從
耶和華賜給他們列祖的美地上拔出來、分散在大河
十六 那邊、因為他們作木偶、惹耶和華發怒。十六因耶羅波安所
犯的罪、又使以色列人陷在罪裏、耶和華必將以色列
十七 人交給仇敵。○十七耶羅波安的妻起身回去、到了得撒、剛
十八 到門檻、兒子就死了。十八以色列眾人將他葬埋、為他哀哭、
十九 正如耶和華藉他僕人先知亞希雅所說的話。○十九耶羅
波安其餘的事、他怎樣爭戰、怎樣作王、都寫在以色列
二十 諸王記上。二十耶羅波安作王二十二年、就與他列祖同睡．
他兒子拿答接續他作王。

羅波安作猶大王

二一 所羅門的兒子羅波安作猶大王。他登基的時候、年四
十一歲．在耶路撒冷、就是耶和華從以色列眾支派中
所選擇立他名的城、作王十七年．羅波安的母親名叫
二二 拿瑪、是亞捫人。二二猶大人行耶和華眼中看為惡的事、犯
二三 罪觸動他的憤恨、比他們列祖更甚。二三因為他們在各高
二四 岡上、各青翠樹下、築壇、立柱像、和木偶。二四國中也有孌童．
猶大人效法耶和華在以色列人面前所趕出的外邦
二五 人、行一切可憎惡的事。○二五羅波安王第五年、埃及王示
二六 撒上來攻取耶路撒冷、二六奪了耶和華殿和王宮裏的寶
二七 物、盡都帶走．又奪去所羅門製造的金盾牌。二七羅波安王
製造銅盾牌代替那金盾牌、交給守王宮門的護衛長
二八 看守。二八王每逢進耶和華的殿、護衛兵就拿這盾牌、隨後
二九 仍將盾牌送回、放在護衛房。○二九羅波安其餘的事、凡他
三十 所行的、都寫在猶大列王記上。三十羅波安與耶羅波安時
三一 常爭戰。三一羅波安與他列祖同睡、葬在大衛城他列祖的
墳地裏．他母親名叫拿瑪、是亞捫人．他兒子亞比央又名
亞比雅接續他作王。

第十五章

亞比央作猶大王

一 尼八的兒子耶羅波安王十八年、亞比
二 央登基作猶大王．二在耶路撒冷作王三年．他母親名叫
三 瑪迦、是押沙龍的女兒。三亞比央行他父親在他以前所
行的一切惡．他的心不像他祖大衛的心、誠誠實實的
四 順服耶和華他的神。四然而耶和華他的神、因大衛

的緣故、仍使他在耶路撒冷有燈光、叫他兒子接續他
作王、堅立耶路撒冷．五因為大衛除了赫人烏利亞那件
事、都是行耶和華眼中看為正的事、一生沒有違背耶
和華一切所吩咐的。六羅波安在世的日子常與耶羅波
安爭戰。○七亞比央其餘的事、凡他所行的、都寫在猶大
列王記上．亞比央常與耶羅波安爭戰。八亞比央與他列
祖同睡、葬在大衛的城裏．他兒子亞撒接續他作王。

亞撒作猶大王

九以色列王耶羅波安二十年、亞撒登基作猶大王．十在耶
路撒冷作王四十一年．他祖母名叫瑪迦、是押沙龍的
女兒．十一亞撒效法他祖大衛行耶和華眼中看為正的事．
十二從國中除去變童、又除掉他列祖所造的一切偶像。十三並
且貶了他祖母瑪迦太后的位、因他造了可憎的偶像
亞舍拉．亞撒砍下他的偶像、燒在汲淪溪邊。十四只是邱壇
還沒有廢去．亞撒一生卻向耶和華存誠實的心。十五亞撒
將他父親所分別為聖、與自己所分別為聖的金銀和
器皿、都奉到耶和華的殿裏。

亞撒與巴沙戰爭

十六亞撒和以色列王巴沙在世的日子、常常爭戰。十七以色列
王巴沙上來、要攻擊猶大、修築拉瑪、不許人從猶大王
亞撒那裏出入。十八於是亞撒將耶和華殿、和王宮府庫裏、
所剩下的金銀、都交在他臣僕手中、打發他們往住大
馬色的亞蘭王希旬的孫子、他伯利們的兒子便哈達
那裏去、說、十九你父曾與我父立約、我與你也要立約．現在
我將金銀送你為禮物．求你廢掉你與以色列王巴沙
所立的約、使他離開我。二十便哈達聽從亞撒王的話、派軍
長去攻擊以色列的城邑、他們就攻破以雲、但、亞伯伯
瑪迦、基尼烈全境、拿弗他利全境。二十一巴沙聽見、就停工、不
修築拉瑪了、仍住在得撒。二十二於是亞撒王宣告猶大眾人、
不准一個推辭、吩咐他們將巴沙修築拉瑪所用的石
頭、木頭、都運去、用以修築便雅憫的迦巴、和米斯巴。○
二十三亞撒其餘的事、凡他所行的、並他的勇力、與他所建築
的城邑、都寫在猶大列王記上．二十四亞撒年老的時候、腳上
有病。亞撒與他列祖同睡、葬在他祖大衛城、他列祖的
墳地裏．他兒子約沙法接續他作王。

拿答作以色列王

二五 猶大王亞撒第二年、耶羅波安的兒子拿答登基作以
色列王共二年。二六 拿答行耶和華眼中看爲惡的事、行他
父親所行的、犯他父親使以色列人陷在罪裏的那罪。
二七 以薩迦人亞希雅的兒子巴沙背叛拿答、在非利士的
基比頓殺了他．那時拿答和以色列衆人正圍困基比
頓。二八 在猶大王亞撒第三年巴沙殺了他、篡了他的位。二九 巴
沙一作王、就殺了耶羅波安的全家．凡有氣息的、沒有
留下一個、都滅盡了、正應驗耶和華藉他僕人示羅人
亞希雅所說的話。三十 這是因爲耶羅波安所犯的罪、使以
色列人陷在罪裏、惹動耶和華以色列　神的怒氣。○
三一 拿答其餘的事、凡他所行的、都寫在以色列諸王記上。
三二 亞撒和以色列王巴沙在世的日子、常常爭戰。

巴沙作以色列王

三三 猶大王亞撒第三年、亞希雅的兒子巴沙在得撒登基
作以色列衆人的王、共二十四年。三四 他行耶和華眼中看
爲惡的事、行耶羅波安所行的道、犯他使以色列人陷
在罪裏的那罪。

耶戶之豫言

第十六章

一 耶和華的話臨到哈拿尼的兒子耶戶、
責備巴沙、說、二 我既從塵埃中提拔你、立你作我民以色
列的君、你竟行耶羅波安所行的道、使我民以色列陷
在罪裏、惹我發怒．三 我必除盡你和你的家、使你的家像
尼八的兒子耶羅波安的家一樣。四 凡屬巴沙的人、死在
城中的、必被狗喫、死在田野的、必被空中的鳥喫。○五 巴
沙其餘的事、凡他所行的、和他的勇力、都寫在以色列
諸王記上。六 巴沙與他列祖同睡、葬在得撒．他兒子以拉
接續他作王。七 耶和華的話臨到哈拿尼的兒子先知耶
戶、責備巴沙和他的家、因他行耶和華眼中看爲惡的
一切事、以他手所作的惹耶和華發怒、像耶羅波安的
家一樣、又因他殺了耶羅波安的全家。

以拉作以色列王

八 猶大王亞撒二十六年、巴沙的兒子以拉在得撒登基
作以色列王、共二年。

心利弒以拉滅巴沙家

九 有管理他一半戰車的臣子心利背叛他．當他在得撒

十 家宰亞雜家裏喝醉的時候、十心利就進去殺了他、篡了
十一 他的位。這是猶大王亞撒二十七年的事。十一心利一坐王
位、就殺了巴沙的全家．連他的親屬、朋友、也沒有留下
十二 一個男丁。十二心利這樣滅絕巴沙的全家、正如耶和華藉
十三 先知耶戶責備巴沙的話．十三這是因巴沙和他兒子以拉
的一切罪、就是他們使以色列人陷在罪裏的那罪、以
十四 虛無的神惹耶和華以色列神的怒氣。十四以拉其餘的
十五 事、凡他所行的、都寫在以色列諸王記上。○十五猶大王亞
撒二十七年、心利在得撒作王七日。那時民正安營圍
十六 攻非利士的基比頓。十六民在營中聽說心利背叛、又殺了
王、故此以色列眾人當日在營中立元帥暗利作以色
十七 列王。十七暗利率領以色列眾人、從基比頓上去圍困得撒。
十八 十八心利見城破失、就進了王宮的衛所放火焚燒宮殿自
十九 焚而死．十九這是因他犯罪、行耶和華眼中看為惡的事、行
耶羅波安所行的、犯他使以色列人陷在罪裏的那罪、
二十 二十心利其餘的事、和他背叛的情形、都寫在以色列諸王
記上。

暗利作以色列王

二一 二一那時以色列民分為兩半．一半隨從基納的兒子提比
二二 尼、要立他作王．一半隨從暗利。二二但隨從暗利的民、勝過
隨從基納的兒子提比尼的民．提比尼死了、暗利就作
二三 了王。二三猶大王亞撒三十一年、暗利登基作以色列王共
二四 十二年．在得撒作王六年。二四暗利用二他連得銀子、向撒
瑪買了撒瑪利亞山．在山上造城、就按着山的原主撒
二五 瑪的名、給所造的城起名叫撒瑪利亞。二五暗利行耶和華
二六 眼中看為惡的事、比他以前的列王作惡更甚。二六因他行
了尼八的兒子耶羅波安所行的、犯他使以色列人陷
在罪裏的那罪、以虛無的神惹耶和華以色列神的
二七 怒氣。二七暗利其餘的事、和他所顯出的勇力、都寫在以色
二八 列諸王記上。二八暗利與他列祖同睡、葬在撒瑪利亞．他兒
子亞哈接續他作王。

亞哈作以色列王

二九 二九猶大王亞撒三十八年、暗利的兒子亞哈登基、作了以
色列王．亞哈在撒瑪利亞作以色列王二
三十 十二年。三十暗利的兒子亞哈、行耶和華眼中看為惡的事、

三一 比他以前的列王更甚、犯了尼八的兒子耶羅波安所
犯的罪.他還以為輕、又娶了西頓王謁巴力的女兒耶
三二 洗別為妻、去事奉敬拜巴力.在撒瑪利亞建造巴力的
三三 廟在廟裏為巴力築壇。亞哈又作亞舍拉.他所行的、惹
耶和華以色列 神的怒氣、比他以前的以色列諸王
三四 更甚。亞哈在位的時候、有伯特利人希伊勒重修耶利
哥城.立根基的時候、喪了長子亞比蘭.安門的時候、喪
了幼子西割.正如耶和華藉嫩的兒子約書亞所說的
話。

以利亞豫言旱荒

第十七章

一 基列寄居的提斯比人以利亞、對亞哈
說、我指着所事奉永生耶和華以色列的 神起誓、這
二 幾年我若不禱告、必不降露不下雨。耶和華的話臨到
三 以利亞說、你離開這裏、往東去、藏在約但河東邊的基
四 立溪旁。你要喝那溪裏的水.我已吩咐烏鴉在那裏供
五 養你。於是以利亞照着耶和華的話、去住在約但河東
六 的基立溪旁。烏鴉早晚給他叼餅和肉來.他也喝那溪
七 裏的水。過了些日子、溪水就乾了、因為雨沒有下在地
上。

以利亞增嫠婦之麵與油

八 九 耶和華的話臨到他、說、你起身往西頓的撒勒法去（撒勒法與路加福音四章二十六節同）
住在那裏.我已吩咐那裏的一個寡
十 婦供養你。以利亞就起身往撒勒法去.到了城門、見有
一個寡婦在那裏撿柴.以利亞呼叫他說、求你用器皿
十一 取點水來給我喝。他去取水的時候、以利亞又呼叫他、
十二 說、也求你拿點餅來給我。他說、我指着永生耶和華你
的 神起誓、我沒有餅、罈內只有一把麵、瓶裏只有一
點油.我現在找兩根柴、回家要為我和我兒子作餅.我
十三 們喫了、死就死罷。以利亞對他說、不要懼怕.可以照你
所說的去作罷.只要先為我作一個小餅、拿來給我、然
十四 後為你和你的兒子作餅。因為耶和華以色列的 神
如此說、罈內的麵必不減少、瓶裏的油必不缺短、直到
十五 耶和華使雨降在地上的日子。婦人就照以利亞的話
十六 去行.他和他家中的人、並以利亞、喫了許多日子。罈內
的麵果不減少、瓶裏的油也不缺短、正如耶和華藉以
利亞所說的話。

復活其子

十七 這事以後、作那家主母的婦人、他兒子病了．病得甚重、
十八 以致身無氣息。婦人對以利亞說、神人哪、我與你何干、
你竟到我這裏來、使 神想念我的罪、以致我的兒子
十九 死呢。以利亞對他說、把你兒子交給我。以利亞就從婦
人懷中將孩子接過來、抱到他所住的樓中、放在自己
二十 的牀上．就求告耶和華說、耶和華我的 神阿、我寄居
在這寡婦的家裏、你就降禍與他、使他的兒子死了麼。
二一 以利亞三次伏在孩子的身上、求告耶和華說、耶和華
二二 我的 神阿、求你使這孩子的靈魂、仍入他的身體。耶
和華應允以利亞的話、孩子的靈魂、仍入他的身體、他
二三 就活了。以利亞將孩子從樓上抱下來、進屋子、交給他
二四 母親、說、看哪、你的兒子活了。婦人對以利亞說、現在我
知道你是神人、耶和華藉你口所說的話是真的。

以利亞奉命見亞哈

第十八章

一 過了許久、到第三年、耶和華的話臨到
二 以利亞、說、你去、使亞哈得見你、我要降雨在地上。以利
三 亞就去、要使亞哈得見他。那時撒瑪利亞有大饑荒。亞
哈將他的家宰俄巴底召了來。俄巴底甚是敬畏耶和
四 華。耶洗別殺耶和華眾先知的時候、俄巴底將一百個
先知藏了、每五十人藏在一個洞裏、拿餅和水供養他
五 們。亞哈對俄巴底說、我們走遍這地、到一切水泉旁、和
一切溪邊、或者找得着青草、可以救活騾馬、免得絕了
六 牲畜。於是二人分地遊行、亞哈獨走一路、俄巴底獨走
一路。

俄巴底尋草遇以利亞

七 俄巴底在路上、恰與以利亞相遇、俄巴底認出他來、就
八 俯伏在地、說、你是我主以利亞不是。回答說、是、你去告
九 訴你主人說、以利亞在這裏。俄巴底說、僕人有甚麼罪、
十 你竟要將我交在亞哈手裏、使他殺我呢。我指着永生
耶和華你的 神起誓、無論那一邦、那一國、我主都打
發人去找你．若說、你沒有在那裏、就必使那邦那國的
十一 人起誓、說、實在是找不着你。現在你說、要去告訴你主
十二 人、說、以利亞在這裏．恐怕我一離開你、耶和華的靈就
提你到我所不知道的地方去．這樣我去告訴亞哈、他
若找不着你、就必殺我．僕人卻是自幼敬畏耶和華的。

十三 十三耶洗別殺耶和華衆先知的時候、我將耶和華的一百
個先知藏了、每五十人藏在一個洞裏、拿餅和水供養
十四 他們、豈沒有人將這事告訴我主麽。十四現在你說、要去告
十五 訴你主人說、以利亞在這裏、他必殺我。十五以利亞說、我指
着所事奉永生的萬軍之耶和華起誓、我今日必使亞
哈得見我。

亞哈迎以利亞

十六 十六於是俄巴底去迎着亞哈告訴他．亞哈就去迎着以利
十七 亞。十七亞哈見了以利亞、便說、使以色列遭災的就是你麽。
十八 十八以利亞說、使以色列遭災的不是我、乃是你和你父家、
十九 因爲你們離棄耶和華的誡命、去隨從巴力。十九現在你當
差遣人招聚以色列衆人、和事奉巴力的那四百五十
個先知、並耶洗別所供養事奉亞舍拉的那四百個先
知、使他們都上迦密山去見我。

於迦密山試先知之眞僞

二十 二十亞哈就差遣人招聚以色列衆人、和先知、都上迦密山。
二一 二一以利亞前來、對衆民說、你們心持兩意要到幾時呢．若
耶和華是　神、就當順從耶和華．若巴力是　神、就當

二二 順從巴力．衆民一言不答。二二以利亞對衆民說、作耶和華．
先知的、只剩下我一個人、巴力的先知卻有四百五十
二三 個人。二三當給我們兩隻牛犢．巴力的先知可以挑選一隻、
切成塊子、放在柴上、不要點火．我也豫備一隻牛犢放
二四 在柴上、也不點火。二四你們求告你們神的名、我也求告耶
和華的名．那降火顯應的神、就是　神。衆民回答說、這
二五 話甚好。◯二五以利亞對巴力的先知說、你們既是人多、當
先挑選一隻牛犢豫備好了、就求告你們神的名、卻不
二六 要點火。二六他們將所得的牛犢豫備好了、從早晨到午間、
求告巴力的名、說、巴力阿、求你應允我們．卻沒有聲音、
二七 沒有應允的。他們在所築的壇、四圍踊跳。二七到了正午、以
利亞嬉笑他們、說、大聲求告罷、因爲他是神、他或默想、
二八 或走到一邊、或行路、或睡覺、你們當叫醒他。二八他們大聲
求告、按着他們的規矩、用刀槍自割、自刺、直到身體流
二九 血。二九從午後直到獻晚祭的時候、他們狂呼亂叫．卻沒有
三十 聲音、沒有應允的、也沒有理會的。◯三十以利亞對衆民說、
你們到我這裏來．衆民就到他那裏。他便重修已經毀
三一 壞耶和華的壇。三一以利亞照雅各子孫支派的數目、取了

十二塊石頭、（耶和華的話、曾臨到雅各、說、你的名要
三二 叫以色列）用三二這些石頭爲耶和華的名築一座壇、在
三三 壇的四圍挖溝、可容穀種二細亞、三三又在壇上擺好了柴、
把牛犢切成塊子、放在柴上、對衆人說、你們用四個桶
三四 盛滿水、倒在燔祭和柴上。三四又說、倒第二次。他們就倒第
三五 二次。又說、倒第三次。他們就倒第三次。三五水流在壇的四
三六 圍、溝裏也滿了水。三六到了獻晚祭的時候、先知以利亞近
前來、說、亞伯拉罕以撒以色列的神耶和華阿、求你
今日使人知道你是以色列的神、也知道我是你的
三七 僕人、又是奉你的命行這一切事。三七耶和華阿、求你應允
我、應允我、使這民知道你耶和華是神、又知道是你
三八 叫這民的心回轉。三八於是耶和華降下火來、燒盡燔祭、木
三九 柴、石頭、塵土、又燒乾溝裏的水。三九衆民看見了、就俯伏在
四十 地、說、耶和華是神、耶和華是神。四十以利亞對他們說、
拿住巴力的先知、不容一人逃脫。衆人就拿住他們。以
利亞帶他們到基順河邊、在那裏殺了他們。

天降大雨

四一 以利亞對亞哈說、你現在可以上去喫喝、因爲有多雨

四二 的響聲了。四二亞哈就上去喫喝。以利亞上了迦密山頂、屈
四三 身在地、將臉伏在兩膝之中。四三對僕人說、你上去、向海觀
看。僕人就上去觀看、說、沒有甚麽。他說、你再去觀看、如
四四 此七次。四四第七次僕人說、我看見有一小片雲從海裏上
來、不過如人手那樣大。以利亞說、你上去告訴亞哈、當
四五 套車下去、免得被雨阻擋。四五霎時間天因風雲黑暗、降下
四六 大雨。亞哈就坐車往耶斯列去了。四六耶和華的靈原文作手降
在以利亞身上、他就束上腰、奔在亞哈前頭、直到耶斯
列的城門。

第十九章 耶洗別欲殺以利亞

一 亞哈將以利亞一切所行的、和他用刀
二 殺衆先知的事、都告訴耶洗別。二耶洗別就差遣人去見
以利亞、告訴他說、明日約在這時候、我若不使你的性
命像那些人的性命一樣、願神明重重的降罰與我。

以利亞遁至何烈山

三 以利亞見這光景、就起來逃命、到了猶大的別是巴、將
四 僕人留在那裏。四自己在曠野走了一日的路程、來到一
棵羅騰樹下、羅騰小樹名松類下同就坐在那裏求死、說、耶和華

五 阿、罷了．求你取我的性命、因爲我不勝於我的列祖。五他
就躺在羅騰樹下、睡着了．有一個天使拍他、說、起來喫
六 罷。六他觀看、見頭旁有一瓶水、與炭火燒的餅、他就喫了
七 喝了、仍然躺下。七耶和華的使者第二次來拍他、說、起來
八 喫罷、因爲你當走的路甚遠．八他就起來喫了喝了、仗着
這飲食的力、走了四十晝夜、到了　神的山、就是何烈
山。

耶和華示以微小之聲

九 九他在那裏進了一個洞、就住在洞中．耶和華的話臨到
十 他說、以利亞阿、你在這裏作甚麼．十他說、我爲耶和華萬
軍之　神大發熱心、因爲以色列人背棄了你的約、毀
壞了你的壇、用刀殺了你的先知、只剩下我一個人、他
十一 們還要尋索我的命。十一耶和華說、你出來站在山上、在我
面前．那時耶和華從那裏經過、在他面前有烈風大作、
崩山碎石、耶和華卻不在風中．風後地震、耶和華卻不
十二 在其中．十二地震後有火、耶和華也不在火中．火後有微小
十三 的聲音．十三以利亞聽見、就用外衣蒙上臉、出來站在洞口．
十四 有聲音向他說、以利亞阿、你在這裏作甚麼．十四他說、我爲
耶和華萬軍之　神大發熱心、因爲以色列人背棄了
你的約、毀壞了你的壇、用刀殺了你的先知、只剩下我
一個人、他們還要尋索我的命。

命返大馬色

十五 十五耶和華對他說、你回去、從曠野往大馬色去．到了那裏、
十六 就要膏哈薛作亞蘭王．十六又膏寧示的孫子耶戶作以色
列王．並膏亞伯米何拉人沙法的兒子以利沙作先知
十七 接續你。十七將來躲避哈薛之刀的、必被耶戶所殺．躲避耶
十八 戶之刀的、必被以利沙所殺．十八但我在以色列人中爲自
己留下七千人、是未曾向巴力屈膝的、未曾與巴力親
嘴的。

以利沙從事以利亞

十九 十九於是以利亞離開那裏走了、遇見沙法的兒子以利沙、
耕地、在他前頭有十二對牛、自己趕着第十二對．以利
二十 亞到他那裏去、將自己的外衣搭在他身上．二十以利沙就
離開牛跑到以利亞那裏、說、求你容我先與父母親嘴、
然後我便跟隨你．以利亞對他說、你回去罷、我向你作
二十一 了甚麼呢．二十一以利沙就離開他回去、宰了一對牛、用套牛

一 的器具煮肉給民喫隨後就起身跟隨以利亞服事他。
二 **便哈達攻亞哈**
第二十章 一亞蘭王便哈達聚集他的全軍率領三
十二個王、帶着車馬上來圍攻撒瑪利亞。二又差遣使者
三 進城見以色列王亞哈、對他說、三便哈達如此說、你的金
四 銀都要歸我、你妻子兒女中最美的也要歸我。四以色列
王回答說、我主我王阿、可以依着你的話、我與我所有
五 的都歸你。五使者又來說、便哈達如此說、我已差遣人去
六 見你、要你將你的金銀妻子兒女都給我。六但明日約在
這時候、我還要差遣臣僕到你那裏、搜查你的家和你
七 僕人的家、將你眼中一切所喜愛的都拿了去。〇七以色
列王召了國中的長老來、對他們說、請你們看看、這人
是怎樣的謀害我。他先差遣人到我這裏來、要我的妻
八 子兒女和金銀、我並沒有推辭他。八長老和百姓對王說、
九 不要聽從他、也不要應允他。九故此以色列王對便哈達
的使者說、你們告訴我主我王說、王頭一次差遣人向
僕人所要的、僕人都依從。但這次所要的、我不能依從。
十 使者就去回覆便哈達。十便哈達又差遣人去見亞哈說、

十一 撒瑪利亞的塵土、若彀跟從我的人每人捧一捧的、願
十二 神明重重的降罰與我。十一以色列王說、你告訴他說、纔頂
盔貫甲的、休要像摘盔卸甲的誇口。十二便哈達和諸王正
在帳幕裏喝酒、聽見這話、就對他臣僕說、擺隊罷。他們
就擺隊攻城。
先知豫言便哈達之敗
十三 十三有一個先知來見以色列王亞哈說、耶和華如此說、這
一大羣人你看見了麼、今日我必將他們交在你手裏、
十四 你就知道我是耶和華。十四亞哈說、藉着誰呢。他回答說、耶
和華說、藉着跟從省長的少年人。亞哈說、要誰率領呢。
十五 他說、要你親自率領。十五於是亞哈數點跟從省長的少年
人、共有二百三十二名、後又數點以色列的衆兵、共有
七千名。
亞蘭人遁
十六 十六午間、他們就出城。便哈達和幫助他的三十二個王、正
十七 在帳幕裏痛飲。十七跟從省長的少年人先出城。便哈達差
十八 遣人去探望他們、回報說、有人從撒瑪利亞出來了。十八他
說、他們若爲講和出來、要活捉他們、若爲打仗出來、也

十九 要活捉他們。十九跟從省長的少年人出城、軍兵跟隨他們．
二十 二十各人遇見敵人就殺．亞蘭人逃跑、以色列人追趕他們．
二一 亞蘭王便哈達騎着馬、和馬兵一同逃跑。二一以色列王出
城攻打車馬、大大擊殺亞蘭人。
先知警教亞哈
二二 二二那先知來見以色列王、對他說、你當自強、留心怎樣防
二三 備、因為到明年這時候、亞蘭王必上來攻擊你。二三亞蘭王
的臣僕對亞蘭王說、以色列人的神是山神、所以他們
二四 勝過我們．但在平原與他們打仗、我們必定得勝．二四王當
二五 這樣行、把諸王革去、派軍長代替他們．二五又照着王喪失
軍兵之數、再招募一軍、馬補馬、車補車、我們在平原與
他們打仗、必定得勝．王便聽臣僕的話去行。
便哈達復與以色列人戰
二六 二六次年便哈達果然點齊亞蘭人、上亞弗去、要與以色列
二七 人打仗。二七以色列人也點齊軍兵、豫備食物、迎着亞蘭人
出去、對着他們安營、好像兩小羣山羊羔．亞蘭人卻滿
二八 了地面。二八有神人來見以色列王說、耶和華如此說、亞蘭
人既說我耶和華是山神、不是平原的神．所以我必將
這一大羣人都交在你手中、你們就知道我是耶和華。
便哈達復敗
二九 二九以色列人與亞蘭人相對安營七日．到第七日兩軍交
三十 戰．那一日以色列人殺了亞蘭人步兵十萬．三十其餘的逃
入亞弗城．城牆塌倒、壓死剩下的二萬七千人．便哈達
三一 也逃入城、藏在嚴密的屋子裏。○三一他的臣僕對他說、我
們聽說以色列王都是仁慈的王．現在我們不如腰束
麻布、頭套繩索、出去投降以色列王．或者他存留王的
三二 性命。三二於是他們腰束麻布、頭套繩索、去見以色列王、說、
王的僕人便哈達說、求王存留我的性命．亞哈說、他還
三三 活着麼．他是我的兄弟。三三這些人留心探出他的口氣來、
便急忙就着他的話說、便哈達是王的兄弟．王說、你們
三四 去請他來。便哈達出來見王、王就請他上車。三四便哈達對
王說、我父從你父那裏所奪的城邑、我必歸還．你可以
在大馬色立街市、像我父在撒瑪利亞所立的一樣．亞
哈說、我照此立約、放你回去．就與他立約、放他去了。
先知責亞哈縱敵
三五 三五有先知的一個門徒、奉耶和華的命對他的同伴說、你

三六 打我罷。那人不肯打他。三六他就對那人說、你既不聽從耶
和華的話、你一離開我、必有獅子咬死你。那人一離開
三七 他、果然遇見獅子、把他咬死了。三七先知的門徒又遇見一
三八 個人、對他說、你打我罷。那人就打他、將他打傷。三八他就去
三九 了、用頭巾蒙眼、改換面目、在路旁等候王。三九王從那裏經
過、他向王呼叫說、僕人在陣上的時候、有人帶了一個
人來、對我說、你看守這人、若把他失了、你的性命必代
四十 替他的性命、不然、你必交出一他連得銀子來。四十僕人正
在忙亂之間、那人就不見了。以色列王對他說、你自己
四一 定妥了。必照樣判斷你。四一他急忙除掉蒙眼的頭巾、以色
四二 列王就認出他是一個先知。四二他對王說、耶和華如此說、
因你將我定要滅絕的人放去、你的命就必代替他的
四三 命、你的民也必代替他的民。四三於是以色列王悶悶不樂
的回到撒瑪利亞、進了他的宮。

第二十一章

亞哈貪謀拿伯之葡萄園

一 一這事以後、又有一事、耶斯列人拿伯
在耶斯列有一個葡萄園、靠近撒瑪利亞王亞哈的宮。
二 二亞哈對拿伯說、你將你的葡萄園給我作菜園、因爲是
靠近我的宮、我就把更好的葡萄園換給你、或是你要
三 銀子、我就按着價值給你。三拿伯對亞哈說、我敬畏耶和
四 華、萬不敢將我先人留下的產業給你。四亞哈因耶斯列
人拿伯說、我不敢將我先人留下的產業給你、就悶悶
不樂的回宮、躺在牀上、轉臉向內、也不喫飯。

耶洗別計奪葡萄園

五 五王后耶洗別來問他說、你爲甚麼心裏這樣憂悶、不喫
六 飯呢。六他回答說、因我向耶斯列人拿伯說、你將你的葡
萄園給我、我給你價銀、或是你願意、我就把別的葡萄
七 園換給你、他卻說我不將我的葡萄園給你。七王后耶洗
別對亞哈說、你現在是治理以色列國不是、只管起來、
心裏暢暢快快的喫飯、我必將耶斯列人拿伯的葡萄
八 園給你。八於是託亞哈的名寫信、用王的印印上、送給那
九 些與拿伯同城居住的長老貴胄。九信上寫着說、你們當
十 宣告禁食、叫拿伯坐在民間的高位上、十又叫兩個匪徒
坐在拿伯對面、作見證告他說、你謗瀆神和王了。隨
後就把他拉出去用石頭打死。

拿伯被害

十一 十一那些與拿伯同城居住的長老貴冑、得了耶洗別的信、
十二十三 就照信而行．十二宣告禁食、叫拿伯坐在民間的高位上．十三有
兩個匪徒來、坐在拿伯的對面、當着衆民作見證告他
說、拿伯謗瀆　神和王了．衆人就把他拉到城外、用石
十四 頭打死。十四於是打發人去見耶洗別說、拿伯被石頭打死
了。

亞哈往據葡萄園

十五 十五耶洗別聽見拿伯被石頭打死、就對亞哈說、你起來得
耶斯列人拿伯不肯爲價銀給你的葡萄園罷．現在他
十六 已經死了。十六亞哈聽見拿伯死了、就起來下去、要得耶斯
列人拿伯的葡萄園。

以利亞責亞哈之惡

十七十八 十七耶和華的話臨到提斯比人以利亞說、十八你起來、去見住
撒瑪利亞的以色列王亞哈．他下去要得拿伯的葡萄
十九 園、現今正在那園裏。十九你要對他說、耶和華如此說、你殺
了人、又得他的產業麼．又要對他說、耶和華如此說、狗
二十 在何處餂拿伯的血、也必在何處餂你的血。二十亞哈對以
利亞說、我仇敵阿、你找到我麼．他回答說、我找到你了、
二一 因爲你賣了自己、行耶和華眼中看爲惡的事．二一耶和華
說、我必使災禍臨到你、將你除盡、凡屬你的男丁、無論
二二 困住的、自由的、都從以色列中剪除．二二我必使你的家像
尼八的兒子耶羅波安的家、又像亞希雅的兒子巴沙
二三 的家、因爲你惹我發怒、又使以色列人陷在罪裏。二三論到
耶洗別、耶和華也說、狗在耶斯列的外郭、必喫耶洗別
二四 的肉。二四凡屬亞哈的人、死在城中的、必被狗喫、死在田野
二五 的、必被空中的鳥喫。二五（從來沒有像亞哈的、因他自賣、
行耶和華眼中看爲惡的事、受了王后耶洗別的聳動．
二六 二六就照耶和華在以色列人面前所趕出的亞摩利人行
二七 了最可憎惡的事、信從偶像。）〇二七亞哈聽見這話、就撕
裂衣服、禁食、身穿麻布、睡臥也穿着麻布、並且緩緩而
二八二九 行。二八耶和華的話臨到提斯比人以利亞說、二九亞哈在我面
前這樣自卑、你看見了麼．因他在我面前自卑、他還在
世的時候、我不降這禍、到他兒子的時候、我必降這禍
與他的家。

第二十二章

約沙法與亞哈合攻基列拉末

一亞蘭國和以色列國三年沒有爭戰。
二到第三年、猶大王約沙法下去見以色列王。三以色列王
對臣僕說、你們不知道基列的拉末是屬我們的麼、我
們豈可靜坐不動、不從亞蘭王手裏奪回來麼。四亞哈問
約沙法說、你肯同我去攻取基列的拉末麼。約沙法對
以色列王說、你我不分彼此、我的民與你的民一樣、我
的馬與你的馬一樣。

以色列王召先知諮諏耶和華

五約沙法對以色列王說、請你先求問耶和華。六於是以色
列王招聚先知約有四百人、問他們說、我上去攻取基
列的拉末可以不可以。他們說、可以上去、因為主必將
那城交在王的手裏。七約沙法說、這裏不是還有耶和華
的先知、我們可以求問他麼。八以色列王對約沙法說、還
有一個人、是音拉的兒子米該雅、我們可以託他求問
耶和華、只是我恨他、因為他指着我所說的豫言、不說
吉語、單說凶言。約沙法說、王不必這樣說。九以色列王就
召了一個太監來、說、你快去將音拉的兒子米該雅召
來。十以色列王和猶大王約沙法在撒瑪利亞城門前的
空場上、各穿朝服、坐在位上、所有的先知都在他們面
前說豫言。十一基拿拿的兒子西底家造了兩個鐵角、說、耶
和華如此說、你要用這角牴觸亞蘭人、直到將他們滅
盡。十二所有的先知也都這樣豫言說、可以上基列的拉末
去、必然得勝、因為耶和華必將那城交在王的手中。

米該雅豫言其敗

十三那去召米該雅的使者對米該雅說、眾先知一口同音
的都向王說吉言、你不如與他們說一樣的話、也說吉
言。十四米該雅說、我指着永生的耶和華起誓、耶和華對我
說甚麼、我就說甚麼。十五米該雅到王面前、王問他說、米該
雅阿、我們上去攻取基列的拉末可以不可以。他回答
說、可以上去、必然得勝、耶和華必將那城交在王的手
中。十六王對他說、我當囑咐你幾次、你纔奉耶和華的名向
我說實話呢。十七米該雅說、我看見以色列眾民散在山上、
如同沒有牧人的羊羣一般。耶和華說、這民沒有主人、
他們可以平平安安的各歸各家去。十八以色列王對約沙
法說、我豈沒有告訴你、這人指着我所說的豫言、不說

十九 吉語、單說凶言。十九米該雅說、你要聽耶和華的話．我看
二十 見耶和華坐在寶座上、天上的萬軍侍立在他左右．二十耶
和華說、誰去引誘亞哈上基列的拉末去陣亡呢．這個
二一 就這樣說、那個就那樣說．二一隨後有一個神靈出來、站在
二二 耶和華面前、說、我去引誘他．二二耶和華問他說、你用何法
呢．他說、我去要在他眾先知口中作謊言的靈．耶和華
二三 說、這樣你必能引誘他．你去如此行罷．二三現在耶和華使
謊言的靈入了你這些先知的口．並且耶和華已經命
二四 定降禍與你。〇二四基拿拿的兒子西底家前來、打米該雅
二五 的臉、說、耶和華的靈從那裏離開我與你說話呢．二五米該
二六 雅說、你進嚴密的屋子藏躲的那日、就必看見了。二六以色
列王說、將米該雅帶回交給邑宰亞們和王的兒子約
二七 阿施、說、二七王如此說、把這個人下在監裏、使他受苦、喫不
二八 飽喝不足、等候我平平安安的回來．二八米該雅說、你若能
平平安安的回來、那就是耶和華沒有藉我說這話了．
又說、眾民哪、你們都要聽。

亞哈陣亡

二九三十 二九以色列王和猶大王約沙法上基列的拉末去了．三十以色
列王對約沙法說、我要改裝上陣、你可以仍穿王服．以
三一 色列王就改裝上陣。三一先是亞蘭王吩咐他的三十二個
車兵長說、他們的兵將、無論大小、你們都不可與他們
三二 爭戰、只要與以色列王爭戰．三二車兵長看見約沙法、便說、
這必是以色列王．就轉過去與他爭戰．約沙法便呼喊。
三三三四 三三車兵長見不是以色列王、就轉去不追他了。三四有一人隨
便開弓、恰巧射入以色列王的甲縫裏．王對趕車的說、
三五 我受了重傷．你轉過車來、拉我出陣罷。三五那日陣勢越戰
越猛．有人扶王站在車上、抵擋亞蘭人．到晚上、王就死
三六 了．血從傷處流在車中。三六約在日落的時候、有號令傳遍
三七 軍中、說、各歸本城、各歸本地罷。〇三七王既死了、眾人將他
三八 送到撒瑪利亞、就葬在那裏。三八又有人把他的車、洗在撒
瑪利亞的池旁．（妓女在那裏洗澡）狗來餂他的血、
三九 正如耶和華所說的話。三九亞哈其餘的事、凡他所行的、和
他所修造的象牙宮、並所建築的一切城邑、都寫在以
四十 色列諸王記上。四十亞哈與他列祖同睡．他兒子亞哈謝接
續他作王。

約沙法作猶大王

四一 四一以色列王亞哈第四年、亞撒的兒子約沙法登基作了
四二 猶大王。四二約沙法登基的時候、年三十五歲、在耶路撒冷
作王二十五年。他母親名叫阿蘇巴、乃示利希的女兒。
四三 四三約沙法行他父親亞撒所行的道、不偏離左右、行耶和
華眼中看爲正的事。只是邱壇還沒有廢去、百姓仍在
四四 四五 那裏獻祭燒香。四四約沙法與以色列王和好。○四五約沙法其
餘的事和他所顯出的勇力、並他怎樣爭戰、都寫在猶
四六 大列王記上。四六約沙法將他父親亞撒在世所剩下的孌
四七 四八 童、都從國中除去了。四七那時以東沒有王、有總督治理。四八約
沙法製造他施船隻、要往俄斐去、將金子運來。只是沒
四九 有去。因爲船在以旬迦別破壞了。四九亞哈的兒子亞哈謝
對約沙法說、容我的僕人和你的僕人坐船同去罷。約
五十 沙法卻不肯。五十約沙法與列祖同睡、葬在大衛城他列祖
的墳地裏。他兒子約蘭接續他作王。

亞哈謝作以色列王

五一 五一猶大王約沙法十七年、亞哈的兒子亞哈謝在撒瑪利
五二 亞登基、作以色列王共二年。五二他行耶和華眼中看爲惡
五三 的事、效法他的父母、又行尼八的兒子耶羅波安使以
色列人陷在罪裏的事。五三他照他父親一切所行的事奉
敬拜巴力、惹耶和華以色列 神的怒氣。

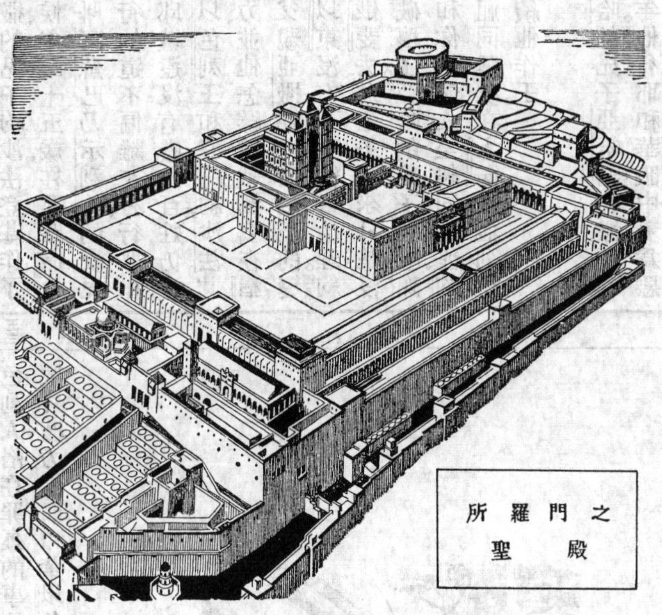

所羅門之聖殿

列王紀下

第一章 亞哈謝之使遇以利亞

一 二 亞哈死後、摩押背叛以色列。亞哈謝在撒
瑪利亞、一日從樓上的欄杆裏掉下來、就病了。於是差
遣使者、說、你們去問以革倫的神巴力西卜、我這病能
三 好不能好。但耶和華的使者對提斯比人以利亞說、你
起來去迎着撒瑪利亞王的使者、對他們說、你們去問
四 以革倫神巴力西卜、豈因以色列中沒有神麼。所以
耶和華如此說、你必不下你所上的牀、必定要死。以利
五 亞就去了。〇使者回來見王、王問他們說、你們爲甚麼
六 回來呢。使者回答說、有一個人迎着我們來、對我們說、
你們回去見差你們來的王、對他說、耶和華如此說、你
差人去問以革倫神巴力西卜、豈因以色列中沒有
七 神麼。所以你必不下所上的牀、必定要死。王問他們說、
八 迎着你們來告訴你們這話的、是怎樣的人。回答說、他
身穿毛衣、腰束皮帶。王說、這必是提斯比人以利亞。〇
九 於是王差遣五十夫長、帶領五十人去見以利亞、他就
上到以利亞那裏。以利亞正坐在山頂上。五十夫長對
十 他說、神人哪、王吩咐你下來。以利亞回答說、我若是神
人願火從天上降下來、燒滅你和你那五十人。於是有
十一 火從天上降下來、燒滅五十夫長、和他那五十人。王第
二次差遣一個五十夫長、帶領五十人去見以利亞。五
十二 十夫長對以利亞說、神人哪、王吩咐你快快下來。以利
亞回答說、我若是神人、願火從天上降下來、燒滅你和
你那五十人。於是 神的火從天上降下來、燒滅五十
十三 夫長和他那五十人。王第三次差遣一個五十夫長、帶
領五十人去。這五十夫長上去雙膝跪在以利亞面前、
哀求他、說、神人哪、願我的性命、和你這五十個僕人的
十四 性命在你眼前看爲寶貴。已經有火從天上降下來、燒
滅前兩次來的五十夫長、和他們各自帶的五十人。現
十五 在願我的性命在你眼前看爲寶貴。耶和華的使者對
以利亞說、你同着他下去、不要怕他。以利亞就起來、同
十六 着他下去、見王。對王說、耶和華如此說、你差人去問以
革倫神巴力西卜、豈因以色列中沒有 神可以求問
麼。所以你必不下所上的牀、必定要死。

亞哈謝死約蘭繼位

十七 十七亞哈謝果然死了、正如耶和華藉以利亞所說的話．因
他沒有兒子、他兄弟約蘭接續他作王、正在猶大王約
十八 沙法的兒子約蘭第二年。十八亞哈謝其餘所行的事、都寫
在以色列諸王記上。

以利沙求感以利亞之靈加倍感己

第二章

一 一耶和華要用旋風接以利亞昇天的時候、
二 以利亞與以利沙從吉甲前往。二以利亞對以利沙說、耶
和華差我往伯特利去、你可以在這裏等候．以利沙說、
我指着永生的耶和華、又敢在你面前起誓、我必不離
三 開你。於是二人下到伯特利。三住伯特利的先知門徒出
來見以利沙、對他說、耶和華今日要接你的師傅離開
四 你、你知道不知道。他說、我知道．你們不要作聲。四以利亞
對以利沙說、耶和華差遣我往耶利哥去、你可以在這
裏等候．以利沙說、我指着永生的耶和華、又敢在你面
五 前起誓、我必不離開你。於是二人到了耶利哥。五住耶利
哥的先知門徒就近以利沙、對他說、耶和華今日要接
你的師傅離開你．你知道不知道。他說、我知道．你們不
六 要作聲。六以利亞對以利沙說、耶和華差遣我往約但河
去、你可以在這裏等候．以利沙說、我指着永生的耶和
華、又敢在你面前起誓、我必不離開你。於是二人一同
七 前往。七有先知門徒去了五十人、遠遠的站在他們對面．
八 二人在約但河邊站住。八以利亞將自己的外衣捲起來、
九 用以打水、水就左右分開、二人走乾地而過。九過去之後、
以利亞對以利沙說、我未曾被接去離開你、你要我爲
你作甚麼、只管求我。以利沙說、願感動你的靈加倍的
十 感動我。十以利亞說、你所求的難得、雖然如此、我被接去
離開你的時候、你若看見我、就必得着．不然、必得不着
了。

以利亞乘旋風昇天

十一 十一他們正走着說話、忽有火車火馬、將二人隔開、以利亞
十二 就乘旋風昇天去了。十二以利沙看見、就呼叫說、我父阿、我
父阿、以色列的戰車馬兵阿。◯以後不再見他了．於是
十三 以利沙把自己的衣服撕爲兩片。十三他拾起以利亞身上
十四 掉下來的外衣、回去站在約但河邊。十四他用以利亞身上
掉下來的外衣、打水、說、耶和華以利亞的神在那裏

呢。打水之後、水也左右分開、以利沙就過來了。
先知徒遣人尋以利亞三日弗遇
十五 住耶利哥的先知門徒從對面看見他、就說、感動以利
亞的靈感動以利沙了。他們就來迎接他、在他面前俯
十六 伏於地、對他說、十六 僕人們這裏有五十個壯士、求你容他
們去尋找你師傅、或者耶和華的靈將他提起來、投在
十七 某山某谷。以利沙說、你們不必打發人去。十七 他們再三催
促他、他難以推辭、就說、你們打發人去罷。他們便打發
十八 五十人去尋找了三天、也沒有找着。十八 以利沙仍然在耶
利哥、等候他們回到他那裏。他對他們說、我豈沒有告
訴你們、不必去麼。
以利沙在耶利哥行奇事
十九 耶利哥城的人對以利沙說、這城的地勢美好、我主看
二十 見了、只是水惡劣、土產不熟而落。二十 以利沙說、你們拿一
二一 個新瓶來裝鹽給我。他們就拿來給他。二一 他出到水源、將
鹽倒在水中、說、耶和華如此說、我治好了這水、從此必
二二 不再使人死、也不再使地土不生產。二二 於是那水治好了、
二三 直到今日、正如以利沙所說的。○二三 以利沙從那裏上伯

特利去。正上去的時候、有些童子從城裏出來、戲笑他、
二四 說、禿頭的上去罷、禿頭的上去罷。二四 他回頭看見、就奉耶
和華的名咒詛他們。於是有兩個母熊從林中出來、撕
二五 裂他們中間四十二個童子。二五 以利沙從伯特利上迦密
山、又從迦密山回到撒瑪利亞。

第三章

摩押王米沙叛

一 猶大王約沙法十八年、亞哈的兒子約蘭
二 在撒瑪利亞登基、作了以色列王十二年。二 他行耶和華
眼中看爲惡的事、但不至像他父母所行的、因爲除掉
三 他父所造巴力的柱像。三 然而他貼近尼八的兒子耶羅
四 波安使以色列人陷在罪裏的那罪、總不離開。○四 摩押
王米沙牧養許多羊、每年將十萬羊羔的毛和十萬公
五 綿羊的毛、給以色列王進貢。五 亞哈死後、摩押王背叛以
六 七 色列王。六 那時約蘭王出撒瑪利亞、數點以色列眾人。七 前
行的時候、差人去見猶大王約沙法、說、摩押王背叛我、
你肯同我去攻打摩押麼。他說、我肯上去、你我不分彼
八 此、我的民與你的民一樣、我的馬與你的馬一樣。八 約蘭
說、我們從那條路上去呢。回答說、從以東曠野的路上

去。

三王合攻摩押

九於是以色列王、和猶大王、並以東王、都一同去繞行七
日的路程．軍隊和所帶的牲畜沒有水喝。十以色列王說、
哀哉、耶和華招聚我們這三王、乃要交在摩押人的手
裏。十一約沙法說、這裏不是有耶和華的先知麼．我們可以
託他求問耶和華。以色列王的一個臣子回答說、這裏
有沙法的兒子以利沙、就是從前服事以利亞的。(原文作倒水在以利亞手上的)
十二約沙法說、他必有耶和華的話。於是以色列
王、和約沙法、並以東王、都下去見他。

以利沙之訓導與豫言

十三以利沙對以色列王說、我與你何干．去問你父親的先
知、和你母親的先知罷。以色列王對他說、不要這樣說、
耶和華招聚我們這三王、乃要交在摩押人的手裏。十四以
利沙說、我指着所事奉永生的萬軍耶和華起誓、我若
不看猶大王約沙法的情面、必不理你、不顧你。十五現在你
們給我找一個彈琴的來。彈琴的時候、耶和華的靈(原文作手)
就降在以利沙身上。十六他便說、耶和華如此說、你們要
在這谷中滿處挖溝。十七因為耶和華如此說、你們雖不見
風、不見雨、這谷必滿了水、使你們、和牲畜有水喝。十八在耶
和華眼中這還算為小事．他也必將摩押人交在你們
手中。十九你們必攻破一切堅城美邑、砍伐各種佳樹、塞住
一切水泉、用石頭蹧蹋一切美田。二十次日早晨、約在獻祭
的時候、有水從以東而來、遍地就滿了水。

摩押人敗遁

二一摩押眾人聽見這三王上來、要與他們爭戰、凡能頂盔
貫甲的、無論老少、盡都聚集站在邊界上。二二次日早晨日
光照在水上．摩押人起來、看見對面水紅如血、二三就說、這
是血阿．必是三王互相擊殺、俱都滅亡．摩押人哪、我們
現在去搶奪財物罷。二四摩押人到了以色列營、以色列人
就起來攻打他們、以致他們在以色列人面前逃跑．以
色列人往前追殺摩押人、直殺入摩押的境內。二五拆毀摩
押的城邑．各人拋石塡滿一切美田、塞住一切水泉、砍
伐各種佳樹、只剩下吉珥哈列設的石牆．甩石的兵在
四圍攻打那城。二六摩押王見陣勢甚大、難以對敵、就率領
七百拿刀的兵、要衝過陣去到以東王那裏、卻是不能．

二七 便將那應當接續他作王的長子、在城上獻爲燔祭。以
色列人遭遇耶和華的大怒。或作招人痛恨 於是三王離開摩
押王、各回本國去了。

第四章 以利沙爲嫠婦行奇事

一 有一個先知門徒的妻、哀求以利沙說、你
僕人我丈夫死了．他敬畏耶和華是你所知道的．現在
有債主來、要取我兩個兒子作奴僕。二 以利沙問他說、我
可以爲你作甚麼呢．你告訴我、你家裏有甚麼．他說、婢
女家中除了一瓶油之外、沒有甚麼。三 以利沙說、你去向
你衆鄰舍借空器皿．不要少借．四 回到家裏、關上門、你和
你兒子在裏面、將油倒在所有的器皿裏、倒滿了的放
在一邊。五 於是婦人離開以利沙去了、關上門、自己和兒
子在裏面、兒子把器皿拿來、他就倒油．六 器皿都滿了、他
對兒子說、再給我拿器皿來．兒子說、再沒有器皿了．油
就止住了。七 婦人去告訴神人．神人說、你去賣油還債、所
剩的、你和你兒子可以靠着度日。

書念婦接待以利沙

八 一日以利沙走到書念．在那裏有一個大戶的婦人、強
留他喫飯。此後、以利沙每從那裏經過、就進去喫飯。九 婦
人對丈夫說、我看出那常從我們這裏經過的、是聖潔
的神人。十 我們可以爲他在牆上蓋一間小樓、在其中安
放牀榻、桌子、椅子、燈臺．他來到我們這裏、就可以住在
其間。十一 一日、以利沙來到那裏、就進了那樓躺臥。十二 以利沙
吩咐僕人基哈西說、你叫這書念婦人來．他就把婦人
叫了來、婦人站在以利沙面前。十三 以利沙吩咐僕人說、你
對他說、你既爲我們費了許多心思、可以爲你作甚麼
呢．你向王、或元帥、有所求的沒有．他回答說、我在我本
鄉安居無事。十四 以利沙對僕人說、究竟當爲他作甚麼呢。
基哈西說、他沒有兒子、他丈夫也老了。十五 以利沙說、再叫
他來．於是叫了他來、他就站在門口。十六 以利沙說、明年到
這時候、你必抱一個兒子。他說、神人、我主阿、不要那樣
欺哄婢女。

書念婦生子

十七 婦人果然懷孕、到了那時候、生了一個兒子、正如以利
沙所說的。

子死以利沙甦之

十八 十九 孩子漸漸長大、一日到他父親和收割的人那裏。他對
父親說、我的頭阿、我的頭阿。他父親對僕人說、把他抱
二十 到他母親那裏。僕人抱去、交給他母親、孩子坐在母親
二一 的膝上、到晌午就死了。他母親抱他上了樓、將他放在
二二 神人的牀上、關上門出來、呼叫他丈夫說、你叫一個僕
二三 人給我牽一匹驢來、我要快快的去見神人就回來。丈
夫說今日不是月朔也不是安息日、你為何要去見他
二四 呢。婦人說、平安無事。於是備上驢、對僕人說、你快快趕
二五 着走。我若不吩咐你、就不要遲慢。婦人就往迦密山去
見神人。○神人遠遠的看見他、對僕人基哈西說、看哪、
二六 書念的婦人來了。你跑去迎接他、問他說、你平安麼、你
二七 丈夫平安麼、孩子平安麼。他說、平安。婦人上了山、到神
人那裏、就抱住神人的腳。基哈西前來要推開他。神人
說、由他罷、因為他心裏愁苦、耶和華向我隱瞞、沒有指
二八 示我。婦人說、我何嘗向我主求過兒子呢。我豈沒有說
二九 過、不要欺哄我麼。以利沙吩咐基哈西說、你束上腰、手
拿我的杖前去、若遇見人、不要向他問安、人若向你問

三十 安、也不要回答。要把我的杖放在孩子臉上。孩子的母
親說、我指着永生的耶和華、又敢在你面前起誓、我必
三一 不離開你。於是以利沙起身、隨着他去了。基哈西先去、
把杖放在孩子臉上、卻沒有聲音、也沒有動靜。基哈西
就迎着以利沙回來、告訴他說、孩子還沒有醒過來。○
三二 以利沙來到、進了屋子、看見孩子死了、放在自己的牀
三三 上。他就關上門、只有自己和孩子在裏面、他便祈禱耶
三四 和華。上牀伏在孩子身上、口對口、眼對眼、手對手、既伏
三五 在孩子身上、孩子的身體就漸漸溫和了。然後他下來、
在屋裏來往走了一趟、又上去伏在孩子身上、孩子打
三六 了七個噴嚏、就睜開眼睛了。以利沙叫基哈西說、你叫
這書念婦人來。於是叫了他來。以利沙說、將你兒子抱
三七 起來。婦人就進來、在以利沙腳前俯伏於地、抱起他兒
子出去了。

先知徒中毒以利沙解之

三八 以利沙又來到吉甲、那地正有饑荒。先知門徒坐在他
面前。他吩咐僕人說、你將大鍋放在火上、給先知門徒
三九 熬湯。有一個人去到田野掐菜、遇見一棵野瓜藤、就摘

四十 了一兜野瓜、回來切了、擱在熬湯的鍋中．因爲他們不
知道是甚麽東西．[四十]倒出來給衆人喫、喫的時候、都喊叫
四一 說、神人哪、鍋中有致死的毒物。所以衆人不能喫了。[四一]以
利沙說、拿點麵來、就把麵撒在鍋中、說、倒出來、給衆人
喫罷．鍋中就沒有毒了。

以二十餅飽百人

四二 [四二]有一個人從巴力沙利沙來、帶着初熟大麥作的餅二
十個、並新穗子、裝在口袋裏、送給神人．神人說、把這些
四三 給衆人喫。[四三]僕人說、這一點豈可擺給一百人喫呢．以利
沙說、你只管給衆人喫罷．因爲耶和華如此說、衆人必
四四 喫了、還剩下。[四四]僕人就擺在衆人面前、他們喫了、果然還
剩下、正如耶和華所說的。

乃縵患大痲瘋求治於以利沙

第五章

一 [一]亞蘭王的元帥乃縵在他主人面前爲尊
爲大、因耶和華曾藉他使亞蘭人得勝．他又是大能的
二 勇士、只是長了大痲瘋。[二]先前亞蘭人成羣的出去、從以
三 色列國擄了一個小女子．這女子就服事乃縵的妻。[三]他
對主母說、巴不得我主人去見撒瑪利亞的先知．必能
四 治好他的大痲瘋。[四]乃縵進去、告訴他主人說、以色列國
五 的女子如此如此說。[五]亞蘭王說、你可以去、我也達信於
以色列王。於是乃縵帶銀子十他連得、金子六千舍客
六 勒、衣裳十套、就去了．[六]且帶信給以色列王、信上說、我打
發臣僕乃縵去見你、你接到這信、就要治好他的大痲
七 瘋。[七]以色列王看了信、就撕裂衣服、說、我豈是　神能使
人死使人活呢。這人竟打發人來、叫我治好他的大痲
瘋。你們看一看、這人何以尋隙攻擊我呢．

浴於約但河得潔

八 [八]神人以利沙聽見以色列王撕裂衣服、就打發人去見
王、說、你爲甚麽撕了衣服呢．可使那人到我這裏來．他
九 就知道以色列中有先知了。[九]於是乃縵帶着車馬到了
十 以利沙的家、站在門前．[十]以利沙打發一個使者、對乃縵
說、你去在約但河中沐浴七回、你的肉就必復原、而得
十一 潔淨。[十一]乃縵卻發怒走了、說、我想他必定出來見我、站着
求告耶和華他　神的名、在患處以上搖手、治好這大
十二 痲瘋。[十二]大馬色的河、亞罷拿和法珥法、豈不比以色列的
一切水更好麽．我在那裏沐浴不得潔淨麽．於是氣忿

忿的轉身去了。十三他的僕人進前來、對他說、我父阿、先知
若吩咐你作一件大事、你豈不作麼．何況說你去沐浴、
而得潔淨呢。十四於是乃縵下去、照着神人的話．在約但河
裏沐浴七回、他的肉復原、好像小孩子的肉、他就潔淨
了。

乃縵餽物以利沙不受

十五乃縵帶着一切跟隨他的人、回到神人那裏、站在他面
前說、如今我知道、除了以色列之外、普天下沒有　神．
現在求你收點僕人的禮物。十六以利沙說、我指着所事奉
永生的耶和華起誓、我必不受。乃縵再三的求他、他卻
不受。十七乃縵說、你若不肯受、請將兩騾子馱的土賜給僕
人．從今以後、僕人必不再將燔祭、或平安祭、獻與別神、
只獻給耶和華。十八惟有一件事、願耶和華饒恕你僕人．我
主人進臨門廟叩拜的時候、我用手攙他在臨門廟、我
也屈身．我在臨門廟屈身的這事、願耶和華饒恕我。十九以
利沙對他說、你可以平平安安的回去。乃縵就離開他
去了、走了不遠。

基哈西之貪冒

二十神人以利沙的僕人基哈西心裏說、我主人不願從這
亞蘭人乃縵手裏受他帶來的禮物．我指着永生的耶
和華起誓、我必跑去追上他、向他要些。二一於是基哈西追
趕乃縵。乃縵看見有人追趕、就急忙下車迎着他、說、都
平安麼。二二說、都平安。我主人打發我來說、剛纔有兩個少
年人、是先知門徒、從以法蓮山地來見我．請你賜他們
一他連得銀子、兩套衣裳。二三乃縵說、請受二他連得．再三
的請受、便將二他連得銀子裝在兩個口袋裏、又將兩
套衣裳交給兩個僕人、他們就在基哈西前頭抬着走。二四
到了山岡、基哈西從他們手中接過來、放在屋裏、打發
他們回去。

得財致患大痳瘋

二五基哈西進去、站在他主人面前。以利沙問他說、基哈西
你從那裏來．回答說、僕人沒有往那裏去。二六以利沙對他
說、那人下車轉回迎你的時候、我的心豈沒有去呢．這
豈是受銀子、衣裳、買橄欖園、葡萄園、牛羊、僕婢的時候
呢。二七因此乃縵的大痳瘋必沾染你、和你的後裔、直到永

遠。基哈西從以利沙面前退出去、就長了大痲瘋、像雪
那樣白…
第六章 一先知門徒對以利沙說、看哪、我們同你所
住的地方過於窄小。二求你容我們往約但河去、各人從
那裏取一根木料、建造房屋居住。他說、你們去罷。三有一
人說、求你與僕人同去。回答說、我可以去。四於是以利沙
與他們同去。到了約但河、就砍伐樹木。五有一人砍樹的
時候、斧頭掉在水裏。他就呼叫說、哀哉、我主阿、這斧子
是借的。六神人問說、掉在那裏了。他將那地方指給以利
沙看。以利沙砍了一根木頭、抛在水裏、斧頭就漂上來
了。七以利沙說、拿起來罷。那人就伸手拿起來了。

亞蘭人圍多坍

八亞蘭王與以色列人爭戰、和他的臣僕商議說、我要在
某處某處安營。九神人打發人去見以色列王、說、你要謹
慎、不要從某處經過、因為亞蘭人從那裏下來了。十以色
列王差人去窺探神人所告訴所警戒他去的地方、就
防備未受其害、不止一兩次。十一亞蘭王因這事心裏驚疑、
召了臣僕來、對他們說、我們這裏有誰幫助以色列王。
你們不指給我麼。十二有一個臣僕說、我主、我王。無人幫助
他、只有以色列中的先知以利沙、將王在臥房所說的
話告訴以色列王了。十三王說、你們去探他在那裏、我好打
發人去捉拿他。有人告訴王說、他在多坍。〇十四王就打發
車馬、和大軍、往那裏去。夜間到了、圍困那城。

以利沙慰安其僕

十五神人的僕人清早起來出去、看見車馬軍兵圍困了城。
僕人對神人說、哀哉、我主阿、我們怎樣行纔好呢。十六神人
說、不要懼怕、與我們同在的比與他們同在的更多。十七以
利沙禱告說、耶和華阿、求你開這少年人的眼目、使他
能看見。耶和華開他的眼目、他就看見滿山有火車火
馬圍繞以利沙。十八敵人下到以利沙那裏、以利沙禱告耶
和華說、求你使這些人的眼目昏迷。耶和華就照以利
沙的話、使他們的眼目昏迷。

領敵入邑以飲食之

十九以利沙對他們說、這不是那道、也不是那城。你們跟我
去、我必領你們到所尋找的人那裏。於是領他們到了
撒瑪利亞。〇二十他們進了撒瑪利亞、以利沙禱告說、耶和

華阿、求你開這些人的眼目、使他們能看見。耶和華開
他們的眼目、他們就看見了．不料、是在撒瑪利亞的城
二一 中。二一以色列王見了他們、就問以利沙說、我父阿、我可以
二二 擊殺他們麼。二二回答說、不可擊殺他們．就是你用刀用弓
擄來的、豈可擊殺他們麼。(或作也不可擊殺何況這些人呢)當在他們
二三 面前設擺飲食、使他們喫喝、回到他們的主人那裏。二三王
就為他們豫備了許多食物．他們喫喝完了、打發他們
回到他們主人那裏。從此、亞蘭軍不再犯以色列境了。

亞蘭王圍撒瑪利亞

二四 二四此後、亞蘭王便哈達聚集他的全軍、上來圍困撒瑪利
二五 亞。二五於是撒瑪利亞被圍困．有饑荒、甚至一個驢頭值銀
八十舍客勒、二升鴿子糞值銀五舍客勒。

邑人絕糧易子而食

二六 二六一日、以色列王在城上經過、有一個婦人向他呼叫說、
二七 我主、我王阿、求你幫助。二七王說、耶和華不幫助你、我從何
二八 處幫助你．是從禾塲、是從酒醡呢。二八王問婦人說、你有甚
麼苦處．他回答說、這婦人對我說、將你的兒子取來、我
二九 們今日可以喫、明日可以喫我的兒子。二九我們就煮了我
的兒子喫了。次日我對他說、要將你的兒子取來、我們
三十 可以喫他．他卻將他的兒子藏起來了。三十王聽見婦人的話、
就撕裂衣服．(王在城上經過)百姓看見王貼身穿
三一 着麻衣。三一王說、我今日若容沙法的兒子以利沙的頭仍
三二 在他項上、願神重重的降罰與我。○三二那時以利沙正
坐在家中、長老也與他同坐．王打發一個伺候他的人
去．他還沒有到、以利沙對長老說、你們看這兇手之子、
打發人來斬我的頭．你們看着使者來到、就關上門、用
門將他推出去．在他後頭不是有他主人脚步的響聲
三三 麼。三三正說話的時候、使者來到王也到了、說、這災禍是從
耶和華那裏來的．我何必再仰望耶和華呢。

以利沙豫言撒瑪利亞將豐裕

一 **第七章**　以利沙說、你們要聽耶和華的話．耶和華
如此說、明日約到這時候、在撒瑪利亞城門口、一細亞
細麵要賣銀一舍客勒、二細亞大麥也要賣銀一舍客
二 勒。二有一個攙扶王的軍長、對神人說、即便耶和華使天
開了窗戶、也不能有這事。以利沙說、你必親眼看見、卻
不得喫。

四癩者報敵已遁

三在城門那裏有四個長大痲瘋的人．他們彼此說、我們
四 為何坐在這裏等死呢。四我們若說、進城去罷、城裏有饑
荒、必死在那裏．若在這裏坐着不動、也必是死。來罷、我
們去投降亞蘭人的軍隊．他們若留我們的活命、就活
五 着．若殺我們、就死了罷。五黃昏的時候、他們起來往亞蘭
六 人的營盤去．到了營邊、不見一人在那裏。六因為主使亞
蘭人的軍隊聽見車馬的聲音、是大軍的聲音．他們就
彼此說、這必是以色列王賄買赫人的諸王、和埃及人
七 的諸王、來攻擊我們。七所以在黃昏的時候、他們起來逃
八 跑、撇下帳棚、馬、驢、營盤照舊、只顧逃命。八那些長大痲瘋
的到了營邊、進了帳棚、喫了、喝了、且從其中拿出金銀、
和衣服來、去收藏了．回來又進了一座帳棚、從其中拿
九 出財物來、去收藏了。○九那時他們彼此說、我們所作的
不好．今日是有好信息的日子、我們竟不作聲．若等到
十 天亮、罪必臨到我們．來罷、我們與王家報信去。十他們就
去叫守城門的、告訴他們說、我們到了亞蘭人的營．不
見一人在那裏、也無人聲、只有拴着的馬、和驢、帳棚都
十一 照舊。十一守城門的叫了眾守門的人來．他們就進去、與王
十二 家報信。十二王夜間起來、對臣僕說、我告訴你們亞蘭人向
我們如何行．他們知道我們飢餓、所以離營、埋伏在田
野、說、以色列人出城的時候、我們就活捉他們、得以進
十三 城。十三有一個臣僕對王說、我們不如用城裏剩下之馬中
的五匹馬、（馬和城裏剩下的以色列人都是一樣．快
十四 要滅絕）打發人去窺探。十四於是取了兩輛車和馬．王差
十五 人去追尋亞蘭軍、說、你們去窺探窺探．他們就追尋到
約但河、看見滿道上都是亞蘭人急跑時丟棄的衣服
器具．使者就回來報告王。

豫言應驗

十六眾人就出去、擄掠亞蘭人的營盤．於是一細亞細麵賣
銀一舍客勒、二細亞大麥也賣銀一舍客勒、正如耶和
十七 華所說的。十七王派攙扶他的那軍長在城門口彈壓眾人
在那裏將他踐踏、他就死了、正如神人在王下來見他
十八 的時候所說的。十八神人曾對王說、明日約到這時候、在撒
瑪利亞城門口、二細亞大麥要賣銀一舍客勒、一細亞
十九 細麵也要賣銀一舍客勒。十九那軍長對神人說、即便耶和

華使天開了窗戶、也不能有這事。神人說、你必親眼看
二十 見、卻不得喫。二十這話果然應驗在他身上、因為眾人在城
門口將他踐踏、他就死了。

第八章

王聞書念婦事命反其業

一 以利沙曾對所救活之子的那婦人說、你
和你的全家、要起身往你可住的地方去住．因為耶和
二 華命饑荒降在這地七年。二婦人就起身、照神人的話、帶
三 着全家往非利士地去、住了七年。三七年完了、那婦人從
四 非利士地回來、就出去為自己的房屋田地哀告王。四那
時王正與神人的僕人基哈西說、請你將以利沙所行
五 的一切大事告訴我。五基哈西告訴王以利沙如何使死
人復活、恰巧以利沙所救活他兒子的那婦人、為自己
的房屋田地來哀告王。基哈西說、我主我王、這就是那
六 婦人、這是他的兒子、就是以利沙所救活的。六王問那婦
人、他就把那事告訴王。於是王為他派一個太監、說、凡
屬這婦人的、都還給他、自從他離開本地、直到今日、他
田地的出產、也都還給他。

便哈達遘疾

七 以利沙來到大馬色．亞蘭王便哈達正患病．有人告訴
八 王說、神人來到這裏了。八王就吩咐哈薛說、你帶着禮物
九 去見神人、託他求問耶和華、我這病能好不能好。九於是
哈薛用四十個駱駝、馱着大馬色的各樣美物為禮物、
去見以利沙．到了他那裏、站在他面前、說、你兒子亞蘭
王便哈達打發我來見你、他問說、我這病能好不能好。
十 以利沙對哈薛說、你回去告訴他說、這病必能好．但耶
十一 和華指示我他必要死。十一神人定睛看着哈薛、甚致他慚
十二 愧．神人就哭了。十二哈薛說、我主為甚麼哭．回答說、因為我
知道你必苦害以色列人．用火焚燒他們的保障、用刀
殺死他們的壯丁、摔死他們的嬰孩、剖開他們的孕婦。
十三 哈薛說、你僕人算甚麼、不過是一條狗．焉能行這大事
十四 呢。以利沙回答說、耶和華指示我、你必作亞蘭王。十四哈薛
離開以利沙、回去見他的主人．主人問他說、以利沙對
你說甚麼．回答說、他告訴我你必能好。

便哈達被弒

十五 次日哈薛拿被窩、浸在水中、蒙住王的臉、王就死了．於

是哈薛篡了他的位。

約蘭作猶大王

十六 十六以色列王亞哈的兒子約蘭第五年、猶大王約沙法還
十七 在位的時候、約沙法的兒子約蘭登基、作了猶大王。十七約
十八 蘭登基的時候年三十二歲．在耶路撒冷作王八年。十八他
行以色列諸王所行的、與亞哈家一樣．因爲他娶了亞
十九 哈的女兒爲妻、行耶和華眼中看爲惡的事。十九耶和華卻
因他僕人大衛的緣故、仍不肯滅絕猶大、照他所應許
二十 大衛的話、永遠賜燈光與他的子孫。◯二十約蘭年間、以東
二一 人背叛猶大、脫離他的權下、自己立王。二一約蘭率領所有
的戰車、往撒益去．夜間起來、攻打圍困他的以東人和
二二 車兵長．猶大兵就逃跑、各回各家去了。二二這樣、以東人背
叛猶大、脫離他的權下、直到今日。那時立拿人也背叛
二三 了。二三約蘭其餘的事、凡他所行的、都寫在猶大列王記上。
二四 二四約蘭與他列祖同睡、葬在大衛城他列祖的墳地裏．他
二五 兒子亞哈謝接續他作王。◯二五以色列王亞哈的兒子約
二六 蘭十二年、猶大王約蘭的兒子亞哈謝登基。二六他登基的
時候、年二十二歲、在耶路撒冷作王一年．他母親名叫

二七 亞他利雅、是以色列王暗利的孫女。二七亞哈謝效法亞哈
家行耶和華眼中看爲惡的事、與亞哈家一樣．因爲他
二八 是亞哈家的女婿。二八他與亞哈的兒子約蘭同往基列的
二九 拉末去、與亞蘭王哈薛爭戰．亞蘭人打傷了約蘭。二九約蘭
王回到耶斯列、醫治在拉末與亞蘭王哈薛打仗的時
候所受的傷。猶大王約蘭的兒子亞哈謝因爲亞哈的
兒子約蘭病了、就下到耶斯列看望他。

第九章　以利沙遣徒詣耶戶

一 一先知以利沙叫了一個先知門徒來、吩咐
二 他說、你束上腰、手拿這瓶膏油往基列的拉末去。二到了
那裏、要尋找寧示的孫子約沙法的兒子耶戶、使他從
三 同僚中起來、帶他進嚴密的屋子、三將瓶裏的膏油倒在
他頭上、說、耶和華如此說、我膏你作以色列王。說完了
四 就開門逃跑、不要遲延。四於是那少年先知往基列的拉
末去了。

耶戶爲以色列王

五 五到了那裏、看見衆軍長都坐着、就說、將軍哪、我有話對
你說。耶戶說、我們衆人裏、你要對那一個說呢．回答說、

六 將軍哪、我要對你說。耶戶就起來、進了屋子、少年人將
膏油倒在他頭上、對他說、耶和華以色列的神如此
七 說、我膏你作耶和華民以色列的王。你要擊殺你主人
亞哈的全家、我好在耶洗別身上伸我僕人眾先知、和
八 耶和華一切僕人流血的寃。亞哈全家必都滅亡。凡屬
亞哈的男丁、無論是困住的、自由的、我必從以色列中
九 剪除。使亞哈的家像尼八兒子耶羅波安的家、又像亞
十 希雅兒子巴沙的家。耶洗別必在耶斯列田裏被狗所
十一 喫、無人葬埋。說完了、少年人就開門逃跑了。○耶戶出
來、回到他主人的臣僕那裏。有一人問他說、平安麼。這
狂妄的人來見你有甚麼事呢。回答說、你們認得那人、
十二 也知道他說甚麼。他們說、這是假話。你據實的告訴我
們。回答說、他如此如此對我說。他說、耶和華如此說、我
十三 膏你作以色列王。他們就急忙、各將自己的衣服鋪在
上層台階、使耶戶坐在其上。他們吹角、說、耶戶作王了。
十四 ○這樣、寧示的孫子、約沙法的兒子耶戶、背叛約蘭。先
是約蘭和以色列眾人、因為亞蘭王哈薛的緣故、把守
十五 基列的拉末。但約蘭王回到耶斯列、醫治與亞蘭王哈
辟打仗所受的傷。耶戶說、若合你們的意思、就不容人
十六 逃出城往耶斯列報信去。於是耶戶坐車往耶斯列去。
因為約蘭病臥在那裏。猶大王亞哈謝已經下去看望
十七 他。○有一個守望的人、站在耶斯列的樓上、看見耶戶
帶着一羣人來、就說、我看見一羣人。約蘭說、打發一個
十八 騎馬的去、迎接他們、問說、平安不平安。騎馬的就去、迎
接耶戶、說、王問說、平安不平安。耶戶說、平安不平安與
你何干、你轉在我後頭罷。守望的人又說、使者到了他
十九 們那裏、卻不回來。王又打發一個騎馬的去、這人到了
他們那裏、說、王問說、平安不平安。耶戶說、平安不平安
二十 與你何干。你轉在我後頭罷。守望的人又說、他到了他
們那裏、也不回來。車趕得甚猛、像寧示的孫子耶戶的
趕法。

射殺約蘭

二十一 約蘭吩咐說、套車。人就給他套車。以色列王約蘭、和猶
大王亞哈謝、各坐自己的車、出去迎接耶戶、在耶斯列
二十二 人拿伯的田那裏遇見他。約蘭見耶戶、就說、耶戶阿、平
安麼。耶戶說、你母親耶洗別的淫行邪術這樣多、焉能

二三 平安呢。二三約蘭就轉車逃跑、對亞哈謝說、亞哈謝阿、反了。
二四 二四耶戶開滿了弓、射中約蘭的脊背．箭從心窩穿出、約蘭
二五 就仆倒在車上。二五耶戶對他的軍長畢甲說、你把他拋在
耶斯列人拿伯的田間．你當追想、你我一同坐車跟隨
二六 他父亞哈的時候、耶和華對亞哈所說的豫言、說、二六我昨
日看見拿伯的血、和他衆子的血．我必在這塊田上報
應你．這是耶和華說的．現在你要照着耶和華的話、把
他拋在這田間。

擊殺亞哈謝

二七 二七猶大王亞哈謝見這光景、就從園亭之路逃跑．耶戶追
趕他說、把這人也殺在車上．到了靠近以伯蓮姑珥的
二八 坡上、擊傷了他．他逃到米吉多、就死在那裏。二八他的臣僕、
二九 用車將他的屍首送到耶路撒冷、葬在大衛城他自己
的墳墓裏、與他列祖同葬。○二九亞哈謝登基作猶大王的
時候、是在亞哈的兒子約蘭第十一年。

擲殺耶洗別

三十 三十耶戶到了耶斯列、耶洗別聽見、就擦粉、梳頭、從窗戶裏
三一 往外觀看。三一耶戶進門的時候、耶洗別說、殺主人的心利
三二 阿、平安麽。三二耶戶抬頭向窗戶觀看、說、誰順從我．有兩三
三三 個太監從窗戶往外看他。三三耶戶說、把他扔下來．他們就
把他扔下來、他的血濺在牆上、和馬上．於是把他踐踏
三四 了。三四耶戶進去、喫了喝了、吩咐說、你們把這被咒詛的婦
三五 人葬埋了．因為他是王的女兒。三五他們就去葬埋他、只尋
三六 得他的頭骨、和腳、並手掌。三六他們回去告訴耶戶．耶戶說、
三七 這正應驗耶和華藉他僕人提斯比人以利亞所說的
話、說、在耶斯列田間、狗必喫耶洗別的肉．三七耶洗別的屍
首必在耶斯列田間如同糞土、甚至人不能說、這是耶
洗別。

耶戶遺書耶斯列長老

一 **第十章** 亞哈有七十個兒子在撒瑪利亞。耶戶寫
信、送到撒瑪利亞、通知耶斯列的首領、就是長老、和教
二 養亞哈衆子的人、說、二你們那裏既有你們主人的衆子、
三 和車馬器械、堅固城、三接了這信、就可以在你們主人的
衆子中選擇一個賢能合宜的、使他坐他父親的位、你
四 們也可以為你們主人的家爭戰。四他們卻甚懼怕彼此
說、二王在他面前尚且站立不住、我們怎能站得住呢。

五家宰、邑宰、和長老、並教養衆子的人、打發人去見耶戶、
說、我們是你的僕人．凡你所吩咐我們的、都必遵行．我
們不立誰作王．你看怎樣好、就怎樣行。

戮亞哈衆子

六耶戶又給他們寫信說、你們若歸順我、聽從我的話、明
日這時候、要將你們主人衆子的首級、帶到耶斯列來
見我。那時王的兒子七十人、都住在教養他們那城中
的尊貴人家裏。七信一到、他們就把王的七十個兒子殺
了、將首級裝在筐裏、送到耶斯列耶戶那裏。八有使者來
告訴耶戶說、他們將王衆子的首級送來了。耶戶說、將
首級在城門口堆作兩堆、擱到明日。九次日早晨、耶戶出
來、站着對衆民說、你們都是公義的．我背叛我主人、將
他殺了．這些人卻是誰殺的呢。十由此可知、耶和華指着
亞哈家所說的話、一句沒有落空．因爲耶和華藉他僕
人以利亞所說的話、都成就了。十一凡亞哈家在耶斯列所
剩下的人、和他的大臣、密友、祭司、耶戶盡都殺了、沒有
留下一個。

戮亞哈謝昆弟

十二耶戶起身、往撒瑪利亞去．在路上、收人剪羊毛之處、遇十三
見猶大王亞哈謝的弟兄、問他們說、你們是誰．回答說
我們是亞哈謝的弟兄．現在下去、要問王和太后的衆
子安。十四耶戶吩咐說、活捉他們．跟從的人就活捉了他們、
將他們殺在剪羊毛之處的坑邊．共四十二人、沒有留
下一個。十五○耶戶從那裏前行、恰遇利甲的兒子約拿達、
來迎接他．耶戶問他安、對他說、你誠心待我、像我誠心
待你麼．約拿達回答說、是。耶戶說、若是這樣、你向我伸
手。他就伸手．耶戶拉他上車。十六耶戶說、你和我同去、看我
爲耶和華怎樣熱心。於是請他坐在車上。十七到了撒瑪利
亞、就把撒瑪利亞亞哈家剩下的人都殺了、直到滅盡、
正如耶和華對以利亞所說的。

計殺拜巴力者

十八耶戶招聚衆民、對他們說、亞哈事奉巴力還冷淡．耶戶
卻更熱心。十九現在我要給巴力獻大祭．應當叫巴力的衆
先知、和一切拜巴力的人、並巴力的衆祭司、都到我這
裏來．不可缺少一個．凡不來的必不得活。耶戶這樣行、

二十 是用詭計、要殺盡拜巴力的人。二十耶戶說、要為巴力宣告
二一 嚴肅會。於是宣告了。二一耶戶差人走遍以色列地、凡拜巴
力的人都來齊了、沒有一個不來的。他們進了巴力廟、
二二 巴力廟中從前邊直到後邊、都滿了人。二二耶戶吩咐掌管
禮服的人說、拿出禮服來、給一切拜巴力的人穿。他就
二三 拿出禮服來給了他們。二三耶戶和利甲的兒子約拿達進
了巴力廟、對拜巴力的人說、你們察看察看、在你們這
二四 裏不可有耶和華的僕人、只可容留拜巴力的人。二四耶戶
和約拿達進去、獻平安祭和燔祭。耶戶先安派八十人
在廟外、吩咐說、我將這些人交在你們手中、若有一人
二五 脫逃、誰放的、必叫他償命。◎二五耶戶獻完了燔祭、就出來、
吩咐護衛兵和眾軍長說、你們進去殺他們、不容一人
出來。護衛兵和軍長就用刀殺他們、將屍首拋出去、便
二六 到巴力廟的城去了。二六將巴力廟中的柱像都拿出來燒
二七 了。二七毀壞了巴力柱像、拆毀了巴力廟、作為廁所、直到今
二八 日。二八這樣耶戶在以色列中滅了巴力。

耶戶仍拜金犢

二九 二九只是耶戶不離開尼八的兒子耶羅波安使以色列人
三十 陷在罪裏的那罪、就是拜伯特利和但的金牛犢。三十耶和
華對耶戶說、因你辦好我眼中看為正的事、照我的心
意待亞哈家、你的子孫必接續你坐以色列的國位、直
三一 到四代。三一只是耶戶不盡心遵守耶和華以色列神的
律法、不離開耶羅波安使以色列人陷在罪裏的那罪。

哈薛攻以色列地

三二 三二在那些日子、耶和華纔割裂以色列國、使哈薛攻擊以
三三 色列的境界。三三乃是約但河東、基列全地、從靠近亞嫩谷
邊的亞羅珥起、就是基列和巴珊的迦得人、流便人、瑪
三四 拿西人之地。三四耶戶其餘的事、凡他所行的、和他的勇力、
三五 都寫在以色列諸王記上。三五耶戶與他列祖同睡、葬在撒
三六 瑪利亞。他兒子約哈斯接續他作王。三六耶戶在撒瑪利亞
作以色列王二十八年。

亞他利雅滅王室自立

第十一章

一 亞哈謝的母親亞他利雅見他兒子死
二 了、就起來剿滅王室。二但約蘭王的女兒亞哈謝的妹子
約示巴、將亞哈謝的兒子約阿施從那被殺的王子中
偷出來、把他和他的乳母、都藏在臥房裏、躲避亞他利

雅、免得被殺。三約阿施和他的乳母藏在耶和華的殿裏
六年。亞他利雅篡了國位。

耶何耶大與衆立約誓輔王子

四第七年、耶何耶大打發人叫迦利人(或作親兵)和護衛兵的
衆百夫長來、領他們進了耶和華的殿、與他們立約、使
他們在耶和華殿裏起誓、又將王的兒子指給他們看。
五吩咐他們說、你們當這樣行、凡安息日進班的三分之
一、要看守王宮。六三分之一、要在蘇珥門。三分之一、要在
護衛兵院的後門。這樣把守王宮、攔阻閒人。七你們安息
日所有出班的三分之二、要在耶和華的殿裏護衛王。
八各人手拿兵器、四圍護衛王。凡擅入你們班次的、必當
治死。王出入的時候、你們當跟隨他。九○衆百夫長就照
着祭司耶何耶大一切所吩咐的去行。各帶所管安息
日進班出班的人、來見祭司耶何耶大。十祭司便將耶和
華殿裏所藏大衛王的槍和盾牌、交給百夫長。十一護衛兵
手中各拿兵器、在壇和殿那裏、從殿右直到殿左、站在
王子的四圍。十二祭司領王子出來、給他戴上冠冕、將律法
書交給他、膏他作王。衆人就拍掌說、願王萬歲。

亞他利雅見殺

十三亞他利雅聽見護衛兵和民的聲音、就到民那裏、進耶
和華的殿。十四看見王照例站在柱旁、百夫長和吹號的人
侍立在王左右、國中的衆民歡樂吹號。亞他利雅就撕
裂衣服、喊叫說、反了、反了。十五祭司耶何耶大吩咐管轄軍
兵的百夫長說、將他趕出班外。凡跟隨他的、必用刀殺
死。因為祭司說、不可在耶和華殿裏殺他。十六衆兵就閃開
讓他去。他從馬路上王宮去、便在那裏被殺。

耶何耶大使王與民崇事耶和華

十七耶何耶大使王和民與耶和華立約、作耶和華的民。又
使王與民立約。十八於是國民都到巴力廟、拆毀了廟、打碎
壇和像。又在壇前將巴力的祭司瑪坦殺了。祭司耶何
耶大派官看守耶和華的殿。十九又率領百夫長和迦利人
(或作親兵)與護衛兵、以及國中的衆民、請王從耶和華殿下
來、由護衛兵的門進入王宮。他就坐了王位。二十國民都歡
樂、闔城都安靜。衆人已將亞他利雅在王宮那裏用刀
殺了。○二十一約阿施登基的時候、年方七歲。

第十二章

約阿施作猶大王

一 一耶戶第七年、約阿施登基、在耶路撒冷
二 作王四十年．他母親名叫西比亞、是別是巴人。二約阿施
在祭司耶何耶大教訓他的時候、就行耶和華眼中看
三 為正的事．三只是邱壇還沒有廢去、百姓仍在那裏獻祭
燒香。

命修葺聖殿

四 四約阿施對眾祭司說、凡奉到耶和華殿分別為聖之物
所值通用的銀子、或各人當納的身價、或樂意奉到耶
五 和華殿的銀子、五你們當從所認識的人收了來、修理殿
六 的一切破壞之處。六無奈到了約阿施王二十三年、祭司
七 仍未修理殿的破壞之處。七所以約阿施王召了大祭司
耶何耶大、和眾祭司來、對他們說、你們怎麼不修理殿
的破壞之處呢．從今以後、你們不要從所認識的人再
八 收銀子、要將所收的交出來、修理殿的破壞之處．八眾祭
司答應不再收百姓的銀子、也不修理殿的破壞之處。
九 ○九祭司耶何耶大取了一個櫃子、在櫃蓋上鑽了一個
窟窿、放於壇旁、在進耶和華殿的右邊．守門的祭司將
十 奉到耶和華殿的一切銀子投在櫃裏。十他們見櫃裏的
銀子多了、便叫王的書記和大祭司上來、將耶和華殿
十一 裏的銀子數算包起來。十一把所平的銀子交給督工的、就
是耶和華殿裏辦事的人．他們把銀子轉交修理耶和
十二 華殿的木匠和工人、十二並瓦匠、石匠、又買木料和鑿成的
石頭、修理耶和華殿的破壞之處、以及修理殿的各樣
十三 使用。十三但那奉到耶和華殿的銀子、沒有用以作耶和華
十四 殿裏的銀杯、蠟剪、碗、號、和別樣的金銀器皿．十四乃將那銀
十五 子交給督工的人、修理耶和華的殿。十五且將銀子交給辦
事的人轉交作工的人、不與他們算賬．因為他們辦事
十六 誠實。十六惟有贖愆祭贖罪祭的銀子、沒有奉到耶和華的
十七 殿、都歸祭司。○十七那時、亞蘭王哈薛上來、攻打迦特、攻取
十八 了．就定意上來攻打耶路撒冷。十八猶大王約阿施將他列
祖猶大王約沙法、約蘭、亞哈謝所分別為聖的物、和自
己所分別為聖的物、並耶和華殿與王宮府庫裏所有
的金子、都送給亞蘭王哈薛．哈薛就不上耶路撒冷來
了。

約阿施被弒

十九 約阿施其餘的事、凡他所行的、都寫在猶大列王記上。
二十 約阿施的臣僕起來背叛、在下悉拉的米羅宮那裏將
他殺了。二十一 殺他的那臣僕、就是示米押的兒子約撒甲、和
朔默的兒子約薩拔．衆人將他葬在大衛城他列祖的
墳地裏．他兒子亞瑪謝接續他作王。

第十三章

約哈斯作以色列王

一 猶大王亞哈謝的兒子約阿施二十三
年、耶戶的兒子約哈斯在撒瑪利亞登基、作以色列王
十七年。二 約哈斯行耶和華眼中看爲惡的事、效法尼八
的兒子耶羅波安使以色列人陷在罪裏的那罪、總不
離開．三 於是耶和華的怒氣向以色列人發作、將他們屢
次交在亞蘭王哈薛和他兒子便哈達的手裏。四 約哈斯
懇求耶和華、耶和華就應允他、因爲見以色列人所受
亞蘭王的欺壓．五 耶和華賜給以色列人一位拯救者、使
他們脫離亞蘭人的手．於是以色列人仍舊安居在家
裏。六 然而他們不離開耶羅波安家使以色列人陷在罪
裏的那罪、仍然去行．並且在撒瑪利亞留下亞舍拉。七 亞
蘭王滅絕約哈斯的民、踐踏他們如禾塲上的塵沙．只
給約哈斯留下五十馬兵、十輛戰車、一萬步兵。八 約哈斯
其餘的事、凡他所行的、和他的勇力、都寫在以色列諸
王記上．九 約哈斯與他列祖同睡、葬在撒瑪利亞．他兒子
約阿施接續他作王。

約阿施作以色列王

十 猶大王約阿施三十七年、約哈斯的兒子約阿施在撒
瑪利亞登基、作以色列王十六年。十一 他行耶和華眼中看
爲惡的事、不離開尼八的兒子耶羅波安使以色列人
陷在罪裏的一切罪、仍然去行。十二 約阿施其餘的事、凡他
所行的、和他與猶大王亞瑪謝爭戰的勇力、都寫在以
色列諸王記上．十三 約阿施與他列祖同睡、耶羅波安坐了
他的位．約阿施與以色列諸王一同葬在撒瑪利亞。

以利沙遘疾

十四 以利沙得了必死的病．以色列王約阿施下來看他、伏
在他臉上哭泣、說、我父阿、我父阿、以色列的戰車馬兵
阿。十五 以利沙對他說、你取弓箭來．王就取了弓箭來。十六 又對
以色列王說、你用手拿弓．王就用手拿弓．以利沙按手

十七 在王的手上．說、你開朝東的窗戶．他就開了．以利沙說、
射箭罷．他就射箭．以利沙說、這是耶和華的得勝箭、就
是戰勝亞蘭人的箭．因為你必在亞弗攻打亞蘭人、直
十八 到滅盡他們。以利沙又說、取幾枝箭來．他就取了來．以
利沙說、打地罷．他打了三次便止住了．神人向他發怒、
十九 說、應當擊打五六次、就能攻打亞蘭人、直到滅盡．現在
只能打敗亞蘭人三次。

以利沙卒

二十 以利沙死了、人將他葬埋。到了新年、有一羣摩押人犯
二一 境．有人正葬死人、忽然看見一羣人、就把死人拋在以
利沙的墳墓裏．一碰着以利沙的骸骨、死人就復活站
二二 起來了。◯約哈斯年間、亞蘭王哈薛屢次欺壓以色列
二三 人．耶和華卻因與亞伯拉罕、以撒、雅各所立的約、仍施
恩給以色列人、憐恤他們、眷顧他們、不肯滅盡他們、尚
二四 未趕逐他們離開自己面前。亞蘭王哈薛死了．他兒子
二五 便哈達接續他作王。從前哈薛和約阿施的父親約哈
斯爭戰、攻取了些城邑．現在約哈斯的兒子約阿施三
次打敗哈薛的兒子便哈達、就收回了以色列的城邑。

第十四章

亞瑪謝作猶大王

一 以色列王約哈斯的兒子約阿施第二
二 年、猶大王約阿施的兒子亞瑪謝登基．他登基的時候、
年二十五歲、在耶路撒冷作王二十九年．他母親名叫
三 約耶但、是耶路撒冷人。亞瑪謝行耶和華眼中看為正
的事、但不如他祖大衛．乃效法他父約阿施一切所行
四五 的。只是邱壇還沒有廢去．百姓仍在那裏獻祭燒香。國
六 一堅定、就把殺他父王的臣僕殺了．卻沒有治死殺王
之人的兒子．是照摩西律法書上耶和華所吩咐的、說、
不可因子殺父、也不可因父殺子．各人要為本身的罪
七 而死。亞瑪謝在鹽谷殺了以東人一萬、又攻取了西拉、
改名叫約帖、直到今日。

亞瑪謝向約阿施索戰

八 那時亞瑪謝差遣使者去見耶戶的孫子約哈斯的兒
九 子以色列王約阿施、說、你來、我們二人相見於戰塲。以
色列王約阿施差遣使者去見猶大王亞瑪謝、說、利巴
嫩的蒺藜差遣使者去見利巴嫩的香柏樹、說、將你的
女兒給我兒子為妻．後來利巴嫩有一個野獸經過、把

十 蒺藜踐踏了。十你打敗了以東人、就心高氣傲．你以此爲
榮耀、在家裏安居就罷了．爲何要惹禍、使自己和猶大
十一 國一同敗亡呢。◯十一亞瑪謝卻不肯聽這話．於是以色列
王約阿施上來、在猶大的伯示麥與猶大王亞瑪謝相
十二 見於戰塲．十二猶大人敗在以色列人面前、各自逃回家裏
十三 去了。十三以色列王約阿施在伯示麥擒住亞哈謝的孫子
約阿施的兒子猶大王亞瑪謝、就來到耶路撒冷、拆毀
十四 耶路撒冷的城牆、從以法蓮門直到角門、共四百肘。十四又
將耶和華殿裏與王宮府庫裏所有的金銀、和器皿、都
十五 拿了去、並帶人去爲質、就回撒瑪利亞去了。◯十五約阿施
其餘所行的事、和他的勇力、並與猶大王亞瑪謝爭戰
十六 的事、都寫在以色列諸王記上。十六約阿施與他列祖同睡、
葬在撒瑪利亞以色列諸王的墳地裏．他兒子耶羅波
安接續他作王。

亞瑪謝被弒

十七 十七以色列王約哈斯的兒子約阿施死後、猶大王約阿施
十八 的兒子亞瑪謝又活了十五年。十八亞瑪謝其餘的事、都寫
十九 在猶大列王記上。十九耶路撒冷有人背叛亞瑪謝．他就逃

二十 到拉吉．叛黨卻打發人到拉吉將他殺了。二十人就用馬將
他的屍首馱到耶路撒冷、葬在大衛城他列祖的墳地
二一 裏。二一猶大衆民立亞瑪謝的兒子亞撒利雅又名烏西雅接續
二二 他父作王．那時他年十六歲。二二亞瑪謝與他列祖同睡之
二三 後、亞撒利雅收回以拉他、仍歸猶大、又重新修理。◯二三猶
大王約阿施的兒子亞瑪謝十五年、以色列王約阿施
二四 的兒子耶羅波安在撒瑪利亞登基作王四十一年。二四他
行耶和華眼中看爲惡的事、不離開尼八的兒子耶羅
二五 波安使以色列人陷在罪裏的一切罪。二五他收回以色列
邊界之地、從哈馬口直到亞拉巴海、正如耶和華以色
列的神藉他僕人迦特希弗人亞米太的兒子先知
二六 約拿所說的。二六因爲耶和華看見以色列人甚是艱苦．無
二七 論困住的自由的、都沒有了、也無人幫助以色列人。二七耶
和華並沒有說要將以色列的名從天下塗抹、乃藉約
二八 阿施的兒子耶羅波安拯救他們。◯二八耶羅波安其餘的
事、凡他所行的、和他的勇力、他怎樣爭戰、怎樣收回大
馬色和先前屬猶大的哈馬歸以色列、都寫在以色列
二九 諸王記上。二九耶羅波安與他列祖以色列諸王同睡．他兒

子撒迦利雅接續他作王。

亞撒利雅作猶大王

第十五章

一以色列王耶羅波安二十七年、猶大王
亞瑪謝的兒子亞撒利雅登基。二他登基的時候、年十六
歲、在耶路撒冷作王五十二年。他母親名叫耶可利雅、
是耶路撒冷人。三亞撒利雅行耶和華眼中看為正的事、
效法他父親亞瑪謝一切所行的。四只是邱壇還沒有廢
去、百姓仍在那裏獻祭燒香。五耶和華降災與王、使他長
大痲瘋、直到死日、他就住在別的宮裏。他的兒子約坦
管理家事、治理國民。六亞撒利雅其餘的事、凡他所行的、
都寫在猶大列王記上。七亞撒利雅與他列祖同睡、葬在
大衛城他列祖的墳地裏。他兒子約坦接續他作王。

撒迦利雅作以色列王

八猶大王亞撒利雅三十八年、耶羅波安的兒子撒迦利
雅在撒瑪利亞作以色列王六個月。九他行耶和華眼中
看為惡的事、效法他列祖所行的、不離開尼八的兒子
耶羅波安使以色列人陷在罪裏的那罪。十雅比的兒子
沙龍背叛他、在百姓面前擊殺他、篡了他的位。十一撒迦利
雅其餘的事、都寫在以色列諸王記上。十二這是從前耶和
華應許耶戶說、你的子孫必坐以色列的國位、直到四
代。這話果然應驗了。

沙龍作以色列王

十三猶大王烏西雅（就是亞撒利雅）三十九年、雅比的兒子沙龍登
基、在撒瑪利亞作王一個月。十四迦底的兒子米拿現從得
撒上撒瑪利亞、殺了雅比的兒子沙龍、篡了他的位。十五沙
龍其餘的事、和他背叛的情形、都寫在以色列諸王記
上。十六那時米拿現從得撒起、攻打提斐薩和其四境、擊殺
城中一切的人、剖開其中所有的孕婦、都因他們沒有
給他開城。

米拿現作以色列王

十七猶大王亞撒利雅三十九年、迦底的兒子米拿現登基、
在撒瑪利亞作以色列王十年。十八他行耶和華眼中看為
惡的事、終身不離開尼八的兒子耶羅波安使以色列
人陷在罪裏的那罪。十九亞述王普勒來攻擊以色列國。米
拿現給他一千他連得銀子、請普勒幫助他堅定國位。
二十米拿現向以色列一切大富戶索要銀子、使他們各出

五十舍客勒、就給了亞述王。於是亞述王回去、不在國
二一 中停留。二一米拿現其餘的事、凡他所行的、都寫在以色列
二二 諸王記上。二二米拿現與他列祖同睡。他兒子比加轄接續
他作王。

比加轄作以色列王

二三 猶大王亞撒利雅五十年、米拿現的兒子比加轄在撒
二四 瑪利亞登基、作以色列王二年。二四他行耶和華眼中看為
惡的事、不離開尼八的兒子耶羅波安使以色列人陷
二五 在罪裏的那罪。二五比加轄的將軍利瑪利的兒子比加、背
叛他、在撒瑪利亞王宮裏的衞所殺了他。亞珥歌伯和
亞利耶並基列的五十人幫助比加、比加擊殺他、篡了
二六 他的位。二六比加轄其餘的事、凡他所行的、都寫在以色列
諸王記上。

比加作以色列王

二七 猶大王亞撒利雅五十二年、利瑪利的兒子比加在撒
二八 瑪利亞登基、作以色列王二十年。二八他行耶和華眼中看
為惡的事、不離開尼八的兒子耶羅波安使以色列人
二九 陷在罪裏的那罪。○二九以色列王比加年間、亞述王提革
拉毘列色來奪了以雲、亞伯伯瑪迦、亞挪、基低斯、夏瑣、
基列、加利利、和拿弗他利全地、將這些地方的居民都
三十 擄到亞述去了。三十烏西雅的兒子約坦二十年、以拉的兒
子何細亞背叛利瑪利的兒子比加、擊殺他、篡了他的
三一 位。三一比加其餘的事、凡他所行的、都寫在以色列諸王記
上。

約坦作猶大王

三二 三二以色列王利瑪利的兒子比加第二年、猶大王烏西雅
三三 的兒子約坦登基。三三他登基的時候年二十五歲、在耶路
撒冷作王十六年。他母親名叫耶路沙、是撒督的女兒。
三四 三四約坦行耶和華眼中看為正的事、效法他父親烏西雅
三五 一切所行的。三五只是邱壇還沒有廢去、百姓仍在那裏獻
三六 祭燒香。約坦建立耶和華殿的上門。三六約坦其餘的事、凡
三七 他所行的、都寫在猶大列王記上。三七在那些日子、耶和華
纔使亞蘭王利汛和利瑪利的兒子比加去攻擊猶大。
三八 三八約坦與他列祖同睡、葬在他祖大衞城他列祖的墳地
裏。他兒子亞哈斯接續他作王。

第十六章

亞哈斯作猶大王

一 利瑪利的兒子比加十七年、猶大王約
坦的兒子亞哈斯登基。二 他登基的時候、年二十歲。在耶
路撒冷作王十六年。不像他祖大衞行耶和華他神
眼中看爲正的事。三 卻效法以色列諸王所行的、又照着
耶和華從以色列人面前趕出的外邦人所行可憎的
事、使他的兒子經火。四 並在邱壇上、山岡上、各青翠樹下、
獻祭燒香。

亞蘭王以色列王合攻耶路撒冷

五 亞蘭王利汛和以色列王利瑪利的兒子比加上來攻
打耶路撒冷、圍困亞哈斯、卻不能勝他。六 當時亞蘭王利
汛收回以拉他歸與亞蘭、將猶大人從以拉他趕出去。
亞蘭人（有作以東人的）就來到以拉他、住在那裏、直到今日。

亞哈斯求救於亞述王

七 亞哈斯差遣使者去見亞述王提革拉毘列色、說、我是
你的僕人、你的兒子。現在亞蘭王和以色列王攻擊我。
求你來救我脫離他們的手。八 亞哈斯將耶和華殿裏和
王宮府庫裏所有的金銀、都送給亞述王爲禮物。九 亞述
王應允了他、就上去攻打大馬色、將城攻取、殺了利汛。
把居民擄到吉珥。

擅更祭壇祭禮

十 亞哈斯王上大馬色去迎接亞述王提革拉毘列色、在
大馬色看見一座壇、就照壇的規模樣式作法畫了圖
樣、送到祭司烏利亞那裏。十一 祭司烏利亞照着亞哈斯王
從大馬色送來的圖樣、在亞哈斯王沒有從大馬色回
來之先、建築一座壇。十二 王從大馬色回來看見壇、就近前
來、在壇上獻祭。十三 燒燔祭素祭、澆奠祭、將平安祭牲的血
灑在壇上。十四 又將耶和華面前的銅壇、從耶和華殿和新
壇的中間搬到新壇的北邊。十五 亞哈斯王吩咐祭司烏利
亞說、早晨的燔祭、晚上的素祭、王的燔祭素祭、國內衆
民的燔祭素祭奠祭、都要燒在大壇上。燔祭牲和平安
祭牲的血、也要灑在這壇上。只是銅壇我要用以求問
耶和華。十六 祭司烏利亞就照着亞哈斯王所吩咐的行了。

私移聖殿之器

十七 亞哈斯王打掉盆座四面鑲着的心子、把盆從座上挪
下來、又將銅海從馱海的銅牛上搬下來、放在鋪石地。

十八 又因亞述王的緣故、將耶和華殿爲安息日所蓋的廊
十九 子、和王從外入殿的廊子、挪移圍繞耶和華的殿。十九亞哈
二十 斯其餘所行的事、都寫在猶大列王記上。二十亞哈斯與他
列祖同睡、葬在大衛城他列祖的墳地裏．他兒子希西
家接續他作王。

第十七章

何細亞作以色列王

一 猶大王亞哈斯十二年、以拉的兒子何
二 細亞在撒瑪利亞登基、作以色列王九年。二他行耶和華
眼中看爲惡的事、只是不像在他以前的以色列諸王。
三 三亞述王撒縵以色上來攻擊何細亞、何細亞就服事他、
四 給他進貢。四何細亞背叛、差人去見埃及王梭、不照往年
所行的、與亞述王進貢．亞述王知道了、就把他鎖禁、囚
在監裏。

亞述王陷撒瑪利亞

五 五亞述王上來攻擊以色列遍地、上到撒瑪利亞、圍困三
六 年。六何細亞第九年亞述王攻取了撒瑪利亞、將以色列
人擄到亞述、把他們安置在哈臘、與歌散的哈博河邊、
七 並瑪代人的城邑。○七這是因以色列人得罪那領他們
出埃及地、脫離埃及王法老手的耶和華他們的神、
八 去敬畏別神、八隨從耶和華在他們面前所趕出外邦人
九 的風俗、和以色列諸王所立的條規。九以色列人暗中行
不正的事、違背耶和華他們的神、在他們所有的城
十 邑、從瞭望樓直到堅固城建築邱壇．十在各高岡上、各青
十一 翠樹下、立柱像和木偶．十一在邱壇上燒香、效法耶和華在
他們面前趕出的外邦人所行的、又行惡事惹動耶和
十二 華的怒氣．十二且事奉偶像、就是耶和華警戒他們不可行
十三 的。十三但耶和華藉衆先知先見、勸戒以色列人、和猶大人、
說、當離開你們的惡行、謹守我的誡命律例、遵行我吩
咐你們列祖、並藉我僕人衆先知所傳給你們的律法。
十四 十四他們卻不聽從、竟硬着頸項、效法他們列祖、不信服耶
十五 和華他們的神．十五厭棄他的律例、和他與他們列祖所
立的約、並勸戒他們的話、隨從虛無的神、自己成爲虛
妄、效法周圍的外邦人、就是耶和華囑咐他們不可效
十六 法的．十六離棄耶和華他們　神的一切誡命、爲自己鑄了
兩個牛犢的像、立了亞舍拉、敬拜天上的萬象、事奉巴
十七 力．十七又使他們的兒女經火、用占卜、行法術、賣了自己行

十八 耶和華眼中看爲惡的事、惹動他的怒氣。十八所以耶和華
向以色列人大大發怒從自己面前趕出他們、只剩下
十九 猶大一個支派。○十九猶大人也不遵守耶和華他們 神
二十 的誡命、隨從以色列人所立的條規。二十耶和華就厭棄以
色列全族、使他們受苦、把他們交在搶奪他們的人手
二一 中、以致趕出他們離開自己面前．二一將以色列國從大衛
家奪回．他們就立尼八的兒子耶羅波安作王。耶羅波
二二 安引誘以色列人不隨從耶和華、陷在大罪裏。二二以色列
二三 人犯耶羅波安所犯的一切罪、總不離開．二三以致耶和華
從自己面前趕出他們．正如藉他僕人衆先知所說的。
這樣、以色列人從本地被擄到亞述、直到今日。

置異族人於撒瑪利亞

二四 二四亞述王從巴比倫、古他、亞瓦、哈馬、和西法瓦音遷移人
來、安置在撒瑪利亞的城邑、代替以色列人．他們就得
二五 了撒瑪利亞、住在其中。二五他們纔住那裏的時候、不敬畏
耶和華．所以耶和華叫獅子進入他們中間、咬死了些
二六 人。二六有人告訴亞述王、說、你所遷移安置在撒瑪利亞各
城的那些民、不知道那地之神的規矩．所以那神叫獅

二七 子進入他們中間、咬死他們。○二七亞述王就吩咐、說、叫所
擄來的祭司回去一個、使他住在那裏、將那地之神的
二八 規矩指教那些民。二八於是有一個從撒瑪利亞擄去的祭
二九 司回來、住在伯特利、指教他們怎樣敬畏耶和華。二九然而
各族之人在所住的城裏、各爲自己製造神像、安置在
三十 撒瑪利亞人所造有邱壇的殿中。三十巴比倫人造疏割比
三一 訥像．古他人造匿甲像．哈馬人造亞示瑪像．三一亞瓦人造
匿哈和他珥他像．西法瓦音人用火焚燒兒女、獻給西
三二 法瓦音的神亞得米勒、和亞拿米勒。三二他們懼怕耶和華、
也從他們中間、立邱壇的祭司、爲他們在有邱壇的殿
三三 中獻祭。三三他們又懼怕耶和華、又事奉自己的神、從何邦
三四 遷移、就隨何邦的風俗。○三四他們直到如今仍照先前的
風俗去行、不專心敬畏耶和華、不全守自己的規矩、典
章、也不遵守耶和華吩咐雅各後裔的律法、誡命、雅各
三五 就是從前耶和華起名叫以色列的。三五耶和華曾與他們
立約、囑咐他們、說、不可敬畏別神、不可跪拜事奉他也
三六 不可向他獻祭．三六但那用大能和伸出來的膀臂領你們
三七 出埃及地的耶和華、你們當敬畏、跪拜、向他獻祭。三七他給

三八 你們寫的律例、典章、律法、誡命、你們應當永遠謹守遵
行、不可敬畏別神。三八我耶和華與你們所立的約、你們不
三九 可忘記、也不可敬畏別神。三九但要敬畏耶和華你們的
四十 神、他必救你們脫離一切仇敵的手。四十他們卻不聽從、仍
四一 照先前的風俗去行。四一如此這些民又懼怕耶和華、又事
奉他們的偶像。他們子子孫孫也都照樣行、效法他們
的祖宗、直到今日。

第十八章

希西家作猶大王

一 一以色列王以拉的兒子何細亞第三年、
二 猶大王亞哈斯的兒子希西家登基。二他登基的時候、年
二十五歲、在耶路撒冷作王二十九年。他母親名叫亞
三 比、是撒迦利雅的女兒。三希西家行耶和華眼中看為正
四 的事、效法他祖大衛一切所行的。四他廢去邱壇、毀壞柱
像、砍下木偶、打碎摩西所造的銅蛇、因為到那時以色
列人仍向銅蛇燒香。希西家叫銅蛇為銅塊。（或作人稱銅蛇為銅像）

倚靠耶和華謹守其誡

五 五希西家倚靠耶和華以色列的　神、在他前後的猶大
六 列王中沒有一個及他的。六因為他專靠耶和華、總不離
七 開、謹守耶和華所吩咐摩西的誡命。七耶和華與他同在。
他無論往何處去、盡都亨通。他背叛、不肯事奉亞述王。
八 八希西家攻擊非利士人、直到迦薩、並迦薩的四境、從瞭
九 望樓到堅固城。○九希西家王第四年、就是以色列王以
拉的兒子何細亞第七年、亞述王撒縵以色上來圍困
十 撒瑪利亞。十過了三年就攻取了城。希西家第六年、以色
十一 列王何細亞第九年、撒瑪利亞被攻取了。十一亞述王將以
色列人擄到亞述、把他們安置在哈臘、與歌散的哈博
十二 河邊、並瑪代人的城邑。十二都因他們不聽從耶和華他們
神的話、違背他的約、就是耶和華僕人摩西吩咐他
們所當守的。

西拿基立攻猶大諸邑

十三 十三希西家王十四年、亞述王西拿基立上來攻擊猶大的
十四 一切堅固城、將城攻取。十四猶大王希西家差人往拉吉去、
見亞述王、說、我有罪了、求你離開我。凡你罰我的、我必
承當。於是亞述王罰猶大王希西家銀子三百他連得、
十五 金子三十他連得。十五希西家就把耶和華殿裏和王宮府
十六 庫裏所有的銀子、都給了他。十六那時猶大王希西家將耶

和華殿門上的金子、和他自己包在柱上的金子、都刮
十七 下來、給了亞述王。十七亞述王從拉吉差遣他珥探、拉伯撒
利、和拉伯沙基率領大軍、往耶路撒冷、到希西家王那
裏去。他們上到耶路撒冷、就站在上池的水溝旁、在漂
十八 布地的大路上。十八他們呼叫王的時候、就有希勒家的兒
子家宰以利亞敬、並書記舍伯那、和亞薩的兒子史官
約亞、出來見他們。

拉伯沙基之狂語

十九 十九拉伯沙基說、你們去告訴希西家說、亞述大王如此說、
二十 你所倚靠的有甚麼可仗賴的呢。二十你說、有打仗的計謀
和能力、我看不過是虛話。你到底倚靠誰、纔背叛我呢。
二一 二一看哪、你所倚靠的埃及、是那壓傷的葦杖、人若靠這杖、
就必刺透他的手、埃及王法老向一切倚靠他的人、也
二二 是這樣。二二你們若對我說、我們倚靠耶和華我們的神.
希西家豈不是將神的邱壇和祭壇廢去、且對猶大
和耶路撒冷的人說、你們當在耶路撒冷這壇前敬拜
二三 麼。二三現在你把當頭給我主亞述王、我給你二千匹馬、看
二四 你這一面騎馬的人彀不彀。二四若不然、怎能打敗我主臣
二五 僕中最小的軍長呢.你竟倚靠埃及的戰車馬兵麼。二五現
在我上來攻擊毀滅這地、豈沒有耶和華的意思麼。耶
二六 和華吩咐我說、你上去攻擊毀滅這地罷。○二六希勒家的
兒子以利亞敬、和舍伯那、並約亞、對拉伯沙基說、求你
用亞蘭言語和僕人說話、因為我們懂得、不要用猶大
二七 言語和我們說話、達到城上百姓的耳中。二七拉伯沙基說、
我主差遣我來、豈是單對你和你的主說這些話麼、不
也是對這些坐在城上、要與你們一同喫自己糞、喝自
二八 己尿的人說麼。二八於是拉伯沙基站着、用猶大言語大聲
二九 喊着說、你們當聽亞述大王的話。二九王如此說、你們不要
三十 被希西家欺哄了、因他不能救你們脫離我的手.三十也不
要聽希西家、使你們倚靠耶和華、說、耶和華必要拯救
三一 我們、這城必不交在亞述王的手中。三一不要聽希西家的
話.因亞述王如此說、你們要與我和好、出來投降我、各
人就可以喫自己葡萄樹和無花果樹的果子、喝自己
三二 井裏的水.三二等我來領你們到一個地方與你們本地一
樣、就是有五穀和新酒之地、有糧食和葡萄園之地、有
橄欖樹和蜂蜜之地、好使你們存活、不至於死.希西家

勸導你們、說、耶和華必拯救我們．你們不要聽他的話。
三三 三四 列國的神、有那一個救他本國脫離亞述王的手呢。哈
馬亞珥拔的神在那裏呢．西法瓦音希拿以瓦的神在
三五 那裏呢．他們曾救撒瑪利亞脫離我的手麼．這些國的
神有誰曾救自己的國脫離我的手呢．難道耶和華能
三六 救耶路撒冷脫離我的手麼。○百姓靜默不言、並不回
三七 答一句．因為王曾吩咐說、不要回答他。當下希勒家的
兒子家宰以利亞敬和書記舍伯那、並亞薩的兒子史
官約亞都撕裂衣服、來到希西家那裏、將拉伯沙基的
話告訴了他。

第十九章

希西家聞之而憂

一 希西家王聽見、就撕裂衣服、披上麻布、
二 進了耶和華的殿．使家宰以利亞敬和書記舍伯那、並
祭司中的長老、都披上麻布、去見亞摩斯的兒子先知
三 以賽亞．對他說、希西家如此說、今日是急難責罰淩辱
四 的日子．就如婦人將要生產嬰孩、卻沒有力量生產．或
者耶和華你的神聽見拉伯沙基的一切話、就是他
主人亞述王打發他來辱罵永生神的話．耶和華你
的神聽見這話、就發斥責．故此求你為餘剩的民、揚
聲禱告。

以賽亞之慰詞

五 六 希西家王的臣僕、就去見以賽亞．以賽亞對他們說、要
這樣對你們的主人說、耶和華如此說、你聽見亞述王
七 的僕人褻瀆我的話、不要懼怕。我必驚動（原文作使靈進入）他
的心．他要聽見風聲、就歸回本地．我必使他在那裏倒
八 在刀下。○拉伯沙基回去、正遇見亞述王攻打立拿．原
九 來他早聽見亞述王拔營離開拉吉．亞述王聽見人論
古實王特哈加說、他出來要與你爭戰．於是亞述王又
十 打發使者去見希西家、吩咐他們說、你們對猶大王希
西家如此說、不要聽你所倚靠的神欺哄你說、耶路
十一 撒冷必不交在亞述王的手中。你總聽說亞述諸王向
十二 列國所行的、乃是盡行滅絕．難道你還能得救麼。我列
祖所毀滅的、就是歌散、哈蘭、利色、和屬提拉撒的伊甸
十三 人、這些國的神何曾拯救這些國呢。哈馬的王、亞珥拔
的王、西法瓦音城的王、希拿和以瓦的王、都在那裏呢。

希西家祈禱
十四　希西家從使者手裏接過書信來、看完了、就上耶和華
十五　的殿、將書信在耶和華面前展開。十五希西家向耶和華禱
告、說、坐在二基路伯上耶和華以色列的神阿、你是
十六　天下萬國的神。你曾創造天地。十六耶和華阿、求你側耳
而聽。耶和華阿、求你睜眼而看。要聽西拿基立打發使
十七　者來辱罵永生神的話。十七耶和華阿、亞述諸王果然使
十八　列國和列國之地、變為荒涼、十八將列國的神像都扔在火
十九　裏。因為他本不是神、乃是人手所造的、是木頭石頭的．
所以滅絕他。十九耶和華我們的神阿、現在求你救我們
脫離亞述王的手、使天下萬國都知道惟獨你耶和華
是神。

以賽亞豫言耶和華拯救

二十　二十亞摩斯的兒子以賽亞、就打發人去見希西家、說、耶和
華以色列的神如此說、你既然求我攻擊亞述王西
二一　拿基立、我已聽見了。二一耶和華論他這樣說、錫安的處女
二二　藐視你、嗤笑你、耶路撒冷的女子向你搖頭。二二你辱罵誰、
褻瀆誰、揚起聲來、高舉眼目攻擊誰呢．乃是攻擊以色
二三　列的聖者。二三你藉你的使者辱罵主、並說、我率領許多戰
車上山頂、到利巴嫩極深之處．我要砍伐其中高大的
香柏樹、和佳美的松樹．我必上極高之處、進入肥田的
二四　樹林。二四我已經在外邦挖井喝水．我必用腳掌踏乾埃及
二五　的一切河。○二五耶和華說、我早先所作的、古時所立的、就
是現在藉你使堅固城荒廢、變為亂堆、這事你豈沒有
二六　聽見麼．二六所以其中的居民力量甚小、驚惶羞愧．他們像
野草、像青菜、如房頂上的草、又如未長成而枯乾的禾
二七二八　稼。二七你坐下、你出去、你進來、你向我發烈怒、我都知道。二八因
你向我發烈怒、又因你狂傲的話、達到我耳中、我就要
用鈎子鈎上你的鼻子、把嚼環放在你口裏、使你從你
二九　來的路轉回去。○二九以色列人哪、我賜你們一個證據、你
們今年要喫自生的、明年也要喫自長的．至於後年、你
三十　們要耕種收割、栽植葡萄園、喫其中的果子。三十猶大家所
三一　逃脫餘剩的、仍要往下扎根、向上結果。三一必有餘剩的民、
從耶路撒冷而出、必有逃脫的人、從錫安山而來．耶和
三二　華的熱心、必成就這事。三二所以耶和華論亞述王如此說、
他必不得來到這城、也不在這裏射箭、不得拿盾牌到

三三 城前、也不築壘攻城。三三他從那條路來、必從那條路回去、
三四 必不得來到這城。這是耶和華說的。三四我為自己的緣
三五 故、又為我僕人大衛的緣故、必保護拯救這城。○三五當夜
耶和華的使者出去、在亞述營中殺了十八萬五千人。
三六 清早有人起來、一看、都是死屍了。三六亞述王西拿基立就
三七 拔營回去、住在尼尼微。三七一日在他的神尼斯洛廟裏叩
拜、他兒子亞得米勒和沙利色用刀殺了他、就逃到亞
拉臘地。他兒子以撒哈頓接續他作王。

第二十章

希西家遘疾

一 一那時希西家病得要死。亞摩斯的兒子
先知以賽亞去見他、對他說、耶和華如此說、你當留遺
二 命與你的家、因為你必死、不能活了。二希西家就轉臉朝
三 牆、禱告耶和華、說、三耶和華阿、求你記念我在你面前怎
樣存完全的心、按誠實行事、又作你眼中所看為善的。
四 希西家就痛哭了。四以賽亞出來、還沒有到中院、(院或作城)耶
五 和華的話就臨到他、五說、你回去、告訴我民的君希西家、
說、耶和華你祖大衛的神、如此說、我聽見了你的禱
告、看見了你的眼淚。我必醫治你、到第三日、你必上到
六 耶和華的殿。六我必加增你十五年的壽數。並且我要救
你和這城脫離亞述王的手。我為自己和我僕人大衛
七 的緣故、必保護這城。七以賽亞說、當取一塊無花果餅來。
八 人就取了來、貼在瘡上、王便痊癒了。○八希西家問以賽
亞說、耶和華必醫治我、到第三日、我能上耶和華的殿、
九 有甚麼兆頭呢。九以賽亞說、耶和華必成就他所說的、這
是他給你的兆頭。你要日影向前進十度呢、是要往後
十 退十度呢。十希西家回答說、日影向前進十度容易。我要
十一 日影往後退十度。十一先知以賽亞求告耶和華、耶和華就
使亞哈斯的日晷向前進的日影、往後退了十度。

以府庫寶物示巴比倫王之使

十二 十二那時巴比倫王巴拉但的兒子比羅達巴拉但聽見希
十三 西家病而痊癒、就送書信和禮物給他。十三希西家聽從使
者的話、就把他寶庫的金子、銀子、香料、貴重的膏油、和
他武庫的一切軍器、並他所有的財寶、都給他們看。他
家中和他全國之內、希西家沒有一樣不給他們看的。
十四 十四於是先知以賽亞來見希西家王、問他說、這些人說甚
麼。他們從那裏來見你。希西家說、他們從遠方的巴比

十五 倫來。以賽亞說、他們在你家裏看見了甚麼。希西家說、
凡我家中所有的、他們都看見了．我財寶中沒有一樣
十六 不給他們看的。○以賽亞對希西家說、你要聽耶和華
十七 的話。日子必到、凡你家裏所有的、並你列祖積蓄到如
今的、都要被擄到巴比倫去、不留下一樣．這是耶和華
十八 說的。並且從你本身所生的衆子、其中必有被擄去、在
十九 巴比倫王宮裏當太監的。希西家對以賽亞說、你所說
耶和華的話甚好．若在我的年日中、有太平和穩固的
二十 景況、豈不是好麼。希西家其餘的事、和他的勇力、他怎
二一 樣挖池、挖溝、引水入城、都寫在猶大列王記上。希西家
與他列祖同睡．他兒子瑪拿西接續他作王。

第二十一章

瑪拿西作猶大王其行惟惡

一 瑪拿西登基的時候年十二歲．在耶
二 路撒冷作王五十五年．他母親名叫協西巴。瑪拿西行
耶和華眼中看爲惡的事、效法耶和華在以色列人面
三 前趕出的外邦人所行可憎的事、重新建築他父希西
家所毀壞的邱壇、又爲巴力築壇、作亞舍拉像、效法以
四 色列王亞哈所行的、且敬拜事奉天上的萬象．在耶和

華殿宇中築壇．耶和華曾指着這殿、說、我必立我的名
五 在耶路撒冷。他在耶和華殿的兩院中、爲天上的萬象
六 築壇．並使他的兒子經火、又觀兆、用法術、立交鬼的、和
行巫術的、多行耶和華眼中看爲惡的事、惹動他的怒
七 氣．又在殿內立雕刻的亞舍拉像．耶和華曾對大衛和
他兒子所羅門說、我在以色列衆支派中所選擇的耶
八 路撒冷、和這殿、必立我的名、直到永遠。以色列人若謹
守遵行我一切所吩咐他們的、和我僕人摩西所吩咐
他們的一切律法、我就不再使他們挪移、離開我所賜
九 給他們列祖之地。他們卻不聽從．瑪拿西引誘他們行
十 惡、比耶和華在以色列人面前所滅的列國更甚。○耶
十一 和華藉他僕人衆先知說、因猶大王瑪拿西行這些可
憎的惡事、比先前亞摩利人所行的更甚、使猶大人拜
十二 他的偶像、陷在罪裏．所以耶和華以色列的神如此
說、我必降禍與耶路撒冷和猶大、叫一切聽見的人、無
十三 不耳鳴。我必用量撒瑪利亞的準繩、和亞哈家的線鉈、
拉在耶路撒冷上．必擦淨耶路撒冷、如人擦盤將盤倒
十四 扣。我必棄掉所餘剩的子民、(原文作產業)把他們交在仇敵

十五 手中、使他們成爲一切仇敵擄掠之物。十五是因他們自從
列祖出埃及直到如今、常行我眼中看爲惡的事、惹動
十六 我的怒氣。○十六瑪拿西行耶和華眼中看爲惡的事、使猶
大人陷在罪裏、又流許多無辜人的血、充滿了耶路撒
十七 冷、從這邊直到那邊。十七瑪拿西其餘的事、凡他所行的、和
十八 他所犯的罪、都寫在猶大列王記上。十八瑪拿西與他列祖
同睡、葬在自己宮院烏撒的園內。他兒子亞們接續他
作王。

亞們作猶大王

十九 十九亞們登基的時候年二十二歲。在耶路撒冷作王二年。
二十 他母親名叫米舒利密、是約提巴人哈魯斯的女兒。二十亞
們行耶和華眼中看爲惡的事、與他父親瑪拿西所行
二一 的一樣。二一行他父親一切所行的、敬奉他父親所敬奉的
二二 偶像、二二離棄耶和華他列祖的神、不遵行耶和華的道。
二三二四 二三亞們王的臣僕背叛他、在宮裏殺了他。二四但國民殺了那
二五 些背叛亞們王的人、立他兒子約西亞接續他作王。二五亞
二六 們其餘所行的事、都寫在猶大列王記上。二六亞們葬在烏
撒的園內、自己的墳墓裏。他兒子約西亞接續他作王。

第二十二章

約西亞作猶大王

一 一約西亞登基的時候年八歲。在耶路
撒冷作王三十一年。他母親名叫耶底大、是波斯加人
二 亞大雅的女兒。二約西亞行耶和華眼中看爲正的事、行
他祖大衛一切所行的、不偏左右。

修理聖殿

三 三約西亞王十八年、王差遣米書蘭的孫子亞薩利的兒
四 子書記沙番、上耶和華殿去、吩咐他說、四你去見大祭司
希勒家、使他將奉到耶和華殿的銀子、就是守門的從
五 民中收聚的銀子、數算數算、五交給耶和華殿裏辦事的
六 人、使他們轉交耶和華殿裏作工的人、好修理殿的破
壞之處。六就是轉交木匠和工人、並瓦匠、又買木料和鑿
七 成的石頭、修理殿宇。七將銀子交在辦事的人手裏、不與
他們算賬。因爲他們辦事誠實。

復得律書

八 八大祭司希勒家對書記沙番說、我在耶和華殿裏得了
九 律法書。希勒家將書遞給沙番、沙番就看了。九書記沙番
到王那裏、回覆王說、你的僕人已將殿裏的銀子倒出

十 數算、交給耶和華殿裏辦事的人了。書記沙番又對王
說、祭司希勒家遞給我一卷書。沙番就在王面前讀那
十一 十二 書。王聽見律法書上的話、便撕裂衣服、吩咐祭司希勒
家與沙番的兒子亞希甘、米該亞的兒子亞革波、書記
十三 沙番、和王的臣僕亞撒雅、說、你們去、爲我、爲民、爲猶大
衆人、以這書上的話求問耶和華。因爲我們列祖沒有
聽從這書上的言語、沒有遵着書上所吩咐我們的去
十四 行、耶和華就向我們大發烈怒。◯於是祭司希勒家和
亞希甘、亞革波、沙番、亞撒雅、都去見女先知戶勒大。戶
勒大是掌管禮服沙龍的妻。沙龍是哈珥哈斯的孫子、
特瓦的兒子。戶勒大住在耶路撒冷第二區。他們請問
十五 於他。他對他們說、耶和華以色列的神如此說、你們
十六 可以回覆那差遣你們來見我的人、說、耶和華如此說、
我必照着猶大王所讀那書上的一切話、降禍與這地、
十七 和其上的居民。因爲他們離棄我、向別神燒香、用他們
手所作的惹我發怒、所以我的忿怒必向這地發作、總
十八 不止息。然而差遣你們來求問耶和華的猶大王、你們
要這樣回覆他說、耶和華以色列的神如此說、至於
十九 你所聽見的話、就是聽見我指着這地、和其上的居民、
所說要使這地變爲荒場、民受咒詛的話。你便心裏敬
服、在我面前自卑、撕裂衣服、向我哭泣、因此我應允了
二十 你。這是我耶和華說的。我必使你平平安安的歸到墳
墓、到你列祖那裏。我要降與這地的一切災禍、你也不
至親眼看見。他們就回覆王去了。

第二十三章

宣約書於民而立約

一 王差遣人招聚猶大和耶路撒冷的
二 衆長老來。王和猶大衆人、與耶路撒冷的居民、並祭司、
先知、和所有的百姓、無論大小、都一同上到耶和華的
三 殿。王就把耶和華殿裏所得的約書念給他們聽。王站
在柱旁、在耶和華面前立約、要盡心盡性的順從耶和
華、遵守他的誡命、法度、律例、成就這書上所記的約言。
衆民都服從這約。

命除偶像及諸惡行

四 王吩咐大祭司希勒家、和副祭司、並把門的、將那爲巴
力和亞舍拉並天上萬象所造的器皿、都從耶和華殿
裏搬出來、在耶路撒冷外汲淪溪旁的田間燒了、把灰

五 拿到伯特利去。五從前猶大列王所立拜偶像的祭司、在
猶大城邑的邱壇、和耶路撒冷的周圍燒香。現在王都
廢去。又廢去向巴力和日月、行星、（行星或作十二宮）並天上萬
六 象、燒香的人。六又從耶和華殿裏、將亞舍拉搬到耶路撒
冷外汲淪溪邊焚燒、打碎成灰、將灰撒在平民的墳上。
七 七又拆毀耶和華殿裏孌童的屋子、就是婦女為亞舍拉
八 織帳子的屋子。八並且從猶大的城邑帶眾祭司來、污穢
祭司燒香的邱壇、從迦巴直到別是巴、又拆毀城門旁
九 的邱壇、這邱壇在邑宰約書亞門前進城門的左邊。九但
是邱壇的祭司不登耶路撒冷耶和華的壇、只在他們
十 弟兄中間喫無酵餅。十又污穢欣嫩子谷的陀斐特、不許
十一 人在那裏使兒女經火獻給摩洛。十一又將猶大列王在耶
和華殿門旁、太監拿單米勒靠近遊廊的屋子、向日頭
十二 所獻的馬廢去、且用火焚燒日車。十二猶大列王在亞哈斯
樓頂上所築的壇、和瑪拿西在耶和華殿兩院中所築
十三 的壇、王都拆毀打碎了、就把灰倒在汲淪溪中。十三從前以
色列王所羅門在耶路撒冷前、邪僻山右邊、為西頓人
可憎的神亞斯他錄、摩押人可憎的神基抹、亞捫人可
十四 憎的神米勒公所築的邱壇、王都污穢了。十四又打碎柱像、
十五 砍下木偶、將人的骨頭充滿了那地方。十五他將伯特利
的壇、就是叫以色列人陷在罪裏尼八的兒子耶羅波
安所築的那壇、都拆毀焚燒、打碎成灰、並焚燒了亞舍
十六 拉。十六約西亞回頭看見山上的墳墓、就打發人將墳墓裏
的骸骨取出來、燒在壇上、污穢了壇、正如從前神人宣
十七 傳耶和華的話。十七約西亞問說、我所看見的是甚麼碑。那
城裏的人回答說、先前有神人從猶大來、豫先說王現
十八 在向伯特利壇所行的事、這就是他的墓碑。十八約西亞說、
由他罷。不要挪移他的骸骨。他們就不動他的骸骨、也
十九 不動從撒瑪利亞來那先知的骸骨。十九從前以色列諸王
在撒瑪利亞的城邑建築邱壇的殿、惹動耶和華的怒
氣、現在約西亞都廢去了、就如他在伯特利所行的一
二十 般。二十又將邱壇的祭司、都殺在壇上、並在壇上燒人的骨
二十一 頭、就回耶路撒冷去了。○二十一王吩咐眾民說、你們當照這
二十二 約書上所寫的、向耶和華你們的神守逾越節。二十二自從
士師治理以色列人、和以色列王猶大王的時候、直到
二十三 如今、實在沒有守過這樣的逾越節。二十三只有約西亞王十

八年在耶路撒冷向耶和華守這逾越節。○二四凡猶大國
二四 和耶路撒冷所有交鬼的、行巫術的、與家中的神像、和
偶像、並一切可憎之物、約西亞盡都除掉、成就了祭司
二五 希勒家在耶和華殿裏所得律法書上所寫的話。二五在約
西亞以前、沒有王像他盡心盡性盡力的歸向耶和華、
遵行摩西的一切律法．在他以後、也沒有興起一個王
二六 像他。○二六然而耶和華向猶大所發猛烈的怒氣、仍不止
二七 息、是因瑪拿西諸事惹動他。二七耶和華說、我必將猶大人
從我面前趕出、如同趕出以色列人一般．我必棄掉我
從前所選擇的這城耶路撒冷、和我所說立我名的殿。

埃及王殺約西亞

二八 二八約西亞其餘的事、凡他所行的、都寫在猶大列王記上。
二九 二九約西亞年間、埃及王法老尼哥上到伯拉河、攻擊亞述
王．約西亞王去抵擋他．埃及王遇見約西亞在米吉多、
三十 就殺了他。三十他的臣僕用車將他的屍首從米吉多送到
耶路撒冷、葬在他自己的墳墓裏。國民膏約西亞的兒
子約哈斯接續他父親作王。

約哈斯作猶大王

三一 三一約哈斯登基的時候、年二十三歲．在耶路撒冷作王三
三二 個月．他母親名叫哈慕他、是立拿人耶利米的女兒。三二約
哈斯行耶和華眼中看為惡的事、效法他列祖一切所
行的。

法老尼哥囚約哈斯立約雅敬

三三 三三法老尼哥將約哈斯鎖禁在哈馬地的利比拉、不許他
在耶路撒冷作王．又罰猶大國銀子一百他連得、金子
三四 一他連得。三四法老尼哥立約西亞的兒子以利亞敬接續
他父親約西亞作王、給他改名叫約雅敬、卻將約哈斯
三五 帶到埃及、他就死在那裏。三五約雅敬將金銀給法老、遵着
法老的命向國民徵取金銀．按着各人的力量派定、索
三六 要金銀、好給法老尼哥。○三六約雅敬登基的時候、年二十
三七 五歲．在耶路撒冷作王十一年．他母親名叫西布大、是
魯瑪人毘大雅的女兒。三七約雅敬行耶和華眼中看為惡
的事、效法他列祖一切所行的。

約雅敬卒子約雅斤嗣位

一 **第二十四章** 約雅敬年間巴比倫王尼布甲尼撒

二 上到猶大約雅敬服事他三年。然後背叛他。耶和華使
迦勒底軍、亞蘭軍、摩押軍、和亞捫人的軍、來攻擊約雅
三 敬、毀滅猶大、正如耶和華藉他僕人衆先知所說的。這
禍臨到猶大人、誠然是耶和華所命的、要將他們從自
四 己面前趕出、是因瑪拿西所犯的一切罪。又因他流無
五 辜人的血、充滿了耶路撒冷。耶和華決不肯赦免。約雅
六 敬其餘的事、凡他所行的、都寫在猶大列王記上。約雅
七 敬與他列祖同睡。他兒子約雅斤接續他作王。埃及王
不再從他國中出來。因爲巴比倫王將埃及王所管之
八 地、從埃及小河、直到伯拉河、都奪去了。○約雅斤登基
的時候年十八歲。在耶路撒冷作王三個月。他母親名
九 叫尼護施、是耶路撒冷人以利拿單的女兒。約雅斤
行耶和華眼中看爲惡的事、效法他父親一切所行的。

巴比倫王圍攻耶路撒冷

十 那時、巴比倫王尼布甲尼撒的軍兵、上到耶路撒冷、圍
十一 困城。當他軍兵圍困城的時候、巴比倫王尼布甲尼撒
十二 就親自來了。猶大王約雅斤、和他母親、臣僕、首領、太監、
一同出城、投降巴比倫王。巴比倫王便拿住他、那時是
巴比倫王第八年。

約雅斤與臣民被擄至巴比倫

十三 巴比倫王將耶和華殿和王宮裏的寶物、都拿去了、將
以色列王所羅門所造耶和華殿裏的金器、都毀壞了、
十四 正如耶和華所說的。又將耶路撒冷的衆民、和衆首領、
並所有大能的勇士、共一萬人、連一切木匠、鐵匠、都擄
十五 了去。除了國中極貧窮的人以外、沒有剩下的。並將約
雅斤、和王母、后妃、太監、與國中的大官、都從耶路撒冷
十六 擄到巴比倫去了。又將一切勇士七千人、和木匠鐵匠
一千人、都是能上陣的勇士、全擄到巴比倫去了。

巴比倫王立西底家作王

十七 巴比倫王立約雅斤的叔叔瑪探雅代替他作王、給瑪
十八 探雅改名叫西底家。○西底家登基的時候、年二十一
歲。在耶路撒冷作王十一年。他母親名叫哈慕他、是立
十九 拿人耶利米的女兒。西底家行耶和華眼中看爲惡的
二十 事、是照約雅敬一切所行的。因此耶和華的怒氣在耶
路撒冷和猶大發作、以致將人民從自己面前趕出。

第二十五章

西底家王叛

一西底家背叛巴比倫王。他作王第九年、十月初十日、巴比倫王尼布甲尼撒率領全軍來攻擊耶路撒冷、對城安營、四圍築壘攻城。二於是城被圍困、直到西底家王十一年。

耶路撒冷陷

三四月初九日、城裏有大饑荒、甚至百姓都沒有糧食。四城被攻破、一切兵丁就在夜間、從靠近王園兩城中間的門逃跑。迦勒底人正在四圍攻城、王就向亞拉巴逃走。五迦勒底的軍隊追趕王、在耶利哥的平原追上他。他的全軍都離開他四散了。六迦勒底人就拿住王、帶他到利比拉巴比倫王那裏審判他。七在西底家眼前殺了他的眾子、並且剜了西底家的眼睛、用銅鍊鎖着他、帶到巴比倫去。○八巴比倫王尼布甲尼撒十九年、五月初七日、巴比倫王的臣僕、護衛長尼布撒拉旦、來到耶路撒冷、九用火焚燒耶和華的殿、和王宮、又焚燒耶路撒冷的房屋、就是各大戶家的房屋。十跟從護衛長迦勒底的全軍、就拆毀耶路撒冷四圍的城牆。十一那時護衛長尼布撒拉旦將城裏所剩下的百姓、並已經投降巴比倫王的人、以及大眾所剩下的人、都擄去了。十二但護衛長留下些民中最窮的、使他們修理葡萄園、耕種田地。

聖殿被掠

十三耶和華殿的銅柱、並耶和華殿的盆座、和銅海、迦勒底人都打碎了、將那銅運到巴比倫去了。十四又帶去鍋、鏟子、蠟剪、調羹、並所用的一切銅器、十五火鼎、碗、無論金的銀的、護衛長也都帶去了。十六所羅門為耶和華殿所造的兩根銅柱、一個銅海、和幾個盆座、這一切的銅、多得無法可稱。十七這一根柱子高十八肘、柱上有銅頂、高三肘、銅頂的周圍有網子、和石榴、都是銅的。那一根柱子、照此一樣、也有網子。○十八護衛長拿住大祭司西萊雅、副祭司西番亞、和三個把門的。十九又從城中拿住一個管理兵丁的官、（或作太監）並在城裏所遇常見王面的五個人、和檢點國民軍長的書記、以及城裏遇見的國民六十個人。二十護衛長尼布撒拉旦將這些人帶到利比拉巴比倫王那裏。二十一巴比倫王就把他們擊殺在哈馬地的利比拉。這樣、猶大人被擄去離開本地。

立基大利作省長

二三 二三至於猶大國剩下的民、就是巴比倫王尼布甲尼撒所
剩下的、巴比倫王立了沙番的孫子亞希甘的兒子基
二三 大利、作他們的省長。二三衆軍長和屬他們的人、聽見巴比
倫王立了基大利作省長、於是軍長尼探雅的兒子以
實瑪利、加利亞的兒子約哈難、尼陀法人單戶篾的兒
子西萊雅、瑪迦人的兒子雅撒尼亞和屬他們的人、都
二四 到米斯巴見基大利。二四基大利向他們和屬他們的人起
誓說、你們不必懼怕迦勒底臣僕、只管住在這地、服事
巴比倫王、就可以得福。

以實瑪利殺基大利

二五 二五七月間宗室以利沙瑪的孫子尼探雅的兒子以實瑪
利、帶着十個人來殺了基大利和同他在米斯巴的猶
二六 大人與迦勒底人。二六於是衆民無論大小連衆軍長因為
懼怕迦勒底人、都起身往埃及去了。

巴比倫王厚待約雅斤

二七 二七猶大王約雅斤被擄後三十七年、巴比倫王以未米羅
達元年、十二月二十七日、使猶大王約雅斤抬頭、提他

二八 出監。二八又對他說恩言、使他的位高過與他一同在巴比
二九 倫衆王的位、二九給他脫了囚服。他終身常在巴比倫王面
三十 前喫飯。三十王賜他所需用的食物日日賜他一分、終身都
是這樣。

歷代志上

第一章

亞當之譜系

一亞當生塞特、塞特生以挪士、二以挪士生該
南、該南生瑪勒列、瑪勒列生雅列、三雅列生以諾、以諾生
瑪土撒拉、瑪土撒拉生拉麥、四拉麥生挪亞、挪亞生閃、含、
雅弗。○五雅弗的兒子是歌篾、瑪各、瑪代、雅完、土巴、米設、
提拉。六歌篾的兒子是亞實基拿、低法、（低法創世記十章三節作利法）陀
迦瑪。七雅完的兒子是以利沙、他施、基提、多單。（多單有作羅單的）
○八含的兒子是古實、麥西、弗、迦南。九古實的兒子是西巴、
哈腓拉、撒弗他、拉瑪、撒弗提迦。拉瑪的兒子是示巴、底
但。十古實生寧錄．他為世上英雄之首。十一麥西生路低人、亞
拿米人、利哈比人、拿弗土希人、十二帕斯魯細人、迦斯路希
人、迦斐託人．從迦斐託出來的有非利士人。十三迦南生長
子西頓、又生赫、十四和耶布斯人、亞摩利人、革迦撒人、十五希未
人、亞基人、西尼人、十六亞瓦底人、洗瑪利人、並哈馬人。○十七閃
的兒子是以攔、亞述、亞法撒、路德、亞蘭、烏斯、戶勒、基帖、
米設。（米設創世記十章二十三節作瑪施）十八亞法撒生沙拉、沙拉生希伯。十九希
伯生了兩個兒子、一個名叫法勒、（法勒就是分的意思）因為那時
人就分地居住．法勒的兄弟名叫約坍。二十約坍生亞摩答、
沙列、哈薩瑪非、耶拉、二一哈多蘭、烏薩、德拉、二二以巴錄、亞比瑪
利、示巴、二三阿斐、哈腓拉、約巴．這都是約坍的兒子。○二四閃生
亞法撒、亞法撒生沙拉、二五沙拉生希伯、希伯生法勒、法勒
生拉吳、二六拉吳生西鹿、西鹿生拿鶴、拿鶴生他拉、二七他拉生
亞伯蘭、亞伯蘭就是亞伯拉罕。

亞伯拉罕之後裔

二八亞伯拉罕的兒子是以撒、以實瑪利。二九以實瑪利的兒子
記在下面．以實瑪利的長子是尼拜約、其次是基達、押
德別、三十米比衫、米施瑪、度瑪、瑪撒、哈達、提瑪、三一伊突、拿非施、
基底瑪．這都是以實瑪利的兒子。○三二亞伯拉罕的妾基
土拉所生的兒子、就是心蘭、約珊、米但、米甸、伊施巴、書
亞。三三約珊的兒子是示巴、底但。米甸的兒子是以法、以弗、
哈諾、亞比大、以勒大．這都是基士拉的子孫。○三四亞伯拉
罕生以撒、以撒的兒子是以掃和以色列。

以掃之後裔

三五以掃的兒子是以利法、流珥、耶烏施、雅蘭、可拉。三六以利法

三七 的兒子是提幔、阿抹、洗玻、迦坦、基納斯、亭納、亞瑪力。三七流
珥的兒子是拿哈、謝拉、沙瑪、米撒。

西珥之後裔

三八三九 三八西珥的兒子是羅坍、朔巴、祭便、亞拿、底順、以察、底珊。三九羅
四十 坍的兒子是何利、荷幔。羅坍的妹子是亭納。四十朔巴的兒
子是亞勒文、瑪拿轄、以巴錄、示非、阿南。祭便的兒子是
四一 亞雅、亞拿。四一亞拿的兒子是底順。底順的兒子是哈默蘭、
四二 伊是班、益蘭、基蘭。四二以察的兒子是辟罕、撒番、亞干。底珊
的兒子是烏斯、亞蘭。

以東諸王

四三 四三以色列人未有君王治理之先、在以東地作王的記在
四四 下面。有比珥的兒子比拉、他的京城名叫亭哈巴。四四比拉
四五 死了、波斯拉人謝拉的兒子約巴接續他作王。四五約巴死
四六 了、提幔地的人戶珊接續他作王。四六戶珊死了、比達的兒
子哈達接續他作王。這哈達就是在摩押地殺敗米甸
四七 人的、他的京城名叫亞未得。四七哈達死了、瑪士利加人桑
四八 拉接續他作王。四八桑拉死了、大河邊的利河伯人掃羅接
四九 續他作王。四九掃羅死了、亞革波的兒子巴勒哈南接續他

五十 作王。五十巴勒哈南死了、哈達接續他作王。他的京城名叫
巴伊。他的妻子名叫米希他別、是米薩合的孫女、瑪特
列的女兒。

以東諸族長

五一 五一哈達死了。以東人的族長有亭納族長、亞勒瓦族長、耶
五二五三 帖族長、五二亞何利巴瑪族長、以拉族長、比嫩族長、五三基納斯
五四 族長、提幔族長、米比薩族長、五四瑪基疊族長、以蘭族長。這
都是以東人的族長。

第二章

以色列之後裔

一 一以色列的兒子是流便、西緬、利未、猶大、以
二 薩迦、西布倫、二但、約瑟、便雅憫、拿弗他利、迦得、亞設。

猶大之後裔

三 三猶大的兒子是珥、俄南、示拉。這三人是迦南人書亞女
兒所生的。猶大的長子珥在耶和華眼中看爲惡、耶和
四 華就使他死了。四猶大的兒婦他瑪給猶大生法勒斯、和
五 謝拉。猶大共有五個兒子。○五法勒斯的兒子是希斯崙、
六 哈母勒。六謝拉的兒子是心利、以探、希幔、甲各、大拉、(大拉即達)
七 大共五人。七迦米的兒子是亞干、這亞干在當滅的物上

八 犯了罪、連累了以色列人。八以探的兒子是亞撒利雅。

希斯崙之後裔

九 十 九希斯崙所生的兒子是耶拉篾、蘭、基路拜。十蘭生亞米拿
十一 達、亞米拿達生拿順、拿順作猶大人的首領。十一拿順生撒
十二 十三 門、撒門生波阿斯、十二波阿斯生俄備得、俄備得生耶西、十三耶
西生長子以利押、次子亞比拿達、三子示米亞、(示米亞即沙瑪
十四 十五 見撒母耳上十六章九節)十四四子拿坦業、十五五子拉代、六子阿鮮、七子大
十六 衛。十六他們的姐妹是洗魯雅、和亞比該。洗魯雅的兒子是
十七 亞比篩、約押、亞撒黑、共三人。十七亞比該生亞瑪撒、亞瑪撒
的父親是以實瑪利人益帖。

迦勒之後裔

十八 十八希斯崙的兒子迦勒娶阿蘇巴、和耶略為妻、阿蘇巴的
十九 兒子是耶設、朔罷、押墩。十九阿蘇巴死了、迦勒又娶以法他、
二十 二十一 生了戶珥。二十戶珥生烏利、烏利生比撒列。二十一〇希斯崙正六
十歲娶了基列父親瑪吉的女兒、與他同房、瑪吉的女
二十二 兒生了西割。二十二西割生睚珥、睚珥在基列地有二十三個
二十三 城邑。二十三後來基述人、和亞蘭人、奪了睚珥的城邑、並基納
二十四 和其鄉村、共六十個。這都是基列父親瑪吉之子的。二十四希
斯崙在迦勒以法他死後、他的妻亞比雅給他生了亞
二十五 施戶、亞施戶是提哥亞的父親。〇二十五希斯崙的長子耶拉
二十六 篾生長子蘭、又生布拿、阿連、阿鮮、亞希雅。二十六耶拉篾又娶
二十七 一妻名叫亞他拉、是阿南的母親。二十七耶拉篾長子蘭的兒
二十八 子是瑪斯、雅憫、以結。二十八阿南的兒子是沙買、雅大。沙買的
二十九 兒子是拿答、亞比述。二十九亞比述的妻名叫亞比孩、亞比孩
三十 給他生了亞辦、和摩利。三十拿答的兒子是西列、亞遍。西列
三十一 死了沒有兒子。三十一亞遍的兒子是以示、以示的兒子是示
三十二 珊、示珊的兒子是亞來。三十二沙買兄弟雅大的兒子是益帖、
三十三 約拿單。益帖死了沒有兒子。三十三約拿單的兒子是比勒、撒
三十四 薩。這都是耶拉篾的子孫。三十四示珊沒有兒子、只有女兒。示
三十五 珊有一個僕人名叫耶哈、是埃及人。三十五示珊將女兒給了
三十六 僕人耶哈為妻、給他生了亞太。三十六亞太生拿單、拿單生撒
三十七 三十八 拔、三十七撒拔生以弗拉、以弗拉生俄備得、三十八俄備得生耶戶、耶
三十九 戶生亞撒利雅、三十九亞撒利雅生希利斯、希利斯生以利亞
四十 四十一 薩、四十以利亞薩生西斯買、四十一西斯買生沙龍、沙龍生耶加米
四十二 雅、耶加米雅生以利沙瑪。〇四十二耶拉篾兄弟迦勒的長子
四十三 米沙、是西弗之祖。瑪利沙的兒子、是希伯崙之祖。四十三希伯

四四 崙的兒子是可拉、他普亞、利肯、示瑪。四四示瑪生拉含、是約
四五 干之祖．利肯生沙買。四五沙買的兒子是瑪雲、瑪雲是伯夙
四六 四七 之祖。四六迦勒的妾以法生哈蘭、摩撒、迦謝．哈蘭生迦卸。四七雅
四八 代的兒子是利健、約坦、基珊、毗力、以法、沙亞弗。四八迦勒的
四九 妾瑪迦生示別、特哈拿．四九又生麥瑪拿之祖沙亞弗、抹比
五十 拿和基比亞之祖示法．迦勒的女兒是押撒。◯五十迦勒的
子孫就是以法他的長子戶珥的兒子、記在下面．基列
五一 五二 耶琳之祖朔巴、五一伯利恆之祖薩瑪、伯迦得之祖哈勒。五二基
列耶琳之祖朔巴的子孫是哈羅以和一半米努哈人。
五三 米努哈人即瑪拿哈人。五三基列耶琳的諸族是以帖人、布特人、舒瑪
人、密來人．又從這些族中生出瑣拉人、和以實陶人來。
五四 五四薩瑪的子孫是伯利恆人、尼陀法人、亞他綠伯約押人、
五五 一半瑪拿哈人、瑣利人、五五和住雅比斯衆文士家的特拉
人、示米押人、蘇甲人．這都是基尼人利甲家之祖哈末
所生的。

大衛之諸子

一 **第三章** 一大衛在希伯崙所生的兒子記在下面．長
子暗嫩、是耶斯列人亞希暖生的．次子但以利、是迦密
二 人亞比該生的．二三子押沙龍、是基述王達買的女兒瑪
三 迦生的．四子亞多尼雅、是哈及生的．三五子示法提雅、是
四 亞比他生的．六子以特念、是大衛的妻以格拉生的。四這
六人都是大衛在希伯崙生的．大衛在希伯崙作王七
五 年零六個月、在耶路撒冷作王三十三年。五大衛在耶路
撒冷所生的兒子是示米亞、朔罷、拿單、所羅門．這四人
六 是亞米利的女兒拔書亞生的．六還有益轄、以利沙瑪、以
七 八 利法列、七挪迦、尼斐、雅非亞、八以利沙瑪、以利雅大、以利法
九 列、共九人。九這都是大衛的兒子、還有他們的妹子他瑪、
妃嬪的兒子不在其內。

所羅門之後裔

十 十所羅門的兒子是羅波安．羅波安的兒子是亞比雅、亞
十一 比雅的兒子是亞撒、亞撒的兒子是約沙法、十一約沙法的
兒子是約蘭、約蘭的兒子是亞哈謝、亞哈謝的兒子是
十二 約阿施、十二約阿施的兒子是亞瑪謝、亞瑪謝的兒子是亞
十三 撒利雅、亞撒利雅的兒子是約坦、十三約坦的兒子是亞哈
十四 十五 斯、亞哈斯的兒子是希西家、希西家的兒子是瑪拿西、
十四瑪拿西的兒子是亞們、亞們的兒子是約西亞。十五約西亞

的長子是約哈難、次子是約雅敬、三子是西底家、四子
是沙龍。十六約雅敬的兒子是耶哥尼雅、和西底家。十七耶哥尼
雅被擄、他的兒子是撒拉鐵、十八瑪基蘭、毘大雅、示拿薩、耶
加米、何沙瑪、尼大比雅。十九毘大雅的兒子是所羅巴伯、示
每。所羅巴伯的兒子是米書蘭、哈拿尼雅、他們的妹子
名叫示羅密。二十米書蘭的兒子是哈舒巴、阿黑、比利家、哈
撒底、于沙希悉、共五人。二一哈拿尼雅的兒子是毘拉提、耶
篩亞、還有利法雅的眾子、亞珥難的眾子、俄巴底亞的
眾子、示迦尼的眾子。二二示迦尼的兒子是示瑪雅、示瑪雅
的兒子是哈突、以甲、巴利亞、尼利雅、沙法、共六人。二三尼利
雅的兒子是以利約乃、希西家、亞斯利干、共三人。二四以利
約乃的兒子是何大雅、以利亞實、毘萊雅、阿谷、約哈難、
第萊雅、阿拿尼、共七人。

第四章　復記猶大之後裔

一猶大的兒子是法勒斯、希斯崙、迦米、戶珥、
朔巴。二朔巴的兒子利亞雅生雅哈、雅哈生亞戶買、和拉
哈、這是瑣拉人的諸族。三以坦之祖的兒子是耶斯列、伊
施瑪、伊得巴、他們的妹子名叫哈悉勒玻尼。四基多之祖
是毘努伊勒、戶沙之祖是以謝珥。這都是伯利恆之祖
以法他的長子戶珥所生的。五提哥亞之祖亞施戶有兩
個妻子、一名希拉、一名拿拉。六拿拉給亞施戶生亞戶撒、
希弗、提米尼、哈轄斯他利。這都是拿拉的兒子。七希拉的
兒子是洗列、瑣轄、伊提南。八哥斯生亞諾、瑣比巴、並哈崙
兒子亞哈黑的諸族。九雅比斯比他眾弟兄更尊貴、他母
親給他起名叫雅比斯、意思說、我生他甚是痛苦。十雅比
斯求告以色列的神說、甚願你賜福與我、擴張我的
境界、常與我同在、保佑我不遭患難、不受艱苦。神就
應允他所求的。十一書哈的弟兄基綠生米黑、米黑是伊施
屯之祖。十二伊施屯生伯拉巴、巴西亞、並珥拿轄之祖提欣
拿、這都是利迦人。十三基納斯的兒子是俄陀聶、西萊雅。俄
陀聶的兒子是哈塔。十四慏挪太生俄弗拉、西萊雅生革夏
納欣人之祖約押、他們都是匠人。十五耶孚尼的兒子是迦
勒、迦勒的兒子是以路、以拉、拿安、以拉的兒子是基納
斯。十六耶哈利勒的兒子是西弗、西法、提利亞、撒列。十七十八以斯拉
的兒子是益帖、米列、以弗、雅倫、米列娶法老女兒比提
雅為妻、生米利暗、沙買、和以實提摩之祖益巴。米列又

娶猶大女子爲妻、生基多之祖雅列、梭哥之祖希伯、和
十九 撒挪亞之祖耶古鐵。十九荷第雅的妻是拿含的妹子、他所
生的兒子是迦米人基伊拉、和瑪迦人以實提摩之祖。
二十 二十示門的兒子是暗嫩、林拿、便哈南、提倫。以示的兒子是
二一 梭黑、與便梭黑。二一猶大的兒子是示拉、示拉的兒子是利
迦之祖珥、瑪利沙之祖拉大、和屬亞實比族織細麻布
二二 的各家。二二還有約敬、哥西巴人、約阿施、薩拉、就是在摩押
二三 地掌權的、又有雅叔比利恆、這都是古時所記載的。二三這
些人都是窰匠、是尼他應和基低拉的居民、與王同處、
爲王作工。

西緬之後裔

二四二五 二四西緬的兒子是尼母利、雅憫、雅立、謝拉、掃羅。二五掃羅的兒
子是沙龍、沙龍的兒子是米比衫、米比衫的兒子是米
二六 施瑪、二六米施瑪的兒子是哈母利、哈母利的兒子是撒刻、
二七 撒刻的兒子是示每。二七示每有十六個兒子、六個女兒、他
弟兄的兒女不多、他們各家不如猶大族的人丁增多。
二八二九 二八西緬人住在別是巴、摩拉大、哈薩書亞、二九辟拉、以森、陀臘、
三十三一 三十彼土利、何珥瑪、洗革拉、三一伯瑪嘉博、哈薩蘇撒、伯比利、沙

拉音、這些城邑直到大衞作王的時候、都是屬西緬人
三二三三 的。三二他們的五個城邑是以坦、亞因、臨門、陀健、亞珊。三三還有
屬城的鄉村、直到巴力、這是他們的住處、他們都有家
三四三五 譜。三四還有米所巴、雅米勒、亞瑪謝的兒子約沙、三五約珥、約示
比的兒子耶戶、約示比是西萊雅的兒子、西萊雅是亞
三六 薛的兒子。三六還有以利約乃、雅哥巴、約朔海、亞帥雅、亞底
三七 業、耶西篾、比拿雅、三七示非的兒子細撒、示非是亞龍的兒
子、亞龍是耶大雅的兒子、耶大雅是申利的兒子、申利
三八 是示瑪雅的兒子。三八以上所記的人名、都是作族長的、他
三九 們宗族的人數增多。三九他們往平原東邊基多口去、尋找
四十 牧放羊羣的草塲、四十尋得肥美的草塲地、又寬闊、又平靜、
四一 從前住那裏的是含族的人。四一以上錄名的人、在猶大王
希西家年間、來攻擊含族人的帳棚、和那裏所有的米
烏尼人、將他們滅盡、就住在他們的地方、直到今日、因
四二 爲那裏有草塲可以牧放羊羣。四二這西緬人中有五百人
上西珥山、率領他們的是以示的兒子毘拉提、尼利雅、
四三 利法雅、和烏薛、四三殺了逃脫剩下的亞瑪力人、就住在那
裏、直到今日。

一 一流便之後裔

第五章　以色列的長子原是流便、因他汚穢了父
親的牀、他長子的名分就歸了約瑟．只是按家譜他不
二 算長子。二猶大勝過一切弟兄、君王也是從他而出．長子
三 的名分卻歸約瑟。三以色列長子流便的兒子是哈諾、法
四 路、希斯倫、迦米。四約珥的兒子是示瑪雅．示瑪雅的兒子
五 是歌革．歌革的兒子是示每．五示每的兒子是米迦．米迦
六 的兒子是利亞雅．利亞雅的兒子是巴力．六巴力的兒子
是備拉．這備拉作流便支派的首領、被亞述王提革拉
七 毘尼色擄去。七他的弟兄照着宗族、按着家譜作族長的
八 是耶利、撒迦利雅、比拉。八比拉是亞撒的兒子．亞撒是示
瑪的兒子．示瑪是約珥的兒子．約珥所住的地方是從
九 亞羅珥直到尼波和巴力免．九又向東延到伯拉河這邊
十 的曠野、因為他們在基列地牲畜增多。十掃羅年間他們
與夏甲人爭戰、夏甲人倒在他們手下．他們就在基列
東邊的全地住在夏甲人的帳棚裏。

十一 十一迦得之後裔

十二 迦得的子孫在流便對面住在巴珊地、延到撒迦。十二他們
中間有作族長的約珥、有作副族長的沙番、還有雅乃
十三 和住在巴珊的沙法。十三他們族弟兄是米迦勒、米書蘭、示
十四 巴、約賴、雅干、細亞、希伯共七人。十四這都是亞比孩的兒子．
亞比孩是戶利的兒子、戶利是耶羅亞的兒子、耶羅亞
是基列的兒子、基列是米迦勒的兒子、米迦勒是耶示
篩的兒子、耶示篩是耶哈多的兒子、耶哈多是布斯的
十五 兒子．十五還有古尼的孫子、押比疊的兒子亞希．這都是作
十六 族長的。十六他們住在基列、與巴珊、和巴珊的鄉村、並沙崙
十七 的郊野、直到四圍的交界。十七這些人在猶大王約坦並在
以色列王耶羅波安年間、都載入家譜。

流便迦得瑪拿西族勝敵據地

十八 十八流便人、迦得人、和瑪拿西半支派的人、能拿盾牌和刀
劍、拉弓射箭、出征善戰的勇士、共有四萬四千七百六
十九 二十 十名。十九他們與夏甲人、伊突人、拿非施人、挪答人爭戰．二十他
們得了　神的幫助、夏甲人和跟隨夏甲的人都交在
他們手中．因為他們在陣上呼求　神、倚賴　神、　神
二十一 就應允他們。二十一他們擄掠了夏甲人的牲畜、有駱駝五萬、
二十二 羊二十五萬、驢二千、又有人十萬。二十二敵人被殺仆倒的甚

多、因爲這爭戰是出乎　神．他們就住在敵人的地上、
直到被擄的時候。

瑪拿西半支派所居之地

二三 瑪拿西半支派的人住在那地．從巴珊延到巴力黑們、
示尼珥、與黑門山。二四 他們的族長是以弗、以示、以列、亞斯
列、耶利米、何達威、雅疊、都是大能的勇士、是有名的
人、也是作族長的。

二支派半人違逆　神

二五 他們得罪了他們列祖的　神、隨從那地之民的神行
邪淫．這民就是　神在他們面前所除滅的。二六 故此以色
列的　神激動亞述王普勒、和亞述王提革拉毗尼色
的心．他們就把流便人、迦得人、瑪拿西半支派的人擄
到哈臘、哈博、哈拉、與歌散河邊、直到今日還在那裏。

第六章　利未之後裔

一 利未的兒子是革順、哥轄、米拉利。二 哥轄的
兒子是暗蘭、以斯哈、希伯倫、烏薛。三 暗蘭的兒子是亞倫、
摩西、還有女兒米利暗。亞倫的兒子是拿答、亞比戶、以
利亞撒、以他瑪。四 以利亞撒生非尼哈、非尼哈生亞比書、
五 亞比書生布基、布基生烏西、六 烏西生西拉希雅、西拉希
雅生米拉約、七 米拉約生亞瑪利雅、亞瑪利雅生亞希突、
八 亞希突生撒督、撒督生亞希瑪斯、九 亞希瑪斯生亞撒利
雅、亞撒利雅生約哈難、十 約哈難生亞撒利雅、（這亞撒
利雅在所羅門於耶路撒冷所建造的殿中、供祭司的
職分）十一 亞撒利雅生亞瑪利雅、亞瑪利雅生亞希突、十二 亞
希突生撒督、撒督生沙龍、十三 沙龍生希勒家、希勒家生亞
撒利雅、十四 亞撒利雅生西萊雅、西萊雅生約薩答。十五 當耶和
華藉尼布甲尼撒的手、擄掠猶大和耶路撒冷人的時
候、這約薩答也被擄去。◎ 十六 利未的兒子是革順、哥轄、米
拉利。十七 革順的兒子名叫立尼、示每。十八 哥轄的兒子是暗蘭、
以斯哈、希伯倫、烏薛。十九 米拉利的兒子是抹利、母示。這是
按着利未人宗族分的各家。二十 革順的兒子是立尼、立尼
的兒子是雅哈、雅哈的兒子是薪瑪、二一 薪瑪的兒子是約
亞、約亞的兒子是易多、易多的兒子是謝拉、謝拉的兒
子是耶特賴。二二 哥轄的兒子是亞米拿達、亞米拿達的兒
子是可拉、可拉的兒子是亞惜、二三 亞惜的兒子是以利加
拿、以利加拿的兒子是以比雅撒、以比雅撒的兒子是

二四 亞惜、二四亞惜的兒子是他哈、他哈的兒子是烏列、烏列的
二五 兒子是烏西雅、烏西雅的兒子是少羅。二五以利加拿的兒
二六 子是亞瑪賽和亞希摩。二六亞希摩的兒子是以利加拿、以
二七 利加拿的兒子是瑣菲、瑣菲的兒子是拿哈、二七拿哈的兒
子是以利押、以利押的兒子是耶羅罕、耶羅罕的兒子
二八 是以利加拿、以利加拿的兒子是撒母耳、二八撒母耳的長
二九 子是約珥、次子是亞比亞。二九米拉利的兒子是抹利、抹利
的兒子是立尼、立尼的兒子是示每、示每的兒子是烏
三十 撒、三十烏撒的兒子是示米亞、示米亞的兒子是哈基雅、哈
基雅的兒子是亞帥雅。

大衛立司理謳歌者

三一 三一約櫃安設之後、大衛派人在耶和華殿中管理歌唱的
三二 事。三二他們就在會幕前當歌唱的差、及至所羅門在耶路
三三 撒冷建造了耶和華的殿、他們便按着班次供職。三三供職
的人、和他們的子孫記在下面．哥轄的子孫中有歌唱
三四 的希幔、希幔是約珥的兒子、約珥是撒母耳的兒子、三四撒
母耳是以利加拿的兒子、以利加拿是耶羅罕的兒子、
三五 耶羅罕是以列的兒子、以列是陀亞的兒子。三五陀亞是蘇
弗的兒子、蘇弗是以利加拿的兒子、以利加拿是瑪哈
三六 的兒子、瑪哈是亞瑪賽的兒子、三六亞瑪賽是以利加拿的
兒子、以利加拿是約珥的兒子、約珥是亞撒利雅的兒
三七 子、亞撒利雅是西番雅的兒子、三七西番雅是他哈的兒子、
他哈是亞惜的兒子、亞惜是以比雅撒的兒子、以比雅
三八 撒是可拉的兒子、三八可拉是以斯哈的兒子、以斯哈是哥
轄的兒子、哥轄是利未的兒子、利未是以色列的兒子。
三九 三九希幔的族兄亞薩、是比利家的兒子、亞薩在希幔右邊
四十 供職．比利家是示米亞的兒子、四十示米亞是米迦勒的兒
子、米迦勒是巴西雅的兒子、巴西雅是瑪基雅的兒子、
四一 四一瑪基雅是伊特尼的兒子、伊特尼是謝拉的兒子、謝拉
四二 是亞大雅的兒子、四二亞大雅是以探的兒子、以探是薪瑪
四三 的兒子、薪瑪是示每的兒子、四三示每是雅哈的兒子、雅哈
四四 是革順的兒子、革順是利未的兒子。四四他們的族弟兄米
拉利的子孫、在他們左邊供職的、有以探、以探是基示
的兒子、基示是亞伯底的兒子、亞伯底是瑪鹿的兒子、
四五 四五瑪鹿是哈沙比雅的兒子、哈沙比雅是亞瑪謝的兒子、
四六 四六亞瑪謝是希勒家的兒子、希勒家是暗西的兒子、暗西

四七 是巴尼的兒子、巴尼是沙麥的兒子、四七沙麥是末力的兒
子、末力是母示的兒子、母示是米拉利的兒子、米拉利
四八 是利未的兒子。四八他們的族弟兄利未人、也被派辦　神
殿中的一切事。

亞倫後裔之職任

四九 四九亞倫和他的子孫在燔祭壇、和香壇上獻祭燒香、又在
至聖所辦理一切的事、爲以色列人贖罪、是照　神僕
五十 人摩西所吩咐的。五十亞倫的兒子是以利亞撒、以利亞撒
五一 的兒子是非尼哈、非尼哈的兒子是亞比書、五一亞比書的
兒子是布基、布基的兒子是烏西、烏西的兒子是西拉
五二 希雅、五二西拉希雅的兒子是米拉約、五三米拉約的兒子是亞
五三 瑪利雅、亞瑪利雅的兒子是亞希突、亞希突的兒子是
撒督、撒督的兒子是亞希瑪斯。

亞倫後裔之邑郊

五四 五四他們的住處、按着境內的營寨、記在下面．哥轄族亞倫
五五 的子孫先拈鬮得地．五五在猶大地中得了希伯崙和四圍
五六 的郊野、五六只是屬城的田地和村莊、都爲耶孚尼的兒子
五七 迦勒所得。五七亞倫的子孫得了逃城希伯崙、又得了立拏
五八 與其郊野、雅提珥、以實提莫、與其郊野、五八希崙與其郊野、
五九 六十 底璧與其郊野、五九亞珊與其郊野、伯示麥與其郊野。六十在便
雅憫支派的地中、得了迦巴與其郊野、阿勒篾與其郊
野、亞拿突與其郊野．他們諸家所得的城共十三座。○
六一 六一哥轄族其餘的人、又拈鬮、在瑪拿西半支派的地中得
六二 了十座城。六二革順族、按着宗族、在以薩迦支派的地中、亞
設支派的地中、拿弗他利支派的地中、巴珊內瑪拿西
六三 支派的地中、得了十三座城。六三米拉利族、按着宗族拈鬮、
在流便支派的地中、迦得支派的地中、西布倫支派的
六四 地中、得了十二座城。六四以色列人將這些城與其郊野給
六五 了利未人．六五這以上錄名的城、在猶大、西緬、便雅憫、三支
六六 派的地中、以色列人拈鬮給了他們。○六六哥轄族中有幾
六七 家在以法蓮支派的地中、也得了城邑．六七在以法蓮山地、
六八 得了逃城示劍與其郊野、又得了基色與其郊野、六八約緬
六九 與其郊野、伯和崙與其郊野、六九亞雅崙與其郊野、迦特臨
七十 門與其郊野．七十哥轄族其餘的人、在瑪拿西半支派的地
七一 中、得了亞乃與其郊野、比連與其郊野。○七一革順族、在瑪
拿西半支派的地中、得了巴珊的哥蘭與其郊野、亞斯

七二 他錄與其郊野。七二又在以薩迦支派的地中、得了基低斯
七三 與其郊野、大比拉與其郊野、七三拉末與其郊野、亞年與其
七四 郊野。七四在亞設支派的地中、得了瑪沙與其郊野、押頓與
七五 七六 其郊野、七五戶割與其郊野、利合與其郊野。七六在拿弗他利支
派的地中、得了加利利的基低斯與其郊野、哈們與其
七七 郊野、基列亭與其郊野。○七七還有米拉利族的人、在西布
倫支派的地中、得了臨摩挪與其郊野、他泊與其郊野。
七八 七八又在耶利哥的約但河東、在流便支派的地中、得了曠
七九 野的比悉與其郊野、雅哈撒與其郊野、七九基底莫與其郊
八十 野、米法押與其郊野。八十又在迦得支派的地中、得了基列
八一 的拉末與其郊野、八一瑪哈念與其郊野、希實本與其郊野、
雅謝與其郊野。

第七章

以薩迦之後裔

一 以薩迦的兒子是陀拉、普瓦、雅述、（雅述創世記第四十六章十三節作約伯）伸崙、共四人。二陀拉的兒子是烏西、利法雅、
二 耶勒、雅買、易伯散、示母利、都是陀拉的族長、是大能的
勇士。到大衛年間、他們的人數共有二萬二千六百名。
三 三烏西的兒子是伊斯拉希、伊斯拉希的兒子是米迦勒、

四 俄巴底亞、約珥、伊示雅、共五人、都是族長。四他們所率領
的、按着宗族出戰的軍隊、共有三萬六千人、因爲他們
的妻和子衆多。五他們的族弟兄、在以薩迦各族中、都是
五 大能的勇士、按着家譜計算、共有八萬七千人。

便雅憫之後裔

六 七 六便雅憫的兒子是比拉、比結、耶疊、共三人。七比拉的兒子
是以斯本、烏西、烏薛、耶利摩、以利、共五人、都是族長、是
大能的勇士、按着家譜計算、他們的子孫共有二萬二
八 千零三十四人。八比結的兒子是細米拉、約阿施、以利以
謝、以利約乃、暗利、耶利摩、亞比雅、亞拿突、亞拉篾、這都
九 是比結的兒子。九他們都是族長、是大能的勇士、按着家
十 譜計算、他們的子孫共有二萬零二百人。十耶疊的兒子
是比勒罕。比勒罕的兒子是耶烏施、便雅憫、以忽、基拿
十一 拿、細坦、他施、亞希沙哈。十一這都是耶疊的兒子、都是族長、
是大能的勇士、他們的子孫、能上陣打仗的、共有一萬
十二 七千二百人。十二還有以珥的兒子書品、戶品、並亞黑的兒
子戶伸。

拿弗他利之後裔

十三拿弗他利的兒子是雅薛、沽尼、耶色、沙龍．這都是辟拉的子孫。

瑪拿西之後裔

十四瑪拿西的兒子亞斯列、是他妾亞蘭人所生的、又生了基列之父瑪吉。十五瑪吉娶的妻是戶品書品的妹子、名叫瑪迦、瑪拿西的次子名叫西羅非哈、西羅非哈但有幾個女兒。十六瑪吉的妻瑪迦生了一個兒子、起名叫毘利施．毘利施的兄弟名叫示利施、示利施的兒子是烏蘭和利金。十七烏蘭的兒子是比但．這都是基列的子孫．基列是瑪吉的兒子、瑪吉是瑪拿西的兒子。十八基列的妹子哈摩利吉生了伊施荷、亞比以謝、瑪拉。十九示米大的兒子是亞現、示劍、利克希、阿尼安。

以法蓮之後裔

二十以法蓮的兒子是書提拉、書提拉的兒子是比列、比列的兒子是他哈、他哈的兒子是以拉大、以拉大的兒子是他哈、二一他哈的兒子是撒拔、撒拔的兒子是書提拉．以法蓮又生以謝、以列．這二人因為下去奪取迦特人的牲畜、被本地的迦特人殺了。二二他們的父親以法蓮為他們悲哀了多日、他的弟兄都來安慰他。二三以法蓮與妻同房、他妻就懷孕生了一子、以法蓮因為家裏遭禍、就給這兒子起名叫比利亞。二四他的女兒名叫舍伊拉、就是建築上伯和崙、下伯和崙、與烏羨舍伊拉的。二五比利阿的兒子是利法、和利悉、利悉的兒子是他拉、他拉的兒子是他罕、二六他罕的兒子是拉但、拉但的兒子是亞米忽、亞米忽的兒子是以利沙瑪、二七以利沙瑪的兒子是嫩、嫩的兒子是約書亞。

以法蓮後裔所居之邑鄉

二八以法蓮人的地業和住處、是伯特利與其村莊．東邊拿蘭、西邊基色與其村莊、示劍與其村莊、直到迦薩與其村莊．二九還有靠近瑪拿西人的境界、伯善與其村莊、他納與其村莊、米吉多與其村莊、多珥與其村莊．以色列兒子約瑟的子孫住在這些地方。

亞設之後裔

三十亞設的兒子是音拿、亦施瓦、亦施韋、比利亞、還有他們的妹子西拉。三一比利亞的兒子是希別、瑪結．瑪結是比撒

威的父親。[三二]希別生雅弗勒、朔默、何坦、和他們的妹子書雅。[三三]雅弗勒的兒子是巴薩、賓哈、亞施法．這都是雅弗勒的兒子。[三四]朔默的兒子是亞希、羅迦、耶戶巴、亞蘭。[三五]朔默兄弟希連的兒子是瑣法、音那、示利斯、亞抹。[三六]瑣法的兒子是書亞、哈尼弗、書阿勒、比利、音拉、[三七]比悉、河得、珊瑪、施沙、益蘭、比拉。[三八]益帖的兒子是耶孚尼、毗斯巴、亞拉。[三九]烏拉的兒子是亞拉、漢尼業、利寫。[四十]這都是亞設的子孫、都是族長、是精壯大能的勇士、也是首領中的頭目、按着家譜計算他們的子孫能出戰的共有二萬六千人。

便雅憫之後裔

第八章 [一]便雅憫的長子比拉、次子亞實別、三子亞哈拉、[二]四子挪哈、五子拉法。[三]比拉的兒子是亞大、基拉、亞比忽、[四]亞比書、乃幔、亞何亞、[五]基拉、示孚汛、戶蘭。[六]以忽的兒子作迦巴居民的族長、被擄到瑪拿轄．[七]以忽的兒子乃幔、亞希亞、基拉也被擄去．基拉生烏撒、亞希忽。[八]沙哈連休他二妻戶伸和巴拉之後、在摩押地生了兒子。[九]他與妻賀得同房、生了約巴、洗比雅、米沙、瑪拉干、[十]耶烏斯、沙迦、米瑪．他這些兒子都是族長。[十一]他的妻戶伸給他生的兒子、有亞比突、以利巴力。[十二]以利巴力的兒子是希伯、米珊、沙麥．沙麥建立阿挪和羅德二城與其村莊。[十三]又有比利亞、和示瑪、是亞雅崙居民的族長、是驅逐迦特人的。[十四]亞希約、沙煞、耶利末、[十五]西巴第雅、亞拉得、亞得、[十六]米迦勒、伊施巴、約哈、都是比利亞的兒子。[十七]西巴第雅、米書蘭、希西基、希伯、[十八]伊施米萊、伊斯利亞、約巴、都是以利巴力的兒子。[十九]雅金、細基利、撒底、[二十]以利乃、洗勒太、[二一]以列、亞大雅、比拉雅、申拉、都是示每的兒子。[二二]伊施班、希伯、以列、[二三]亞伯頓、細基利、哈難、[二四]哈拿尼雅、以攔、安陀提雅、[二五]伊弗底雅、毗努伊勒、都是沙煞的兒子。[二六]珊示萊、示哈利、亞他利雅、[二七]雅利西、以利亞、細基利、都是耶羅罕的兒子。[二八]這些人都是著名的族長、住在耶路撒冷。

[二九]○在基遍住的有基遍的父親耶利．他的妻名叫瑪迦．[三十]他長子是亞伯頓、他又生蘇珥、基士、巴力、拿答、[三一]基多、亞希約、撒迦、米基羅．[三二]米基羅生示米暗．這些人和他們的弟兄在耶路撒冷對面居住。[三三]尼珥生基士、基士生掃羅、掃羅生約拿單、麥基舒亞、亞比拿達、伊施巴力。[三四]約拿單的兒子是米力巴力、（米力巴力撒母耳下四章四節作米非波誤）米力巴力生米迦。[三五]米迦的兒子是毗敦、米

三六 勒、他利亞、亞哈斯。三六亞哈斯生耶何阿達、耶何阿達生亞
三七 拉篾、亞斯瑪威、心利、心利生摩撒、三七摩撒生比尼亞、比尼
三八 亞的兒子是拉法、拉法的兒子是以利亞薩、以利亞薩
的兒子是亞悉。三八亞悉有六個兒子、他們的名字是亞斯
三九 利干、波基路、以實瑪利、示亞利雅、俄巴底雅、哈難。這都
是亞悉的兒子。三九亞悉兄弟以設的長子是烏蘭、次子耶
四十 烏施、三子是以利法列。四十烏蘭的兒子都是大能的勇士、
是弓箭手。他們有許多的子孫、共一百五十名。都是便
雅憫人。

第九章
居耶路撒冷之以色列後裔

一 一以色列人都按家譜計算、寫在以色列諸
二 王記上。猶大人因犯罪就被擄到巴比倫。二先從巴比倫
三 回來住在自己地業城邑中的、有以色列人、祭司、利未
人、尼提寧的首領。……三住在耶路撒冷的、有猶大人、便雅憫
四 人、以法蓮人、瑪拿西人。四猶大兒子法勒斯的子孫中、有
烏太、烏太是亞米忽的兒子、亞米忽是暗利的兒子、暗
五 利是音利的兒子、音利是巴尼的兒子。五示羅的子孫中、
六 有長子亞帥雅、和他的衆子。六謝拉的子孫中、有耶烏利
七 和他的弟兄、共六百九十人。七便雅憫人中、有哈西努的
曾孫、何達威雅的孫子、米書蘭的兒子撒路。八又有耶羅
八 罕的兒子伊比尼雅、米基立的孫子、烏西的兒子以拉、
伊比尼雅的曾孫、流珥的孫子、示法提雅的兒子米書
九 蘭、九和他們的族弟兄、按着家譜計算、共有九百五十六
十 名、這些人都是他們的族長。十祭司中有耶大雅、耶何
十一 雅立、雅斤、十一還有管理　神殿希勒家的兒子亞薩利雅。
希勒家是米書蘭的兒子、米書蘭是撒督的兒子、撒督
是米拉約的兒子、米拉約是亞希突的兒子。十二有瑪基雅
十二 的曾孫、巴施戶珥的孫子、耶羅罕的兒子亞大雅。又有
亞第業的兒子瑪賽。亞第業是雅希細拉的兒子、雅希
細拉是米書蘭的兒子、米書蘭是米實利密的兒子、米
十三 實利密是音麥的兒子。十三他們和衆弟兄都是族長、共有
十四 一千七百六十人、是善於作　神殿使用之工的。十四利
未人米拉利的子孫中、有哈沙比雅的曾孫、押利甘的
十五 孫子哈述的兒子示瑪雅。十五有拔巴甲、黑勒施、迦拉、並亞
十六 薩的曾孫、細基利的孫子、米迦的兒子瑪探雅。十六又有耶
杜頓的曾孫、迦拉的孫子、示瑪雅的兒子俄巴底。還有

以利加拿的孫子亞撒的兒子比利家．他們都住在尼
陀法人的村莊。

利未人之職任

十七守門的是沙龍、亞谷、達們、亞希幔、和他們的弟兄．沙龍
為長。十八從前這些人看守朝東的王門、如今是利未營中
守門的。十九可拉的曾孫以比雅撒的孫子可利的兒子沙
龍、和他的族弟兄可拉人、都管理使用之工、並守會幕
的門．他們的祖宗曾管理耶和華的營盤、又把守營門。
二十從前以利亞撒的兒子非尼哈管理他們、耶和華也與
他同在。二一米施利米雅的兒子撒迦利雅是看守會幕之
門的。二二被選守門的人、共有二百一十二名．他們在自己
的村莊按着家譜計算、是大衛和先見撒母耳所派當
這緊要職任的。二三他們和他們的子孫、按着班次看守耶
和華殿的門、就是會幕的門。二四在東、西、南、北、四方都有守
門的。二五他們的族弟兄住在村莊、每七日來與他們換班。
二六這四個門領都是利未人、各有緊要的職任、看守神
殿的倉庫。二七他們住在神殿的四圍、是因委託他們守
殿、要每日早晨開門。○二八利未人中有管理使用器皿的、
按着數目拿出拿入。二九又有人管理器具、和聖所的器皿、
並細麵、酒、油、乳香、香料。三十祭司中有人用香料作膏油。三一利
未人瑪他提雅是可拉族沙龍的長子、他緊要的職任
是管理盤中烤的物。三二他們族弟兄哥轄子孫中、有管理
陳設餅的、每安息日豫備擺列。○三三歌唱的有利未人的
族長、住在屬殿的房屋、晝夜供職、不作別樣的工。三四以上
都是利未人著名的族長、住在耶路撒冷。○三五在基遍住
的有基遍的父親耶利．他的妻名叫瑪迦．三六他長子是亞
伯頓、他又生蘇珥、基士、巴力、尼珥、拿答、三七基多、亞希約、撒
迦利雅、米基羅．三八米基羅生示米暗．這些人和他們的弟
兄在耶路撒冷對面居住。三九尼珥生基士、基士生掃羅、掃
羅生約拿單、麥基舒、亞比拿達、伊施巴力．四十約拿單的
兒子是米力巴力．（米力巴力即米非波設）米力巴力生米迦．四一米迦
的兒子是毘敦、米勒、他利亞、亞哈斯。四二亞哈斯生雅拉、雅
拉生亞拉篾、亞斯瑪威、心利．心利生摩撒、四三摩撒生比尼
亞、比尼亞生利法雅、利法雅的兒子是以利亞薩、以利
亞薩的兒子是亞悉。四四亞悉有六個兒子、他們的名字是
亞斯利干、波基路、以實瑪利、示亞利雅、俄巴底雅、哈難、

這都是亞悉的兒子。

第十章 掃羅及其子被殺

一非利士人與以色列人爭戰、以色列人在
非利士人面前逃跑、在基利波山有被殺仆倒的。二非利
士人緊追掃羅和他兒子們、就殺了掃羅的兒子約拿
單、亞比拿達、麥基舒亞。三勢派甚大、掃羅被弓箭手追上、
射傷甚重、四就吩咐拿他兵器的人說、你拔出刀來、將我
刺死、免得那些未受割禮的人來凌辱我．但拿兵器的
人甚懼怕、不肯刺他。五掃羅就自己伏在刀上死了。拿兵
器的人見掃羅已死、也伏在刀上死了。六這樣、掃羅和他
三個兒子、並他的全家、都一同死亡。七○住平原的以色
列衆人、見以色列軍兵逃跑、掃羅和他兒子都死了、也
就棄城逃跑、非利士人便來住在其中。八次日、非利士人
來剝那被殺之人的衣服、看見掃羅和他兒子仆倒在
基利波山、九就剝了他的軍裝、割下他的首級、打發人到
非利士地的四境、送到（或作報信）與他們的偶像和衆民．
十又將掃羅的軍裝放在他們神的廟裏、將他的首級釘
在大袞廟中。十一基列雅比人聽見非利士人向掃羅所行
的一切事、十二他們中間所有的勇士就起身前去、將掃羅
和他兒子的屍身送到雅比、將他們的屍骨葬在雅比
的橡樹下、就禁食七日。十三○這樣、掃羅死了、因為他干犯
耶和華、沒有遵守耶和華的命、又因他求問交鬼的婦
人、十四沒有求問耶和華、所以耶和華使他被殺、把國歸於
耶西的兒子大衛。

第十一章 以色列民集於希伯崙膏大衛為王

一以色列衆人聚集到希伯崙見大衛說、
我們原是你的骨肉。二從前掃羅作王的時候、率領以色
列人出入的是你．耶和華你的神也曾應許你說、你
必牧養我的民以色列、作以色列的君。三於是以色列的
長老、都來到希伯崙見大衛王．大衛在希伯崙耶和華
面前與他們立約．他們就膏大衛作以色列的王、是照
耶和華藉撒母耳所說的話。

大衛攻取錫安保障

四大衛和以色列衆人到了耶路撒冷、就是耶布斯．那時
耶布斯人住在那裏。五耶布斯人對大衛說、你決不能進
這地方。然而大衛攻取錫安的保障、就是大衛的城。六大

衛說、誰先攻打耶布斯人、必作首領元帥。洗魯雅的兒
七 子約押先上去、就作了元帥。七大衛住在保障裏、所以那
八 保障叫作大衛城。八大衛又從米羅起、四圍建築城牆、其
九 餘的是約押修理。九大衛日見強盛、因爲萬軍之耶和華
與他同在。

記大衛之諸勇士

十 十以下記錄跟隨大衛勇士的首領、就是奮勇幫助他得
國、照着耶和華吩咐以色列人的話、與以色列人一同
十一 立他作王的。十一大衛勇士的數目記在下面。哈革摩尼的
兒子雅朔班、他是軍長的統領、一時舉槍殺了三百人。
十二 十二其次是亞合人朵多的兒子以利亞撒、他是三個勇士
十三 裏的一個。十三他從前與大衛在巴斯達閔、非利士人聚集
要打仗。那裏有一塊長滿大麥的田、衆民就在非利士
十四 人面前逃跑。十四這勇士便站在那田間、擊殺非利士人、救
十五 護了那田。耶和華使以色列人大獲全勝。◯十五三十個勇
士中的三個人下到磐石那裏、進了亞杜蘭洞見大衛。
十六 非利士的軍隊在利乏音谷安營。十六那時大衛在山寨、非
十七 利士人的防營在伯利恆。十七大衛渴想、說、甚願有人將伯
十八 利恆城門旁、井裏的水、打來給我喝。十八這三個勇士就闖
過非利士人的營盤、從伯利恆城門旁的井裏打水、拿
十九 來奉給大衛。他卻不肯喝、將水奠在耶和華面前、說、十九我
的神阿、這三個人冒死去打水、這水好像他們的血
一般、我斷不敢喝。如此、大衛不肯喝。這是三個勇士所
二十 作的事。◯二十約押的兄弟亞比篩、是這三個勇士的首領。
二一 他舉槍殺了三百人、就在三個勇士裏得了名。二一他在這
三個勇士裏、是最尊貴的、所以作他們的首領、只是不
二二 及前三個勇士。◯二二有甲薛勇士耶何耶大的兒子比拿
雅、行過大能的事、他殺了摩押人亞利伊勒的兩個兒
二三 子。又在下雪的時候下坑裏去、殺了一個獅子。二三又殺了
一個埃及人、埃及人身高五肘、手裏拿着槍、槍桿粗如
織布的機軸。比拿雅只拿着棍子下去、從埃及人手裏
二四 奪過槍來、用那槍將他刺死。二四這是耶何耶大的兒子比
二五 拿雅所行的事、就在三個勇士裏得了名。二五他比那三十
個勇士都尊貴、只是不及前三個勇士。大衛立他作護
二六 衛長。◯二六軍中的勇士、有約押的兄弟亞撒黑、伯利恆人
二七 二八 朵多的兒子伊勒哈難、二七哈律人沙瑪、比倫人希利斯提、二八

二九 哥亞人益吉的兒子以拉、亞拿突人亞比以謝、戶沙人
三十 西比該、亞合人以來、尼陀法人瑪哈萊、尼陀法人巴拿
三一 的兒子希立、便雅憫族、基比亞人利拜的兒子以太、比
三二 三三 拉頓人比拿雅、迦實溪人戶萊、亞拉巴人亞比、巴路米
三四 人押斯瑪弗、沙本人以利雅哈巴、基孫人哈深的衆子、
三五 哈拉人沙基的兒子約拿單、哈拉人沙甲的兒子亞希
三六 暗、吾珥的兒子以利法勒、米基拉人希弗、比倫人亞希
三七 三八 雅、迦密人希斯羅、伊斯拜的兒子拿萊、拿單的兄弟約
三九 珥、哈基利的兒子彌伯哈、亞捫人洗勒、比錄人拿哈萊．
四十 拿哈萊是給洗魯雅的兒子約押拿兵器的．以帖人以
四一 四二 拉、以帖人迦立、赫人烏利亞、亞萊的兒子撒拔、流便人
示撒的兒子亞第拿．他是流便支派中的一個族長、率
四三 四四 領三十人．瑪迦的兒子哈難、彌特尼人約沙法、亞施他
四五 拉人烏西亞、亞羅珥人何坦的兒子沙瑪、耶利、提洗人
四六 申利的兒子耶疊、和他的兄弟約哈、瑪哈未人以利業、
四七 伊利拿安的兒子耶利拜、約沙未雅、摩押人伊特瑪、以
利業、俄備得、並米瑣八人雅西業。

詣洗革拉歸大衛之勇士

一 **第十二章** 大衛因怕基士的兒子掃羅、躲在洗革
二 拉的時候、有勇士到他那裏幫助他打仗．他們善於拉
弓、能用左右兩手甩石射箭．都是便雅憫人掃羅的族
三 弟兄。為首的是亞希以謝、其次是約阿施、都是基比亞
人示瑪的兒子．還有亞斯瑪威的兒子耶薛和毘力．又
四 有比拉迦、並亞拿突人耶戶、基遍人以實買雅、他在三
十人中是勇士、管理他們．且有耶利米、雅哈悉、約哈難、
五 和基得拉人約撒拔、伊利烏賽、耶利摩、比亞利雅、示瑪
六 利雅、哈律弗人示法提雅、可拉人以利加拿、耶西亞、亞
七 薩列、約以謝、雅朔班、基多人耶羅罕的兒子猶拉、和西
巴第雅。

迦得族歸大衛之勇士

八 迦得支派中有人到曠野的山寨投奔大衛、都是大能
的勇士、能拿盾牌和槍的戰士．他們的面貌好像獅子、
九 快跑如同山上的鹿．第一以薛、第二俄巴底雅、第三以
十 十一 利押、第四彌施瑪拿、第五耶利米、第六亞太、第七以利
十二 十三 業、第八約哈難、第九以利薩巴、第十耶利米、第十一末

巴奈。十四這都是迦得人中的軍長、至小的能抵一百人、至
大的能抵一千人。十五正月、約但河水漲過兩岸的時候、他
們過河、使一切住平原的人、東奔西逃。

歸大衛之便雅憫猶大人

十六又有便雅憫和猶大人、到山寨大衛那裏。十七大衛出去迎
接他們、對他們說、你們若是和和平平的來幫助我、我
心就與你們相契．你們若是將我這無罪的人、賣在敵
人手裏、願我們列祖的神察看責罰。十八那時神的靈
感動那三十個勇士的首領亞瑪撒、他就說、大衛阿、我
們是歸於你的、耶西的兒子阿、我們是幫助你的．願你
平平安安、願幫助你的、也都平安．因為你的神幫助
你。大衛就收留他們、立他們作軍長。

歸大衛之瑪拿西人

十九大衛從前與非利士人同去、要與掃羅爭戰．有些瑪拿
西人來投奔大衛．他們卻沒有幫助非利士人．因為非
利士人的首領商議、打發他們回去、說、恐怕大衛拿我
們的首級、歸降他的主人掃羅。二十大衛往洗革拉去的時
候、有瑪拿西人的千夫長押拿、約撒拔、耶疊、米迦勒、約
撒拔、以利戶、洗勒太、都來投奔他。二一這些人幫助大衛攻
擊羣賊．他們都是大能的勇士、且作軍長。二二那時、天天有
人來幫助大衛、以致成了大軍、如神的軍一樣。

歸大衛之戰士成軍

二三豫備打仗的兵來到希伯崙見大衛、要照着耶和華的
話、將掃羅的國位歸與大衛．他們的數目如下。二四猶大支
派、拿盾牌和槍豫備打仗的、有六千八百人。二五西緬支派、
能上陣大能的勇士、有七千一百人。二六利未支派有四千
六百人。二七耶何耶大是亞倫家的首領、跟從他的有三千
七百人．二八還有少年大能的勇士撒督、同着他的有族長
二十二人。二九便雅憫支派、掃羅的族弟兄、也有三千人．他
們向來大半歸順掃羅家。三十以法蓮支派、大能的勇士、在
本族著名的有二萬零八百人。三一瑪拿西半支派、冊上有
名的共一萬八千人、都來立大衛作王。三二以薩迦支派、有
二百族長、都通達時務、知道以色列人所當行的．他們
族弟兄都聽從他們的命令。三三西布倫支派、能上陣、用各
樣兵器打仗、行伍整齊、不生二心的有五萬人。三四拿弗他
利支派、有一千軍長、跟從他們拿盾牌和槍的、有三萬

七千人。三五但支派、能擺陣的、有二萬八千六百人。三六亞設支派、能上陣打仗的、有四萬人。三七約但河東的流便支派、迦得支派、瑪拿西半支派、拿着各樣兵器打仗的、有十二萬人。

以色列民同心立大衛爲王

三八以上都是能守行伍的戰士、他們都誠心來到希伯崙、要立大衛作以色列的王．以色列其餘的人也都一心要立大衛作王。三九他們在那裏三日、與大衛一同喫喝．因爲他們的族弟兄給他們豫備了。四十靠近他們的人、以及以薩迦、西布倫、拿弗他利人、將許多麵餅、無花果餅、乾葡萄、酒、油、用驢、駱駝、騾子、牛、馱來、又帶了許多的牛和羊來、因爲以色列人甚是歡樂。

大衛舁約櫃至俄別以東家

第十三章

一大衛與千夫長百夫長、就是一切首領商議。二大衛對以色列全會衆說、你們若以爲美、見這事是出於耶和華我們的神、我們就差遣人走遍以色列地、見我們未來的弟兄、又見住在有郊野之城的祭司、利未人、使他們都到這裏來聚集．三我們要把神的約櫃運到我們這裏來．因爲在掃羅年間、我們沒有在約櫃前求問神。四全會衆都說、可以如此行、這事在衆民眼中都看爲好。五於是大衛將以色列人、從埃及的西曷河直到哈馬口都招聚了來、要從基列耶琳將神的約櫃運來。六大衛率領以色列衆人上到巴拉、就是屬猶大的基列耶琳、要從那裏將約櫃運來．這約櫃就是坐在二嗟嚕咱上耶和華神留名的約櫃。七他們將神的約櫃、從亞比拿達的家裏抬出來、放在新車上．烏撒和亞希約趕車。八大衛和以色列衆人在神前用琴、瑟、鑼、鼓、號作樂、極力跳舞歌唱。九○到了基頓的禾塲、（基頓撒母耳下六章六節作拿艮）因爲牛失前蹄、（或作驚跳）烏撒就伸手扶住約櫃。十耶和華向他發怒、因他伸手扶住約櫃擊殺他、他就死在神面前。十一大衛因耶和華擊殺（原文作闖殺）烏撒、心裏愁煩、就稱那地方爲毘列斯烏撒、直到今日。十二那日大衛懼怕神、說、神的約櫃怎可運到我這裏來。十三於是大衛不將約櫃運進大衛的城、卻運到迦特人俄別以東的家中。十四神的約櫃在俄別以東家中三個月．耶和華賜福給俄別以東的家、和他一切所有的。

記大衛之諸子

第十四章 一 推羅王希蘭將香柏木運到大衛那裏、
又差遣使者、和石匠木匠、給大衛建造宮殿。二 大衛就知
道耶和華堅立他作以色列王、又爲自己的民以色列、
使他的國興旺。○三 大衛在耶路撒冷又立后妃、又生兒
女。四 在耶路撒冷所生的衆子、是沙母亞、朔罷、拿單、所羅
門、五 益轄、以利書亞、以法列、六 挪迦、尼斐、雅非亞、七 以利沙瑪、
比利雅大、以利法列。

大衛擊敗非利士人

八 非利士人聽見大衛受膏作以色列衆人的王、非利士
衆人就上來尋索大衛。大衛聽見、就出去迎敵。九 非利士
人來了、布散在利乏音谷。十 大衛求問 神、說、我可以上
去攻打非利士人麼、你將他們交在我手裏麼。耶和華
說、你可以上去、我必將他們交在你手裏。十一 非利士人來
到巴力毘拉心、大衛在那裏殺敗他們。大衛說、 神藉
我的手沖破敵人、如同水沖去一般。因此稱那地方爲
巴力毘拉心。十二 非利士人將神像撇在那裏、大衛吩咐人
用火焚燒了。○十三 非利士人又布散在利乏音谷。十四 大衛又
求問 神。 神說、不要一直的上去、要轉到他們後頭、
從桑林對面攻打他們。十五 你聽見桑樹梢上有脚步的聲
音、就要出戰、因爲 神已經在你前頭去攻打非利士
人的軍隊。十六 大衛就遵着 神所吩咐的、攻打非利士人
的軍隊、從基遍直到基色。十七 於是大衛的名傳揚到列國。
耶和華使列國都懼怕他。

爲神櫃備所

第十五章 一 大衛在大衛城爲自己建造宮殿、又爲
神的約櫃豫備地方、支搭帳幕。二 那時大衛說、除了利
未人之外、無人可抬 神的約櫃。因爲耶和華揀選他
們抬 神的約櫃、且永遠事奉他。三 大衛招聚以色列衆
人到耶路撒冷、要將耶和華的約櫃抬到他所豫備的
地方。

任利未人舁約櫃

四 大衛又聚集亞倫的子孫、和利未人。五 哥轄子孫中有族
長烏列、和他的弟兄一百二十人。六 米拉利子孫中、有族
長亞帥雅、和他的弟兄二百二十人。七 革順子孫中、有族
長約珥、和他的弟兄一百三十人。八 以利撒反子孫中、有

九 族長示瑪雅、和他的弟兄二百人。九希伯崙子孫中有族
十 長以列、和他的弟兄八十人。十烏薛子孫中有族長亞米
十一 拿達、和他的弟兄一百一十二人。十一大衛將祭司撒督和
亞比亞他、並利未人烏列、亞帥雅、約珥、示瑪雅、以列、亞
十二 米拿達召來、十二對他們說、你們是利未人的族長、你們和
你們的弟兄應當自潔、好將耶和華以色列神的約
十三 櫃、抬到我所豫備的地方。十三因你們先前沒有抬這約櫃、
按定例求問耶和華我們的神、所以他刑罰（原文作闖殺）
十四 我們。十四於是祭司利未人自潔、好將耶和華以色列神、
十五 的約櫃抬上來。十五利未子孫就用杠、肩抬 神的約櫃、是
照耶和華藉摩西所吩咐的。

命利未族長立謳歌者作樂

十六 大衛吩咐利未人的族長、派他們歌唱的弟兄、用琴瑟
十七 和鈸作樂、歡歡喜喜的大聲歌頌。十七於是利未人派約珥
的兒子希幔、和他弟兄中比利家的兒子亞薩、並他們
十八 族弟兄米拉利子孫裏古沙雅的兒子以探。十八其次還有
他們的弟兄撒迦利雅、便雅薛、示米拉末、耶歇、烏尼、以
利押、比拿雅、瑪西雅、瑪他提雅、以利斐利戶、彌克尼雅、

十九 並守門的俄別以東、和耶利。十九這樣、派歌唱的希幔、亞薩、
二十 以探、敲銅鈸、大發響聲。二十派撒迦利雅、雅薛、示米拉末、耶
二一 歇、烏尼、以利押、瑪西雅、比拿雅、鼓瑟、調用女音。二一又派瑪
他提雅、以利斐利戶、彌克尼雅、俄別以東、耶利、亞撒西
二二 雅、領首彈琴、調用第八。二二利未人的族長基拿尼雅、是歌
二三 唱人的首領、又教訓人歌唱、因為他精通此事。二三比利家
二四 以利加拿、是約櫃前守門的。二四祭司示巴尼、約沙法、拿坦
業、亞瑪賽、撒迦利雅、比拿亞、以利以謝、在 神的約櫃
前吹號。俄別以東和耶希亞也是約櫃前守門的。

舁約櫃入大衛城

二五 於是大衛和以色列的長老、並千夫長、都去從俄別以
二六 東的家、歡歡喜喜的將耶和華的約櫃抬上來。二六 神賜
恩與抬耶和華約櫃的利未人、他們就獻上七隻公牛、
二七 七隻公羊。二七大衛和抬約櫃的利未人、並歌唱人的首領
基拿尼雅、以及歌唱的人、都穿着細麻布的外袍、大衛
二八 另外穿着細麻布的以弗得。二八這樣、以色列眾人歡呼吹
角、吹號、敲鈸、鼓瑟、彈琴、大發響聲、將耶和華的約櫃抬
二九 上來。○二九耶和華的約櫃進了大衛城的時候、掃羅的女

兒米甲從窗戶裏觀看、見大衞王踴躍跳舞、心裏就輕
視他。

大衞獻祭爲民祝福

一 **第十六章** [一]衆人將神的約櫃請進去、安放在大
二 衞所搭的帳幕裏、就在神面前獻燔祭、和平安祭。[二]大
衞獻完了燔祭和平安祭、就奉耶和華的名給民祝福．
三 [三]並且分給以色列人、無論男女、每人一個餅、一塊肉、一
個葡萄餅。

立利未人供役於約櫃前

四 [四]大衞派幾個利未人在耶和華的約櫃前事奉、頌揚、稱
五 謝、讚美耶和華以色列的神．[五]爲首的是亞薩、其次是
撒迦利雅、雅薛、示米拉末、耶歇、瑪他提雅、以利押、比拿
雅、俄別以東、耶利、鼓瑟彈琴、惟有亞薩敲鈸、大發響聲．
六 [六]祭司比拿雅和雅哈悉常在神的約櫃前吹號。

大衞歌頌耶和華

七 [七]那日大衞初次藉亞薩和他的弟兄、以詩歌稱頌耶和
八 華、說、[八]你們要稱謝耶和華、求告他的名、在萬民中傳揚
九 他的作爲。[九]要向他唱詩、歌頌、談論他一切奇妙的作爲。
十 [十]要以他的聖名誇耀、尋求耶和華的人心中應當歡喜。
十一 十二 十三 [十一]要尋求耶和華與他的能力．時常尋求他的面。[十二]他僕人[十三]
以色列的後裔、他所揀選雅各的子孫哪、你們要記念
十四 他奇妙的作爲、和他的奇事、並他口中的判語。[十四]他是耶
十五 和華我們的神．全地都有他的判斷。[十五]你們要記念他
十六 的約、直到永遠、他所吩咐的話、直到千代、[十六]就是與亞伯
十七 拉罕所立的約、向以撒所起的誓．[十七]他又將這約向雅各
十八 定爲律例、向以色列定爲永遠的約、[十八]說、我必將迦南地
十九 賜給你、作你產業的分．[十九]當時你們人丁有限、數目稀少、
二十 並且在那地爲寄居的．[二十]他們從這邦游到那邦、從這國
二一 行到那國．[二一]耶和華不容甚麼人欺負他們、爲他們的緣
二二 故責備君王、說、[二二]不可難爲我受膏的人、也不可惡待我
二三 的先知。[二三]全地都要向耶和華歌唱、天天傳揚他的救恩。
二四 二五 [二四]在列邦中述說他的榮耀、在萬民中述說他的奇事．[二五]因
耶和華爲大、當受極大的讚美．他在萬神之上、當受敬
二六 二七 畏。[二六]外邦的神都屬虛無．惟獨耶和華創造諸天。[二七]有尊榮
二八 和威嚴在他面前．有能力和喜樂在他聖所。[二八]民中的萬
族阿、你們要將榮耀能力歸給耶和華、都歸給耶和華。

二九要將耶和華的名所當得的榮耀歸給他．拿供物來奉
到他面前．當以聖潔的妝飾（的或作爲）敬拜耶和華。三十全地要
在他面前戰抖．世界也堅定不得動搖。三一願天歡喜．願地
快樂．願人在列邦中說耶和華作王了。三二願海、和其中所
充滿的澎湃．願田、和其中所有的都歡樂．三三那時、林中的
樹木都要在耶和華面前歡呼．因爲他來要審判全地。
三四應當稱謝耶和華．因他本爲善．他的慈愛永遠長存。三五要
說、拯救我們的神阿、求你救我們．聚集我們、使我們
脫離外邦．我們好稱讚你的聖名、以讚美你爲誇勝。三六耶
和華以色列的神、從亙古直到永遠、是應當稱頌的。
衆民都說、阿們．並且讚美耶和華。

立亞薩及其弟兄恆供事於約櫃前

三七大衛派亞薩和他的弟兄、在約櫃前常常事奉耶和華、
一日盡一日的職分．三八又派俄別以東和他的弟兄六十
八人、與耶杜頓的兒子俄別以東、並何薩作守門的．三九且
四十派祭司撒督、和他弟兄衆祭司、在基遍的邱壇耶和華
的帳幕前、燔祭壇上、每日早晚、照着耶和華律法書上
所吩咐以色列人的、常給耶和華獻燔祭．四一與他們一同
被派的、有希幔、耶杜頓、和其餘被選名字錄在册上的、
稱謝耶和華、因他的慈愛永遠長存．四二希幔、耶杜頓同着
他們吹號、敲鈸、大發響聲、並用別的樂器隨着歌頌
神．耶杜頓的子孫作守門的。四三於是衆民各歸各家．大衛
也回去爲家眷祝福。

第十七章

大衛有意爲耶和華建殿　神不許

一大衛住在自己宮中、對先知拿單說、看
哪、我住在香柏木的宮中、耶和華的約櫃反在幔子裏。
二拿單對大衛說、你可以照你的心意而行．因爲　神與
你同在。三當夜　神的話臨到拿單說、四你去告訴我僕人
大衛說、耶和華如此說、你不可建造殿宇給我居住。五自
從我領以色列人出埃及、直到今日、我未曾住過殿宇、
乃從這會幕到那會幕、從這帳幕到那帳幕……六凡我同以
色列人所走的地方、我何曾向以色列的一個士師、就
是我吩咐牧養我民的、說、你爲何不給我建造香柏木
的殿宇呢。七現在你要告訴我僕人大衛說、萬軍之耶和
華如此說、我從羊圈中將你召來、叫你不再跟從羊羣、
立你作我民以色列的君．八你無論往那裏去、我常與你

同在、剪除你的一切仇敵．我必使你得大名、好像世上
九 大大有名的人一樣。我必為我民以色列選定一個地
方、栽培他們、使他們住自己的地方、不再遷移．兇惡之
十 子也不像從前擾害他們、並不像我命士師治理我民
以色列的時候一樣．我必治服你的一切仇敵、並且我
十一 耶和華應許你必為你建立家室。你壽數滿足歸你列
祖的時候、我必使你的後裔接續你的位、我也必堅定
十二 他的國。他必為我建造殿宇、我必堅定他的國位直到
十三 永遠。我要作他的父、他要作我的子．並不使我的慈愛
十四 離開他、像離開在你以前的掃羅一樣．我卻要將他永
遠堅立在我家裏、和我國裏．他的國位也必堅定、直到
十五 永遠。拿單就按這一切話、照這默示告訴大衛。

大衛之祈禱

十六 於是大衛王進去、坐在耶和華面前、說、耶和華神阿、
十七 我是誰、我的家算甚麼、你竟使我到這地步呢。神阿、
這在你眼中還看為小．又應許你僕人的家至於久遠．
十八 耶和華神阿、你看顧我好像看顧高貴的人。你加於
僕人的尊榮、我還有何言可說呢．因為你知道你的僕
十九 人。耶和華阿、你行了這大事、並且顯明出來、是因你僕
二十 人的緣故、也是照你的心意。耶和華阿、照我們耳中聽
二一 見、沒有可比你的、除你以外再無 神。世上有何民能
比你的民以色列呢．你 神從埃及救贖他們作自己
的子民、又在你贖出來的民面前行大而可畏的事、驅
二二 逐列邦人、顯出你的大名。你使以色列人作你的子民、
二三 直到永遠．你耶和華也作他們的 神。耶和華阿、你所
應許僕人、和僕人家的話、求你堅定、直到永遠、照你所
二四 說的而行。願你的名永遠堅立、被尊為大、說、萬軍之耶
和華是以色列的 神、是治理以色列的 神．這樣、你
二五 僕人大衛的家、必在你面前堅立。我的 神阿、因你啓
示僕人說、我必為你建立家室．所以僕人大膽在你面
二六 前祈禱。耶和華阿、惟有你是 神、你也應許將這福氣
二七 賜給僕人．現在你喜悅賜福與僕人的家、可以永存在
你面前．耶和華阿、你已經賜福、還要賜福到永遠。

第十八章

大衛再敗非利士人

一 此後大衛攻打非利士人、把他們治服、
從他們手下奪取了迦特和屬迦特的村莊．

敗摩押人

二 又攻打摩押、摩押人就歸服大衛、給他進貢。〇三 瑣巴王哈大利謝、（撒母耳下八章三節作哈大底謝）往伯拉河去、要堅定自己的國權、大衛就攻打他、直到哈馬。四 大衛奪了他的戰車一千、馬兵七千、步兵二萬、將拉戰車的馬砍斷蹄筋、但留下一百輛車的馬。

敗亞蘭人

五 大馬色的亞蘭人來幫助瑣巴王哈大利謝、大衛就殺了亞蘭人二萬二千。六 於是大衛在大馬色的亞蘭地設立防營、亞蘭人就歸服他、給他進貢。大衛無論往那裏去、耶和華都使他得勝。七 他奪了哈大利謝臣僕所拿的金盾牌、帶到耶路撒冷。八 大衛又從屬哈大利謝的提巴、（提巴或作比他）和均二城中、奪取了許多的銅、後來所羅門用此製造銅海、銅柱、和一切的銅器。〇九 哈馬王陀烏聽見大衛殺敗瑣巴王哈大利謝的全軍、十 就打發他兒子哈多蘭去見大衛王、問他的安、為他祝福、因為他殺敗了哈大利謝、原來陀烏與哈大利謝常常爭戰。哈多蘭帶了金銀銅的各樣器皿來。十一 大衛王將這些器皿、並從各國奪來的金銀、就是從以東、摩押、亞捫、非利士、亞瑪力人所奪來的、都分別為聖獻給耶和華。

亞比篩擊以東人

十二 洗魯雅的兒子亞比篩在鹽谷擊殺了以東一萬八千人。十三 大衛在以東地設立防營、以東人就都歸服他。大衛無論往那裏去、耶和華都使他得勝。

大衛王秉公治民

十四 大衛作以色列眾人的王、又向眾民秉公行義。十五 洗魯雅的兒子約押作元帥、亞希律的兒子約沙法作史官、十六 亞希突的兒子撒督、和亞比亞他的兒子亞希米勒作祭司長、沙威沙作書記、十七 耶何耶大的兒子比拿雅統轄基利提人和比利提人、大衛的眾子都在王的左右作領袖。

第十九章

大衛遣使詣哈嫩

一 此後、亞捫人的王拿轄死了、他兒子接續他作王。二 大衛說、我要照哈嫩的父親拿轄厚待我的恩典厚待哈嫩。於是大衛差遣使者為他喪父安慰他。大衛的臣僕到了亞捫人的境內見哈嫩、要安慰他。三 但

亞捫人的首領對哈嫩說、大衛差人來安慰你、你想他
是尊敬你父親麼．他的臣僕來見你不是為詳察窺探、
四 傾覆這地麼。四哈嫩便將大衛臣僕的鬍鬚、剃去一半、又
割斷他們下半截的衣服、使他們露出下體、打發他們
五 回去。五有人將臣僕所遇的事告訴大衛、他就差人去迎
接他們、因為他們甚覺羞恥．告訴他們說、可以住在耶
利哥、等到鬍鬚長起再回來。

亞捫人備戰

六 六亞捫人知道大衛憎惡他們、哈嫩和亞捫人就打發人、
拿一千他連得銀子、從米所波大米、亞蘭瑪迦、瑣巴雇
七 戰車和馬兵。七於是雇了三萬二千輛戰車、和瑪迦王並
他的軍兵．他們來安營在米底巴前．亞捫人也從他們
八 的城裏出來、聚集交戰。八大衛聽見了、就差派約押統帶
九 勇猛的全軍出去。九亞捫人出來、在城門前擺陣．所來的
諸王、另在郊野擺陣。

亞蘭人與亞捫人敗遁

十 十約押看見敵人在他前後擺陣、就從以色列軍中挑選
十一 精兵、使他們對着亞蘭人擺陣。十一其餘的兵交與他兄弟
十二 亞比篩、對着亞捫人擺陣。十二約押對亞比篩說、亞蘭人若
強過我、你就來幫助我．亞捫人若強過你、我就去幫助
十三 你。十三我們都當剛強、為本國的民、和　神的城邑、作大丈
十四 夫．願耶和華憑他的意旨而行。十四於是約押和跟隨他的
十五 人前進攻打亞蘭人、亞蘭人在約押面前逃跑。十五亞捫人
見亞蘭人逃跑．他們也在約押的兄弟亞比篩面前逃
十六 跑進城．約押就回耶路撒冷去了。○十六亞蘭人見自己被
以色列人打敗、就打發使者將大河那邊的亞蘭人調
十七 來、哈大利謝的將軍朔法率領他們。十七有人告訴大衛、他
就聚集以色列眾人、過約但河、來到亞蘭人那裏、迎着
他們擺陣。大衛既擺陣攻擊亞蘭人、亞蘭人就與他打
十八 仗．十八亞蘭人在以色列人面前逃跑．大衛殺了亞蘭七千
十九 輛戰車的人、四萬步兵．又殺了亞蘭的將軍朔法。十九屬哈
大利謝的諸王、見自己被以色列人打敗、就與大衛和
好、歸服他．於是亞蘭人不敢再幫助亞捫人了。

第二十章

約押攻取拉巴

一 一過了一年、到列王出戰的時候、約押率
領軍兵、毀壞亞捫人的地、圍攻拉巴．大衛仍住在耶路

撒冷。約押攻打拉巴、將城傾覆。二大衛奪了亞捫人之王所戴的金冠冕、（王或作瑪勒堪 即米勒公亞捫族之神名）其上的金子重一他連得、又嵌着寶石。人將這冠冕戴在大衛頭上。大衛從城裏奪了許多財物。三將城裏的人拉出來、放在鋸下、或鐵耙下、或鐵斧下、（或作強他們用鋸或用打糧食的鐵器或用鐵斧作工。）大衛待亞捫各城的居民都是如此。其後大衛和衆軍都回耶路撒冷去了。

三敗非利士人

四後來、以色列人在基色與非利士人打仗、戶沙人西比該殺了偉人的一個兒子細派、非利士人就被制伏了。五又與非利士人打仗、睚珥的兒子伊勒哈難、殺了迦特人歌利亞的兄弟拉哈米、這人的槍桿粗如織布的機軸。六又在迦特打仗、那裏有一個身量高大的人、手腳都是六指、共有二十四個指頭、他也是偉人的兒子。七這人向以色列人罵陣、大衛的哥哥示米亞的兒子約拿單就殺了他。八這三個人是迦特偉人的兒子、都死在大衛和他僕人的手下。

大衛核數以色列民

第二十一章

一撒但起來攻擊以色列人、激動大衛數點他們。二大衛就吩咐約押和民中的首領、說、你們去數點以色列人、從別是巴直到但、回來告訴我、我好知道他們的數目。三約押說、願耶和華使他的百姓比現在加增百倍。我主我王阿、他們不都是你的僕人麼。我主爲何吩咐行這事、爲何使以色列人陷在罪裏呢。四但王的命令勝過約押。約押就出去、走遍以色列地、回到耶路撒冷、五將百姓的總數奏告大衛。以色列人拿刀的有一百一十萬。猶大人拿刀的、有四十七萬。六惟有利未人和便雅憫人沒有數在其中。因爲約押厭惡王的這命令。七神不喜悅這數點百姓的事、便降災給以色列人。八大衛禱告神說、我行這事大有罪了。現在求你除掉僕人的罪孽。因我所行的甚是愚昧。

耶和華怒降疫癘

九耶和華吩咐大衛的先見迦得說、十你去告訴大衛說、耶和華如此說、我有三樣災、隨你選擇一樣、我好降與你。十一於是迦得來見大衛、對他說、耶和華如此說、你可以隨

意選擇。十二或三年的饑荒、或敗在你敵人面前、被敵人的
刀追殺三個月、或在你國中有耶和華的刀、就是三日
的瘟疫、耶和華的使者在以色列的四境施行毀滅。現
在你要想一想、我好回覆那差我來的。十三大衛對迦得說、
我甚爲難。我願落在耶和華的手裏、因爲他有豐盛的
憐憫。我不願落在人的手裏。十四於是耶和華降瘟疫與以
色列人、以色列人就死了七萬。十五 神差遣使者去滅耶
路撒冷、剛要滅的時候、耶和華看見後悔、就不降這災
了。吩咐滅城的天使說、彀了、住手罷。那時耶和華的使
者站在耶布斯人阿珥楠的禾塲那裏。十六大衛舉目看見
耶和華的使者站在天地間、手裏有拔出來的刀、伸在
耶路撒冷以上。大衛和長老都身穿麻衣、面伏於地。十七大
衛禱告 神說、吩咐數點百姓的不是我麼。我犯了罪、
行了惡、但這羣羊作了甚麼呢。願耶和華我 神的手
攻擊我、和我的父家、不要攻擊你的民、降瘟疫與他們。

大衛築壇獻祭

十八耶和華的使者吩咐迦得去告訴大衛、叫他上去、在耶
布斯人阿珥楠的禾塲上、爲耶和華築一座壇。十九大衛就
照着迦得奉耶和華名所說的話上去了。二十那時阿珥楠
正打麥子、回頭看見天使、就和他四個兒子都藏起來
了。二一大衛到了阿珥楠那裏、阿珥楠看見大衛、就從禾塲
上出去、臉伏於地、向他下拜。二二大衛對阿珥楠說、你將這
禾塲與相連之地賣給我、我必給你足價、我好在其上
爲耶和華築一座壇、使民間的瘟疫止住。二三阿珥楠對大
衛說、你可以用這禾塲、願我主我王照你所喜悅的去
行、我也將牛給你作燔祭、把打糧的器具當柴燒、拿麥
子作素祭、這些我都送給你。二四大衛王對阿珥楠說、不然、
我必要用足價向你買。我不用你的物獻給耶和華、也
不用白得之物獻爲燔祭。二五於是大衛爲那塊地平了六
百舍客勒金子給阿珥楠。二六大衛在那裏爲耶和華築了
一座壇、獻燔祭和平安祭、求告耶和華。耶和華就應允
他、使火從天降在燔祭壇上。二七耶和華吩咐使者、他就收
刀入鞘。◎二八那時大衛見耶和華在耶布斯人阿珥楠的
禾塲上應允了他、就在那裏獻祭。二九摩西在曠野所造之
耶和華的帳幕和燔祭壇、都在基遍的高處。三十只是大衛
不敢前去求問 神、因爲懼怕耶和華使者的刀。三一大衛

說、這就是耶和華 神的殿、爲以色列人獻燔祭的壇。
一 **第二十二章** 一大衛吩咐聚集住以色列地的外邦
二 人、從其中派石匠鑿石頭、要建造 神的殿。二大衛豫備
許多鐵、作門上的釘子、和鉤子．又豫備許多銅、多得無
三 法可稱．三又豫備無數的香柏木．因爲西頓人和推羅人、
四 給大衛運了許多香柏木來。四大衛說、我兒子所羅門還
年幼嬌嫩、要爲耶和華建造的殿宇必須高大輝煌、使
名譽榮耀傳遍萬國．所以我要爲殿豫備材料。於是大
衛在未死之先、豫備的材料甚多。

囑所羅門爲主建殿

五 五大衛召了他兒子所羅門來、囑咐他給耶和華以色列
六 的 神建造殿宇．六對所羅門說、我兒阿、我心裏本想爲
七 耶和華我 神的名建造殿宇。七只是耶和華的話臨到
我、說、你流了多人的血、打了多次大仗、你不可爲我的
名建造殿宇、因爲你在我眼前使多人的血流在地上。
八 八你要生一個兒子．他必作太平的人．我必使他安靜、不
被四圍的仇敵擾亂．他的名要叫所羅門．即太平之意他在
九 位的日子、我必使以色列人平安康泰．九他必爲我的名
建造殿宇．他要作我的子、我要作他的父．他作以色列
十 王、我必堅定他的國位、直到永遠。十我兒阿、現今願耶和
華與你同在、使你亨通、照他指着你說的話、建造耶和
十一 華你 神的殿。十一但願耶和華賜你聰明智慧、好治理以
十二 色列國、遵行耶和華你 神的律法。十二你若謹守遵行耶
和華藉摩西吩咐以色列的律例典章、就得亨通．你當
十三 剛強壯膽、不要懼怕、也不要驚惶。十三我在困難之中爲耶
和華的殿豫備了金子十萬他連得、銀子一百萬他連
得、銅和鐵多得無法可稱．我也豫備了木頭、石頭．你還
十四 可以增添。十四你有許多匠人、就是石匠、木匠、和一切能作
十五 各樣工的巧匠．十五並有無數的金、銀、銅、鐵。你當起來辦事．
十六 願耶和華與你同在。十六○大衛又吩咐以色列的衆首領
十七 幫助他兒子所羅門、說、十七耶和華你們的 神不是與你
們同在麼．不是叫你們四圍都平安麼．因他已將這地
的居民交在我手中．這地就在耶和華與他百姓面前
十八 制伏了。十八現在你們應當立定心意、尋求耶和華你們的
神．也當起來、建造耶和華 神的聖所、好將耶和華
的約櫃、和供奉 神的聖器皿、都搬進爲耶和華名建

造的殿裏。

第二十三章

所羅門作以色列王

一大衛年紀老邁、日子滿足、就立他兒子所羅門作以色列的王。

利未人之職任

二大衛招聚以色列的衆首領、和祭司利未人。三利未人從三十歲以外的都被數點．他們男丁的數目共有三萬八千。四其中有二萬四千人管理耶和華殿的事．有六千人作官長和士師．五有四千人作守門的．又有四千人用大衛所作的樂器頌讚耶和華。六大衛將利未人革順、哥轄、米拉利的子孫、分了班次。七◯革順的子孫有拉但和示每。八拉但的長子是耶歇、還有細坦和約珥共三人。九示每的兒子是示羅密、哈薛、哈蘭三人。這是拉但族的族長。十示每的兒子是雅哈、細拿、耶烏施、比利亞共四人。十一雅哈是長子、細撒是次子．但耶烏施和比利亞的子孫不多、所以算為一族。十二◯哥轄的兒子是暗蘭、以斯哈、希伯倫、烏薛共四人。十三暗蘭的兒子是亞倫、摩西．亞倫和他的子孫分出來、好分別至聖的物、在耶和華面前燒香事

奉他、奉他的名祝福、直到永遠。十四至於神人摩西、他的子孫名字記在利未支派的冊上。十五摩西的兒子是革舜和以利以謝．十六革舜的長子是細布業．十七以利以謝的兒子是利哈比雅．以利以謝沒有別的兒子．但利哈比雅的子孫甚多。十八以斯哈的長子是示羅密。十九希伯倫的長子是耶利雅、次子是亞瑪利亞、三子是雅哈悉、四子是耶加面。二十烏薛的長子是米迦、次子是耶西雅。二十一◯米拉利的兒子是抹利、母示．抹利的兒子是以利亞撒、基士。二十二以利亞撒死了沒有兒子、只有女兒．他們本族基士的兒子娶了他們為妻。二十三母示的兒子是末力、以得、耶利摩、共三人。◯二十四以上利未子孫作族長的、照着男丁的數目、從二十歲以外、都辦耶和華殿的事務。二十五大衛說、耶和華以色列的神已經使他的百姓平安．他永遠住在耶路撒冷。二十六利未人不必再抬帳幕、和其中所用的一切器皿了。二十七照着大衛臨終所吩咐的、利未人從二十歲以外的都被數點。二十八他們的職任、是服事亞倫的子孫、在耶和華的殿和院子、並屋中辦事．潔淨一切聖物、就是辦神殿的事務．二十九並管理陳設餅、素祭的細麵、或無酵薄餅、或用盤烤、

三十 或用油調和的物、又管理各樣的升斗尺度、每日早晚、
三一 站立稱謝讚美耶和華。又在安息日、月朔、並節期、按數
三二 照例、將燔祭常常獻給耶和華．又看守會幕和聖所、並
守⋯⋯耶和華吩咐他們弟兄亞倫子孫的、辦耶和華殿的
事。

第二十四章　亞倫後裔之班次

一 亞倫子孫的班次、記在下面．亞倫的
二 兒子是拿答、亞比戶、以利亞撒、以他瑪。拿答、亞比戶死
在他們父親之先、沒有留下兒子．故此、以利亞撒、以他
三 瑪供祭司的職分。以利亞撒的子孫撒督、和以他瑪的
子孫亞希米勒、同着大衛將他們的族弟兄、分成班次。
四 以利亞撒子孫中為首的、比以他瑪子孫中為首的更
多．分班如下．以利亞撒的子孫中、有十六個族長．以他
五 瑪的子孫中、有八個族長．都掣籤分立、彼此一樣．在聖
所和神面前作首領的、有以利亞撒的子孫、也有以
六 他瑪的子孫。作書記的利未人拿坦業的兒子示瑪雅、
在王和首領、與祭司撒督、亞比亞他的兒子亞希米勒、
並祭司利未人的族長面前、記錄他們的名字．在以利
亞撒的子孫中取一族、在以他瑪的子孫中取一族。○
七 掣籤的時候、第一掣出來的是耶何雅立、第二是耶大
八 九 雅、第三是哈琳、第四是梭琳、第五是瑪基雅、第六是米
十 十一 雅民、第七是哈歌斯、第八是亞比雅、第九是耶書亞、第
十二 十三 十是示迦尼、第十一是以利亞實、第十二是雅金、第十
十四 三是胡巴、第十四是耶是比押、第十五是璧迦、第十六
十五 十六 是音麥、第十七是希悉、第十八是哈闢悉、第十九是毗
十七 他希雅、第二十是以西結、第二十一是雅斤、第二十二
十八 十九 是迦末、第二十三是第來雅、第二十四是瑪西亞。這就
是他們的班次、要照耶和華以色列的神藉他們祖
宗亞倫所吩咐的條例、進入耶和華的殿、辦理事務。

其餘利未之裔亦掣籤得職

二十 利未其餘的子孫如下．暗蘭的子孫裏有書巴業．書巴
二一 業的子孫裏有耶希底亞．利哈比雅的子孫裏有長子
二二 伊示雅．以斯哈的子孫裏有示羅摩．示羅摩的子孫裏
二三 有雅哈．希伯倫的子孫裏有長子耶利雅、次子亞瑪利
二四 亞、三子雅哈悉、四子耶加面．烏薛的子孫裏有米迦．米
二五 迦的子孫裏有沙密．米迦的兄弟是伊示雅．伊示雅的

二六 的子孫裏有撒迦利雅。米拉利的兒子是抹利、母示、雅
二七 西雅。雅西雅的兒子有比挪。米拉利的子孫裏有雅西
二八 雅的兒子比挪、朔含、撒刻、伊比利。抹利的兒子是以利
二九 三十 亞撒、以利亞撒沒有兒子。基士的子孫裏有耶拉篾。母
示的兒子是末力、以得、耶利摩。按着宗族、這都是利未
三一 的子孫。他們在大衛王和撒督並亞希米勒與祭司利
未人的族長面前掣籤、正如他們弟兄亞倫的子孫一
般、各族的長者與兄弟沒有分別。

第二十五章 大衛簡立謳歌者

一 大衛和眾首領分派亞薩、希幔、並耶
杜頓的子孫、彈琴、鼓瑟、敲鈸、唱歌。（唱歌原文作說豫言本章同）他們
二 供職的人數記在下面。亞薩的兒子撒刻、約瑟、尼探雅、
三 亞薩利拉、都歸亞薩指教、遵王的旨意唱歌。耶杜頓的
兒子基大利、西利、耶篩亞、哈沙比雅、瑪他提雅、示每共
四 六人、都歸他們父親耶杜頓指教、彈琴、唱歌、稱謝、頌讚
耶和華。希幔的兒子布基雅、瑪探雅、烏薛、細布業、耶利
摩、哈拿尼雅、哈拿尼、以利亞他、基大利提、羅幔提以謝、
五 約施比加沙、瑪羅提、何提、瑪哈秀。這都是希幔的兒子、
吹角頌讚。希幔奉 神之命作王的先見。神賜給希
六 幔十四個兒子、三個女兒。都歸他們父親指教、在耶和
華的殿唱歌、敲鈸、彈琴、鼓瑟、辦神殿的事務。亞薩、耶
七 杜頓、希幔都是王所命定的。他們和他們的弟兄學習
八 頌讚耶和華、善於歌唱的、共有二百八十八人。這些人、
無論大小、為師的為徒的、都一同掣籤分了班次。

籤分二十四班

九 掣籤的時候、第一掣出來的是亞薩的兒子約瑟。第二
十 是基大利、他和他弟兄並兒子共十二人。第三是撒刻、
十一 他和他兒子並弟兄共十二人。第四是伊洗利、他和他
十二 兒子並弟兄共十二人。第五是尼探雅、他和他兒子並
十三 弟兄共十二人。第六是布基雅、他和他兒子並弟兄共
十四 十二人。第七是耶薩利拉、他和他兒子並弟兄共十二
十五 十六 人。第八是耶篩亞、他和他兒子並弟兄共十二人。第九
十七 是瑪探雅、他和他兒子並弟兄共十二人。第十是示每、
十八 他和他兒子並弟兄共十二人。第十一是亞薩烈、他和
十九 他兒子並弟兄共十二人。第十二是哈沙比雅、他和他
二十 兒子並弟兄共十二人。第十三是書巴業、他和他兒子

二一 並弟兄共十二人。二一第十四是瑪他提雅．他和他兒子並
二二 弟兄共十二人。二二第十五是耶利摩．他和他兒子並弟兄
二三 共十二人。二三第十六是哈拿尼雅．他和他兒子並弟兄共
二四 十二人。二四第十七是約施比加沙．他和他兒子並弟兄共
二五 十二人。二五第十八是哈拿尼．他和他兒子並弟兄共十二
二六 二七 人。二六第十九是瑪羅提．他和他兒子並弟兄共十二人。二七第
二八 二十是以利亞他．他和他兒子並弟兄共十二人。二八第二
二九 十一是何提．他和他兒子並弟兄共十二人。二九第二十二
三十 是基大利提．他和他兒子並弟兄共十二人。三十第二十三
三一 是瑪哈秀．他和他兒子並弟兄共十二人。三一第二十四是
羅幔提以謝．他和他兒子並弟兄共十二人。

第二十六章　守門者之班次

一 守門的班次、記在下面．可拉族、亞薩
二 的子孫中、有可利的兒子米施利米雅。二米施利米雅的
長子是撒迦利亞、次子是耶疊、三子是西巴第雅、四子
三 是耶提聶、三五子是以攔、六子是約哈難、七子是以利約
四 乃。四俄別以東的長子是示瑪雅、次子是約薩拔、三子是
五 約亞、四子是沙甲、五子是拿坦業、五六子是亞米利、七子
是以薩迦、八子是毘烏利太．因為　神賜福與俄別以
六 東、六他的兒子示瑪雅有幾個兒子、都是大能的壯士、掌
七 管父親的家。七示瑪雅的兒子是俄得尼、利法益、俄備得、
以利薩巴．以利薩巴的弟兄是壯士、還有以利戶和西
八 瑪迦。八這都是俄別以東的子孫．他們和他們的兒子、並
弟兄、都是善於辦事的壯士．俄別以東的子孫共六十
九 二人。九米施利米雅的兒子和弟兄都是壯士、共十八人。
十 十米拉利子孫何薩有幾個兒子．長子是申利．他原不是
十一 長子、是他父親立他作長子。十一次子是希勒家、三子是底
巴利雅、四子是撒迦利亞．何薩的兒子並弟兄共十三
十二 人。十二○這些人都是守門的班長、與他們的弟兄一同在
十三 耶和華殿裏按班供職。十三他們無論大小、都按着宗族掣
十四 籤、分守各門。十四掣籤守東門的是示利米雅．他的兒子撒
十五 迦利亞是精明的謀士、掣籤守北門。十五俄別以東守南門．
十六 他的兒子守庫房。十六書聘與何薩守西門、在靠近沙利基
十七 門、通着往上去的街道上、班與班相對。十七每日東門有六
個利未人、北門有四個、南門有四個、庫房有兩個、又有
十八 兩個輪班替換。十八在西面街道上有四個、在遊廊上有兩

十九 個。十九以上是可拉子孫、和米拉利子孫、守門的班次。

掌府庫之利未人

二十 利未子孫中有亞希雅、掌管　神殿的府庫和聖物的
二一 府庫。二一革順族、拉但子孫裏作族長的、是革順族拉但的
二二 子孫耶希伊利。二二耶希伊利的兒子西坦、和他兄弟約珥、
二三 掌管耶和華殿裏的府庫。二三暗蘭族、以斯哈族、希伯倫族、
二四 烏泄族、也有職分。二四摩西的孫子革舜的兒子細布業掌
二五 管府庫。二五還有他的弟兄以利以謝．以利以謝的兒子是
利哈比雅．利哈比雅的兒子是耶篩亞．耶篩亞的兒子
是約蘭．約蘭的兒子是細基利．細基利的兒子是示羅
二六 密。二六這示羅密和他的弟兄掌管府庫的聖物、就是大衛
王、和眾族長、千夫長、百夫長、並軍長、所分別為聖的物。
二七 他們將爭戰時所奪的財物分別為聖、以備修造耶和
二八 華的殿。二八先見撒母耳、基士的兒子掃羅、尼珥的兒子押
尼珥、洗魯雅的兒子約押、所分別為聖的物、都歸示羅
密和他的弟兄掌管。

作官長士師之利未人

二九 以斯哈族有基拿尼雅和他眾子作官長和士師、管理

三十 以色列的外事。三十希伯倫族有哈沙比雅和他弟兄一千
七百人、都是壯士．在約但河西、以色列地、辦理耶和華
三一 與王的事。三一希伯倫族中有耶利雅作族長．大衛作王第
三二 四十年、在基列的雅謝、從這族中尋得大能的勇士。三二耶
利雅的弟兄有二千七百人、都是壯士、且作族長．大衛
王派他們在流便支派、迦得支派、瑪拿西半支派中、辦
理　神和王的事。

以色列族之班長

第二十七章

一 一以色列人的族長、千夫長、百夫長、和
官長、都分定班次、每班是二萬四千人、週年按月輪流、
二 替換出入、服事王。二正月第一班的班長、是撒巴第業的
三 兒子雅朔班．他班內有二萬四千人。三他是法勒斯的子
四 孫、統管正月班的一切軍長。四二月的班長、是亞哈希人
五 朵代．還有副官密基羅．他班內有二萬四千人。五三月第
三班的班長、(原文作軍長下同)是祭司耶何耶大的兒子比拿
六 雅。六他班內有二萬四千人。這比拿雅是那三十人中的
七 勇士、管理那三十人．他班內又有他兒子暗米薩拔。七四
月第四班的班長、是約押的兄弟亞撒黑．接續他的是

他兒子西巴第雅。他班內有二萬四千人。八五月第五班的班長、是伊斯拉人珊合。他班內有二萬四千人。九六月第六班的班長、是提哥亞人益吉的兒子以拉。他班內有二萬四千人。十七月第七班的班長、是以法蓮族比倫人希利斯。他班內有二萬四千人。十一八月第八班的班長、是謝拉族戶沙人西比該。他班內有二萬四千人。十二九月第九班的班長、是便雅憫族亞拿突人亞比以謝。他班內有二萬四千人。十三十月第十班的班長、是謝拉族尼陀法人瑪哈萊。他班內有二萬四千人。十四十一月第十一班的班長、是以法蓮族比拉頓人比拿雅。他班內有二萬四千人。十五十二月第十二班的班長、是俄陀聶族尼陀法人黑玳。他班內有二萬四千人。

記各支派之長

十六管理以色列衆支派的記在下面。管流便人的、是細基利的兒子以利以謝。管西緬人的、是瑪迦的兒子示法提雅。十七管利未人的、是基母利的兒子哈沙比雅。管亞倫子孫的是撒督。十八管猶大人的、是大衛的一個哥哥以利戶。管以薩迦人的、是米迦勒的兒子暗利。十九管西布倫人的、是俄巴第雅的兒子伊施瑪雅。管拿弗他利人的、是亞斯列的兒子耶利摩。二十管以法蓮人的、是阿撒細雅的兒子何細亞。管瑪拿西半支派的、是毘大雅的兒子約珥。二一管基列地瑪拿西那半支派的、是撒迦利亞的兒子易多。管便雅憫人的、是押尼珥的兒子雅西業。二二管但人的、是耶羅罕的兒子亞薩列。以上是以色列衆支派的首領。二三以色列人二十歲以內的、大衛沒有記其數目。因耶和華曾應許說、必加增以色列人如天上的星那樣多。二四洗魯雅的兒子約押動手數點。當時耶和華的烈怒、臨到以色列人。因此、沒有點完數目也沒有寫在大衛王記上。

記大衛諸臣及其職守

二五掌管王府庫的、是亞疊的兒子押斯馬威。掌管田野城邑村莊保障之倉庫的、是烏西雅的兒子約拿單。二六掌管耕田種地的、是基綠的兒子以斯利。二七掌管葡萄園的、是拉瑪人示每。掌管葡萄園酒窖的、是實弗米人撒巴底。二八掌管高原橄欖樹和桑樹的、是基第利人巴勒哈南。掌管油庫的、是約阿施。二九掌管沙崙牧放牛羣的、是沙崙人

施提賚．掌管山谷牧養牛羣的、是亞第賚的兒子沙法．
三十 三十掌管駝羣的、是以實瑪利人阿比勒．掌管驢羣的、是米
三一 崙人耶希底亞．掌管羊羣的、是夏甲人雅悉。三一這都是給
三二 大衛王掌管產業的。○三二大衛的叔叔約拿單作謀士．這
人有智慧、又作書記．哈摩尼的兒子耶歇作王眾子的
三三 師傅．三三亞希多弗也作王的謀士．亞基人戶篩作王的陪
三四 伴．三四亞希多弗之後、有比拿雅的兒子耶何耶大、和亞比
亞他接續他作謀士．約押作王的元帥。

第二十八章

大衛集眾宣述建殿之意

一 一大衛招聚以色列各支派的首領、和
輪班服事王的軍長、與千夫長、百夫長、掌管王和王子
產業牲畜的、並太監、以及大能的勇士、都到耶路撒冷
二 來。二大衛王就站起來、說、我的弟兄、我的百姓阿、你們當
聽我言．我心裏本想建造殿宇、安放耶和華的約櫃、作
三 爲我　神的脚凳．我已經豫備建造的材料。三只是　神
對我說、你不可爲我的名建造殿宇、因你是戰士、流了
四 人的血。四然而耶和華以色列的　神、在我父的全家揀
選我作以色列的王、直到永遠．因他揀選猶大爲首領、
在猶大支派中揀選我父家、在我父的眾子裏喜悅我、
五 立我作以色列眾人的王。五耶和華賜我許多兒子．在我
六 兒子中、揀選所羅門坐耶和華的國位、治理以色列人。
六耶和華對我說、你兒子所羅門必建造我的殿和院宇．
七 因爲我揀選他作我的子、我也必作他的父。七他若恆久
遵行我的誡命典章、如今日一樣、我就必堅定他的國
八 位、直到永遠。八現今在耶和華的會中、以色列眾人眼前
所說的、我們的　神也聽見了．你們應當尋求耶和華
你們　神的一切誡命、謹守遵行．如此你們可以承受
九 這美地、遺留給你們的子孫、永遠爲業。○九我兒所羅門
哪、你當認識耶和華你父的　神、誠心樂意的事奉他．
因爲他鑒察眾人的心、知道一切心思意念．你若尋求
十 他、他必使你尋見．你若離棄他、他必永遠丟棄你。十你當
謹慎、因耶和華揀選你建造殿宇、作爲聖所．你當剛強
去行。

以聖殿模式示所羅門

十一 十一大衛將殿的遊廊、旁屋、府庫、樓房、內殿、和施恩所的樣
十二 式、指示他兒子所羅門．十二又將被靈感動所得的樣式、就

是耶和華　神殿的院子、周圍的房屋、殿的府庫、和聖
十三 物府庫的一切樣式、都指示他。十三又指示他祭司和利未
人的班次、與耶和華殿裏各樣的工作、並耶和華殿裏
十四 一切器皿的樣式。十四以及各樣應用金器的分兩、和各樣
十五 應用銀器的分兩。十五金燈臺和金燈的分兩、銀燈臺和銀
十六 燈的分兩、輕重各都合宜。十六陳設餅金桌子的分兩、銀桌
十七 子的分兩、十七精金的肉叉子、盤子、和爵的分兩、各金碗與
十八 各銀碗的分兩、十八精金香壇的分兩、並用金子作嗟咯咱、
（原文作用金子作車式的嗟咯咱）嗟咯咱張開翅膀遮掩耶和華的約
十九 櫃。十九大衛說、這一切工作的樣式、都是耶和華用手劃出
來、使我明白的。

特勗所羅門

二十 二十大衛又對他兒子所羅門說、你當剛強壯膽去行．不要
懼怕、也不要驚惶．因為耶和華　神、就是我的　神、與
你同在、他必不撇下你、也不丟棄你、直到耶和華殿的
二十一 工作都完畢了。二十一有祭司和利未人的各班、為要辦理
神殿各樣的事．又有靈巧的人、在各樣的工作上樂意
幫助你．並有衆首領和衆民、一心聽從你的命令。

大衛王備金銀銅鐵木石建殿

第二十九章

一 一大衛王對會衆說、我兒子所羅門是
神特選的、還年幼嬌嫩、這工程甚大、因這殿不是為
二 人、乃是為耶和華　神建造的。二我為我　神的殿、已經
盡力豫備金子作金器、銀子作銀器、銅作銅器、鐵作鐵
器、木作木器、還有紅瑪瑙、可鑲嵌的寶石、彩石、和一切
三 的寶石、並許多漢白玉。三且因我心中愛慕我　神的殿、
就在豫備建造聖殿的材料之外、又將我自己積蓄的
四 金銀、獻上、建造我　神的殿。四就是俄斐金三千他連得、
五 精煉的銀子七千他連得、以貼殿牆．金子作金器、銀子
作銀器、並藉匠人的手製造一切。五今日有誰樂意將自
己獻給耶和華呢。

會衆盡心樂輸

六 六於是衆族長、和以色列各支派的首領、千夫長、百夫長、
七 並監管王工的官長、都樂意獻上。七他們為　神殿的使
用、獻上金子五千他連得、零一萬達利克、銀子一萬他
八 連得、銅一萬八千他連得、鐵十萬他連得。八凡有寶石的
九 都交給革順人耶歇、送入耶和華殿的府庫。九因這些人

誠心樂意獻給耶和華、百姓就歡喜．大衛王也大大歡
喜。

大衛稱頌耶和華

十 所以大衛在會眾面前稱頌耶和華、說、耶和華我們的
十一 父以色列的神是應當稱頌、直到永永遠遠的。十一耶和
華阿、尊大、能力、榮耀、強勝、威嚴、都是你的．凡天上地下
的、都是你的．國度也是你的．並且你為至高、為萬有之
十二 首。十二豐富尊榮都從你而來、你也治理萬物．在你手裏有
十三 大能大力．使人尊大強盛、都出於你。十三我們的神阿、現
十四 在我們稱謝你、讚美你榮耀之名。十四我算甚麼、我的民算
甚麼、竟能如此樂意奉獻．因為萬物都從你而來．我們
十五 把從你而得的獻給你。十五我們在你面前是客旅、是寄居
的、與我們列祖一樣．我們在世的日子如影兒、不能長
十六 存。（或作沒有長存的指望）十六耶和華我們的神阿、我們豫備這許
多材料、要為你的聖名建造殿宇、都是從你而來、都是
十七 屬你的。十七我的神阿、我知道你察驗人心、喜悅正直．我
以正直的心樂意獻上這一切物．現在我喜歡見你的
十八 民、在這裏都樂意奉獻與你。十八耶和華我們列祖亞伯拉
罕、以撒、以色列的神阿、求你使你的民、常存這樣的
十九 心思意念、堅定他們的心歸向你．十九又求你賜我兒子所
羅門誠實的心、遵守你的命令、法度、律例、成就這一切
的事、用我所豫備的建造殿宇。

會眾稱頌耶和華

二十 大衛對全會眾說、你們應當稱頌耶和華你們的神。
於是會眾稱頌耶和華他們列祖的神、低頭拜耶和
二一 華與王。二一次日他們向耶和華獻平安祭和燔祭．就是獻
公牛一千隻、公綿羊一千隻、羊羔一千隻、並同獻的奠
祭、又為以色列眾人獻許多的祭．那日他們在耶和華
面前喫喝、大大歡樂。

復膏所羅門立之為王

二二 他們奉耶和華的命、再膏大衛的兒子所羅門作王、又
二三 膏撒督作祭司。二三於是所羅門坐在耶和華所賜的位上、
接續他父親大衛作王、萬事亨通．以色列眾人也都聽
二四 從他。二四眾首領和勇士、並大衛王的眾子、都順服所羅門
二五 王。二五耶和華使所羅門在以色列眾人眼前甚為尊大、極
其威嚴、勝過在他以前的以色列王。

大衛壽終

二六耶西的兒子大衛作以色列衆人的王。二七作王共四十年．
在希伯崙作王七年、在耶路撒冷作王三十三年。二八他年
紀老邁日子滿足享受豐富尊榮、就死了．他兒子所羅
門接續他作王。二九大衛王始終的事、都寫在先見撒母耳
的書上、和先知拿單並先見迦得的書上。三十他的國事、和
他的勇力以及他和以色列並列國所經過的事、都寫
在這書上。

大衛之城

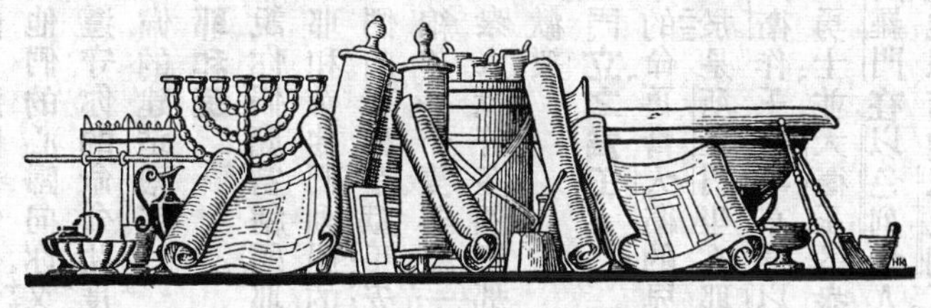

歷代志下

所羅門詣基遍獻祭

第一章 一大衛的兒子所羅門、國位堅固、耶和華他
的神與他同在、使他甚爲尊大。二所羅門吩咐以色列
衆人、就是千夫長、百夫長、審判官、首領、與族長都來。三所
羅門和會衆都往基遍的邱壇去、因那裏有神的會
幕、就是耶和華僕人摩西在曠野所製造的。四只是神
的約櫃、大衛已經從基列耶琳搬到他所豫備的地方、
因他曾在耶路撒冷爲約櫃支搭了帳幕。五並且戶珥的
孫子烏利的兒子比撒列所造的銅壇、也在基遍耶和
華的會幕前。六所羅門和會衆都就近壇前。所羅門上到
耶和華面前會幕的銅壇那裏、獻一千犧牲爲燔祭。

祈求智慧

七當夜、神向所羅門顯現、對他說、你願我賜你甚麼、你
可以求。八所羅門對神說、你曾向我父大衛大施慈愛、
使我接續他作王。九耶和華神阿、現在求你成就向我
父大衛所應許的話、因你立我作這民的王、他們如同
地上塵沙那樣多。十求你賜我智慧聰明、我好在這民前
出入。不然、誰能判斷這衆多的民呢。

神更賜以豐富尊榮

十一神對所羅門說、我已立你作我民的王、你既有這心
意、並不求貲財豐富尊榮、也不求滅絕那恨你之人的
性命、又不求大壽數、只求智慧聰明好判斷我的民。十二我
必賜你智慧聰明、也必賜你貲財豐富尊榮、在你以前
的列王、都沒有這樣、在你以後也必沒有這樣的。十三於是
所羅門從基遍邱壇會幕前、回到耶路撒冷、治理以色
列人。○十四所羅門聚集戰車馬兵、有戰車一千四百輛、馬
兵一萬二千名、安置在屯車的城邑、和耶路撒冷、就是
王那裏。十五王在耶路撒冷使金銀多如石頭、香柏木多如
高原的桑樹。十六所羅門的馬是從埃及帶來的、是王的商
人一羣一羣按着定價買來的。十七他們從埃及買來的車、
每輛價銀六百舍客勒、馬每匹一百五十舍客勒。赫人
諸王和亞蘭諸王所買的車馬、也是按這價値經他們
手買來的。

第二章

所羅門定意建殿

一 所羅門定意要爲耶和華的名建造殿宇、
二 又爲自己的國建造宮室。二所羅門就挑選七萬扛抬的、
三 八萬在山上鑿石頭的、三千六百督工的。三所羅門差人
去見推羅王希蘭說、你曾運香柏木與我父大衛建宮
四 居住、求你也這樣待我。四我要爲耶和華我神的名建
造殿宇、分別爲聖獻給他、在他面前焚燒美香、常擺陳
設餅、每早晚安息日月朔並耶和華我們神所定的
五 節期獻燔祭、這是以色列人永遠的定例。五我所要建造
六 的殿宇甚大、因爲我們的神至大、超乎諸神。六天和天
上的天、尚且不足他居住的、誰能爲他建造殿宇呢。我
七 是誰、能爲他建造殿宇麼、不過在他面前燒香而已。七現
在求你差一個巧匠來、就是善用金、銀、銅、鐵、和紫色、朱
紅色、藍色線、並精於雕刻之工的巧匠、與我父大衛在
八 猶大和耶路撒冷所豫備的巧匠一同作工。八又求你從
利巴嫩運些香柏木、松木、檀香木、到我這裏來、因我知
道你的僕人善於砍伐利巴嫩的樹木、我的僕人也必
九 與你的僕人同工、九這樣可以給我豫備許多的木料、因
十 我要建造的殿宇、高大出奇。十你的僕人砍伐樹木、我必
給他們打好了的小麥二萬歌珥、大麥二萬歌珥、酒二
萬罷特、油二萬罷特。

推羅王希蘭允助其成

十一 十一推羅王希蘭寫信回答所羅門說、耶和華因爲愛他的
十二 子民、所以立你作他們的王。十二又說、創造天地的耶和華
以色列的神、是應當稱頌的、他賜給大衛王一個有
智慧的兒子、使他有謀略聰明、可以爲耶和華建造殿
十三 宇、又爲自己的國建造宮室。十三現在我打發一個精巧有
十四 聰明的人去、他是我父親希蘭所用的、十四是但支派一個
婦人的兒子、他父親是推羅人、他善用金、銀、銅、鐵、石、木、
和紫色、藍色、朱紅色線、與細麻、製造各物、並精於雕刻、
又能想出各樣的巧工、請你派定這人與你的巧匠、和
十五 你父我主大衛的巧匠一同作工。十五我主所說的小麥、大
十六 麥、酒、油、願我主運來給衆僕人。十六我們必照你所需用的、
從利巴嫩砍伐樹木、紮成筏子、浮海運到約帕、你可以
從那裏運到耶路撒冷。

所羅門選匠派工

十七 所羅門仿照他父大衛數點住在以色列地所有寄居的外邦人、共有十五萬三千六百名。十八 使七萬人扛抬材料、八萬人在山上鑿石頭、三千六百人督理工作。

第三章 開始建殿

一 所羅門就在耶路撒冷耶和華向他父大衛顯現的摩利亞山上、就是耶布斯人阿珥楠的禾場上、大衛所指定的地方、豫備好了、開工建造耶和華的殿。

殿之度式

二 所羅門作王第四年、二月初二日開工建造。三 所羅門建築神殿的根基、乃是這樣、長六十肘、寬二十肘、都按着古時的尺寸。四 殿前的廊子長二十肘、與殿的寬窄一樣、高一百二十肘。裏面貼上精金。五 大殿的牆、都用松木板遮蔽、又貼了精金、上面雕刻棕樹和鍊子。六 又用寶石裝飾殿牆、使殿華美、所用的金子、都是巴瓦音的金子。七 又用金子貼殿和殿的棟樑、門檻、牆壁、門扇、牆上雕刻基路伯。八 ○又建造至聖所、長二十肘、與殿的寬窄一樣、寬也是二十肘、貼上精金、共用金子六百他連得。九 金釘重五十舍客勒。樓房都貼上金子。

造基路伯

十 在至聖所按造像的法子造兩個基路伯、用金子包裹。十一 兩個基路伯的翅膀共長二十肘。這基路伯的一個翅膀長五肘、挨着殿這邊的牆、那一個翅膀也長五肘、與那基路伯的翅膀相接。十二 那基路伯的一個翅膀長五肘、挨着殿那邊的牆、那一個翅膀也長五肘、與這基路伯的翅膀相接。十三 兩個基路伯張開翅膀、共長二十肘、面向外殿而立。十四 又用藍色紫色朱紅色綫和細麻織幔子、在其上繡出基路伯來。

造柱

十五 在殿前造了兩根柱子、高三十五肘、每柱頂高五肘。十六 又照聖所內鍊子的樣式作鍊子、安在柱頂上、又作一百石榴、安在鍊子上。十七 將兩根柱子立在殿前、一根在右邊、一根在左邊。右邊的起名叫雅斤、左邊的起名叫波阿斯。

造銅壇鑄銅海

一 **第四章** 一他又製造一座銅壇、長二十肘、寬二十肘、
二 高十肘。二又鑄一個銅海、樣式是圓的．高五肘、徑十肘、圍
三 三十肘。三海周圍有野瓜的樣式、每肘十瓜、共有兩行．是
四 鑄海的時候鑄上的。（野瓜原文作牛）四有十二隻銅牛馱海、三隻
五 向北、三隻向西、三隻向南、三隻向東．海在牛上、牛尾向
內。五海厚一掌、邊如杯邊、又如百合花．可容三千罷特。

造洗濯盆

六 六又製造十個盆、五個放在右邊、五個放在左邊．獻燔祭
所用之物、都洗在其內．但海是為祭司沐浴的。

造金燈臺造桌

七 七他又照所定的樣式造十個金燈臺、放在殿裏、五個在
八 右邊、五個在左邊。八又造十張桌子、放在殿裏、五張在右
邊、五張在左邊。又造一百個金碗。

建院及院門

九 九又建立祭司院、和大院、並院門、用銅包裹門扇。十將海安
十 在殿門的右邊、就是南邊。

造聖殿諸器

十一 十一戶蘭又造了盆、鏟、碗。這樣、他為所羅門王作完了神
十二 殿的工。十二所造的就是兩根柱子、和柱上兩個如球的頂、
十三 並兩個蓋柱頂的網子、十三和四百石榴、安在兩個網子上、
十四 每網兩行、蓋着兩個柱上如球的頂、十四盆座和其上的盆、
十五十六 十五海和海下的十二隻牛、十六盆、鏟子、肉鍤子、與耶和華殿裏
的一切器皿、都是巧匠戶蘭用光亮的銅、為所羅門王
十七 造成的。十七是在約但平原、疎割和撒利但中間、藉膠泥鑄
十八 成的。十八所羅門製造的這一切甚多、銅的輕重無法可查。
十九二十 ○十九所羅門又造神殿裏的金壇、和陳設餅的桌子、二十並
二十一 精金的燈臺、和燈盞、可以照例點在內殿前。二十一燈臺上的
二十二 花、和燈盞、並蠟剪、都是金的、且是純金的．二十二又用精金製
造鑷子、盤子、調羹、火鼎．至於殿門、和至聖所的門扇、並
殿的門扇、都是金子妝飾的。

殿工告竣

一 **第五章** 一所羅門作完了耶和華殿的一切工．就把
他父大衛分別為聖的金銀和器皿都帶來、放在　神
殿的府庫裏。

昇櫃入殿

二 那時所羅門將以色列的長老、各支派的首領、並以色
列的族長、招聚到耶路撒冷、要把耶和華的約櫃從大
三 衛城就是錫安運上來。於是以色列眾人在七月節前、
四 都聚集到王那裏。以色列眾長老來到、利未人便抬起
五 約櫃。祭司利未人將約櫃運上來、又將會幕和會幕的
六 一切聖器具都帶上來。所羅門王和聚集到他那裏的
以色列全會眾、都在約櫃前獻牛羊為祭、多得不可勝
七 數。祭司將耶和華的約櫃抬進內殿、就是至聖所、放在
八 兩個基路伯的翅膀底下。基路伯張着翅膀在約櫃之
九 上、遮掩約櫃和抬櫃的杠。這杠甚長、杠頭在內殿前可
十 以看見、在殿外卻不能看見。直到如今還在那裏。約櫃
裏惟有兩塊石版、就是以色列人出埃及後、耶和華與
他們立約的時候、摩西在何烈山所放的。除此以外、並
十一 無別物。〇當時在那裏所有的祭司、都已自潔、並不分
十二 班供職。他們出聖所的時候、歌唱的利未人亞薩、希幔、
耶杜頓、和他們的眾子眾弟兄、都穿細麻布衣服、站在
壇的東邊、敲鈸、鼓瑟、彈琴、同着他們有一百二十個祭
十三 司吹號。吹號的、歌唱的、都一齊發聲、聲合為一、讚美感
謝耶和華。吹號、敲鈸、用各種樂器、揚聲讚美耶和華說、
耶和華本為善、他的慈愛永遠長存。那時耶和華的殿
十四 有雲充滿、甚至祭司不能站立供職、因為耶和華的榮
光充滿了神的殿。

所羅門為民祝福

第六章

一 那時所羅門說、耶和華曾說他必住在幽
二 暗之處。但我已經建造殿宇作你的居所、為你永遠的
三 住處。王轉臉為以色列會眾祝福。以色列會眾就都站
四 立。〇所羅門說、耶和華以色列的神是應當稱頌的、
五 因他親口向我父大衛所應許的、也親手成就了。他說、
『自從我領我民出埃及地以來、我未曾在以色列眾
支派中選擇一城建造殿宇、為我名的居所、也未曾揀
六 選一人作我民以色列的君。但選擇耶路撒冷為我名
七 的居所、又揀選大衛治理我民以色列。』所羅門說、我
八 父大衛曾立意要為耶和華以色列神的名建殿。耶
和華卻對我父大衛說、你立意要為我的名建殿、這意
九 思甚好。只是你不可建殿、惟你所生的兒子必為我名

十 建殿。現在耶和華成就了他所應許的話、使我接續我
父大衛坐以色列的國位、是照耶和華所說的、又為耶
十一 和華以色列神的名建造了殿。我將約櫃安置在其
中、櫃內有耶和華的約、就是他與以色列人所立的約。

大伸祈禱

十二 所羅門當着以色列會衆、站在耶和華的壇前、舉起手
十三 來。所羅門曾造一個銅臺、長五肘、寬五肘、高三肘、放在
院中、就站在臺上、當着以色列的會衆跪下、向天舉手、
十四 說、耶和華以色列的神阿、天上地下沒有神可比你
十五 的。你向那盡心行在你面前的僕人守約施慈愛。向你
僕人我父大衛所應許的話、現在應驗了。你親口應許、
十六 親手成就、正如今日一樣。耶和華以色列的神阿、你
所應許你僕人我父大衛的話、說、你的子孫若謹慎自
己的行為、遵守我的律法、像你在我面前所行的一樣、
十七 就不斷人坐以色列的國位。現在求你應驗這話。耶和
華以色列的神阿、求你成就向你僕人大衛所應許
十八 的話。○神果真與世人同住在地上麼。看哪、天和天
十九 上的天、尚且不足你居住的、何況我所建的這殿呢。惟
求耶和華我的神、垂顧僕人的禱告祈求、俯聽僕人
二十 在你面前的祈禱呼籲。願你晝夜看顧這殿、就是你應
許立為你名的居所。求你垂聽僕人向此處禱告的話。
二一 你僕人和你民以色列向此處祈禱的時候、求你從天
二二 上你的居所垂聽、垂聽而赦免。○人若得罪鄰舍、有人
二三 叫他起誓、他來到這殿在你的壇前起誓、求你從天上
垂聽、判斷你的僕人、定惡人有罪、照他所行的報應在
二四 他頭上、定義人有理、照他的義賞賜他。○你的民以色
列若得罪你、敗在仇敵面前、又回心轉意、承認你的名、
二五 在這殿裏向你祈求禱告、求你從天上垂聽、赦免你民
以色列的罪、使他們歸回你賜給他們和他們列祖之
二六 地。○你的民因得罪你、你懲罰他們、使天閉塞不下雨、
二七 他們若向此處禱告、承認你的名、離開他們的罪、求你
在天上垂聽、赦免你僕人和你民以色列的罪、將當行
的善道指教他們、且降雨在你的地、就是你賜給你民
二八 為業之地。○國中若有饑荒、瘟疫、旱風、霉爛、蝗蟲、螞蚱、
二九 或有仇敵犯境圍困城邑、無論遭遇甚麼災禍疾病、你
的民以色列、或是衆人、或是一人、自覺災禍甚苦、向這

三十 殿舉手、無論祈求甚麼、禱告甚麼．求你從天上你的居
所垂聽赦免、你是知道人心的、要照各人所行的待他
三一 們．（惟有你知道世人的心）使他們在你賜給我們
三二 列祖之地上一生一世敬畏你、遵行你的道。◎論到不
屬你民以色列的外邦人、為你的大名、和大能的手、並
三三 伸出來的膀臂、從遠方而來、向這殿禱告．求你從天上
你的居所垂聽、照着外邦人所祈求的而行．使天下萬
民都認識你的名、敬畏你、像你的民以色列一樣．又使
三四 他們知道我建造的這殿、是稱為你名下的。◎你的民
若奉你的差遣、無論往何處去、與仇敵爭戰、向你所選
三五 擇的城、與我為你名所建造的殿禱告．求你從天上垂
三六 聽他們的禱告祈求、使他們得勝。◎你的民若得罪你、
（世上沒有不犯罪的人）你向他們發怒、將他們交
三七 給仇敵擄到或遠或近之地．他們若在擄到之地想起
罪來、回心轉意、懇求你說、我們有罪了、我們悖逆了、我
三八 們作惡了．他們若在擄到之地盡心盡性歸服你、又向
自己的地、就是你賜給他們列祖之地、和你所選擇的
三九 城、並我為你名所建造的殿禱告．求你從天上你的居
所垂聽你民的禱告祈求、為他們伸冤、赦免他們的過
四十 犯。◎我的　神阿、現在求你睜眼看、側耳聽、在此處所
四一 獻的禱告。耶和華　神阿、求你起來、和你有能力的約
櫃同入安息之所．耶和華　神阿、願你的祭司披上救
四二 恩、願你的聖民蒙福歡樂。耶和華　神阿、求你不要厭
棄你的受膏者．要記念向你僕人大衛所施的慈愛。

耶和華榮光充滿殿宇

一 **第七章** 所羅門祈禱已畢、就有火從天上降下來、
二 燒盡燔祭和別的祭．耶和華的榮光充滿了殿。因耶和
三 華的榮光充滿了耶和華殿、所以祭司不能進殿。那火
降下、耶和華的榮光在殿上的時候、以色列眾人看見、
就在鋪石地俯伏叩拜、稱謝耶和華說、耶和華本為善、
他的慈愛永遠長存。

所羅門與民獻祭

四 五 王和眾民在耶和華面前獻祭．所羅門王用牛二萬二
千、羊十二萬獻祭。這樣、王和眾民為　神的殿行奉獻
六 之禮。祭司侍立、各供其職．利未人也拿着耶和華的樂
器、就是大衛王造出來、藉利未人頌讚耶和華的．（他

的慈愛永遠長存）祭司在衆人面前吹號．以色列人
七 都站立。所羅門因他所造的銅壇、容不下燔祭素祭和
脂油、便將耶和華殿前院子當中分別為聖、在那裏獻
燔祭和平安祭牲的脂油。

集民守節

八 那時所羅門和以色列衆人、就是從哈馬口直到埃及
九 小河所有的以色列人、都聚集成為大會、守節七日。第
十 八日設立嚴肅會．行奉獻壇的禮七日、守節七日。七月
二十三日、王遣散衆民．他們因見耶和華向大衛和所
羅門與他民以色列所施的恩惠、就都心中喜樂、各歸
各家去了。

耶和華之警戒與應許

十一 所羅門造成了耶和華殿和王宮．在耶和華殿和王宮
十二 凡他心中所要作的、都順順利利的作成了。夜間耶和
華向所羅門顯現、對他說、我已聽了你的禱告、也選擇
十三 這地方作為祭祀我的殿宇。我若使天閉塞不下雨、或
十四 使蝗蟲喫這地的出產、或使瘟疫流行在我民中．這稱
為我名下的子民、若是自卑、禱告、尋求我的面、轉離他
們的惡行、我必從天上垂聽、赦免他們的罪、醫治他們
十五 十六 的地。我必睜眼看、側耳聽在此處所獻的禱告。現在我
已選擇這殿、分別為聖、使我的名永在其中．我的眼我
十七 的心也必常在那裏。你若在我面前效法你父大衛所
十八 行的、遵行我一切所吩咐你的、謹守我的律例典章．我
就必堅固你的國位、正如我與你父大衛所立的約說、
十九 你的子孫、必不斷人作以色列的王。倘若你們轉去
二十 丟棄我指示你們的律例誡命、去事奉敬拜別神．我就
必將以色列人從我賜給他們的地上拔出根來．並且
我為己名所分別為聖的殿、也必捨棄不顧、使他在萬
二十一 民中作笑談、被譏誚。這殿雖然甚高、將來經過的人必
二十二 驚訝說、耶和華為何向這地和這殿如此行呢。人必回
答說、是因此地的人離棄耶和華他們列祖的神、就
是領他們出埃及地的神、去親近別神、敬拜事奉他．
所以耶和華使這一切災禍臨到他們。

第八章

所羅門建邑

一 所羅門建造耶和華殿和王宮、二十年纔
二 完畢了．以後所羅門重新修築希蘭送給他的那些城

三 邑、使以色列人住在那裏。○[三]所羅門往哈馬瑣巴去、攻
四 取了那地方。[四]所羅門建造曠野裏的達莫、又建造哈馬
五 所有的積貨城。[五]又建造上伯和崙、下伯和崙、作為保障、
六 都有牆、有門、有閂。[六]又建造巴拉、和所有的積貨城、並屯
車輛馬兵的城、與耶路撒冷、利巴嫩、以及自己治理的
全國中所願意建造的。

徵異族人服役

七 [七]至於國中所剩下不屬以色列人的赫人、亞摩利人、比
八 利洗人、希未人、耶布斯人、[八]就是以色列人未曾滅絕的、
九 所羅門挑取他們的後裔作服苦的奴僕、直到今日。[九]惟
有以色列人、所羅門不使他們當奴僕作工、乃是作他
十 的戰士、軍長的統領、車兵長、馬兵長。[十]所羅門王有二百
十一 五十督工的監管工人。○[十一]所羅門將法老的女兒帶出
大衛城、上到為他建造的宮裏。因所羅門說、耶和華約
櫃所到之處、都為聖地、所以我的妻不可住在以色列
王大衛的宮裏。

獻燔祭

十二 [十二]所羅門在耶和華的壇上、就是在廊子前他所築的壇

十三 上、與耶和華獻燔祭、[十三]又遵着摩西的吩咐、在安息日、月
朔、並一年三節、就是除酵節、七七節、住棚節、獻每日所
當獻的祭。

定祭司之班利未人之職

十四 [十四]所羅門照着他父大衛所定的例、派定祭司的班次、使
他們各供己事、又使利未人各盡其職、讚美耶和華、在
祭司面前作每日所當作的、又派守門的按着班次看
十五 守各門。因為神人大衛是這樣吩咐的。[十五]王所吩咐眾祭
司和利未人的、無論是管府庫、或辦別的事、他們都不
十六 違背。○[十六]所羅門建造耶和華的殿、從立根基直到成功
的日子、工料俱備。這樣、耶和華的殿全然完畢。

航海之船舶

十七 十八 [十七]那時所羅門往以東地靠海的以旬迦別和以祿去。[十八]希
蘭差遣他的臣僕、將船隻和熟悉泛海的僕人、送到所
羅門那裏。他們同着所羅門的僕人到了俄斐、得了四
百五十他連得金子、運到所羅門王那裏。

第九章　示巴女王覲所羅門

一 **第九章** [一]示巴女王聽見所羅門的名聲、就來到耶

路撒冷要用難解的話試問所羅門。跟隨他的人甚多、
又有駱駝馱着香料、寶石、和許多金子。他來見了所羅
二 門、就把心裏所有的對所羅門都說出來。二所羅門將他
三 所問的都答上了、沒有一句不明白不能答的。三示巴女
四 王見所羅門的智慧、和他所建造的宮室、四席上的珍饈
美味、羣臣分列而坐、僕人兩旁侍立、以及他們的衣服
裝飾、酒政和酒政的衣服裝飾、又見他上耶和華殿的
五 臺階、就詫異得神不守舍。五對王說、我在本國裏所聽見
六 論到你的事、和你的智慧、實在是眞的。六我先不信那些
話、及至我來親眼見了、纔知道你的大智慧、人所告訴
七 我的、還不到一半。你的實跡越過我所聽見的名聲。七你
的羣臣、你的僕人、常侍立在你面前、聽你智慧的話、是
八 有福的。八耶和華你的神是應當稱頌的、他喜悅你、使
你坐他的國位、爲耶和華你的神作王、因爲你的
神愛以色列人、要永遠堅立他們、所以立你作他們的
九 王、使你秉公行義。九◯於是示巴女王將一百二十他連
得金子、和寶石、與極多的香料、送給所羅門王。他送給
十 王的香料、以後再沒有這樣的。十希蘭的僕人、和所羅門
的僕人、從俄斐運了金子來、也運了檀香木或作烏木下同和
十一 寶石來。十一王用檀香木爲耶和華殿和王宮作臺、又爲歌
十二 唱的人作琴瑟。猶大地從來沒有見過這樣的。十二所羅門
王按示巴女王所帶來的還他禮物、另外照他一切所
要所求的、都送給他。於是女王和他臣僕轉回本國去
了。

所羅門之豐富

十三 十四 十三所羅門每年所得的金子、共有六百六十六他連得。十四另
外還有商人所進的金子、並且亞拉伯諸王、與屬國的
十五 省長、都帶金銀給所羅門。十五所羅門王用錘出來的金子
十六 打成擋牌二百面、每面用金子六百舍客勒。十六又用錘出
來的金子打成盾牌三百面、每面用金子三百舍客勒、
十七 都放在利巴嫩林宮裏。十七王用象牙製造一個大寶座、用
十八 精金包裹。十八寶座有六層臺階、又有金脚凳與寶座相連、
十九 寶座兩旁有扶手、靠近扶手有兩個獅子站立。十九六層臺
階上有十二個獅子站立、每層有兩個、左邊一個、右邊
二十 一個。在列國中沒有這樣作的。二十所羅門王一切的飲器
都是金的、利巴嫩林宮裏的一切器皿都是精金的、所

羅門年間、銀子算不了甚麼。二一因爲王的船隻與希蘭的
僕人、一同往他施去。他施船隻三年一次裝載金銀、象
牙、猿猴、孔雀回來。

列王咸欲聽其哲言

二二 二三 二二所羅門王的財寶與智慧、勝過天下的列王。二三普天下的
二四 王都求見所羅門、要聽　神賜給他智慧的話。二四他們各
帶貢物、就是金器、銀器、衣服、軍械、香料、騾馬、每年有一
二五 定之例。二五所羅門有套車的馬四千棚、有馬兵一萬二千、
二六 安置在屯車的城邑、和耶路撒冷、就是王那裏。二六所羅門
二七 統管諸王、從大河到非利士地、直到埃及的邊界。二七王在
耶路撒冷使銀子多如石頭、香柏木多如高原的桑樹。
二八 二八有人從埃及和各國爲所羅門趕馬羣來。

所羅門卒其子羅波安繼位

二九 二九所羅門其餘的事、自始至終、不都寫在先知拿單的書
上、和示羅人亞希雅的豫言書上、並先見易多論尼八
三十 兒子耶羅波安的默示書上麼。三十所羅門在耶路撒冷作
三一 以色列衆人的王、共四十年。三一所羅門與他列祖同睡、葬
在他父大衛城裏。他兒子羅波安接續他作王。

羅波安違棄耆老之謀

一 **第十章** 一羅波安往示劍去、因爲以色列人都到了
二 示劍、要立他作王。二尼八的兒子耶羅波安先前躲避所
羅門王、逃往埃及、住在那裏、他聽見這事、就從埃及回
三 來。三以色列人打發人去請他、他就和以色列衆人來見
四 羅波安、對他說、四你父親使我們負重軛作苦工、現在求
你使我們作的苦工、負的重軛輕鬆些、我們就事奉你。
五 六 五羅波安對他們說、第三日再來見我。民就去了。〇六羅
波安之父所羅門在世的日子、有侍立在他面前的老
年人、羅波安王和他們商議、說、你們給我出個甚麼主
七 意、我好回覆這民。七老年人對他說、王若恩待這民、使他
八 們喜悅、用好話回覆他們、他們就永遠作王的僕人。八王
卻不用老年人給他出的主意、就和那些與他一同長
九 大、在他面前侍立的少年人商議、九說、這民對我說、你父
親使我們負重軛、求你使我們輕鬆些、你們給我出個
十 甚麼主意、我好回覆他們。十那同他長大的少年人說、這
民對王說、你父親使我們負重軛、求你使我們輕鬆些、
王要對他們如此說、我的小拇指比我父親的腰還粗。

十一 十一我父親使你們負重軛、我必使你們負更重的軛．我父
十二 親用鞭子責打你們、我要用蠍子鞭責打你們……。◯十二耶羅
波安和衆百姓遵着羅波安王所說、你們第三日再來
十三 見我的那話．第三日他們果然來了．十三羅波安王用嚴厲
十四 的話回覆他們、不用老年人所出的主意．十四照着少年人
所出的主意對他們說、我父親使你們負重軛、我必使
你們負更重的軛．我父親用鞭子責打你們、我要用蠍
十五 子鞭責打你們……。十五王不肯依從百姓．這事乃出於神、爲
要應驗耶和華藉示羅人亞希雅對尼八兒子耶羅波
安所說的話。

以色列人叛

十六 十六以色列衆民見王不依從他們、就對王說、我們與大衞
有甚麼分兒呢、與耶西的兒子並沒有關涉．以色列人
哪、各回各家去罷．大衞家阿、自己顧自己罷．於是以色
十七 列衆人都回自己家裏去了。十七惟獨住在猶大城邑的以
十八 色列人、羅波安仍作他們的王。十八羅波安王差遣掌管服
苦之人的哈多蘭往以色列人那裏去、以色列人就用
石頭打死他．羅波安王急忙上車、逃回耶路撒冷去了。
十九 十九這樣以色列人背叛大衞家、直到今日。

耶和華禁羅波安與以色列戰

第十一章

一 一羅波安來到耶路撒冷、招聚猶大家和
便雅憫家、共十八萬人、都是挑選的戰士、要與以色列
二 人爭戰、好將國奪回再歸自己。二但耶和華的話臨到神
三 人示瑪雅說、三你去告訴所羅門的兒子猶大王羅波安、
四 和住猶大便雅憫的以色列衆人、說、四耶和華如此說、你
們不可上去、與你們的弟兄爭戰．各歸各家去罷．因爲
這事出於我。衆人就聽從耶和華的話、歸回不去與耶
五 羅波安爭戰。◯五羅波安住在耶路撒冷、在猶大地修築
六 七 城邑爲保障。六修築伯利恆、以坦、提哥亞、七伯夙、梭哥、亞杜
八 九 十 蘭、八迦特、瑪利沙、九西弗、亞多萊音、拉吉、亞西加、十瑣拉、亞雅
十一 崙、希伯崙．這都是猶大和便雅憫的堅固城。十一羅波安又
堅固各處的保障、在其中安置軍長、又豫備下糧食油
十二 酒。十二他在各城裏豫備盾牌和槍、且使城極其堅固．猶大
和便雅憫都歸了他。

祭司利未人咸歸羅波安

十三 十三以色列全地的祭司和利未人、都從四方來歸羅波安。

十四 [十四]利未人撇下他們的郊野和產業、來到猶大與耶路撒
冷。是因耶羅波安和他的兒子拒絕他們、不許他們供
十五 祭司職分事奉耶和華。[十五]耶羅波安為邱壇、為鬼魔、原文作公
十六 山羊為自己所鑄造的牛犢設立祭司。[十六]以色列各支派中、
凡立定心意尋求耶和華以色列 神的、都隨從利未
十七 人、來到耶路撒冷祭祀耶和華他們列祖的 神。[十七]這樣、
就堅固猶大國、使所羅門的兒子羅波安強盛三年。因
為他們三年遵行大衛和所羅門的道。

羅波安之室家

十八 [十八]羅波安娶大衛兒子耶利摩的女兒瑪哈拉為妻、又娶
十九 耶西兒子以利押的女兒亞比孩為妻。[十九]從他生了幾個
二十 兒子、就是耶烏施、示瑪利雅、撒罕。[二十]後來又娶押沙龍的
女兒瑪迦。十三章二節作烏列的女兒米該雅從他生了亞比雅、亞太、細
二一 撒、示羅密。[二一]羅波安娶十八個妻、立六十個妾、生二十八
個兒子、六十個女兒。他卻愛押沙龍的女兒瑪迦、比愛
二二 別的妻妾更甚。[二二]羅波安立瑪迦的兒子亞比雅作太子、
二三 在他弟兄中為首、因為想要立他接續作王。[二三]羅波安辦
事精明、使他眾子分散在猶大和便雅憫全地各堅固
城裏、又賜他們許多糧食、為他們多尋妻子。

第十二章

羅波安違棄耶和華

一 [一]羅波安的國堅立、他強盛的時候、就離
棄耶和華的律法、以色列人也都隨從他。

埃及王示撒攻耶路撒冷

二 [二]羅波安王第五年、埃及王示撒上來攻打耶路撒冷。因
三 為王和民得罪了耶和華。[三]示撒帶戰車一千二百輛、馬
兵六萬、並且跟從他出埃及的路比人、蘇基人、和古實
四 人多得不可勝數。[四]他攻取了猶大的堅固城、就來到耶
五 路撒冷。[五]那時、猶大的首領、因為示撒就聚集在耶路撒
冷。有先知示瑪雅去見羅波安和眾首領、對他們說、耶
和華如此說、你們離棄了我、所以我使你們落在示撒
六 手裏。[六]於是王和以色列的眾首領、都自卑說、耶和華是
七 公義的。[七]耶和華見他們自卑、耶和華的話就臨到示瑪
雅說、他們既自卑、我必不滅絕他們、必使他們略得拯
八 救、我不藉着示撒的手、將我的怒氣倒在耶路撒冷。[八]然
而他們必作示撒的僕人、好叫他們知道服事我與服
事外邦人有何分別。

奪取聖殿及王宮之寶物

九 九於是埃及王示撒上來攻取耶路撒冷、奪了耶和華殿
和王宮裏的寶物、盡都帶走、又奪去所羅門製造的金
十 盾牌。十羅波安王製造銅盾牌代替那金盾牌、交給守王
十一 宮門的護衛長看守。十一王每逢進耶和華的殿、護衛兵就
十二 拿這盾牌、隨後仍將盾牌送回、放在護衛房。十二王自卑的
時候、耶和華的怒氣就轉消了、不將他滅盡、並且在猶
十三 大中間也有善益的事。○十三羅波安王自強在耶路撒冷
作王。他登基的時候年四十一歲、在耶路撒冷、就是耶
和華從以色列衆支派中所選擇立他名的城、作王十
十四 七年。羅波安的母親名叫拿瑪、是亞捫人。十四羅波安行惡、
因他不立定心意尋求耶和華。

羅波安卒

十五 十五羅波安所行的事、自始至終、不都寫在先知示瑪雅、和
先見易多的史記上麼。羅波安與耶羅波安時常爭戰。
十六 十六羅波安與他列祖同睡、葬在大衛城裏。他兒子亞比雅
接續他作王。

一亞比雅作猶大王

一 **第十三章** 耶羅波安王十八年、亞比雅登基作猶
二 大王。二在耶路撒冷作王三年。他母親名叫米該亞、(米該亞又
作瑪迦)是基比亞人烏列的女兒。亞比雅常與耶羅波安
三 爭戰。三有一次亞比雅率領挑選的兵四十萬擺陣、都是
勇敢的戰士。耶羅波安也挑選大能的勇士八十萬、對
四 亞比雅擺陣。四亞比雅站在以法蓮山地中的洗瑪臉山
五 上、說、耶羅波安和以色列衆人哪、要聽我說。五耶和華以
色列的神、曾立鹽約、(鹽約即不廢壞的意思)將以色列國永遠賜
六 給大衛和他的子孫、你們不知道麼。六無奈大衛兒子所
羅門的臣僕、尼八兒子耶羅波安、起來背叛他的主人。
七 七有些無賴的匪徒聚集跟從他、逞強攻擊所羅門的兒
八 子羅波安、那時羅波安還幼弱、不能抵擋他們。八現在你
們有意抗拒大衛子孫手下所治耶和華的國。你們的
人也甚多、你們那裏又有耶羅波安爲你們所造當作
九 神的金牛犢。九你們不是驅逐耶和華的祭司亞倫的後
裔、和利未人麼、不是照着外邦人的惡俗、爲自己立祭
司麼。無論何人牽一隻公牛犢、七隻公綿羊、將自己分

十 別出來、就可作虛無之神的祭司。至於我們、耶和華是
我們的神、我們並沒有離棄他、我們有事奉耶和華
十一 的祭司、都是亞倫的後裔、並有利未人各盡其職。每日
早晚向耶和華獻燔祭、燒美香、又在精金的桌子上擺
陳設餅、又有金燈臺、和燈盞、每晚點起、因爲我們遵守
十二 耶和華我們神的命、惟有你們離棄了他。率領我們
的是神、我們這裏也有神的祭司、拿號向你們吹
出大聲、以色列人哪、不要與耶和華你們列祖的神
爭戰、因你們必不能亨通。

猶大人與以色列人戰

十三 耶羅波安卻在猶大人的後頭設伏兵、這樣、以色列人
十四 在猶大人的前頭、伏兵在猶大人的後頭。猶大人回頭
觀看、見前後都有敵兵、就呼求耶和華、祭司也吹號。

以色列人敗遁

十五 於是猶大人吶喊、猶大人吶喊的時候、神就使耶羅
十六 波安和以色列衆人、敗在亞比雅與猶大人面前。以色
列人在猶大人面前逃跑、神將他們交在猶大人手
十七 裏。亞比雅和他的軍兵大大殺戮以色列人、以色列人
十八 仆倒死亡的精兵有五十萬。那時、以色列人被制伏了、
十九 猶大人得勝、是因倚靠耶和華他們列祖的神。亞比
雅追趕耶羅波安、攻取了他的幾座城、就是伯特利和
屬伯特利的鎮市、耶沙拿和屬耶沙拿的鎮市、以法拉
二十 音（或作以弗倫）和屬以法拉音的鎮市。亞比雅在世的時候、
二一 耶羅波安不能再強盛、耶和華攻擊他、他就死了。亞比
雅卻漸漸強盛、娶妻十四個、生了二十二個兒子、十
二二 六個女兒。亞比雅其餘的事、和他的言行、都寫在先知
易多的傳上。

第十四章

亞比雅卒其子亞撒繼位

一 亞比雅與他列祖同睡、葬在大衛城裏。
二 他兒子亞撒接續他作王。亞撒年間、國中太平十年。亞
三 撒行耶和華他神眼中看爲善爲正的事。除掉外邦
四 神的壇、和邱壇、打碎柱像、砍下木偶、吩咐猶大人尋求
五 耶和華他們列祖的神、遵行他的律法、誡命。又在猶
六 大各城邑除掉邱壇、和日像。那時國享太平。又在猶大
建造了幾座堅固城、國中太平數年、沒有戰爭、因爲耶
七 和華賜他平安。他對猶大人說、我們要建造這些城邑、

四圍築牆、蓋樓、安門、作門、地還屬我們、是因尋求耶和
華我們的神、我們既尋求他、他就賜我們四境平安。
八 於是建造城邑、諸事亨通。八亞撒的軍兵出自猶大拿盾
牌拿槍的三十萬人、出自便雅憫拿盾牌拉弓的二十
八萬人、這都是大能的勇士。

古實王謝拉攻猶大見敗

九 九有古實王謝拉率領軍兵一百萬、戰車三百輛、出來攻
十 擊猶大人、到了瑪利沙。十於是亞撒出去與他迎敵、就在
十一 瑪利沙的洗法谷彼此擺陣。十一亞撒呼求耶和華他的
神、說、耶和華阿、惟有你能幫助軟弱的、勝過強盛的、耶
和華我們的神阿、求你幫助我們、因為我們仰賴你、
奉你的名來攻擊這大軍。耶和華阿、你是我們的神、
十二 不要容人勝過你。十二於是耶和華使古實人敗在亞撒和
十三 猶大人面前、古實人就逃跑了。十三亞撒和跟隨他的軍兵
追趕他們、直到基拉耳、古實人被殺的甚多、不能再強
盛、因為敗在耶和華與他軍兵面前、猶大人就奪了許
十四 多財物。十四又打破基拉耳四圍的城邑、耶和華使其中的
人都甚恐懼、猶大人又將所有的城擄掠一空、因其中
十五 的財物甚多。十五又毀壞了羣畜的圈、奪取許多的羊和駱
駝、就回耶路撒冷去了。

亞撒納亞撒利雅之勸勉

第十五章

一 一神的靈感動俄德的兒子亞撒利雅。
二 二他出來迎接亞撒、對他說、亞撒和猶大便雅憫眾人哪、
要聽我說、你們若順從耶和華、耶和華必與你們同在。
你們若尋求他、就必尋見、你們若離棄他、他必離棄你
三 們。三以色列人不信真神、沒有訓誨的祭司、也沒有律法、
四 已經好久了。四但他們在急難的時候歸向耶和華以色
五 列的神、尋求他、他就被他們尋見。五那時出入的人不
六 得平安、列國的居民、都遭大亂。六這國攻擊那國、這城攻
七 擊那城、互相破壞、因為神用各樣災難擾亂他們。七現
在你們要剛強、不要手軟、因你們所行的、必得賞賜。

奮志除諸可憎之物

八 八亞撒聽見這話、和俄德兒子先知亞撒利雅的豫言、就
壯起膽來、在猶大便雅憫全地、並以法蓮山地所奪的
各城、將可憎之物盡都除掉、又在耶和華殿的廊前重
九 新修築耶和華的壇。九又招聚猶大便雅憫的眾人、並他

們中間寄居的以法蓮人、瑪拿西人、西緬人．有許多以
色列人歸降亞撒．因見耶和華他的神與他同在。十 亞
撒十五年三月、他們都聚集在耶路撒冷。十一 當日他們從
所取的擄物中、將牛七百隻、羊七千隻、獻給耶和華。十二 他
們就立約、要盡心盡性的尋求耶和華他們列祖的
神．十三 凡不尋求耶和華以色列 神的、無論大小男女、必
被治死。十四 他們就大聲歡呼、吹號、吹角、向耶和華起誓。十五 猶
大眾人為所起的誓歡喜．因他們是盡心起誓、盡意尋
求耶和華、耶和華就被他們尋見、且賜他們四境平安。

貶祖母瑪迦之后位

十六 亞撒王貶了他祖母瑪迦太后的位、因他造了可憎的
偶像．亞撒砍下他的偶像、搗得粉碎、燒在汲淪
溪邊。十七 只是邱壇還沒有從以色列中廢去．然而亞撒的
心一生誠實。十八 亞撒將他父所分別為聖、與自己所分別
為聖的金銀和器皿、都奉到 神的殿裏。十九 從這時直到
亞撒三十五年、都沒有爭戰的事。

第十六章

以色列王巴沙攻猶大

一 亞撒三十六年、以色列王巴沙上來攻
擊猶大、修築拉瑪、不許人從猶大王亞撒那裏出入。

亞撒求助於亞蘭王

二 於是亞撒從耶和華殿和王宮的府庫裏、拿出金銀來、
送與住大馬色的亞蘭王便哈達、說、三 你父曾與我父立
約、我與你也要立約．現在我將金銀送給你．求你廢掉
你與以色列王巴沙所立的約、使他離開我。四 便哈達聽
從亞撒王的話、派軍長去攻擊以色列的城邑．他們就
攻破以雲、但、亞伯瑪音、和拿弗他利一切的積貨城。五 巴
沙聽見就停工、不修築拉瑪了。六 於是亞撒王率領猶大
眾人、將巴沙修築拉瑪所用的石頭木頭、都運去、用以
修築迦巴和米斯巴。

哈拿尼責猶大王

七 那時、先見哈拿尼來見猶大王亞撒、對他說、因你仰賴
亞蘭王、沒有仰賴耶和華你的 神、所以亞蘭王的軍
兵脫離了你的手。八 古實人路比人的軍隊、不是甚大麼、
戰車馬兵不是極多麼．只因你仰賴耶和華、他便將他
們交在你手裏。九 耶和華的眼目遍察全地、要顯大能幫
助向他心存誠實的人．你這事行得愚昧．此後你必有

十 爭戰的事。[十]亞撒因此惱恨先見、將他囚在監裏。那時亞
撒也虐待一些人民。

亞撒卒

十一 [十一]亞撒所行的事、自始至終、都寫在猶大和以色列諸王
十二 記上。[十二]亞撒作王三十九年、他腳上有病、而且甚重、病的
十三 時候沒有求耶和華、只求醫生。[十三]他作王四十一年而死、
十四 與他列祖同睡。[十四]葬在大衛城自己所鑿的墳墓裏、放在
牀上、其牀堆滿各樣馨香的香料、就是按作香的作法
調和的香料、又為他燒了許多的物件。

約沙法作猶大王

一 **第十七章** [一]亞撒的兒子約沙法接續他作王、奮勇
二 自強、防備以色列人、[二]安置軍兵在猶大一切堅固城裏、
又安置防兵在猶大地、和他父亞撒所得以法蓮的城
三 邑中。[三]耶和華與約沙法同在、因為他行他祖大衛初行
四 的道、不尋求巴力、[四]只尋求他父親的神、遵行他的誡
五 命、不效法以色列人的行為。[五]所以耶和華堅定他的國、
六 猶大眾人給他進貢、約沙法大有尊榮貲財。[六]他高興遵
行耶和華的道、並且從猶大除掉一切邱壇和木偶。

奮志為善

七 [七]他作王第三年、就差遣臣子便亥伊勒、俄巴底、撒迦利
八 雅、拿坦業、米該亞、往猶大各城去教訓百姓。[八]同着他們
有利未人示瑪雅、尼探雅、西巴第雅、亞撒黑、示米拉末、
約拿單、亞多尼雅、多比雅、駝巴多尼雅、又有祭司以利
九 沙瑪、約蘭、同着他們。[九]他們帶着耶和華的律法書、走遍
猶大各城教訓百姓。

列國畏其強盛臣服納貢

十 [十]耶和華使猶大四圍的列國、都甚恐懼、不敢與約沙法
十一 爭戰。[十一]有些非利士人與約沙法送禮物、納貢銀、亞拉伯
十二 人也送他公綿羊七千七百隻、公山羊七千七百隻。[十二]約
十三 沙法日漸強大、在猶大建造營寨和積貨城。[十三]他在猶大
城邑中有許多工程、又在耶路撒冷有戰士、就是大能
十四 的勇士。[十四]他們的數目、按着宗族記在下面。猶大族的千
十五 夫長押拿為首、率領大能的勇士三十萬。[十五]其次是千夫
十六 長約哈難、率領大能的勇士二十八萬。[十六]其次是細基利
的兒子亞瑪斯、他為耶和華犧牲自己、率領大能的
十七 勇士二十萬。[十七]便雅憫族、是大能的勇士以利雅大率領

拿弓箭和盾牌的二十萬。十八其次是約薩拔、率領豫備打
仗的十八萬。十九這都是伺候王的。還有王在猶大全地堅
固城所安置的不在其內。

第十八章　約沙法之豐富

一約沙法大有尊榮貲財、就與亞哈結親。
二過了幾年他下到撒瑪利亞去見亞哈。亞哈為他和跟
從他的人宰了許多牛羊、勸他與自己同去攻取基列
的拉末。三以色列王亞哈問猶大王約沙法說、你肯同我
去攻取基列的拉末麼。他回答說、你我不分彼此、我的
民與你的民一樣。必與你同去爭戰。

約沙法與亞哈求先知諮諏耶和華

四約沙法對以色列王說、請你先求問耶和華。五於是以色
列王招聚先知四百人問他們說、我們上去攻取基列
的拉末可以不可以。他們說、可以上去。因為神必將
那城交在王的手裏。六約沙法說、這裏不是還有耶和華
的先知、我們可以求問他麼。七以色列王對約沙法說、還
有一個人、是音拉的兒子米該雅、我們可以託他求問
耶和華。只是我恨他、因為他指着我所說的豫言、不說
吉語、常說凶言。約沙法說、王不必這樣說。八以色列王就
召了一個太監來、說、你快去將音拉的兒子米該雅召
來。九以色列王和猶大王約沙法在撒瑪利亞城門前的
空場上、各穿朝服坐在位上。所有的先知都在他們面
前說豫言。十基拿拿的兒子西底家造了兩個鐵角、說、耶
和華如此說、你要用這角牴觸亞蘭人、直到將他們滅
盡。十一所有的先知也都這樣豫言說、可以上基列的拉末
去、必然得勝。因為耶和華必將那城交在王的手中。

米該雅之警戒

十二那去召米該雅的使者對米該雅說、眾先知一口同音
的都向王說吉言。你不如與他們說一樣的話、也說吉
言。十三米該雅說、我指着永生的耶和華起誓、我的神說
甚麼、我就說甚麼。十四米該雅到王面前、王問他說、米該雅
阿、我們上去攻取基列的拉末可以不可以。他說、可以
上去、必然得勝。敵人必交在你們手裏。十五王對他說、我當
囑咐你幾次、你纔奉耶和華的名向我說實話呢。十六米該
雅說、我看見以色列眾民散在山上、如同沒有牧人的
羊羣一般。耶和華說、這民沒有主人、他們可以平平安

十七 安的各歸各家去。十七以色列王對約沙法說、我豈沒有告
訴你這人指着我所說的豫言、不說吉語單說凶言麼。
十八 十八米該雅說、你們要聽耶和華的話．我看見耶和華坐在
十九 寶座上、天上的萬軍侍立在他左右。十九耶和華說、誰去引
誘以色列王亞哈上基列的拉末去陣亡呢。這個就這
二十 樣說、那個就那樣說。二十隨後有一個神靈出來、站在耶和
二一 華面前說、我去引誘他。耶和華問他說、你用何法呢。二一他
說、我去要在他衆先知口中作謊言的靈。耶和華說、這
二二 樣、你必能引誘他．你去如此行罷。二二現在耶和華使謊言
的靈入了你這些先知的口．並且耶和華已經命定降
禍與你。

米該雅受批被執

二三 二三基拿拿的兒子西底家前來、打米該雅的臉、說、耶和華
二四 的靈從那裏離開我與你說話呢。二四米該雅說、你進嚴密
二五 的屋子藏躲的那日、就必看見了。二五以色列王說、將米該
二六 雅帶回、交給邑宰亞們、和王的兒子約阿施、說、二六王如此
說、把這個人下在監裏、使他受苦、喫不飽喝不足、等候
二七 我平平安安的回來。二七米該雅說、你若能平平安安回來、那就
是耶和華沒有藉我說這話了。又說、衆民哪、你們都要
聽。

二王偕攻基列拉末

二八 二九 二八以色列王、和猶大王約沙法、上基列的拉末去了。二九以色
列王對約沙法說、我要改裝上陣．你可以仍穿王服。於
三十 是以色列王改裝、他們就上陣去了。三十先是亞蘭王吩咐
車兵長說、他們的兵將無論大小、你們都不可與他們
三一 爭戰、只要與以色列王爭戰。三一車兵長看見約沙法、便說、
這必是以色列王、就轉過去與他爭戰。約沙法一呼喊、
三二 耶和華就幫助他．神又感動他們離開他。三二車兵長見
不是以色列王、就轉去不追他了。

以色列王中箭而死

三三 三三有一人隨便開弓、恰巧射入以色列王的甲縫裏．王對
三四 趕車的說、我受了重傷、你轉過車來、拉我出陣罷。三四那日
陣勢越戰越猛．以色列王勉強站在車上、抵擋亞蘭人、
直到晚上．約在日落的時候、王就死了。

約沙法見責

第十九章

一 一猶大王約沙法平平安安的回耶路撒

二 冷、到宮裏去了。先見哈拿尼的兒子耶戶出來迎接約
沙法王、對他說、你豈當幫助惡人、愛那恨惡耶和華的
三 人呢。因此耶和華的忿怒臨到你。然而你還有善行、因
你從國中除掉木偶、立定心意尋求神。

為民立士師

四 約沙法住在耶路撒冷．以後又出巡民間、從別是巴直
到以法蓮山地、引導民歸向耶和華他們列祖的神。
五六 又在猶大國中遍地的堅固城裏、設立審判官、對他們
說、你們辦事應當謹慎．因為你們判斷、不是為人、乃是
七 為耶和華．判斷的時候、他必與你們同在。現在你們應
當敬畏耶和華．謹慎辦事．因為耶和華我們的神沒
八 有不義、不偏待人、也不受賄賂。○約沙法從利未人和
祭司、並以色列族長中派定人在耶路撒冷為耶和華
九 判斷、聽民間的爭訟．就回耶路撒冷去了。約沙法囑咐
十 他們說、你們當敬畏耶和華、忠心誠實辦事。住在各城
裏你們的弟兄、若有爭訟的事、來到你們這裏、或為流
血、或犯律法誡命律例典章、你們要警戒他們、免得他
們得罪耶和華、以致他的忿怒臨到你們、和你們的弟
十一 兄．這樣行、你們就沒有罪了。凡屬耶和華的事、有大祭
司亞瑪利雅管理你們．凡屬王的事、有猶大支派的族
長以實瑪利的兒子西巴第雅管理你們．在你們面前
有利未人作官長．你們應當壯膽辦事、願耶和華與善
人同在。

第二十章 約沙法禁食祈禱以敗敵

一 此後、摩押人和亞捫人、又有米烏尼人、
二 一同來攻擊約沙法。有人來報告約沙法說、從海外亞
蘭那邊（亞蘭又作以東）有大軍來攻擊你．如今他們在哈洗遜
三 他瑪、就是隱基底。約沙法便懼怕、定意尋求耶和華．在
四 猶大全地宣告禁食。於是猶大人聚會、求耶和華幫助
五 猶大各城都有人出來尋求耶和華。○約沙法就在猶
六 大和耶路撒冷的會中、站在耶和華殿的新院前、說、耶
和華我們列祖的神阿、你不是天上的神麼．你不
是萬邦萬國的主宰麼。在你手中有大能大力、無人能
七 抵擋你。我們的神阿、你不是曾在你民以色列人面
前、驅逐這地的居民、將這地賜給你朋友亞伯拉罕的
八 後裔永遠為業麼。他們住在這地、又為你的名建造聖

九 所說、倘有禍患臨到我們、或刀兵災殃、或瘟疫饑荒、我
們在急難的時候、站在這殿前向你呼求、你必垂聽而
十 拯救．因爲你的名在這殿裏。從前以色列人出埃及地
的時候、你不容以色列人侵犯亞捫人、摩押人、和西珥
十一 山人．以色列人就離開他們、不滅絕他們。看哪、他們怎
樣報復我們、要來驅逐我們出離你的地、就是你賜給
十二 我們爲業之地。我們的神阿、你不懲罰他們麼．因爲
我們無力抵擋這來攻擊我們的大軍．我們也不知道
十三 怎樣行、我們的眼目單仰望你。猶大衆人和他們的嬰
十四 孩、妻子、兒女、都站在耶和華面前。◯那時、耶和華的靈
在會中臨到利未人亞薩的後裔瑪探雅的元孫耶利
十五 的曾孫比拿雅的孫子撒迦利雅的兒子雅哈悉．他說、
猶大衆人、耶路撒冷的居民、和約沙法王、你們請聽、耶
和華對你們如此說、不要因這大軍恐懼驚惶、因爲勝
十六 敗不在乎你們、乃在乎神。明日你們要下去迎敵．他
們是從洗斯坡上來．你們必在耶魯伊勒曠野前的谷
十七 口遇見他們。猶大和耶路撒冷人哪、這次你們不要爭
戰、要擺陣站着、看耶和華爲你們施行拯救．不要恐懼、
也不要驚惶．明日當出去迎敵．因爲耶和華與你們同
十八 在。約沙法就面伏於地．猶大衆人、和耶路撒冷的居民、
十九 也俯伏在耶和華面前、叩拜耶和華。哥轄族和可拉族
的利未人、都起來用極大的聲音讚美耶和華以色列
的神。

敵遭殲滅

二十 次日清早衆人起來、往提哥亞的曠野去．出去的時候、
約沙法站着說、猶大人和耶路撒冷的居民哪、要聽我
說、信耶和華你們的神、就必立穩．信他的先知、就必
二一 亨通。約沙法旣與民商議了、就設立歌唱的人、頌讚耶
和華、使他們穿上聖潔的禮服、走在軍前讚美耶和華、
二二 說、當稱謝耶和華．因他的慈愛永遠長存。衆人方唱歌
讚美的時候、耶和華就派伏兵擊殺那來攻擊猶大人
二三 的亞捫人、摩押人、和西珥山人、他們就被打敗了。因爲
亞捫人和摩押人起來擊殺住西珥山的人、將他們滅
盡．滅盡住西珥山的人之後、他們又彼此自相擊殺。◯
二四 猶大人來到曠野的望樓、向那大軍觀看、見屍橫遍地、
二五 沒有一個逃脫的。約沙法和他的百姓就來收取敵人

的財物、在屍首中見了許多財物、珍寶、他們剝脫下來
二六 的多得不可攜帶、因爲甚多、直收取了三日。二六第四日衆
人聚集在比拉迦就是稱頌的意思谷、在那裏稱頌耶和華．因
二七 此、那地方名叫比拉迦谷、直到今日。二七猶大人、和耶路撒
冷人、都歡歡喜喜的回耶路撒冷、約沙法率領他們．因
二八 爲耶和華使他們戰勝仇敵、就歡喜快樂。二八他們彈琴、鼓
二九 瑟、吹號、來到耶路撒冷、進了耶和華的殿。二九列邦諸國聽
三十 見耶和華戰敗以色列的仇敵、就甚懼怕。三十這樣、約沙法
三一 的國、得享太平．因爲 神賜他四境平安。○三一約沙法作
猶大王．登基的時候年三十五歲．在耶路撒冷作王二
三二 十五年．他母親名叫阿蘇巴、乃示利希的女兒。三二約沙法
效法他父亞撒所行的、不偏左右、行耶和華眼中看爲
三三 正的事。三三只是邱壇還沒有廢去．百姓也沒有立定心意
三四 歸向他們列祖的 神。三四約沙法其餘的事、自始至終、都
寫在哈拿尼的兒子耶戶的書上、也載入以色列諸王
記上。

約沙法與亞哈謝聯盟

三五 三五此後猶大王約沙法與以色列王亞哈謝交好．亞哈謝
三六 行惡太甚．三六二王合夥造船要往他施去．遂在以旬迦別
三七 造船。三七那時瑪利沙人多大瓦的兒子以利以謝向約沙
法豫言、說、因你與亞哈謝交好、耶和華必破壞你所造
的。後來那船果然破壞、不能往他施去了。

第二十一章

約沙法卒約蘭繼位

一 一約沙法與他列祖同睡、葬在大衛城、
二 他列祖的墳地裏．他兒子約蘭接續他作王。二約蘭有幾
個兄弟、就是約沙法的兒子亞撒利雅、耶歇、撒迦利雅、
亞撒利雅、米迦勒、示法提雅．這都是以色列王約沙法
三 的兒子。三他們的父親將許多金銀、財寶、和猶大地的堅
四 固城、賜給他們．但將國賜給約蘭、因爲他是長子。四約蘭
興起坐他父的位、奮勇自強、就用刀殺了他的衆兄弟、
五 和以色列的幾個首領。五約蘭登基的時候年三十二歲．
六 在耶路撒冷作王八年。六他行以色列諸王的道、與亞哈
家一樣．因他娶了亞哈的女兒爲妻、行耶和華眼中看
七 爲惡的事。七耶和華卻因自己與大衛所立的約、不肯滅
大衛的家、照他所應許的、永遠賜燈光與大衛和他的
子孫。

以東人叛

八約蘭年間以東人背叛猶大、脫離他的權下、自己立王。九約蘭就率領軍長和所有的戰車夜間起來、攻擊圍困他的以東人和車兵長。十這樣、以東人背叛猶大、脫離他的權下、直到今日。那時、立拿人也背叛了、因為約蘭離棄耶和華他列祖的神。

約蘭誘民干罪

十一他又在猶大諸山建築邱壇、使耶路撒冷的居民行邪淫、誘惑猶大人。

以利亞遺書警告

十二先知以利亞達信與約蘭、說、耶和華你祖大衛的神如此說、因為你不行你父約沙法、和猶大王亞撒的道、十三乃行以色列諸王的道、使猶大人和耶路撒冷的居民行邪淫、像亞哈家一樣、又殺了你父家比你好的諸兄弟。十四故此耶和華降大災與你的百姓、和你的妻子兒女、並你一切所有的。十五你的腸子必患病、日加沉重、以致你的腸子墜落下來。

非利士人攻約蘭

十六以後耶和華激動非利士人、和靠近古實的亞拉伯人、來攻擊約蘭。十七他們上來攻擊猶大、侵入境內、擄掠了王宮裏所有的財貨、和他的妻子兒女、除了他小兒子約哈斯（又名亞哈謝）之外、沒有留下一個兒子。

耶和華罰約蘭以劇疾

十八這些事以後、耶和華使約蘭的腸子、患不能醫治的病。十九他患此病纏綿日久、過了二年、腸子墜落下來、病重而死。他的民沒有為他燒甚麼物件、像從前為他列祖所燒的一樣。二十約蘭登基的時候年三十二歲、在耶路撒冷作王八年。他去世無人思慕。眾人葬他在大衛城、只是不在列王的墳墓裏。

第二十二章

亞哈謝作猶大王

一耶路撒冷的居民、立約蘭的小兒子亞哈謝接續他作王、因為跟隨亞拉伯人來攻營的軍兵、曾殺了亞哈謝的眾兄長。這樣、猶大王約蘭的兒子亞哈謝作了王。二亞哈謝登基的時候年四十二歲。（列王下八章二十六節作二十二歲）在耶路撒冷作王一年。他母親名叫亞他

三 利雅、是暗利的孫女。三亞哈謝也行亞哈家的道．因爲他
四 母親給他主謀、使他行惡。四他行耶和華眼中看爲惡的
事、像亞哈家一樣．因他父親死後有亞哈家的人給他
五 主謀、以致敗壞。五他聽從亞哈家的計謀、同以色列王亞
哈的兒子約蘭往基列的拉末去、與亞蘭王哈薛爭戰．
六 亞蘭人打傷了約蘭。六約蘭回到耶斯列、醫治在拉末與
亞蘭王哈薛打仗所受的傷、猶大王約蘭的兒子亞撒
利雅、（即亞哈謝）因爲亞哈的兒子約蘭病了、就下到耶斯列
看望他。

亞哈謝被殺

七 七亞哈謝去見約蘭就被害了、這是出乎 神．因爲他到
了、就同約蘭出去攻擊寧示的孫子耶戶．這耶戶是耶
八 和華所膏使他剪除亞哈家的。八耶戶討亞哈家罪的時
候、遇見猶大的眾首領、和亞哈謝的眾姪子服事亞哈
九 謝、就把他們都殺了。九亞哈謝藏在撒瑪利亞、耶戶尋找
他．眾人將他拿住、送到耶戶那裏、就殺了他、將他葬埋．
因他們說、他是那盡心尋求耶和華之約沙法的兒子。
這樣、亞哈謝的家無力保守國權。

亞他利雅滅王室自立

十 十亞哈謝的母親亞他利雅見他兒子死了、就起來剿滅
十一 猶大王室。十一但王的女兒約示巴、將亞哈謝的兒子約阿
施、從那被殺的王子中偷出來、把他和他的乳母都藏
在臥房裏．約示巴是約蘭王的女兒、亞哈謝的妹子、祭
司耶何耶大的妻．他收藏約阿施、躲避亞他利雅、免得
十二 被殺。十二約阿施和他們一同藏在 神殿裏六年、亞他利
雅篡了國位。

第二十三章

耶何耶大謀攻亞他利雅

一 一第七年耶何耶大奮勇自強、將百夫
長耶羅罕的兒子亞撒利雅、約哈難的兒子以實瑪利、
俄備得的兒子亞撒利雅、亞大雅的兒子瑪西雅、細基
二 利的兒子以利沙法召來、與他們立約。二他們走遍猶大、
從猶大各城裏招聚利未人、和以色列的眾族長、到耶
三 路撒冷來。三會眾在 神殿裏與王立約．耶何耶大對他
四 們說、看哪、王的兒子必當作王、正如耶和華指着大衛
子孫所應許的話。四又說、你們當這樣行．祭司和利未人、
五 凡安息日進班的三分之一要把守各門．五三分之一要

在王宮、三分之一要在基址門．衆百姓要在耶和華殿
六 的院內。六除了祭司、和供職的利未人之外、不准別人進
耶和華的殿．惟獨他們可以進去、因為他們聖潔．衆百
七 姓要遵守耶和華所吩咐的。七利未人要手中各拿兵器、
四圍護衛王．凡擅入殿宇的、必當治死．王出入的時候、
八 你們當跟隨他。○八利未人、和猶大衆人、都照着祭司耶
何耶大一切所吩咐的去行．各帶所管安息日進班出
九 班的人來．因為祭司耶何耶大不許他們下班。九祭司耶
何耶大便將　神殿裏所藏大衛王的槍、盾牌、擋牌、交
十 給百夫長．十又分派衆民手中各拿兵器、在壇和殿那裏、
十一 從殿右直到殿左、站在王子的四圍。十一於是領王子出來、
給他戴上冠冕、將律法書交給他、立他作王．耶何耶大
和衆子膏他、衆人說、願王萬歲。

亞他利雅被殺

十二 十二亞他利雅聽見民奔走讚美王的聲音、就到民那裏、進
十三 耶和華的殿．十三看見王站在殿門的柱旁、百夫長和吹號
的人侍立在王左右．國民都歡樂吹號．又有歌唱的、用
各樣的樂器、領人歌唱讚美．亞他利雅就撕裂衣服、喊
十四 叫說、反了、反了。十四祭司耶何耶大帶管轄軍兵的百夫長
出來、吩咐他們說、將他趕到班外．凡跟隨他的、必用刀
十五 殺死．因為祭司說、不可在耶和華殿裏殺他。十五衆兵就閃
開讓他去．他走到王宮的馬門、便在那裏把他殺了。

耶何耶大與民及王立約

十六 十七 十六耶何耶大、與衆民、和王立約、都要作耶和華的民。十七於是
衆民都到巴力廟、拆毀了廟、打碎壇和像、又在壇前將
十八 巴力的祭司瑪坦殺了。十八耶何耶大派官看守耶和華的
殿、是在祭司利未人手下．這祭司利未人是大衛分派
在耶和華殿中、照摩西律法上所寫的、給耶和華獻燔
十九 祭、又按大衛所定的例、歡樂歌唱。十九且設立守門的把守
耶和華殿的各門、無論為何事、不潔淨的人、都不准進
二十 去。二十又率領百夫長、和貴冑、與民間的官長、並國中的衆
民、請王從耶和華殿下來、由上門進入王宮、立王坐在
二一 國位上。二一國民都歡樂、合城都安靜．衆人已將亞他利雅
用刀殺了。

約阿施作王

一 **第二十四章** 一約阿施登基的時候、年七歲、在耶路

撒冷作王四十年．他母親名叫西比亞、是別是巴人。二祭
司耶何耶大在世的時候、約阿施行耶和華眼中看為
正的事。三耶何耶大為他娶了兩個妻、並且生兒養女。

重修聖殿

四此後、約阿施有意重修耶和華的殿、五便召聚眾祭司和
利未人、吩咐他們說、你們要往猶大各城去、使以色列
眾人捐納銀子、每年可以修理你們　神的殿．你們要
急速辦理這事。只是利未人不急速辦理。六王召了大祭
司耶何耶大來、對他說、從前耶和華的僕人摩西為法
櫃的帳幕與以色列會眾所定的捐項、你為何不叫利
未人照這例從猶大和耶路撒冷帶來、作殿的費用呢。
七因為那惡婦亞他利雅的眾子曾拆毀　神的殿、又用
耶和華殿中分別為聖的物供奉巴力。八○於是王下令、
眾人作了一櫃、放在耶和華殿的門外。九又通告猶大和
耶路撒冷的百姓、要將　神僕人摩西在曠野所吩咐
以色列人的捐項給耶和華送來。十眾首領和百姓都歡
歡喜喜的將銀子送來、投入櫃中、直到捐完。十一利未人見
銀子多了、就把櫃抬到王所派的司事面前、王的書記
和大祭司的屬員來、將櫃倒空、仍放在原處．日日都是
這樣．積蓄的銀子甚多。十二王與耶何耶大將銀子交給耶
和華殿裏辦事的人、他們就雇了石匠木匠、重修耶和
華的殿．又雇了鐵匠銅匠、修理耶和華的殿。十三工人操作、
漸漸修成、將　神殿修造的與從前一樣、而且甚是堅
固。十四工程完了、他們就把其餘的銀子拿到王與耶何耶
大面前、用以製造耶和華殿供奉所用的器皿、和調羹、
並金銀的器皿。耶何耶大在世的時候、眾人常在耶和
華殿裏獻燔祭。

耶何耶大壽終

十五耶何耶大年紀老邁、日子滿足而死．死的時候、年一百
三十歲．十六葬在大衛城列王的墳墓裏、因為他在以色列
人中行善、又事奉　神、修理　神的殿。

王與民離棄耶和華

十七耶何耶大死後、猶大的首領來朝拜王．王就聽從他
們。十八他們離棄耶和華他們列祖　神的殿、去事奉亞舍
拉和偶像．因他們這罪、就有忿怒臨到猶大和耶路撒
冷。十九但　神仍遣先知到他們那裏、引導他們歸向耶和

華．這先知警戒他們、他們卻不肯聽。

撒迦利亞責民見殺

二十 那時　神的靈感動祭司耶何耶大的兒子撒迦利亞．
他就站在上面對民說、　神如此說、你們為何干犯耶
和華的誡命、以致不得亨通呢．因為你們離棄耶和華、
所以他也離棄你們。二一 眾民同心謀害撒迦利亞、就照王
的吩咐、在耶和華殿的院內用石頭打死他。二二 這樣、約阿
施王不想念撒迦利亞的父親耶何耶大向自己所施
的恩、殺了他的兒子。撒迦利亞臨死的時候、說、願耶和
華鑒察伸冤。○二三 滿了一年、亞蘭的軍兵上來攻擊約阿
施、來到猶大和耶路撒冷、殺了民中的眾首領、將所掠
的財貨送到大馬色王那裏。二四 亞蘭的軍兵雖來了一小
隊、耶和華卻將大隊的軍兵交在他們手裏、是因猶大
人離棄耶和華他們列祖的　神．所以藉亞蘭人懲罰
約阿施。○二五 亞蘭人離開約阿施的時候、他患重病．臣僕
背叛他、要報祭司耶何耶大兒子流血之仇、殺他在牀
上、葬他在大衛城、只是不葬在列王的墳墓裏。二六 背叛他
的是亞捫婦人示米押的兒子撒拔、和摩押婦人示米
利的兒子約薩拔。二七 至於他的眾子、和他所受的警戒、並
他重修　神殿的事、都寫在列王的傳上。他兒子亞瑪
謝接續他作王。

第二十五章

亞瑪謝作猶大王

一 亞瑪謝登基的時候、年二十五歲、在
耶路撒冷作王二十九年．他母親名叫約耶但、是耶路
撒冷人。二 亞瑪謝行耶和華眼中看為正的事、只是心不
專誠。三 國一堅定、就把殺他父王的臣僕殺了、四 卻沒有治
死他們的兒子、是照摩西律法書上耶和華所吩咐的、
說、不可因子殺父、也不可因父殺子、各人要為本身的
罪而死。

募以色列兵欲攻以東因諫阻而遣之

五 亞瑪謝招聚猶大人、按着猶大和便雅憫的宗族、設立
千夫長、百夫長．又數點人數、從二十歲以外、能拿槍拿
盾牌出去打仗的精兵、共有三十萬．六 又用銀子一百他
連得、從以色列招募了十萬大能的勇士。七 有一個神人
來見亞瑪謝、對他說、王阿、不要使以色列的軍兵與你
同去、因為耶和華不與以色列人以法蓮的後裔同在。

八你若一定要去、就奮勇爭戰罷．但　神必使你敗在敵
人面前、因為　神能助人得勝、也能使人傾敗。九亞瑪謝
問神人說、我給了以色列軍的那一百他連得銀子怎
麼樣呢．神人回答說、耶和華能把更多的賜給你。十於是
亞瑪謝將那從以法蓮來的軍兵分別出來、叫他們回
家去．故此他們甚惱怒猶大人、氣忿忿的回家去了。

西珥人被戮

十一亞瑪謝壯起膽來、率領他的民到鹽谷、殺了西珥人一
萬。十二猶大人又生擒了一萬、帶到山崖上、從那裏把他們
扔下去、以致他們都摔碎了。十三但亞瑪謝所打發回去、不
許一同出征的那些軍兵、攻打猶大各城、從撒瑪利亞
直到伯和崙、殺了三千人、搶了許多財物。

亞瑪謝拜像見責

十四亞瑪謝殺了以東人回來、就把西珥的神像帶回、立為
自己的神、在他面前叩拜燒香。十五因此、耶和華的怒氣向
亞瑪謝發作、就差一個先知去見他、說、這些神不能救
他的民脫離你的手、你為何尋求他呢。十六先知與王說話
的時候、王對他說、誰立你作王的謀士呢．你住口罷、為
何找打呢．先知就止住了．又說、你行這事不聽從我的
勸戒、我知道　神定意要滅你。○十七猶大王亞瑪謝與羣
臣商議、就差遣使者去見耶戶的孫子約哈斯的兒子
以色列王約阿施、說、你來、我們二人相見於戰場。十八以色
列王約阿施差遣使者去見猶大王亞瑪謝、說、利巴嫩
的蒺藜差遣使者去見利巴嫩的香柏樹說、將你的女
兒給我兒子為妻．後來利巴嫩有一個野獸經過、把蒺
藜踐踏了。十九你說、看哪、我打敗了以東人、你就心高氣傲、
以致矜誇．你在家裏安居就罷了、為何要惹禍使自己
和猶大國一同敗亡呢。

亞瑪謝敗遁

二十亞瑪謝卻不肯聽從．這是出乎　神、好將他們交在敵
人手裏、因為他們尋求以東的神。二十一於是以色列王約阿
施上來、在猶大的伯示麥與猶大王亞瑪謝相見於戰
場。二十二猶大人敗在以色列人面前、各自逃回家裏去了。二十三以
色列王約阿施在伯示麥擒住約哈斯(就是亞哈謝)的孫子
約阿施的兒子猶大王亞瑪謝、將他帶到耶路撒冷．又
拆毀耶路撒冷的城牆、從以法蓮門直到角門、共四百

二四 肘。二四又將俄別以東所看守神殿裏的一切金銀、和器
皿、與王宮裏的財寶都拿了去、並帶人去爲質、就回撒
瑪利亞去了。

被弑於拉吉

二五 二五以色列王約哈斯的兒子約阿施死後、猶大王約阿施
二六 的兒子亞瑪謝又活了十五年。二六亞瑪謝其餘的事、自始
二七 至終、不都寫在猶大和以色列諸王記上麼。二七自從亞瑪
謝離棄耶和華之後、在耶路撒冷有人背叛他、他就逃
二八 到拉吉、叛黨卻打發人到拉吉、將他殺了。二八人就用馬將
他的屍首馱回、葬在猶大京城他列祖的墳地裏。

烏西雅作猶大王

第二十六章

一 一猶大衆民立亞瑪謝的兒子烏西雅
二 （又名亞撒利雅）接續他父作王。那時他年十六歲。二亞瑪謝與他
列祖同睡之後、烏西雅收回以祿、仍歸猶大、又重新修
三 理。三烏西雅登基的時候、年十六歲、在耶路撒冷作王五
四 十二年。他母親名叫耶可利雅、是耶路撒冷人。四烏西雅
行耶和華眼中看爲正的事、效法他父亞瑪謝一切所
五 行的。五通曉神默示撒迦利亞在世的時候、烏西雅定
六 意尋求神、他尋求耶和華、神就使他亨通。〇六他出
去攻擊非利士人、拆毀了迦特城、雅比尼城、和亞實突
七 城。在非利士人中、在亞實突境內、又建築了些城。七神
幫助他攻擊非利士人、和住在姑珥巴力的亞拉伯人、
八 並米烏尼人。八亞捫人給烏西雅進貢、他的名聲傳到埃
九 及、因他甚是強盛。九烏西雅在耶路撒冷的角門、和谷門、
十 並城牆轉彎之處、建築城樓、且甚堅固。十又在曠野與高
原和平原、建築望樓、挖了許多井、因他的牲畜甚多、又
在山地和佳美之地、有農夫和修理葡萄園的人、因爲
十一 他喜悅農事。十一烏西雅又有軍兵、照書記耶利和官長瑪
西雅所數點的、在王的一個將軍哈拿尼雅手下、分隊
十二 十三 出戰。十二族長大能勇士的總數、共有二千六百人。十三他們手
下的軍兵、共有三十萬七千五百人、都有大能、善於爭
十四 戰、幫助王攻擊仇敵。十四烏西雅爲全軍豫備盾牌、槍、盔甲、
十五 弓、和甩石的機弦。十五又在耶路撒冷使巧匠作機器、安在
城樓和角樓上、用以射箭發石。烏西雅的名聲傳到遠
方、因爲他得了非常的幫助、甚是強盛。

烏西雅干罪生大痲瘋

十六 十六他既強盛、就心高氣傲、以致行事邪僻、干犯耶和華他
十七 的神、進耶和華的殿、要在香壇上燒香。十七祭司亞撒利
十八 雅率領耶和華勇敢的祭司八十人、跟隨他進去。十八他們
就阻擋烏西雅王、對他說、烏西雅阿、給耶和華燒香不
是你的事、乃是亞倫子孫承接聖職祭司的事．你出聖
殿罷、因為你犯了罪．你行這事、耶和華　神必不使你
十九 得榮耀。十九烏西雅就發怒、手拿香爐要燒香．他向祭司發
怒的時候、在耶和華殿中香壇旁眾祭司面前、額上忽
二十 然發出大痲瘋。二十大祭司亞撒利雅和眾祭司觀看、見他
額上發出大痲瘋、就催他出殿．他自己也急速出去、因
為耶和華降災與他。

烏西雅卒

二一 二一烏西雅王長大痲瘋直到死日．因此住在別的宮裏、與
二二 耶和華的殿隔絕．他兒子約坦管理家事、治理國民。二二烏
西雅其餘的事、自始至終、都是亞摩斯的兒子先知以
二三 賽亞所記的。二三烏西雅與他列祖同睡、葬在王陵的田間
他列祖的墳地裏、因為人說、他是長大痲瘋的．他兒子
約坦接續他作王。

第二十七章

約坦作猶大王

一 一約坦登基的時候、年二十五歲、在耶
路撒冷作王十六年．他母親名叫耶路沙、是撒督的女
二 兒。二約坦行耶和華眼中看為正的事、效法他父烏西雅
一切所行的、只是不入耶和華的殿．百姓還行邪僻的
三 事。三約坦建立耶和華殿的上門、在俄斐勒城上多有建
四 造。四又在猶大山地建造城邑、在樹林中建築營寨和高
五 樓。五約坦與亞捫人的王打仗、勝了他們．當年他們進貢
銀一百他連得、小麥一萬歌珥、大麥一萬歌珥．第二年、
六 第三年、也是這樣。六約坦在耶和華他　神面前行正道、
七 以致日漸強盛。七約坦其餘的事、和一切爭戰、並他的行
八 為、都寫在以色列和猶大列王記上。八他登基的時候、年
九 二十五歲、在耶路撒冷作王十六年。九約坦與他列祖同
睡、葬在大衛城裏．他兒子亞哈斯接續他作王。

第二十八章

亞哈斯作猶大王

一 一亞哈斯登基的時候、年二十歲、在耶
路撒冷作王十六年．不像他祖大衛行耶和華眼中看

為正的事、二行以色列諸王的道、又鑄造巴力的像．三並
且在欣嫩子谷燒香、用火焚燒他的兒女、行耶和華在
以色列人面前所驅逐的外邦人那可憎的事．四並在邱
壇上、山岡上、各青翠樹下獻祭燒香。

為亞蘭王所敗

五所以耶和華他的　神將他交在亞蘭王手裏、亞蘭王
打敗他、擄了他許多的民、帶到大馬色去。　神又將他
交在以色列王手裏、以色列王向他大行殺戮。六利瑪利
的兒子比加、一日殺了猶大人十二萬、都是勇士、因為
他們離棄了耶和華他們列祖的　神。七有一個以法蓮
中的勇士、名叫細基利、殺了王的兒子瑪西雅、和管理
王宮的押斯利甘、並宰相以利加拿。

以色列人返猶大俘擄

八以色列人擄了他們的弟兄、連婦人帶兒女共有二十
萬、又掠了許多的財物、帶到撒瑪利亞去了。九但那裏有
耶和華的一個先知、名叫俄德、出來迎接往撒瑪利亞
去的軍兵、對他們說、因為耶和華你們列祖的　神惱
怒猶大人、所以將他們交在你們手裏、你們竟怒氣沖
天、大行殺戮。十如今你們又有意、強逼猶大人和耶路撒
冷人作你們的奴婢．你們豈不也有得罪耶和華你們
　神的事麼。十一現在你們當聽我說、要將擄來的弟兄釋
放回去、因為耶和華向你們已經大發烈怒。十二於是以法
蓮人的幾個族長、就是約哈難的兒子亞撒利雅、米實
利末的兒子比利家、沙龍的兒子耶希西家、哈得萊的
兒子亞瑪撒、起來攔擋出兵回來的人、十三對他們說、你們
不可帶進這被擄的人來．你們想要使我們得罪耶和
華、加增我們的罪惡過犯．因為我們的罪過甚大、已經
有烈怒臨到以色列人了。十四於是帶兵器的人、將擄來的
人口、和掠來的財物、都留在衆首領和會衆的面前。十五以
上題名的那些人就站起、使被擄的人前來、其中有赤
身的、就從所掠的財物中拿出衣服和鞋來給他們穿．
又給他們喫喝、用膏抹他們．其中有輭弱的、就使他們
騎驢、送到棕樹城耶利哥他們弟兄那裏．隨後就回撒
瑪利亞去了。

亞哈斯求助於亞述王

十六那時、亞哈斯王差遣人去見亞述諸王、求他們幫助、十七因

十八 為以東人又來攻擊猶大、擄掠子民。十八非利士人也來侵
佔高原、和猶大南方的城邑、取了伯示麥、亞雅崙、基低
羅、梭哥、和屬梭哥的鄉村、亭納、和屬亭納的鄉村、瑾鎖、
和屬瑾鎖的鄉村、就住在那裏。十九因為以色列王亞哈斯
十九 在猶大放肆、大大干犯耶和華、所以耶和華使猶大卑
二十 微。二十亞述王提革拉毘尼色上來、卻沒有幫助他、反倒欺
二一 凌他。二一亞哈斯從耶和華殿裏、和王宮中、並首領家內所
取的財寶、給了亞述王、這也無濟於事。

祭大馬色之神

二二 二二這亞哈斯王在急難的時候、越發得罪耶和華。二三他祭祀
二三 攻擊他的大馬色之神、說、因為亞蘭王的神幫助他們、
我也獻祭與他、他好幫助我。但那些神使他和以色列
二四 眾人敗亡了。二四亞哈斯將　神殿裏的器皿都聚了來、毀
壞了、且封鎖耶和華殿的門、在耶路撒冷各處的拐角
二五 建築祭壇。二五又在猶大各城建立邱壇、與別神燒香、惹動
耶和華他列祖　神的怒氣。

亞哈斯卒

二六 二六亞哈斯其餘的事、和他的行為、自始至終都寫在猶大
二七 和以色列諸王記上。二七亞哈斯與他列祖同睡、葬在耶路
撒冷城裏、沒有送入以色列諸王的墳墓中。他兒子希
西家接續他作王。

第二十九章

希西家作猶大王

一 一希西家登基的時候、年二十五歲、在
耶路撒冷作王二十九年。他母親名叫亞比雅、是撒迦
二 利雅的女兒。二希西家行耶和華眼中看為正的事、效法
他祖大衛一切所行的。

命利未人潔殿

三 三元年正月、開了耶和華殿的門、重新修理。四他召眾祭司
四 和利未人來、聚集在東邊的寬闊處、五對他們說、利未人
五 哪、當聽我說、現在你們要潔淨自己、又潔淨耶和華你
六 們列祖　神的殿、從聖所中除去污穢之物。六我們列祖
犯了罪、行耶和華我們　神眼中看為惡的事、離棄他、
七 轉臉背向他的居所、七封鎖廊門、吹滅燈火、不在聖所中
八 向以色列　神燒香、或獻燔祭。八因此耶和華的忿怒臨
到猶大和耶路撒冷、將其中的人拋來拋去、令人驚駭、
九 嗤笑、正如你們親眼所見的。九所以我們的祖宗倒在刀

十 下、我們的妻子兒女也被擄掠。[十]現在我心中有意、與耶
十一 和華以色列的　神立約、好使他的烈怒轉離我們。[十一]我
的眾子阿、現在不要懈怠、因為耶和華揀選你們站在
十二 他面前事奉他、與他燒香。○[十二]於是利未人哥轄的子孫
亞瑪賽的兒子瑪哈、亞撒利雅的兒子約珥、米拉利的
子孫亞伯底的兒子基士、耶哈利勒的兒子亞撒利雅、
十三 革順的子孫薪瑪的兒子約亞、約亞的兒子伊甸、[十三]以利
撒反的子孫申利和耶利、亞薩的子孫撒迦利雅、和瑪
十四 探雅、[十四]希幔的子孫耶歇和示每、耶杜頓的子孫示瑪雅
十五 和烏薛、[十五]起來聚集他們的弟兄、潔淨自己、照着王的吩
十六 咐耶和華的命令、進去潔淨耶和華的殿。[十六]祭司進入耶
和華的殿要潔淨殿、將殿中所有污穢之物搬到耶和
十七 華殿的院內、利未人接去、搬到外頭汲淪溪邊。[十七]從正月
初一日潔淨起、初八日到了耶和華的殿廊、用八日的
十八 工夫潔淨耶和華的殿、到正月十六日纔潔淨完了。[十八]於
是他們晉見希西家王說、我們已將耶和華的全殿、和
燔祭壇、並壇的一切器皿、陳設餅的桌子、與桌子的一
十九 切器皿、都潔淨了。[十九]並且亞哈斯王在位犯罪的時候所
廢棄的器皿、我們豫備齊全、且潔淨了、現今都在耶和
華的壇前。

獻贖罪祭

二十 [二十]希西家王清早起來、聚集城裏的首領、都上耶和華的
二一 殿。[二一]牽了七隻公牛、七隻公羊、七隻羊羔、七隻公山羊、要
為國、為殿、為猶大人作贖罪祭。王吩咐亞倫的子孫眾
二二 祭司、獻在耶和華的壇上。[二二]就宰了公牛、祭司接血灑在
壇上、宰了公羊、把血灑在壇上、又宰了羊羔、也把血灑
二三 在壇上。[二三]把那作贖罪祭的公山羊、牽到王和會眾面前、
二四 他們就按手在其上。[二四]祭司宰了羊、將血獻在壇上作贖
罪祭、為以色列眾人贖罪、因為王吩咐將燔祭和贖罪
祭、為以色列眾人獻上。

獻燔祭

二五 [二五]王又派利未人在耶和華殿中敲鈸、鼓瑟、彈琴、乃照大
衛和他先見迦得、並先知拿單所吩咐的、就是耶和華
二六 藉先知所吩咐的。[二六]利未人拿大衛的樂器、祭司拿號、一
二七 同站立。[二七]希西家吩咐在壇上獻燔祭、燔祭一獻、就唱讚
美耶和華的歌、用號、並用以色列王大衛的樂器相和。

二八 會衆都敬拜、歌唱的歌唱、吹號的吹號、如此直到燔祭
獻完了。

獻感謝祭與燔祭

二九 三十 二九獻完了祭、王和一切跟隨的人都俯伏敬拜。三十希西家王
與衆首領、又吩咐利未人用大衞和先見亞薩的詩詞、
頌讚耶和華.他們就歡歡喜喜的頌讚耶和華、低頭敬
三一 拜。○三一希西家說、你們既然歸耶和華爲聖、就要前來把
祭物和感謝祭奉到耶和華殿裏.會衆就把祭物和感
三二 謝祭奉來.凡甘心樂意的也將燔祭奉來。三二會衆所奉的
燔祭如下.公牛七十隻、公羊一百隻、羊羔二百隻.這都
三三 是作燔祭獻給耶和華的。三三又有分別爲聖之物、公牛六
三四 百隻、綿羊三千隻。三四但祭司太少、不能剝盡燔祭牲的皮、
所以他們的弟兄利未人幫助他們、直等燔祭的事完
了、又等別的祭司自潔了、因爲利未人誠心自潔、勝過
三五 祭司。三五燔祭和平安祭牲的脂油、並燔祭同獻的奠祭甚
三六 多.這樣、耶和華殿中的事務俱都齊備了。(或作就這事整頓了)三六
辦的甚速、希西家和衆民都喜樂、是因 神爲衆民所
豫備的。

以色列人和猶大人咸至耶路撒冷守逾越節

一 **第三十章** 一希西家差遣人去見以色列和猶大衆
人、又寫信給以法蓮和瑪拿西人、叫他們到耶路撒冷
二 耶和華的殿、向耶和華以色列的 神守逾越節。二因爲
王和衆首領、並耶路撒冷全會衆已經商議、要在二月
三 內守逾越節。三正月(原文作那時)間他們不能守、因爲自潔的
四 祭司尚不敷用、百姓也沒有聚集在耶路撒冷。四王與全
五 會衆都以這事爲善。五於是定了命令、傳遍以色列、從別
是巴直到但、使他們都來在耶路撒冷向耶和華以色
列的 神守逾越節、因爲照所寫的例、守這節的不多
六 了。(或作因爲民許久沒有照所寫的例守節了)六驛卒就把王和衆首領的信、
遵着王命傳遍以色列和猶大.信內說、以色列人哪、你
們當轉向耶和華亞伯拉罕、以撒、以色列的 神、好叫
七 他轉向你們這脫離亞述王手的餘民。七你們不要效法
你們列祖、和你們的弟兄、他們干犯耶和華他們列祖
的 神、以致耶和華丟棄他們、使他們敗亡、(或作令人驚駭)正
八 如你們所見的。八現在不要像你們列祖硬着頸項、只要
歸順耶和華、進入他的聖所、就是永遠成聖的居所、又

要事奉耶和華你們的　神、好使他的烈怒轉離你們。
九 九你們若轉向耶和華、你們的弟兄和兒女必在擄掠他
們的人面前蒙憐恤、得以歸回這地、因為耶和華你們
的　神有恩典施憐憫、你們若轉向他、他必不轉臉不
十 顧你們。○十驛卒就由這城跑到那城、傳遍了以法蓮、瑪
十一 拿西、直到西布倫、那裏的人卻戲笑他們、譏誚他們。十一然
而亞設、瑪拿西、西布倫中、也有人自卑、來到耶路撒冷。
十二 十二　神也感動猶大人、使他們一心遵行王與眾首領憑
十三 耶和華之言所發的命令。○十三二月、有許多人在耶路撒
十四 冷聚集、成為大會、要守除酵節。十四他們起來、把耶路撒冷
十五 的祭壇、和燒香的壇、盡都除去、拋在汲淪溪中。十五二月十
四日、宰了逾越節的羊羔。祭司與利未人覺得慚愧、就
十六 潔淨自己、把燔祭奉到耶和華殿中。十六遵着神人摩西的
律法、照例站在自己的地方。祭司從利未人手裏接過
十七 血來、灑在壇上。十七會中有許多人尚未自潔、所以利未人
為一切不潔之人宰逾越節的羊羔、使他們在耶和華
十八 十九 面前成為聖潔。十八十九以法蓮、瑪拿西、以薩迦、西布倫、有許多
人尚未自潔、他們卻也喫逾越節的羊羔、不合所記錄

的定例。希西家為他們禱告、說、凡專心尋求　神、就是
耶和華他列祖之　神的、雖不照着聖所潔淨之禮自
二十 潔、求至善的耶和華也饒恕他。二十耶和華垂聽希西家的
二一 禱告、就饒恕（原文作醫治）百姓。二一在耶路撒冷的以色列人、大
大喜樂、守除酵節七日。利未人和祭司、用響亮的樂器、
二二 日日頌讚耶和華。二二希西家慰勞一切善於事奉耶和華
的利未人。於是眾人喫節筵七日、又獻平安祭、且向耶
二三 和華他們列祖的　神認罪。○二三全會眾商議、要再守節
二四 七日。於是歡歡喜喜的又守節七日。二四猶大王希西家賜
給會眾公牛一千隻、羊七千隻為祭物。眾首領也賜給
會眾公牛一千隻、羊一萬隻、並有許多的祭司潔淨自
二五 己。二五猶大全會眾、祭司利未人、並那從以色列地來的會
二六 眾、和寄居的人、以及猶大寄居的人、盡都喜樂。二六這樣、在
耶路撒冷大有喜樂、自從以色列王大衞兒子所羅門
二七 的時候、在耶路撒冷沒有這樣的喜樂。二七那時、祭司利未
人起來、為民祝福、他們的聲音、蒙　神垂聽、他們的禱
告、達到天上的聖所。

毀棄諸偶

一 **第三十一章** 一這事既都完畢、在那裏的以色列衆
人、就到猶大的城邑、打碎柱像、砍斷木偶、又在猶大、便
雅憫、以法蓮、瑪拿西遍地、將邱壇和祭壇拆毀淨盡。於
是以色列衆人各回各城、各歸各地。

定獻祭之例

二 二希西家派定祭司利未人的班次、各按各職獻燔祭和
平安祭、又在耶和華殿(原文作營)門內事奉、稱謝、頌讚耶和
三 華。三王又從自己的產業中定出分來為燔祭、就是早晚
的燔祭、和安息日、月朔、並節期的燔祭、都是按耶和華
四 律法上所載的。四又吩咐住耶路撒冷的百姓、將祭司利
未人所應得的分給他們、使他們專心遵守耶和華的
律法。

十獻其一之例

五 五諭旨一出、以色列人就把初熟的五穀、新酒、油、蜜、和田
地的出產、多多送來、又把各物的十分之一、送來的極
六 多。六住猶大各城的以色列人和猶大人、也將牛羊的十
分之一、並分別為聖歸耶和華他們　神之物、就是十
七 分取一之物、盡都送來、積成堆壘。七從三月積起、到七月
八 纔完。八希西家和衆首領來看見堆壘、就稱頌耶和華、又
九 為耶和華的民以色列人祝福。九希西家向祭司利未人
十 查問這堆壘。十撒督家的大祭司亞撒利雅回答說、自從
民將供物送到耶和華殿以來、我們不但喫飽、且剩下
的甚多、因為耶和華賜福與他的民。所剩下的纔這樣
十一 豐盛。○十一希西家吩咐在耶和華殿裏豫備倉房、他們就
十二 豫備了。十二他們誠心將供物和十分取一之物、並分別為
聖之物、都搬入倉內。利未人歌楠雅掌管這事、他兄弟
十三 示每為副管。十三耶歇、亞撒細雅、拿哈、亞撒黑、耶利末、約撒
拔、以列、伊斯瑪基雅、瑪哈、比拿雅、都是督理、在歌楠雅
和他兄弟示每的手下、是希西家王和管理　神殿的
十四 亞撒利雅所派的。十四守東門的利未人音拿的兒子可利、
掌管樂意獻與　神的禮物、發放獻與耶和華的供物、
十五 和至聖的物。十五在他手下有伊甸、珉雅珉、耶書亞、示瑪雅、
亞瑪利雅、示迦尼雅、在祭司的各城裏、供緊要的職任、
十六 無論弟兄大小、都按着班次分給他們。十六按家譜三歲以
外的男丁、凡每日進耶和華殿、按班次供職的、也分給

十七 他。[十七]又按宗族家譜分給祭司、按班次職任分給二十歲
十八 以外的利未人。[十八]又按家譜計算、分給他們會中的妻子、
十九 兒女、因他們身供要職、自潔成聖。[十九]按名派定的人要把
應得的分給亞倫子孫住在各城郊野祭司所有的男
丁、和一切載入家譜的利未人。
[二十] **希西家行耶和華所悅**
二十 希西家在猶大遍地這樣辦理、行耶和華他　神眼中
二十一 看為善為正為忠的事。[二十一]凡他所行的、無論是辦　神殿
的事、是遵律法守誡命、是尋求他的　神、都是盡心去
行、無不亨通。

亞述王西拿基立圍攻猶大

第三十二章
一 [一]這虔誠的事以後、亞述王西拿基立、
二 來侵入猶大、圍困一切堅固城、想要攻破佔據。[二]希西家
三 見西拿基立來定意要攻打耶路撒冷、[三]就與首領和勇
四 士商議、塞住城外的泉源、他們就都幫助他。[四]於是有許
多人聚集、塞了一切泉源、並通流國中的小河、說、亞述
五 王來、為何讓他得着許多水呢。[五]希西家力圖自強、就修
築所有拆毀的城牆、高與城樓相齊、在城外又築一城、
六 堅固大衛城的米羅、製造了許多軍器、盾牌。[六]設立軍長
七 管理百姓、將他們招聚在城門的寬闊處、用話勉勵他
們、說、[七]你們當剛強壯膽、不要因亞述王和跟隨他的大
軍恐懼驚慌、因為與我們同在的、比與他們同在的更
八 大。[八]與他們同在的是肉臂、與我們同在的是耶和華我
們的　神、他必幫助我們、為我們爭戰。百姓就靠猶大
王希西家的話、安然無懼了。

輕侮希西家

九 [九]此後、亞述王西拿基立、和他的全軍攻打拉吉、就差遣
臣僕到耶路撒冷見猶大王希西家、和一切在耶路撒
十 冷的猶大人、說、[十]亞述王西拿基立如此說、你們倚靠甚
十一 麼還在耶路撒冷受困呢。[十一]希西家對你們說、耶和華我
們的　神必救我們脫離亞述王的手、這不是誘惑你
十二 們、使你們受飢渴而死麼。[十二]這希西家豈不是廢去耶和
華的邱壇和祭壇、吩咐猶大與耶路撒冷的人說、你們
十三 當在一個壇前敬拜、在其上燒香麼。[十三]我與我列祖向列
邦所行的、你們豈不知道麼。列邦的神、何嘗能救自己
十四 的國脫離我手呢。[十四]我列祖所滅的國、那些神中誰能救

十五 自己的民脫離我手呢、難道你們的神能救你們脫離
我手麽。十五所以你們不要叫希西家這樣欺哄誘惑你們、
也不要信他因爲沒有一國一邦的神能救自己的民
脫離我手、和我列祖的手、何況你們的神更不能救你
們脫離我的手。

謗讟耶和華

十六 十六西拿基立的臣僕還有別的話毀謗耶和華 神、和他
十七 僕人希西家。十七西拿基立也寫信毀謗耶和華以色列的
神、說、列邦的神既不能救他的民脫離我手、希西家
十八 的神也不能救他的民脫離我手了。十八亞述王的臣僕用
猶大言語、向耶路撒冷城上的民大聲呼叫、要驚嚇他
十九 們擾亂他們以便取城。十九他們論耶路撒冷的 神、如同
論世上人手所造的神一樣。

亞述王受敗蒙羞

二十 二十希西家王和亞摩斯的兒子先知以賽亞、因此禱告、向
二一 天呼求。二一耶和華就差遣一個使者進入亞述王營中、把
所有大能的勇士、和官長將帥、盡都滅了．亞述王滿面
含羞的回到本國、進了他神的廟中、有他親生的兒子

二二 在那裏用刀殺了他。二二這樣、耶和華救希西家和耶路撒
冷的居民、脫離亞述王西拿基立的手、也脫離一切仇
二三 敵的手、又賜他們四境平安。二三有許多人到耶路撒冷將
供物獻與耶和華、又將寶物送給猶大王希西家．此後
希西家在列邦人的眼中看爲尊大。

希西家遘疾

二四 二四那時希西家病得要死、就禱告耶和華、耶和華應允他、
二五 賜他一個兆頭。二五希西家卻沒有照他所蒙的恩報答耶
和華、因他心裏驕傲、所以忿怒要臨到他和猶大並耶
二六 路撒冷。二六但希西家和耶路撒冷的居民、覺得心裏驕傲、
就一同自卑、以致耶和華的忿怒在希西家的日子沒
有臨到他們。

希西家之富有尊榮

二七 二七希西家大有尊榮貲財．建造府庫、收藏金銀寶石香料、
二八 盾牌、和各樣的寶器．二八又建造倉房、收藏五穀新酒和油、
二九 又爲各類牲畜蓋棚立圈。二九並且建立城邑、還有許多的
三十 羊羣牛羣、因爲神賜他極多的財產。三十這希西家也塞
住基訓的上源、引水直下、流在大衛城的西邊．希西家

三一 所行的事、盡都亨通。三一惟有一件事、就是巴比倫王差遣
使者來見希西家、訪問國中所現的奇事、這件事　神
離開他、要試驗他、好知道他心內如何。

希西家卒

三二 三二希西家其餘的事、和他的善行、都寫在亞摩斯的兒子
先知以賽亞的默示書上、和猶大以色列的諸王記上。
三三 三三希西家與他列祖同睡、葬在大衛子孫的高陵上．他死
的時候、猶大人和耶路撒冷的居民、都尊敬他．他兒子
瑪拿西接續他作王。

第三十三章

瑪拿西作王行耶和華所惡

一 一瑪拿西登基的時候、年十二歲、在耶
二 路撒冷作王五十五年。二他行耶和華眼中看為惡的事、
效法耶和華在以色列人面前趕出的外邦人那可憎
三 的事、三重新建築他父希西家所拆毀的邱壇、又為巴力
四 築壇、作木偶、且敬拜事奉天上的萬象。四在耶和華的殿
宇中築壇、耶和華曾指着這殿說、我的名必永遠在耶
五 路撒冷。五他在耶和華殿的兩院中、為天上的萬象築壇．
六 六並在欣嫩子谷、使他的兒女經火、又觀兆、用法術、行邪
術、立交鬼的、和行巫術的、多行耶和華眼中看為惡的
七 事、惹動他的怒氣。七又在　神殿內立雕刻的偶像．神
曾對大衛和他兒子所羅門說、我在以色列各支派中、
八 所選擇的耶路撒冷和這殿、必立我的名、直到永遠．八以
色列人若謹守遵行我藉摩西所吩咐他們的一切法
度、律例、典章、我就不再使他們挪移離開我所賜給他
九 們列祖之地。九瑪拿西引誘猶大和耶路撒冷的居民、以
致他們行惡、比耶和華在以色列人面前所滅的列國
更甚。

因違逆受罰

十 十一 十耶和華警戒瑪拿西和他的百姓、他們卻是不聽。十一所以
耶和華使亞述王的將帥來攻擊他們、用鐃鉤鉤住瑪
拿西、用銅鍊鎖住他、帶到巴比倫去。

悔罪祈主

十二 十二他在急難的時候、就懇求耶和華他的　神、且在他列
十三 祖的　神面前極其自卑。十三他祈禱耶和華、耶和華就允
准他的祈求、垂聽他的禱告、使他歸回耶路撒冷、仍坐
十四 國位。瑪拿西這纔知道惟獨耶和華是　神。〇十四此後瑪

拿西在大衛城外、從谷內基訓西邊、直到魚門口、建築
城牆、環繞俄斐勒、這牆築得甚高．又在猶大各堅固城
十五 內設立勇敢的軍長。十五並除掉外邦人的神像、與耶和華
殿中的偶像、又將他在耶和華殿的山上、和耶路撒冷
十六 所築的各壇、都拆毀拋在城外。十六重修耶和華的祭壇、在
壇上獻平安祭感謝祭、吩咐猶大人事奉耶和華以色
十七 列的神。十七百姓卻仍在邱壇上獻祭．只獻給耶和華他
們的神。

瑪拿西卒

十八 十八瑪拿西其餘的事、和禱告他神的話、並先見奉耶和
華以色列神的名警戒他的言語、都寫在以色列諸
十九 王記上。十九他的禱告、與神怎樣應允他、他未自卑以前
的罪愆過犯、並在何處建築邱壇、設立亞舍拉和雕刻
二十 的偶像、都寫在何賽的書上。二十瑪拿西與他列祖同睡、葬
在自己的宮院裏．他兒子亞們接續他作王。

亞們作王

二一 二一亞們登基的時候、年二十二歲、在耶路撒冷作王二年。
二二 二二他行耶和華眼中看為惡的事、效法他父瑪拿西所行
二三 的、祭祀事奉他父瑪拿西所雕刻的偶像。二三不在耶和華
面前像他父瑪拿西自卑．這亞們所犯的罪、越犯越大。
二四 二五 二四他的臣僕背叛、在宮裏殺了他。二五但國民殺了那些背叛
亞們王的人、立他兒子約西亞接續他作王。

第三十四章

約西亞作王毀除崇邱偶像

一 一約西亞登基的時候、年八歲、在耶路
二 撒冷作王三十一年。二他行耶和華眼中看為正的事、效
三 法他祖大衛所行的、不偏左右。三他作王第八年、尚且年
幼、就尋求他祖大衛的神．到了十二年、纔潔淨猶大
四 和耶路撒冷、除掉邱壇木偶、雕刻的像、和鑄造的像。四眾
人在他面前拆毀巴力的壇、砍斷壇上高高的日像、又
把木偶和雕刻的像、並鑄造的像打碎成灰、撒在祭偶
五 像人的墳上、五將他們祭司的骸骨燒在壇上、潔淨了猶
六 大和耶路撒冷。六又在瑪拿西、以法蓮、西緬、拿弗他利各
七 城、和四圍破壞之處、都這樣行。七又拆毀祭壇、把木偶和
雕刻的像打碎成灰、砍斷以色列遍地所有的日像、就
回耶路撒冷去了。

修葺聖殿

八約西亞王十八年、淨地淨殿之後、就差遣亞薩利雅的
兒子沙番、邑宰瑪西雅、約哈斯的兒子史官約亞、去修
理耶和華他　神的殿。九他們就去見大祭司希勒家、將
奉到　神殿的銀子交給他．這銀子是看守殿門的利
未人從瑪拿西、以法蓮、和一切以色列剩下的人、以及
猶大便雅憫衆人、並耶路撒冷的居民收來的。十又將這
銀子交給耶和華殿裏督工的、轉交修理耶和華殿的
工匠．十一就是交給木匠、石匠、買鑿成的石頭、和架木、與棟
梁、修猶大王所毀壞的殿。十二這些人辦事誠實．督工的是
利未人米拉利的子孫雅哈、俄巴底．督催的是哥轄的
子孫撒迦利亞、米書蘭．還有善於作樂的利未人．十三他們
又監管扛抬的人、督催一切作工的．利未人中也有作
書記、作司事、作守門的。

希勒家得律書

十四他們將奉到耶和華殿的銀子運出來的時候、祭司希
勒家偶然得了摩西所傳耶和華的律法書。十五希勒家對
書記沙番說、我在耶和華殿裏得了律法書、遂將書遞
給沙番。十六沙番把書拿到王那裏、回覆王說、凡交給僕人
們辦的都辦理了。十七耶和華殿裏的銀子倒出來、交給督
工的、和匠人的手裏了。十八書記沙番又對王說、祭司希勒
家遞給我一卷書．沙番就在王面前讀那書。十九王聽見律
法上的話、就撕裂衣服．二十吩咐希勒家、與沙番的兒子亞
希甘、米迦的兒子亞比頓、書記沙番、和王的臣僕亞撒
雅、說、二十一你們去爲我、爲以色列和猶大剩下的人、以這書
上的話求問耶和華．因我們列祖沒有遵守耶和華的
言語、沒有照這書上所記的去行、耶和華的烈怒就倒
在我們身上。○二十二於是希勒家和王所派的衆人、都去見
女先知戶勒大．戶勒大是掌管禮服沙龍的妻．沙龍是
哈斯拉的孫子特瓦的兒子．戶勒大住在耶路撒冷第
二區．他們請問於他。二十三他對他們說、耶和華以色列的
神如此說、你們可以回覆那差遣你們來見我的人說、
二十四耶和華如此說、我必照着在猶大王面前所讀那書上
的一切咒詛、降禍與這地、和其上的居民．二十五因爲他們離
棄我、向別神燒香、用他們手所作的惹我發怒、所以我
的忿怒如火倒在這地上、總不息滅。二十六然而差遣你們來

二七 求問耶和華的猶大王、你們要這樣回覆他說、耶和華
以色列的神如此說、至於你所聽見的話、二七就是聽見
我指着這地和其上居民所說的話、你便心裏敬服、在
我面前自卑、撕裂衣服、向我哭泣、因此我應允了你．這
二八 是我耶和華說的。二八我必使你平平安安的歸到墳墓、到
你列祖那裏、我要降與這地和其上居民的一切災禍、
你也不至親眼看見．他們就回覆王去了。

王誦約書於民衆

二九 三十 二九王差遣人招聚猶大和耶路撒冷的衆長老來。三十王和猶
大衆人、與耶路撒冷的居民、並祭司利未人、以及所有
的百姓、無論大小、都一同上到耶和華的殿、王就把殿
裏所得的約書、念給他們聽。

立約守誡

三一 三一王站在他的地位上、在耶和華面前立約、要盡心盡性
的順從耶和華、遵守他的誡命法度律例、成就這書上
三二 所記的約言．三二又使住耶路撒冷和便雅憫的人、都服從
這約．於是耶路撒冷的居民、都遵行他們列祖之神
三三 的約。三三約西亞從以色列各處、將一切可憎之物盡都除
掉、使以色列境內的人、都事奉耶和華他們的神。約
西亞在世的日子、就跟從耶和華他們列祖的神、總
不離開。

第三十五章 守逾越節

一 一約西亞在耶路撒冷向耶和華守逾
二 越節．正月十四日、就宰了逾越節的羊羔。二王分派祭司
三 各盡其職、又勉勵他們辦耶和華殿中的事。三又對那歸
耶和華爲聖、教訓以色列人的利未人說、你們將聖約
櫃安放在以色列王大衛兒子所羅門建造的殿裏、不
必再用肩扛抬．現在要事奉耶和華你們的神、服事
四 他的民以色列。四你們應當按着宗族、照着班次、遵以色
五 列王大衛和他兒子所羅門所寫的、自己豫備。五要按着
你們的弟兄這民宗族的班次、站在聖所、每班中要利
六 未宗族的幾個人。六要宰逾越節的羊羔、潔淨自己、爲你
們的弟兄豫備了、好遵守耶和華藉摩西所吩咐的話。

樂獻祭品

七 七約西亞從羣畜中賜給在那裏所有的人民、綿羊羔和
山羊羔三萬隻、牛三千隻、作逾越節的祭物、這都是出

八 自王的產業中約西亞的衆首領也樂意將犧牲給百
姓、和祭司利未人。又有管理神殿的希勒家撒迦利
亞、耶歇、將羊羔二千六百隻、牛三百隻、給祭司作逾越
九 節的祭物。利未人的族長歌楠雅、和他兩個兄弟示瑪
雅、拿坦業、與哈沙比雅、耶利、約撒拔、將羊羔五千隻、牛
十 五百隻、給利未人作逾越節的祭物。○這樣、供獻的事
齊備了。祭司站在自己的地方、利未人按着班次站立、
十一 都是照王所吩咐的。利未人宰了逾越節的羊羔、祭司
十二 從他們手裏接過血來、灑在壇上、利未人剝皮、將燔祭
撤來、按着宗族的班次分給衆民、好照摩西書上所寫
十三 的、獻給耶和華。獻牛也是這樣。他們按着常例、用火烤
逾越節的羊羔、別的聖物用鍋、用釜、用罐煮了、速速的
十四 送給衆民。然後爲自己和祭司豫備祭物、因爲祭司亞
倫的子孫獻燔祭和脂油、直到晚上、所以利未人爲自
十五 己和祭司亞倫的子孫、豫備祭物。歌唱的亞薩之子孫、
照着大衛、亞薩、希幔、和王的先見耶杜頓所吩咐的、站
在自己的地位上、守門的看守各門、不用離開他們的
十六 職事、因爲他們的弟兄利未人給他們豫備祭物。○當
日供奉耶和華的事齊備了、就照約西亞王的吩咐守
十七 逾越節、獻燔祭在耶和華的壇上。當時在耶路撒冷的
十八 以色列人守逾越節、又守除酵節七日。自從先知撒母
耳以來、在以色列中沒有守過這樣的逾越節、以色列
諸王也沒有守過像約西亞、祭司、利未人在那裏的、猶
大人和以色列人以及耶路撒冷居民所守的逾越節。
十九 這逾越節是約西亞作王十八年守的。

約西亞與埃及王尼哥戰重傷而死

二十 這事以後、約西亞修完了殿、有埃及王尼哥上來、要攻
二一 擊靠近伯拉河的迦基米施。約西亞出去抵擋他。他差
遣使者來見約西亞說、猶大王阿、我與你何干、我今日
來不是要攻擊你、乃是要攻擊與我爭戰之家、並且
神吩咐我速行、你不要干預 神的事、免得他毀滅你、
二二 因爲 神是與我同在。約西亞卻不肯轉去離開他、改
裝要與他打仗、不聽從 神藉尼哥之口所說的話、便
二三 來到米吉多平原爭戰。弓箭手射中約西亞王。王對他
二四 的臣僕說、我受了重傷、你拉我出陣罷。他的臣僕扶他
下了戰車、上了次車、送他到耶路撒冷、他就死了、葬在

他列祖的墳墓裏。猶大人和耶路撒冷人、都爲他悲哀。
二五 二五耶利米爲約西亞作哀歌、所有歌唱的男女也唱哀歌、
追悼約西亞、直到今日、而且在以色列中成了定例。這
二六 歌載在哀歌書上。二六約西亞其餘的事、和他遵着耶和華
二七 律法上所記而行的善事、二七並他自始至終所行的、都寫
在以色列和猶大列王記上。

約哈斯作王

一 **第三十六章** 一國民立約西亞的兒子約哈斯、在耶
二 路撒冷接續他父作王。二約哈斯登基的時候年二十三
三 歲、在耶路撒冷作王三個月。三埃及王在耶路撒冷廢了
四 他、又罰猶大國銀子一百他連得、金子一他連得。四埃及
王尼哥立約哈斯的哥哥以利雅敬作猶大和耶路撒
冷的王、改名叫約雅敬、又將約哈斯帶到埃及去了。

約雅敬作王

五 五約雅敬登基的時候年二十五歲、在耶路撒冷作王十
六 一年。行耶和華他　神眼中看爲惡的事。六巴比倫王尼
布甲尼撒上來攻擊他、用銅鍊鎖着他、要將他帶到巴
七 比倫去。七尼布甲尼撒又將耶和華殿裏的器皿帶到巴
八 比倫、放在他神的廟裏。或作自己的宮裏八約雅敬其餘的事、和
他所行可憎的事、並他一切的行爲、都寫在以色列和
九 猶大列王記上。他兒子約雅斤接續他作王。○九約雅斤
登基的時候年八歲、列王下二十四章八節作十八歲在耶路撒冷作
十 王三個月零十天。行耶和華眼中看爲惡的事。十過了一
年、尼布甲尼撒差遣人、將約雅斤和耶和華殿裏各樣
寶貴的器皿帶到巴比倫。就立約雅斤的叔叔原文作兄西
底家作猶大和耶路撒冷的王。

西底家作王

十一 十一西底家登基的時候年二十一歲、在耶路撒冷作王十
十二 一年。十二行耶和華他　神眼中看爲惡的事。先知耶利米
十三 以耶和華的話勸他、他仍不在耶利米面前自卑。十三尼布
甲尼撒曾使他指着　神起誓、他卻背叛、強項硬心、不
十四 歸服耶和華以色列的　神。十四衆祭司長和百姓也大大
犯罪、效法外邦人一切可憎的事、汚穢耶和華在耶路
十五 撒冷分別爲聖的殿。十五耶和華他們列祖的　神因爲愛
惜自己的民、和他的居所、從早起來差遣使者去警戒
十六 他們。十六他們卻嬉笑　神的使者、藐視他的言語、譏誚他

十七　十八　十九　二十　二一　二二　二三

的先知、以致耶和華的忿怒向他的百姓發作、無法可
救。

耶路撒冷見毀遺民被擄

十七 所以耶和華使迦勒底人的王來攻擊他們、在他們聖
殿裏用刀殺了他們的壯丁、不憐恤他們的少男處女、
老人白叟．耶和華將他們都交在迦勒底王手裏。十八 迦勒
底王將 神殿裏的大小器皿、與耶和華殿裏的財寶、
並王和衆首領的財寶、都帶到巴比倫去了。十九 迦勒底人
焚燒 神的殿、拆毀耶路撒冷的城牆、用火燒了城裏
的宮殿、毀壞了城裏寶貴的器皿。二十 凡脫離刀劍的迦勒
底王都擄到巴比倫去、作他和他子孫的僕婢、直到波
斯國興起來。二一 這就應驗耶和華藉耶利米口所說的話、
地享受安息、因爲地土荒涼便守安息、直滿了七十年。
〇二二 波斯王古列元年、耶和華爲要應驗藉耶利米口所
說的話、就激動波斯王古列的心、使他下詔通告全國、
說、二三 波斯王古列如此說、耶和華天上的 神已將天下
萬國賜給我、又囑咐我在猶大的耶路撒冷爲他建造
殿宇．你們中間凡作他子民的、可以上去、願耶和華他
的 神與他同在。

以斯拉記

第一章 波斯王古列爲建聖殿下詔

一波斯王古列元年、耶和華爲要應驗藉耶
利米口所說的話、就激動波斯王古列的心、使他下詔
通告全國說、二波斯王古列如此說、耶和華天上的神、
已將天下萬國賜給我、又囑咐我在猶大的耶路撒冷、
爲他建造殿宇。三在你們中間凡作他子民的、可以上猶
大的耶路撒冷、在耶路撒冷重建耶和華以色列神
的殿。（只有他是神）願神與這人同在。四凡剩下
的人、無論寄居何處、那地的人要用金銀財物牲畜幫
助他、另外也要爲耶路撒冷神的殿甘心獻上禮物。

盡返聖殿器物

五於是猶大和便雅憫的族長、祭司利未人、就是一切被
神激動他心的人、都起來要上耶路撒冷去建造耶
和華的殿。六他們四圍的人就拿銀器、金子、財物、牲畜、珍
寶幫助他們、（原文作堅固他們的手）另外還有甘心獻的禮物。七古
列王也將耶和華殿的器皿拿出來、這器皿是尼布甲
尼撒從耶路撒冷掠來、放在自己神之廟中的。八波斯王
古列派庫官米提利達將這器皿拿出來、按數交給猶
大的首領設巴薩。九器皿的數目記在下面、金盤三十個、
銀盤一千個、刀二十九把、十金碗三十個、銀碗之次的四
百一十個、別樣的器皿一千件。十一金銀器皿共有五千四
百件、被擄的人從巴比倫上耶路撒冷的時候、設巴薩
將這一切都帶上來。

第二章 記返國之俘囚

一巴比倫王尼布甲尼撒從前擄到巴比倫
之猶大省的人、現在他們的子孫從被擄到之地回耶
路撒冷和猶大、各歸本城。二他們是同着所羅巴伯、耶書
亞、尼希米、西萊雅、利來雅、末底改、必珊、米斯拔、比革瓦、
伊利宏、巴拿回來的。○三以色列人民的數目記在下面。
巴錄的子孫、二千一百七十二名。四示法提雅的子孫、三
百七十二名。五亞拉的子孫、七百七十五名。六巴哈摩押的
後裔、就是耶書亞和約押的子孫、二千八百一十二名。
七以欄的子孫、一千二百五十四名。八薩土的子孫、九百四
十五名。九薩改的子孫、七百六十名。十巴尼的子孫、六百四

十二名。十一比拜的子孫、六百二十三名。十二押甲的子孫、一千
二百二十二名。十三亞多尼干的子孫、六百六十六名。十四比革
瓦伊的子孫、二千零五十六名。十五亞丁的子孫、四百五十
四名。十六亞特的後裔、就是希西家的子孫、九十八名。十七比賽
的子孫、三百二十三名。十八約拉的子孫、一百一十二名。十九哈
順的子孫、二百二十三名。二十吉罷珥人、九十五名。二十一伯利恆
人、一百二十三名。二十二尼陀法人、五十六名。二十三亞拿突人、一百
二十八名。二十四亞斯瑪弗人、四十二名。二十五基列耶琳人、基非拉
人、比錄人共七百四十三名。二十六拉瑪人、迦巴人、共六百二
十一名。二十七默瑪人、一百二十二名。二十八伯特利人、艾人共二百
二十三名。二十九尼波人、五十二名。三十末必人、一百五十六名。三十一別
的以攔子孫、一千二百五十四名。三十二哈琳的子孫、三百二
十名。三十三羅德人、哈第人、阿挪人、共七百二十五名。三十四耶利哥
人、三百四十五名。三十五西拿人、三千六百三十名。○三十六祭司、耶
書亞家耶大雅的子孫、九百七十三名。三十七音麥的子孫、一
千零五十二名。三十八巴施戶珥的子孫、一千二百四十七名。
三十九哈琳的子孫、一千零一十七名。○四十利未人、何達威雅的
後裔、就是耶書亞和甲篾的子孫、七十四名。四十一歌唱的、亞

薩的子孫、一百二十八名。四十二守門的、沙龍的子孫、亞特的
子孫、達們的子孫、亞谷的子孫、哈底大的子孫、朔拜的
子孫、共一百三十九名。○四十三尼提寧、（就是殿役）西哈的子孫、哈
蘇巴的子孫、答巴俄的子孫、四十四基綠的子孫、西亞的子孫、
巴頓的子孫、四十五利巴拿的子孫、哈迦巴的子孫、亞谷的子
孫、四十六哈甲的子孫、薩買的子孫、哈難的子孫、四十七吉德的子孫、
迦哈的子孫、利亞雅的子孫、四十八利汛的子孫、尼哥大的子
孫、迦散的子孫、四十九烏撒的子孫、巴西亞的子孫、比賽的子
孫、五十押拿的子孫、米烏寧的子孫、尼普心的子孫、五十一巴卜的
子孫、哈古巴的子孫、哈忽的子孫、五十二巴洗律的子孫、米希
大的子孫、哈沙的子孫、五十三巴柯的子孫、西西拉的子孫、答
瑪的子孫、五十四尼細亞的子孫、哈提法的子孫。○五十五所羅門僕
人的後裔、就是瑣太的子孫、瑣斐列的子孫、比路大的
子孫、五十六雅拉的子孫、達昆的子孫、吉德的子孫、五十七示法提雅
的子孫、哈替的子孫、玻黑列哈斯巴音的子孫、亞米的
子孫。五十八尼提寧和所羅門僕人的後裔、共三百九十二名。
○五十九從特米拉、特哈薩、基綠、押但、音麥上來的、不能指明
他們的宗族譜系、是以色列人不是。六十他們是第來雅的

子孫、多比雅的子孫、尼哥大的子孫、共六百五十二名。
六一祭司中哈巴雅的子孫、哈哥斯的子孫、巴西萊的子孫、
因為他們的先祖娶了基列人巴西萊的女兒為妻、所
以起名叫巴西萊。六二這三家的人、在族譜之中尋查自己
的譜系、卻尋不着、因此算為不潔、不准供祭司的職任。
六三省長對他們說、不可喫至聖的物、直到有用烏陵和土
明決疑的祭司興起來。

返國者之總數

六四會眾共有四萬二千三百六十名。六五此外、還有他們的僕
婢、七千三百三十七名。又有歌唱的男女二百名。六六他們
有馬七百三十六匹、騾子二百四十五匹、六七駱駝四百三
十五隻、驢六千七百二十匹。○六八有些族長到了耶路撒
冷耶和華殿的地方、便為神的殿甘心獻上禮物、要
重新建造。六九他們量力捐入工程庫的金子六萬一千達
利克、銀子五千彌拿、並祭司的禮服一百件。○七十於是祭
司、利未人、民中的一些人、歌唱的、守門的、尼提寧、並以
色列眾人、各住在自己的城裏。

第三章　復築壇獻祭

一到了七月、以色列人住在各城、那時他們
如同一人、聚集在耶路撒冷。二約薩達的兒子耶書亞和
他的弟兄眾祭司、並撒拉鐵的兒子所羅巴伯、與他的
弟兄、都起來建築以色列神的壇、要照神人摩西律
法書上所寫的、在壇上獻燔祭。三他們在原有的根基上
築壇、因懼怕鄰國的民。又在其上向耶和華早晚獻燔
祭。四又照律法書上所寫的守住棚節、按數照例、獻每日
所當獻的燔祭。五其後獻常獻的燔祭、並在月朔與耶和
華的一切聖節獻祭、又向耶和華獻各人的甘心祭。六從
七月初一日起、他們就向耶和華獻燔祭。但耶和華殿
的根基尚未立定。七他們又將銀子給石匠、木匠、把糧食、
酒、油、給西頓人、推羅人、使他們將香柏樹從利巴嫩運
到海裏、浮海運到約帕、是照波斯王古列所允准的。

重建聖殿

八百姓到了耶路撒冷神殿的地方第二年二月、撒拉
鐵的兒子所羅巴伯、約薩達的兒子耶書亞、和其餘的
弟兄、就是祭司、利未人、並一切被擄歸回耶路撒冷的

人、都興工建造．又派利未人、從二十歲以外的、督理建
九 造耶和華殿的工作。九於是猶大、在二章四十節作何達威雅的後裔、
就是耶書亞、和他的子孫與弟兄、甲篾和他的子孫、利
未人希拿達的子孫與弟兄、都一同起來督理那在
十 神殿作工的人。十匠人立耶和華殿根基的時候、祭司皆
穿禮服吹號、亞薩的子孫利未人敲鈸、照以色列王大
十一 衛所定的例、都站着讚美耶和華。十一他們彼此唱和、讚美
稱謝耶和華、說、他本為善、他向以色列人永發慈愛。他
們讚美耶和華的時候、眾民大聲呼喊、因耶和華殿的
十二 根基已經立定。十二然而有許多祭司、利未人、族長、就是見
過舊殿的老年人、現在親眼看見立這殿的根基、便大
十三 聲哭號．也有許多人大聲歡呼．十三甚至百姓不能分辨歡
呼的聲音、和哭號的聲音．因為眾人大聲呼喊、聲音聽
到遠處。

第四章　敵黨謀阻建殿之工

一 一猶大和便雅憫的敵人聽說、被擄歸回的
二 人為耶和華以色列的神建造殿宇、二就去見所羅巴
伯、和以色列的族長、對他們說、請容我們與你們一同
建造、因為我們尋求你們的神、與你們一樣．自從亞
述王以撒哈頓帶我們上這地以來、我們常祭祀神。
三 三但所羅巴伯、耶書亞、和其餘以色列的族長、對他們說、
我們建造神的殿與你們無干、我們自己為耶和華
以色列的神協力建造、是照波斯王古列所吩咐的。
四 四那地的民、就在猶大人建造的時候、使他們的手發軟、
五 擾亂他們。五從波斯王古列年間、直到波斯王大利烏登
六 基的時候、賄買謀士、要敗壞他們的謀算。六在亞哈隨魯
纔登基的時候、上本控告猶大和耶路撒冷的居民。

上告於亞達薛西

七 七亞達薛西年間、比施蘭、米特利達、他別、和他們的同黨、
上本奏告波斯王亞達薛西．本章是用亞蘭文字亞蘭
八 方言……。八省長利宏、書記伸帥、要控告耶路撒冷人、也上本
九 奏告亞達薛西王。九省長利宏、書記伸帥、和同黨的底拿
人、亞法薩提迦人、他毘拉人、亞法撒人、亞基衛人、巴比
十 倫人、書珊迦人、底亥人、以攔人、十和尊大的亞斯那巴所
遷移安置在撒瑪利亞城、並大河西一帶地方的人等．
十一 十二 十一上奏亞達薛西王說、河西的臣民云云。十二王該知道、從王

那裏上到我們這裏的猶大人、已經到耶路撒冷重建
十三 這反叛惡劣的城、築立根基、建造城牆。十三如今王該知道、
他們若建造這城、城牆完畢、就不再與王進貢交課納
十四 稅、終久王必受虧損。十四我們既食御鹽、不忍見王喫虧、因
十五 此奏告於王、十五請王考察先王的實錄、必在其上查知這
城是反叛的城、與列王和各省有害、自古以來、其中常
十六 有悖逆的事、因此這城曾被拆毀。十六我們謹奏王知、這城
若再建造、城牆完畢、河西之地王就無分了。

王令止工

十七 十七那時王諭覆省長利宏、書記伸帥、和他們的同黨、就是
住撒瑪利亞、並河西一帶地方的人、說、願你們平安云
十八 十九 云。十八你們所上的本、已經明讀在我面前。十九我已命人考查、
得知此城古來果然背叛列王、其中常有反叛悖逆的
二十 事。二十從前耶路撒冷也有大君王統管河西全地、人就給
二一 他們進貢、交課、納稅。二一現在你們要出告示、命這些人停
二二 工、使這城不得建造、等我降旨。二二你們當謹慎、不可遲延、
二三 爲何容害加重、使王受虧損呢。○二三亞達薛西王的上諭
讀在利宏和書記伸帥、並他們的同黨面前、他們就急
二四 忙往耶路撒冷去見猶大人、用勢力強迫他們停工。二四於
是在耶路撒冷　神殿的工程就停止了、直停到波斯
王大利烏第二年。

第五章　再興聖殿之工

一 那時先知哈該、和易多的孫子撒迦利亞、
奉以色列　神的名、向猶大和耶路撒冷的猶大人說
二 勸勉的話。二於是撒拉鐵的兒子所羅巴伯、和約薩達的
兒子耶書亞、都起來動手建造耶路撒冷　神的殿、有
三 神的先知在那裏幫助他們。三當時河西的總督達乃、
和示他波斯乃、並他們的同黨、來問說、誰降旨讓你們
四 建造這殿、修成這牆呢。四我們便告訴他們建造這殿的
五 人叫甚麼名字。五　神的眼目看顧猶大的長老、以致總
督等沒有叫他們停工、直到這事奏告大利烏、得着他
的回諭。

達乃黨上本大利烏王

六 六河西的總督達乃、和示他波斯乃、並他們的同黨、就是
七 住河西的亞法薩迦人、上本奏告大利烏王。七本上寫着
八 說、願大利烏王諸事平安。八王該知道、我們往猶大省去、

到了至大　神的殿、這殿是用大石建造的、梁木插入
九 牆內、工作甚速、他們手下亨通。九我們就問那些長老說、
十 誰降旨讓你們建造這殿、修成這牆呢。十又問他們的名
十一 字、要記錄他們首領的名字、奏告於王。十一他們回答說、我
們是天地之　神的僕人、重建前多年所建造的殿、就
十二 是以色列的一位大君王建造修成的。十二只因我們列祖
惹天上的　神發怒、神把他們交在迦勒底人巴比
倫王尼布甲尼撒的手中、他就拆毀這殿、又將百姓擄
十三 到巴比倫。十三然而巴比倫王古列元年、他降旨允准建造
十四 神的這殿。十四　神殿中的金銀器皿、就是尼布甲尼撒
從耶路撒冷的殿中掠去、帶到巴比倫廟裏的、古列王
從巴比倫廟裏取出來、交給派爲省長的、名叫設巴薩．
十五 對他說、可以將這些器皿帶去、放在耶路撒冷的殿中、
十六 在原處建造　神的殿。十六於是這設巴薩來建立耶路撒
冷　神殿的根基、這殿從那時直到如今、尚未造成。

猶大人請稽古列之詔

十七 現在王若以爲美、請察巴比倫王的府庫、看古列王降
旨、允准在耶路撒冷建造　神的殿沒有、王的心意如
何、請降旨曉諭我們。

第六章　大利烏王得先王之詔

一 於是大利烏王降旨、要尋察典籍庫內、就
二 是在巴比倫藏寶物之處。二在瑪代省亞馬他城的宮內、
三 尋得一卷、其中記着說、三古列王元年他降旨論到耶路
撒冷　神的殿、要建造這殿爲獻祭之處、堅立殿的根
四 基、殿高六十肘、寬六十肘。四用三層大石頭、一層新木頭、
五 經費要出於王庫．五並且　神殿的金銀器皿、就是尼布
甲尼撒從耶路撒冷的殿中掠到巴比倫的、要歸還帶
到耶路撒冷的殿中、各按原處放在　神的殿裏。

王命勿阻建殿

六 現在河西的總督達乃、和示他波斯乃、並你們的同黨、
七 就是住河西的亞法薩迦人、你們當遠離他們。七不要攔
阻　神殿的工作、任憑猶大人的省長和猶大人的長
八 老、在原處建造　神的這殿。八我又降旨、吩咐你們向猶
大人的長老爲建造　神的殿、當怎樣行、就是從河西
的款項中、急速撥取貢銀作他們的經費、免得耽誤工
九 作。九他們與天上的　神獻燔祭所需用的公牛犢、公綿

羊、綿羊羔、並所用的麥子、鹽、酒、油、都要照耶路撒冷祭
十 司的話每日供給他們、不得有誤、十 好叫他們獻馨香的
十一 祭給天上的 神、又爲王、和王衆子的壽命祈禱。十一 我再
降旨無論誰更改這命令、必從他房屋中拆出一根梁
十二 來、把他舉起、懸在其上、又使他的房屋成爲糞堆。十二 若有
王和民伸手更改這命令、拆毀這殿、願那使耶路撒冷
的殿作爲他名居所的 神、將他們滅絕。我大利烏降
這旨意、當速速遵行。

殿工完竣

十三 十三 於是河西總督達乃、和示他波斯乃、並他們的同黨、因
十四 大利烏王所發的命令、就急速遵行。十四 猶大長老因先知
哈該、和易多的孫子撒迦利亞所說勸勉的話、就建造
這殿、凡事亨通。他們遵着以色列 神的命令、和波斯
十五 王古列、大利烏、亞達薛西的旨意、建造完畢。十五 大利烏王
第六年亞達月初三日、這殿修成了。

行獻殿之禮

十六 十六 以色列的祭司、和利未人、並其餘被擄歸回的人、都歡
十七 歡喜喜的行奉獻 神殿的禮。十七 行奉獻 神殿的禮、就

獻公牛一百隻、公綿羊二百隻、綿羊羔四百隻．又照以
色列支派的數目、獻公山羊十二隻、爲以色列衆人作
十八 贖罪祭。十八 且派祭司、和利未人、按着班次、在耶路撒冷事
奉 神、是照摩西律法書上所寫的。

守逾越節

十九 十九 正月十四日、被擄歸回的人守逾越節。二十 原來祭司和利
二十 未人、一同自潔、無一人不潔淨．利未人爲被擄歸回的
衆人、和他們的弟兄衆祭司、並爲自己宰逾越節的羊
二十一 羔：二十一 從擄到之地歸回的以色列人、和一切除掉所染外
邦人汚穢歸附他們、要尋求耶和華以色列 神的人、
二十二 都喫這羊羔：二十二 歡歡喜喜的守除酵節七日、因爲耶和華
使他們歡喜、又使亞述王的心轉向他們、堅固他們的
手、作以色列 神殿的工程。

第七章

以斯拉自巴比倫返

一 這事以後、波斯王亞達薛西年間、有個以
斯拉、他是西萊雅的兒子、西萊雅是亞撒利雅的兒子、
二 亞撒利雅是希勒家的兒子、二 希勒家是沙龍的兒子、沙
三 龍是撒督的兒子、撒督是亞希突的兒子、三 亞希突是亞

瑪利雅的兒子、亞瑪利雅是亞撒利雅的兒子、亞撒利
四 雅是米拉約的兒子、四米拉約是西拉希雅的兒子、西拉
五 希雅是烏西的兒子、烏西是布基的兒子、五布基是亞比
書的兒子、亞比書是非尼哈的兒子、非尼哈是以利亞
六 撒的兒子、以利亞撒是大祭司亞倫的兒子。六這以斯拉
從巴比倫上來、他是敏捷的文士、通達耶和華以色列
神所賜摩西的律法書．王允准他一切所求的、是因
七 耶和華他　神的手幫助他。七亞達薛西王第七年、以色
列人、祭司、利未人、歌唱的、守門的、尼提寧、有上耶路撒
八九 冷的．八王第七年五月、以斯拉到了耶路撒冷．九正月初一
日他從巴比倫起程、因他　神施恩的手幫助他、五月
初一日就到了耶路撒冷。

考究律法訓誨其民

十 十以斯拉定志考究遵行耶和華的律法、又將律例典章
教訓以色列人。

亞達薛西詔告以斯拉

十一 十一祭司以斯拉是通達耶和華誡命、和賜以色列之律例
十二 的文士．亞達薛西王賜給他諭旨、上面寫着說、十二諸王之
王亞達薛西、達於祭司以斯拉通達天上　神律法大
十三 德的文士云云。十三住在我國中的以色列人、祭司、利未人、
十四 凡甘心上耶路撒冷去的、我降旨准他們與你同去。十四王
與七個謀士既然差你去、照你手中　神的律法書、察
十五 問猶大和耶路撒冷的景況．十五又帶金銀、就是王和謀士
十六 甘心獻給住耶路撒冷以色列　神的、十六並帶你在巴比
倫全省所得的金銀、和百姓、祭司樂意獻給耶路撒冷
十七 他們　神殿的禮物。十七所以你當用這金銀急速買公牛、
公綿羊、綿羊羔、和同獻的素祭奠祭之物、獻在耶路撒
十八 冷你們　神殿的壇上。十八剩下的金銀、你和你的弟兄看
十九 着怎樣好、就怎樣用、總要遵着你們　神的旨意。十九所交
給你　神殿中使用的器皿、你要交在耶路撒冷　神
二十 面前。二十你　神殿裏若再有需用的經費、你可以從王的
二一 府庫裏支取。二一我亞達薛西王、又降旨與河西的一切庫
官、說、通達天上　神律法的文士祭司以斯拉無論向
二二 你們要甚麼、你們要速速的備辦．二二就是銀子直到一百
他連得、麥子一百柯珥、酒一百罷特、油一百罷特、鹽不
二三 計其數、也要給他。二三凡天上之　神所吩咐的、當爲天上

神的殿詳細辦理。爲何使忿怒臨到王、和王衆子的
二四 國呢。二四我又曉諭你們、至於祭司、利未人、歌唱的、守門的、
和尼提寧、並在 神殿當差的人、不可叫他們進貢、交
二五 課、納稅。二五以斯拉阿、要照着你 神賜你的智慧、將所有
明白你 神律法的人立爲士師審判官、治理河西的
二六 百姓、使他們教訓一切不明白……神律法的人。二六凡不遵
行你 神律法和王命令的人、就當速速定他的罪、或
治死、或充軍、或抄家、或囚禁。

以斯拉稱頌耶和華

二七 二七以斯拉說、耶和華我們列祖的 神是應當稱頌的、因
二八 他使王起這心意、修飾耶路撒冷耶和華的殿。二八又在王
和謀士、並大能的軍長面前施恩於我。我因耶和華我
神的手幫助我、我就得以堅強、從以色列中招聚首領、
與我一同上來。

記偕以斯拉返自巴比倫之人

一 **第八章** 一當亞達薛西王年間、同我從巴比倫上來
二 的人、他們的族長、和他們的家譜、記在下面。二屬非尼哈
的子孫有革順、屬以他瑪的子孫有但以理、屬大衛的
三 子孫有哈突。三屬巴錄的後裔、就是示迦尼的子孫、有撒
四 迦利亞、同着他按家譜計算男丁一百五十人。四屬巴哈
摩押的子孫有西拉希雅的兒子以利約乃、同着他有
五 男丁二百。五屬示迦尼的子孫有雅哈悉的兒子、同着他
六 有男丁三百。六屬亞丁的子孫有約拿單的兒子以別、同
七 着他有男丁五十。七屬以攔的子孫有亞他利雅的兒子
八 耶篩亞、同着他有男丁七十。八屬示法提雅的子孫有米
九 迦勒的兒子西巴第雅、同着他有男丁八十。九屬約押的
子孫有耶歇的兒子俄巴底亞、同着他有男丁二百一
十 十八。十屬示羅密的子孫有約細斐的兒子、同着他有男
十一 丁一百六十。十一屬比拜的子孫有比拜的兒子撒迦利亞、
十二 同着他有男丁二十八。十二屬押甲的子孫有哈加坦的兒
十三 子約哈難、同着他有男丁一百一十。十三屬亞多尼干的子
孫、就是末尾的、他們的名字是以利法列、耶利、示瑪雅、
十四 同着他們有男丁六十。十四屬比革瓦伊的子孫有烏太、和
撒布、同着他們有男丁七十。

召利未人與尼提寧人至

十五 十五我招聚這些人在流入亞哈瓦的河邊、我們在那裏住

十六 了三日、我查看百姓和祭司、見沒有利未人在那裏。就
召首領以利以謝、亞列、示瑪雅、以利拿單、雅立、以利拿
單、拿單、撒迦利亞、米書蘭、又召教習約雅立和以利拿
十七 單。我打發他們往迦西斐雅地方去、見那裏的首領易
多、又告訴他們當向易多和他的弟兄尼提寧說甚麼
十八 話、叫他們為我們　神的殿帶使用的人來。蒙我們
神施恩的手幫助我們、他們在以色列的曾孫利未的
孫子抹利的後裔中、帶一個通達人來、還有示利比和
十九 他的眾子與弟兄、共一十八人。又有哈沙比雅、同着他
有米拉利的子孫耶篩亞、並他的眾子和弟兄、共二十
二十 人。從前大衛和眾首領、派尼提寧服事利未人、現在從
這尼提寧中也帶了二百二十人來、都是按名指定的。

宣告禁食

二一 那時我在亞哈瓦河邊宣告禁食、為要在我們　神面
前克苦己心、求他使我們和婦人孩子、並一切所有的、
二二 都得平坦的道路。我求王撥步兵馬兵、幫助我們抵擋
路上的仇敵、本以為羞恥、因我曾對王說、我們　神施
恩的手、必幫助一切尋求他的。但他的能力和忿怒、必
二三 攻擊一切離棄他的。所以我們禁食祈求我們的　神、
他就應允了我們。

命祭司權衡金銀器物返諸聖殿

二四 我分派祭司長十二人、就是示利比、哈沙比雅、和他們
二五 的弟兄十人、將王和謀士軍長、並在那裏的以色列眾
人、為我們　神殿所獻的金銀、和器皿、都秤了交給他
二六 們。我秤了交在他們手中的銀子、有六百五十他連得、
二七 銀器重一百他連得、金子一百他連得、金碗二十個、重
二八 一千達利克、上等光銅的器皿兩個、寶貴如金。我對他
們說、你們歸耶和華為聖、器皿也為聖、金銀是甘心獻
二九 給耶和華你們列祖之　神的。你們當警醒看守、直到
你們在耶路撒冷耶和華殿的庫內、在祭司長和利未
三十 族長、並以色列的各族長面前過了秤。於是祭司、利未
人、按着分量接受金銀和器皿、要帶到耶路撒冷我們
神的殿裏。

自亞哈瓦安返耶路撒冷

三一 正月十二日、我們從亞哈瓦河邊起行、要往耶路撒冷
去。我們　神的手保佑我們、救我們脫離仇敵、和路上

三二 埋伏之人的手。三二我們到了耶路撒冷、在那裏住了三日。
三三 第三三四日、在我們　神的殿裏、把金銀和器皿都秤了、交
在祭司烏利亞的兒子米利末的手中．同着他有非尼
哈的兒子以利亞撒、還有利未人耶書亞的兒子約撒
三四 拔、和賓內的兒子挪亞底。三四當時都點了數目、按着分量
寫在册上。

被擄歸回之人獻燔祭

三五 從三五擄到之地歸回的人、向以色列的　神獻燔祭、就是
爲以色列衆人獻公牛十二隻、公綿羊九十六隻、綿羊
羔七十七隻．又獻公山羊十二隻作贖罪祭．這都是向
三六 耶和華焚獻的。三六他們將王的諭旨交給王所派的總督、
與河西的省長、他們就幫助百姓、又供給　神殿裏所
需用的。

第九章

一 一這事作完了、衆首領來見我、說、以色列民
和祭司、並利未人、沒有離絕迦南人、赫人、比利洗人、耶
布斯人、亞捫人、摩押人、埃及人、亞摩利人、仍效法這些
二 國的民、行可憎的事。二因他們爲自己和兒子、娶了這些
外邦女子爲妻、以致聖潔的種類和這些國的民混雜．

三 而且首領和官長在這事上爲罪魁。三我一聽見這事、就
四 撕裂衣服和外袍、拔了頭髮和鬍鬚、驚懼憂悶而坐。四凡
爲以色列　神言語戰兢的、都因這被擄歸回之人所
犯的罪、聚集到我這裏來．我就驚懼憂悶而坐、直到獻
晚祭的時候。

以斯拉認罪祈禱

五 獻五晚祭的時候、我起來心中愁苦、穿着撕裂的衣袍、雙
六 膝跪下、向耶和華我的　神舉手、六說、我的　神阿、我抱
愧蒙羞、不敢向我　神仰面、因爲我們的罪孽滅頂、我
七 們的罪惡滔天。七從我們列祖直到今日、我們的罪惡甚
重、因我們的罪孽、我們和君王、祭司、都交在外邦列王
八 的手中、殺害、擄掠、搶奪、臉上蒙羞、正如今日的光景。八現
在耶和華我們的　神暫且施恩與我們、給我們留些
逃脫的人、使我們安穩如釘子釘在他的聖所、我們的
　神好光照我們的眼目、使我們在受轄制之中稍微
九 復興。九我們是奴僕、然而在受轄制之中、我們的　神仍
沒有丟棄我們、在波斯王眼前向我們施恩、叫我們復
興、能重建我們　神的殿、修其毀壞之處、使我們在猶

十 大和耶路撒冷有牆垣。十我們的神阿、既是如此、我們
十一 還有甚麼話可說呢。因為我們已經離棄你的命令、十一就
是你藉你僕人衆先知所吩咐的、說、你們要去得為業
之地、是污穢之地、因列國之民的污穢、和可憎的事、叫
十二 全地從這邊直到那邊、滿了污穢。十二所以不可將你們的
女兒嫁他們的兒子、也不可為你們的兒子娶他們的
女兒、永不可求他們的平安、和他們的利益、這樣你們
就可以強盛、喫這地的美物、並遺留這地給你們的子
十三 孫永遠為業。十三神阿、我們因自己的惡行和大罪、遭遇
了這一切的事、並且你刑罰我們輕於我們罪所當得
十四 的、又給我們留下這些人。十四我們豈可再違背你的命令、
與這行可憎之事的民結親呢、若這樣行、你豈不向我
們發怒、將我們滅絕、以致沒有一個剩下逃脫的人麼。
十五 十五耶和華以色列的神阿、因你是公義的、我們這剩下
的人纔得逃脫、正如今日的光景、看哪、我們在你面前
有罪惡、因此無人在你面前站立得住。

第十章

民因娶異族女覺罪痛哭

一 以斯拉禱告、認罪、哭泣、俯伏在神殿前
的時候、有以色列中的男女孩童、聚集到以斯拉那裏、
二 成了大會、衆民無不痛哭。二屬以攔的子孫、耶歇的兒子
示迦尼、對以斯拉說、我們在此地娶了外邦女子為妻、
三 干犯了我們的神、然而以色列人還有指望。三現在當
與我們的神立約、休這一切的妻、離絕他們所生的、
照着我主和那因神命令戰兢之人所議定的、按律
四 法而行。四你起來、這是你當辦的事、我們必幫助你、你當
五 奮勉而行。○五以斯拉便起來、使祭司長和利未人、並以
六 色列衆人起誓、說、必照這話去行、他們就起了誓。六以斯
拉從神殿前起來、進入以利亞實的兒子約哈難的
屋裏、到了那裏不喫飯、也不喝水、因為被擄歸回之人
七 所犯的罪、心裏悲傷。七他們通告猶大和耶路撒冷被擄
八 歸回的人、叫他們在耶路撒冷聚集。八凡不遵首領和長
老所議定三日之內不來的、就必抄他的家、使他離開
被擄歸回之人的會。

以斯拉勸民認罪出其異族之妻

九 九於是猶大和便雅憫衆人、三日之內都聚集在耶路撒
冷。那日正是九月二十日、衆人都坐在神殿前的寬

十 闊處。因這事、又因下大雨、就都戰兢。十祭司以斯拉站起
來、對他們說、你們有罪了、因你們娶了外邦的女子爲
十一 妻、增添以色列人的罪惡。十一現在當向耶和華你們列祖
的神認罪、遵行他的旨意、離絕這些國的民和外邦
的女子。

會衆願遵勸言而行

十二 十三 十二會衆都大聲回答說、我們必照着你的話行。十三只是百姓
衆多、又逢大雨的時令、我們不能站在外頭、這也不是
十四 一兩天辦完的事、因我們在這事上犯了大罪。十四不如爲
全會衆派首領辦理。凡我們城邑中娶外邦女子爲妻
的、當按所定的日期、同着本城的長老和士師而來、直
十五 到辦完這事。神的烈怒就轉離我們了。十五惟有亞撒黑
的兒子約拿單、特瓦的兒子雅哈謝、阻擋（或作總辦）這事、並
有米書蘭和利未人沙比太幫助他們。

記娶異族女爲妻之人

十六 十六被擄歸回的人如此而行。祭司以斯拉和些族長、按着
宗族、都指名見派、在十月初一日、一同在座查辦這事。
十七 十八 十七到正月初一日、纔查清娶外邦女子的人數。○十八在祭司
中查出娶外邦女子爲妻的、就是耶書亞的子孫約薩
十九 達的兒子、和他弟兄瑪西雅、以利以謝、雅立、基大利、十九他
們便應許必休他們的妻。他們因有罪、就獻羣中的一
二十 二十一 隻公綿羊贖罪。二十音麥的子孫中、有哈拿尼、西巴第雅。二十一哈
二十二 琳的子孫中、有瑪西雅、以利雅、示瑪雅、耶歇、烏西雅。二十二巴
施戶珥的子孫中、有以利約乃、瑪西雅、以實瑪利、拿坦
二十三 業、約撒拔、以利亞撒。○二十三利未人中、有約撒拔、示每、基拉
雅、基拉雅就是基利他。還有毘他希雅、猶大、以利以謝。
二十四 ○二十四歌唱的人中、有以利亞實。守門的人中、有沙龍、提聯、
二十五 烏利。○二十五以色列人巴錄的子孫中、有拉米、耶西雅、瑪基
二十六 雅、米雅民、以利亞撒、瑪基雅、比拿雅。二十六以攔的子孫中、有
二十七 瑪他尼、撒迦利亞、耶歇、押底、耶利末、以利雅。二十七薩土的子
孫中、有以利約乃、以利亞實、瑪他尼、耶利末、撒拔、亞西
二十八 二十九 撒。二十八比拜的子孫中、有約哈難、哈拿尼雅、薩拜、亞勒。二十九巴尼
三十 的子孫中、有米書蘭、瑪鹿、亞大雅、雅述、示押、耶利末。三十巴
哈摩押的子孫中、有阿底拿、基拉、比拿雅、瑪西雅、瑪他
三十一 尼、比撒列、賓內、瑪拿西。三十一哈琳的子孫中、有以利以謝、伊
三十二 三十三 示雅、瑪基雅、示瑪雅、西緬、三十二便雅憫、瑪鹿、示瑪利雅。三十三哈順

的子孫中、有瑪特乃、瑪達他、撒拔、以利法列、耶利買、瑪
拿西、示每。三四巴尼的子孫中、有瑪玳、暗蘭、烏益、三五比拿雅、比
底雅、基祿、三六瓦尼雅、米利末、以利亞實、三七瑪他尼、瑪特乃、雅
掃、三八巴尼、賓內、示每、三九示利米雅、拿單、亞大雅、四十瑪拿底拜、沙
賽、沙賴、四一亞薩利、示利米雅、示瑪利雅、四二沙龍、亞瑪利雅、約
瑟。四三尼波的子孫中、有耶利、瑪他提雅、撒拔、西比拿、雅玳、
約珥、比拿雅。四四這些人都娶了外邦女子為妻、其中也有
生了兒女的。

古代的圖章

以斯拉記：三章十節

尼希米記

尼希米爲故土禁食祈禱

一 第一章 哈迦利亞的兒子尼希米的言語如下。〇
二 亞達薛西王二十年基斯流月、我在書珊城的宮中。那
時有我一個弟兄哈拿尼同着幾個人從猶大來．我問
他們那些被擄歸回剩下逃脫的猶大人和耶路撒冷
三 的光景。他們對我說、那些被擄歸回剩下的人在猶大
省遭大難、受凌辱．並且耶路撒冷的城牆拆毀、城門被
四 火焚燒。〇我聽見這話、就坐下哭泣、悲哀幾日、在天上
五 的神面前禁食祈禱、說、耶和華天上的神大而可
六 畏的神阿、你向愛你、守你誡命的人、守約施慈愛．願
你睜眼看、側耳聽、你僕人晝夜在你面前爲你衆僕人
以色列民的祈禱、承認我們以色列人向你所犯的罪．
七 我與我父家都有罪了。我們向你所行的甚是邪惡、沒
八 有遵守你藉着僕人摩西所吩咐的誡命、律例、典章。求
你記念所吩咐你僕人摩西的話、說、你們若犯罪、我就
九 把你們分散在萬民中．但你們若歸向我、謹守遵行我
的誡命、你們被趕散的人、雖在天涯、我也必從那裏將
十 他們招聚回來、帶到我所選擇立爲我名的居所。這都
是你的僕人、你的百姓、就是你用大力和大能的手所
十一 救贖的。主阿、求你側耳聽你僕人的祈禱、和喜愛敬畏
你名衆僕人的祈禱、使你僕人現今亨通、在王面前蒙
恩。〇我是作王酒政的。

亞達薛西王允尼希米返耶路撒冷建築城垣

一 第二章 亞達薛西王二十年、尼散月、在王面前擺
二 酒、我拿起酒來奉給王。我素來在王面前沒有愁容。王
對我說、你既沒有病、爲甚麼面帶愁容呢．這不是別的、
三 必是你心中愁煩。於是我甚懼怕。我對王說、願王萬歲．
我列祖墳墓所在的那城荒涼、城門被火焚燒、我豈能
四 面無愁容麼。王問我說、你要求甚麼。於是我默禱天上
五 的神。我對王說、僕人若在王眼前蒙恩、王若喜歡、求
王差遣我往猶大、到我列祖墳墓所在的那城去、我好
六 重新建造。那時王后坐在王的旁邊。王問我說、你去要
多少日子、幾時回來．我就定了日期．於是王喜歡差遣
七 我去。我又對王說、王若喜歡、求王賜我詔書、通知大河

西的省長、准我經過、直到猶大．八又賜詔書、通知管理王
園林的亞薩、使他給我木料、作屬殿營樓之門的橫梁、
和城牆、與我自己房屋使用的．王就允准我、因我　神
施恩的手幫助我。

察視城垣傾圮

九王派了軍長和馬兵護送我。我到了河西的省長那裏、
將王的詔書交給他們。十和倫人參巴拉、並爲奴的亞捫
人多比雅、聽見有人來爲以色列人求好處、就甚惱怒。
十一我到了耶路撒冷、在那裏住了三日。十二我夜間起來、有幾
個人也一同起來．但　神使我心裏要爲耶路撒冷作
甚麼事、我並沒有告訴人．除了我騎的牲口以外、也沒
有別的牲口在我那裏。十三當夜我出了谷門、往野狗井去、
野狗或作龍到了糞廠門、察看耶路撒冷的城牆、見城牆拆
毀、城門被火焚燒。十四我又往前、到了泉門、和王池．但所騎
的牲口沒有地方過去。十五於是夜間沿溪而上、察看城牆、
又轉身進入谷門、就回來了。十六我往那裏去、我作甚麼事、
官長都不知道．我還沒有告訴猶大平民、祭司、貴冑、官
長、和其餘作工的人。

勸民重建城垣

十七以後、我對他們說、我們所遭的難、耶路撒冷怎樣荒涼、
城門被火焚燒、你們都看見了．來罷、我們重建耶路撒
冷的城牆、免得再受凌辱。十八我告訴他們我　神施恩的
手怎樣幫助我、並王對我所說的話．他們就說、我們起
來建造罷。於是他們奮勇作這善工。十九但和倫人參巴拉、
並爲奴的亞捫人多比雅、和亞拉伯人基善、聽見就嗤
笑我們、藐視我們、說、你們作甚麼呢．要背叛王麼。二十我回
答他們說、天上的　神必使我們亨通．我們作他僕人
的、要起來建造．你們卻在耶路撒冷無分、無權、無記念。

第三章　始建邑垣依次修築

一那時大祭司以利亞實、和他的弟兄衆祭
司、起來建立羊門、分別爲聖、安立門扇、又築城牆到哈
米亞樓、直到哈楠業樓、分別爲聖。二其次是耶利哥人建
造。其次是音利的兒子撒刻建造。三○哈西拿的子孫建
立魚門、架橫梁、安門扇、和門鎖。四其次是哈哥斯的孫子
烏利亞的兒子米利末修造。其次是米示薩別的孫子
比利迦的兒子米書蘭修造。其次是巴拿的兒子撒督

五 修造。五其次是提哥亞人修造。但是他們的貴冑、不用肩
六 擔他們主的工作。（肩原文作頸項）〇六巴西亞的兒子耶何耶大、
與比所玳的兒子米書蘭、修造古門、架橫梁、安門扇、和
七 門鎖。七其次是基遍人米拉提、米倫人雅頓、與基遍人、並
八 屬河西總督所管的米斯巴人修造。八其次是銀匠哈海
雅的兒子烏薛修造。其次是作香的哈拿尼雅修造．這
九 些人修堅耶路撒冷、直到寬牆。九其次是管理耶路撒冷
十 一半、戶珥的兒子利法雅修造。十其次是哈路抹的兒子
耶大雅、對着自己的房屋修造。其次是哈沙尼的兒子
十一 哈突修造。十一哈琳的兒子瑪基雅、和巴哈摩押的兒子哈
十二 述、修造一段、並修造爐樓。十二其次是管理耶路撒冷那一
十三 半哈羅黑的兒子沙龍、和他的女兒們修造。〇十三哈嫩和
撒挪亞的居民、修造谷門．立門、安門扇、和門鎖、又建築
十四 城牆一千肘、直到糞廠門。〇十四管理伯哈基琳、利甲的兒
十五 子瑪基雅、修造糞廠門．立門、安門扇、和門鎖。〇十五管理米
斯巴、各荷西的兒子沙崙、修造泉門．立門、蓋門頂、安門
扇、和門鎖、又修造靠近王園西羅亞池的牆垣、直到那
十六 從大衛城下來的臺階。十六其次是管理伯夙一半、押卜的

兒子尼希米修造、直到大衛墳地的對面、又到挖成的
十七 池子、並勇士的房屋。十七其次是利未人巴尼的兒子利宏
修造。其次是管理基伊拉一半、哈沙比雅、爲他所管的
十八 本境修造。十八其次是利未人弟兄中、管理基伊拉那一半、
十九 希拿達的兒子巴瓦伊修造。十九其次是管理米斯巴、耶書
亞的兒子以謝修造一段、對着武庫的上坡城牆轉彎
二十 之處。二十其次是薩拜的兒子巴錄、竭力修造一段、從城牆
二一 轉彎、直到大祭司以利亞實的府門。二一其次是哈哥斯的
孫子烏利亞的兒子米利末、修造一段、從以利亞實的
二二 府門、直到以利亞實府的盡頭。二二其次是住平原的祭司
二三 修造。二三其次是便雅憫與哈述、對着自己的房屋修造。其
次是亞難尼的孫子瑪西雅的兒子亞撒利雅、在靠近
二四 自己的房屋修造。二四其次是希拿達的兒子賓內、修造一
二五 段、從亞撒利雅的房屋、直到城牆轉彎、又到城角。二五烏賽
的兒子巴拉修造、對着城牆的轉彎、和王上宮凸出來
的城樓、靠近護衛院的那一段。其次是巴錄的兒子毘
二六 大雅修造。二六（尼提寧住在俄斐勒、直到朝東水門的對
二七 面、和凸出來的城樓。）二七其次是提哥亞人又修一段、對

二八 着那凸出來的大樓、直到俄斐勒的牆。○二八從馬門往上、
二九 衆祭司各對自己的房屋修造。二九其次是音麥的兒子撒
督對着自己的房屋修造。其次是守東門示迦尼的兒
三十 子示瑪雅修造。三十其次是示利米雅的兒子哈拿尼雅、和
薩拉的第六子哈嫩、又修一段。其次是比利迦的兒子
三一 米書蘭、對着自己的房屋修造。三一其次是銀匠瑪基雅修
造到尼提寧、和商人的房屋、對着哈米弗甲門、直到城
三二 的角樓。三二銀匠與商人在城的角樓、和羊門中間修造。

第四章

參巴拉聞建城垣忿恨譏笑

一 一參巴拉聽見我們修造城牆、就發怒、大大
二 惱恨、嗤笑猶大人．二對他弟兄和撒瑪利亞的軍兵說、這
些軟弱的猶大人作甚麼呢．要保護自己麼．要獻祭麼．
要一日成功麼．要從土堆裏拿出火燒的石頭再立牆
三 麼．三亞捫人多比雅站在旁邊、說、他們所修造的石牆、就
四 是狐狸上去也必跐倒。四我們的神阿、求你垂聽、因爲
我們被藐視．求你使他們的毀謗歸於他們的頭上、使
五 他們在擄到之地作爲掠物．五不要遮掩他們的罪孽、不
要使他們的罪惡從你面前塗抹．因爲他們在修造的
六 人眼前惹動你的怒氣。六這樣、我們修造城牆、城牆就都
連絡、高至一半．因爲百姓專心作工。

敵黨同謀擾阻

七 七參巴拉、多比雅、亞拉伯人、亞捫人、亞實突人、聽見修造
耶路撒冷城牆、着手進行、堵塞破裂的地方、就甚發怒．
八 九 八大家同謀要來攻擊耶路撒冷、使城內擾亂。九然而我們
禱告我們的神、又因他們的緣故、就派人看守、晝夜
十 防備。十猶大人說、灰土尚多、扛抬的人力氣已經衰敗、所
十一 以我們不能建造城牆。十一我們的敵人且說、趁他們不知、
十二 不見、我們進入他們中間、殺他們、使工作止住。十二那靠近
敵人居住的猶大人、十次從各處來見我們說、你們必
十三 要回到我們那裏。十三所以我使百姓各按宗族、拿刀、拿槍、
十四 拿弓、站在城牆後邊低窪的空處。十四我察看了、就起來對
貴冑、官長、和其餘的人說、不要怕他們．當記念主是大
而可畏的、你們要爲弟兄、兒女、妻子、家產爭戰。

佩械操作以防其敵

十五 十五仇敵聽見我們知道他們的心意、見神也破壞他們
的計謀、就不來了．我們都回到城牆那裏、各作各的工。

十六從那日起、我的僕人一半作工、一半拿槍、拿盾牌、拿弓、
穿鎧甲．（穿或作拿）官長都站在猶大衆人的後邊。十七修造城牆
的、扛抬材料的、都一手作工、一手拿兵器。十八修造的人、都
腰間佩刀修造、吹角的人在我旁邊。十九我對貴胄官長、和
其餘的人說、這工程浩大、我們在城牆上相離甚遠．二十你
們聽見角聲在那裏、就聚集到我們那裏去．我們的
神必爲我們爭戰。◯二一於是我們作工、一半拿兵器、從天
亮直到星宿出現的時候。二二那時、我又對百姓說、各人和
他的僕人當在耶路撒冷住宿、好在夜間保守我們、白
晝作工。二三這樣、我和弟兄僕人、並跟從我的護兵、都不脫
衣服、出去打水也帶兵器。

第五章

民因貧苦呼號嗟怨

一百姓和他們的妻大大呼號、埋怨他們的
弟兄猶大人。二有的說、我們和兒女人口衆多．要去得糧
食度命。三有的說、我們典了田地、葡萄園、房屋．要得糧食
充飢。四有的說、我們已經指着田地、葡萄園、借了錢、給王
納稅。五我們的身體、與我們弟兄的身體一樣、我們的兒
女與他們的兒女一般．現在我們將要使兒女作人的
僕婢、我們的女兒已有爲婢的．我們並無力拯救因爲
我們的田地、葡萄園、已經歸了別人。

尼希米聞民怨則怒

六我聽見他們呼號、說這些話、便甚發怒。七我心裏籌畫、就
斥責貴胄、和官長、說你們各人向弟兄取利。於是我招
聚大會攻擊他們。八我對他們說、我們盡力贖回我們弟
兄、就是賣與外邦的猶大人、你們還要賣弟兄、使我們
贖回來麼。九他們就靜默不語、無話可答。我又說、你們所
行的不善．你們行事不當敬畏我們的神麼．不然、難
免我們的仇敵外邦人毀謗我們。十我和我的弟兄、與僕
人、也將銀錢糧食借給百姓。我們大家都當免去利息。

勸衆悉反其質

十一如今我勸你們將他們的田地、葡萄園、橄欖園、房屋、並
向他們所取的銀錢、糧食、新酒、和油、百分之一的利息
都歸還他們。十二衆人說、我們必歸還、不再向他們索要．必
照你的話行。我就召了祭司來、叫衆人起誓、必照着所
應許的而行。十三我也抖着胸前的衣襟說、凡不成就這應
許的、願神照樣抖他離開家產和他勞碌得來的、直

到抖空了。會衆都說、阿們、又讚美耶和華。百姓就照着
十四 所應許的去行。○自從我奉派作猶大地的省長、就是
從亞達薛西王二十年、直到三十二年、共十二年之久、
十五 我與我弟兄都沒有喫省長的俸祿。在我以前的省長、
加重百姓的擔子、每日索要糧食和酒、並銀子四十舍
客勒、就是他們的僕人也轄制百姓。但我因敬畏 神、
十六 不這樣行。並且我恆心修造城牆、並沒有置買田地。我
十七 的僕人也都聚集在那裏作工。除了從四圍外邦中來
的猶大人以外、有猶大平民和官長、一百五十人在我
十八 席上喫飯。每日豫備一隻公牛、六隻肥羊、又豫備些飛
禽每十日一次多豫備各樣的酒。雖然如此、我並不要
十九 省長的俸祿。因爲百姓服役甚重。我的 神阿、求你記
念我爲這百姓所行的一切事、施恩與我。

第六章　參巴拉計阻築垣之工

一 參巴拉、多比雅、亞拉伯人基善、和我們其
餘的仇敵、聽見我已經修完了城牆、其中沒有破裂之
二 處、（那時我還沒有安門扇）參巴拉和基善就打發
人來見我、說、請你來、我們在阿挪平原的一個莊村相
三 會。他們卻想害我。於是我差遣人去見他們、說、我現在
四 辦理大工、不能下去。焉能停工、下去見你們呢。他們這
五 樣四次打發人來見我、我都如此回答他們。參巴拉第
六 五次打發僕人來見我、手裏拿着未封的信、信上寫着
說、外邦人中有風聲、迦施慕就是基善見二章十九節也說、你和猶
七 大人謀反、修造城牆、你要作他們的王。你又派先知在
耶路撒冷指着你宣講、說、在猶大有王。現在這話必傳
八 與王知、所以請你來、與我們彼此商議。我就差遣人去
九 見他說、你所說的這事、一概沒有、是你心裏揑造的。他
們都要使我們懼怕、意思說、他們的手必軟弱、以致工
作不能成就。 神阿、求你堅固我的手。

又令僞先知驚嚇

十 我到了米希大別的孫子第來雅的兒子示瑪雅家裏。
那時、他閉門不出。他說、我們不如在 神的殿裏會面、
十一 將殿門關鎖。因爲他們要來殺你、就是夜裏來殺你。我
說、像我這樣的人、豈要逃跑呢。像我這樣的人、豈能進
十二 入殿裏保全生命呢。我不進去。我看明 神沒有差遣
他、是他自己說這話攻擊我、是多比雅和參巴拉賄買

了他。十三賄買他的緣故、是要叫我懼怕、依從他犯罪、他們
好傳揚惡言毀謗我。十四我的 神阿、多比雅、參巴拉、女先
知挪亞底、和其餘的先知、要叫我懼怕、求你記念他們
所行的這些事。

城垣工竣

十五以祿月二十五日、城牆修完了、共修了五十二天。十六我們
一切仇敵、四圍的外邦人、聽見了便懼怕、愁眉不展、因
為見這工作完成、是出乎我們的 神。十七在那些日子猶
大的貴冑屢次寄信與多比雅、多比雅也來信與他們。
十八在猶大有許多人與多比雅結盟、因他是亞拉的兒子、
示迦尼的女壻、並且他的兒子約哈難娶了比利迦兒
子米書蘭的女兒為妻。十九他們常在我面前說多比雅的
善行、也將我的話傳與他。多比雅又常寄信來、要叫我
懼怕。

第七章 立哈拿尼和哈拿尼雅同治耶路撒冷

一城牆修完、我安了門扇、守門的、歌唱的、和
利未人、都已派定。二我就派我的弟兄哈拿尼、和營樓的
宰官哈拿尼雅、管理耶路撒冷、因為哈拿尼雅是忠信
的、又敬畏 神過於眾人。三我吩咐他們說、等到太陽上
昇、纔可開耶路撒冷的城門。人尚看守的時候、就要關
門上門、也當派耶路撒冷的居民、各按班次看守自己
房屋對面之處。四城是廣大、其中的民卻稀少、房屋還沒
有建造。

稽核初歸者之譜系

五我的 神感動我心、招聚貴冑、官長、和百姓、要照家譜
計算。我找着第一次上來之人的家譜、其上寫着、六巴比
倫王尼布甲尼撒從前擄去猶大省的人、現在他們的
子孫從被擄到之地回耶路撒冷、和猶大各歸本城。七他
們是同着所羅巴伯、耶書亞、尼希米、亞撒利雅、拉米拿、
哈瑪尼、末底改、必珊、米斯毗列、比革瓦伊、尼宏、巴拿回
來的。〇八以色列人民的數目記在下面。巴錄的子孫二
千一百七十二名。九示法提雅的子孫、三百七十二名。十亞
拉的子孫、六百五十二名。十一巴哈摩押的後裔、就是耶書
亞和約押的子孫、二千八百一十八名。十二以攔的子孫、一
千二百五十四名。十三薩土的子孫、八百四十五名。十四薩改的
子孫、七百六十名。十五賓內的子孫、六百四十八名。十六比拜的

子孫、六百二十八名。十七押甲的子孫、二千三百二十二名。
十八亞多尼干的子孫、六百六十七名。十九比革瓦伊的子孫、二
千零六十七名。二十亞丁的子孫、六百五十五名。二十一亞特的後
裔、就是希西家的子孫、九十八名。二十二哈順的子孫、三百二
十八名。二十三比賽的子孫、三百二十四名。二十四哈拉的子孫、一百
一十二名。二十五基遍人、九十五名。二十六伯利恆人和尼陀法人共
一百八十八名。二十七亞拿突人、一百二十八名。二十八伯亞斯瑪弗
人、四十二名。二十九基列耶琳人、基非拉人、比錄人、共七百四
十三名。三十拉瑪人和迦巴人、共六百二十一名。三十一默瑪人、一
百二十二名。三十二伯特利人和艾人、共一百二十三名。三十三別的
尼波人、五十二名。三十四別的以攔子孫、一千二百五十四名。
三十五哈琳的子孫、三百二十名。三十六耶利哥人、三百四十五名。三十七羅
德人、哈第人、阿挪人、共七百二十一名。三十八西拿人、三千九
百三十名。◯三十九祭司．耶書亞家、耶大雅的子孫、九百七十
三名。四十音麥的子孫、一千零五十二名。四十一巴施戶珥的子孫、
一千二百四十七名。四十二哈琳的子孫、一千零一十七名。◯
四十三利未人．何達威的後裔就是耶書亞和甲篾的子孫、七
十四名。四十四歌唱的．亞薩的子孫、一百四十八名。四十五守門的．沙

龍的子孫、亞特的子孫、達們的子孫、亞谷的子孫、哈底
大的子孫、朔拜的子孫、共一百三十八名。◯四十六尼提寧．就是
殿役西哈的子孫、哈蘇巴的子孫、答巴俄的子孫、四十七基綠的
子孫、西亞的子孫、巴頓的子孫、四十八利巴拿的子孫、哈迦巴
的子孫、薩買的子孫、四十九哈難的子孫、吉德的子孫、迦哈的
子孫、五十利亞雅的子孫、利汛的子孫、尼哥大的子孫、五十一迦散
的子孫、烏撒的子孫、巴西亞的子孫、五十二比賽的子孫、米烏
寧的子孫、尼普心的子孫、五十三巴卜的子孫、哈古巴的子孫、
哈忽的子孫、五十四巴洗律的子孫、米希大的子孫、哈沙的子
孫、五十五巴柯的子孫、西西拉的子孫、答瑪的子孫、五十六尼細亞的
子孫、哈提法的子孫。◯五十七所羅門僕人的後裔、就是瑣太
的子孫、瑣斐列的子孫、比路大的子孫、五十八雅拉的子孫、達
昆的子孫、吉德的子孫、五十九示法提雅的子孫、哈替的子孫、
玻黑列哈斯巴音的子孫、亞們的子孫。六十尼提寧、和所羅
門僕人的後裔共三百九十二名。◯六十一從特米拉、特哈薩、
基綠、亞頓、音麥上來的．不能指明他們的宗族譜系、是
以色列人不是。六十二他們是第萊雅的子孫、多比雅的子孫、
尼哥大的子孫、共六百四十二名。六十三祭司中．哈巴雅的子

孫、哈哥斯的子孫、巴西萊的子孫。因爲他們的先祖娶
六四 了基列人巴西萊的女兒爲妻、所以起名叫巴西萊。六四這
三家的人在族譜之中、尋查自己的譜系、卻尋不着．因
六五 此算爲不潔、不准供祭司的職任。六五省長對他們說、不可
喫至聖的物、直到有用烏陵和土明決疑的祭司興起
來。

記歸故土者之總數

六六 六七 六六會衆共有四萬二千三百六十名．六七此外、還有他們的僕
婢、七千三百三十七名．又有歌唱的男女二百四十五
六八 六九 名．六八他們有馬七百三十六匹、騾子二百四十五匹．六九駱駝
四百三十五隻、驢六千七百二十匹。

爲聖殿獻財物

七十 七十有些族長爲工程捐助．省長捐入庫中的金子一千達
七一 利克、碗五十個、祭司的禮服五百三十件。七一又有族長捐
七二 入工程庫的金子二萬達利克、銀子二千二百彌拿。七二其
餘百姓所捐的金子二萬達利克、銀子二千彌拿、祭司
七三 的禮服六十七件。〇七三於是祭司、利未人、守門的、歌唱的、
民中的一些人、尼提寧、並以色列衆人、各住在自己的
城裏。

第八章　民請以斯拉宣讀律書

一 一到了七月、以色列人住在自己的城裏。那
時、他們如同一人聚集在水門前的寬闊處、請文士以
斯拉、將耶和華藉摩西傳給以色列人的律法書帶來。
二 二七月初一日、祭司以斯拉將律法書帶到聽了能明白
三 的男女會衆面前。三在水門前的寬闊處、從清早到晌午、
在衆男女一切聽了能明白的人面前、讀這律法書．衆
四 民側耳而聽。四文士以斯拉站在爲這事特備的木臺上．
瑪他提雅、示瑪、亞奈雅、烏利亞、希勒家、和瑪西雅、站在
他的右邊．毘大雅、米沙利、瑪基雅、哈順、哈拔大拿、撒迦
五 利亞、和米書蘭、站在他的左邊。五以斯拉站在衆民以上、
六 在衆民眼前展開這書．他一展開、衆民就都站起來。六以
斯拉稱頌耶和華至大的神．衆民都舉手應聲說、阿
七 們、阿們、就低頭、面伏於地、敬拜耶和華。七耶書亞、巴尼、示
利比、雅憫、亞谷、沙比太、荷第雅、瑪西雅、基利他、亞撒利
雅、約撒拔、哈難、毘萊雅、和利未人、使百姓明白律法．百
八 姓都站在自己的地方。八他們清清楚楚的念神的律

九 法書、講明意思、使百姓明白所念的。○九省長尼希米、和
作祭司的文士以斯拉、並教訓百姓的利未人、對眾民
說、今日是耶和華你們　神的聖日．不要悲哀哭泣．這
十 是因為眾民聽見律法書上的話都哭了。十又對他們說、
你們去喫肥美的、喝甘甜的、有不能豫備的就分給他．
因為今日是我們主的聖日．你們不要憂愁、因靠耶和
十一 華而得的喜樂是你們的力量。十一於是利未人使眾民靜
十二 默、說、今日是聖日、不要作聲、也不要憂愁。十二眾民都去喫
喝、也分給人、大大快樂、因為他們明白所教訓他們的
話。

民遵律守住棚節

十三 十三次日眾民的族長、祭司、和利未人、都聚集到文士以斯
十四 拉那裏、要留心聽律法上的話。十四他們見律法上寫着耶
十五 和華藉摩西吩咐以色列人、要在七月節住棚．十五並要在
各城和耶路撒冷宣傳報告說、你們當上山將橄欖樹、
野橄欖樹、番石榴樹、棕樹、和各樣茂密樹的枝子取來、
十六 照着所寫的搭棚。十六於是百姓出去取了樹枝來、各人在
自己的房頂上、或院內、或　神殿的院內、或水門的寬

十七 闊處、或以法蓮門的寬闊處、搭棚。十七從擄到之地歸回的
全會眾就搭棚住在棚裏．從嫩的兒子約書亞的時候、
直到這日、以色列人沒有這樣行．於是眾人大大喜樂。
十八 十八從頭一天、直到末一天、以斯拉每日念　神的律法書。
眾人守節七日、第八日照例有嚴肅會。

以色列眾禁食認罪

一 **第九章**　一這月二十四日、以色列人聚集禁食、身穿
二 麻衣、頭蒙灰塵。二以色列人（原文作人種類）就與一切外邦人離
三 絕、站着承認自己的罪惡、和列祖的罪孽。三那日的四分
之一、站在自己的地方、念耶和華他們　神的律法書．
四 又四分之一認罪、敬拜耶和華他們的　神。四耶書亞、巴
尼、甲篾、示巴尼、布尼、示利比、巴尼、基拿尼、站在利未人
的臺上、大聲哀求耶和華他們的　神。

利未人稱頌耶和華

五 五利未人耶書亞、甲篾、巴尼、哈沙尼、示利比、荷第雅、示巴
尼、毘他希雅、說、你們要站起來稱頌耶和華你們的
神、永世無盡．耶和華阿、你榮耀之名、是應當稱頌的、超
六 乎一切稱頌和讚美。六你惟獨你是耶和華．你造了天、和

天上的天、並天上的萬象、地和地上的萬物、海和海中
七 所有的、這一切都是你所保存的。天軍也都敬拜你。七你
是耶和華神、曾揀選亞伯蘭、領他出迦勒底的吾珥、
八 給他改名叫亞伯拉罕。八你見他在你面前心裏誠實、就
與他立約、應許把迦南人、赫人、亞摩利人、比利洗人、耶
布斯人、革迦撒人之地、賜給他的後裔、且應驗了你的
九 話。因爲你是公義的。○九你曾看見我們列祖在埃及所
十 受的困苦、垂聽他們在紅海邊的哀求、十就施行神蹟奇
事在法老和他一切臣僕、並他國中的衆民身上。你也
得了名聲、正如今日一樣。因爲你知道他們向我們列
十一 祖行事狂傲。十一你又在我們列祖面前把海分開、使他們
在海中行走乾地、將追趕他們的人拋在深海、如石頭
十二 拋在大水中。十二並且白晝用雲柱引導他們、黑夜用火柱
十三 照亮他們當行的路。十三你也降臨在西乃山、從天上與他
們說話、賜給他們正直的典章、眞實的律法、美好的條
十四 例與誡命。十四又使他們知道你的安息聖日、並藉你僕人
十五 摩西傳給他們誡命、條例、律法。十五從天上賜下糧食充他
們的飢、從磐石使水流出解他們的渴、又吩咐他們進

十六 去得你起誓應許賜給他們的地。○十六但我們的列祖行
十七 事狂傲、硬着頸項不聽從你的誡命、十七不肯順從、也不記
念你在他們中間所行的奇事、竟硬着頸項、居心背逆
自立首領、要回他們爲奴之地。但你是樂意饒恕、有
恩典、有憐憫、不輕易發怒、有豐盛慈愛的神、並不丟
十八 棄他們。十八他們雖然鑄了一隻牛犢、彼此說、這是領你出
十九 埃及的神、因而大大惹動你的怒氣。十九你還是大施憐憫、
在曠野不丟棄他們、白晝雲柱不離開他們、仍引導他
們行路。黑夜火柱也不離開他們、仍照亮他們當行的
二十 路。二十你也賜下你良善的靈教訓他們、未嘗不賜嗎哪使
二一 他們餬口、並賜水解他們的渴。二一在曠野四十年、你養育
二二 他們、他們就一無所缺。衣服沒有穿破、腳也沒有腫。二二並
且你將列國之地照分賜給他們、他們就得了西宏之
二三 地、希實本王之地、和巴珊王噩之地。二三你也使他們的子
孫多如天上的星、帶他們到你所應許他們列祖進入
二四 得爲業之地。二四這樣、他們進去得了那地、你在他們面前
制伏那地的居民、就是迦南人、將迦南人和其君王、並
二五 那地的居民、都交在他們手裏、讓他們任意而待。二五他們

得了堅固的城邑、肥美的地土、充滿各樣美物的房屋、
鑿成的水井、葡萄園、橄欖園、並許多果木樹。他們就喫
而得飽、身體肥胖、因你的大恩、心中快樂。

認承叛逆之罪

二六 二六然而他們不順從、竟背叛你、將你的律法丟在背後、殺
二七 害那勸他們歸向你的衆先知、大大惹動你的怒氣。二七所
以你將他們交在敵人的手中、磨難他們。他們遭難的
時候、哀求你、你就從天上垂聽、照你的大憐憫賜給他
二八 們拯救者、救他們脫離敵人的手。二八但他們得平安之後、
又在你面前行惡。所以你丟棄他們在仇敵的手中、使
仇敵轄制他們。然而他們轉回、哀求你、你仍從天上垂
二九 聽、屢次照你的憐憫拯救他們。二九又警戒他們、要使他們
歸服你的律法。他們卻行事狂傲、不聽從你的誡命、干
犯你的典章、（人若遵行就必因此活着）扭轉肩頭、
三十 硬着頸項、不肯聽從。三十但你多年寬容他們、又用你的靈
藉衆先知勸戒他們、他們仍不聽從、所以你將他們交
三一 在列國之民的手中。三一然而你大發憐憫、不全然滅絕他
們、也不丟棄他們。因為你是有恩典有憐憫的神。

立約簽名

三二 三二我們的神阿、你是至大至能至可畏守約施慈愛的
神。我們的君王、首領、祭司、先知、列祖、和你的衆民、從
亞述列王的時候直到今日所遭遇的苦難、現在求你
三三 不要以為小。三三在一切臨到我們的事上、你卻是公義的。
三四 因你所行的是誠實、我們所作的是邪惡。三四我們的君王、
首領、祭司、列祖、都不遵守你的律法、不聽從你的誡命、
三五 和你警戒他們的話。三五他們在本國裏沾你大恩的時候、
在你所賜給他們這廣大肥美之地上、不事奉你、也不
三六 轉離他們的惡行。三六我們現今作了奴僕、至於你所賜給
我們列祖享受其上的土產、並美物之地、看哪、我們在
三七 這地上作了奴僕。三七這地許多出產歸了列王、就是你因
我們的罪所派轄制我們的。他們任意轄制我們的身
三八 體、和牲畜、我們遭了大難。三八因這一切的事、我們立確實
的約、寫在冊上。我們的首領、利未人、和祭司、都簽了名。

第十章

記簽名之人

一 一簽名的、是哈迦利亞的兒子省長尼希米、
三二 和西底家、二祭司。西萊雅、亞撒利雅、耶利米、三巴施戶珥、亞

四 五 瑪利雅、瑪基雅、四哈突、示巴尼、瑪鹿、五哈琳、米利末、俄巴底
六 七 八 亞、六但以理、近頓、巴錄、七米書蘭、亞比雅、米雅民、八瑪西亞、璧
九 該、示瑪雅。九又有利未人、就是亞散尼的兒子耶書亞、希
十 拿達的子孫賓內、甲篾。十還有他們的弟兄示巴尼、荷第
十一 十二 雅、基利他、毘萊雅、哈難、十一米迦、利合、哈沙比雅、十二撒刻、示利
十三 十四 比、示巴尼、十三荷第雅、巴尼、比尼努。十四又有民的首領、就是巴
十五 十六 錄、巴哈摩押、以攔、薩土、巴尼、十五布尼、押甲、比拜、十六亞多尼雅、
十七 十八 十九 比革瓦伊、亞丁、十七亞特、希西家、押朔、十八荷第雅、哈順、比賽、十九哈
二十 二十一 拉、亞拿突、尼拜、二十抹比押、米書蘭、希悉、二一米示薩別、撒督、押
二十二 二十三 二十四 杜、二二毘拉提、哈難、亞奈雅、二三何細亞、哈拿尼雅、哈述、二四哈羅
二十五 二十六 黑、毘利哈、朔百、二五利宏、哈沙拿、瑪西雅、二六亞希雅、哈難、亞難、
二十七 二七瑪鹿、哈琳、巴拿。

誓遵摩西所傳之律

二八 二八其餘的民、祭司、利未人、守門的、歌唱的、尼提寧、和一切
離絕鄰邦居民歸服　神律法的、並他們的妻子、兒女、
二九 凡有知識能明白的、二九都隨從他們貴冑的弟兄、發咒起
誓、必遵行　神藉他僕人摩西所傳的律法、謹守遵行
三十 耶和華我們主的一切誡命、典章、律例。三十並不將我們的
女兒、嫁給這地的居民、也不為我們的兒子、娶他們的
三一 女兒。三一這地的居民若在安息日、或甚麼聖日、帶了貨物
或糧食來賣給我們、我們必不買。每逢第七年必不耕
種、凡欠我們債的必不追討。

定為殿輸金之例

三二 三二我們又為自己定例、每年各人捐銀一舍客勒三分之
三三 一、為我們　神殿的使用。三三就是為陳設餅、常獻的素祭、
和燔祭、安息日、月朔、節期所獻的、與聖物、並以色列人
三四 的贖罪祭、以及我們　神殿裏一切的費用。三四我們的祭
司、利未人、和百姓、都掣籤、看每年是那一族、按定期將
獻祭的柴奉到我們　神的殿裏、照着律法上所寫的、
三五 燒在耶和華我們　神的壇上。三五又定每年將我們地上
初熟的土產、和各樣樹上初熟的果子、都奉到耶和華
三六 的殿裏。三六又照律法上所寫的、將我們頭胎的兒子、和首
生的牛羊、都奉到我們　神的殿、交給我們　神殿裏
三七 供職的祭司。三七並將初熟之麥子所磨的麵、和舉祭、各樣
樹上初熟的果子、新酒、與油、奉給祭司、收在我們　神
殿的庫房裏、把我們地上所產的十分之一奉給利未

人、因利未人在我們一切城邑的土產中當取十分之
三八 一。利未人取十分之一的時候、亞倫的子孫中當有一
個祭司與利未人同在。利未人也當從十分之一中、取
三九 十分之一奉到我們　神殿的屋子裏、收在庫房中。以
色列人和利未人、要將五穀新酒和油、爲舉祭奉到收
存聖所器皿的屋子裏、就是供職的祭司、守門的、歌唱
的所住的屋子。這樣、我們就不離棄我們　神的殿。

民長居耶路撒冷餘民分居猶大諸邑

一 **第十一章**　百姓的首領住在耶路撒冷、其餘的百
姓掣籤、每十人中使一人來住在聖城耶路撒冷、那九
二 人住在別的城邑。凡甘心樂意住在耶路撒冷的百姓
三 都爲他們祝福。〇以色列人、祭司、利未人、尼提寧、和所
羅門僕人的後裔、都住在猶大城邑、各在自己的地業
四 中。本省的首領住在耶路撒冷的、記在下面。其中有些
猶大人、和便雅憫人。猶大人中有法勒斯的子孫烏西
雅的兒子亞他雅、烏西雅是撒迦利雅的兒子、撒迦利
雅是亞瑪利雅的兒子、亞瑪利雅是示法提雅的兒子、
五 示法提雅是瑪勒列的兒子。又有巴錄的兒子瑪西雅、
巴錄是谷何西的兒子、谷何西是哈賽雅的兒子、哈賽
雅是亞大雅的兒子、亞大雅是約雅立的兒子、約雅立
六 是撒迦利雅的兒子、撒迦利雅是示羅尼的兒子。住在
耶路撒冷法勒斯的子孫共四百六十八名、都是勇士。
七 〇便雅憫人中有米書蘭的兒子撒路、米書蘭是約葉
的兒子、約葉是毘大雅的兒子、毘大雅是哥賴雅的兒
子、哥賴雅是瑪西雅的兒子、瑪西雅是以鐵的兒子、以
八 鐵是耶篩亞的兒子。其次有迦拜、撒來的子孫共九百
九 二十八名。細基利的兒子約珥是他們的長官、哈西努
十 亞的兒子猶大是耶路撒冷的副官。〇祭司中有雅斤、
十一 又有約雅立的兒子耶大雅、還有管理　神殿的西萊
雅、西萊雅是希勒家的兒子、希勒家是米書蘭的兒子、
米書蘭是撒督的兒子、撒督是米拉約的兒子、米拉約
十二 是亞希突的兒子。還有他們的弟兄在殿裏供職的、共
八百二十二名。又有耶羅罕的兒子亞大雅、耶羅罕是
毘拉利的兒子、毘拉利是暗洗的兒子、暗洗是撒迦利
亞的兒子、撒迦利亞是巴施戶珥的兒子、巴施戶珥是
十三 瑪基雅的兒子。還有他的弟兄作族長的、二百四十二

名。又有亞薩列的兒子亞瑪帥、亞薩列是亞哈賽的兒
子、亞哈賽是米實利末的兒子、米實利末是音麥的兒
十四 子。還有他們弟兄大能的勇士、共一百二十八名。哈基
十五 多琳的兒子撒巴第業、是他們的長官。○利未人中、有
哈述的兒子示瑪雅、哈述是押利甘的兒子、押利甘是
十六 哈沙比雅的兒子、哈沙比雅是布尼的兒子。又有利未
十七 人的族長沙比太和約撒拔、管理神殿的外事。祈禱
的時候、爲稱謝領首的是米迦的兒子瑪他尼、米迦是
撒底的兒子、撒底是亞薩的兒子。又有瑪他尼弟兄中
的八布迦爲副。還有沙母亞的兒子押大、沙母亞是加
十八 拉的兒子、加拉是耶杜頓的兒子。在聖城的利未人共
十九 二百八十四名。○守門的是亞谷、和達們、並守門的弟
二十 兄、共一百七十二名。其餘的以色列人、祭司、利未人、都
二一 住在猶大的一切城邑、各在自己的地業中。尼提寧卻
二二 住在俄斐勒。西哈和基斯帕管理他們。○在耶路撒冷、
利未人的長官、管理神殿事務的、是歌唱者亞薩的
子孫巴尼的兒子烏西、巴尼是哈沙比雅的兒子、哈沙
二三 比雅是瑪他尼的兒子、瑪他尼是米迦的兒子。王爲歌
二四 唱的出命令、每日供給他們必有一定之糧。猶大兒子
謝拉的子孫米示薩別的兒子毘他希雅、輔助王辦理
猶大民的事。

猶大便雅憫人分居之鄉里

二五 至於村莊和屬村莊的田地、有猶大人住在基列亞巴、
和屬基列亞巴的鄉村、底本和屬底本的鄉村、葉甲薛
二六 二七 和屬葉甲薛的村莊、耶書亞、摩拉大、伯帕列、哈薩書亞、
二八 別是巴和屬別是巴的鄉村、洗革拉、米哥拿、和屬米哥
二九 三十 拿的鄉村、音臨門、瑣拉、耶末、撒挪亞、亞杜蘭、和屬這兩
處的村莊、拉吉和屬拉吉的田地、亞西加和屬亞西加
三一 的鄉村。他們所住的地方、是從別是巴直到欣嫩谷。便
雅憫人從迦巴起、住在密抹、亞雅、伯特利和屬伯特利
三二 三三 三四 的鄉村、亞拿突、挪伯、亞難雅、夏瑣、拉瑪、基他音、哈疊、洗
三五 三六 編、尼八拉、羅德、阿挪、匠人之谷。利未人中、有幾班曾住
在猶大地、歸於便雅憫的。

第十二章

記與所羅巴伯同歸之祭司利未人

一 同着撒拉鐵的兒子所羅巴伯、和耶書
亞回來的祭司、與利未人、記在下面。祭司是西萊雅、耶

利米、以斯拉、二亞瑪利雅、瑪鹿、哈突、三示迦尼、利宏、米利末、
四易多、近頓、亞比雅、五米雅民、瑪底雅、璧迦、六示瑪雅、約雅立、
耶大雅、七撒路、亞木、希勒家、耶大雅。這些人在耶書亞的
時候作祭司和他們弟兄的首領。○八利未人是耶書亞、
賓內、甲篋、示利比、猶大、瑪他尼、這瑪他尼和他的弟兄、
管理稱謝的事。九他們的弟兄八布迦、和烏尼、照自己的
班次與他們相對。十耶書亞生約雅金、約雅金生以利亞
實、以利亞實生耶何耶大、十一耶何耶大生約拿單、約拿單
生押杜亞。○十二在約雅金的時候、祭司作族長的、西萊雅
族、(或作班本段同)有米拉雅、耶利米族、有哈拿尼雅、十三以斯拉族、
有米書蘭、亞瑪利雅族、有約哈難、十四米利古族、有約拿單、
示巴尼族、有約瑟、十五哈琳族、有押拿、米拉約族、有希勒愷、
十六易多族、有撒迦利亞、近頓族、有米書蘭、十七亞比雅族、有細
基利、米拿民族、某摩亞底族、有毘勒太、十八璧迦族、有沙母
亞、示瑪雅族、有約拿單、十九約雅立族、有瑪特乃、耶大雅族、
有烏西、二十撒來族、有加萊、亞木族、有希伯、二一希勒家族、有哈
沙比雅、耶大雅族、有拿坦業。○二二至於利未人、當以利亞
實、耶何耶大、約哈難、押杜亞的時候、他們的族長記在
冊上、波斯王大利烏在位的時候、作族長的祭司、也記
在冊上。二三利未人作族長的、記在歷史上、直到以利亞實
的兒子約哈難的時候。二四利未人的族長是哈沙比雅、示
利比、甲篋的兒子耶書亞、與他們弟兄的班次相對照
着神人大衛的命令、一班一班的讚美稱謝。二五瑪他尼、八
布迦、俄巴底亞、米書蘭、達們、亞谷、是守門的、就是在庫
房那裏守門。二六這都是在約撒達的孫子耶書亞的兒子
約雅金、和省長尼希米、並祭司文士以斯拉的時候、有
職任的。

爲邑垣行告成禮

二七耶路撒冷城牆告成的時候、衆民就把各處的利未人
招到耶路撒冷、要稱謝、歌唱、敲鈸、鼓瑟、彈琴、歡歡喜喜
的行告成之禮。二八歌唱二九的人、從耶路撒冷的周圍、和尼陀
法的村莊、與伯吉甲、又從迦巴和押瑪弗的田地聚集。
因爲歌唱的人、在耶路撒冷四圍、爲自己立了村莊。三十祭
司和利未人就潔淨自己、也潔淨百姓、和城門、並城牆。
○三一我帶猶大的首領上城、使稱謝的人分爲兩大隊、排
列而行、第一隊在城上往右邊向糞廠門行走。三二在他們

三三 後頭的有何沙雅、與猶大首領的一半。[三三]又有亞撒利雅、
三四 三五 以斯拉、米書蘭、[三四]猶大、便雅憫、示瑪雅、耶利米。[三五]還有些吹
號之祭司的子孫約拿單的兒子撒迦利亞、約拿單是
示瑪雅的兒子、示瑪雅是瑪他尼的兒子、瑪他尼是米
該亞的兒子、米該亞是撒刻的兒子、撒刻是亞薩的兒
三六 子。[三六]又有撒迦利亞的弟兄示瑪雅、亞撒利、米拉萊、基拉
萊、瑪艾、拿坦業、猶大、哈拿尼、都拿着神人大衞的樂器。
三七 文士以斯拉引領他們。[三七]他們經過泉門往前、從大衞城
的台階、隨地勢而上、在大衞宮殿以上、直行到朝東的
三八 水門。〇[三八]第二隊稱謝的人要與那一隊相迎而行、我和
三九 民的一半跟隨他們在城牆上、過了爐樓、直到寬牆、[三九]又
過了以法蓮門、古門、魚門、哈楠業樓、哈米亞樓、直到羊
四十 門、就在護衞門站住。[四十]於是這兩隊稱謝的人、連我和官
四一 長的一半、站在神的殿裏。[四一]還有祭司以利亞金、瑪西
雅、米拿民、米該雅、以利約乃、撒迦利亞、哈楠尼亞、吹號。
四二 [四二]又有瑪西雅、示瑪雅、以利亞撒、烏西、約哈難、瑪基雅、以
攔、和以謝……。奏樂歌唱的就大聲歌唱、伊斯拉希雅管理
四三 他們。[四三]那日眾人獻大祭而歡樂、因為神使他們大大
歡樂。連婦女帶孩童也都歡樂、甚至耶路撒冷中的歡
聲聽到遠處。

立司庫儲祭司利未人所需

四四 [四四]當日派人管理庫房、將舉祭、初熟之物、和所取的十分
之一、就是按各城田地、照律法所定歸給祭司和利未
人的分、都收在裏頭。猶大人因祭司和利未人供職、就
四五 歡樂了。[四五]祭司利未人遵守神所吩咐的、並守潔淨的
禮、歌唱的、守門的、照着大衞和他兒子所羅門的命令、
四六 也如此行……。[四六]古時在大衞和亞薩的日子、有歌唱的伶長、
四七 並有讚美稱謝神的詩歌。[四七]當所羅巴伯和尼希米的
時候、以色列眾人將歌唱的、守門的、每日所當得的分
供給他們。又給利未人當得的分、利未人又給亞倫的
子孫當得的分。

亞捫摩押人不得入　神會

第十三章

一 [一]當日人念摩西的律法書給百姓聽。遇
見書上寫着說、亞捫人和摩押人永不可入神的會。
二 [二]因為他們沒有拿食物和水來迎接以色列人、且雇了
三 巴蘭咒詛他們。但我們的神使那咒詛變為祝福。[三]以

色列民聽見這律法、就與一切閑雜人絕交。

擲出多比雅之家具

四 四先是蒙派管理我們　神殿中庫房的祭司以利亞實、
五 與多比雅結親。五便爲他豫備一間大屋子、就是從前收
存素祭、乳香、器皿、和照命令供給利未人、歌唱的、守門
的五穀、新酒、和油的十分之一、並歸祭司舉祭的屋子。
六 六那時我不在耶路撒冷。因爲巴比倫王亞達薛西三十
七 二年、我回到王那裏。過了多日我向王告假。七我來到耶
路撒冷、就知道以利亞實爲多比雅在　神殿的院內、
八 豫備屋子的那件惡事。八我甚惱怒、就把多比雅的一切
九 家具、從屋裏都拋出去。九吩咐人潔淨這屋子、遂將　神
十 殿的器皿、和素祭乳香、又搬進去。⊙十我見利未人所當
得的分、無人供給他們、甚至供職的利未人與歌唱的、
十一 俱各奔回自己的田地去了。十一我就斥責官長說、爲何離
十二 棄　神的殿呢。我便招聚利未人使他們照舊供職。十二猶
十三 大衆人就把五穀、新酒、和油的十分之一、送入庫房。十三我
派祭司示利米雅、文士撒督、和利未人毗大雅、作庫官
管理庫房、副官是哈難、哈難是撒刻的兒子、撒刻是瑪
他尼的兒子。這些人都是忠信的、他們的職分是將所
十四 供給的分給他們的弟兄。十四我的　神阿、求你因這事記
念我、不要塗抹我爲　神的殿、與其中的禮節所行的
善。

戒民犯安息日

十五 十五那些日子、我在猶大見有人在安息日醡酒、（原文作踹酒醡）搬
運禾捆、馱在驢上、又把酒、葡萄、無花果、和各樣的擔子、
在安息日擔入耶路撒冷。我就在他們賣食物的那日、
十六 警戒他們。十六又有推羅人住在耶路撒冷、他們把魚和各
十七 樣貨物運進來、在安息日賣給猶大人。十七我就斥責猶大
十八 的貴冑、說、你們怎麼行這惡事、犯了安息日呢。十八從前你
們列祖豈不是這樣行、以致我們　神使一切災禍臨
到我們和這城麼。現在你們還犯安息日、使忿怒越發
十九 臨到以色列。⊙十九在安息日的前一日、耶路撒冷城門有
黑影的時候、我就吩咐人將門關鎖、不過安息日不准
二十 開放。我又派我幾個僕人管理城門、免得有人在安息
日擔甚麼擔子進城。二十於是商人、和販賣各樣貨物的、一
二一 兩次住宿在耶路撒冷城外。二一我就警戒他們說、你們爲

何在城外住宿呢。若再這樣、我必下手拿辦你們。從此
以後他們在安息日不再來了。22我吩咐利未人潔淨自
己來守城門、使安息日為聖。我的　神阿、求你因這事
記念我、照你的大慈愛憐恤我。

禁與異族聯姻

23那些日子我也見猶大人娶了亞實突、亞捫、摩押的女
子為妻。24他們的兒女說話、一半是亞實突的話、不會說
猶大的話、所說的是照着各族的方言。25我就斥責他們、
咒詛他們、打了他們幾個人、拔下他們的頭髮、叫他們
指着　神起誓、必不將自己的女兒嫁給外邦人的兒
子、也不為自己和兒子娶他們的女兒。26我又說、以色列
王所羅門不是在這樣的事上犯罪麼。在多國中並沒
有一王像他、且蒙他　神所愛、　神立他作以色列全
國的王。然而連他也被外邦女子引誘犯罪。27如此、我豈
聽你們行這大惡、娶外邦女子干犯我們的　神呢。○
28大祭司以利亞實的孫子耶何耶大的一個兒子、是和
倫人參巴拉的女壻。我就從我這裏把他趕出去。29我的
神阿、求你記念他們的罪、因為他們玷汙了祭司的
職任、違背你與祭司利未人所立的約。○30這樣、我潔淨
他們使他們離絕一切外邦人、派定祭司和利未人的
班次、使他們各盡其職。31我又派百姓按定期獻柴和初
熟的土產。我的　神阿、求你記念我、施恩與我。

尼希米記：十二章廿七，廿八節

耶路撒冷

以斯帖記

亞哈隨魯大設筵宴

第一章 一亞哈隨魯作王、從印度直到古實統管一
百二十七省。二亞哈隨魯王在書珊城的宮登基、三在位第
三年、爲他一切首領臣僕設擺筵席。有波斯和瑪代的
權貴、就是各省的貴冑與首領、在他面前。四他把他榮耀
之國的豐富、和他美好威嚴的尊貴、給他們看了許多
日、就是一百八十日。五這日子滿了、又爲所有住書珊城
的大小人民、在御園的院子裏、設擺筵席七日。六有白色、
綠色、藍色的帳子、用細麻繩紫色繩、從銀環內繫在白
玉石柱上、有金銀的牀榻、擺在紅白黃黑玉石的鋪石
地上。七用金器皿賜酒、器皿各有不同、御酒甚多、足顯王
的厚意。八喝酒有例、不准勉強人、因王吩咐宮裏的一切
臣宰、讓人各隨己意。

王后瓦實提不遵命赴筵

九王后瓦實提在亞哈隨魯王的宮內、也爲婦女設擺筵
席。十第七日、亞哈隨魯王飲酒心中快樂、就吩咐在他面

前侍立的七個太監米戶幔、比斯他、哈波拿、比革他、亞
拔他、西達、甲迦、十一請王后瓦實提頭戴王后的冠冕到王
面前、使各等臣民看他的美貌、因爲他容貌甚美。十二王后
瓦實提卻不肯遵太監所傳的王命而來、所以王甚發
怒、心如火燒。

廢瓦實提后位

十三十四那時在王左右常見王面、國中坐高位的、有波斯和瑪
代的七個大臣、就是甲示拿、示達、押瑪他、他施斯、米力、
瑪西拿、米母干、都是達時務的明哲人。按王的常規、辦
事必先詢問知例明法的人。十五王問他們說、王后瓦實提
不遵太監所傳的王命、照例應當怎樣辦理呢。十六米母干
在王和眾首領面前回答說、王后瓦實提這事、不但得
罪王、並且有害於王各省的臣民。十七因爲王后這事、必傳
到眾婦人的耳中、說、亞哈隨魯王吩咐王后瓦實提到
王面前、他卻不來、他們就藐視自己的丈夫。十八今日波斯
和瑪代的眾夫人、聽見王后這事、必向王的大臣照樣
行、從此必大開藐視和忿怒之端。十九王若以爲美、就降旨
寫在波斯和瑪代人的例中、永不更改、不准瓦實提再

廿 到王面前、將他王后的位分賜給比他還好的人。[二十]所降
的旨意傳遍通國、（國度本來廣大）所有的婦人、無
二一 論丈夫貴賤、都必尊敬他。[二一]王和眾首領、都以米母干的
二二 話為美、王就照這話去行、[二二]發詔書、用各省的文字、各族
的方言、通知各省、使為丈夫的在家中作主、各說本地
的方言。

第二章 詔選美女為后

一 這事以後、亞哈隨魯王的忿怒止息、就想
二 念瓦實提、和他所行的、並怎樣降旨辦他。[二]於是王的侍
三 臣對王說、不如為王尋找美貌的處女。[三]王可以派官在
國中的各省、招聚美貌的處女、到書珊城（或作宮）的女院、
四 交給掌管女子的太監希該、給他們當用的香品。[四]王所
喜愛的女子、可以立為王后、代替瓦實提。王以這事為
美、就如此行。

末底改叔之女以斯帖入宮

五 書珊城有一個猶大人、名叫末底改、是便雅憫人基士
六 的曾孫、示每的孫子、睚珥的兒子。[六]從前巴比倫王尼布
甲尼撒將猶大王耶哥尼雅（又名約雅斤）和百姓從耶路撒
七 冷擄去、末底改也在其內。[七]末底改撫養他叔叔的女兒
哈大沙、（後名以斯帖）因為他沒有父母、這女子又
容貌俊美、他父母死了、末底改就收他為自己的女兒。
八 ○[八]王的諭旨傳出、就招聚許多女子到書珊城、交給掌
九 管女子的希該、以斯帖也送入王宮、交付希該。[九]希該喜
悅以斯帖、就恩待他、急忙給他需用的香品、和他所當
得的分、又派所當得的七個宮女服事他、使他和他的
十 宮女搬入女院上好的房屋。[十]以斯帖未曾將籍貫宗族
十一 告訴人、因為末底改囑咐他不可叫人知道。[十一]末底改天
天在女院前邊行走、要知道以斯帖平安不平安、並後
十二 事如何。○[十二]眾女子照例先潔淨身體十二個月、六個月
用沒藥油、六個月用香料和潔身之物、滿了日期、然後
十三 挨次進去見亞哈隨魯王。[十三]女子進去見王是這樣、從女
十四 院到王宮的時候、凡他所要的、都必給他。[十四]晚上進去、次
日回到女子第二院、交給掌管妃嬪的太監沙甲。除非
十五 王喜愛他、再題名召他、就不再進去見王。[十五]末底改叔叔
亞比孩的女兒、就是末底改收為自己女兒的以斯帖、
按次序當進去見王的時候、除了掌管女子的太監希

該所派定給他的、他別無所求．凡看見以斯帖的都喜
悅他。

冊立以斯帖爲后

十六 十六亞哈隨魯王第七年十月、就是提別月、以斯帖被引入
十七 宮見王．十七王愛以斯帖過於愛衆女、他在王眼前蒙寵愛
比衆處女更甚．王就把王后的冠冕戴在他頭上、立他
十八 爲王后、代替瓦實提．十八王因以斯帖的緣故、給衆首領和
臣僕設擺大筵席、又豁免各省的租稅、並照王的厚意
大頒賞賜。

二閹謀逆末底改首告之

十九 二十 十九第二次招聚處女的時候、末底改坐在朝門。二十以斯帖照
着末底改所囑咐的、還沒有將籍貫宗族告訴人．因爲
二一 以斯帖遵末底改的命、如撫養他的時候一樣。二一當那時
候、末底改坐在朝門、王的太監中有兩個守門的辟探
二二 和提列惱恨亞哈隨魯王、想要下手害他．二二末底改知道
了、就告訴王后以斯帖．以斯帖奉末底改的名、報告於
二三 王．二三究察這事、果然是實、就把二人挂在木頭上、將這事
在王面前寫於歷史上。

哈曼舉高位怒末底改不敬之

一 第三章　一這事以後、亞哈隨魯王抬舉亞甲族哈米
大他的兒子哈曼、使他高升、叫他的爵位超過與他同
二 事的一切臣宰．二在朝門的一切臣僕、都跪拜哈曼、因爲
三 王如此吩咐．惟獨末底改不跪不拜．三在朝門的臣僕、問
四 末底改說、你爲何違背王的命令呢．四他們天天勸他、他
還是不聽、他們就告訴哈曼、要看末底改的事站得住
五 站不住、因他已經告訴他們自己是猶大人．五哈曼見末
六 底改不跪不拜、他就怒氣填胸．六他們已將末底改的本
族告訴哈曼、他以爲下手害末底改一人是小事、就要
滅絕亞哈隨魯王通國所有的猶大人、就是末底改的
本族。

謀滅末底改及其同族

七 七亞哈隨魯王十二年正月、就是尼散月、人在哈曼面前、
按日日月月掣普珥、就是掣籤、要定何月何日爲吉擇
八 定了十二月、就是亞達月。八哈曼對亞哈隨魯王說、有一
種民、散居在王國各省的民中、他們的律例與萬民的
律例不同、也不守王的律例、所以容留他們與王無益．

九王若以為美、請下旨意滅絕他們．我就捐一萬他連得
銀子、交給掌管國帑的人、納入王的府庫．十於是王從自
己手上摘下戒指、給猶大人的仇敵亞甲族哈米大他
的兒子哈曼．十一王對哈曼說、這銀子仍賜給你、這民也交
給你、你可以隨意待他們。

王准奏詔滅猶大人

十二正月十三日就召了王的書記來、照着哈曼一切所吩
咐的、用各省的文字、各族的方言、奉亞哈隨魯王的名
寫旨意、傳與總督和各省的省長、並各族的首領、又用
王的戒指蓋印．十三交給驛卒傳到王的各省、吩咐將猶大
人、無論老少婦女孩子、在一日之間、十二月、就是亞達
月十三日、全然剪除殺戮滅絕、並奪他們的財為掠物．
十四抄錄這旨意、頒行各省、宣告各族、使他們豫備等候那
日．十五驛卒奉王命急忙起行、旨意也傳遍書珊城．王同哈
曼坐下飲酒．書珊城的民、卻都慌亂。

第四章

末底改與猶大人禁食哭泣

一末底改知道所作的這一切事、就撕裂衣
服、穿麻衣、蒙灰塵、在城中行走、痛哭哀號．二到了朝門前
停住腳步．因為穿麻衣的不可進朝門。三王的諭旨所到
的各省各處、猶大人大大悲哀、禁食哭泣哀號、穿麻衣
躺在灰中的甚多。

求以斯帖向王乞恩

四王后以斯帖的宮女和太監來、把這事告訴以斯帖．他
甚是憂愁．就送衣服給末底改穿、要他脫下麻衣．他卻
不受。五以斯帖就把王所派伺候他的一個太監名叫哈
他革召來、吩咐他去見末底改、要知道這是甚麼事、是
甚麼緣故．六於是哈他革出到朝門前的寬闊處見末底
改．七末底改將自己所遇的事、並哈曼為滅絕猶大人應
許捐入王庫的銀數、都告訴了他．八又將所抄寫傳遍書
珊城要滅絕猶大人的旨意交給哈他革、要給以斯帖
看、又要給他說明、並囑咐他進去見王、為本族的人在
王面前懇切祈求。〇九哈他革回來、將末底改的話告訴
以斯帖．十以斯帖就吩咐哈他革去見末底改說、十一王的一
切臣僕、和各省的人民、都知道有一個定例、若不蒙召、
擅入內院見王的、無論男女、必被治死．除非王向他伸
出金杖、不得存活．現在我沒有蒙召進去見王已經三

十二 十三 十日了。人就把以斯帖這話告訴末底改。○末底改託
人回覆以斯帖說、你莫想在王宮裏強過一切猶大人、
十四 得免這禍。此時你若閉口不言、猶大人必從別處得解
脫、蒙拯救、你和你父家、必至滅亡。焉知你得了王后的
十五 位分、不是爲現今的機會麽。以斯帖就吩咐人回報末
十六 底改說、你當去招聚書珊城所有的猶大人、爲我禁食
三晝三夜、不喫不喝、我和我的宮女、也要這樣禁食、然
十七 後我違例進去見王。我若死就死罷。於是末底改照以
斯帖一切所吩咐的去行。

第五章

以斯帖請王率哈曼赴筵

一 第三日、以斯帖穿上朝服、進王宮的內院、
二 對殿站立。王在殿裏坐在寶座上、對着殿門。王見王后
以斯帖站在院內、就施恩於他、向他伸出手中的金杖。
三 以斯帖便向前摸杖頭。王對他說、王后以斯帖阿、你要
四 甚麽、你求甚麽、就是國的一半也必賜給你。以斯帖說、
王若以爲美、就請王帶着哈曼今日赴我所豫備的筵
五 席。○王說、叫哈曼速速照以斯帖的話去行。於是王帶
六 着哈曼赴以斯帖所豫備的筵席。在酒席筵前、王又問
以斯帖說、你要甚麽、我必賜給你、你求甚麽、就是國的
七 一半也必爲你成就。以斯帖回答說、我有所要、我有所
八 求、我若在王眼前蒙恩、王若願意賜我所要的、准我所
求的、就請王帶着哈曼再赴我所要豫備的筵席。明日
我必照王所問的說明。

哈曼立木備殺末底改

九 那日哈曼心中快樂、歡歡喜喜的出來。但見末底改在
十 朝門不站起來、連身也不動、就滿心惱怒末底改。哈曼
十一 暫且忍耐回家、叫人請他朋友和他妻子細利斯來。哈
曼將他富厚的榮耀、衆多的兒女、和王抬舉他使他超
十二 乎首領臣僕之上、都述說給他們聽。哈曼又說、王后以
斯帖豫備筵席、除了我之外、不許別人隨王赴席。明日
十三 王后又請我隨王赴席。只是我見猶大人末底改坐在
十四 朝門、雖有這一切榮耀、也與我無益。他的妻細利斯和
他一切的朋友對他說、不如立一個五丈高的木架、明
早求王將末底改挂在其上、然後你可以歡歡喜喜的
隨王赴席。哈曼以這話爲美、就叫人作了木架。

第六章 王憶末底改功欲加賞賚

一那夜王睡不着覺、就吩咐人取歷史來念給他聽。二正遇見書上寫着說、王的太監中有兩個守門的辟探和提列想要下手害亞哈隨魯王、末底改將這事告訴王后。三王說、末底改行了這事、賜他甚麼尊榮爵位沒有。伺候王的臣僕回答說、沒有賜他甚麼。四王說、誰在院子裏。（那時哈曼正進王宮的外院、要求王將末底改挂在他所豫備的木架上）五臣僕說、哈曼站在院內。王說、叫他進來。六哈曼就進去。王問他說、王所喜悅尊榮的人、當如何待他呢。哈曼心裏說、王所喜悅尊榮的不是我是誰呢。七哈曼就回答說、王所喜悅尊榮的人、八當將王常穿的朝服、和戴冠的御馬、九都交給王極尊貴的一個大臣、命他將衣服給王所喜悅尊榮的人穿上、使他騎上馬、走遍城裏的街市、在他面前宣告說、王所喜悅尊榮的人、就如此待他。

命哈曼尊榮之

十王對哈曼說、你速速將這衣服和馬、照你所說的、向坐在朝門的猶大人末底改去行、凡你所說的、一樣不可缺。十一於是哈曼將朝服給末底改穿上、使他騎上馬、走遍城裏的街市、在他面前宣告說、王所喜悅尊榮的人、就如此待他。十二末底改仍回到朝門。哈曼卻憂憂悶悶的蒙着頭、急忙回家去了。十三將所遇的一切事、詳細說給他的妻細利斯、和他的衆朋友聽。他的智慧人和他的妻細利斯對他說、你在末底改面前始而敗落、他如果是猶大人、你必不能勝他、終必在他面前敗落。十四他們還與哈曼說話的時候、王的太監來催哈曼快去赴以斯帖所豫備的筵席。

第七章 以斯帖述哈曼之惡於王

一王帶着哈曼來赴王后以斯帖的筵席。二這第二次在酒席筵前、王又問以斯帖說、王后以斯帖阿、你要甚麼、我必賜給你、你求甚麼、就是國的一半、也必為你成就。三王后以斯帖回答說、我若在王眼前蒙恩、王若以為美、我所願的、是願王將我的性命賜給我、我所求的、是求王將我的本族賜給我。四因我和我的本族被賣了、要剪除殺戮滅絕我們。我們若被賣為奴為婢、我也閉口不言、但王的損失、敵人萬不能補足。五亞哈隨魯

王問王后以斯帖說、擅敢起意如此行的是誰、這人在
那裏呢。六以斯帖說、仇人敵人就是這惡人哈曼．哈曼在
王和王后面前就甚驚惶。

哈曼懸於自備之木

七王便大怒起來、離開酒席往御園去了．哈曼見王定意
要加罪與他、就起來、求王后以斯帖救命。八王從御園回
到酒席之處、見哈曼伏在以斯帖所靠的榻上．王說、他
竟敢在宮內、在我面前、凌辱王后麼．這話一出王口、人
就蒙了哈曼的臉。九伺候王的一個太監、名叫哈波拿、說、
哈曼爲那救王有功的末底改、作了五丈高的木架、現
今立在哈曼家裏．王說、把哈曼挂在其上。十於是人將哈
曼挂在他爲末底改所豫備的木架上．王的忿怒這纔
止息。

第八章　末底改擢高位

一當日亞哈隨魯王把猶大人仇敵哈曼的
家產賜給王后以斯帖、末底改也來到王面前、因爲以
斯帖已經告訴王、末底改是他的親屬。二王摘下自己的
戒指、就是從哈曼追回的、給了末底改．以斯帖派末底
改管理哈曼的家產。

以斯帖求廢哈曼惡謀

三以斯帖又俯伏在王腳前、流淚哀告、求他除掉亞甲族
哈曼害猶大人的惡謀。四王向以斯帖伸出金杖．以斯帖
就起來、站在王前、五說、亞甲族哈米大他的兒子哈曼設
謀傳旨、要殺滅在王各省的猶大人．現今王若願意、我
若在王眼前蒙恩、王若以爲美、若喜悅我、請王另下旨
意、廢除哈曼所傳的那旨意。六我何忍見我本族的人受
害、何忍見我同宗的人被滅呢。七亞哈隨魯王對王后以
斯帖和猶大人末底改說、因哈曼要下手害猶大人、我
已將他的家產賜給以斯帖、人也將哈曼挂在木架上。
八現在你們可以隨意奉王的名寫諭旨給猶大人、用王
的戒指蓋印．因爲奉王名所寫用王戒指蓋印的諭旨
人都不能廢除。九◯三月、就是西彎月、二十三日、將王的
書記召來、按着末底改所吩咐的、用各省的文字、各族
的方言、並猶大人的文字方言、寫諭旨傳給那從印度
直到古實一百二十七省的猶大人、和總督省長首領。
十末底改奉亞哈隨魯王的名寫諭旨、用王的戒指蓋印、

十一 十二 交給騎御馬圈快馬的驛卒傳到各處……。十一 十二 諭旨中王准各
省各城的猶大人在一日之間、十二月就是亞達月十
三日、聚集保護性命、剪除殺戮滅絕那要攻擊猶大人
的一切仇敵、和他們的妻子兒女、奪取他們的財為掠
十三 物。十三 抄錄這諭旨頒行各省、宣告各族、使猶大人豫備等
十四 候那日、在仇敵身上報仇。十四 於是騎快馬的驛卒、被王命
十五 催促、急忙起行、諭旨也傳遍書珊城。十五 ○末底改穿着藍
色白色的朝服、頭戴大金冠冕、又穿紫色細麻布的外
十六 袍、從王面前出來、書珊城的人民、都歡呼快樂。十六 猶大人
十七 有光榮歡喜快樂而得尊貴。十七 王的諭旨所到的各省各
城、猶大人都歡喜快樂、設擺筵宴、以那日為吉日。那國
的人民、有許多因懼怕猶大人、就入了猶大籍。

猶大人殺戮諸敵

一 **第九章** 一 十二月乃亞達月、十三日、王的諭旨將要
舉行、就是猶大人的仇敵盼望轄制他們的日子、猶大
二 人反倒轄制恨他們的人。二 猶大人在亞哈隨魯王各省
的城裏聚集、下手擊殺那要害他們的人。無人能敵擋
三 他們、因為各族都懼怕他們。三 各省的首領、總督、省長、和
四 辦理王事的人、因懼怕末底改、就都幫助猶大人。四 末底
五 改在朝中為大、名聲傳遍各省、日漸昌盛。五 猶大人用刀
六 擊殺一切仇敵、任意殺滅恨他們的人。六 在書珊城、猶大
七 八 人殺滅了五百人。七 又殺巴珊大他、達分、亞斯帕他、八 破拉
九 他、亞大利雅、亞利大他、九 帕瑪斯他、亞利賽、亞利代、瓦耶
十 撒他。十 這十人都是哈米大他的孫子、猶大人仇敵哈曼
十一 的兒子。猶大人卻沒有下手奪取財物。十一 ○當日將書珊
十二 城被殺的人數、呈在王前。十二 王對王后以斯帖說、猶大人
在書珊城殺滅了五百人、又殺了哈曼的十個兒子、在
王的各省、不知如何呢。現在你要甚麼、我必賜給你。你
十三 還求甚麼、也必為你成就。十三 以斯帖說、王若以為美、求你
准書珊的猶大人、明日也照今日的旨意行、並將哈曼
十四 十個兒子的屍首、掛在木架上。十四 王便允准如此行。旨意
十五 傳在書珊。人就把哈曼十個兒子的屍首、掛起來了。十五 亞
達月十四日、書珊的猶大人又聚集在書珊、殺了三百
十六 人。卻沒有下手奪取財物。十六 在王各省其餘的猶大人也
都聚集保護性命、殺了恨他們的人七萬五千。卻沒有
十七 下手奪取財物。這樣就脫離仇敵、得享平安。十七 ○亞達月

十三日、行了這事十四日安息、以這日爲設筵歡樂的
十八 日子。十八但書珊的猶大人這十三十四日聚集殺戮仇敵
十九 十五日安息、以這日爲設筵歡樂的日子。十九所以住無城
牆鄉村的猶大人、如今都以亞達月十四日爲設筵歡
二十 樂的吉日、彼此餽送禮物。○二十末底改記錄這事、寫信與
二一 亞哈隨魯王各省遠近所有的猶大人、二一囑咐他們每年
二二 守亞達月十四十五兩日、二二以這月的兩日、爲猶大人脫
離仇敵得平安、轉憂爲喜、轉悲爲樂的吉日。在這兩日
二三 設筵歡樂、彼此餽送禮物、賙濟窮人。二三於是猶大人、按着
末底改所寫與他們的信、應承照初次所守的守爲永
二四 例。二四是因猶大人的仇敵、亞甲族哈米大他的兒子哈曼、
設謀殺害猶大人、掣普珥、就是掣籤、爲要殺盡滅絕他
二五 們。二五這事報告於王、王便降旨使哈曼謀害猶大人的惡
事、歸到他自己的頭上、並吩咐把他和他的衆子、都挂
在木架上。

定普珥日

二六 二六照着普珥的名字、猶大人就稱這兩日爲普珥日。他們
二七 因這信上的話、又因所看見所遇見的事、二七就應承自己
與後裔、並歸附他們的人、每年按時必守這兩日、永遠
二八 不廢。二八各省各城、家家戶戶、世世代代、記念遵守這兩日、
使這普珥日在猶大人中不可廢掉、在他們後裔中也
二九 不可忘記。○二九亞比孩的女兒王后以斯帖和猶大人末
三十 底改以全權寫第二封信、堅囑猶大人守這普珥日。三十用
和平誠實話、寫信給亞哈隨魯王國中一百二十七省
三一 所有的猶大人、三一勸他們按時守這普珥日、禁食呼求、是
照猶大人末底改和王后以斯帖所囑咐的、也照猶大
三二 人爲自己與後裔所應承的。三二以斯帖命定守普珥日這
事也記錄在書上。

末底改爲相

一 **第十章** 一亞哈隨魯王使旱地和海島的人民都進
二 貢。二他以權柄能力所行的、並他抬舉末底改使他高升
三 的事、豈不都寫在瑪代和波斯王的歷史上麼。三猶大人
末底改作亞哈隨魯王的宰相、在猶大人中爲大、得他
衆弟兄的喜悅、爲本族的人求好處、向他們說和平的
話。

約伯記

第一章

約伯之善行

一 一烏斯地有一個人名叫約伯、那人完全正
直、敬畏 神、遠離惡事。

約伯之富有

二三 二他生了七個兒子、三個女兒。三他的家產有七千羊、三千
駱駝、五百對牛、五百母驢、並有許多僕婢．這人在東方
四 人中就為至大。四他的兒子、按着日子、各在自己家裏設
擺筵宴、就打發人去、請了他們的三個姐妹來、與他們
五 一同喫喝。五筵宴的日子過了、約伯打發人去叫他們自
潔．他清早起來、按着他們衆人的數目獻燔祭．因為他
說、恐怕我兒子犯了罪、心中棄掉 神．約伯常常這樣
六 行。〇六有一天、 神的衆子來侍立在耶和華面前、撒但
七 也來在其中。七耶和華問撒但說、你從那裏來．撒但回答
八 說、我從地上走來走去、往返而來。八耶和華問撒但說、你
曾用心察看我的僕人約伯沒有．地上再沒有人像他
九 完全正直、敬畏 神、遠離惡事。九撒但回答耶和華說、約
十 伯敬畏 神、豈是無故呢。十你豈不是四面圈上籬笆圍
護他和他的家、並他一切所有的麼．他手所作的、都蒙
十一 你賜福．他的家產也在地上增多。十一你且伸手、毀他一切
十二 所有的、他必當面棄掉你。十二耶和華對撒但說、凡他所有
的、都在你手中．只是不可伸手加害於他。於是撒但從
耶和華面前退去。

約伯受試煉

十三 十三有一天、約伯的兒女正在他們長兄的家裏、喫飯喝酒、
十四十五 十四有報信的來見約伯說、牛正耕地、驢在旁邊喫草．十五示巴
人忽然闖來、把牲畜擄去、並用刀殺了僕人．惟有我一
十六 人逃脫、來報信給你。十六他還說話的時候、又有人來說、
神從天上降下火來、將羣羊和僕人、都燒滅了．惟有我
十七 一人逃脫、來報信給你。十七他還說話的時候、又有人來說、
迦勒底人分作三隊、忽然闖來、把駱駝擄去、並用刀殺
十八 了僕人．惟有我一人逃脫、來報信給你。十八他還說話的時
候、又有人來說、你的兒女正在他們長兄的家裏、喫飯
十九 喝酒．十九不料、有狂風從曠野颳來、擊打房屋的四角、房屋
倒塌在少年人身上、他們就都死了．惟有我一人逃脫、

來報信給你。

約伯之忍耐

二十約伯便起來、撕裂外袍、剃了頭、伏在地上下拜、二一說、我赤
身出於母胎、也必赤身歸回．賞賜的是耶和華、收取的
也是耶和華．耶和華的名是應當稱頌的。二二在這一切的
事上、約伯並不犯罪、也不以　神為愚妄。（或作也不妄評神）

第二章

約伯之三友

一又有一天、神的眾子來侍立在耶和華面
前、撒但也來在其中。二耶和華問撒但說、你從那裏來．撒
但回答說、我從地上走來走去、往返而來。三耶和華問撒
但說、你曾用心察看我的僕人約伯沒有．地上再沒有
人像他完全正直、敬畏　神、遠離惡事．你雖激動我攻
擊他、無故的毀滅他．他仍然持守他的純正。四撒但回答
耶和華說、人以皮代皮、情願捨去一切所有的、保全性
命。五你且伸手傷他的骨頭、和他的肉、他必當面棄掉你。
六耶和華對撒但說、他在你手中．只要存留他的性命。七於
是撒但從耶和華面前退去、擊打約伯、使他從腳掌到
頭頂、長毒瘡。八約伯就坐在爐灰中、拿瓦片刮身體。九他的
妻子對他說、你仍然持守你的純正麼．你棄掉　神、死
了罷。十約伯卻對他說、你說話像愚頑的婦人一樣．噯難
道我們從　神手裏得福、不也受禍麼．在這一切的事
上、約伯並不以口犯罪。◯十一約伯的三個朋友、提幔人以
利法、書亞人比勒達、拿瑪人瑣法、聽說有這一切的災
禍臨到他身上、各人就從本處約會同來、為他悲傷、安
慰他。十二他們遠遠的舉目觀看、認不出他來、就放聲大哭．
各人撕裂外袍、把塵土向天揚起來、落在自己的頭上。
十三他們就同他七天七夜坐在地上、一個人也不向他說
句話、因為他極其痛苦。

約伯自詛其誕辰

第三章

一此後、約伯開口咒詛自己的生日、二說、三願我
生的那日、和說懷了男胎的那夜、都滅沒。四願那日變為
黑暗．願　神不從上面尋找他．願亮光不照於其上。五願
黑暗和死蔭索取那日．願密雲停在其上．願日蝕恐嚇
他。六願那夜被幽暗奪取、不在年中的日子同樂、也不入
月中的數目。七願那夜沒有生育．其間也沒有歡樂的聲
音。八願那咒詛日子且能惹動鱷魚的咒詛那夜。九願那夜

黎明的星宿變爲黑暗．盼亮卻不亮、也不見早晨的光
綫。光線原文作眼皮 十 因沒有把懷我胎的門關閉、也沒有將患
難對我的眼隱藏。十一 我爲何不出母胎而死．爲何不出母
腹絕氣．十二 爲何有膝接收我．爲何有奶哺養我。十三 不然、我就
早已躺臥安睡．十四 和地上爲自己重造荒邱的君王、謀士．
十五 或與有金子、將銀子裝滿了房屋的王子、一同安息．十六 或
像隱而未現、不到期而落的胎、歸於無有、如同未見光
的嬰孩。十七 在那裏惡人止息攪擾．困乏人得享安息．十八 被囚
的人同得安逸．不聽見督工的聲音。十九 大小都在那裏．奴
僕脫離主人的轄制。

自言死爲美

二十 受患難的人、爲何有光賜給他呢．心中愁苦的人、爲何
有生命賜給他呢。二十一 他們切望死、卻不得死、求死勝於求
隱藏的珍寶。二十二 他們尋見墳墓就快樂、極其歡喜。二十三 人的道
路既然遮隱、神又把他四面圍困、爲何有光賜給他
呢。二十四 我未曾喫飯、就發出歎息、我唉哼的聲音湧出如水。
二十五 因我所恐懼的臨到我身、我所懼怕的迎我而來。二十六 我不
得安逸、不得平靜、也不得安息．卻有患難來到。

第四章 以利法之責言

一 提幔人以利法回答說、二 人若想與你說話、
你就厭煩麼．但誰能忍住不說呢。三 你素來教導許多的
人、又堅固輭弱的手。四 你的言語曾扶助那將要跌倒的
人．你又使輭弱的膝穩固。五 但現在禍患臨到你、你就昏
迷．挨近你、你便驚惶。

言神所行無不公義

六 你的倚靠、不是在你敬畏神麼．你的盼望、不是在你
行事純正麼。七 請你追想、無辜的人、有誰滅亡．正直的人、
在何處剪除。八 按我所見、耕罪孽、種毒害的人、都照樣收
割。九 神一出氣、他們就滅亡．神一發怒、他們就消沒。
十 獅子的吼叫、和猛獅的聲音、盡都止息．少壯獅子的牙
齒、也都敲掉。十一 老獅子因絕食而死、母獅之子也都離散。

證世人盡屬微末

十二 我暗暗的得了默示、我耳朵也聽其細微的聲音。十三 在思
念夜中異象之間、世人沉睡的時候、十四 恐懼、戰兢、臨到我
身、使我百骨打戰。十五 有靈從我面前經過、我身上的毫毛
直立。十六 那靈停住、我卻不能辨其形狀．有影像在我眼前．

十七 我在靜默中、聽見有聲音說、十七必死的人豈能比　神公
十八 義麼．人豈能比造他的主潔淨麼。十八主不信靠他的臣僕、
十九 並且指他的使者為愚昧．十九何況那住在土房、根基在塵
二十 土裏、被蠹蟲所毀壞的人呢。二十早晚之間就被毀滅、永歸
二一 無有、無人理會。二一他帳棚的繩索、豈不從中抽出來呢．他
死、且是無智慧而死。

第五章　惡人終難免禍

一 一你且呼求、有誰答應你．諸聖者之中、你轉
二 三 向那一位呢。二忿怒害死愚妄人、嫉妒殺死癡迷人。三我曾
四 見愚妄人扎下根．但我忽然咒詛他的住處。四他的兒女、
五 遠離穩妥的地步、在城門口被壓、並無人搭救。五他的莊
稼、有飢餓的人喫盡了、就是在荊棘裏的、也搶去了．他
六 的財寶、有網羅張口吞滅了。六禍患原不是從土中出來．
七 患難、也不是從地裏發生．七人生在世必遇患難、如同火
八 星飛騰。○八至於我、我必仰望　神、把我的事情託付他．
九 十 九他行大事不可測度、行奇事不可勝數．十降雨在地上、賜
十一 水於田裏．十一將卑微的安置在高處、將哀痛的舉到穩妥
十二 十三 之地．十二破壞狡猾人的計謀、使他們所謀的、不得成就。十三他
叫有智慧的中了自己的詭計．使狡詐人的計謀速速
十四 十五 滅亡。十四他們白晝遇見黑暗、午間摸索、如在夜間。十五　神拯
十六 救窮乏人、脫離他們口中的刀、和強暴人的手。十六這樣、貧
寒的人有指望、罪孽之輩必塞口無言。

受　神懲乃為有福

十七 十七　神所懲治的人是有福的．所以你不可輕看全能者
十八 十九 的管教。十八因為他打破、又纏裹．他擊傷、用手醫治。十九你六次
二十 遭難、他必救你．就是七次、災禍也無法害你。二十在饑荒中、
他必救你脫離死亡．在爭戰中、他必救你脫離刀劍的
二一 權力。二一你必被隱藏、不受口舌之害．災殃臨到、你也不懼
二二 怕。二二你遇見災害飢饉、就必嬉笑．地上的野獸、你也不懼
二三 怕。二三因為你必與田間的石頭立約．田裏的野獸、也必與
二四 你和好。二四你必知道你帳棚平安．要查看你的羊圈、一無
二五 所失。二五也必知道你的後裔將來發達、你的子孫像地上
二六 的青草。二六你必壽高年邁纔歸墳墓、好像禾捆到時收藏。
二七 二七這理我們已經考察、本是如此．你須要聽、要知道是與
自己有益。

第六章

約伯自述苦況

一約伯回答說、二惟願我的煩惱稱一稱、我一切的災害放在天平裏。三現今都比海沙更重、所以我的言語急躁。四因全能者的箭射入我身、其毒我的靈喝盡了．神的驚嚇擺陣攻擊我。五野驢有草、豈能叫喚、牛有料、豈能吼叫。六物淡而無鹽豈可喫麽、蛋青有甚麽滋味呢。七看爲可厭的食物、我心不肯挨近。

願得死亡

八惟願我得着所求的、願　神賜我所切望的．九就是願　神把我壓碎、伸手將我剪除。十我因沒有違棄那聖者的言語、就仍以此爲安慰、在不止息的痛苦中、還可踊躍。十一我有甚麽氣力、使我等候．我有甚麽結局、使我忍耐。十二我的氣力、豈是石頭的氣力、我的肉身、豈是銅的呢．十三在我豈不是毫無幫助麽．智慧豈不是從我心中趕出淨盡麽。

責友無慈愛之心

十四那將要灰心、離棄全能者、不敬畏　神的人、他的朋友、當以慈愛待他。十五我的弟兄詭詐、好像溪水、又像溪水流乾的河道。十六這河、因結冰發黑、有雪藏在其中．十七天氣漸暖、就隨時消化．日頭炎熱、便從原處乾涸。十八結伴的客旅離棄大道、順河偏行、到荒野之地死亡。十九提瑪結伴的客旅瞻望、示巴同夥的人等候。二十他們因失了盼望就抱愧、來到那裏便蒙羞。二十一現在你們正是這樣．看見驚嚇的事便懼怕。二十二我豈說、請你們供給我、從你們的財物中送禮物給我。二十三豈說、拯救我脫離敵人的手麽、救贖我脫離強暴人的手麽。

請友教導

二十四請你們教導我、我便不作聲．使我明白在何事上有錯。二十五正直的言語、力量何其大．但你們責備、是責備甚麽呢。二十六絕望人的講論、既然如風、你們還想要駁正言語麽。二十七你們想爲孤兒拈鬮、以朋友當貨物。二十八現在請你們看看我、我決不當面說謊。二十九請你們轉意、不要不公．請再轉意、我的事有理。三十我的舌上、豈有不義麽．我的口裏、豈不辨奸惡麽。

第七章

在世之勞苦

一人在世上豈無爭戰麽．他的日子不像雇

工人的日子麼。二像奴僕切慕黑影、像雇工人盼望工價、
三我也照樣、經過困苦的日月、夜間的疲乏爲我而定。四我
躺臥的時候、便說、我何時起來、黑夜就過去呢。我盡是
反來覆去、直到天亮。五我的肉體以蟲子和塵土爲衣。我
的皮膚纔收了口、又重新破裂。六我的日子比梭更快、都
消耗在無指望之中。七求你想念、我的生命不過是一口
氣。我的眼睛必不再見福樂。八觀看我的人、他的眼必不
再見我。你的眼目要看我、我卻不在了。九雲彩消散而過、
照樣、人下陰間也不再上來。十他不再回自己的家、故土
也不再認識他。

訴神待之甚嚴

十一我不禁止我口。我靈愁苦、要發出言語。我心苦惱、要吐
露哀情。十二我對 神說、我豈是洋海、豈是大魚、你竟防守
我呢。十三若說、我的牀必安慰我、我的榻必解釋我的苦情。
十四你就用夢驚駭我、用異象恐嚇我。十五甚至我寧肯噎死、寧
肯死亡、勝似留我這一身的骨頭。十六我厭棄性命、不願永
活。你任憑我罷。因我的日子都是虛空。十七人算甚麼、你竟
看他爲大、將他放在心上、十八每早鑒察他、時刻試驗他。十九你
到何時纔轉眼不看我、纔任憑我咽下唾沫呢。二十鑒察人
的主阿、我若有罪、於你何妨、爲何以我當你的箭靶子、
使我厭棄自己的性命。二十一爲何不赦免我的過犯、除掉我
的罪孽。我現今要躺臥在塵土中、你要殷勤的尋找我、
我卻不在了。

第八章　比勒達言　神公義無私

一書亞人比勒達回答說、二這些話你要說到
幾時。口中的言語如狂風要到幾時呢。三 神豈能偏離
公平。全能者豈能偏離公義。四或者你的兒女得罪了他、
他使他們受報應。五你若殷勤的尋求 神、向全能者懇
求。六你若清潔正直、他必定爲你起來、使你公義的居所
興旺。七你起初雖然微小、終久必甚發達。◯八請你考問前
代、追念他們的列祖所查究的。九（我們不過從昨日纔
有、一無所知。我們在世的日子好像影兒。）十他們豈不
指教你、告訴你、從心裏發出言語來呢。

不虔敬者終遭絕滅

十一蒲草沒有泥、豈能發長。蘆荻沒有水、豈能生發。十二尚青的
時候、還沒有割下、比百樣的草先枯槁。十三凡忘記 神的

十四 人、景況也是這樣。不虔敬人的指望要滅沒。他所仰賴
十五 的必折斷、他所倚靠的是蜘蛛網。他要倚靠房屋、房屋
十六 卻站立不住。他要抓住房屋、房屋卻不能存留。他在日
十七 光之下發青、蔓子爬滿了園子。他的根盤繞石堆、扎入
十八 石地。他若從本地被拔出、那地就不認識他、說、我沒有
十九 見過你。看哪、這就是他道中之樂。以後必另有人從地
而生。

神不棄完人

二十 二一 神必不丟棄完全人、也不扶助邪惡人。他還要以喜
二二 笑充滿你的口、以歡呼充滿你的嘴。恨惡你的要披戴
慚愧。惡人的帳棚必歸於無有。

第九章

約伯承認神之智力

一 二 約伯回答說、我真知道是這樣。但人在
三 神面前怎能成為義呢。若願意與他爭辯、千中之一也
四 不能回答。他心裏有智慧、且大有能力。誰向神剛硬
五 六 而得亨通呢。他發怒、把山翻倒挪移、山並不知覺。他使
七 地震動、離其本位、地的柱子就搖撼。他吩咐日頭不出
八 來、就不出來、又封閉眾星。他獨自鋪張蒼天、步行在海
九 十 浪之上。他造北斗、參星、昴星、並南方的密宮。他行大事
十一 不可測度、行奇事不可勝數。他從我旁邊經過、我卻不
十二 看見他在我面前行走、我倒不知覺。他奪取、誰能阻擋、
誰敢問他、你作甚麼。

人受艱苦非盡因罪

十三 神必不收回他的怒氣。扶助拉哈伯的、屈身在他以
十四 下。既是這樣、我怎敢回答他、怎敢選擇言語與他辯論
十五 十六 呢。我雖有義、也不回答他。只要向那審判我的懇求。我
十七 若呼籲他應允我、我仍不信他真聽我的聲音。他用暴
十八 風折斷我、無故的加增我的損傷。我就是喘一口氣、他
十九 都不容、倒使我滿心苦惱。若論力量、他真有能力。若論
二十 審判、他說、誰能將我傳來呢。我雖有義、自己的口要定
二一 我為有罪。我雖完全、我口必顯我為彎曲。我本完全。不
二二 顧自己。我厭惡我的性命。善惡無分、都是一樣。所以我
二三 說、完全人和惡人、他都滅絕。若忽然遭殺害之禍、他必
二四 戲笑無辜的人遇難。世界交在惡人手中。蒙蔽世界審
二五 判官的臉。若不是他、是誰呢。○我的日子比跑信的更
二六 快、急速過去、不見福樂。我的日子過去如快船、如急落

二七 抓食的鷹。二七我若說、我要忘記我的哀情、除去我的愁容、
二八 心中暢快。二八我因愁苦而懼怕、知道你必不以我爲無辜。
二九 三十 二九我必被你定爲有罪．我何必徒然勞苦呢。三十我若用雪水
三一 洗身、用鹼潔淨我的手．三一你還要扔我在坑裏、我的衣服
三二 都憎惡我．三二他本不像我是人、使我可以回答他、又使我
三三 們可以同聽審判。三三我們中間沒有聽訟的人、可以向我
三四 三五 們兩造按手．三四願他把杖離開我、不使驚惶威嚇我．三五我就
說話、也不懼怕他．現在我卻不是那樣。

第十章 約伯求 神示以譴責之故

一 一我厭煩我的性命、必由着自己述說我的
二 哀情．因心裏苦惱、我要說話。二對 神說、不要定我有罪、
三 要指示我、你爲何與我爭辯。三你手所造的、你又欺壓、又
四 藐視、卻光照惡人的計謀．這事你以爲美麼。四你的眼豈
五 是肉眼．你查看、豈像人查看麼。五你的日子、豈像人的日
六 子．你的年歲、豈像人的年歲、六就追問我的罪孽、尋察我
七 的罪過麼。七其實、你知道我沒有罪惡、並沒有能救我脫
八 離你手的。○八你的手創造我、造就我的四肢百體．你還
九 要毀滅我。九求你記念、製造我如摶泥一般．你還要使我
十 歸於塵土麼。十你不是倒出我來好像奶、使我凝結如同
十一 奶餅麼。十一你以皮和肉爲衣給我穿上、用骨與筋把我全
十二 體聯絡。十二你將生命和慈愛賜給我、你也眷顧保全我的
十三 心靈。十三然而你待我的這些事、早已藏在你心裏．我知道
十四 你久有此意。十四我若犯罪、你就察看我、並不赦免我的罪
十五 孽。十五我若行惡、便有了禍．我若爲義、也不敢抬頭、正是滿
十六 心羞愧、眼見我的苦情。十六我若昂首自得、你就追捕我如
十七 獅子、又在我身上顯出奇能。十七你重立見證攻擊我、向我
十八 加增惱怒．如軍兵更換着攻擊我。○十八你爲何使我出母
十九 胎呢．不如我當時氣絕、無人得見我。十九這樣、就如沒有我
二十 二一 一般．一出母胎、就被送入墳墓。二十我的日子不是甚少麼．
求你停手寬容我、叫我在往而不返之先、就是往黑暗
二二 和死蔭之地以先、可以稍得暢快。二二那地甚是幽暗、是死
蔭混沌之地．那裏的光好像幽暗。

第十一章 瑣法責約伯自義

一 二 一拿瑪人瑣法回答說、二這許多的言語、豈
三 不該回答麼．多嘴多舌的人、豈可稱爲義麼。三你誇大的
話、豈能使人不作聲麼．你戲笑的時候、豈沒有人叫你

四五 害羞麼。四你說、我的道理純全、我在你眼前潔淨。五惟願
六 神說話、願他開口攻擊你。六並將智慧的奧祕指示你。他
有諸般的智識。所以當知道神追討你、比你罪孽該
七 得的還少。◎七你考察、就能測透神麼。你豈能盡情測
八 透全能者麼。八他的智慧高於天、你還能作甚麼。深於陰
九十 間、你還能知道甚麼。九其量比地長、比海寬。十他若經過、將
十一 人拘禁、招人受審、誰能阻擋他呢。十一他本知道虛妄的人。
十二 人的罪孽、他雖不留意、還是無所不見。十二空虛的人、卻毫
無知識、人生在世好像野驢的駒子。

勸其屏遠罪惡

十三十四 十三你若將心安正、又向主舉手。十四你手裏若有罪孽、就當遠
十五 遠的除掉、也不容非義住在你帳棚之中。十五那時、你必仰
十六 起臉來、毫無斑點、你也必堅固、無所懼怕。十六你必忘記你
十七 的苦楚、就是想起也如流過去的水一樣。十七你在世的日
十八 子、要比正午更明、雖有黑暗、仍像早晨。十八你因有指望、就
十九 必穩固、也必四圍巡查、坦然安息。十九你躺臥無人驚嚇、且
二十 有許多人向你求恩。二十但惡人的眼目必要失明、他們無
路可逃、他們的指望就是氣絕。

約伯自言己智不亞於友

一二 **第十二章** 一約伯回答說、二你們眞是子民哪、你們死
三 亡、智慧也就滅沒了。三但我也有聰明、與你們一樣、並非
四 不及你們。你們所說的、誰不知道呢。四我這求告神、蒙
他應允的人、竟成了朋友所譏笑的。公義完全人、竟受
五 了人的譏笑。五安逸的人心裏藐視災禍。這災禍常常等
六 待滑腳的人。六強盜的帳棚興旺、惹神的人穩固。神
七 多將財物送到他們手中。◎七你且問走獸、走獸必指教
八 你。又問空中的飛鳥、飛鳥必告訴你。八或與地說話、地必
九 指教你。海中的魚也必向你說明。九看這一切、誰不知道
十 是耶和華的手作成的呢。十凡活物的生命、和人類的氣
十一 息、都在他手中。十一耳朵豈不試驗言語、正如上膛嘗食物
十二 麼。十二年老的有智慧、壽高的有知識。

申言神之智能

十三十四 十三在神有智慧和能力、他有謀略和知識。十四他拆毀的、就
十五 不能再建造。他捆住人、便不得開釋。十五他把水留住、水便
十六 枯乾。他再發出水來、水就翻地。十六在他有能力和智慧、被
十七 誘惑的、與誘惑人的、都是屬他。十七他把謀士剝衣擄去、又

十八 使審判官變成愚人。十八他放鬆君王的綁、又用帶子捆他
十九 二十 們的腰。十九他把祭司剝衣擄去、又使有能的人傾敗。二十他廢
二十一 去忠信人的講論、又奪去老人的聰明。二十一他使君王蒙羞
二十二 被辱、放鬆有力之人的腰帶。二十二他將深奧的事從黑暗中
二十三 彰顯、使死蔭顯爲光明。二十三他使邦國興旺而又毀滅.他使
二十四 邦國開廣而又擄去。二十四他將地上民中首領的聰明奪去、
二十五 使他們在荒廢無路之地漂流。二十五他們無光、在黑暗中摸
索、又使他們東倒西歪、像醉酒的人一樣。

責友妄言證　神爲義

一 **第十三章** 一這一切我眼都見過、我耳都聽過、而且
二 三 明白。二你們所知道的、我也知道.並非不及你們。○三我眞
四 要對全能者說話、我願與神理論。四你們是編造謊言
五 的、都是無用的醫生。五惟願你們全然不作聲.這就算爲
六 你們的智慧。六請你們聽我的辯論、留心聽我口中的分
七 訴。七你們要爲神說不義的話麼.爲他說詭詐的言語
八 九 麼。八你們要爲神徇情麼、要爲他爭論麼。九他查出你們
十 來、這豈是好麼.人欺哄人、你們也要照樣欺哄他麼。十你
十一 們若暗中徇情、他必要責備你們。十一他的尊榮豈不叫你
十二 們懼怕麼.他的驚嚇、豈不臨到你們麼。十二你們以爲可記
念的箴言、是爐灰的箴言.你們以爲可靠的堅壘、是淤
十三 泥的堅壘。○十三你們不要作聲、任憑我罷、讓我說話.無論
十四 如何我都承當。十四我何必把我的肉挂在牙上、將我的命
十五 放在手中。十五他必殺我.我雖無指望、然而我在他面前還
十六 要辯明我所行的。十六這要成爲我的拯救、因爲不虔誠的
十七 人不得到他面前。十七你們要細聽我的言語、使我所辯論
十八 十九 的、入你們的耳中。十八我已陳明我的案、知道自己有義。十九有
二十 誰與我爭論、我就情願緘默不言氣絕而亡。○二十惟有兩
二十一 件、不要向我施行、我就不躲開你的面.二十一就是把你的手
二十二 縮回、遠離我身.又不使你的驚惶威嚇我。二十二這樣、你呼叫、
二十三 我就回答.或是讓我說話、你回答我。二十三我的罪孽和罪過
二十四 有多少呢.求你叫我知道我的過犯與罪愆。二十四你爲何掩
二十五 面、拿我當仇敵呢。二十五你要驚動被風吹的葉子麼.要追趕
二十六 枯乾的碎稭麼。二十六你按罪狀刑罰我、又使我擔當幼年的
二十七 罪孽.二十七也把我的脚上了木狗、並窺察我一切的道路、爲
二十八 我的脚掌劃定界限。二十八我已經像滅絕的爛物、像蟲蛀的
衣裳。

第十四章 歷言人生逝世甚速

一人爲婦人所生、日子短少、多有患難。二
來如花、又被割下、飛去如影、不能存留。三這樣的人你豈
睜眼看他麼、又叫我來受審麼。四誰能使潔淨之物出於
汚穢之中呢、無論誰也不能。五人的日子既然限定、他的
月數在你那裏、你也派定他的界限、使他不能越過。六便
求你轉眼不看他、使他得歇息、直等他像雇工人完畢
他的日子。○七樹若被砍下、還可指望發芽、嫩枝生長不
息。八其根雖然衰老在地裏、榦也死在土中、九及至得了水
氣、還要發芽、又長枝條、像新栽的樹一樣。十但人死亡而
消滅、他氣絶、竟在何處呢。十一海中的水絶盡、江河消散乾
涸。十二人也是如此、躺下不再起來、等到天沒有了、仍不得
復醒、也不得從睡中喚醒。○十三惟願你把我藏在陰間、存
於隱密處、等你的忿怒過去、願你爲我定了日期、記念
我。十四人若死了、豈能再活呢。我只要在我一切爭戰的日
子、等我被釋放的時候來到。十五被釋放或作改變 你呼叫、我便回
答。你手所作的、你必羨慕。十六但如今你數點我的脚步、豈
不窺察我的罪過麼。十七我的過犯被你封在囊中、也縫嚴
了我的罪孽。○十八山崩變爲無有、磐石挪開原處。十九水流消
磨石頭、所流溢的、洗去地上的塵土、你也照樣滅絶人
的指望。二十你攻擊人常常得勝、使他去世、你改變他的容
貌、叫他往而不回。二十一他兒子得尊榮、他也不知道、降爲卑
他也不覺得。二十二但知身上疼痛、心中悲哀。

第十五章 以利法復責約伯妄言己義

一提幔人以利法回答說、二智慧人豈可用
虛空的知識回答、用東風充滿肚腹呢。三他豈可用無益
的話、和無濟於事的言語理論呢。四你是廢棄敬畏的意、
在神面前阻止敬虔的心。五你的罪孽指教你的口、你
選用詭詐人的舌頭。六你自己的口定你有罪、並非是我。
你自己的嘴見證你的不是。○七你豈是頭一個被生的
人麼。你受造在諸山之先麼。八你曾聽見神的密旨麼。
你還將智慧獨自得盡麼。九你知道甚麼、是我們不知道
的呢。你明白甚麼、是我們不明白的呢。十我們這裏有白
髮的、和年紀老邁的、比你父親還老。十一神用溫和的話
安慰你、你以爲太小麼。十二你的心爲何將你逼去、你的眼
爲何冒出火星、十三使你的靈反對神、神也任你的口發這

言語。十四人是甚麼、竟算為潔淨呢．婦人所生的是甚麼、竟
算為義呢。十五神不信靠他的衆聖者、在他眼前天也不
潔淨．十六何況那污穢可憎喝罪孽如水的世人呢．

惡人處世不離驚惶

十七我指示你、你要聽．我要述說所看見的、十八就是智慧人從
列祖所受傳說而不隱瞞的。十九（這地惟獨賜給他們、並
沒有外人從他們中間經過．）二十惡人一生之日、劬勞痛
苦、強暴人一生的年數、也是如此。二十一驚嚇的聲音常在他
耳中．在平安時搶奪的必臨到他那裏．二十二他不信自己能
從黑暗中轉回．他被刀劍等候．二十三他漂流在外求食、說、那
裏有食物呢．他知道黑暗的日子在他手邊豫備好了。
二十四急難困苦叫他害怕、而且勝了他、好像君王豫備上陣
一樣。二十五他伸手攻擊 神、以驕傲攻擊全能者、二十六挺着頸項、
用盾牌的厚凸面、向全能者直闖、二十七是因他的臉蒙上脂
油、腰積成肥肉．二十八他曾住在荒涼城邑、無人居住將成亂
堆的房屋。二十九他不得富足、財物不得常存、產業在地上也
不加增。三十他不得出離黑暗．火燄要將他的枝子燒乾、因
神口中的氣、他要滅亡。（滅亡原文作走去）三十一他不用倚靠虛假、
欺哄自己．因虛假必成為他的報應。三十二他的日期未到之
先、這事必成就、他的枝子不得青綠。三十三他必像葡萄樹的
葡萄、未熟而落、又像橄欖樹的花、一開而謝。三十四原來不敬
虔之輩、必無生育、受賄賂之人的帳棚、必被火燒。三十五他們
所懷的是毒害、所生的是罪孽、心裏所豫備的是詭詐。

第十六章

約伯責友之慰藉反增苦惱

一約伯回答說、二這樣的話我聽了許多．你
們安慰人、反叫人愁煩。三虛空的言語有窮盡麼．有甚麼
話惹動你回答呢。四我也能說你們那樣的話．你們若處
在我的境遇、我也會聯絡言語攻擊你們、又能向你們
搖頭。五但我必用口堅固你們、用嘴消解你們的憂愁．

歷言其憂苦難堪

六我雖說話、憂愁仍不得消解．我雖停住不說、憂愁就離
開我麼．七但現在 神使我困倦．使親友遠離我。八又抓住
我、作見證攻擊我．我身體的枯瘦也當面見證我的不
是。九主發怒撕裂我、逼迫我、向我切齒．我的敵人怒目看
我。十他們向我開口、打我的臉羞辱我、聚會攻擊我。十一神
把我交給不敬虔的人、把我扔到惡人的手中。十二我素來

安逸、他折斷我、掐住我的頸項、把我摔碎。又立我為他
十三 的箭靶子。[十三]他的弓箭手四面圍繞我。他破裂我的肺腑、
十四 並不留情。把我的膽傾倒在地上。[十四]將我破裂又破裂。如
十五 同勇士向我直闖。[十五]我縫麻布在我皮膚上、把我的角放
十六 在塵土中。[十六]我的臉因哭泣發紫、在我的眼皮上有死蔭。
十七 [十七]我的手中卻無強暴、我的祈禱也是清潔。

向神哀訴

十八十九 [十八]地阿、不要遮蓋我的血、不要阻擋我的哀求。[十九]現今在天
二十 有我的見證、在上有我的中保。[二十]我的朋友譏誚我、我卻
二一 向神眼淚汪汪。[二一]願人得與神辯白、如同人與朋友
二二 辯白一樣。[二二]因為再過幾年、我必走那往而不返之路。

申述其憂苦

一 **第十七章** [一]我的心靈消耗、我的日子滅盡、墳墓為
二 我豫備好了。[二]真有戲笑我的在我這裏、我眼常見他們
三 惹動我。[三]○願主拿憑據給我、自己為我作保。在你以外
四 誰肯與我擊掌呢。[四]因你使他們心不明理、所以你必不
五 高舉他們。[五]控告他的朋友、以朋友為可搶奪的、連他兒
六 女的眼睛也要失明。[六]○神使我作了民中的笑談、他

七 們也吐唾沫在我臉上。[七]我的眼睛因憂愁昏花、我的百
八 體好像影兒。[八]正直人因此必驚奇、無辜的人要興起攻
九 擊不敬虔之輩。[九]然而義人要持守所行的道、手潔的人
十 要力上加力。[十]至於你們眾人、可以再來辯論罷、你們中
十一 間、我找不着一個智慧人。[十一]我的日子已經過了、我的謀
十二 算、我心所想望的、已經斷絕。[十二]他們以黑夜為白晝、說亮
十三 光近乎黑暗。[十三]我若盼望陰間為我的房屋、若下榻在黑
十四 暗中。[十四]若對朽壞說、你是我的父、對蟲說、你是我的母親
十五 姐妹。[十五]這樣、我的指望在那裏呢。我所指望的、誰能看見
十六 呢。[十六]等到安息在塵土中、這指望必下到陰間的門閂那
裏了。

比勒達責約伯繁言

一二 **第十八章** [一]書亞人比勒達回答說、[二]你尋索言語要
三 到幾時呢。你可以揣摩思想、然後我們就說話。[三]我們為
四 何算為畜生、在你眼中看作污穢呢。[四]你這惱怒將自己
撕裂的、難道大地為你見棄、磐石挪開原處麼。

惡人之禍患

六五 [五]惡人的亮光必要熄滅、他的火燄必不照耀。[六]他帳棚中

七 的亮光、要變爲黑暗.他以上的燈、也必熄滅。七他堅強的
八 脚步、必見狹窄、自己的計謀、必將他絆倒。八因爲他被自
九 己的脚陷入網中、走在纏人的網羅上。九圈套必抓住他
十 的脚跟、機關必擒獲他。十活扣爲他藏在土內、羈絆爲他
十一 藏在路上。十一四面的驚嚇要使他害怕、並且追趕他的脚
十二 十三 跟。十二他的力量必因飢餓衰敗、禍患要在他旁邊等候。十三他
本身的肢體要被吞喫、死亡的長子要吞喫他的肢體。
十四 十四他要從所倚靠的帳棚被拔出來、帶到驚嚇的王那裏。
十五 十五不屬他的必住在他的帳棚裏。硫磺必撒在他所住之
十六 十七 處。十六下邊、他的根本要枯乾.上邊、他的枝子要剪除。十七他的
十八 記念、在地上必然滅亡、他的名字在街上也不存留。十八他
十九 必從光明中被攆到黑暗裏、必被趕出世界。十九在本民中
二十 必無子無孫、在寄居之地、也無一人存留。二十以後來的、要
二十一 驚奇他的日子、好像以前去的、受了驚駭。二十一不義之人的
住處、總是這樣、此乃不認識　神之人的地步。

第十九章　約伯責友誇己譴人

一 二 一約伯回答說、二你們攪擾我的心、用言語
三 壓碎我、要到幾時呢。三你們這十次羞辱我.你們苦待我
四 五 也不以爲恥。四果眞我有錯、這錯乃是在我。五你們果然要
六 向我誇大、以我的羞辱爲證指責我、六就該知道是　神
七 傾覆我、用網羅圍繞我。七○我因委曲呼叫、卻不蒙應允.
八 我呼求、卻不得公斷。八神用籬笆攔住我的道路、使我
九 不得經過.又使我的路徑黑暗。九他剝去我的榮光、摘去
十 我頭上的冠冕。十他在四圍攻擊我、我便歸於死亡.將我
十一 的指望如樹拔出來。十一他的忿怒向我發作、以我爲敵人。
十二 十二他的軍旅一齊上來、修築戰路攻擊我、在我帳棚的四
圍安營。

求友矜憐

十三 十三他把我的弟兄隔在遠處、使我所認識的、全然與我生
十四 十五 疎。十四我的親戚與我斷絕、我的密友都忘記我。十五在我家寄
居的、和我的使女、都以我爲外人、我在他們眼中看爲
十六 十七 外邦人。十六我呼喚僕人、雖用口求他、他還是不回答。十七我口
十八 的氣味、我妻子厭惡、我的懇求、我同胞也憎嫌。十八連小孩
十九 子也藐視我.我若起來、他們都嘲笑我。十九我的密友都憎
二十 惡我、我平日所愛的人向我翻臉。二十我的皮肉緊貼骨頭、
二十一 我只剩牙皮逃脫了。二十一我朋友阿、可憐我、可憐我、因爲

二二 神的手攻擊我。[二二]你們爲甚麼彷彿神逼迫我、喫我的肉
還以爲不足呢。

深信終得救恩

二三 二四 [二三]惟願我的言語、現在寫上、都記錄在書上。[二四]用鐵筆鐫刻、
二五 用鉛灌在磐石上、直存到永遠。[二五]我知道我的救贖主活
二六 着、末了必站立在地上。[二六]我這皮肉滅絕之後、我必在肉
二七 體之外得見神。[二七]我自己要見他、親眼要看他、並不像
二八 外人．我的心腸在我裏面消滅了。[二八]你們若說、我們逼迫
二九 他、要何等的重呢、惹事的根乃在乎他。[二九]你們就當懼怕
刀劍．因爲忿怒惹動刀劍的刑罰、使你們知道有報應。原文作審判

第二十章

瑣法言惡者暫興終必滅亡

二 一 [一]拿瑪人瑣法回答說、[二]我心中急躁、所以
三 我的思念叫我回答。[三]我已聽見那羞辱我責備我的話．
四 我的悟性叫我回答。[四]你豈不知亙古以來、自從人生在
五 地、[五]惡人誇勝是暫時的、不敬虔人的喜樂不過轉眼之
六 七 間麼。[六]他的尊榮雖達到天上、頭雖頂到雲中、[七]他終必滅
亡、像自己的糞一樣．素來見他的人要說、他在那裏呢。

八 九 [八]他必飛去如夢、不再尋見．速被趕去如夜間的異象。[九]親
十 眼見過他的、必不再見他．他的本處、也再見不着他。[十]他
十一 的兒女要求窮人的恩．他的手要賠還不義之財。[十一]他的
骨頭雖然有青年之力、卻要和他一同躺臥在塵土中。
十二 十三 ○他[十二]口內雖以惡爲甘甜、藏在舌頭底下、[十三]愛戀不捨、含
十四 在口中．他的食物在肚裏、卻要化爲酸、在他裏面成爲
十五 虺蛇的惡毒。[十五]他吞了財寶、還要吐出．神要從他腹中
十六 掏出來。[十六]他必吸飲虺蛇的毒氣．蝮蛇的舌頭也必殺他。
十七 十八 [十七]流奶與蜜之河、他不得再見。[十八]他勞碌得來的要賠還、不
十九 得享用．原文作吞下 他不能照所得的財貨歡樂。[十九]他欺壓窮人、
且又離棄．強取非自己所蓋的房屋。或作強取房屋不得再建造 ○
二十 二一 [二十]他因貪而無厭、所喜悅的連一樣也不能保守。[二一]其餘的、
二二 沒有一樣他不吞滅．所以他的福樂不能長久。[二二]他在滿
足有餘的時候、必到狹窄的地步．凡受苦楚的人、都必
二三 加手在他身上。[二三]他正要充滿肚腹的時候、神必將猛
烈的忿怒降在他身上．正在他喫飯的時候、要將這忿
二四 怒像雨降在他身上。[二四]他要躲避鐵器、銅弓的箭要將他
二五 射透。[二五]他把箭一抽、就從他身上出來．發光的箭頭從他

二六 膽中出來、有驚惶臨在他身上。二六他的財寶歸於黑暗、人
所不吹的火、要把他燒滅、要把他帳棚中所剩下的燒
二七 二八 燬。二七天要顯明他的罪孽、地要興起攻擊他。二八他的家產必
二九 然過去、神發怒的日子、他的貨物都要消滅。二九這是惡
人從神所得的分、是神為他所定的產業。

第二十一章

約伯述惡人藐主反享平康

一 二 一約伯回答說、二你們要細聽我的言語、
三 就算是你們安慰我。三請寬容我、我又要說話、說了以後、
四 五 任憑你們嗤笑罷。四我豈是向人訴冤、為何不焦急呢。五你
六 們要看着我而驚奇、用手摀口。六我每逢思想、心就驚惶、
七 八 渾身戰兢。七惡人為何存活、享大壽數、勢力強盛呢。八他們
九 眼見兒孫、和他們一同堅立。九他們的家宅平安無懼、
十 神的杖也不加在他們身上。十他們的公牛孳生而不斷
十一 絕、母牛下犢而不掉胎。十一他們打發小孩子出去、多如羊
十二 羣、他們的兒女踊躍跳舞。十二他們隨着琴鼓歌唱、又因簫
十三 十四 聲歡喜。十三他們度日諸事亨通、轉眼下入陰間。十四他們對
十五 神說、離開我們罷、我們不願曉得你的道。十五全能者是誰、
十六 我們何必事奉他呢、求告他有甚麼益處呢。十六看哪、他們
十七 亨通不在乎自己。惡人所謀定的離我好遠。◯十七惡人的
燈何嘗熄滅、患難何嘗臨到他們呢、神何嘗發怒、向
十八 他們分散災禍呢。十八他們何嘗像風前的碎稭、如暴風颳
十九 去的糠粃呢。十九你們說、神為惡人的兒女積蓄罪孽、我
二十 說、不如本人受報、好使他親自知道。二十願他親眼看見自
二一 己敗亡、親自飲全能者的忿怒。二一他的歲月既盡、他還顧
二二 他本家麼。二二神既審判那在高位的、誰能將知識教訓
二三 二四 他呢。二三有人至死身體強壯、盡得平靖安逸。二四他的奶桶充
二五 滿、他的骨髓滋潤。二五有人至死心中痛苦、終身未嘗福樂
二六 二七 的滋味。二六他們一樣躺臥在塵土中、都被蟲子遮蓋。◯二七我
二八 知道你們的意思、並誣害我的計謀。二八你們說、霸者的房
二九 屋在那裏、惡人住過的帳棚在那裏。二九你們豈沒有詢問
三十 過路的人麼、不知道他們所引的證據麼。三十就是惡人在
三一 禍患的日子得存留、在發怒的日子得逃脫。三一他所行的、
三二 有誰當面給他說明、他所作的、有誰報應他呢。三二然而他
三三 要被抬到塋地、並有人看守墳墓。三三他要以谷中的土塊
三四 為甘甜、在他以先去的無數、在他以後去的更多。三四你們
對答的話中既都錯謬、怎麼徒然安慰我呢。

第二十二章　以利法歷指約伯之罪

一二 一提幔人以利法回答說、二人豈能使
三 神有益呢．智慧人但能有益於己。三你爲人公義、豈叫全
四 能者喜悅呢．你行爲完全、豈能使他得利呢。四豈是因你
五 敬畏他、就責備你、審判你麼。五你的罪惡豈不是大麼．你
六 的罪孽也沒有窮盡。六因你無故強取弟兄的物爲當頭、
七 剝去貧寒人的衣服。七困乏的人你沒有給他水喝．飢餓
八 的人你沒有給他食物。八有能力的人、就得地土．尊貴的
九 人、也住在其中。九你打發寡婦空手回去、折斷孤兒的膀
十十一 臂。十因此、有網羅環繞你、有恐懼忽然使你驚惶．十一或有黑
十二 暗蒙蔽你、並有洪水淹沒你。◯十二神豈不是在高天麼．
十三 你看星宿何其高呢。十三你說、神知道甚麼．他豈能看透
十四 幽暗施行審判呢。十四密雲將他遮蓋、使他不能看見．他周
十五十六 遊穹蒼。十五你要依從上古的道麼．這道是惡人所行的．十六他
十七 們未到死期、忽然除滅．根基毀壞、好像被江河沖去．十七他
們向神說、離開我們罷．又說、全能者能把我們怎麼
十八 樣呢。十八那知神以美物充滿他們的房屋．但惡人所謀
十九 定的離我好遠。十九義人看見他們的結局就歡喜、無辜的
二十 人嗤笑他們、說、二十那起來攻擊我們的、果然被剪除、其餘
的都被火燒滅。

勸其認識神而得平安

二一二二 二一你要認識神、就得平安．福氣也必臨到你。二二你當領受
二三 他口中的教訓、將他的言語存在心裏。二三你若歸向全能
二四 者、從你帳棚中遠除不義、就必得建立。二四要將你的珍寶
二五 丟在塵土裏、將俄斐的黃金丟在溪河石頭之間。二五全能
二六 者就必爲你的珍寶、作你的寶銀。二六你就要以全能者爲
二七 喜樂、向神仰起臉來。二七你要禱告他、他就聽你．你也要
二八 還你的願。二八你定意要作何事、必然給你成就．亮光也必
二九 照耀你的路。二九人使你降卑、你仍可說、必得高升．謙卑的
三十 人、神必然拯救。三十人非無辜、神且要搭救他．他因你
手中清潔、必蒙拯救。

第二十三章　約伯自言願詣神陳述其寃

一二 一約伯回答說、二如今我的哀告還算爲
三 悖逆．我的責罰比我的唉哼還重。三惟願我能知道在那
四 裏可以尋見神、能到他的臺前。四我就在他面前將我
五 的案件陳明、滿口辯白。五我必知道他回答我的言語、明

六 白他向我所說的話。六他豈用大能與我爭辯麼．必不這
七 樣．他必理會我。七在他那裏正直人可以與他辯論．這樣、
八 我必永遠脫離那審判我的。八只是我往前行、他不在那：
九 裏．往後退、也不能見他。九他在左邊行事、我卻不能看見．
十 在右邊隱藏、我也不能見他。十然而他知道我所行的路、
他試煉我之後、我必如精金。

自言守道弗違

十一十二 十一我腳追隨他的步履．我謹守他的道、並不偏離。十二他嘴唇
的命令我未曾背棄．我看重他口中的言語、過於我需
十三 用的飲食。十三只是他心志已定、誰能使他轉意呢．他心裏
十四 所願的、就行出來。十四他向我所定的、就必作成．這類的事
十五 他還有許多。十五所以我在他面前驚惶．我思念這事、便懼
十六十七 怕他。十六神使我喪膽、全能者使我驚惶。十七我的恐懼、不是
因為黑暗、也不是因為幽暗蒙蔽我的臉。

言善人惡人死亡無異

一 **第二十四章** 一全能者既定期罰惡、為何不使認識
二 他的人看見那日子呢。二有人挪移地界、搶奪羣畜而牧
三四 養。三他們拉去孤兒的驢、強取寡婦的牛為當頭。四他們使

五 窮人離開正道．世上的貧民盡都隱藏。五這些貧窮人、如
同野驢出到曠野、殷勤尋找食物．他們靠着野地給兒
六 女餬口。六收割別人田間的禾稼．摘取惡人餘剩的葡萄．
七八 七終夜赤身無衣、天氣寒冷毫無遮蓋。八在山上被大雨淋
九 濕．因沒有避身之處就挨近磐石。九又有人從母懷中搶
十 奪孤兒、強取窮人的衣服為當頭．十使人赤身無衣、到處
十一 流行．且因飢餓扛抬禾捆。十一在那些人的園牆內造油醡
十二 酒、自己還口渴。十二在多民的城內有人唉哼、受傷的人哀
十三 號．神卻不理會那惡人的愚妄。◎十三又有人背棄光明、
十四 不認識光明的道、不住在光明的路上。十四殺人的黎明起
十五 來、殺害困苦窮乏人．夜間又作盜賊。十五姦夫等候黃昏、說、
十六 必無眼能見我、就把臉蒙蔽。十六盜賊黑夜挖窟窿、白日躲
十七 藏、並不認識光明。十七他們看早晨如幽暗．因為他們曉得
十八 幽暗的驚駭。◎十八這些惡人猶如浮萍快快飄去．他們所
十九 得的分在世上被咒詛．他們不得再走葡萄園的路。十九乾
二十 旱炎熱消沒雪水．陰間也如此消沒犯罪之輩。二十懷他的
母(原文作胎)要忘記他．蟲子要喫他、覺得甘甜．他不再被人
二十一 記念．不義的人必如樹折斷。二十一他惡待(或作他吞滅)不懷孕不

生養的婦人、不善待寡婦。二二然而神用能力保全有勢
力的人．那性命難保的人仍然興起。二三神使他們安穩、
他們就有所倚靠．神的眼目也看顧他們的道路。二四他
們被高舉不過片時、就沒有了．他們降爲卑、被除滅、與
衆人一樣．又如穀穗被割。二五若不是這樣、誰能證實我是
說謊的、將我的言語駁爲虛空呢。

比勒達言人於神難稱義潔

第二十五章 一書亞人比勒達回答說、二神有治理
之權、有威嚴可畏．他在高處施行和平。三他的諸軍、豈能
數算．他的光亮一發、誰不蒙照呢。四這樣在神面前、人
怎能稱義．婦人所生的、怎能潔淨。五在神眼前月亮也
無光亮、星宿也不清潔。六何況如蟲的人、如蛆的世人呢。

約伯訕笑比勒達

第二十六章 一約伯回答說、二無能的人、蒙你何等的
幫助．膀臂無力的人、蒙你何等的拯救。三無智慧的人、蒙
你何等的指教．你向他多顯大知識。四你向誰發出言語
來．誰的靈從你而出。五〇在大水和水族以下的陰魂戰
兢。六在神面前陰間顯露、滅亡也不得遮掩。七神將北
極鋪在空中、將大地懸在虛空。八將水包在密雲中、雲卻
不破裂。九遮蔽他的寶座、將雲鋪在其上。十在水面的周圍
劃出界限、直到光明黑暗的交界。十一天的柱子因他的斥
責震動驚奇。十二他以能力攪動大海、（攪動或作平靜）他藉知識打
傷拉哈伯。十三藉他的靈使天有妝飾．他的手刺殺快蛇。十四看
哪、這不過是神工作的些微．我們所聽於他的是何
等細微的聲音．他大能的雷聲誰能明透呢。

自言守義不譎

第二十七章 一約伯接着說、二神奪去我的理、全能
者使我心中愁苦。三我指着永生的神起誓、（我的生
命尚在我裏面、神所賜呼吸之氣仍在我的鼻孔
內）四我的嘴決不說非義之言、我的舌也不說詭詐之
語。五我斷不以你們爲是．我至死必不以自己爲不正。六我
持定我的義、必不放鬆．在世的日子我心必不責備我。
七願我的仇敵如惡人一樣、願那起來攻擊我的、如不義
之人一般。

不虔者所望乃虛

八不敬虔的人、雖然得利、神奪取其命的時候、還有甚

九 十 麼指望呢。患難臨到他、神豈能聽他的呼求。他豈以
十一 全能者爲樂、隨時求告神呢。神的作爲、我要指教
十二 你們、全能者所行的、我也不隱瞞。你們自己也都見過。
十三 爲何全然變爲虛妄呢。○神爲惡人所定的分、強暴
十四 人從全能者所得的報、(報原文作產業)乃是這樣。倘或他的兒
十五 女增多、還是被刀所殺。他的子孫必不得飽食。他所遺
十六 留的人、必死而埋葬。他的寡婦也不哀哭。他雖積蓄銀
十七 子如塵沙、豫備衣服如泥土。他只管豫備、義人卻要穿
十八 上。他的銀子、無辜的人要分取。他建造房屋如蟲作窩、
十九 又如守望者所搭的棚。他雖富足躺臥、卻不得收殮。轉
二十 眼之間就不在了。驚恐如波濤、將他追上。暴風在夜間、
二一 二二 將他颳去。東風把他飄去、又颳他離開本處。神要向
二三 他射箭、並不留情。他恨不得逃脫 神的手。人要向他
拍掌、並要發吒聲、使他離開本處。

第二十八章

萬物可尋惟智非主莫賜

一 二 銀子有礦、煉金有方。鐵從地裏挖出、
三 銅從石中鎔化。人爲黑暗定界限、查究幽暗陰翳的石
四 頭、直到極處。在無人居住之處刨開礦穴、過路的人也

五 想不到他們。又與人遠離、懸在空中搖來搖去。至於地、
六 能出糧食。地內好像被火翻起來。地中的石頭有藍寶
七 石、並有金沙。礦中的路鷙鳥不得知道、鷹眼也未見過。
八 九 狂傲的野獸未曾行過。猛烈的獅子也未曾經過。人伸
十 手鑿開堅石、傾倒山根。在磐石中鑿出水道、親眼看見
十一 各樣寶物。他封閉水不得滴流、使隱藏的物顯露出來。
十二 十三 ○然而智慧有何處可尋。聰明之處在那裏呢。智慧的
十四 價值無人能知、在活人之地也無處可尋。深淵說、不在
十五 我內。滄海說、不在我中。智慧非用黃金可得、也不能平
十六 白銀爲他的價值。俄斐金、和貴重的紅瑪瑙、並藍寶石、
十七 不足與較量。黃金、和玻璃、不足與比較。精金的器皿、不
十八 足與兌換。珊瑚水晶、都不足論。智慧的價值勝過珍珠。
十九 (或作紅寶石)古實的紅璧璽、不足與比較。精金也不足與較
二十 二一 量。智慧從何處來呢。聰明之處在那裏呢。是向一切有
二二 生命的眼目隱藏、向空中的飛鳥掩蔽。滅沒和死亡說、
二三 我們風聞其名。○神明白智慧的道路、曉得智慧的
二四 二五 所在。因他鑒察直到地極、遍觀普天之下。要爲風定輕
二六 二七 重、又度量諸水。他爲雨露定命令、爲雷電定道路。那時

二八 他看見智慧、而且述說．他堅定、並且查究。二八他對人說、敬
畏主就是智慧、遠離惡便是聰明。

第二十九章　約伯自述昔之佳景

一 二 一約伯又接着說、二惟願我的景況如從
三 前的月分、如　神保守我的日子。三那時他的燈照在我
四 頭上．我藉他的光行過黑暗。四我願如壯年的時候。那時
五 我在帳棚中．　神待我有密友之情．五全能者仍與我同
六 在、我的兒女都環繞我．六奶多可洗我的脚、磐石為我出
七 八 油成河。七我出到城門、在街上設立座位、八少年人見我而
九 迴避、老年人也起身站立．九王子都停止說話、用手摀口．
十 十一 十首領靜默無聲、舌頭貼住上膛。十一耳朵聽我的、就稱我有
十二 福．眼睛看我的、便稱讚我．十二因我拯救哀求的困苦人、和
十三 無人幫助的孤兒。十三將要滅亡的為我祝福．我也使寡婦
十四 十五 心中歡樂。十四我以公義為衣服、以公平為外袍和冠冕。十五我
十六 為瞎子的眼、瘸子的脚。十六我為窮乏人的父．素不認識的
十七 人我查明他的案件。十七我打破不義之人的牙牀、從他牙
十八 齒中奪了所搶的。十八我便說、我必死在家中、（原文作窩中）必增
十九 添我的日子、多如塵沙．十九我的根長到水邊、露水終夜霑
二十 在我的枝上．二十我的榮耀在身上增新、我的弓在手中日
二一 二二 強。二一人聽見我而仰望、靜默等候我的指教。二二我說話之後、
二三 他們就不再說．我的言語像雨露滴在他們身上。二三他們
二四 仰望我如仰望雨．又張開口如切慕春雨。二四他們不敢自
二五 信、我就向他們含笑．他們不使我臉上的光改變。二五我為
他們選擇道路、又坐首位．我如君王在軍隊中居住．又
如弔喪的安慰傷心的人。

第三十章　復述今之艱苦

一 一但如今比我年少的人戲笑我．其人之
二 父、我曾藐視、不肯安在看守我羊羣的狗中。二他們壯年
三 的氣力既已衰敗、其手之力與我何益呢。三他們因窮乏
四 飢餓、身體枯瘦．在荒廢淒涼的幽暗中、齦乾燥之地。四在
草叢之中採鹹草．羅騰的根為他們的食物。（羅騰小樹名松類）
五 六 五他們從人中被趕出、人追喊他們如賊一般．六以致他們
七 住在荒谷之間、在地洞和巖穴中．七在草叢中叫喚、在荊
八 棘下聚集．八這都是愚頑下賤人的兒女．他們被鞭打、趕
九 十 出境外。九◯現在這些人以我為歌曲、以我為笑談。十他們
十一 厭惡我、躲在旁邊站着、不住的吐唾沫在我臉上．十一鬆開

十二 他們的繩索苦待我、在我面前脫去轡頭。十二這等下流人
十三 在我右邊起來、推開我的脚、築成戰路來攻擊我。十三這些
十四 無人幫助的、毀壞我的道、加增我的災。十四他們來如同闖
十五 進大破口．在毀壞之間、輥在我身上。十五驚恐臨到我．驅逐
我的尊榮如風．我的福祿如雲過去。

言神不聽其籲

十六 十七 現十六在我心極其悲傷．困苦的日子將我抓住。十七夜間我裏
十八 面的骨頭刺我、疼痛不止、好像齦我。十八因神的大力、我
十九 的外衣汚穢不堪．又如裏衣的領子將我纏住。十九神把
二十 我扔在淤泥中、我就像塵土和爐灰一般。二十主阿、我呼求
二一 你、你不應允我．我站起來、你就定睛看我。二一你向我變心、
二二 待我殘忍．又用大能追逼我．二二把我提在風中、使我駕風
二三 而行．又使我消滅在烈風中。二三我知道要使我臨到死地、
二四 到那為衆生所定的陰宅。○二四然而人仆倒、豈不伸手．遇
二五 災難、豈不求救呢。二五人遭難、我豈不為他哭泣呢．人窮乏、
二六 我豈不為他憂愁呢。二六我仰望得好處、災禍就到了．我等
二七 待光明、黑暗便來了。二七我心裏煩擾不安、困苦的日子臨
二八 到我身。二八我沒有日光就哀哭行去．（或作我面發黑並非因日曬）我在
二九 三十 會中站着求救。二九我與野狗為弟兄、與鴕鳥為同伴。三十我的
三一 皮膚黑而脫落．我的骨頭因熱燒焦。三一所以我的琴音變
為悲音、我的簫聲變為哭聲。

第三十一章

自言雖遭困苦守道不偏

一 我與眼睛立約、怎能戀戀瞻望處女
二 呢。二從至上的神所得之分、從至高全能者所得之業、
三 是甚麼呢。三豈不是禍患臨到不義的、災害臨到作孽的
四 五 呢。四神豈不是察看我的道路、數點我的脚步呢。○五我
六 若與虛謊同行、脚若追隨詭詐．六我若被公道的天平稱
七 度、使神可以知道我的純正．七我的脚步若偏離正路、
八 我的心若隨着我的眼目、若有玷汚粘在我手上．八就願
九 我所種的、有別人喫．我田所產的、被拔出來。○九我若受
十 迷惑、向婦人起淫念、在鄰舍的門外蹲伏．十就願我的妻
十一 子給別人推磨、別人也與他同室。十一因為這是大罪、是審
十二 判官當罰的罪孽。十二這本是火焚燒、直到燬滅、必拔除我
十三 所有的家產。十三我的僕婢與我爭辯的時候、我若藐視不
十四 聽他們的情節．十四神興起、我怎樣行呢．他察問、我怎樣
十五 回答呢。十五造我在腹中的、不也是造他麼．將他與我摶在

腹中的、豈不是一位麽。◎十六我若不容貧寒人得其所願、
或叫寡婦眼中失望、十七或獨自喫我一點食物、孤兒沒有
與我同喫、十八（從幼年時孤兒與我同長、好像父子一樣、
我從出母腹就扶助寡婦。扶助原文作引領）十九我若見人因無
衣死亡、或見窮乏人身無遮蓋、二十我若不使他因我羊的
毛得煖、為我祝福、二一我若在城門口見有幫助我的、舉手
攻擊孤兒、二二情願我的肩頭從缺盆骨脫落、我的膀臂從
羊矢骨折斷。二三因神降的災禍、使我恐懼、因他的威嚴、
我不能妄為。◎二四我若以黃金為指望、對精金說、你是我
的倚靠、二五我若因財物豐裕、因我手多得貲財而歡喜、二六我
若見太陽發光、明月行在空中、二七心就暗暗被引誘、口便
親手、二八這也是審判官當罰的罪孽、又是我背棄在上的
神。二九我若見恨我的遭報就歡喜、見他遭災便高興、
三十（我沒有容口犯罪、咒詛他的生命）三一若我帳棚的人
未嘗說、誰不以主人的食物喫飽呢、三二（從來我沒有容
客旅在街上住宿、卻開門迎接行路的人）三三我若像亞
當亞當或作別人遮掩我的過犯、將罪孽藏在懷中、三四因懼怕大
衆、又因宗族藐視我使我驚恐、以致閉口無言、杜門不

出。三五惟願有一位肯聽我、（看哪、在這裏有我所劃的押、
願全能者回答我）三六願那敵我者所寫的狀詞在我這
裏、我必帶在肩上、又綁在頭上為冠冕。三七我必向他述說
我腳步的數目、必如君王進到他面前。三八我若奪取田地、
這地向我喊冤、犂溝一同哭泣、三九我若喫地的出產不給
價值、或叫原主喪命、四十願這地長蒺藜代替麥子、長惡草
代替大麥。約伯的話說完了。

第三十二章　以利戶怒約伯自義並怒其三友

一於是這三個人、因約伯自以為義、就
不再回答他。二那時有布西人蘭族巴拉迦的兒子以利
戶、向約伯發怒、因約伯自以為義、不以神為義。三他又
向約伯的三個朋友發怒、因為他們想不出回答的話
來、仍以約伯為有罪。四以利戶要與約伯說話、就等候他
們、因為他們比自己年老。五以利戶見這三個人口中無
話回答、就怒氣發作。

以利戶陳述己意

六布西人巴拉迦的兒子以利戶回答說、我年輕、你們老
邁、因此我退讓、不敢向你們陳說我的意見、七我說、年老

的當先說話、壽高的當以智慧教訓人。八但在人裏面有
靈、全能者的氣使人有聰明。九尊貴的不都有智慧、壽高
的不都能明白公平。十因此我說、你們要聽我言、我也要
陳說我的意見。○十一你們查究所要說的話、那時我等候
你們的話側耳聽你們的辯論、十二留心聽你們．誰知你們
中間無一人折服約伯、駁倒他的話。十三你們切不可說、我
們尋得智慧．神能勝他、人卻不能。十四約伯沒有向我爭
辯、我也不用你們的話回答他。○十五他們驚奇不再回答、
一言不發。十六我豈因他們不說話、站住不再回答、仍舊等
候呢。十七我也要回答我的一分話、陳說我的意見。十八因為我
的言語滿懷、我裏面的靈激動我。十九我的胸懷如盛酒之
囊、沒有出氣之縫、又如新皮袋快要破裂。二十我要說話、使
我舒暢．我要開口回答。二十一我必不看人的情面、也不奉承
人。二十二我不曉得奉承、若奉承、造我的主必快快除滅我。

第三十三章　欲以誠實折服約伯

一約伯阿、請聽我的話、留心聽我一切
的言語。二我現在開口、用舌發言。三我的言語、要發明心中
所存的正直．我所知道的、我嘴唇要誠實的說出。四神
的靈造我、全能者的氣使我得生。五你若回答我、就站起
來在我面前陳明。六我在神面前與你一樣、也是用土
造成。七我不用威嚴驚嚇你、也不用勢力重壓你。○八你所
說的我聽見了、也聽見你的言語、說、九我是清潔無過的．
我是無辜的、在我裏面也沒有罪孽。十神找機會攻擊
我、以我為仇敵、十一把我的腳上了木狗、窺察我一切的道
路。十二我要回答你說、你這話無理．因神比世人更大。○
十三你為何與他爭論呢、因他的事都不對人解說。十四神說、
一次、兩次、世人卻不理會。十五人躺在牀上沉睡的時候
神就用夢、和夜間的異象、十六開通他們的耳朵、將當受的
教訓印在他們心上、十七好叫人不從自己的謀算、不行驕
傲的事、（原文作將驕傲向人隱藏）十八攔阻人不陷於坑裏、不死在刀下。

神懲人以苦乃為救其生命

十九人在牀上被懲治、骨頭中不住的疼痛．二十以致他的口厭
棄食物、心厭惡美味。二十一他的肉消瘦、不得再見、先前不見
的骨頭都凸出來。二十二他的靈魂臨近深坑、他的生命近於
滅命的。○二十三一千天使中、若有一個作傳話的、與神同
在、指示人所當行的事．二十四神就給他開恩、說、救贖他免

二五 得下坑。我已經得了贖價。他的肉要比孩童的肉更嫩。
二六 他就反老還童。他禱告　神、神就喜悅他、使他歡呼
二七 朝見　神的面。神又看他爲義。他在人前歌唱說、我
二八 犯了罪、顛倒是非、這竟與我無益。神救贖我的靈魂
二九 免入深坑。我的生命也必見光。○神兩次三次向人
三十 行這一切的事。爲要從深坑救回人的靈魂、使他被光
三一 照耀與活人一樣。約伯阿、你當側耳聽我的話。不要作
三二 聲、等我講說。你若有話說、就可以回答我。你只管說、因
三三 我願以你爲是。若不然、你就聽我說、你不要作聲、我便
將智慧教訓你。

第三十四章　以利戶責約伯自義向　神煩言

一二 以利戶又說、你們智慧人、要聽我的
三 話。有知識的人、要留心聽我說。因爲耳朵試驗話語、好
四 像上膛嘗食物。我們當選擇何爲是、彼此知道何爲善。
五六 約伯曾說、我是公義、　神奪去我的理。我雖有理、還算
七 爲說謊言的。我雖無過、受的傷還不能醫治。誰像約伯、
八九 喝譏誚如同喝水呢。他與作孽的結伴、和惡人同行。他
十 說、人以　神爲樂、總是無益。○所以你們明理的人要
十一 聽我的話。　神斷不至行惡、全能者斷不至作孽。他必
十二 按人所作的報應人、使各人照所行的得報。　神必不
十三 作惡、全能者也不偏離公平。誰派他治理地、安定全世
十四十五 界呢。他若專心爲己、將靈和氣收歸自己。凡有血氣的
十六 就必一同死亡、世人必仍歸塵土。○你若明理、就當聽
十七 我的話、留心聽我言語的聲音。難道恨惡公平的、可以
十八 掌權麼。那有公義的、有大能的、豈可定他有罪麼。他對
十九 君王說、你是鄙陋的、對貴臣說、你是邪惡的。他待王子
不徇情面、也不看重富足的過於貧窮的、因爲都是他
二十 手所造。在轉眼之間、半夜之中、他們就死亡。百姓被震
二一 動而去世、有權力的被奪去非借人手。○　神注目觀
二二 看人的道路、看明人的腳步。沒有黑暗、陰翳、能給作孽
二三二四 的藏身。　神審判人、不必使人到他面前再三鑒察。他
二五 用難測之法打破有能力的人、設立別人代替他們。他
二六 原知道他們的行爲、使他們在夜間傾倒滅亡。他在衆
二七 人眼前擊打他們、如同擊打惡人一樣。因爲他們偏行
二八 不跟從他、也不留心他的道。甚至使貧窮人的哀聲達
二九 到他那裏、他也聽了困苦人的哀聲。他使人安靜、誰能

擾亂(或作定罪)呢、他掩面誰能見他呢．無論待一國、或一人
三十 都是如此．使不虔敬的人不得作王、免得有人牢籠百
三十一 三十二 姓。○有誰對　神說、我受了責罰、不再犯罪．我所看不
三十三 明的、求你指教我．我若作了孽、必不再作．他施行報應、
豈要隨你的心願、叫你推辭不受麼．選定的是你、不是
三十四 我．你所知道的只管說罷．明理的人、和聽我話的智慧
三十五 三十六 人、必對我說、約伯說話沒有知識、言語中毫無智慧．願
三十七 約伯被試驗到底、因他回答像惡人一樣．他在罪上又
加悖逆．在我們中間拍手、用許多言語輕慢　神。

第三十五章

言人干罪爲義於　神無所損益

一 二 以利戶又說、你以爲有理、或以爲你
三 的公義勝於　神的公義、纔說、這與我有甚麼益處．我
四 不犯罪、比犯罪有甚麼好處呢。我要回答你、和在你這
五 六 裏的朋友。你要向天觀看、瞻望那高於你的穹蒼。你若
犯罪、能使　神受何害呢．你的過犯加增、能使　神受
七 何損呢。你若是公義、還能加增他甚麼呢．他從你手裏
八 還接受甚麼呢。你的過惡或能害你這類的人．你的公
九 義或能叫世人得益處。○人因多受欺壓就哀求．因受

十 能者的轄制(轄制原文作勝臂)便求救．却無人說、造我的　神
十一 在那裏．他使人夜間歌唱。教訓我們勝於地上的走獸、
十二 使我們有聰明勝於空中的飛鳥。他們在那裏、因惡人
十三 的驕傲呼求、却無人答應。虛妄的呼求、　神必不垂聽、
十四 全能者也必不眷顧。何況你說、你不得見他、你的案件
十五 在他面前、你等候他罷。但如今因他未曾發怒降罰、也
十六 不甚理會狂傲．所以約伯開口說虛妄的話、多發無知
識的言語。

第三十六章

勸約伯歸榮　神

一 二 以利戶又接着說、你再容我片時、我
三 就指示你．因我還有話爲　神說。我要將所知道的從
四 遠處引來、將公義歸給造我的主。我的言語眞不虛謊．
五 有知識全備的與你同在。　神有大能、並不藐視人．他
六 的智慧甚廣。他不保護惡人的性命、却爲困苦人伸冤。
七 他時常看顧義人、使他們和君王同坐寶座、永遠要被
八 九 高舉。他們若被鎖鍊捆住、被苦難的繩索纏住．他就把
他們的作爲、和過犯、指示他們、叫他們知道有驕傲的
十 行動。他也開通他們的耳朵得受教訓、吩咐他們離開

十一 罪孽轉回。十一他們若聽從事奉他、就必度日亨通、歷年福
十二十三 樂。十二若不聽從、就要被刀殺滅、無知無識而死。十三那心中不
十四 敬虔的人、積蓄怒氣．神捆綁他們、他們竟不求救．十四必
十五 在青年時死亡、與污穢人一樣喪命……。十五神藉着困苦救
十六 拔困苦人、趁他們受欺壓、開通他們的耳朵。十六神也必
引你出離患難、進入寬闊不狹窄之地．擺在你席上的、
十七 必滿有肥甘。〇十七但你滿口有惡人批評的言語．判斷和
十八 刑罰抓住你。十八不可容忿怒觸動你、使你不服責罰．也不
十九 可因贖價大就偏行。十九你的呼求、（呼求或作資財）或是你一切的
二十 勢力、果有靈驗、叫你不受患難麼。二十不要切慕黑夜、就是
二一 衆民在本處被除滅的時候。二一你要謹慎、不可重看罪孽、
二二 因你選擇罪孽過於選擇苦難。二二神行事有高大的能
二三 力．教訓人的、有誰像他呢。二三誰派定他的道路．誰能說、你
二四 所行的不義。〇二四你不可忘記稱讚他所行的爲大、就是
二五 人所歌頌的。二五他所行的萬人都看見．世人也從遠處觀
二六二七 看。二六神爲大、我們不能全知．他的年數不能測度。二七他吸
二八 取水點、這水點從雲霧中就變成雨。二八雲彩將雨落下、沛
二九 然降與世人。二九誰能明白雲彩如何鋪張、和神行宮的

三十 雷聲呢。三十他將亮光普照在自己的四圍．他又遮覆海底。
三一三二 他用這些審判衆民、且賜豐富的糧食。三二他以電光遮手、
三三 命閃電擊中敵人。（或作中了靶子）三三所發的雷聲顯明他的作爲、
又向牲畜指明要起暴風。

述神之威能奇妙

第三十七章

一二 一因此我心戰兢、從原處移動。二聽阿、
三 神轟轟的聲音、是他口中所發的響聲。三他發響聲震遍
四 天下、發電光閃到地極。四隨後人聽見有雷聲轟轟、大發
五 威嚴．雷電接連不斷。五神發出奇妙的雷聲．他行大事、
六 我們不能測透。六他對雪說、要降在地上．對大雨和暴雨、
七 也是這樣說。七他封住各人的手、叫所造的萬人都曉得
八九 他的作爲。八百獸進入穴中、臥在洞內。九暴風出於南宮．寒
十十一 冷出於北方。十神噓氣成冰、寬闊之水也都凝結。十一他使
十二 密雲盛滿水氣．布散電光之雲．十二這雲、是藉他的指引游
十三 行旋轉、得以在全地面上行他一切所吩咐的．十三或爲責
十四 罰、或爲潤地、或爲施行慈愛。〇十四約伯阿、你要留心聽要
十五 站立思想神奇妙的作爲。十五神如何吩咐這些、如何
十六 使雲中的電光照耀、你知道麼。十六雲彩如何浮於空中、那

知識全備者奇妙的作爲、你知道麼。十七南風使地寂靜、你
的衣服就如火熱、你知道麼。十八你豈能與神同鋪穹蒼
麼、這穹蒼堅硬、如同鑄成的鏡子。十九我們愚昧不能陳說、
請你指教我們該對他說甚麼話。二十人豈可說、我願與他
說話、豈有人自願滅亡麼。◯二一現在有雲遮蔽、人不得見
穹蒼的光亮、但風吹過、天又發晴。二二金光出於北方、在
神那裏有可怕的威嚴。二三論到全能者、我們不能測度他、
大有能力、有公平和大義、必不苦待人。二四所以人敬畏他、
凡自以爲心中有智慧的人、他都不顧念。

第三十八章　耶和華以造物之妙詰約伯

一那時耶和華從旋風中回答約伯說、
二誰用無知的言語、使我的旨意暗昧不明、三你要如勇士
束腰、我問你、你可以指示我。四我立大地根基的時候、你
在那裏呢、你若有聰明只管說罷。五你若曉得就說、是誰
定地的尺度、是誰把準繩拉在其上。六地的根基安置在
何處、地的角石是誰安放的。七那時晨星一同歌唱、神的
衆子也都歡呼。◯八海水衝出、如出胎胞、那時誰將他關
閉呢、九是我用雲彩當海的衣服、用幽暗當包裹他的布、
十爲他定界限、又安門和閂、十一說、你只可到這裏、不可越過、
你狂傲的浪要到此止住。◯十二你自生以來、曾命定晨光、
使清晨的日光知道本位、十三叫這光普照地的四極、將惡
人從其中驅逐出來麼。十四因這光地面改變如泥上印印、
萬物出現如衣服一樣。十五亮光不照惡人、強橫的膀臂也
必折斷。◯十六你曾進到海源、或在深淵的隱密處行走麼。
十七死亡的門、曾向你顯露麼、死蔭的門、你曾見過麼。十八地的
廣大、你能明透麼、你若全知道、只管說罷。◯十九光明的居
所從何而至、黑暗的本位在於何處、二十你能帶到本境、能
看明其室之路麼。二一你總知道、因爲你早已生在世上、你
日子的數目也多。二二你曾進入雪庫、或見過雹倉麼、二三這雪
雹乃是我爲降災、並打仗和爭戰的日子所豫備的。二四光
亮從何路分開、東風從何路分散遍地。◯二五誰爲雨水分
道、誰爲雷電開路、二六使雨降在無人之地、無人居住的曠
野、二七使荒廢淒涼之地、得以豐足、青草得以發生。二八雨有父
麼、露水珠是誰生的呢。二九冰出於誰的胎、天上的霜、是誰
生的呢。三十諸水堅硬(或作隱藏)如石頭、深淵之面凝結成冰。◯
三一你能繫住昴星的結麼、能解開參星的帶麼、三二你能按時

領出十二宮麼、能引導北斗和隨他的衆星麼。（星原文作子）
○你三三知道天的定例麼、能使地歸在天的權下麼。○三四你能
向雲彩揚起聲來、使傾盆的雨遮蓋你麼。三五你能發出閃
電、叫他行去、使他對你說、我們在這裏。三六誰將智慧放在
懷中、誰將聰明賜於心內。三七誰能三八用智慧數算雲彩呢、塵
土聚集成團、土塊緊緊結連．那時、誰能傾倒天上的瓶
呢。○三九母四十獅子在洞中蹲伏、少壯獅子在隱密處埋伏、你
能爲他們抓取食物、使他們飽足麼。四一烏鴉之雛、因無食
物飛來飛去、哀告　神、那時、誰爲他豫備食物呢。

第三十九章

以禽獸之性詰約伯

一山巖間的野山羊幾時生產、你知道
麼．母鹿下犢之期、你能察定麼．二他們懷胎的月數、你能
數算麼．他們幾時生產、你能曉得麼．三他們屈身、將子生
下、就除掉疼痛．四這子漸漸肥壯、在荒野長大、去而不回。
○五誰放野驢出去自由．誰解開快驢的繩索．六我使曠野
作他的住處、使鹹地當他的居所．七他嗤笑城內的喧嚷、
不聽趕牲口的喝聲．八遍山是他的草塲．他尋找各樣青
綠之物．九野牛豈肯服事你．豈肯住在你的槽旁．十你豈能
用套繩將野牛籠在犂溝之間．他豈肯隨你耙山谷之
地。十一豈可因他的力大、就倚靠他、豈可把你的工交給他
作麼。十二豈可信靠他把你的糧食運到家、又收聚你禾塲
上的穀麼。○十三鴕鳥的翅膀歡然搧展、豈是顯慈愛的翎
毛和羽毛麼。十四因他把蛋留在地上、在塵土中使得温煖．
十五卻想不到被脚踹碎、或被野獸踐踏．十六他忍心待雛、似乎
不是自己的．雖然徒受勞苦、也不爲雛懼怕．十七因爲　神
使他沒有智慧、也未將悟性賜給他。十八他幾時挺身展開
翅膀、就嗤笑馬和騎馬的人。○十九馬的大力、是你所賜的
麼．他頸項上挓挱的騌、是你給他披上的麼．二十是你叫他
跳躍像蝗蟲麼．他噴氣之威使人驚惶。二一他在谷中刨地、
自喜其力．他出去迎接佩帶兵器的人。二二他嗤笑可怕的
事、並不驚惶、也不因刀劍退回。二三箭袋和發亮的槍、並短
槍、在他身上錚錚有聲。二四他發猛烈的怒氣將地吞下．一
聽角聲就不耐站立。二五角每發聲、他說、呵哈、他從遠處聞
着戰氣、又聽見軍長大發雷聲、和兵丁吶喊。○二六鷹雀飛
翔、展開翅膀、一直向南、豈是藉你的智慧麼。二七大鷹上騰、
在高處搭窩、豈是聽你的吩咐麼。二八他住在山巖、以山峯

二十九 三十 和堅固之所爲家。二十九從那裏窺看食物、眼睛遠遠觀望。三十他
的雛也咂血。被殺的人在那裏、他也在那裏。

第四十章

約伯向耶和華自卑

一 二 ○一耶和華又對約伯說、二強辯的、豈可與全
三 能者爭論麼。與神辯駁的、可以回答這些罷。○三於是
四 約伯回答耶和華說、四我是卑賤的。我用甚麼回答你呢。
五 只好用手摀口。五我說了一次、再不回答、說了兩次、就不
再說。

耶和華以所問所行詰約伯

六 七 六於是耶和華從旋風中回答約伯說、七你要如勇士束腰。
八 我問你、你可以指示我。八你豈可廢棄我所擬定的、豈可
九 定我有罪、好顯自己爲義麼。九你有神那樣的膀臂麼。
十 你能像他發雷聲麼。十○你要以榮耀莊嚴爲妝飾、以尊
十一 榮威嚴爲衣服。十一要發出你滿溢的怒氣、見一切驕傲的
十二 人、使他降卑。十二見一切驕傲的人、將他制伏、把惡人踐踏
十三 在本處。十三將他們一同隱藏在塵土中、把他們的臉蒙蔽
十四 十五 在隱密處。十四我就認你右手能以救自己。○十五你且觀看河
十六 馬。我造你也造他。他喫草與牛一樣。十六他的氣力在腰間、
十七 能力在肚腹的筋上。十七他搖動尾巴如香柏樹。他大腿的
十八 筋互相聯絡。十八他的骨頭好像銅管、他的肢體彷彿鐵棍。
十九 二十 十九他在神所造的物中爲首。創造他的給他刀劍。二十諸山
二十一 給他出食物、也是百獸遊玩之處。二十一他伏在蓮葉之下、臥
二十二 在蘆葦隱密處、和水窪子裏。二十二蓮葉的陰涼遮蔽他、溪旁
二十三 的柳樹環繞他。二十三河水泛濫、他不發戰、就是約但河的水、
二十四 漲到他口邊、也是安然。二十四在他防備的時候誰能捉拿他、
誰能牢籠他穿他的鼻子呢。

第四十一章

神萬能人難仰望

一 一你能用魚鈎釣上鱷魚麼、能用繩子
二 壓下他的舌頭麼。二你能用繩索穿他的鼻子麼、能用鈎
三 四 穿他的腮骨麼。三他豈向你連連懇求、說柔和的話麼。四豈
五 肯與你立約、使你拿他永遠作奴僕麼。五你豈可拿他當
六 雀鳥玩耍麼、豈可爲你的幼女將他拴住麼。六搭夥的漁
七 夫、豈可拿他當貨物麼、能把他分給商人麼。七你能用倒
八 鈎鎗扎滿他的皮、能用魚叉叉滿他的頭麼。八你按手在
九 他身上、想與他爭戰、就不再這樣行罷。九人指望捉拿他、
十 是徒然的。一見他、豈不喪膽麼。十沒有那麼兇猛的人敢

十一 惹他。這樣、誰能在我面前站立得住呢。十一誰先給我甚麼、
十二 使我償還呢、天下萬物都是我的。十二○論到鱷魚的肢體、
十三 和其大力並美好的骨格、我不能緘默不言。十三誰能剝他
十四 的外衣。誰能進他上下牙骨之間呢。十四誰能開他的腮頰。
十五 他牙齒四圍是可畏的。十五他以堅固的鱗甲為可誇、緊緊
十六 合閉、封得嚴密。十六這鱗甲一一相連、甚至氣不得透入其
十七十八 間。十七都是互相聯絡、膠結不能分離。十八他打噴嚏、就發出光
十九 來。他眼睛好像早晨的光綫。（光綫原文作眼皮）十九從他口中發出
二十 燒着的火把、與飛迸的火星。二十從他鼻孔冒出烟來、如燒
二一 開的鍋、和點着的蘆葦。二一他的氣點着煤炭、有火燄從他
二二 口中發出。二二他頸項中存着勁力、在他面前的都恐嚇蹦
二三二四 跳。二三他的肉塊互相聯絡、緊貼其身、不能搖動。二四他的心結
二五 實如石頭、如下磨石那樣結實。二五他一起來、勇士都驚恐。
二六 心裏慌亂、便都昏迷。二六人若用刀、用槍、用標槍、用尖槍扎
二七二八 他、都是無用。二七他以鐵為乾草、以銅為爛木。二八箭不能恐嚇
二九 他使他逃避、彈石在他看為碎稭。二九棍棒算為禾稭。他嗤
三十 笑短槍颼的響聲。三十他肚腹下如尖瓦片、他如釘耙經過
三一三二 淤泥。三一他使深淵開滾如鍋、使洋海如鍋中的膏油。三二他行
三三 的路隨後發光、令人想深淵如同白髮。三三在地上沒有像
三四 他造的那樣無所懼怕。三四凡高大的、他無不藐視、他在驕
傲的水族上作王。

第四十二章

約伯認罪自責

一二 一約伯回答耶和華說、二我知道你萬事
三 都能作、你的旨意不能攔阻。三誰用無知的言語使你的
旨意隱藏呢。我所說的、是我不明白的、這些事太奇妙、
四 是我不知道的。四求你聽我、我要說話、我問你、求你指示
五六 我。五我從前風聞有你、現在親眼看見你。六因此我厭惡自
己、（自己或作我的言語）在塵土和爐灰中懊悔。

耶和華責其三友

七 七耶和華對約伯說話以後、就對提幔人以利法說、我的
怒氣向你、和你兩個朋友發作、因為你們議論我、不如
八 我的僕人約伯說的是。八現在你們要取七隻公牛、七隻
公羊、到我僕人約伯那裏去、為自己獻上燔祭、我的僕
人約伯就為你們祈禱、我因悅納他、就不按你們的愚
九 妄辦你們。你們議論我、不如我的僕人約伯說的是。九於
是提幔人以利法、書亞人比勒達、拿瑪人瑣法、照着耶

和華所吩咐的去行、耶和華就悅納約伯。

賜福約伯較昔維倍

十 約伯為他的朋友祈禱、耶和華就使約伯從苦境轉回。
苦境原文作擄掠並且耶和華賜給他的比他從前所有的加
十一 倍。十一約伯的弟兄、姐妹、和以先所認識的人、都來見他、在
他家裏一同喫飯．又論到耶和華所降與他的一切災
禍。都為他悲傷、安慰他．每人也送他一塊銀子、和一個
十二 金環。十二這樣、耶和華後來賜福給約伯比先前更多．他有
十三 一萬四千羊、六千駱駝、一千對牛、一千母驢。十三他也有七
十四 個兒子、三個女兒。十四他給長女起名叫耶米瑪、次女叫基
十五 洗亞、三女叫基連哈樸。十五在那全地的婦女中、找不着像
約伯的女兒那樣美貌．他們的父親使他們在弟兄中
得產業。

約伯壽終

十六 此後、約伯又活了一百四十年、得見他的兒孫、直到四
十七 代。十七這樣、約伯年紀老邁、日子滿足而死。

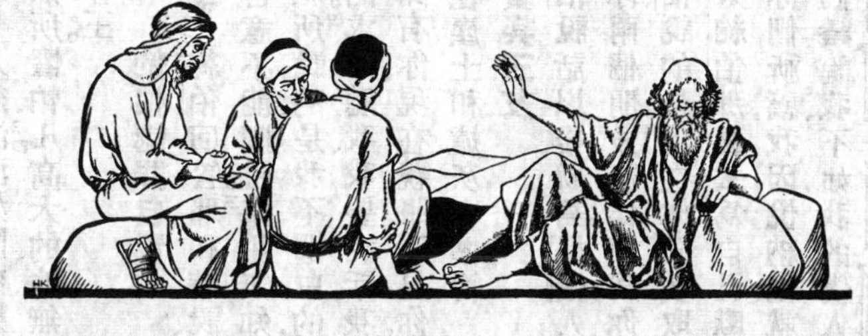

詩篇卷一

善惡之較比

一 **第一篇** 不從惡人的計謀、不站罪人的道路、不坐
褻慢人的座位、
二 惟喜愛耶和華的律法、晝夜思想、這人便為有福。
三 他要像一棵樹栽在溪水旁、按時候結果子、葉子也不
枯乾．凡他所作的、盡都順利。
四 惡人並不是這樣、乃像糠粃被風吹散。
五 因此當審判的時候、惡人必站立不住．罪人在義人的
會中、也是如此。
六 因為耶和華知道義人的道路．惡人的道路、卻必滅亡。

耶和華之受膏者為王

一 **第二篇** 外邦為甚麼爭鬧、萬民為甚麼謀算虛妄
的事。
二 世上的君王一齊起來、臣宰一同商議、要敵擋耶和華、
並他的受膏者、
三 說、我們要掙開他們的捆綁、脫去他們的繩索。
四 那坐在天上的必發笑．主必嗤笑他們。
五 那時他要在怒中責備他們、在烈怒中驚嚇他們、
六 說、我已經立我的君在錫安我的聖山上了。
七 受膏者說、我要傳聖旨．耶和華曾對我說、你是我的兒
子、我今日生你。
八 你求我、我就將列國賜你為基業、將地極賜你為田產。
九 你必用鐵杖打破他們．你必將他們如同窰匠的瓦器
摔碎。
十 現在你們君王應當省悟．你們世上的審判官該受管
教。
十一 當存畏懼事奉耶和華、又當存戰兢而快樂。
十二 當以嘴親子、恐怕他發怒、你們便在道中滅亡、因為他
的怒氣快要發作。凡投靠他的、都是有福的。

晨興之祈禱

一 **第三篇** 大衛逃避他兒子押沙龍的時候作的詩。 耶和華
阿、我的敵人何其加增．有許多人起來攻擊我。
二 有許多人議論我說、他得不着神的幫助。細拉
三 但你耶和華是我四圍的盾牌．是我的榮耀、又是叫我

抬起頭來的。
四 我用我的聲音求告耶和華、他就從他的聖山上應允
我。細拉
五 我躺下睡覺、我醒着、耶和華都保佑我。
六 雖有成萬的百姓來周圍攻擊我、我也不怕。
七 耶和華阿、求你起來、我的　神阿、求你救我。因爲你打
了我一切仇敵的腮骨、敲碎了惡人的牙齒。
八 救恩屬乎耶和華、願你賜福給你的百姓。細拉

求耶和華矜恤允其所祈

第四篇 大衛的詩、交與伶長用絲絃的樂器。
一 顯我爲義的
神阿、我呼籲的時候、求你應允我。我在困苦中你曾
使我寬廣、現在求你憐恤我、聽我的禱告。
二 你們這上流人哪、你們將我的尊榮變爲羞辱、要到幾
時呢。你們喜愛虛妄、尋找虛假、要到幾時呢。細拉
三 你們要知道耶和華已經分別虔誠人歸他自己。我求
告耶和華、他必聽我。
四 你們應當畏懼、不可犯罪。在牀上的時候、要心裏思想、
並要肅靜。細拉
五 當獻上公義的祭、又當倚靠耶和華。
六 有許多人說、誰能指示我們甚麼好處。耶和華阿、求你
仰起臉來光照我們。
七 你使我心裏快樂、勝過那豐收五穀新酒的人。
八 我必安然躺下睡覺、因爲獨有你耶和華使我安然居
住。

求耶和華護佑脫於惡人

第五篇 大衛的詩、交與伶長用吹的樂器。
一 耶和華阿、求你
留心聽我的言語、顧念我的心思。
二 我的王我的　神阿、求你垂聽我呼求的聲音、因爲我
向你祈禱。
三 耶和華阿、早晨你必聽我的聲音、早晨我必向你陳明
我的心意、並要儆醒。
四 因爲你不是喜悅惡事的神、惡人不能與你同居。
五 狂傲人不能站在你眼前、凡作孽的、都是你所恨惡的。
六 說謊言的、你必滅絕、好流人血弄詭詐的、都爲耶和華
所憎惡。
七 至於我、我必憑你豐盛的慈愛進入你的居所、我必存

敬畏你的心向你的聖殿下拜。
八 耶和華阿、求你因我的仇敵、憑你的公義引領我．使你
的道路在我面前正直。
九 因為他們的口中沒有誠實．他們的心裏滿有邪惡．他
們的喉嚨、是敞開的墳墓．他們用舌頭諂媚人。
十 神阿、求你定他們的罪。願他們因自己的計謀跌倒．
願你在他們許多的過犯中把他們逐出．因為他們背
叛了你。
十一 凡投靠你的、願他們喜樂、時常歡呼、因為你護庇他們．
又願那愛你名的人、都靠你歡欣。
十二 因為你必賜福與義人．耶和華阿、你必用恩惠如同盾
牌四面護衛他。

第六篇　遭患難求耶和華憐恤

大衛的詩、交與伶長、用絲絃的樂器、調用第八。

一 耶和
華阿、求你不要在怒中責備我、也不要在烈怒中懲罰
我。
二 耶和華阿、求你可憐我．因為我軟弱。耶和華阿、求你醫
治我．因為我的骨頭發戰。
三 我心也大大的驚惶。耶和華阿、你要到幾時纔救我呢。
四 耶和華阿、求你轉回搭救我．因你的慈愛拯救我。
五 因為在死地無人記念你．在陰間有誰稱謝你。
六 我因唉哼而困乏．我每夜流淚、把牀榻漂起、把褥子溼
透。
七 我因憂愁眼睛乾癟．又因我一切的敵人眼睛昏花。
八 你們一切作孽的人、離開我罷．因為耶和華聽了我哀
哭的聲音。
九 耶和華聽了我的懇求．耶和華必收納我的禱告。
十 我的一切仇敵都必羞愧、大大驚惶．他們必要退後、忽
然羞愧。

第七篇　求耶和華興起禦敵

大衛指着便雅憫人古實的話、向耶和華唱的流離歌。

一 耶和華我的神阿、我投靠你．求你救我脫離一切追
趕我的人、將我救拔出來．
二 恐怕他們像獅子撕裂我、甚至撕碎、無人搭救。
三 耶和華我的神阿、我若行了這事、若有罪孽在我手
裏、

四 我若以惡報那與我交好的人、（連那無故與我爲敵
的、我也救了他）
五 就任憑仇敵追趕我、直到追上．將我的性命踏在地下、
使我的榮耀歸於灰塵。細拉
六 耶和華阿、求你在怒中起來、挺身而立、抵擋我敵人的
暴怒．求你爲我興起．你已經命定施行審判。
七 願衆民的會環繞你．願你從其上歸於高位。
八 耶和華向衆民施行審判．耶和華阿、求你按我的公義、
和我心中的純正、判斷我。
九 願惡人的惡斷絕．願你堅立義人．因爲公義的神察
驗人的心腸肺腑。
十 神是我的盾牌．他拯救心裏正直的人。
十一 神是公義的審判者、又是天天向惡人發怒的神。
十二 若有人不回頭、他的刀必磨快．弓必上弦、豫備妥當了。
十三 他也豫備了殺人的器械．他所射的是火箭。
十四 試看惡人因奸惡而劬勞．所懷的是毒害、所生的是虛
假。
十五 他掘了坑、又挖深了、竟掉在自己所挖的阱裏。
十六 他的毒害、必臨到他自己的頭上．他的強暴必落到他
自己的腦袋上。
十七 我要照着耶和華的公義稱謝他、歌頌耶和華至高者
的名。

第八篇　耶和華之榮耀人之尊貴

大衛的詩、交與伶長、用迦特樂器。

一 耶和華我們的
主阿、你的名在全地何其美．你將你的榮耀彰顯於天。
二 你因敵人的緣故、從嬰孩和喫奶的口中、建立了能力、
使仇敵和報仇的、閉口無言。
三 我觀看你指頭所造的天、並你所陳設的月亮星宿、
四 便說、人算甚麼、你竟顧念他．世人算甚麼、你竟眷顧他。
五 你叫他比天使（或作神）微小一點、並賜他榮耀尊貴爲冠
冕。
六 七 八 你派他管理你手所造的、使萬物、就是一切的牛羊、田
野的獸、空中的鳥、海裏的魚、凡經行海道的、都服在他
的腳下。
九 耶和華我們的主阿、你的名在全地何其美。

稱頌耶和華之公義

一 **第九篇** 大衛的詩、交與伶長、調用慕拉便。 我要一心稱謝
耶和華、我要傳揚你一切奇妙的作爲。
二 我要因你歡喜快樂、至高者阿、我要歌頌你的名。
三 我的仇敵轉身退去的時候、他們一見你的面、就跌倒
滅亡。
四 因你已經爲我伸冤、爲我辨屈、你坐在寶座上、按公義
審判。
五 你曾斥責外邦、你曾滅絕惡人、你曾塗抹他們的名、直
到永永遠遠。
六 仇敵到了盡頭、他們被毀壞、直到永遠、你拆毀他們的
城邑、連他們的名號、……都歸於無有。
七 惟耶和華坐着爲王、直到永遠、他已經爲審判設擺他
的寶座。
八 他要按公義審判世界、按正直判斷萬民。
九 耶和華又要給受欺壓的人作高臺、在患難的時候作
高臺。
十 耶和華阿、認識你名的人要倚靠你、因你沒有離棄尋
求你的人。
十一 應當歌頌居錫安的耶和華、將他所行的傳揚在衆民
中。
十二 因爲那追討流人血之罪的、他記念受屈的人、不忘記
困苦人的哀求。
十三 耶和華阿、你是從死門把我提拔起來的、求你憐恤我、
看那恨我的人所加給我的苦難。
十四 好叫我述說你一切的美德、我必在錫安城的門、(城原文作女子)
因你的救恩歡樂。
十五 外邦人陷在自己所掘的坑中、他們的脚、在自己暗設
的網羅裏纏住了。
十六 耶和華已將自己顯明了、他已施行審判、惡人被自己
手所作的纏住了。(或作他叫惡人被自己手所作的纏住了)細拉
十七 惡人、就是忘記 神的外邦人、都必歸到陰間。
十八 窮乏人必不永久被忘、困苦人的指望、必不永遠落空。
十九 耶和華阿、求你起來、不容人得勝、願外邦人在你面前
受審判。
二十 耶和華阿、求你使外邦人恐懼、願他們知道自己不過

是人。細拉

求耶和華傾惡人救貧苦

一 第十篇 耶和華阿、你為甚麼站在遠處。在患難的
時候、為甚麼隱藏。
二 惡人在驕橫中、把困苦人追得火急。願他們陷在自己
所設的計謀裏。
三 因為惡人以心願自誇。貪財的背棄耶和華、並且輕慢
他。或作他祝福貪財的卻輕慢耶和華
四 惡人面帶驕傲、說、耶和華必不追究。他一切所想的、都
以為沒有神。
五 凡他所作的、時常穩固。你的審判超過他的眼界。至於
他一切的敵人、他都向他們噴氣。
六 他心裏說、我必不動搖、世世代代不遭災難。
七 他滿口是咒罵、詭詐、欺壓。舌底是毒害奸惡。
八 他在村莊埋伏等候。他在隱密處殺害無辜的人。他的
眼睛窺探無倚無靠的人。
九 他埋伏在暗地、如獅子蹲在洞中。他埋伏、要擄去困苦
人。他拉網、就把困苦人擄去。

十 他屈身蹲伏、無倚無靠的人、就倒在他爪牙之下。爪牙或作
強暴人
十一 他心裏說、神竟忘記了。他掩面、永不觀看。
十二 耶和華阿、求你起來。神阿、求你舉手。不要忘記困苦
人。
十三 惡人為何輕慢神、心裏說、你必不追究。
十四 其實你已經觀看。因為奸惡毒害、你都看見了、為要以
手施行報應。無倚無靠的人、把自己交託你。你向來是
幫助孤兒的。
十五 願你打斷惡人的膀臂。至於壞人、願你追究他的惡、直
到淨盡。
十六 耶和華永永遠遠為王。外邦人從他的地已經滅絕了。
十七 耶和華阿、謙卑人的心願、你早已知道。原文作聽見你必豫
備他們的心、也必側耳聽他們的祈求
十八 為要給孤兒和受欺壓的人伸冤、使強橫的人不再威
嚇他們。

一 第十一篇 投靠耶和華者不畏強敵 大衛的詩、交與伶長。 我是投靠耶和華。你們

二 怎麽對我說、你當像鳥飛往你的山去。
看哪、惡人彎弓、把箭搭在弦上、要在暗中射那心裏正
直的人。
三 根基若毀壞、義人還能作甚麽呢。
四 耶和華在他的聖殿裏、耶和華的寶座在天上．他的慧
眼察看世人。
五 耶和華試驗義人．惟有惡人和喜愛強暴的人、他心裏
恨惡。
六 他要向惡人密布網羅．有烈火、硫磺、熱風、作他們杯中
的分。
七 因為耶和華是公義的．他喜愛公義．正直人必得見他
的面。

第十二篇　口滑舌誇者耶和華剪滅之

一 大衛的詩、交與伶長、調用第八。 耶和華阿、求你
幫助、因虔誠人斷絕了．世人中間的忠信人沒有了。
二 人人向鄰舍說謊．他們說話、是嘴唇油滑、心口不一。
三 凡油滑的嘴唇、和誇大的舌頭、耶和華必要剪除。
四 他們曾說、我們必能以舌頭得勝．我們的嘴唇是我們
自己的．誰能作我們的主呢。
五 耶和華說、因為困苦人的冤屈、和貧窮人的歎息、我現
在要起來、把他安置在他所切慕的穩妥之地。
六 耶和華的言語、是純淨的言語．如同銀子在泥爐中煉
過七次。
七 耶和華阿、你必保護他們．你必保佑他們永遠脫離這
世代的人。
八 下流人在世人中升高、就有惡人到處遊行。

第十三篇　罹憂苦求耶和華眷顧

一 大衛的詩、交與伶長。 耶和華阿、你忘記我
要到幾時呢．要到永遠麽．你掩面不顧我要到幾時呢。
二 我心裏籌算、終日愁苦、要到幾時呢．我的仇敵升高壓
制我、要到幾時呢。
三 耶和華我的神阿、求你看顧我、應允我、使我眼目光
明、免得我沉睡至死．
四 免得我的仇敵說、我勝了他、免得我的敵人在我搖動
的時候喜樂。
五 但我倚靠你的慈愛．我的心因你的救恩快樂。

六 我要向耶和華歌唱、因他用厚恩待我。

第十四篇 人之愚頑及罪惡

一 大衛的詩、交與伶長。 愚頑人心裏說、沒有
神。他們都是邪惡、行了可憎惡的事、沒有一個人行善。
二 耶和華從天上垂看世人、要看有明白的沒有、有尋求
神的沒有。
三 他們都偏離正路、一同變爲污穢、並沒有行善的、連一
個也沒有。
四 作孽的都沒有知識麼、他們吞喫我的百姓、如同喫飯
一樣、並不求告耶和華。
五 他們在那裏大大的害怕、因爲 神在義人的族類中。
六 你們叫困苦人的謀算變爲羞辱、然而耶和華是他的
避難所。
七 但願以色列的救恩從錫安而出、耶和華救回他被擄
的子民、那時雅各要快樂、以色列要歡喜。

第十五篇 得居聖山者之品行

一 大衛的詩。 耶和華阿、誰能寄居你的帳
幕、誰能住在你的聖山。
二 就是行爲正直、作事公義、心裏說實話的人。
三 他不以舌頭讒謗人、不惡待朋友、也不隨夥毀謗鄰里。
四 他眼中藐視匪類、卻尊重那敬畏耶和華的人、他發了
誓、雖然自己喫虧、也不更改。
五 他不放債取利、不受賄賂以害無辜、行這些事的人、必
永不動搖。

第十六篇 生死均賴 神獲福

一 大衛的金詩。 神阿、求你保佑我、因爲我
投靠你。
二 我的心哪、你曾對耶和華說、你是我的主、我的好處不
在你以外。
三 論到世上的聖民、他們又美又善、是我最喜悅的。
四 以別神代替耶和華的、(或作送禮物給別神的)他們的愁苦必加
增、他們所澆奠的血我不獻上、我嘴唇也不題別神的
名號。
五 耶和華是我的產業、是我杯中的分、我所得的你爲我
持守。
六 用繩量給我的地界、坐落在佳美之處、我的產業實在

美好。
七 我必稱頌那指教我的耶和華．我的心腸在夜間也警
戒我。
八 我將耶和華常擺在我面前．因他在我右邊、我便不至
搖動。
九 因此我的心歡喜、我的靈（原文作榮耀）快樂．我的肉身也要
安然居住。
十 因爲你必不將我的靈魂撇在陰間．也不叫你的聖者
見朽壞。
十一 你必將生命的道路指示我．在你面前有滿足的喜樂．
在你右手中有永遠的福樂。

第十七篇 投靠耶和華者得脫惡敵

一 大衛的祈禱。 耶和華阿、求你聽聞公義、
側耳聽我的呼籲．求你留心聽我這不出於詭詐嘴唇
的祈禱。
二 願我的判語從你面前發出．願你的眼睛觀看公正。
三 你已經試驗我的心．你在夜間鑒察我．你熬煉我、卻找
不着甚麼．我立志叫我口中沒有過失。
四 論到人的行爲、我藉着你嘴唇的言語、自己謹守、不行
強暴人的道路。
五 我的脚踏定了你的路徑、我的兩脚未曾滑跌。
六 神阿、我曾求告你、因爲你必應允我．求你向我側耳、
聽我的言語。
七 求你顯出你奇妙的慈愛來．你是那用右手拯救投靠
你的、脫離起來攻擊他們的人。
八 求你保護我、如同保護眼中的瞳人．將我隱藏在你翅
膀的蔭下、
九 使我脫離那欺壓我的惡人、就是圍困我、要害我命的
仇敵。
十 他們的心被脂油包裹．他們用口說驕傲的話。
十一 他們圍困了我們的脚步．他們瞪着眼、要把我們推倒
在地。
十二 他像獅子急要抓食、又像少壯獅子蹲伏在暗處。
十三 耶和華阿、求你起來、前去迎敵、將他打倒．用你的刀救
護我命脫離惡人。
十四 耶和華阿、求你用手救我脫離世人、脫離那只在今生

有福分的世人．你把你的財寶充滿他們的肚腹．他們
因有兒女就心滿意足、將其餘的財物留給他們的嬰
孩。
十五 至於我、我必在義中見你的面．我醒了的時候、得見你
的形像、見或作着就心滿意足了。

第十八篇　因勝仇敵稱頌主恩

耶和華的僕人大衛的詩、交與伶長．當耶和華救
他脫離一切仇敵和掃羅之手的日子、他向耶和華念這詩的話、說、

一 耶和華我的力量阿、我愛你。
二 耶和華是我的巖石、我的山寨、我的救主、我的　神、我
的磐石、我所投靠的．他是我的盾牌、是拯救我的角、是
我的高臺。
三 我要求告當讚美的耶和華．這樣我必從仇敵手中被
救出來。
四 曾有死亡的繩索纏繞我．匪類的急流使我驚懼．
五 陰間的繩索纏繞我．死亡的網羅臨到我。
六 我在急難中求告耶和華、向我的　神呼求．他從殿中
聽了我的聲音、我在他面前的呼求入了他的耳中。
七 那時因他發怒、地就搖撼戰抖、山的根基也震動搖撼。
八 從他鼻孔冒煙上騰、從他口中發火焚燒、連炭也着了。
九 他又使天下垂、親自降臨．有黑雲在他腳下。
十 他坐着基路伯飛行．他藉着風的翅膀快飛。
十一 他以黑暗為藏身之處、以水的黑暗天空的厚雲、為他
四圍的行宮。
十二 因他面前的光輝、他的厚雲行過便有冰雹火炭。
十三 耶和華也在天上打雷．至高者發出聲音、便有冰雹火
炭。
十四 他射出箭來、使仇敵四散．多多發出閃電、使他們擾亂。
十五 耶和華阿、你的斥責一發、你鼻孔的氣一出、海底就出
現、大地的根基也顯露。
十六 他從高天伸手抓住我．把我從大水中拉上來。
十七 他救我脫離我的勁敵、和那些恨我的人、因為他們比
我強盛。
十八 我遭遇災難的日子、他們來攻擊我．但耶和華是我的
倚靠。
十九 他又領我到寬闊之處．他救拔我、因他喜悅我。

二十 耶和華按着我的公義報答我、按着我手中的清潔賞
賜我。
二一 因爲我遵守了耶和華的道、未曾作惡離開我的　神。
二二 他的一切典章常在我面前、他的律例我也未曾丟棄。
二三 我在他面前作了完全人．我也保守自己遠離我的罪
孽。
二四 所以耶和華按我的公義、按我在他眼前手中的清潔、
償還我。
二五 慈愛的人、你以慈愛待他．完全的人、你以完全待他。
二六 清潔的人、你以清潔待他．乖僻的人、你以彎曲待他。
二七 困苦的百姓、你必拯救．高傲的眼目、你必使他降卑。
二八 你必點㸃我的燈．耶和華我的　神必照明我的黑暗。
二九 我藉着你衝入敵軍、藉着我的　神跳過牆垣。
三十 至於　神、他的道是完全的．耶和華的話是煉淨的．凡
投靠他的、他便作他們的盾牌。
三一 除了耶和華、誰是　神呢．除了我們的　神、誰是磐石
呢．
三二 惟有那以力量束我的腰、使我行爲完全的、他是　神。
三三 他使我的脚快如母鹿的蹄、又使我在高處安穩。
三四 他教導我的手能以爭戰、甚至我的膀臂能開銅弓。
三五 你把你的救恩給我作盾牌．你的右手扶持我．你的溫
和使我爲大。
三六 你使我脚下的地步寬闊．我的脚未曾滑跌。
三七 我要追趕我的仇敵、並要追上他們．不將他們滅絕、我
總不歸回。
三八 我要打傷他們、使他們不能起來．他們必倒在我的脚
下。
三九 因爲你曾以力量束我的腰、使我能爭戰．你也使那起
來攻擊我的、都服在我以下。
四十 你又使我的仇敵在我面前轉背逃跑、叫我能以剪除
那恨我的人。
四一 他們呼求、卻無人拯救、就是呼求耶和華、他也不應允。
四二 我搗碎他們、如同風前的灰塵．倒出他們、如同街上的
泥土。
四三 你救我脫離百姓的爭競、立我作列國的元首．我素不
認識的民必事奉我。

四四 他們一聽見我的名聲、就必順從我．外邦人要投降我。
四五 外邦人要衰殘、戰戰兢兢的出他們的營寨。
四六 耶和華是活神．願我的磐石被人稱頌．願救我的神
被人尊崇。
四七 這位 神、就是那爲我伸寃、使衆民服在我以下的。
四八 你救我脫離仇敵．又把我舉起、高過那些起來攻擊我
的．你救我脫離強暴的人。
四九 耶和華阿、因此我要在外邦中稱謝你、歌頌你的名。
五十 耶和華賜極大的救恩給他所立的王、施慈愛給他的
受膏者、就是給大衛和他的後裔、直到永遠。

神之行彰顯其榮

第十九篇

大衛的詩、交與伶長。

一 諸天述說 神的榮
耀．穹蒼傳揚他的手段。
二 這日到那日發出言語．這夜到那夜傳出知識。
三 無言無語、也無聲音可聽。
四 他的量帶通遍天下、他的言語傳到地極。 神在其間
爲太陽安設帳幕．
五 太陽如同新郎出洞房、又如勇士歡然奔路。
六 他從天這邊出來、繞到天那邊．沒有一物被隱藏不得
他的熱氣。

神之言純潔眞誠

七 耶和華的律法全備、能甦醒人心．耶和華的法度確定、
能使愚人有智慧。
八 耶和華的訓詞正直、能快活人的心．耶和華的命令淸
潔、能明亮人的眼目。
九 耶和華的道理潔淨、存到永遠．耶和華的典章眞實、全
然公義。
十 都比金子可羨慕、且比極多的精金可羨慕．比蜜甘甜、
且比蜂房下滴的蜜甘甜。
十一 況且你的僕人因此受警戒．守着這些便有大賞。
十二 誰能知道自己的錯失呢．願你赦免我隱而未現的過
錯。
十三 求你攔阻僕人不犯任意妄爲的罪．不容這罪轄制我．
我便完全免犯大罪。
十四 耶和華我的磐石、我的救贖主阿、願我口中的言語、心
裏的意念、在你面前蒙悅納。

第二十篇

祈耶和華援其受膏者使之得勝

大衛的詩、交與伶長。

一 願耶和華在你遭難
的日子應允你．願名爲雅各　神的高舉你．
二 願他從聖所救助你、從錫安堅固你．
三 記念你的一切供獻、悅納你的燔祭．細拉
四 將你心所願的賜給你、成就你的一切籌算。
五 我們要因你的救恩誇勝、要奉我們　神的名豎立旌
旗．願耶和華成就你一切所求的。
六 現在我知道耶和華救護他的受膏者、必從他的聖天
上應允他、用右手的能力救護他。
七 有人靠車、有人靠馬．但我們要題到耶和華我們　神
的名。
八 他們都屈身仆倒、我們卻起來、立得正直。
九 求耶和華施行拯救．我們呼求的時候、願王應允我們。

第二十一篇

歌頌耶和華之救恩

大衛的詩、交與伶長。

一 耶和華阿、王必因
你的能力歡喜．因你的救恩、他的快樂何其大。
二 他心裏所願的、你已經賜給他．他嘴唇所求的、你未嘗
不應允。細拉
三 你以美福迎接他、把精金的冠冕戴在他頭上。
四 他向你求壽、你便賜給他、就是日子長久、直到永遠。
五 他因你的救恩大有榮耀．你又將尊榮威嚴加在他身
上。
六 你使他有洪福、直到永遠．又使他在你面前歡喜快樂。
七 王倚靠耶和華、因至高者的慈愛必不搖動。
八 你的手要搜出你的一切仇敵．你的右手要搜出那些
恨你的人。
九 你發怒的時候、要使他們如在炎熱的火爐中．耶和華
要在他的震怒中吞滅他們．那火要把他們燒盡了。
十 你必從世上滅絕他們的子孫、（子孫原文作果子）從人間滅絕
他們的後裔。
十一 因爲他們有意加害於你．他們想出計謀、卻不能作成。
十二 你必使他們轉背逃跑、向他們的臉搭箭在弦。
十三 耶和華阿、願你因自己的能力顯爲至高．這樣、我們就
唱詩、歌頌你的大能。

第二十二篇

遇極苦時之祈禱

大衛的詩、交與伶長、調用朝鹿。

一 我的神、
我的神、為甚麼離棄我．為甚麼遠離不救我、不聽我
唉哼的言語。
二 我的神阿、我白日呼求、你不應允．夜間呼求、並不住
聲。
三 但你是聖潔的、是用以色列的讚美為寶座的。（寶座或作居所）
四 我們的祖宗倚靠你．他們倚靠你、你便解救他們。
五 他們哀求你、便蒙解救．他們倚靠你、就不羞愧。
六 但我是蟲、不是人．被眾人羞辱、被百姓藐視。
七 凡看見我的都嗤笑我．他們撇嘴搖頭說、
八 他把自己交託耶和華、耶和華可以救他罷．耶和華既
喜悅他、可以搭救他罷。
九 但你是叫我出母腹的．我在母懷裏、你就使我有倚靠
的心。
十 我自出母胎就被交在你手裏．從我母親生我、你就是
我的神。
十一 求你不要遠離我．因為急難臨近了、沒有人幫助我。
十二 有許多公牛圍繞我．巴珊大力的公牛四面困住我。
十三 他們向我張口、好像抓撕吼叫的獅子。
十四 我如水被倒出來．我的骨頭都脫了節．我心在我裏面
如蠟鎔化。
十五 我的精力枯乾、如同瓦片．我的舌頭貼在我牙牀上．你
將我安置在死地的塵土中。
十六 犬類圍着我．惡黨環繞我．他們扎了我的手、我的腳。
十七 我的骨頭、我都能數過．他們瞪着眼看我。
十八 他們分我的外衣、為我的裏衣拈鬮。
十九 耶和華阿、求你不要遠離我．我的救主阿、求你快來幫
助我。
二十 求你救我的靈魂脫離刀劍、救我的生命脫離犬類、（生命原文作獨一者）
二十一 救我脫離獅子的口．你已經應允我、使我脫離野牛的
角。

謝主恩佑之稱頌

二十二 我要將你的名傳與我的弟兄．在會中我要讚美你。
二十三 你們敬畏耶和華的人要讚美他．雅各的後裔、都要榮

耀他．以色列的後裔、都要懼怕他。
二四 因為他沒有藐視憎惡受苦的人．也沒有向他掩面．那
受苦之人呼籲的時候、他就垂聽。
二五 我在大會中讚美你的話、是從你而來的．我要在敬畏
耶和華的人面前還我的願。
二六 謙卑的人必喫得飽足．尋求耶和華的人必讚美他．願
你們的心永遠活着。
二七 地的四極、都要想念耶和華、並且歸順他．列國的萬族、
都要在你面前敬拜。
二八 因為國權是耶和華的．他是管理萬國的。
二九 地上一切豐肥的人、必喫喝而敬拜．凡下到塵土中不
能存活自己性命的人、都要在他面前下拜。
三十 他必有後裔事奉他．主所行的事、必傳與後代。
三一 他們必來把他的公義傳給將要生的民、言明這事是
他所行的。

第二十三篇 耶和華爲牧者

一 大衛的詩。耶和華是我的牧者．我必
不至缺乏。
二 他使我躺臥在青草地上、領我在可安歇的水邊。
三 他使我的靈魂甦醒、爲自己的名引導我走義路。
四 我雖然行過死蔭的幽谷、也不怕遭害．因爲你與我同
在．你的杖、你的竿、都安慰我。
五 在我敵人面前、你爲我擺設筵席．你用油膏了我的頭、
使我的福杯滿溢。
六 我一生一世必有恩惠慈愛隨着我．我且要住在耶和
華的殿中、直到永遠。

第二十四篇 得陟聖山之人

一 大衛的詩。地、和其中所充滿的、世界、
和住在其間的、都屬耶和華。
二 他把地建立在海上、安定在大水之上。
三 誰能登耶和華的山．誰能站在他的聖所。
四 就是手潔心清、不向虛妄、起誓不懷詭詐的人。
五 他必蒙耶和華賜福、又蒙救他的 神使他成義。
六 這是尋求耶和華的族類、是尋求你面的雅各。細拉

榮耀之王

七 衆城門哪、你們要抬起頭來．永久的門戶、你們要被舉

起．那榮耀的王將要進來。
八 榮耀的王是誰呢．就是有力有能的耶和華、在戰場上
有能的耶和華。
九 衆城門哪、你們要抬起頭來．永久的門戶、你們要把頭
抬起．那榮耀的王將要進來。
十 榮耀的王是誰呢．萬軍之耶和華、他是榮耀的王。拉細

第二十五篇　求耶和華訓導赦宥

大衞的詩。
一 耶和華阿、我的心仰望你。
二 我的神阿、我素來倚靠你．求你不要叫我羞愧．不要
叫我的仇敵向我誇勝。
三 凡等候你的必不羞愧．惟有那無故行奸詐的、必要羞
愧。
四 耶和華阿、求你將你的道指示我、將你的路教訓我。
五 求你以你的眞理引導我、教訓我．因爲你是救我的
神．我終日等候你。
六 耶和華阿、求你記念你的憐憫和慈愛．因爲這是亙古
以來所常有的。
七 求你不要記念我幼年的罪愆、和我的過犯．耶和華阿、
求你因你的恩惠、按你的慈愛、記念我。
八 耶和華是良善正直的．所以他必指示罪人走正路。
九 他必按公平引領謙卑人、將他的道教訓他們。
十 凡遵守他的約和他法度的人、耶和華都以慈愛誠實
待他。
十一 耶和華阿、求你因你的名赦免我的罪、因爲我的罪重
大。
十二 誰敬畏耶和華、耶和華必指示他當選擇的道路。
十三 他必安然居住．他的後裔必承受地土。
十四 耶和華與敬畏他的人親密．他必將自己的約指示他
們。
十五 我的眼目時常仰望耶和華．因爲他必將我的腳從網
裏拉出來。
十六 求你轉向我、憐恤我．因爲我是孤獨困苦。
十七 我心裏的愁苦甚多．求你救我脫離我的禍患。
十八 求你看顧我的困苦、我的艱難、赦免我一切的罪。
十九 求你察看我的仇敵、因爲他們人多．並且痛痛的恨我。
二十 求你保護我的性命、搭救我、使我不至羞愧、因爲我投

靠你。
二一 願純全正直保守我、因為我等候你。
二二 神阿、求你救贖以色列脫離他一切的愁苦。

第二十六篇 自言行為純正求耶和華救贖

大衞的詩。
一 耶和華阿、求你為我伸冤、
因我向來行事純全、我又倚靠耶和華並不搖動。
二 耶和華阿、求你察看我、試驗我、熬煉我的肺腑心腸。
三 因為你的慈愛常在我眼前．我也按你的真理而行。
四 我沒有和虛謊人同坐．也不與瞞哄人的同羣。
五 我恨惡惡人的會、必不與惡人同坐。
六 耶和華阿、我要洗手表明無辜、纔環繞你的祭壇．
七 我好發稱謝的聲音．也要述說你一切奇妙的作為。
八 耶和華阿、我喜愛你所住的殿、和你顯榮耀的居所。
九 不要把我的靈魂和罪人一同除掉．不要把我的性命
和流人血的一同除掉。
十 他們的手中有奸惡、右手滿有賄賂。
十一 至於我、卻要行事純全．求你救贖我、憐恤我。
十二 我的腳站在平坦地方．在眾會中我要稱頌耶和華。

第二十七篇 以耶和華為保障中心無懼

大衞的詩。
一 耶和華是我的亮光、是我
的拯救．我還怕誰呢．耶和華是我性命的保障．（保障或作力量）
我還懼誰呢。
二 那作惡的、就是我的仇敵、前來喫我肉的時候、就絆跌
仆倒。
三 雖有軍兵安營攻擊我、我的心也不害怕．雖然興起刀
兵攻擊我、我必仍舊安穩。
四 有一件事、我曾求耶和華、我仍要尋求．就是一生一世
住在耶和華的殿中、瞻仰他的榮美、在他的殿裏求問。
五 因為我遭遇患難、他必暗暗的保守我．在他亭子裏、把
我藏在他帳幕的隱密處、將我高舉在磐石上。
六 現在我得以昂首、高過四面的仇敵．我要在他的帳幕
裏歡然獻祭．我要唱詩、歌頌耶和華。
七 耶和華阿、我用聲音呼籲的時候、求你垂聽．並求你憐
恤我、應允我。
八 你說、你們當尋求我的面．那時我心向你說、耶和華阿、
你的面我正要尋求。

九 不要向我掩面．不要發怒趕逐僕人．你向來是幫助我
的．救我的　神阿、不要丟掉我、也不要離棄我。
十 我父母離棄我、耶和華必收留我。
十一 耶和華阿、求你將你的道指教我、因我仇敵的緣故引
導我走平坦的路。
十二 求你不要把我交給敵人、遂其所願．因爲妄作見證的、
和口吐兇言的、起來攻擊我。
十三 我若不信在活人之地得見耶和華的恩惠、就早已喪
膽了。
十四 要等候耶和華．當壯膽、堅固你的心．我再說、要等候耶
和華。

第二十八篇　大衛的詩。　求耶和華垂聽其祈求

一 耶和華阿、我要求告你．我
的磐石阿、不要向我緘默．倘若你向我閉口、我就如將
死的人一樣。
二 我呼求你、向你至聖所舉手的時候、求你垂聽我懇求
的聲音。
三 不要把我和惡人、並作孽的、一同除掉．他們與鄰舍說
和平話、心裏卻是奸惡。
四 願你按着他們所作的、並他們所行的惡事待他們．願
你照着他們手所作的待他們．將他們所應得的報應
加給他們。
五 他們既然不留心耶和華所行的、和他手所作的、他就
必毀壞他們、不建立他們。

頌耶和華因允其求

六 耶和華是應當稱頌的、因爲他聽了我懇求的聲音。
七 耶和華是我的力量、是我的盾牌．我心裏倚靠他、就得
幫助．所以我心中歡樂．我必用詩歌頌讚他。
八 耶和華是他百姓的力量、又是他受膏者得救的保障。
九 求你拯救你的百姓、賜福給你的產業．牧養他們、扶持
他們、直到永遠。

第二十九篇　大衛的詩。　耶和華之威聲

一 神的衆子阿、你們要將
榮耀能力歸給耶和華、歸給耶和華。
二 要將耶和華的名所當得的榮耀歸給他．以聖潔的妝
飾（的或作爲）敬拜耶和華。

三 耶和華的聲音發在水上．榮耀的神打雷、耶和華打
雷在大水之上。
四 耶和華的聲音大有能力．耶和華的聲音滿有威嚴。
五 耶和華的聲音震破香柏樹．耶和華震碎利巴嫩的香
柏樹。
六 他也使之跳躍如牛犢、使利巴嫩和西連跳躍如野牛
犢。
七 耶和華的聲音使火燄分岔。
八 耶和華的聲音震動曠野．耶和華震動加低斯的曠野。
九 耶和華的聲音驚動母鹿落胎、樹木也脫落淨光．凡在
他殿中的、都稱說他的榮耀。
十 洪水氾濫之時、耶和華坐着爲王．耶和華坐着爲王、直
到永遠。
十一 耶和華必賜力量給他的百姓．耶和華必賜平安的福
給他的百姓。

第三十篇 稱頌耶和華之救死

大衛在獻殿的時候作這詩歌。

耶和華阿、我
一 要尊崇你、因爲你曾提拔我、不叫仇敵向我誇耀。
二 耶和華我的神阿、我曾呼求你、你醫治了我。
三 耶和華阿、你曾把我的靈魂從陰間救上來、使我存活、
不至於下坑。
四 耶和華的聖民哪、你們要歌頌他、稱讚他可記念的聖
名．
五 因爲他的怒氣不過是轉眼之間．他的恩典乃是一生
之久．一宿雖然有哭泣、早晨便必歡呼。
六 至於我、我凡事平順、便說、我永不動搖。
七 耶和華阿、你曾施恩、叫我的江山穩固．你掩了面、我就
驚惶。
八 耶和華阿、我曾求告你．我向耶和華懇求、說、
九 我被害流血、下到坑中、有甚麼益處呢．塵土豈能稱讚
你、傳說你的誠實麼。
十 耶和華阿、求你應允我、憐恤我．耶和華阿、求你幫助我。
十一 你已將我的哀哭變爲跳舞、將我的麻衣脫去、給我披
上喜樂．
十二 好叫我的靈〔原文作榮耀〕歌頌你、並不住聲．耶和華我的
神阿、我要稱謝你、直到永遠。

倚賴耶和華求其救援

第三十一篇

一 大衛的詩交與伶長。耶和華阿、我投靠
你。求你使我永不羞愧、憑你的公義搭救我。
二 求你側耳而聽、快快救我、作我堅固的磐石、拯救我的
保障。
三 因為你是我的巖石、我的山寨．所以求你為你名的緣
故、引導我、指點我。
四 求你救我脫離人為我暗設的網羅．因為你是我的保
障。
五 我將我的靈魂交在你手裏．耶和華誠實的神阿、你
救贖了我。
六 我恨惡那信奉虛無之神的人．我卻倚靠耶和華。
七 我要為你的慈愛高興歡喜．因為你見過我的困苦、知
道我心中的艱難。
八 你未曾把我交在仇敵手裏．你使我的腳站在寬闊之
處。
九 耶和華阿、求你憐恤我、因為我在急難之中．我的眼睛
因憂愁而乾癟．連我的身心也不安舒。
十 我的生命為愁苦所消耗．我的年歲為歎息所曠廢．我
的力量因我的罪孽衰敗．我的骨頭也枯乾。
十一 我因一切敵人成了羞辱．在我的鄰舍跟前更甚．那認
識我的都懼怕我．在外頭看見我的都躲避我。
十二 我被人忘記、如同死人．無人記念．我好像破碎的器皿。
十三 我聽見了許多人的讒謗．四圍都是驚嚇．他們一同商
議攻擊我的時候、就圖謀要害我的性命。
十四 耶和華阿、我仍舊倚靠你．我說、你是我的神。
十五 我終身的事在你手中．求你救我脫離仇敵的手、和那
些逼迫我的人。
十六 求你使你的臉光照僕人、憑你的慈愛拯救我。
十七 耶和華阿、求你叫我不至羞愧．因為我曾呼籲你．求你
使惡人羞愧、使他們在陰間緘默無聲。
十八 那撒謊的人逞驕傲輕慢、出狂妄的話攻擊義人．願他
的嘴啞而無言。
十九 敬畏你投靠你的人、你為他們所積存的、在世人面前
所施行的恩惠、是何等大呢。
二十 你必把他們藏在你面前的隱密處、免得遇見人的計

謀。你必暗暗的保守他們在亭子裏、免受口舌的爭鬧。
二一 耶和華是應當稱頌的．因為他在堅固城裏、向我施展
奇妙的慈愛。
二二 至於我、我曾急促的說、我從你眼前被隔絕．然而我呼
求你的時候、你仍聽我懇求的聲音。
二三 耶和華的聖民哪、你們都要愛他．耶和華保護誠實人、
足足報應行事驕傲的人。
二四 凡仰望耶和華的人、你們都要壯膽、堅固你們的心。

第三十二篇 蒙主赦宥乃為有福

大衛的訓誨詩。

一 得赦免其過、遮蓋其
罪的、這人是有福的。
二 凡心裏沒有詭詐、耶和華不算為有罪的、這人是有福
的。
三 我閉口不認罪的時候、因終日唉哼、而骨頭枯乾。
四 黑夜白日、你的手在我身上沉重．我的精液耗盡、如同
夏天的乾旱。細拉
五 我向你陳明我的罪、不隱瞞我的惡．我說、我要向耶和
華承認我的過犯、你就赦免我的罪惡。細拉
六 為此、凡虔誠人、都當趁你可尋找的時候禱告你．大水
泛溢的時候、必不能到他那裏。
七 你是我藏身之處．你必保佑我脫離苦難、以得救的樂
歌、四面環繞我。細拉

倚恃耶和華者必得慈愛

八 我要教導你、指示你當行的路．我要定睛在你身上勸
戒你。
九 你不可像那無知的騾馬、必用嚼環轡頭勒住他．不然、
就不能馴服。
十 惡人必多受苦楚．惟獨倚靠耶和華的、必有慈愛四面
環繞他。
十一 你們義人應當靠耶和華歡喜快樂．你們心裏正直的
人、都當歡呼。

第三十三篇 頌讚耶和華之誠信功能

一 義人哪、你們應當靠耶和華歡樂．正
直人的讚美是合宜的。
二 你們應當彈琴稱謝耶和華、用十絃瑟歌頌他。
三 應當向他唱新歌、彈得巧妙、聲音洪亮。

四 因爲耶和華的言語正直．凡他所作的、盡都誠實。
五 他喜愛仁義公平．遍地滿了耶和華的慈愛。
六 諸天藉耶和華的命而造、萬象藉他口中的氣而成。
七 他聚集海水如壘、收藏深洋在庫房。
八 願全地都敬畏耶和華．願世上的居民、都懼怕他。
九 因爲他說有、就有．命立、就立。
十 耶和華使列國的籌算歸於無有、使衆民的思念無有
功效。
十一 耶和華的籌算永遠立定、他心中的思念萬代常存。

以耶和華爲神者其國有福

十二 以耶和華爲神的、那國是有福的．他所揀選爲自己
產業的、那民是有福的。
十三 耶和華從天上觀看．他看見一切的世人。
十四 從他的居所往外察看地上一切的居民。
十五 他是那造成他們衆人心的、留意他們一切作爲的。
十六 君王不能因兵多得勝．勇士不能因力大得救。
十七 靠馬得救是枉然的．馬也不能因力大救人。
十八 耶和華的眼目、看顧敬畏他的人、和仰望他慈愛的人、
十九 要救他們的命脫離死亡、並使他們在饑荒中存活。
二十 我們的心向來等候耶和華．他是我們的幫助、我們的
盾牌。
二一 我們的心必靠他歡喜、因爲我們向來倚靠他的聖名。
二二 耶和華阿、求你照着我們所仰望你的、向我們施行慈
愛。

第三十四篇　頌讚耶和華之救恩

大衞在亞比米勒面前裝瘋、被他趕出去、就作這詩。

一 我要時時稱頌耶和華．讚美他的話必常在我口
中。
二 我的心必因耶和華誇耀．謙卑人聽見、就要喜樂。
三 你們和我當稱耶和華爲大、一同高舉他的名。
四 我曾尋求耶和華、他就應允我、救我脫離了一切的恐
懼。
五 凡仰望他的、便有光榮．他們的臉、必不蒙羞。
六 我這困苦人呼求、耶和華便垂聽、救我脫離一切患難。
七 耶和華的使者、在敬畏他的人四圍安營、搭救他們。

投靠主者乃爲有福

八 你們要嘗嘗主恩的滋味、便知道他是美善．投靠他的
人有福了。
九 耶和華的聖民哪、你們當敬畏他、因敬畏他的一無所
缺。
十 少壯獅子、還缺食忍餓．但尋求耶和華的、甚麼好處都
不缺。
十一 衆弟子阿、你們當來聽我的話．我要將敬畏耶和華的
道、教訓你們。
十二 有何人喜好存活、愛慕長壽、得享美福．
十三 就要禁止舌頭不出惡言、嘴唇不說詭詐的話。
十四 要離惡行善、尋求和睦、一心追趕。
十五 耶和華的眼目看顧義人、他的耳朶聽他們的呼求。
十六 耶和華向行惡的人變臉、要從世上除滅他們的名號。
十七 義人呼求、耶和華聽見了、便救他們脫離一切患難。
十八 耶和華靠近傷心的人、拯救靈性痛悔的人。
十九 義人多有苦難．但耶和華救他脫離這一切．
二十 又保全他一身的骨頭、連一根也不折斷。
二一 惡必害死惡人．恨惡義人的、必被定罪。
二二 耶和華救贖他僕人的靈魂．凡投靠他的、必不至定罪。

第三十五篇　求耶和華拯救懲罰其敵

大衛的詩。

一 耶和華阿、與我相爭的、求
你與他們相爭．與我相戰的、求你與他們相戰．
二 拿着大小的盾牌、起來幫助我．
三 抽出槍來、擋住那追趕我的．求你對我的靈魂說、我是
拯救你的。
四 願那尋索我命的、蒙羞受辱．願那謀害我的、退後羞愧。
五 願他們像風前的糠、有耶和華的使者趕逐他們。
六 願他們的道路、又暗又滑、有耶和華的使者追趕他們。
七 因他們無故的爲我暗設網羅．無故的挖坑、要害我的
性命。
八 願災禍忽然臨到他身上．願他暗設的網纏住自己．願
他落在其中遭災禍。
九 我的心必靠耶和華快樂、靠他的救恩高興。
十 我的骨頭都要說、耶和華阿、誰能像你救護困苦人、脫
離那比他強壯的、救護困苦窮乏之人、脫離那搶奪他的。

11 兇惡的見證人起來、盤問我所不知道的事。
12 他們向我以惡報善、使我的靈魂孤苦。
13 至於我、當他們有病的時候、我便穿麻衣、禁食刻苦己
心．我所求的都歸到自己的懷中。
14 我這樣行、好像他是我的朋友、我的弟兄．我屈身悲哀、
如同人爲母親哀痛。
15 我在患難中、他們卻歡喜、大家聚集．我所不認識的那
些下流人聚集攻擊我．他們不住的把我撕裂。
16 他們如同席上好嬉笑的狂妄人、向我咬牙。
17 主阿、你看着不理、要到幾時呢．求你救我的靈魂、脫離
他們的殘害、救我的生命脫離少壯獅子。（生命原文作獨一者）
18 我在大會中要稱謝你、在衆民中要讚美你。
19 求你不容那無理與我爲仇的、向我誇耀．不容那無故
恨我的、向我擠眼。
20 因爲他們不說和平話．倒想出詭詐的言語、害地上的
安靜人。
21 他們大大張口攻擊我、說、阿哈、阿哈、我們的眼已經看
見了。
22 耶和華阿、你已經看見了．求你不要閉口．主阿、求你不
要遠離我。
23 我的神、我的主阿、求你奮興醒起、判清我的事、伸明
我的冤。
24 耶和華我的神阿、求你按你的公義判斷我、不容他
們向我誇耀。
25 不容他們心裏說、阿哈、遂我們的心願了．不容他們說、
我們已經把他吞了。
26 願那喜歡我遭難的、一同抱愧蒙羞．願那向我妄自尊
大的、披慚愧蒙羞辱。
27 願那喜悅我冤屈得伸的、（冤屈得伸原文作公義）歡呼快樂．願他
們常說、當尊耶和華爲大、耶和華喜悅他的僕人平安。
28 我的舌頭要終日論說你的公義、時常讚美你。

惡人之罪惡

第三十六篇

耶和華的僕人大衛的詩、交與伶長。

1 惡人
的罪過、在他心裏說、我眼中不怕神。
2 他自誇自媚、以爲他的罪孽終不顯露、不被恨惡。
3 他口中的言語、盡是罪孽詭詐．他與智慧善行已經斷

絕。
四 他在牀上圖謀罪孽、定意行不善的道、不憎惡惡事。

神之慈愛

五 耶和華阿、你的慈愛、上及諸天、你的信實、達到穹蒼。
六 你的公義、好像高山、你的判斷、如同深淵、耶和華阿、人
民牲畜、你都救護。
七 神阿、你的慈愛、何其寶貴、世人投靠在你翅膀的蔭
下。
八 他們必因你殿裏的肥甘、得以飽足、你也必叫他們喝
你樂河的水。
九 因爲在你那裏、有生命的源頭、在你的光中、我們必得
見光。
十 願你常施慈愛給認識你的人、常以公義待心裏正直
的人。
十一 不容驕傲人的脚踐踏我、不容兇惡人的手趕逐我。
十二 在那裏作孽的人、已經仆倒、他們被推倒、不能再起來。

第三十七篇

作惡者之危殆

大衛的詩。

一 不要爲作惡的、心懷不平、
也不要向那行不義的、生出嫉妒。
二 因爲他們如草快被割下、又如青菜快要枯乾。
三 你當倚靠耶和華而行善、住在地上、以他的信實爲糧。
四 又要以耶和華爲樂、他就將你心裏所求的賜給你。
五 當將你的事交託耶和華、並倚靠他、他就必成全。
六 他要使你的公義、如光發出、使你的公平、明如正午。
七 你當默然倚靠耶和華、耐性等候他、不要因那道路通
達的、和那惡謀成就的、心懷不平。
八 當止住怒氣、離棄忿怒、不要心懷不平、以致作惡。
九 因爲作惡的、必被剪除、惟有等候耶和華的、必承受地
土。
十 還有片時、惡人要歸於無有、你就是細察他的住處、也
要歸於無有。
十一 但謙卑人必承受地土、以豐盛的平安爲樂。
十二 惡人設謀害義人、又向他咬牙。
十三 主要笑他、因見他受罰的日子將要來到。
十四 惡人已經弓上弦、刀出鞘、要打倒困苦窮乏的人、要殺
害行動正直的人。

十五 他們的刀、必刺入自己的心、他們的弓、必被折斷。
十六 一個義人所有的雖少、強過許多惡人的富餘。
十七 因爲惡人的膀臂、必被折斷．但耶和華是扶持義人。

恃主者之安穩

十八 耶和華知道完全人的日子．他們的產業、要存到永遠。
十九 他們在急難的時候、不至羞愧．在饑荒的日子、必得飽足。
二十 惡人卻要滅亡．耶和華的仇敵、要像羊羔的脂油．〔或作像草地的華美〕他們要消滅、要如煙消滅。
二一 惡人借貸而不償還．義人卻恩待人、並且施捨。
二二 蒙耶和華賜福的、必承受地土．被他咒詛的、必被剪除。
二三 義人的腳步、被耶和華立定．他的道路、耶和華也喜愛。
二四 他雖失腳、也不至全身仆倒．因爲耶和華用手攙扶他。〔或作攙扶他的手〕
二五 我從前年幼、現在年老、卻未見過義人被棄．也未見過他的後裔討飯。
二六 他終日恩待人、借給人．他的後裔也蒙福。
二七 你當離惡行善、就可永遠安居。
二八 因爲耶和華喜愛公平、不撇棄他的聖民．他們永蒙保佑．但惡人的後裔、必被剪除。
二九 義人必承受地土、永居其上。
三十 義人的口談論智慧、他的舌頭講說公平。
三一 神的律法在他心裏．他的腳總不滑跌。
三二 惡人窺探義人、想要殺他。
三三 耶和華必不撇他在惡人手中、當審判的時候、也不定他的罪。
三四 你當等候耶和華、遵守他的道．他就抬舉你、使你承受地土．惡人被剪除的時候、你必看見。
三五 我見過惡人大有勢力、好像一棵青翠樹在本土生發。
三六 有人從那裏經過、不料、他沒有了．我也尋找他、卻尋不着。
三七 你要細察那完全人、觀看那正直人．因爲和平人有好結局。
三八 至於犯法的人、必一同滅絕．惡人終必剪除。
三九 但義人得救、是由於耶和華．他在患難時作他們的營寨。

四十 耶和華幫助他們、解救他們．他解救他們脫離惡人、把他們救出來因為他們投靠他。

第三十八篇 哀陳苦況求主矜憐

大衛的記念詩。

一 耶和華阿、求你不要在怒中責備我．不要在烈怒中懲罰我。
二 因為你的箭射入我身、你的手壓住我。
三 因你的惱怒我的肉無一完全．因我的罪過、我的骨頭也不安寧。
四 我的罪孽高過我的頭、如同重擔叫我擔當不起。
五 因我的愚昧、我的傷發臭流膿。
六 我疼痛、大大拳曲、終日哀痛。
七 我滿腰是火．我的肉無一完全。
八 我被壓傷、身體疲倦．因心裏不安、我就唉哼。
九 主阿、我的心願都在你面前．我的歎息不向你隱瞞。
十 我心跳動、我力衰微、連我眼中的光也沒有了。
十一 我的良朋密友、因我的災病、都躲在旁邊站着．我的親戚本家、也遠遠的站立。
十二 那尋索我命的、設下網羅．那想要害我的、口出惡言、終日思想詭計。
十三 但我如聾子不聽、像啞吧不開口。
十四 我如不聽見的人、口中沒有回話。
十五 耶和華阿、我仰望你．主我的　神阿、你必應允我。
十六 我曾說、恐怕他們向我誇耀．我失脚的時候、他們向我誇大。
十七 我幾乎跌倒、我的痛苦常在我面前。
十八 我要承認我的罪孽．我要因我的罪憂愁。
十九 但我的仇敵又活潑又強壯．無理恨我的增多了。
二十 以惡報善的、與我作對、因我是追求良善。
二一 耶和華阿、求你不要撇棄我．我的　神阿、求你不要遠離我。
二二 拯救我的主阿、求你快快幫助我。

第三十九篇 世事虛幻惟主是望

大衛的詩、交與伶長耶杜頓。

一 我曾說、我要謹慎我的言行、免得我舌頭犯罪．惡人在我面前的時候、我要用嚼環勒住我的口。
二 我默然無聲、連好話也不出口．我的愁苦就發動了。

三 我的心在我裏面發熱．我默想的時候、火就燒起、我便
用舌頭說話．
四 耶和華阿、求你叫我曉得我身之終、我的壽數幾何、叫
我知道我的生命不長。
五 你使我的年日窄如手掌．我一生的年數、在你面前、如
同無有．各人最穩妥的時候、眞是全然虛幻。細拉
六 世人行動實係幻影．他們忙亂、眞是枉然．積蓄財寶、不
知將來有誰收取。
七 主阿、如今我等甚麼呢．我的指望在乎你。
八 求你救我脫離一切的過犯．不要使我受愚頑人的羞
辱。
九 因我所遭遇的是出於你、我就默然不語。
十 求你把你的責罰從我身上免去．因你手的責打、我便
消滅。
十一 你因人的罪惡、懲罰他的時候、叫他的笑容消滅、的笑容或
作所喜愛的如衣被蟲所咬．世人眞是虛幻。細拉
十二 耶和華阿．求你聽我的禱告、留心聽我的呼求．我流淚、
求你不要靜默無聲．因為我在你面前是客旅、是寄居
的、像我列祖一般。
十三 求你寬容我、使我在去而不返之先、可以力量復原。

第四十篇　**蒙主救拔脫離苦難**

大衛的詩、交與伶長。

一 我曾耐性等候耶和
華．他垂聽我的呼求。
二 他從禍坑裏、從淤泥中、把我拉上來、使我的腳立在磐
石上、使我腳步穩當。
三 他使我口唱新歌、就是讚美我們　神的話．許多人必
看見而懼怕、並要倚靠耶和華。
四 那倚靠耶和華、不理會狂傲和偏向虛假之輩的、這人
便為有福。
五 耶和華我的　神阿、你所行的奇事、並你向我們所懷
的意念甚多、不能向你陳明．若要陳明、其事不可勝數。
六 祭物和禮物、你不喜悅．你已經開通我的耳朵．燔祭和
贖罪祭、非你所要。
七 那時我說、看哪、我來了．我的事在經卷上已經記載了。
八 我的　神阿、我樂意照你的旨意行．你的律法在我心
裏。

九 我在大會中宣傳公義的佳音．我必不止住我的嘴唇．
耶和華阿、這是你所知道的。
十 我未曾把你的公義藏在心裏．我已陳明你的信實、和
你的救恩．我在大會中未曾隱瞞你的慈愛、和誠實。
十一 耶和華阿、求你不要向我止住你的慈悲．願你的慈愛
和誠實、常常保佑我。
十二 因有無數的禍患圍困我．我的罪孽追上了我、使我不
能昂首．這罪孽比我的頭髮還多．我就心寒膽戰。
十三 耶和華阿、求你開恩搭救我．耶和華阿、求你速速幫助
我。
十四 願那些尋找我、要滅我命的、一同抱愧蒙羞．願那些喜
悅我受害的、退後受辱。
十五 願那些對我說、阿哈、阿哈的、因羞愧而敗亡。
十六 願一切尋求你的、因你高興歡喜．願那些喜愛你救恩
的、常說、當尊耶和華爲大。
十七 但我是困苦窮乏的．主仍顧念我．你是幫助我的、搭救
我的．神阿、求你不要躭延。

第四十一篇

遭疾時怨契友言行虛僞

大衛的詩交與伶長。

一 眷顧貧窮的有福
了．他遭難的日子、耶和華必搭救他。
二 耶和華必保全他、使他存活．他必在地上享福．求你不
要把他交給仇敵、遂其所願。
三 他病重在榻、耶和華必扶持他．他在病中、你必給他鋪
牀。
四 我曾說、耶和華阿、求你憐恤我、醫治我．因爲我得罪了
你。
五 我的仇敵用惡言議論我、說、他幾時死、他的名纔滅亡
呢。
六 他來看我、就說假話．他心存奸惡、走到外邊纔說出來。
七 一切恨我的、都交頭接耳的議論我．他們設計要害我。
八 他們說、有怪病貼在他身上．他已躺臥、必不能再起來。
九 連我知己的朋友、我所倚靠喫過我飯的、也用脚踢我。
十 耶和華阿、求你憐恤我、使我起來、好報復他們。
十一 因我的仇敵不得向我誇勝．我從此便知道你喜愛我。
十二 你因我純正、就扶持我、使我永遠站在你的面前。

十三 耶和華以色列的　神、是應當稱頌的、從亙古直到永
遠。阿們、阿們。

詩篇卷二

在異域遭難時企望　神

第四十二篇

可拉後裔的訓誨詩、交與伶長。

一 神阿、我
的心切慕你、如鹿切慕溪水。
二 我的心渴想　神、就是永生　神。我幾時得朝見　神
呢。
三 我晝夜以眼淚當飲食、人不住的對我說、你的　神在
那裏呢。
四 我從前與衆人同往、用歡呼稱讚的聲音、領他們到
神的殿裏、大家守節。我追想這些事、我的心極其悲傷。
五 我的心哪、你為何憂悶、為何在我裏面煩躁。應當仰望
神、因他笑臉幫助我、我還要稱讚他。
六 我的　神阿、我的心在我裏面憂悶、所以我從約但地、
從黑門嶺、從米薩山記念你。
七 你的瀑布發聲、深淵就與深淵響應、你的波浪洪濤漫
過我身。
八 白晝耶和華必向我施慈愛、黑夜我要歌頌禱告賜我
生命的　神。
九 我要對　神我的磐石說、你為何忘記我呢。我為何因
仇敵的欺壓時常哀痛呢。
十 我的敵人辱罵我、好像打碎我的骨頭、不住的對我說、
你的　神在那裏呢。
十一 我的心哪、你為何憂悶、為何在我裏面煩躁。應當仰望
神、因我還要稱讚他、他是我臉上的光榮、原文作幫助是
我的　神。

求　神救援

第四十三篇

一 神阿、求你伸我的冤、向不虔誠的
國、為我辨屈。求你救我脫離詭詐不義的人。
二 因為你是賜我力量的　神、為何丟棄我呢。我為何因
仇敵的欺壓時常哀痛呢。
三 求你發出你的亮光和真實、好引導我、帶我到你的聖
山、到你的居所。
四 我就走到　神的祭壇、到我最喜樂的　神那裏。　神

阿、我的神、我要彈琴稱讚你。
五 我的心哪、你為何憂悶、為何在我裏面煩躁．應當仰望
神．因我還要稱讚他．他是我臉上的光榮、（原文作是幫助）
我的神。

第四十四篇　追念神古昔之恩

可拉後裔的訓誨詩、交與伶長。

神阿、你
一 在古時、我們列祖的日子、所行的事、我們親耳聽見了、
我們的列祖也給我們述說過。
二 你曾用手趕出外邦人、卻栽培了我們列祖．你苦待列
邦、卻叫我們列祖發達。
三 因為他們不是靠自己的刀劍得地土、也不是靠自己
的膀臂得勝．乃是靠你的右手、你的膀臂、和你臉上的
亮光、因為你喜悅他們。
四 神阿、你是我的王．求你出令、使雅各得勝。
五 我們靠你要推倒我們的敵人．靠你的名要踐踏那起
來攻擊我們的人。
六 因為我必不靠我的弓、我的刀也不能使我得勝。
七 惟你救了我們脫離敵人、使恨我們的人羞愧。

八 我們終日因　神誇耀、還要永遠稱謝你的名。（細拉）

陳述己身今時之苦

九 但如今你丟棄了我們、使我們受辱、不和我們的軍兵
同去。
十 你使我們向敵人轉身退後．那恨我們的人任意搶奪。
十一 你使我們當作快要被喫的羊、把我們分散在列邦中。
十二 你賣了你的子民、也不賺利、所得的價值、並不加添你
的貲財。
十三 你使我們受鄰國的羞辱、被四圍的人嗤笑譏刺。
十四 你使我們在列邦中作了笑談、使眾民向我們搖頭。
十五 我的凌辱、終日在我面前．我臉上的羞愧、將我遮蔽．
十六 都因那辱罵毀謗人的聲音、又因仇敵和報仇人的緣
故。
十七 這都臨到我們身上．我們卻沒有忘記你、也沒有違背
你的約。
十八 我們的心沒有退後、我們的腳也沒有偏離你的路。
十九 你在野狗之處壓傷我們、用死蔭遮蔽我們。
二十 倘若我們忘了　神的名、或向別神舉手、

二一 神豈不鑒察這事麽．因爲他曉得人心裏的隱祕．

二二 我們爲你的緣故終日被殺．人看我們如將宰的羊．

二三 主阿、求你睡醒、爲何儘睡呢．求你興起、不要永遠丟棄我們．

二四 你爲何掩面、不顧我們所遭的苦難、和所受的欺壓．

二五 我們的性命伏於塵土．我們的肚腹緊貼地面．

二六 求你起來幫助我們、憑你的慈愛救贖我們．

第四十五篇　頌讚　神之榮威美德

可拉後裔的訓誨詩、又是愛慕歌、交與伶長、調用百合花．

一 我心裏湧出美辭．我論到我爲王作的事．我的舌頭是快手筆．

二 你比世人更美、在你嘴裏滿有恩惠．所以　神賜福給你、直到永遠．

三 大能者阿、願你腰間佩刀、大有榮耀和威嚴．

四 爲眞理、謙卑、公義、赫然坐車前往、無不得勝．你的右手必顯明可畏的事．

五 你的箭鋒快、射中王敵之心．萬民仆倒在你以下．

六 神阿、你的寶座是永永遠遠的．你的國權是正直的．

七 你喜愛公義、恨惡罪惡．所以　神、就是你的　神、用喜樂油膏你、勝過膏你的同伴．

八 你的衣服都有沒藥沉香肉桂的香氣．象牙宮中有絲絃樂器的聲音、使你歡喜．

九 有君王的女兒在你尊貴婦女之中．王后佩戴俄斐金飾、站在你右邊．

十 女子阿、你要聽、要想、要側耳而聽．不要記念你的民、和你的父家．

十一 王就羨慕你的美貌．因爲他是你的主．你當敬拜他．

十二 推羅的民〔民原文作女子〕必來送禮．民中的富足人、也必向你求恩．

十三 王女在宮裏、極其榮華．他的衣服是用金線繡的．

十四 他要穿錦繡的衣服、被引到王前．隨從他的陪伴童女、也要被帶到你面前．

十五 他們要歡喜快樂被引導．他們要進入王宮．

十六 你的子孫要接續你的列祖．你要立他們在全地作王．

十七 我必叫你的名被萬代記念．所以萬民要永永遠遠稱謝你．

第四十六篇

神爲其民作避難之所

一 可拉後裔的詩歌、交與伶長調用女音。 神
是我們的避難所、是我們的力量、是我們在患難中隨
時的幫助。
二 所以地雖改變、山雖搖動到海心、
三 其中的水雖匉訇翻騰、山雖因海漲而戰抖、我們也不
害怕。細拉
四 有一道河、這河的分汊、使 神的城歡喜．這城就是至
高者居住的聖所。
五 神在其中、城必不動搖．到天一亮、 神必幫助這城。
六 外邦喧嚷、列國動搖． 神發聲、地便鎔化。
七 萬軍之耶和華與我們同在．雅各的 神是我們的避
難所。細拉
八 你們來看耶和華的作爲、看他使地怎樣荒涼。
九 他止息刀兵、直到地極．他折弓、斷槍、把戰車焚燒在火
中。
十 你們要休息、要知道我是 神．我必在外邦中被尊崇、
在遍地上也被尊崇。
十一 萬軍之耶和華與我們同在．雅各的 神、是我們的避
難所。

第四十七篇

耶和華爲全地之君

一 可拉後裔的詩、交與伶長。 萬民哪、你們
都要拍掌、要用誇勝的聲音向 神呼喊。
二 因爲耶和華至高者是可畏的．他是治理全地的大君
王。
三 他叫萬民服在我們以下、又叫列邦服在我們脚下。
四 他爲我們選擇產業、就是他所愛之雅各的榮耀。細拉
五 神上升、有喊聲相送．耶和華上升、有角聲相送。
六 你們要向 神歌頌、歌頌、向我們王歌頌、歌頌。
七 因爲 神是全地的王．你們要用悟性歌頌。
八 神作王治理萬國． 神坐在他的聖寶座上。
九 列邦的君王聚集、要作亞伯拉罕之 神的民．因爲世
界的盾牌是屬 神的．他爲至高。

第四十八篇

頌讚錫安之榮美

一 可拉後裔的詩歌。 耶和華本爲大、在我
們 神的城中、在他的聖山上、該受大讚美。

二 錫安山、大君王的城、在北面居高華美、爲全地所喜悅。
三 神在其宮中自顯爲避難所。
四 看哪、衆王會合、一同經過。
五 他們見了這城、就驚奇喪膽、急忙逃跑。
六 他們在那裏被戰兢疼痛抓住、好像產難的婦人一樣。
七 神阿、你用東風打破他施的船隻。
八 我們在萬軍之耶和華的城中、就是我們 神的城中、
所看見的、正如我們所聽見的．神必堅立這城、直到
永遠。（細拉）
九 神阿、我們在你的殿中、想念你的慈愛。
十 神阿、你受的讚美、正與你的名相稱、直到地極．你的
右手滿了公義。
十一 因你的判斷、錫安山應當歡喜、猶大的城邑應當快樂。（城邑原文作女子）
十二 你們當周遊錫安、四圍旋繞、數點城樓、
十三 細看他的外郭、察看他的宮殿、爲要傳說到後代。
十四 因爲這 神永永遠遠爲我們的 神．他必作我們引
路的、直到死時。

第四十九篇　歎世人恃財之愚

（可拉後裔的詩、交與伶長。）

一 萬民哪、你們
都當聽這話、世上一切的居民、
二 無論上流下流、富足貧窮、都當留心聽。
三 我口要說智慧的言語．我心要想通達的道理。
四 我要側耳聽比喻、用琴解謎語。
五 在患難的日子、奸惡隨我腳跟、四面環繞我、我何必懼
怕。
六 那些倚仗財貨自誇錢財多的人、
七 一個也無法贖自己的弟兄、也不能替他將贖價給
神、
八九 叫他長遠活着、不見朽壞．因爲贖他生命的價值極貴、
只可永遠罷休。
十 他必見智慧人死、又見愚頑人和畜類人、一同滅亡、將
他們的財貨留給別人。
十一 他們心裏思想、他們的家室必永存、住宅必留到萬代．
他們以自己的名、稱自己的地。
十二 但人居尊貴中不能長久、如同死亡的畜類一樣。

十三 他們行的這道、本爲自己的愚昧．但他們以後的人、還
佩服他們的話語。拉細
十四 他們如同羊羣派定下陰間．死亡必作他們的牧者．到
了早晨、正直人必管轄他們．他們的美容、必被陰間所
滅、以致無處可存。
十五 只是神必救贖我的靈魂、脫離陰間的權柄、因他必
收納我。拉細
十六 見人發財家室增榮的時候、你不要懼怕．
十七 因爲他死的時候、甚麼也不能帶去．他的榮耀不能隨
他下去。
十八 他活着的時候、雖然自誇爲有福、（你若利己、人必誇
獎你）
十九 他仍必歸到他歷代的祖宗那裏、永不見光。
二十 人在尊貴中、而不醒悟、就如死亡的畜類一樣。

第五十篇

神涖臨秉公行鞫

一 亞薩的詩。大能者神耶和華、已經發
言招呼天下、從日出之地到日落之處。
二 從全美的錫安中、神已經發光了。
三 我們的神要來、決不閉口．有烈火在他面前吞滅、有
暴風在他四圍大颳。
四 他招呼上天下地、爲要審判他的民、
五 說、招聚我的聖民到我這裏來、就是那些用祭物與我
立約的人。
六 諸天必表明他的公義．因爲神是施行審判的。拉細

警教選民

七 我的民哪、你們當聽我的話．以色列阿、我要勸戒你．我
是神、是你的神。
八 我並不因你的祭物責備你．你的燔祭常在我面前。
九 我不從你家中取公牛、也不從你圈內取山羊。
十 因爲樹林中的百獸是我的、千山上的牲畜也是我的。
十一 山中的飛鳥、我都知道．野地的走獸、也都屬我。
十二 我若是飢餓、我不用告訴你．因爲世界和其中所充滿
的、都是我的。
十三 我豈喫公牛的肉呢．我豈喝山羊的血呢。
十四 你們要以感謝爲祭獻與神．又要向至高者還你的
願。

十五 並要在患難之日求告我、我必搭救你、你也要榮耀我。

嚴責惡人

十六 但　神對惡人說、你怎敢傳說我的律例、口中題到我的約呢．
十七 其實你恨惡管教、將我的言語丟在背後。
十八 你見了盜賊、就樂意與他同夥、又與行姦淫的人一同有分。
十九 你口任說惡言、你舌編造詭詐。
二十 你坐着毀謗你的兄弟、讒毀你親母的兒子。
二一 你行了這些事、我還閉口不言．你想我恰和你一樣．其實我要責備你、將這些事擺在你眼前。
二二 你們忘記　神的、要思想這事、免得我把你們撕碎、無人搭救。
二三 凡以感謝獻上為祭的、便是榮耀我．那按正路而行的、我必使他得着我的救恩。

第五十一篇　誠懇悔罪切求恩宥

大衛與拔示巴同室以後、先知拿單來見他．他作這詩、交與伶長。

一 神阿、求你按你的慈愛憐恤我、按你豐盛的慈悲塗抹我的過犯。
二 求你將我的罪孽洗除淨盡、並潔除我的罪。
三 因為我知道我的過犯．我的罪常在我面前。
四 我向你犯罪、惟獨得罪了你、在你眼前行了這惡、以致你責備我的時候、顯為公義．判斷我的時候、顯為清正。
五 我是在罪孽裏生的．在我母親懷胎的時候、就有了罪。
六 你所喜愛的、是內裏誠實．你在我隱密處、必使我得智慧。
七 求你用牛膝草潔淨我、我就乾淨．求你洗滌我、我就比雪更白。
八 求你使我得聽歡喜快樂的聲音、使你所壓傷的骨頭、可以踊躍。
九 求你掩面不看我的罪、塗抹我一切的罪孽。
十 神阿、求你為我造清潔的心、使我裏面重新有正直的靈。（正直或作堅定）
十一 不要丟棄我、使我離開你的面．不要從我收回你的聖靈。
十二 求你使我仍得救恩之樂、賜我樂意的靈扶持我。

十三 我就把你的道指教有過犯的人．罪人必歸順你．
十四 神阿、你是拯救我的　神．求你救我脫離流人血的
罪．我的舌頭就高聲歌唱你的公義．
十五 主阿、求你使我嘴唇張開、我的口便傳揚讚美你的話．
十六 你本不喜愛祭物．若喜愛、我就獻上．燔祭你也不喜悅．
十七 神所要的祭、就是憂傷的靈．神阿、憂傷痛悔的心、
你必不輕看．
十八 求你隨你的美意善待錫安、建造耶路撒冷的城牆．
十九 那時、你必喜愛公義的祭、和燔祭、並全牲的燔祭．那時、
人必將公牛獻在你壇上．

第五十二篇　歎惡人狂妄自誇

以東人多益來告訴掃羅說、大衛到了亞希米勒家．那時大衛作這訓誨詩、交與伶長．

一 勇士阿、你為何以作惡
自誇．　神的慈愛是常存的．
二 你的舌頭邪惡詭詐、好像剃頭刀、快利傷人．
三 你愛惡勝似愛善．又愛說謊、不愛說公義．（細拉）
四 詭詐的舌頭阿、你愛說一切毀滅的話．
五 神也要毀滅你、直到永遠．他要把你拿去、從你的帳
棚中抽出、從活人之地將你拔出．（細拉）
六 義人要看見而懼怕、並要笑他、
七 說、看哪、這就是那不以　神為他力量的人．只倚仗他
豐富的財物、在邪惡上堅立自己．
八 至於我、就像　神殿中的青橄欖樹．我永永遠遠倚靠
神的慈愛．
九 我要稱謝你、直到永遠、因為你行了這事．我也要在你
聖民面前仰望你的名．這名本為美好．

第五十三篇　愚人不知有　神

大衛的訓誨詩、交與伶長、調用瑪哈拉．

一 愚頑
人心裏說、沒有　神．他們都是邪惡、行了可憎惡的罪
孽、沒有一個人行善．
二 神從天上垂看世人、要看有明白的沒有、有尋求他
的沒有．
三 他們各人都退後、一同變為污穢．並沒有行善的、連一
個也沒有．
四 作孽的沒有知識麼．他們吞喫我的百姓、如同喫飯一
樣、並不求告　神．

五 他們在無可懼怕之處、就大大害怕．因爲神把那安
營攻擊你之人的骨頭散開了．你使他們蒙羞、因爲
神棄絕了他們。
六 但願以色列的救恩從錫安而出。神救回他被擄的
子民那時、雅各要快樂、以色列要歡喜。

第五十四篇　遭敵迫害求主扶助

西弗人來對掃羅說、大衛豈不是在我們那裏
一 藏身麼．那時大衛作這訓誨詩、交與伶長、用絲絃的樂器。　神阿、求
你以你的名救我、憑你的大能爲我伸寃。
二 神阿、求你聽我的禱告、留心聽我口中的言語。
三 因爲外人起來攻擊我、強暴人尋索我的命．他們眼中
沒有神。細拉
四 神是幫助我的、是扶持我命的。
五 他要報應我仇敵所行的惡．求你憑你的誠實滅絕他
們。
六 我要把甘心祭獻給你．耶和華阿、我要稱讚你的名．這
名本爲美好。
七 他從一切的急難中、把我救出來．我的眼睛也看見了
我仇敵遭報……。

第五十五篇　受敵暴虐求其被滅

大衛的訓誨詩、交與伶長、用絲絃的樂器。
一 神阿、求你留心聽我的禱告、不要隱藏不聽我的懇求。
二 求你側耳聽我、應允我．我哀歎不安、發聲唉哼．
三 都因仇敵的聲音、惡人的欺壓．因爲他們將罪孽加在
我身上、發怒氣逼迫我。
四 我心在我裏面甚是疼痛．死的驚惶臨到我身。
五 恐懼戰兢歸到我身、驚恐漫過了我。
六 我說、但願我有翅膀像鴿子、我就飛去得享安息。
七 我必遠遊、宿在曠野。細拉
八 我必速速逃到避所、脫離狂風暴雨。
九 主阿、求你吞滅他們、變亂他們的舌頭．因爲我在城中
見了強暴爭競的事。
十 他們在城牆上晝夜遶行．在城內也有罪孽和奸惡。
十一 邪惡在其中．欺壓和詭詐不離街市。
十二 原來不是仇敵辱罵我．若是仇敵、還可忍耐．也不是恨
我的人向我狂大．若是恨我的人、就必躲避他。

十三 不料是你、你原與我平等、是我的同伴、是我知己的朋
友。
十四 我們素常彼此談論、以爲甘甜、我們與羣衆在 神的
殿中同行。
十五 願死亡忽然臨到他們、願他們活活的下入陰間、因爲
他們的住處、他們的心中、都是邪惡。

深信 神必施拯救

十六 至於我、我要求告 神、耶和華必拯救我。
十七 我要晚上、早晨、晌午、哀聲悲歎、他也必聽我的聲音。
十八 他救贖我命脫離攻擊我的人、使我得享平安、因爲與
我相爭的人甚多。
十九 那沒有更變、不敬畏 神的人、從太古常存的 神、必
聽見而苦待他。
二十 他背了約、伸手攻擊與他和好的人。
二一 他的口如奶油光滑、他的心卻懷着爭戰、他的話比油
柔和、其實是拔出來的刀。
二二 你要把你的重擔卸給耶和華、他必撫養你、他永不叫
義人動搖。
二三 神阿、你必使惡人下入滅亡的坑、流人血行詭詐的
人、必活不到半世、但我要倚靠你。

第五十六篇

哀訴仇敵之虐害

非利士人在迦特拿住大衛、那時他作這金詩、
交與伶長調用遠方無聲鴿。

一 神阿、求你憐憫我、因爲人要
把我吞了、終日攻擊欺壓我。
二 我的仇敵終日要把我吞了、因逞驕傲攻擊我的人甚
多。
三 我懼怕的時候、要倚靠你。
四 我倚靠 神、我要讚美他的話、我倚靠 神、必不懼怕、
血氣之輩能把我怎麼樣呢。
五 他們終日顛倒我的話、他們一切的心思、都是要害我。
六 他們聚集、埋伏窺探我的腳蹤、等候要害我的命。
七 他們豈能因罪孽逃脫麼、 神阿、求你在怒中使衆民
墮落。
八 我幾次流離、你都記數、求你把我眼淚裝在你的皮袋
裏、這不都記在你册子上麼。
九 我呼求的日子、我的仇敵都要轉身退後、 神幫助我、

這是我所知道的。

頌感 神之救恩

十 我倚靠 神、我要讚美他的話．我倚靠耶和華、我要讚
美他的話．
十一 我倚靠 神、必不懼怕．人能把我怎麽樣呢。
十二 神阿、我向你所許的願在我身上．我要將感謝祭獻
給你。
十三 因爲你救我的命脫離死亡．你豈不是救護……我的脚不
跌倒、使我在生命光中行在 神面前麽。

被敵圍困靠主施援

第五十七篇

大衛逃避掃羅、藏在洞裏．那時他作這金詩、交與伶長、調用休要毀壞。

一 神阿、求你憐憫我、憐憫我．因爲
我的心投靠你．我要投靠在你翅膀的蔭下、等到災害
過去。
二 我要求告至高的 神、就是爲我成全諸事的 神。
三 那要吞我的人辱罵我的時候、 神從天上必施恩救
我．他也必向我發出慈愛和誠實。
四 我的性命在獅子中間．我躺臥在性如烈火的世人當
中．他們的牙齒是槍、箭．他們的舌頭是快刀。
五 神阿、願你崇高過於諸天．願你的榮耀高過全地。
六 他們爲我的脚設下網羅、壓制我的心．他們在我面前
挖了坑、自己反掉在其中。細拉
七 神阿、我心堅定、我心堅定．我要唱詩、我要歌頌。
八 我的靈阿、（原文作榮耀）你當醒起．琴瑟阿、你們當醒起．我自
己要極早醒起。
九 主阿、我要在萬民中稱謝你、在列邦中歌頌你。
十 因爲你的慈愛高及諸天、你的誠實達到穹蒼。
十一 神阿、願你崇高過於諸天．願你的榮耀高過全地。

求 神降罰惡人

第五十八篇

大衛的金詩、交與伶長、調用休要毀壞。

一 世人
哪、你們默然不語、眞合公義麽．施行審判、豈按正直麽。
二 不然、你們是心中作惡．你們在地上秤出你們手所行
的強暴。
三 惡人一出母胎、就與 神疏遠．一離母腹、便走錯路、說
謊話。
四 他們的毒氣、好像蛇的毒氣．他們好像塞耳的聾虺、

五 不聽行法術的聲音．雖用極靈的咒語、也是不聽。
六 神阿、求你敲碎他們口中的牙．耶和華阿、求你敲掉
少壯獅子的大牙。
七 願他們消滅如急流的水一般．他們瞄準射箭的時候、
願箭頭彷彿砍斷。
八 願他們像蝸牛消化過去、又像婦人墜落未見天日的
胎。
九 你們用荊棘燒火鍋還未熱、他要用旋風把青的和燒
着的一齊颳去。
十 義人見仇敵遭報、就歡喜．要在惡人的血中洗脚。
十一 因此、人必說、義人誠然有善報．在地上果有施行判斷
的神。

第五十九篇　求主救援脫離敵害

掃羅打發人窺探大衛的房屋要殺他那時大

一 衛作這金詩、交與伶長、調用休要毀壞。我的　神阿、求你救我
脫離仇敵、把我安置在高處、得脫那些起來攻擊我的
人。
二 求你救我脫離作孽的人、和喜愛流人血的人。
三 因為他們埋伏、要害我的命．有能力的人聚集來攻擊
我．耶和華阿、這不是為我的過犯、也不是為我的罪愆。
四 我雖然無過、他們豫備整齊、跑來攻擊我．求你興起鑒
察、幫助我。
五 萬軍之　神耶和華以色列的　神阿、求你興起、懲治
萬邦．不要憐憫行詭詐的惡人。細拉
六 他們晚上轉回、叫號如狗、圍城遶行。
七 他們口中噴吐惡言、嘴裏有刀．他們說、有誰聽見。
八 但你耶和華必笑話他們．你要嗤笑萬邦。
九 我的力量阿、我必仰望你．因為　神是我的高臺。
十 我的　神要以慈愛迎接我．　神要叫我看見我仇敵
遭報。
十一 不要殺他們、恐怕我的民忘記．主阿、你是我們的盾牌．
求你用你的能力使他們四散、且降為卑。
十二 因他們口中的罪、和嘴裏的言語、並咒罵虛謊的話、願
他們在驕傲之中被纏住了。
十三 求你發怒、使他們消滅、以至歸於無有、叫他們知道
神在雅各中間掌權、直到地極。細拉

十四 到了晚上、任憑他們轉回、任憑他們叫號如狗、圍城遶
行。
十五 他們必走來走去、尋找食物、若不得飽、就終夜在外。
十六 但我要歌頌你的力量、早晨要高唱你的慈愛、因為你
作過我的高臺、在我急難的日子、作過我的避難所。
十七 我的力量阿、我要歌頌你、因為 神是我的高臺、是賜
恩與我的 神。

第六十篇　因遭破敗向 神哀訴

大衛與兩河間的亞蘭、並瑣巴的亞蘭爭戰的時候、約押轉回、在鹽谷攻擊以東、殺了一萬二千人、那時大衛作這金詩、叫人學習、交與伶長、調用為證的百合花。
一 神阿、你丟棄了我
們、使我們破敗、你向我們發怒、求你使我們復興。
二 你使地震動、而且崩裂、求你將裂口醫好、因為地搖動。
三 你叫你的民遇見艱難、你叫我們喝那使人東倒西歪
的酒。
四 你把旌旗賜給敬畏你的人、可以為眞理揚起來。細拉

倚恃 神勝敵

五 求你應允我們、用右手拯救我們、好叫你所親愛的人
得救。
六 神已經指着他的聖潔說、(或作應許我說)我要歡樂、我要分
開示劍、丈量疎割谷。
七 基列是我的、瑪拿西也是我的、以法蓮是護衛我頭的。
猶大是我的杖。
八 摩押是我的沐浴盆、我要向以東拋鞋。非利士阿、你還
能因我歡呼麼。
九 誰能領我進堅固城、誰能引我到以東地。
十 神阿、你不是丟棄了我們麼。 神阿、你不和我們的
軍兵同去麼。
十一 求你幫助我們攻擊敵人、因為人的幫助是枉然的。
十二 我們倚靠 神、纔得施展大能、因為踐踏我們敵人的
就是他。

第六十一篇　投靠 神必蒙恩佑

大衛的詩、交與伶長、用絲絃的樂器。
一 神阿、
求你聽我的呼求、側耳聽我的禱告。
二 我心裏發昏的時候、我要從地極求告你、求你領我到
那比我更高的磐石。

三 因為你作過我的避難所、作過我的堅固臺、脫離仇敵。
四 我要永遠住在你的帳幕裏．我要投靠在你翅膀下的隱密處。細拉
五 神阿、你原是聽了我所許的願．你將產業賜給敬畏你名的人。
六 你要加添王的壽數．他的年歲必存到世世。
七 他必永遠坐在 神面前．願你豫備慈愛和誠實保佑他。
八 這樣、我要歌頌你的名、直到永遠、好天天還我所許的願。

第六十二篇 惟 神是恃不畏敵害

大衛的詩、照耶杜頓的作法、交與伶長。

一 我的心默默無聲、專等候 神．我的救恩是從他而來……。
二 惟獨他是我的磐石、我的拯救．他是我的高臺．我必不很動搖。
三 你們大家攻擊一人、把他毀壞、如同毀壞歪斜的牆、將倒的壁、要到幾時呢。
四 他們彼此商議、專要從他的尊位上把他推下．他們喜
愛謊話．口雖祝福、心卻咒詛。細拉
五 我的心哪、你當默默無聲、專等候 神．因為我的盼望是從他而來……。
六 惟獨他是我的磐石、我的拯救．他是我的高臺．我必不動搖。
七 我的拯救、我的榮耀、都在乎 神．我力量的磐石、我的避難所、都在乎 神。
八 你們衆民當時時倚靠他、在他面前傾心吐意． 神是我們的避難所。細拉
九 下流人眞是虛空、上流人也是虛假．放在天平裏就必浮起．他們一共比空氣還輕。
十 不要仗勢欺人、也不要因搶奪而驕傲．若財寶加增、不要放在心上。
十一 神說了一次兩次、我都聽見、就是能力都屬乎 神。
十二 主阿、慈愛也是屬乎你．因為你照着各人所行的報應他。

第六十三篇 尋求 神者必得飽足

大衛在猶大曠野的時候、作了這詩。

一 神阿、

你是我的神、我要切切的尋求你在乾旱疲乏無水
之地、我渴想你、我的心切慕你。
二 我在聖所中曾如此瞻仰你、為要見你的能力、和你的
榮耀。
三 因你的慈愛比生命更好、我的嘴唇要頌讚你。
四 我還活的時候、要這樣稱頌你．我要奉你的名舉手。
六五 我在牀上記念你、在夜更的時候思想你、我的心就像
飽足了骨髓肥油．我也要以歡樂的嘴唇讚美你。
七 因為你曾幫助我、我就在你翅膀的蔭下歡呼。
八 我心緊緊的跟隨你．你的右手扶持我。
九 但那些尋索要滅我命的人、必往地底下去。
十 他們必被刀劍所殺、被野狗所喫。
十一 但是王必因神歡喜．凡指着他發誓的、必要誇口．因
為說謊之人的口必被塞住。

第六十四篇 求主保護脫離暗中之敵

大衛的詩、交與伶長。

一 神阿、我哀歎的
時候、求你聽我的聲音．求你保護我的性命不受仇敵
的驚恐。
二 求你把我隱藏、使我脫離作惡之人的暗謀、和作孽之
人的擾亂．
三 他們磨舌如刀、發出苦毒的言語、好像比準了的箭．
四 要在暗地射完全人．他們忽然射他並不懼怕。
五 他們彼此勉勵設下惡計．他們商量暗設網羅、說誰能
看見。
六 他們圖謀奸惡、說、我們是極力圖謀的．他們各人的意
念心思是深的。
七 但神要射他們．他們忽然被箭射傷。
八 他們必然絆跌、被自己的舌頭所害．凡看見他們的必
都搖頭。
九 衆人都要害怕、要傳揚神的工作、並且明白他的作
為。
十 義人必因耶和華歡喜、並要投靠他．凡心裏正直的人、
都要誇口。

第六十五篇 頌讚主恩因聽其祈

大衛的詩歌、交與伶長。

一 神阿、錫安的
人、都等候讚美你．所許的願、也要向你償還。

二 聽禱告的主阿、凡有血氣的、都要來就你。
三 罪孽勝了我．至於我們的過犯、你都要赦免。
四 你所揀選、使他親近你、住在你院中的、這人便爲有福．我們必因你居所、你聖殿的美福知足了。
五 拯救我們的 神阿、你必以威嚴秉公義應允我們．你本是一切地極、和海上遠處的人所倚靠的。
六 他既以大能束腰、就用力量安定諸山．
七 使諸海的響聲、和其中波浪的響聲、並萬民的喧嘩、都平靜了。
八 住在地極的人、因你的神蹟懼怕．你使日出日落之地都歡呼。
九 你眷顧地、降下透雨、使地大得肥美． 神的河滿了水．你這樣澆灌了地、好爲人豫備五穀。

述 神之恩澤及萬物

十 你澆透地的犂溝、潤平犂脊．降甘霖、使地軟和．其中發長的、蒙你賜福。
十一 你以恩典爲年歲的冠冕．你的路徑都滴下脂油．
十二 滴在曠野的草塲上．小山以歡樂束腰。
十三 草塲以羊羣爲衣．谷中也長滿了五穀．這一切都歡呼歌唱。

第六十六篇　頌讚 神之大能

（一篇詩歌、交與伶長。）

一 全地都當向 神歡呼．
二 歌頌他名的榮耀．用讚美的言語、將他的榮耀發明。
三 當對 神說、你的作爲何等可畏．因你的大能、仇敵要投降你。
四 全地要敬拜你、歌頌你、要歌頌你的名。細拉
五 你們來看 神所行的．他向世人所作之事、是可畏的。
六 他將海變成乾地．衆民步行過河．我們在那裏因他歡喜。
七 他用權能治理萬民、直到永遠．他的眼睛鑒察列邦．悖逆的人不可自高。細拉
八 萬民哪、你們當稱頌我們的 神、使人得聽讚美他的聲音．
九 他使我們的性命存活、也不叫我們的脚搖動。
十 神阿、你曾試驗我們、熬煉我們、如熬煉銀子一樣。

十一 你使我們進入網羅、把重擔放在我們的身上。
十二 你使人坐車軋我們的頭、我們經過水火、你卻使我們
到豐富之地。
十三 我要用燔祭進你的殿、向你還我的願、
十四 就是在急難時我嘴唇所發的、口中所許的。
十五 我要把肥牛作燔祭、將公羊的香祭獻給你、又把公牛
和山羊獻上。細拉

稱頌 神聽允其祈

十六 凡敬畏 神的人、你們都來聽、我要述說他爲我所行
的事。
十七 我曾用口求告他、我的舌頭、也稱他爲高。
十八 我若心裏注重罪孽、主必不聽。
十九 但 神實在聽見了、他側耳聽了我禱告的聲音。
二十 神是應當稱頌的、他並沒有推卻我的禱告、也沒有
叫他的慈愛離開我。

勸萬民稱讚 神

第六十七篇 一篇詩歌、交與伶長、用絲絃的樂器。 願
一 神憐憫我們、賜福與我們、用臉光照我們。細拉
二 好叫世界得知你的道路、萬國得知你的救恩。
三 神阿、願列邦稱讚你、願萬民都稱讚你。
四 願萬國都快樂歡呼、因爲你必按公正審判萬民、引導
世上的萬國。細拉
五 神阿、願列邦稱讚你、願萬民都稱讚你。
六 地已經出了土產、神、就是我們的 神、要賜福與我
們。
七 神要賜福與我們、地的四極都要敬畏他。

第六十八篇 **求主興起使惡人消滅義人歡欣**
大衛的詩歌、交與伶長。 願 神興起、使
一 他的仇敵四散、叫那恨他的人、從他面前逃跑。
二 他們被驅逐、如煙被風吹散、惡人見 神之面而消滅、
如蠟被火鎔化。
三 惟有義人必然歡喜、在 神面前高興快樂。
四 你們當向 神唱詩、歌頌他的名、爲那坐車行過曠野
的、修平大路、他的名是耶和華、要在他面前歡樂。
五 神在他的聖所作孤兒的父、作寡婦的伸寃者。
六 神叫孤獨的有家、使被囚的出來享福、惟有悖逆的

住在乾燥之地。
讚美 神眷顧其民
七 神阿、你曾在你百姓前頭出來、在曠野行走。細拉
八 那時地見 神的面而震動、天也落雨、西乃山見以色
列 神的面也震動。
九 神阿、你降下大雨、你產業以色列疲乏的時候、你使
他堅固。
十 你的會衆住在其中．神阿、你的恩惠是爲困苦人豫
備的。
十一 主發命令、傳好信息的婦女成了大羣。
十二 統兵的君王逃跑了、逃跑了．在家等候的婦女分受所
奪的。
十三 你們安臥在羊圈的時候、好像鴿子的翅膀鍍白銀、翎
毛鍍黃金一般。
十四 全能者在境內趕散列王的時候、勢如飄雪在撒們。
十五 巴珊山是 神的山．巴珊山是多峯多嶺的山。
十六 你們多峯多嶺的山哪、爲何斜看 神所願居住的山．
耶和華必住這山、直到永遠。

十七 神的車輦累萬盈千．主在其中、好像在西乃聖山一
樣。
十八 你已經升上高天、擄掠仇敵、你在人間、就是在悖逆的
人間、受了供獻、叫耶和華 神可以與他們同住。
稱頌 神施行大能
十九 天天背負我們重擔的主、就是拯救我們的 神、是應
當稱頌的。細拉
二十 神是爲我們施行諸般救恩的 神．人能脫離死亡、
是在乎主耶和華。
二一 但 神要打破他仇敵的頭、就是那常犯罪之人的髮
頂。
二二 主說、我要使衆民從巴珊而歸、使他們從深海而回．
二三 使你打碎仇敵、你的脚踹在血中、使你狗的舌頭從其
中得分。
二四 神阿、你是我的 神、我的王、人已經看見你行走、進
入聖所。
二五 歌唱的行在前、作樂的隨在後、都在擊鼓的童女中間。
二六 從以色列源頭而來的、當在各會中稱頌主 神。

二七 在那裏有統管他們的小便雅憫、有猶大的首領、和他
們的羣衆、有西布倫的首領、有拿弗他利的首領。
二八 以色列的能力是 神所賜的。 神阿、求你堅固你爲
我們所成全的事。
二九 因你耶路撒冷的殿、列王必帶貢物獻給你。
三十 求你叱喝蘆葦中的野獸、和羣公牛並列邦中的牛犢、
把銀塊踹在脚下。 神已經趕散好爭戰的列邦。
三一 埃及的公侯要出來朝見 神。古實人要急忙舉手禱
告。
三二 世上的列國阿、你們要向 神歌唱、願你們歌頌主、
三三 歌頌那自古駕行在諸天以上的主、他發出聲音、是極
大的聲音。
三四 你們要將能力歸給 神。他的威榮在以色列之上、他
的能力是在穹蒼。
三五 神阿、你從聖所顯爲可畏。以色列的 神、是那將力
量權能賜給他百姓的。 神是應當稱頌的。

第六十九篇

哀陳苦況求主眷顧

大衛的詩、交與伶長、調用百合花。

一 神阿、
求你救我、因爲衆水要淹沒我。
二 我陷在深淤泥中、沒有立脚之地。我到了深水中、大水
漫過我身。
三 我因呼求困乏、喉嚨發乾。我因等候 神、眼睛失明。
四 無故恨我的、比我頭髮還多。無理與我爲仇、要把我剪
除的甚爲強盛。我沒有搶奪的、要叫我償還。
五 神阿、我的愚昧你原知道。我的罪愆不能隱瞞。
六 萬軍的主耶和華阿、求你叫那等候你的、不要因我蒙
羞。以色列的 神阿、求你叫那尋求你的、不要因我受
辱。
七 因我爲你的緣故受了辱罵、滿面羞愧。
八 我的弟兄看我爲外路人、我的同胞看我爲外邦人。
九 因我爲你的殿心裏焦急、如同火燒、並且辱罵你人的
辱罵、都落在我身上。
十 我哭泣、以禁食刻苦我心、這倒算爲我的羞辱。
十一 我拿麻布當衣裳、就成了他們的笑談。
十二 坐在城門口的談論我。酒徒也以我爲歌曲。
十三 但我在悅納的時候、向你耶和華祈禱。 神阿、求你按

你豐盛的慈愛、憑你拯救的誠實應允我。
十四 求你搭救我出離淤泥、不叫我陷在其中.求你使我脫
離那些恨我的人、使我出離深水。
十五 求你不容大水漫過我、不容深淵吞滅我、不容坑坎在
我以上合口。
十六 耶和華阿、求你應允我、因爲你的慈愛本爲美好.求你
按你豐盛的慈悲回轉眷顧我。
十七 不要掩面不顧你的僕人.我是在急難之中.求你速速
的應允我。
十八 求你親近我、救贖我.求你因我的仇敵把我贖回。
十九 你知道我受的辱罵、欺凌、羞辱.我的敵人都在你面前。
二十 辱罵傷破了我的心.我又滿了憂愁.我指望有人體恤、
卻沒有一個.我指望有人安慰、卻找不着一個。
二一 他們拿苦膽給我當食物.我渴了、他們拿醋給我喝。

求　神懲罰仇敵

二二 願他們的筵席、在他們面前變爲網羅、在他們平安的
時候、變爲機檻。
二三 願他們的眼睛昏矇、不得看見.願你使他們的腰、常常
戰抖。
二四 求你將你的惱恨、倒在他們身上、叫你的烈怒、追上他
們。
二五 願他們的住處、變爲荒場.願他們的帳棚、無人居住。
二六 因爲你所擊打的、他們就逼迫.你所擊傷的、他們戲說
他的愁苦。
二七 願你在他們的罪上加罪、不容他們在你面前稱義。
二八 願他們從生命冊上被塗抹、不得記錄在義人之中。
二九 但我是困苦憂傷的.　神阿、願你的救恩、將我安置在
高處。
三十 我要以詩歌讚美　神的名、以感謝稱他爲大。
三一 這便叫耶和華喜悅、勝似獻牛、或是獻有角有蹄的公
牛。
三二 謙卑的人看見了、就喜樂.尋求　神的人、願你們的心
甦醒。
三三 因爲耶和華聽了窮乏人、不藐視被囚的人。
三四 願天和地、洋海、和其中一切的動物、都讚美他。
三五 因爲　神要拯救錫安、建造猶大的城邑.他的民要在

那裏居住、得以爲業。
三六 他僕人的後裔要承受爲業．愛他名的人、也要住在其
中。

第七十篇

求耶和華救助使敵蒙羞

大衛的記念詩、交與伶長。神阿、求你快
一 快搭救我．耶和華阿、求你速速幫助我。
二 願那些尋索我命的、抱愧蒙羞．願那些喜悅我遭害的、
退後受辱。
三 願那些對我說、阿哈、阿哈的、因羞愧退後。
四 願一切尋求你的、因你高興歡喜．願那些喜愛你救恩
的常說、當尊神爲大。
五 但我是困苦窮乏的．神阿、求你速速到我這裏來．你
是幫助我的、搭救我的．耶和華阿、求你不要耽延。

第七十一篇

自幼恃主求其扶助

一 耶和華阿、我投靠你．求你叫我永不
羞愧。
二 求你憑你的公義搭救我、救拔我．側耳聽我、拯救我。
三 求你作我常住的磐石．你已經命定要救我．因爲你是
我的巖石、我的山寨。
四 我的神阿、求你救我脫離惡人的手、脫離不義和殘
暴之人的手。
五 主耶和華阿、你是我所盼望的．從我年幼、你是我所倚
靠的。
六 我從出母胎被你扶持．使我出母腹的是你．我必常常
讚美你。
七 許多人以我爲怪．但你是我堅固的避難所。
八 你的讚美、你的榮耀、終日必滿了我的口。
九 我年老的時候、求你不要丟棄我．我力氣衰弱的時候、
求你不要離棄我。
十 我的仇敵議論我．那些窺探要害我命的、彼此商議、
十一 說、神已經離棄他．我們追趕他、捉拿他罷．因爲沒有
人搭救。
十二 神阿、求你不要遠離我．我的神阿、求你速速幫助
我。
十三 願那與我性命爲敵的、羞愧被滅．願那謀害我的、受辱
蒙羞。

述其公義救恩大能奇行

十四 我卻要常常盼望、並要越發讚美你。
十五 我的口終日要述說你的公義、和你的救恩．因我不計其數。
十六 我要來說主耶和華大能的事．我單要題說你的公義。
十七 神阿、自我年幼時、你就教訓我．直到如今我傳揚你奇妙的作爲。
十八 神阿、我到年老髮白的時候、求你不要離棄我、等我將你的能力指示下代、將你的大能指示後世的人。
十九 神阿、你的公義甚高．行過大事的 神阿、誰能像你。
二十 你是叫我們多經歷重大急難的、必使我們復活、從地的深處救上來。
二一 求你使我越發昌大、又轉來安慰我。
二二 我的神阿、我要鼓瑟稱讚你、稱讚你的誠實．以色列的聖者阿、我要彈琴歌頌你。
二三 我歌頌你的時候、我的嘴唇、和你所贖我的靈魂、都必歡呼。
二四 並且我的舌頭、必終日講論你的公義、因爲那些謀害我的人、已經蒙羞受辱了。

第七十二篇 **爲王祈禱** 所羅門的詩。

一 神阿、求你將判斷的權柄賜給王、將公義賜給王的兒子。
二 他要按公義審判你的民、按公平審判你的困苦人。
三 大山小山、都要因公義使民得享平安。
四 他必爲民中的困苦人伸冤、拯救窮乏之輩、壓碎那欺壓人的。
五 太陽還存、月亮還在、人要敬畏你、直到萬代。
六 他必降臨、像雨降在已割的草地上、如甘霖滋潤田地。
七 在他的日子義人要發旺、大有平安、好像月亮長存。
八 他要執掌權柄、從這海直到那海、從大河直到地極。
九 住在曠野的、必在他面前下拜．他的仇敵、必要餂土。
十 他施和海島的王要進貢．示巴和西巴的王要獻禮物。
十一 諸王都要叩拜他、萬國都要事奉他。
十二 因爲窮乏人呼求的時候、他要搭救．沒有人幫助的困苦人、他也要搭救。
十三 他要憐恤貧寒和窮乏的人、拯救窮苦人的性命。

十四 他要救贖他們脫離欺壓和強暴．他們的血在他眼中
看爲寶貴、
十五 他們要存活．示巴的金子要奉給他．人要常常爲他禱
告、終日稱頌他。
十六 在地的山頂上、五穀必然茂盛．（五穀必然茂盛或作有一把五穀）所結
的穀實、要響動如利巴嫩的樹林．城裏的人、要發旺如
地上的草。
十七 他的名要存到永遠、要留傳如日之久．人要因他蒙福．
萬國要稱他有福。
十八 獨行奇事的耶和華以色列的　神、是應當稱頌的．
十九 他榮耀的名、也當稱頌、直到永遠．願他的榮耀充滿全
地。阿們、阿們。
二十 耶西的兒子大衛的祈禱完畢。

詩篇卷三

第七十三篇　善惡結局之比較

亞薩的詩。　神實在恩待以色列那
一 些清心的人。
二 至於我、我的腳幾乎失閃．我的腳險些滑跌。
三 我見惡人和狂傲人享平安、就心懷不平。
四 他們死的時候、沒有疼痛．他們的力氣、卻也壯實。
五 他們不像別人受苦、也不像別人遭災。
六 所以驕傲如鍊子戴在他們的項上．強暴像衣裳遮住
他們的身體。
七 他們的眼睛因體胖而凸出．他們所得的、過於心裏所
想的。
八 他們譏笑人、憑惡意說欺壓人的話．他們說話自高。
九 他們的口褻瀆上天、他們的舌毀謗全地。
十 所以　神的民歸到這裏、喝盡了滿杯的苦水。
十一 他們說、　神怎能曉得．至高者豈有知識呢。
十二 看哪、這就是惡人．他們既是常享安逸、財寶便加增。
十三 我實在徒然潔淨了我的心、徒然洗手表明無辜．
十四 因爲我終日遭災難、每早晨受懲治。
十五 我若說、我要這樣講、這就是以奸詐待你的眾子。
十六 我思索怎能明白這事、眼看實係爲難．
十七 等我進了　神的聖所、思想他們的結局。

十八 你實在把他們安在滑地、使他們掉在沉淪之中。
十九 他們轉眼之間成了何等的荒涼．他們被驚恐滅盡了。
二十 人睡醒了怎樣看夢、主阿、你醒了、也必照樣輕看他們的影像。
二一 因而我心裏發酸、肺腑被刺．
二二 我這樣愚昧無知、在你面前如畜類一般。
二三 然而我常與你同在．你攙着我的右手。
二四 你要以你的訓言引導我、以後必接我到榮耀裏。
二五 除你以外、在天上我有誰呢．除你以外、在地上我也沒有所愛慕的。
二六 我的肉體、和我的心腸衰殘．但　神是我心裏的力量、又是我的福分、直到永遠。
二七 遠離你的、必要死亡．凡離棄你行邪淫的、你都滅絕了。
二八 但我親近　神是與我有益．我以主耶和華為我的避難所、好叫我述說你一切的作為。

第七十四篇　哀訴選民受制聖殿被毀

亞薩的訓誨詩。

一 神阿、你為何永遠丟棄我們呢．你為何向你草場的羊發怒如煙冒出呢．
二 求你記念你古時所得來的會眾、就是你所贖作你產業支派的．並記念你向來所居住的錫安山。
三 求你舉步去看那日久荒涼之地．仇敵在聖所中所行的一切惡事。
四 你的敵人在你會中吼叫．他們豎了自己的旗為記號。
五 他們好像人揚起斧子、砍伐林中的樹。
六 聖所中一切雕刻的、他們現在用斧子錘子打壞了。
七 他們用火焚燒你的聖所、褻瀆你名的居所、拆毀到地。
八 他們心裏說、我們要盡行毀滅．他們就在遍地把　神的會所都燒燬了。
九 我們不見我們的標幟．不再有先知．我們內中也沒有人知道這災禍要到幾時呢。
十 神阿、敵人辱罵要到幾時呢．仇敵褻瀆你的名、要到永遠麼．
十一 你為甚麼縮回你的右手．求你從懷中伸出來、毀滅他們。
十二 神自古以來為我的王、在地上施行拯救。
十三 你曾用能力將海分開、將水中大魚的頭打破。

十四 你曾砸碎鱷魚的頭、把他給曠野的禽獸爲食物。禽獸原文作民
十五 你曾分裂磐石水便成了溪河、你使長流的江河乾了。
十六 白晝屬你、黑夜也屬你、亮光和日頭、是你所豫備的。
十七 地的一切疆界、是你所立的．夏天和冬天、是你所定的。
十八 耶和華阿、仇敵辱罵、愚頑民褻瀆了你的名、求你記念
這事。
十九 不要將你班鳩的性命交給野獸．不要永遠忘記你困
苦人的性命。
二十 求你顧念所立的約．因爲地上黑暗之處、都滿了強暴
的居所。
二一 不要叫受欺壓的人蒙羞回去．要叫困苦窮乏的人讚
美你的名。
二二 神阿、求你起來、爲自己伸訴．要記念愚頑人怎樣終
日辱罵你。
二三 不要忘記你敵人的聲音．那起來敵你之人的喧嘩時
常上升。

升降黜陟權操 神

第七十五篇

一 亞薩的詩歌、交與伶長、調用休要毀壞。 神
阿、我們稱謝你、我們稱謝你、因爲你的名相近、人都述
說你奇妙的作爲。
二 我到了所定的日期、必按正直施行審判。
三 地和其上的居民、都消化了．我曾立了地的柱子。細拉
四 我對狂傲人說、不要行事狂傲．對兇惡人說、不要舉角．
五 不要把你們的角高舉．不要挺着頸項說話。
六 因爲高舉非從東、非從西、也非從南而來。
七 惟有 神斷定．他使這人降卑、使那人升高。
八 耶和華手裏有杯．其中的酒起沫．杯內滿了攙雜的酒．
他倒出來．地上的惡人必都喝這酒的渣滓、而且喝盡。
九 但我要宣揚、直到永遠．我要歌頌雅各的 神。
十 惡人一切的角、我要砍斷．惟有義人的角、必被高舉。

雅各之 神顯威榮以制敵

第七十六篇

一 亞薩的詩歌、交與伶長、用絲絃的樂器。 在猶
大、 神爲人所認識．在以色列、他的名爲大。
二 在撒冷有他的帳幕．在錫安有他的居所。
三 他在那裏折斷弓上的火箭、並盾牌、刀劍、和爭戰的兵
器。細拉

四 你從有野食之山而來、有光華和榮美。
五 心中勇敢的人都被搶奪、他們睡了長覺、沒有一個英
雄能措手。
六 雅各的 神阿、你的斥責一發、坐車的、騎馬的、都沉睡
了。
七 惟獨你是可畏的．你怒氣一發、誰能在你面前站得住
呢。
八九 你從天上使人聽判斷． 神起來施行審判、要救地上
一切謙卑的人、那時地就懼怕而靜默。細拉
十 人的忿怒、要成全你的榮美．人的餘怒、你要禁止。
十一 你們許願、當向耶和華你們的 神還願．在他四面的
人、都當拿貢物獻給那可畏的主。
十二 他要挫折王子的驕氣．他向地上的君王、顯威可畏。

第七十七篇 遇難時追思 神心得安慰

亞薩的詩、照耶杜頓的作法、交與伶長。

一 我要
向 神發聲呼求．我向 神發聲、他必留心聽我。
二 我在患難之日尋求主．我在夜間不住的舉手禱告．我
的心不肯受安慰。
三 我想念 神、就煩躁不安．我沉吟悲傷、心便發昏。細拉
四 你叫我不能閉眼．我煩亂不安、甚至不能說話。
五 我追想古時之日、上古之年。
六 我想起我夜間的歌曲、捫心自問．我心裏也仔細省察。
七 難道主要永遠丟棄我、不再施恩麼．
八 難道他的慈愛永遠窮盡、他的應許世世廢棄麼．
九 難道 神忘記開恩、因發怒就止住他的慈悲麼。細拉
十 我便說、這是我的懦弱．但我要追念至高者顯出右手
之年代。
十一 我要題說耶和華所行的．我要記念你古時的奇事。
十二 我也要思想你的經營、默念你的作為。
十三 神阿、你的作為是潔淨的．有何神大如 神呢。
十四 你是行奇事的 神．你曾在列邦中、彰顯你的能力。
十五 你曾用你的膀臂贖了你的民、就是雅各和約瑟的子
孫。細拉
十六 神阿、諸水見你、一見就都驚惶．深淵也都戰抖。
十七 雲中倒出水來．天空發出響聲．你的箭也飛行四方。
十八 你的雷聲在旋風中．電光照亮世界．大地戰抖震動。

十九 你的道在海中、你的路在大水中、你的脚蹤無人知道。
二十 你曾藉摩西和亞倫的手、引導你的百姓、好像羊羣一
般。

第七十八篇 述選民違逆及 神恩導

亞薩的訓誨詩。
一 我的民哪、你們要留
心聽我的訓誨、側耳聽我口中的話。
二 我要開口說比喻、我要說出古時的謎語。
三 是我們所聽見所知道的、也是我們的祖宗告訴我們
的。
四 我們不將這些事向他們的子孫隱瞞、要將耶和華的
美德和他的能力、並他奇妙的作為、述說給後代聽。
五 因為他在雅各中立法度、在以色列中設律法、是他吩
咐我們祖宗要傳給子孫的。
六 使將要生的後代子孫、可以曉得、他們也要起來告訴
他們的子孫。
七 好叫他們仰望 神、不忘記 神的作為、惟要守他的
命令。
八 不要像他們的祖宗、是頑梗悖逆居心不正之輩、向着
神心不誠實。
九 以法蓮的子孫、帶着兵器、拿着弓、臨陣之日、轉身退後。
十 他們不遵守 神的約、不肯照他的律法行。
十一 又忘記他所行的、和他顯給他們奇妙的作為。
十二 他在埃及地、在瑣安田、在他們祖宗的眼前、施行奇事。
十三 他將海分裂、使他們過去、又叫水立起如壘。
十四 他白日用雲彩、終夜用火光、引導他們。
十五 他在曠野分裂磐石、多多的給他們水喝、如從深淵而
出。
十六 他使水從磐石湧出、叫水如江河下流。
十七 他們卻仍舊得罪他、在乾燥之地悖逆至高者。
十八 他們心中試探 神、隨自己所欲的求食物。
十九 並且妄論 神說、 神在曠野豈能擺設筵席麼。
二十 他曾擊打磐石、使水湧出、成了江河、他還能賜糧食麼、
還能為他的百姓豫備肉麼。
二一 所以耶和華聽見就發怒、有烈火向雅各燒起、有怒氣
向以色列上騰。
二二 因為他們不信服 神、不倚賴他的救恩。

二三 他卻吩咐天空、又敞開天上的門、
二四 降嗎哪像雨給他們喫、將天上的糧食賜給他們。
二五 各人（或作人）喫大能者的食物．他賜下糧食、使他們飽足。
二六 他領東風起在天空、又用能力引了南風來。
二七 他降肉像雨在他們當中、多如塵土、又降飛鳥、多如海沙、
二八 落在他們的營中、在他們住處的四面。
二九 他們喫了、而且飽足．這樣就隨了他們所欲的。
三十 他們貪而無厭、食物還在他們口中的時候、
三一 神的怒氣、就向他們上騰、殺了他們內中的肥壯人、打倒以色列的少年人。
三二 雖是這樣、他們仍舊犯罪、不信他奇妙的作爲。
三三 因此他叫他們的日子、全歸虛空、叫他們的年歲、盡屬驚恐。
三四 他殺他們的時候、他們纔求問他、回心轉意、切切的尋求 神。
三五 他們也追念 神是他們的磐石、至高的 神、是他們的救贖主。
三六 他們卻用口諂媚他、用舌向他說謊。
三七 因他們的心向他不正、在他的約上、也不忠心。
三八 但他有憐憫、赦免他們的罪孽、不滅絕他們．而且屢次消他的怒氣、不發盡他的忿怒。
三九 他想到他們不過是血氣、是一陣去而不返的風。
四十 他們在曠野悖逆他、在荒地叫他擔憂、何其多呢。
四一 他們再三試探 神、惹動以色列的聖者。
四二 他們不追念他的能力、（原文作手）和贖他們脫離敵人的日子．
四三 他怎樣在埃及地顯神蹟、在瑣安田顯奇事、
四四 把他們的江河、並河汊的水、都變爲血、使他們不能喝。
四五 他叫蒼蠅成羣、落在他們當中、嘬盡他們．又叫青蛙滅了他們．
四六 把他們的土產交給螞蚱、把他們辛苦得來的交給蝗蟲。
四七 他降冰雹打壞他們的葡萄樹．下嚴霜打壞他們的桑樹．
四八 又把他們的牲畜交給冰雹、把他們的羣畜交給閃電。

四九 他使猛烈的怒氣、和忿怒惱恨苦難、成了一羣降災的
使者、臨到他們。
五十 他爲自己的怒氣修平了路、將他們交給瘟疫、使他們
死亡．
五一 在埃及擊殺一切長子、在含的帳棚中擊殺他們強壯
時頭生的。
五二 他卻領出自己的民如羊、在曠野引他們如羊羣。
五三 他領他們穩穩妥妥的、使他們不至害怕．海卻淹沒他
們的仇敵。
五四 他帶他們到自己聖地的邊界、到他右手所得的這山
地。
五五 他在他們面前趕出外邦人、用繩子將外邦的地量給
他們爲業、叫以色列支派的人住在他們的帳棚裏。
五六 他們仍舊試探悖逆至高的　神、不守他的法度．
五七 反倒退後、行詭詐、像他們的祖宗一樣．他們改變、如同
翻背的弓。
五八 因他們的邱壇、惹了他的怒氣．因他們雕刻的偶像、觸
動他的憤恨。
五九 神聽見、就發怒、極其憎惡以色列人．
六十 甚至他離棄示羅的帳幕、就是他在人間所搭的帳棚．
六一 又將他的約櫃〈原文作能力〉交與人擄去、將他的榮耀交在
敵人手中。
六二 並將他的百姓交與刀劍、向他的產業發怒。
六三 少年人被火燒滅．處女也無喜歌。
六四 祭司倒在刀下．寡婦卻不哀哭。
六五 那時主像世人睡醒、像勇士飲酒呼喊。
六六 他就打退了他的敵人、叫他們永蒙羞辱。
六七 並且他棄掉約瑟的帳棚、不揀選以法蓮支派、
六八 卻揀選猶大支派、他所喜愛的錫安山．
六九 蓋造他的聖所、好像高峯、又像他建立永存之地。
七十 又揀選他的僕人大衛、從羊圈中將他召來．
七一 叫他不再跟從那些帶奶的母羊、爲要牧養自己的百
姓雅各、和自己的產業以色列。
七二 於是他按心中的純正、牧養他們、用手中的巧妙引導
他們。

哀訴耶路撒冷屠毀之苦

一 **第七十九篇** 亞薩的詩 神阿、外邦人進入你的
產業、污穢你的聖殿、使耶路撒冷變成荒堆。
二 把你僕人的屍首、交與天空的飛鳥為食、把你聖民的
肉、交與地上的野獸。
三 在耶路撒冷周圍流他們的血如水、無人葬埋。
四 我們成為鄰國的羞辱、成為我們四圍人的嗤笑譏刺。
五 耶和華阿、這到幾時呢．你要動怒到永遠麼．你的憤恨
要如火焚燒麼。
六 願你將你的忿怒、倒在那不認識你的外邦、和那不求
告你名的國度。
七 因為他們吞了雅各、把他的住處變為荒場。
八 求你不要記念我們先祖的罪孽、向我們追討．願你的
慈悲快迎着我們、因為我們落到極卑微的地步。

望 神以大能救援

九 拯救我們的 神阿、求你因你名的榮耀、幫助我們、為
你名的緣故、搭救我們、赦免我們的罪。
十 為何容外邦人說、他們的 神在那裏呢．願你使外邦
人知道你在我們眼前、伸你僕人流血的寃。
十一 願被囚之人的歎息、達到你面前．願你按你的大能力、
存留那些將要死的人。
十二 主阿、願你將我們鄰邦所羞辱你的羞辱、加七倍歸到
他們身上。
十三 這樣、你的民、你草場的羊、要稱謝你、直到永遠．要述說
讚美你的話、直到萬代。

因選民遭難求主矜憐

一 **第八十篇** 亞薩的詩、交與伶長、調用為證的百合花。 領約
瑟如領羊羣之以色列的牧者阿、求你留心聽．坐在二
基路伯上的阿、求你發出光來。
二 在以法蓮便雅憫瑪拿西前面、施展你的大能、來救我
們。
三 神阿、求你使我們回轉、（回轉或作復興）使你的臉發光、我們
便要得救。
四 耶和華萬軍之 神阿、你向你百姓的禱告發怒、要到
幾時呢。
五 你以眼淚當食物給他們喫、又多量出眼淚給他們喝。

六 你使鄰邦因我們分爭．我們的仇敵彼此戲笑。
七 萬軍之　神阿、求你使我們回轉使你的臉發光、我們
便要得救。
八 你從埃及挪出一棵葡萄樹、趕出外邦人、把這樹栽上。
九 你在這樹根前豫備了地方、他就深深扎根、爬滿了地。
十 他的影子遮滿了山、枝子好像佳美的香柏樹。
十一 他發出枝子、長到大海、發出蔓子、延到大河。
十二 你為何拆毀這樹的籬笆、任憑一切過路的人摘取．
十三 林中出來的野豬、把他蹧踏、野地的走獸、拿他當食物。
十四 萬軍之　神阿、求你回轉、從天上垂看、眷顧這葡萄樹、
十五 保護你右手所栽的、和你為自己所堅固的枝子。
十六 這樹已經被火焚燒、被刀砍伐．他們因你臉上的怒容
就滅亡了。
十七 願你的手扶持你右邊的人、就是你為自己所堅固的
人子。
十八 這樣、我們便不退後離開你．求你救活我們、我們就要
求告你的名。
十九 耶和華萬軍之　神阿、求你使我們回轉、使你的臉發
光、我們便要得救。

第八十一篇　歌頌　神之宏恩

亞薩的詩、交與伶長、用迦特樂器。

一 你們當向
神我們的力量大聲歡呼、向雅各的　神發聲歡樂、
二 唱起詩歌、打手鼓、彈美琴與瑟。
三 當在月朔、並月望、我們過節的日期、吹角。
四 因這是為以色列定的律例、是雅各　神的典章。
五 他去攻擊埃及地的時候、在約瑟中間立此為證．我在
那裏聽見我所不明白的言語。
六 神說、我使你的肩得脫重擔、你的手放下筐子。
七 你在急難中呼求、我就搭救你．我在雷的隱密處應允
你、在米利巴水那裏試驗你。細拉
八 我的民哪、你當聽．我要勸戒你．以色列阿、甚願你肯聽
從我。
九 在你當中不可有別的神．外邦的神、你也不可下拜。
十 我是耶和華你的　神、曾把你從埃及地領上來．你要
大大張口、我就給你充滿。

十一 無奈我的民不聽我的聲音、以色列全不理我。
十二 我便任憑他們心裏剛硬、隨自己的計謀而行。
十三 甚願我的民肯聽從我、以色列肯行我的道。
十四 我便速速治服他們的仇敵、反手攻擊他們的敵人。
十五 恨耶和華的人必來投降、但他的百姓必永久長存。
十六 他也必拿上好的麥子給他們喫、又拿從磐石出的蜂
蜜叫他們飽足。

第八十二篇 嚴責不公之審判

亞薩的詩。
一 神站在有權力者的會
中、在諸神中行審判。
二 說、你們審判不秉公義、徇惡人的情面、要到幾時呢。拉細
三 你們當為貧寒的人和孤兒伸冤、當為困苦和窮乏的
人施行公義。
四 當保護貧寒和窮乏的人、救他們脫離惡人的手。
五 你們仍不知道、也不明白、在黑暗中走來走去、地的根
基都搖動了。
六 我曾說、你們是神、都是至高者的兒子。
七 然而你們要死、與世人一樣、要仆倒、像王子中的一位。
八 神阿、求你起來審判世界、因為你要得萬邦為業。

第八十三篇 因敵謀絕選民求神使之滅亡

亞薩的詩歌。
一 神阿、求你不要靜默。
神阿、求你不要閉口、也不要不作聲。
二 因為你的仇敵喧嚷、恨你的抬起頭來。
三 他們同謀奸詐、要害你的百姓、彼此商議要害你所隱
藏的人。
四 他們說、來罷、我們將他們剪滅、使他們不再成國、使以
色列的名不再被人記念。
五 他們同心商議、彼此結盟要抵擋你、
六 就是住帳棚的以東人、和以實瑪利人、摩押和夏甲人、
七 迦巴勒、亞捫、和亞瑪力、非利士、並推羅的居民。
八 亞述也與他們連合、他們作羅得子孫的幫手。拉細
九 求你待他們如待米甸、如在基順河待西西拉和耶賓
一樣。
十 他們在隱多珥滅亡、成了地上的糞土。
十一 求你叫他們的首領像俄立和西伊伯、叫他們的王子、

都像西巴和撒慕拿。
十二 他們說、我們要得　神的住處、作為自己的產業。
十三 我的神阿、求你叫他們像旋風的塵土、像風前的碎
稭。
十四 火怎樣焚燒樹林、火燄怎樣燒着山嶺．
十五 求你也照樣用狂風追趕他們、用暴雨恐嚇他們。
十六 願你使他們滿面羞恥．好叫他們尋求你耶和華的名。
十七 願他們永遠羞愧驚惶．願他們慚愧滅亡．
十八 使他們知道惟獨你名為耶和華的、是全地以上的至
高者。

第八十四篇　渴慕耶和華殿宇

可拉後裔的詩、交與伶長、用迦特樂器。

一 萬軍
之耶和華阿、你的居所何等可愛。
二 我羨慕渴想耶和華的院宇、我的心腸、我的肉體、向永
生　神呼籲。(或作歡呼)
三 萬軍之耶和華、我的王、我的　神阿、在你祭壇那裏、麻
雀為自己找着房屋、燕子為自己找着菢雛之窩。
四 如此住在你殿中的、便為有福．他們仍要讚美你。(細拉)

得力於主者乃為有福

五 靠你有力量、心中想往錫安大道的、這人便為有福。
六 他們經過流淚谷、叫這谷變為泉源之地．並有秋雨之
福、蓋滿了全谷。
七 他們行走、力上加力、各人到錫安朝見　神。
八 耶和華萬軍之　神阿、求你聽我的禱告．雅各的　神
阿、求你留心聽。(細拉)

居主殿宇者承受恩榮

九 神阿、你是我們的盾牌．求你垂顧觀看你受膏者的
面。
十 在你的院宇住一日、勝似在別處住千日．寧可在我
神殿中看門、不願住在惡人的帳棚裏。
十一 因為耶和華　神是日頭、是盾牌、要賜下恩惠和榮耀．
他未嘗留下一樣好處、不給那些行動正直的人。
十二 萬軍之耶和華阿、倚靠你的人便為有福。

第八十五篇　求耶和華施恩其民

可拉後裔的詩、交與伶長。

一 耶和華阿、你
已經向你的地施恩、救回被擄的雅各。

二 你赦免了你百姓的罪孽、遮蓋了他們一切的過犯。拉細
三 你收轉了所發的忿怒和你猛烈的怒氣。
四 拯救我們的 神阿、求你使我們回轉叫你的惱恨向
我們止息。
五 你要向我們發怒到永遠麼、你要將你的怒氣延留到
萬代麼。
六 你不再將我們救活、使你的百姓靠你歡喜麼。
七 耶和華阿、求你使我們得見你的慈愛、又將你的救恩
賜給我們。
八 我要聽 神耶和華所說的話、因爲他必應許將平安
賜給他的百姓、他的聖民、他們卻不可再轉去妄行。
九 他的救恩誠然與敬畏他的人相近、叫榮耀住在我們
的地上。
十 慈愛和誠實彼此相遇、公義和平安彼此相親。
十一 誠實從地而生、公義從天而現。
十二 耶和華必將好處賜給我們、我們的地、也要多出土產。
十三 公義要行在他面前、叫他的腳蹤、成爲可走的路。

第八十六篇　窮乏者之祈禱

大衛的祈禱。

一 耶和華阿、求你側耳應
允我、因我是困苦窮乏的。
二 求你保存我的性命、因我是虔誠人。我的 神阿、求你
拯救這倚靠你的僕人。
三 主阿、求你憐憫我、因我終日求告你。
四 主阿、求你使僕人心裏歡喜、因爲我的心仰望你。
五 主阿、你本爲良善、樂意饒恕人、有豐盛的慈愛、賜給凡
求告你的人。
六 耶和華阿、求你留心聽我的禱告、垂聽我懇求的聲音。
七 我在患難之日要求告你、因爲你必應允我。
八 主阿、諸神之中、沒有可比你的、你的作爲、也無可比。
九 主阿、你所造的萬民、都要來敬拜你、他們也要榮耀你
的名。
十 因你爲大、且行奇妙的事、惟獨你是 神。
十一 耶和華阿、求你將你的道指教我、我要照你的眞理行。
求你使我專心敬畏你的名。
十二 主我的 神阿、我要一心稱讚你、我要榮耀你的名、直

到永遠。
十三 因爲你向我發的慈愛是大的．你救了我的靈魂免入
極深的陰間。
十四 神阿、驕傲的人起來攻擊我、又有一黨強橫的人尋
索我的命．他們沒有將你放在眼中。
十五 主阿、你是有憐憫有恩典的　神、不輕易發怒、並有豐
盛的慈愛和誠實。
十六 求你向我轉臉憐恤我、將你的力量賜給僕人、救你婢
女的兒子。
十七 求你向我顯出恩待我的憑據、叫恨我的人看見便羞
愧．因爲你耶和華幫助我、安慰我。

第八十七篇　錫安民之福源

可拉後裔的詩歌。　耶和華所立的根基
一 在聖山上。
二 他愛錫安的門、勝於愛雅各一切的住處。
三 神的城阿、有榮耀的事乃指着你說的。細拉
四 我要題起拉哈伯和巴比倫人是在認識我之中的、看
哪、非利士和推羅並古實人、個個生在那裏。
五 論到錫安必說、這一個那一個都生在其中．而且至高
者必親自堅立這城。
六 當耶和華記錄萬民的時候、他要點出這一個生在那
裏。細拉
七 歌唱的、跳舞的、都要說、我的泉源都在你裏面。

第八十八篇　瀕死求主眷顧

可拉後裔的詩歌、就是以斯拉人希幔的訓誨
詩、交與伶長、調用麻哈拉利暗俄。　耶和華拯救我的　神阿、
一 我晝夜在你面前呼籲。
二 願我的禱告達到你面前．求你側耳聽我的呼求。
三 因爲我心裏滿了患難、我的性命臨近陰間。
四 我算和下坑的人同列、如同無力的人一樣。無力或作沒有幫助
五 我被丟在死人中、好像被殺的人躺在墳墓裏．他們是
你不再記念的、與你隔絕了。
六 你把我放在極深的坑裏、在黑暗地方、在深處。
七 你的忿怒重壓我身．你用一切的波浪困住我。細拉
八 你把我所認識的隔在遠處、使我爲他們所憎惡．我被
拘困、不得出來。

9 我的眼睛因困苦而乾癟。耶和華阿、我天天求告你、向
你舉手。
10 你豈要行奇事給死人看麼．難道陰魂還能起來稱讚
你麼．(細拉)
11 豈能在墳墓裏述說你的慈愛麼．豈能在滅亡中述說
你的信實麼．
12 你的奇事豈能在幽暗裏被知道麼．你的公義豈能在
忘記之地被知道麼。
13 耶和華阿、我呼求你．我早晨的禱告要達到你面前。
14 耶和華阿、你為何丟棄我．為何掩面不顧我。
15 我自幼受苦幾乎死亡．我受你的驚恐、甚至慌張。
16 你的烈怒漫過我身．你的驚嚇、把我剪除。
17 這些終日如水環繞我、一齊都來圍困我。
18 你把我的良朋密友、隔在遠處、使我所認識的人、進入
黑暗裏。

第八十九篇 歌頌耶和華因其與大衛立約

1 以斯拉人以探的訓誨詩。我要歌唱耶和
華的慈愛、直到永遠．我要用口將你的信實傳與萬代。
2 因我曾說、你的慈悲、必建立到永遠．你的信實、必堅立
在天上。
3 我與我所揀選的人立了約、向我的僕人大衛起了誓．
4 我要建立你的後裔、直到永遠、要建立你的寶座、直到
萬代。
5 耶和華阿、諸天要稱讚你的奇事．在聖者的會中、要稱
讚你的信實。
6 在天空誰能比耶和華呢．神的眾子中、誰能像耶和華
呢。
7 他在聖者的會中、是大有威嚴的 神、比一切在他四
圍的更可畏懼。
8 耶和華萬軍之 神阿、那一個大能者像你耶和華．你
的信實、是在你的四圍。
9 你管轄海的狂傲．波浪翻騰、你就使他平靜了。
10 你打碎了拉哈伯、似乎是已殺的人．你用有能的膀臂
打散了你的仇敵。
11 天屬你、地也屬你．世界和其中所充滿的、都為你所建
立。

十二 南北爲你所創造．他泊和黑門都因你的名歡呼。
十三 你有大能的膀臂．你的手有力、你的右手也高舉。
十四 公義和公平、是你寶座的根基．慈愛和誠實、行在你前
面。
十五 知道向你歡呼的、那民是有福的。耶和華阿、他們在你
臉上的光裏行走。
十六 他們因你的名終日歡樂、因你的公義得以高舉。
十七 你是他們力量的榮耀．因爲你喜悅我們、我們的角必
被高舉。
十八 我們的盾牌屬耶和華．我們的王屬以色列的聖者。
十九 當時你在異象中曉諭你的聖民、說我已把救助之力、
加在那有能者的身上．我高舉那從民中所揀選的。
二十 我尋得我的僕人大衛、用我的聖膏膏他。
二一 我的手必使他堅立．我的膀臂也必堅固他。
二二 仇敵必不勒索他、兇惡之子、也不苦害他。
二三 我要在他面前打碎他的敵人、擊殺那恨他的人。
二四 只是我的信實、和我的慈愛、要與他同在．因我的名、他
的角必被高舉。
二五 我要使他的左手伸到海上、右手伸到河上。
二六 他要稱呼我說、你是我的父、是我的　神、是拯救我的
磐石。
二七 我也要立他爲長子、爲世上最高的君王。
二八 我要爲他存留我的慈愛、直到永遠．我與他立的約、必
要堅定。
二九 我也要使他的後裔、存到永遠、使他的寶座、如天之久。
三十 倘若他的子孫離棄我的律法、不照我的典章行．
三一 背棄我的律例、不遵守我的誡命．
三二 我就要用杖責罰他們的過犯、用鞭責罰他們的罪孽。
三三 只是我必不將我的慈愛、全然收回、也必不叫我的信
實廢棄。
三四 我必不背棄我的約、也不改變我口中所出的。
三五 我一次指着自己的聖潔起誓．我決不向大衛說謊。
三六 他的後裔要存到永遠、他的寶座在我面前、如日之恆
一般。
三七 又如月亮永遠堅立、如天上確實的見證。細拉
三八 但你惱怒你的受膏者、就丟掉棄絕他。

三九 你厭惡了與僕人所立的約、將他的冠冕踐踏於地。
四十 你拆毀了他一切的籬笆．使他的保障變爲荒塲。
四一 凡過路的人、都搶奪他．他成爲鄰邦的羞辱。
四二 你高舉了他敵人的右手．你叫他一切的仇敵歡喜。
四三 你叫他的刀劍捲刃、叫他在爭戰之中站立不住。
四四 你使他的光輝止息、將他的寶座推倒於地。
四五 你減少他青年的日子．又使他蒙羞。細拉
四六 耶和華阿、這要到幾時呢．你要將自己隱藏到永遠麽．
你的忿怒如火焚燒、要到幾時呢。
四七 求你想念我的時候是何等的短少．你創造世人、要使
他們歸何等的虛空呢。細拉
四八 誰能常活免死、救他的靈魂脫離陰間的權柄呢。細拉
四九 主阿、你從前憑你的信實向大衛立誓、要施行的慈愛
在那裏呢。
五十 主阿、求你記念僕人們所受的羞辱、記念我怎樣將一
切強盛民的羞辱、存在我懷裏。
五一 耶和華阿、你的仇敵、用這羞辱羞辱了你的僕人、羞辱
了你受膏者的脚蹤。
五二 耶和華是應當稱頌的、直到永遠。阿們、阿們。

詩篇卷四

頌主恩永久不易

一 **第九十篇** 神人摩西的祈禱。 主阿、你世世代代作我
們的居所。
二 諸山未曾生出、地與世界你未曾造成、從亙古到永遠、
你是神。

歎人生轉瞬卽逝

三 你使人歸於塵土、說、你們世人要歸回。
四 在你看來、千年如已過的昨日、又如夜間的一更。
五 你叫他們如水沖去．他們如睡一覺．早晨他們如生長
的草．
六 早晨發芽生長、晚上割下枯乾。
七 我們因你的怒氣而消滅、因你的忿怒而驚惶。
八 你將我們的罪孽擺在你面前、將我們的隱惡擺在你
面光之中。
九 我們經過的日子、都在你震怒之下．我們度盡的年歲、

好像一聲歎息。
十 我們一生的年日是七十歲．若是強壯可到八十歲．但
其中所矜誇的、不過是勞苦愁煩．轉眼成空、我們便如
飛而去。
十一 誰曉得你怒氣的權勢、誰按着你該受的敬畏曉得你
的忿怒呢。
十二 求你指教我們怎樣數算自己的日子、好叫我們得着
智慧的心。
十三 耶和華阿、我們要等到幾時呢．求你轉回、爲你的僕人
後悔。
十四 求你使我們早早飽得你的慈愛、好叫我們一生一世
歡呼喜樂。
十五 求你照着你使我們受苦的日子、和我們遭難的年歲、
叫我們喜樂。
十六 願你的作爲向你僕人顯現．願你的榮耀向他們子孫
顯明。
十七 願主我們　神的榮美、歸於我們身上．願你堅立我們
手所作的工．我們手所作的工、願你堅立。

倚恃耶和華者得脫諸難

一 **第九十一篇** 住在至高者隱密處的、必住在全能
者的蔭下。
二 我要論到耶和華說、他是我的避難所、是我的山寨、是
我的　神、是我所倚靠的。
三 他必救你脫離捕鳥人的網羅、和毒害的瘟疫。
四 他必用自己的翎毛遮蔽你．你要投靠在他的翅膀底
下．他的誠實、是大小的盾牌。
五 你必不怕黑夜的驚駭、或是白日飛的箭．
六 也不怕黑夜行的瘟疫、或是午間滅人的毒病。
七 雖有千人仆倒在你旁邊、萬人仆倒在你右邊、這災卻
不得臨近你。
八 你惟親眼觀看、見惡人遭報。
九 耶和華是我的避難所．你已將至高者當你的居所．
十 禍患必不臨到你、災害也不挨近你的帳棚。
十一 因他要爲你吩咐他的使者、在你行的一切道路上保
護你。
十二 他們要用手托着你、免得你的脚碰在石頭上。

十三 你要踹在獅子和虺蛇的身上、踐踏少壯獅子和大蛇。
十四 神說、因爲他專心愛我、我就要搭救他.因爲他知道
我的名、我要把他安置在高處。
十五 他若求告我、我就應允他.他在急難中、我要與他同在.
我要搭救他、使他尊貴。
十六 我要使他足享長壽、將我的救恩顯明給他。

第九十二篇 稱謝耶和華乃爲美善

安息日的詩歌。

一 稱謝耶和華、歌頌你
至高者的名、
二三 用十絃的樂器和瑟、用琴彈幽雅的聲音、早晨傳揚你
的慈愛、每夜傳揚你的信實、這本爲美事。
四 因你耶和華藉着你的作爲叫我高興、我要因你手的
工作歡呼。
五 耶和華阿、你的工作何其大、你的心思極其深。
六 畜類人不曉得、愚頑人也不明白。
七 惡人茂盛如草、一切作孽之人發旺的時候、正是他們
要滅亡、直到永遠。
八 惟你耶和華是至高、直到永遠。
九 耶和華阿、你的仇敵都要滅亡、一切作孽的也要離散。
十 你卻高舉了我的角……如野牛的角.我是被新油膏了的。
十一 我眼睛看見仇敵遭報、我耳朵聽見那些起來攻擊我
的惡人受罰……。
十二 義人要發旺如棕樹、生長如利巴嫩的香柏樹。
十三 他們栽於耶和華的殿中、發旺在我們 神的院裏。
十四 他們年老的時候、仍要結果子、要滿了汁漿而常發青.
十五 好顯明耶和華是正直的.他是我的磐石、在他毫無不
義。

第九十三篇 頌讚耶和華之威嚴

一 耶和華作王.他以威嚴爲衣穿上.耶
和華以能力爲衣、以能力束腰.世界就堅定、不得動搖。
二 你的寶座從太初立定.你從亙古就有。
三 耶和華阿、大水揚起、大水發聲、波浪澎湃。
四 耶和華在高處大有能力、勝過諸水的響聲、洋海的大
浪。
五 耶和華阿、你的法度最的確.你的殿永稱爲聖、是合宜
的。

第九十四篇

求耶和華興起報復選民之仇

一 耶和華阿、你是伸冤的　神、伸冤的
神阿、求你發出光來。
二 審判世界的主阿、求你挺身而立、使驕傲人受應得的
報應。
三 耶和華阿、惡人誇勝要到幾時呢、要到幾時呢。
四 他們絮絮叨叨、說傲慢的話．一切作孽的人、都自己誇
張。
五 耶和華阿、他們強壓你的百姓、苦害你的產業。
六 他們殺死寡婦和寄居的、又殺害孤兒。
七 他們說、耶和華必不看見、雅各的　神必不思念。
八 你們民間的畜類人當思想．你們愚頑人、到幾時纔有
智慧呢。
九 造耳朵的、難道自己不聽見麼．造眼睛的、難道自己不
看見麼．
十 管教列邦的、就是叫人得知識的、難道自己不懲治人
麼。
十一 耶和華知道人的意念是虛妄的。

爲耶和華懲責訓誨者其人有福

十二 耶和華阿、你所管教、用律法所教訓的人、是有福的。
十三 你使他在遭難的日子、得享平安．惟有惡人陷在所挖
的坑中。
十四 因爲耶和華必不丟棄他的百姓、也不離棄他的產業。
十五 審判要轉向公義．心裏正直的、必都隨從。
十六 誰肯爲我起來攻擊作惡的．誰肯爲我站起抵擋作孽
的。
十七 若不是耶和華幫助我、我就住在寂靜之中了。
十八 我正說我失了脚、耶和華阿、那時你的慈愛扶助我。
十九 我心裏多憂多疑、你安慰我、就使我歡樂。
二十 那藉着律例架弄殘害在位上行奸惡的、豈能與你相
交麼。
二一 他們大家聚集攻擊義人、將無辜的人定爲死罪。
二二 但耶和華向來作了我的高臺．我的　神作了我投靠
的磐石。
二三 他叫他們的罪孽歸到他們身上．他們正在行惡之中、
他要剪除他們．耶和華我們的　神要把他們剪除。

第九十五篇

勸衆歌頌耶和華

一 來阿、我們要向耶和華歌唱、向拯救我們的磐石歡呼。
二 我們要來感謝他、用詩歌向他歡呼。
三 因耶和華爲大神、爲大王、超乎萬神之上。
四 地的深處在他手中．山的高峯也屬他。
五 海洋屬他、是他造的．旱地也是他手造成的。

戒民勿干主怒致失所許之福

六 來阿、我們要屈身敬拜、在造我們的耶和華面前跪下。
七 因爲他是我們的　神．我們是他草塲的羊、是他手下的民。惟願你們今天聽他的話。
八 你們不可硬着心、像當日在米利巴、就是在曠野的瑪撒。
九 那時你們的祖宗試我探我、並且觀看我的作爲。
十 四十年之久、我厭煩那世代、說、這是心裏迷糊的百姓、竟不曉得我的作爲．
十一 所以我在怒中起誓、說、他們斷不可進入我的安息。

第九十六篇

勸民歌頌耶和華之尊榮奇行

一 你們要向耶和華唱新歌．全地都要向耶和華歌唱。
二 要向耶和華歌唱、稱頌他的名、天天傳揚他的救恩．
三 在列邦中述說他的榮耀、在萬民中述說他的奇事。
四 因耶和華爲大、當受極大的讚美．他在萬神之上當受敬畏。
五 外邦的神都屬虛無．惟獨耶和華創造諸天。
六 有尊榮和威嚴在他面前．有能力與華美在他聖所。
七 民中的萬族阿、你們要將榮耀能力歸給耶和華、都歸給耶和華．
八 要將耶和華的名所當得的榮耀歸給他、拿供物來進入他的院宇。
九 當以聖潔的妝飾、(的或作爲)敬拜耶和華．全地要在他面前戰抖。
十 人在列邦中要說、耶和華作王．世界就堅定、不得動搖．他要按公正審判衆民。
十一 願天歡喜、願地快樂．願海和其中所充滿的澎湃．

十二 願田和其中所有的都歡樂．那時林中的樹木、都要在
十三 耶和華面前歡呼．因爲他來了．他來要審判全地．他要按公義審判世界、
按他的信實審判萬民。

第九十七篇　耶和華作王威嚴炫赫

一 耶和華作王．願地快樂、願衆海島歡
喜。
二 密雲和幽暗、在他的四圍．公義和公平、是他寶座的根
基。
三 有烈火在他前頭行、燒滅他四圍的敵人。
四 他的閃電光照世界．大地看見便震動。
五 諸山見耶和華的面、就是全地之主的面、便消化如蠟。
六 諸天表明他的公義、萬民看見他的榮耀。
七 願一切事奉雕刻的偶像、靠虛無之神自誇的、都蒙羞
愧．萬神哪、你們都當拜他。
八 耶和華阿、錫安聽見你的判斷、就歡喜、猶大的城邑、（原文作女子）
也都快樂。
九 因爲你耶和華至高、超乎全地．你被尊崇、遠超萬神之
上。
十 你們愛耶和華的、都當恨惡罪惡．他保護聖民的性命、
搭救他們脫離惡人的手。
十一 散布亮光、是爲義人．預備喜樂、是爲正直人。
十二 你們義人當靠耶和華歡喜、稱謝他可記念的聖名。

第九十八篇　勸民歌頌耶和華之慈愛救恩

一 （一篇詩。）你們要向耶和華唱新歌．因
爲他行過奇妙的事．他的右手、和聖臂、施行救恩。
二 耶和華發明了他的救恩、在列邦人眼前顯出公義．
三 記念他向以色列家所發的慈愛、所憑的信實．地的四
極、都看見我們神的救恩。
四 全地都要向耶和華歡樂．要發起大聲、歡呼歌頌。
五 要用琴歌頌耶和華．用琴和詩歌的聲音歌頌他．
六 用號和角聲、在大君王耶和華面前歡呼。
七 願海和其中所充滿的澎湃．世界和住在其間的、也要
發聲。
八 願大水拍手．願諸山在耶和華面前一同歡呼．
九 因爲他來、要審判遍地．他要按公義審判世界、按公正

審判萬民。
耶和華在錫安作王有威榮公義人宜尊崇
一 **第九十九篇** 耶和華作王、萬民當戰抖.他坐在二
基路伯上、地當動搖。
二 耶和華在錫安為大.他超乎萬民之上。
三 他們當稱讚他大而可畏的名.他本為聖。
四 王有能力喜愛公平、堅立公正、在雅各中施行公平和
公義。
五 你們當尊崇耶和華我們的神、在他腳凳前下拜.他
本為聖。
六 在他的祭司中有摩西和亞倫、在求告他名的人中有
撒母耳、他們求告耶和華、他就應允他們。
七 他在雲柱中對他們說話.他們遵守他的法度、和他所
賜給他們的律例。
八 耶和華我們的神阿、你應允他們.你是赦免他們的
神、卻按他們所行的報應他們。
九 你們要尊崇耶和華我們的神、在他的聖山下拜.因
為耶和華我們的神本為聖。

勸民讚美耶和華
一 **第一百篇** 稱謝詩。普天下當向耶和華歡呼。
二 你們當樂意事奉耶和華、當來向他歌唱。
三 你們當曉得耶和華是神.我們是他造的、也是屬他
的.我們是他的民、也是他草場的羊。
四 當稱謝進入他的門、當讚美進入他的院.當感謝他、稱
頌他的名。
五 因為耶和華本為善.他的慈愛、存到永遠、他的信實直
到萬代。
歌頌耶和華願行純全之道
一 **第一百零一篇** 大衛的詩。我要歌唱慈愛和公平.
耶和華阿、我要向你歌頌。
二 我要用智慧行完全的道.你幾時到我這裏來呢.我要
存完全的心、行在我家中。
三 邪僻的事、我都不擺在我眼前.悖逆人所作的事、我甚
恨惡、不容沾在我身上。
四 彎曲的心思、我必遠離.一切的惡人、(或作惡事)我不認識。
五 在暗中讒謗他鄰居的、我必將他滅絕.眼目高傲、心裏

驕縱的、我必不容他。
六 我眼要看國中的誠實人、叫他們與我同住．行爲完全
的、他要伺候我。
七 行詭詐的、必不得住在我家裏．說謊話的、必不得立在
我眼前。
八 我每日早晨、要滅絕國中所有的惡人．好把一切作孽
的、從耶和華的城裏剪除。

第一百零二篇　遭難時籲主眷顧

困苦人發昏的時候、在耶和華面前吐露苦情的禱告。

一 耶和華阿、求你聽我的禱告、容我的呼求達
到你面前。
二 我在急難的日子、求你向我側耳、不要向我掩面．我呼
求的日子、求你快快應允我。
三 因爲我的年日、如煙雲消滅、我的骨頭、如火把燒着。
四 我的心被傷、如草枯乾、甚至我忘記喫飯。
五 因我唉哼的聲音、我的肉緊貼骨頭。
六 我如同曠野的鵜鶘．我好像荒塲的鴞鳥。
七 我儆醒不睡．我像房頂上孤單的麻雀。
八 我的仇敵終日辱罵我．向我猖狂的人、指着我賭咒。
九 我喫過爐灰、如同喫飯．我所喝的與眼淚攙雜。
十 這都因你的惱恨和忿怒．你把我拾起來、又把我摔下
去。
十一 我的年日、如日影偏斜．我也如草枯乾。

祈主憐恤錫安

十二 惟你耶和華必存到永遠．你可記念的名、也存到萬代。
十三 你必起來憐恤錫安．因現在是可憐他的時候、日期已
經到了。
十四 你的僕人原來喜悅他的石頭、可憐他的塵土。
十五 列國要敬畏耶和華的名．世上諸王都敬畏你的榮耀。
十六 因爲耶和華建造了錫安、在他榮耀裏顯現。
十七 他垂聽窮人的禱告、並不藐視他們的祈求。
十八 這必爲後代的人記下．將來受造的民、要讚美耶和華。
十九 因爲他從至高的聖所垂看．耶和華從天向地觀察．
二十 要垂聽被囚之人的歎息．要釋放將要死的人．
二一 使人在錫安傳揚耶和華的名、在耶路撒冷傳揚讚美
他的話．

二二 就是在萬民和列國聚會事奉耶和華的時候。
二三 他使我的力量中道衰弱、使我的年日短少。
二四 我說、我的　神阿、不要使我中年去世．你的年數世世
無窮。
二五 你起初立了地的根基．天也是你手所造的。
二六 天地都要滅沒、你卻要長存．天地都要如外衣漸漸舊
了．你要將天地如裏衣更換、天地就都改變了．
二七 惟有你永不改變．你的年數、沒有窮盡。
二八 你僕人的子孫要長存．他們的後裔、要堅立在你面前。

第一百零三篇　（大衛的詩。）頌美耶和華之恩惠慈愛

一 我的心哪、你要稱頌耶
和華．凡在我裏面的、也要稱頌他的聖名。
二 我的心哪、你要稱頌耶和華、不可忘記他的一切恩惠。
三 他赦免你的一切罪孽、醫治你的一切疾病。
四 他救贖你的命脫離死亡、以仁愛和慈悲為你的冠冕。
五 他用美物使你所願的得以知足、以致你如鷹反老還
童。
六 耶和華施行公義、為一切受屈的人伸冤。

七 他使摩西知道他的法則、叫以色列人曉得他的作為。
八 耶和華有憐憫、有恩典、不輕易發怒、且有豐盛的慈愛。
九 他不長久責備、也不永遠懷怒。
十 他沒有按我們的罪過待我們、也沒有照我們的罪孽
報應我們。
十一 天離地何等的高、他的慈愛向敬畏他的人、也是何等
的大。
十二 東離西有多遠、他叫我們的過犯、離我們也有多遠。
十三 父親怎樣憐恤他的兒女、耶和華也怎樣憐恤敬畏他
的人。
十四 因為他知道我們的本體、思念我們不過是塵土。
十五 至於世人、他的年日如草一樣．他發旺如野地的花。
十六 經風一吹、便歸無有．他的原處、也不再認識他。
十七 但耶和華的慈愛、歸於敬畏他的人、從亙古到永遠．他
的公義、也歸於子子孫孫．
十八 就是那些遵守他的約、記念他的訓詞而遵行的人。
十九 耶和華在天上立定寶座．他的權柄（原文作國）統管萬有。
二十 聽從他命令、成全他旨意、有大能的天使、都要稱頌耶

和華。
二一 你們作他的諸軍、作他的僕役、行他所喜悅的、都要稱
頌耶和華。
二二 你們一切被他造的、在他所治理的各處、都要稱頌耶
和華．我的心哪、你要稱頌耶和華。

第一百零四篇　稱頌耶和華肇造萬物養育羣生

一 我的心哪、你要稱頌耶和華。耶和
華我的神阿、你爲至大．你以尊榮威嚴爲衣服．
二 披上亮光、如披外袍．鋪張穹蒼、如鋪幔子．
三 在水中立樓閣的棟梁、用雲彩爲車輦、藉着風的翅膀
而行．
四 以風爲使者、以火燄爲僕役．
五 將地立在根基上、使地永不動搖。
六 你用深水遮蓋地面、猶如衣裳．諸水高過山嶺。
七 你的斥責一發、水便奔逃．你的雷聲一發、水便奔流、
八 （諸山升上、諸谷沉下。或作隨山上翻隨谷下流）歸你爲他所安
定之地。
九 你定了界限、使水不能過去、不再轉回遮蓋地面。
十 耶和華使泉源湧在山谷、流在山間．
十一 使野地的走獸有水喝．野驢得解其渴。
十二 天上的飛鳥在水旁住宿、在樹枝上啼叫。
十三 他從樓閣中澆灌山嶺．因他作爲的功效、地就豐足。
十四 他使草生長給六畜喫、使菜蔬發長供給人用、使人從
地裏能得食物．
十五 又得酒能悅人心、得油能潤人面、得糧能養人心。
十六 佳美的樹木、就是利巴嫩的香柏樹、是耶和華所栽種
的、都滿了汁漿．
十七 雀鳥在其上搭窩。至於鶴、松樹是他的房屋。
十八 高山爲野山羊的住所．巖石爲沙番的藏處。
十九 你安置月亮爲定節令．日頭自知沉落。
二十 你造黑暗爲夜、林中的百獸就都爬出來。
二一 少壯獅子吼叫、要抓食、向　神尋求食物。
二二 日頭一出、獸便躲避、臥在洞裏。
二三 人出去作工、勞碌直到晚上。
二四 耶和華阿、你所造的何其多、都是你用智慧造成的．遍
地滿了你的豐富。

二五 那裏有海、又大又廣．其中有無數的動物．大小活物都
有。
二六 那裏有船行走．有你所造的鱷魚、游泳在其中。
二七 這都仰望你按時給他食物。
二八 你給他們、他們便拾起來．你張手、他們飽得美食。
二九 你掩面、他們便驚惶．你收回他們的氣、他們就死亡歸
於塵土。
三十 你發出你的靈、他們便受造．你使地面更換為新。
三一 願耶和華的榮耀存到永遠．願耶和華喜悅自己所造
的。
三二 他看地、地便震動．他摸山、山就冒煙。
三三 我要一生向耶和華唱詩．我還活的時候、要向我　神
歌頌。
三四 願他以我的默念為甘甜．我要因耶和華歡喜。
三五 願罪人從世上消滅．願惡人歸於無有．我的心哪、要稱
頌耶和華。你們要讚美耶和華。（原文作哈利路亞下同）

第一百零五篇

頌美耶和華所行之奇事異能

一 你們要稱謝耶和華、求告他的名、
在萬民中傳揚他的作為。
二 要向他唱詩歌頌、談論他一切奇妙的作為。
三 要以他的聖名誇耀．尋求耶和華的人、心中應當歡喜。
四 要尋求耶和華與他的能力、時常尋求他的面。
五六 他僕人亞伯拉罕的後裔、他所揀選雅各的子孫哪、你
們要記念他奇妙的作為、和他的奇事、並他口中的判
語。
七 他是耶和華我們的　神．全地都有他的判斷。
八 他記念他的約、直到永遠．他所吩咐的話、直到千代、
九 就是與亞伯拉罕所立的約、向以撒所起的誓。
十 他又將這約向雅各定為律例、向以色列定為永遠的
約、
十一 說、我必將迦南地賜給你、作你產業的分。
十二 當時他們人丁有限、數目稀少、並且在那地為寄居的。
十三 他們從這邦遊到那邦、從這國行到那國。
十四 他不容甚麼人欺負他們、為他們的緣故責備君王、
十五 說、不可難為我受膏的人、也不可惡待我的先知。
十六 他命饑荒降在那地上、將所倚靠的糧食、全行斷絕。

17 在他們以先打發一個人去．約瑟被賣爲奴僕。
18 人用脚鐐傷他的脚．他被鐵鍊捆拘。
19 耶和華的話試煉他、直等到他所說的應驗了。
20 王打發人把他解開、就是治理衆民的、把他釋放．
21 立他作王家之主、掌管他一切所有的．
22 使他隨意捆綁他的臣宰、將智慧教導他的長老。
23 以色列也到了埃及、雅各在含地寄居。
24 耶和華使他的百姓生養衆多、使他們比敵人強盛．
25 使敵人的心轉去恨他的百姓、並用詭計待他的僕人。

藉摩西亞倫顯著神蹟

26 他打發他的僕人摩西、和他所揀選的亞倫。
27 在敵人中間顯他的神蹟、在含地顯他的奇事。
28 他命黑暗、就有黑暗．沒有違背他話的。
29 他叫埃及的水變爲血、叫他們的魚死了。
30 在他們的地上、以及王宮的內室、青蛙多多滋生。
31 他說一聲、蒼蠅就成羣而來、並有虱子進入他們四境。
32 他給他們降下冰雹爲雨、在他們的地上降下火燄。
33 他也擊打他們的葡萄樹、和無花果樹、毀壞他們境內
的樹木。
34 他說一聲、就有蝗蟲蚂蚱上來、不計其數、
35 喫盡了他們地上各樣的菜蔬、和田地的出產。
36 他又擊殺他們國內一切的長子、就是他們強壯時頭
生的。
37 他領自己的百姓帶銀子金子出來．他支派中沒有一
個軟弱的。
38 他們出來的時候、埃及人便歡喜．原來埃及人懼怕他
們。
39 他鋪張雲彩當遮蓋、夜間使火光照。

由天賜糧由磐出水

40 他們一求、他就使鵪鶉飛來、並用天上的糧食、叫他們
飽足。
41 他打開磐石、水就湧出．在乾旱之處、水流成河。
42 這都因他記念他的聖言、和他的僕人亞伯拉罕。
43 他帶領百姓歡樂而出、帶領選民歡呼前往。
44 他將列國的地賜給他們、他們便承受衆民勞碌得來
的。

四五 好使他們遵他的律例、守他的律法。你們要讚美耶和
華。

陳述以色列民悖逆　神之罪

第一百零六篇

一 你們要讚美耶和華．要稱謝耶和
華、因他本為善．他的慈愛永遠長存。
二 誰能傳說耶和華的大能、誰能表明他一切的美德。
三 凡遵守公平、常行公義的、這人便為有福。
四 耶和華阿、你用恩惠待你的百姓、求你也用這恩惠記
念我、開你的救恩眷顧我、
五 使我見你選民的福樂、你國民的樂、與你的產業一同
誇耀。
六 我們與我們的祖宗一同犯罪．我們作了孽、行了惡。
七 我們的祖宗在埃及不明白你的奇事、不記念你豐盛
的慈愛、反倒在紅海行了悖逆。
八 然而他因自己的名拯救他們、為要彰顯他的大能．
九 並且斥責紅海、海便乾了．他帶領他們經過深處、如同
經過曠野。
十 他拯救他們脫離恨他們人的手、從仇敵手中救贖他
們。
十一 水淹沒他們的敵人、沒有一個存留。
十二 那時他們纔信了他的話、歌唱讚美他。
十三 等不多時、他們就忘了他的作為、不仰望他的指教、
十四 反倒在曠野大起慾心、在荒地試探　神。
十五 他將他們所求的賜給他們、卻使他們的心靈軟弱。
十六 他們又在營中嫉妒摩西和耶和華的聖者亞倫。
十七 地裂開吞下大坍、掩蓋亞比蘭一黨的人。
十八 有火在他們的黨中發起、有火燄燒燬了惡人。
十九 他們在何烈山造了牛犢、叩拜鑄成的像。
二十 如此將他們榮耀的主、換為喫草之牛的像．
二一 忘了　神他們的救主．他曾在埃及行大事．
二二 在含地行奇事、在紅海行可畏的事。
二三 所以他說要滅絕他們．若非有他所揀選的摩西站在
當中、（原文作破口）使他的忿怒轉消、恐怕他就滅絕他們。
二四 他們又藐視那美地、不信他的話、
二五 在自己帳棚內發怨言、不聽耶和華的聲音。
二六 所以他對他們起誓、必叫他們倒在曠野、

二七 叫他們的後裔倒在列國之中、分散在各地。
二八 他們又與巴力毘珥連合、且喫了祭死神（或作人）的物。
二九 他們這樣行、惹耶和華發怒、便有瘟疫流行在他們中
間。
三十 那時非尼哈站起、刑罰惡人、瘟疫這纔止息。
三一 那就算爲他的義、世世代代直到永遠。
三二 他們在米利巴水、又叫耶和華發怒、甚至摩西也受了
虧損。
三三 是因他們惹動他的靈、摩西（原文作他）用嘴說了急躁的話。
三四 他們不照耶和華所吩咐的滅絕外邦人、
三五 反與他們混雜相合、學習他們的行爲、
三六 事奉他們的偶像、這就成了自己的網羅。
三七 把自己的兒女祭祀鬼魔、
三八 流無辜人的血、就是自己兒女的血、把他們祭祀迦南
的偶像、那地就被血污穢了。

耶和華怒罰其民

三九 這樣他們被自己所作的污穢了、在行爲上犯了邪淫。
四十 所以耶和華的怒氣、向他的百姓發作、憎惡他的產業。

四一 將他們交在外邦人的手裏、恨他們的人就轄制他們。
四二 他們的仇敵也欺壓他們、他們就伏在敵人手下。
四三 他屢次搭救他們、他們卻設謀背逆、因自己的罪孽降
爲卑下。

仍憶其約加以憐恤

四四 然而他聽見他們哀告的時候、就眷顧他們的急難。
四五 爲他們記念他的約、照他豐盛的慈愛後悔。
四六 他也使他們在凡擄掠他們的人面前蒙憐恤。
四七 耶和華我們的神阿、求你拯救我們、從外邦中招聚
我們、我們好稱讚你的聖名、以讚美你爲誇勝。
四八 耶和華以色列的神、是應當稱頌的、從亙古直到永
遠。願衆民都說、阿們。你們要讚美耶和華。

詩篇卷五

耶和華救人脫諸苦難

一 **第一百零七篇** 你們要稱謝耶和華、因他本爲善。
他的慈愛、永遠長存。
二 願耶和華的贖民說這話、就是他從敵人手中所救贖

的、
三 從各地、從東從西、從南從北、所招聚來的。

使漂流者安居

四 他們在曠野荒地漂流、尋不見可住的城邑．
五 又飢又渴、心裏發昏。
六 於是他們在苦難中哀求耶和華、他從他們的禍患中
搭救他們．
七 又領他們行走直路、使他們往可居住的城邑。
八 但願人因耶和華的慈愛、和他向人所行的奇事、都稱
讚他。
九 因他使心裏渴慕的人、得以知足、使心裏飢餓的人、得
飽美物。

捆鎖者得釋

十 那些坐在黑暗中死蔭裏的人、被困苦和鐵鍊捆鎖、
十一 是因他們違背　神的話語、藐視至高者的旨意。
十二 所以他用勞苦治服他們的心、他們仆倒、無人扶助。
十三 於是他們在苦難中哀求耶和華、他從他們的禍患中
拯救他們。
十四 他從黑暗中、和死蔭裏、領他們出來、折斷他們的綑索。
十五 但願人因耶和華的慈愛、和他向人所行的奇事、都稱
讚他。
十六 因為他打破了銅門、砍斷了鐵門。

患病者得醫

十七 愚妄人因自己的過犯、和自己的罪孽、便受苦楚。
十八 他們心裏厭惡各樣的食物、就臨近死門。
十九 於是他們在苦難中哀求耶和華、他從他們的禍患中、
拯救他們。
二十 他發命醫治他們、救他們脫離死亡。
二一 但願人因耶和華的慈愛、和他向人所行的奇事、都稱
讚他。
二二 願他們以感謝為祭獻給他、歡呼述說他的作為。

航海者無危

二三 在海上坐船、在大水中經理事務的．
二四 他們看見耶和華的作為、並他在深水中的奇事。
二五 因他一吩咐、狂風就起來、海中的波浪也揚起．
二六 他們上到天空、下到海底、他們的心因患難便消化。

二七 他們搖搖幌幌.東倒西歪、好像醉酒的人.他們的智慧
無法可施。
二八 於是他們在苦難中哀求耶和華、他從他們的禍患中
領出他們來。
二九 他使狂風止息、波浪就平靜。
三十 風息浪靜.他們便歡喜、他就引他們到所願去的海口。
三一 但願人因耶和華的慈愛和他向人所行的奇事、都稱
讚他。
三二 願他們在民的會中尊崇他、在長老的位上讚美他。
三三 他使江河變爲曠野、叫水泉變爲乾渴之地.
三四 使肥地變爲鹼地.這都因其間居民的罪惡。
三五 他使曠野變爲水潭、叫旱地變爲水泉。
三六 他使飢餓的人住在那裏、好建造可住的城邑.
三七 又種田地、栽葡萄園、得享所出的土產。
三八 他又賜福給他們、叫他們生養衆多.也不叫他們的牲
畜減少。
三九 他們又因暴虐、患難、愁苦、就減少且卑下。
四十 他使君王蒙羞被辱、使他們在荒廢無路之地漂流。
四一 他卻將窮乏之人安置在高處、脫離苦難、使他的家屬多
如羊羣。
四二 正直人看見、就歡喜.罪孽之輩、必塞口無言。
四三 凡有智慧的、必在這些事上留心.也必思想耶和華的
慈愛。

第一百零八篇

大衛的詩歌。

定志歌頌耶和華

一 神阿、我心堅定.我
口（原文作榮耀）要唱詩歌頌。
二 琴瑟阿、你們當醒起.我自己要極早醒起。
三 耶和華阿、我要在萬民中稱謝你、在列邦中歌頌你。
四 因爲你的慈愛、大過諸天.你的誠實、達到穹蒼。
五 神阿、願你崇高過於諸天.願你的榮耀高過全地。
六 求你應允我們、用右手拯救我們、好叫你所親愛的人
得救。
七 神已經指着他的聖潔說、（說或作應許我）我要歡樂.我要分
開示劍、丈量疎割谷。
八 基列是我的.瑪拿西是我的.以法蓮是護衛我頭的.猶
大是我的杖.

9 摩押是我的沐浴盆．我要向以東拋鞋．我必因勝非利
士呼喊。
10 誰能領我進堅固城．誰能引我到以東地。
11 神阿、你不是丟棄了我們麼．神阿、你不和我們的
軍兵同去麼。

倚恃 神得勝仇敵

12 求你幫助我們攻擊敵人、因為人的幫助是枉然的。
13 我們倚靠 神纔得施展大能因為踐踏我們敵人的
就是他。

第一百零九篇

祈主施報惡敵

大衛的詩交與伶長。

1 我所讚美的
神阿、求你不要閉口不言．
2 因為惡人的嘴和詭詐人的口已經張開攻擊我．他們
用撒謊的舌頭對我說話。
3 他們圍繞我說怨恨的話、又無故的攻打我。
4 他們與我為敵以報我愛．但我專心祈禱。
5 他們向我以惡報善、以恨報愛。
6 願你派一個惡人轄制他、派一個對頭站在他右邊。
7 他受審判的時候、願他出來擔當罪名．願他的祈禱反
成為罪。
8 願他的年日短少．願別人得他的職分。
9 願他的兒女為孤兒、他的妻子為寡婦。
10 願他的兒女漂流討飯、從他們荒涼之處出來求食。
11 願強暴的債主牢籠他一切所有的．願外人搶他勞碌
得來的。
12 願無人向他延綿施恩．願無人可憐他的孤兒。
13 願他的後人斷絕、名字被塗抹、不傳於下代。
14 願他祖宗的罪孽被耶和華記念．願他母親的罪過不
被塗抹。
15 願這些罪常在耶和華面前、使他的名號斷絕於世．
16 因為他不想施恩、卻逼迫困苦窮乏的、和傷心的人、要
把他們治死。
17 他愛咒罵、咒罵就臨到他．他不喜愛福樂、福樂就與他
遠離。
18 他拿咒罵當衣服穿上．這咒罵就如水進他裏面、像油
入他的骨頭。

十九 願這咒罵當他遮身的衣服、當他常束的腰帶。
二十 這就是我對頭、和用惡言議論我的人、從耶和華那裏
所受的報應。
二一 主耶和華阿、求你為你的名恩待我．因你的慈愛美好、
求你搭救我。
二二 因為我困苦窮乏、內心受傷。
二三 我如日影漸漸偏斜而去．我如蝗蟲被抖出來。
二四 我因禁食、膝骨軟弱．我身上的肉、也漸漸瘦了。
二五 我受他們的羞辱．他們看見我、便搖頭。
二六 耶和華我的　神阿、求你幫助我、照你的慈愛拯救我．
二七 使他們知道這是你的手、是你耶和華所行的事。
二八 任憑他們咒罵、惟願你賜福．他們幾時起來、就必蒙羞．
你的僕人卻要歡喜。
二九 願我的對頭、披戴羞辱．願他們以自己的羞愧為外袍
遮身。
三十 我要用口極力稱謝耶和華．我要在眾人中間讚美他。
三一 因為他必站在窮乏人的右邊、要救他脫離審判他靈
魂的人。

第一百一十篇　頌主秉王之權

大衛的詩。　耶和華對我主說、你坐
一 在我的右邊、等我使你仇敵作你的腳凳。
二 耶和華必使你從錫安伸出能力的杖來．你要在你仇
敵中掌權。
三 當你掌權的日子、（或作行軍的日子）你的民要以聖潔的妝飾
為衣、（或作以聖潔為妝飾）甘心犧牲自己．你的民多如清晨的甘
露。（或作你少年時光耀如清晨的甘露）
四 耶和華起了誓、決不後悔、說、你是照着麥基洗德的等
次、永遠為祭司。
五 在你右邊的主、當他發怒的日子、必打傷列王。
六 他要在列邦中刑罰惡人、屍首就遍滿各處．他要在許
多國中打破仇敵的頭。
七 他要喝路旁的河水．因此必抬起頭來。

第一百十一篇　讚美耶和華矜憫其民永記其約

一 你們要讚美耶和華。我要在正直
人的大會中、並公會中、一心稱謝耶和華。
二 耶和華的作為本為大．凡喜愛的都必考察。

三 他所行的是尊榮和威嚴．他的公義存到永遠。
四 他行了奇事、使人記念．耶和華有恩惠、有憐憫。
五 他賜糧食給敬畏他的人．他必永遠記念他的約。
六 他向百姓顯出大能的作爲、把外邦的地賜給他們爲業。
七 他手所行的、是誠實公平．他的訓詞都是確實的．
八 是永永遠遠堅定的．是按誠實正直設立的。
九 他向百姓施行救贖、命定他的約、直到永遠．他的名聖而可畏。
十 敬畏耶和華是智慧的開端．凡遵行他……命令的、是聰明人．耶和華是永遠當讚美的。

第一百十二篇　敬畏耶和華者永蒙福祉

一 你們要讚美耶和華。敬畏耶和華、甚喜愛他命令的、這人便爲有福。
二 他的後裔在世必強盛．正直人的後代、必要蒙福。
三 他家中有貨物、有錢財．他的公義、存到永遠。
四 正直人在黑暗中、有光向他發現．他有恩惠、有憐憫、有公義。
五 施恩與人、借貸與人的、這人事情順利．他被審判的時候、要訴明自己的冤。
六 他永不動搖．義人被記念直到永遠。
七 他必不怕兇惡的信息．他心堅定、倚靠耶和華。
八 他心確定……總不懼怕、直到他看見敵人遭報……。
九 他施捨錢財、賙濟貧窮．他的仁義、存到永遠．他的角必被高舉、大有榮耀。
十 惡人看見便惱恨、必咬牙而消化．惡人的心願、要歸滅絕。

第一百十三篇　讚美耶和華其榮高於諸天

一 你們要讚美耶和華。耶和華的僕人哪、你們要讚美、讚美耶和華的名。
二 耶和華的名、是應當稱頌的、從今時直到永遠。
三 從日出之地、到日落之處、耶和華的名是應當讚美的。
四 耶和華超乎萬民之上．他的榮耀高過諸天。
五 誰像耶和華我們的神呢．他坐在至高之處、
六 自己謙卑、觀看天上地下的事。

七 他從灰塵裏抬舉貧寒人、從糞堆中提拔窮乏人、
八 使他們與王子同坐、就是與本國的王子同坐。
九 他使不能生育的婦人安居家中、爲多子的樂母。你們
要讚美耶和華。

第一百十四篇　述主領以色列民出埃及之大能

一 以色列出了埃及、雅各家離開說
異言之民．
二 那時猶大爲主的聖所、以色列爲他所治理的國度。
三 滄海看見就奔逃、約但河也倒流．
四 大山踴躍如公羊、小山跳舞如羊羔。
五 滄海阿、你爲何奔逃．約但哪、你爲何倒流．
六 大山哪、你爲何踴躍如公羊．小山哪、你爲何跳舞如羊
羔。
七 大地阿、你因見主的面、就是雅各　神的面、便要震動。
八 他叫磐石變爲水池、叫堅石變爲泉源。

偶像之虛僞

一 **第一百十五篇** 耶和華阿、榮耀不要歸與我們、不
要歸與我們．要因你的慈愛和誠實歸在你的名下。
二 爲何容外邦人說、他們的　神在那裏呢。
三 然而我們的　神在天上．都隨自己的意旨行事。
四 他們的偶像、是金的銀的、是人手所造的。
五 有口卻不能言．有眼卻不能看．
六 有耳卻不能聽．有鼻卻不能聞．
七 有手卻不能摸．有腳卻不能走．有喉嚨也不能出聲。
八 造他的要和他一樣．凡靠他的也要如此。

惟耶和華是恃

九 以色列阿、你要倚靠耶和華．他是你的幫助、和你的盾
牌。
十 亞倫家阿、你們要倚靠耶和華．他是你們的幫助、和你
們的盾牌。
十一 你們敬畏耶和華的、要倚靠耶和華．他是你們的幫助、
和你們的盾牌。
十二 耶和華向來眷念我們．他還要賜福給我們、要賜福給
以色列的家、賜福給亞倫的家。
十三 凡敬畏耶和華的、無論大小、主必賜福給他。
十四 願耶和華叫你們和你們的子孫、日見加增。

十五 你們蒙了造天地之耶和華的福。
十六 天是耶和華的天．地、他卻給了世人。
十七 死人不能讚美耶和華．下到寂靜中的、也都不能．
十八 但我們要稱頌耶和華、從今時直到永遠。你們要讚美
耶和華。

第一百十六篇 讚美主俯聽其祈免於死亡

一 我愛耶和華、因爲他聽了我的聲
音、和我的懇求。
二 他既向我側耳、我一生要求告他。
三 死亡的繩索纏繞我、陰間的痛苦抓住我．我遭遇患難
愁苦。
四 那時、我便求告耶和華的名、說、耶和華阿、求你救我的
靈魂。
五 耶和華有恩惠、有公義．我們的神以憐憫爲懷。
六 耶和華保護愚人．我落到卑微的地步、他救了我。
七 我的心哪、你要仍歸安樂、因爲耶和華用厚恩待你。
八 主阿、你救我的命、免了死亡、救我的眼、免了流淚、救我
的腳、免了跌倒。

九 我要在耶和華面前、行活人之路。
十 我因信、所以如此說話．我受了極大的困苦。
十一 我曾急促的說、人都是說謊的。
十二 我拿甚麼報答耶和華向我所賜的一切厚恩。
十三 我要舉起救恩的杯、稱揚耶和華的名。
十四 我要在他衆民面前向耶和華還我的願。
十五 在耶和華眼中看聖民之死、極爲寶貴。
十六 耶和華阿、我眞是你的僕人．我是你的僕人、是你婢女
的兒子．你已經解開我的綁索。
十七 我要以感謝爲祭獻給你、又要求告耶和華的名。
十八 十九 我要在他衆民面前、在耶和華殿的院內、在耶路撒冷
當中、向耶和華還我的願。你們要讚美耶和華。

第一百十七篇 勸萬民讚主

一 萬國阿、你們都當讚美耶和華．萬
民哪、你們都當頌讚他。
二 因爲他向我們大施慈愛．耶和華的誠實、存到永遠。你
們要讚美耶和華。

一 勸民稱謝耶和華因其慈愛永存
第一百十八篇 你們要稱謝耶和華、因他本為善。
他的慈愛永遠長存。
二 願以色列說、他的慈愛永遠長存。
三 願亞倫的家說、他的慈愛永遠長存。
四 願敬畏耶和華的說、他的慈愛永遠長存。
五 我在急難中求告耶和華、他就應允我、把我安置在寬
闊之地。
六 有耶和華幫助我、我必不懼怕。人能把我怎麼樣呢。
七 在那幫助我的人中、有耶和華幫助我、所以我要看見
那恨我的人遭報。
八 投靠耶和華、強似倚賴人。
九 投靠耶和華、強似倚賴王子。
十 萬民圍繞我、我靠耶和華的名、必剿滅他們。
十一 他們環繞我、圍困我。我靠耶和華的名、必剿滅他們。
十二 他們如同蜂子圍繞我、好像燒荊棘的火、必被熄滅。我
靠耶和華的名、必剿滅他們。
十三 你推我要叫我跌倒、但耶和華幫助了我。
十四 耶和華是我的力量、是我的詩歌。他也成了我的拯救。
十五 在義人的帳棚裏、有歡呼拯救的聲音。耶和華的右手
施展大能。
十六 耶和華的右手高舉。耶和華的右手施展大能。
十七 我必不至死、仍要存活、並要傳揚耶和華的作為。
十八 耶和華雖嚴嚴的懲治我、卻未曾將我交於死亡。
十九 給我敞開義門。我要進去稱謝耶和華。
二十 這是耶和華的門。義人要進去。
二一 我要稱謝你、因為你已經應允我、又成了我的拯救。
二二 匠人所棄的石頭、已成了房角的頭塊石頭。
二三 這是耶和華所作的、在我們眼中看為希奇。
二四 這是耶和華所定的日子。我們在其中要高興歡喜。
二五 耶和華阿、求你拯救。耶和華阿、求你使我們亨通。
二六 奉耶和華名來的、是應當稱頌的。我們從耶和華的殿
中為你們祝福。
二七 耶和華是神。他光照了我們。我們理當用繩索把祭牲拴
住、牽到壇角那裏。
二八 你是我的神、我要稱謝你。你是我的　神、我要尊崇

你。
二九 你們要稱謝耶和華、因他本為善．他的慈愛永遠長存。

第一百十九篇

遵行耶和華律法者大有福祉

一 行為完全遵行耶和華律法的、這
人便為有福。
二 遵守他的法度、一心尋求他的、這人便為有福。
三 這人不作非義的事．但遵行他的道。
四 耶和華阿、你曾將你的訓詞吩咐我們、為要我們殷勤
遵守。
五 但願我行事堅定、得以遵守你的律例。
六 我看重你的一切命令、就不至於羞愧。
七 我學了你公義的判語、就要以正直的心稱謝你。
八 我必守你的律例．求你總不要丟棄我。

珍重耶和華話語者得免犯罪

九 少年人用甚麼潔淨他的行為呢．是要遵行你的話。
十 我一心尋求了你、求你不要叫我偏離你的命令。
十一 我將你的話藏在心裏、免得我得罪你。
十二 耶和華阿、你是應當稱頌的．求你將你的律例教訓我。
十三 我用嘴唇傳揚你口中的一切典章。
十四 我喜悅你的法度、如同喜悅一切的財物。
十五 我要默想你的訓詞、看重你的道路。
十六 我要在你的律例中自樂．我不忘記你的話。

善愛耶和華律例者變為明達

十七 求你用厚恩待你的僕人、使我存活．我就遵守你的話。
十八 求你開我的眼睛、使我看出你律法中的奇妙。
十九 我是在地上作寄居的．求你不要向我隱瞞你的命令。
二十 我時常切慕你的典章、甚至心碎。
二一 受咒詛偏離你命令的驕傲人、你已經責備他們。
二二 求你除掉我所受的羞辱和藐視．因我遵守你的法度。
二三 雖有首領坐着妄論我．你僕人卻思想你的律例。
二四 你的法度是我所喜樂的、是我的謀士。

持守耶和華法度者得有力量

二五 我的性命幾乎歸於塵土．求你照你的話、將我救活。
二六 我述說我所行的、你應允了我．求你將你的律例教訓
我。
二七 求你使我明白你的訓詞、我就思想你的奇事。

二八 我的心因愁苦而消化．求你照你的話、使我堅立。
二九 求你使我離開奸詐的道、開恩將你的律法賜給我。
三十 我揀選了忠信的道、將你的典章擺在我面前……。
三一 我持守你的法度．耶和華阿、求你不要叫我羞愧。
三二 你開廣我心的時候、我就往你命令的道上直奔。

遵守耶和華律法者得到引導

三三 耶和華阿、求你將你的律例指教我、我必遵守到底。
三四 求你賜我悟性、我便遵守你的律法．且要一心遵守。
三五 求你叫我遵行你的命令．因為這是我所喜樂的。
三六 求你使我的心趨向你的法度、不趨向非義之財。
三七 求你叫我轉眼不看虛假、又叫我在你的道中生活。
三八 你向敬畏你的人所應許的話、求你向僕人堅定。
三九 求你使我所怕的羞辱遠離我．因你的典章本為美。
四十 我羨慕你的訓詞．求你使我在你的公義上生活。

倚靠耶和華話語者不致羞愧

四一 耶和華阿、願你照你的話、使你的慈愛、就是你的救恩、臨到我身上．
四二 我就有話回答那羞辱我的．因我倚靠你的話。
四三 求你叫真理的話、總不離開我口．因我仰望你的典章。
四四 我要常守你的律法、直到永永遠遠。
四五 我要自由而行．(或作我要行在寬闊之地)因我素來考究你的訓詞。
四六 我也要在君王面前、論說你的法度、並不至於羞愧。
四七 我要在你的命令中自樂．這命令素來是我所愛的。
四八 我又要遵行(原文作舉手)你的命令．這命令素來是我所愛的．我也要思想你的律例。

紀念耶和華典章者得其安慰

四九 求你記念向你僕人所應許的話……、叫我有盼望。
五十 這話將我救活了．我在患難中、因此得安慰。
五一 驕傲的人甚侮慢我．我卻未曾偏離你的律法。
五二 耶和華阿、我記念你從古以來的典章、就得了安慰。
五三 我見惡人離棄你的律法、就怒氣發作、猶如火燒。
五四 我在世寄居、素來以你的律例為詩歌。
五五 耶和華阿、我夜間記念你的名、遵守你的律法。
五六 我所以如此、是因我守你的訓詞。

思想耶和華教訓者施真友誼

五七 耶和華是我的福分．我曾說、我要遵守你的言語。

五八 我一心求過你的恩．願你照你的話憐憫我。
五九 我思想我所行的道、就轉步歸向你的法度。
六十 我急忙遵守你的命令、並不遲延。
六一 惡人的繩索纏繞我．我卻沒有忘記你的律法。
六二 我因你公義的典章、半夜必起來稱謝你。
六三 凡敬畏你、守你訓詞的人、我都與他作伴。
六四 耶和華阿、你的慈愛遍滿大地．求你將你的律例教訓
我。

謙受耶和華命令者學習知識

六五 耶和華阿、你向來是照你的話善待僕人。
六六 求你將精明和知識賜給我．因我信了你的命令。
六七 我未受苦以先走迷了路．現在卻遵守你的話。
六八 你本為善、所行的也善．求你將你的律例教訓我。
六九 驕傲人編造謊言攻擊我．我卻要一心守你的訓詞。
七十 他們心蒙脂油．我卻喜愛你的律法。
七一 我受苦是與我有益、為要使我學習你的律例。
七二 你口中的訓言、(或作律法)與我有益、勝於千萬的金銀。

仰望耶和華判語者不致蒙羞

七三 你的手製造我、建立我．求你賜我悟性、可以學習你的
命令。
七四 敬畏你的人見我、就要歡喜．因我仰望你的話。
七五 耶和華阿、我知道你的判語是公義的．你使我受苦、是
以誠實待我。
七六 求你照着應許僕人的話、以慈愛安慰我。
七七 願你的慈悲臨到我、使我存活．因你的律法是我所喜
愛的。
七八 願驕傲人蒙羞．因為他們無理的傾覆我．但我要思想
你的訓詞。
七九 願敬畏你的人歸向我、他們就知道你的法度。
八十 願我的心在你的律例上完全、使我不至蒙羞。

盼望耶和華應許者救出逼迫

八一 我心渴想你的救恩、仰望你的應許。
八二 我因盼望你的應許、眼睛失明、說、你何時安慰我。
八三 我好像煙熏的皮袋．卻不忘記你的律例。
八四 你僕人的年日有多少呢．你幾時向逼迫我的人施行

審判呢。

八五 不從你律法的驕傲人、爲我掘了坑。

八六 你的命令盡都誠實．他們無理的逼迫我．求你幫助我。

八七 他們幾乎把我從世上滅絕、但我沒有離棄你的訓詞。

八八 求你照你的慈愛將我救活．我就遵守你口中的法度。

信賴耶和華信實者免致滅絕

八九 耶和華阿、你的話安定在天、直到永遠。

九十 你的誠實存到萬代．你堅定了地、地就長存。

九一 天地照你的安排、存到今日．萬物都是你的僕役。

九二 我若不是喜愛你的律法、早就在苦難中滅絕了。

九三 我永不忘記你的訓詞．因你用這訓詞將我救活了。

九四 我是屬你的、求你救我．因我尋求了你的訓詞。

九五 惡人等待我、要滅絕我．我卻要揣摩你的法度。

九六 我看萬事盡都有限．惟有你的命令極其寬廣。

默想耶和華律法者具有智慧

九七 我何等愛慕你的律法、終日不住的思想。

九八 你的命令常存在我心裏、使我比仇敵有智慧。

九九 我比我的師傅更通達．因我思想你的法度。

一百 我比年老的更明白、因我守了你的訓詞。

百一 我禁止我脚走一切的邪路、爲要遵守你的話。

百二 我沒有偏離你的典章、因爲你教訓了我。

百三 你的言語在我上膛何等甘美．在我口中比蜜更甜。

百四 我藉着你的訓詞得以明白．所以我恨一切的假道。

遵行耶和華燈光者免入網羅

百五 你的話是我脚前的燈、是我路上的光。

百六 你公義的典章、我曾起誓遵守、我必按誓而行。

百七 我甚是受苦．耶和華阿、求你照你的話將我救活。

百八 耶和華阿、求你悅納我口中的讚美爲供物、又將你的典章教訓我。

百九 我的性命常在危險之中、我卻不忘記你的律法。

百十 惡人爲我設下網羅．我卻沒有偏離你的訓詞。

百十一 我以你的法度爲永遠的產業．因這是我心中所喜愛的。

百十二 我的心專向你的律例、永遠遵行、一直到底。

愛慕耶和華律例者免除懼怕

百十三 心懷二意的人、爲我所恨．但你的律法爲我所愛。

百十四 你是我藏身之處、又是我的盾牌．我甚仰望你的話語。
百十五 作惡的人哪、你們離開我罷、我好遵守我　神的命令。
百十六 求你照你的話扶持我、使我存活．也不叫我因失望而
害羞。
百十七 求你扶持我、我便得救、時常看重你的律例。
百十八 凡偏離你律例的人、你都輕棄他們．因為他們的詭詐
必歸虛空。
百十九 凡地上的惡人、你除掉他好像除掉渣滓．因此我愛你
的法度。
百二十 我因懼怕你、肉就發抖．我也怕你的判語、

遵從耶和華訓誨者不容欺壓

百二一 我行過公平和公義．求你不要撇下我給欺壓我的人。
百二二 求你為僕人作保、使我得好處．不容驕傲人欺壓我。
百二三 我因盼望你的救恩、和你公義的話、眼睛失明。
百二四 求你照你的慈愛待僕人、將你的律例教訓我。
百二五 我是你的僕人．求你賜我悟性、使我得知你的法度。
百二六 這是耶和華降罰的時候．因人廢了你的律法。
百二七 所以我愛你的命令、勝於金子、更勝於精金。

百二八 你一切的訓詞、在萬事上、我都以為正直．我卻恨惡一
切假道。◯

謹守耶和華律法者脫離罪孽

百二九 你的法度奇妙．所以我一心謹守。
百三十 你的言語一解開、就發出亮光、使愚人通達。
百三一 我張口而氣喘．因我切慕你的命令。
百三二 求你轉向我、憐憫我、好像你素常待那些愛你名的人。
百三三 求你用你的話、使我腳步穩當．不許甚麼罪孽轄制我。
百三四 求你救我脫離人的欺壓．我要遵守你的訓詞。
百三五 求你用臉光照僕人．又將你的律例教訓我。
百三六 我的眼淚下流成河、因為他們不守你的律法。

敬愛耶和華誡命者立為公義

百三七 耶和華阿、你是公義的．你的判語也是正直的。
百三八 你所命定的法度、是憑公義和至誠。
百三九 我心焦急、如同火燒．因我敵人忘記你的言語。
百四十 你的話極其精煉．所以你的僕人喜愛。
百四一 我微小被人藐視．卻不忘記你的訓詞。
百四二 你的公義永遠長存．你的律法盡都真實。

百四三 我遭遇患難愁苦．你的命令卻是我所喜愛的．
百四四 你的法度永遠是公義的．求你賜我悟性、我就活了．

思想耶和華話語者享其同在

百四五 耶和華阿、我一心呼籲你、求你應允我．我必謹守你的
律例．
百四六 我向你呼籲、求你救我．我要遵守你的法度．
百四七 我趁天未亮呼求．我仰望了你的言語．
百四八 我趁夜更未換、將眼睜開、為要思想你的話語．
百四九 求你照你的慈愛、聽我的聲音．耶和華阿、求你照你的
典章將我救活．
百五十 追求奸惡的人臨近了．他們遠離你的律法．
百五一 耶和華阿、你與我相近．你一切的命令盡都眞實．
百五二 我因學你的法度、久已知道是你永遠立定的．

依照耶和華慈愛者將被救活

百五三 求你看顧我的苦難、搭救我．因我不忘記你的律法．
百五四 求你為我辨屈、救贖我．照你的話將我救活．
百五五 救恩遠離惡人．因為他們不尋求你的律例．
百五六 耶和華阿、你的慈悲本為大．求你照你的典章將我救
活．
百五七 逼迫我的、抵擋我的很多．我卻沒有偏離你的法度．
百五八 我看見奸惡的人、就甚憎惡．因為他們不遵守你的話．
百五九 你看我怎樣愛你的訓詞．耶和華阿、求你照你的慈愛
將我救活．
百六十 你話的總綱是眞實．你一切公義的典章是永遠長存．

遵守耶和華法度者不致絆倒

百六一 首領無故的逼迫我．但我的心畏懼你的言語．
百六二 我喜愛你的話、好像人得了許多擄物．
百六三 謊話是我所恨惡所憎嫌的．惟你的律法、是我所愛的．
百六四 我因你公義的典章、一天七次讚美你．
百六五 愛你律法的人有大平安．甚麼都不能使他們絆脚．
百六六 耶和華阿、我仰望了你的救恩、遵行了你的命令．
百六七 我心裏守了你的法度．這法度我甚喜愛．
百六八 我遵守了你的訓詞和法度．因我一切所行的、都在你
面前．

懇求耶和華救贖者讚美歌唱

百六九 耶和華阿、願我的呼籲達到你面前．照你的話賜我悟

性。

百七十 願我的懇求達到你面前、照你的話搭救我。

百七十一 願我的嘴發出讚美的話．因為你將律例教訓我。

百七十二 願我的舌頭歌唱你的話．因你一切的命令盡都公義。

百七十三 願你用手幫助我．因我揀選了你的訓詞。

百七十四 耶和華阿、我切慕你的救恩．你的律法也是我所喜愛的。

百七十五 願我的性命存活、得以讚美你．願你的典章幫助我。

百七十六 我如亡羊走迷了路．求你尋找僕人．因我不忘記你的命令。

第一百二十篇　求主救脫誑言詭舌之人

上行或作登堦下同之詩。

一 我在急難中求告耶和華、他就應允我。

二 耶和華阿、求你救我脫離說謊的嘴唇、和詭詐的舌頭。

三 詭詐的舌頭阿、要給你甚麼呢．要拿甚麼加給你呢．

四 就是勇士的利箭、和羅騰木的炭火。羅騰小樹名松類

五 我寄居在米設、住在基達帳棚之中、有禍了。

六 我與那恨惡和睦的人、許久同住。

七 我願和睦．但我發言、他們就要爭戰。

第一百二十一篇　耶和華佑護其民必不傾跌

上行之詩。

一 我要向山舉目．我的幫助從何而來。

二 我的幫助從造天地的耶和華而來。

三 他必不叫你的腳搖動．保護你的必不打盹。

四 保護以色列的、也不打盹也不睡覺。

五 保護你的是耶和華．耶和華在你右邊蔭庇你。

六 白日太陽必不傷你、夜間月亮必不害你。

七 耶和華要保護你、免受一切的災害．他要保護你的性命。

八 你出你入、耶和華要保護你、從今時直到永遠。

第一百二十二篇　為耶路撒冷求福

大衛上行之詩。

一 人對我說、我們往耶和華的殿去、我就歡喜。

二 耶路撒冷阿、我們的腳、站在你的門內。

三 耶路撒冷被建造、如同連絡整齊的一座城。

四 眾支派、就是耶和華的支派、上那裏去、按以色列的常

例、(或作以色列的證據)稱讚耶和華的名。
五 因為在那裏設立審判的寶座、就是大衛家的寶座。
六 你們要為耶路撒冷求平安。耶路撒冷阿、愛你的人必
然興旺。
七 願你城中平安、願你宮內興旺。
八 因我弟兄和同伴的緣故、我要說、願平安在你中間。
九 因耶和華我們　神殿的緣故、我要為你求福。

一 **第一百二十三篇**　**仰望耶和華求其矜憫**　上行之詩。　坐在天上的主…阿、我
向你舉目。
二 看哪、僕人的眼睛怎樣望主人的手、使女的眼睛怎樣
望主母的手、我們的眼睛也照樣望耶和華我們的
神、直到他憐憫我們。
三 耶和華阿、求你憐憫我們、憐憫我們．因為我們被藐視、
已到極處。
四 我們被那些安逸人的譏誚、和驕傲人的藐視、已到極
處。

因免敵害感頌主恩
一 **第一百二十四篇**　大衛上行之詩。　以色列人要說、
若不是耶和華幫助我們、
二 若不是耶和華幫助我們、當人起來攻擊我們、
三 向我們發怒的時候、就把我們活活的吞了．
四 那時、波濤必漫過我們、河水必淹沒我們．
五 狂傲的水必淹沒我們。
六 耶和華是應當稱頌的．他沒有把我們當野食交給他
們吞喫。(原文作牙齒)
七 我們好像雀鳥從捕鳥人的網羅裏逃脫．網羅破裂、我
們逃脫了。
八 我們得幫助、是在乎倚靠造天地之耶和華的名。

一 **第一百二十五篇**　**耶和華環衛其民**　上行之詩。　倚靠耶和華的人、好
像錫安山永不動搖。
二 眾山怎樣圍繞耶路撒冷、耶和華也照樣圍繞他的百
姓、從今時直到永遠。
三 惡人的杖、不常落在義人的分上、免得義人伸手作惡。

四 耶和華阿、求你善待那些爲善、和心裏正直的人。
五 至於那偏行彎曲道路的人、耶和華必使他和作惡的
人一同出去受刑。願平安歸於以色列。

俘囚返錫安讚美耶和華

一 **第一百二十六篇** 上行之詩。當耶和華將那些被
擄的帶回錫安的時候、我們好像作夢的人。
二 我們滿口喜笑滿舌歡呼的時候、外邦中就有人說耶
和華爲他們行了大事。
三 耶和華果然爲我們行了大事、我們就歡喜。
四 耶和華阿、求你使我們被擄的人歸回、好像南地的河
水復流。
五 流淚撒種的、必歡呼收割。
六 那帶種流淚出去的、必要歡歡樂樂的帶禾捆回來。

言人百計經營非蒙主佑盡屬徒然

一 **第一百二十七篇** 所羅門上行之詩。若不是耶和華
建造房屋、建造的人就枉然勞力．若不是耶和華看守
城池、看守的人就枉然儆醒。
二 你們清晨早起、夜晚安歇、喫勞碌得來的飯、本是枉然．
惟有耶和華所親愛的、必叫他安然睡覺。
三 兒女是耶和華所賜的產業．所懷的胎、是他所給的賞
賜。
四 少年時所生的兒女、好像勇士手中的箭。
五 箭袋充滿的人便爲有福．他們在城門口、和仇敵說話
的時候、必不至於羞愧。

敬畏耶和華遵行其道者有福

一 **第一百二十八篇** 上行之詩。凡敬畏耶和華、遵行
他道的人便爲有福。
二 你要喫勞碌得來的．你要享福、事情順利。
三 你妻子在你的內室、好像多結果子的葡萄樹．你兒女
圍繞你的桌子、好像橄欖栽子。
四 看哪、敬畏耶和華的人、必要這樣蒙福。
五 願耶和華從錫安賜福給你．願你一生一世看見耶路
撒冷的好處。
六 願你看見你兒女的兒女。願平安歸於以色列。

求耶和華卻退錫安之敵

一 **第一百二十九篇** 上行之詩。以色列當說、從我幼

年以來、敵人屢次苦害我、
二 從我幼年以來、敵人屢次苦害我、卻沒有勝了我。
三 如同扶犂的、在我背上扶犂而耕．耕的犂溝甚長。
四 耶和華是公義的．他砍斷了惡人的繩索。
五 願恨惡錫安的、都蒙羞退後。
六 願他們像房頂上的草、未長成而枯乾．
七 收割的不彀一把、捆禾的也不滿懷．
八 過路的也不說、願耶和華所賜的福、歸與你們．我們奉
耶和華的名、給你們祝福。

第一百三十篇

仰望耶和華者必蒙慈愛救贖

一 上行之詩。 耶和華阿、我從深處向
你求告。
二 主阿、求你聽我的聲音．願你側耳聽我懇求的聲音。
三 主耶和華阿、你若究察罪孽、誰能站得住呢．
四 但在你有赦免之恩、要叫人敬畏你。
五 我等候耶和華、我的心等候、我也仰望他的話。
六 我的心等候主、勝於守夜的等候天亮、勝於守夜的等
候天亮。
七 以色列阿、你當仰望耶和華．因他有慈愛、有豐盛的救
恩。
八 他必救贖以色列脫離一切的罪孽。

第一百三十一篇

自述偕主如嬰偕母

一 大衛上行之詩。 耶和華阿、我的
心不狂傲、我的眼不高大．重大和測不透的事、我也不
敢行。
二 我的心平穩安靜、好像斷過奶的孩子在他母親的懷
中．我的心在我裏面眞像斷過奶的孩子。
三 以色列阿、你當仰望耶和華、從今時直到永遠。

第一百三十二篇

求耶和華賜福聖所

一 上行之詩。 耶和華阿、求你記念
大衛所受的一切苦難．
二 他怎樣向耶和華起誓、向雅各的大能者許願、
三 說、我必不進我的帳幕、也不上我的牀榻．
四 我不容我的眼睛睡覺、也不容我的眼目打盹．
五 直等我為耶和華尋得所在、為雅各的大能者尋得居
所。

六 我們聽說約櫃在以法他．我們在基列耶琳就尋見了。
七 我們要進他的居所、在他腳凳前下拜。
八 耶和華阿、求你興起和你有能力的約櫃同入安息之所。
九 願你的祭司披上公義．願你的聖民歡呼。
十 求你因你僕人大衛的緣故、不要厭棄你的受膏者。
十一 耶和華向大衛憑誠實起了誓、必不反覆、說、我要使你所生的坐在你的寶座上。
十二 你的衆子若守我的約、和我所教訓他們的法度、他們的子孫、必永遠坐在你的寶座上。
十三 因為耶和華揀選了錫安、願意當作自己的居所、
十四 說、這是我永遠安息之所．我要住在這裏．因為是我所願意的。
十五 我要使其中的糧食豐滿、使其中的窮人飽足。
十六 我要使祭司披上救恩．聖民大聲歡呼。
十七 我要叫大衛的角、在那裏發生．我為我的受膏者、豫備明燈。
十八 我要使他的仇敵、披上羞恥．但他的冠冕、要在頭上發光。

第一百三十三篇 弟兄睦誼之美善

大衛上行之詩。

一 看哪、弟兄和睦同居、是何等的善、何等的美。
二 這好比那貴重的油、澆在亞倫的頭上、流到鬍鬚．又流到他的衣襟．
三 又好比黑門的甘露、降在錫安山．因為在那裏有耶和華所命定的福、就是永遠的生命。

第一百三十四篇 勸夜間守聖殿者稱頌主

上行之詩。

一 耶和華的僕人夜間站在耶和華殿中的、你們當稱頌耶和華。
二 你們當向聖所舉手、稱頌耶和華。
三 願造天地的耶和華、從錫安賜福給你們。

第一百三十五篇 頌美耶和華之奇妙作為

一 你們要讚美耶和華。你們要讚
二 美耶和華的名。耶和華的僕人、站在耶和華殿中、站在我們　神殿院中的、你們要讚美他。
三 你們要讚美耶和華．耶和華本為善．要歌頌他的名、因

為這是美好的。
四 耶和華揀選雅各歸自己、揀選以色列特作自己的子
民。
五 原來我知道耶和華為大、也知道我們的主超乎萬神
之上。
六 耶和華在天上、在地下、在海中、在一切的深處、都隨自
己的意旨而行。
七 他使雲霧從地極上騰、造電隨雨而閃、從府庫中帶出
風來。
八 他將埃及頭生的、連人帶牲畜、都擊殺了。
九 埃及阿、他施行神蹟奇事在你當中、在法老和他一切
臣僕身上。
十 他擊殺許多的民、又殺戮大能的王、
十一 就是亞摩利王西宏、和巴珊王噩、並迦南一切的國王、
十二 將他們的地、賞賜他的百姓以色列為業。
十三 耶和華阿、你的名存到永遠．耶和華阿、你可記念的名、
存到萬代。
十四 耶和華要為他的百姓伸冤、為他的僕人後悔。

事奉偶像之愚昧

十五 外邦的偶像、是金的銀的、是人手所造的。
十六 有口卻不能言、有眼卻不能看．
十七 有耳卻不能聽、口中也沒有氣息。
十八 造他的要和他一樣、凡靠他的、也要如此。
十九 以色列家阿、你們要稱頌耶和華．亞倫家阿、你們要稱
頌耶和華。
二十 利未家阿、你們要稱頌耶和華．你們敬畏耶和華的、要
稱頌耶和華。
二一 住在耶路撒冷的耶和華、該從錫安受稱頌。你們要讚
美耶和華。

第一百三十六篇

稱謝耶和華之慈愛永存

一 你們要稱謝耶和華、因他本為
善。他的慈愛永遠長存。
二 你們要稱謝萬神之神、因他的慈愛永遠長存．
三 你們要稱謝萬主之主、因他的慈愛永遠長存．
四 稱謝那獨行大奇事的、因他的慈愛永遠長存．
五 稱謝那用智慧造天的、因他的慈愛永遠長存．

六 稱謝那鋪地在水以上的、因他的慈愛永遠長存。
七 稱謝那造成大光的、因他的慈愛永遠長存。
八 他造日頭管白晝、因他的慈愛永遠長存。
九 他造月亮星宿管黑夜、因他的慈愛永遠長存。
十 稱謝那擊殺埃及人之長子的、因他的慈愛永遠長存。
十一 他領以色列人從他們中間出來、因他的慈愛永遠長存。
十二 他施展大能的手、和伸出來的膀臂、因他的慈愛永遠長存。
十三 稱謝那分裂紅海的、因他的慈愛永遠長存。
十四 他領以色列從其中經過、因他的慈愛永遠長存。
十五 卻把法老和他的軍兵推翻在紅海裏、因他的慈愛永遠長存。
十六 稱謝那引導自己的民行走曠野的、因他的慈愛永遠長存。
十七 稱謝那擊殺大君王的、因他的慈愛永遠長存。
十八 他殺戮有名的君王、因他的慈愛永遠長存。
十九 就是殺戮亞摩利王西宏、因他的慈愛永遠長存。
二十 又殺巴珊王噩、因他的慈愛永遠長存。
二一 他將他們的地賜他的百姓爲業、因他的慈愛永遠長存。
二二 就是賜他的僕人以色列爲業、因他的慈愛永遠長存。
二三 他顧念我們在卑微的地步、因他的慈愛永遠長存。
二四 他救拔我們脫離敵人、因他的慈愛永遠長存。
二五 他賜糧食給凡有血氣的、因他的慈愛永遠長存。
二六 你們要稱謝天上的神、因他的慈愛永遠長存。

第一百三十七篇 被擄於巴比倫者之哀歌

一 我們曾在巴比倫的河邊坐下、一追想錫安就哭了。
二 我們把琴掛在那裏的柳樹上。
三 因爲在那裏擄掠我們的、要我們唱歌、搶奪我們的、要我們作樂、說、給我們唱一首錫安歌罷。
四 我們怎能在外邦唱耶和華的歌呢。
五 耶路撒冷阿、我若忘記你、情願我的右手忘記技巧。
六 我若不記念你、若不看耶路撒冷過於我所最喜樂的、情願我的舌頭貼於上膛。

7 耶路撒冷遭難的日子、以東人說、拆毀、拆毀、直拆到根
基．耶和華阿、求你記念這仇。
8 將要被滅的巴比倫城阿、（城原文作女子）報復你、像你待我們
的、那人便為有福。
9 拿你的嬰孩摔在磐石上的、那人便為有福。

第一百三十八篇　歌頌耶和華之慈愛誠實

（大衛的詩。）
1 我要一心稱謝你、在
諸神面前歌頌你。
2 我要向你的聖殿下拜、為你的慈愛和誠實稱讚你的
名．因你使你的話顯為大、過於你所應許的。（或作超乎你的名聲）
3 我呼求的日子、你就應允我、鼓勵我、使我心裏有能力。
4 耶和華阿、地上的君王、都要稱謝你、因他們聽見了你
口中的言語。
5 他們要歌頌耶和華的作為．因耶和華大有榮耀。
6 耶和華雖高、仍看顧低微的人．他卻從遠處看出驕傲
的人。
7 我雖行在患難中、你必將我救活．我的仇敵發怒、你必
伸手抵擋他們、你的右手也必救我。
8 耶和華必成全關乎我的事．耶和華阿、你的慈愛永遠
長存．求你不要離棄你手所造的。

第一百三十九篇　讚美耶和華無所不知

（大衛的詩、交與伶長。）
1 耶和華阿、你
已經鑒察我、認識我。
2 我坐下、我起來、你都曉得．你從遠處知道我的意念。
3 我行路、我躺臥、你都細察、你也深知我一切所行的。
4 耶和華阿、我舌頭上的話、你沒有一句不知道的。
5 你在我前後環繞我、按手在我身上。
6 這樣的知識奇妙、是我不能測的．至高、是我不能及的。

無所不在

7 我往那裏去躲避你的靈．我往那裏逃躲避你的面。
8 我若升到天上、你在那裏．我若在陰間下榻、你也在那
裏。
9 我若展開清晨的翅膀、飛到海極居住．
10 就是在那裏、你的手必引導我、你的右手也必扶持我。
11 我若說、黑暗必定遮蔽我、我周圍的亮光必成為黑夜．
12 黑暗也不能遮蔽我使你不見、黑夜卻如白晝發亮．黑

暗和光明、在你看都是一樣。
造物奇妙
十三 我的肺腑是你所造的．我在母腹中、你已覆庇我。
十四 我要稱謝你、因我受造奇妙可畏．你的作為奇妙．這是
我心深知道的。
十五 我在暗中受造、在地的深處被聯絡、那時、我的形體並
不向你隱藏。
十六 我未成形的體質、你的眼早已看見了．你所定的日子、
我尚未度一日、（或作我被造的肢體尚未有其一）你都寫在你的冊上
了。
恩惠無窮
十七 神阿、你的意念向我何等寶貴．其數何等眾多。
十八 我若數點、比海沙更多．我睡醒的時候、仍和你同在。
十九 神阿、你必要殺戮惡人．所以你們好流人血的、離開
我去罷。
二十 因為他們說惡言頂撞你、你的仇敵也妄稱你的名．．．．
二一 耶和華阿、恨惡你的、我豈不恨惡他們麼．攻擊你的、我
豈不憎嫌他們麼。
二二 我切切的恨惡他們、以他們為仇敵。
二三 神阿、求你鑒察我、知道我的心思、試煉我、知道我的
意念．
二四 看在我裏面有甚麼惡行沒有、引導我走永生的道路。

強敵迫害求耶和華佑護解脫

第一百四十篇

（大衛的詩交與伶長。）耶和華阿、求你
一 拯救我脫離兇惡的人、保護我脫離強暴的人。
二 他們心中圖謀奸惡、常常聚集要爭戰。
三 他們使舌頭尖利如蛇．嘴裏有虺蛇的毒氣。（拉細）
四 耶和華阿、求你拯救我脫離惡人的手、保護我脫離強
暴的人．他們圖謀推我跌倒。
五 驕傲人為我暗設網羅和繩索．他們在路旁鋪下網、設
下圈套。（拉細）
六 我曾對耶和華說、你是我的 神．耶和華阿、求你留心
聽我懇求的聲音。
七 主耶和華、我救恩的力量阿、在爭戰的日子、你遮蔽了
我的頭。
八 耶和華阿、求你不要遂惡人的心願．不要成就他們的

計謀、恐怕他們自高。細拉
九 至於那些昂首圍困我的人、願他們嘴唇的奸惡陷害
原文作遮蔽自己。
十 願火炭落在他們身上．願他們被丟在火中、拋在深坑
裏、不能再起來。
十一 說惡言的人在地上必堅立不住．禍患必獵取強暴的
人、將他打倒。
十二 我知道耶和華必為困苦人伸冤、必為窮乏人辨屈。
十三 義人必要稱讚你的名．正直人必住在你面前。

第一百四十一篇　祈主佑助禁行諸惡

一 大衛的詩。耶和華阿、我曾求告
你．求你快快臨到我這裏．我求告你的時候、願你留心
聽我的聲音。
二 願我的禱告、如香陳列在你面前．願我舉手祈求、如獻
晚祭。
三 耶和華阿、求你禁止我的口、把守我的嘴。
四 求你不叫我的心偏向邪惡、以致我和作孽的人同行
惡事．也不叫我喫他們的美食。
五 任憑義人擊打我、這算為仁慈．任憑他責備我、這算為
頭上的膏油．我的頭不要躲閃．正在他們行惡的時候、
我仍要祈禱。
六 他們的審判官、被扔在巖下．衆人要聽我的話、因為這
話甘甜。
七 我們的骨頭、散在墓旁、好像人耕田、刨地的土塊。
八 主耶和華阿、我的眼目仰望你．我投靠你、求你不要將
我撇得孤苦。
九 求你保護我脫離惡人為我設的網羅、和作孽之人的
圈套。
十 願惡人落在自己的網裏．我卻得以逃脫。

第一百四十二篇　身受艱苦求主眷顧

一 大衛在洞裏作的訓誨詩、乃是祈禱。我
發聲哀告耶和華．發聲懇求耶和華。
二 我在他面前吐露我的苦情．陳說我的患難。
三 我的靈在我裏面發昏的時候、你知道我的道路．在我
行的路上、敵人為我暗設網羅。
四 求你向我右邊觀看、因為沒有人認識我．我無處避難、

也沒有人眷顧我。
五 耶和華阿、我曾向你哀求．我說、你是我的避難所．在活
人之地、你是我的福分。
六 求你側耳聽我的呼求、因我落到極卑之地．求你救我
脫離逼迫我的人、因爲他們比我強盛。
七 求你領我出離被囚之地、我好稱讚你的名．義人必環
繞我、因爲你是用厚恩待我。

第一百四十三篇　仇敵逼迫求主救脫

一 大衛的詩。耶和華阿、求你聽我
的禱告、留心聽我的懇求、憑你的信實和公義應允我。
二 求你不要審問僕人、因爲在你面前凡活着的人、沒有
一個是義的。
三 原來仇敵逼迫我、將我打倒在地．使我住在幽暗之處、
像死了許久的人一樣。
四 所以我的靈在我裏面發昏．我的心在我裏面悽慘。
五 我追想古時之日、思想你的一切作爲、默念你手的工
作。
六 我向你舉手．我的心渴想你、如乾旱之地盼雨一樣。拉細
七 耶和華阿、求你速速應允我．我心神耗盡．不要向我掩
面、免得我像那些下坑的人一樣。
八 求你使我清晨得聽你慈愛之言、因我倚靠你．求你使
我知道當行的路、因我的心仰望你。
九 耶和華阿、求你救我脫離我的仇敵．我往你那裏藏身。
十 求你指教我遵行你的旨意、因你是我的神．你的靈
本爲善．求你引我到平坦之地。
十一 耶和華阿、求你爲你的名將我救活．憑你的公義、將我
從患難中領出來。
十二 憑你的慈愛剪除我的仇敵、滅絕一切苦待我的人．因
我是你的僕人。

第一百四十四篇　受耶和華訓導者可免敵害

一 大衛的詩。耶和華我的磐石、是
應當稱頌的．他教導我的手爭戰、教導我的指頭打仗。
二 他是我慈愛的主、我的山寨、我的高臺、我的救主、我的
盾牌、是我所投靠的．他使我的百姓服在我以下。
三 耶和華阿、人算甚麼、你竟認識他．世人算甚麼、你竟顧
念他。

四 人好像一口氣．他的年日、如同影兒快快過去。
五 耶和華阿、求你使天下垂、親自降臨．摸山山就冒煙。
六 求你發出閃電、使他們四散．射出你的箭、使他們擾亂。
七 求你從上伸手救拔我、救我出離大水、救我脫離外邦
人的手。
八 他們的口說謊話、他們的右手起假誓。
九 神阿、我要向你唱新歌．用十絃瑟向你歌頌。
十 你是那拯救君王的．你是那救僕人大衛脫離害命之
刀的。
十一 求你救拔我、救我脫離外邦人的手．他們的口說謊話、
他們的右手起假誓。

聖民之福

十二 我們的兒子從幼年好像樹栽子長大、我們的女兒、如
同殿角石、是按建宮的樣式鑿成的。
十三 我們的倉盈滿、能出各樣的糧食、我們的羊、在田間孳
生千萬．
十四 我們的牛馱着滿馱、沒有人闖進來搶奪……、也沒有人出
去爭戰、我們的街市上、也沒有哭號的聲音．
十五 遇見這光景的百姓、便爲有福．有耶和華爲他們的
神、這百姓便爲有福。

稱頌耶和華之威榮慈惠

第一百四十五篇

大衛的讚美詩。

一 我的神我的
王阿、我要尊崇你．我要永永遠遠稱頌你的名。
二 我要天天稱頌你．也要永永遠遠讚美你的名。
三 耶和華本爲大、該受大讚美．其大無法測度。
四 這代要對那代頌讚你的作爲、也要傳揚你的大能。
五 我要默念你威嚴的尊榮、和你奇妙的作爲。
六 人要傳說你可畏之事的能力．我也要傳揚你的大德。
七 他們記念你的大恩、就要傳出來、並要歌唱你的公義。
八 耶和華有恩惠、有憐憫、不輕易發怒、大有慈愛。
九 耶和華善待萬民、他的慈悲、覆庇他一切所造的。
十 耶和華阿、你一切所造的、都要稱謝你．你的聖民、也要
稱頌你、
十一 傳說你國的榮耀、談論你的大能．
十二 好叫世人知道你大能的作爲、並你國度威嚴的榮耀。
十三 你的國是永遠的國、你執掌的權柄、存到萬代。

十四 凡跌倒的、耶和華將他們扶持．凡被壓下的、將他們扶
起。
十五 萬民都舉目仰望你．你隨時給他們食物。
十六 你張手、使有生氣的都隨願飽足。
十七 耶和華在他一切所行的、無不公義、在他一切所作的、
都有慈愛。
十八 凡求告耶和華的、就是誠心求告他的、耶和華便與他
們相近。
十九 敬畏他的、他必成就他們的心願．也必聽他們的呼求、
拯救他們。
二十 耶和華保護一切愛他的人、卻要滅絕一切的惡人。
二一 我的口要說出讚美耶和華的話．惟願凡有血氣的、都
永永遠遠稱頌他的聖名。

頌美耶和華之扶助

一 **第一百四十六篇** 你們要讚美耶和華．我的心哪、
你要讚美耶和華。
二 我一生要讚美耶和華．我還活的時候要歌頌我的
神。

三 你們不要倚靠君王、不要倚靠世人、他一點不能幫助。
四 他的氣一斷、就歸回塵土．他所打算的、當日就消滅了。
五 以雅各的　神為幫助、仰望耶和華他　神的、這人便
為有福。
六 耶和華造天、地、海、和其中的萬物．他守誠實、直到永遠．
七 他為受屈的伸冤、賜食物與飢餓的。耶和華釋放被囚
的．
八 耶和華開了瞎子的眼睛．耶和華扶起被壓下的人．耶
和華喜愛義人．
九 耶和華保護寄居的、扶持孤兒和寡婦、卻使惡人的道
路彎曲。
十 耶和華要作王、直到永遠．錫安哪、你的　神要作王、直
到萬代。你們要讚美耶和華。

頌美耶路撒冷之復興

一 **第一百四十七篇** 你們要讚美耶和華、因歌頌我
們的　神為善為美．讚美的話是合宜的。
二 耶和華建造耶路撒冷．聚集以色列中被趕散的人。
三 他醫好傷心的人、裹好他們的傷處。

四 他數點星宿的數目、一一稱他的名。

神之智能無窮

五 我們的主爲大、最有能力．他的智慧、無法測度。

六 耶和華扶持謙卑人、將惡人傾覆於地。

七 你們要以感謝向耶和華歌唱、用琴向我們的　神歌頌。

八 他用雲遮天、爲地降雨、使草生長在山上。

九 他賜食給走獸、和啼叫的小烏鴉。

十 他不喜悅馬的力大、不喜愛人的腿快．

敬畏主者爲其所悅

十一 耶和華喜愛敬畏他和盼望他慈愛的人。

十二 耶路撒冷阿、你要頌讚耶和華．錫安哪、你要讚美你的　神。

十三 因爲他堅固了你的門閂、賜福給你中間的兒女。

十四 他使你境內平安．用上好的麥子使你滿足。

十五 他發命在地．他的話頒行最快。

十六 他降雪如羊毛、撒霜如爐灰。

十七 他擲下冰雹如碎渣．他發出寒冷、誰能當得起呢。

十八 他一出令、這些就都消化．他使風颳起、水便流動。

十九 他將他的道指示雅各、將他的律例典章指示以色列。

二十 別國他都沒有這樣待過．至於他的典章、他們向來沒有知道。你們要讚美耶和華。

第一百四十八篇

勸萬有讚美耶和華

一 你們要讚美耶和華、從天上讚美耶和華、在高處讚美他。

二 他的衆使者都要讚美他．他的諸軍都要讚美他。

三 日頭月亮、你們要讚美他．放光的星宿、你們都要讚美他。

四 天上的天、和天上的水、你們都要讚美他。

五 願這些都讚美耶和華的名．因他一吩咐便都造成。

六 他將這些立定、直到永永遠遠．他定了命、不能廢去。（廢去或作越過）

七 所有在地上的、大魚和一切深洋、

八 火與冰雹、雪和霧氣、成就他命的狂風、

九 大山和小山、結果的樹木、和一切香柏樹、

十 野獸和一切牲畜、昆蟲和飛鳥、

十一 世上的君王和萬民、首領和世上一切審判官、
十二 少年人和處女、老年人和孩童、都當讚美耶和華．
十三 願這些都讚美耶和華的名．因為獨有他的名被尊崇．他的榮耀在天地之上。
十四 他將他百姓的角高舉．因此他（因此他或作他使）一切聖民以色列人、就是與他相近的百姓、都讚美他。你們要讚美耶和華。

第一百四十九篇 勸以色列人讚美耶和華

一 你們要讚美耶和華、向耶和華唱新歌、在聖民的會中讚美他。
二 願以色列因造他的主歡喜．願錫安的民、因他們的王快樂。
三 願他們跳舞讚美他的名、擊鼓彈琴歌頌他。
四 因為耶和華喜愛他的百姓．他要用救恩當作謙卑人的妝飾。
五 願聖民因所得的榮耀高興、願他們在牀上歡呼。
六 願他們口中稱讚 神為高、手裏有兩刃的刀．
七 為要報復列邦、刑罰萬民．
八 要用鍊子捆他們的君王、用鐵鐐鎖他們的大臣．
九 要在他們身上施行所紀錄的審判．他的聖民都有這榮耀。你們要讚美耶和華。

第一百五十篇 當以樂器讚美耶和華

一 你們要讚美耶和華、在 神的聖所讚美他、在他顯能力的穹蒼讚美他。
二 要因他大能的作為讚美他、按着他極美的大德讚美他。
三 要用角聲讚美他、鼓瑟彈琴讚美他．
四 擊鼓跳舞讚美他、用絲絃的樂器和簫的聲音讚美他．
五 用大響的鈸讚美他、用高聲的鈸讚美他。
六 凡有氣息的、都要讚美耶和華。你們要讚美耶和華。

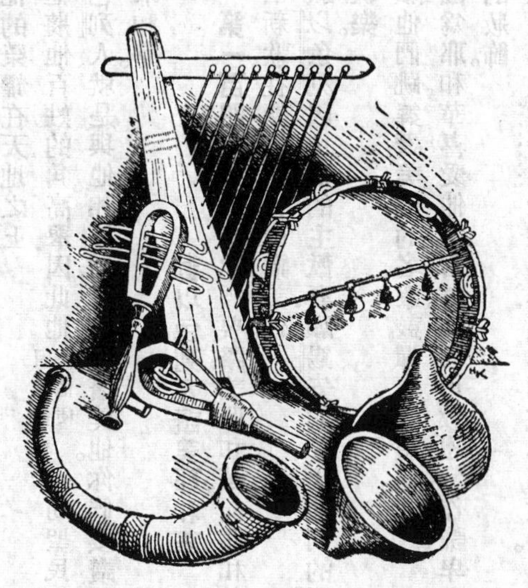

箴言

第一章　箴言之妙用

[一]以色列王大衛兒子所羅門的箴言、[二]要使
人曉得智慧和訓誨、分辨通達的言語、[三]使人處事、領受
智慧仁義、公平正直的訓誨、[四]使愚人靈明、使少年人有
知識和謀略．[五]使智慧人聽見、增長學問、使聰明人得着
智謀．[六]使人明白箴言和譬喻、懂得智慧人的言詞和謎
語。

勿從惡人之誘

[七]敬畏耶和華是知識的開端．愚妄人藐視智慧和訓誨。
[八]我兒、要聽你父親的訓誨、不可離棄你母親的法則．(或作
指教)[九]因為這要作你頭上的華冠、你項上的金鍊。[十]我兒、惡
人若引誘你、你不可隨從。[十一]他們若說、你與我們同去、我
們要埋伏流人之血、要蹲伏害無罪之人．[十二]我們好像陰
間、把他們活活吞下．他們如同下坑的人、被我們囫圇
吞了．[十三]我們必得各樣寶物、將所擄來的裝滿房屋．[十四]你與
我們大家同分．我們共用一個囊袋。[十五]我兒、不要與他們
同行一道．禁止你腳走他們的路．[十六]因為他們的腳奔跑
行惡、他們急速流人的血。[十七]好像飛鳥、網羅設在眼前仍
不躲避．[十八]這些人埋伏、是為自流己血、蹲伏、是為自害己
命。[十九]凡貪戀財利的、所行之路、都是如此．這貪戀之心、乃
奪去得財者之命。

愚者厭惡知識

[二十]智慧在街市上呼喊、在寬闊處發聲．[二十一]在熱鬧街頭喊叫、
在城門口、在城中發出言語、說、[二十二]你們愚昧人喜愛愚昧、
褻慢人喜歡褻慢、愚頑人恨惡知識、要到幾時呢。[二十三]你們
當因我的責備回轉．我要將我的靈澆灌你們、將我的
話指示你們。[二十四]我呼喚、你們不肯聽從．我伸手、無人理會．
[二十五]反輕棄我一切的勸戒、不肯受我的責備．[二十六]你們遭災難、
我就發笑．驚恐臨到你們、我必嗤笑．[二十七]驚恐臨到你們、好
像狂風、災難來到、如同暴風、急難痛苦臨到你們身上．
[二十八]那時你們必呼求我、我卻不答應．懇切的尋找我、卻尋
不見．[二十九]因為你們恨惡知識、不喜愛敬畏耶和華、[三十]不聽我
的勸戒、藐視我一切的責備、[三十一]所以必喫自結的果子、充
滿自設的計謀。

聽從智言必享平康

三十二 三十三 三二愚昧人背道、必殺己身、愚頑人安逸、必害己命。三三惟有聽
從我的必安然居住、得享安靜、不怕災禍。

第二章

智慧明哲均耶和華所賜

一 一我兒、你若領受我的言語、存記我的命令、
二 三 四 二側耳聽智慧、專心求聰明、三呼求明哲、揚聲求聰明、四尋找
五 他如尋找銀子、搜求他如搜求隱藏的珍寶、五你就明白
六 敬畏耶和華、得以認識　神。六因爲耶和華賜人智慧、知
七 識和聰明、都由他口而出。七他給正直人存留眞智慧、給
八 行爲純正的人作盾牌、八爲要保守公平人的路、護庇虔
九 十 敬人的道。九你也必明白仁義、公平、正直、一切的善道。十智
十一 慧必入你心、你的靈要以知識爲美。十一謀略必護衛你、聰
十二 明必保守你、十二要救你脫離惡道、(惡道或作惡人的道)脫離說乖謬
十三 十四 話的人。十三那等人捨棄正直的路、行走黑暗的道、十四歡喜作
十五 惡、喜愛惡人的乖僻、十五在他們的道中彎曲、在他們的路
十六 上偏僻。十六智慧要救你脫離淫婦、就是那油嘴滑舌的外
十七 十八 女。十七他離棄幼年的配偶、忘了　神的盟約。十八他的家陷入
十九 死地、他的路偏向陰間。十九凡到他那裏去的、不得轉回、也
二十 得不着生命的路。二十智慧必使你行善人的道、守義人的
二一 二二 路。二一正直人必在世上居住、完全人必在地上存留。二二惟有
惡人必然剪除、奸詐的必然拔出。

第三章

宜謹守誡命

一 一我兒、不要忘記我的法則、(或作指教)你心要謹
二 守我的誡命。二因爲他必將長久的日子、生命的年數、與
三 平安加給你。三不可使慈愛誠實離開你、要繫在你頸項
四 上、刻在你心版上。四這樣、你必在　神和世人眼前蒙恩
五 寵、有聰明。五你要專心仰賴耶和華、不可倚靠自己的聰
六 明。六在你一切所行的事上、都要認定他、他必指引你的
七 八 路。七不要自以爲有智慧、要敬畏耶和華、遠離惡事。八這便
九 醫治你的肚臍、滋潤你的百骨。九你要以財物、和一切初
十 熟的土產、尊榮耶和華、十這樣、你的倉房必充滿有餘、你
十一 的酒醡、有新酒盈溢。十一我兒、你不可輕看耶和華的管教、
十二 (或作懲治)也不可厭煩他的責備。十二因爲耶和華所愛的、他必
責備、正如父親責備所喜愛的兒子。

智慧之寶貴

十三 十四 十三得智慧、得聰明的、這人便爲有福。十四因爲得智慧勝過得

十五 銀子、其利益強如精金。十五比珍珠或作紅寶石寶貴．你一切所
十六十七 喜愛的、都不足與比較。十六他右手有長壽．左手有富貴。十七他
十八 的道是安樂、他的路全是平安。十八他與持守他的作生命
十九 樹．持定他的俱各有福。十九耶和華以智慧立地．以聰明定
二十二十一 天．二十以知識使深淵裂開、使天空滴下甘露。○二十一我兒、要謹
二十二 守眞智慧和謀略．不可使他離開你的眼目。二十二這樣、他必
二十三二十四 作你的生命、頸項的美飾。二十三你就坦然行路、不至碰腳。二十四你
二十五 躺下、必不懼怕．你躺臥、睡得香甜。二十五忽然來的驚恐、不要
二十六 害怕．惡人遭毀滅、也不要恐懼。二十六因為耶和華是你所倚
靠的．他必保守你的腳不陷入網羅。

善惡之報施

二十七 二十七你手若有行善的力量、不可推辭、就當向那應得的人
二十八 施行。二十八你那裏若有現成的、不可對鄰舍說、去罷、明天再
二十九 來、我必給你。二十九你的鄰舍既在你附近安居、你不可設計
三十三十一 害他。三十人未曾加害與你、不可無故與他相爭。三十一不可嫉妒
三十二 強暴的人、也不可選擇他所行的路．三十二因為乖僻人為耶
三十三 和華所憎惡．正直人為他所親密。三十三耶和華咒詛惡人的
三十四 家庭、賜福與義人的居所。三十四他譏誚那好譏誚的人、賜恩
三十五 給謙卑的人。三十五智慧人必承受尊榮．愚昧人高陞也成為
羞辱。

第四章　宜聽訓誨

一 一眾子阿、要聽父親的教訓、留心得知聰明．
二 二因我所給你們的、是好教訓．不可離棄我的法則。或作指教
三四 三我在父親面前為孝子、在母親眼中為獨一的嬌兒．四父
親教訓我說、你心要存記我的言語、遵守我的命令、便
五 得存活．五要得智慧、要得聰明．不可忘記、也不可偏離我
六 口中的言語．六不可離棄智慧、智慧就護衛你．要愛他、他
七 就保守你．七智慧為首．所以要得智慧．在你一切所得之
八 內、必得聰明。或作用你一切所得的去換聰明八高舉智慧、他就使你高
九 陞．懷抱智慧、他就使你尊榮。九他必將華冠加在你頭上、
十 把榮冕交給你。○十我兒、你要聽受我的言語、就必延年
十一十二 益壽。十一我已指教你走智慧的道、引導你行正直的路。十二你
十三 行走、腳步必不致狹窄．你奔跑、也不致跌倒。十三要持定訓
十四 誨、不可放鬆．必當謹守、因為他是你的生命。十四不可行惡
十五 人的路．不要走壞人的道。十五要躲避、不可經過．要轉身而
十六 去。十六這等人若不行惡、不得睡覺．不使人跌倒、睡臥不安。

十七 十八 十七因為他們以奸惡喫餅、以強暴喝酒。十八但義人的路、好像
十九 黎明的光、越照越明、直到日午。十九惡人的道、好像幽暗．自
二十 己不知因甚麼跌倒。◯二十我兒、要留心聽我的言詞、側耳
二十一 二十二 聽我的話語．二十一都不可離你的眼目．要存記在你心中。二十二因
二十三 為得着他的、就得了生命、又得了醫全體的良藥。二十三你要
保守你心、勝過保守一切．或作你要切切保守你心 因為一生的果
二十四 二十五 效、是由心發出。二十四你要除掉邪僻的口、棄絕乖謬的嘴。二十五你
二十六 的眼目、要向前正看、你的眼睛、原文作皮 當向前直觀。二十六要修
二十七 平你腳下的路、堅定你一切的道。二十七不可偏向左右、要使
你的腳離開邪惡。

第五章　當遠淫婦

一 一我兒、要留心我智慧的話語、側耳聽我聰
二 三 明的言詞、二為要使你謹守謀略、嘴唇保存知識。三因為淫
四 婦的嘴滴下蜂蜜、他的口比油更滑．四至終卻苦似茵蔯、
五 六 快如兩刃的刀。五他的腳下入死地．他腳步踏住陰間．六以
致他找不着生命平坦的道．他的路變遷不定、自己還
七 不知道。◯七眾子阿、現在要聽從我、不可離棄我口中的
八 九 話。八你所行的道要離他遠、不可就近他的房門．九恐怕將
十 你的尊榮給別人、將你的歲月給殘忍的人．十恐怕外人
十一 滿得你的力量、你勞碌得來的歸入外人的家．十一終久你
十二 皮肉和身體消毀、你就悲歎、十二說、我怎麼恨惡訓誨、心中
十三 藐視責備、十三也不聽從我師傅的話、又不側耳聽那教訓
十四 十五 我的人。十四我在聖會裏、幾乎落在諸般惡中。◯十五你要喝自
十六 己池中的水、飲自己井裏的活水。十六你的泉源豈可漲溢
十七 在外．你的河水豈可流在街上．十七惟獨歸你一人、不可與
十八 外人同用。十八要使你的泉源蒙福．要喜悅你幼年所娶的
十九 妻。十九他如可愛的麀鹿、可喜的母鹿、願他的胸懷使你時
二十 時知足．他的愛情使你常常戀慕。二十我兒、你為何戀慕淫
二十一 婦、為何抱外女的胸懷。二十一因為人所行的道、都在耶和華
二十二 眼前．他也修平人一切的路。二十二惡人必被自己的罪孽捉
二十三 住．他必被自己的罪惡如繩索纏繞。二十三他因不受訓誨、就
必死亡．又因愚昧過甚、必走差了路。

第六章　毋作保

一 二 一我兒、你若為朋友作保、替外人擊掌、二你就
被口中的話語纏住、被嘴裏的言語捉住。三我兒、你既落
三 在朋友手中、就當這樣行、纔可救自己．你要自卑、去懇

四 求你的朋友。[四]不要容你的眼睛睡覺、不要容你的眼皮
五 打盹。[五]要救自己、如鹿脫離獵戶的手、如鳥脫離捕鳥人
的手。

毋怠惰

六七 [六]懶惰人哪、你去察看螞蟻的動作、就可得智慧。[七]螞蟻沒
八 有元帥、沒有官長、沒有君王、[八]尚且在夏天豫備食物、在
九 收割時聚斂糧食。[九]懶惰人哪、你要睡到幾時呢。你何時
十十一 睡醒呢。[十]再睡片時、打盹片時、抱着手躺臥片時、[十一]你的貧
窮就必如強盜速來、你的缺乏彷彿拿兵器的人來到。

爲惡必受報

十二十三 [十二]無賴的惡徒、行動就用乖僻的口。[十三]用眼傳神、用脚示意、
十四十五 用指點劃。[十四]心中乖僻、常設惡謀、布散分爭。[十五]所以災難必
十六 忽然臨到他身。他必頃刻敗壞無法可治。[十六]耶和華所恨
十七 惡的有六樣、連他心所憎惡的共有七樣。[十七]就是高傲的
十八 眼、撒謊的舌、流無辜人血的手、[十八]圖謀惡計的心、飛跑行
十九 惡的脚、[十九]吐謊言的假見證、並弟兄中布散分爭的人。

惑於淫婦患莫大焉

二十 [二十]我兒、要謹守你父親的誡命、不可離棄你母親的法則。

二一二二 （或作指教）[二一]要常繫在你心上、挂在你項上。[二二]你行走、他必引導
二三 你。你躺臥、他必保守你。你睡醒、他必與你談論。[二三]因爲誡
二四 命是燈、法則（或作指教）是光、訓誨的責備是生命的道。[二四]能保
二五 你遠離惡婦、遠離外女諂媚的舌頭。[二五]你心中不要戀慕
二六 他的美色、也不要被他眼皮勾引。[二六]因爲妓女能使人只
二七 剩一塊餅、淫婦獵取人寶貴的生命。[二七]人若懷裏揣火、衣
二八二九 服豈能不燒呢。[二八]人若在火炭上走、脚豈能不燙呢。[二九]親近
三十 鄰舍之妻的、也是如此。凡挨近他的、不免受罰。[三十]賊因飢
三一 餓偷竊充飢、人不藐視他。[三一]若被找着、他必賠還七倍、必
三二 將家中所有的、盡都償還。[三二]與婦人行淫的、便是無知、行
三三 這事的、必喪掉生命。[三三]他必受傷損、必被凌辱、他的羞恥
三四 不得塗抹。[三四]因爲人的嫉恨、成了烈怒、報仇的時候、決不
三五 留情。[三五]甚麼贖價、他都不顧、你雖送許多禮物、他也不肯
干休。

第七章

宜服膺智慧

一 [一]我兒、你要遵守我的言語、將我的命令存
二 記在心。[二]遵守我的命令、就得存活。保守我的法則（或作指教）
三 好像保守眼中的瞳人。[三]繫在你指頭上、刻在你心版上。

四五 對智慧說、你是我的姊妹．稱呼聰明為你的親人．他就
六 保你遠離淫婦、遠離說諂媚話的外女。我曾在我房屋
七 的窗戶內、從我窗櫺之間、往外觀看．見愚蒙人內、少年
八 人中、分明有一個無知的少年人、從街上經過、走近淫
九 婦的巷口、直往通他家的路去、在黃昏、或晚上、或半夜、
十 或黑暗之中．看哪、有一個婦人來迎接他、是妓女的打
十一 扮、有詭詐的心思。這婦人喧嚷不守約束、在家裏停不
十二 住脚．有時在街市上、有時在寬闊處、或在各巷口蹲伏．
十三十四 拉住那少年人、與他親嘴、臉無羞恥對他說、平安祭在
十五 我這裏．今日纔還了我所許的願。因此、我出來迎接你、
十六 懇切求見你的面、恰巧遇見了你。我已經用繡花毯子、
十七 和埃及線織的花紋布、鋪了我的牀．我又用沒藥、沉香、
十八 桂皮、薰了我的榻。你來、我們可以飽享愛情、直到早晨．
十九 我們可以彼此親愛歡樂．因為我丈夫不在家、出門行
二十二十一 遠路．他手拿銀囊、必到月望纔回家。淫婦用許多巧言
二十二 誘他隨從、用諂媚的嘴逼他同行。少年人立刻跟隨他、
二十三 好像牛往宰殺之地、又像愚昧人帶鎖鍊去受刑罰．直
等箭穿他的肝、如同雀鳥急入網羅、卻不知是自喪己
二十四二十五 命。◯眾子阿、現在要聽從我、留心聽我口中的話。你的
二十六 心、不可偏向淫婦的道．不要入他的迷途。因為被他傷
二十七 害仆倒的不少．被他殺戮的而且甚多。他的家是在陰
間之路、下到死亡之宮。

第八章　智慧警教世人

一二 智慧豈不呼叫、聰明豈不發聲。他在道旁
三 高處的頂上、在十字路口站立．在城門旁、在城門口、在
四五 城門洞、大聲說、眾人哪、我呼叫你們、我向世人發聲說、
愚蒙人哪、你們要會悟靈明．愚昧人哪、你們當心裏明
六 白。你們當聽、因我要說極美的話．我張嘴要論正直的
七八 事。我的口要發出眞理．我的嘴憎惡邪惡。我口中的言
九 語、都是公義、並無彎曲乖僻。有聰明的以為明顯、得知
十 識的以為正直。你們當受我的教訓、不受白銀．寧得知
十一 識、勝過黃金。因為智慧比珍珠（或作紅寶石）更美、一切可喜
十二 愛的、都不足與比較。◯我智慧以靈明為居所、又尋得
十三 知識和謀略。敬畏耶和華、在乎恨惡邪惡．那驕傲、狂妄、
十四 並惡道、以及乖謬的口、都為我所恨惡。我有謀略、和眞
十五 知識．我乃聰明．我有能力。帝王藉我坐國位、君王藉我

定公平。十六王子和首領、世上一切的審判官、都是藉我掌
權。十七愛我的、我也愛他。懇切尋求我的、必尋得見。十八豐富尊
榮在我。恆久的財並公義也在我。十九我的果實勝過黃金、
強如精金、我的出產超乎高銀。二十我在公義的道上走、在
公平的路中行。二一使愛我的承受貨財、並充滿他們的府
庫。

智慧之本源

二二在耶和華造化的起頭、在太初創造萬物之先、就有了
我。二三從亙古、從太初、未有世界以前、我已被立。二四沒有深淵、
沒有大水的泉源、我已生出。二五大山未曾奠定、小山未有
之先、我已生出。二六耶和華還沒有創造大地、和田野、並世
上的土質、我已生出。二七他立高天、我在那裏。他在淵面的
周圍、劃出圓圈、二八上使穹蒼堅硬、下使淵源穩固、二九爲滄海
定出界限、使水不越過他的命令、立定大地的根基。三十那
時、我在他那裏爲工師、日日爲他所喜愛、常常在他面
前踴躍、三一踴躍在他爲人豫備可住之地、也喜悅住在世
人之間。

智慧致福

三二衆子阿、現在要聽從我。因爲謹守我道的、便爲有福。三三要
聽教訓就得智慧、不可棄絕。三四聽從我、日日在我門口仰
望、在我門框旁邊等候的、那人便爲有福。三五因爲尋得我
的、就尋得生命、也必蒙耶和華的恩惠。三六得罪我的、卻害
了自己的性命。恨惡我的、都喜愛死亡。

智慧設筵

第九章 一智慧建造房屋、鑿成七根柱子、二宰殺牲畜、
調和旨酒、設擺筵席。三打發使女出去、自己在城中至高
處呼叫、四說、誰是愚蒙人、可以轉到這裏來。又對那無知
的人說、五你們來、喫我的餅、喝我調和的酒。六你們愚蒙人、
要捨棄愚蒙、就得存活、並要走光明的道。○七指斥褻慢
人的、必受辱罵。責備惡人的、必被玷汚。八不要責備褻慢
人、恐怕他恨你。要責備智慧人、他必愛你。九教導智慧人、
他就越發有智慧。指示義人、他就增長學問。十敬畏耶和
華、是智慧的開端。認識至聖者、便是聰明。十一你藉着我、日
子必增多、年歲也必加添。十二你若有智慧、是與自己有益。
你若褻慢、就必獨自擔當。

愚婦喧嚷

十三愚昧的婦人喧嚷．他是愚蒙、一無所知。十四他坐在自己的
家門口、坐在城中高處的座位上、十五呼叫過路的、就是直
行其道的人、說、十六誰是愚蒙人、可以轉到這裏來．又對那
無知的人說、十七偷來的水是甜的、暗喫的餅是好的。十八人卻
不知有陰魂在他那裏．他的客在陰間的深處。

第十章

善惡互論垂爲箴言

一所羅門的箴言。○智慧之子、使父親歡樂．
愚昧之子、叫母親擔憂。二不義之財、毫無益處．惟有公義、
能救人脫離死亡。三耶和華不使義人受飢餓．惡人所欲
的他必推開。四手懶的、要受貧窮．手勤的、卻要富足。五夏天
聚斂的、是智慧之子．收割時沉睡的、是貽羞之子。六福祉
臨到義人的頭．強暴蒙蔽惡人的口。七義人的記念被稱
讚．惡人的名字必朽爛。八心中智慧的、必受命令．口裏愚
妄的、必致傾倒。九行正直路的、步步安穩．走彎曲道的、必
致敗露。十以眼傳神的、使人憂患．口裏愚妄的、必致傾倒。
十一義人的口、是生命的泉源．強暴蒙蔽惡人的口。十二恨能挑
啓爭端．愛能遮掩一切過錯。十三明哲人嘴裏有智慧．無知
人背上受刑杖。十四智慧人積存知識．愚妄人的口速致敗
壞。十五富戶的財物、是他的堅城．窮人的貧乏、是他的敗壞。
十六義人的勤勞致生．惡人的進項致死。死原文作罪十七謹守訓誨
的、乃在生命的道上．違棄責備的、便失迷了路。十八隱藏怨
恨的、有說謊的嘴．口出讒謗的、是愚妄的人。十九多言多語
難免有過．禁止嘴唇是有智慧。二十義人的舌、乃似高銀．惡
人的心、所值無幾。二十一義人的口教養多人．愚昧人因無知
而死亡。二十二耶和華所賜的福、使人富足．並不加上憂慮。二十三愚
妄人以行惡爲戲耍．明哲人卻以智慧爲樂。二十四惡人所怕
的、必臨到他．義人所願的、必蒙應允。二十五暴風一過、惡人歸
於無有．義人的根基卻是永久。二十六懶惰人叫差他的人、如
醋倒牙、如煙薰目。二十七敬畏耶和華使人日子加多．但惡人
的年歲必被減少。二十八義人的盼望、必得喜樂．惡人的指望
必至滅沒。二十九耶和華的道、是正直人的保障．卻成了作孽
人的敗壞。三十義人永不挪移．惡人不得住在地上。三十一義人的
口、滋生智慧．乖謬的舌、必被割斷。三十二義人的嘴、能令人喜
悅．惡人的口、說乖謬的話。

善惡互論垂爲箴言

一 第十一章 詭詐的天平、爲耶和華所憎惡．公平的
二 法碼、爲他所喜悅。驕傲來、羞恥也來．謙遜人卻有智慧。
三 正直人的純正、必引導自己．奸詐人的乖僻、必毀滅自
四 己。發怒的日子、貲財無益．惟有公義能救人脫離死亡。
五 完全人的義、必指引他的路．但惡人必因自己的惡跌
六 倒。正直人的義、必拯救自己．奸詐人必陷在自己的罪
七 孽中。惡人一死、他的指望必滅絕．罪人的盼望也必滅
八 九 沒。義人得脫離患難、有惡人來代替他。不虔敬的人用
十 口敗壞鄰舍．義人卻因知識得救。義人享福、合城喜樂．
十一 惡人滅亡、人都歡呼。城因正直人祝福便高舉．卻因邪
十二 惡人的口就傾覆。藐視鄰舍的、毫無智慧．明哲人卻靜
十三 默不言。往來傳舌的、洩漏密事．心中誠實的、遮隱事情。
十四 十五 無智謀、民就敗落．謀士多、人便安居。爲外人作保的、必
十六 受虧損．恨惡擊掌的、卻得安穩。恩德的婦女得尊榮．強
十七 暴的男子得貲財。仁慈的人、善待自己．殘忍的人、擾害
十八 己身。惡人經營、得虛浮的工價．撒義種的、得實在的果
十九 二十 效。恆心爲義的、必得生命．追求邪惡的、必致死亡。心中
二一 乖僻的、爲耶和華所憎惡．行事完全的、爲他所喜悅。惡
二二 人雖然連手、必不免受罰．義人的後裔、必得拯救。婦女
二三 美貌而無見識、如同金環帶在豬鼻上。義人的心願、盡
二四 得好處．惡人的指望、致干忿怒。有施散的、卻更增添．有
二五 吝惜過度的、反致窮乏。好施捨的、必得豐裕．滋潤人的、
二六 必得滋潤。屯糧不賣的、民必咒詛他．情願出賣的、人必
二七 爲他祝福。懇切求善的、就求得恩惠．惟獨求惡的、惡必
二八 臨到他身。倚仗自己財物的、必跌倒．義人必發旺如青
二九 葉。擾害己家的、必承受清風．愚昧人必作慧心人的僕
三十 人。義人所結的果子、就是生命樹．有智慧的必能得人。
三一 看哪、義人在世尚且受報、何況惡人和罪人呢。

善惡互論垂爲箴言

一 第十二章 喜愛管教的、就是喜愛知識．恨惡責備
二 的、卻是畜類。善人必蒙耶和華的恩惠．設詭計的人、耶
三 和華必定他的罪。人靠惡行不能堅立．義人的根、必不
四 動搖。才德的婦人、是丈夫的冠冕．貽羞的婦人、如同朽
五 爛在他丈夫的骨中。義人的思念是公平．惡人的計謀
六 是詭詐。惡人的言論、是埋伏流人的血．正直人的口、必

七八 拯救人。七惡人傾覆、歸於無有．義人的家必站得住。八人必
九 按自己的智慧被稱讚．心中乖謬的、必被藐視。九被人輕
十 賤、卻有僕人、強如自尊、缺少食物。十義人顧惜他牲畜的
十一 命．惡人的憐憫、也是殘忍。十一耕種自己田地的、必得飽食．
十二 追隨虛浮的、卻是無知。十二惡人想得壞人的網羅．義人的
十三 根得以結實。十三惡人嘴中的過錯、是自己的網羅．但義人
十四 必脫離患難。十四人因口所結的果子、必飽得美福．人手所
十五 作的、必為自己的報應。十五愚妄人所行的、在自己眼中看
十六 為正直．惟智慧人、肯聽人的勸教。十六愚妄人的惱怒、立時
十七 顯露．通達人能忍辱藏羞。十七說出真話的、顯明公義．作假
十八 見證的、顯出詭詐。十八說話浮躁的、如刀刺人．智慧人的舌
十九 頭、卻為醫人的良藥。十九口吐真言、永遠堅立．舌說謊話、只
二十 存片時。二十圖謀惡事的、心存詭詐．勸人和睦的、便得喜樂。
二一二二 二一義人不遭災害．惡人滿受禍患。二二說謊言的嘴、為耶和華
二三 所憎惡．行事誠實的、為他所喜悅。二三通達人隱藏知識．愚
二四 昧人的心、彰顯愚昧。二四殷勤人的手必掌權．懶惰的人必
二五二六 服苦。二五人心憂慮、屈而不伸．一句良言、使心歡樂。二六義人引
二七 導他的鄰舍．惡人的道、叫人失迷。二七懶惰的人、不烤打獵
二八 所得的．殷勤的人、卻得寶貴的財物。二八在公義的道上有
生命．其路之中、並無死亡。

第十三章　善惡互論垂為箴言

一 一智慧子聽父親的教訓．褻慢人不聽責
二三 備。二人因口所結的果子、必享美福．奸詐人必遭強暴。三謹
四 守口的、得保生命．大張嘴的、必致敗亡。四懶惰人羨慕、卻
五 無所得．殷勤人必得豐裕。五義人恨惡謊言．惡人有臭名、
六 且致慚愧。六行為正直的、有公義保守．犯罪的被邪惡傾
七 覆。七假作富足的、卻一無所有．裝作窮乏的、卻廣有財物。
八 八人的贖財、是他生命的贖價．窮乏人卻聽不見威嚇的
九十 話。九義人的光明亮。（明亮原文作歡喜）惡人的燈要熄滅。十驕傲只
十一 啟爭競．聽勸言的、卻有智慧。十一不勞而得之財、必然消耗．
十二 勤勞積蓄的、必見加增。十二所盼望的遲延未得、令人心憂．
十三 所願意的臨到、卻是生命樹。十三藐視訓言的、自取滅亡．敬
十四 畏誡命的、必得善報。十四智慧人的法則、（或作指教）是生命的泉
十五 源、可以使人離開死亡的網羅。十五美好的聰明、使人蒙恩．
十六 奸詐人的道路、崎嶇難行。十六凡通達人都憑知識行事．愚
十七 昧人張揚自己的愚昧。十七奸惡的使者、必陷在禍患裏．忠

十八 信的使臣、乃醫人的良藥。十八棄絕管教的、必致貧受辱．領
十九 受責備的、必得尊榮。十九所欲的成就、心覺甘甜．遠離惡事、
二十 為愚昧人所憎惡。二十與智慧人同行的、必得智慧．和愚昧
二一 二二 人作伴的、必受虧損。二一禍患追趕罪人．義人必得善報。二二善
二三 人給子孫遺留產業．罪人為義人積存貲財。二三窮人耕種
二四 多得糧食、但因不義有消滅的。二四不忍用杖打兒子的、是
二五 恨惡他．疼愛兒子的、隨時管教。二五義人喫得飽足．惡人肚
腹缺糧。

善惡互論垂為箴言

一 第十四章 一智慧婦人、建立家室．愚妄婦人、親手拆
二 三 毀。二行動正直的、敬畏耶和華．行事乖僻的、卻藐視他。三愚
四 妄人口中驕傲、如杖責打己身．智慧人的嘴、必保守自
四 五 己。四家裏無牛、槽頭乾淨．土產加多、乃憑牛力。五誠實見證
六 人、不說謊話．假見證人、吐出謊言。六褻慢人尋智慧、卻尋
七 不着．聰明人易得知識。七到愚昧人面前、不見他嘴中有
八 知識。八通達人的智慧、在乎明白己道．愚昧人的愚妄、乃
九 是詭詐。(或作自欺)九愚妄人犯罪、以為戲耍．(或作贖愆祭愚弄愚妄人)正直
十 人互相喜悅。十心中的苦楚、自己知道．心裏的喜樂、外人

十一 十二 無干。十一奸惡人的房屋必傾倒．正直人的帳棚必興盛。十二有
十三 一條路人以為正、至終成為死亡之路。十三人在喜笑中、心
十四 也憂愁．快樂至極、就生愁苦。十四心中背道的、必滿得自己
十五 的結果．善人必從自己的行為、得以知足。十五愚蒙人是話
十六 都信．通達人步步謹慎。十六智慧人懼怕、就遠離惡事．愚妄
十七 人卻狂傲自恃。十七輕易發怒的、行事愚妄．設立詭計的、被
十八 人恨惡。十八愚蒙人得愚昧為產業．通達人得知識為冠冕。
十九 二十 十九壞人俯伏在善人面前．惡人俯伏在義人門口。二十貧窮人
二一 連鄰舍也恨他．富足人朋友最多。二一藐視鄰舍的、這人有
二二 罪．憐憫貧窮的、這人有福。二二謀惡的豈非走入迷途麼．謀
二三 善的必得慈愛和誠實。二三諸般勤勞、都有益處．嘴上多言、
二四 乃致窮乏。二四智慧人的財、為自己的冠冕．愚妄人的愚昧、
二五 終是愚昧。二五作真見證的、救人性命．吐出謊言的、施行詭
二六 二七 詐。二六敬畏耶和華的、大有倚靠．他的兒女、也有避難所。二七敬
畏耶和華、就是生命的泉源、可以使人離開死亡的網
二八 二九 羅。二八帝王榮耀在乎民多．君王衰敗在乎民少。二九不輕易發
三十 怒的、大有聰明．性情暴躁的、大顯愚妄。三十心中安靜、是肉
三一 體的生命．嫉妒是骨中的朽爛。三一欺壓貧寒的、是辱沒造

三二 他的主。憐憫窮乏的、乃是尊敬主。[三二]惡人在所行的惡上、
三三 必被推倒。義人臨死、有所投靠。[三三]智慧存在聰明人心中。
三四 愚昧人心裏所存的顯而易見。[三四]公義使邦國高舉。罪惡
三五 是人民的羞辱。[三五]智慧的臣子、蒙王恩惠。貽羞的僕人、遭
其震怒。

第十五章 善惡互論垂爲箴言

一 [一]回答柔和、使怒消退。言語暴戾、觸動怒
二三 氣。[二]智慧人的舌、善發知識。愚昧人的口、吐出愚昧。[三]耶和
四 華的眼目無處不在。惡人善人、他都鑒察。[四]溫良的舌、是
五 生命樹。乖謬的嘴、使人心碎。[五]愚妄人藐視父親的管教。
六 領受責備的、得着見識。[六]義人家中、多有財寶。惡人得利、
七 反受擾害。[七]智慧人的嘴、播揚知識。愚昧人的心、並不如
八 此。[八]惡人獻祭、爲耶和華所憎惡。正直人祈禱、爲他所喜
九 悅。[九]惡人的道路、爲耶和華所憎惡。追求公義的、爲他所
十 十一 喜愛。[十]捨棄正路的、必受嚴刑。恨惡責備的、必致死亡。[十一]陰
十二 間和滅亡、尚在耶和華眼前、何况世人的心呢。[十二]褻慢人
十三 不愛受責備、他也不就近智慧人。[十三]心中喜樂、面帶笑容。
十四 心裏憂愁、靈被損傷。[十四]聰明人心求知識。愚昧人口喫愚
十五 十六 昧。[十五]困苦人的日子、都是愁苦。心中歡暢的、常享豐筵。[十六]少
十七 有財寶、敬畏耶和華、強如多有財寶煩亂不安。[十七]喫素菜、
十八 彼此相愛、強如喫肥牛、彼此相恨。[十八]暴怒的人、挑啓爭端。
十九 忍怒的人、止息分爭。[十九]懶惰人的道、像荊棘的籬笆。正直
二十 人的路、是平坦的大道。[二十]智慧子使父親喜樂。愚昧人藐
二一 視母親。[二一]無知的人、以愚妄爲樂。聰明的人、按正直而行。
二二 二三 [二二]不先商議、所謀無效。謀士衆多、所謀乃成。[二三]口善應對、自
二四 覺喜樂。話合其時、何等美好。[二四]智慧人從生命的道上升、
二五 使他遠離在下的陰間。[二五]耶和華必拆毀驕傲人的家。卻
二六 要立定寡婦的地界。[二六]惡謀爲耶和華所憎惡。良言乃爲
二七 二八 純淨。[二七]貪戀財利的、擾害己家。恨惡賄賂的、必得存活。[二八]義
二九 人的心、思量如何回答。惡人的口、吐出惡言。[二九]耶和華遠
三十 離惡人。卻聽義人的禱告。[三十]眼有光、使心喜樂。好信息使
三一 三二 骨滋潤。[三一]聽從生命責備的、必常在智慧人中。[三二]棄絕管教
三三 的、輕看自己的生命。聽從責備的、卻得智慧。[三三]敬畏耶和
華是智慧的訓誨。尊榮以前、必有謙卑。

第十六章 善惡互論垂爲箴言

一 [一]心中的謀算在乎人。舌頭的應對、由於

二 耶和華。人一切所行的、在自己眼中看為清潔．惟有耶
三 和華衡量人心。你所作的、要交託耶和華、你所謀的、就
四 必成立。耶和華所造的、各適其用．就是惡人、也為禍患
五 的日子所造。凡心裏驕傲的、為耶和華所憎惡．雖然連
六 手、他必不免受罰。因憐憫誠實罪孽得贖．敬畏耶和華
七 的、遠離惡事。人所行的若蒙耶和華喜悅、耶和華也使
八 他的仇敵與他和好。多有財利、行事不義、不如少有財
九 利、行事公義。人心籌算自己的道路．惟耶和華指引他
十 的脚步。王的嘴中有神語．審判之時、他的口、必不差錯。
十一 公道的天平和秤、都屬耶和華．囊中一切法碼、都為他
十二 十三 所定。作惡為王所憎惡．因國位是靠公義堅立。公義的
十四 嘴、為王所喜悅．說正直話的、為王所喜愛。王的震怒、如
十五 殺人的使者．但智慧人能止息王怒。王的臉光、使人有
十六 生命．王的恩典、好像春雲時雨。得智慧勝似得金子．選
十七 聰明強如選銀子。正直人的道、是遠離惡事．謹守己路
十八 十九 的、是保全性命。驕傲在敗壞以先．狂心在跌倒之前。心
二十 裏謙卑與窮乏人來往、強如將擄物與驕傲人同分。謹
二一 守訓言的、必得好處．倚靠耶和華的、便為有福。心中有
智慧、必稱為通達人．嘴中的甜言、加增人的學問。人有
二二 智慧就有生命的泉源．愚昧人必被愚昧懲治。智慧人
二三 的心、教訓他的口、又使他的嘴、增長學問。良言如同蜂
二四 房、使心覺甘甜、使骨得醫治。有一條路、人以為正、至終
二五 成為死亡之路。勞力人的胃口使他勞力．因為他的口
二六 腹催逼他。匪徒圖謀奸惡．嘴上彷彿有燒焦的火。乖僻
二七 二八 人播散分爭．傳舌的離間密友。強暴人誘惑鄰舍、領他
二九 走不善之道。眼目緊合的、圖謀乖僻、嘴唇緊閉的、成就
三十 邪惡。白髮是榮耀的冠冕、在公義的道上、必能得着。不
三一 三二 輕易發怒的、勝過勇士．治服己心的、強如取城。籤放在
三三 懷裏．定事由耶和華。

第十七章

善惡互論垂為箴言

一 設筵滿屋、大家相爭、不如有塊乾餅、大
二 家相安。僕人辦事聰明、必管轄貽羞之子、又在眾子中、
三 同分產業。鼎為煉銀、爐為煉金．惟有耶和華熬煉人心。
四 五 行惡的、留心聽奸詐之言．說謊的、側耳聽邪惡之語。戲
笑窮人的、是辱沒造他的主．幸災樂禍的、必不免受罰。
六 七 子孫為老人的冠冕．父親是兒女的榮耀。愚頑人說美

言本不相宜、何況君王說謊話呢。[八]賄賂在餽送的人眼
中、看為寶玉．隨處運動、都得順利。[九]遮掩人過的、尋求人
愛．屢次挑錯的、離間密友。[十]一句責備話、深入聰明人的
心、強如責打愚昧人一百下。[十一]惡人只尋背叛、所以必有
嚴厲的使者、奉差攻擊他。[十二]寧可遇見丟崽子的母熊、不
可遇見正行愚妄的愚昧人。[十三]以惡報善的、禍患必不離
他的家。[十四]分爭的起頭、如水放開．所以在爭鬧之先、必當
止息爭競。[十五]定惡人為義的、定義人為惡的、這都為耶和
華所憎惡。[十六]愚昧人既無聰明、為何手拿價銀買智慧呢。
[十七]朋友乃時常親愛．弟兄為患難而生。[十八]在鄰舍面前擊掌
作保、乃是無知的人。[十九]喜愛爭競的、是喜愛過犯．高立家
門的、乃自取敗壞。[二十]心存邪僻的、尋不着好處．舌弄是非
的、陷在禍患中。[二十一]生愚昧子的、必自愁苦．愚頑人的父、毫
無喜樂。[二十二]喜樂的心、乃是良藥．憂傷的靈、使骨枯乾。[二十三]惡人
暗中受賄賂、為要顛倒判斷。[二十四]明哲人眼前有智慧．愚昧
人眼望地極。[二十五]愚昧子使父親愁煩、使母親憂苦。[二十六]刑罰義
人為不善．責打君子為不義。[二十七]寡少言語的有知識．性情
溫良的有聰明。[二十八]愚昧人若靜默不言、也可算為智慧．閉
口不說、也可算為聰明。

第十八章　善惡互論垂為箴言

[一]與衆寡合的、獨自尋求心願、並惱恨一
切眞智慧。[二]愚昧人不喜愛明哲、只喜愛顯露心意。[三]惡人
來、藐視隨來．羞恥到、辱罵同到。[四]人口中的言語、如同深
水．智慧的泉源、好像湧流的河水。[五]瞻徇惡人的情面、偏
斷義人的案件、都為不善。[六]愚昧人張嘴啓爭端、開口招
鞭打。[七]愚昧人的口、自取敗壞．他的嘴、是他生命的網羅。
[八]傳舌人的言語、如同美食、深入人的心腹。[九]作工懈怠的、
與浪費人為弟兄。[十]耶和華的名、是堅固臺．義人奔入便
得安穩。[十一]富足人的財物、是他的堅城、在他心想、猶如高
牆。[十二]敗壞之先、人心驕傲．尊榮以前、必有謙卑。[十三]未曾聽完
先回答的、便是他的愚昧、和羞辱。[十四]人有疾病、心能忍耐．
心靈憂傷、誰能承當呢。[十五]聰明人的心得知識．智慧人的
耳求知識。[十六]人的禮物、為他開路、引他到高位的人面前。
[十七]先訴情由的、似乎有理．但鄰舍來到、就察出實情。[十八]掣籤
能止息爭競、也能解散強勝的人。[十九]弟兄結怨、勸他和好、
比取堅固城還難．這樣的爭競、如同堅寨的門閂。[二十]人口

二一 二二 中所結的果子、必充滿肚腹．他嘴所出的、必使他飽足。
二三 生死在舌頭的權下．喜愛他的、必喫他所結的果子。得
二四 着賢妻的、是得着好處、也是蒙了耶和華的恩惠。貧窮
人說哀求的話．富足人用威嚇的話回答。濫交朋友的、
自取敗壞．但有一朋友、比弟兄更親密。

第十九章 善惡互論垂爲箴言

一 行爲純正的貧窮人、勝過乖謬愚妄的
二 富足人。心無知識的、乃爲不善．腳步急快的、難免犯罪。
三 四 人的愚昧、傾敗他的道．他的心也抱怨耶和華。財物使
五 朋友增多．但窮人朋友遠離。作假見證的、必不免受罰．
六 吐出謊言的、終不能逃脫。好施散的、有多人求他的恩
七 情．愛送禮的、人都爲他的朋友。貧窮人弟兄都恨他、何
八 況他的朋友、更遠離他．他用言語追隨他們、卻走了。得
九 着智慧的、愛惜生命．保守聰明的、必得好處。作假見證
十 的、不免受罰．吐出謊言的、也必滅亡。愚昧人宴樂度日、
十一 是不合宜的、何況僕人管轄王子呢。人有見識、就不輕
十二 易發怒．寬恕人的過失、便是自己的榮耀。王的忿怒、好
十三 像獅子吼叫．他的恩典、卻如草上的甘露。愚昧的兒子、
十四 是父親的禍患．妻子的爭吵、如雨連連滴漏。房屋錢財、
十五 是祖宗所遺留的．惟有賢慧的妻、是耶和華所賜的。懶
十六 惰使人沉睡．懈怠的人、必受飢餓。謹守誡命的、保全生
十七 命．輕忽己路的、必致死亡。憐憫貧窮的、就是借給耶和
十八 華．他的善行、耶和華必償還。趁有指望、管教你的兒子．
十九 你的心不可任他死亡。暴怒的人、必受刑罰．你若救他、
二十 二一 必須再救。你要聽勸教、受訓誨、使你終久有智慧。人心
二二 多有計謀．惟有耶和華的籌算、纔能立定。施行仁慈的、
二三 令人愛慕．窮人強如說謊言的。敬畏耶和華的、得着生
二四 命．他必恆久知足、不遭禍患。懶惰人放手在盤子裏、就
二五 是向口撤回他也不肯。鞭打褻慢人、愚蒙人必長見識．
二六 責備明哲人、他就明白知識。虐待父親、攆出母親的、是
二七 貽羞致辱之子。我兒、不可聽了教訓、而又偏離知識的
二八 二九 言語。匪徒作見證戲笑公平．惡人的口吞下罪孽。刑罰
是爲褻慢人豫備的．鞭打是爲愚昧人的背豫備的。

第二十章 善惡互論垂爲箴言

一 酒能使人褻慢、濃酒使人喧嚷．凡因酒
二 錯誤的、就無智慧。王的威嚇、如同獅子吼叫．惹動他怒

三 的、是自害己命。[三]遠離分爭、是人的尊榮.愚妄人都愛爭
四 鬧。[四]懶惰人因冬寒不肯耕種、到收割的時候、他必討飯、
五 而無所得。[五]人心懷藏謀略、好像深水.惟明哲人、纔能汲
六 引出來。[六]人多述說自己的仁慈.但忠信人誰能遇着呢。
七八 [七]行為純正的義人、他的子孫、是有福的。[八]王坐在審判的
九 位上、以眼目驅散諸惡。[九]誰能說、我潔淨了我的心、我脫
十 淨了我的罪。[十]兩樣的法碼、兩樣的升斗、都為耶和華所
十一十二 憎惡。[十一]孩童的動作、是清潔、是正直、都顯明他的本性。[十二]能
十三 聽的耳、能看的眼、都是耶和華所造的。[十三]不要貪睡、免致
十四 貧窮.眼要睜開、你就喫飽。[十四]買物的說、不好、不好.及至買
十五 去、他便自誇。[十五]有金子、和許多珍珠.(或作紅寶石)惟有知識的
十六 嘴、乃為貴重的珍寶。[十六]誰為生人作保、就拿誰的衣服.誰
十七 為外人作保、誰就要承當。[十七]以虛謊而得的食物、人覺甘
十八 甜.但後來他的口、必充滿塵沙。[十八]計謀都憑籌算立定.打
十九 仗要憑智謀。[十九]往來傳舌的、洩漏密事.大張嘴的、不可與
二十二十一 他結交。[二十]咒罵父母的、他的燈必滅、變為漆黑的黑暗。[二十一]起
二十二 初速得的產業、終久卻不為福。[二十二]你不要說、我要以惡報
二十三 惡.要等候耶和華、他必拯救你。[二十三]兩樣的法碼、為耶和華

二十四 所憎惡.詭詐的天平、也為不善。[二十四]人的腳步、為耶和華所
二十五 定.人豈能明白自己的路呢。[二十五]人冒失說、這是聖物、許願
二十六 之後纔查問、就是自陷網羅。[二十六]智慧的王、簸散惡人、用碌
二十七二十八 碡輥軋他們。[二十七]人的靈是耶和華的燈、鑒察人的心腹。[二十八]王
二十九 因仁慈和誠實、得以保全他的國位、也因仁慈立穩。[二十九]強
三十 壯乃少年人的榮耀.白髮為老年人的尊榮。[三十]鞭傷除淨
人的罪惡.責打能入人的心腹。

善惡互論垂為箴言

第二十一章

一 [一]王的心在耶和華手中、好像隴溝的
二 水、隨意流轉。[二]人所行的、在自己眼中都看為正.惟有耶
三 和華衡量人心。[三]行仁義公平、比獻祭更蒙耶和華悅納。
四五 [四]惡人發達、眼高心傲、這乃是罪。(發達原文作燈)[五]殷勤籌畫的、足
六 致豐裕.行事急躁的、都必缺乏。[六]用詭詐之舌求財的、就
七 是自己取死.所得之財、乃是吹來吹去的浮雲。[七]惡人的
八 強暴、必將自己掃除.因他們不肯按公平行事。[八]負罪之
人的路、甚是彎曲.至於清潔的人、他所行的乃是正直。
九 [九]寧可住在房頂的角上、不在寬闊的房屋、與爭吵的婦
十十一 人同住。[十]惡人的心、樂人受禍.他眼並不憐恤鄰舍。[十一]褻慢

的人受刑罰、愚蒙的人就得智慧．智慧人受訓誨、便得
十二 十三 知識。十二義人思想惡人的家、知道惡人傾倒、必至滅亡。十三塞
十四 耳不聽窮人哀求的、他將來呼籲也不蒙應允。十四暗中送
十五 的禮物、挽回怒氣．懷中揣的賄賂、止息暴怒。十五秉公行義、
十六 使義人喜樂、使作孽的人敗壞。十六迷離通達道路的、必住
十七 在陰魂的會中。十七愛宴樂的、必致窮乏．好酒愛膏油的、必
十八 十九 不富足。十八惡人作了義人的贖價．奸詐人代替正直人。十九寧
二十 可住在曠野、不與爭吵使氣的婦人同住。二十智慧人家中
二一 積蓄寶物膏油．愚昧人隨得來隨吞下。二一追求公義仁慈
二二 的、就尋得生命、公義、和尊榮。二二智慧人爬上勇士的城牆、
二三 傾覆他所倚靠的堅壘。二三謹守口與舌的、就保守自己免
二四 受災難。二四心驕氣傲的人、名叫褻慢．他行事狂妄、都出於
二五 二六 驕傲。二五懶惰人的心願、將他殺害．因為他手不肯作工。二六有
二七 終日貪得無饜的．義人施捨而不吝惜。二七惡人的祭物是
二八 可憎的、何況他存惡意來獻呢。二八作假見證的必滅亡．惟
二九 有聽真情而言的、其言長存。二九惡人臉無羞恥．正直人行
三十 事堅定。三十沒有人能以智慧、聰明、謀略、敵擋耶和華。三一馬是
三一 為打仗之日豫備的．得勝乃在乎耶和華。

第二十二章

勸世箴言

一 二 一美名勝過大財．恩寵強如金銀。二富戶
三 窮人在世相遇、都為耶和華所造。三通達人見禍藏躲．愚
四 蒙人前往受害。四敬畏耶和華心存謙卑、就得富有、尊榮、
五 生命為賞賜。五乖僻人的路上有荊棘和網羅．保守自己
六 生命的、必要遠離。六教養孩童、使他走當行的道、就是到
七 老他也不偏離。七富戶管轄窮人．欠債的是債主的僕人。
八 九 八撒罪孽的、必收災禍．他逞怒的杖、也必廢掉。九眼目慈善
十 的、就必蒙福．因他將食物分給窮人。十趕出褻慢人、爭端
十一 就消除、分爭和羞辱、也必止息。十一喜愛清心的人、因他嘴
十二 上的恩言、王必與他為友。十二耶和華的眼目、眷顧聰明人．
十三 卻傾敗奸詐人的言語。十三懶惰人說、外頭有獅子、我在街
十四 上、就必被殺。十四淫婦的口為深坑．耶和華所憎惡的、必陷
十五 在其中。十五愚蒙迷住孩童的心、用管教的杖可以遠遠趕
十六 除。十六欺壓貧窮為要利己的、並送禮與富戶的、都必缺乏。
十七 十七○你須側耳聽受智慧人的言語、留心領會我的知識、
十八 十九 十八你若心中存記、嘴上咬定、這便為美。十九我今日以此特別
二十 指教你、為要使你倚靠耶和華。二十謀略和知識的美事、我

二一 豈沒有寫給你麼。二一要使你知道眞言的實理、你好將眞
二二 言回覆那打發你來的人。○二二貧窮人、你不可因他貧窮、
二三 就搶奪他的物、也不可在城門口欺壓困苦人。二三因耶和
二四 華必爲他辨屈、搶奪他的、耶和華必奪取那人的命。二四好
二五 生氣的人、不可與他結交、暴怒的人、不可與他來往。二五恐
二六 怕你效法他的行爲、自己就陷在網羅裏。二六不要與人擊
二七 掌、不要爲欠債的作保。二七你若沒有甚麼償還、何必使人
二八 奪去你睡臥的牀呢。二八你先祖所立的地界、你不可挪移。
二九 二九你看見辦事殷勤的人麼、他必站在君王面前、必不站
在下賤人面前。

第二十三章

勸世箴言

一 一你若與官長坐席、要留意在你面前
二三 的是誰。二你若是貪食的、就當拿刀放在喉嚨上。三不可貪
四 戀他的美食、因爲是哄人的食物。四不要勞碌求富、休仗
五 自己的聰明。五你豈要定睛在虛無的錢財上麼、因錢財
六 必長翅膀、如鷹向天飛去。六不要喫惡眼人的飯、也不要
七 貪他的美味。七因爲他心怎樣思量、他爲人就是怎樣。他
八 雖對你說、請喫、請喝、他的心卻與你相背。八你所喫的那
九 點食物、必吐出來、你所說的甘美言語、也必落空。九你不
十 要說話給愚昧人聽、因他必藐視你智慧的言語。十不可
十一 挪移古時的地界、也不可侵入孤兒的田地。十一因他們的
十二 救贖主大有能力、他必向你爲他們辨屈。十二你要留心領
十三 受訓誨、側耳聽從知識的言語。十三不可不管教孩童、你用
十四 杖打他、他必不至於死。十四你要用杖打他、就可以救他的
十五 靈魂免下陰間。十五我兒、你心若存智慧、我的心也甚歡喜。
十六十七 十六你的嘴若說正直話、我的心腸也必快樂。十七你心中不要
十八 嫉妒罪人、只要終日敬畏耶和華。十八因爲至終必有善報。
十九 你的指望也不至斷絕。十九我兒、你當聽、當存智慧、好在正
二十 道上引導你的心。二十好飲酒的、好喫肉的、不要與他們來
二一 往。二一因爲好酒貪食的、必致貧窮、好睡覺的、必穿破爛衣
二二 服。二二你要聽從生你的父親、你母親老了、也不可藐視他。
二三二四 二三你當買眞理、就是智慧、訓誨、和聰明、也都不可賣。二四義人
二五 的父親、必大得快樂、人生智慧的兒子、必因他歡喜。二五你
二六 要使父母歡喜、使生你的快樂。二六我兒、要將你的心歸我、
二七 你的眼目、也要喜悅我的道路。二七妓女是深坑、外女是窄
二八二九 阱。二八他埋伏好像強盜、他使人中多有奸詐的。二九誰有禍患、

誰有憂愁、誰有爭鬪、誰有哀歎、或作怨言誰無故受傷、誰眼
目紅赤、三十就是那流連飲酒、常去尋找調和酒的人。三十一酒發
紅、在杯中閃爍、你不三十二可觀看、雖然下咽舒暢、終久是咬
你如蛇、刺你如毒蛇。你三十三眼必看見異怪的事。異怪的事或作淫婦
你心必發出乖謬的話。你三十四必像躺在海中、或像臥在桅
杆上。三十五你必說、人打我、我卻未受傷、人鞭打我、我竟不覺
得、我幾時清醒、我仍去尋酒。

勸世箴言

第二十四章

一你不要嫉妒惡人、也不要起意與他
們相處。二因為他們的心、圖謀強暴、他們的口、談論奸惡。
三房屋因智慧建造、又因聰明立穩。四其中因知識充滿各
樣美好寶貴的財物。五智慧人大有能力、有知識的人力
上加力。六你去打仗、要憑智謀、謀士眾多、人便得勝。七智慧
極高、非愚昧人所能及、所以在城門內、不敢開口。八設計
作惡的、必稱為奸人。九愚妄人的思念、乃是罪惡、褻慢者
為人所憎惡。十你在患難之日若膽怯、你的力量就微小。十一
人被拉到死地、你要解救、人將被殺、你須攔阻。十二你若說、
這事我未曾知道、那衡量人心的、豈不明白麼、保守你
命的、豈不知道麼、他豈不按各人所行的報應各人麼。
十三我兒、你要喫蜜、因為是好的、喫蜂房下滴的蜜便覺甘
甜。十四你心得了智慧、也必覺得如此、你若找着、至終必有
善報。你的指望也不至斷絕。十五你這惡人、不要埋伏攻擊
義人的家。不要毀壞他安居之所。十六因為義人雖七次跌
倒、仍必興起、惡人卻被禍患傾倒。十七你仇敵跌倒、你不要
歡喜、他傾倒、你心不要快樂。十八恐怕耶和華看見就不喜
悅、將怒氣從仇敵身上轉過來。十九不要為作惡的心懷不
平、也不要嫉妒惡人。二十因為惡人終不得善報、惡人的燈、
也必熄滅。二十一我兒、你要敬畏耶和華與君王、不要與反覆
無常的人結交。二十二因為他們的災難、必忽然而起、耶和華
與君王所施行的毀滅、誰能知道呢。◯二十三以下也是智慧
人的箴言。◯審判時看人情面、是不好的。二十四對惡人說、你
是義人的、這人萬民必咒詛、列邦必憎惡。二十五責備惡人的、
必得喜悅、美好的福也必臨到他。二十六應對正直的、猶如與
人親嘴。二十七你要在外頭豫備工料、在田間辦理整齊、然後
建造房屋。二十八不可無故作見證陷害鄰舍、也不可用嘴欺
騙人。二十九不可說、人怎樣待我、我也怎樣待他、我必照他所

三十 行的報復他。三十我經過懶惰人的田地、無知人的葡萄園．
三一 三二 三一荊棘長滿了地皮、刺草遮蓋了田面、石牆也坍塌了．三二我
三三 看見就留心思想、我看着就領了訓誨。三三再睡片時、打盹
三四 片時、抱着手躺臥片時、三四你的貧窮就必如強盜速來、你
的缺乏彷彿拿兵器的人來到。

第二十五章　箴言雜記

一 一以下也是所羅門的箴言．是猶大王
二 希西家的人所謄錄的。二◯將事隱祕、乃神的榮耀．將
三 事察清、乃君王的榮耀。三天之高、地之厚、君王之心也測
四 不透。四除去銀子的渣滓、就有銀子出來、銀匠能以作器
五 六 皿。五除去王面前的惡人、國位就靠公義堅立。六不要在王
七 面前妄自尊大．不要在大人的位上站立。七寧可有人說、
八 請你上來、強如在你覲見的王子面前、叫你退下。八不要
冒失出去與人爭競、免得至終被他羞辱、你就不知道
九 怎樣行了。九你與鄰舍爭訟、要與他一人辯論、不可洩漏
十 人的密事．十恐怕聽見的人罵你、你的臭名就難以脫離。
十一 十二 十一一句話說得合宜、就如金蘋果在銀網子裏。十二智慧人的
十三 勸戒、在順從的人耳中、好像金耳環、和精金的妝飾。十三忠

信的使者、叫差他的人心裏舒暢、就如在收割時、有冰
十四 十五 雪的涼氣。十四空誇贈送禮物的、好像無雨的風雲。十五恆常忍
十六 耐、可以勸動君王．柔和的舌頭、能折斷骨頭。十六你得了蜜
十七 麼、只可喫彀而已．恐怕你過飽就嘔吐出來。十七你的腳要
十八 少進鄰舍的家、恐怕他厭煩你、恨惡你。十八作假見證陷害
十九 鄰舍的、就是大槌、是利刀、是快箭。十九患難時倚靠不忠誠
二十 的人、好像破壞的牙、錯骨縫的腳。二十對傷心的人唱歌、就
二一 如冷天脫衣服、又如鹼上倒醋。二一你的仇敵若餓了、就給
二二 他飯喫、若渴了、就給他水喝。二二因為你這樣行、就是把炭
二三 火堆在他的頭上．耶和華也必賞賜你。二三北風生雨、讒謗
二四 人的舌頭也生怒容。二四寧可住在房頂的角上、不在寬闊
二五 的房屋與爭吵的婦人同住。二五有好消息從遠方來、就如
二六 拿涼水給口渴的人喝。二六義人在惡人面前退縮、好像趟
二七 渾之泉、弄濁之井。二七喫蜜過多、是不好的．考究自己的榮
二八 耀、也是可厭的。二八人不制伏自己的心、好像毀壞的城邑、
沒有牆垣。

第二十六章　箴言雜記

一 一夏天落雪、收割時下雨、都不相宜．愚

二 昧人得尊榮、也是如此。[二]麻雀往來、燕子翻飛、這樣、無故
三 的咒詛、也必不臨到。[三]鞭子是爲打馬．轡頭是爲勒驢．刑
四 杖是爲打愚昧人的背。[四]不要照愚昧人的愚妄話回答
五 他、恐怕你與他一樣。[五]要照愚昧人的愚妄話回答他、免
六 得他自以爲有智慧。[六]藉愚昧人手寄信的、是砍斷自己
七 的腳、自受損害。（自受原文作喝）[七]瘸子的腳、空存無用．箴言在愚
八 昧人的口中、也是如此。[八]將尊榮給愚昧人的、好像人把
九 石子包在機弦裏。[九]箴言在愚昧人的口中、好像荊棘刺
十 入醉漢的手。[十]雇愚昧人的、與雇過路人的、就像射傷衆
十一 人的弓箭手。[十一]愚昧人行愚妄事、行了又行、就如狗轉過
十二 來喫他所吐的。[十二]你見自以爲有智慧的人麼、愚昧人比
十三 十四 他更有指望。[十三]懶惰人說、道上有猛獅、街上有壯獅。[十四]門在
十五 樞紐轉動、懶惰人在牀上也是如此。[十五]懶惰人放手在盤
十六 子裏、就是向口撤回、也以爲勞乏。[十六]懶惰人看自己比七
十七 個善於應對的人、更有智慧。[十七]過路被事激動、管理不干
十八 十九 己的爭競、好像人揪住狗耳。[十八]人欺凌鄰舍、[十九]卻說、我豈不
是戲耍麼、他就像瘋狂的人、拋擲火把、利箭、與殺人的
二十 兵器。（殺人的兵器原文作死亡）[二十]火缺了柴、就必熄滅．無人傳舌、爭競

便止息。[二一]好爭競的人煽惑爭端、就如餘火加炭、火上加
二二 二三 柴一樣。[二二]傳舌人的言語、如同美食、深入人的心腹。[二三]火熱
二四 的嘴、奸惡的心、好像銀渣包的瓦器。[二四]怨恨人的、用嘴粉
二五 飾、心裏卻藏着詭詐．[二五]他用甜言蜜語、你不可信他、因爲
二六 他心中有七樣可憎惡的．[二六]他雖用詭詐遮掩自己的怨
二七 恨、他的邪惡必在會中顯露。[二七]挖陷坑的、自己必掉在其
二八 中．輥石頭的、石頭必反輥在他身上。[二八]虛謊的舌、恨他所
壓傷的人．諂媚的口、敗壞人的事。

箴言雜記

第二十七章 [一]不要爲明日自誇、因爲一日要生何
二 事、你尚且不能知道。[二]要別人誇奬你、不可用口自誇．等
三 外人稱讚你、不可用嘴自稱。[三]石頭重、沙土沉、愚妄人的
四 惱怒、比這兩樣更重。[四]忿怒爲殘忍、怒氣爲狂瀾、惟有嫉
五 六 妒、誰能敵得住呢。[五]當面的責備、強如背地的愛情。[六]朋友
七 加的傷痕、出於忠誠．仇敵連連親嘴、卻是多餘。[七]人喫飽
八 了、厭惡蜂房的蜜．人飢餓了、一切苦物都覺甘甜。[八]人離
九 本處飄流、好像雀鳥離窩遊飛。[九]膏油與香料、使人心喜
十 悅．朋友誠實的勸教、也是如此甘美。[十]你的朋友、和父親

的朋友、你都不可離棄．你遭難的日子、不要上弟兄的
十一 家去．相近的鄰舍、強如遠方的弟兄。十一我兒、你要作智慧
十二 人、好叫我的心歡喜、使我可以回答那譏誚我的人。十二通
十三 達人見禍藏躲、愚蒙人前往受害。十三誰為生人作保、就拿
十四 誰的衣服．誰為外女作保、誰就承當。十四清晨起來、大聲給
十五 朋友祝福的、就算是咒詛他。十五大雨之日連連滴漏、和爭
十六 吵的婦人一樣．十六想攔阻他的、便是攔阻風、也是右手抓
十七 十八 油。十七鐵磨鐵、磨出刃來．朋友相感、（原文作磨朋友的臉）也是如此。十八看
守無花果樹的、必喫樹上的果子．敬奉主人的、必得尊
十九 二十 榮。十九水中照臉、彼此相符、人與人、心也相對。二十陰間和滅亡、
二一 永不滿足．人的眼目也是如此。二一鼎為煉銀、爐為煉金、人
二二 的稱讚也試煉人。二二你雖用杵、將愚妄人與打碎的麥子
二三 一同搗在臼中、他的愚妄還是離不了他。〇二三你要詳細
二四 知道你羊羣的景況、留心料理你的牛羣．二四因為貲財不
二五 能永有、冠冕豈能存到萬代。二五乾草割去、嫩草發現、山上
二六 的菜蔬也被收斂。二六羊羔之毛、是為你作衣服．山羊是為
二七 作田地的價值．二七並有母山羊奶、彀你喫、也彀你的家眷
喫、且彀養你的婢女。

箴言雜記

第二十八章

一 一惡人雖無人追趕也逃跑、義人卻膽
二 壯像獅子。二邦國因有罪過、君王就多更換．因有聰明知
三 識的人、國必長存。三窮人欺壓貧民、好像暴雨沖沒糧食。
四 五 四違棄律法的、誇獎惡人．遵守律法的、卻與惡人相爭。五壞
六 人不明白公義．惟有尋求耶和華的、無不明白。六行為純
七 正的窮乏人、勝過行事乖僻的富足人。七謹守律法的、是
八 智慧之子．與貪食人作伴的、卻羞辱其父。八人以厚利加
九 增財物、是給那憐憫窮人者積蓄的。九轉耳不聽律法的、
十 他的祈禱也為可憎。十誘惑正直人行惡道的、必掉在自
十一 己的坑裏．惟有完全人、必承受福分。十一富足人自以為有
十二 智慧．但聰明的貧窮人、能將他查透。十二義人得志有大榮
十三 耀．惡人興起、人就躲藏。十三遮掩自己罪過的、必不亨通．承
十四 認離棄罪過的、必蒙憐恤。十四常存敬畏的、便為有福．心存
十五 剛硬的、必陷在禍患裏。十五暴虐的君王轄制貧民、好像吼
十六 叫的獅子、覓食的熊。十六無知的君多行暴虐、以貪財為可
十七 恨的、必年長日久。十七背負流人血之罪的、必往坑裏奔跑、
十八 誰也不可攔阻他。十八行動正直的、必蒙拯救．行事彎曲的、

十九 立時跌倒。十九耕種自己田地的、必得飽食．追隨虛浮的、足
二十 受窮乏。二十誠實人必多得福、想要急速發財的、不免受罰。二一
二一 二二 看人的情面、乃為不好．人因一塊餅枉法、也為不好。二二人
二三 有惡眼想要急速發財、卻不知窮乏必臨到他身。二三責備
二四 人的、後來蒙人喜悅、多於那用舌頭諂媚人的。二四偷竊父
二五 母的、說、這不是罪．此人就是與強盜同類。二五心中貪婪的、
二六 挑起爭端．倚靠耶和華的、必得豐裕。二六心中自是的、便是
二七 愚昧人．憑智慧行事的、必蒙拯救。二七賙濟貧窮的、不致缺
二八 乏．佯為不見的、必多受咒詛。二八惡人興起、人就躲藏．惡人
敗亡、義人增多。

箴言雜記

第二十九章

一 一人屢次受責罰、仍然硬着頸項、他必
二 頃刻敗壞、無法可治。二義人增多、民就喜樂．惡人掌權、民
三 就歎息。三愛慕智慧的、使父親喜樂．與妓女結交的、卻浪
四 五 費錢財。四王藉公平、使國堅定．索要賄賂、使國傾敗。五諂媚
六 鄰舍的、就是設網羅絆他的腳。六惡人犯罪、自陷網羅．惟
七 獨義人歡呼喜樂。七義人知道查明窮人的案．惡人沒有
八 聰明、就不得而知。八褻慢人煽惑通城．智慧人止息衆怒。
九 十 九智慧人與愚妄人相爭、或怒、或笑、總不能使他止息。十好
十一 流人血的、恨惡完全人．索取正直人的性命。十一愚妄人怒
十二 氣全發．智慧人忍氣含怒。十二君王若聽謊言、他一切臣僕
十三 都是奸惡。十三貧窮人、強暴人、在世相遇、他們的眼目、都蒙
十四 耶和華光照。十四君王憑誠實判斷窮人、他的國位、必永遠
十五 堅立。十五杖打和責備、能加增智慧．放縱的兒子、使母親羞
十六 十七 愧。十六惡人加多、過犯也加多．義人必看見他們跌倒。十七管教
十八 你的兒子、他就使你得安息．也必使你心裏喜樂。十八沒有
十九 異象、(或作默示)民就放肆．惟遵守律法的、便為有福。十九只用言
二十 語、僕人不肯受管教．他雖然明白、也不留意。二十你見言語
二一 急躁的人麼．愚昧人比他更有指望。二一人將僕人從小嬌
二二 養、這僕人終久必成了他的兒子。二二好氣的人、挑啟爭端．
二三 暴怒的人、多多犯罪。二三人的高傲、必使他卑下．心裏謙遜
二四 的、必得尊榮。二四人與盜賊分贓、是恨惡自己的性命．他聽
二五 見叫人發誓的聲音、卻不言語。二五懼怕人的、陷入網羅．惟
二六 有倚靠耶和華的、必得安穩。二六求王恩的人多．定人事乃
二七 在耶和華。二七為非作歹的、被義人憎嫌．行事正直的、被惡
人憎惡。

第三十章　亞古珥之箴言

一雅基的兒子亞古珥的言語、就是眞言。
〇這人對以鐵和烏甲說、二我比衆人更蠢笨、也沒有人
的聰明。三我沒有學好智慧、也不認識至聖者。四誰昇天又
降下來．誰聚風在掌握中．誰包水在衣服裏．誰立定地
的四極．他名叫甚麽．他兒子名叫甚麽．你知道麽。〇
五神的言語、句句都是煉淨的、投靠他的、他便作他們的
盾牌。六他的言語、你不可加添、恐怕他責備你、你就顯爲
說謊言的。〇七我求你兩件事、在我未死之先、不要不賜
給我。八求你使虛假和謊言遠離我．使我也不貧窮、也不
富足、賜給我需用的飲食．九恐怕我飽足不認你、說耶和
華是誰呢．又恐怕我貧窮就偸竊、以致褻瀆我神的
名。〇十你不要向主人讒謗僕人、恐怕他咒詛你、你便算
爲有罪。〇十一有一宗人、(宗原文作代下同)咒詛父親、不給母親祝
福。十二有一宗人、自以爲清潔、卻沒有洗去自己的汚穢。十三有
一宗人、眼目何其高傲、眼皮也是高舉。十四有一宗人、牙如
劍、齒如刀、要吞滅地上的困苦人、和世間的窮乏人。〇
十五螞蟥有兩個女兒、常說、給呀給呀．有三樣不知足的、連
不說彀的共有四樣．十六就是陰間、和石胎、浸水不足的地、
並火。〇十七戲笑父親、藐視而不聽從母親的、他的眼睛必
爲谷中的烏鴉啄出來、爲鷹雛所喫。〇十八我所測不透的
奇妙有三樣、連我所不知道的共有四樣．十九就是鷹在空
中飛的道、蛇在磐石上爬的道、船在海中行的道、男與
女交合的道。二十淫婦的道、也是這樣．他喫了把嘴一擦、就
說、我沒有行惡。〇二一使地震動的有三樣、連地擔不起的
共有四樣．二二就是僕人作王．愚頑人喫飽．二三醜惡的女子出
嫁．婢女接續主母。〇二四地上有四樣小物、卻甚聰明．二五螞蟻
是無力之類、卻在夏天豫備糧食．二六沙番是輭弱之類、卻
在磐石中造房．二七蝗蟲沒有君王、卻分隊而出．二八守宮用爪
抓牆、卻住在王宮。〇二九步行威武的有三樣、連行走威武
的共有四樣．三十就是獅子乃百獸中最爲猛烈、無所躲避
的．三一獵狗、公山羊、和無人能敵的君王。〇三二你若行事愚頑、
自高自傲、或是懷了惡念、就當用手摀口．三三搖牛奶必成
奶油．扭鼻子必出血．照樣、激動怒氣必起爭端。

第三十一章　利慕伊勒母戒子之箴言

一利慕伊勒王的言語、是他母親教訓

二 他的眞言。○我的兒阿、我腹中生的兒阿、我許願得的
三 兒阿、我當怎樣教訓你呢。不要將你的精力給婦女、也
四 不要有敗壞君王的行爲。利慕伊勒阿、君王喝酒、君王
五 喝酒不相宜、王子說、濃酒在那裏、也不相宜。恐怕喝了
六 就忘記律例、顚倒一切困苦人的是非。可以把濃酒給
七 將亡的人喝、把淸酒給苦心的人喝。讓他喝了、就忘記
八 他的貧窮、不再記念他的苦楚。你當爲啞吧（或作不能自辯的）
九 開口、爲一切孤獨的伸寃。你當開口按公義判斷、爲困
苦和窮乏的辨屈。

論賢婦

十 十一 才德的婦人、誰能得着呢、他的價値遠勝過珍珠。他丈
十二 夫心裏倚靠他、必不缺少利益。他一生使丈夫有益無
十三 十四 損。他尋找羊羢和麻、甘心用手作工。他好像商船從遠
十五 方運糧來。未到黎明他就起來、把食物分給家中的人、
十六 將當作的工分派婢女。他想得田地、就買來、用手所得
十七 十八 之利、栽種葡萄園。他以能力束腰、使膀臂有力。他覺得
十九 所經營的有利、他的燈終夜不滅。他手拿撚綫竿、手把
二十 二一 紡綫車。他張手賙濟困苦人、伸手幫補窮乏之人。他不因
二二 下雪爲家裏的人擔心、因爲全家都穿着朱紅衣服。他
爲自己製作繡花毯子、他的衣服、是細麻和紫色布作
二三 的。他丈夫在城門口與本地的長老同坐、爲衆人所認
二四 二五 識。他作細麻布衣裳出賣、又將腰帶賣與商家。能力和
二六 威儀、是他的衣服、他想到日後的景況就喜笑。他開口
二七 就發智慧、他舌上有仁慈的法則。他觀察家務、並不喫
二八 二九 閒飯。他的兒女起來稱他有福、他的丈夫也稱讚他、說
三十 才德的女子很多、惟獨你超過一切。艷麗是虛假的、美
三一 容是虛浮的、惟敬畏耶和華的婦女、必得稱讚。願他享
受操作所得的、願他的工作、在城門口榮耀他。

箴言：三十章廿八節

箴言：廿四章卅一節

傳道書

傳道者言萬事盡屬虛空

第一章　一在耶路撒冷作王、大衛的兒子、傳道者的
言語。二○傳道者說、虛空的虛空、虛空的虛空。凡事都是
虛空。三人一切的勞碌、就是他在日光之下的勞碌、有甚
麼益處呢。四一代過去、一代又來、地卻永遠長存。五日頭出
來、日頭落下、急歸所出之地。六風往南颳、又向北轉、不住
的旋轉、而且返回轉行原道。七江河都往海裏流、海卻不
滿。江河從何處流、仍歸還何處。八萬事令人厭煩。或作萬物滿有困乏
人不能說盡。眼看、看不飽、耳聽、聽不足。九已有的事、後必
再有。已行的事、後必再行。日光之下並無新事。十豈有一
件事人能指着說、這是新的。那知、在我們以前的世代、
早已有了。十一已過的世代、無人記念、將來的世代、後來的
人也不記念。十二○我傳道者在耶路撒冷作過以色列的
王。十三我專心用智慧尋求查究天下所作的一切事、乃知
　神叫世人所經練的、是極重的勞苦。十四我見日光之下
所作的一切事、都是虛空、都是捕風。十五彎曲的不能變直。
缺少的不能足數。十六我心裏議論、說、我得了大智慧、勝過
我以前在耶路撒冷的眾人、而且我心中多經歷智慧、
和知識。十七我又專心察明智慧、狂妄、和愚昧、乃知這
也是捕風。十八因爲多有智慧、就多有愁煩、加增知識的、就
加增憂傷。

喜樂福祉亦屬虛空

第二章　一我心裏說、來罷、我以喜樂試試你、你好享
福。誰知、這也是虛空。二我指嬉笑說、這是狂妄、論喜樂說、
有何功效呢。三我心裏察究、如何用酒使我肉體舒暢、我
心卻仍以智慧引導我。又如何持住愚昧、等我看明世
人在天下一生當行何事爲美。

房舍田園仍屬虛空

四我爲自己動大工程、建造房屋、栽種葡萄園、五修造園囿、
在其中栽種各樣果木樹、六挖造水池、用以澆灌嫩小的
樹木。七我買了僕婢、也有生在家中的僕婢、又有許多牛
羣羊羣、勝過以前在耶路撒冷眾人所有的。八我又爲自
己積蓄金銀、和君王的財寶、並各省的財寶、又得唱歌
的男女、和世人所喜愛的物、並許多的妃嬪。九這樣、我就

日見昌盛、勝過以前在耶路撒冷的衆人．我的智慧仍
十 然存留。十凡我眼所求的、我沒有留下不給他的．我心所
樂的、我沒有禁止不享受的．因我的心爲我一切所勞
十一 碌的快樂．這就是我從勞碌中所得的分。十一後來我察看
我手所經營的一切事、和我勞碌所成的功．誰知都是
虛空、都是捕風、在日光之下毫無益處。

智慧終屬虛空

十二 十二我轉念觀看智慧、狂妄、和愚昧．在王以後而來的人、還
十三 能作甚麼呢．也不過行早先所行的就是了。十三我便看出
十四 智慧勝過愚昧、如同光明勝過黑暗。十四智慧人的眼目光
明、(光明原文作在他頭上)愚昧人在黑暗裏行．我卻看明有一件
十五 事、這兩等人都必遇見。十五我就心裏說、愚昧人所遇見的、
我也必遇見．我爲何更有智慧呢．我心裏說、這也是虛
十六 空。十六智慧人和愚昧人一樣、永遠無人記念．因爲日後都
十七 被忘記．可歎智慧人死亡、與愚昧人無異。十七我所以恨惡
生命、因爲在日光之下所行的事、我都以爲煩惱．都是
虛空、都是捕風。

勞碌所得不知遺誰斯亦虛空

十八 十八我恨惡一切的勞碌、就是我在日光之下的勞碌、因爲
十九 我得來的必留給我以後的人。十九那人是智慧、是愚昧、誰
能知道．他竟要管理我勞碌所得的、就是我在日光之
二十 下用智慧所得的．這也是虛空。二十故此、我轉想我在日光
二一 之下所勞碌的一切工作、心便絕望。二一因爲有人用智慧
知識靈巧所勞碌得來的、卻要留給未曾勞碌的人爲
二二 分．這也是虛空、也是大患。二二人在日光之下勞碌累心、在
二三 他一切的勞碌上得着甚麼呢．二三因爲他日日憂慮、他的
勞苦成爲愁煩．連夜間心也不安．這也是虛空。

神所悅者賜以智慧

二四 二四人莫強如喫喝、且在勞碌中享福．我看這也是出於
二五 二六 神的手。二五論到喫用享福、誰能勝過我呢。二六神喜悅誰、就
給誰智慧、知識、和喜樂．惟有罪人、 神使他勞苦、叫他
將所收聚的、所堆積的、歸給 神所喜悅的人．這也是
虛空、也是捕風。

第三章

萬事均有定時勞碌無益

一 二 一凡事都有定期、天下萬務都有定時．二生有

三 時、死有時．栽種有時、拔出所栽種的、也有時．[三]殺戮有時、
四 醫治有時．拆毀有時、建造有時．[四]哭有時、笑有時．哀慟有
五 時、跳舞有時．[五]拋擲石頭有時、堆聚石頭有時．懷抱有時、
六 不懷抱有時．[六]尋找有時、失落有時．保守有時、捨棄有時．
七八 [七]撕裂有時、縫補有時．靜默有時、言語有時．[八]喜愛有時、恨
九 惡有時．爭戰有時、和好有時。[九]……這樣看來、作事的人在他
十 的勞碌上有甚麼益處呢。[十]我見　神叫世人勞苦、使他
十一 們在其中受經練。[十一]神造萬物、各按其時成爲美好．又
將永生安置在世人心裏．（永生原文作永遠）然而　神從始至
十二 終的作爲、人不能參透。[十二]我知道世人、莫強如終身喜樂
十三 行善。[十三]並且人人喫喝、在他一切勞碌中享福．這也是
十四 神的恩賜。[十四]我知道　神一切所作的、都必永存、無所增
添、無所減少．神這樣行、是要人在他面前存敬畏的
十五 心。[十五]現今的事早先就有了．將來的事早已也有了．並且
神使已過的事重新再來．（或作並且　神再尋回已過的事）

世人所遇與獸無異

十六 [十六]我又見日光之下、在審判之處有奸惡．在公義之處也
十七 有奸惡。[十七]我心裏說、　神必審判義人和惡人．因爲在那
十八 裏、各樣事務、一切工作、都有定時。[十八]我心裏說、這乃爲世
人的緣故、是　神要試驗他們、使他們覺得自己不過
十九 像獸一樣。[十九]因爲世人遭遇的、獸也遭遇．所遭遇的都是
一樣．這個怎樣死、那個也怎樣死．氣息都是一樣．人不
二十 能強於獸．都是虛空。[二十]都歸一處．都是出於塵土、也都歸
二十一 於塵土。[二十一]誰知道人的靈是往上昇、獸的魂是下入地呢。
二十二 [二十二]故此、我見人、莫強如在他經營的事上喜樂．因爲這是
他的分．他身後的事、誰能使他回來得見呢。

受虐流涕無人慰藉

第四章

一 [一]我又轉念見日光之下所行的一切欺壓．
看哪、受欺壓的流淚、且無人安慰．欺壓他們的有勢力、
二 也無人安慰他們。[二]因此、我讚歎那早已死的死人、勝過
三 那還活着的活人．[三]並且我以爲那未曾生的、就是未見
四 過日光之下惡事的、比這兩等人更強。◯[四]我又見人爲
一切的勞碌、和各樣靈巧的工作、就被鄰舍嫉妒．這也
五六 是虛空、也是捕風。[五]愚昧人抱着手、喫自己的肉。[六]滿了一
七 把、得享安靜、強如滿了兩把、勞碌捕風。◯[七]我又轉念、見
八 日光之下有一件虛空的事。[八]有人孤單無二、無子無兄、

竟勞碌不息、眼目也不以錢財為足。他說我勞勞碌碌、
刻苦自己、不享福樂、到底是為誰呢。這也是虛空、是極
九 重的勞苦。九兩個人總比一個人好、因為二人勞碌同得
十 美好的果效。十若是跌倒、這人可以扶起他的同伴。若是
十一 孤身跌倒、沒有別人扶起他來、這人就有禍了。十一再者、二
十二 人同睡、就都煖和。一人獨睡、怎能煖和呢。十二有人攻勝孤
身一人、若有二人便能敵擋他。三股合成的繩子、不容
易折斷。

幼而智勝於老而愚

十三 十三貧窮而有智慧的少年人、勝過年老不肯納諫的愚昧
十四 王。十四這人是從監牢中出來作王、在他國中生來原是貧
十五 窮的。十五我見日光之下一切行動的活人、都隨從那第二
十六 位、就是起來代替老王的少年人。十六他所治理的眾人、就
是他的百姓、多得無數。在他後來的人、尚且不喜悅他。
這真是虛空、也是捕風。

第五章 於 神前勿造次多言

一 一你到 神的殿、要謹慎腳步。因為近前聽、
勝過愚昧人獻祭、(或作勝過獻愚昧人的祭)他們本不知道所作的

二 是惡。二你在 神面前不可冒失開口、也不可心急發言。
三 因為 神在天上、你在地下、所以你的言語要寡少。三事
四 務多、就令人作夢、言語多、就顯出愚昧。四你向 神許願、
償還不可遲延、因他不喜悅愚昧人、所以你許的願應
五六 當償還。五你許願不還、不如不許。六不可任你的口使肉體
犯罪、也不可在祭司(原文作使者)面前說是錯許了。為何使
七 神因你的聲音發怒、敗壞你手所作的呢。七多夢和多
言、其中多有虛幻。你只要敬畏 神。

金銀難饜人心貨財亦無所益

八 八你若在一省之中見窮人受欺壓、並奪去公義公平的
事、不要因此詫異。因有一位高過居高位的鑒察、在他
九 們以上還有更高的。九況且地的益處歸眾人、就是君王
十 也受田地的供應。◯十貪愛銀子的、不因得銀子知足、貪
十一 愛豐富的、也不因得利益知足。這也是虛空。十一貨物增添、
十二 喫的人也增添。物主得甚麼益處呢、不過眼看而已。十二勞
碌的人、不拘喫多喫少、睡得香甜、富足人的豐滿、卻不
十三 容他睡覺。◯十三我見日光之下、有一宗大禍患、就是財主
十四 積存貲財、反害自己。十四因遭遇禍患、這些貲財就消滅。那

十五 人若生了兒子、手裏也一無所有。[十五]他怎樣從母胎赤身
而來、也必照樣赤身而去。他所勞碌得來的、手中分毫
十六 不能帶去。[十六]他來的情形怎樣、他去的情形也怎樣。這也
十七 是一宗大禍患。他爲風勞碌有甚麽益處呢。[十七]並且他終
十八 身在黑暗中喫喝、多有煩惱、又有病患嘔氣。○[十八]我所見
爲善爲美的、就是人在　神賜他一生的日子喫喝、享
十九 受日光之下勞碌得來的好處、因爲這是他的分。[十九]神
賜人貲財豐富、使他能以喫用、能取自己的分、在他勞
二十 碌中喜樂。這乃是　神的恩賜。[二十]他不多思念自己一生
的年日、因爲　神應他的心使他喜樂。

第六章

富有貲財不得享用仍屬虛空

一 [一]我見日光之下有一宗禍患、重壓在人身
二 上。[二]就是人蒙　神賜他貲財、豐富、尊榮、以致他心裏所
願的一樣都不缺、只是　神使他不能喫用、反有外人
來喫用。這是虛空、也是禍患。

多子多壽亦屬虛空

三 [三]人若生一百個兒子、活許多歲數、以致他的年日甚多、
心裏卻不得滿享福樂、又不得埋葬、據我說、那不到期
四 而落的胎比他倒好。[四]因爲虛虛而來、暗暗而去、名字被
五 黑暗遮蔽。[五]並且沒有見過天日、也毫無知覺、這胎比那
六 人倒享安息。[六]那人雖然活千年、再活千年、卻不享福、衆
七 人豈不都歸一個地方去麽。○[七]人的勞碌都爲口腹、心
八 裏卻不知足。[八]這樣看來、智慧人比愚昧人有甚麽長處
九 呢。窮人在衆人面前知道如何行、有甚麽長處呢。[九]眼睛
所看的、比心裏妄想的倒好。這也是虛空、也是捕風。○
十 [十]先前所有的、早已起了名。並知道何爲人、他也不能與
十一 那比自己力大的相爭。[十一]加增虛浮的事既多、這與人有
十二 甚麽益處呢。[十二]人一生虛度的日子、就如影兒經過。誰知
道甚麽與他有益呢。誰能告訴他身後在日光之下有
甚麽事呢。

第七章

美名愈於香膏

一 [一]名譽強如美好的膏油。人死的日子、勝過
二 人生的日子。[二]往遭喪的家去、強如往宴樂的家去。因爲
三 死是衆人的結局、活人也必將這事放在心上。[三]憂愁強
四 如喜笑。因爲面帶愁容、終必使心喜樂。[四]智慧人的心在
遭喪之家。愚昧人的心在快樂之家。

受智者責勝於聽愚者歌

五六 五聽智慧人的責備、強如聽愚昧人的歌唱。六愚昧人的笑
七 聲、好像鍋下燒荊棘的爆聲、這也是虛空。七勒索使智慧
八 人變爲愚妄．賄賂能敗壞人的慧心。○八事情的終局、強
九 如事情的起頭、存心忍耐的、勝過居心驕傲的。九你不要
十 心裏急躁惱怒因爲惱怒存在愚昧人的懷中。十不要說、
先前的日子強過如今的日子、是甚麼緣故呢．你這樣
問、不是出於智慧。

智慧美於產業

十一 十一智慧和產業並好、而且見天日的人、得智慧更爲有益。
十二 十二因爲智慧護庇人、好像銀錢護庇人一樣．惟獨智慧能
十三 保全智慧人的生命、這就是知識的益處。十三你要察看
十四 神的作爲因 神使爲曲的、誰能變爲直呢。十四遇亨通的
日子、你當喜樂．遭患難的日子、你當思想．因爲 神使
十五 這兩樣並列、爲的是叫人查不出身後有甚麼事。○十五有
義人行義、反致滅亡．有惡人行惡、倒享長壽．這都是我
十六 在虛度之日中所見過的。十六不要行義過分．也不要過於
十七 自逞智慧．何必自取敗亡呢。十七不要行惡過分．也不要爲
十八 人愚昧．何必不到期而死呢。十八你持守這個爲美．那個也
不要鬆手．因爲敬畏 神的人、必從這兩樣出來。

義人難免無罪

十九二十 十九智慧使有智慧的人、比城中十個官長更有能力。二十時常
二一 行善而不犯罪的義人、世上實在沒有。二一人所說的一切
二二 話、你不要放在心上、恐怕聽見你的僕人咒詛你。二二因爲
二三 你心裏知道、自己也曾屢次咒詛別人。○二三我曾用智慧
二四 試驗這一切事．我說、要得智慧、智慧卻離我遠。二四萬事之
二五 理、離我甚遠、而且最深、誰能測透呢。二五我轉念一心要知
道、要考察、要尋求智慧、和萬事的理由．又要知道邪惡
二六 爲愚昧、愚昧爲狂妄。二六我得知有等婦人、比死還苦、他的
心是網羅、手是鎖鍊．凡蒙 神喜悅的人、必能躲避他．
二七二八 有罪的人、卻被他纏住了。二七二八傳道者說、看哪、一千男子中、
我找到一個正直人．但衆女子中沒有找到一個．我將
這事一一比較、要尋求其理、我心仍要尋找、卻未曾找
二九 到。二九我所找到的、只有一件、就是 神造人原是正直、但
他們尋出許多巧計。

第八章　宜遵守王命

一　[一]誰如智慧人呢。誰知道事情的解釋呢。人
二　的智慧使他的臉發光、並使他臉上的暴氣改變。[二]我勸
三　你遵守王的命令、既指　神起誓理當如此。[三]不要急躁
離開王的面前、不要固執行惡。因為他凡事都隨自己
四　的心意而行。[四]王的話本有權力、誰敢問他說、你作甚麼
五　呢。[五]凡遵守命令的、必不經歷禍患。智慧人的心、能辨明
六　時候和定理。(原文作審判下文節同)[六]各樣事務成就、都有時候和定
七　理。因為人的苦難、重壓在他身上。[七]他不知道將來的事、
八　因為將來如何、誰能告訴他呢。[八]無人有權力掌管生命、
將生命留住。也無人有權力掌管死期。這場爭戰、無人
九　能免。邪惡也不能救那好行邪惡的人。[九]這一切我都見
過、也專心查考日光之下所作的一切事。有時這人管
轄那人、令人受害。

敬畏　神終得福樂

十　[十]我見惡人埋葬、歸入墳墓。又見行正直事的、離開聖地、
十一　在城中被人忘記。這也是虛空。[十一]因為斷定罪名、不立刻
十二　施刑、所以世人滿心作惡。[十二]罪人雖然作惡百次、倒享長
久的年日。然而我準知道、敬畏　神的、就是在他面前
十三　敬畏的人、終久必得福樂。[十三]惡人卻不得福樂、也不得長
十四　久的年日、這年日好像影兒、因他不敬畏　神。○[十四]世上
有一件虛空的事、就是義人所遭遇的、反照惡人所行
的。又有惡人所遭遇的、反照義人所行的。我說、這也是
十五　虛空。[十五]我就稱讚快樂、原來人在日光之下、莫強如喫喝
快樂。因為他在日光之下、神賜他一生的年日、要從
十六　勞碌中、時常享受所得的。○[十六]我專心求智慧、要看世上
十七　所作的事。(有晝夜不睡覺、不合眼的。)[十七]我就看明
神一切的作為、知道人查不出日光之下所作的事。任
憑他費多少力尋查、都查不出來。就是智慧人雖想知
道、也是查不出來。

第九章　義人智人咸在　神掌握

一　[一]我將這一切事放在心上、詳細考究、就知
道義人和智慧人、並他們的作為、都在　神手中。或是
愛、或是恨、都在他們的前面、人不能知道。

善人惡人在世所遭無異

二　[二]凡臨到眾人的事、都是一樣。義人和惡人、都遭遇一樣

的事、好人潔淨人和不潔淨人、獻祭的與不獻祭的、也
是一樣。好人如何、罪人也如何。起誓的如何、怕起誓的
也如何。三在日光之下所行的一切事上、有一件禍患、就
是衆人所遭遇的、都是一樣。並且世人的心、充滿了惡。
活着的時候心裏狂妄、後來就歸死人那裏去了。四與一
切活人相連的、那人還有指望。因爲活着的狗、比死了
的獅子更強。五活着的人、知道必死。死了的人、毫無所知。
也不再得賞賜。他們的名無人記念。六他們的愛、他們的
恨、他們的嫉妒、早都消滅了。在日光之下所行的一切
事上、他們永不再有分了。○七你只管去歡歡喜喜喫你
的飯、心中快樂喝你的酒。因爲　神已經悅納你的作
爲。八你的衣服當時常潔白。你頭上也不要缺少膏油。九在
你一生虛空的年日、就是　神賜你在日光之下虛空
的年日、當同你所愛的妻、快活度日。因爲那是你生前、
在日光之下勞碌的事上所得的分。十凡你手所當作的
事、要盡力去作。因爲在你所必去的陰間、沒有工作、沒
有謀算、沒有知識、也沒有智慧。

人有智能未必亨通

我十一又轉念、見日光之下、快跑的未必能贏、力戰的未必
得勝、智慧的未必得糧食、明哲的未必得貲財、靈巧的
未必得喜悅。所臨到衆人的、是在乎當時的機會。十二原來
人也不知道自己的定期。魚被惡網圈住、鳥被網羅捉
住、禍患忽然臨到的時候、世人陷在其中、也是如此。

智慧愈於勇力

我十三見日光之下有一樣智慧、據我看乃是廣大、十四就是有
一小城、其中的人數稀少、有大君王來攻擊、修築營壘、
將城圍困。十五城中有一個貧窮的智慧人、他用智慧救了
那城、卻沒有人記念那窮人。十六我就說、智慧勝過勇力、然
而那貧窮人的智慧、被人藐視、他的話也無人聽從。○
寧十七可在安靜之中聽智慧人的言語、不聽掌管愚昧人
的喊聲。十八智慧勝過打仗的兵器。但一個罪人、能敗壞許
多善事。

論智愚

第十章　一死蒼蠅、使作香的膏油發出臭氣。這樣、一
點愚昧、也能敗壞智慧和尊榮。二智慧人的心居右、愚昧

三 人的心居左。三並且愚昧人行路、顯出無知、對衆人說、他
四 是愚昧人。四掌權者的心、若向你發怒、不要離開你的本
五 位、因爲柔和能免大過。○五我見日光之下、有一件禍患、
六 似乎出於掌權的錯誤、六就是愚昧人立在高位、富足人
七 坐在低位。七我見過僕人騎馬、王子像僕人在地上步行。
八 ○八挖陷坑的、自己必掉在其中、拆牆垣的、必爲蛇所咬。
九 十 九鑿開（或作挪移）石頭的、必受損傷、劈開木頭的、必遭危險。十鐵
器鈍了、若不將刃磨快、就必多費氣力、但得智慧指教、
十一 便有益處。十一未行法術以先、蛇若咬人、後行法術也是無
益。

智者出言惠人

十二 十三 十二智慧人的口、說出恩言、愚昧人的嘴、吞滅自己。十三他口中
十四 的言語、起頭是愚昧、他話的末尾、是奸惡的狂妄。十四愚昧
人多有言語、人卻不知將來有甚麼事、他身後的事、誰
十五 能告訴他呢。十五凡愚昧人、他的勞碌使自己困乏、因爲連
十六 進城的路他也不知道。○十六邦國阿、你的王若是孩童、你
十七 的羣臣早晨宴樂、你就有禍了。十七邦國阿、你的王若是貴
冑之子、你的羣臣按時喫喝、爲要補力、不爲酒醉、你就
有福了。

論懈惰

十八 十九 十八因人懶惰、房頂塌下、因人手懶、房屋滴漏。十九設擺筵席、是
二十 爲喜笑、酒能使人快活、錢能叫萬事應心。二十你不可咒詛
君王、也不可心懷此念、在你臥房也不可咒詛富戶、因
爲空中的鳥、必傳揚這聲音、有翅膀的、也必述說這事。

第十一章 論施濟

一 一當將你的糧食撒在水面、因爲日久必
二 能得着。二你要分給七人、或分給八人、因爲你不知道將
三 來有甚麼災禍臨到地上。三雲若滿了雨、就必傾倒在地
四 上。樹若向南倒、或向北倒、樹倒在何處、就存在何處。四看
五 風的必不撒種、望雲的必不收割。五風從何道來、骨頭在
懷孕婦人的胎中如何長成、你尚且不得知道、這樣、行
六 萬事之神的作爲、你更不得知道。六早晨要撒你的種、
晚上也不要歇你的手、因爲你不知道那一樣發旺、或
七 是早撒的、或是晚撒的、或是兩樣都好。七光本是佳美的、
八 眼見日光也是可悅的。八人活多年、就當快樂多年、然而
也當想到黑暗的日子、因爲這日子必多、所要來的都

是虛空。

幼時當知神必鞫諸事

[九]少年人哪、你在幼年時當快樂．在幼年的日子、使你的
心歡暢．行你心所願行的、看你眼所愛看的．卻要知道、
爲這一切的事、神必審問你。[十]所以你當從心中除掉
愁煩．從肉體克去邪惡．因爲一生的開端、和幼年之時、
都是虛空的。

第十二章

少壯時宜念造化之主

[一]你趁着年幼衰敗的日子尚未來到、就
是你所說、我毫無喜樂的那些年日未曾臨近之先、當
記念造你的主．[二]不要等到日頭、光明、月亮、星宿、變爲黑
暗、雨後雲彩反回．[三]看守房屋的發顫、有力的屈身、推磨
的稀少就止息、從窗戶往外看的都昏暗、[四]街門關閉、推
磨的響聲微小、雀鳥一叫、人就起來、歌唱的女子也都
衰微．[五]人怕高處、路上有驚慌、杏樹開花、蚱蜢成爲重擔、
人所願的也都廢掉．因爲人歸他永遠的家、弔喪的在
街上往來．[六]銀鍊折斷、金罐破裂、瓶子在泉旁損壞、水輪
在井口破爛、[七]塵土仍歸於地、靈仍歸於賜靈的神。[八]傳
道者說、虛空的虛空、凡事都是虛空。

傳道者多方訓衆

[九]再者、傳道者因有智慧、仍將知識教訓衆人．又默想、又
考查、又陳說許多箴言．[十]傳道者專心尋求可喜悅的言
語、是憑正直寫的誠實話。○[十一]智慧人的言語、好像刺棍．
會中之師的言語、又像釘穩的釘子．都是一個牧者所
賜的。[十二]我兒、還有一層、你當受勸戒．著書多、沒有窮盡．讀
書多、身體疲倦。

敬畏神謹守誡命爲人當盡之分

[十三]這些事都已聽見了．總意就是敬畏神、謹守他的誡
命．這是人所當盡的本分。（或作這是衆人的本分）[十四]因爲人所作的
事、連一切隱藏的事、無論是善是惡、神都必審問。

傳道書：十二章六節

雅歌

新婦與耶路撒冷諸女之言

一二 第一章 一所羅門的歌、是歌中的雅歌。〇二願他用口
三 與我親嘴．因你的愛情比酒更美。三你的膏油馨香、你的
四 名如同倒出來的香膏．所以衆童女都愛你。四願你吸引
我、我們就快跑跟隨你．王帶我進了內室．我們必因你
歡喜快樂．我們要稱讚你的愛情、勝似稱讚美酒．他們
五 愛你是理所當然的。〇五耶路撒冷的衆女子阿、我雖然
六 黑、卻是秀美、如同基達的帳棚、好像所羅門的幔子。六不
要因日頭把我曬黑了、就輕看我．我同母的弟兄向我
發怒．他們使我看守葡萄園、我自己的葡萄園、卻沒有
七 看守。七我心所愛的阿、求你告訴我你在何處牧羊、晌午
在何處使羊歇臥．我何必在你同伴的羊羣旁邊、好像
八 蒙着臉的人呢。〇八你這女子中極美麗的、你若不知道、
只管跟隨羊羣的脚踪去、把你的山羊羔牧放在牧人
九 帳棚的旁邊。九我的佳偶、我將你比法老車上套的駿馬。
十 十一 十你的兩頰、因髮辮而秀美、你的頸項、因珠串而華麗。十一我
們要爲你編上金辮、鑲上銀釘。

讚新郎之美

十二 十三 〇十二王正坐席的時候、我的哪噠香膏發出香味。十三我以我
十四 的良人爲一袋沒藥、常在我懷中。十四我以我的良人爲一
十五 棵鳳仙花、在隱基底葡萄園中。〇十五我的佳偶、你甚美麗、
十六 你甚美麗．你的眼好像鴿子眼。〇十六我的良人哪、你甚美
十七 麗可愛．我們以青草爲牀榻、十七以香柏樹爲房屋的棟梁、
以松樹爲椽子。

新郎新婦相愛

一 第二章 一我是沙崙的玫瑰花、（或作水仙花）是谷中的百
二 合花。〇二我的佳偶在女子中、好像百合花在荊棘內。〇
三 三我的良人在男子中、如同蘋果樹在樹林中．我歡歡喜
四 喜坐在他的蔭下、嘗他果子的滋味、覺得甘甜。四他帶我
五 入筵宴所、以愛爲旗在我以上。五求你們給我葡萄乾增
六 補我力、給我蘋果暢快我心．因我思愛成病。六他的左手
七 在我頭下、他的右手將我抱住。〇七耶路撒冷的衆女子
阿、我指着羚羊、或田野的母鹿、囑咐你們、不要驚動、不
要叫醒我所親愛的、等他自己情願。（不要叫醒云云或作不要激動愛情）

八 等他自發○聽阿、是我良人的聲音．看哪、他躥山越嶺而來．
九 我的良人好像羚羊、或像小鹿．他站在我們牆壁後、從
十 窗戶往裏觀看、從窗欞往裏窺探．○我良人對我說、我
十一 的佳偶、我的美人、起來、與我同去．因為冬天已往、雨水
十二 止住過去了．地上百花開放、百鳥鳴叫的時候（或作修理葡萄
十三 樹的時候）已經來到、班鳩的聲音在我們境內也聽見了．無
花果樹的果子漸漸成熟、葡萄樹開花放香．我的佳偶、
十四 我的美人、起來、與我同去．我的鴿子阿、你在磐石穴中、
在陡巖的隱密處、求你容我得見你的面貌、得聽你的
十五 聲音．因為你的聲音柔和、你的面貌秀美．○要給我們
擒拿狐狸、就是毀壞葡萄園的小狐狸．因為我們的葡
十六 萄正在開花．良人屬我、我也屬他．他在百合花中牧放
十七 羣羊．我的良人哪、求你等到天起涼風、日影飛去的時
候、你要轉回、好像羚羊、或像小鹿在比特山上．

第三章　新婦尋求新郎

一 我夜間躺臥在牀上、尋找我心所愛的．我
二 尋找他、卻尋不見．我說、我要起來、遊行城中、在街市上、
三 在寬闊處、尋找我心所愛的．我尋找他、卻尋不見．城中
巡邏看守的人遇見我．我問他們、你們看見我心所愛
四 的沒有．我剛離開他們、就遇見我心所愛的．我拉住他、
五 不容他走、領他入我母家、到懷我者的內室．○耶路撒
冷的眾女子阿、我指着羚羊、或田野的母鹿、囑咐你們、
不要驚動、不要叫醒我所親愛的、等他自己情願．（不要叫醒
六 云云或作不要激動愛情等他自發）○那從曠野上來、形狀如煙柱、以沒
七 藥和乳香、並商人各樣香粉薰的、是誰呢．看哪、是所羅
八 門的轎、四圍有六十個勇士、都是以色列中的勇士．手
九 都持刀、善於爭戰．腰間佩刀、防備夜間有驚慌．所羅門
十 王用利巴嫩木、為自己製造一乘華轎．轎柱是用銀作
的、轎底是用金作的、坐墊是紫色的、其中所鋪的乃耶
十一 路撒冷眾女子的愛情．錫安的眾女子阿、你們出去觀
看所羅門王、頭戴冠冕、就是在他婚筵的日子、心中喜
樂的時候、他母親給他戴上的．

第四章　新郎稱美新婦

一 我的佳偶、你甚美麗、你甚美麗．你的眼在
帕子內好像鴿子眼．你的頭髮如同山羊羣、臥在基列
二 山旁．你的牙齒如新剪毛的一羣母羊、洗淨上來、個個

三都有雙生、沒有一隻喪掉子的。三你的唇好像一條朱紅
綫、你的嘴也秀美。你的兩太陽在帕子內如同一塊石
四榴。四你的頸項好像大衛建造收藏軍器的高臺、其上懸
五掛一千盾牌、都是勇士的藤牌。五你的兩乳、好像百合花
六中喫草的一對小鹿、就是母鹿雙生的。○六我要往沒藥
山、和乳香岡去、直等到天起涼風、日影飛去的時候回:
七八來。○七我的佳偶、你全然美麗、毫無瑕疵。八我的新婦、求你
與我一同離開利巴嫩、與我一同離開利巴嫩。從亞瑪
拿頂、從示尼珥與黑門頂、從有獅子的洞、從有豹子的
九山、往下觀看。九我妹子、我新婦、你奪了我的心。你用眼一
十看、用你項上的一條金鍊、奪了我的心。十我妹子、我新婦、
你的愛情何其美。你的愛情比酒更美。你膏油的香氣
十一勝過一切香品。十一我新婦、你的嘴唇滴蜜、好像蜂房滴蜜
你的舌下有蜜有奶。你衣服的香氣如利巴嫩的香氣。
十二我十二妹子、我新婦、乃是關鎖的園、禁閉的井、封閉的泉源。
十三你十三園內所種的、結了石榴、有佳美的果子、並鳳仙花、與
十四哪噠樹。十四有哪噠、和番紅花、菖蒲、和桂樹、並各樣乳香木、
十五沒藥、沉香、與一切上等的果品。十五你是園中的泉、活水的
十六井、從利巴嫩流下來的溪水。○十六北風阿、興起。南風阿、吹
來。吹在我的園內、使其中的香氣發出來。願我的良人
進入自己園裏、喫他佳美的果子。

第五章　新郎暫離新婦憂傷

一我一妹子、我新婦、我進了我的園中、採了我
的沒藥和香料、喫了我的蜜房和蜂蜜、喝了我的酒和
奶。我的朋友們、請喫、我所親愛的、請喝、且多多的喝。○
二我二身睡臥、我心卻醒。這是我良人的聲音、他敲門說、我
的妹子、我的佳偶、我的鴿子、我的完全人、求你給我開
三門、因我的頭滿了露水、我的頭髮被夜露滴濕。我三回答:
說、我脫了衣裳、怎能再穿上呢。我洗了腳、怎能再玷污
四五呢。四我的良人從門孔裏伸進手來、我便因他動了心。五我
起來、要給我良人開門。我的兩手滴下沒藥、我的指頭
六有沒藥汁滴在門閂上。六我給我的良人開了門、我的良
人卻已轉身走了。他說話的時候、我神不守舍。我尋找
七他、竟尋不見。我呼叫他、他卻不回答。七城中巡邏看守的
人遇見我、打了我、傷了我、看守城牆的人奪去我的披
八肩。八耶路撒冷的眾女子阿、我囑咐你們、若遇見我的良

九 人、要告訴他、我因思愛成病。○你這女子中極美麗的、
你的良人、比別人的良人有何強處、你的良人比別人
的良人有何強處、你就這樣囑咐我們。

新婦稱譽新郎

十 十一 我的良人白而且紅、超乎萬人之上。他的頭像至精的
十二 金子。他的頭髮厚密纍垂、黑如烏鴉。他的眼如溪水旁
十三 的鴿子眼、用奶洗淨安得合式。他的兩腮如香花畦、如
十四 香草臺。他的嘴唇像百合花、且滴下沒藥汁。他的兩手
好像金管、鑲嵌水蒼玉。他的身體如同雕刻的象牙、周
十五 圍鑲嵌藍寶石。他的腿好像白玉石柱、安在精金座上。
十六 他的形狀如利巴嫩、且佳美如香柏樹。他的口極其甘
甜、他全然可愛。耶路撒冷的衆女子阿、這是我的良人、
這是我的朋友。

新婦遊觀於園

一 **第六章** 你這女子中極美麗的、你的良人往何處
去了、你的良人轉向何處去了、我們好與你同去尋找
二 他。○我的良人下入自己園中、到香花畦、在園內牧放
三 羣羊、採百合花。我屬我的良人、我的良人也屬我。他在

四 百合花中牧放羣羊。○我的佳偶阿、你美麗如得撒、秀
五 美如耶路撒冷、威武如展開旌旗的軍隊。求你掉轉眼
目不看我、因你的眼目使我驚亂。你的頭髮如同山羊
六 羣、臥在基列山旁。你的牙齒如一羣母羊、洗淨上來。個
七 個都有雙生、沒有一隻喪掉子的。你的兩太陽在帕子
八 內、如同一塊石榴。有六十王后、八十妃嬪、並有無數的
九 童女。我的鴿子、我的完全人、只有這一個。是他母親獨
生的、是生養他者所寶愛的。衆女子見了、就稱他有福。
十 王后妃嬪見了、也讚美他。○那向外觀看如晨光發現、
美麗如月亮、皎潔如日頭、威武如展開旌旗軍隊的是
十一 誰呢。○我下入核桃園、要看谷中青綠的植物、要看葡
十二 萄發芽沒有、石榴開花沒有。不知不覺、我的心將我安
十三 置在我尊長的車中。○回來、回來、書拉密女、你回來、你
回來、使我們得觀看你。○你們爲何要觀看書拉密女、
像觀看瑪哈念跳舞的呢。

新婦請新郎同適葡萄園

一 **第七章** 王女阿、你的脚在鞋中何其美好。你的大
二 腿圓潤、好像美玉、是巧匠的手作成的。你的肚臍如圓

杯、不缺調和的酒。你的腰如一堆麥子、周圍有百合花。
三四 你[三]的兩乳好像一對小鹿、就是母鹿雙生的。[四]你的頸項
如象牙臺。你的眼目像希實本巴特拉併門旁的水池。
五 你的鼻子彷彿朝大馬色的利巴嫩塔。[五]你的頭在你身
上好像迦密山。你頭上的髮是紫黑色。王的心因這下
六 垂的髮綹繫住了。[六]我所愛的、你何其美好、何其可悅、使
七 人歡暢喜樂。[七]你的身量、好像棕樹。你的兩乳如同其上
八 的果子、纍纍下垂。[八]我說我要上這棕樹、抓住枝子。願你
的兩乳、好像葡萄纍纍下垂、你鼻子的氣味香如蘋果、
九 你[九]的口如上好的酒、女子說、爲我的良人下咽舒暢、流
十 十一 入睡覺人的嘴中。○[十]我屬我的良人、他也戀慕我。[十一]我的
良人來罷、你我可以往田間去、你我可以在村莊住宿。
十二 我[十二]們早晨起來往葡萄園去看看葡萄發芽開花沒有、
十三 石榴放蕊沒有、我在那裏要將我的愛情給你。[十三]風茄放
香、在我們的門內有各樣新陳佳美的果子、我的良人、
這都是我爲你存留的。

第八章

[一]**新婦切愛新郎**

一 巴不得你像我的兄弟、像喫我母親奶的

二 兄弟。我在外頭遇見你、就與你親嘴、誰也不輕看我。[二]我
必引導你、領你進我母親的家、我可以領受教訓、也就
三 使你喝石榴汁釀的香酒。[三]他的左手必在我頭下、他的
四 右手必將我抱住。○[四]耶路撒冷的衆女子阿、我囑咐你
們、不要驚動、不要叫醒我所親愛的、等他自己情願。不要
叫醒云云或作不要激動愛情等他自發
五 ○[五]那靠着良人從曠野上來的是
誰呢。○我在蘋果樹下叫醒你、你母親在那裏爲你劬
勞、生養你的在那裏爲你劬勞。

愛情若火不能滅沒

六 ○[六]求你將我放在心上如印記、帶在你臂上如戳記。因
爲愛情如死之堅強、嫉恨如陰間之殘忍、所發的電光、
七 是火焰的電光、是耶和華的烈焰。[七]愛情、衆水不能息滅、
大水也不能淹沒、若有人拿家中所有的財寶要換愛
八 情、就全被藐視。○[八]我們有一小妹、他的兩乳尚未長成、
九 人來題親的日子、我們當爲他怎樣辦理。○[九]他若是牆、
我們要在其上建造銀塔、他若是門、我們要用香柏木
十 板圍護他。○[十]我是牆、我兩乳像其上的樓、那時我在他
十一 眼中像得平安的人。[十一]所羅門在巴力哈們有一葡萄園。

他將這葡萄園交給看守的人、爲其中的果子、必交一
十二 千舍客勒銀子。十二我自己的葡萄園在我面前所羅門哪、
十三 一千舍客勒歸你二百舍客勒歸看守果子的人。十三你
這住在園中的、同伴都要聽你的聲音求你使我也得
十四 聽見。十四我的良人哪、求你快來、如羚羊或小鹿在香草
山上。

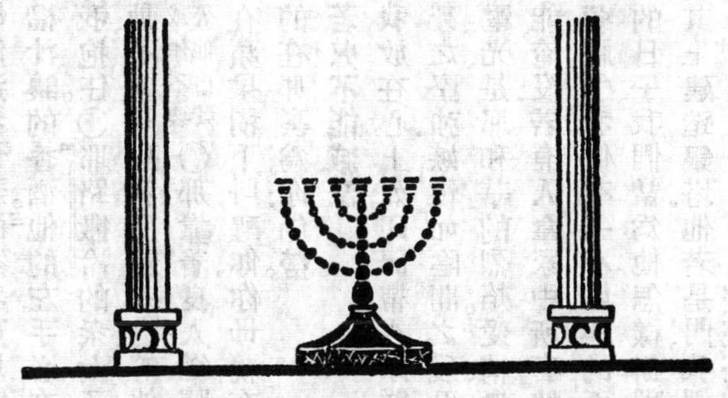

以賽亞書

責民悖逆

一 第一章 一當烏西雅、約坦、亞哈斯、希西家、作猶大王
的時候、亞摩斯的兒子以賽亞得默示、論到猶大和耶
二 路撒冷。○二天哪、要聽、地阿、側耳而聽、因為耶和華說、我
三 養育兒女、將他們養大、他們竟悖逆我。三牛認識主人、驢
認識主人的槽、以色列卻不認識、我的民卻不留意。

歎其受罰仍不悔改

四 四嗐、犯罪的國民、擔着罪孽的百姓、行惡的種類、敗壞的
兒女、他們離棄耶和華、藐視以色列的聖者、與他生疏、
五 往後退步。五你們為甚麼屢次悖逆、還要受責打麼。你們
六 已經滿頭疼痛、全心發昏。六從腳掌到頭頂、沒有一處完
全的、盡是傷口、青腫、與新打的傷痕、都沒有收口、沒有
七 纏裹、也沒有用膏滋潤。七你們的地土已經荒涼、你們的
城邑被火焚燬、你們的田地、在你們眼前為外邦人所
八 侵吞、既被外邦人傾覆、就成為荒涼。八僅存錫安城、城原文作女子
九 好像葡萄園的草棚、瓜田的茅屋、被圍困的城邑。九若
不是萬軍之耶和華給我們稍留餘種、我們早已像所
多瑪、蛾摩拉的樣子了。

雖守節獻祭仍行作惡

十 十你們這所多瑪的官長阿、要聽耶和華的話、你們這蛾
十一 摩拉的百姓阿、要側耳聽我們神的訓誨。十一耶和華說、
你們所獻的許多祭物、與我何益呢。公綿羊的燔祭、和
肥畜的脂油、我已經夠了。公牛的血、羊羔的血、公山羊
十二 的血、我都不喜悅。十二你們來朝見我、誰向你們討這些、使
十三 你們踐踏我的院宇呢。十三你們不要再獻虛浮的供物、香
品是我所憎惡的。月朔和安息日、並宣召的大會、也是
十四 我所憎惡的。作罪孽又守嚴肅會、我也不能容忍。十四你們
的月朔、和節期、我心裏恨惡、我都以為麻煩、我擔當便
十五 不耐煩。十五你們舉手禱告、我必遮眼不看、就是你們多多
的祈禱、我也不聽、你們的手都滿了殺人的血。

教以除惡行善之道

十六 十六你們要洗濯、自潔、從我眼前除掉你們的惡行、要止住
十七 作惡、十七學習行善、尋求公平、解救受欺壓的、給孤兒伸冤、
為寡婦辨屈。

悔改則降之以福否則必加之以禍

十八 十八耶和華說、你們來、我們彼此辯論。你們的罪雖像硃紅、
十九 必變成雪白．雖紅如丹顏、必白如羊毛。十九你們若甘心聽
二十 從、必喫地上的美物．二十若不聽從、反倒悖逆、必被刀劍吞
滅．這是耶和華親口說的。

歎聖城敗壞

二一 二一可歎忠信的城、變為妓女．從前充滿了公平、公義居在
二二 其中、現今卻有兇手居住。二二你的銀子、變為渣滓、你的酒、
二三 用水攙對．二三你的官長居心悖逆、與盜賊作伴．各都喜愛
賄賂、追求贓私．他們不為孤兒伸冤、寡婦的案件、也不
得呈到他們面前。

錫安必蒙救贖

二四 二四因此、主萬軍之耶和華以色列的大能者說、哎、我要向
二五 我的對頭雪恨、向我的敵人報仇．二五我必反手加在你身
二六 上、煉盡你的渣滓、除淨你的雜質．二六我也必復還你的審
二七 判官、像起初一樣、復還你的謀士、像起先一般．然後你
必稱為公義之城、忠信之邑。二七錫安必因公平得蒙救贖、
二八 其中歸正的人、必因公義得蒙救贖．二八但悖逆的、和犯罪
二九 的、必一同敗亡、離棄耶和華的、必致消滅。二九那等人必因
你們所喜愛的橡樹抱愧、你們必因所選擇的園子蒙
三十 羞。三十因為你們必如葉子枯乾的橡樹、好像無水澆灌的
三一 園子。三一有權勢的必如麻瓤、他的工作、好像火星、都要一
同焚燬、無人撲滅。

末日萬民必歸耶和華殿之山

一 **第二章** 一亞摩斯的兒子以賽亞得默示、論到猶大、
二 和耶路撒冷。◎二末後的日子、耶和華殿的山必堅立、超
三 乎諸山、高舉過於萬嶺．萬民都要流歸這山。三必有許多
國的民前往、說、來罷、我們登耶和華的山、奔雅各神
的殿．主必將他的道教訓我們、我們也要行他的路．因
為訓誨必出於錫安、耶和華的言語、必出於耶路撒冷。
四 四他必在列國中施行審判、為許多國民斷定是非．他們
要將刀打成犂頭、把槍打成鐮刀．這國不舉刀攻擊那
五 國、他們也不再學習戰事。五◎雅各家阿、來罷、我們在耶
六 和華的光明中行走。六耶和華、你離棄了你百姓雅各家、
是因他們充滿了東方的風俗、作觀兆的、像非利士人
七 一樣、並與外邦人擊掌。七他們的國滿了金銀、財寶也無

八 窮．他們的地滿了馬匹、車輛也無數。他們的地滿了偶
九 像．他們跪拜自己手所造的、就是自己指頭所作的。卑
十 賤人屈膝、尊貴人下跪．所以不可饒恕他們。你當進入
巖穴、藏在土中、躲避耶和華的驚嚇、和他威嚴的榮光。
十一 到那日、眼目高傲的必降為卑、性情狂傲的都必屈膝．
惟獨耶和華被尊崇。

耶和華獨見崇高

十二 必有萬軍耶和華降罰的一個日子、要臨到驕傲狂妄
十三 的、一切自高的都必降為卑。又臨到利巴嫩高大的香
十四 十五 柏樹、和巴珊的橡樹．又臨到一切高山的峻嶺．又臨到
十六 高臺、和堅固城牆．又臨到他施的船隻、並一切可愛的
十七 美物．驕傲的必屈膝、狂妄的必降卑．在那日、惟獨耶和
華被尊崇。

偶像全被廢棄

十八 十九 偶像必全然廢棄。耶和華興起使地大震動的時候、人
就進入石洞、進入土穴、躲避耶和華的驚嚇、和他威嚴
二十 的榮光。到那日、人必將為拜而造的金偶像、銀偶像、拋
二十一 給田鼠和蝙蝠．到耶和華興起使地大震動的時候、人
二十二 好進入磐石洞中、和巖石穴裏、躲避耶和華的驚嚇、和
他威嚴的榮光。你們休要倚靠世人．他鼻孔裏不過有
氣息．他在一切事上可算甚麼呢。

第三章

耶和華將除衆民所賴者

一 主萬軍之耶和華、從耶路撒冷和猶大除
掉衆人所倚靠的、所仗賴的、就是所倚靠的糧、所仗賴
二 的水．除掉勇士、和戰士、審判官、和先知、占卜的、和長老、
三 五十夫長、和尊貴人、謀士、和有巧藝的、以及妙行法術
四 的。我必使孩童作他們的首領、使嬰孩轄管他們。
五 百姓要彼此欺壓、各人受鄰舍的欺壓．少年人必侮慢
六 老年人、卑賤人必侮慢尊貴人。人在父家拉住弟兄、說、
你有衣服、可以作我們的官長、這敗落的事歸在你手
七 下罷．那時他必揚聲說、我不作醫治你們的人、因我家
中沒有糧食、也沒有衣服．你們不可立我作百姓的官
八 長。耶路撒冷敗落、猶大傾倒．因為他們的舌頭、和行為、
九 與耶和華反對、惹了他榮光的眼目。他們的面色證明
自己的不正．他們述說自己的罪惡、並不隱瞞、好像所
十 多瑪一樣．他們有禍了．因為作惡自害。你們要論義人

十一 說、他必享福樂．因爲要喫自己行爲所結的果子。十一惡人
有禍了．他必遭災難．因爲要照自己手所行的受報應。
十二 十二至於我的百姓、孩童欺壓他們、婦女轄管他們。

導民者誘民於邪

我的百姓阿、引導你的使你走錯、並毀壞你所行的道
十三 十四 路。◯十三耶和華起來辯論、站着審判衆民。十四耶和華必審問
他民中的長老和首領、說、喫盡葡萄園果子的就是你
十五 們．向貧窮人所奪的、都在你們家中。十五主萬軍之耶和華
說、你們爲何壓制我的百姓、搓磨貧窮人的臉呢。

妖豔驕侈之女必遭災禍

十六 十六耶和華又說、因爲錫安的女子狂傲、行走挺項、賣弄眼
十七 目、俏步徐行、脚下玎璫．十七所以主必使錫安的女子頭長
十八 禿瘡、耶和華又使他們赤露下體。十八到那日、主必除掉他
十九 二十 們華美的脚釧、髮網、月牙圈．十九耳環、手鐲、蒙臉的帕子．二十華
二十一 二十二 冠、足鍊、華帶、香盒、符囊．二十一戒指、鼻環．二十二吉服、外套、雲肩、荷包、
二十三 二十四 二十三手鏡、細麻衣、裏頭巾、蒙身的帕子。二十四必有臭爛代替馨香、
繩子代替腰帶、光禿代替美髮、麻衣繫腰代替華服、烙
二十五 傷代替美容。二十五你的男丁必倒在刀下、你的勇士必死在
二十六 陣上。二十六錫安〔原文作他〕的城門必悲傷、哀號．他必荒涼坐在地
上。

以色列民錄名於生命册者必稱聖免難

一 **第四章**　一在那日、七個女人必拉住一個男人、說、我
們喫自己的食物、穿自己的衣服．但求你許我們歸你
二 名下．求你除掉我們的羞恥。◯二到那日、耶和華發生的
苗必華美尊榮、地的出產必爲以色列逃脫的人顯爲
三 四 榮華茂盛。三四主以公義的靈、和焚燒的靈、將錫安女子的
污穢洗去、又將耶路撒冷中殺人的血除淨．那時賸在
錫安留在耶路撒冷的、就是一切住耶路撒冷、在生命
五 册上記名的、必稱爲聖。五耶和華也必在錫安全山、並各
會衆以上、使白日有煙雲、黑夜有火燄的光．因爲在全
六 榮耀之上、必有遮蔽。六必有亭子、白日可以得蔭避暑、也
可以作爲藏身之處、躲避狂風暴雨。

葡萄園之喻

一 **第五章**　一我要爲我所親愛的唱歌、是我所愛者的
歌、論他葡萄園的事。我所親愛的有葡萄園、在肥美的
二 山岡上．二他刨挖園子、撿去石頭、栽種上等的葡萄樹、在

園中蓋了一座樓、又鑿出壓酒池．指望結好葡萄、反倒
三 結了野葡萄。○耶路撒冷的居民、和猶大人哪、請你們
四 現今在我與我的葡萄園中、斷定是非。我為我葡萄園
所作之外、還有甚麼可作的呢．我指望結好葡萄、怎麼
五 倒結了野葡萄呢。現在我告訴你們、我要向我葡萄園
怎樣行．我必撤去籬笆、使他被吞滅．拆毀牆垣、使他被
六 踐踏．我必使他荒廢．不再修理、不再鋤刨．荊棘蒺藜倒
七 要生長．我也必命雲不降雨在其上。萬軍之耶和華的
葡萄園、就是以色列家．他所喜愛的樹、就是猶大人．他
指望的是公平、誰知倒有暴虐．（或作流人血）指望的是公義、
八 誰知倒有冤聲。○禍哉、那些以房接房、以地連地、以致
九 不留餘地的、只顧自己獨居境內。我耳聞萬軍之耶和
華說、必有許多又大又美的房屋、成為荒涼、無人居住。
十 三十畝葡萄園只出一罷特酒．一賀梅珥穀種只結一
十一 伊法糧食。禍哉、那些清早起來、追求濃酒、留連到夜深、
十二 甚至因酒發燒的人．他們在筵席上彈琴、鼓瑟、擊鼓、吹
笛、飲酒、卻不顧念耶和華的作為、也不留心他手所作
十三 的。○所以我的百姓、因無知就被擄去．他們的尊貴人

十四 甚是飢餓、羣眾極其乾渴。故此、陰間擴張其欲、開了無
限量的口．他們的榮耀、羣眾、繁華、並快樂的人、都落在
十五 其中。卑賤人被壓服、尊貴人降為卑、眼目高傲的人也
十六 降為卑．惟有萬軍之耶和華、因公平而崇高．聖者 神、
十七 因公義顯為聖。那時羊羔必來喫草、如同在自己的草
塲．豐肥人的荒塲被遊行的人喫盡。

虛偽邪惡必受災禍

十八 禍哉、那些以虛假之細繩牽罪孽的人、他們又像以套
十九 繩拉罪惡．說、任他急速行、趕快成就他的作為、使我們
看看．任以色列聖者所謀劃的臨近成就、使我們知道。
二十 禍哉、那些稱惡為善、稱善為惡、以暗為光、以光為暗、以
二一 苦為甜、以甜為苦的人。禍哉、那些自以為有智慧、自看
二二 為通達的人。禍哉、那些勇於飲酒、以能力調濃酒的人。
二三 二四 他們因受賄賂、就稱惡人為義、將義人的義奪去。○火
苗怎樣吞滅碎稭、乾草怎樣落在火燄之中、照樣、他們
的根必像朽物、他們的花、必像灰塵飛騰．因為他們厭
二五 棄萬軍之耶和華的訓誨、藐視以色列聖者的言語。所
以耶和華的怒氣向他的百姓發作、他的手伸出攻擊

他們、山嶺就震動、他們的屍首在街市上好像糞土．雖
二六 然如此、他的怒氣還未轉消、他的手仍伸不縮。〇二六他必
豎立大旗、招遠方的國民、發嘶聲叫他們從地極而來．
二七 看哪、他們必急速奔來．二七其中沒有疲倦的、絆跌的、沒有
二八 打盹的、睡覺的．腰帶並不放鬆、鞋帶也不折斷．二八他們的
二九 箭快利、弓也上了弦．馬蹄算如堅石、車輪好像旋風．二九他
們要吼叫像母獅子、咆哮像少壯獅子．他們要咆哮抓
三十 食、坦然叼去、無人救回。三十那日他們要向以色列人吼叫、
像海浪匉訇．人若望地、只見黑暗艱難．光明在雲中變
爲昏暗。

以賽亞得見主榮

一 **第六章** 一當烏西雅王崩的那年、我見主坐在高高
二 的寶座上．他的衣裳垂下、遮滿聖殿。二其上有撒拉弗侍
立．各有六個翅膀．用兩個翅膀遮臉、兩個翅膀遮腳、兩
三 個翅膀飛翔．三彼此呼喊說、聖哉、聖哉、聖哉、萬軍之耶和
四 華．他的榮光充滿全地。四因呼喊者的聲音、門檻的根基
五 震動、殿充滿了煙雲。五那時我說、禍哉、我滅亡了．因爲我
是嘴唇不潔的人、又住在嘴唇不潔的民中、又因我眼
六 見大君王萬軍之耶和華。〇六有一撒拉弗飛到我跟前、
七 手裏拿着紅炭、是用火剪從壇上取下來的．七將炭沾我
的口、說、看哪、這炭沾了你的嘴．你的罪孽便除掉、你的
八 罪惡就赦免了。八我又聽見主的聲音說、我可以差遣誰
九 呢、誰肯爲我們去呢．我說、我在這裏、請差遣我。九他說、你
去告訴這百姓說、你們聽是要聽見、卻不明白．看是要
十 看見、卻不曉得。十要使這百姓心蒙脂油、耳朵發沉、眼睛
昏迷．恐怕眼睛看見、耳朵聽見、心裏明白、回轉過來、便
十一 得醫治。十一我就說、主阿、這到幾時爲止呢。他說、直到城邑
十二 荒涼、無人居住、房屋空閒無人、地土極其荒涼．十二並且耶
十三 和華將人遷到遠方、在這境內撇下的地土很多。十三境內
剩下的人、若還有十分之一、也必被吞滅．像栗樹、橡樹、
雖被砍伐、樹不子卻仍存留．這聖潔的種類在國中也
是如此。

二王同攻耶路撒冷

一 **第七章** 一烏西雅的孫子、約坦的兒子猶大王亞哈
斯在位的時候、亞蘭王利汛、和利瑪利的兒子以色列
二 王比加上來攻打耶路撒冷、卻不能攻取。二有人告訴大

衞家說、亞蘭與以法蓮已經同盟。王的心和百姓的心
就都跳動、好像林中的樹被風吹動一樣。

以賽亞奉命慰亞哈斯

三 耶和華對以賽亞說、你和你的兒子施亞雅述出去、到
上池的水溝頭、在漂布地的大路上去迎接亞哈斯、對
四 他說、你要謹慎安靜、不要因亞蘭王利汛和利瑪利的
兒子、這兩個冒煙的火把頭所發的烈怒害怕、也不要
心裏膽怯。五 因為亞蘭和以法蓮並利瑪利的兒子、設惡
謀害你、六 說、我們可以上去、攻擊猶大、擾亂他、攻破他、在
其中立他比勒的兒子為王。七 所以主耶和華如此說、這
所謀的必立不住、也不得成就。八 原來亞蘭的首城是大
馬色、大馬色的首領是利汛。六十五年之內、以法蓮必
然破壞、不再成為國民。九 以法蓮的首城是撒瑪利亞、撒
瑪利亞的首領是利瑪利的兒子。你們若是不信、定然
不得立穩。

豫言童女生子為兆

十 耶和華又曉諭亞哈斯說、十一 你向耶和華你的　神求一
個兆頭。或求顯在深處、或求顯在高處。十二 亞哈斯說、我不
求、我不試探耶和華。十三 以賽亞說、大衞家阿、你們當聽。你
們使人厭煩豈算小事、還要使我的　神厭煩麼。十四 因此、
主自己要給你們一個兆頭、必有童女懷孕生子、給他
起名叫以馬內利。（就是　神與我們同在的意思）十五 到他曉得棄惡擇善的
時候、他必喫奶油與蜂蜜。十六 因為在這孩子還不曉得棄
惡擇善之先、你所憎惡的那二王之地、必致見棄。十七 耶和
華必使亞述王攻擊你的日子臨到、你和你的百姓、並
你的父家、自從以法蓮離開猶大以來、未曾有這樣的
日子。〇十八 那時、耶和華要發噝聲、使埃及江河源頭的蒼
蠅、和亞述地的蜂子飛來。十九 都必飛來、落在荒涼的谷內、
磐石的穴裏、和一切荊棘籬笆中、並一切的草場上。〇
二十 那時、主必用大河外賃的剃頭刀、就是亞述王、剃去頭
髮、和腳上的毛、並要剃淨鬍鬚。〇二十一 那時、一個人要養活
一隻母牛犢、兩隻母綿羊。二十二 因為出的奶多、他就得喫奶
油。在境內所剩的人、都要喫奶油與蜂蜜。〇二十三 從前凡種
一千棵葡萄樹、值銀一千舍客勒的地方、到那時、必長
荊棘和蒺藜。二十四 人上那裏去、必帶弓箭、因為遍地滿了荊
棘和蒺藜。二十五 所有用鋤刨挖的山地、你因怕荊棘和蒺藜、

不敢上那裏去、只可成了放牛之處、為羊踐踏之地。

第八章 猶大厭棄主訓將受重罰

一耶和華對我說、你取一個大牌、拿人所用
的筆、或作人常用的字寫上瑪黑珥沙拉勒哈施罷斯、就是擄掠速臨
搶奪快到的意思二我要用誠實的見證人、祭司烏利亞、和耶比
利家的兒子撒迦利亞、記錄這事。三我以賽亞與妻子原文作女先知
同室。他懷孕生子、耶和華就對我說、給他起名叫
瑪黑珥沙拉勒哈施罷斯。四因為在這小孩子不曉得叫
父叫母之先、大馬色的財寶、和撒瑪利亞的擄物、必在
亞述王面前搬了去。○五耶和華又曉諭我說、這百姓既
厭棄西羅亞緩流的水、喜悅利汛和利瑪利的兒子、七因
此、主必使大河翻騰的水猛然沖來、就是亞述王、和他
所有的威勢、必漫過一切的水道、漲過兩岸。八必沖入猶
大、漲溢氾濫、直到頸項。以馬內利阿、他展開翅膀、遍滿
你的地。

敬畏耶和華必得安慰

九列國的人民哪、任憑你們喧嚷、終必破壞。遠方的眾人
哪、當側耳而聽。任憑你們束起腰來、終必破壞。你們束
起腰來、終必破壞。十任憑你們同謀、終歸無有。任憑你們
言定、終不成立。因為神與我們同在。十一耶和華以大能
的手、指教我不可行這百姓所行的道、對我這樣說、十二這
百姓說、同謀背叛、你們不要說同謀背叛。他們所怕的、
你們不要怕、也不要畏懼。十三但要尊萬軍之耶和華為聖、
以他為你們所當怕的、所當畏懼的。十四他必作為聖所。卻
向以色列兩家作絆腳的石頭、跌人的磐石、向耶路撒
冷的居民、作為圈套和網羅。十五許多人必在其上絆腳跌
倒、而且跌碎、並陷入網羅、被纏住。○十六你要捲起律法書、
在我門徒中間封住訓誨。十七我要等候那掩面不顧雅各
家的耶和華、我也要仰望他。十八看哪、我與耶和華所給我
的兒女、就是從住在錫安山萬軍之耶和華來的、在以
色列中作為豫兆和奇蹟。

崇邪術者必受懲罰

十九有人對你們說、當求問那些交鬼的、和行巫術的、就是
聲音綿蠻言語微細的、你們便回答說、百姓不當求問
自己的神麼。豈可為活人求問死人呢。二十人當以訓誨
和法度為標準。他們所說的、若不與此相符、必不得見

二一 晨光。[二一]他們必經過這地、受艱難、受飢餓．飢餓的時候、心
二二 中焦躁、咒罵自己的君王、和自己的　神．[二二]仰觀上天、俯
察下地、不料盡是艱難、黑暗、和幽暗的痛苦．他們必被
趕入烏黑的黑暗中去。

處暗之民有光照耀

第九章

一 [一]但那受過痛苦的、必不再見幽暗。從前
神使西布倫地、和拿弗他利地被藐視．末後卻使這沿
二 海的路、約但河外、外邦人的加利利地、得着榮耀。[二]在黑
暗中行走的百姓、看見了大光．住在死蔭之地的人、有
三 光照耀他們。[三]你使這國民繁多、加增他們的喜樂．他們
在你面前歡喜、好像收割的歡喜、像人分擄物那樣的
四 快樂。[四]因為他們所負的重軛、和肩頭上的杖、並欺壓他
五 們人的棍、你都已經折斷、好像在米甸的日子一樣。[五]戰
士在亂殺之間所穿戴的盔甲、並那輥在血中的衣服、
六 都必作為可燒的、當作火柴。[六]因有一嬰孩為我們而生、
有一子賜給我們．政權必擔在他的肩頭上．他名稱為
七 奇妙、策士、全能的　神、永在的父、和平的君。[七]他的政權
與平安必加增無窮．他必在大衛的寶座上、治理他的
國、以公平公義使國堅定穩固、從今直到永遠。萬軍之
耶和華的熱心必成就這事。

以色列因驕致禍

八 九 [八]主使一言入於雅各家、落於以色列家．[九]這眾百姓、就是
以法蓮和撒瑪利亞的居民、都要知道．他們憑驕傲自
十 大的心說、[十]磚牆塌了、我們卻要鑿石頭建築．桑樹砍了、
十一 我們卻要換香柏樹。[十一]因此、耶和華要高舉利汛的敵人、
十二 來攻擊以色列、並要激動以色列的仇敵．[十二]東有亞蘭人、
西有非利士人．他們張口要吞喫以色列．雖然如此、耶
和華的怒氣還未轉消、他的手仍伸不縮。

雖遭重禍仍不歸主

十三 [十三]這百姓還沒有歸向擊打他們的主、也沒有尋求萬軍
十四 之耶和華。[十四]因此、耶和華一日之間、必從以色列中剪除
十五 頭與尾、棕枝與蘆葦。[十五]長老和尊貴人、就是頭．以謊言教
十六 人的先知、就是尾。[十六]因為引導這百姓的、使他們走錯了
十七 路．被引導的都必敗亡。[十七]所以主必不喜悅他們的少年
人、也不憐恤他們的孤兒寡婦．因為各人是褻瀆的、是
行惡的、並且各人的口、都說愚妄的話．雖然如此、耶和

十八 華的怒氣還未轉消、他的手仍伸不縮。○十八邪惡像火焚
燒、燒滅荊棘和蒺藜、在稠密的樹林中焚起來、就成爲
十九 煙柱、旋轉上騰。十九因萬軍之耶和華的烈怒、地都燒遍。百
二十 姓成爲火柴、無人憐愛弟兄。二十有人右邊搶奪、仍受飢餓。
二十一 左邊吞喫、仍不飽足。各人喫自己膀臂上的肉。二十一瑪拿西
吞喫(或作攻擊下同)以法蓮、以法蓮吞喫瑪拿西、又一同攻擊
猶大。雖然如此、耶和華的怒氣還未轉消、他的手仍伸
不縮。

第十章

行惡者必遭災禍

一 一禍哉、那些設立不義之律例的、和記錄奸
二 詐之判語的。二爲要屈枉窮乏人、奪去我民中困苦人的
三 理、以寡婦當作擄物、以孤兒當作掠物。三到降罰的日子、
有災禍從遠方臨到、那時、你們怎樣行呢、你們向誰逃
四 奔求救呢、你們的榮耀(或作財寶)存留何處呢。四他們只得屈
身在被擄的人以下、仆倒在被殺的人以下。雖然如此、
耶和華的怒氣還未轉消、他的手仍伸不縮。

亞述爲主之杖以擊褻慢國民

五六 五亞述是我怒氣的棍、手中拿我惱恨的杖。六我要打發他
攻擊褻瀆的國民、吩咐他攻擊我所惱怒的百姓、搶財
七 爲擄物、奪貨爲掠物、將他們踐踏、像街上的泥土一樣。
八 七然而他不是這樣的意思、他心也不這樣打算。他心裏
倒想毀滅、剪除不少的國。八他說、我的臣僕豈不都是王
九 麼。九迦勒挪豈不像迦基米施麼。哈馬豈不像亞珥拔麼。
十 撒瑪利亞豈不像大馬色麼。十我手已經搆到有偶像的
國、這些國雕刻的偶像過於耶路撒冷和撒瑪利亞的
十一 偶像。十一我怎樣待撒瑪利亞、和其中的偶像、豈不照樣待
十二 耶路撒冷、和其中的偶像麼。十二主在錫安山和耶路撒冷、
成就他一切工作的時候、主說、我必罰亞述王自大的
十三 心、和他高傲眼目的榮耀。十三因爲他說、我所成就的事、是
靠我手的能力、和我的智慧、我本有聰明。我挪移列國
十四 的地界、搶奪他們所積蓄的財寶、並且我像勇士、使坐
寶座的降爲卑。十四我的手搆到列國的財寶、好像人搆到
十五 鳥窩、我也得了全地、好像人拾起所棄的雀蛋、沒有動
翅膀的、沒有張嘴的、也沒有鳴叫的。○十五斧豈可向用斧
十六 砍木的自誇呢。鋸豈可向用鋸的自大呢。好比棍掄起
那舉棍的、好比杖舉起那非木的人。十六因此、主萬軍之耶

和華、必使亞述王的肥壯人變爲瘦弱。在他的榮華之
十七 下、必有火着起、如同焚燒一樣。十七以色列的光必如火、他
的聖者必如火焰。在一日之間、將亞述王的荊棘、和蒺
十八 藜、焚燒淨盡。十八又將他樹林、和肥田的榮耀、全然燒盡。好
十九 像拿軍旗的昏過去一樣。十九他林中剩下的樹必稀少、就
是孩子也能寫其數。

以色列遺民必歸主得救

二十 二十到那日、以色列所剩下的、和雅各家所逃脫的、不再倚
靠那擊打他們的、卻要誠實倚靠耶和華以色列的聖
二一 者。二一所剩下的、就是雅各家所剩下的、必歸回全能的
二二 神。二二以色列阿、你的百姓、雖多如海沙、惟有剩下的歸回。
二三 原來滅絕的事已定、必有公義施行、如水漲溢。二三因爲主
萬軍之耶和華、在全地之中、必成就所定規的結局。

主慰其民必釋亞述之軛

二四 二四所以主萬軍之耶和華如此說、住錫安我的百姓阿、亞
述王雖然用棍擊打你、又照埃及的樣子、舉杖攻擊你、
二五 你卻不要怕他。二五因爲還有一點點時候、向你們發的忿
二六 恨就要完畢、我的怒氣要向他發作、使他滅亡。二六萬軍之
耶和華要興起鞭來攻擊他、好像在俄立磐石那裏殺
戮米甸人一樣。耶和華的杖要向海伸出、把杖舉起、像
二七 在埃及一樣。二七到那日、亞述王的重擔必離開你的肩頭、
他的軛必離開你的頸項、那軛也必因肥壯的緣故撐
二八 斷。或作因膏油的緣故毀壞〇二八亞述王來到亞葉、經過米磯崙、在密
二九 抹安放輜重。二九他們過了隘口、在迦巴住宿。拉瑪人戰兢。
三十 掃羅的基比亞人逃跑。三十迦琳的居民哪、居民原文作女子要高
三一 聲呼喊。萊煞人哪、須聽。哀哉、困苦的亞拿突阿。三一瑪得米
三二 那人躲避。基柄的居民逃遁。三二當那日、亞述王要在挪伯
歇兵、向錫安女子的山、就是耶路撒冷的山、掄手攻他。
三三 〇三三看哪、主萬軍之耶和華、以驚嚇削去樹枝。長高的必
三四 被砍下、高大的必被伐倒。三四稠密的樹林、他要用鐵器砍
下、利巴嫩的樹木必被大能者伐倒。

第十一章

耶西之根將發枝結實

一 一從耶西的本原文作不必發一條、從他根生
二 的枝子必結果實。二耶和華的靈必住在他身上、就是使
他有智慧和聰明的靈、謀略和能力的靈、知識和敬畏
三 耶和華的靈。三他必以敬畏耶和華爲樂。行審判不憑眼

四 見、斷是非也不憑耳聞。四卻要以公義審判貧窮人、以正
直判斷世上的謙卑人．以口中的杖擊打世界．以嘴裏
五 的氣殺戮惡人。五公義必當他的腰帶、信實必當他脅下
六 的帶子。〇六豺狼必與綿羊羔同居、豹子與山羊羔同臥．
七 少壯獅子、與牛犢、並肥畜同羣．小孩子要牽引他們。七牛
必與熊同食、牛犢必與小熊同臥．獅子必喫草與牛一
八 樣。八喫奶的孩子必玩耍在虺蛇的洞口、斷奶的嬰兒必
九 按手在毒蛇的穴上。九在我聖山的遍處、這一切都不傷
人、不害物．因為認識耶和華的知識要充滿遍地、好像
十 水充滿洋海一般。〇十到那日、耶西的根立作萬民的大
旗．外邦人必尋求他．他安息之所大有榮耀。

以色列民旋返異邦亦歸附主

十一 十一當那日、主必二次伸手救回自己百姓中所餘剩的、就
是在亞述、埃及、巴忒羅、古實、以攔、示拿、哈馬、並眾海島
十二 所剩下的。十二他必向列國豎立大旗、招回以色列被趕散
十三 的人、又從地的四方聚集分散的猶大人。十三以法蓮的嫉
妒就必消散、擾害猶大的必被剪除．以法蓮必不嫉妒
十四 猶大、猶大也不擾害以法蓮。十四他們要向西飛撲在非利
士人的肩頭上．（肩頭上或作西界）一同擄掠東方人、伸手按住
十五 以東和摩押、亞捫人也必順服他們。十五耶和華必使埃及
海汊枯乾．掄手用暴熱的風、使大河分為七條、令人過
十六 去不至濕腳。十六為主餘剩的百姓、就是從亞述剩下回來
的、必有一條大道、如當日以色列從埃及地上來一樣。

稱謝耶和華救恩之歌

一 **第十二章** 一到那日、你必說、耶和華阿、我要稱謝你．
因為你雖然向我發怒、你的怒氣卻已轉消、你又安慰
二 了我。二看哪、神是我的拯救．我要倚靠他、並不懼怕．因
為主耶和華是我的力量、是我的詩歌．他也成了我的
三四 拯救。三所以你們必從救恩的泉源歡然取水。四在那日、你
們要說、當稱謝耶和華、求告他的名、將他所行的傳揚
五 在萬民中、題說他的名已被尊崇。五你們要向耶和華唱
六 歌．因他所行的甚是美好．但願這事普傳天下。六錫安的
居民哪、當揚聲歡呼．因為在你們中間的以色列聖者、
乃為至大。

論巴比倫之豫言

一 **第十三章** 一亞摩斯的兒子以賽亞得默示論巴比

倫。

耶和華震怒爰整其軍

二 二應當在淨光的山豎立大旗、向羣衆揚聲招手、使他們
三 進入貴冑的門。三我吩咐我所挑出來的人、我招呼我的
勇士、就是那矜誇高傲之輩、爲要成就我怒中所定的。
四 四山間有多人的聲音、好像是大國人民。有許多國的民
聚集鬨嚷的聲音、這是萬軍之耶和華點齊軍隊、豫備
五 打仗。五他們從遠方來、從天邊來、就是耶和華並他惱恨
六 的兵器、要毀滅這全地。六◯你們要哀號、因爲耶和華的
七 日子臨近了、這日來到、好像毀滅從全能者來到。七所以
八 人手都必輭弱、人心都必消化。八他們必驚惶悲痛、愁苦
必將他們抓住、他們疼痛、好像產難的婦人一樣、彼此
九 驚奇相看、臉如火焰。九耶和華的日子臨到、必有殘忍、忿
十 恨、烈怒、使這地荒涼、從其中除滅罪人。十天上的衆星羣
十一 宿、都不發光、日頭一出、就變黑暗、月亮也不放光。十一我必
因邪惡、刑罰世界、因罪孽、刑罰惡人、使驕傲人的狂妄
十二 止息、制伏強暴人的狂傲。十二我必使人比精金還少、使人
十三 比俄斐純金更少。十三我萬軍之耶和華在忿恨中發烈怒

十四 的日子、必使天震動、使地搖撼、離其本位。十四人必像被追
十五 趕的鹿、像無人收聚的羊、各歸回本族、各逃到本土。十五凡
十六 被仇敵追上的、必被刺死、凡被捉住的、必被刀殺。十六他們
的嬰孩、必在他們眼前摔碎、他們的房屋、必被搶奪、他
們的妻子、必被玷污。

巴比倫必如所多瑪之傾覆

十七 十七我必激動瑪代人來攻擊他們、瑪代人不注重銀子、也
十八 不喜愛金子。十八他們必用弓擊碎少年人、不憐憫婦人所
十九 生的、眼也不顧惜孩子。十九巴比倫素來爲列國的榮耀、爲
迦勒底人所矜誇的華美、必像　神所傾覆的所多瑪
二十 蛾摩拉一樣。二十其內必永無人煙、世世代代無人居住、亞
拉伯人也不在那裏支搭帳棚、牧羊的人也不使羊羣
二十一 臥在那裏。二十一只有曠野的走獸臥在那裏、咆哮的獸滿了
二十二 房屋、鴕鳥住在那裏、野山羊在那裏跳舞。二十二豺狼必在他
宮中呼號、野狗必在他華美殿內吼叫、巴比倫受罰的
時候臨近、他的日子、必不長久。

第十四章

必使以色列歸故土

一 一耶和華要憐恤雅各、必再揀選以色列、

將他們安置在本地．寄居的必與他們聯合、緊貼雅各
二 家。外邦人必將他們帶回本土．以色列家必在耶和華
的地上得外邦人爲僕婢．也要擄掠先前擄掠他們的、
轄制先前欺壓他們的。

命作歌以刺巴比倫王

三 當耶和華使你脫離愁苦、煩惱、並人勉強你作的苦工、
四 得享安息的日子、你必題這詩歌論巴比倫王說、欺壓
五 人的何竟息滅、強暴的何竟止息。耶和華折斷了惡人
六 的杖、轄制人的圭、就是在忿怒中連連攻擊眾民的、在
七 怒氣中轄制列國、行逼迫無人阻止的。現在全地得安
八 息、享平靜．人皆發聲歡呼。松樹和利巴嫩的香柏樹、都
九 因你歡樂、說、自從你仆倒、再無人上來砍伐我們。你下
到陰間、陰間就因你震動、來迎接你．又因你驚動在世
曾爲首領的陰魂、並使那曾爲列國君王的、都離位站
十 起。他們都要發言對你說、你也變爲輭弱像我們一樣
十一 麼．你也成了我們的樣子麼。你的威勢、和你琴瑟的聲
十二 音、都下到陰間．你下鋪的是蟲、上蓋的是蛆。○明亮之
星、早晨之子阿、你何竟從天墜落．你這攻敗列國的、何

十三 竟被砍倒在地上。你心裏曾說、我要升到天上．我要高
舉我的寶座在神眾星以上．我要坐在聚會的山上、
十四 在北方的極處．我要升到高雲之上．我要與至上者同
十五 十六 等。然而你必墜落陰間、到坑中極深之處。凡看見你的、
都要定睛看你、留意看你、說、使大地戰抖、使列國震動、
十七 使世界如同荒野、使城邑傾覆、不釋放被擄的人歸家、
十八 是這個人麼。列國的君王俱各在自己陰宅的榮耀中
十九 安睡．惟獨你被拋棄、不得入你的墳墓、好像可憎的枝
子．以被殺的人爲衣、就是被刀刺透、墜落坑中石頭那
二十 裏的．你又像被踐踏的屍首一樣。你不得與君王同葬、
因爲你敗壞你的國、殺戮你的民．惡人後裔的名、必永
二一 不題說。○先人既有罪孽、就要豫備殺戮他的子孫、免
二二 得他們興起來、得了遍地、在世上修滿城邑。萬軍之耶
和華說、我必興起攻擊他們、將巴比倫的名號、和所餘
二三 剩的人、連子帶孫、一並剪除．這是耶和華說的。我必使
巴比倫爲箭豬所得、又變爲水池．我要用滅亡的掃箒
二四 掃淨他．這是萬軍之耶和華說的。○萬軍之耶和華起
誓說、我怎樣思想、必照樣成就．我怎樣定意、必照樣成

二五 立。二五就是在我地上打折亞述人、在我山上將他踐踏。他
加的軛、必離開以色列人、他加的重擔、必離開他們的
二六 肩頭。二六這是向全地所定的旨意、這是向萬國所伸出的
二七 手。二七萬軍之耶和華既然定意、誰能廢棄呢。他的手已經
二八 伸出、誰能轉回呢。○二八亞哈斯王崩的那年、就有以下的
默示。

豫言非利士之重災

二九 二九非利士全地阿、不要因擊打你的杖折斷就喜樂。因爲
三十 從蛇的根、必生出毒蛇。他所生的、是火焰的飛龍。三十貧寒
人的長子、必有所食、窮乏人必安然躺臥。我必以飢荒
三一 治死你的根、你所餘剩的人、必被殺戮。三一門阿、應當哀號。
城阿、應當呼喊。非利士全地阿、你都消化了。因爲有煙
三二 從北方出來。他行伍中、並無亂隊的。○三二可怎樣回答外
邦的使者呢。外邦或指非利士必說、耶和華建立了錫安、他百
姓中的困苦人、必投奔在其中。

豫示摩押必覆亡

一 **第十五章** 一論摩押的默示。○一夜之間、摩押的亞
珥、變爲荒廢歸於無有。一夜之間、摩押的基珥、變爲荒

二 廢、歸於無有。二他們上巴益、又往底本到高處去哭泣。摩
三 押人因尼波和米底巴哀號、各人頭上光禿、鬍鬚剃淨。
三他們在街市上都腰束麻布、在房頂上和寬闊處、俱各
四 哀號、眼淚汪汪。四希實本和以利亞利悲哀的聲音達到
五 雅雜。所以摩押帶兵器的高聲喊嚷、人心戰兢。五我心爲
摩押悲哀。他的貴冑、或作逃民逃到瑣珥、到伊基拉施利施
六 亞。他們上魯希坡隨走隨哭。在何羅念的路上、因毀滅
七 舉起哀聲。六因爲寧林的水成爲乾涸、青草枯乾、嫩草滅
八 沒、青綠之物、一無所有。七因此、摩押人所得的財物和所
九 積蓄的、都要運過柳樹河。八哀聲遍聞摩押的四境。哀號
的聲音、達到以基蓮、哀號的聲音、達到比珥以琳。九底們
的水充滿了血、我還要加增底們的災難、叫獅子來追
上摩押逃脫的民、和那地上所餘剩的人。

勸摩押納貢於錫安之君

一 **第十六章** 一你們當將羊羔奉給那地掌權的、從西
二 拉往曠野、送到錫安城的山。城原文作女子二摩押的居民、居民原文
三 作女子在亞嫩渡口、必像遊飛的鳥、如拆窩的雛。三求你獻
謀略、行公平、使你的影子在午間如黑夜、隱藏被趕散

四 的人。不可顯露逃民。四求你容我這被趕散的人和你同
居。至於摩押、求你作他的隱密處、脫離滅命者的面。勒
索人的歸於無有、毀滅的事止息了、欺壓人的從國中
五 除滅了。五必有寶座因慈愛堅立。必有一位誠誠實實坐
在其上、在大衛帳幕中施行審判、尋求公平、速行公義。

摩押狂傲必遭災罰

六 六我們聽說摩押人驕傲、是極其驕傲、聽說他狂妄、驕傲、
七 忿怒、他誇大的話、是虛空的。七因此、摩押人必為摩押哀
號、人人都要哀號。你們摩押人要為吉珥哈列設的葡
萄餅哀歎、極其憂傷。

先知哀歎之言

八 八因為希實本的田地、和西比瑪的葡萄樹、都衰殘了。列
國的君主折斷其上美好的枝子。這枝子長到雅謝延
九 到曠野。嫩枝向外探出、直探過鹽海。九因此、我要為西比
瑪的葡萄樹哀哭與雅謝人哀哭一樣。希實本以利亞
利阿、我要以眼淚澆灌你。因為有交戰吶喊的聲音、臨
十 到你夏天的果子、並你收割的莊稼。十從肥美的田中奪
去了歡喜快樂。在葡萄園裏、必無歌唱、也無歡呼的聲
十一 音。踹酒的在酒醡中不得踹出酒來。我使他歡呼的聲
十二 音止息。十一因此、我心腹為摩押哀鳴如琴、我心腸為吉珥
哈列設也是如此。十二摩押人朝見的時候、在高處疲乏、又
到他聖所祈禱、也不蒙應允。

豫定摩押遭災之期

十三十四 十三這是耶和華從前論摩押的話。十四但現在耶和華說、三年
之內、照雇工的年數、摩押的榮耀、與他的羣衆、必被藐
視、餘剩的人、甚少無幾。

豫示大馬色必被廢棄

第十七章

一 一論大馬色的默示。○看哪、大馬色已被
二 廢棄、不再為城、必變作亂堆。二亞羅珥的城邑已被撇棄。
三 必成為牧羊之處、羊在那裏躺臥、無人驚嚇。三以法蓮不
再有保障、大馬色不再有國權、亞蘭所剩下的、必像以
色列人的榮耀消滅一樣。這是萬軍之耶和華說的。

豫言遺民歸主

四 四到那日雅各的榮耀必至枵薄、他肥胖的身體、必漸瘦
五 弱。五就必像收割的人收斂禾稼、用手割取穗子、又像人
六 在利乏音谷拾取遺落的穗子。六其間所剩下的不多、好

像人打橄欖樹、在儘上的枝梢上、只剩兩三個果子、在
多果樹的旁枝上、只剩四五個果子．這是耶和華以色
七 列的神說的。七當那日人必仰望造他們的主、眼目重
八 看以色列的聖者。八他們必不仰望祭壇、就是自己手所
築的、也不重看自己指頭所作的、無論是木偶、是日像。
九 九在那日他們的堅固城、必像樹林中和山頂上所撇棄
的地方、就是從前在以色列人面前被人撇棄的、這樣、
地就荒涼了。

遺忘神者必遭喪亡

十 十因你忘記救你的神、不記念你能力的磐石．所以你
十一 栽上佳美的樹秧子、插上異樣的栽子．十一栽種的日子、你
周圍圈上籬笆、又到早晨使你所種的開花．但在愁苦
極其傷痛的日子、所收割的、都飛去了。

敵以色列者必被斥逐

十二 十二○唉、多民鬨嚷、好像海浪匉訇．列邦奔騰、好像猛水滔
十三 滔．十三列邦奔騰、好像多水滔滔．但神斥責他們、他們就
遠遠逃避、又被追趕、如同山上的風前糠、又如暴風前
十四 的旋風土．十四到晚上有驚嚇、未到早晨、他們就沒有了．這
是擄掠我們之人所得的分、是搶奪我們之人的報應。

第十八章 古實之民英勇可畏

一唉、古實河外翅膀刷刷響聲之地、二差遣
二 使者在水面上、坐蒲草船過海、先知說、你們快行的使
者、要到高大光滑的民那裏去．自從開國以來、那民極
三 其可畏、是分地界踐踏人的、他們的地有江河分開。三世
上一切的居民、和地上所住的人哪、山上豎立大旗的
時候、你們要看、吹角的時候、你們要聽。

奉禮於耶和華

四 四耶和華對我這樣說、我要安靜、在我的居所觀看、如同
五 日光中的清熱、又如露水的雲霧在收割的熱天。五收割
之先、花開已謝、花也成了將熟的葡萄、他必用鐮刀削
六 去嫩枝、又砍掉蔓延的枝條。六都要撇給山間的鷙鳥、和
地上的野獸．夏天鷙鳥要宿在其上、冬天野獸都臥在
七 其中。七到那時、這高大光滑的民、就是從開國以來極其
可畏、分地界踐踏人的、他們的地有江河分開、他們必
將禮物奉給萬軍之耶和華、就是奉到錫安山耶和華
安置他名的地方。

第十九章

豫示埃及之禍亂

一 一論埃及的默示。○看哪、耶和華乘駕快
雲、臨到埃及、埃及的偶像在他面前戰兢、埃及人的心
二 在裏面消化。二我必激動埃及人攻擊埃及人、弟兄攻擊
三 弟兄、鄰舍攻擊鄰舍、這城攻擊那城、這國攻擊那國。三埃
及人的心神、必在裏面耗盡。我必敗壞他們的謀略。他
四 們必求問偶像、和念咒的、交鬼的、行巫術的。四我必將埃
及人交在殘忍主的手中。強暴王必轄制他們。這是主
五 萬軍之耶和華說的。○五海中的水必絕盡、河也消沒乾
六 涸。六江河要變臭、埃及的河水、都必減少枯乾。葦子和蘆
七 荻、都必衰殘。七靠尼羅河旁的草田、並沿尼羅河所種的
八 田、都必枯乾、莊稼被風吹去、歸於無有。八打魚的必哀哭、
在尼羅河一切釣魚的必悲傷、在水上撒網的、必都衰
十九 弱。九用梳好的麻造物的、和織白布的、都必羞愧。十國柱必
被打碎、所有傭工的、心必愁煩。

牧伯謀士盡爲愚蒙

十一 十一瑣安的首領極其愚昧、法老大有智慧的謀士、所籌畫
的、成爲愚謀。你們怎敢對法老說、我是智慧人的子孫、
十二 我是古王的後裔。十二你的智慧人在那裏呢。萬軍之耶和
華向埃及所定的旨意、他們可以知道、可以告訴你罷。
十三 十三瑣安的首領、都變爲愚昧、挪弗的首領、都受了迷惑。當
十四 埃及支派房角石的、使埃及人走錯了路。十四耶和華使乖
謬的靈攙入埃及中間、首領使埃及一切所作的、都有
十五 差錯、好像醉酒之人嘔吐的時候東倒西歪一樣。十五埃及
中、無論是頭與尾、棕枝與蘆葦、所作之工、都不成就。○
十六 十六到那日、埃及人必像婦人一樣。他們必因萬軍之耶和
十七 華在埃及以上所掄的手、戰兢懼怕。十七猶大地必使埃及
驚恐。向誰題起猶大地、誰就懼怕。這是因萬軍之耶和
十八 華向埃及所定的旨意。○十八當那日、埃及地必有五城的
人說迦南的方言、又指着萬軍之耶和華起誓。有一城、
必稱爲滅亡城。

埃及人識主蒙救

十九 十九當那日、在埃及地中必有爲耶和華築的一座壇。在埃
二十 及的邊界上、必有爲耶和華立的一根柱。二十這都要在埃
及地爲萬軍之耶和華作記號和證據。埃及人因爲受
人的欺壓哀求耶和華、他就差遣一位救主作護衛者、

二一 拯救他們。耶和華必被埃及人所認識。在那日埃及人
必認識耶和華、也要獻祭物和供物敬拜他、並向耶和
二二 華許願還願。耶和華必擊打埃及、又擊打又醫治。埃及
人就歸向耶和華。他必應允他們的禱告醫治他們。○
二三 當那日必有從埃及通亞述去的大道。亞述人要進入
埃及、埃及人也進入亞述。埃及人要與亞述人一同敬
二四 拜耶和華……。○當那日以色列必與埃及亞述三國一律、
二五 使地上的人得福。因為萬軍之耶和華賜福給他們、說、
埃及我的百姓、亞述我手的工作、以色列我的產業、都
有福了。

豫言埃及與古實被擄

一 第二十章 亞述王撒珥根打發他珥探到亞實突
二 的那年、他珥探就攻打亞實突、將城攻取。那時耶和華
曉諭亞摩斯的兒子以賽亞說、你去解掉你腰間的麻
布、脫下你脚上的鞋。以賽亞就這樣作、露身赤脚行走。
三 耶和華說、我僕人以賽亞怎樣露身赤脚行走三年、作
四 為關乎埃及和古實的豫兆奇蹟。照樣、亞述王也必擄
去埃及人、古實人、無論老少、都露身赤脚、現出下
五 體、使埃及蒙羞。以色列人必因所仰望的古實、所誇耀
六 的埃及驚惶羞愧。那時這沿海一帶的居民必說、看哪、
我們素所仰望的、就是我們為脫離亞述王逃往求救
的、不過是如此。我們怎能逃脫呢。

先知見異象得覩巴比倫被滅之慘

一 第二十一章 論海旁曠野的默示。○有仇敵從曠
二 野、從可怕之地而來、好像南方的旋風、猛然掃過。令人
悽慘的異象已默示於我。詭詐的行詭詐、毀滅的行毀
滅。以攔哪、你要上去。瑪代阿、你要圍困。主說、我使一切
三 歎息止住。所以我滿腰疼痛。痛苦將我抓住、好像產難
的婦人一樣。我疼痛甚至不能聽。我驚惶甚至不能看。
四 我心慌張、驚恐威嚇我。我所羨慕的黃昏、變為我的戰
五 兢。他們擺設筵席、派人守望、又喫又喝。首領阿、你們起
六 來、用油抹盾牌。主對我如此說、你去設立守望的、使他
七 將所看見的述說。他看見軍隊、就是騎馬的一對一對
八 的來、又看見驢隊、駱駝隊、就要側耳細聽。他像獅子吼
叫、說、主阿、我白日常站在望樓上、整夜立在我守望所。
九 看哪、有一隊軍兵騎着馬、一對一對的來。他就說、巴比

倫傾倒了、傾倒了、他一切雕刻的神像、都打碎於地。○
十我被打的禾稼、我場上的穀阿、我從萬軍之耶和華以
色列的神那裏所聽見的、都告訴你們了。

論度瑪之豫言

十一論度瑪的默示。○有人聲從西珥呼問我說、守望的阿、
夜裏如何、夜裏如何。十二守望的說、早晨將到、黑
夜也來。你們若要問就可以問、可以回頭再來。

論亞拉伯之豫言

十三論亞拉伯的默示。○底但結伴的客旅阿、你們必在亞
拉伯的樹林中住宿。十四提瑪地的居民拿水來、送給口渴
的、拿餅來迎接逃避的。十五因為他們逃避刀劍、和出了鞘
的刀、並上了弦的弓、與刀兵的重災。十六主對我這樣說、一
年之內、照雇工的年數、基達的一切榮耀必歸於無有。
十七弓箭手所餘剩的、就是基達人的勇士、必然稀少、因為
這是耶和華以色列的神說的。

第二十二章

為耶路撒冷哀哭因其將遭毀滅

一論異象谷的默示。○有甚麼事使你
這滿城的人都上房頂呢。二你這滿處吶喊、大有喧嘩的
城、歡樂的邑阿、你中間被殺的、並不是被刀殺、也不是
因打仗死亡。三你所有的官長一同逃跑、都為弓箭手所
捆綁。你中間一切被找到的都一同被捆綁、他們本是
逃往遠方的。四所以我說、你們轉眼不看我、我要痛哭、不
要因我眾民（原文作民女）的毀滅、就竭力安慰我。○五因為主
萬軍之耶和華使異象谷有潰亂、踐踏、煩擾的日子。城
被攻破、哀聲達到山間。六以攔帶着箭袋、還有坐戰車的
和馬兵、吉珥揭開盾牌。七你嘉美的谷遍滿戰車、也有馬
兵在城門前排列。八他去掉猶大的遮蓋。那日、你就仰望
林庫內的軍器。九你們看見大衛城的破口很多、便聚積
下池的水。十又數點耶路撒冷的房屋、將房屋拆毀、修補
城牆。十一又在兩道城牆中間挖一個聚水池、可盛舊池的
水。卻不仰望作這事的主、也不顧念從古定這事的。

耶和華令民改悔民仍飲食歡樂

十二當那日、主萬軍之耶和華叫人哭泣哀號、頭上光禿、身
披麻布。十三誰知、人倒歡喜快樂、宰牛殺羊、喫肉喝酒、說、我
們喫喝罷、因為明天要死了。十四萬軍之耶和華親自默示
我說、這罪孽直到你們死、斷不得赦免、這是主萬軍之

耶和華說的。
豫言舍伯那見黜
十五 十五主萬軍之耶和華這樣說、你去見掌銀庫的、就是家宰
十六 舍伯那、對他說、十六你在這裏作甚麼呢。有甚麼人竟在這
裏鑿墳墓、就是在高處爲自己鑿墳墓、在磐石中爲自
十七 己鑿出安身之所。十七看哪、耶和華必像大有力的人、將你
十八 緊緊纏裹、竭力拋去。十八他必將你輥成一團、拋在寬闊之
地、好像拋球一樣。你這主人家的羞辱、必在那裏坐你
十九 榮耀的車、也必在那裏死亡。十九我必趕逐你離開官職、你
必從你的原位撤下。
召以利亞敬承舍伯那職
二十一 二十到那日我必召我僕人希勒家的兒子以利亞敬來、將二十一
你的外袍給他穿上、將你的腰帶給他繫緊、將你的政
權交在他手中。他必作耶路撒冷居民和猶大家的父。
二十二 二十二我必將大衛家的鑰匙放在他肩頭上、他開、無人能關、
二十三 他關、無人能開。二十三我必將他安穩、像釘子釘在堅固處、他
二十四 必作爲他父家榮耀的寶座。二十四他父家所有的榮耀、連兒
女帶子孫、都掛在他身上、好像一切小器皿、從杯子到
二五 酒餅掛上一樣。二五萬軍之耶和華說、當那日釘在堅固處
的釘子必壓斜、被砍斷落地、掛在其上的重擔必被剪
斷。因爲這是耶和華說的。

第二十三章

豫示推羅之荒廢
一 一論推羅的默示。○他施的船隻、都要
哀號。因爲推羅變爲荒塲、甚至沒有房屋、沒有可進之
二 路。這消息是從基提地得來的。二沿海的居民、就是素來
三 靠航海西頓的商家得豐盛的、你們當靜默無言。三在大
水之上、西曷的糧食、尼羅河的莊稼、是推羅的進項、他
四 作列國的大碼頭。四西頓哪、你當慚愧、因爲大海說、就是
海中的保障說、我沒有劬勞、也沒有生產、沒有養育男
五 子、也沒有撫養童女。五這風聲傳到埃及、埃及人爲推羅
六 的風聲、極其疼痛。六推羅人哪、你們當過到他施去。沿海
七 的居民哪、你們都當哀號。七這是你們歡樂的城、從上古
八 而有的麼、其中的居民、往遠方寄居。○八推羅本是賜冠
冕的、他的商家是王子、他的買賣人、是世上的尊貴人。
九 遭遇如此、是誰定的呢。九是萬軍之耶和華所定的、爲要
汚辱一切高傲的榮耀、使地上一切的尊貴人被藐視。

十 十他施的民哪、民原文作女可以流行你的地、好像尼羅河、不
十一 再有腰帶拘緊你。十一耶和華已經向海伸手、震動列國、至
十二 於迦南、他已經吩咐拆毀其中的保障。十二他又說、受欺壓
西頓的居民哪、居民原文作處女你必不得再歡樂起來、過到
基提去、就是在那裏也不得安歇。

越七十年推羅必蒙眷顧

十三 十三看哪、迦勒底人之地向來沒有這民。這國是亞述人為
住曠野的人所立的。現在他們建築戍樓、拆毀推羅的
十四 宮殿、使他成為荒涼。十四他施的船隻都要哀號、因為你們
十五 的保障變為荒塲。十五到那時推羅必被忘記七十年、照着
一王的年日。七十年後、推羅的景況、必像妓女所唱的
十六 歌。十六你這被忘記的妓女阿、拿琴周流城內、巧彈多唱、使
十七 人再想念你。十七七十年後、耶和華必眷顧推羅、他就仍得
十八 利息、原文作雇價下同與地上的萬國交易。原文作行淫十八他的貨財
和利息、要歸耶和華為聖、必不積儹存留。因為他的貨
財必為住在耶和華面前的人所得、使他們喫飽、穿耐
久的衣服。

居民背約主降災罰

一 **第二十四章** 一看哪、耶和華使地空虛、變為荒涼。又
二 翻轉大地、將居民分散。二那時百姓怎樣、祭司也怎樣。僕
人怎樣、主人也怎樣。婢女怎樣、主母也怎樣。買物的怎
樣、賣物的也怎樣。放債的怎樣、借債的也怎樣。取利的
三 怎樣、出利的也怎樣。三地必全然空虛、盡都荒涼、因為這
四 話是耶和華說的。四地上悲哀衰殘、世界敗落衰殘、地上
五 居高位的人也敗落了。五地被其上的居民汚穢、因為他
六 們犯了律法、廢了律例、背了永約。六所以地被咒詛吞滅、
住在其上的顯為有罪。地上的居民被火焚燒、剩下的
七 人稀少。七新酒悲哀、葡萄樹衰殘、心中歡樂的、俱都歎息。
八 八鼙鼓之樂止息、宴樂人的聲音完畢、彈琴之樂也止息
九 十 了。九人必不得飲酒唱歌。喝濃酒的、必以為苦。十荒涼的城
十一 拆毀了。各家關門閉戶、使人都不得進去。十一在街上因酒
有悲歎的聲音。一切喜樂變為昏暗。地上的歡樂歸於
十二 十三 無有。十二城中只有荒涼、城門拆毀淨盡。十三在地上的萬民中、
必像打過的橄欖樹、又像已摘的葡萄所剩無幾。

猶有遺民頌主威榮

十四 十四這些人要高聲歡呼．他們為耶和華的威嚴、從海那裏
十五 揚起聲來。十五因此你們要在東方榮耀耶和華、在眾海島
十六 榮耀耶和華以色列神的名。十六我們聽見從地極有人
歌唱說、榮耀歸於義人。○我卻說、我消滅了、我消滅了、
十七 我有禍了．詭詐的行詭詐、詭詐的大行詭詐。十七地上的居
十八 民哪、恐懼、陷坑、網羅、都臨近你。十八躲避恐懼聲音的必墜
入陷坑．從陷坑上來的必被網羅纏住．因為天上的窗
十九 戶都開了、地的根基也震動了。十九地全然破壞、盡都崩裂、
二十 大大的震動了。二十地要東倒西歪、好像醉酒的人．又搖來
搖去、好像吊牀．罪過在其上沉重、必然塌陷、不能復起。

耶和華必於錫安作王

二一 二一到那日耶和華在高處必懲罰高處的眾軍、在地上必
二二 懲罰地上的列王。二二他們必被聚集、像囚犯被聚在牢獄
二三 中、並要囚在監牢裏、多日之後便被討罪。或作眷顧 那二三時月
亮要蒙羞、日頭要慚愧．因為萬軍之耶和華必在錫安
山、在耶路撒冷作王．在敬畏他的長老面前、必有榮耀。

第二十五章

先知頌讚主名

一 一耶和華阿、你是我的神．我要尊崇
你、我要稱讚你的名．因為你以忠信誠實行過奇妙的
事、成就你古時所定的。

因行懲罰

二 二你使城變為亂堆、使堅固城變為荒塲、使外邦人宮殿
三 的城、不再為城、永遠不再建造。三所以剛強的民、必榮耀
四 你．強暴之國的城、必敬畏你。四因為當強暴人催逼人的
時候、如同暴風直吹牆壁．你就作貧窮人的保障、作困
乏人急難中的保障、作躲暴風之處、作避炎熱的陰涼。
五 五你要壓制外邦人的喧嘩、好像乾燥地的熱氣下落．禁
止強暴人的凱歌、好像熱氣被雲影消化。

因施豐美

六 六在這山上萬軍之耶和華、必為萬民用肥甘設擺筵席、
七 用陳酒和滿髓的肥甘、並澄清的陳酒、設擺筵席。七他又
必在這山上、除滅遮蓋萬民之物、和遮蔽萬國蒙臉的
八 帕子。八他已經吞滅死亡直到永遠．主耶和華必擦去各
人臉上的眼淚、又除掉普天下他百姓的羞辱．因為這

是耶和華說的。
因賜救恩
九 九到那日人必說、看哪、這是我們的　神．我們素來等候
他、他必拯救我們、這是耶和華、我們素來等候他、我們
十 必因他的救恩歡喜快樂。十耶和華的手必按在這山上．
摩押人在所居之地必被踐踏、好像乾草被踐踏在糞
十一 池的水中。十一他必在其中伸開手、好像泭水的伸開手泭
水一樣．但耶和華必使他的驕傲和他手所行的詭計、
十二 一併敗落。十二耶和華使你城上的堅固高臺傾倒、拆平直
到塵埃。
作歌勉人惟主是賴
一 **第二十六章** 一當那日在猶大地人必唱這歌、說、我
二 們有堅固的城．耶和華要將救恩定為城牆、為外郭。二敞
三 開城門、使守信的義民得以進入。三堅心倚賴你的、你必
四 保守他十分平安、因為他倚靠你。四你們當倚靠耶和華
五 直到永遠．因為耶和華是永久的磐石。五他使住高處的、
六 與高城一併敗落、將城拆毀、拆平直到塵埃。六要被腳踐
七 踏、就是被困苦人的腳、和窮乏人的腳踐踏。七義人的道、

八 是正直的．你為正直的主、必修平義人的路。◯八耶和華
阿、我們在你行審判的路上等候你．我們心裏所羨慕
九 的是你的名、就是你那可記念的名。九夜間我心中羨慕
你．我裏面的靈切切尋求你．因為你在世上行審判的
十 時候、地上的居民就學習公義。十以恩惠待惡人、他仍不
學習公義．在正直的地上、他必行事不義、也不注意耶
十一 和華的威嚴。◯十一耶和華阿、你的手高舉、他們仍然不看．
卻要看你為百姓發的熱心、因而抱愧．並且有火燒滅
十二 你的敵人。十二耶和華阿、你必派定我們得平安．因為我們
十三 所作的事、都是你給我們成就的。十三耶和華我們的　神
阿、在你以外曾有別的主管轄我們．但我們專要倚靠
十四 你、題你的名。十四他們死了、必不能再活．他們去世、必不能
再起．因為你刑罰他們、毀滅他們、使他們的名號就全然
十五 消滅。十五耶和華阿、你增添國民、你增添國民．你得了榮耀、
十六 又擴張地的四境。◯十六耶和華阿、他們在急難中尋求你．
十七 你的懲罰臨到他們身上、他們就傾心吐膽禱告你。十七婦
人懷孕臨產疼痛、在痛苦之中喊叫．耶和華阿、我們在
十八 你面前也是如此。十八我們也曾懷孕疼痛、所產的竟像風

一樣。我們在地上未曾行甚麼拯救的事、世上的居民、
也未曾敗落。十九死人、(原文作你的死人)要復活。屍首(原文作我的屍首)要
興起。睡在塵埃的阿、要醒起歌唱。因你的甘露好像菜
蔬上的甘露、地也要交出死人來。

勸民避主之怒

二十我的百姓阿、你們要來進入內室、關上門、隱藏片時、等
到忿怒過去。二一因為耶和華從他的居所出來、要刑罰地
上居民的罪孽。地也必露出其中的血、不再掩蓋被殺
的人。

第二十七章　耶和華恆衛其葡萄園

一到那日、耶和華必用他剛硬有力的
大刀、刑罰鱷魚、就是那快行的蛇、刑罰鱷魚、就是那曲
行的蛇、並殺海中的大魚。○二當那日有出酒的葡萄園。
你們要指這園唱歌、說、三我耶和華是看守葡萄園的、我
必時刻澆灌、晝夜看守、免得有人損害。四我心中不存忿
怒。惟願荊棘蒺藜與我交戰、我就勇往直前、把他一同
焚燒。五不然、讓他持住我的能力、使他與我和好、願他與
我和好。六將來雅各要扎根、以色列要發芽開花。他們的
果實、必充滿世界。

雅各遭譴異於其敵

七主擊打他們、豈像擊打那些擊打他們的人麼。他們被
殺戮、豈像被他們所殺戮的麼。八你打發他們去、是相機
宜與他們相爭。颳東風的日子、就用暴風將他們逐去。
九所以雅各的罪孽得赦免、他的罪過得除掉的果效、全
在乎此。就是他叫祭壇的石頭、變為打碎的灰石、以致
木偶和日像、不再立起。十因為堅固城變為淒涼、成了撇
下離棄的居所、像曠野一樣。牛犢必在那裏喫草、在那
裏躺臥、並喫盡其中的樹枝。十一枝條枯乾、必被折斷。婦女
要來點火燒着。因為這百姓蒙昧無知。所以創造他們
的、必不憐恤他們、造成他們的、也不施恩與他們。○十二以
色列人哪、到那日、耶和華必從大河、直到埃及小河、將
你們一一的收集、如同人打樹拾果一樣。

流亡之民咸歸聖山

十三當那日、必大發角聲、在亞述地將要滅亡的、並在埃及
地被趕散的、都要來、他們就在耶路撒冷聖山上敬拜
耶和華。

第二十八章

先知警戒以法蓮

一禍哉、以法蓮的酒徒、住在肥美谷的
山上、他們心裏高傲、以所誇的爲冠冕、猶如將殘之花。
二看哪、主有一大能大力者、像一陣冰雹、像毀滅的暴風、
像漲溢的大水、他必用手將冠冕摔落於地。三以法蓮高
傲的酒徒、他的冠冕、必被踏在脚下。四那榮美將殘之花、
就是在肥美谷山上的、必像夏令以前初熟的無花果。
看見這果的就注意、一到手中就吞喫了。

耶和華爲其民之華冕

五到那日萬軍之耶和華必作他餘剩之民的榮冠華冕。
六也作了在位上行審判者公平之靈、並城門口打退仇
敵者的力量。七就是這地的人、也因酒搖搖幌幌、因濃酒
東倒西歪。祭司和先知因濃酒搖搖幌幌、被酒所困、因
濃酒東倒西歪。他們錯解默示、謬行審判。八因爲各席上
滿了嘔吐的污穢、無一處乾淨。○九譏誚先知的說、他要
將知識指教誰呢、要使誰明白傳言呢。是那剛斷奶離
懷的麼。十他竟命上加命、令上加令、律上加律、例上加例、
這裏一點、那裏一點。○十一先知說不然、主要藉異邦人的
嘴唇、和外邦人的舌頭、對這百姓說話。十二他曾對他們說、
你們要使疲乏人得安息、這樣纔得安息、纔得舒暢。他
們卻不肯聽。十三所以耶和華向他們說的話、是命上加命、
令上加令、律上加律、例上加例、這裏一點、那裏一點、以
致他們前行仰面跌倒、而且跌碎、並陷入網羅、被纏住。

置寶貴隅石於錫安

十四所以你們這些褻慢的人、就是轄管住在耶路撒冷這
百姓的、要聽耶和華的話。十五你們曾說、我們與死亡立約、
與陰間結盟。敵軍（原文作鞭子）如水漲漫經過的時候、必不
臨到我們。因我們以謊言爲避所、在虛假以下藏身。十六所
以主耶和華如此說、看哪、我在錫安放一塊石頭、作爲
根基、是試驗過的石頭、是穩固根基、寶貴的房角石、信
靠的人必不着急。十七我必以公平爲準繩、以公義爲線鉈。
冰雹必冲去謊言的避所、大水必漫過藏身之處。十八你們
與死亡所立的約、必然廢掉、與陰間所結的盟、必立不
住。十九敵軍（原文作鞭子）如水漲漫經過的時候、你們必被他踐
踏。每逢經過、必將你們擄去。因爲每早晨他必經過、白
晝黑夜都必如此。明白傳言的、必受驚恐。二十原來牀榻短、

二一 使人不能舒身、被窩窄、使人不能遮體。二一耶和華必興起、
像在毘拉心山、他必發怒、像在基遍谷、好作成他的工、
就是非常的工、成就他的事、就是奇異的事。

戒民褻慢

二二 二二現在你們不可褻慢、恐怕捆你們的綁索更結實了．因
為我從主萬軍之耶和華那裏聽見已經決定、在全地
二三 上施行滅絕的事。◯二三你們當側耳聽我的聲音、留心聽
二四 我的言語。二四那耕地為要撒種的、豈是常常耕地呢、豈是
二五 常常開墾耙地呢。二五他拉平了地面、豈不就撒種小茴香、
播種大茴香、按行列種小麥、在定處種大麥、在田邊種
二六 粗麥呢．二六因為他的神教導他務農相宜、並且指教他。
二七 二七原來打小茴香、不用尖利的器具、軋大茴香、也不用碌
二八 碡．（原文作車輪下文同）但用杖打小茴香、用棍打大茴香。二八作餅的
糧食是用磨磨碎、因他不必常打．雖用碌碡和馬打散、
二九 卻不磨他。二九這也是出於萬軍之耶和華．他的謀略奇妙、
他的智慧廣大。

第二十九章

豫言耶路撒冷必遭重災

一 一唉亞利伊勒、亞利伊勒、大衛安營的

二 城．任憑你年上加年、節期照常周流．二我終必使亞利伊
三 勒困難．他必悲傷哀號、我卻仍以他為亞利伊勒。三我必
四 四圍安營攻擊你、屯兵圍困你、築壘攻擊你。四你必敗落、
從地中說話．你的言語必微細出於塵埃．你的聲音必
像那交鬼者的聲音出於地．你的言語低低微微出於
五 塵埃。五◯你仇敵的羣眾、卻要像細塵、強暴人的羣眾、也
六 要像飛糠．這事必頃刻之間、忽然臨到。六萬軍之耶和華
必用雷轟、地震、大聲、旋風、暴風、並吞滅的火燄、向他討
七 罪。七那時、攻擊亞利伊勒列國的羣眾、就是一切攻擊亞
利伊勒和他的保障、並使他困難的、必如夢景、如夜間
八 的異象。八又必像飢餓的人、夢中喫飯、醒了仍覺腹空、或
像口渴的人、夢中喝水、醒了仍覺發昏、心裏想喝．攻擊
錫安山列國的羣眾、也必如此。

責民昏蒙

九 九你們等候驚奇罷、你們宴樂昏迷罷．他們醉了、卻非因
十 酒．他們東倒西歪、卻非因濃酒。十因為耶和華將沉睡的
靈、澆灌你們、封閉你們的眼、蒙蓋你們的頭、你們的眼、
十一 就是先知．你們的頭、就是先見。十一所有的默示你們看如

封住的書卷。人將這書卷交給識字的、說、請念罷。他說、
十二 我不能念、因爲是封住了。十二又將這書卷交給不識字的
人、說、請念罷。他說、我不識字。

責民僞善

十三 十三主說、因爲這百姓親近我、用嘴唇尊敬我、心卻遠離我。
十四 他們敬畏我、不過是領受人的吩咐。十四所以我在這百姓
中要行奇妙的事、就是奇妙又奇妙的事。他們智慧人
十五 的智慧、必然消滅、聰明人的聰明、必然隱藏。◯十五禍哉、那
些向耶和華深藏謀略的、又在暗中行事、說、誰看見我
十六 們呢。誰知道我們呢。十六你們把事顛倒了。豈可看窰匠如
泥麼。被製作的物、豈可論製作物的說、他沒有製作我。
或是被創造的物論造物的說、他沒有聰明。

謙卑者必因耶和華歡喜

十七 十七利巴嫩、變爲肥田、肥田看如樹林、不是只有一點點時
十八 候麼。十八那時聾子必聽見這書上的話。瞎子的眼、必從迷
十九 矇黑暗中得以看見。十九謙卑人必因耶和華增添歡喜。人
二十 間貧窮的、必因以色列的聖者快樂。二十因爲強暴人已歸
無有。褻慢人已經滅絕。一切找機會作孽的、都被剪除。

二一 二一他們在爭訟的事上、定無罪的爲有罪、爲城門口責備
二二 人的、設下網羅、用虛無的事、屈枉義人。◯二二所以救贖亞
伯拉罕的耶和華、論雅各家如此說、雅各必不再羞愧、
二三 面容也不至變色。二三但他看見他的衆子、就是我手的工
作、在他那裏、他們必尊我的名爲聖、必尊雅各的聖者
二四 爲聖、必敬畏以色列的神。二四心中迷糊的、必得明白、發
怨言的、必受訓誨。

戒民倚恃埃及必受禍害

第三十章

一 一耶和華說、禍哉、這悖逆的兒女。他們同
謀、卻不由於我、結盟、卻不由於我的靈、以至罪上加罪。
二 二起身下埃及去、並沒有求問我。要靠法老的力量、加添
三 自己的力量、並投在埃及的蔭下。三所以法老的力量、必
四 作你們的羞辱、投在埃及的蔭下、要爲你們的慚愧。四他
五 們的首領已在瑣安、他們的使臣到了哈內斯。五他們必
因那不利於他們的民蒙羞。那民並非幫助、也非利益、
六 只作羞恥凌辱。◯六論南方牲畜的默示。◯他們把財物
馱在驢駒的脊背上、將寶物馱在駱駝的肉鞍上、經過
艱難困苦之地、就是公獅母獅、蝮蛇、火燄的飛龍之地、

七 往那不利於他們的民那裏去。七埃及的幫助是徒然無
益的。所以我稱他為坐而不動的拉哈伯。

責民悖逆不聽訓言

八 八現今你去、在他們面前將這話刻在版上、寫在書上、以
九 便傳留後世、直到永永遠遠。九因為他們是悖逆的百姓、
十 說謊的兒女、不肯聽從耶和華訓誨的兒女。十他們對先
見說、不要望見不吉利的事、對先知說、不要向我們講
十一 正直的話、要向我們說柔和的話、言虛幻的事。十一你們要
離棄正道、偏離直路、不要在我們面前再題說以色列
十二 的聖者。十二所以以色列的聖者如此說、因為你們藐視這
十三 訓誨的話、倚賴欺壓和乖僻、以此為可靠的。十三故此這罪
孽在你們身上、好像將要破裂凸出來的高牆、頃刻之
十四 間、忽然坍塌。十四要被打碎、好像把窰匠的瓦器打碎、毫不
顧惜、甚至碎塊中找不到一片可用以從爐內取火、從
十五 池中舀水。十五○主耶和華以色列的聖者曾如此說、你們
得救在乎歸回安息、你們得力在乎平靜安穩。你們竟
十六 自不肯。十六你們卻說、不然、我們要騎馬奔走、所以你們必
然奔走。又說、我們要騎飛快的牲口、所以追趕你們的、

十七 也必飛快。十七一人叱喝、必令千人逃跑、五人叱喝、你們都
必逃跑、以致剩下的好像山頂的旗杆、岡上的大旗。

仰望耶和華者必蒙福祉

十八 十八耶和華必然等候、要施恩給你們、必然興起、好憐憫你
們。因為耶和華是公平的神。凡等候他的、都是有福
十九 的。十九百姓必在錫安在耶路撒冷居住、你不再哭泣。主必
因你哀求的聲音施恩給你、他聽見的時候、就必應允
二十 你。二十主雖然以艱難給你當餅、以困苦給你當水、你的教
二一 師卻不再隱藏、你眼必看見你的教師。二一你或向左、或向
二二 右、你必聽見後邊有聲音說、這是正路、要行在其間。二二你
雕刻偶像所包的銀子、和鑄造偶像所鍍的金子、你要
二三 玷污、要拋棄、好像污穢之物、對偶像說、去罷。○二三你將種
子撒在地裏、主必降雨在其上、並使地所出的糧肥美
二四 豐盛。到那時、你的牲畜必在寬闊的草場喫草。二四耕地的
牛和驢駒、必喫加鹽的料、這料是用木杴和杈子揚淨
二五 的。二五在大行殺戮的日子、高臺倒塌的時候、各高山岡陵、
二六 必有川流河湧。二六當耶和華纏裹他百姓的損處、醫治他
民鞭傷的日子、月光必像日光、日光必加七倍、像七日

的光一樣。

耶和華怒滅仇敵俾民歡喜

二七 二七看哪、耶和華的名從遠方來、怒氣燒起、密煙上騰．他的
二八 嘴唇滿有忿恨、他的舌頭像吞滅的火。二八他的氣如漲溢
的河水、直漲到頸項、要用毀滅的篩籮、篩淨列國．並且
二九 在眾民的口中、必有使人錯行的嚼環。二九你們必唱歌、像
守聖節的夜間一樣．並且心中喜樂、像人吹笛上耶和
三十 華的山、到以色列的磐石那裏。三十耶和華必使人聽他威
嚴的聲音、又顯他降罰的膀臂、和他怒中的忿恨、並吞
滅的火燄、與霹靂、暴風、冰雹。

懲罰亞述

三一 三一亞述人必因耶和華的聲音驚惶．耶和華必用杖擊打
三二 他。三二耶和華必將命定的杖、加在他身上、每打一下、人必
擊鼓彈琴．打仗的時候、耶和華必掄起手來、與他交戰。
三三 三三原來陀斐特又深又寬、早已為王豫備好了、其中堆的
是火、與許多木柴．耶和華的氣、如一股硫磺火、使他燒
起來。

斥恃埃及不仰望耶和華之愚

第三十一章

一 一禍哉、那些下埃及求幫助的、是因仗
賴馬匹、倚靠甚多的車輛、並倚靠強壯的馬兵、卻不仰
二 望以色列的聖者、也不求問耶和華。二其實耶和華有智
慧．他必降災禍、並不反悔自己的話、卻要興起攻擊那
三 作惡之家、又攻擊那作孽幫助人的。三埃及人不過是人、
並不是神．他們的馬不過是血肉、並不是靈．耶和華一
伸手、那幫助人的必絆跌、那受幫助的也必跌倒、都一
同滅亡。

勸民歸誠

四 四耶和華對我如此說、獅子和少壯獅子、護食咆哮、就是
喊許多牧人來攻擊他、他總不因他們的聲音驚惶、也
不因他們的喧嘩縮伏．如此、萬軍之耶和華也必降臨
五 在錫安山岡上爭戰。五雀鳥怎樣搧翅覆雛、萬軍之耶和
華也要照樣保護耶路撒冷．他必保護拯救、要越門保
六 守。六以色列人哪、你們深深的悖逆耶和華、現今要歸向
七 他。七到那日各人必將他金偶像、銀偶像、就是親手所造
陷自己在罪中的、都拋棄了。

豫言亞述必滅

八 八亞述人必倒在刀下、並非人的刀．有刀要將他吞滅、並
非人的刀．他必逃避這刀．他的少年人、必成爲服苦的。
九 九他的磐石、必因驚嚇挪去、他的首領、必因大旗驚惶．這
是那有火在錫安、有爐在耶路撒冷的耶和華說的。

第三十二章

許立公義之君

一 一看哪、必有一王憑公義行政．必有首
二 領藉公平掌權。二必有一人像避風所、和避暴雨的隱密
處、又像河流在乾旱之地、像大磐石的影子在疲乏之
三四 地。三那能看的人、眼不再昏迷、能聽的人、耳必得聽聞。四冒
五 失人的心、必明白知識、結吧人的舌、必說話通快。五愚頑
六 人不再稱爲高明、吝嗇人不再稱爲大方。六因爲愚頑人、
必說愚頑話、心裏想作罪孽、慣行褻瀆的事、說錯謬的
話、攻擊耶和華、使飢餓的人無食可喫、使口渴的人無
七 水可喝。七吝嗇人所用的法子是惡的．他圖謀惡計、用謊
言毀滅謙卑人．窮乏人講公理的時候、他也是這樣行。
八 八高明人卻謀高明事、在高明事上、也必永存。

豫言猶大國之荒廢

九 九安逸的婦女阿、起來聽我的聲音．無慮的女子阿、側耳
十 聽我的言語。十無慮的女子阿、再過一年多、必受騷擾．因
十一 爲無葡萄可摘、無果子（或作禾稼）可收。十一安逸的婦女阿、要戰
兢．無慮的女子阿、要受騷擾．脫去衣服、赤着身體、腰束
十二 麻布。十二他們必爲美好的田地、和多結果的葡萄樹搥胸
十三 哀哭。十三荊棘蒺藜必長在我百姓的地上、又長在歡樂的
十四 城中、和一切快樂的房屋上。十四因爲宮殿必被撇下、多民
的城必被離棄．山岡望樓永爲洞穴、作野驢所喜樂的、
十五 爲羊羣的草場．十五等到聖靈從上澆灌我們、曠野就變爲
肥田、肥田看如樹林。

許以後必復興

十六十七 十六那時、公平要居在曠野、公義要居在肥田。十七公義的果效、
十八 必是平安．公義的效驗、必是平穩、直到永遠。十八我的百姓、
十九 必住在平安的居所、安穩的住處、平靜的安歇所。十九但要
二十 降冰雹打倒樹林．城必全然拆平。二十你們在各水邊撒種
牧放牛驢的有福了。

第三十三章

虐人者必被虐

一禍哉、你這毀滅人的、自己倒不被毀
滅、行事詭詐的人倒不以詭詐待你、你毀滅罷休了、自
己必被毀滅、你行完了詭詐、人必以詭詐待你。二耶和華
阿、求你施恩於我們、我們等候你、求你每早晨作我們
的膀臂、遭難的時候、爲我們的拯救。三喧嚷的響聲一發、
衆民奔逃、你一興起、列國四散。四你們所擄的、必被斂盡、
好像螞蚱喫(原文作斂)盡禾稼、人要踴在其上、好像蝗蟲一
樣。五耶和華被尊崇、因他居在高處、他以公平公義充滿
錫安。六你一生一世必得安穩、有豐盛的救恩、並智慧、和
知識、你以敬畏耶和華爲至寶。○七看哪、他們的豪傑在
外頭哀號、求和的使臣痛痛哭泣。八大路荒涼、行人止息、
敵人背約、藐視城邑、不顧人民。九地上悲哀衰殘、利巴嫩
羞愧枯乾、沙崙像曠野、巴珊和迦密的樹林凋殘。十耶和
華說、現在我要起來、我要興起、我要勃然而興。十一你們要
懷的是糠粃、要生的是碎稭、你們的氣就是吞滅自己
的火。十二列邦必像已燒的石灰、像已割的荊棘、在火中焚
燒。

行義爲善必獲多恩

十三你們遠方的人、當聽我所行的、你們近處的人、當承認
我的大能。十四錫安中的罪人都懼怕、不敬虔的人被戰兢
抓住、我們中間誰能與吞滅的火同住、我們中間誰能
與永火同住呢。十五行事公義、說話正直、憎惡欺壓的財利、
擺手不受賄賂、塞耳不聽流血的話、閉眼不看邪惡事
的、十六他必居高處、他的保障是磐石的堅壘、他的糧必不
缺乏(原文作賜給)、他的水必不斷絕。○十七你的眼必見王的榮
美、必見遼闊之地。十八你的心必思想那驚嚇的事、自問說、
記數目的在那裏呢、平貢銀的在那裏呢、數戍樓的在
那裏呢。十九你必不見那強暴的民、就是說話深奧、你不能
明白、言語呢喃、你不能懂得的。二十你要看錫安我們守聖
節的城、你的眼必見耶路撒冷爲安靜的居所、爲不挪
移的帳幕、橛子永不拔出、繩索一根也不折斷。二一在那裏
耶和華必顯威嚴與我們同在、當作江河寬闊之地、其
中必沒有盪槳搖櫓的船來往、也沒有威武的船經過。
二二因爲耶和華是審判我們的、耶和華是給我們設律法
的、耶和華是我們的王、他必拯救我們。二三你的繩索鬆開、

不能栽穩桅杆、也不能揚起篷來．那時許多擄來的物
被分了．瘸腿的把掠物奪去了。二四城內居民必不說我病
了．其中居住的百姓、罪孽都赦免了。

第三十四章

耶和華必爲其民復仇伸寃

一列國阿、要近前來聽．衆民哪、要側耳
而聽．地和其上所充滿的、世界和其中一切所出的、都
應當聽。二因爲耶和華向萬國發忿恨、向他們的全軍發
烈怒、將他們滅盡、交出他們受殺戮。三被殺的必然拋棄、
屍首臭氣上騰．諸山被他們的血融化。四天上的萬象都
要消沒、天被捲起、好像書卷．其上的萬象要殘敗、像葡
萄樹的葉子殘敗、又像無花果樹的葉子殘敗一樣。五因
爲我的刀在天上已經喝足．這刀必臨到以東、和我所
咒詛的民、要施行審判。六耶和華的刀滿了血、用脂油和
羊羔公山羊的血、並公綿羊腰子的脂油滋潤．因爲
耶和華在波斯拉有獻祭的事、在以東地大行殺戮。七野
牛、牛犢、和公牛、要一同下來．他們的地喝醉了血、他們
的塵土因脂油肥潤。

敵必受報遭災

八因耶和華有報仇之日、爲錫安的爭辯、有報應之年。九以
東的河水要變爲石油、塵埃要變爲硫磺、地土成爲燒
着的石油。十晝夜總不熄滅、煙氣永遠上騰．必世世代代
成爲荒廢、永永遠遠無人經過。十一鵜鶘、箭豬、卻要得爲業．
貓頭鷹、烏鴉、要住在其間．耶和華必將空虛的準繩、混
沌的綫鉈、拉在其上。十二以東人要召貴冑來治國、那裏卻
無一個首領．也都歸於無有。十三以東的宮殿要長荊棘、保
障要長蒺藜和刺草．要作野狗的住處、鴕鳥的居所。十四曠
野的走獸要和豺狼相遇．野山羊要與伴偶對叫．夜間
的怪物必在那裏棲身、自找安歇之處。十五箭蛇要在那裏
作窩、下蛋、菢蛋、生子、聚子在其影下．鴟鷹各與伴偶聚
集在那裏。

所言必驗

十六你們要查考宣讀耶和華的書．這都無一缺少、無一沒
有伴偶．因爲我的口已經吩咐、他的靈將他們聚集。十七他
也爲他們拈鬮、又親手用準繩給他們分地．他們必永
得爲業、世世代代住在其間。

第三十五章

遭難之後必獲歡欣

一 一曠野和乾旱之地、必然歡喜．沙漠也
二 必快樂．又像玫瑰開花．二必開花繁盛、樂上加樂、而且歡
呼．利巴嫩的榮耀、並迦密與沙崙的華美、必賜給他人．
必看見耶和華的榮耀、我們　神的華美。

軟弱者將得助

三四 三你們要使軟弱的手堅壯、無力的膝穩固。四對膽怯的人
說、你們要剛強、不要懼怕．看哪、你們的　神必來報仇、
五 必來施行極大的報應．他必來拯救你們。○五那時瞎子
六 的眼必睜開、聾子的耳必開通。六那時瘸子必跳躍像鹿、
啞吧的舌頭必能歌唱．在曠野必有水發出、在沙漠必
七 有河湧流。七發光的沙、（或作蜃樓）要變為水池、乾渴之地、要變
八 為泉源．在野狗躺臥之處、必有青草蘆葦和蒲草。八在那
裏必有一條大道、稱為聖路．污穢人不得經過、必專為
九 贖民行走、行路的人雖愚昧、也不至失迷。九在那裏必沒
有獅子、猛獸也不登這路、在那裏都遇不見．只有贖民
十 在那裏行走。十並且耶和華救贖的民必歸回、歌唱來到
錫安．永樂必歸到他們的頭上、他們必得着歡喜快樂、
憂愁歎息盡都逃避。

第三十六章

亞述王攻猶大

一 一希西家王十四年、亞述王西拿基立、
二 上來攻擊猶大的一切堅固城、將城攻取。二亞述王從拉
吉差遣拉伯沙基、率領大軍往耶路撒冷、到希西家王
那裏去．他就站在上池的水溝旁、在漂布地的大路上。
三 三於是希勒家的兒子家宰以利亞敬、並書記舍伯那、和
亞薩的兒子史官約亞、出來見拉伯沙基。

拉伯沙基之狂語

四 四拉伯沙基對他們說、你們去告訴希西家說、亞述大王
五 如此說、你所倚靠的有甚麼可仗賴的呢。五你說有打仗
的計謀和能力．我看不過是虛話、你到底倚靠誰、纔背
六 叛我呢。六看哪、你所倚靠的埃及、是那壓傷的葦杖、人若
靠這杖、就必刺透他的手．埃及王法老向一切倚靠他
七 的人、也是這樣。七你若對我說、我們倚靠耶和華我們的
神．希西家豈不是將　神的邱壇、和祭壇廢去、且對
八 猶大和耶路撒冷的人說、你們當在這壇前敬拜麼。八現
在你把當頭給我主亞述王、我給你二千匹馬、看你這

九 一面騎馬的人彀不彀。九若不然、怎能打敗我主臣僕中
十 最小的軍長呢．你竟倚靠埃及的戰車馬兵麼。十現在我
上來攻擊毀滅這地、豈沒有耶和華的意思麼．耶和華
十一 吩咐我說、你上去攻擊毀滅這地罷。○十一以利亞敬、舍伯
那、約亞、對拉伯沙基說、求你用亞蘭言語和僕人說話、
因為我們懂得、不要用猶大言語和我們說話達到城
十二 上百姓的耳中。十二拉伯沙基說、我主差遣我來、豈是單對
你和你的主說這些話麼、不也是對這些坐在城上、要
十三 與你們一同喫自己糞喝自己尿的人說麼。○十三於是拉
伯沙基站着、用猶大言語、大聲喊着說、你們當聽亞述
十四 大王的話。十四王如此說、你們不要被希西家欺哄了、因他
十五 不能拯救你們．十五也不要聽希西家使你們倚靠耶和華
說、耶和華必要拯救我們、這城必不交在亞述王的手
十六 中。十六不要聽希西家的話、因亞述王如此說、你們要與我
和好、出來投降我、各人就可以喫自己葡萄樹和無花
十七 果樹的果子、喝自己井裏的水．十七等我來領你們到一個
地方、與你們本地一樣、就是有五穀和新酒之地、有糧
十八 食和葡萄園之地。十八你們要謹防、恐怕希西家勸導你們

說、耶和華必拯救我們．列國的神有那一個救他本國
十九 脫離亞述王的手呢。十九哈馬和亞珥拔的神在那裏呢、西
法瓦音的神在那裏呢、他們曾救撒瑪利亞脫離我的
二十 手麼。二十這些國的神、有誰曾救自己的國脫離我的手呢．
難道耶和華能救耶路撒冷脫離我的手麼。

以拉伯沙基之言告希西家

二十一 二十一百姓靜默不言、並不回答一句、因為王曾吩咐說、不要
二十二 回答他。二十二當下希勒家的兒子家宰以利亞敬、和書記舍
伯那、並亞薩的兒子史官約亞、都撕裂衣服、來到希西
家那裏、將拉伯沙基的話告訴了他。

第三十七章

希西家憂甚遣使往告以賽亞

一 一希西家王聽見、就撕裂衣服、披上麻
二 布、進了耶和華的殿。二使家宰以利亞敬、和書記舍伯那、
並祭司中的長老、都披上麻布、去見亞摩斯的兒子先
三 知以賽亞。三對他說、希西家如此說、今日是急難、責罰、凌
辱的日子、就如婦人將要生產嬰孩、卻沒有力量生產。
四 四或者耶和華你的　神聽見拉伯沙基的話、就是他主
人亞述王打發他來辱罵永生　神的話．耶和華你的

神聽見這話、就發斥責、故此求你為餘剩的民、揚聲
禱告。

以賽亞慰之

六五 五希西家王的臣僕、就去見以賽亞。六以賽亞對他們說、要
這樣對你們的主人說、耶和華如此說、你聽見亞述王
七 的僕人褻瀆我的話、不要懼怕。七我必驚動他（原文作使靈進入）
的心、他要聽見風聲、就歸回本地、我必使他在那裏倒
在刀下。

亞述王致書侮慢耶和華

八 八拉伯沙基回去、正遇見亞述王攻打立拿．原來他早聽
九 見亞述王拔營離開拉吉。九亞述王聽見人論古實王特
哈加說、他出來要與你爭戰。亞述王一聽見、就打發使
十 者去見希西家、吩咐他們說、十你們對猶大王希西家如
此說、不要聽你所倚靠的　神欺哄你、說、耶路撒冷必
十一 不交在亞述王的手中。十一你總聽說亞述諸王向列國所
十二 行的、乃是盡行滅絕、難道你還能得救麼。十二我列祖所毀
滅的、就是歌散、哈蘭、利色、和屬提拉撒的伊甸人．這些
十三 國的神何曾拯救這些國呢。十三哈馬的王、亞珥拔的王、西
法瓦音城的王、希拿和以瓦的王、都在那裏呢。

希西家祈禱

十四 十四希西家從使者手裏接過書信來、看完了、就上耶和華
十五 的殿、將書信在耶和華面前展開。十五希西家向耶和華禱
十六 告說、十六坐在二基路伯上萬軍之耶和華以色列的　神
十七 阿、你惟有你、是天下萬國的　神．你曾創造天地。十七耶和
華阿、求你側耳而聽．耶和華阿、求你睜眼而看．要聽西
拿基立的一切話、他是打發使者來辱罵永生　神的。
十八 十八耶和華阿、亞述諸王果然使列國、和列國之地變為荒
十九 涼、十九將列國的神像都扔在火裏、因為他本不是神、乃是
二十 人手所造的、是木頭石頭的、所以滅絕他。二十耶和華我們
的　神阿、現在求你救我們脫離亞述王的手、使天下
萬國都知道惟有你是耶和華。

以賽亞豫言亞述王因驕致禍

二一 二一亞摩斯的兒子以賽亞、就打發人去見希西家說、耶和
華以色列的　神如此說、你既然求我攻擊亞述王西
二二 拿基立、二二所以耶和華論他這樣說、錫安的處女藐視你、
二三 嗤笑你、耶路撒冷的女子向你搖頭。二三你辱罵誰、褻瀆誰、

二四 揚起聲來、高舉眼目攻擊誰呢、乃是攻擊以色列的聖
者。二四你藉你的臣僕辱罵主、說、我率領許多戰車上山頂、
到利巴嫩極深之處、我要砍伐其中高大的香柏樹、和
二五 佳美的松樹、我必上極高之處、進入肥田的樹林。二五我已
二六 經挖井喝水、我必用腳掌踏乾埃及的一切河。○二六耶和
華說、你豈沒有聽見我早先所作的、古時所立的麼、現
二七 在藉你使堅固城荒廢、變為亂堆。二七所以其中的居民力
量甚小、驚惶羞愧。他們像野草、像青菜、如房頂上的草、
二八 又如田間未長成的禾稼。二八你坐下、你出去、你進來、你向
二九 我發烈怒、我都知道。二九因你向我發烈怒、又因你狂傲的
話、達到我耳中、我就要用鉤子鉤上你的鼻子、把嚼環
三十 放在你口裏、使你從原路轉回去。○三十以色列人哪、我賜
你們一個證據、你們今年要喫自生的、明年也要喫自
長的、至於後年、你們要耕種收割、栽植葡萄園、喫其中
三一 的果子。三一猶大家所逃脫餘剩的、仍要往下扎根、向上結
三二 果。三二必有餘剩的民、從耶路撒冷而出、必有逃脫的人、從
錫安山而來。萬軍之耶和華的熱心必成就這事。

耶和華遣使擊亞述

三三 所三三以耶和華論亞述王如此說、他必不得來到這城、也
三四 不在這裏射箭、不得拿盾牌到城前、也不築壘攻城。三四他
從那條路來、必從那條路回去、必不得來到這城。這是
三五 耶和華說的。三五因我為自己的緣故、又為我僕人大衛的
三六 緣故、必保護拯救這城。○三六耶和華的使者出去、在亞述
營中殺了十八萬五千人。清早有人起來一看、都是死
屍了。

亞述王為子所弒

三七三八 亞三七述王西拿基立、就拔營回去、住在尼尼微。三八一日在他
的神尼斯洛廟裏叩拜、他兒子亞得米勒、和沙利色、用
刀殺了他、就逃到亞拉臘地。他兒子以撒哈頓接續他
作王。

第三十八章

希西家遘疾祈禱

一 一那時希西家病得要死、亞摩斯的兒
二 子先知以賽亞去見他、對他說、耶和華如此說、你當留
遺命與你的家、因為你必死、不能活了。二希西家就轉臉
三 朝牆、禱告耶和華說、三耶和華阿、求你記念我在你面前

怎樣存完全的心、按誠實行事、又作你眼中所看爲善
的。希西家就痛哭了。

以賽亞奉諭慰藉之

四五 四耶和華的話臨到以賽亞說、五你去告訴希西家說、耶和
華你祖大衛的神如此說、我聽見了你的禱告、看見
六 了你的眼淚、我必加增你十五年的壽數。六並且我要救
七 你和這城脫離亞述王的手、也要保護這城。七我耶和華
八 必成就我所說的、我先給你一個兆頭。八就是叫亞哈斯
的日晷、向前進的日影往後退十度。於是前進的日影、
果然在日晷上往後退了十度。

希西家感恩之歌

九十 九猶大王希西家患病、已經痊癒、就作詩說、十我說、正在我
中年(或作晌午)之日、必進入陰間的門。我餘剩的年歲不得
十一 享受。十一我說、我必不得見耶和華、就是在活人之地不見
十二 耶和華。我與世上的居民不再見面。十二我的住處被遷去
離開我、好像牧人的帳棚一樣。我將性命捲起、像織布
的捲布一樣。耶和華必將我從機頭剪斷、從早到晚、他
十三 要使我完結。十三我使自己安靜直到天亮。他像獅子折斷
十四 我一切的骨頭、從早到晚、他要使我完結。十四我像燕子呢
喃、像白鶴鳴叫、又像鴿子哀鳴。我因仰觀、眼睛困倦。耶
十五 和華阿、我受欺壓、求你爲我作保。十五我可說甚麼呢、他應
許我的、也給我成就了。我因心裏的苦楚、在一生的年
十六 日、必悄悄而行。十六主阿、人得存活、乃在乎此、我靈存活、也
十七 全在此。所以求你使我痊癒、仍然存活。十七看哪、我受大苦、
本爲使我得平安、你因愛我的靈魂、(或作生命)便救我脫離
十八 敗壞的坑、因爲你將我一切的罪、扔在你的背後。十八原來
陰間不能稱謝你、死亡不能頌揚你、下坑的人不能盼
十九 望你的誠實。十九只有活人、活人必稱謝你、像我今日稱謝
二十 你一樣。爲父的必使兒女知道你的誠實。二十耶和華肯救
我、所以我們要一生一世、在耶和華殿中用絲絃的樂
二一 器、唱我的詩歌。○二一以賽亞說、當取一塊無花果餅來、貼
二二 在瘡上、王必痊癒。二二希西家問說、我能上耶和華的殿、有
甚麼兆頭呢。

巴比倫王饋禮希西家以寶物示其使

第三十九章

一 一那時、巴比倫王巴拉但的兒子米羅
達巴拉但、聽見希西家病而痊癒、就送書信和禮物給

二 他。[二]希西家喜歡見使者、就把自己寶庫的金子、銀子、香
料、貴重的膏油、和他武庫的一切軍器、並所有的財寶
都給他們看.他家中和全國之內、希西家沒有一樣不
三 給他們看的。[三]於是先知以賽亞來見希西家王、問他說、
這些人說甚麼、他們從那裏來見你.希西家說、他們從
四 遠方的巴比倫來見我。[四]以賽亞說、他們在你家裏看見
了甚麼.希西家說、凡我家中所有的、他們都看見了、我
財寶中沒有一樣不給他們看的。

以賽亞豫言以色列人之被擄

五六 [五]以賽亞對希西家說、你要聽萬軍之耶和華的話.[六]日子
必到、凡你家裏所有的、並你列祖積蓄到如今的、都要
七 被擄到巴比倫去、不留下一樣.這是耶和華說的。[七]並且
從你本身所生的衆子、其中必有被擄去、在巴比倫王
八 宮裏當太監的。[八]希西家對以賽亞說、你所說耶和華的
話甚好、因爲在我的年日中、必有太平和穩固的景況。

神慰藉其民

一 **第四十章** [一]你們的　神說、你們要安慰、安慰我的
二 百姓。[二]要對耶路撒冷說安慰的話、又向他宣告說、他爭

戰的日子已滿了、他的罪孽赦免了、他爲自己的一切
罪、從耶和華手中加倍受罰。

豫言在曠野有備耶和華之道者

三 [三]有人聲喊着說、在曠野豫備耶和華的路、(或作在曠野有人聲喊着說當豫備耶和華的路)
四 在沙漠地修平我們　神的道。[四]一切山窪
都要塡滿、大小山岡都要削平、高高低低的要改爲平
五 坦、崎崎嶇嶇的必成爲平原。[五]耶和華的榮耀必然顯現、
凡有血氣的、必一同看見.因爲這是耶和華親口說的。
六 ○[六]有人聲說、你喊叫罷.有一個說、我喊叫甚麼呢.說、凡
七 有血氣的、盡都如草、他的美容、都像野地的花。[七]草必枯
乾、花必凋殘、因爲耶和華的氣吹在其上.百姓誠然是
八 草。[八]草必枯乾、花必凋殘.惟有我們　神的話、必永遠立
定。

主爲善牧

九 [九]報好信息給錫安的阿、你要登高山.報好信息給耶路
撒冷的阿、你要極力揚聲.揚聲不要懼怕.對猶大的城
十 邑說、看哪、你們的　神。[十]主耶和華必像大能者臨到.他
的膀臂必爲他掌權.他的賞賜在他那裏、他的報應在

十一 他面前。他必像牧人牧養自己的羊羣、用膀臂聚集羊
十二 羔抱在懷中、慢慢引導那乳養小羊的。○誰曾用手心
量諸水、用手虎口量蒼天、用升斗盛大地的塵土、用秤
十三 稱山嶺、用天平平岡陵呢。誰曾測度耶和華的心、或作誰曾
十四 指示耶和華的靈 或作他的謀士指教他呢。他與誰商議、誰教
導他、誰將公平的路指示他、又將知識教訓他、將通達
十五 的道指教他呢。看哪、萬民都像水桶的一滴、又算如天
十六 平上的微塵。他舉起衆海島、好像極微之物。利巴嫩的
十七 樹林不彀當柴燒、其中的走獸也不彀作燔祭。萬民在
他面前好像虛無、被他看爲不及虛無、乃爲虛空。

神至聖無可比擬

十八 十九 你們究竟將誰比 神、用甚麼形像與 神比較呢。偶
二十 像是匠人鑄造、銀匠用金包裹、爲他鑄造銀鍊。窮乏之獻
不起這樣供物的、就揀選不能朽壞的樹木、爲自己尋
二一 找巧匠、立起不能搖動的偶像。你們豈不曾知道麼、你
們豈不曾聽見麼、從起初豈沒有人告訴你們麼、自從
二二 立地的根基、你們豈沒有明白麼。神坐在地球大圈
之上、地上的居民好像蝗蟲。他鋪張穹蒼如幔子、展開
二三 諸天如可住的帳棚。他使君王歸於虛無、使地上的審
二四 判官成爲虛空。他們是剛纔栽上、剛纔或作不曾下同剛纔種上、
根也剛纔扎在地裏、他一吹在其上、便都枯乾、旋風將
二五 他們吹去、像碎稭一樣。那聖者說、你們將誰比我、叫他
二六 與我相等呢。你們向上舉目、看誰創造這萬象、按數目
領出、他一一稱其名。因他的權能、又因他的大能大力、
連一個都不缺。

勉勵其民

二七 雅各阿、你爲何說、我的道路向耶和華隱藏、以色列阿、
二八 你爲何言、我的冤屈 神並不查問。你豈不曾知道麼、
你豈不曾聽見麼、永在的 神耶和華、創造地極的主、
二九 並不疲乏、也不困倦。他的智慧無法測度。疲乏的、他賜
三十 能力。輭弱的、他加力量。就是少年人也要疲乏困倦、強
三一 壯的也必全然跌倒。但那等候耶和華的、必從新得力、
他們必如鷹展翅上騰、他們奔跑卻不困倦、行走卻不
疲乏。

第四十一章

興起一人成主之旨

一 衆海島阿、當在我面前靜默。衆民當

從新得力、都要近前來纔可以說話．我們可以彼此辯
二 論。二誰從東方興起一人、憑公義召他來到脚前呢。耶和
華將列國交給他、使他管轄君王、把他們如灰塵交與
三 他的刀、如風吹的碎稭交與他的弓。三他追趕他們、走他
四 所未走的道、坦然前行。四誰行作成就這事、從起初宣召
歷代呢、就是我耶和華、我是首先的、也與末後的同在。
五六 五海島看見就都害怕、地極也都戰兢、就近前來。六他們各
七 人幫助鄰舍、各人對弟兄說、壯膽罷。七木匠勉勵銀匠、用
鎚打光的勉勵打砧的、論銲工說、銲得好．又用釘子釘
穩、免得偶像動搖。

許助以色列人

八 八惟你以色列我的僕人、雅各我所揀選的、我朋友亞伯
九 拉罕的後裔、九你是我從地極所領（原文作抓）來的、從地角所
召來的、且對你說、你是我的僕人、我揀選你並不棄絕
十 你。十你不要害怕、因為我與你同在．不要驚惶、因為我是
你的 神．我必堅固你、我必幫助你、我必用我公義的
十一 右手扶持你。十一凡向你發怒的、必都抱愧蒙羞．與你相爭
十二 的、必如無有、並要滅亡。十二與你爭競的、你要找他們也找
十三 不着．與你爭戰的、必如無有、成為虛無。十三因為我耶和華
你的 神、必攙扶你的右手、對你說、不要害怕、我必幫
十四 助你。十四你這蟲雅各、和你們以色列人、不要害怕．耶和華
十五 說、我必幫助你．你的救贖主、就是以色列的聖者。十五看哪、
我已使你成為有快齒打糧的新器具、你要把山嶺打
十六 得粉碎、使岡陵如同糠粃。十六你要把他簸揚、風要吹去、旋
風要把他颳散．你倒要以耶和華為喜樂、以以色列的
十七 聖者為誇耀。〇十七困苦窮乏人尋求水卻沒有、他們因口
渴、舌頭乾燥．我耶和華必應允他們、我以色列的 神
十八 必不離棄他們。十八我要在淨光的高處開江河、在谷中開
十九 泉源、我要使沙漠變為水池、使乾地變為湧泉。十九我要在
曠野種上香柏樹、皂莢樹、番石榴樹、和野橄欖樹．我在
二十 沙漠要把松樹、杉樹、並黃楊樹、一同栽植．二十好叫人看見、
知道、思想、明白、這是耶和華的手所作的、是以色列的
聖者所造的。

假神全屬虛無

二一 二一耶和華對假神說、你們要呈上你們的案件．雅各的君
二二 說、你們要聲明你們確實的理由。二二可以聲明、指示我們

將來必遇的事、說明先前的是甚麼事、好叫我們思索、
二三 得知事的結局、或者把將來的事指示我們。二三要說明後
來的事、好叫我們知道你們是神。你們或降福、或降禍、
二四 使我們驚奇、一同觀看。二四看哪、你們屬乎虛無、你們的作
二五 為也屬乎虛空。那選擇你們的、是可憎惡的。○二五我從北
方興起一人、他是求告我名的、從日出之地而來。他必
二六 臨到掌權的、好像臨到灰泥、彷彿窰匠踹泥一樣。二六誰從
起初指明這事、使我們知道呢。誰從先前說明、使我們
說他不錯呢。誰也沒有指明、誰也沒有說明、誰也沒有
二七 聽見你們的話。二七我首先對錫安說、看哪、我要將一位報
二八 好信息的賜給耶路撒冷。二八我看的時候、並沒有人、我問
二九 的時候、他們中間也沒有謀士、可以回答一句。二九看哪、他
們和他們的工作、都是虛空、且是虛無、他們所鑄的偶
像都是風、都是虛的。

第四十二章

耶和華許以眞理宣傳萬邦

一 一看哪、我的僕人、我所扶持所揀選、心
裏所喜悅的、我已將我的靈賜給他、他必將公理傳給
二 三 外邦。二他不喧嚷、不揚聲、也不使街上聽見他的聲音。三壓
傷的蘆葦、他不折斷。將殘的燈火、他不吹滅。他憑眞實
四 將公理傳開。四他不灰心、也不喪膽、直到他在地上設立
公理。海島都等候他的訓誨。

召其僕作列邦之光

五 五創造諸天、鋪張穹蒼、將地和地所出的一併鋪開、賜氣
息給地上的衆人、又賜靈性給行在其上之人的神
六 耶和華、他如此說、六我耶和華憑公義召你、必攙扶你的
手、保守你、使你作衆民的中保、（中保原文作約）作外邦人的光、
七 八 七開瞎子的眼、領被囚的出牢獄、領坐黑暗的出監牢。八我
是耶和華、這是我的名。我必不將我的榮耀歸給假神、
九 也不將我的稱讚歸給雕刻的偶像。九看哪、先前的事已
經成就、現在我將新事說明、這事未發以先、我就說給
你們聽。

海島居民當謳新歌頌美耶和華

十 十航海的、和海中所有的、海島和其上的居民、都當向耶
十一 和華唱新歌、從地極讚美他。十一曠野和其中的城邑、並基
達人居住的村莊、都當揚聲。西拉的居民當歡呼、在山
十二 頂上吶喊。十二他們當將榮耀歸給耶和華、在海島中傳揚

十三 他的頌讚。十三耶和華必像勇士出去、必像戰士激動熱心、
十四 要喊叫、大聲吶喊、要用大力攻擊仇敵。○十四我許久閉口
不言、靜默不語、現在我要喊叫像產難的婦人、我要急
十五 氣而喘哮。十五我要使大山小岡變爲荒塲、使其上的花草
十六 都枯乾、我要使江河變爲洲島、使水池都乾涸。十六我要引
瞎子行不認識的道、領他們走不知道的路、在他們面
前使黑暗變爲光明、使彎曲變爲平直．這些事我都要
十七 行、並不離棄他們。十七倚靠雕刻的偶像、對鑄造的偶像說、
你是我們的神、這等人要退後、全然蒙羞。

責民不信

十八 十八你們這耳聾的聽罷．你們這眼瞎的看罷．使你們能看
十九 見。十九誰比我的僕人眼瞎呢、誰比我差遣的使者耳聾呢、
誰瞎眼像那與我和好的、誰瞎眼像耶和華的僕人呢。
二十 二一 二十你看見許多事卻不領會．耳朵開通卻不聽見。二一耶和華
二二 因自己公義的緣故、喜歡使律法（或作訓誨）爲大、爲尊。二二但這
百姓是被搶被奪的、都牢籠在坑中、隱藏在獄裏．他們
二三 作掠物、無人拯救、作擄物、無人說交還。○二三你們中間誰
二四 肯側耳聽此、誰肯留心而聽、以防將來呢。二四誰將雅各交
出當作擄物、將以色列交給搶奪的呢、豈不是耶和華
麼、就是我們所得罪的那位．他們不肯遵行他的道、也
二五 不聽從他的訓誨。二五所以他將猛烈的怒氣、和爭戰的勇
力、傾倒在以色列的身上．在他四圍如火燒起、他還不
知道、燒着他、他也不介意。

耶和華許賜多恩慰藉其民

第四十三章

一 一雅各阿、創造你的耶和華、以色列阿、
造成你的那位、現在如此說、你不要害怕、因爲我救贖
二 了你．我曾題你的名召你、你是屬我的。二你從水中經過、
我必與你同在．你趟過江河、水必不漫過你．你從火中
三 行過、必不被燒、火燄也不燒在你身上。三因爲我是耶和
華你的神、是以色列的聖者你的救主．我已經使埃
四 及作你的贖價、使古實和西巴代替你。四因我看你爲寶
爲尊、又因我愛你、所以我使人代替你、使列邦人替換
五 你的生命。五不要害怕、因我與你同在．我必領你的後裔
六 從東方來、又從西方招聚你。六我要對北方說、交出來．對
南方說、不要拘留．將我的衆子從遠方帶來、將我的衆
七 女從地極領回、七就是凡稱爲我名下的人、是我爲自己

八 的榮耀創造的、是我所作成、所造作的。〇八你要將有眼
九 而瞎、有耳而聾的民都帶出來。九任憑萬國聚集、任憑衆
民會合、其中誰能將此聲明、並將先前的事說給我們
聽呢。他們可以帶出見證來、自顯爲是、或者他們聽見
十 便說、這是眞的。十耶和華說、你們是我的見證、我所揀選
的僕人。既是這樣、便可以知道、且信服我、又明白我就
是耶和華在我以前沒有眞神（眞原文作造作的）在我以後也
十一 十二 必沒有。十一惟有我是耶和華、除我以外沒有救主。十二我曾指
示、我曾拯救、我曾說明、並且在你們中間沒有別神、所
十三 以耶和華說、你們是我的見證、我也是神。十三自從有日
子以來、我就是神、誰也不能救人脫離我手、我要行
事、誰能阻止呢。

豫言巴比倫之傾覆

十四 耶和華你們的救贖主、以色列的聖者如此說、因你們
的緣故、我已經打發人到巴比倫去、並且我要使迦勒
十五 底人如逃民、都坐自己喜樂的船下來。十五我是耶和華你
十六 們的聖者、是創造以色列的、是你們的君王。十六耶和華在
十七 滄海中開道、在大水中開路。十七使車輛、馬匹、軍兵、勇士、都
十八 出來、一同躺下不再起來、他們滅沒、好像熄滅的燈火。
十八耶和華如此說、你們不要記念從前的事、也不要思想
古時的事。

將行新事以拯其民

十九 看哪、我要作一件新事、如今要發現、你們豈不知道麼。
二十 我必在曠野開道路、在沙漠開江河。二十野地的走獸必尊
重我、野狗和鴕鳥也必如此、因我使曠野有水、使沙漠
二一 有河、好賜給我的百姓我的選民喝。二一這百姓是我爲自
二二 己所造的、好述說我的美德。〇二二雅各阿、你並沒有求告
二三 我、以色列阿、你倒厭煩我。二三你沒有將你的羊帶來給我
作燔祭、也沒有用祭物尊敬我。我沒有因供物使你服
二四 勞、也沒有因乳香使你厭煩。二四你沒有用銀子爲我買菖
蒲、也沒有用祭物的脂油使我飽足、倒使我因你的罪
惡服勞、使我因你的罪孽厭煩。

赦罪之恩

二五 惟有我、爲自己的緣故塗抹你的過犯、我也不記念你
二六 的罪惡。二六你要題醒我、你我可以一同辯論、你可以將你
二七 的理陳明、自顯爲義。二七你的始祖犯罪、你的師傅違背我。

二八 所以我要辱沒聖所的首領、使雅各成為咒詛、使以色
列成為辱罵。

第四十四章

耶和華應許降福斯民

一 一我的僕人雅各、我所揀選的以色列
二 阿、現在你當聽。二造作你、又從你出胎造就你、並要幫助
你的耶和華如此說、我的僕人雅各、我所揀選的耶書
三 崙哪、不要害怕。三因為我要將水澆灌口渴的人、將河澆
灌乾旱之地。我要將我的靈澆灌你的後裔、將我的福
四 澆灌你的子孫。四他們要發生在草中、像溪水旁的柳樹。
五 五這個要說、我是屬耶和華的。那個要以雅各的名自稱。
又一個要親手寫歸耶和華的、(或作在手上寫歸耶和華)並自稱為
六 以色列。六○耶和華以色列的君、以色列的救贖主萬軍
之耶和華如此說、我是首先的、我是末後的、除我以外、
七 再沒有真神。七自從我設立古時的民、誰能像我宣告、並
且指明、又為自己陳說呢。讓他將未來的事、和必成的
八 事說明。八你們不要恐懼、也不要害怕。我豈不是從上古
就說明指示你們麼、並且你們是我的見證。除我以外、
豈有真神麼、誠然沒有磐石、我不知道一個。

製造偶像虛妄無益

九 九製造雕刻偶像的、盡都虛空。他們所喜悅的、都無益處。
十 他們的見證、無所看見、無所知曉、他們便覺羞愧。十誰製
十一 造神像、鑄造無益的偶像。十一看哪、他的同伴都必羞愧。工
匠也不過是人。任他們聚會、任他們站立、都必懼怕、一
十二 同羞愧。○十二鐵匠把鐵在火炭中燒熱、用鎚打鐵器、用他
十三 有力的膀臂錘成。他飢餓而無力、不喝水而發倦。十三木匠
拉綫、用筆劃出樣子、用鉋子鉋成形狀、用圓尺劃了模
十四 樣、仿照人的體態、作成人形、好住在房屋中。十四他砍伐香
柏樹、又取柞樹(或作青桐)和橡樹、在樹林中選定了一棵。他
十五 栽種松樹得雨長養。十五這樹、人可用以燒火、他自己取些
烤火、又燒着烤餅。而且作神像跪拜、作雕刻的偶像向
十六 他叩拜。十六他把一分燒在火中、把一分烤肉喫飽、自己烤
十七 火說、阿哈、我煖和了、我見火了。十七他用剩下的作了一神、
就是雕刻的偶像。他向這偶像俯伏叩拜、禱告他說、求
十八 你拯救我、因你是我的神。○十八他們不知道、也不思想、因
為耶和華閉住他們的眼不能看見、塞住他們的心不
十九 能明白。十九誰心裏也不醒悟、也沒有知識、沒有聰明、能說、

我曾拿一分在火中燒了、在炭火上烤過餅、我也烤過
肉喫、這剩下的、我豈要作可憎的物麼、我豈可向木
二十 子叩拜呢。二十他以灰為食、心中昏迷、使他偏邪、他不能自
救、也不能說、我右手中豈不是有虛謊麼。

當歌頌耶和華救贖之恩

二一 二一雅各、以色列阿、你是我的僕人、要記念這些事、以色列
二二 阿、你是我的僕人、我造就你、必不忘記你。二二我塗抹了你
的過犯、像厚雲消散、我塗抹了你的罪惡、如薄雲滅沒、
二三 你當歸向我、因我救贖了你。二三諸天哪、應當歌唱、因為耶
和華作成這事、地的深處阿、應當歡呼、眾山應當發聲
歌唱、樹林和其中所有的樹、都當如此、因為耶和華救
二四 贖了雅各、並要因以色列榮耀自己。○二四從你出胎、造就
你的救贖主耶和華如此說、我耶和華是創造萬物的、
二五 是獨自鋪張諸天、鋪開大地的、(誰與我同在呢)二五使
說假話的兆頭失效、使占卜的癲狂、使智慧人退後、使
二六 他的知識變為愚拙。二六使我僕人的話語立定、我使者的
謀算成就、論到耶路撒冷說、必有人居住、論到猶大的
二七 城邑說、必被建造、其中的荒場我也必興起。二七對深淵說、

二八 你乾了罷、我也要使你的江河乾涸。二八論古列說、他是我
的牧人、必成就我所喜悅的、必下令建造耶路撒冷、發
命立穩聖殿的根基。

耶和華膏古列統轄列國

一 **第四十五章** 一我耶和華所膏的古列、我攙扶他的
右手、使列國降伏在他面前、我也要放鬆列王的腰帶、
二 使城門在他面前敞開、不得關閉、我對他如此說、二我必
在你前面行、修平崎嶇之地、我必打破銅門、砍斷鐵門。
三 三我要將暗中的寶物、和隱密的財寶賜給你、使你知道
四 提名召你的、就是我耶和華以色列的神。四因我僕人
雅各、我所揀選以色列的緣故、我就提名召你、你雖不
認識我、我也加給你名號。

耶和華外別無他神

五 五我是耶和華、在我以外並沒有別神、除了我以外再沒
六 有神、你雖不認識我、我必給你束腰、六從日出之地到
日落之處、使人都知道除了我以外、沒有別神、我是耶
七 和華、在我以外並沒有別神。七我造光、又造暗、我施平安、
八 又降災禍、造作這一切的是我耶和華。○八諸天哪、自上

而滴穹蒼降下公義、地面開裂、產出救恩、使公義一同
九 發生．這都是我耶和華所造的。○禍哉、那與造他的主
爭論的、他不過是地上瓦片中的一塊瓦片．泥土豈可
對摶弄他的說、你作甚麼呢．所作的物、豈可說、你沒有
十 手呢。禍哉、那對父親說、你生的是甚麼呢．或對母親（原文
十一 作婦人）說、你產的是甚麼呢。○耶和華以色列的聖者、就
是造就以色列的、如此說、將來的事、你們可以問我．至
於我的眾子、並我手的工作、你們可以求我命定。（求我命定
十二 原文作吩咐我）我造地、又造人在地上、我親手鋪張諸天、天上
十三 萬象也是我所命定的。我憑公義興起古列、（古列原文作他）又
要修直他一切道路．他必建造我的城、釋放我被擄的
民、不是為工價、也不是為賞賜．這是萬軍之耶和華說
十四 的。○耶和華如此說、埃及勞碌得來的、和古實的貨物
必歸你、身量高大的西巴人、必投降你、也要屬你、他們
必帶着鎖鍊過來隨從你、又向你下拜祈求你說、神
十五 真在你們中間、此外再沒有別神、再沒有別的神。救
十六 主以色列的　神阿、你實在是自隱的神。凡製造偶
十七 像的、都必抱愧蒙羞、都要一同歸於慚愧。惟有以色列
必蒙耶和華的拯救、得永遠的救恩．你們必不蒙羞、也
十八 不抱愧、直到永世無盡。○創造諸天的耶和華、製造成
全大地的　神、他創造堅定大地、並非使地荒涼、是要
十九 給人居住．他如此說、我是耶和華、再沒有別神。我沒有
在隱密黑暗之地說話、我沒有對雅各的後裔說、你們
尋求我是徒然的．我耶和華所講的是公義、所說的是
正直。

神乃獨一救主

二十 你們從列國逃脫的人、要一同聚集前來．那些抬着雕
二一 刻木偶、禱告不能救人之神的、毫無知識。你們要述說
陳明你們的理、讓他們彼此商議．誰從古時指明、誰從
上古述說、不是我耶和華麼．除了我以外、再沒有神．
我是公義的　神、又是救主．除了我以外、再沒有別神。
二二 地極的人、都當仰望我、就必得救．因為我是　神、再沒
二三 有別神。我指着自己起誓、我口所出的話是憑公義、並
二四 不反回、萬膝必向我跪拜、萬口必憑我起誓。人論我說、
公義能力、惟獨在乎耶和華、人都必歸向他、凡向他發
二五 怒的、必至蒙羞。以色列的後裔、都必因耶和華得稱為

義、並要誇耀。

第四十六章　巴比倫之像不能自救

一 一彼勒屈身、尼波彎腰。巴比倫的偶像
馱在獸和牲畜上、他們所抬的如今成了重馱、使牲畜
二 疲乏。二都一同彎腰屈身、不能保全重馱、自己倒被擄去。

神始終拯救其民

三 三雅各家、以色列家一切餘剩的、要聽我言、你們自從生
四 下、就蒙我保抱、自從出胎、便蒙我懷搋。四直到你們年老、
我仍這樣、直到你們髮白、我仍懷搋、我已造作、也必保
抱、我必懷抱、也必拯救。

神至聖無可比擬

五 五你們將誰與我相比、與我同等、可以與我比較、使我們
六 相同呢。六那從囊中抓金子、用天平平銀子的人、雇銀匠
七 製造神像、他們又俯伏、又叩拜。七他們將神像抬起、扛在
肩上、安置在定處、他就站立、不離本位、人呼求他、他不
能答應、也不能救人脫離患難。

耶和華所言必成

八 八你們當想念這事、自己作大丈夫。悖逆的人哪、要心裏
九 思想。九你們要追念上古的事、因為我是神、並無別神、
十 我是　神、再沒有能比我的。十我從起初指明末後的事、
從古時言明未成的事、說、我的籌算必立定、凡我所喜
十一 悅的、我必成就。十一我召鷙鳥從東方來、召那成就我籌算
的人從遠方來。我已說出、也必成就、我已謀定、也必作
十二十三 成。十二◎你們這些心中頑梗遠離公義的、當聽我言。十三我使
我的公義臨近、必不遠離、我的救恩必不遲延、我要為
以色列我的榮耀、在錫安施行救恩。

第四十七章　預言巴比倫敗落

一 一巴比倫的處女阿、下來坐在塵埃、迦
勒底的閨女阿、沒有寶座、要坐在地上、因為你不再稱
二 為柔弱嬌嫩的。二要用磨磨麵、揭去帕子、脫去長衣、露腿
三 蹚河。三你的下體必被露出、你的醜陋必被看見。我要報
四 仇、誰也不寬容。四我們救贖主的名是萬軍之耶和華、以
色列的聖者。

因無憐憫

五 五迦勒底的閨女阿、你要默然靜坐、進入暗中、因為你不
六 再稱為列國的主母。六我向我的百姓發怒、使我的產業

被褻瀆、將他們交在你手中、你毫不憐憫他們、把極重
七 的軛加在老年人身上。[七]你自己說、我必永爲主母、所以
你不將這事放在心上、也不思想這事的結局。

因狂傲自大

八 [八]你這專好宴樂安然居住的、現在當聽這話、你心中說、
惟有我、除我以外再沒有別的、我必不至寡居、也不遭
九 喪子之事。[九]那知喪子、寡居、這兩件事、在一日轉眼之間
必臨到你、正在你多行邪術、廣施符咒的時候、這兩件
事必全然臨到你身上。

因恃己惡

十 [十]你素來倚仗自己的惡行、說、無人看見我．你的智慧、聰
明、使你偏邪、並且你心裏說、惟有我、除我以外再沒有
別的。

禍患忽臨無計解脫

十一 [十一]因此、禍患要臨到你身、你不知何時發現．(何時發現或作如何驅逐)
災害落在你身上、你也不能除掉．所不知道的毀滅、也
十二 必忽然臨到你身。〇[十二]站起來罷、用你從幼年勞神施行
的符咒、和你許多的邪術、或者可得益處、或者可得強
十三 勝。[十三]你籌畫太多、以至疲倦．讓那些觀天象的、看星宿的、
在月朔說豫言的、都站起來、救你脫離所要臨到你的
十四 事。[十四]他們要像碎秸被火焚燒、不能救自己脫離火燄之
力、這火並非可烤的炭火、也不是可以坐在其前的火。
十五 [十五]你所勞神的事、都要這樣與你無益、從幼年與你貿易
的、也都各奔各鄉、無人救你。

責以色列剛愎頑梗

一 **第四十八章** [一]雅各家稱爲以色列名下、從猶大水
源出來的、當聽我言．你們指着耶和華的名起誓、題說
二 以色列的神、卻不憑誠實、不憑公義。[二](他們自稱爲
聖城的人、所倚靠的是名爲萬軍之耶和華以色列的
三 神。)[三]主說、早先的事我從古時說明、已經出了我的
四 口、也是我所指示的、我忽然行作、事便成就。[四]因爲我素
來知道你是頑梗的、你的頸項是鐵的、你的額是銅的、
五 [五]所以我從古時將這事給你說明、在未成以先指示你、
免得你說、這些事是我的偶像所行的、是我雕刻的偶
六 像、和我鑄造的偶像所命定的。[六]你已經聽見、現在要看
見這一切、你不說明麼、從今以後、我將新事就是你所

七 不知道的隱密事、指示你。七這事是現今造的、並非從古
就有、在今日以先、你也未曾聽見、免得你說、這事我早
八 已知道了。八你未曾聽見、未曾知道、你的耳朵從來未曾
開通。我原知道你行事極其詭詐、你自從出胎以來、便
稱為悖逆的。

耶和華因己名不行剪滅

九 九我為我的名、暫且忍怒、為我的頌讚、向你容忍、不將你
十 剪除。十我熬煉你、卻不像熬煉銀子。你在苦難的爐中、我
十一 揀選你。十一我為自己的緣故必行這事、我焉能使我的名
被褻瀆、我必不將我的榮耀歸給假神。

勸民聽從

十二 十二雅各、我所選召的以色列阿、當聽我言。我是耶和華、我
十三 是首先的也是末後的。十三我手立了地的根基、我右手鋪
十四 張諸天、我一招呼便都立住。十四你們都當聚集而聽。他們
（或作偶像）內中誰說過這些事。耶和華所愛的人、必向巴比
倫行他所喜悅的事、他的膀臂也要加在迦勒底人身
十五 上。十五惟有我曾說過、我又選召他、領他來、他的道路就必
十六 亨通。十六你們要就近我來聽這話。我從起頭並未曾在隱
密處說話、自從有這事、我就在那裏。現在主耶和華差
十七 遣我和他的靈來。（或作耶和華和他的靈差遣我來）○十七耶和華你的救
贖主、以色列的聖者如此說、我是耶和華你的神、教
十八 訓你使你得益處、引導你所當行的路。十八甚願你素來聽
從我的命令、你的平安就如河水、你的公義就如海浪。
十九 你的後裔也必多如海沙、十九你腹中所生的也必多如沙
二十 粒。他的名在我面前必不剪除、也不滅絕。○二十你們要從
巴比倫出來、從迦勒底人中逃脫、以歡呼的聲音傳揚
說、耶和華救贖了他的僕人雅各、你們要將這事宣揚
二十一 到地極。二十一耶和華引導他們經過沙漠、他們並不乾渴、他
二十二 為他們使水從磐石而流、分裂磐石、水就湧出。二十二耶和華
說、惡人必不得平安。

耶和華之僕自述其徒勞

一 **第四十九章** 一眾海島阿、當聽我言。遠方的眾民哪、
留心而聽。自我出胎、耶和華就選召我、自出母腹、他就
二 題我的名。二他使我的口如快刀、將我藏在他手蔭之下。
三 又使我成為磨亮的箭、將我藏在他箭袋之中。三對我說、
四 你是我的僕人以色列、我必因你得榮耀。四我卻說、我勞

碌是徒然、我盡力是虛無虛空、然而我當得的理必在
耶和華那裏、我的賞賜必在我　神那裏。

自言將施救恩至於地極

五 耶和華從我出胎造就我作他的僕人、要使雅各歸向
他、使以色列到他那裏聚集。(原來耶和華看我爲尊
六 貴、我的　神也成爲我的力量)現在他說、你作我的
僕人、使雅各衆支派復興、使以色列中得保全的歸回、
尚爲小事、我還要使你作外邦人的光、叫你施行我的
七 救恩、直到地極。救贖主以色列的聖者耶和華、對那被
人所藐視、本國所憎惡、官長所虐待的、如此說、君王要
看見就站起、首領也要下拜、都因信實的耶和華、就是
八 揀選你以色列的聖者。〇耶和華如此說、在悅納的時
候我應允了你、在拯救的日子我濟助了你、我要保護
你、使你作衆民的中保、(中保原文作約)復興遍地、使人承受荒
九 涼之地爲業。對那被捆綁的人說、出來罷。對那在黑暗
的人說、顯露罷。他們在路上必得飲食、在一切淨光的
十 高處必有食物。不飢不渴、炎熱和烈日必不傷害他們、
十一 因爲憐恤他們的、必引導他們、領他們到水泉旁邊。我
十二 必使我的衆山成爲大道、我的大路也被修高。看哪、這
些從遠方來、這些從北方、從西方來、這些從秦國來。(秦原
十三 文作希尼)諸天哪、應當歡呼。大地阿、應當快樂。衆山哪、應當
發聲歌唱。因爲耶和華已經安慰他的百姓、也要憐恤
他困苦之民。

主恩恆久不易

十四 錫安說、耶和華離棄了我、主忘記了我。
十五 婦人焉能忘記
他喫奶的嬰孩、不憐恤他所生的兒子、即或有忘記的、
十六 我卻不忘記你。看哪、我將你銘刻在我掌上、你的牆垣
十七 常在我眼前。你的兒女必急速歸回、毀壞你的、使你荒
十八 廢的、必都離你出去。你舉目向四方觀看、他們都聚集
來到你這裏。耶和華說、我指着我的永生起誓、你必要
以他們爲妝飾佩戴、以他們爲華帶束腰、像新婦一樣。
十九 至於你荒廢淒涼之處、並你被毀壞之地、現今衆民居
二十 住必顯爲太窄、吞滅你的必離你遙遠。你必聽見喪子
之後所生的兒女說、這地方我居住太窄、求你給我地
二十一 方居住。那時你心裏必說、我既喪子獨居、是被擄的、漂
流在外、誰給我生這些、誰將這些養大呢、撇下我一人

二二 獨居的時候、這些在那裏呢。〇二二主耶和華如此說、我必
向列國舉手、向萬民豎立大旗、他們必將你的衆子懷
二三 中抱來、將你的衆女肩上扛來。二三列王必作你的養父、王
后必作你的乳母、他們必將臉伏地、向你下拜、並餂你
脚上的塵土．你便知道我是耶和華、等候我的必不至
二四 羞愧。〇二四勇士搶去的豈能奪回、該擄掠的豈能解救麼。
二五 但二五耶和華如此說、就是勇士所擄掠的、也可以奪回、強
暴人所搶的、也可以解救．與你相爭的、我必與他相爭、
二六 我要拯救你的兒女。二六並且我必使那欺壓你的喫自己
的肉、也要以自己的血喝醉、好像喝甜酒一樣．凡有血
氣的、必都知道我耶和華是你的救主、是你的救贖主、
是雅各的大能者。

第五十章

猶大因罪見棄非耶和華無力救贖

一 一耶和華如此說、我休你們的母親、休書
在那裏呢．我將你們賣給我那一個債主呢。你們被賣、
是因你們的罪孽、你們的母親被休、是因你們的過犯。
二 我二來的時候、爲何無人等候呢．我呼喚的時候、爲何無
人答應呢。我的膀臂豈是縮短、不能救贖麼．我豈無拯
救之力麼．看哪、我一斥責、海就乾了、我使江河變爲曠
三 野、其中的魚、因無水腥臭、乾渴而死。三我使諸天以黑暗
爲衣服、以麻布爲遮蓋。

奉命傳道甘受凌辱

四 四主耶和華賜我受教者的舌頭、使我知道怎樣用言語
扶助疲乏的人．主每早晨提醒、提醒我的耳朵、使我能
五 聽、像受教者一樣。五主耶和華開通我的耳朵、我並沒有
六 違背、也沒有退後。六人打我的背、我任他打．人拔我顋頰
的鬍鬚、我由他拔．人辱我吐我、我並不掩面。

知主佑助心志益堅

七 七主耶和華必幫助我、所以我不抱愧．我硬着臉面好像
八 堅石、我也知道我必不至蒙羞。八稱我爲義的與我相近．
誰與我爭論、可以與我一同站立．誰與我作對、可以就
九 近我來。九主耶和華要幫助我．誰能定我有罪呢．他們都
像衣服漸漸舊了、爲蛀蟲所咬。

宜賴　神勿恃己能

十 十你們中間誰是敬畏耶和華、聽從他僕人之話的．這人
行在暗中、沒有亮光、當倚靠耶和華的名、仗賴自己的

神。[十一]凡你們點火用火把圍繞自己的、可以行在你們
的火燄裏、並你們所點的火把中。這是我手所定的、你
們必躺在悲慘之中。

勉人信主

第五十一章
[一]你們這追求公義尋求耶和華的、當
聽我言．你們要追想被鑿而出的磐石、被挖而出的巖
穴。[二]要追想你們的祖宗亞伯拉罕、和生養你們的撒拉．
因爲亞伯拉罕獨自一人的時候、我選召他賜福與他、
使他人數增多。

許福錫安

[三]耶和華已經安慰錫安、和錫安一切的荒塲、使曠野像
伊甸、使沙漠像耶和華的園囿．在其中必有歡喜、快樂、
感謝、和歌唱的聲音。

海島將恃耶和華

[四]我的百姓阿、要向我留心．我的國民哪、要向我側耳．因
爲訓誨必從我而出、我必堅定我的公理爲萬民之光。
[五]我的公義臨近、我的救恩發出、我的膀臂要審判萬民．
海島都要等候我、倚賴我的膀臂。[六]你們要向天舉目、觀
看下地．因爲天必像煙雲消散、地必如衣服漸漸舊了．
其上的居民、也要如此死亡．（如此死亡或作像蠓蟲死亡）惟有我的
救恩永遠長存、我的公義也不廢掉。[七]○知道公義、將我
訓誨存在心中的民、要聽我言．不要怕人的辱罵、也不
要因人的毀謗驚惶．[八]因爲蛀蟲必咬他們、好像咬衣服、
蟲子必咬他們、如同咬羊絨．惟有我的公義永遠長存、
我的救恩直到萬代。[九]○耶和華的膀臂阿、興起、興起、以
能力爲衣穿上．像古時的年日、上古的世代興起一樣。
從前砍碎拉哈伯、刺透大魚的、不是你麼。[十]使海與深淵
的水乾涸、使海的深處變爲贖民經過之路的、不是你
麼。[十一]耶和華救贖的民必歸回、歌唱來到錫安．永樂必歸
到他們的頭上．他們必得着歡喜快樂、憂愁歎息盡都
逃避。[十二]○惟有我、是安慰你們的．你是誰、竟怕那必死的
人、怕那要變如草的世人．[十三]卻忘記鋪張諸天、立定地基、
創造你的耶和華．又因欺壓者圖謀毀滅要發的暴怒、
整天害怕．其實那欺壓者的暴怒在那裏呢。[十四]被擄去的
快得釋放、必不死而下坑、他的食物也不致缺乏。[十五]我是
耶和華你的神、攪動大海、使海中的波浪匉訇．萬軍

十六 之耶和華是我的名。我將我的話傳給你、用我的手影
遮蔽你、為要栽定諸天、立定地基、又對錫安說、你是我
十七 的百姓。○耶路撒冷阿、興起、興起、站起來、你從耶和華
手中喝了他忿怒之杯、喝了那使人東倒西歪的爵、以
十八 至喝盡。他所生育的諸子中沒有一個引導他的。他所
十九 養大的諸子中沒有一個攙扶他的。荒涼、毀滅、饑荒、刀
二十 兵、這幾樣臨到你、誰為你舉哀。我如何能安慰你呢。你
的衆子發昏、在各市口上躺臥、好像黃羊在網羅之中。
二一 都滿了耶和華的忿怒、你 神的斥責。○因此、你這困
二二 苦卻非因酒而醉的、要聽我言。你的主耶和華、就是為
他百姓辨屈的 神、如此說、看哪、我已將那使人東倒
西歪的杯、就是我忿怒的爵、從你手中接過來、你必不
二三 至再喝。我必將這杯、遞在苦待你的人手中。他們曾對
你說、你屈身、由我們踐踏過去罷。你便以背為地、好像
街市、任人經過。

第五十二章 **勸民奮興因主救贖不需其值**

一 錫安哪、興起、興起、披上你的能力。聖
城耶路撒冷阿、穿上你華美的衣服。因為從今以後、未
二 受割禮不潔淨的、必不再進入你中間。耶路撒冷阿、要
抖下塵土、起來坐在位上。錫安被擄的居民哪、(居民原文作女子)
三 要解開你頸項的鎖鍊。○耶和華如此說、你們是無價
四 被賣的、也必無銀被贖。主耶和華如此說、起先我的百
姓下到埃及、在那裏寄居、又有亞述人無故欺壓他們。
五 耶和華說、我的百姓既是無價被擄去、如今我在這裏
作甚麼呢。耶和華說、轄制他們的人呼叫、我的名整天
六 受褻瀆。所以我的百姓必知道我的名。到那日他們必
知道說這話的就是我。看哪、是我。

歎美傳福音者

七 那報佳音、傳平安、報好信、傳救恩的、對錫安說、你的
八 神作王了。這人的腳登山何等佳美。聽阿、你守望之人
的聲音。他們揚起聲來、一同歌唱。因為耶和華歸回錫
安的時候、他們必親眼看見。

地極人民將蒙救恩

九 耶路撒冷的荒塲阿、要發起歡聲、一同歌唱。因為耶和
十 華安慰了他的百姓、救贖了耶路撒冷。耶和華在萬國
眼前露出聖臂。地極的人都看見我們 神的救恩了。

服役耶和華者務須自潔

十一你們離開罷、離開罷、從巴比倫出來、不要沾不潔淨的
物．要從其中出來．你們扛抬耶和華器皿的人哪、務要
自潔。十二你們出來必不至急忙、也不至奔逃．因為耶和華
必在你們前頭行、以色列的　神必作你們的後盾。○
十三我的僕人行事必有智慧、(或作通達)必被高舉上升、且成
為至高。十四許多人因他(原文作你)驚奇、(他的面貌比別人憔
悴．他的形容比世人枯槁)十五這樣、他必洗淨(或作鼓動)許多
國民．君王要向他閉口．因所未曾傳與他們的、他們必
看見．未曾聽見的、他們要明白。

第五十三章

歎人不信福音

一我們所傳的、(或作與我們所傳的)有誰信呢．耶
和華的膀臂向誰顯露呢。二他在耶和華面前生長如嫩
芽、像根出於乾地．他無佳形美容、我們看見他的時候、
也無美貌使我們羨慕他。

主為人藐視厭棄

三他被藐視、被人厭棄、多受痛苦、常經憂患。他被藐視、好
像被人掩面不看的一樣．我們也不尊重他。

身受諸苦為贖人罪

四他誠然擔當我們的憂患、背負我們的痛苦．我們卻以
為他受責罰、被　神擊打苦待了。五那知他為我們的過
犯受害、為我們的罪孽壓傷．因他受的刑罰我們得平
安．因他受的鞭傷我們得醫治。六我們都如羊走迷、各人
偏行己路．耶和華使我們衆人的罪孽都歸在他身上。
○七他被欺壓、在受苦的時候卻不開口．(或作他受欺壓卻自卑不開口)
他像羊羔被牽到宰殺之地、又像羊在剪毛的人手下
無聲、他也是這樣不開口。八因受欺壓和審判他被奪去．
至於他同世的人、誰想他受鞭打、從活人之地被剪除、
是因我百姓的罪過呢。九他雖然未行強暴、口中也沒有
詭詐、人還使他與惡人同埋．誰知死的時候與財主同
葬。

救世之功必獲大成

十耶和華卻定意(或作喜悅)將他壓傷、使他受痛苦．耶和華以
他為贖罪祭．(或作他獻本身為贖罪祭)他必看見後裔、並且延長年
日、耶和華所喜悅的事、必在他手中亨通。

甘與罪伍以負衆咎

十一 十一他必看見自己勞苦的功效、便心滿意足．有許多人、因
認識我的義僕得稱爲義．並且他要擔當他們的罪孽。因
十二 十二所以我要使他與位大的同分、與強盛的均分擄物．因
爲他將命傾倒、以致於死．他也被列在罪犯之中．他卻
擔當多人的罪、又爲罪犯代求。

異邦人多歸正道謳歌歡欣

第五十四章

一 一你這不懷孕不生養的、要歌唱．你這
未曾經過產難的、要發聲歌唱、揚聲歡呼．因爲沒有丈
二 夫的、比有丈夫的兒女更多．這是耶和華說的。二要擴張
你帳幕之地、張大你居所的幔子、不要限止．要放長你
三 的繩子、堅固你的橛子。三因爲你要向左向右開展．你的
後裔必得多國爲業、又使荒涼的城邑有人居住。

必脫患難恆受主恩

四 四不要懼怕、因你必不致蒙羞．也不要抱愧、因你必不至
受辱．你必忘記幼年的羞愧、不再記念你寡居的羞辱。
五 五因爲造你的、是你的丈夫．萬軍之耶和華是他的名．救
六 贖你的、是以色列的聖者．他必稱爲全地之　神。六耶和
華召你、如召被離棄心中憂傷的妻、就是幼年所娶被
七 棄的妻．這是你　神所說的。七我離棄你不過片時、卻要
八 施大恩將你收回。八我的怒氣漲溢、頃刻之間向你掩面、
卻要以永遠的慈愛憐恤你．這是耶和華你的救贖主
九 說的。○九這事在我好像挪亞的洪水．我怎樣起誓不再
使挪亞的洪水漫過遍地、我也照樣起誓不再向你發
十 怒、也不斥責你。十大山可以挪開、小山可以遷移．但我的
慈愛必不離開你、我平安的約也不遷移．這是憐恤你
的耶和華說的。

因義堅立害莫能加

十一 十一你這受困苦被風飄蕩不得安慰的人哪、我必以彩色
十二 安置你的石頭、以藍寶石立定你的根基。十二又以紅寶石
造你的女牆、以紅玉造你的城門、以寶石造你四圍的
十三 邊界。（或作外郭）十三你的兒女都要受耶和華的教訓．你的兒女
十四 必大享平安。十四你必因公義得堅立．必遠離欺壓、不至害
十五 怕．你必遠離驚嚇、驚嚇必不臨近你。十五即或有人聚集、卻
十六 十六不由於我．凡聚集攻擊你的、必因你仆倒。（因你仆倒或作投降你）
吹噓炭火、打造合用器械的鐵匠、是我所造．殘害人行

毀滅的、也是我所造。十七凡為攻擊你造成的器械、必不利
用。凡在審判時興起用舌攻擊你的、你必定他為有罪。
這是耶和華僕人的產業、是他們從我所得的義。這是
耶和華說的。

第五十五章

勸人受恩歸道

一你們一切乾渴的都當就近水來。沒
有銀錢的也可以來。你們都來買了喫。不用銀錢、不用
價值、也來買酒和奶。二你們為何花錢（原文作平銀）買那不足
為食物的、用勞碌得來的買那不使人飽足的呢。你們
要留意聽我的話、就能喫那美物、得享肥甘、心中喜樂。
三你們當就近我來。側耳而聽、就必得活。我必與你們立
永約、就是應許大衛那可靠的恩典。四我已立他作萬民
的見證、為萬民的君王和司令。五你素不認識的國民、你
也必召來。素不認識你的國民、也必向你奔跑、都因耶
和華你的 神、以色列的聖者。因為他已經榮耀你。

當趁時尋求耶和華

六當趁耶和華可尋找的時候尋找他、相近的時候求告
他。七惡人當離棄自己的道路。不義的人當除掉自己的
意念、歸向耶和華、耶和華就必憐恤他、當歸向我們的
神、因為 神必廣行赦免。

主道孔達主念宏遠

八耶和華說、我的意念非同你們的意念、我的道路、非同
你們的道路。九天怎樣高過地、照樣我的道路、高過你們
的道路、我的意念、高過你們的意念。十雨雪從天而降、並
不返回、卻滋潤地土、使地上發芽結實、使撒種的有種、
使要喫的有糧。十一我口所出的話、也必如此、決不徒然返
回、卻要成就我所喜悅的、在我發他去成就的事上（發他去成就或作所命定）
必然亨通。十二你們必歡歡喜喜而出來、平平安
安蒙引導。大山小山必在你們面前發聲歌唱、田野的
樹木也都拍掌。十三松樹長出代替荊棘。番石榴長出代替
蒺藜。這要為耶和華留名、作為永遠的證據、不能剪除。

第五十六章

當守安息日

一耶和華如此說、你們當守公平、行公
義。因我的救恩臨近、我的公義將要顯現。二謹守安息日
而不干犯、禁止己手而不作惡、如此行、如此持守的人、
便為有福。三與耶和華聯合的外邦人不要說、耶和華必

定將我從他民中分別出來。太監也不要說、我是枯樹。
四 四因為耶和華如此說、那些謹守我的安息日、揀選我所
五 喜悅的事、持守我約的太監。五我必使他們在我殿中、在
我牆內有記念有名號、比有兒女的更美。我必賜他們
永遠的名、不能剪除。

耶和華殿將為萬民祈禱之室

六 六還有那些與耶和華聯合的外邦人、要事奉他、要愛耶
和華的名、要作他的僕人、就是凡守安息日不干犯、又
七 持守他(原文作我)約的人。七我必領他們到我的聖山、使他們
在禱告我的殿中喜樂。他們的燔祭、和平安祭、在我壇
八 上必蒙悅納。因我的殿必稱為萬民禱告的殿。八主耶和
華、就是招聚以色列被趕散的、說、在這被招聚的人以
外、我還要招聚別人歸併他們。

斥責守望者愚昧不明

九十 九田野的諸獸、都來吞喫罷、林中的諸獸、也要如此。十他看
守的人是瞎眼的、都沒有知識、都是啞吧狗、不能叫喚。
十一 但知作夢、躺臥、貪睡。十一這些狗貪食、不知飽足。這些牧人
十二 不能明白、各人偏行己路、各從各方求自己的利益。十二他
們說、來罷、我去拿酒、我們飽飲濃酒、明日必和今日一
樣、就是宴樂無量極大之日。

善人逝世得脫邪惡

一 **第五十七章** 一義人死亡、無人放在心上。虔誠人被
二 收去、無人思念、這義人被收去、是免了將來的禍患。二他
們得享(原文作進入)平安、素行正直的、各人在墳裏(原文作牀上)
安歇。

嚴責猶大人悖逆詭詐

三 三你們這些巫婆的兒子、姦夫和妓女的種子、都要前來。
四 四你們向誰戲笑、向誰張口吐舌呢、你們豈不是悖逆的
五 兒女、虛謊的種類呢。五你們在橡樹中間、在各青翠樹下
六 慾火攻心、在山谷間、在石穴下殺了兒女。六在谷中光滑
石頭裏有你的分、這些就是你所得的分、你也向他澆
七 了奠祭、獻了供物。因這事我豈能容忍麼。七你在高而又
八 高的山上安設牀榻、也上那裏去獻祭。八你在門後、在門
框後、立起你的記念、向外人赤露。又上去擴張牀榻、與
九 他們立約、你在那裏看見他們的牀、就甚喜愛。九你把油
帶到王那裏、又多加香料、打發使者往遠方去、自卑自

十 賤直到陰間。十你因路遠疲倦．卻不說、這是枉然．你以爲⋮⋮
十一 有復興之力、所以不覺疲憊。◯十一你怕誰、因誰恐懼、竟說
十二 謊、不記念我、又不將這事放在心上．我不是許久閉口
不言、你仍不怕我麼。十二我要指明你的公義．至於你所行
十三 的、都必與你無益。十三你哀求的時候、讓你所聚集的拯救
你罷．風要把他們颳散、一口氣要把他們都吹去．但那
投靠我的必得地土、必承受我的聖山爲業。

至高者將與謙卑者偕居

十四 耶和華要說、你們修築修築、豫備道路、將絆腳石從我
十五 百姓的路中除掉。十五因爲那至高至上、永遠長存、（原文作住在永遠）
名爲聖者的如此說、我住在至高至聖的所在、也與心
靈痛悔謙卑的人同居、要使謙卑人的靈甦醒、也使痛
十六 悔人的心甦醒。十六我必不永遠相爭、也不長久發怒、恐怕
十七 我所造的人與靈性、都必發昏。十七因他貪婪的罪孽、我就
發怒擊打他．我向他掩面發怒、他卻仍然隨心背道。十八我
十八 看見他所行的道、也要醫治他．又要引導他、使他和那
十九 一同傷心的人、再得安慰。十九我造就嘴唇的果子．願平安
康泰歸與遠處的人、也歸與近處的人．並且我要醫治
他．這是耶和華說的。

作惡者不得平康

二十 惟獨惡人、好像翻騰的海、不得平靜、其中的水、常湧出
二一 污穢和淤泥來。二一我的　神說、惡人必不得平安。

第五十八章

先知奉命嚴斥僞善

一 你要大聲喊叫、不可止息、揚起聲來
好像吹角、向我百姓說明他們的過犯、向雅各家說明
二 他們的罪惡。二他們天天尋求我、樂意明白我的道、好像
行義的國民、不離棄他們　神的典章、向我求問公義
的判語、喜悅親近　神。

辨禁食之眞僞

三 他們說、我們禁食、你爲何不看見呢．我們刻苦己心、你
爲何不理會呢。看哪、你們禁食的日子、仍求利益、勒逼
四 人爲你們作苦工。四你們禁食、卻互相爭競、以兇惡的拳
頭打人．你們今日禁食、不得使你們的聲音聽聞於上。
五 這樣禁食、豈是我所揀選使人刻苦己心的日子麼．豈
是叫人垂頭像葦子、用麻布和爐灰鋪在他以下麼．你
六 這可稱爲禁食爲耶和華所悅納的日子麼。六我所揀選

的禁食、不是要鬆開兇惡的繩、解下軛上的索、使被欺
七 壓的得自由、折斷一切的軛麼。七不是要把你的餅、分給
飢餓的人、將飄流的窮人接到你家中．見赤身的、給他
八 衣服遮體、顧恤自己的骨肉而不掩藏麼。八這樣、你的光
就必發現如早晨的光．你所得的醫治、要速速發明．你
的公義、必在你前面行．耶和華的榮光、必作你的後盾。
九 九那時你求告、耶和華必應允．你呼求、他必說、我在這裏。
○你若從你中間除掉重軛、和指摘人的指頭、並發惡
十 言的事．十你心若向飢餓的人發憐憫、使困苦的人得滿
足．你的光就必在黑暗中發現、你的幽暗必變如正午．
十一 十一耶和華也必時常引導你、在乾旱之地使你心滿意足、
骨頭強壯．你必像澆灌的園子、又像水流不絕的泉源。
十二 十二那些出於你的人、必修造久已荒廢之處．你要建立拆
毀累代的根基．你必稱為補破口的、和重修路徑與人
居住的。

守安息日者報以福樂

十三 十三你若在安息日掉轉〔或作謹慎〕你的腳步、在我聖日不以操
作為喜樂、稱安息日為可喜樂的、稱耶和華的聖日為
可尊重的．而且尊敬這日、不辦自己的私事、不隨自己
十四 的私意、不說自己的私話、十四你就以耶和華為樂．耶和華
要使你乘駕地的高處．又以你祖雅各的產業養育你．
這是耶和華親口說的。

主不施救因罪孽隔絕

第五十九章

一 一耶和華的膀臂、並非縮短不能拯救．
二 耳朵並非發沉不能聽見．二但你們的罪孽使你們與
三 神隔絕、你們的罪惡使他掩面不聽你們。三因你們的手
被血沾染、你們的指頭被罪孽沾污、你們的嘴唇說謊
四 言、你們的舌頭出惡語。四無一人按公義告狀、無一人憑
誠實辨白．都倚靠虛妄、說謊言．所懷的是毒害、所生的
五 是罪孽．五他們菢毒蛇蛋、結蜘蛛網．人喫這蛋必死．這蛋
六 被踏、必出蝮蛇。六所結的網、不能成為衣服、所作的也不
能遮蓋自己．他們的行為都是罪孽．手所作的都是強
七 暴。七他們的腳奔跑行惡、他們急速流無辜人的血．意念
八 都是罪孽．所經過的路都荒涼毀滅。八平安的路、他們不
知道．所行的事、沒有公平．他們為自己修彎曲的路．凡
九 行此路的、都不知道平安。○九因此公平離我們遠、公義

追不上我們．我們指望光亮、卻是黑暗．指望光明、卻行
十 幽暗。十我們摸索牆壁、好像瞎子．我們摸索、如同無目之
人．我們晌午絆腳、如在黃昏一樣．我們在肥壯人中、像
十一 死人一般。十一我們咆哮如熊、哀鳴如鴿．指望公平、卻是沒
十二 有．指望救恩、卻遠離我們。十二我們的過犯在你面前增多、
罪惡作見證告我們．過犯與我們同在．至於我們的罪
十三 孽、我們都知道．十三就是悖逆不認識耶和華、轉去不跟從
我們的神、說欺壓和叛逆的話、心懷謊言、隨即說出。
十四 十四並且公平轉而退後、公義站在遠處．誠實在街上仆倒、
十五 正直也不得進入。十五誠實少見．離惡的人反成掠物。

惟主獨行拯救

十六 那時、耶和華看見沒有公平、甚不喜悅。十六他見無人拯救、
無人代求、甚為詫異．就用自己的膀臂施行拯救．以公
十七 義扶持自己。十七他以公義為鎧甲、(或作護心鏡)以拯救為頭盔、
十八 以報仇為衣服、以熱心為外袍。十八他必按人的行為施報、
十九 惱怒他的敵人、報復他的仇敵、向眾海島施行報應。十九如
此人從日落之處、必敬畏耶和華的名．從日出之地、也
必敬畏他的榮耀．因為仇敵好像急流的河水沖來、是
耶和華之氣所驅逐的。

救主蒞臨踐約

二十 二十必有一位救贖主、來到錫安雅各族中轉離過犯的人
二一 那裏．這是耶和華說的。二一耶和華說、至於我與他們所立
的約、乃是這樣．我加給你的靈、傳給你的話、必不離你
的口、也不離你後裔與你後裔之後裔的口．從今直到
永遠．這是耶和華說的。

第六十章

耶和華榮光興起萬民咸歸之

一 一興起發光．因為你的光已經來到、耶和
二 華的榮耀發現照耀你。二看哪、黑暗遮蓋大地、幽暗遮蓋
萬民．耶和華卻要顯現照耀你、他的榮耀要現在你身
三 上．三萬國要來就你的光、君王要來就你發現的光輝。○
四 四你舉目向四方觀看．眾人都聚集來到你這裏．你的眾
五 子從遠方而來、你的眾女也被懷抱而來。五那時你看見
就有光榮、你心又跳動、又寬暢．因為大海豐盛的貨物、
六 必轉來歸你、列國的財寶、也必來歸你。六成羣的駱駝、並
米甸和以法的獨峯駝、必遮滿你．示巴的眾人、都必來
七 到。七要奉上黃金乳香、又要傳說耶和華的讚美．基達的

羊羣、都必聚集到你這裏、尼拜約的公羊、要供你使用。
八在我壇上必蒙悅納。我必榮耀我榮耀的殿。八那些飛來
九如雲、又如鴿子向窗戶飛回的、是誰呢。九衆海島必等候
我、首先是他施的船隻、將你的衆子、連他們的金銀、從
遠方一同帶來、都爲耶和華你　神的名、又爲以色列
的聖者、因爲他已經榮耀了你。

不事主者國必敗亡

十外邦人必建築你的城牆、他們的王必服事你。我曾發
十一怒擊打你、現今卻施恩憐恤你。十一你的城門必時常開放、
晝夜不關、使人把列國的財物帶來歸你、並將他們的
十二君王牽引而來。十二那不事奉你的那邦那國必滅亡、也
十三必全然荒廢。十三利巴嫩的榮耀、就是松樹、杉樹、黃楊樹、都
必一同歸你、爲要修飾我聖所之地、我也要使我腳踏
十四之處得榮耀。十四素來苦待你的、他的子孫都必屈身來就
你。藐視你的、都要在你腳下跪拜、他們要稱你爲耶和
華的城、爲以色列聖者的錫安。

暫被厭惡後福無疆

十五你雖然被撇棄被厭惡、甚至無人經過、我卻使你變爲
十六永遠的榮華、成爲累代的喜樂。十六你也必喫萬國的奶、又
喫君王的奶。你便知道我耶和華是你的救主、是你的
十七救贖主、雅各的大能者。十七我要拿金子代替銅、拿銀子代
替鐵、拿銅代替木頭、拿鐵代替石頭。並要以和平爲你
十八的官長、以公義爲你的監督。十八你地上不再聽見強暴的
事、境內不再聽見荒涼毀滅的事。你必稱你的牆爲拯
救、稱你的門爲讚美。

耶和華爲永久之光

十九日頭不再作你白晝的光、月亮也不再發光照耀你。耶
二十和華卻要作你永遠的光、你　神要爲你的榮耀。二十你的
日頭不再下落、你的月亮也不退縮。因爲耶和華必作
二十一你永遠的光、你悲哀的日子也完畢了。二十一你的居民都成
爲義人、永遠得地爲業、是我種的栽子、我手的工作、使
二十二我得榮耀。二十二至小的族要加增千倍、微弱的國必成爲強
盛。我耶和華要按定期速成這事。

第六十一章

論受膏者之職任

一主耶和華的靈在我身上。因爲耶和
華用膏膏我、叫我傳好信息給謙卑的人、（或作傳福音給貧窮的人）

差遣我醫好傷心的人、報告被擄的得釋放、被囚的出
二 監牢⋮二報告耶和華的恩年、和我們　神報仇的日子．安
三 慰一切悲哀的人、三賜華冠與錫安悲哀的人、代替灰塵、
喜樂油代替悲哀、讚美衣代替憂傷之靈．使他們稱為
公義樹、是耶和華所栽的、叫他得榮耀。

信道者必獲顯榮

四 四他們必修造已久的荒場、建立先前淒涼之處、重修歷
五 代荒涼之城。五那時、外人必起來牧放你們的羊羣、外邦
六 人必作你們耕種田地的、修理葡萄園的。六你們倒要稱
為耶和華的祭司．人必稱你們為我們　神的僕役．你
七 們必喫用列國的財物、因得他們的榮耀自誇。七你們必⋮
得加倍的好處⋮代替所受的羞辱．分中所得的喜樂、必
代替所受的凌辱．在境內必得加倍的產業⋮永遠之樂
八 必歸與你們．（民原文作子）八因為我耶和華喜愛公平、恨惡搶
奪和罪孽．我要憑誠實施行報應、並要與我的百姓立
九 永約．九他們的後裔必在列國中被人認識、他們的子孫
在眾民中也是如此．凡看見他們的、必認他們是耶和
十 華賜福的後裔。〇十我因耶和華大大歡喜、我的心靠

神快樂．因他以拯救為衣給我穿上、以公義為袍給我
十一 披上、好像新郎戴上華冠、又像新婦佩戴妝飾。十一田地怎
樣使百穀發芽、園子怎樣使所種的發生、主耶和華必
照樣使公義和讚美在萬民中發出。

先知為聖會祈禱

一 第六十二章 一我因錫安必不靜默、為耶路撒冷必
不息聲、直到他的公義如光輝發出、他的救恩如明燈
二 發亮。二列國必見你的公義、列王必見你的榮耀．你必得
新名的稱呼、是耶和華親口所起的。

歷述主之應許

三 三你在耶和華的手中要作為華冠、在你　神的掌上必
四 作為冕旒。四你必不再稱為撇棄的、你的地也不再稱為
荒涼的．你卻要稱為我所喜悅的、你的地也必稱為有
五 夫之婦．因為耶和華喜悅你、你的地也必歸他。五少年人
怎樣娶處女、你的眾民（原文作他們）也要照樣娶你．新郎怎
六 樣喜悅新婦、你的　神也要照樣喜悅你。〇六耶路撒冷
阿、我在你城上設立守望的．他們晝夜必不靜默．呼籲
七 耶和華的、你們不要歇息、七也不要使他歇息、直等他建

八 立耶路撒冷、使耶路撒冷在地上成為可讚美的。八耶和
華指着自己的右手和大能的膀臂起誓、說、我必不再
將你的五穀給你仇敵作食物、外邦人也不再喝你勞
九 碌得來的新酒。九惟有那收割的要喫、並讚美耶和華、那
聚斂的要在我聖所的院內喝。

宣告萬民救主蒞臨當備其道

十 十你們當從門經過經過、豫備百姓的路。修築修築大道。
十一 撿去石頭。為萬民豎立大旗。十一看哪、耶和華曾宣告到地
極、對錫安的居民(原文作女子)說、你的拯救者來到。他的賞
十二 賜在他那裏、他的報應在他面前。十二人必稱他們為聖民、
為耶和華的贖民。你也必稱為被眷顧不撇棄的城。

第六十三章　救主臨格踐踏諸敵

一 一這從以東的波斯拉來、穿紅衣服、裝
扮華美、能力廣大、大步行走的是誰呢。就是我、是憑公
二 義說話、以大能施行拯救。二你的裝扮為何有紅色、你的
三 衣服為何像踹酒醡的呢。三我獨自踹酒醡。眾民中無一
人與我同在。我發怒將他們踹下、發烈怒將他們踐踏。
他們的血濺在我衣服上、並且污染了我一切的衣裳。

四五 四因為報仇之日在我心中、救贖我民之年已經來到。五我
仰望、見無人幫助、我詫異沒有人扶持。所以我自己的
六 膀臂為我施行拯救。我的烈怒將我扶持。六我發怒、踹下
眾民、發烈怒使他們沉醉、又將他們的血倒在地上。

民屢蒙恩仍行違逆必受懲罰

七 七我要照耶和華一切所賜給我們的、題起他的慈愛、和
美德、並他向以色列家所施的大恩、這恩是照他的憐
八 恤和豐盛的慈愛賜給他們的。八他說、他們誠然是我的
九 百姓、不行虛假的子民。這樣他就作了他們的救主。九他
們在一切苦難中、他也同受苦難。並且他面前的使者
拯救他們。他以慈愛和憐憫救贖他們。在古時的日子、
十 常保抱他們、懷揣他們。〇十他們竟悖逆、使主的聖靈擔
十一 憂。他就轉作他們的仇敵、親自攻擊他們。十一那時、他們(原文
作他)想起古時的日子摩西和他百姓、說、將百姓和牧養
他全羣的人從海裏領上來的、在那裏呢。將他的聖靈
十二 降在他們中間的、在那裏呢。十二使他榮耀的膀臂在摩西
的右手邊行動、在他們前面將水分開、要建立自己永
十三 遠的名、十三帶領他們經過深處、如馬行走曠野、使他們不

十四 至絆跌的、在那裏呢。十四耶和華的靈使他們得安息、彷彿
牲畜下到山谷、照樣你也引導你的百姓、要建立自己
榮耀的名。

求主垂顧

十五 十五求你從天上垂顧、從你聖潔榮耀的居所觀看。你的熱
心和你大能的作爲在那裏呢。你愛慕的心腸和憐憫
十六 向我們止住了。十六亞伯拉罕雖然不認識我們、以色列也
不承認我們、你卻是我們的父。耶和華阿、你是我們的
十七 父、從萬古以來、你名稱爲我們的救贖主。十七耶和華阿、你
爲何使我們走差離開你的道、使我們心裏剛硬不敬
畏你呢。求你爲你僕人爲你產業支派的緣故轉回來。
十八 十八你的聖民不過暫時得這產業。我們的敵人已經踐踏
十九 你的聖所。十九我們好像你未曾治理的人、又像未曾得稱
你名下的人。

第六十四章

求主臨格彰顯威榮

一 一願你裂天而降、願山在你面前震動、
二 二好像火燒乾柴、又像火將水燒開、使你敵人知道你的
三 名、使列國在你面前發顫。三你曾行我們不能逆料可畏
的事。那時你降臨、山嶺在你面前震動。

自認罪愆

四 四從古以來人未曾聽見、未曾耳聞、未曾眼見、在你以外
五 有甚麼神爲等候他的人行事。五你迎接那歡喜行義記
念你道的人、你曾發怒、我們仍犯罪。這景況已久、我們
六 還能得救麽。六我們都像不潔淨的人、所有的義都像汚
穢的衣服。我們都像葉子漸漸枯乾。我們的罪孽好像
七 風把我們吹去。七並且無人求告你的名、無人奮力抓住
你、原來你掩面不顧我們、使我們因罪孽消化。

求主止怒毋念其惡

八 八耶和華阿、現在你仍是我們的父。我們是泥、你是窰匠。
九 我們都是你手的工作。九耶和華阿、求你不要大發震怒、
也不要永遠記念罪孽。求你垂顧我們、我們都是你的
十 百姓。十你的聖邑變爲曠野、錫安變爲曠野、耶路撒冷成
十一 爲荒塲。十一我們聖潔華美的殿、就是我們列祖讚美你的
十二 所在、被火焚燒。我們所羡慕的美地、盡都荒廢。十二耶和華
阿、有這些事、你還忍得住麽。你仍靜默使我們深受苦
難麽。

豫言異邦歸主

第六十五章

一 一素來沒有訪問我的、現在求問我．沒
有尋找我的、我叫他們遇見．沒有稱爲我名下的、我對
他們說、我在這裏、我在這裏。

猶大因不信被棄

二 二我整天伸手招呼那悖逆的百姓、他們隨自己的意念
三 行不善之道．三這百姓時常當面惹我發怒、在園中獻祭、
四 在壇（原文作磚）上燒香．四在墳墓間坐着、在隱密處住宿、喫豬
五 肉、他們器皿中有可憎之物作的湯．五且對人說、你站開
罷、不要挨近我、因爲我比你聖潔．主說、這些人是我鼻
六七 中的煙、是整天燒着的火．六七看哪、這都寫在我面前、我必
不靜默、必施行報應、必將你們的罪孽、和你們列祖的
罪孽、就是在山上燒香、在岡上褻瀆我的罪孽、一同報
應在他們後人懷中．我先要把他們所行的量給他們．
這是耶和華說的。

猶有遺民得救承福

八 八耶和華如此說、葡萄中尋得新酒、人就說、不要毀壞、因
爲福在其中．我因我僕人的緣故也必照樣而行、不將

九 他們全然毀滅．九我必從雅各中領出後裔、從猶大中領
出承受我衆山的．我的選民必承受、我的僕人要在那
十 裏居住．十沙崙平原必成爲羊羣的圈、亞割谷必成爲牛
十一 羣躺臥之處、都爲尋求我的民所得。十一但你們這些離棄
耶和華、忘記我的聖山、給時運擺筵席、（原文作桌子）給天命
十二 盛滿調和酒的．十二我要命定你們歸在刀下、都必屈身被
殺．因爲我呼喚、你們沒有答應．我說話、你們沒有聽從．
反倒行我眼中看爲惡的、揀選我所不喜悅的。

惡者受禍善者蒙福

十三 十三所以主耶和華如此說、我的僕人必得喫、你們卻飢餓．
我的僕人必得喝、你們卻乾渴．我的僕人必歡喜、你們
十四 卻蒙羞．十四我的僕人因心中高興歡呼、你們卻因心中憂
十五 愁哀哭、又因心裏憂傷哀號。十五你們必留下自己的名、爲
我選民指着賭咒．主耶和華必殺你們、另起別名稱呼
十六 他的僕人．十六這樣、在地上爲自己求福的、必憑眞實的
神求福．在地上起誓的、必指眞實的神起誓．因爲從
前的患難已經忘記、也從我眼前隱藏了。

新天新地

十七看哪、我造新天新地、從前的事不再被記念、也不再追
想。十八你們當因我所造的永遠歡喜快樂．因我造耶路撒
冷‖為人所喜、造其中的居民為人所樂。十九我必因耶路撒
冷‖歡喜因我的百姓快樂．其中必不再聽見哭泣的聲
音、和哀號的聲音。二十其中必沒有數日夭亡的嬰孩、也沒
有壽數不滿的老者．因為百歲死的仍算孩童、有百歲
死的罪人算被咒詛。二一他們要建造房屋、自己居住．栽種
葡萄園、喫其中的果子．二二他們建造的、別人不得住．他們
栽種的、別人不得喫．因為我民的日子必像樹木的日
子、我選民親手勞碌得來的必長久享用．二三他們必不徒
然勞碌、所生產的、也不遭災害．因為都是蒙耶和華賜
福的後裔、他們的子孫也是如此。二四他們尚未求告、我就
應允．正說話的時候、我就垂聽。二五豺狼必與羊羔同食、獅
子必喫草與牛一樣．塵土必作蛇的食物．在我聖山的
遍處、這一切都不傷人不害物．這是耶和華說的。

第六十六章　主威雖充天地惟悅痛悔謙卑

一耶和華如此說、天是我的座位、地是
我的腳凳．你們要為我造何等的殿宇．那裏是我安息
的地方呢。二耶和華說、這一切都是我手所造的、所以就
都有了．但我所看顧的就是虛心痛悔因我話而戰兢
的人。（虛心原文作貧窮）三假冒為善的宰牛好像殺人．獻羊羔好
像打折狗項．獻供物好像獻豬血．燒乳香好像稱頌偶
像。這等人揀選自己的道路、心裏喜悅行可憎惡的事．
四我也必揀選迷惑他們的事、使他們所懼怕的臨到他
們．因為我呼喚、無人答應．我說話、他們不聽從．反倒行
我眼中看為惡的、揀選我所不喜悅的。

敬主者受慽無憂賞罰在主

五你們因耶和華言語戰兢的人、當聽他的話．你們的弟
兄、就是恨惡你們、因我名趕出你們的、曾說、願耶和華
得榮耀、使我們得見你們的喜樂．但蒙羞的究竟是他
們。六有喧嘩的聲音出自城中、有聲音出於殿中、是耶和
華向仇敵施行報應的聲音。○七錫安‖未曾劬勞、就生產．
未覺疼痛、就生出男孩。八國豈能一日而生、民豈能一時
而產．因為錫安‖一劬勞、便生下兒女．這樣的事、誰曾聽
見、誰曾看見呢。九耶和華說、我既使他臨產、豈不使他生

產呢。你的　神說、我既使他生產、豈能使他閉胎不生
呢。

耶路撒冷得榮光信者與之同樂

十 十你們愛慕耶路撒冷的、都要與他一同歡喜快樂．你們
十一 爲他悲哀的、都要與他一同樂上加樂．十一使你們在他安
慰的懷中喫奶得飽．使他們得他豐盛的榮耀、猶如擠
十二 奶、滿心喜樂．十二耶和華如此說、我要使平安延及他、好像
江河、使列國的榮耀延及他、如同漲溢的河、你們要從
十三 中享受。（原文作咂）你們必蒙抱在肋旁、搖弄在膝上。十三母親怎
樣安慰兒子、我就照樣安慰你們．你們也必因（或作在）耶
十四 路撒冷得安慰。十四你們看見、就心中快樂、你們的骨頭必
得滋潤、像嫩草一樣．而且耶和華的手向他僕人所行
的、必被人知道．他也要向仇敵發惱恨。

耶和華之威榮顯赫

十五 十五看哪、耶和華必在火中降臨、他的車輦像旋風、以烈怒
十六 施行報應、以火燄施行責罰。十六因爲耶和華在一切有血
氣的人身上、必以火與刀施行審判．被耶和華所殺的
十七 必多。十七那些分別爲聖、潔淨自己的、進入園內跟在其中
一個人的後頭、喫豬肉和倉鼠並可憎之物、他們必一
同滅絕．這是耶和華說的。

其榮必宣揚於萬邦

十八 十八我知道他們的行爲和他們的意念．時候將到、我必將
十九 萬民萬族（原文作族舌）聚來．看見我的榮耀。十九我要顯神蹟（或作
記號）在他們中間、逃脫的我要差到列國去、就是到他施、
普勒、拉弓的路德、和土巴、雅完、並素來沒有聽見我名
聲、沒有看見我榮耀遼遠的海島．他們必將我的榮耀
二十 傳揚在列國中。二十他們必將你們的弟兄從列國中送回、
使他們或騎馬、或坐車、坐轎、騎騾子、騎獨峯駝、到我的
聖山耶路撒冷、作爲供物獻給耶和華、好像以色列人
用潔淨的器皿盛供物奉到耶和華的殿中．這是耶和
二一 華說的。二一耶和華說、我也必從他們中間取人爲祭司、爲
利未人。

必親見惡者遭報

二二 二二耶和華說、我所要造的新天新地、怎樣在我面前長存、
二三 你們的後裔和你們的名字也必照樣長存。二三每逢月朔、
安息日、凡有血氣的必來在我面前下拜．這是耶和華

說的。二四他們必出去觀看那些違背我人的屍首．因為他
們的蟲是不死的、他們的火是不滅的．凡有血氣的、都
必憎惡他們。

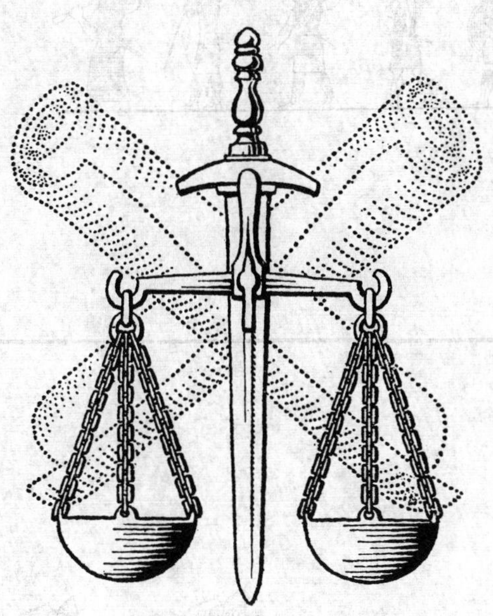

以賽亞書：五十六章一節

耶利米書

第一章
一 **耶利米奉召為先知之時** 便雅憫地亞拿突城的祭司中、希勒家的
兒子耶利米的話記在下面。二 猶大王亞們的兒子約西
亞在位十三年、耶和華的話臨到耶利米。三 從猶大王約
西亞的兒子約雅敬在位的時候、直到猶大王約西亞
的兒子西底家在位的末年、就是十一年五月間耶路
撒冷人被擄的時候、耶和華的話也常臨到耶利米。○
四 耶利米說、耶和華的話臨到我、說、五 我未將你造在腹中、
我已曉得你、你未出母胎、我已分別你為聖．我已派你
作列國的先知。六 我就說、主耶和華阿、我不知怎樣說、因
為我是年幼的。七 耶和華對我說、你不要說我是年幼的．
因為我差遣你到誰那裏去、你都要去．我吩咐你說甚
麼話、你都要說。八 你不要懼怕他們、因為我與你同在、要
拯救你．這是耶和華說的。九 於是耶和華伸手按我的口、
對我說、我已將當說的話傳給你。十 看哪、我今日立你在
列邦列國之上、為要施行拔出、拆毀、毀壞、傾覆、又要建
立栽植。

耶利米見杏枝沸釜

十一 耶和華的話、又臨到我說、耶利米、你看見甚麼．我說、我
看見一根杏樹枝。十二 耶和華對我說、你看得不錯．因為我
留意保守我的話、使得成就。

豫言猶大遭災

十三 耶和華的話第二次臨到我說、你看見甚麼．我說、我看
見一個燒開的鍋、從北而傾。十四 耶和華對我說、必有災禍
從北方發出臨到這地的一切居民。十五 耶和華說、看哪、我
要召北方列國的眾族．他們要來、各安座位在耶路撒
冷的城門口、周圍攻擊城牆、又要攻擊猶大的一切城
邑。十六 至於這民的一切惡、就是離棄我、向別神燒香、跪拜
自己手所造的、我要發出我的判語、攻擊他們。

耶和華慰勉耶利米

十七 所以你當束腰、起來將我所吩咐你的一切話告訴他
們、不要因他們驚惶、免得我使你在他們面前驚惶。十八 看
哪、我今日使你成為堅城、鐵柱、銅牆、與全地和猶大的
君王、首領、祭司、並地上的眾民反對。十九 他們要攻擊你、卻

不能勝你．因爲我與你同在、要拯救你．這是耶和華說
的。

責猶大人負恩悖逆

一二 第二章　耶和華的話臨到我說、你去向耶路撒冷
人的耳中喊叫說、耶和華如此說、你幼年的恩愛、婚姻
的愛情、你怎樣在曠野、在未曾耕種之地跟隨我、我都
三 記得。那時以色列歸耶和華爲聖、作爲土產初熟的果
子．凡吞喫他的、必算爲有罪．災禍必臨到他們．這是耶
四 和華說的。〇雅各家、以色列家的各族阿、你們當聽耶
五 和華的話。耶和華如此說、你們的列祖見我有甚麼不
六 義、竟遠離我、隨從虛無的神、自己成爲虛妄的呢．他們
也不說、那領我們從埃及地上來、引導我們經過曠野、
沙漠有深坑之地、和乾旱死蔭、無人經過、無人居住之
七 地的耶和華在那裏呢。我領你們進入肥美之地、使你
們得喫其中的果子和美物．但你們進入的時候、就玷
八 汚我的地、使我的產業成爲可憎的。祭司都不說、耶和
華在那裏呢．傳講律法的、都不認識我、官長違背我、先
知藉巴力說豫言、隨從無益的神：

悖逆無比

九 耶和華說、我因此必與你們爭辯、也必與你們的子孫
十 爭辯。你們且過到基提海島去察看、打發人往基達去、
十一 留心查考、看曾有這樣的事沒有。豈有一國換了他的
神麼、其實這不是神．但我的百姓、將他們的榮耀、換了
十二 那無益的神：。諸天哪、要因此驚奇、極其恐慌、甚爲淒涼．
十三 這是耶和華說的。因爲我的百姓、作了兩件惡事、就是
離棄我這活水的泉源、爲自己鑿出池子、是破裂不能
存水的池子。

遭災受禍因罪自召

十四 以色列是僕人麼．是家中生的奴僕麼：爲何成爲掠物
十五 呢。少壯獅子向他咆哮、大聲吼叫、使他的地荒涼、城邑
十六 也都焚燒、無人居住。挪弗人和答比匿人、也打破你的
十七 頭頂．這事臨到你身上、不是你自招的麼．不是因耶和
十八 華你　神引你行路的時候、你離棄他麼．現今你爲何
在埃及路上、要喝西曷的水呢．你爲何在亞述路上、要
十九 喝大河的水呢．你自己的惡、必懲治你、你背道的事、必
責備你．由此可知可見你離棄耶和華你的　神、不存

敬畏我的心、乃為惡事、為苦事、這是主萬軍之耶和華
說的。

歷數猶大罪惡

二十我在古時折斷你的軛、解開你的繩索、你說、我必不事
奉耶和華：因為你在各高岡上、各青翠樹下、屈身行淫。（或作我在古時折斷你的軛解開你的繩索你就說我必不事奉別神誰知你在各高岡上各青翠樹下仍屈
身行淫）二一然而我栽你是上等的葡萄樹、全然是眞種子、你
怎麼向我變為外邦葡萄樹的壞枝子呢。二二你雖用鹼多
用肥皂洗濯、你罪孽的痕跡、仍然在我面前顯出、這是
主耶和華說的。二三你怎能說、我沒有玷污、沒有隨從衆巴
力、你看你谷中的路、就知道你所行的如何、你是快行
的獨峯駝、狂奔亂走、二四你是野驢慣在曠野、慾心發動就
吸風、起性的時候、誰能使他轉去呢、凡尋找他的、必不
至疲乏、在他的月分、必能尋見。二五我說、你不要使脚上無
鞋、喉嚨乾渴、你倒說、這是枉然、我喜愛別神、我必隨從
他們。

遭遇患難始求救援

二六賊被捉拿、怎樣羞愧、以色列家、和他們的君王、首領、祭
司、先知、也都照樣羞愧。二七他們向木頭說、你是我的父、向
石頭說、你是生我的、他們以背向我、不以面向我、及至
遭遇患難的時候、卻說、起來拯救我們。二八你為自己作的
神在那裏呢、你遭遇患難的時候、叫他們起來拯救你
罷、猶大阿、你神的數目與你城的數目相等。○二九耶和華
說、你們為何與我爭辯呢、你們都違背了我。三十我責打你
們的兒女是徒然的、他們不受懲治、你們自己的刀吞
滅你們的先知、好像殘害的獅子。三一這世代的人哪、你們
要看明耶和華的話。我豈向以色列作曠野呢、或作幽
暗之地呢、我的百姓為何說、我們脫離約束、再不歸向
你了。三二處女豈能忘記他的妝飾呢、新婦豈能忘記他的
美衣呢、我的百姓、卻忘記了我無數的日子。三三你怎麼修
飾你的道路、要求愛情呢、就是惡劣的婦人、你也叫他
們行你的路。三四並且你的衣襟上有無辜窮人的血、你殺：
他們：並不是遇見他們挖窟窿、乃是因這一切的事。三五你
還說、我無辜、耶和華的怒氣、必定向我消了、看哪、我必
審問你、因你自說、我沒有犯罪。三六你為何東跑西奔要更
換你的路呢、你必因埃及蒙羞、像從前因亞述蒙羞一

三七 樣。三七你也必兩手抱頭、從埃及出來．因爲耶和華已經棄
絕你所倚靠的、你必不因他們得順利。

責其行淫作惡

一 第三章 有話說、人若休妻、妻離他而去、作了別人
的妻、前夫豈能再收回他來．若收回他來、那地豈不是
大大玷汚了麼．但你和許多親愛的行邪淫、還可以歸
二 向我．這是耶和華說的。二你向淨光的高處舉目觀看、你
在何處沒有淫行呢．你坐在道旁等候、好像亞拉伯人
三 在曠野埋伏一樣．並且你的淫行邪惡玷汚了全地。三因
四 此甘霖停止、春(原文作晚)雨不降．你還是有娼妓之臉、不顧
五 羞恥。四從今以後、你豈不向我呼叫說、我父阿、你是我幼
年的恩主。五耶和華豈永遠懷怒、存留到底麼．看哪、你又
發惡言、又行壞事、隨自己的私意而行。(或作你雖這樣說還是行惡放縱心)

猶大之惡較以色列尤甚

六 六約西亞王在位的時候、耶和華又對我說、背道的以色
列所行的、你看見沒有．他上各高山、在各青翠樹下行
七 淫。七他行這些事以後、我說、他必歸向我．他卻不歸向我．
八 他奸詐的妹妹猶大也看見了。八背道的以色列行淫、我
九 爲這緣故給他休書休他．我看見他奸詐的妹妹猶大、
十 還不懼怕、也去行淫。九因以色列輕忽了他的淫亂、和石
頭木頭行淫、地就被玷汚了。十雖有這一切的事、他奸詐
的妹妹猶大、還不一心歸向我、不過是假意歸我．這是
耶和華說的。

悔罪歸誠仍施矜憫

十一 十一耶和華對我說、背道的以色列、比奸詐的猶大還顯爲
十二 義。十二你去向北方宣告說、耶和華說、背道的以色列阿、回
來罷．我必不怒目看你們．因爲我是慈愛的、我必不永
十三 遠存怒．這是耶和華說的。十三只要承認你的罪孽、就是你
違背耶和華你的神、在各青翠樹下、向別神東奔西
十四 跑、沒有聽從我的話．這是耶和華說的。十四耶和華說、背道
的兒女阿、回來罷．因爲我作你們的丈夫．並且我必將
十五 你們從一城取一人、從一族取兩人、帶到錫安。十五我也必
將合我心的牧者賜給你們．他們必以知識和智慧牧
十六 養你們。十六耶和華說、你們在國中生養衆多、當那些日子、
人必不再題說、耶和華的約櫃．不追想、不記念、不覺缺

十七 少、也不再製造。那時、人必稱耶路撒冷為耶和華的寶
座．萬國必到耶路撒冷、在耶和華立名的地方聚集．他
十八 們必不再隨從自己頑梗的惡心行事。當那些日子、猶
大家要和以色列家同行、從北方之地、一同來到我賜
給你們列祖為業之地。

以色列認罪蒙恩

十九 我說、我怎樣將你安置在兒女之中、賜給你美地、就是
萬國中肥美的產業．我又說、你們必稱我為父、也不再
二十 轉去不跟從我。以色列家、你們向我行詭詐、真像妻子
二一 行詭詐、離開他丈夫一樣．這是耶和華說的。在淨光的
高處聽見人聲、就是以色列人哭泣懇求之聲．乃因他
二二 們走彎曲之道、忘記耶和華他們的神。你們這背道
的兒女阿、回來罷．我要醫治你們背道的病。◯看哪、我
二三 們來到你這裏．因你是耶和華我們的神。仰望從小
山、或從大山的喧嚷中得幫助、真是枉然的．以色列得
二四 救、誠然在乎耶和華我們的神。從我們幼年以來、那
可恥的偶像、將我們列祖所勞碌得來的羊群、牛群、和
二五 他們的兒女都吞喫了。我們在羞恥中躺臥罷．願慚愧
將我們遮蓋．因為從立國(原文作幼年)以來、我們和我們的
列祖、常常得罪耶和華我們的 神、沒有聽從耶和華
我們 神的話。

召以色列歸誠

一 **第四章** 耶和華說、以色列阿、你若回來歸向我、若
二 從我眼前除掉你可憎的偶像、你就不被遷移．你必憑
誠實、公平、公義、指着永生的耶和華起誓、列國必因耶
和華稱自己為有福、也必因他誇耀。

勸猶大悔改

三 耶和華對猶大和耶路撒冷人如此說、要開墾你們的
四 荒地、不要撒種在荊棘中。猶大人和耶路撒冷的居民
哪、你們當自行割禮歸耶和華、將心裏的污穢除掉．恐
怕我的忿怒、因你們的惡行發作、如火着起、甚至無人
五 能以熄滅。◯你們當傳揚在猶大、宣告在耶路撒冷說、
你們當在國中吹角、高聲呼叫說、你們當聚集、我們好
六 進入堅固城。應當向錫安豎立大旗．要逃避、不要遲延．
七 因我必使災禍與大毀滅從北方來到。有獅子從密林
中上來、是毀壞列國的．他已經動身、出離本處、要使你

八 的地荒涼、使你的城邑變爲荒塲、無人居住。八因此你們
當腰束麻布、大聲哀號。因爲耶和華的烈怒、沒有向我
九 們轉消。九耶和華說、到那時君王和首領的心、都要消滅。
十 祭司都要驚奇、先知都要詫異。○十我說、哀哉、主耶和華
阿、你眞是大大的欺哄這百姓和耶路撒冷、說、你們必
十一 得平安。其實刀劍害及性命了。○十一那時、必有話對這百
姓和耶路撒冷說、有一陣熱風、從曠野淨光的高處、向
十二 我的衆民原文作民女颳來、不是爲簸揚、也不是爲揚淨。十二必
有一陣更大的風、從這些地方爲我颳來、現在我又必
十三 發出判語、攻擊他們。十三看哪、仇敵必如雲上來、他的戰車
如旋風、他的馬匹比鷹更快。我們有禍了。我們敗落了。
十四 十四耶路撒冷阿、你當洗去心中的惡、使你可以得救。惡念
十五 存在你心裏、要到幾時呢。十五有聲音從但傳揚、從以法蓮
十六 山報禍患。十六你們當傳給列國、報告攻擊耶路撒冷的事、
說、有探望的人、從遠方來到、向猶大的城邑大聲吶喊。
十七 十七他們周圍攻擊耶路撒冷、好像看守田園的、因爲他背
十八 叛了我。這是耶和華說的。十八你的行動、你的作爲、招惹這
事。這是你罪惡的結果。實在是苦、是害及你心了。

哀歎猶大遭災

十九 十九我的肺腑阿、我的肺腑阿、我心疼痛。我心在我裏面煩
躁不安。我不能靜默不言。因爲我已經聽見角聲、和打
二十 仗的喊聲。二十毀壞的信息連絡不絕。因爲全地荒廢。我的
二一 帳棚忽然毀壞、我的幔子、頃刻破裂。二一我看見大旗、聽見
二二 角聲、要到幾時呢。二二耶和華說、我的百姓愚頑、不認識我。
他們是愚昧無知的兒女、有智慧行惡、沒有知識行善。
二三 ○二三先知說、我觀看地、不料、地是空虛混沌。我觀看天、天
二四 也無光。二四我觀看大山、不料、盡都震動、小山也都搖來搖
二五 二六 去。二五我觀看、不料、無人、空中的飛鳥也都躱避。二六我觀看、不
料、肥田變爲荒地、一切城邑在耶和華面前、因他的烈
二七 怒、都被拆毀。○二七耶和華如此說、全地必然荒涼、我卻不
二八 毀滅淨盡。二八因此、地要悲哀、在上的天也必黑暗。因爲我
二九 言已出、我意已定、必不後悔、也不轉意不作。二九各城的人、
因馬兵和弓箭手的響聲、就都逃跑、進入密林、爬上磐
三十 石。各城被撇下、無人住在其中。三十你淒涼的時候要怎樣
行呢。你雖穿上朱紅衣服、佩戴黃金裝飾、用顏料修飾
眼目、這樣標緻、是枉然的。戀愛你的藐視你、並且尋索

三一 你的性命。[三一]我聽見有聲音、彷彿婦人產難的聲音、好像
生頭胎疼痛的聲音、是錫安女子的聲音、（女子就是指民的意思）
他喘着氣、挓挲手、說、我有禍了．在殺人的跟前、我的心
發昏了。

耶路撒冷之惡

一 **第五章** 你們當在耶路撒冷的街上、跑來跑去、在
寬闊處尋找、看看有一人行公義、求誠實沒有、若有、我
二 就赦免這城。[二]其中的人、雖然指着永生的耶和華起誓、
三 所起的誓實在是假的。[三]耶和華阿、你的眼目不是看顧
誠實麼．你擊打他們、他們卻不傷慟．你毀滅他們、他們
四 仍不受懲治．他們使臉剛硬過於磐石、不肯回頭。〇[四]我
說、這些人實在是貧窮的、是愚昧的．因為不曉得耶和
五 華的作為、和他們 神的法則。[五]我要去見尊大的人、對
他們說話．因為他們曉得耶和華的作為、和他們 神
六 的法則．那知、這些人齊心將軛折斷、掙開繩索。[六]因此、林
中的獅子、必害死他們．晚上（或作野地）的豺狼、必滅絕他們、
豹子要在城外窺伺他們．凡出城的、必被撕碎．因為他
們的罪過極多、背道的事也加增了。

棄 神崇奉偽神

七 我[七]怎能赦免你呢．你的兒女離棄我、又指着那不是神
的起誓．我使他們飽足、他們就行姦淫、成羣的聚集在
八 娼妓家裏。[八]他們像餵飽的馬、到處亂跑、各向他鄰舍的
九 妻發嘶聲。[九]耶和華說、我豈不因這些事討罪呢．豈不報
復這樣的國民呢。

行詭譎不敬不信

十 你[十]們要上他葡萄園的牆、施行毀壞．但不可毀壞淨盡、
十一 只可除掉他的枝子．因為不屬耶和華。[十一]原來以色列家
十二 和猶大家、大行詭詐攻擊我．這是耶和華說的。[十二]他們不
認耶和華、說、這並不是他．災禍必不臨到我們．刀劍和
十三 飢荒、我們也看不見。[十三]先知的話、必成為風．道也不在他
十四 們裏面．這災必臨到他們身上。〇[十四]所以耶和華萬軍之
神如此說、因為百姓說這話、我必使我的話、在你口
十五 中為火、使他們為柴、這火便將他們燒滅。[十五]耶和華說、以
色列家阿、我必使一國的民從遠方來攻擊你、是強盛
的國、是從古而有的國．他們的言語你不曉得、他們的
十六 話你不明白。[十六]他們的箭袋、是敞開的墳墓．他們都是勇

十七 士。十七他們必喫盡你的莊稼、和你的糧食、是你兒女該喫
的．必喫盡你的牛羊、喫盡你的葡萄和無花果．又必用
十八 刀毀壞你所倚靠的堅固城。十八耶和華說、就是到那時、我
也不將你們毀滅淨盡。

事他神輕視主恩

十九 十九百姓若說、耶和華我們的　神、為甚麼向我們行這一
切事呢．你就對他們說、你們怎樣離棄耶和華、(原文作我)在
你們的地上事奉外邦神、也必照樣在不屬你們的地
上、事奉外邦人。

行不義罪孽充盈

二十 二一 二十當傳揚在雅各家、報告在猶大、說、二一愚昧無知的百姓阿、
二二 你們有眼不看、有耳不聽、現在當聽這話。二二耶和華說、你
們怎麼不懼怕我呢．我以永遠的定例、用沙為海的界
限、水不得越過．因此、你們在我面前還不戰兢麼。波浪
二三 雖然翻騰、卻不能踰越．雖然匉訇、卻不能過去。二三但這百
二四 姓有背叛忤逆的心．他們叛我而去。二四心內也不說、我們
應當敬畏耶和華我們的　神．他按時賜雨、就是秋雨
二五 春雨．又為我們定收割的節令、永存不廢。二五你們的罪孽、

二六 使這些事轉離你們、你們的罪惡、使你們不能得福。二六因
為在我民中有惡人．他們埋伏窺探、好像捕鳥的人．他
二七 們設立圈套陷害人。二七籠內怎樣滿了雀鳥、他們的房中
二八 也照樣充滿詭詐．所以他們得成為大、而且富足。二八他們
肥胖光潤、作惡過甚、不為人伸冤、就是不為孤兒伸冤、
二九 不使他亨通、也不為窮人辨屈。二九耶和華說、我豈不因這
些事討罪呢．豈不報復這樣的國民呢。

先知祭司僞言欺民

三十 三一 三十國中有可驚駭、可憎惡的事．三一就是先知說假豫言、祭司
藉他們把持權柄．我的百姓也喜愛這些事．到了結局
你們怎樣行呢。

豫言猶大之災禍

一 **第六章**　便雅憫人哪、你們要逃出耶路撒冷、在提
哥亞吹角、在伯哈基琳立號旗．因為有災禍與大毀滅、
二 從北方張望。二那秀美嬌嫩的錫安女子、我必剪除。(女子就是
三 指民的意思)三牧人必引他們的羊羣到他那裏、在他周圍支
搭帳棚、各在自己所佔之地使羊喫草。

命敵來攻乃因其罪

四 四你們要準備攻擊他、起來罷、我們可以趁午時上去。哀
五 哉、日已漸斜、晚影拖長了。五起來罷、我們夜間上去、毀壞
六 他的宮殿。六因爲萬軍之耶和華如此說、你們要砍伐樹
木、築壘攻打耶路撒冷、這就是那該罰的城、其中盡是
七 欺壓。七井怎樣湧出水來、這城也照樣湧出惡來、在其間
八 常聽見有強暴毀滅的事、病患損傷、也常在我面前。八耶
路撒冷阿、你當受教、免得我心與你生疎、免得我使你
荒涼、成爲無人居住之地。

哀歎猶大不聽警教致受重罰

九 九萬軍之耶和華曾如此說、敵人必擄盡以色列剩下的
民、如同摘淨葡萄一樣。你要像摘葡萄的人摘了又摘、
十 回手放在筐子裏。十現在我可以向誰說話作見證、使他
們聽呢。他們的耳朵未受割禮、不能聽見、看哪、耶和華
十一 的話、他們以爲羞辱、不以爲喜悅。十一因此我被耶和華的
忿怒充滿、難以含忍、我要傾在街中的孩童、和聚會的
少年人身上、連夫帶妻、並年老的與日子滿足的、都必
十二 被擒拿。十二他們的房屋、田地、和妻子、都必轉歸別人、我要

十三 伸手攻擊這地的居民。這是耶和華說的。十三因爲他們從
最小的到至大的、都一味的貪婪、從先知到祭司、都行
十四 事虛謊。十四他們輕輕忽忽的醫治我百姓的損傷、說、平安
十五 了、平安了。其實沒有平安。十五他們行可憎的事、知道慚愧
麼、不然、他們毫不慚愧、也不知羞恥、因此他們必在仆
倒的人中仆倒。我向他們討罪的時候、他們必致跌倒、
這是耶和華說的。

豫言將降災於斯民

十六 十六耶和華如此說、你們當站在路上察看、訪問古道、那是
善道、便行在其間、這樣、你們心裏必得安息、他們卻說、
十七 我們不行在其間。十七我設立守望的人照管你們、說、要聽
十八 角聲。他們卻說、我們不聽。十八列國阿、因此你們當聽、會衆
十九 阿、要知道他們必遭遇的事。十九地阿、當聽、我必使災禍臨
到這百姓、就是他們意念所結的果子、因爲他們不聽
二十 從我的言語、至於我的訓誨、或作律法他們也厭棄了。二十從示
巴出的乳香、從遠方出的菖蒲、或作甘蔗奉來給我有何益
呢。你們的燔祭不蒙悅納、你們的平安祭我也不喜悅。
二一 二十一所以耶和華如此說、我要將絆腳石放在這百姓前面、

父親和兒子、要一同跌在其上．鄰舍與朋友、也都滅亡。

勸民因受災哀痛己罪

二二 耶和華如此說、看哪、有一種民、從北方而來．並有一大
二三 國被激動、從地極來到。二三他們拿弓和槍．性情殘忍、不施
憐憫．他們的聲音、像海浪匉訇．錫安城阿、（城原文作女子）他們
二四 騎馬、都擺隊伍、如上戰場的人要攻擊你。二四我們聽見他
們的風聲、手就發輭．痛苦將我們抓住、疼痛彷彿產難
二五 的婦人。二五你們不要往田野去、也不要行在路上．因四圍
二六 有仇敵的刀劍、和驚嚇。二六我民哪、（民原文作民女）應當腰束麻布、
輥在灰中．你要悲傷、如喪獨生子痛痛哭號、因為滅命
二七 的要忽然臨到我們。○二七我使你在我民中為高臺、為保
二八 障、（高臺或作試驗人的）使你知道試驗他們的行動。二八他們都是極
二九 悖逆的、往來讒謗人．他們是銅是鐵、都行壞事。二九風箱吹
火．鉛被燒毀．他們煉而又煉、終是徒然．因為惡劣的還
三十 未除掉。三十人必稱他們為被棄的銀渣、因為耶和華已經
棄掉他們。

勸猶大悔罪免擄至異邦

第七章

一 二 耶和華的話臨到耶利米說、二你當站在耶
和華殿的門口、在那裏宣傳這話、說、你們進這些門敬
三 拜耶和華的一切猶大人、當聽耶和華的話。三萬軍之耶
和華以色列的神如此說、你們改正行動作為、我就
四 使你們在這地方仍然居住。四你們不要倚靠虛謊的話、
說、這些是耶和華的殿、是耶和華的殿、是耶和華的殿。
五 五你們若實在改正行動作為、在人和鄰舍中間誠然施
六 行公平．六不欺壓寄居的、和孤兒寡婦、在這地方不流無
七 辜人的血、也不隨從別神陷害自己．七我就使你們在這
地方仍然居住、就是我古時所賜給你們列祖的地、直
八 九 到永遠。○八看哪、你們倚靠虛謊無益的話。九你們偷盜、殺
害、姦淫、起假誓、向巴力燒香、並隨從素不認識的別神．
十 十且來到這稱為我名下的殿、在我面前敬拜、又說、我們
可以自由了．你們這樣的舉動、是要行那些可憎的事
十一 麼。十一這稱為我名下的殿、在你們眼中豈可看為賊窩麼．
我都看見了．這是耶和華說的。

引示羅事以警猶大

十二 十二你們且往示羅去、就是我先前立為我名的居所、察看
十三 我因這百姓以色列的罪惡、向那地所行的如何。十三耶和

華說、現在因你們行了這一切的事、我也從早起來警
十四 戒你們、你們卻不聽從、呼喚你們、你們卻不答應．十四所以
我要向這稱為我名下、你們所倚靠的殿、與我所賜給
你們和你們列祖的地施行、照我從前向示羅所行的
十五 一樣。十五我必將你們從我眼前趕出、正如趕出你們的眾
十六 弟兄、就是以法蓮的一切後裔。○十六所以你不要為這百
姓祈禱、不要為他們呼求禱告、也不要向我為他們祈
十七 求．因我不聽允你。十七你看他們在猶大城邑中和耶路撒冷街
十八 上所行的、你沒有看見麼。十八孩子撿柴、父親燒火、婦女摶
十九 麵作餅、獻給天后、又向別神澆奠祭、惹我發怒。十九耶和華
說、他們豈是惹我發怒呢．不是自己惹禍、以致臉上慚
二十 愧麼。二十所以主耶和華如此說、看哪、我必將我的怒氣和
忿怒、傾在這地方的人和牲畜身上、並田野的樹木和
地裏的出產上．必如火着起、不能熄滅。

違逆者之祭不蒙悅納

二一 二一萬軍之耶和華以色列的神如此說、你們將燔祭加
二二 在平安祭上、喫肉罷。二二因為我將你們列祖從埃及地領
出來的那日、燔祭平安祭的事、我並沒有題說、也沒有
二三 吩咐他們．二三我只吩咐他們這一件、說、你們當聽從我的
話、我就作你們的神、你們也作我的子民．你們行我
二四 所吩咐的一切道、就可以得福。二四他們卻不聽從、不側耳
而聽、竟隨從自己的計謀、和頑梗的惡心、向後不向前。
二五 二五自從你們列祖出埃及地的那日、直到今日、我差遣我
的僕人眾先知、到你們那裏去、每日從早起來差遣他
二六 們．二六你們卻不聽從不側耳而聽、竟硬着頸項行惡、比你
二七 們列祖更甚。○二七你要將這一切的話告訴他們、他們卻
二八 不聽從、呼喚他們、他們卻不答應。二八你要對他們說、這就
是不聽從耶和華他們神的話、不受教訓的國民．從
他們的口中誠實滅絕了。

陀斐特之惡事及其重罰

二九 二九耶路撒冷阿、要剪髮拋棄、在淨光的高處舉哀．因為耶
三十 和華丟掉離棄了惹他忿怒的世代。三十耶和華說、猶大人
行我眼中看為惡的事、將可憎之物設立在稱為我名
三一 下的殿中、污穢這殿。三一他們在欣嫩子谷建築陀斐特的
邱壇、好在火中焚燒自己的兒女．這並不是我所吩咐
三二 的、也不是我心所起的意。三二耶和華說、因此日子將到、這

地方不再稱爲陀斐特和欣嫩子谷、反倒稱爲殺戮谷．
因爲要在陀斐特葬埋屍首、甚至無處可葬……。三三並且這百
姓的屍首、必給空中的飛鳥、和地上的野獸作食物、並
無人闗趕。三四那時、我必使猶大城邑中、和耶路撒冷街上、
歡喜和快樂的聲音、新郎和新婦的聲音、都止息了．因
爲地必成爲荒場。

第八章　猶大死骨生人必皆遭禍

一耶和華說、到那時人必將猶大王的骸骨、
和他首領的骸骨、祭司的骸骨、先知的骸骨、並耶路撒
冷居民的骸骨、都從墳墓中取出來、二拋散在日頭、月亮、
和天上衆星之下、就是他們從前所喜愛、所事奉、所隨
從、所求問、所敬拜的．這些骸骨不再收殮、不再葬埋、必
在地面上成爲糞土。三並且這惡族所剩下的民、在我所
趕他們到的各處、寧可揀死不揀生、這是萬軍之耶和
華說的。

斥其昏庸愚昧怙惡不悛

四你要對他們說、耶和華如此說、人跌倒、不再起來麼．人
轉去、不再轉來麼。五這耶路撒冷的民、爲何恆久背道呢．
他們守定詭詐、不肯回頭。六我留心聽、聽見他們說不正
直的話．無人悔改惡行、說、我作的是甚麼呢．他們各人
轉奔己路、如馬直闖戰場。七空中的鸛鳥、知道來去的定
期、班鳩燕子與白鶴、也守候當來的時令．我的百姓、卻
不知道耶和華的法則。八你們怎麼說、我們有智慧、耶
和華的律法在我們這裏．看哪、文士的假筆舞弄虛假。
九智慧人慚愧、驚惶、被擒拿．他們棄掉耶和華的話、心裏
還有甚麼智慧呢。十所以我必將他們的妻子給別人、將
他們的田地給別人爲業．因爲他們從最小的到至大
的、都一味的貪婪．從先知到祭司、都行事虛謊。十一他們輕
輕忽忽的醫治我百姓的損傷、說、平安了、平安了．其實
沒有平安。十二他們行可憎的事、知道慚愧麼．不然、他們毫
不慚愧、也不知羞恥．因此他們必在仆倒的人中仆倒．
我向他們討罪的時候、他們必致跌倒．這是耶和華說
的。

警以必受重災

十三耶和華說、我必使他們全然滅絕．葡萄樹上必沒有葡
萄、無花果樹上必沒有果子、葉子也必枯乾．我所賜給

十四 他們的、必離開他們過去。[十四]我們爲何靜坐不動呢．我們
當聚集、進入堅固城、在那裏靜默不言．因爲耶和華我
們的神、使我們靜默不言、又將苦膽水給我們喝、都
十五 因我們得罪了耶和華。[十五]我們指望平安、卻得不着好處．
十六 指望痊癒的時候、不料、受了驚惶．[十六]聽見從但‖那裏敵人
的馬噴鼻氣、他的壯馬發嘶聲、全地就都震動．因爲他
們來吞滅這地、和其上所有的．吞滅這城、與其中的居
十七 民。[十七]看哪、我必使毒蛇到你們中間、是不服法術的、必咬
你們．這是耶和華說的。

歎其以虛無之像干主怒

十八 十九 [十八]我有憂愁、願能自慰．我心在我裏面發昏。[十九]聽阿、是我百
姓的哀聲、從極遠之地而來、說、耶和華不在錫安麼．錫
安‖的王不在其中麼．耶和華說、他們爲甚麼以雕刻的
二十 偶像、和外邦虛無的神、惹我發怒呢。[二十]麥秋已過、夏令已
二一 完、我們還未得救。[二一]先知說、因我百姓的損傷、我也受了
二二 損傷．我哀痛．驚惶將我抓住。[二二]在基列‖豈沒有乳香呢．在
那裏豈沒有醫生呢．我百姓爲何不得痊癒呢。

第九章

一 **哀悼猶大人獲罪多端**

但願我的頭爲水、我的眼爲淚的泉源、我
二 好爲我百姓（原文作民女七節同）中被殺的人、晝夜哭泣。[二]惟願我
在曠野有行路人住宿之處、使我可以離開我的民出
三 去．因他們都是行姦淫的、是行詭詐的一黨。[三]他們彎起
舌頭像弓一樣、爲要說謊話．他們在國中、增長勢力、不
是爲行誠實、乃是惡上加惡、並不認識我．這是耶和華
四 說的。[四]你們各人當謹防鄰舍、不可信靠弟兄．因爲弟兄
五 盡行欺騙、鄰舍都往來讒謗人。[五]他們各人欺哄鄰舍、不
六 說眞話．他們教舌頭學習說謊、勞勞碌碌的作孽。[六]你的
住處在詭詐的人中．他們因行詭詐不肯認識我．這是
七 耶和華說的。○[七]所以萬軍之耶和華如此說、看哪、我要
八 將他們熔化熬煉．不然、我因我百姓的罪該怎樣行呢。
[八]他們的舌頭是毒箭、說話詭詐．人與鄰舍口說和平話、
九 心卻謀害他。[九]耶和華說、我豈不因這些事討他們的罪
呢．豈不報復這樣的國民呢。

受種種災禍

十 [十]我要爲山嶺哭泣悲哀、爲曠野的草場揚聲哀號、因爲

都已乾焦、甚至無人經過．人也聽不見牲畜鳴叫．空中
十一 的飛鳥和地上的野獸都已逃去。十一我必使耶路撒冷變
爲亂堆、爲野狗的住處．也必使猶大的城邑變爲荒塲、
無人居住。

備嘗苦難乃因棄法違命

十二 十二誰是智慧人、可以明白這事．耶和華的口向誰說過、使
他可以傳說．遍地爲何滅亡乾焦、好像曠野、甚至無人
十三 經過呢。十三耶和華說、因爲這百姓離棄我在他們面前所
十四 設立的律法、沒有遵行、也沒有聽從我的話．十四只隨從自
己頑梗的心行事、照他們列祖所教訓的隨從衆巴力．
十五 十五所以萬軍之耶和華以色列的　神如此說、看哪、我必
十六 將茵蔯給這百姓喫、又將苦膽水給他們喝。十六我要把他
們散在列邦中、就是他們和他們列祖素不認識的列
邦．我也要使刀劍追殺他們、直到將他們滅盡。

宜因災禍哭泣悲哀

十七 十七萬軍之耶和華如此說、你們應當思想、將善唱哀歌的
十八 婦女召來、又打發人召善哭的婦女來。十八叫他們速速爲
我們舉哀、使我們眼淚汪汪、使我們的眼皮湧出水來。
十九 十九因爲聽見哀聲出於錫安、說、我們怎樣敗落了．我們大
二十 大的慚愧．我們撇下地土．人也拆毀了我們的房屋。二十婦
女們哪、你們當聽耶和華的話、領受他口中的言語．又
二一 當教導你們的兒女舉哀、各人教導鄰舍唱哀歌。二一因爲
死亡上來、進了我們的窗戶、入了我們的宮殿、要從外
二二 邊剪除孩童、從街上剪除少年人。二二你當說、耶和華如此
說、人的屍首必倒在田野像糞土、又像收割的人遺落
的一把禾稼、無人收取。

人毋自恃宜恃　神

二三 二三耶和華如此說、智慧人不要因他的智慧誇口、勇士不
二四 要因他的勇力誇口、財主不要因他的財物誇口．二四誇口
的卻因他有聰明、認識我是耶和華、又知道我喜悅在
世上施行慈愛公平和公義、以此誇口．這是耶和華說
的。

警告猶大異邦必受罰無異

二五 二五耶和華說、看哪、日子將到、我要刑罰一切受過割禮、心
二六 卻未受割禮的．二六就是埃及、猶大、以東、亞捫人、摩押人、和
一切住在曠野剃周圍頭髮的．因爲列國人都沒有受

割禮、以色列人心中、也沒有受割禮。

偽神斷難比主

第十章 一 以色列家阿、要聽耶和華對你們所說的
話。二 耶和華如此說、你們不要效法列國的行爲、也不要
爲天象驚惶。因列國爲此事驚惶。三 衆民的風俗是虛空
的。他們在樹林中用斧子砍伐一棵樹、匠人用手工造
成偶像。……四 他們用金銀妝飾他、用釘子和錘子釘穩、使他
不動搖。五 他好像棕樹、是鏇成的、不能說話、不能行走、必
須有人抬着。你們不要怕他。他不能降禍、也無力降福。
○六 耶和華阿、沒有能比你的。你本爲大、有大能大力的
名。七 萬國的王阿、誰不敬畏你。敬畏你本是合宜的。因爲
在列國的智慧人中、雖有政權的尊榮、也不能比你。八 他
們盡都是畜類、是愚昧的。偶像的訓誨算甚麼呢。偶像
不過是木頭。九 有銀子打成片、是從他施帶來的、並有從
烏法來的金子、都是匠人和銀匠的手工。又有藍色紫
色料的衣服、都是巧匠的工作。十 惟耶和華是眞 神、是
活 神、是永遠的王。他一發怒、大地震動、他一惱恨、列
國都擔當不起。○十一 你們要對他們如此說、不是那創造
天地的神、必從地上從天下被除滅。○十二 耶和華用能力
創造大地、用智慧建立世界、用聰明鋪張穹蒼。十三 他一發
聲、空中便有多水激動、他使雲霧從地極上騰、他造電
隨雨而閃、從他府庫中帶出風來。十四 各人都成了畜類、毫
無知識。各銀匠都因他雕刻的偶像羞愧、他所鑄的偶
像本是虛假的、其中並無氣息。十五 都是虛無的、是迷惑人
的工作。到追討的時候、必被除滅。十六 雅各的分不像這些。
因他是造作萬有的主。……以色列也是他產業的支派、萬
軍之耶和華是他的名。

勸以避將至之災

十七 受圍困的人哪、當收拾你的財物、從國中帶出去。十八 因爲
耶和華如此說、這時候、我必將此地的居民、好像用機
弦甩出去、又必加害在他們身上、使他們覺悟。

哀歎牧者愚昧帳棚傾毀

十九 民說、禍哉、我受損傷。我的傷痕極其重大。我卻說、這眞
是我的痛苦、必須忍受。二十 我的帳棚毀壞、我的繩索折斷。
我的兒女離我出去、沒有了。無人再支搭我的帳棚、挂
起我的幔子。二十一 因爲牧人都成爲畜類、沒有求問耶和華。

二二 所以不得順利、他們的羊羣也都分散。二二有風聲、看哪、敵
人來了、有大擾亂從北方出來、要使猶大城邑變爲荒
涼、成爲野狗的住處。

先知哀切禱主

二三 二三耶和華阿、我曉得人的道路不由自己、行路的人、也不
二四 能定自己的腳步。二四耶和華阿、求你從寬懲治我、不要在
二五 你的怒中懲治我、恐怕使我歸於無有。二五願你將忿怒傾
在不認識你的列國中、和不求告你名的各族上、因爲
他們吞了雅各、不但吞了而且滅絕、把他的住處變爲
荒塲。

耶利米宣告主約

一二 **第十一章** 一耶和華的話臨到耶利米、說、二當聽這約
三 的話、告訴猶大人和耶路撒冷的居民。三對他們說、耶和
華以色列的神如此說、不聽從這約之話的人、必受
四 咒詛。四這約、是我將你們列祖從埃及地領出來、脫離鐵
爐的那日所吩咐他們的、說、你們要聽從我的話、照我
一切所吩咐的去行。這樣、你們就作我的子民、我也作
五 你們的神。五我好堅定向你們列祖所起的誓、給他們
流奶與蜜之地、正如今日一樣。我就回答說、耶和華阿、
阿們。

責猶大頑梗不遵其約

六 六耶和華對我說、你要在猶大城邑中、和耶路撒冷街市
七 上、宣告這一切話、說、你們當聽從遵行這約的話。七因爲
我將你們列祖從埃及地領出來的那日、直到今日、都
八 是從早起來、切切誥誡他們、說、你們當聽從我的話。八他
們卻不聽從、不側耳而聽、竟隨從自己頑梗的惡心去
行。所以我使這約中一切咒詛的話、臨到他們身上、這
約是我吩咐他們行的、他們卻不去行。

豫言必降災禍

九 九耶和華對我說、在猶大人和耶路撒冷居民中、有同謀
十 背叛的事。十他們轉去效法他們的先祖、不肯聽我的話、
犯罪作孽、又隨從別神事奉他、以色列家和猶大家背
十一 了我與他們列祖所立的約。十一所以耶和華如此說、我必
使災禍臨到他們、是他們不能逃脫的、他們必向我哀
十二 求、我卻不聽。十二那時猶大城邑的人、和耶路撒冷的居民、
要去哀求他們燒香所供奉的神、只是遭難的時候、這

十三 些神毫不拯救他們。十三猶大阿、你神的數目、與你城的數
目相等。你為那可恥的巴力所築燒香的壇、也與耶路
撒冷街道的數目相等。

主論耶利米勿為民禱

十四 十四所以你不要為這百姓祈禱、不要為他們呼求禱告。因
十五 為他們遭難向我哀求的時候、我必不應允。十五我所親愛
的、既行許多淫亂、聖肉也離了你、你在我殿中作甚麼
十六 呢。你作惡就喜樂。十六從前耶和華給你起名叫青橄欖樹、
又華美、又結好果子。如今他用鬨嚷之聲、點火在其上、
十七 枝子也被折斷。十七原來栽培你的萬軍之耶和華已經說、
要降禍攻擊你、是因以色列家和猶大家行惡、向巴力
燒香、惹我發怒、是自作自受。

先知自言己民欲加謀害

十八 十八耶和華指示我、我就知道。你將他們所行的給我指明。
十九 十九我卻像柔順的羊羔、被牽到宰殺之地。我並不知道他
們設計謀害我、說、我們把樹連果子都滅了罷、將他從
活人之地剪除、使他的名不再被記念。

豫言亞拿突人受罰

二十 二十按公義判斷、察驗人肺腑心腸的萬軍之耶和華阿、我
卻要見你在他們身上報仇。因我將我的案件向你稟
二一 明了。二一所以耶和華論到尋索你命的亞拿突人如此說、
他們說、你不要奉耶和華的名說豫言、免得你死在我
二二 們手中。二二所以萬軍之耶和華如此說、看哪、我必刑罰他
們、他們的少年人必被刀劍殺死、他們的兒女必因飢
二三 荒滅亡。二三並且沒有餘剩的人留給他們、因為在追討之
年、我必使災禍臨到亞拿突人。

先知驚異惡人受福後知終必遭報

第十二章

一 一耶和華阿、我與你爭辯的時候、你顯為
義。但有一件、我還要與你理論。惡人的道路為何亨通
二 呢。大行詭詐的為何得安逸呢。二你栽培了他們、他們也
扎了根、長大而且結果。他們的口是與你相近、心卻與
三 你遠離。三耶和華阿、你曉得我、看見我、察驗我向你是怎
樣的心。求你將他們拉出來、好像將宰的羊、叫他們等
四 候殺戮的日子。四這地悲哀、通國的青草枯乾、要到幾時
呢。因其上居民的惡行、牲畜和飛鳥都滅絕了。他們曾

說、他看不見我們的結局。

主示耶利米必見欺於昆弟同宗

五 五耶和華說、你若與步行的人同跑、尚且覺累、怎能與馬
賽跑呢．你在平安之地、雖然安穩、在約但河邊的叢林
六 要怎樣行呢。六因為連你弟兄和你父家、都用奸詐待你．
他們也在你後邊大聲喊叫．雖向你說好話、你也不要
七 信他們。〇七我離了我的殿宇、撇棄我的產業、將我心裏
八 所親愛的、交在他仇敵的手中。八我的產業向我如林中
九 的獅子．他發聲攻擊我．因此我恨惡他。九我的產業、向我
豈如斑點的鷙鳥呢．鷙鳥豈在他四圍攻擊他呢．你們
十 要去聚集田野的百獸、帶來吞喫罷。十許多牧人毀壞我
的葡萄園、踐踏我的分、使我美好的分變為荒涼的曠
十一 野。十一他們使地荒涼．地既荒涼、便向我悲哀．全地荒涼、因
十二 無人介意。十二滅命的都來到曠野中一切淨光的高處．耶
和華的刀、從地這邊直到地那邊、盡行殺滅．凡有血氣
十三 的、都不得平安。十三他們種的是麥子、收的是荊棘．勞勞苦
苦、卻毫無益處．因耶和華的烈怒、你們必為自己的土
產羞愧。

許歸正者得返故土

十四 十四耶和華如此說、一切惡鄰、就是佔據我使百姓以色列
所承受產業的、我要將他們拔出本地、又要將猶大家
十五 從他們中間拔出來。十五我拔出他們以後、我必轉過來憐
十六 憫他們、把他們再帶回來、各歸本業、各歸故土。十六他們若
殷勤學習我百姓的道、指着我的名起誓說、我指着永
生的耶和華起誓、正如他們從前教我百姓指着巴力
十七 起誓、他們就必建立在我百姓中間。十七他們若是不聽、我
必拔出那國、拔出而且毀滅．這是耶和華說的。

第十三章　以麻帶糜爛為喻

一 一耶和華對我如此說、你去買一根麻布
二 帶子束腰、不可放在水中。二我就照着耶和華的話、買了
三四 一根帶子束腰。三耶和華的話第二次臨到我說、四要拿着
你所買的腰帶、就是你腰上的帶子、起來往伯拉河去、
五 將腰帶藏在那裏的磐石穴中。五我就去、照着耶和華所
六 吩咐我的、將腰帶藏在伯拉河邊。六過了多日、耶和華對
我說、你起來往伯拉河去、將我吩咐你藏在那裏的腰
七 帶取出來。七我就往伯拉河去、將腰帶從我所藏的地方

八 刨出來．見腰帶已經變壞、毫無用了。○八耶和華的話臨
九 到我說、九耶和華如此說、我必照樣敗壞猶大的驕傲、和
十 耶路撒冷的大驕傲。十這惡民、不肯聽我的話、按自己頑
梗的心而行、隨從別神事奉敬拜他們、也必像這腰帶、
十一 變爲無用。十一耶和華說、腰帶怎樣緊貼人腰、照樣、我也使
以色列全家、和猶大全家緊貼我、好叫他們屬我爲子
民、使我得名聲、得頌讚、得榮耀．他們卻不肯聽。

以酒滿罈爲喻

十二 十二所以你要對他們說、耶和華以色列的神如此說、各
罈都要盛滿了酒．他們必對你說、我們豈不確知各罈
十三 都要盛滿了酒呢。十三你就要對他們說、耶和華如此說、我
十四 必使這地的一切居民、就是坐大衛寶座的君王、和祭
司、與先知、並耶路撒冷的一切居民、都酩酊大醉。十四耶和
華說、我要使他們彼此相碰、就是父與子彼此相碰．我
必不可憐、不顧惜、不憐憫、以致滅絕他們。

警猶大自卑免災

十五 十五你們當聽、當側耳而聽．不要驕傲．因爲耶和華已經說
十六 了。十六耶和華你們的神未使黑暗來到、你們的腳、未在
昏暗山上絆跌之先、當將榮耀歸給他．免得你們盼望
十七 光明、他使光明變爲死蔭、成爲幽暗。十七你們若不聽這話、
我必因你們的驕傲在暗地哭泣．我眼必痛哭流淚、因
爲耶和華的羣衆被擄去了。

豫言猶大被擄

十八 十八你要對君王和太后說、你們當自卑坐在下邊、因你們
十九 的頭巾、就是你們的華冠、已經脫落了。十九南方的城、盡都
關閉、無人開放．猶大全被擄掠、且擄掠淨盡。

其受災罰因行多惡

二十 二十你們要舉目觀看從北方來的人．先前賜給你的羣衆、
二一 就是你佳美的羣衆、如今在那裏呢。二一耶和華立你自己
所交的朋友爲首、轄制你、那時你還有甚麼話說呢．痛
二二 苦豈不將你抓住、像產難的婦人麼。二二你若心裏說、這一
切事爲何臨到我呢．你的衣襟揭起、你的腳跟受傷、是
二三 因你的罪孽甚多。二三古實人豈能改變皮膚呢．豹豈能改
二四 變斑點呢．若能、你們這習慣行惡的、便能行善了。二四所以
二五 我必用曠野的風、吹散他們、像吹過的碎稭一樣。二五耶和
華說、這是你所當得的、是我量給你的分、因爲你忘記

我、倚靠虛假。或作偶像二六所以我要揭起你的衣襟蒙在你臉
上、顯出你的醜陋。二七你那些可憎惡之事、就是在田野的
山上行姦淫、發嘶聲、作淫亂的事、我都看見了。耶路撒
冷阿、你有禍了、你不肯潔淨、還要到幾時呢。

豫言猶大荒旱

第十四章

一耶和華論到乾旱之災的話、臨到耶利
米。二猶大悲哀、城門衰敗、衆人披上黑衣坐在地上、耶
路撒冷的哀聲上達。三他們的貴胄打發家僮打水、他們
來到水池、見沒有水、就拿着空器皿、蒙羞慚愧、抱頭而
回。四耕地的也蒙羞抱頭、因爲無雨降在地上、地都乾裂。
五田野的母鹿生下小鹿、就撇棄、因爲無草。六野驢站在淨
光的高處、喘氣好像野狗、因爲無草、眼目失明。

耶利米認罪祈禱

七耶和華阿、我們的罪孽雖然作見證告我們、還求你爲
你名的緣故行事、我們本是多次背道、得罪了你。八以色
列所盼望在患難時作他救主的阿、你爲何在這地像
寄居的、又像行路的只住一宵呢。九你爲何像受驚的人、
像不能救人的勇士呢。耶和華阿、你仍在我們中間、我
們也稱爲你名下的人、求你不要離開我們。

耶和華不允其祈

十耶和華對這百姓如此說、這百姓喜愛妄行、原文作飄流不
禁止腳步、所以耶和華不悅納他們、現今要記念他們
的罪孽、追討他們的罪惡。十一耶和華又對我說、不要爲這
百姓祈禱求好處。十二他們禁食的時候、我不聽他們的呼
求、他們獻燔祭和素祭、我也不悅納、我卻要用刀劍、饑
荒、瘟疫、滅絕他們。

僞先知假託主名而妄言

十三我就說、唉、主耶和華阿、那些先知常對他們說、你們必
不看見刀劍、也不遭遇饑荒、耶和華要在這地方賜你
們長久的平安。十四耶和華對我說、那些先知託我的名說
假豫言、我並沒有打發他們、沒有吩咐他們、也沒有對
他們說話、他們向你們豫言的、乃是虛假的異象、和占
卜、並虛無的事、以及本心的詭詐。十五所以耶和華如此說、
論到託我名說豫言的那些先知、我並沒有打發他們、
他們還說這地不能有刀劍饑荒、其實那些先知必被
刀劍饑荒滅絕。十六聽他們說豫言的百姓、必因饑荒刀劍

抛在耶路撒冷的街道上、無人葬埋他們連妻子帶兒
女、都是如此。我必將他們的惡、倒在他們身上。或作我必使他們罪惡的報應臨到他們身上

耶利米為己民遭災悲慘哀禱

十七你要將這話對他們說、願我眼淚汪汪、晝夜不息。因為
我百姓原文作民的處女受了裂口破壞的大傷。十八我若出往田
間、就見有被刀殺的。我若進入城內、就見有因飢荒患
病的。連先知帶祭司在國中往來、也是毫無知識。或作不知怎樣纔好
十九○你全然棄掉猶大麼。你心厭惡錫安麼。為何擊
打我們、以致無法醫治呢。我們指望平安、卻得不着好
處。指望痊癒、不料、受了驚惶。二十耶和華阿、我們承認自己
的罪惡、和我們列祖的罪孽。因我們得罪了你。二一求你為
你名的緣故、不厭惡我們、不辱沒你榮耀的寶座。求你
追念、不要背了與我們所立的約。二二外邦人虛無的神中、
有能降雨的麼。天能自降甘霖麼。耶和華我們的神
阿、能如此的、不是你麼。所以我們仍要等候你、因為這
一切都是你所造的。

第十五章

耶和華棄絕猶大加以諸災

一耶和華對我說、雖有摩西和撒母耳站
在我面前代求、我的心也不顧惜這百姓。你將他們從
我眼前趕出、叫他們去罷。二他們問你說、我們往那裏去
呢。你便告訴他們、耶和華如此說、定為死亡的、必至死
亡。定為刀殺的、必交刀殺。定為飢荒的、必遭飢荒。定為
擄掠的、必被擄掠。三耶和華說、我命定四樣害他們、就是
刀劍殺戮、狗類撕裂、空中的飛鳥、和地上的野獸吞喫
毀滅。四又必使他們在天下萬國中拋來拋去、都因猶大
王希西家的兒子瑪拿西在耶路撒冷所行的事。○五耶
路撒冷阿、誰可憐你呢。誰為你悲傷呢。誰轉身問你的
安呢。六耶和華說、你棄絕了我、轉身退後。因此我伸手攻
擊你、毀壞你。我後悔甚不耐煩。七我在境內各城門口、或作
我在這地邊界的關口用簸箕簸了我的百姓、使他們喪掉兒女。
我毀滅他們、他們仍不轉離所行的道。八他們的寡婦在
我面前、比海沙更多。我使滅命的午間來、攻擊少年人
的母親、使痛苦驚嚇忽然臨到他身上。九生過七子的婦
人、力衰氣絕、尚在白晝、日頭忽落。他抱愧蒙羞。其餘的

人、我必在他們敵人跟前、交與刀劍．這是耶和華說的。

先知自言見惡於人蒙主慰藉

十 我的母親哪、我有禍了、因你生我作為遍地相爭相競
的人．我素來沒有借貸與人、人也沒有借貸與我、人人
十一 卻都咒罵我。耶和華說、我必要堅固你、使你得好處．災
十二 禍苦難臨到的時候、我必要使仇敵央求你。○人豈能
十三 將銅與鐵、就是北方的鐵、折斷呢．我必因你在四境之
內所犯的一切罪、把你的貨物財寶當掠物、白白的交
十四 給仇敵。我也必使仇敵帶這掠物到你所不認識的地
去．因我怒中起的火要將你們焚燒。

求耶和華眷顧

十五 耶和華阿、你是知道的．求你記念我、眷顧我、向逼迫我
的人為我報仇．不要向他們忍怒取我的命．要知道我
十六 為你的緣故、受了凌辱。耶和華萬軍之神阿、我得着
你的言語、就當食物喫了．你的言語、是我心中的歡喜
十七 快樂．因我是稱為你名下的人。我沒有坐在宴樂人的
會中、也沒有歡樂．我因你的感動、（感動原文作手）獨自靜坐．因
十八 你使我滿心憤恨。我的痛苦、為何長久不止呢．我的傷
痕、為何無法醫治、不能痊癒呢．難道你待我有詭詐、像
十九 流乾的河道麼。○耶和華如此說、你若歸回、我就將你
再帶來、使你站在我面前．你若將寶貴的、和下賤的分
別出來、你就可以當作我的口．他們必歸向你、你卻不
二十 可歸向他們。我必使你向這百姓成為堅固的銅牆．他
們必攻擊你、卻不能勝你．因我與你同在、要拯救你、搭
二一 救你．這是耶和華說的。我必搭救你脫離惡人的手、救
贖你脫離強暴人的手。

主示耶利米斯土必滅

第十六章

一 二 耶和華的話又臨到我說、你在這地方
三 不可娶妻生兒養女。因為論到在這地方所生的兒女、
四 又論到在這國中生養他們的父母、耶和華如此說、他
們必死得甚苦、無人哀哭、必不得葬埋、必在地上像糞
土、必被刀劍和饑荒滅絕．他們的屍首必給空中的飛
五 鳥、和地上的野獸作食物。○耶和華如此說、不要進入
喪家、不要去哀哭、也不要為他們悲傷．因我已將我的
六 平安、慈愛、憐憫、從這百姓奪去了．這是耶和華說的。連
大帶小、都必在這地死亡、不得葬埋、人必不為他們哀

七 哭、不用刀劃身、也不使頭光禿。七他們有喪事、人必不爲
他們擘餅、因死人安慰他們。他們喪父喪母、人也不給
八 他們一杯酒安慰他們。八你不可進入宴樂的家、與他們
九 同坐喫喝。九因爲萬軍之耶和華以色列的　神如此說、
你們還活着的日子在你們眼前、我必使歡喜和快樂
的聲音、新郎和新婦的聲音、從這地方止息了。

斯民較其列祖尤惡

十 你將這一切的話、指示這百姓、他們問你說、耶和華爲
甚麼說、要降這大災禍攻擊我們呢。我們有甚麼罪孽
十一 呢。我們向耶和華我們的　神犯了甚麼罪呢。十一你就對
他們說、耶和華說、因爲你們列祖離棄我、隨從別神、事
十二 奉敬拜、不遵守我的律法。十二而且你們行惡、比你們列祖
更甚、因爲各人隨從自己頑梗的惡心行事、甚至不聽
十三 從我。十三所以我必將你們從這地趕出、直趕到你們和你
們列祖素不認識的地、你們在那裏必晝夜事奉別神。
因爲我必不向你們施恩。

許以色列人仍歸故土

十四 耶和華說、日子將到、人必不再指着那領以色列人從

十五 埃及地上來之永生的耶和華起誓。十五卻要指着那領以
色列人從北方之地、並趕他們到的各國上來之永生
的耶和華起誓。並且我要領他們再入我從前賜給他
十六 們列祖之地。十六○耶和華說、我要召許多打魚的、把以色
列人打上來。然後我要召許多打獵的、從各山上、各岡
十七 上、各石穴中、獵取他們。十七因我的眼目察看他們的一切
行爲。他們不能在我面前遮掩、他們的罪孽也不能在
十八 我眼前隱藏。十八我先要加倍報應他們的罪孽和罪惡、因
爲他們用可憎之屍、玷汚我的地土、又用可厭之物、充
滿我的產業。

偶像虛僞誕妄無益

十九 耶和華阿、你是我的力量、是我的保障、在苦難之日、是
我的避難所。列國人必從地極來到你這裏、說、我們列
二十 祖所承受的、不過是虛假、是虛空無益之物。二十人豈可爲
二一 自己製造神呢。其實這不是神。二一○耶和華說、我要使他
們知道、就是這一次使他們知道我的手、和我的能力。
他們就知道我的名是耶和華了。

一 二 三 四 五 六 七八 九十

第十七章

猶大之罪不泯

一 猶大的罪、是用鐵筆、用金鋼鑽記錄的．
銘刻在他們的心版上、和壇角上。二 他們的兒女記念他
們高岡上青翠樹旁的壇、和木偶。三 我田野的山哪、我必
因你在四境之內所犯的罪、把你的貨物財寶並邱壇、
當掠物交給仇敵。四 並且你因自己的罪、必失去我所賜
給你的產業．我也必使你在你所不認識的地上服事
你的仇敵、因爲你使我怒中起火、直燒到永遠。

棄主賴人者受禍

五 耶和華如此說、倚靠人血肉的膀臂、心中離棄耶和華
的那人有禍了．六 因他必像沙漠的杜松、不見福樂來到、
卻要住曠野乾旱之處、無人居住的鹼地。

倚恃耶和華者得福

七 倚靠耶和華、以耶和華爲可靠的、那人有福了。八 他必像
樹栽於水旁、在河邊扎根、炎熱來到、並不懼怕、葉子仍
必青翠、在乾旱之年毫無掛慮、而且結果不止。

人心詭詐難逃主鑒

九 人心比萬物都詭詐、壞到極處、誰能識透呢。十 我耶和華
是鑒察人心、試驗人肺腑的、要照各人所行的、和他作
事的結果報應他。十一 那不按正道得財的、好像鷓鴣菢不
是自己下的蛋、到了中年、那財都必離開他、他終久成
爲愚頑人。

十一 十二十三 十四 十五十六 十七 十八

祈主拯救

十二 我們的聖所是榮耀的寶座、從太初安置在高處。十三 耶和
華以色列的盼望阿、凡離棄你的、必至蒙羞、耶和華說、
離開我的、他們的名字必寫在土裏、因爲他們離棄我
這活水的泉源。十四 耶和華阿、求你醫治我、我便痊癒、拯救
我、我便得救．因你是我所讚美的。

歎民不信豫言

十五 他們對我說、耶和華的話在那裏呢、叫這話應驗罷。十六 至
於我、那跟從你作牧人的職分、我並沒有急忙離棄、也
沒有想那災殃的日子、這是你知道的．我口中所出的
言語、都在你面前。十七 不要使我因你驚恐．當災禍的日子、
你是我的避難所。十八 願那些逼迫我的蒙羞、卻不要使我
蒙羞、使他們驚惶、卻不要使我驚惶、使災禍的日子臨
到他們、以加倍的毀壞毀壞他們。

當以安息日爲聖

十九 十九耶和華對我如此說、你去站在平民的門口、就是猶大
二十 君王出入的門、又站在耶路撒冷的各門口、二十對他們說、
你們這猶大君王、和猶大衆人、並耶路撒冷的一切居
二一 民、凡從這些門進入的、都當聽耶和華的話。二一耶和華如
此說、你們要謹慎、不要在安息日擔甚麽擔子、進入耶
二二 路撒冷的各門。二二也不要在安息日從家中擔出擔子去、
無論何工都不可作、只要以安息日爲聖日、正如我所
二三 吩咐你們列祖的。二三他們卻不聽從、不側耳而聽、竟硬着
二四 頸項不聽、不受教訓。〇二四耶和華說、你們若留意聽從我、
在安息日不擔甚麽擔子進入這城的各門、只以安息
二五 日爲聖日、在那日無論何工都不作、二五那時就有坐大衛
寶座的君王、和首領、他們與猶大人並耶路撒冷的居
民、或坐車或騎馬、進入這城的各門、而且這城必存到
二六 永遠。二六也必有人從猶大城邑、和耶路撒冷四圍的各處、
從便雅憫地、高原、山地、並南地而來、都帶燔祭、平安祭、
二七 素祭、和乳香、並感謝祭、到耶和華的殿去。二七你們若不聽
從我、不以安息日爲聖日、仍在安息日擔擔子、進入耶
路撒冷的各門、我必在各門中點火、這火也必燒毀耶
路撒冷的宮殿、不能熄滅。

第十八章

以陶人製器爲喻

一二 一耶和華的話臨到耶利米說、二你起來、下
三 到窰匠的家裏去、我在那裏要使你聽我的話。三我就下
四 到窰匠的家裏去、正遇他轉輪作器皿。四窰匠用泥作的
器皿、在他手中作壞了、他又用這泥另作別的器皿、窰
五六 匠看怎樣好、就怎樣作。〇五耶和華的話就臨到我說、六耶
和華說、以色列家阿、我待你們、豈不能照這窰匠弄泥
麽。以色列家阿、泥在窰匠的手中怎樣、你們在我的手
七 中也怎樣。七我何時論到一邦、或一國、說要拔出、拆毀、毀
八 壞。八我所說的那一邦、若是轉意離開他們的惡、我就必
九 後悔、不將我想要施行的災禍降與他們。九我何時論到
十 一邦、或一國、說要建立、栽植、十他們若行我眼中看爲惡
的事、不聽從我的話、我就必後悔、不將我所說的福氣
賜給他們。

十一警告猶大人必因罪遭災

十一 現在你要對猶大人、和耶路撒冷的居民說、耶和華如

此說、我造出災禍攻擊你們、定意刑罰你們．你們各人
十二 當回頭離開所行的惡道、改正你們的行動作為。十二他們
卻說、這是枉然．我們要照自己的計謀去行．各人隨自
十三 己頑梗的惡心作事。〇十三所以耶和華如此說、你們且往
各國訪問、有誰聽見這樣的事、以色列民（原文作處女）行了
十四 一件極可憎惡的事。十四利巴嫩的雪、從田野的磐石上豈
十五 能斷絕呢。從遠處流下的涼水、豈能乾涸呢。十五我的百姓
竟忘記我、向假神燒香、使他們在所行的路上、在古道
十六 上絆跌、使他們行沒有修築的斜路．十六以致他們的地令
十七 人驚駭、常常嗤笑、凡經過這地的、必驚駭搖頭。十七我必在
仇敵面前分散他們、好像用東風吹散一樣．遭難的日
子、我必以背向他們、不以面向他們。

耶利米求主重懲陷害己命者

十八 十八他們就說、來罷、我們可以設計謀害耶利米、因為我們
有祭司講律法、智慧人設謀略、先知說豫言、都不能斷
絕．來罷、我們可以用舌頭擊打他、不要理會他的一切
十九 話。〇十九耶和華阿、求你理會我、且聽那些與我爭競之人
二十 的話。二十豈可以惡報善呢．他們竟挖坑要害我的性命．求
你記念我怎樣站在你面前、為他們代求、要使你的忿
二一 怒向他們轉消。二一故此、願你將他們的兒女交與饑荒、和
刀劍．願他們的妻無子、且作寡婦、又願他們的男人被
二二 死亡所滅、他們的少年人在陣上被刀擊殺。二二你使敵軍
忽然臨到他們的時候、願人聽見哀聲從他們的屋內
二三 發出、因他們挖坑要捉拿我、暗設網羅要絆我的腳。二三耶
和華阿、他們要殺我的那一切計謀、你都知道．不要赦
免他們的罪孽、也不要從你面前塗抹他們的罪惡、要
叫他們在你面前跌倒、願你發怒的時候罰辦他們。

以毀瓶為喻明示猶大國必滅

第十九章

一 一耶和華如此說、你去買窰匠的瓦瓶、又
二 帶百姓中的長老、和祭司中的長老、二出去到欣嫩子谷、
哈珥西（哈珥西就是瓦片的意思）的門口那裏、宣告我所吩咐你的
三 話、三說、猶大君王、和耶路撒冷的居民哪、當聽耶和華的
話．萬軍之耶和華以色列的神如此說、我必使災禍
四 臨到這地方、凡聽見的人都必耳鳴。四因為他們和他們
列祖、並猶大君王離棄我、將這地方看為平常、在這裏
向素不認識的別神燒香、又使這地方滿了無辜人的

五 血。五又建築巴力的邱壇、好在火中焚燒自己的兒子、作
爲燔祭獻給巴力．這不是我所吩咐的、不是我所題說
六 的、也不是我心所起的意。六耶和華說、因此、日子將到、這
地方不再稱爲陀斐特、和欣嫩子谷、反倒稱爲殺戮谷。
七 七我必在這地方使猶大和耶路撒冷的計謀落空、也必
使他們在仇敵面前倒於刀下、並尋索其命的人手下．
他們的屍首、我必給空中的飛鳥和地上的野獸作食
八 物。八我必使這城、令人驚駭嗤笑．凡經過的人、必因這城
九 所遭的災、驚駭嗤笑。九我必使他們在圍困窘迫之中、就
是仇敵和尋索其命的人窘迫他們的時候、各人喫自
十 己兒女的肉、和朋友的肉。◯十你要在同去的人眼前、打
十一 碎那瓶．十一對他們說、萬軍之耶和華如此說、我要照樣打
碎這民和這城、正如人打碎窰匠的瓦器、以致不能再
十二 囫圇．並且人要在陀斐特葬埋屍首、甚至無處可葬。十二耶
和華說、我必向這地方、和其中的居民如此行、使這城
十三 與陀斐特一樣。十三耶路撒冷的房屋、和猶大君王的宮殿、
是已經被玷汚的、就是他們在其上向天上的萬象燒
香、向別神澆奠祭的宮殿房屋、都必與陀斐特一樣。◯

十四 十四耶利米從陀斐特、就是耶和華差他去說豫言的地方、
十五 回來、站在耶和華殿的院中、對衆人說、十五萬軍之耶和華
以色列的神如此說、我必使我所說的一切災禍臨
到這城、和屬城的一切城邑、因爲他們硬着頸項、不聽
我的話。

耶利米因說豫言受撻於巴施戶珥

一 **第二十章** 一祭司音麥的兒子巴施戶珥作耶和華
二 殿的總管、聽見耶利米豫言這些事．二他就打先知耶利
米、用耶和華殿裏便雅憫高門內的枷、將他枷在那裏。

易更其名豫兆驚惶

三 三次日巴施戶珥將耶利米開枷釋放．於是耶利米對他
說、耶和華不是叫你的名爲巴施戶珥、乃是叫你瑪歌
四 珥米撒畢、就是四面驚嚇的意思 四因耶和華如此說、我必使你自
覺驚嚇、你也必使衆朋友驚嚇．他們必倒在仇敵的刀
下、你也必親眼看見．我必將猶大人全交在巴比倫王
的手中、他要將他們擄到巴比倫去、也要用刀將他們
五 殺戮。五並且我要將這城中的一切貨財、和勞碌得來的、
並一切珍寶、以及猶大君王所有的寶物、都交在他們

六 仇敵的手中。仇敵要當作掠物、帶到巴比倫去。六你這巴
施戶珥和一切住在你家中的人、都必被擄去、你和你
的衆朋友、就是你向他們說假豫言的、都必到巴比倫
去、要死在那裏、葬在那裏。

耶利米自歎被人譏辱

七 七耶和華阿、你曾勸導我、我也聽了你的勸導。你比我有
八 力量、且勝了我。我終日成為笑話、人人都戲弄我。八我每
逢講論的時候、就發出哀聲、我喊叫說、有強暴和毀滅。
九 因為耶和華的話、終日成了我的凌辱譏刺。九我若說、我
不再題耶和華、也不再奉他的名講論、我便心裏覺得
似乎有燒着的火、閉塞在我骨中、我就含忍不住、不能
自禁。

密友亦加窘迫謀害

十 十我聽見了許多人的讒謗、四圍都是驚嚇、就是我知己
的朋友、也都窺探我、願我跌倒、說、告他罷、我們也要告
十一 他、或者他被引誘、我們就能勝他、在他身上報仇。十一然而
耶和華與我同在、好像甚可怕的勇士、因此、逼迫我的
必都絆跌、不能得勝、他們必大大蒙羞、就是受永不忘
十二 記的羞辱、因為他們行事沒有智慧。十二試驗義人、察看人
肺腑心腸的萬軍之耶和華阿、求你容我見你在他們
十三 身上報仇、因我將我的案件向你稟明了。十三你們要向耶
和華唱歌、讚美耶和華、因他救了窮人的性命、脫離惡
人的手。

先知自詛生辰

十四 十四願我生的那日受咒詛、願我母親產我的那日不蒙福。
十五 十五給我父親報信說、你得了兒子、使我父親甚歡喜的、願
十六 那人受咒詛、十六願那人像耶和華所傾覆而不後悔的城
十七 邑。願他早晨聽見哀聲、晌午聽見吶喊。十七因他在我未出
胎的時候不殺我、使我母親成了我的墳墓、胎就時常
十八 重大。十八我為何出胎見勞碌愁苦、使我的年日因羞愧消
滅呢。

第二十一章

西底家因被攻遣使求耶利米詢主

一 一耶和華的話臨到耶利米、那時西底
家王打發瑪基雅的兒子巴施戶珥、和瑪西雅的兒子
二 祭司西番雅、去見耶利米說、二請你為我們求問耶和華、
因為巴比倫王尼布甲尼撒來攻擊我們、或者耶和華

照他一切奇妙的作為待我們、使巴比倫王離開我們
上去。

耶利米豫言敵必困城民必遭災

三耶利米對他們說、你們當對西底家這樣說、四耶和華以
色列的神如此說、我要使你們手中的兵器、就是你
們在城外與巴比倫王、和圍困你們的迦勒底人打仗
五的兵器翻轉過來、又要使這些都聚集在這城中。五並且
我要在怒氣、忿怒、和大惱恨中、用伸出來的手、並大能
六的膀臂、親自攻擊你們。六又要擊打這城的居民、連人帶
七牲畜都必遭遇大瘟疫死亡。七以後我要將猶大王西底
家、和他的臣僕百姓、就是在城內、從瘟疫、刀劍、饑荒中
剩下的人、都交在巴比倫王尼布甲尼撒的手中、和他
們仇敵、並尋索其命的人手中。巴比倫王必用刀擊殺
他們、不顧惜、不可憐、不憐憫。這是耶和華說的。

勸民出降迦勒底人

八你要對這百姓說、耶和華如此說、看哪、我將生命的路、
九和死亡的路、擺在你們面前。九住在這城裏的、必遭刀劍、
饑荒、瘟疫而死。但出去歸降圍困你們迦勒底人的、必

十得存活、要以自己的命為掠物。十耶和華說、我向這城變
臉、降禍不降福、這城必交在巴比倫王的手中、他必用
火焚燒。

訓責王家

十一至於猶大王的家、你們當聽耶和華的話。十二大衛家阿、耶
和華如此說、你們每早晨要施行公平、拯救被搶奪的
脫離欺壓人的手、恐怕我的忿怒、因你們的惡行發作、
十三如火燒起、甚至無人能以熄滅。十三耶和華說、住山谷和平
原磐石上的居民、你們說、誰能下來攻擊我們、誰能進
十四入我們的住處呢。看哪、我與你們為敵。十四耶和華又說、我
必按你們作事的結果刑罰你們、我也必使火在耶路
撒冷的林中燒起、將他四圍所有的盡行燒滅。

先知警勸君民歸正

第二十二章

一耶和華如此說、你下到猶大王的宮
二中、在那裏說這話。二說、坐大衛寶座的猶大王阿、你和你
三的臣僕、並進入城門的百姓、都當聽耶和華的話。三耶和
華如此說、你們要施行公平和公義、拯救被搶奪的脫
離欺壓人的手、不可虧負寄居的和孤兒寡婦、不可以

四 強暴待他們、在這地方也不可流無辜人的血。四你們若
認眞行這事、就必有坐大衛寶座的君王、和他的臣僕、
五 百姓、或坐車或騎馬、從這城的各門進入。五你們若不聽
這些話、耶和華說、我指着自己起誓、這城必變爲荒塲。
六 六耶和華論到猶大王的家如此說、我看你如基列、如利
巴嫩頂、然而我必使你變爲曠野、爲無人居住的城邑。
七 七我要豫備行毀滅的人、各拿器械攻擊你、他們要砍下
八 你佳美的香柏樹、扔在火中。八許多國的民要經過這城、
九 各人對鄰舍說、耶和華爲何向這大城如此行呢。九他們
必回答說、是因離棄了耶和華他們神的約、事奉敬
拜別神。

豫言沙龍之禍

十 十不要爲死人哭號、不要爲他悲傷、卻要爲離家出外的
人大大哭號、因爲他不得再回來、也不得再見他的本
十一 國。十一因爲耶和華論到從這地方出去的猶大王約西亞
的兒子沙龍、(列王下二十三章三十節名約哈斯)就是接續他父親約西
十二 亞作王的、這樣說、他必不得再回到這裏來。十二卻要死在
被擄去的地方、必不得再見這地。

約雅敬之禍

十三 十三那行不義蓋房、行不公造樓、白白使用人的手工不給
十四 工價的、有禍了。十四他說、我要爲自己蓋廣大的房、寬敞的
樓、爲自己開窗戶、這樓房的護牆板是香柏木的、樓房
十五 是丹色油漆的。十五難道你作王是在乎造香柏木樓房爭
勝麼。你的父親豈不是也喫也喝、也施行公平和公義
十六 麼。那時他得了福樂。十六他爲困苦和窮乏人伸冤、那時就
十七 得了福樂。認識我不在乎此麼。這是耶和華說的。十七惟有
你的眼、和你的心、專顧貪婪、流無辜人的血、行欺壓和
十八 強暴。十八所以耶和華論到猶大王約西亞的兒子約雅敬、
如此說、人必不爲他舉哀說、哀哉、我的哥哥、或說、哀哉、
我的姐姐。也不爲他舉哀說、哀哉、我的主、或說、哀哉、我
十九 主的榮華。十九他被埋葬、好像埋驢一樣、要拉出去扔在耶
二十 路撒冷的城門之外。○二十你要上利巴嫩哀號、在巴珊揚
二十一 聲、從亞巴琳哀號、因爲你所親愛的都毀滅了。二十一你興盛
的時候、我對你說話、你卻說、我不聽。你自幼年以來總
二十二 是這樣、不聽從我的話。二十二你的牧人要被風吞喫、你所親
二十三 愛的必被擄去、那時你必因你一切的惡、抱愧蒙羞。二十三你

這住利巴嫩在香柏樹上搭窩的、有痛苦臨到你、好像
疼痛臨到產難的婦人、那時你何等可憐。

哥尼雅之禍

二四 二四耶和華說、猶大王約雅敬的兒子哥尼雅、（又名耶哥尼雅下同）雖
是我右手上帶印的戒指、我憑我的永生起誓、也必將
二五 你從其上摘下來。二五並且我必將你交給尋索你命的人、
和你所懼怕的人手中、就是巴比倫王尼布甲尼撒、和
二六 迦勒底人的手中。二六我也必將你和生你的母親、趕到別
二七 國、並不是你們生的地方、你們必死在那裏。二七但心中甚
二八 想歸回之地、必不得歸回。二八哥尼雅這人是被輕看、破壞
的器皿麼、是無人喜愛的器皿麼、他和他的後裔、為何
二九 被趕到不認識之地呢。二九地阿、地阿、地阿、當聽耶和華的
三十 話。三十耶和華如此說、要寫明這人算為無子、是平生不得
亨通的、因為他後裔中再無一人得亨通、能坐在大衛
的寶座上、治理猶大。

第二十三章　豫言四散之羣必復集旋返

一 一耶和華說、那些殘害趕散我草塲之
二 羊的牧人、有禍了。二耶和華以色列的神斥責那些牧

養他百姓的牧人、如此說、你們趕散我的羊羣、並沒有
看顧他們、我必討你們這行惡的罪、這是耶和華說的。
三 三我要將我羊羣中所餘剩的、從我趕他們到的各國內、
四 招聚出來、領他們歸回本圈、他們也必生養衆多。四我必
設立照管他們的牧人、牧養他們、他們不再懼怕、不再
驚惶、也不缺少一個、這是耶和華說的。

大衛後裔中必興起義者為王

五 五耶和華說、日子將到、我要給大衛興起一個公義的苗
裔、他必掌王權、行事有智慧、在地上施行公平和公義。
六 六在他的日子、猶大必得救、以色列也安然居住、他的名
七 必稱為耶和華我們的義。七耶和華說、日子將到、人必不
再指着那領以色列人從埃及地上來永生的耶和華
八 起誓。八卻要指着那領以色列家的後裔從北方、和趕他
們到的各國中上來永生的耶和華起誓。他們必住在
本地。

論偽先知之惡及所受之報

九 九論到那些先知、我心在我裏面憂傷、我骨頭都發顫。因
耶和華和他的聖言、我像醉酒的人、像被酒所勝的人。

十 十地滿了行淫的人．因妄自賭咒、地就悲哀、曠野的草塲
都枯乾了．他們所行的道乃是惡的、他們的勇力使得
十一 不正。十一連先知帶祭司、都是褻瀆的、就是在我殿中我也
十二 看見他們的惡．這是耶和華說的。十二因此、他們的道路必
像黑暗中的滑地、他們必被追趕、在這路中仆倒、因為
當追討之年、我必使災禍臨到他們．這是耶和華說的。
十三 〇十三我在撒瑪利亞的先知中曾見愚妄、他們藉巴力說
十四 豫言、使我的百姓以色列走錯了路。十四我在耶路撒冷的
先知中曾見可憎惡的事、他們行姦淫、作事虛妄、又堅
固惡人的手、甚至無人回頭離開他的惡、他們在我面
十五 前都像所多瑪、耶路撒冷的居民都像蛾摩拉。十五所以萬
軍之耶和華論到先知如此說、我必將茵蔯給他們喫、
又將苦膽水給他們喝、因為褻瀆的事出於耶路撒冷
十六 的先知、流行遍地。〇十六萬軍之耶和華如此說、這些先知
向你們說豫言、你們不要聽他們的話．他們以虛空教
訓你們、所說的異象、是出於自己的心、不是出於耶和
十七 華的口。十七他們常對藐視我的人說、耶和華說、你們必享
平安．又對一切按自己頑梗之心而行的人說、必沒有
十八 災禍臨到你們。十八有誰站在耶和華的會中、得以聽見並
十九 會悟他的話呢．有誰留心聽他的話呢。十九看哪、耶和華的
忿怒好像暴風、已經發出．是暴烈的旋風、必轉到惡人
二十 的頭上。二十耶和華的怒氣必不轉消、直到他心中所擬定
二一 的成就了、末後的日子你們要全然明白。二一我沒有打發
那些先知、他們竟自奔跑、我沒有對他們說話、他們竟
二二 自豫言。二二他們若是站在我的會中、就必使我的百姓聽
我的話、又使他們回頭離開惡道、和他們所行的惡。〇
二三 二三耶和華說、我豈為近處的神呢、不也為遠處的神
二四 麼。二四耶和華說、人豈能在隱密處藏身、使我看不見他呢．
二五 耶和華說、我豈不充滿天地麼。二五我已聽見那些先知所
說的、就是託我名說的假豫言、他們說、我作了夢、我作
二六 了夢。二六說假豫言的先知、就是豫言本心詭詐的先知、他
二七 們這樣存心要到幾時呢。二七他們各人將所作的夢對鄰
舍述說、想要使我的百姓忘記我的名、正如他們列祖
二八 因巴力忘記我的名一樣。二八得夢的先知、可以述說那夢．
得我話的人、可以誠實講說我的話．糠粃怎能與麥子
二九 比較呢．這是耶和華說的。二九耶和華說、我的話豈不像火、

又像能打碎磐石的大鎚麼。三十耶和華說、那些先知、各從
鄰舍偷竊我的言語、因此我必與他們反對。三一耶和華說、
那些先知用舌頭、說是耶和華說的.我必與他們反對。
三二耶和華說、那些以幻夢爲豫言、又述說這夢、以謊言和
矜誇使我百姓走錯了路的、我必與他們反對.我沒有
打發他們、也沒有吩咐他們、他們與這百姓毫無益處.
這是耶和華說的。

譏眞先知者必受罰

三三無論是百姓、是先知、是祭司、問你說、耶和華有甚麼默
示呢、你就對他們說、甚麼默示阿、耶和華說、我要撇棄
你們。三四無論是先知、是祭司、是百姓、說耶和華的默示、我
必刑罰那人、和他的家。三五你們各人要對鄰舍、各人要對
弟兄如此說、耶和華回答甚麼、耶和華說了甚麼呢。三六耶
和華的默示你們不可再題、各人所說的話必作自己
的重擔.（重擔和默示原文同）因爲你們謬用永生神萬軍之耶
和華我們 神的言語。三七你們要對先知如此說、耶和華
回答你甚麼、耶和華說了甚麼呢。三八你們若說耶和華的
默示、耶和華就如此說、因你們說耶和華的默示這句
話、我也打發人到你們那裏去、告訴你們不可說耶和
華的默示、三九所以我必全然忘記你們、將你們和我所賜
給你們並你們列祖的城、撇棄了。四十又必使永遠的凌辱、
和長久的羞恥、臨到你們、是不能忘記的。

第二十四章

以佳無花果與劣無花果爲喻

一巴比倫王尼布甲尼撒、將猶大王約
雅敬的兒子耶哥尼雅、和猶大的首領、並工匠、鐵匠、從
耶路撒冷擄去、帶到巴比倫.這事以後、耶和華指給我
看、有兩筐無花果、放在耶和華的殿前。二一筐是極好的
無花果、好像是初熟的.一筐是極壞的無花果、壞得不
可喫。三於是耶和華問我說、耶利米你看見甚麼、我說、我
看見無花果、好的極好、壞的極壞、壞得不可喫。

佳者喻俘囚得返故土

四耶和華的話臨到我說、五耶和華以色列的 神如此說、
被擄去的猶大人、就是我打發離開這地到迦勒底人
之地去的、我必看顧他們如這好無花果、使他們得好
處。六我要眷顧他們、使他們得好處、領他們歸回這地、我
也要建立他們、必不拆毀、栽植他們、並不拔出。七我要賜

他們認識我的心、知道我是耶和華。他們要作我的子
民、我要作他們的神、因爲他們要一心歸向我。

劣者喻西底家及其臣僕必遭禍害

八 耶和華如此說、我必將猶大王西底家和他的首領、以
及剩在這地耶路撒冷的餘民、並住在埃及地的猶大
九 人都交出來、好像那極壞、壞得不可喫的無花果。九我必
使他們交出來、在天下萬國中拋來拋去、遭遇災禍、在
十 我趕逐他們到的各處、成爲凌辱、笑談、譏刺、咒詛。十我必
使刀劍、饑荒、瘟疫臨到他們、直到他們從我所賜給他
們和他們列祖之地滅絕。

責猶大人不聽警教

第二十五章

一 一猶大王約西亞的兒子約雅敬第四
年、就是巴比倫王尼布甲尼撒的元年、耶和華論猶大
二 衆民的話、臨到耶利米。二先知耶利米就將這話對猶大
三 衆人、和耶路撒冷的一切居民說、三從猶大王亞們的兒
子約西亞十三年、直到今日、這二十三年之內、常有耶
和華的話臨到我、我也對你們傳說、就是從早起來傳
四 說、只是你們沒有聽從。四耶和華也從早起來、差遣他的
僕人衆先知到你們這裏來、（只是你們沒有聽從、也
五 沒有側耳而聽）說、五你們各人當回頭離開惡道、和所
作的惡、便可居住耶和華古時所賜給你們和你們列
六 祖之地、直到永遠。六不可隨從別神事奉敬拜、以你們手
七 所作的惹我發怒、這樣、我就不加害與你們。七然而你們
沒有聽從我、竟以手所作的惹我發怒、陷害自己、這是
耶和華說的。

豫言被擄七十年

八 八所以萬軍之耶和華如此說、因爲你們沒有聽從我的
九 話、九我必召北方的衆族、和我僕人巴比倫王尼布甲尼
撒來攻擊這地、和這地的居民、並四圍一切的國民、我
要將他們盡行滅絕、以致他們令人驚駭、嗤笑、並且永
十 久荒涼。這是耶和華說的。十我又要使歡喜和快樂的聲
音、新郎和新婦的聲音、推磨的聲音、和燈的亮光從他
十一 們中間止息。十一這全地必然荒涼、令人驚駭、這些國民要
服事巴比倫王七十年。

越七十年巴比倫必滅

十二 十二七十年滿了以後、我必刑罰巴比倫王、和那國民、並迦

勒底人之地、因他們的罪孽使那地永遠荒涼。這是耶
和華說的。十三我也必使我向那地所說的話、就是記在這
書上的話、是耶利米向這些國民說的豫言、都臨到那
地。十四因為有多國和大君王、必使迦勒底人作奴僕、我也
必照他們的行為、按他們手所作的、報應他們。

以怒杯喻列國之災

十五耶和華以色列的神對我如此說、你從我手中接這
杯忿怒的酒、使我所差遣你去的各國的民喝。十六他們喝
了就要東倒西歪、並要發狂、因我使刀劍臨到他們中
間。十七我就從耶和華的手中接了這杯、給耶和華所差遣
我去的各國的民喝。十八就是耶路撒冷和猶大的城邑、並
耶路撒冷的君王、與首領、使這城邑荒涼、令人驚駭、嗤
笑、咒詛、正如今日一樣。十九又有埃及王法老和他的臣僕、
首領、以及他的眾民。二十並雜族的人民、和烏斯地的諸王、
與非利士地的諸王、亞實基倫、迦薩、以革倫、以及亞實
突的剩下的人。二一以東、摩押、亞捫人、二二推羅的諸王、西頓的諸
王、海島的諸王、二三底但、提瑪、布斯、和一切剃周圍頭髮的。
二四亞拉伯的諸王、住曠野雜族人民的諸王、二五心利的諸王、
以攔的諸王、瑪代的諸王、二六北方遠近的諸王、以及天下
地上的萬國喝了。以後示沙克（就是巴比倫）王也要喝。○二七你
要對他們說、萬軍之耶和華以色列的神如此說、你
們要喝、且要喝醉、要嘔吐、且要跌倒、不得再起來、都因
我使刀劍臨到你們中間。二八他們若不肯從你手接這杯
喝、你就要對他們說、萬軍之耶和華如此說、你們一定
要喝。二九我既從稱為我名下的城起首施行災禍、你們能
盡免刑罰麼。你們必不能免、因為我要命刀劍臨到地
上一切的居民。這是萬軍之耶和華說的。○三十所以你要
向他們豫言這一切的話攻擊他們、說、耶和華必從高
天吼叫、從聖所發聲、向自己的羊羣大聲吼叫、他要向
地上一切的居民吶喊、像踹葡萄的一樣。三一必有響聲達
到地極、因為耶和華與列國相爭、凡有血氣的他必審
問、至於惡人、他必交給刀劍。這是耶和華說的。

牧者宜哀號哭泣

三二萬軍之耶和華如此說、看哪、必有災禍從這國發到那
國、並有大暴風從地極颳起。三三到那日、從地這邊直到地
那邊、都有耶和華所殺戮的、必無人哀哭、不得收殮、不

三四 得葬埋、必在地上成爲糞土。三四牧人哪、你們當哀號、呼喊．
羣衆的頭目阿、你們要輥在灰中、因爲你們被殺戮分
散的日子足足來到、你們要跌碎、好像美器打碎一樣。
三五 三六 三五牧人無路逃跑、羣衆的頭目也無法逃脫。三六聽阿、有牧人
呼喊、有羣衆頭目哀號的聲音、因爲耶和華使他們的
三七 草塲變爲荒塲。三七耶和華發出猛烈的怒氣、平安的羊圈
三八 就都寂靜無聲。三八他離了隱密處像獅子一樣、他們的地、
因刀劍兇猛的欺壓、又因他猛烈的怒氣、都成爲可驚
駭的。

以應許與警戒勸衆悛改

一 第二十六章　一猶大王約西亞的兒子約雅敬登基
二 的時候、有這話從耶和華臨到耶利米說、二耶和華如此
說、你站在耶和華殿的院內、對猶大衆城邑的人、就是
到耶和華殿來禮拜的、說我所吩咐你的一切話、一字
三 不可刪減。三或者他們肯聽從、各人回頭離開惡道、使我
後悔不將我因他們所行的惡、想要施行的災禍、降與
四 他們。四你要對他們說、耶和華如此說、你們若不聽從我、
五 不遵行我設立在你們面前的律法、五不聽我從早起來、
差遣到你們那裏去、我僕人衆先知的話、（你們還是
六 沒有聽從）六我就必使這殿如示羅、使這城爲地上萬
七 國所咒詛的。七耶利米在耶和華殿中說的這些話、祭司
先知與衆民都聽見了。

衆執耶利米欲致之死

八 八耶利米說完了耶和華所吩咐他對衆人說的一切話、
九 祭司、先知、與衆民、都來抓住他說、你必要死。九你爲何託
耶和華的名豫言說、這殿必如示羅、這城必變爲荒塲
無人居住呢。於是衆民都在耶和華的殿中、聚集到耶
利米那裏。

耶利米自辯

十 十猶大的首領聽見這事、就從王宮上到耶和華的殿、坐
十一 在耶和華殿的新門口。十一祭司、先知、對首領和衆民說、這
人是該死的、因爲他說豫言攻擊這城、正如你們親耳
十二 所聽見的。十二耶利米就對衆首領和衆民說、耶和華差遣
我豫言攻擊這殿和這城、說你們所聽見的這一切話。
十三 十三現在要改正你們的行動作爲、聽從耶和華你們神
十四 的話、他就必後悔、不將所說的災禍降與你們。十四至於我、

我在你們手中、你們眼看何爲善、何爲正、就那樣待我
罷。十五但你們要確實的知道、若把我治死、就使無辜人的
血歸到你們、和這城、並其中的居民了、因爲耶和華實
在差遣我到你們這裏來、將這一切話傳與你們耳中。

官民均謂耶利米不應死

十六首領和衆民就對祭司先知說、這人是不該死的、因爲
他是奉耶和華我們神的名、向我們說話。十七國中的長
老、就有幾個人起來、對聚會的衆民說、十八當猶大王希西
家的日子、有摩利沙人彌迦對猶大衆人豫言說、萬軍
之耶和華如此說、錫安必被耕種像一塊田、耶路撒冷
必變爲亂堆、這殿的山必像叢林的高處。十九猶大王希西
家、和猶大衆人、豈是把他治死呢、希西家豈不是敬畏
耶和華、懇求他的恩麼、耶和華就後悔、不把自己所說
的災禍降與他們、若治死這人、我們就作了大惡、自害
己命。

烏利亞被殺

二十又有一個人奉耶和華的名說豫言、是基列耶琳人示
瑪雅的兒子烏利亞、他照耶利米的一切話說豫言、攻
擊這城和這地。二一約雅敬王和他衆勇士、衆首領、聽見了
烏利亞的話、王就想要把他治死。烏利亞聽見就懼怕、
逃往埃及去了。二二約雅敬王便打發亞革波的兒子以利
拿單帶領幾個人往埃及去、二三他們就從埃及將烏利亞
帶出來、送到約雅敬王那裏、王用刀殺了他、把他的屍
首抛在平民的墳地中。

亞希甘護佑耶利米免死

二四然而沙番的兒子亞希甘保護耶利米、不交在百姓的
手中治死他。

第二十七章

以索與軛喻列國必事巴比倫王

一猶大王約西亞的兒子約雅敬約雅敬是西底家的別名看第三節登基的時候、有這話從耶和華臨到耶利
米說、二耶和華對我如此說、你作繩索與軛、加在自己的
頸項上、三藉那些來到耶路撒冷見猶大王西底家的使
臣之手、把繩索與軛、送到以東王、摩押王、亞捫王、推羅
王、西頓王那裏。四且囑咐使臣、傳與他們的主人說、萬軍
之耶和華以色列的神如此說、五我用大能和伸出來
的膀臂、創造大地和地上的人民牲畜、我看給誰相宜、

六 就把地給誰。[六]現在我將這些地、都交給我僕人巴比倫
七 王尼布甲尼撒的手、我也將田野的走獸給他使用。[七]列
國都必服事他和他的兒孫、直到他本國遭報的日期
來到．那時多國和大君王、要使他作他們的奴僕。

不事巴比倫王者必遭諸災

八 [八]無論那一邦、那一國、不肯服事這巴比倫王尼布甲尼
撒、也不把頸項放在巴比倫王的軛下、我必用刀劍、飢
荒、瘟疫、刑罰那邦、直到我藉巴比倫王的手、將他們毀
九 滅．這是耶和華說的。[九]至於你們、不可聽從你們的先知、
和占卜的、圓夢的、觀兆的、以及行邪術的．他們告訴你
十 們說、你們不至服事巴比倫王。[十]他們向你們說假豫言、
要叫你們遷移、遠離本地、以致我將你們趕出去、使你
十一 們滅亡。[十一]但那一邦肯把頸項放在巴比倫王的軛下服
事他、我必使那邦仍在本地存留、得以耕種居住．這是
耶和華說的。

耶利米勸西底家服事巴比倫王

十二 [十二]我就照這一切的話、對猶大王西底家說、要把你們的
頸項放在巴比倫王的軛下、服事他和他的百姓、便得

十三 存活。[十三]你和你的百姓、為何要因刀劍、飢荒、瘟疫死亡、正
十四 如耶和華論到不服事巴比倫王的那國說的話呢。[十四]不
可聽那些先知對你們所說的話、他們說、你們不至服
十五 事巴比倫王、其實他們向你們說假豫言。[十五]耶和華說、我
並沒有打發他們、他們卻託我的名說假豫言、好使我
將你們、和向你們說豫言的那些先知、趕出去一同滅
亡。

豫言聖殿器物必遷於巴比倫

十六 [十六]我又對祭司、和這衆民說、耶和華如此說、你們不可聽
那先知對你們所說的豫言、他們說、耶和華殿中的器
皿、快要從巴比倫帶回來．其實他們向你們說假豫言。
十七 [十七]不可聽從他們、只管服事巴比倫王、便得存活．這城何
十八 至變為荒場呢。[十八]他們若果是先知、有耶和華的話臨到
他們、讓他們祈求萬軍之耶和華、使那在耶和華殿中、
和猶大王宮內、並耶路撒冷剩下的器皿、不被帶到巴
十九 比倫去。[十九]因為萬軍之耶和華論到柱子、銅海、盆座、並剩
二十 在這城裏的器皿、就是巴比倫王尼布甲尼撒擄掠猶
大王約雅敬的兒子耶哥尼雅、和猶大耶路撒冷一切

二 貴胄的時候所沒有掠去的器皿。二十一論到那在耶和華殿
中、和猶大王宮內並耶路撒冷剩下的器皿、萬軍之耶
三 和華以色列的神如此說、二十二必被帶到巴比倫存在那
裏、直到我眷顧以色列人的日子、那時我必將這器皿
帶回來、交還此地．這是耶和華說的。

哈拿尼雅妄言被遷之聖器與民必速返

第二十八章

一 一當年、就是猶大王西底家登基第四
年五月、基遍人押朔的兒子先知哈拿尼雅、在耶和華
二 的殿中當着祭司和衆民、對我說、二萬軍之耶和華以色
三 列的神如此說、我已經折斷巴比倫王的軛。三二年之
內、我要將巴比倫王尼布甲尼撒從這地掠到巴比倫
四 的器皿、就是耶和華殿中的一切器皿、都帶回此地。四我
又要將猶大王約雅敬的兒子耶哥尼雅、和被擄到巴
比倫去的一切猶大人、帶回此地、因為我要折斷巴比
倫王的軛。這是耶和華說的。

耶利米謂願如其言厥後必知孰言應驗

五 五先知耶利米當着祭司、和站在耶和華殿裏的衆民、對
六 先知哈拿尼雅說、六阿們、願耶和華如此行、願耶和華成
七 就你所豫言的話、將耶和華殿中的器皿、和一切被擄
去的人、從巴比倫帶回此地。七然而我向你和衆民耳中
八 所要說的話、你應當聽。八從古以來、在你我以前的先知、
九 向多國和大邦說豫言、論到爭戰、災禍、瘟疫的事。九先知
豫言的平安、到話語成就的時候、人便知道他眞是耶
和華所差來的。

哈拿尼雅折耶利米項上之軛以示列國得釋

十 十於是先知哈拿尼雅、將先知耶利米頸項上的軛取下
十一 來、折斷了。十一哈拿尼雅又當着衆民說、耶和華如此說、二
年之內、我必照樣從列國人的頸項上、折斷巴比倫王
尼布甲尼撒的軛．於是先知耶利米就走了。

耶利米豫言哈拿尼雅必亡

十二 十二先知哈拿尼雅把先知耶利米頸項上的軛折斷以後、
十三 耶和華的話臨到耶利米說、十三你去告訴哈拿尼雅說、耶
十四 和華如此說、你折斷木軛、卻換了鐵軛．十四因為萬軍之耶
和華以色列的神如此說、我已將鐵軛加在這些國
的頸項上、使他們服事巴比倫王尼布甲尼撒、他們總
十五 要服事他、我也把田野的走獸給了他。十五於是先知耶利

米對先知哈拿尼雅說、哈拿尼雅阿、你應當聽．耶和華
並沒有差遣你、你竟使這百姓倚靠謊言。十六所以耶和華
如此說、看哪、我要叫你去世、你今年必死、因為你向耶
和華說了叛逆的話。十七這樣、先知哈拿尼雅當年七月間
就死了。

第二十九章

致書被擄之民勸其安居毋躁

一先知耶利米從耶路撒冷寄信與被
擄的祭司、先知、和眾民、並生存的長老、就是尼布甲尼
撒從耶路撒冷擄到巴比倫去的。二（這在耶哥尼雅王、
和太后太監、並猶大耶路撒冷的首領、以及工匠、鐵匠、
都離了耶路撒冷以後。）三他藉沙番的兒子以利亞薩、
和希勒家的兒子基瑪利的手寄去．他們二人是猶大
王西底家打發往巴比倫去見尼布甲尼撒王的。四信上
說、萬軍之耶和華以色列的神、對一切被擄去的、就
是我使他們從耶路撒冷被擄到巴比倫的人、如此說、
五你們要蓋造房屋住在其中、栽種田園、喫其中所產的。
六娶妻生兒女、為你們的兒子娶妻、使你們的女兒嫁人、
生兒養女、在那裏生養眾多、不至減少。七我所使你們被
擄到的那城、你們要為那城求平安、為那城禱告耶和
華、因為那城得平安、你們也隨着得平安。

勿信偽先知及夢兆

八萬軍之耶和華以色列的神如此說、不要被你們中
間的先知和占卜的誘惑、也不要聽信自己所作的夢．
九因為他們託我的名對你們說假豫言、我並沒有差遣
他們．這是耶和華說的。

豫言越七十年必返故土

十耶和華如此說、為巴比倫所定的七十年滿了以後、我
要眷顧你們、向你們成就我的恩言、使你們仍回此地。
十一耶和華說、我知道我向你們所懷的意念、是賜平安的
意念、不是降災禍的意念、要叫你們末後有指望。十二你們
要呼求我、禱告我、我就應允你們。十三你們尋求我、若專心
尋求我、就必尋見。十四耶和華說、我必被你們尋見、我也必
使你們被擄的人歸回、將你們從各國中、和我所趕你
們到的各處招聚了來、又將你們帶回我使你們被擄
掠離開的地方．這是耶和華說的。◯十五你們說、耶和華在
巴比倫為我們興起先知．十六所以耶和華論到坐大衛寶

十七 座的王、和住在這城裏的一切百姓、就是未曾與你們
一同被擄的弟兄、十七萬軍之耶和華如此說、看哪、我必使
十八 刀劍、饑荒、瘟疫臨到他們、使他們像極壞的無花果、壞
得不可喫。十八我必用刀劍、饑荒、瘟疫追趕他們、使他們在
十九 天下萬國拋來拋去、在我所趕他們到的各國中、令人
咒詛、驚駭、嗤笑、羞辱。十九耶和華說、這是因爲他們沒有聽
二十 從我的話、就是我從早起來差遣我僕人衆先知去說
的、無奈他們不聽。這是耶和華說的。二十所以你們一切被
擄去的、就是我從耶路撒冷打發到巴比倫去的、當聽
耶和華的話。

亞哈西底家必遭惡報

二一 二一萬軍之耶和華以色列的神、論到哥賴雅的兒子亞
哈、並瑪西雅的兒子西底家如此說、他們是託我名向
你們說假豫言的。我必將他們交在巴比倫王尼布甲
二二 尼撒的手中、他要在你們眼前殺害他們。二二住巴比倫一
切被擄的猶大人、必藉這二人賭咒說、願耶和華使你
二三 像巴比倫王在火中燒的西底家和亞哈一樣。二三這二人
是在以色列中行了醜事、與鄰舍的妻行淫、又假託我
名說我未曾吩咐他們的話。知道的是我、作見證的也
是我。這是耶和華說的。

示瑪雅致書命責耶利米

二四 二五 二四論到尼希蘭人示瑪雅、你當說、二五萬軍之耶和華以色列
的神如此說、你曾用自己的名寄信給耶路撒冷的
二六 衆民、和祭司瑪西雅的兒子西番雅、並衆祭司、說、二六耶和
華已經立你西番雅爲祭司、代替祭司耶何耶大、使耶
和華殿中有官長、好將一切狂妄自稱爲先知的人、用
二七 枷枷住、用鎖鎖住。二七現在亞拿突人耶利米、向你們自稱
二八 爲先知、你們爲何沒有責備他呢。二八因爲他寄信給我們
在巴比倫的人說、被擄的事必長久、你們要蓋造房屋
二九 住在其中、栽種田園、喫其中所產的。二九祭司西番雅就把
這信念給先知耶利米聽。

豫言示瑪雅僞言必受惡報

三十 三一 三十於是耶和華的話臨到耶利米說、三一你當寄信給一切被
擄的人說、耶和華論到尼希蘭人示瑪雅說、因爲示瑪
雅向你們說豫言、我並沒有差遣他、他使你們倚靠謊
三二 言。三二所以耶和華如此說、我必刑罰尼希蘭人示瑪雅、和

他的後裔、他必無一人存留住在這民中、也不得見我
所要賜與我百姓的福樂、因為他向耶和華說了叛逆
的話。這是耶和華說的。

主示耶利米被擄之民必返故土

一二 **第三十章** 一耶和華的話臨到耶利米說、二耶和華以
色列的神如此說、你將我對你說過的一切話都寫
三 在書上。三耶和華說、日子將到、我要使我的百姓以色列、
和猶大被擄的人歸回、我也要使他們回到我所賜給
他們列祖之地、他們就得這地為業。這是耶和華說的。

遭禍之後必獲拯救

四五 四以下是耶和華論到以色列和猶大所說的話。五耶和華
如此說、我們聽見聲音、是戰抖懼怕而不平安的聲音。
六 六你們且訪問看看、男人有產難麼、我怎麼看見人人用
七 手招腰、像產難的婦人、臉面都變青了呢。七哀哉、那日為
大、無日可比、這是雅各遭難的時候、但他必被救出來。
八 八萬軍之耶和華說、到那日、我必從你頸項上折斷仇敵
的軛、扭開他的繩索、外邦人不得再使你作他們的奴
九 僕。九你們卻要事奉耶和華你們的神、和我為你們所
要興起的王大衛。

慰藉雅各

十 十故此、耶和華說、我的僕人雅各阿、不要懼怕、以色列阿、
不要驚惶、因我要從遠方拯救你、從被擄到之地拯救
你的後裔、雅各必回來得享平靖安逸、無人使他害怕。
十一 十一因我與你同在、要拯救你、也要將所趕散你到的那些
國滅絕淨盡、卻不將你滅絕淨盡、倒要從寬懲治你、萬
十二 不能不罰你、（不罰你或作以你為無罪）這是耶和華說的。㊀十二耶和華
十三 如此說、你的損傷無法醫治、你的傷痕極其重大。十三無人
為你分訴、使你的傷痕得以纏裹、你沒有醫治的良藥。
十四 十四你所親愛的都忘記你、不來探問（或作理會）你、我因你的罪
孽甚大、罪惡衆多、曾用仇敵加的傷害傷害你、用殘忍
十五 者的懲治懲治你。十五你為何因損傷哀號呢、你的痛苦無
法醫治、我因你的罪孽甚大、罪惡衆多、曾將這些加在
十六 你身上。十六故此、凡吞喫你的、必被吞喫、你的敵人個個都
被擄去、擄掠你的、必成為擄物、搶奪你的、必成為掠物。
十七 十七耶和華說、我必使你痊癒、醫好你的傷痕、都因人稱你
為被趕散的、說這是錫安無人來探問（或作理會）的。

返故土者必將歡樂稱謝

十八 耶和華如此說、我必使雅各被擄去的帳棚歸回、也必
顧惜他的住處．城必建造在原舊的山岡、宮殿也照舊
有人居住。十九 必有感謝和歡樂的聲音、從其中發出．我要
使他們增多、不致減少．使他們尊榮、不致卑微。

虐主民者必受重罰

二十 他們的兒女要如往日、他們的會衆堅立在我面前、凡
欺壓他們的、我必刑罰他。二十一 他們的君王、必是屬乎他們
的．掌權的必從他們中間而出．我要使他就近我、他也
要親近我、不然、誰有膽量親近我呢．這是耶和華說的。
二十二 你們要作我的子民、我要作你們的　神。○二十三 看哪、耶和
華的忿怒、好像暴風已經發出、是掃滅的暴風、必轉到
惡人的頭上。二十四 耶和華的烈怒必不轉消、直到他心中所
擬定的成就了．末後的日子你們要明白。

以色列必復建與

第三十一章

一 耶和華說、那時我必作以色列各家
的　神．他們必作我的子民。二 耶和華如此說、脫離刀劍
的、就是以色列人、我使他享安息的時候、他會在曠野
蒙恩。三 古時（或作從遠方）耶和華向以色列（原文作我）顯現、說、我以
永遠的愛、愛你、因此我以慈愛、吸引你。四 以色列的民哪、
（民原文作處女）我要再建立你、你就被建立．你必再以擊鼓為
美、與歡樂的人一同跳舞而出。五 又必在撒瑪利亞的山
上栽種葡萄園、栽種的人要享用所結的果子。六 日子必
到、以法蓮山上守望的人必呼叫說、起來罷、我們可以
上錫安、到耶和華我們的　神那裏去。○七 耶和華如此
說、你們當為雅各歡樂歌唱、因萬國中為首的歡呼．當
傳揚頌讚、說、耶和華阿、求你拯救你的百姓以色列所
剩下的人。八 我必將他們從北方領來、從地極招聚．同着
他們來的、有瞎子、瘸子、孕婦、產婦、他們必成為大幫回
到這裏來。九 他們要哭泣而來、我要照他們懇求的引導
他們、使他們在河水旁走正直的路、在其上不致絆跌．
因為我是以色列的父、以法蓮是我的長子。

宣揚雅各之得贖

十 列國阿、要聽耶和華的話、傳揚在遠處的海島說、趕散
以色列的、必招聚他、又看守他、好像牧人看守羊羣。十一 因
耶和華救贖了雅各、救贖他脫離比他更強之人的手。

十二 十二他們要來到錫安的高處歌唱、又流歸耶和華施恩之
地、就是有五穀、新酒、和油、並羊羔、牛犢之地．他們的心
十三 必像澆灌的園子、他們也不再有一點愁煩。十三那時處女
必歡樂跳舞、年少的、年老的、也必一同歡樂、因為我要
使他們的悲哀變為歡喜、並要安慰他們、使他們的愁
十四 煩轉為快樂。十四我必以肥油使祭司的心滿足．我的百姓
也要因我的恩惠知足．這是耶和華說的。

拉結哭子得主慰藉

十五 十五耶和華如此說、在拉瑪聽見號咷痛哭的聲音、是拉結
十六 哭他兒女不肯受安慰、因為他們都不在了。十六耶和華如
此說、你禁止聲音不要哀哭、禁止眼目不要流淚、因你
所作之工、必有賞賜、他們必從敵國歸回．這是耶和華
十七 說的。十七耶和華說、你末後必有指望、你的兒女必回到自
十八 己的境界。十八我聽見以法蓮為自己悲歎說、你責罰我、我
便受責罰、像不慣負軛的牛犢一樣．求你使我回轉、我
十九 便回轉、因為你是耶和華我的神。十九我回轉以後、就眞
正懊悔、受教以後、就拍腿歎息．我因擔當幼年的凌辱、
二十 就抱愧蒙羞。二十耶和華說、以法蓮是我的愛子麼、是可喜
悅的孩子麼、我每逢責備他、仍深顧念他、所以我的心
腸戀慕他、我必要憐憫他。

主創新事以女衛男

二一 二一以色列民哪(原文作處女)你當為自己設立指路碑、豎起引
路柱、你要留心向大路、就是你所去的原路．你當回轉、
二二 回轉到你這些城邑。二二背道的民哪、(原文作女子)你反來復去
要到幾時呢．耶和華在地上造了一件新事、就是女子
護衛男子。

耶和華眷愛己民

二三 二三萬軍之耶和華以色列的神如此說、我使被擄之人
歸回的時候、他們在猶大地和其中的城邑、必再這樣
二四 說、公義的居所阿、聖山哪、願耶和華賜福給你。二四猶大和
屬猶大城邑的人、農夫和放羊的人、要一同住在其中。
二五 二六 二五疲乏的人、我使他飽飫、愁煩的人、我使他知足。二六先知說、
二七 我醒了、覺着睡得香甜。○二七耶和華說、日子將到、我要把
二八 人的種、和牲畜的種、播種在以色列家和猶大家。二八我先
前怎樣留意將他們拔出、拆毀、毀壞、傾覆、苦害、也必照
二九 樣留意將他們建立、栽植．這是耶和華說的。二九當那些日

三十 子、人不再說、父親喫了酸葡萄、兒子的牙酸倒了。三十但各
人必因自己的罪死亡、凡喫酸葡萄的、自己的牙必酸
倒。

與民立新約

三一 三一耶和華說、日子將到、我要與以色列家和猶大家、另立
三二 新約。三二不像我拉着他們祖宗的手、領他們出埃及地的
時候、與他們所立的約。我雖作他們的丈夫、他們卻背
三三 了我的約。這是耶和華說的。三三耶和華說、那些日子以後、
我與以色列家所立的約、乃是這樣。我要將我的律法
放在他們裏面、寫在他們心上。我要作他們的　神、他
三四 們要作我的子民。三四他們各人不再教導自己的鄰舍、和
自己的弟兄、說、你該認識耶和華。因爲他們從最小的、
到至大的都必認識我。我要赦免他們的罪孽、不再記
三五 念他們的罪惡。這是耶和華說的。◎三五那使太陽白日發
光、使星月有定例、黑夜發亮、又攪動大海、使海中波浪
三六 匉訇的、萬軍之耶和華是他的名。他如此說、三六這些定例、
若能在我面前廢掉、以色列的後裔也就在我面前斷
三七 絕、永遠不再成國。這是耶和華說的。三七耶和華如此說、若
能量度上天、尋察下地的根基、我就因以色列後裔一
三八 切所行的棄絕他們。這是耶和華說的。◎三八耶和華說、日
子將到、這城必爲耶和華建造、從哈楠業樓、直到角門。
三九 四十 三九準繩要往外量出、直到迦立山、又轉到歌亞。四十拋屍的全
谷、和倒灰之處、並一切田地、直到汲淪溪、又直到東方
馬門的拐角、都要歸耶和華爲聖、不再拔出、不再傾覆、
直到永遠。

第三十二章

西底家因耶利米豫言而囚之

一 一猶大王西底家第十年、就是尼布甲
二 尼撒十八年、耶和華的話臨到耶利米。二那時巴比倫王
的軍隊圍困耶路撒冷、先知耶利米囚在護衛兵的院
三 內在猶大王的宮中。三因爲猶大王西底家已將他囚禁、
說、你爲甚麼豫言說、耶和華如此說、我必將這城交在
四 巴比倫王的手中、他必攻取這城。四猶大王西底家必不
能逃脫迦勒底人的手、定要交在巴比倫王的手中、要
五 口對口彼此說話、眼對眼彼此相看。五巴比倫王必將西
底家帶到巴比倫、西底家必住在那裏、直到我眷顧他
的時候。你們雖與迦勒底人爭戰、卻不順利。這是耶和

華說的。

耶利米購哈拿篾之田

六七 六耶利米說、耶和華的話臨到我說、七你叔叔沙龍的兒子
哈拿篾、必來見你、說、我在亞拿突的那塊地、求你買來、
八 因你買這地、是合乎贖回之理。八我叔叔的兒子哈拿篾、
果然照耶和華的話、來到護衛兵的院內、對我說、我在
便雅憫境內、亞拿突的那塊地、求你買來、因你買來是
合乎承受之理、是你當贖的、你爲自己買來罷。我耶利
九 米就知道這是耶和華的話。九我便向我叔叔的兒子哈
拿篾、買了亞拿突的那塊地、平了十七舍客勒銀子給
他。

命付田契於巴錄

十 十我在契上畫押、將契封緘、又請見證人來、並用天平將
十一 銀子平給他。十一我便將照例按規所立的買契、就是封緘
十二 的那一張、十二和敞着的那一張、當着我叔叔的兒子哈拿
篾、和畫押作見證的人、並坐在護衛兵院內的一切猶
十三 大人眼前、交給瑪西雅的孫子尼利亞的兒子巴錄、十三當
十四 着他們衆人眼前、我囑咐巴錄說、十四萬軍之耶和華以色
列的神如此說、要將這封緘的、和敞着的兩張契、放
十五 在瓦器裏、可以存留多日。十五因爲萬軍之耶和華以色列
的神如此說、將來在這地必有人再買房屋田地、和
葡萄園。

耶利米祈禱

十六 十六我將買契交給尼利亞的兒子巴錄以後、便禱告耶和
十七 華說、十七主耶和華阿、你曾用大能和伸出來的膀臂創造
十八 天地、在你沒有難成的事。十八你施慈愛與千萬人、又將父
親的罪孽報應在他後世子孫的懷中、是至大全能的
十九 神、萬軍之耶和華是你的名。十九謀事有大略、行事有大
能、注目觀看世人一切的舉動、爲要照各人所行的、和
二十 他作事的結果報應他。二十在埃及地顯神蹟奇事、直到今
日在以色列和別人中間也是如此、使自己得了名聲、
二一 正如今日一樣。二一用神蹟奇事、和大能的手、並伸出來的
二二 膀臂、與大可畏的事、領你的百姓以色列出了埃及、二二將
這地賜給他們、就是你向他們列祖起誓應許賜給他
二三 們流奶與蜜之地。二三他們進入這地得了爲業、卻不聽從
你的話、也不遵行你的律法、你一切所吩咐他們行的、

二四 他們一無所行、因此你使這一切的災禍臨到他們。二四看
哪、敵人已經來到、築壘要攻取這城、城也因刀劍、飢荒、
瘟疫、交在攻城的迦勒底人手中．你所說的話都成就
二五 了、你也看見了。二五主耶和華阿、你對我說、要用銀子爲自
己買那塊地、又請見證人、其實這城已交在迦勒底人
的手中了。

耶和華以民擄城燬示耶利米

二六 二七 二六耶和華的話臨到耶利米說、二七我是耶和華、是凡有血氣
二八 者的神、豈有我難成的事麼。二八耶和華如此說、我必將
這城交付迦勒底人的手、和巴比倫王尼布甲尼撒的
二九 手、他必攻取這城。二九攻城的迦勒底人必來放火焚燒這
城、和其中的房屋、在這房屋上、人曾向巴力燒香、向別
三十 神澆奠、惹我發怒。三十以色列人和猶大人自從幼年以來、
專行我眼中看爲惡的事、以色列人盡以手所作的惹
三一 我發怒．這是耶和華說的。三一這城自從建造的那日、直到
今日、常惹我的怒氣和忿怒、使我將這城從我面前除
三二 掉。三二是因以色列人和猶大人一切的邪惡、就是他們和
他們的君王、首領、祭司、先知、並猶大的衆人、以及耶路
三三 撒冷的居民所行的、惹我發怒。三三他們以背向我、不以面
向我．我雖從早起來教訓他們、他們卻不聽從、不受教
三四 訓．三四竟把可憎之物、設立在稱爲我名下的殿中、汚穢了
三五 這殿。三五他們在欣嫩子谷建築巴力的邱壇、好使自己的
兒女經火歸摩洛、他們行這可憎的事、使猶大陷在罪
裏．這並不是我所吩咐的、也不是我心所起的意。

後必導民復歸故土

三六 三六現在論到這城、就是你們所說已經因刀劍、飢荒、瘟疫、
交在巴比倫王手中的、耶和華以色列的神如此說、
三七 三七我在怒氣、忿怒、和大惱恨中、將以色列人趕到各國、日
後我必從那裏將他們招聚出來、領他們回到此地、使
三八 他們安然居住。三八他們要作我的子民、我要作他們的
三九 神。三九我要使他們彼此同心同道、好叫他們永遠敬畏我、
四十 使他們和他們後世的子孫得福樂。四十又要與他們立永
遠的約、必隨着他們施恩、並不離開他們、且使他們有
四一 敬畏我的心、不離開我。四一我必歡喜施恩與他們、要盡心
四二 盡意、誠誠實實、將他們栽於此地。四二因爲耶和華如此說、
我怎樣使這一切大禍臨到這百姓、我也要照樣使我

四三 所應許他們的一切福樂、都臨到他們。四三你們說、這地是
荒涼、無人民、無牲畜、是交付迦勒底人手之地。日後在
四四 這境內必有人置買田地。四四在便雅憫地、耶路撒冷四圍
的各處、猶大的城邑、山地的城邑、高原的城邑、並南地
的城邑、人必用銀子買田地、在契上畫押、將契封緘、請
出見證人。因為我必使被擄的人歸回。這是耶和華說
的。

第三十三章

復許被擄者得返故土

一 一耶利米還囚在護衛兵的院內、耶和
二 華的話第二次臨到他說、二成就的是耶和華、造作為要
三 建立的也是耶和華、耶和華是他的名。他如此說、三你求
告我、我就應允你、並將你所不知道、又大又難的事、指
四 示你。四論到這城中的房屋、和猶大王的宮室、就是拆毀
為擋敵人高壘和刀劍的、耶和華以色列的神如此
五 說、五人要與迦勒底人爭戰、正是拿死屍充滿這房屋、就
是我在怒氣和忿怒中所殺的人、因他們的一切惡、我
六 就掩面不顧這城。六看哪、我要使這城得以痊癒安舒、使
城中的人得醫治、又將豐盛的平安和誠實顯明與他

七 們。七我也要使猶大被擄的和以色列被擄的歸回、並建
八 立他們和起初一樣。八我要除淨他們的一切罪、就是向
我所犯的罪。又要赦免他們的一切罪、就是干犯我、違
九 背我的罪。九這城要在地上萬國人面前、使我得頌讚、得
榮耀、名為可喜可樂之城、萬國人因聽見我向這城所
賜的福樂、所施的恩惠平安、就懼怕戰兢。

豫言返耶路撒冷者之喜樂

十 十耶和華如此說、你們論這地方說、是荒廢無人民無牲
畜之地、但在這荒涼無人民無牲畜的猶大城邑、和耶
十一 路撒冷的街上、十一必再聽見有歡喜和快樂的聲音、新郎
和新婦的聲音、並聽見有人說、要稱謝萬軍之耶和華、
因耶和華本為善、他的慈愛永遠長存。又有奉感謝祭
到耶和華殿中之人的聲音。因為我必使這地被擄的
人歸回、和起初一樣。這是耶和華說的。

百廢俱興

十二 十二萬軍之耶和華如此說、在這荒廢無人民無牲畜之地、
並其中所有的城邑、必再有牧人的住處、他們要使羊
十三 羣躺臥在那裏。十三在山地的城邑、高原的城邑、南地的城

邑、便雅憫地、耶路撒冷四圍的各處、和猶大的城邑、必
再有羊羣從數點的人手下經過．這是耶和華說的。

大衛裔中必興起義者

十四 耶和華說、日子將到、我應許以色列家和猶大家的恩
十五 言、必然成就。當那日子、那時候、我必使大衛公義的苗
十六 裔長起來．他必在地上施行公平和公義。在那日子、猶
大必得救、耶路撒冷必安然居住．他的名、必稱爲耶和
華我們的義。

居國位者永不乏人

十七 因爲耶和華如此說、大衛必永不斷人坐在以色列家
十八 的寶座上．祭司利未人在我面前也不斷人獻燔祭、燒
十九 素祭、時常辦理獻祭的事。○耶和華的話臨到耶利米
二十 說、耶和華如此說、你們若能廢棄我所立白日黑夜的
二一 約、使白日黑夜不按時輪轉．就能廢棄我與我僕人大
衛所立的約、使他沒有兒子在他的寶座上爲王．並能
二二 廢棄我與事奉我的祭司利未人所立的約。天上的萬
象不能數算、海邊的塵沙也不能斗量．我必照樣使我
二三 僕人大衛的後裔、和事奉我的利未人多起來。○耶和
二四 華的話臨到耶利米說、你沒有揣摩這百姓的話麼、他
們說、耶和華所揀選的二族、他已經棄絕了．他們這樣
二五 藐視我的百姓、以爲不再成國。耶和華如此說、若是我
立白日黑夜的約不能存住、若是我未曾安排天地的
二六 定例．我就棄絕雅各的後裔、和我僕人大衛的後裔、不
使大衛的後裔治理亞伯拉罕以撒雅各的後裔．因爲
我必使他們被擄的人歸回、也必憐憫他們。

第三十四章

豫言西底家被擄耶路撒冷傾陷

一 巴比倫王尼布甲尼撒率領他的全
軍、和地上屬他的各國各邦、攻打耶路撒冷和屬耶路
二 撒冷所有的城邑．那時、耶和華的話臨到耶利米說、耶
和華以色列的　神說、你去告訴猶大王西底家耶和
華如此說．我要將這城交付巴比倫王的手、他必用火
三 焚燒．你必不能逃脫他的手、定被拿住、交在他的手中．
你的眼要見巴比倫王的眼．他要口對口和你說話、你
四 也必到巴比倫去。猶大王西底家阿、你還要聽耶和華
五 的話．耶和華論到你如此說、你必不被刀劍殺死、你必
平安而死．人必爲你焚燒物件、好像爲你列祖、就是在

六 你以前的先王焚燒一般、人必為你舉哀說、哀哉、我主
七 阿、耶和華說、這話是我說的。○六於是先知耶利米在耶
路撒冷將這一切話告訴猶大王西底家、七那時、巴比倫
王的軍隊正攻打耶路撒冷、又攻打猶大所剩下的城
邑、就是拉吉和亞西加、原來猶大的堅固城只剩下這
兩座。

君民立約宣告自由

八九 八西底家王與耶路撒冷的眾民立約、要向他們宣告自
由、九叫各人任他希伯來的僕人和婢女自由出去、誰也
不可使他的一個猶大弟兄作奴僕。（此後、有耶和華
十 的話臨到耶利米。）十所有立約的首領和眾民、就任他
的僕人婢女自由出去、誰也不再叫他們作奴僕、大家
十一 都順從、將他們釋放了。十一後來卻又反悔、叫所任去自由
的僕人婢女回來、勉強他們仍為僕婢。

不遵命背約者必遭敵害

十二十三 十二因此耶和華的話臨到耶利米說、十三耶和華以色列的
神如此說、我將你們的列祖從埃及地為奴之家領出
十四 來的時候、與他們立約、說、十四你的一個希伯來弟兄若賣
給你服事你六年、到第七年你們各人就要任他自由
十五 出去。只是你們列祖不聽從我、也不側耳而聽。十五如今你
十六 們回轉、行我眼中看為正的事、各人向鄰舍宣告自由。
並且在稱為我名下的殿中、在我面前立約。十六你們卻又
反悔、褻瀆我的名、各人叫所任去隨意自由的僕人婢
十七 女回來、勉強他們仍為僕婢。○十七所以耶和華如此說、你
們沒有聽從我、各人向弟兄鄰舍宣告自由、看哪、我向
你們宣告一樣自由、就是使你們自由於刀劍、飢荒、瘟
疫之下。並且使你們在天下萬國中拋來拋去、這是耶
十八十九 和華說的。十八猶大、十九的首領、耶路撒冷的首領、太監、祭司、和
國中的眾民、曾將牛犢劈開、分成兩半、從其中經過、在
我面前立約、後來又違背我的約、不遵行這約上的話、
二十 二十我必將他們交在仇敵和尋索其命的人手中、他們的
二十一 屍首必給空中的飛鳥和地上的野獸作食物。二十一並且我
必將猶大王西底家和他的首領、交在他們仇敵和尋
索其命的人與那暫離你們而去巴比倫王軍隊的手
二十二 中。二十二耶和華說、我必吩咐他們回到這城、攻打這城、將城
攻取、用火焚燒。我也要使猶大的城邑變為荒塲、無人

居住。

利甲族克守其先祖遺訓

一 第三十五章當猶大王約西亞之子約雅敬的時
二 候、耶和華的話臨到耶利米說、二你去見利甲族的人、和
他們說話、領他們進入耶和華殿的一間屋子、給他們
三 酒喝。三我就將哈巴洗尼雅的孫子雅利米雅的兒子雅
四 撒尼亞、和他弟兄、並他衆子、以及利甲全族的人、四領到
耶和華的殿、進入神人伊基大利的兒子哈難衆子的
屋子。那屋子在首領的屋子旁邊、在沙龍之子把門的
五 瑪西雅屋子以上。五於是我在利甲族人面前設擺盛滿
六 酒的碗和杯、對他們說、請你們喝酒。六他們卻說、我們不
喝酒。因為我們先祖利甲的兒子約拿達曾吩咐我們
七 說、你們與你們的子孫、永不可喝酒。七也不可蓋房、撒種、
栽種葡萄園。但一生的年日要住帳棚、使你們的日子
八 在寄居之地得以延長。八凡我們先祖利甲的兒子約拿
達所吩咐我們的話、我們都聽從了。我們和我們的妻
九 子兒女、一生的年日都不喝酒。九也不蓋房居住。也沒有
十 葡萄園、田地、和種子。十但住帳棚、聽從我們先祖約拿達
十一 的話、照他所吩咐我們的去行。十一巴比倫王尼布甲尼撒
上此地來、我們因怕迦勒底的軍隊、和亞蘭的軍隊、就
說、來罷、我們到耶路撒冷去。這樣、我們纔住在耶路撒
冷。

主藉耶利米責民不守其命

十二 耶和華的話臨到耶利米說、十三萬軍之耶和華以色列的
神如此說、你去對猶大人和耶路撒冷的居民說、耶
十四 和華說、你們不受教訓、不聽從我的話麼。十四利甲的兒子
約拿達所吩咐他子孫不可喝酒的話、他們已經遵守、
直到今日也不喝酒、因為他們聽從先祖的吩咐。我從
十五 早起來警戒你們、你們卻不聽從我。十五我從早起來、差遣
我的僕人衆先知去、說、你們各人當回頭離開惡道、改
正行為、不隨從事奉別神、就必住在我所賜給你們和
你們列祖的地上。只是你們沒有聽從我、也沒有側耳
十六 而聽。十六利甲的兒子約拿達的子孫、能遵守先人所吩咐
十七 他們的命、這百姓卻沒有聽從我。十七因此、耶和華萬軍之
神以色列的神如此說、我要使我所說的一切災
禍臨到猶大人和耶路撒冷的一切居民。因為我對他

們說話、他們沒有聽從、我呼喚他們、他們沒有答應。

利甲族因守命致福

十八耶利米對利甲族的人說、萬軍之耶和華以色列的
神如此說、因你們聽從你們先祖約拿達的吩咐、謹守
他的一切誡命、照他所吩咐你們的去行。十九所以萬軍之
耶和華以色列的　神如此說、利甲的兒子約拿達必
永不缺人侍立在我面前。

第三十六章

耶利米召巴錄書其豫言於卷

一猶大王約西亞的兒子約雅敬第四
年、耶和華的話臨到耶利米說、二你取一書卷、將我對你
說攻擊以色列和猶大、並各國的一切話、從我對你說
話的那日、就是從約西亞的日子起、直到今日、都寫在
其上。三或者猶大家聽見我想要降與他們的一切災禍、
各人就回頭離開惡道、我好赦免他們的罪孽和罪惡。

命誦於民前

四所以耶利米召了尼利亞的兒子巴錄來、巴錄就從耶
利米口中、將耶和華對耶利米所說的一切話、寫在書
卷上。五耶利米吩咐巴錄說、我被拘管、不能進耶和華的
殿。六所以你要去、趁禁食的日子、在耶和華殿中、將耶和
華的話、就是你從我口中所寫在書卷上的話、念給百
姓和一切從猶大城邑出來的人聽。七或者他們在耶和
華面前懇求、各人回頭離開惡道。因為耶和華向這百
姓所說要發的怒氣和忿怒是大的。八尼利亞的兒子巴
錄、就照先知耶利米一切所吩咐的去行、在耶和華的
殿中從書上念耶和華的話。○九猶大王、約西亞的兒子
約雅敬第五年九月、耶路撒冷的眾民、和從猶大城
邑來到耶路撒冷的眾民、在耶和華面前宣告禁食的
日子。十巴錄就在耶和華殿的上院、耶和華殿的新門口、
沙番的兒子文士基瑪利雅的屋內、念書上耶利米的
話給眾民聽。

米該亞以所聞告諸牧伯

十一沙番的孫子基瑪利雅的兒子米該亞、聽見書上耶和
華的一切話、十二他就下到王宮、進入文士的屋子、眾首領、
就是文士以利沙瑪、示瑪雅的兒子第萊雅、亞革波的
兒子以利拿單、沙番的兒子基瑪利雅、哈拿尼雅的兒
子西底家、和其餘的首領、都坐在那裏。十三於是米該亞對

他們述說他所聽見的一切話、就是巴錄向百姓念那
書的時候所聽見的。

牧伯遣猶底召巴錄攜卷誦之

十四 衆首領就打發古示的曾孫示利米雅的孫子尼探雅
的兒子猶底到巴錄那裏、對他說、你將所念給百姓聽
的書卷拿在手中、到我們這裏來。尼利亞的兒子巴錄
十五 就手拿書卷、來到他們那裏。他們對他說、請你坐下、念
十六 給我們聽。巴錄就念給他們聽。他們聽見這一切話就
害怕面面相覷、對巴錄說、我們必須將這一切話告訴
十七 王。他們問巴錄說、請你告訴我們、你怎樣從他口中寫
十八 這一切話呢。巴錄回答說、他用口向我說這一切話、我
就用筆墨寫在書上。

勸巴錄與耶利米偕匿

十九 衆首領對巴錄說、你和耶利米要去藏起來。不可叫人
知道你們在那裏。

約雅敬聞卷中豫言割而焚之

二十 衆首領進院見王、卻先把書卷存在文士以利沙瑪的
二一 屋內、以後將這一切話說給王聽。王就打發猶底去拿
這書卷來。他便從文士以利沙瑪的屋內取來、念給王、
二二 和王左右侍立的衆首領聽。那時正是九月、王坐在過
二三 冬的房屋裏、王的前面火盆中有燒着的火。猶底念了
三四篇、（或作行）王就用文士的刀將書卷割破、扔在火盆
二四 中、直到全卷在火中燒盡了。王和聽見這一切話的臣
二五 僕、都不懼怕、也不撕裂衣服。以利拿單和第萊雅並基
二六 瑪利雅懇求王不要燒這書卷。他卻不聽。王就吩咐哈
米勒的兒子（或作王的兒子）耶拉篾、和亞斯列的兒子西萊雅、
並亞伯疊的兒子示利米雅、去捉拿文士巴錄、和先知
耶利米。耶和華卻將他們隱藏。

豫言焚卷者必受重災

二七 王燒了書卷、其上有巴錄從耶利米口中所寫的話、以
二八 後耶和華的話臨到耶利米說、你再取一卷、將猶大王
二九 約雅敬所燒第一卷上的一切話寫在其上。論到猶大
王約雅敬你要說、耶和華如此說、你燒了書卷、說、你為
甚麼在其上寫着說、巴比倫王必要來毀滅這地、使這
三十 地上絕了人民牲畜呢。所以耶和華論到猶大王約雅
敬說、他後裔中必沒有人坐在大衛的寶座上。他的屍

首必被拋棄、白日受炎熱、黑夜受寒霜。三一我必因他、和他
後裔．並他臣僕的罪孽刑罰他們．我要使我所說的一
切災禍臨到他們、和耶路撒冷的居民、並猶大人。只是
他們不聽。

復取卷命巴錄更書前言

三二於是耶利米又取一書卷、交給尼利亞的兒子文士巴
錄、他就從耶利米的口中寫了猶大王約雅敬所燒前
卷上的一切話．另外又添了許多相彷的話。

第三十七章

西底家求耶利米祈禱

一約西亞的兒子西底家代替約雅敬
的兒子哥尼雅為王、是巴比倫王尼布甲尼撒立在猶
大地作王的。二但西底家、和他的臣僕、並國中的百姓、都
不聽從耶和華藉先知耶利米所說的話。○三西底家王
打發示利米雅的兒子猶甲、和祭司瑪西雅的兒子西
番雅去見先知耶利米、說、求你為我們禱告耶和華我
們的神。四那時耶利米在民中出入．因為他們還沒有
把他囚在監裏。

迦勒底人聞法老軍至遂撤圍

五法老的軍隊已經從埃及出來．那圍困耶路撒冷的迦
勒底人、聽見他們的風聲、就拔營離開耶路撒冷去了。

豫言迦勒底軍必陷斯邑

六耶和華的話臨到先知耶利米說、七耶和華以色列的
神．如此說、猶大王打發你們來求問我、你們要如此對
他說、那出來幫助你們法老的軍隊、必回埃及本國去。
八迦勒底人必再來、攻打這城．並要攻取、用火焚燒。九耶和
華如此說、你們不要自欺、說、迦勒底人必定離開我們．
因為他們必不離開。十你們即便殺敗了與你們爭戰的
迦勒底全軍、但剩下受傷的人、也必各人從帳棚裏起
來、用火焚燒這城。

守門者疑耶利米降敵執交牧伯下之於獄

十一迦勒底的軍隊、因怕法老的軍隊、拔營離開耶路撒冷
的時候、十二耶利米就雜在民中出離耶路撒冷、要往便雅
憫地去、在那裏得自己的地業。十三他到了便雅憫門那裏、
有守門官、名叫伊利雅、是哈拿尼亞的孫子、示利米雅
的兒子．他就拿住先知耶利米、說、你是投降迦勒底人

哪。十四耶利米說、你這是謊話．我並不是投降迦勒底人．伊
利雅不聽他的話、就拿住他解到首領那裏。十五首領惱怒
耶利米、就打了他、將他囚在文士約拿單的房屋中．因
爲他們以這房屋當作監牢。

西底家私召耶利米問豫言

十六耶利米來到獄中、進入牢房、在那裏囚了多日。十七西底家
王打發人提出他來、在自己的宮內私下問他說、從耶
和華有甚麼話臨到沒有．耶利米說、有．又說、你必交在
巴比倫王手中。

耶利米求釋王寬待之

十八耶利米又對西底家王說、我在甚麼事上得罪你、或你
的臣僕、或這百姓、你竟將我囚在監裏呢。十九你們豫言
巴比倫王必不來攻擊你們和這地的先知、現今在那
裏呢。二十主我的王阿、求你現在垂聽、准我在你面前的懇
求．不要使我回到文士約拿單的房屋中、免得我死在
那裏。二十一於是西底家王下令、他們就把耶利米交在護衛
兵的院中、每天從餅鋪街取一個餅給他、直到城中的
餅用盡了．這樣、耶利米仍在護衛兵的院中。

第三十八章

牧伯復陷耶利米下之於阱

一瑪坦的兒子示法提雅、巴施戶珥的
兒子基大利、示利米雅的兒子猶甲、瑪基雅的兒子巴
示戶珥聽見耶利米對衆人所說的話、說、二耶和華如此
說、住在這城裏的、必遭刀劍、飢荒、瘟疫而死．但出去歸
降迦勒底人的、必得存活、就是以自己命爲掠物的、必
得存活。三耶和華如此說、這城必要交在巴比倫王軍隊
的手中．他必攻取這城。四於是首領對王說、求你將這人
治死．因他向城裏剩下的兵丁和衆民說這樣的話、使
他們的手發輭．這人不是求這百姓得平安、乃是叫他
們受災禍。五西底家王說、他在你們手中．無論何事、王也
不能與你們反對。六他們就拿住耶利米、下在哈米勒的
兒子（或作王的兒子）瑪基雅的牢獄裏．那牢獄在護衛兵的院
中．他們用繩子將耶利米繫下去．牢獄裏沒有水、只有
淤泥、耶利米就陷在淤泥中。

以伯米勒求王救援耶利米

七在王宮的太監古實人以伯米勒、聽見他們將耶利米
下了牢獄、（那時王坐在便雅憫門口）八以伯米勒就

九 從王宮裏出來、對王說、主我的王阿、這些人向先知耶
十 利米一味的行惡、將他下在牢獄中．他在那裏必因飢
餓而死．因爲城中再沒有糧食．王就吩咐古實人以伯
米勒說、你從這裏帶領三十人、趁着先知耶利米未死
十一 以前、將他從牢獄中提上來。於是以伯米勒帶領這些
人同去、進入王宮、到庫房以下、從那裏取了些碎布和
十二 破爛的衣服、用繩子縋下牢獄去到耶利米那裏。古實
人以伯米勒、對耶利米說、你用這些碎布和破爛的衣
十三 服放在繩子上、墊你的胳肢窩．耶利米就照樣行了。這
樣、他們用繩子將耶利米從牢獄裏拉上來．耶利米仍
在護衛兵的院中。

西底家暗詢耶利米當如何行

十四 西底家王打發人帶領先知耶利米、進耶和華殿中第
三門裏見王．王就對耶利米說、我要問你一件事、你絲
十五 毫不可向我隱瞞。耶利米對西底家說、我若告訴你、你
十六 豈不定要殺我麼．我若勸戒你、你必不聽從我。西底家
王就私下向耶利米說、我指着那造我們生命之永生
的耶和華起誓、我必不殺你、也不將你交在尋索你命
的人手中。

耶利米勸其投降迦勒底人

十七 耶利米對西底家說、耶和華萬軍之　神、以色列的
神如此說、你若出去歸降巴比倫王的首領、你的命就
必存活．這城也不至被火焚燒．你和你的全家都必存
十八 活。你若不出去歸降巴比倫王的首領、這城必交在迦
勒底人手中．他們必用火焚燒．你也不得脫離他們的
十九 手。西底家王對耶利米說、我怕那些投降迦勒底人的
猶大人、恐怕迦勒底人將我交在他們手中、他們戲弄
二十 我。耶利米說、迦勒底人必不將你交出．求你聽從我對
你所說耶和華的話．這樣、你必得好處、你的命也必存
二一 二二 活。你若不肯出去、耶和華指示我的話乃是這樣．猶大
王宮裏所剩的婦女、必都帶到巴比倫王的首領那裏．
這些婦女必說、你知己的朋友催逼你、勝過你．見你的
二三 脚陷入淤泥中．就轉身退後了。人必將你的后妃和你
的兒女、帶到迦勒底人那裏．你也不得脫離他們的手、
必被巴比倫王的手捉住．你也必使這城被火焚燒。

王命勿以斯言告牧伯

二四西底家對耶利米說、不要使人知道這些話、你就不至
於死。二五首領若聽見了我與你說話、就來見你、問你說、你
對王說甚麼話、不要向我們隱瞞、我們就不殺你、王向
你說甚麼話、也要告訴我們。二六你就對他們說、我在王面
前懇求不要叫我回到約拿單的房屋死在那裏。二七隨後
衆首領來見耶利米問他、他就照王所吩咐的一切話
回答他們。他們不再與他說話.因爲事情沒有洩漏。二八於
是耶利米仍在護衛兵的院中、直到耶路撒冷被攻取
的日子。

第三十九章

巴比倫王陷耶路撒冷

一猶大王西底家第九年十月、巴比倫
王尼布甲尼撒率領全軍來圍困耶路撒冷。二西底家十
一年四月初九日、城被攻破。三耶路撒冷被攻取的時候、
巴比倫王的首領尼甲沙利薛、三甲尼波、撒西金、拉撒
力、尼甲沙利薛拉墨、並巴比倫王其餘的一切首領、都
來坐在中門。

剜西底家之目

四猶大王西底家和一切兵丁看見他們、就在夜間、從靠
近王園兩城中間的門出城逃跑、往亞拉巴逃去。五迦勒
底的軍隊追趕他們、在耶利哥的平原追上西底家、將
他拿住、帶到哈馬地的利比拉、巴比倫王尼布甲尼撒
那裏.尼布甲尼撒就審判他。六巴比倫王在利比拉西底
家眼前殺了他的衆子、又殺了猶大的一切貴冑、七並且
剜西底家的眼睛、用銅鍊鎖着他、要帶到巴比倫去。

城垣被毀臣民被擄

八迦勒底人用火焚燒王宮和百姓的房屋、又拆毀耶路
撒冷的城牆。九那時護衛長尼布撒拉旦將城裏所剩下
的百姓、和投降他的逃民、以及其餘的民、都擄到巴比
倫去了。十護衛長尼布撒拉旦卻將民中毫無所有的窮
人留在猶大地、當時給他們葡萄園和田地。

巴比倫王命善遇耶利米

十一巴比倫王尼布甲尼撒題到耶利米、囑咐護衛長尼布
撒拉旦說、十二你領他去、好好的看待他、切不可害他.他對
你怎麼說、你就向他怎麼行。十三護衛長尼布撒拉旦和尼

布沙斯班、拉撒力尼甲沙利薛、拉墨、並巴比倫王的一
切官長、十四打發人去將耶利米從護衛兵院中提出來、交
與沙番的孫子亞希甘的兒子基大利、帶回家去。於是
耶利米住在民中。

耶和華許拯以伯米勒

十五耶利米還囚在護衛兵院中的時候、耶和華的話臨到
他說、十六你去告訴古實人以伯米勒說、萬軍之耶和華以
色列的 神如此說、我說降禍不降福的話必臨到這
城、到那時必在你面前成就了。十七耶和華說、到那日我必
拯救你。你必不至交在你所怕的人手中。十八我定要搭救
你。你不至倒在刀下、卻要以自己的命為掠物、因你倚
靠我。這是耶和華說的。

第四十章

護衛長釋耶利米

一耶利米鎖在耶路撒冷和猶大被擄到
巴比倫的人中、護衛長尼布撒拉旦將他從拉瑪釋放
以後、耶和華的話臨到耶利米。二護衛長將耶利米叫來、
對他說、耶和華你的 神曾說要降這禍與此地。三耶和
華使這禍臨到、照他所說的行了。因為你們得罪耶和
華、沒有聽從他的話、所以這事臨到你們。四現在我解開
你手上的鍊子。你若看與我同往巴比倫去好、就可以
去、我必厚待你。你若看與我同往巴比倫去不好、就不
必去。看哪、全地在你面前、你以為那裏美好、那裏合宜、
只管上那裏去罷。

耶利米詣基大利與遺民偕居

五耶利米還沒有回去、護衛長說、你可以回到沙番的孫
子亞希甘的兒子基大利那裏去。現在巴比倫王立他
作猶大城邑的省長。你可以在他那裏住在民中。不然、
你看那裏合宜、就可以上那裏去。於是護衛長送他糧
食和禮物、釋放他去了。六耶利米就到米斯巴見亞希甘
的兒子基大利、在他那裏住在境內剩下的民中。

諸軍長率眾詣基大利

七在田野的一切軍長和屬他們的人、聽見巴比倫王立
了亞希甘的兒子基大利作境內的省長、並將沒有擄
到巴比倫的男人婦女孩童和境內極窮的人全交給
他。八於是軍長尼探雅的兒子以實瑪利、加利亞的兩個
兒子約哈難和約拿單、單戶篾的兒子西萊雅、並尼陀

法人以斐的衆子、瑪迦人的兒子耶撒尼亞、和屬他們
的人、都到米斯巴見基大利。九沙番的孫子亞希甘的兒
子基大利向他們和屬他們的人起誓、說、不要怕服事
迦勒底人、只管住在這地、服事巴比倫王、就可以得福。
十至於我、我要住在米斯巴、伺候那到我們這裏來的迦
勒底人．只是你們當積蓄酒、油、和夏天的果子、收在器
皿裏、住在你們所佔的城邑中。十一在摩押地、和亞捫人中、
在以東地、和各國的一切猶大人、聽見巴比倫王留下
些猶大人、並立沙番的孫子亞希甘的兒子基大利管
理他們．十二這一切猶大人、就從所趕到的各處回來、到猶
大地的米斯巴基大利那裏、又積蓄了許多的酒、並夏
天的果子。

約哈難報以實瑪利之謀於基大利而不見信

十三加利亞的兒子約哈難、和在田野的一切軍長、來到米
斯巴見基大利、十四對他說、亞捫人的王巴利斯打發尼探
雅的兒子以實瑪利來要你的命、你知道麼．亞希甘的
兒子基大利卻不信他們的話。十五加利亞的兒子約哈難
在米斯巴私下對基大利說、求你容我去殺尼探雅的
兒子以實瑪利、必無人知道．何必讓他要你的命、使聚
集到你這裏來的猶大人都分散、以致猶大剩下的人
都滅亡呢。十六亞希甘的兒子基大利對加利亞的兒子約
哈難說、你不可行這事．你所論以實瑪利的話是假的。

第四十一章

以實瑪利殺基大利

一七月間、王的大臣宗室以利沙瑪的
孫子尼探雅的兒子以實瑪利、帶着十個人、來到米斯
巴見亞希甘的兒子基大利．他們在米斯巴一同喫飯。
二尼探雅的兒子以實瑪利、和同他來的那十個人起來、
用刀殺了沙番的孫子亞希甘的兒子基大利、就是巴
比倫王所立為全地省長的。三以實瑪利又殺了在米斯
巴基大利那裏的一切猶大人、和所遇見的迦勒底兵
丁。〇四他殺了基大利、無人知道、五第二天、有八十人從示
劍、和示羅、並撒瑪利亞來、鬍鬚剃去、衣服撕裂、身體劃
破、手拿素祭和乳香、要奉到耶和華的殿。六尼探雅的兒
子以實瑪利出米斯巴迎接他們、隨走隨哭、遇見了他
們、就對他們說、你們可以來見亞希甘的兒子基大利。
七他們到了城中、尼探雅的兒子以實瑪利、和同着他的

八 人就將他們殺了、拋在坑中。只是他們中間有十個人
對以實瑪利說、不要殺我們．因爲我們有許多大麥、小
九 麥、油、蜜、藏在田間．於是他住了手、沒有將他們殺在弟
兄中間。以實瑪利將所殺之人的屍首、都拋在坑裏．基
大利的旁邊．這坑是從前亞撒王因怕以色列王巴沙
所挖的．尼探雅的兒子以實瑪利、將那些被殺的人塡
十 滿了坑。以實瑪利將米斯巴剩下的人、就是衆公主、和
仍住在米斯巴所有的百姓、原是護衞長尼布撒拉旦
交給亞希甘的兒子基大利的、都擄去了．尼探雅的兒
子以實瑪利擄了他們、要往亞捫人那裏去。

約哈難救回以實瑪利所擄之民

十一 加利亞的兒子約哈難、和同着他的衆軍長、聽見尼探
十二 雅的兒子以實瑪利所行的一切惡、就帶領衆人前往、
要和尼探雅的兒子以實瑪利爭戰．在基遍的大水旁
十三 (或作大水池旁)遇見他。以實瑪利那裏的衆人看見加利亞的
十四 兒子約哈難、和同着他的衆軍長、就都歡喜。這樣以實
瑪利從米斯巴所擄去的衆人、都轉身歸加利亞的兒
十五 子約哈難去了。尼探雅的兒子以實瑪利、和八個人脫
離約哈難的手、逃往亞捫人那裏去了。

擄民往居金罕

十六 尼探雅的兒子以實瑪利、殺了亞希甘的兒子基大利．
從米斯巴將剩下的一切百姓、兵丁、婦女、孩童、太監、擄
到基遍之後、加利亞的兒子約哈難、和同着他的衆軍
十七 長、將他們都奪回來、帶到靠近伯利恆的金罕寓(或作基羅
十八 特金罕)住下、要進入埃及去．因爲尼探雅的兒子以實瑪
利殺了巴比倫王所立爲省長的亞希甘的兒子基大
利、約哈難懼怕迦勒底人。

約哈難求耶利米諮諏 神

第四十二章

一 衆軍長、和加利亞的兒子約哈難、並
何沙雅的兒子耶撒尼亞、(耶撒尼亞又名亞撒利雅見四十三章二節)以及
二 衆百姓、從最小的、到至大的、都進前來、對先知耶利米
說、求你准我們在你面前祈求、爲我們這剩下的人禱
告耶和華你的 神．我們本來衆多、現在剩下的極少、
三 這是你親眼所見的。願耶和華你的 神指示我們所
四 當走的路、所當作的事。先知耶利米對他們說、我已經
聽見你們了．我必照着你們的話禱告耶和華你們的

神、耶和華無論回答甚麼、我必都告訴你們、毫不隱
五 瞞。五於是他們對耶利米說、我們若不照耶和華你的
神差遣你來說的一切話行、願耶和華在我們中間作
六 眞實誠信的見證。六我們現在請你到耶和華我們的
神面前、他說的無論是好是歹、我們都必聽從。我們聽
從耶和華我們　神的話、就可以得福。

示以仍居猶大得享安逸

七八 七過了十天、耶和華的話臨到耶利米。八他就將加利亞的
兒子約哈難、和同着他的衆軍長、並衆百姓、從最小的、
九 到至大的、都叫了來、九對他們說、耶和華以色列的　神、
十 就是你們請我在他面前爲你們祈求的主、如此說、十你
們若仍住在這地、我就建立你們、必不拆毀、栽植你們
十一 並不拔出、因我爲降與你們的災禍後悔了。十一不要怕你
們所怕的巴比倫王。耶和華說、不要怕他、因爲我與你
十二 們同在、要拯救你們脫離他的手。十二我也要使他發憐憫、
好憐憫你們、叫你們歸回本地。

如往埃及必遭諸災

十三 十三倘若你們說、我們不住在這地、以致不聽從耶和華你
十四 們　神的話、說、十四我們不住這地、卻要進入埃及地、在那
裏看不見爭戰、聽不見角聲、也不至無食飢餓、我們必
十五 住在那裏。十五你們所剩下的猶大人哪、現在要聽耶和華
的話。萬軍之耶和華以色列的　神如此說、你們若定
十六 意要進入埃及、在那裏寄居、十六你們所懼怕的刀劍、在埃
及地必追上你們。你們所懼怕的飢荒、在埃及要緊緊
十七 的跟隨你們、你們必死在那裏。十七凡定意要進入埃及在
那裏寄居的、必遭刀劍、飢荒、瘟疫而死、無一人存留、逃
脫我所降與他們的災禍。

責其不聽警教

十八 十八萬軍之耶和華以色列的　神如此說、我怎樣將我的
怒氣和忿怒傾在耶路撒冷的居民身上、你們進入埃
及的時候、我也必照樣將我的忿怒傾在你們身上、以
致你們令人辱罵、驚駭、咒詛、羞辱、你們不得再見這地
十九 方。十九所剩下的猶大人哪、耶和華論到你們說、不要進入
二十 埃及去。你們要確實的知道我今日警教你們了。二十你們
行詭詐自害。因爲你們請我到耶和華你們的　神那
裏、說、求你爲我們禱告耶和華我們　神、照耶和華我

二一 們的　神一切所說的告訴我們、我們就必遵行。我今
日將這話告訴你們．耶和華你們的　神爲你們的事、
二二 差遣我到你們那裏說的、你們卻一樣沒有聽從。現在
你們要確實的知道、你們在所要去寄居之地必遭刀
劍、飢荒、瘟疫而死。

約哈難不信耶利米豫言

第四十三章
一 耶利米向衆百姓說完了耶和華他
們　神的一切話、就是耶和華他們　神差遣他去所
二 說的一切話、何沙雅的兒子亞撒利雅、和加利亞的兒
子約哈難、並一切狂傲的人、就對耶利米說、你說謊言．
耶和華我們的　神並沒有差遣你來說、你們不可進
三 入埃及、在那裏寄居．這是尼利亞的兒子巴錄挑唆你
害我們、要將我們交在迦勒底人的手中、使我們有被
四 殺的、有被擄到巴比倫去的。於是加利亞的兒子約哈
難、和一切軍長、並衆百姓、不聽從耶和華的話住在猶
大地。

攜耶利米與民入埃及地

五、六 加利亞的兒子約哈難、和一切軍長、卻將所剩下的猶
大人、就是從被趕到各國回來、在猶大地寄居的男人、
婦女、孩童、和衆公主、並護衛長尼布撒拉旦所留在沙
番的孫子亞希甘的兒子基大利那裏的衆人、與先知
七 耶利米、以及尼利亞的兒子巴錄、都帶入埃及地、到了
答比匿．這是因他們不聽從耶和華的話。

豫言埃及必爲巴比倫王攻擊

八、九 在答比匿耶和華的話臨到耶利米說、你在猶大人眼
前要用手拿幾塊大石頭、藏在砌磚的灰泥中、就是在
十 答比匿法老的宮門那裏．對他們說、萬軍之耶和華以
色列的　神如此說、我必召我的僕人巴比倫王尼布
甲尼撒來．在所藏的石頭上、我要安置他的寶座．他必
十一 將光華的寶帳支搭在其上。他要來攻擊埃及地．定爲
死亡的、必至死亡．定爲擄掠的、必被擄掠．定爲刀殺的、
十二 必交刀殺。我要在埃及神的廟中使火着起．巴比倫王
要將廟宇焚燒、神像擄去．他要得（得原文作披上）埃及地、好像
十三 牧人披上外衣、從那裏安然而去。他必打碎埃及地伯
示麥的柱像、用火焚燒埃及神的廟宇。

責民在埃及崇事他神必受災禍

一 第四十四章　有臨到耶利米的話、論及一切住在
埃及地的猶大人、就是住在密奪、答比匿、挪弗、巴忒羅
二 境內的猶大人說、二萬軍之耶和華以色列的神如此
說、我所降與耶路撒冷、和猶大各城的一切災禍、你們
三 都看見了．那些城邑今日荒涼、無人居住．三這是因居民
所行的惡、去燒香事奉別神、就是他們、和你們、並你們
四 列祖所不認識的神、惹我發怒。四我從早起來差遣我的
僕人眾先知去說、你們切不要行我所厭惡這可憎之
五 事。五他們卻不聽從、不側耳而聽、不轉離惡事、仍向別神
六 燒香。六因此、我的怒氣和忿怒都倒出來、在猶大城邑中、
和耶路撒冷的街市上、如火着起、以致都荒廢淒涼、正
七 如今日一樣。七現在耶和華萬軍之神、以色列的神
如此說、你們為何作這大惡自害己命、使你們的男人、
八 婦女、嬰孩、和喫奶的、都從猶大中剪除、不留一人呢．八就
是因你們手所作的、在所去寄居的埃及地、向別神燒
香惹我發怒、使你們被剪除、在天下萬國中令人咒詛
九 羞辱。九你們列祖的惡行、猶大列王和他們后妃的惡行、

你們自己和你們妻子的惡行、就是在猶大地、耶路撒
十 冷街上所行的、你們都忘了麼。十到如今還沒有懊悔、沒
有懼怕、沒有遵行我在你們和你們列祖面前所設立
的法度律例。

豫言逃往埃及之猶大人必遭殲滅

十一 十一所以萬軍之耶和華以色列的神如此說、我必向你
十二 們變臉降災、以致剪除猶大眾人。十二那定意進入埃及地、
在那裏寄居的、就是所剩下的猶大人、我必使他們盡
都滅絕．必在埃及地仆倒、必因刀劍饑荒滅絕．從最小
的、到至大的、都必遭刀劍饑荒而死、以致令人辱罵、驚
十三 駭、咒詛、羞辱。十三我怎樣用刀劍、饑荒、瘟疫、刑罰耶路撒冷、
十四 也必照樣刑罰那些住在埃及地的猶大人．十四甚至那進
入埃及地寄居的、就是所剩下的猶大人、都不得逃脫、
也不得存留歸回猶大地．他們心中甚想歸回居住之
地．除了逃脫的以外、一個都不能歸回。

民不聽豫言執意仍拜他神

十五 十五那些住在埃及地巴忒羅知道自己妻子向別神燒香
十六 的、與旁邊站立的眾婦女、聚集成羣、回答耶利米說、十六論

到你奉耶和華的名向我們所說的話、我們必不聽從。
十七 我十七們定要成就我們口中所出的一切話、向天后燒香、
澆奠祭、按着我們與我們列祖、君王、首領、在猶大的城
邑中、和耶路撒冷的街市上素常所行的一樣.因爲那
十八 時我們喫飽飯、享福樂、並不見災禍。十八自從我們停止向
天后燒香、澆奠祭、我們倒缺乏一切.又因刀劍飢荒滅
十九 絕。十九婦女說、我們向天后燒香、澆奠祭、作天后像的餅供
奉他、向他澆奠祭、是外乎我們的丈夫麼。

耶利米警以必遭諸災

二十一 耶二十利米對一切那樣回答他的男人婦女說、二十一你們與你
們列祖、君王、首領、並國內的百姓、在猶大城邑中、和耶
路撒冷街市上所燒的香、耶和華豈不記念、心中豈不
二二 思想麼。二十二耶和華因你們所作的惡、所行可憎的事、不能
再容忍.所以你們的地荒涼、令人驚駭、咒詛、無人居住、
二三 正如今日一樣。二十三你們燒香、得罪耶和華、沒有聽從他的
話、沒有遵行他的律法、條例、法度.所以你們遭遇這災
二四 禍、正如今日一樣。○二十四耶利米又對眾民和眾婦女說、你
二五 們在埃及地的一切猶大人、當聽耶和華的話.二十五萬軍之
耶和華以色列的神如此說、你們和你們的妻、都口
中說、手裏作、說、我們定要償還所許的願、向天后燒香、
二六 澆奠祭.現在你們只管堅定所許的願而償還罷。二十六所以
你們住在埃及地的一切猶大人、當聽耶和華的話.耶
和華說、我指着我的大名起誓、在埃及全地、我的名不
再被猶大一個人的口稱呼、說、我指着主永生的耶和
二七 華起誓。二十七我向他們留意降禍不降福、在埃及地的一切
二八 猶大人必因刀劍飢荒所滅、直到滅盡。二十八脫離刀劍、從埃
及地歸回猶大地的人數很少.那進入埃及地要在那
裏寄居的、就是所剩下的猶大人、必知道是誰的話立
得住、是我的話呢、是他們的話呢。

豫言埃及見敗於巴比倫爲徵

二九 耶二十九和華說、我在這地方刑罰你們、必有豫兆、使你們知
三十 道我降禍與你們的話、必要立得住。三十耶和華如此說、我
必將埃及王法老合弗拉交在他仇敵和尋索其命的
人手中、像我將猶大王西底家交在他仇敵和尋索其
命的巴比倫王尼布甲尼撒手中一樣。

第四十五章

巴錄懷憂耶利米慰以主言

一 [一]猶大王約西亞的兒子約雅敬第四
年、尼利亞的兒子巴錄將先知耶利米口中所說的話
二 寫在書上、耶利米說、[二]巴錄阿、耶和華以色列的神說、
三 [三]巴錄、(原文作你)曾說、哀哉、耶和華將憂愁加在我的痛苦上.
四 我因唉哼而困乏、不得安歇。[四]你要這樣告訴他、耶和華
如此說、我所建立的我必拆毀.我所栽植的我必拔出.
五 在全地我都如此行。[五]你為自己圖謀大事麼.不要圖謀.
我必使災禍臨到凡有血氣的.但你無論往那裏去、我
必使你以自己的命為掠物.這是耶和華說的。

第四十六章

豫言法老必敗於伯拉河濱

一 [一]耶和華論列國的話臨到先知耶利
二 米。[二]○論到關乎埃及王法老尼哥的軍隊.這軍隊安營
在伯拉河邊的迦基米施、是巴比倫王尼布甲尼撒在
三 猶大王約西亞的兒子約雅敬第四年所打敗的。[三]○你
四 們要豫備大小盾牌、往前上陣。[四]你們套上車、騎上馬、頂
五 盔站立、磨槍貫甲。[五]我為何看見他們驚惶轉身退後呢.
他們的勇士打敗了、急忙逃跑、並不回頭.驚嚇四圍都
六 有.這是耶和華說的。[六]不要容快跑的逃避、不要容勇士
逃脫.(或作快跑的不能逃避勇士不能逃脫)他們在北方伯拉河邊絆跌
七八 仆倒。[七]像尼羅河漲發、像江河之水翻騰的是誰呢。[八]埃及
像尼羅河漲發、像江河的水翻騰.他說、我要漲發遮蓋
九 遍地.我要毀滅城邑、和其中的居民。[九]馬匹上去罷.車輛
急行罷.勇士、就是手拿盾牌的古實人和弗人、(又作呂彼亞人)
十 並拉弓的路德族、都出去罷。[十]那日是主萬軍之耶和華
報仇的日子、要向敵人報仇.刀劍必吞喫得飽、飲血飲
足.因為主萬軍之耶和華、在北方伯拉河邊有獻祭的
十一 事。[十一]埃及的民哪、(民原文作處女)可以上基列取乳香去.你雖多
十二 服良藥、總是徒然、不得治好。[十二]列國聽見你的羞辱、遍地
滿了你的哀聲.勇士與勇士彼此相碰、一齊跌倒。

豫言巴比倫王必擊埃及

十三 [十三]耶和華對先知耶利米所說的話、論到巴比倫王尼布
十四 甲尼撒要來攻擊埃及地。[十四]○你們要傳揚在埃及、宣告
在密奪、報告在挪弗、答比匿、說、要站起出隊、自作準備.
十五 因為刀劍在你四圍施行吞滅的事。[十五]你的壯士為何被
十六 冲去呢.他們站立不住、因為耶和華驅逐他們。[十六]使多人

絆跌、他們也彼此撞倒、說、起來罷、我們再往本民本地
十七 去、好躲避欺壓的刀劍。十七他們在那裏喊叫說、埃及王法
老不過是個聲音。不過是個聲音或作已經敗亡 他已錯過所定的時
十八 候了。十八君王、名爲萬軍之耶和華的、說、我指着我的永生
起誓、尼布甲尼撒原文作他來的勢派必像他泊在衆山之
十九 中、像迦密在海邊一樣。十九住在埃及的民哪、民原文作女子要豫
備擄去時所用的物件。因爲挪弗必成爲荒塲、且被燒
二十 燬、無人居住。二十埃及是肥美的母牛犢、但出於北方的毀
二一 滅毀滅或作牛蝱來到了、來到了。二一其中的雇勇、好像圈裏的肥
牛犢。他們轉身退後、一齊逃跑、站立不住、因爲他們遭
二二 難的日子、追討的時候、已經臨到。二二其中的聲音、好像蛇
行一樣。敵人要成隊而來、如砍伐樹木的手拿斧子攻
二三 擊他。二三耶和華說、埃及的樹林、雖然不能尋察、或作穿不過敵
二四 人卻要砍伐、因他們多於蝗蟲、不可勝數。二四埃及的民民原
二五 文作女子必然蒙羞、必交在北方人的手中。二五萬軍之耶和華
以色列的 神說、我必刑罰挪的亞捫、埃及尊大之神和法老、
並埃及、與埃及的神、以及君王。也必刑罰法老、和倚靠
二六 他的人。二六我要將他們交付尋索其命之人的手、和巴比
倫王尼布甲尼撒與他臣僕的手。以後埃及必再有人
居住、與從前一樣。這是耶和華說的。

言明受罰之後必復蒙恩

二七 二七我的僕人雅各阿、不要懼怕、以色列阿、不要驚惶、因我
要從遠方拯救你、從被擄到之地拯救你的後裔。雅各
二八 必回來、得享平靖安逸、無人使他害怕。二八我的僕人雅各
阿、不要懼怕、因我與你同在。我要將我所趕你到的那
些國滅絕淨盡、卻不將你滅絕淨盡。倒要從寬懲治你、
萬不能不罰你。不罰你或作以你爲無罪 這是耶和華說的。

豫言非利士人必滅

第四十七章

一 一法老攻擊迦薩之先、有耶和華論非
二 利士人的話臨到先知耶利米。〇二耶和華如此說、有水
從北方發起、成爲漲溢的河、要漲過遍地和其中所有
的、並城和其中所住的人、必呼喊、境內的居民都必哀
三 號。三聽見敵人壯馬蹄跳的響聲、和戰車隆隆、車輪轟轟、
四 爲父的手就發輭、不回頭看顧兒女。四因爲日子將到、要
毀滅一切非利士人、剪除幫助推羅西頓所剩下的人。
原來耶和華必毀滅非利士人、就是迦斐託海島餘剩

五 的人。迦薩成了光禿．平原中所剩的亞實基倫歸於無
六 有．你用刀劃身、要到幾時呢。耶和華的刀劍哪、你到幾
七 時纔止息呢．你要入鞘、安靖不動。耶和華既吩咐你攻
擊亞實基倫、和海邊之地、他已經派定你、焉能止息呢。

第四十八章

豫言摩押必受懲罰

一 論摩押．萬軍之耶和華以色列的
神如此說、尼波有禍了．因變為荒塲．基列亭蒙羞被攻
二 取．米斯迦蒙羞被毀壞。摩押不再被稱讚．有人在希實
本設計謀害他說、來罷、我們將他剪除、不再成國。瑪得
三 緬哪、你也必默默無聲．刀劍必追趕你。從何羅念有喊
四 荒涼大毀滅的哀聲。摩押毀滅了．他的孩童〔或作家僮〕發哀
五 聲、使人聽見。人上魯希坡、隨走隨哭．因為在何羅念的
六 下坡聽見毀滅的哀聲。你們要奔逃、自救性命、獨自居
住、好像曠野的杜松。

因自恃財貨

七 你因倚靠自己所作的、和自己的財寶、必被攻取．基抹
八 和屬他的祭司、首領、也要一同被擄去。行毀滅的必來
到各城、並無一城得免．山谷必至敗落、平原必被毀壞．

九 正如耶和華所說的。要將翅膀給摩押、使他可以飛去．
十 他的城邑必至荒涼、無人居住。懶惰為耶和華行事的、
必受咒詛．禁止刀劍不經血的、必受咒詛。

因妄賴勇力

十一 摩押自幼年以來、常享安逸、如酒在渣滓上澄清、沒有
從這器皿倒在那器皿裏、也未曾被擄去．因此、他的原
十二 味尚存、香氣未變。耶和華說、日子將到、我必打發倒酒
的往他那裏去、將他倒出來．倒空他的器皿、打碎他的
十三 罈子。摩押必因基抹羞愧、像以色列家從前倚靠伯特
十四 利的神羞愧一樣。你們怎麼說、我們是勇士、是有勇力
十五 打仗的呢。摩押變為荒塲、敵人上去進了他的城邑、他
所特選的少年人、下去遭了殺戮．這是君王、名為萬軍
十六 之耶和華說的。摩押的災殃臨近、他的苦難速速來到。
十七 凡在他四圍的、和認識他名的、你們都要為他悲傷說、
十八 那結實的杖、和那美好的棍、何竟折斷了呢。住在底本
的民哪〔原文作女子〕要從你榮耀的位上下來、坐受乾渴．因
十九 毀滅摩押的上來攻擊你．毀壞了你的保障。住亞羅珥
的阿、要站在道旁觀望、問逃避的男人、和逃脫的女人、

二十 說、是甚麼事呢。二十摩押因毀壞蒙羞．你們要哀號呼喊．要
二一 在亞嫩旁報告說、摩押變為荒塲。二一刑罰臨到平原之地
二二 二三 的何倫、雅雜、米法押、二二底本尼波、伯低比拉太音、二三基列亭、
二四 伯迦末、伯米恩、二四加略、波斯拉、和摩押地遠近所有的城
二五 邑。二五摩押的角砍斷了、摩押的膀臂折斷了．這是耶和華
說的。

因悖逆神輕侮主民

二六 你們要使摩押沉醉、因他向耶和華誇大．他要在自己
二七 所吐之中打滾、又要被人嗤笑。二七摩押阿、你不曾嗤笑以
色列麼．他豈是在賊中查出來的呢．你每逢題到他便
二八 搖頭。二八摩押的居民哪、要離開城邑、住在山崖裏、像鴿子
二九 在深淵口上搭窩。二九我們聽說摩押人驕傲、是極其驕傲．
三十 聽說他自高自傲、並且狂妄、居心自大。三十耶和華說、我知
三一 道他的忿怒、是虛空的．他誇大的話、一無所成。三一因此、我
要為摩押哀號、為摩押全地呼喊．人必為吉珥哈列設
三二 人歎息。三二西比瑪的葡萄樹阿、我為你哀哭甚於雅謝人．
哀哭．你的枝子蔓延過海、直長到雅謝海．那行毀滅的、
三三 已經臨到你夏天的果子、和你所摘的葡萄。三三肥田和摩
押地的歡喜快樂、都被奪去、我使酒醡的酒絕流、無人
三四 踹酒歡呼．那歡呼卻變為仇敵的吶喊。（原文作那歡呼卻不是歡呼）
三四希實本人發的哀聲、達到以利亞利、直達到雅雜、從瑣
珥達到何羅念直到伊基拉施利施亞、因為寧林的水、
三五 必然乾涸。三五耶和華說、我必在摩押地、使那在邱壇獻祭
三六 的、和那向他的神燒香的、都斷絕了。○三六我心腹為摩押
哀鳴如簫、我心腸為吉珥哈列設人、也是如此．因摩押
三七 人所得的財物、都滅沒了。三七各人頭上光禿、鬍鬚剪短、手
三八 有劃傷、腰束麻布。三八在摩押的各房頂上、和街市上、處處
有人哀哭、因我打碎摩押、好像打碎無人喜悅的器皿．
三九 這是耶和華說的。三九摩押何等毀壞、何等哀號、何等羞愧
四十 轉背．這樣、摩押必令四圍的人嗤笑驚駭。四十耶和華如此
四一 說、仇敵必如大鷹飛起、展開翅膀攻擊摩押。四一加略被攻
取、保障也被佔據．到那日、摩押的勇士心中疼痛、如臨
四二 產的婦人。四二摩押必被毀滅、不再成國、因他向耶和華誇
四三 大。四三耶和華說、摩押的居民哪、恐懼、陷坑、網羅、都臨近你。
四四 躲避恐懼的、必墜入陷坑．從陷坑上來的、必被網羅纏
住．因我必使追討之年臨到摩押．這是耶和華說的。

後日摩押必復振興

四五 四五躲避的人、無力站在希實本的影下．因爲有火從希實
本發出、有火燄出於西宏的城、燒盡摩押的角、和鬨嚷
四六 人的頭頂。四六摩押阿、你有禍了．屬基抹的民滅亡了．因你
四七 的衆子都被擄去、你的衆女也被擄去。四七耶和華說、到末
後、我還要使被擄的摩押人歸回。摩押受審判的話到
此爲止。

第四十九章

豫言亞捫人必受懲罰

一 一論亞捫人。耶和華如此說、以色列沒
有兒子麼、沒有後嗣麼．瑪勒堪爲何得迦得之地爲業
二 呢．屬他的民爲何住其中的城邑呢。二耶和華說、日子將
到、我必使人聽見打仗的喊聲、是攻擊亞捫人拉巴的
喊聲．拉巴要成爲亂堆．屬他的鄉村〔原文作女子〕要被火焚
燒．先前得以色列地爲業的、此時以色列倒要得他們
三 的地爲業．這是耶和華說的。三希實本哪、你要哀號、因爲
愛地變爲荒塲．拉巴的居民哪〔居民原文作女子〕要呼喊、以麻
布束腰．要哭號、在籬笆中跑來跑去．因瑪勒堪和屬他
四 的祭司、首領、要一同被擄去。四背道的民哪〔民原文作女子〕你們

爲何因有山谷、就是水流的山谷、誇張呢．爲何倚靠財
五 寶、說、誰能來到我們這裏呢。五主萬軍之耶和華說、我要
使恐嚇從四圍的人中臨到你們．你們必被趕出、各人
一直前往、沒有人收聚逃民。

後必復興

六 六後來我還要使被擄的亞捫人歸回．這是耶和華說的。

以東必受懲罰

七 七論以東。萬軍之耶和華如此說、提幔中再沒有智慧麼．
八 明哲人不再有謀略麼．他們的智慧盡歸無有麼。八底但
的居民哪、要轉身逃跑、住在深密處．因爲我向以掃追
九 討的時候、必使災殃臨到他。九摘葡萄的、若來到他那裏、
豈不剩下些葡萄呢．盜賊若夜間而來、豈不毀壞直到
十 彀了呢。十我卻使以掃赤露、顯出他的隱密處．他不能自
十一 藏．他的後裔弟兄、鄰舍盡都滅絕、他也歸於無有。十一你撇
十二 下孤兒、我必保全他們的命．你的寡婦可以倚靠我。十二耶
和華如此說、原不該喝那杯的、一定要喝．你能盡免刑
十三 罰麼．你必不能免、一定要喝。十三耶和華說、我指着自己起
誓、波斯拉必令人驚駭、羞辱、咒詛、並且荒涼．他的一切

十四 城邑、必變爲永遠的荒塲。○十四我從耶和華那裏聽見信
息、並有使者被差往列國去、說、你們聚集來攻擊以東。
十五 要起來爭戰。十五我使他在列國中爲最小、在世人中被藐
十六 視。十六住在山穴中據守山頂的阿、論到你的威嚇、你因心
中的狂傲自欺。你雖如大鷹高高搭窩、我卻從那裏拉
十七 下你來。這是耶和華說的。十七以東必令人驚駭。凡經過的
十八 人、就受驚駭、又因他一切的災禍嗤笑。十八耶和華說、必無
人住在那裏、也無人在其中寄居。要像所多瑪蛾摩拉
十九 和鄰近的城邑傾覆的時候一樣。十九仇敵必像獅子從約
但河邊的叢林上來、攻擊堅固的居所。轉眼之間、我要
使以東人逃跑離開這地。誰蒙揀選、我就派誰治理這
地。誰能比我呢。誰能給我定規日期呢。有何牧人能在
二十 我面前站立得住呢。○二十你們要聽耶和華攻擊以東所
說的謀略、和他攻擊提幔居民所定的旨意。仇敵定要
二一 將他們羣衆微弱的拉去、定要使他們的居所荒涼。二一因
他們仆倒的聲音、地就震動。人在紅海那裏、必聽見呼
二二 喊的聲音。二二仇敵必如大鷹飛起、展開翅膀攻擊波斯拉。
到那日、以東的勇士心中疼痛、如臨產的婦人。

大馬色必受懲罰

二三 二三論大馬色。哈馬和亞珥拔蒙羞。因他們聽見兇惡的信
二四 息、就消化了。海上有憂愁、不得平靜。二四大馬色發輭、轉身
逃跑。戰兢將他捉住、痛苦憂愁將他抓住、如產難的婦
二五 二六 人一樣。二五我所喜樂可稱讚的城、爲何被撇棄了呢。二六他的
少年人必仆倒在街上、當那日一切兵丁必默默無聲。
二七 這是萬軍之耶和華說的。二七我必在大馬色城中使火熖
起、燒滅便哈達的宮殿。

基達必受懲罰

二八 二八論巴比倫王尼布甲尼撒所攻打的基達、和夏瑣的諸
國。耶和華如此說、迦勒底人哪、起來上基達去、毀滅東
二九 方人。二九他們的帳棚和羊羣都要奪去、將幔子和一切器
皿、並駱駝、爲自己掠去。人向他們喊着說、四圍都有驚
嚇。

夏瑣必受懲罰

三十 三十耶和華說、夏瑣的居民哪、要逃奔遠方、住在深密處。因
爲巴比倫王尼布甲尼撒設計謀害你們、起意攻擊你
三一 們。三一耶和華說、迦勒底人哪、起來、上安逸無慮的居民那

三二 裏去．他們是無門無閂、獨自居住的。三二他們的駱駝、必成
為掠物．他們眾多的牲畜、必成為擄物。我必將剃周圍
頭髮的人、分散四方、方原文作風 使災殃從四圍臨到他們．
三三 這是耶和華說的。三三夏瑣必成為野狗的住處、永遠淒涼．
必無人住在那裏、也無人在其中寄居。

以攔必受懲罰

三四 三四猶大王西底家登基的時候、耶和華論以攔的話臨到
三五 先知耶利米說、三五萬軍之耶和華如此說、我必折斷以攔
三六 人的弓、就是他們為首的權力。三六我要使四風從天的四
方颳來、臨到以攔人、將他們分散四方．方原文作風 這被趕
三七 散的人沒有一國不到的。三七耶和華說、我必使以攔人在
仇敵和尋索其命的人面前驚惶．我也必使災禍、就是
我的烈怒、臨到他們．又必使刀劍追殺他們、直到將他
三八 們滅盡。三八我要在以攔設立我的寶座、從那裏除滅君王、
和首領．這是耶和華說的。

後日以攔必復振興

三九 三九到末後、我還要使被擄的以攔人歸回．這是耶和華說
的。

第五十章

豫言巴比倫必受懲罰

一 一耶和華藉先知耶利米論巴比倫和迦
二 勒底人之地所說的話。二你們要在萬國中傳揚報告、
豎立大旗、要報告、不可隱瞞、說、巴比倫被攻取．彼勒蒙
羞、米羅達驚惶．巴比倫的神像都蒙羞、他的偶像都驚
三 惶。三因有一國從北方上來攻擊他、使他的地荒涼、無人
居住．連人帶牲畜都逃走了。

以色列人必旋返尋求主

四 四耶和華說、當那日子、那時候、以色列人要和猶大人同
五 來、隨走隨哭、尋求耶和華他們的神。五他們必訪問錫
安、又面向這裏、說、來罷、你們要與耶和華聯合為永遠
不忘的約。

申言巴比倫遭報

六 六我的百姓作了迷失的羊．牧人使他們走差路、使他們
七 轉到山上．他們從大山走到小山、竟忘了安歇之處。七凡
遇見他們的、就把他們吞滅．敵人說、我們沒有罪、因他
們得罪那作公義居所的耶和華、就是他們列祖所仰
八 望的耶和華。八我民哪、你們要從巴比倫中逃走、從迦勒

九 底人之地出去．要像羊羣前面走的公山羊。九因我必激
動聯合的大國、從北方上來攻擊巴比倫．他們要擺陣
攻擊他．他必從那裏被攻取．他們的箭、好像善射之勇
十 士的箭、一枝也不徒然返回。十迦勒底必成爲掠物．凡擄
十一 掠他的都必心滿意足．這是耶和華說的。○十一搶奪我產
業的阿、你們因歡喜快樂、且像踹穀撒歡的母牛犢、又
十二 像發嘶聲的壯馬．十二你們的母巴比倫就極其抱愧、生你
們的必然蒙羞．他要列在諸國之末、成爲曠野、旱地、沙
十三 漠。十三因耶和華的忿怒、必無人居住、要全然荒涼．凡經過
十四 巴比倫的、要受驚駭、又因他所遭的災殃嗤笑。十四所有拉
弓的、你們要在巴比倫的四圍擺陣、射箭攻擊他．不要
十五 愛惜箭枝、因他得罪了耶和華。十五你們要在他四圍吶喊．
他已經投降．外郭坍塌了、城牆拆毀了．因爲這是耶和
華報仇的事．你們要向巴比倫報仇、他怎樣待人、也要
十六 怎樣待他。十六你們要將巴比倫撒種的、和收割時拿鐮刀
的、都剪除了．他們各人因怕欺壓的刀劍、必歸回本族、
逃到本土。

以色列如羊歸牧

十七 十七以色列是打散的羊、是被獅子趕出的．首先是亞述王
將他吞滅、末後是巴比倫王尼布甲尼撒將他的骨頭
十八 折斷。十八所以萬軍之耶和華以色列的神如此說、我必
十九 罰巴比倫王和他的地、像我從前罰亞述王一樣。十九我必
再領以色列回他的草塲、他必在迦密和巴珊喫草、又
二十 在以法蓮山上、和基列境內、得以飽足。二十耶和華說、當那
日子、那時候、雖尋以色列的罪孽、一無所有、雖尋猶大
的罪惡、也無所見．因爲我所留下的人、我必赦免。

再言巴比倫遭報

二一 二一耶和華說、上去攻擊米拉大翁之地、又攻擊比割的居
二二 民、要追殺滅盡、照我一切所吩咐你的去行。二二境內有打
二三 仗和大毀滅的響聲。二三全地的大鎚、何竟砍斷破壞．巴比
二四 倫在列國中、何竟荒涼。二四巴比倫哪、我爲你設下網羅、你
不知不覺被纏住．你被尋着、也被捉住、因爲你與耶和
二五 華爭競。二五耶和華已經開了武庫、拿出他惱恨的兵器．因
二六 爲主萬軍之耶和華、在迦勒底人之地有當作的事。二六你
們要從極遠的邊界來攻擊他、開他的倉廩、將他堆如

高堆、毀滅淨盡、絲毫不留。二七要殺他的一切牛犢、使他們
下去遭遇殺戮．他們有禍了、因爲追討他們的日子已
經來到。二八有從巴比倫之地逃避出來的人、在錫安揚聲
報告耶和華我們的神報仇、就是爲他的殿報仇。○
二九招集一切弓箭手來、攻擊巴比倫．要在巴比倫四圍安
營．不要容一人逃脫、照着他所作的報應他．他怎樣待
人、也要怎樣待他．因爲他向耶和華以色列的聖者、發
了狂傲。三十所以他的少年人必仆倒在街上．當那日、一切
兵丁必默默無聲．這是耶和華說的。三一主萬軍之耶和華
說、你這狂傲的阿、我與你反對．因爲我追討你的日子
已經來到。三二狂傲的必絆跌仆倒、無人扶起．我也必使火
在他的城邑中燒起來、將他四圍所有的盡行燒滅。

耶和華必伸以色列人及猶大人之冤

三三萬軍之耶和華如此說、以色列人和猶大人一同受欺
壓．凡擄掠他們的、都緊緊抓住他們、不肯釋放。三四他們的
救贖主大有能力．萬軍之耶和華是他的名．他必伸清
他們的冤、好使全地得平安、並攪擾巴比倫的居民。

復言巴比倫遭報

三五耶和華說、有刀劍臨到迦勒底人、和巴比倫的居民、並
他的首領、與智慧人。三六有刀劍臨到矜誇的人、他們就成
爲愚昧．有刀劍臨到他的勇士、他們就驚惶。三七有刀劍臨
到他的馬匹、車輛、和其中雜族的人民、他們必像婦女
一樣。有刀劍臨到他的寶物、就被搶奪。三八有乾旱臨到他
的衆水、就必乾涸．因爲這是有雕刻偶像之地、人因偶
像而顛狂。三九所以曠野的走獸和豺狼、必住在那裏、鴕鳥
也住在其中、永無人煙、世世代代無人居住。四十耶和華說、
必無人住在那裏、也無人在其中寄居．要像我傾覆所
多瑪、蛾摩拉、和鄰近的城邑一樣。○四一看哪、有一種民從
北方而來．並有一大國和許多君王被激動、從地極來
到。四二他們拿弓和槍．性情殘忍、不施憐憫．他們的聲音像
海浪匉訇．巴比倫城阿、（城原文作女子）他們騎馬、都擺隊伍、如
上戰場的人、要攻擊你。四三巴比倫王聽見他們的風聲、手
就發輭．痛苦將他抓住、疼痛彷彿產難的婦人。四四仇敵必
像獅子從約但河邊的叢林上來、攻擊堅固的居所．轉
眼之間、我要使他們逃跑、離開這地．誰蒙揀選、我就派

誰治理這地。誰能比我呢、誰能給我定規日期呢、有何
四五 牧人能在我面前站立得住呢。[四五]你們要聽耶和華攻擊
巴比倫所說的謀略、和他攻擊迦勒底人之地所定的
旨意。仇敵定要將他們羣衆微弱的拉去、定要使他們
四六 的居所荒涼。[四六]因巴比倫被取的聲音、地就震動、人在列
邦都聽見呼喊的聲音。

耶和華必降重災於巴比倫以復其虐待以色列人之仇

一 **第五十一章** [一]耶和華如此說、我必使毀滅的風颳
二 起、攻擊巴比倫、和住在立加米的人。[二]我要打發外邦人
來到巴比倫、簸揚他、使他的地空虛。在他遭禍的日子、
三 他們要周圍攻擊他。[三]拉弓的、要向拉弓的和貫甲挺身
四 的射箭。不要憐惜他的少年人、要滅盡他的全軍。[四]他們
必在迦勒底人之地被殺仆倒、在巴比倫的街上被刺
五 透。○[五]以色列和猶大雖然境內充滿違背以色列聖者
六 的罪、卻沒有被他的神萬軍之耶和華丟棄。[六]你們要
從巴比倫中逃奔、各救自己的性命。不要陷在他的罪
孽中、一同滅亡。因爲這是耶和華報仇的時候、他必向

七 巴比倫施行報應。[七]巴比倫素來是耶和華手中的金杯、
八 使天下沉醉。萬國喝了他的酒就顛狂了。[八]巴比倫忽然
傾覆毀壞。要爲他哀號、爲止他的疼痛、拿乳香、或者可
九 以治好。[九]我們想醫治巴比倫、他卻沒有治好。離開他罷、
我們各人歸回本國。因爲他受的審判通於上天、達到
十 穹蒼。[十]耶和華已經彰顯我們的公義。來罷、我們可以在
十一 錫安報告耶和華我們 神的作爲。○[十一]你們要磨尖了
箭頭、抓住盾牌。耶和華定意攻擊巴比倫、將他毀滅、所
以激動了瑪代君王的心。因這是耶和華報仇、就是爲
十二 自己的殿報仇。[十二]你們要豎立大旗、攻擊巴比倫的城牆、
要堅固瞭望臺、派定守望的、設下埋伏。因爲耶和華指
十三 着巴比倫居民所說的話、所定的意、他已經作成。[十三]住在
衆水之上多有財寶的阿、你的結局到了、你貪婪之量
十四 滿了。[十四]萬軍之耶和華指着自己起誓說、我必使敵人充
滿你、像螞蚱一樣。他們必吶喊攻擊你。

偶像虛無必被毀滅

十五 [十五]耶和華用能力創造大地、用智慧建立世界、用聰明鋪
十六 張穹蒼。[十六]他一發聲、空中便有多水激動。他使雲霧從地

十七 極上騰．他造電隨雨而閃、從他府庫中帶出風來．十七各人
都成了畜類、毫無知識．各銀匠都因他的偶像羞愧．他
十八 所鑄的偶像、本是虛假的、其中並無氣息．十八都是虛無的、
十九 是迷惑人的工作．到追討的時候、必被除滅．十九雅各的分
不像這些．因他是造作萬有的主．以色列也是他產業
二十 的支派．萬軍之耶和華是他的名．○二十你是我爭戰的斧
子、和打仗的兵器．我要用你打碎列國、用你毀滅列邦．
二一 二二 二一用你打碎馬和騎馬的．二二用你打碎戰車和坐在其上的．
用你打碎男人和女人．用你打碎老年人和少年人．用
二三 你打碎壯丁和處女．二三用你打碎牧人和他的羣畜．用你
二四 打碎農夫和他一對牛．用你打碎省長和副省長．二四耶和
華說、我必在你們眼前報復巴比倫人和迦勒底居民
二五 在錫安所行的諸惡．○二五耶和華說、你這行毀滅的山哪、
就是毀滅天下的山、我與你反對．我必向你伸手、將你
二六 從山巖輥下去、使你成為燒燬的山．二六人必不從你那裏
取石頭為房角石、也不取石頭為根基石．你必永遠荒
二七 涼．這是耶和華說的．○二七要在境內豎立大旗、在各國中
吹角、使列國豫備攻擊巴比倫．將亞拉臘、米尼、亞實基

二八 拿、各國招來攻擊他．又派軍長來攻擊他、使馬匹上來
如蝻蚱．二八使列國和瑪代君王、與省長和副省長、並他們
二九 所管全地之人、都豫備攻擊他．二九地必震動而瘠苦．因耶
和華向巴比倫所定的旨意成立了、使巴比倫之地荒
三十 涼、無人居住．三十巴比倫的勇士止息爭戰、藏在堅壘之中．
他們的勇力衰盡、好像婦女一樣．巴比倫的住處有火
三一 熖起．門閂都折斷了．三一跑報的要彼此相遇、送信的要互
三二 相迎接、報告巴比倫王說、城的四方被攻取了．三二渡口被
三三 佔據了、葦塘被火燒了、兵丁也驚慌了．○三三萬軍之耶和
華以色列的神如此說、巴比倫城、(城原文作女子)好像踹穀
三四 的禾場．再過片時、收割他的時候就到了．三四以色列人說、
巴比倫王尼布甲尼撒吞滅我、壓碎我、使我成為空虛
的器皿．他像大魚、將我吞下、用我的美物充滿他的肚
三五 腹、又將我趕出去．三五錫安的居民要說、巴比倫以強暴待
我、損害我的身體、願這罪歸給他．耶路撒冷人要說、願
三六 流我們血的罪、歸到迦勒底的居民．三六所以耶和華如此
說、我必為你伸冤、為你報仇．我必使巴比倫的海枯竭、
三七 使他的泉源乾涸．三七巴比倫必成為亂堆、為野狗的住處、

三八 令人驚駭、嗤笑、並且無人居住。三八他們要像少壯獅子咆
三九 哮、像小獅子吼叫。三九他們火熱的時候、我必爲他們設擺
酒席、使他們沉醉、好叫他們快樂、睡了長覺、永不醒起。
四十 這是耶和華說的。四十我必使他們像羊羔、像公綿羊和公
四一 山羊、下到宰殺之地。○四一示沙克(就是巴比倫)何竟被攻取、天
下所稱讚的、何竟被佔據。巴比倫在列國中、何竟變爲
四二 四三 荒場。四二海水漲起、漫過巴比倫、他被許多海浪遮蓋。四三他的
四四 城邑變爲荒場旱地、沙漠、無人居住、無人經過之地。四四我
必刑罰巴比倫的彼勒、使他吐出所吞的、萬民必不再
四五 流歸他那裏、巴比倫的城牆也必坍塌了。○四五我的民哪、
你們要從其中出去、各人拯救自己、躲避耶和華的烈
四六 怒。四六你們不要心驚膽怯、也不要因境內所聽見的風聲
懼怕。因爲這年有風聲傳來、那年也有風聲傳來、境內
四七 有強暴的事、官長攻擊官長。四七日子將到、我必刑罰巴比
倫雕刻的偶像、他全地必然抱愧、他被殺的人、必在其
四八 中仆倒。四八那時、天地和其中所有的、必因巴比倫歡呼。因
爲行毀滅的、要從北方來到他那裏。這是耶和華說的。
四九 四九巴比倫怎樣使以色列被殺的人仆倒、照樣他全地被

五十 殺的人、也必在巴比倫仆倒。○五十你們躲避刀劍的要快
走、不要站住、要在遠方記念耶和華、心中追想耶路撒
五一 冷。五一我們聽見辱罵就蒙羞、滿面慚愧、因爲外邦人進入
五二 耶和華殿的聖所。五二耶和華說、日子將到、我必刑罰巴比
五三 倫雕刻的偶像、通國受傷的人必唉哼。五三巴比倫雖昇到
天上、雖使他堅固的高處更堅固、還有行毀滅的從我
五四 這裏到他那裏。這是耶和華說的。○五四有哀號的聲音、從
巴比倫出來、有大毀滅的響聲、從迦勒底人之地發出。
五五 五五因耶和華使巴比倫變爲荒場、使其中的大聲滅絕、仇
五六 敵彷彿衆水波浪匉訇、響聲已經發出。五六這是行毀滅的
臨到巴比倫、巴比倫的勇士被捉住、他們的弓折斷了。
五七 因爲耶和華是施行報應的　神、必定施行報應。五七君王、
名爲萬軍之耶和華的、說、我必使巴比倫的首領、智慧
人、省長、副省長、和勇士、都沉醉、使他們睡了長覺、永不
五八 醒起。五八萬軍之耶和華如此說、巴比倫寬闊的城牆、必全
然傾倒、他高大的城門、必被火焚燒、衆民所勞碌的必
致虛空、列國所勞碌的被火焚燒、他們都必困乏。

耶利米錄巴比倫將遭之災於書

五九猶大王西底家在位第四年、上巴比倫去的時候、瑪西
雅的孫子尼利亞的兒子西萊雅與王同去。(西萊雅
是王宮的大臣)先知耶利米有話吩咐他。六十耶利米將
一切要臨到巴比倫的災禍、就是論到巴比倫的一切
話、寫在書上。六一耶利米對西萊雅說、你到了巴比倫務要
念這書上的話。六二又說、耶和華阿、你曾論到這地方說、要
剪除、甚至連人帶牲畜沒有在這裏居住的、必永遠荒
涼。

命投於伯拉河以示巴比倫必沉淪

六三你念完了這書、就把一塊石頭拴在書上、扔在伯拉河
中、六四說、巴比倫因耶和華所要降與他的災禍、必如此沉
下去、不再興起、人民也必困乏。○耶利米的話到此爲
止。

西底家叛巴比倫王

第五十二章

一西底家登基的時候、年二十一歲、在
耶路撒冷作王十一年。他母親名叫哈慕他、是立拿人
耶利米的女兒。二西底家行耶和華眼中看爲惡的事、是
照約雅敬一切所行的。三因此、耶和華的怒氣在耶路撒
冷和猶大發作、以致將人民從自己的面前趕出。

耶路撒冷淪陷

四西底家背叛巴比倫王。他作王第九年、十月初十日、巴
比倫王尼布甲尼撒率領全軍來攻擊耶路撒冷、對城
安營、四圍築壘攻城。五於是城被圍困、直到西底家王十
一年。六四月初九日、城裏有大饑荒、甚至百姓都沒有糧
食。七城被攻破、一切兵丁、就在夜間從靠近王園兩城中
間的門出城逃跑。迦勒底人正在四圍攻城。他們就往
亞拉巴逃去。八迦勒底的軍隊追趕西底家王、在耶利哥
的平原追上他。他的全軍都離開他四散了。九迦勒底人
就拿住王、帶他到哈馬地的利比拉巴比倫王那裏。巴
比倫王便審判他。

巴比倫王剜西底家之目戮其衆子

十巴比倫王在西底家眼前殺了他的衆子、又在利比拉
殺了猶大的一切首領。十一並且剜了西底家的眼睛、用銅
鍊鎖着他、帶到巴比倫去、將他囚在監裏、直到他死的
日子。

焚毀城垣

十二巴比倫王尼布甲尼撒十九年、五月初十日、在巴比倫
十三 王面前侍立的護衛長尼布撒拉旦進入耶路撒冷、十三用
火焚燒耶和華的殿、和王宮、又焚燒耶路撒冷的房屋、
十四 就是各大戶家的房屋。十四跟從護衛長迦勒底的全軍、就
十五 拆毀耶路撒冷四圍的城牆。十五那時護衛長尼布撒拉旦
將民中最窮的、和城裏所剩下的百姓、並已經投降巴
十六 比倫王的人、以及大衆所剩下的人、都擄去了。十六但護衛
長尼布撒拉旦留下些民中最窮的、使他們修理葡萄
園、耕種田地。

聖殿被掠

十七耶和華殿的銅柱、並殿內的盆座、和銅海、迦勒底人都
十八 打碎了、將那銅運到巴比倫去了。十八又帶去鍋、鏟子、蠟剪、
十九 盤子、調羹、並所用的一切銅器、十九杯、火鼎、碗、盆、燈臺、調羹、
二十 爵、無論金的銀的、護衛長也都帶去了。二十所羅門為耶和
華殿所造的兩根銅柱、一個銅海、並座下的十二隻銅
二一 牛、這一切的銅、多得無法可稱。二一這一根柱子高十八肘、
二二 厚四指、是空的圍十二肘。二二柱上有銅頂、高五肘、銅頂的
周圍有網子和石榴、都是銅的。那一根柱子照此一樣、
二三 也有石榴。二三柱子四面有九十六個石榴在網子周圍、共
有一百石榴。

祭司與官吏遭戮

二四護衛長拿住大祭司西萊雅、副祭司西番亞、和三個把
二五 門的。二五又從城中拿住一個管理兵丁的官、(或作太監)並在城
裏所遇常見王面的七個人、和檢點國民軍長的書記、
二六 以及城裏所遇見的國民六十個人。二六護衛長尼布撒拉
二七 旦將這些人帶到利比拉巴比倫王那裏。二七巴比倫王就
把他們擊殺在哈馬地的利比拉。這樣、猶大人被擄去
二八 離開本地。○二八尼布甲尼撒所擄的民數、記在下面。在他
二九 第七年擄去猶大人三千零二十三名。二九尼布甲尼撒十
三十 八年從耶路撒冷擄去八百三十二人。三十尼布甲尼撒二
十三年、護衛長尼布撒拉旦擄去猶大人七百四十五
名。共有四千六百人。

巴比倫王恩待約雅斤

三一猶大王約雅斤被擄後三十七年、巴比倫王以末米羅
達元年、十二月二十五日、使猶大王約雅斤抬頭、提他

出監。三二又對他說恩言、使他的位高過與他一同在巴比
倫衆王的位、三三給他脫了囚服。他終身在巴比倫王面前
喫飯。三四巴比倫王賜他所需用的食物、日日賜他一分、終
身是這樣、直到他死的日子。

耶利米書：十三章一節

耶利米哀歌

第一章　哀歎錫安居民被擄

一 先前滿有人民的城、現在何竟獨坐、先前
在列國中爲大的、現在竟如寡婦、先前在諸省中爲王
二 后的、現在成爲進貢的。[二]他夜間痛哭、淚流滿腮．在一切
所親愛的中間、沒有一個安慰他的、他的朋友、都以詭
三 詐待他、成爲他的仇敵。[三]猶大因遭遇苦難、又因多服勞
苦、就遷到外邦、……他住在列國中、尋不着安息、追逼他的、
四 都在狹窄之地、將他追上。[四]錫安的路徑、因無人來守聖
節、就悲傷、他的城門淒涼、他的祭司歎息、他的處女受
五 艱難、自己也愁苦。[五]他的敵人爲首、他的仇敵亨通、因耶
和華爲他許多的罪過、使他受苦、他的孩童被敵人擄
六 去。[六]錫安城的威榮、城原文作女子下同全都失去、他的首領、像找
七 不着草塲的鹿、在追趕的人前、無力行走。[七]耶路撒冷在
困苦窘迫之時、就追想古時一切的樂境、他百姓落在
八 敵人手中、無人救濟、敵人看見、就因他的荒涼嗤笑。[八]耶
路撒冷大大犯罪、所以成爲不潔之物、素來尊敬他的、

九 見他赤露、就都藐視他、他自己也歎息退後。[九]他的污穢
是在衣襟上、他不思想自己的結局、所以非常的敗落、
無人安慰他。……他說、耶和華阿、求你看我的苦難、因爲仇
十 敵誇大。[十]敵人伸手、奪取他的美物、他眼見外邦人進入
十一 他的聖所、論這外邦人、你曾吩咐不可入你的會中。[十一]他
的民……都歎息、尋求食物、他們用美物換糧食、要救性命。
他們說、耶和華阿、求你觀看、因爲我甚是卑賤。

耶路撒冷自述艱難

十二 [十二]你們一切過路的人哪、這事你們不介意麼．你們要觀
看、有像這臨到我的痛苦沒有、就是耶和華在他發烈
十三 怒的日子、使我所受的苦。[十三]他從高天使火進入我的骨
頭、剋制了我、他鋪下網羅、絆我的腳、使我轉回、他使我
十四 終日淒涼發昏。[十四]我罪過的軛、是他手所綁的、猶如軛繩
縛在我頸項上、他使我的力量衰敗、主將我交在我所
十五 不能敵擋的人手中。[十五]主輕棄我中間的一切勇士、招聚
多人原文作大會攻擊我、要壓碎我的少年人、主將猶大居
十六 民踹下、像在酒醡中一樣。[十六]我因這些事哭泣、我眼淚汪
汪、因爲那當安慰我、救我性命的、離我甚遠、我的兒女

十七 孤苦、因爲仇敵得了勝。十七錫安舉手、無人安慰．耶和華論
雅各已經出令、使四圍的人作他仇敵．耶路撒冷在他
們中間、像不潔之物。

申述神的公義……

十八 十八耶和華是公義的．他這樣待我、是因我違背他的命令。
衆民哪、請聽我的話、看我的痛苦．我的處女和少年人、
十九 都被擄去。十九我招呼我所親愛的、他們卻愚弄我．我的祭
司和長老、正尋求食物救性命的時候、就在城中絕氣。
二十 ○二十耶和華阿、求你觀看、因爲我在急難中．我心腸擾亂．
我心在我裏面翻轉、因我大大悖逆．在外刀劍使人喪
二十一 子、在家猶如死亡。二十一聽見我歎息的有人、安慰我的卻無
人．我的仇敵、都聽見我所遭的患難、因你作這事、他們
都喜樂。你必使你報告的日子來到、他們就像我一樣。
二十二 二十二願他們的惡行、都呈在你面前．你怎樣因我的一切罪
過待我、求你照樣待他們．因我歎息甚多、心中發昏。

第二章 耶利米哀歎耶路撒冷之苦

一 一主何竟發怒、使黑雲遮蔽錫安城．他將以
色列的華美、從天扔在地上、在他發怒的日子、並不記
二 念自己的腳凳。二主吞滅雅各一切的住處、並不顧惜．他
發怒傾覆猶大民的保障、使這保障坍倒在地．他辱沒
三 這國、和其中的首領。三他發烈怒、把以色列的角、全然砍
斷．在仇敵面前收回右手．他像火燄四圍吞滅、將雅各
四 燒燬。四他張弓、好像仇敵．他站着舉起右手、如同敵人將
悅人眼目的、盡行殺戮．在錫安百姓的帳棚上、倒出他
五 的忿怒像火一樣。五主如仇敵吞滅以色列、和錫安的一
切宮殿、拆毀百姓的保障．在猶大民中、加增悲傷哭號。
六 六他強取自己的帳幕、好像是園中的窩棚、毀壞他的聚
會之處、耶和華使聖節和安息日、在錫安都被忘記．又
七 在怒氣的憤恨中、藐視君王和祭司。七耶和華丟棄自己
的祭壇、憎惡自己的聖所、將宮殿的牆垣交付仇敵．他
八 們在耶和華的殿中喧嚷、像在聖會之日一樣。八耶和華
定意拆毀錫安的城牆．他拉了準繩、不將手收回、定要
九 毀滅．他使外郭和城牆都悲哀、一同衰敗。九錫安的門、都
陷入地內．主將他的門閂毀壞、折斷．他的君王和首領
落在沒有律法的列國中．他的先知不得見耶和華的
十 異象。十錫安城的長老坐在地上默默無聲．他們揚起塵

土、落在頭上．腰束麻布．耶路撒冷的處女、垂頭至地。○
十一 我眼中流淚、以致失明．我的心腸擾亂．肝膽塗地．都因
我眾民遭毀滅、又因孩童和喫奶的在城內街上發昏．
十二 那時他們在城內街上發昏、好像受傷的、在母親的懷
十三 裏、將要喪命、對母親說、穀酒在那裏呢。十三耶路撒冷的民
哪、我可用甚麼向你證明呢．我可用甚麼與你相比呢．
錫安的民哪、我可拿甚麼和你比較、好安慰你呢．因為
十四 你的裂口大如海、誰能醫治你呢。十四你的先知為你見虛
假和愚昧的異象、並沒有顯露你的罪孽、使你被擄的
歸回．卻為你見虛假的默示、和使你被趕出本境的緣
十五 故。十五凡過路的、都向你拍掌．他們向耶路撒冷城、嗤笑搖
頭、說、難道人所稱為全美的．稱為全地所喜悅的、就是
十六 這城麼。十六你的仇敵、都向你大大張口．他們嗤笑、又切齒、
說、我們吞滅他．這真是我們所盼望的日子臨到了．我
十七 們親眼看見了。十七耶和華成就了他所定的、應驗了他古
時所命定的．他傾覆了、並不顧惜．使你的仇敵向你誇
十八 耀、使你敵人的角也被高舉。十八錫安民的心哀求主．錫安
的城牆阿、願你流淚如河、晝夜不息．願你眼中的瞳人、
十九 淚流不止。十九夜間、每逢交更的時候要起來呼喊、在主面
前傾心如水．你的孩童在各市口上受餓發昏．你要為
他們的性命向主舉手禱告。

歎耶和華降罰過重

二十 耶和華阿、求你觀看．見你向誰這樣行．婦人豈可喫自
己所生育手裏所搖弄的嬰孩麼．祭司和先知豈可在
二一 主的聖所中被殺戮麼。二一少年人和老年人、都在街上躺
臥．我的處女和壯丁、都倒在刀下．你發怒的日子、殺死
二二 他們．你殺了、並不顧惜。二二你招聚四圍驚嚇我的、像在大
會的日子招聚人一樣．耶和華發怒的日子、無人逃脫、
無人存留．我所搖弄所養育的嬰孩、仇敵都殺淨了。

耶利米自歎遭主忿怒

第三章

一 我是因耶和華忿怒的杖、遭遇困苦的人。
二 三 他引導我、使我行在黑暗中、不行在光明裏。三他真是終
四 日再三反手攻擊我。四他使我的皮肉枯乾．他折斷 或作壓傷
五 我的骨頭。五他築壘攻擊我、用苦楚 原文作苦膽 和艱難圍困
六 七 我。六他使我住在幽暗之處、像死了許久的人一樣。七他用
八 籬笆圍住我、使我不能出去．他使我的銅鍊沉重。八我哀

號求救、他使我的禱告、不得上達。（九）他用鑿過的石頭、擋
住我的道．他使我的路彎曲。（十）他向我如熊埋伏、如獅子
在隱密處。（十一）他使我轉離正路、將我撕碎、使我淒涼。（十二）他張
弓將我當作箭靶子。（十三）他把箭袋中的箭、射入我的肺腑。
（十四）我成了眾民的笑話．他們終日以我為歌曲。（十五）他用苦楚
充滿我、使我飽用茵蔯。（十六）他又用沙石磣斷我的牙、用灰
塵將我蒙蔽。（十七）你使我遠離平安．我忘記好處。（十八）我就說、我
的力量衰敗、我在耶和華那裏、毫無指望。

追憶主恩不致滅沒

（十九）耶和華阿、求你記念我如茵蔯和苦膽的困苦窘迫。（二十）我
心想念這些、就在裏面憂悶。（二一）我想起這事、心裏就有指
望。（二二）我們不至消滅、是出於耶和華諸般的慈愛．是因他
的憐憫、不至斷絕。（二三）每早晨這都是新的．你的誠實、極其
廣大。（二四）我心裏說、耶和華是我的分．因此、我要仰望他。（二五）凡
等候耶和華、心裏尋求他的、耶和華必施恩給他。

仰望救恩靜候為美

（二六）人仰望耶和華、靜默等候他的救恩、這原是好的。（二七）人在
幼年負軛、這原是好的。（二八）他當獨坐無言、因為這是耶和
華加在他身上的。（二九）他當口貼塵埃、或者有指望。（三十）他當由
人打他的顋頰．要滿受淩辱。（三一）因為主必不永遠丟棄人。
（三二）主雖使人憂愁、還要照他諸般的慈愛發憐憫。（三三）因他並
不甘心使人受苦、使人憂愁。（三四）人將世上被囚的、踹（原文作壓）
在腳下、（三五）或在至高者面前屈枉人、（三六）或在人的訟事上、顛
倒是非．這都是主看不上的。（三七）除非主命定、誰能說成就
成呢。（三八）禍福不都出於至高者的口麼。（三九）活人因自己的罪
受罰、為何發怨言呢。◯（四十）我們當深深考察自己的行為、
再歸向耶和華。（四一）我們當誠心向天上的神舉手禱告。
（四二）我們犯罪背逆、你並不赦免。（四三）你自被怒氣遮蔽、追趕我
們．你施行殺戮、並不顧惜。（四四）你以黑雲遮蔽自己、以致禱
告不得透入。（四五）你使我們在萬民中成為污穢和渣滓。（四六）我
們的仇敵、都向我們大大張口。（四七）恐懼和陷坑、殘害和毀
滅、都臨近我們。（四八）因我眾民遭的毀滅、我就眼淚下流如
河。（四九）我的眼多多流淚、總不止息、（五十）直等耶和華垂顧、從天
觀看。（五一）因我本城的眾民、我的眼、使我的心傷痛。（五二）無故與
我為仇的追逼我、像追雀鳥一樣。（五三）他們使我的命在牢
獄中斷絕、並將一塊石頭拋在我身上。（五四）眾水流過我頭．

我說、我命斷絕了。

求主解救

五五耶和華阿、我從深牢中求告你的名。五六你曾聽見我的聲
音．我求你解救、你不要掩耳不聽。五七我求告你的日子、你
臨近我、說、不要懼怕。五八主阿、你伸明了我的冤．你救贖了
我的命。五九耶和華阿、你見了我受的委屈．求你為我伸冤。
六十他們仇恨我、謀害我、你都看見了。六一耶和華阿、你聽見他
們辱罵我的話、知道他們向我所設的計、六二並那些起來
攻擊我的人、口中所說的話、以及終日向我所設的計
謀。六三求你觀看他們坐下起來、都以我為歌曲。

求主施報於敵

六四耶和華阿、你要按着他們手所作的、向他們施行報應。
六五你要使他們心裏剛硬、使你的咒詛臨到他們。六六你要發
怒追趕他們、從耶和華的天下除滅他們。

錫安衆子自歎苦難

第四章 一黃金何其失光、純金何其變色．聖所的石
頭倒在各市口上。二錫安寶貴的衆子、好比精金、現在何
竟算為窰匠手所作的瓦餅。三野狗尚且把奶乳哺其子、
我民的婦人倒成為殘忍、好像曠野的鴕鳥一般。四喫奶
孩子的舌頭、因乾渴貼住上膛．孩童求餅、無人擘給他
們。五素來喫美好食物的、現今在街上變為孤寒．素來臥
朱紅褥子的、現今躺臥糞堆。六都因我衆民的罪孽、比所
多瑪的罪還大．所多瑪雖然無人加手於他、還是轉眼
之間被傾覆。七錫安的貴冑、素來比雪純淨、比奶更白．他
們的身體比紅寶玉（或作珊瑚）更紅、像光潤的藍寶石一樣。
八現在他們的面貌比煤炭更黑、以致在街上無人認識．
他們的皮膚緊貼骨頭、枯乾如同槁木。九餓死的不如被
刀殺的、因為這是缺了田間的土產、就身體衰弱、漸漸
消滅。十慈心的婦人、當我衆民被毀滅的時候、親手煮自
己的兒女作為食物。

自認罪愆

十一耶和華發怒成就他所定的、倒出他的烈怒、在錫安使
火燒起、燒燬錫安的根基。十二地上的君王、和世上的居民、
都不信敵人和仇敵能進耶路撒冷的城門。十三這都因他
先知的罪惡、和祭司的罪孽．他們在城中流了義人的
血。十四他們在街上如瞎子亂走、又被血玷污、以致人不能

十五 摸他們的衣服。十五人向他們喊着說、不潔淨的、躲開、躲開、
十六 不要挨近我。他們逃走飄流的時候、列國中有人說、他
們不可仍在這裏寄居。十六耶和華發怒將他們分散不再
眷顧他們。人不重看祭司、也不厚待長老。

豫言以東遭報

十七 ○我十七們仰望人來幫助、以致眼目失明、還是枉然。我們
十八 所盼望的、竟盼望一個不能救人的國。十八仇敵追趕我們
的脚步、像打獵的、以致我們不敢在自己的街上行走。
我們的結局臨近、我們的日子滿足、我們的結局來到
十九 了。十九追趕我們的、比空中的鷹更快、他們在山上追逼我
二十 們、在曠野埋伏等候我們。二十耶和華的受膏者、好比我們
鼻中的氣、在他們的坑中被捉住、我們曾論到他說、我
們必在他蔭下、在列國中存活。

錫安受慰

二一 二十一住烏斯地的以東民哪、只管歡喜快樂、苦杯也必傳到
二二 你那裏、你必喝醉、以致露體。二十二錫安的民哪、你罪孽的刑
罰受足了、耶和華必不使你再被擄去。以東的民哪、他
必追討你的罪孽、顯露你的罪惡。

錫安民祈禱自述諸苦

第五章

一 一耶和華阿、求你記念我們所遭遇的事、觀
二 看我們所受的凌辱。二我們的產業歸與外邦人、我們的
三 房屋、歸與外路人。三我們是無父的孤兒、我們的母親、好
四 像寡婦。四我們出錢纔得水喝、我們的柴是人賣給我們
五 的。五追趕我們的、到了我們的頸項上、我們疲乏不得歇
六七 息。六我們投降埃及人、和亞述人、爲要得糧喫飽。七我們列
八 祖犯罪、而今不在了、我們擔當他們的罪孽。八奴僕轄制
九 我們、無人救我們脫離他們的手。九因爲曠野的刀劍、我
十 們冒着險纔得糧食。十因飢餓燥熱、我們的皮膚就黑如
十一十二 爐。十一敵人在錫安玷污婦人、在猶大的城邑玷污處女。十二他
十三 們吊起首領的手、也不尊敬老人的面。十三少年人扛磨石、
十四 孩童背木柴、都絆跌了。十四老年人在城門口斷絕、少年人
十五十六 不再作樂。十五我們心中的快樂止息、跳舞變爲悲哀。十六冠冕
十七 從我們的頭上落下、我們犯罪了、我們有禍了。十七這些事
十八 我們心裏發昏、我們的眼睛昏花。十八錫安山荒涼、野狗（或作狐狸）
行在其上。

求主使復振興

十九耶和華阿、你存到永遠、你的寶座、存到萬代。二十你爲何永
遠忘記我們、爲何許久離棄我們。二一耶和華阿、求你使我
們向你回轉、我們便得回轉．求你復新我們的日子、像
古時一樣。二二你竟全然棄絕我們、向我們大發烈怒。

耶利米書：卅六章廿三節

耶利米書：廿四章一節

以西結書

第一章　以西結見異象

一當三十年四月初五日、以西結(原文作我)在迦
巴魯河邊、被擄的人中、天就開了、得見神的異象。二正
是約雅斤王被擄去第五年四月初五日、三在迦勒底人
之地、迦巴魯河邊、耶和華的話特特臨到布西的兒子
祭司以西結。耶和華的靈(原文作手)降在他身上。

見四活物

四我觀看、見狂風從北方颳來、隨着有一朶包括閃爍火
的大雲、周圍有光輝、從其中的火內發出好像光耀的
精金。五又從其中、顯出四個活物的形像來、他們的形狀
是這樣、有人的形像。六各有四個臉面、四個翅膀。七他們的
腿是直的、腳掌好像牛犢之蹄、都燦爛如光明的銅。八在
四面的翅膀以下有人的手。這四個活物的臉和翅膀、
乃是這樣。九翅膀彼此相接、行走並不轉身、俱各直往前
行。十至於臉的形像、前面各有人的臉、右面各有獅子的
臉、左面各有牛的臉、後面各有鷹的臉。十一各展開上邊的
兩個翅膀相接、各以下邊的兩個翅膀遮體。十二他們俱各
直往前行、靈往那裏去、他們就往那裏去、行走並不轉
身。十三至於四活物的形像、就如燒着火炭的形狀、又如火
把的形狀、火在四活物中間上去下來、這火有光輝、從
火中發出閃電。十四這活物往來奔走、好像電光一閃。

見四輪

十五我正觀看活物的時候、見活物的臉旁、各有一輪在地
上。十六輪的形狀和顏色、(原文作作法)好像水蒼玉。四輪都是一
個樣式、形狀和作法、好像輪中套輪。十七輪行走的時候、向
四方都能直行、並不掉轉。十八至於輪輞、高而可畏。四個輪
輞周圍滿有眼睛。十九活物行走、輪也在旁邊行走。活物從
地上升、輪也都上升。二十靈往那裏去、活物就往那裏去。活
物上升、輪也在活物旁邊上升。因為活物的靈在輪中。
二一那些行走、這些也行走。那些站住、這些也站住。那些從
地上升、輪也在旁邊上升。因為活物的靈在輪中。○二二活
物的頭以上、有穹蒼的形像、看着像可畏的水晶、鋪張
在活物的頭以上。二三穹蒼以下、活物的翅膀直張、彼此相
對。每活物有兩個翅膀遮體。二四活物行走的時候、我聽見

翅膀的響聲、像大水的聲音、像全能者的聲音、也像軍
二五 隊鬨嚷的聲音、活物站住的時候、便將翅膀垂下。[25]在他
們頭以上的穹蒼之上有聲音．他們站住的時候、便將
翅膀垂下。

見神榮光

二六 [26]在他們頭以上的穹蒼之上、有寶座的形像、彷彿藍寶
二七 石．在寶座形像以上、有彷彿人的形狀。[27]我見從他腰以
上、有彷彿光耀的精金、周圍都有火的形狀、又見從他
二八 腰以下、有彷彿火的形狀、周圍也有光輝。[28]下雨的日子、
雲中虹的形狀怎樣、周圍光輝的形狀也是怎樣．這就
是耶和華榮耀的形像．我一看見就俯伏在地、又聽見
一位說話的聲音。

以西結感靈奉遣

一 **第二章** [1]他對我說、人子阿、你站起來、我要和你說
二 話。[2]他對我說話的時候、靈就進入我裏面、使我站起來、
三 我便聽見那位對我說話的聲音．[3]他對我說、人子阿、我
差你往悖逆的國民以色列人那裏去．他們是悖逆我
四 的、他們和他們的列祖違背我、直到今日。[4]這衆子、面無
羞恥、心裏剛硬．我差你往他們那裏去、你要對他們說、
五 主耶和華如此說。[5]他們或聽、或不聽、（他們是悖逆之
家）必知道在他們中間有了先知。

受主訓勉

六 [6]人子阿、雖有荊棘和蒺藜在你那裏、你又住在蠍子中
間、總不要怕他們、也不要怕他們的話．他們雖是悖逆
之家、還不要怕他們的話、也不要因他們的臉色驚惶。
七 [7]他們或聽、或不聽、你只管將我的話告訴他們．他們是
極其悖逆的。

見卷

八 [8]人子阿、要聽我對你所說的話、不要悖逆像那悖逆之
九 家、你要開口喫我所賜給你的。[9]我觀看、見有一隻手向
十 我伸出來、手中有一書卷。[10]他將書卷在我面前展開、內
外都寫着字、其上所寫的有哀號、歎息、悲痛的話。

食卷

一 **第三章** [1]他對我說、人子阿、要喫你所得的、要喫這
二 書卷、好去對以色列家講說。[2]於是我開口、他就使我喫
三 這書卷。[3]又對我說、人子阿、要喫我所賜給你的這書卷、

充滿你的肚腹．我就喫了、口中覺得其甜如蜜。

蒙勗受遣

四 他對我說、人子阿、你往以色列家那裏去、將我的話對
他們講說。五你奉差遣不是往那說話深奧言語難懂的
民那裏去、乃是往以色列家去。六不是往那說話深奧言
語難懂的多國去、他們的話語、是你不懂得的、我若差
你往他們那裏去、他們必聽從你。七以色列家卻不肯聽
從你、因為他們不肯聽從我．原來以色列全家是額堅
心硬的人。八看哪、我使你的臉硬過他們的臉、使你的額
硬過他們的額。九我使你的額像金鋼鑽、比火石更硬．他
們雖是悖逆之家、你不要怕他們、也不要因他們的臉
色驚惶。十他又對我說、人子阿、我對你所說的一切話、要
心裏領會、耳中聽聞。十一你往你本國被擄的子民那裏去、
他們或聽、或不聽、你要對他們講說、告訴他們、這是主
耶和華說的。◯十二那時靈將我舉起、我就聽見在我身後
有震動轟轟的聲音、說、從耶和華的所在顯出來的榮
耀是該稱頌的。十三我又聽見那活物翅膀相碰、與活物旁
邊輪子旋轉震動轟轟的響聲。十四於是靈將我舉起帶我
而去、我心中甚苦、靈性忿激．並且耶和華的靈(原文作手)在
我身上大有能力。十五我就來到提勒亞畢住在迦巴魯河
邊被擄的人那裏、到他們所住的地方．在他們中間憂
憂悶悶的坐了七日。

蒙示宜如何警戒人

過了七日、十六耶和華的話臨到我說、十七人子阿、我立你作以
色列家守望的人、所以你要聽我口中的話、替我警戒
他們。十八我何時指着惡人說、他必要死、你若不警戒他也
不勸戒他、使他離開惡行、拯救他的性命、這惡人必死
在罪孽之中、我卻要向你討他喪命的罪。(原文作血)十九倘若你
警戒惡人、他仍不轉離罪惡、也不離開惡行、他必死在
罪孽之中、你卻救自己脫離了罪。二十再者、義人何時離義
而犯罪、我將絆脚石放在他面前、他就必死．因你沒有
警戒他、他必死在罪中、他素來所行的義不被記念、我
卻要向你討他喪命的罪。(原文作血)二十一倘若你警戒義人、使他
不犯罪、他就不犯罪、他因受警戒就必存活、你也救自
己脫離了罪。

耶和華感以西結先封其口後啓其口

二二 耶和華的靈（原文作手）在那裏降在我身上、他對我說、你起
二三 來往平原去、我要在那裏和你說話。二三於是我起來往平
原去、不料、耶和華的榮耀、正如我在迦巴魯河邊所見
二四 的一樣、停在那裏、我就俯伏於地。二四靈就進入我裏面、使
二五 我站起來．耶和華對我說、你進房屋去、將門關上。二五人子
阿、人必用繩索捆綁你、你就不能出去在他們中間來
二六 往。二六我必使你的舌頭貼住上膛、以致你啞口、不能作責
二七 備他們的人．他們原是悖逆之家。二七但我對你說話的時
候、必使你開口、你就要對他們說、主耶和華如此說、聽
的可以聽、不聽的任他不聽．因爲他們是悖逆之家。

命畫圍城圖作以色列家之兆

第四章

一 人子阿、你要拿一塊磚、擺在你面前、將一
二 座耶路撒冷城、畫在其上。二又圍困這城、造臺築壘、安營
三 攻擊、在四圍安設撞錘攻城。三又要拿個鐵鏊、放在你和
城的中間、作爲鐵牆．你要對面攻擊這城、使城被困、這
四 樣、好作以色列家的豫兆。○四你要向左側臥、承當以色
列家的罪孽．要按你向左側臥的日數、擔當他們的罪
五 孽。五因爲我已將他們作孽的年數、定爲你向左側臥的
日數、就是三百九十日、你要這樣擔當以色列家的罪
六 孽。六再者、你滿了這些日子、還要向右側臥、擔當猶大家
七 的罪孽、我給你定規側臥四十日、一日頂一年。七你要露
八 出膀臂、面向被困的耶路撒冷、說豫言攻擊這城。八我用
繩索捆綁你、使你不能輾轉、直等你滿了困城的日子。

命作餅食於側臥之日以示城困糧絕

九 你要取小麥、大麥、豆子、紅豆、小米、粗麥、裝在一個器皿
中、用以爲自己作餅、要按你側臥的三百九十日喫這
十 餅。十你所喫的、要按分兩喫、每日二十舍客勒、按時而喫。
十一 你喝水也要按制子、每日喝一欣六分之一、按時而喝。
十二 你喫這餅、像喫大麥餅一樣、要用人糞在衆人眼前燒
十三 烤。十三耶和華說、以色列人在我所趕他們到的各國中、也
十四 必這樣喫不潔淨的食物。十四我說、哎、主耶和華阿、我素來
未曾被玷汚、從幼年到如今、沒有喫過自死的、或被野
十五 獸撕裂的、那可憎的肉也未曾入我的口。十五於是他對我
說、看哪、我給你牛糞代替人糞、你要將你的餅烤在其
十六 上。十六他又對我說、人子阿、我必在耶路撒冷折斷他們的

十七 杖、就是斷絕他們的糧、他們喫餅要按分兩、憂慮而喫、
喝水也要按制子、驚惶而喝。十七 使他們缺糧、缺水、彼此驚
惶、因自己的罪孽消滅。

以剃髮爲喻以示耶路撒冷背律受罰

一 **第五章** 一 人子阿、你要拿一把快刀、當作剃頭刀、用
二 這刀剃你的頭髮、和你的鬍鬚、用天平將鬚髮平分。二 圍
困城的日子滿了、你要將三分之一在城中用火焚燒、
將三分之一在城的四圍用刀砍碎、將三分之一任風
三 吹散。我也要拔刀追趕。三 你要從其中取幾根、包在衣襟
四 裏。四 再從這幾根中取些扔在火中焚燒、從裏面必有火
五 出來燒入以色列全家。五 ◯主耶和華如此說、這就是耶
路撒冷。六 我曾將他安置在列邦之中、列國都在他的四
六 圍。他行惡、違背我的典章、過於列國、干犯我的律例、過
於四圍的列邦、因爲他棄掉我的典章、至於我的律例、
七 他並沒有遵行。七 所以主耶和華如此說、因爲你們分爭
過於四圍的列國、也不遵行我的律例、不謹守我的典
八 章、並以遵從四圍列國的惡規尚不滿意。八 所以主耶和
華如此說、看哪、我與你反對、必在列國的眼前、在你中

九 間、施行審判。九 並且因你一切可憎的事、我要在你中間
十 行我所未曾行的、以後我也不再照着行。十 在你中間父
親要喫兒子、兒子要喫父親、我必向你施行審判、我必
將你所剩下的分散四方。方原文作風

罰以疫癘饑饉鋒刃諸災

十一 十一 主耶和華說、我指着我的永生起誓、因你用一切可憎
的物、可厭的事、玷汚了我的聖所、故此、我定要使你人
十二 數減少、我眼必不顧惜你、也不可憐你。十二 你的民三分之
一、必遭瘟疫而死、在你中間必因飢荒消滅、三分之一、
必在你四圍倒在刀下、我必將三分之一分散四方、方原
十三 文作風 並要拔刀追趕他們。◯十三 我要這樣成就怒中所定
的、我向他們發的忿怒止息了、自己就得着安慰、我在
他們身上成就怒中所定的、那時他們就知道我耶和
十四 華所說的、是出於熱心。十四 並且我必使你在四圍的列國
十五 中、在經過的衆人眼前、成了荒涼和羞辱。十五 這樣、我必以
怒氣和忿怒、並烈怒的責備、向你施行審判、那時、你就
在四圍的列國中成爲羞辱、譏刺、警戒、驚駭、這是我耶
十六 和華說的。十六 那時、我要將滅人使人飢荒的惡箭、就是射

去滅人的、射在你們身上、並要加增你們的飢荒、斷絕
十七 你們所倚靠的糧食。[十七]又要使飢荒和惡獸到你那裏、叫
你喪子、瘟疫和流血的事、也必盛行在你那裏、我也要
使刀劍臨到你。這是我耶和華說的。

以色列因拜偶像受罰

一二 **第六章** [一]耶和華的話臨到我說、[二]人子阿、你要面向
三 以色列的衆山說豫言、[三]說、以色列的衆山哪、要聽主耶
和華的話、主耶和華對大山、小岡、水溝、山谷、如此說、我
四 必使刀劍臨到你們、也必毀滅你們的邱壇。[四]你們的祭
壇必然荒涼、你們的日像必被打碎、我要使你們被殺
五 的人倒在你們的偶像面前。[五]我也要將以色列人的屍
首、放在他們的偶像面前、將你們的骸骨、拋散在你們
六 祭壇的四圍。[六]在你們一切的住處、城邑要變爲荒場、邱
壇必然淒涼、使你們的祭壇荒廢、將你們的偶像打碎、
七 你們的日像被砍倒、你們的工作被毀滅。[七]被殺的人必
倒在你們中間、你們就知道我是耶和華。

猶有遺民蒙恩免災

八 [八]你們分散在各國的時候、我必在列邦中、使你們有剩
九 下脫離刀劍的人。[九]那脫離刀劍的人、必在所擄到的各
國中記念我、爲他們心中何等傷破、是因他們起淫心、
遠離我、眼對偶像行邪淫、他們因行一切可憎的惡事、
十 必厭惡自己。[十]他們必知道我是耶和華。我說要使這災
禍臨到他們身上、並非空話。

哀歎以色列家行惡遭災

十一 [十一]主耶和華如此說、你當拍手頓足、說、哀哉、以色列家行
這一切可憎的惡事。他們必倒在刀劍、飢荒、瘟疫之下。
十二 [十二]在遠處的、必遭瘟疫而死、在近處的、必倒在刀劍之下、
那存留被圍困的、必因飢荒而死。我必這樣在他們身
十三 上成就我怒中所定的。[十三]他們被殺的人、倒在他們祭壇
四圍的偶像中、就是各高岡、各山頂、各青翠樹下、各茂
密的橡樹下、乃是他們獻馨香的祭牲、給一切偶像的
十四 地方。那時他們就知道我是耶和華。[十四]我必伸手攻擊他
們、使他們的地從曠野到第伯拉他、一切住處、極其荒
涼。他們就知道我是耶和華。

以色列之結局已臨必受懲罰

一二 **第七章** [一]耶和華的話又臨到我說、[二]人子阿、主耶和

華對以色列地如此說、結局到了、結局到了地的四境。
三現在你的結局已經臨到、我必使我的怒氣歸與你、也
四必按你的行爲審判你、照你一切可憎的事刑罰你。我
眼必不顧惜你、也不可憐你、卻要按你所行的報應你、
照你中間可憎的事刑罰你．你就知道我是耶和華。○
五六主耶和華如此說、有一災、獨有一災、看哪、臨近了。結局
七來了、結局來了、向你興起．看哪、來到了。境內的居民哪、
所定的災臨到你、時候到了、日子近了、乃是閧嚷並非
八在山上歡呼的日子。我快要將我的忿怒傾在你身上、
向你成就我怒中所定的、按你的行爲審判你、照你一
九切可憎的事刑罰你。我眼必不顧惜你、也不可憐你、必
按你所行的報應你、照你中間可憎的事刑罰你．你就
十知道擊打你的是我耶和華。○看哪、看哪、日子快到了、
十一所定的災已經發出、杖已經開花、驕傲已經發芽。強暴
興起、成了罰惡的杖、以色列人、或是他們的羣衆、或是
十二他們的財寶、無一存留、他們中間也沒有得尊榮的。時
候到了、日子近了、買主不可歡喜、賣主不可愁煩、因爲
十三列怒已經臨到他們衆人身上。賣主雖然存活、卻不能
歸回再得所賣的、因爲這異象關乎他們衆人、誰都不
得歸回、也沒有人在他的罪孽中堅立自己。

得脫者必因己罪哀鳴

十四他們已經吹角、豫備齊全、卻無一人出戰、因爲我的烈
十五怒臨到他們衆人身上。在外有刀劍、在內有瘟疫、饑荒、
在田野的、必遭刀劍而死、在城中的、必有饑荒瘟疫吞
十六滅他。其中所逃脫的、就必逃脫、各人因自己的罪孽、在
十七山上發出悲聲、好像谷中的鴿子哀鳴。手都發輭、膝弱
十八如水。要用麻布束腰、被戰兢所蓋．各人臉上羞愧、頭上
十九光禿。他們要將銀子拋在街上、金子看如汚穢之物．當
耶和華發怒的日子、他們的金銀不能救他們、不能使
心裏知足、也不能使肚腹飽滿、因爲這金銀作了他們
罪孽的絆腳石。

因製可憎之像敵至汚殿行掠

二十論到耶和華妝飾華美的殿、他建立得威嚴、他們卻在
其中製造可憎可厭的偶像、所以這殿我使他們看如
二十一汚穢之物。我必將這殿交付外邦人爲掠物、交付地上
二十二的惡人爲擄物、他們也必褻瀆這殿。我必轉臉不顧以

色列人、他們褻瀆我隱密之所、強盜也必進去褻瀆。

命製鎖鍊以兆被擄

二三 要製造鎖鍊、因為這地遍滿流血的罪、城邑充滿強暴
二四 的事。所以我必使列國中最惡的人來佔據他們的房
屋、我必使強暴人的驕傲止息、他們的聖所都要被褻
二五 二六 瀆。毀滅臨近了、他們要求平安、卻無平安可得。災害加
上災害、風聲接連風聲、他們必向先知求異象、但祭司
二七 講的律法、長老設的謀略、都必斷絕。君要悲哀、王要披
淒涼為衣、國民的手都發顫、我必照他們的行為待他
們、按他們應得的審判他們．他們就知道我是耶和華。

以西結於異象中至耶路撒冷殿

一 **第八章** 第六年六月初五日、我坐在家中、猶大的
眾長老坐在我面前、在那裏主耶和華的靈（原文作手）降在
二 我身上。我觀看、見有形像彷彿火的形狀、從他腰以下
的形狀有火、從他腰以上有光輝的形狀、彷彿光耀的
三 精金。他伸出彷彿一隻手的樣式、抓住我的一綹頭髮、
靈就將我舉到天地中間、在神的異象中、帶我到耶
路撒冷朝北的內院門口、在那裏有觸動主怒偶像的

四 坐位、就是惹動忌邪的。誰知、在那裏有以色列 神的
榮耀、形狀與我在平原所見的一樣。

見致忌之像

五 神對我說、人子阿、你舉目向北觀看．我就舉目向北
六 觀看、見祭壇門的北邊、在門口有這惹忌邪的偶像。又
對我說、人子阿、以色列家所行的、就是在此行這大可
憎的事、使我遠離我的聖所、你看見了麼、你還要看見
另有大可憎的事。

見四壁汚穢之圖

七 八 他領我到院門口、我觀看、見牆上有個窟窿。他對我說、
九 人子阿、你要挖牆．我一挖牆、見有一門。他說、你進去看
十 他們在這裏所行可憎的惡事。我進去一看、誰知在四
面牆上畫着各樣爬物、和可憎的走獸、並以色列家一
十一 切的偶像。在這些像前有以色列家的七十個長老站
立、沙番的兒子雅撒尼亞也站在其中．各人手拿香鑪、
十二 煙雲的香氣上騰。他對我說、人子阿、以色列家的長老
暗中在各人畫像屋裏所行的、你看見了麼．他們常說、
十三 耶和華看不見我們、耶和華已經離棄這地。他又說、你

還要看見他們另外行大可憎的事。

見大可憎惡之事

十四 十四他領我到耶和華殿外院朝北的門口、誰知、在那裏有
十五 婦女坐着、爲搭模斯哭泣。十五他對我說、人子阿、你看見了
麽。你還要看見比這更可憎的事。

見人拜日

十六 十六他又領我到耶和華殿的內院、誰知、在耶和華的殿門
口、廊子和祭壇中間、約有二十五個人、背向耶和華的
殿、面向東方拜日頭。

猶大行惡干主震怒

十七 十七他對我說、人子阿、你看見了麽。猶大家在此行這可憎
的事、還算爲小麽。他們在這地遍行強暴、再三惹我發
十八 怒、他們手拿枝條舉向鼻前。十八因此、我也要以忿怒行事、
我眼必不顧惜、也不可憐他們、他們雖向我耳中大聲
呼求、我還是不聽。

於異象中見耶路撒冷有免災者及被殺者

一 **第九章** 一他向我耳中大聲喊叫說、要使那監管這
二 城的人、手中各拿滅命的兵器前來。二忽然有六個人、從
朝北的上門而來、各人手拿殺人的兵器、內中有一人
身穿細麻衣、腰間帶着墨盒子、他們進來站在銅祭壇
旁。

以西結禱主弗應

三 三以色列神的榮耀本在基路伯上、現今從那裏升到
殿的門檻。神將那身穿細麻衣、腰間帶着墨盒子的
四 人召來。四耶和華對他說、你去走遍耶路撒冷全城、那些
因城中所行可憎之事歎息哀哭的人、畫記號在額上。
五 五我耳中聽見他對其餘的人說、要跟隨他走遍全城、以
六 行擊殺。你們的眼不要顧惜、也不要可憐他們。六要將年
老的、年少的、並處女、嬰孩、和婦女、從聖所起全都殺盡、
只是凡有記號的人不要挨近他。於是他們從殿前的
七 長老殺起。七他對他們說、要汚穢這殿、使院中充滿被殺
八 的人、你們出去罷。他們就出去、在城中擊殺。八他們擊殺
的時候、我被留下、我就俯伏在地、說、哎、主耶和華阿、你
將忿怒傾在耶路撒冷、豈要將以色列所剩下的人都
九 滅絕麽。〇九他對我說、以色列家和猶大家的罪孽極其
重大、遍地有流血的事、滿城有冤屈、因爲他們說、耶和

十 華已經離棄這地、他看不見我們。故此、我眼必不顧惜、
十一 也不可憐他們、要照他們所行的報應在他們頭上。[十一]那
穿細麻衣腰間帶着墨盒子的人、將這事回覆說、我已
經照你所吩咐的行了。

第十章

見火炭

一 [一]我觀看、見基路伯頭上的穹蒼之中、顯出
二 藍寶石的形狀、彷彿寶座的形像。[二]主對那穿細麻衣的
人說、你進去、在旋轉的輪內、基路伯以下、從基路伯中
三 間將火炭取滿兩手、撒在城上。我就見他進去。[三]那人進
四 去的時候、基路伯站在殿的右邊。雲彩充滿了內院。[四]耶
和華的榮耀從基路伯那裏上升、停在門檻以上。殿內
五 滿了雲彩、院宇也被耶和華榮耀的光輝充滿。[五]基路伯
六 翅膀的響聲聽到外院、好像全能　神說話的聲音。[六]他
吩咐那穿細麻衣的人說、要從旋轉的輪內、基路伯中
七 間取火。那人就進去站在一個輪子旁邊。[七]有一個基路
伯從基路伯中伸手到基路伯中間的火那裏、取些放
八 在那穿細麻衣的人兩手中、那人就拿出去了。[八]在基路
伯翅膀之下、顯出有人手的樣式。

又見四輪

九 [九]我又觀看、見基路伯旁邊有四個輪子、這基路伯旁有
一個輪子、那基路伯旁有一個輪子、每基路伯都是如
十 此。輪子的顏色、(原文作形狀)彷彿水蒼玉。[十]至於四輪的形狀、
十一 都是一個樣式、彷彿輪中套輪。[十一]輪行走的時候、向四方
都能直行、並不掉轉、頭向何方、他們也隨向何方、行走
十二 的時候並不掉轉。[十二]他們全身、連背、帶手、和翅膀、並輪周
十三 圍、都滿了眼睛。這四個基路伯的輪子、都是如此。[十三]至於
十四 這些輪子、我耳中聽見說、是旋轉的。[十四]基路伯各有四臉。
第一是基路伯的臉、第二是人的臉、第三是獅子的臉、
十五 第四是鷹的臉。○[十五]基路伯升上去了、這是我在迦巴魯
十六 河邊所見的活物。[十六]基路伯行走、輪也在旁邊行走。基路
十七 伯展開翅膀、離地上升、輪也不轉離他們旁邊。[十七]那些站
住、這些也站住、那些上升、這些也一同上升、因為活物
的靈在輪中。

耶和華之榮耀離殿止於基路伯

十八 [十八]耶和華的榮耀從殿的門檻那裏出去、停在基路伯以
十九 上。[十九]基路伯出去的時候、就展開翅膀、在我眼前離地上

二十 升、輪也在他們的旁邊、都停在耶和華殿的東門口.在
他們以上、有以色列神的榮耀。○[二十]這是我在迦巴魯
河邊所見以色列神榮耀以下的活物、我就知道他
二一 們是基路伯。[二一]各有四個臉面、四個翅膀、翅膀以下有人
二二 手的樣式。[二二]至於他們臉的模樣、並身體的形像、是我從
前在迦巴魯河邊所看見的.他們俱各直往前行。

第十一章　民牧謀惡

一 [一]靈將我舉起、帶到耶和華殿向東的東
門、誰知、在門口有二十五個人、我見其中有民間的首
二 領押朔的兒子雅撒尼亞、和比拿雅的兒子毘拉提、耶[二]
和華對我說、人子阿、這就是圖謀罪孽的人、在這城中
三 給人設惡謀。[三]他們說、蓋房屋的時候尚未臨近、這城是
四 鍋、我們是肉。[四]人子阿、因此、你當說豫言、說豫言攻擊他
們。

申述其罪與罰

五 [五]耶和華的靈降在我身上、對我說、你當說、耶和華如此
說、以色列家阿、你們口中所說的、心裏所想的、我都知
六七 道。[六]你們在這城中殺人增多、使被殺的人充滿街道。[七]所

八 以主耶和華如此說、你們殺在城中的人、就是肉、這城
就是鍋.你們卻要從其中被帶出去。[八]你們怕刀劍、我必
九 使刀劍臨到你們.這是主耶和華說的。[九]我必從這城中
帶出你們去、交在外邦人的手中、且要在你們中間施
十 行審判。[十]你們必倒在刀下.我必在以色列的境界審判
十一 你們.你們就知道我是耶和華。[十一]這城必不作你們的鍋、
你們也不作其中的肉.我必在以色列的境界審判你
十二 們.[十二]你們就知道我是耶和華、因爲你們沒有遵行我的
律例、也沒有順從我的典章、卻隨從你們四圍列國的
惡規。

以西結爲遺民禱主

十三 [十三]我正說豫言的時候、比拿雅的兒子毘拉提死了.於是
我俯伏在地、大聲呼叫說、哎、主耶和華阿、你要將以色
列剩下的人滅絕淨盡麼。

耶和華論以悔改者必得拯救旋返故土

十四十五 [十四]耶和華的話臨到我說、[十五]人子阿、耶路撒冷的居民、對你
的弟兄、你的本族、你的親屬、以色列全家、就是對大衆
十六 說、你們遠離耶和華罷、這地是賜給我們爲業的。[十六]所以

你當說、耶和華如此說、我雖將以色列全家遠遠遷移
到列國中、將他們分散在列邦內、我還要在他們所到
十七 的列邦暫作他們的聖所。十七你當說、主耶和華如此說、我
必從萬民中招聚你們、從分散的列國內聚集你們、又
十八 要將以色列地賜給你們。十八他們必到那裏、也必從其中
除掉一切可憎可厭的物。

去其石心賜以肉心

十九 十九我要使他們有合一的心、也要將新靈放在他們裏面、
二十 又從他們肉體中除掉石心、賜給他們肉心、二十使他們順
從我的律例、謹守遵行我的典章。他們要作我的子民、
二一 我要作他們的神。二一至於那些心中隨從可憎可厭之
物的、我必照他們所行的報應在他們頭上。這是主耶
和華說的。

以西結感靈導至迦勒底地

二二 二二於是基路伯展開翅膀、輪子都在他們旁邊。在他們以
二三 上、有以色列神的榮耀。二三耶和華的榮耀從城中上升、
二四 停在城東的那座山上。二四靈將我舉起、在異象中藉着
神的靈、將我帶進迦勒底地、到被擄的人那裏。我所見
二五 的異象就離我上升去了。二五我便將耶和華所指示我的
一切事、都說給被擄的人聽。

命以西結遷徙以兆猶大君被擄

一 二 **第十二章**　一耶和華的話又臨到我說、二人子阿、你住
在悖逆的家中、他們有眼睛看不見、有耳朵聽不見、因
三 為他們是悖逆之家。三所以人子阿、你要豫備擄去使用
的物件、在白日當他們眼前從你所住的地方移到別
四 處去、他們雖是悖逆之家、或者可以揣摩思想。四你要在
白日當他們眼前帶出你的物件去、好像豫備擄去使
用的物件、到了晚上、你要在他們眼前親自出去、像被
五 擄的人出去一樣。五你要在他們眼前挖通了牆、從其中
六 將物件帶出去。六到天黑時、你要當他們眼前搭在肩頭
上帶出去、並要蒙住臉看不見地、因為我立你作以色
七 列家的豫兆。七○我就照着所吩咐的去行、白日帶出我
的物件、好像豫備擄去使用的物件、到了晚上、我用手
挖通了牆、天黑的時候、就當他們眼前搭在肩頭上帶
八 九 出去。八○次日早晨、耶和華的話臨到我說、九人子阿、以色
列家、就是那悖逆之家、豈不是問你說、你作甚麼呢。十你

要對他們說、主耶和華如此說、這是關乎耶路撒冷的
十一 君王、和他周圍以色列全家的豫表。原文作擔子十一你要說、我
作你們的豫兆、我怎樣行、他們所遭遇的也必怎樣、他
十二 們必被擄去。十二他們中間的君王、也必在天黑的時候將
物件搭在肩頭上帶出去。他們要挖通了牆、從其中帶
十三 出去、他必蒙住臉、眼看不見地。十三我必將我的網撒在他
身上、他必在我的網羅中纏住、我必帶他到迦勒底人
十四 之地的巴比倫、他雖死在那裏、卻看不見那地。十四周圍一
切幫助他的、和他所有的軍隊、我必分散四方、原文作風
十五 也要拔刀追趕他們。十五我將他們四散在列國、分散在列
十六 邦的時候、他們就知道我是耶和華。十六我卻要留下他們
幾個人得免刀劍、飢荒、瘟疫、使他們在所到的各國中、
述說他們一切可憎的事。人就知道我是耶和華。

以西結戰懼以兆猶大人驚惶

十七十八 十七耶和華的話又臨到我說、十八人子阿、你喫飯必膽戰、喝水
十九 必惶惶憂慮。十九你要對這地的百姓說、主耶和華論耶路
撒冷、和以色列地的居民、如此說、他們喫飯必憂慮、喝
水必驚惶。因其中居住的衆人所行強暴的事、這地必

二十 然荒廢、一無所存。二十有居民的城邑必變為荒塲、地也必
變為荒廢。你們就知道我是耶和華。

斥以色列俗諺之非

二十一二十二 二十一耶和華的話臨到我說、二十二人子阿、在你們以色列地、怎麼
二十三 有這俗語說、日子遲延、一切異象都落了空呢。二十三你要告
訴他們說、主耶和華如此說、我必使這俗語止息、以色
列中不再用這俗語、你卻要對他們說、日子臨近、一切
二十四 的異象必都應驗。二十四從此、在以色列家中必不再有虛假
二十五 的異象、和奉承的占卜。二十五我耶和華說話、所說的必定成
就、不再耽延。你們這悖逆之家、我所說的話、必趁你們
在世的日子成就。這是主耶和華說的。

啓示豫言應驗伊邇

二十六二十七 二十六耶和華的話又臨到我說、二十七人子阿、以色列家的人說、他
所見的異象、是關乎後來許多的日子、所說的豫言、是
二十八 指着極遠的時候。二十八所以你要對他們說、主耶和華如此
說、我的話沒有一句再耽延的、我所說的必定成就、這
是主耶和華說的。

第十三章

責僞先知

一二 一耶和華的話臨到我說、二人子阿、你要說
豫言攻擊以色列中說豫言的先知對那些本己心發
三 豫言的說、你們當聽耶和華的話。三主耶和華如此說、愚
頑的先知有禍了、他們隨從自己的心意、卻一無所見。
四五 四以色列阿、你的先知好像荒塲中的狐狸。五沒有上去堵
擋破口、也沒有爲以色列家重修牆垣使他們當耶和
六 華的日子、在陣上站立得住。六這些人所見的是虛假、是
謊詐的占卜、他們說、是耶和華說的、其實耶和華並沒
七 有差遣他們、他們倒使人指望那話必然立定。七你們豈
不是見了虛假的異象麽、豈不是說了謊詐的占卜麽。
你們說、這是耶和華說的、其實我沒有說。

以灰塗牆喻僞先知爲人掩飾

八 八所以主耶和華如此說、因你們說的是虛假、見的是謊
九 詐、我就與你們反對、這是主耶和華說的。九我的手必攻
擊那見虛假異象用謊詐占卜的先知、他們必不列在
我百姓的會中、不錄在以色列家的册上、也不進入以
十 色列地。你們就知道我是主耶和華。十因爲他們誘惑我
的百姓、說、平安、其實沒有平安、就像有人立起牆壁、他
十一 們倒用未泡透的灰抹上。十一所以你要對那些抹上未泡
透灰的人說、牆要倒塌、必有暴雨漫過、大冰雹阿、你們
十二 要降下、狂風也要吹裂這牆。十二這牆倒塌之後、人豈不問
十三 你們說、你們抹上未泡透的灰在那裏呢。十三所以主耶和
華如此說、我要發怒使狂風吹裂這牆、在怒中使暴雨
十四 漫過、又發怒降下大冰雹、毁滅這牆。十四我要這樣拆毁你
們那未泡透灰所抹的牆、拆平到地、以致根基露出、牆
必倒塌、你們也必在其中滅亡。你們就知道我是耶和
十五 華。十五我要這樣向牆、和用未泡透灰抹牆的人成就我怒
十六 中所定的、並要對你們說、牆和抹牆的人都沒有了。十六這
抹牆的就是以色列的先知、他們指着耶路撒冷說豫
言、爲這城見了平安的異象、其實沒有平安、這是主耶
和華說的。

斥以己意豫言之女

十七 十七人子阿、你要面向本民中從己心發豫言的女子、說豫
十八 言攻擊他們、十八說主耶和華如此說、這些婦女有禍了、他
們爲衆人的膀臂縫靠枕、給高矮之人作下垂的頭巾、

為要獵取人的性命．難道你們要獵取我百姓的性命、
十九 為利己將人救活麽。十九你們為兩把大麥、為幾塊餅、在我
民中褻瀆我、對肯聽謊言的民說謊、殺死不該死的人、
救活不該活的人。

言其不復見虛偽異象

二十 所以主耶和華如此說、看哪、我與你們的靠枕反對、就
是你們用以獵取人、使人的性命如鳥飛的．我要將靠
枕從你們的膀臂上扯去、釋放你們獵取如鳥飛的人。
二一 我也必撕裂你們下垂的頭巾、救我百姓脫離你們的
手、不再被獵取、落在你們手中．你們就知道我是耶和
二二 華。我不使義人傷心、你們卻以謊話使他傷心、又堅固
二三 惡人的手、使他不回頭離開惡道得以救活．你們就不
再見虛假的異象、也不再行占卜的事、我必救我的百
姓脫離你們的手．你們就知道我是耶和華。

崇假求主不蒙垂聽

第十四章
一 有幾個以色列長老到我這裏來、坐在
二 三 我面前。耶和華的話就臨到我說、人子阿、這些人已將
他們的假神接到心裏、把陷於罪的絆脚石放在面前、

四 我豈能絲毫被他們求問麽。所以你要告訴他們、主耶
和華如此說、以色列家的人中、凡將他的假神接到心
裏、把陷於罪的絆脚石放在面前、又就了先知來的、我
耶和華在他所求的事上、必按他衆多的假神回答他、
五 〔或作必按他拜許多假神的罪報應他〕好在以色列家的心事上捉住他
們、因為他們都藉着假神與我生疏。

勸以轉離偶像歸主免災

六 所以你要告訴以色列家說、主耶和華如此說、回頭罷、
七 離開你們的偶像、轉臉莫從你們一切可憎的事．因為
以色列家的人、或在以色列中寄居的外人、凡與我隔
絕、將他的假神接到心裏、把陷於罪的絆脚石放在面
前、又就了先知來要為自己的事求問我的、我耶和華
八 必親自回答他。我必向那人變臉、使他作了警戒笑談、
令人驚駭、並且我要將他從我民中剪除．你們就知道
九 我是耶和華。先知若被迷惑說一句豫言、是我耶和華
任那先知受迷惑、我也必向他伸手、將他從我民以色
十 列中除滅。他們必擔當自己的罪孽、先知的罪孽和求
十一 問之人的罪孽都是一樣．好使以色列家不再走迷離

開我、不再因各樣的罪過玷汚自己、只要作我的子民、
我作他們的神。這是主耶和華說的。

民因干罪致遭饑饉

十二 耶和華的話臨到我說、十三 人子阿、若有一國犯罪干犯我、
我也向他伸手折斷他們的杖、就是斷絕他們的糧、使
饑荒臨到那地、將人與牲畜從其中剪除。

雖有義人惟可自救

十四 其中雖有挪亞、但以理、約伯這三人、他們只能因他們
的義救自己的性命。這是主耶和華說的。

使惡獸吞噬

十五 我若使惡獸經過蹧踐那地、使地荒涼、以致因這些獸、
人都不得經過。十六 雖有這三人在其中、主耶和華說、我指
着我的永生起誓、他們連兒帶女都不能得救、只能自
己得救、那地仍然荒涼。

使鋒刃臨境

十七 或者我使刀劍臨到那地、說、刀劍哪、要經過那地、以致
我將人與牲畜從其中剪除。十八 雖有這三人在其中、主耶
和華說、我指着我的永生起誓、他們連兒帶女都不能
得救、只能自己得救。

使疫癘流行

十九 或者我叫瘟疫流行那地、使我滅命（原文作帶血）的忿怒傾
在其上、好將人與牲畜從其中剪除。二十 雖有挪亞、但以理、
約伯在其中、主耶和華說、我指着我的永生起誓、他們
連兒帶女都不能救、只能因他們的義救自己的性命。

神施行非出無因

二一 主耶和華如此說、我將這四樣大災、就是刀劍、饑荒、惡
獸、瘟疫、降在耶路撒冷、將人與牲畜從其中剪除、豈不
更重麼。二二 然而其中必有剩下的人、他們連兒帶女必帶
到你們這裏來、你們看見他們所行所爲的、要因我降
給耶路撒冷的一切災禍、便得了安慰。二三 你們看見他們
所行所爲的、得了安慰、就知道我在耶路撒冷中所行
的、並非無故。這是主耶和華說的。

以葡萄木被焚喻耶路撒冷荒蕪

第十五章

一 耶和華的話臨到我說、二 人子阿、葡萄樹
比別樣樹有甚麼強處、葡萄枝比衆樹枝有甚麼好處。
三 其上可以取木料作甚麼工用、可以取來作釘子掛甚

四 麽器皿麽。四看哪、已經拋在火中當作柴燒、火既燒了兩
五 頭、中間也被燒了、還有益於工用麽。五完全的時候尚且
不合乎甚麽工用、何況被火燒壞、還能合乎甚麽工用
六 麽。六所以主耶和華如此說、衆樹以內的葡萄樹、我怎樣
七 使他在火中當柴、也必照樣待耶路撒冷的居民。七我必
向他們變臉、他們雖從火中出來、火卻要燒滅他們．我
八 向他們變臉的時候、你們就知道我是耶和華。八我必使
地土荒涼、因爲他們行事干犯我．這是主耶和華說的。

以被棄之嬰喻耶路撒冷

第十六章

一二 一耶和華的話又臨到我說、二人子阿、你要
三 使耶路撒冷知道他那些可憎的事、三說主耶和華對耶
路撒冷如此說、你根本、你出世、是在迦南地、你父親是
四 亞摩利人、你母親是赫人。四論到你出世的景況在你初
生的日子沒有爲你斷臍帶、也沒有用水洗你、使你潔
五 淨、絲毫沒有撒鹽在你身上、也沒有用布裹你。五誰的眼
也不可憐你、爲你作一件這樣的事憐恤你、但你初生
的日子扔在田野、是因你被厭惡。

主加以寵愛

六 六我從你旁邊經過、見你輥在血中、就對你說、你雖在血
七 中、仍可存活、你雖在血中、仍可存活。七我使你生長好像
田間所長的、你就漸漸長大、以至極其俊美、兩乳成形、
八 頭髮長成、你卻仍然赤身露體。八我從你旁邊經過、看見
你的時候正動愛情、便用衣襟搭在你身上、遮蓋你的
赤體．又向你起誓、與你結盟、你就歸於我．這是主耶和
九 華說的。九那時我用水洗你、洗淨你身上的血、又用油抹
十 你。十我也使你身穿繡花衣服、腳穿海狗皮鞋、並用細麻
十一 布給你束腰、用絲綢爲衣披在你身上。十一又用妝飾打扮
十二 你、將鐲子戴在你手上、將金鍊戴在你項上。十二我也將環
子戴在你鼻子上、將耳環戴在你耳朶上、將華冠戴在
十三 你頭上。十三這樣、你就有金銀的妝飾、穿的是細麻衣、和絲
綢、並繡花衣．喫的是細麵、蜂蜜、並油、你也極其美貌、發
十四 達到王后的尊榮。十四你美貌的名聲傳在列邦中、你十分
美貌、是因我加在你身上的威榮．這是主耶和華說的。

背約縱淫

十五 十五只是你仗着自己的美貌、又因你的名聲就行邪淫、你

十六 縱情淫亂、使過路的任意而行。十六你用衣服爲自己在高
處結彩、在其上行邪淫、這樣的事將來必沒有、也必不
十七 再行了。十七你又將我所給你那華美的金銀寶器、爲自己
十八 製造人像、與他行邪淫。十八又用你的繡花衣服給他披上、
十九 並將我的膏油和香料擺在他跟前。十九又將我賜給你的
食物、就是我賜給你喫的細麵、油、和蜂蜜、都擺在他跟
二十 前爲馨香的供物．這是主耶和華說的。二十並且你將給我
二一 所生的兒女焚獻給他。二一你行淫亂豈是小事、竟將我的
二二 兒女殺了、使他們經火歸與他麼。二二你行這一切可憎和
淫亂的事、並未追念你幼年赤身露體輥在血中的日
二三 子。〇二三你行這一切惡事之後、（主耶和華說、你有禍了、
二四 有禍了）二四又爲自己建造圓頂花樓、在各街上作了高
二五 臺。二五你在一切市口上建造高臺、使你的美貌變爲可憎
二六 的、又與一切過路的多行淫亂。二六你也和你鄰邦放縱情
二七 慾的埃及人行淫、加增你的淫亂、惹我發怒。二七因此、我伸
手攻擊你、減少你應用的糧食、又將你交給恨你的非
利士衆女（衆女是城邑的意思本章下同）使他們任意待你。他們見你
二八 的淫行、爲你羞恥。二八你因貪色無厭、又與亞述人行淫、與

二九 他們行淫之後仍不滿意。二九並且多行淫亂、直到那貿易
三十 之地、就是迦勒底、你仍不滿意。〇三十主耶和華說、你行這
一切事、都是不知羞恥妓女所行的、可見你的心是何
三一 等懦弱。三一因你在一切市口上建造圓頂花樓、在各街上
三二 作了高臺、你卻藐視賞賜、不像妓女。三二哎、你這行淫的妻
三三 阿、寧肯接外人不接丈夫。三三凡妓女是得人贈送、你反倒
三四 贈送你所愛的人、賄賂他們從四圍來與你行淫。三四你行
淫與別的婦女相反、因爲不是人從你行淫、你既贈送
人、人並不贈送你、所以你與別的婦女相反。

必嚴鞫其惡

三五三六 三五你這妓女阿要聽耶和華的話。三六主耶和華如此說、因你
的污穢傾洩了、你與你所愛的行淫露出下體、又因你
三七 拜一切可憎的偶像、流兒女的血獻給他、三七我就要將你
一切相歡相愛的、和你一切所恨的、都聚集來、從四圍
三八 攻擊你、又將你的下體露出、使他們看盡了。三八我也要審
判你、好像官長審判淫婦和流人血的婦女一樣。我因
三九 忿怒忌恨使流血的罪歸到你身上。三九我又要將你交在
他們手中、他們必拆毀你的圓頂花樓、毀壞你的高臺、

剝去你的衣服、奪取你的華美寶器、留下你赤身露體。
四十 他們也必帶多人來攻擊你、用石頭打死你、用刀劍刺
四一 透你。用火焚燒你的房屋、在許多婦人眼前向你施行
四二 審判．我必使你不再行淫、也不再贈送與人。這樣、我就
止息向你發的忿怒、我的忌恨也要離開你、我要安靜
四三 不再惱怒。因你不追念你幼年的日子、在這一切的事
上向我發烈怒、所以我必照你所行的報應在你頭上、
你就不再貪淫行那一切可憎的事．這是主耶和華說
的。

其罪等於其姊撒瑪利亞甚於其妹所多瑪

四四 凡說俗語的、必用俗語攻擊你、說、母親怎樣、女兒也怎
四五 樣。你正是你母親的女兒、厭棄丈夫和兒女．你正是你
姐妹的姐妹、厭棄丈夫和兒女．你母親是赫人、你父親
四六 是亞摩利人。你的姐姐是撒瑪利亞、他和他的衆女住
在你左邊．你的妹妹是所多瑪、他和他的衆女住在你
四七 右邊。你沒有效法他們的行爲、也沒有照他們可憎的
事去作、你以那爲小事、你一切所行的倒比他們更壞。
四八 主耶和華說、我指着我的永生起誓、你妹妹所多瑪與
四九 他的衆女、尚未行你和你衆女所行的事。看哪、你妹妹
所多瑪的罪孽是這樣、他和他的衆女都心驕氣傲、糧
五十 食飽足、大享安逸、並沒有扶助困苦和窮乏人的手。他
們狂傲、在我面前行可憎的事、我看見便將他們除掉。
五一 撒瑪利亞沒有犯你一半的罪、你行可憎的事比他更
五二 多、使你的姐妹因你所行一切可憎的事、倒顯爲義。你
既斷定你姐妹爲義、（爲義或作當受羞辱）就要擔當自己的羞辱、
因你所犯的罪比他們更爲可憎、他們就比你更顯爲
義．你既使你的姐妹顯爲義、你就要抱愧擔當自己的
五三 羞辱。○我必叫他們被擄的歸回、就是叫所多瑪和他
的衆女、撒瑪利亞和他的衆女、並你們中間被擄的、都
五四 要歸回．好使你擔當自己的羞辱、並因你一切所行的
五五 使他們得安慰、你就抱愧。你的妹妹所多瑪和他的衆
女、必歸回原位．撒瑪利亞和他的衆女、你和你的衆女、
五六 五七 也必歸回原位。在你驕傲的日子、你的惡行沒有顯露
以先、你的口就不題你的妹妹所多瑪．那受了凌辱的
亞蘭衆女、和亞蘭四圍非利士的衆女、都恨惡你、藐視
五八 五九 你。耶和華說、你貪淫和可憎的事、你已經擔當了。主耶

和華如此說、你這輕看誓言背棄盟約的、我必照你所
行的待你。

耶和華許以悔罪悛改仍必蒙恩

六十 然而我要追念在你幼年時與你所立的約、也要與你
六一 立定永約。你接待你姐姐和你妹妹的時候、你要追念
你所行的、自覺慚愧。並且我要將他們賜你為女兒、卻
六二 不是按着前約。我要堅定與你所立的約、（你就知道
六三 我是耶和華）好使你在我赦免你一切所行的時候、
心裏追念自覺抱愧、又因你的羞辱就不再開口、這是
主耶和華說的。

第十七章

以二鷹二葡萄樹為喻

一 耶和華的話臨到我說、二 人子阿、你要向
三 以色列家出謎語、設比喻、說、主耶和華如此說、有一大
鷹、翅膀大、翎毛長、羽毛豐滿、彩色俱備、來到利巴嫩、將
四 香柏樹梢擰去、就是折去香柏樹儘尖的嫩枝、叼到貿
五 易之地、放在買賣城中。又將以色列地的枝子、栽於肥
六 田裏、插在大水旁、如插柳樹。就漸漸生長、成為蔓延矮
小的葡萄樹。其枝轉向那鷹、其根在鷹以下、於是成了
七 葡萄樹、生出枝子、發出小枝。○又有一大鷹、翅膀大、羽
毛多、這葡萄樹從栽種的畦中、向這鷹彎過根來、發出
八 枝子、好得他的澆灌。這樹栽於肥田多水的旁邊、好生
九 枝子、結果子、成為佳美的葡萄樹。你要說、主耶和華如
此說、這葡萄樹豈能發旺呢、鷹豈不拔出他的根來、芟
除他的果子、使他枯乾、使他發的嫩葉都枯乾了麼。也
十 不用大力和多民、就拔出他的根來。葡萄樹雖然栽種、
豈能發旺呢、一經東風、豈不全然枯乾麼、必在生長的
畦中枯乾了。

闡明喻義

十一 十二 耶和華的話臨到我說、你對那悖逆之家說、你們不知
道這些事是甚麼意思麼、你要告訴他們說、巴比倫王
曾到耶路撒冷、將其中的君王和首領帶到巴比倫自
十三 己那裏去。從以色列的宗室中取一人與他立約、使他
十四 發誓、並將國中有勢力的人擄去。使國低微不能自強、
十五 惟因守盟約得以存立。他卻背叛巴比倫王、打發使者
往埃及去、要他們給他馬匹和多民。他豈能亨通呢、行
十六 這樣事的人豈能逃脫呢、他背約豈能逃脫呢。他輕看

向王所起的誓、背棄王與他所立的約．主耶和華說、我
指着我的永生起誓、他定要死在立他作王巴比倫王
的京都。十七敵人築壘造臺、與他打仗的時候、爲要剪除多
人、法老雖領大軍隊、和大羣衆、還是不能幫助他。十八他輕
看誓言、背棄盟約、已經投降、卻又作這一切的事、他必
不能逃脫。十九所以主耶和華如此說、我指着我的永生起
誓、他既輕看指我所起的誓、背棄指我所立的約、我必
要使這罪歸在他頭上。二十我必將我的網撒在他身上、他
必在我的網羅中纏住、我必帶他到巴比倫、並要在那
裏因他干犯我的罪刑罰他。二一他的一切軍隊、凡逃跑的、
都必倒在刀下、所剩下的也必分散四方．方原文作風你們
就知道說這話的是我耶和華。

以植香柏高枝爲喻

二二主耶和華如此說、我要將香柏樹梢擰去栽上、就是從
儘尖的嫩枝中折一嫩枝、栽於極高的山上．二三在以色列
高處的山栽上．他就生枝子、結果子、成爲佳美的香柏
樹、各類飛鳥都必宿在其下、就是宿在枝子的蔭下。二四田
野的樹木都必知道我耶和華使高樹矮小、矮樹高大、
青樹枯乾、枯樹發旺．我耶和華如此說、也如此行了。

第十八章

犯罪者必死亡

一耶和華的話又臨到我說、二你們在以色
列地怎麼用這俗語說、父親喫了酸葡萄、兒子的牙酸
倒了呢。三主耶和華說、我指着我的永生起誓、你們在以
色列中、必不再有用這俗語的因由．四看哪、世人都是屬
我的、爲父的怎樣屬我、爲子的也照樣屬我．犯罪的他
必死亡。

行義者得生存

五人若是公義、且行正直與合理的事．六未曾在山上喫過
祭偶像之物、未曾仰望以色列家的偶像、未曾玷汚鄰
舍的妻、未曾在婦人的經期內親近他、七未曾虧負人、乃
將欠債之人的當頭還給他、未曾搶奪人的物件、卻將
食物給飢餓的人喫、將衣服給赤身的人穿、八未曾向借
錢的弟兄取利、也未曾向借糧的弟兄多要、縮手不作
罪孽、在兩人之間、按至理判斷、九遵行我的律例、謹守我
的典章、按誠實行事、這人是公義的、必定存活、這是主
耶和華說的。

父義子惡惟罰其子

十一 十一他若生一個兒子作強盜、是流人血的、不行以上所說
之善、反行其中之惡、乃在山上喫過祭偶像之物、並玷
十二 汚鄰舍的妻、十二虧負困苦和窮乏的人、搶奪人的物、未曾
十三 將當頭還給人、仰望偶像、並行可憎的事、十三向借錢的弟
兄取利、向借糧的弟兄多要、這人豈能存活呢、他必不
能存活、他行這一切可憎的事、必要死亡、他的罪必歸
到他身上。（罪原文作血）

子善父惡惟罪其父

十四 十四他若生一個兒子、兒見父親所犯的一切罪、便懼怕、（有古卷作
十五 思量）不照樣去作、十五未曾在山上喫過祭偶像之物、未曾仰
十六 望以色列家的偶像、未曾玷汚鄰舍的妻、十六未曾虧負人、
未曾取人的當頭、未曾搶奪人的物件、卻將食物給飢
十七 餓的人喫、將衣服給赤身的人穿、十七縮手不害貧窮人、未
曾向借錢的弟兄取利、也未曾向借糧的弟兄多要、他
順從我的典章、遵行我的律例、就不因父親的罪孽死
十八 亡、定要存活。十八至於他父親、因為欺人太甚、搶奪弟兄、在
十九 本國的民中行不善、他必因自己的罪孽死亡。○十九你們
還說、兒子為何不擔當父親的罪孽呢。兒子行正直與
二十 合理的事、謹守遵行我的一切律例、他必定存活。二十惟有
犯罪的、他必死亡、兒子必不擔當父親的罪孽、父親也
不擔當兒子的罪孽、義人的善果必歸自己、惡人的惡
報也必歸自己。

先惡後善主不念其舊惡

二一 二一惡人若回頭離開所作的一切罪惡、謹守我一切的律
二二 例、行正直與合理的事、他必定存活、不至死亡。二二他所犯
二三 的一切罪過都不被記念、因所行的義、他必存活。二三主耶
和華說、惡人死亡、豈是我喜悅的麼、不是喜悅他回頭
離開所行的道存活麼。

先善後惡主不念其前善

二四 二四義人若轉離義行而作罪孽、照着惡人所行一切可憎
的事而行、他豈能存活麼、他所行的一切義都不被記
念、他必因所犯的罪所行的惡死亡。

主道至公

二五 二五你們還說、主的道不公平。以色列家阿、你們當聽、我的
二六 道豈不公平麼、你們的道豈不是不公平麼。二六義人若轉

二七 離義行而作罪孽死亡、他是因所作的罪孽死亡。二七再者、
惡人若回頭離開所行的惡行、行正直與合理的事、他必
二八 將性命救活了。二八因爲他思量回頭離開所犯的一切罪
二九 過、必定存活不至死亡。二九以色列家還說、主的道不公平。
以色列家阿、我的道豈不公平麼、你們的道豈不是不
公平麼。

勸以悔罪離惡

三十 三十所以主耶和華說、以色列家阿、我必按你們各人所行
的審判你們。你們當回頭離開所犯的一切罪過、這樣、
三一 罪孽必不使你們敗亡。三一你們要將所犯的一切罪過盡
行拋棄、自作一個新心、和新靈。以色列家阿、你們何必
三二 死亡呢。三二主耶和華說、我不喜悅那死人之死、所以你們
當回頭而存活。

以獅陷阱喻猶大王被擄

二一 **第十九章** 一你當爲以色列的王作起哀歌、二說、你的
母親是甚麼呢、是個母獅子。蹲伏在獅子中間、在少壯
三 獅子中養育小獅子。三在他小獅子中養大一個、成了少
四 壯獅子、學會抓食而喫人。四列國聽見了、就把他捉在他

五 們的坑中、用鈎子拉到埃及地去。五母獅見自己等候失
六 了指望、就從他小獅子中又將一個養爲少壯獅子。六他
在衆獅子中走來走去、成了少壯獅子、學會抓食而喫
七 人。七他知道列國的宮殿、又使他們的城邑變爲荒塲、因
八 他咆哮的聲音、遍地和其中所有的就都荒廢。八於是四
圍邦國各省的人來攻擊他、將網撒在他身上、捉在他
九 們的坑中。九他們用鈎子鈎住他、將他放在籠中、帶到巴
比倫王那裏、將他放入堅固之所、使他的聲音在以色
列山上不再聽見。

以葡萄樹見拔喻耶路撒冷傾毀

十 十你的母親先前如葡萄樹、極其茂盛、（原文作在你血中）栽於水
十一 旁、因爲水多、就多結果子、滿生枝子。十一生出堅固的枝幹、
可作掌權者的杖、這枝幹高舉在茂密的枝中、而且他
十二 生長高大、枝子繁多、遠遠可見。十二但這葡萄樹因忿怒被
拔出摔在地上、東風吹乾其上的果子、堅固的枝幹折
十三十四 斷枯乾、被火燒燬了。十三如今栽於曠野乾旱無水之地。十四火
也從他枝幹中發出、燒滅果子、以致沒有堅固的枝幹
可作掌權者的杖、這是哀歌、也必用以作哀歌。

以色列長老諮諏耶和華不蒙啓示

一 **第二十章** 第七年五月初十日有以色列的幾個
二 長老來求問耶和華、坐在我面前。二耶和華的話臨到我、
三 說、人子阿、你要告訴以色列的長老說、主耶和華如此
說、你們來是求問我麼。主耶和華說、我指着我的永生
起誓、我必不被你們求問。

追述以色列人在埃及之違逆

四 人子阿、你要審問審問他們麼、你當使他們知道他們
五 列祖那些可憎的事、五對他們說、主耶和華如此說、當日
我揀選以色列、向雅各家的後裔起誓、在埃及地將自
六 己向他們顯現、說、我是耶和華你們的　神。六那日我向
他們起誓、必領他們出埃及地、到我爲他們察看的流
七 奶與蜜之地、那地在萬國中是有榮耀的。七我對他們說、
你們各人要拋棄眼所喜愛那可憎之物、不可因埃及
八 的偶像玷汚自己。我是耶和華你們的　神。八他們卻悖
逆我、不肯聽從我、不拋棄他們眼所喜愛那可憎之物、
不離棄埃及的偶像。我就說、我要將我的忿怒傾在他
九 們身上、在埃及地向他們成就我怒中所定的。九我卻爲
我名的緣故沒有這樣行、免得我名在他們所住的列
國人眼前被褻瀆、我領他們出埃及地在這列國人的
眼前將自己向他們顯現。

在曠野之違逆

十 十一 這樣、我就使他們出埃及地、領他們到曠野、十一將我的律
例賜給他們、將我的典章指示他們。人若遵行就必因
十二 此活着。十二又將我的安息日賜給他們、好在我與他們中
間爲證據、使他們知道我耶和華是叫他們成爲聖的。
十三 以色列家卻在曠野悖逆我、不順從我的律例、厭棄我
的典章、（人若遵行就必因此活着）大大干犯我的
安息日。我就說、要在曠野將我的忿怒傾在他們身上、
十四 滅絕他們。十四我卻爲我名的緣故沒有這樣行、免得我的
十五 名在我領他們出埃及的列國人眼前被褻瀆。十五並且我
在曠野向他們起誓、必不領他們進入我所賜給他們
十六 流奶與蜜之地、那地在萬國中是有榮耀的。十六因爲他們
厭棄我的典章、不順從我的律例、干犯我的安息日、他
十七 們的心隨從自己的偶像。十七雖然如此、我眼仍顧惜他們、
十八 不毀滅他們、不在曠野將他們滅絕淨盡。〇十八我在曠野

對他們的兒女說、不要遵行你們父親的律例、不要謹
十九 守他們的惡規、也不要因他們的偶像玷汚自己。十九我是
耶和華你們的神、你們要順從我的律例、謹守遵行
二十 我的典章、二十且以我的安息日為聖．這日在我與你們中
二一 間為證據、使你們知道我是耶和華你們的神。二一只是
他們的兒女悖逆我、不順從我的律例、也不謹守遵行
我的典章、（人若遵行就必因此活着）干犯我的安
息日．我就說、要將我的忿怒傾在他們身上、在曠野向
二二 他們成就我怒中所定的。二二雖然如此、我卻為我名的緣
故縮手沒有這樣行、免得我的名在我領他們出埃及
二三 的列國人眼前被褻瀆．二三並且我在曠野向他們起誓、必
二四 將他們分散在列國、四散在列邦．二四因為他們不遵行我
的典章、竟厭棄我的律例、干犯我的安息日、眼目仰望
二五 他們父親的偶像。二五我也任他們遵行不美的律例、謹守
二六 不能使人活着的惡規。二六因他們將一切頭生的經火、我
就任憑他們在這供獻的事上玷汚自己、好叫他們淒
涼、使他們知道我是耶和華。

在迦南之違逆

二七 人子阿、你要告訴以色列家說、主耶和華如此說、你們
二八 的列祖在得罪我的事上褻瀆我．二八因為我領他們到了
我起誓應許賜給他們的地、他們看見各高山、各茂密
樹、就在那裏獻祭、奉上惹我發怒的供物、也在那裏焚
二九 燒馨香的祭牲、並澆上奠祭。二九我就對他們說、你們所上
的那高處叫甚麼呢．那高處的名字叫巴麻、直到今日。
三十 所以你要對以色列家說、主耶和華如此說、你們仍照
你們列祖所行的玷汚自己麼．仍照他們可憎的事行
三一 邪淫麼。三一你們奉上供物使你們兒子經火的時候、仍將
一切偶像玷汚自己、直到今日麼．以色列家阿、我豈被
你們求問麼．主耶和華說、我指着我的永生起誓、我必
三二 不被你們求問。三二你們說、我們要像外邦人、和列國的宗
族一樣、去事奉木頭與石頭．你們所起的這心意、萬不
能成就。

許以必由散居之國導返故土

三三 主耶和華說、我指着我的永生起誓、我總要作王、用大
能的手、和伸出來的膀臂、並傾出來的忿怒治理你們。

三四我必用大能的手、和伸出來的膀臂、並傾出來的忿怒、
將你們從萬民中領出來、從分散的列國內聚集你們。
三五我必帶你們到外邦人的曠野、在那裏當面刑罰你們。
三六我怎樣在埃及地的曠野刑罰你們的列祖、也必照樣
刑罰你們、這是主耶和華說的。三七我必使你們從杖下經
過、使你們被約拘束。三八我必從你們中間除淨叛逆和得
罪我的人、將他們從所寄居的地方領出來、他們卻不
得入以色列地。你們就知道我是耶和華。三九以色列家阿、
至於你們、主耶和華如此說、從此以後若不聽從我、就
任憑你們去事奉偶像、只是不可再因你們的供物和
偶像褻瀆我的聖名。○四十主耶和華說、在我的聖山、就是
以色列高處的山、所有以色列的全家、都要事奉我、我
要在那裏悅納你們、向你們要供物、和初熟的土產、並
一切的聖物。四一我從萬民中領你們出來、從分散的列國
內聚集你們、那時我必悅納你們好像馨香之祭、要在
外邦人眼前在你們身上顯爲聖。四二我領你們進入以色
列地、就是我起誓應許賜給你們列祖之地、那時你們
就知道我是耶和華。四三你們在那裏要追念玷污自己的
行動作爲、又要因所作的一切惡事厭惡自己。四四主耶和
華說、以色列家阿、我爲我名的緣故、不照着你們的惡
行、和你們的壞事待你們。你們就知道我是耶和華。

以林木見焚爲喻

四五耶和華的話臨到我說、四六人子阿、你要面向南方、向南滴
下豫言攻擊南方田野的樹林。四七對南方的樹林說、要聽
耶和華的話。主耶和華如此說、我必使火在你中間燒
起、燒滅你中間的一切青樹和枯樹、猛烈的火燄必不
熄滅、從南到北、人的臉面都被燒焦。四八凡有血氣的、都必
知道是我耶和華使火燒起、這火必不熄滅。四九於是我說、
哎、主耶和華阿、人都指着我說、他豈不是說比喻的麼。

第二十一章

耶和華拔刃擊以色列地

一耶和華的話臨到我說、二人子阿、你要
面向耶路撒冷、和聖所滴下豫言、攻擊以色列地。三對以
色列地說、耶和華如此說、我與你爲敵、並要拔刀出鞘、
從你中間將義人和惡人一併剪除。四我既要從你中間
剪除義人和惡人、所以我的刀要出鞘、自南至北攻擊
一切有血氣的。五一切有血氣的就知道我耶和華已經

拔刀出鞘．必不再入鞘。六人子阿、你要歎息．在他們眼前
彎着腰、苦苦的歎息。七他們問你說、為何歎息呢。你就說、
因為有風聲、災禍要來．人心都必消化、手都發輭、精神
衰敗、膝弱如水．看哪、這災禍臨近、必然成就．這是主耶
和華說的。

豫言有刃臨於以色列之牧伯及民

八耶和華的話臨到我說、九人子阿、你要豫言、耶和華吩咐
我如此說、有刀、有刀、是磨快擦亮的．十磨快為要行殺戮、
擦亮為要像閃電．我們豈可快樂麼．罰我子的杖藐視
各樹。十一這刀已經交給人擦亮、為要應手使用．這刀已經
磨快擦亮、好交在行殺戮的人手中。十二人子阿、你要呼喊
哀號．因為這刀臨到我的百姓、和以色列一切的首領．
他們和我的百姓都交在刀下．所以你要拍腿歎息。十三有
試驗的事．若那藐視的杖歸於無有、怎麼樣呢．這是主
耶和華說的。十四人子阿、你要拍掌豫言．我耶和華要使這
刀、就是致死傷的刀、一連三次加倍刺人、進入他們的
內屋、使大人受死傷的就是這刀。十五我設立這恐嚇人的
刀、攻擊他們的一切城門、使他們的心消化、加增他們

跌倒的事．哎、這刀造得像閃電、磨得尖利、要行殺戮。十六刀
阿、你歸在右邊、擺在左邊、你面向那方、就向那方殺戮。
十七我也要拍掌、並要使我的忿怒止息．這是我耶和華說
的。

豫示巴比倫王必擊拉巴及耶路撒冷

十八耶和華的話又臨到我說、十九人子阿、你要定出兩條路、好
使巴比倫王的刀來．這兩條路必從一地分出來．又要
在通城的路口上畫出一隻手來。二十你要定出一條路、使
刀來到亞捫人的拉巴．又要定出一條路、使刀來到猶
大的堅固城耶路撒冷。二一因為巴比倫王站在岔路那裏、
在兩條路口上要占卜．他搖籤、(原文作箭)求問神像、察看犧
牲的肝。二二在右手中拿着為耶路撒冷占卜的籤、使他安
設撞城錘、張口叫殺、揚聲吶喊、築壘造臺、以撞城錘攻
打城門。二三據那些曾起誓的猶大人看來、這是虛假的占
卜．但巴比倫王要使他們想起罪孽、以致將他們捉住。

以色列君必因罪受罰

二四主耶和華如此說、因你們的過犯顯露、使你們的罪孽
被記念、以致你們的罪惡在行為上都彰顯出來．又因

二五 你們被記念、就被捉住。二五你這受死傷行惡的以色列王
二六 阿、罪孽的盡頭到了、受報的日子已到．二六主耶和華如此
說、當除掉冠摘下冕。景況必不再像先前．要使卑者升
二七 為高使高者降為卑。二七我要將這國傾覆傾覆而又傾覆、
這國也必不再有、直等到那應得的人來到、我就賜給
他。

亞捫人亦將遭報

二八 二八人子阿、要發豫言說、主耶和華論到亞捫人、和他們的
凌辱、吩咐我如此說、有刀、有拔出來的刀、已經擦亮、為
二九 行殺戮、使他像閃電以行吞滅。二九人為你見虛假的異象、
行謊詐的占卜、使你倒在受死傷之惡人的頸項上．他
三十 們罪孽到了盡頭、受報的日子已到。三十你將刀收入鞘罷。
三一 在你受造之處、生長之地、我必刑罰你。三一我必將我的惱
恨倒在你身上、將我烈怒的火噴在你身上．又將你交
三二 在善於殺滅的畜類人手中。三二你必當柴被火焚燒．你的
血必流在國中．你必不再被記念．因為這是我耶和華
說的。

第二十二章

歷述耶路撒冷之罪

二 一耶和華的話又臨到我說、二人子阿、你
要審問審問這流人血的城麼．當使他知道他一切可
三 憎的事。三你要說、主耶和華如此說、哎、這城有流人血的
事在其中、叫他受報的日期來到．又作偶像玷汚自己、
四 陷害自己。四你因流了人的血、就為有罪．你作了偶像、就
玷汚自己、使你受報之日臨近、報應之年來到．所以我
五 叫你受列國的凌辱、和列邦的譏誚。五你這名臭、多亂的
六 城阿、那些離你近、離你遠的、都必譏誚你。六〇看哪、以色
七 列的首領、各逞其能、在你中間流人之血。七在你中間有
八 輕慢父母的．有欺壓寄居的．有虧負孤兒寡婦的。八你藐
九 視了我的聖物、干犯了我的安息日。九在你中間有讒謗
人流人血的．有在山上喫過祭偶像之物的．有行淫亂
十 的。十在你中間有露繼母下體羞辱父親的．有玷辱月經
十一 不潔淨之婦人的。十一這人與鄰舍的妻行可憎的事．那人
十二 貪淫玷汚兒婦．還有玷辱同父之姐妹的。十二在你中間有
為流人血受賄賂的．有向借錢的弟兄取利、向借糧的
弟兄多要的、且因貪得無饜、欺壓鄰舍奪取財物、竟忘

十三 了我。這是主耶和華說的。○看哪、我因你所得不義之
十四 財、和你中間所流的血、就拍掌歎息。到了我懲罰你的
日子、你的心還能忍受麼、你的手還能有力麼。我耶和
十五 華說了這話、就必照着行。我必將你分散在列國、四散
十六 在列邦。我也必從你中間除掉你的汚穢。你必在列國
人的眼前因自己所行的被褻瀆、你就知道我是耶和
華。

主視以色列家爲渣滓必鎔於鑪

十七 十八 耶和華的話臨到我說、人子阿、以色列家在我看爲渣
十九 滓。他們都是鑪中的銅、錫、鐵、鉛、都是銀渣滓。所以主耶
和華如此說、因你們都成爲渣滓、我必聚集你們在耶
二十 路撒冷中。人怎樣將銀、銅、鐵、鉛、錫、聚在鑪中、吹火鎔化、
照樣、我也要發怒氣和忿怒、將你們聚集放在城中、鎔
二一 化你們。我必聚集你們、把我烈怒的火吹在你們身上。
二二 你們就在其中鎔化。銀子怎樣鎔化在鑪中、你們也必
照樣鎔化在城中、你們就知道我耶和華是將忿怒倒
在你們身上了。

先知祭司牧伯庶民皆違法悖逆

二三 二四 耶和華的話臨到我說、人子阿、你要對這地說、你是未
二五 得潔淨之地、在惱恨的日子也沒有雨下在你以上。其
中的先知同謀背叛、如咆哮的獅子抓撕掠物。他們呑
二六 滅人民、搶奪財寶、使這地多有寡婦。其中的祭司強解
我的律法、褻瀆我的聖物、不分別聖的和俗的、也不使
人分辨潔淨的和不潔淨的、又遮眼不顧我的安息日。
二七 我也在他們中間被褻慢。其中的首領彷彿豺狼抓撕
二八 掠物、殺人流血、傷害人命、要得不義之財。其中的先知
爲百姓用未泡透的灰抹牆、就是爲他們見虛假的異
象、用謊詐的占卜、說主耶和華如此說、其實耶和華沒
二九 有說。國內衆民一味的欺壓、慣行搶奪、虧負困苦窮乏
三十 的、背理欺壓寄居的。我在他們中間尋找一人重修牆
垣、在我面前爲這國站在破口防堵、使我不滅絕這國。
三一 卻找不着一個。所以我將惱恨倒在他們身上、用烈怒
的火滅了他們、照他們所行的報應在他們頭上。這是
主耶和華說的。

以二婦喻撒瑪利亞與耶路撒冷崇邪背主
一 二 **第二十三章** [一]耶和華的話又臨到我說、[二]人子阿、有
三 兩個女子、是一母所生．[三]他們在埃及行邪淫、在幼年時
行邪淫．他們在那裏作處女的時候、有人擁抱他們的
四 懷、撫摸他們的乳。[四]他們的名字、姐姐名叫阿荷拉、妹妹
名叫阿荷利巴．他們都歸於我、生了兒女。論到他們的
名字、阿荷拉就是撒瑪利亞、阿荷利巴就是耶路撒冷。
五 ○[五]阿荷拉歸我之後行邪淫、貪戀所愛的人、就是他的
六 鄰邦亞述人．[六]這些人都穿藍衣、作省長、副省長、都騎着
七 馬、是可愛的少年人。[七]阿荷拉就與亞述人中最美的男
子放縱淫行．他因所戀愛之人的一切偶像玷汙自己。
八 [八]自從在埃及的時候、他就沒有離開淫亂．因為他年幼
作處女的時候、埃及人與他行淫、撫摸他的乳、縱慾與
九 他行淫。[九]因此、我將他交在他所愛的人手中、就是他所
十 戀愛的亞述人手中。[十]他們就露了他的下體、擄掠他的
兒女、用刀殺了他、使他在婦女中留下臭名．因他們向
十一 他施行審判。○[十一]他妹妹阿荷利巴雖然看見了、卻還貪
十二 戀、比他姐姐更醜．行淫亂、比他姐姐更多。[十二]他貪戀鄰邦
的亞述人、就是穿極華美的衣服、騎着馬的省長、副省
十三 長、都是可愛的少年人。[十三]我看見他被玷汙了、他姐妹二
十四 人同行一路。[十四]阿荷利巴又加增淫行．因他看見人像畫
十五 在牆上、就是用丹色所畫迦勒底人的像、[十五]腰間繫着帶
子、頭上有下垂的裹頭巾、都是軍長的形狀、仿照巴比
十六 倫人的形像．他們的故土就是迦勒底。[十六]阿荷利巴一看
十七 見就貪戀他們、打發使者往迦勒底去見他們。[十七]巴比倫
人就來登他愛情的牀與他行淫玷汙他．他被玷汙、隨
十八 後心裏與他們生疏。[十八]這樣、他顯露淫行、又顯露下體．我
十九 心就與他生疏、像先前與他姐姐生疏一樣。[十九]他還加增
二十 他的淫行、追念他幼年在埃及地行邪淫的日子、[二十]貪戀
二十一 情人、身壯精足、如驢如馬。[二十一]這樣、你就想起你幼年的淫
行．那時、埃及人擁抱你的懷、撫摸你的乳。

阿荷利巴必受惡報
二十二 [二十二]阿荷利巴阿、主耶和華如此說、我必激動你先愛而後
生疏的人來攻擊你．我必使他們來、在你四圍攻擊你、
二十三 [二十三]所來的就是巴比倫人、迦勒底的眾人、比割人、書亞人、
哥亞人．同着他們的還有亞述眾人．乃是作省長、副省

二四 長、作軍長有名聲的、都騎着馬、是可愛的少年人。二四他們
必帶兵器、戰車、輜重車、率領大衆來攻擊你。他們要拿
大小盾牌、頂盔擺陣、在你四圍攻擊你。我要將審判的
二五 事交給他們。他們必按着自己的條例審判你。二五我必以
忌恨攻擊你。他們必以忿怒辦你。他們必割去你的鼻
子和耳朵。你遺留（或作餘剩下同）的人必倒在刀下。他們必擄
二六 去你的兒女。你所遺留的必被火焚燒。二六他們必剝去你
二七 的衣服、奪取你華美的寶器。二七這樣、我必使你的淫行、和
你從埃及地染來的淫亂止息了。使你不再仰望亞述、
二八 也不再追念埃及。二八主耶和華如此說、我必將你交在你
二九 所恨惡的人手中、就是你心與他生疏的人手中。二九他們
必以恨惡辦你、奪取你一切勞碌得來的、留下你赤身
露體、你淫亂的下體、連你的淫行、帶你的淫亂、都被顯
三十 露。〇三十人必向你行這些事、因為你隨從外邦人行邪淫、
三一 被他們的偶像玷汚了。三一你走了你姐姐所走的路、所以
三二 我必將他的杯交在你手中。三二主耶和華如此說、你必喝
你姐姐所喝的杯。那杯又深又廣、盛的甚多、使你被人
三三 嗤笑譏刺。三三你必酩酊大醉、滿有愁苦、喝乾你姐姐撒瑪

三四 利亞的杯、就是令人驚駭淒涼的杯。三四你必喝這杯、以致
喝盡。杯破又齦杯片、撕裂自己的乳。因為這事我曾說
三五 過、這是主耶和華說的。三五主耶和華如此說、因你忘記我、
將我丟在背後、所以你要擔當你淫行和淫亂的報應。

嚴責二婦之邪淫

三六 三六耶和華又對我說、人子阿、你要審問阿荷拉與阿荷利
三七 巴麽。當指出他們所行可憎的事。三七他們行淫、手中有殺
人的血、又與偶像行淫。並使他們為我所生的兒女經
三八 火燒給偶像。三八此外、他們還有向我所行的、就是同日玷
三九 汚我的聖所、干犯我的安息日。三九他們殺了兒女獻與偶
像、當天又入我的聖所、將聖所褻瀆了、他們在我殿中
四十 所行的乃是如此。四十況且你們二婦打發使者去請遠方
人、使者到他們那裏、他們就來了。你們為他們沐浴己
四一 身、粉飾眼目、佩戴妝飾、四一坐在華美的牀上、前面擺設桌
四二 案、將我的香料膏油擺在其上。四二在那裏有羣衆安逸歡
樂的聲音、並有粗俗的人和酒徒、從曠野同來、把鐲子
戴在二婦的手上、把華冠戴在他們的頭上。

二淫婦必受重懲

四三 我論這行淫衰老的婦人說、現在人還要與他行淫、他
四四 也要與人行淫。[四四]人與阿荷拉並阿荷利巴二淫婦苟合、
四五 好像與妓女苟合。[四五]必有義人、照審判淫婦和流人血的
婦人之例、審判他們、因為他們是淫婦、手中有殺人的
四六 血。[四六]主耶和華如此說、我必使多人來攻擊他們、使他們
四七 拋來拋去、被人搶奪。[四七]這些人必用石頭打死他們、用刀
劍殺害他們、又殺戮他們的兒女、用火焚燒他們的房
四八 屋。[四八]這樣、我必使淫行從境內止息、好叫一切婦人都受
四九 警戒、不效法你們的淫行。[四九]人必照着你們的淫行報應
你們、你們要擔當拜偶像的罪、就知道我是主耶和華。

以積薪沸釜為喻

一 **第二十四章** 第九年十月初十日、耶和華的話又
二 臨到我說、[二]人子阿、今日正是巴比倫王就近耶路撒冷
三 的日子。你要將這日記下。[三]要向這悖逆之家設比喻說、
主耶和華如此說、將鍋放在火上、放好了、就倒水在其
四 中。[四]將肉塊、就是一切肥美的肉塊、腿和肩、都聚在其中。
五 拿美好的骨頭把鍋裝滿。[五]取羊羣中最好的、將柴堆在
鍋下、使鍋開滾、好把骨頭煮在其中。

示耶路撒冷必遭毀滅

六 主耶和華如此說、禍哉、這流人血的城、就是長銹的鍋。
其中的銹未曾除掉、須要將肉塊從其中一一取出來、
七 不必為他拈鬮。[七]城中所流的血、倒在淨光的磐石上、不
八 倒在地上、用土掩蓋。[八]這城中所流的血倒在淨光的磐
九 石上、不得掩蓋、乃是出於我、為要發忿怒施行報應。[九]所
以主耶和華如此說、禍哉、這流人血的城、我也必大堆
十 火柴。[十]添上木柴、使火熠旺、將肉煮爛、把湯熬濃、使骨頭
十一 烤焦。[十一]把鍋倒空坐在炭火上、使鍋燒熱、使銅燒紅、鎔化
十二 其中的污穢、除淨其上的銹。[十二]這鍋勞碌疲乏、所長的大
十三 銹仍未除掉。這銹就是用火也不能除掉。[十三]在你污穢中
有淫行。我潔淨你、你卻不潔淨、你的污穢再不能潔淨、
十四 直等我向你發的忿怒止息。[十四]我耶和華說過的、必定成
就、必照話而行、必不返回、必不顧惜、也不後悔。人必照
你的舉動行為審判你、這是主耶和華說的。

諭以西結勿爲妻死哀哭喩以色列人

受苦不暇悲傷

十五耶和華的話又臨到我說、十六人子阿、我要將你眼目所喜
愛的忽然取去．你卻不可悲哀哭泣、也不可流淚。十七只可
歎息、不可出聲、不可辦理喪事．頭上仍勒裹頭巾、腳上
仍穿鞋、不可蒙着嘴脣、也不可喫弔喪的食物。十八於是我
將這事早晨告訴百姓．晚上我的妻就死了．次日早晨
我便遵命而行。○十九百姓問我說、你這樣行與我們有甚
麼關係、你不告訴我們麼。二十我回答他們、耶和華的話臨
到我說、二一你告訴以色列家、主耶和華如此說、我必使我
的聖所、就是你們勢力所誇耀、眼裏所喜愛、心中所愛
惜的、被褻瀆、並且你們所遺留的兒女、必倒在刀下。二二那
時、你們必行我僕人所行的、不蒙着嘴脣、也不喫弔喪
的食物。二三你們仍要頭上勒裹頭巾、腳上穿鞋．不可悲哀
哭泣．你們必因自己的罪孽相對歎息、漸漸消滅。二四以西
結必這樣爲你們作豫兆．凡他所行的、你們也必照樣
行．那事來到、你們就知道我是主耶和華。○二五人子阿、我
除掉他們所倚靠、所歡喜的榮耀、並眼中所喜愛、心裏
所重看的兒女．二六那日逃脫的人豈不來到你這裏使你
耳聞這事麼。二七你必向逃脫的人開口說話、不再啞口．你
必這樣爲他們作豫兆、他們就知道我是耶和華。

豫言亞捫人樂以色列遭災必受重報

第二十五章

一耶和華的話臨到我說、二人子阿、你要
面向亞捫人說豫言、攻擊他們．三說、你們當聽主耶和華
的話．主耶和華如此說、我的聖所被褻瀆、以色列地變
荒涼、猶大家被擄掠．那時、你便因這些事說、阿哈．四所以
我必將你的地交給東方人爲業．他們必在你的地上
安營居住、喫你的果子、喝你的奶。五我必使拉巴爲駱駝
塲、使亞捫人的地爲羊羣躺臥之處．你們就知道我是
耶和華。六主耶和華如此說、因你拍手頓足、以滿心的恨
惡、向以色列地歡喜．七所以我伸手攻擊你、將你交給列
國作爲擄物、我必從萬民中剪除你、使你從萬國中敗
亡、我必除滅你．你就知道我是耶和華。

摩押西珥亦必遭報

八主耶和華如此說、因摩押和西珥人說、看哪、猶大家與
列國無異．九所以我要破開摩押邊界上的城邑、就是摩

十 押人看爲本國之榮耀的伯耶西末、巴力免、基列亭、好十
使東方人來攻擊亞捫人。我必將亞捫人之地交給他
十一 們爲業、使亞捫人在列國中不再被記念。十一我必向摩押
施行審判、他們就知道我是耶和華。

以東亦必遭報

十二 十二主耶和華如此說、因爲以東報仇雪恨、攻擊猶大家、向
十三 他們報仇、大大有罪。十三所以主耶和華如此說、我必伸手
攻擊以東、剪除人與牲畜、使以東從提幔起、人必倒在
十四 刀下、地要變爲荒涼、直到底但。十四我必藉我民以色列的
手報復以東、以色列民必照我的怒氣、按我的忿怒在
以東施報、以東人就知道是我施報、這是主耶和華說
的。

非利士亦必遭報

十五 十五主耶和華如此說、因非利士人向猶大人報仇、就是以
十六 恨惡的心報仇雪恨、永懷仇恨、要毀滅他們、十六所以主耶
和華如此說、我必伸手攻擊非利士人、剪除基利提人、
十七 滅絕沿海剩下的居民。十七我向他們大施報應、發怒斥責
他們、我報復他們的時候、他們就知道我是耶和華。

推羅狂傲樂耶路撒冷受災亦必遭報

一 **第二十六章** 一第十一年十一月初一日耶和華的
二 話臨到我說、二人子阿、因推羅向耶路撒冷說、阿哈、那作
衆民之門的已經破壞、向我開放、他旣變爲荒場、我必
三 豐盛。三所以主耶和華如此說、推羅阿、我必與你爲敵、使
四 許多國民上來攻擊你、如同海使波浪湧上來一樣。四他
們必破壞推羅的牆垣、拆毀他的城樓、我也要刮淨塵
五 土、使他成爲淨光的磐石。五他必在海中作曬網的地方、
六 也必成爲列國的擄物。這是主耶和華說的。六屬推羅城
邑的居民、（城邑的居民原文作田間的衆女八節同）必被刀劍殺滅、他們就
知道我是耶和華。

將爲巴比倫王所攻

七 七主耶和華如此說、我必使諸王之王的巴比倫王尼布
甲尼撒、率領馬匹、車輛、馬兵、軍隊、和許多人民、從北方
八 來攻擊你推羅。八他必用刀劍殺滅屬你城邑的居民、也
九 必造臺、築壘、舉盾牌攻擊你。九他必安設撞城錘攻破你
十 的牆垣、用鐵器拆毀你的城樓。十因他的馬匹衆多、塵土
揚起遮蔽你、他進入你的城門、好像人進入已有破口

之城。那時、你的牆垣必因騎馬的、和戰車、輜重車的響
十一 聲震動。他的馬蹄必踐踏你一切的街道。他必用刀殺
十二 戮你的居民。你堅固的柱子（或作柱像）必倒在地上。人必以
你的財寶為擄物、以你的貨財為掠物、破壞你的牆垣、
拆毀你華美的房屋、將你的石頭木頭塵土都拋在水
十三 中。我必使你唱歌的聲音止息、人也不再聽見你彈琴
十四 的聲音。我必使你成為淨光的磐石、作曬網的地方。你
不得再被建造。因為這是主耶和華說的。

推羅傾圮海島震動為作哀歌

十五 主耶和華對推羅如此說、在你中間行殺戮、受傷之人
十六 唉哼的時候、因你傾倒的響聲、海島豈不都震動麼。那
時靠海的君王必都下位、除去朝服、脫下花衣、披上戰
十七 兢、坐在地上、時刻發抖、為你驚駭。他們必為你作起哀
歌說、你這有名之城、素為航海之人居住、在海上為最
堅固的、平日你和居民、使一切住在那裏的人無不驚
十八 恐、現在何竟毀滅了。如今在你這傾覆的日子、海島都
十九 必戰兢。海中的羣島見你歸於無有、就都驚惶。○主耶
和華如此說、推羅阿、我使你變為荒涼、如無人居住的
二十 城邑。又使深水漫過你、大水淹沒你。那時我要叫你下
入陰府、與古時的人一同在地的深處久已荒涼之地
居住、使你不再有居民、我也要在活人之地顯榮耀。（我也
二十一 云云或作在活人之地不再有榮耀）我必叫你令人驚恐、不再存留於世。
人雖尋找你、卻永尋不見。這是主耶和華說的。

第二十七章

勸推羅創建完美

一 二 耶和華的話又臨到我說、人子阿、要
三 為推羅作起哀歌、說、你居住海口、是眾民的商埠、你的
交易通到許多的海島。主耶和華如此說、推羅阿、你曾
四 說、我是全然美麗的。你的境界在海中、造你的使你全
五 然美麗。他們用示尼珥的松樹作你的一切板。用利巴
六 嫩的香柏樹作桅杆。用巴珊的橡樹作你的槳。用象牙
七 鑲嵌基提海島的黃楊木為坐板。（坐板或作艙板）你的篷帆、是
用埃及繡花細麻布作的、可以作你的大旗。你的涼棚
八 是用以利沙島的藍色紫色布作的。西頓和亞發的居
九 民、作你盪槳的。推羅阿、你中間的智慧人作掌舵的。迦
巴勒的老者、和聰明人、都在你中間作補縫的。一切泛
十 海的船隻、和水手、都在你中間經營交易的事。波斯人、

路德人、弗人、在你軍營中作戰士．他們在你中間懸掛
十一 盾牌和頭盔、彰顯你的尊榮。十一亞發人和你的軍隊都在
你四圍的牆上、你的望樓也有勇士．他們懸掛盾牌、成
全你的美麗。

商賈雲集貿易豐富

十二 十二他施人因你多有各類的財物、就作你的客商．拿銀、鐵、
十三 錫、鉛、兌換你的貨物。十三雅完人、土巴人、米設人、都與你交
十四 易．他們用人口和銅器、兌換你的貨物。十四陀迦瑪族用馬
十五 和戰馬並騾子、兌換你的貨物。十五底但人與你交易、許多
海島作你的碼頭．他們拿象牙、烏木、與你兌換。（兌換或作進貢）
十六 十六亞蘭人因你的工作很多、就作你的客商．他們用綠寶
十七 石、紫色布、繡貨、細麻布、珊瑚、紅寶石、兌換你的貨物。十七猶
大、和以色列地的人、都與你交易．他們用米匿的麥子、
十八 餅、蜜、油、乳香、兌換你的貨物。十八大馬色人因你的工作很
多、又因你多有各類的財物、就拿黑本酒、和白羊毛、與
十九 你交易。十九威但人、和雅完人、拿紡成的綫、亮鐵、桂皮、菖蒲、
二十 兌換你的貨物。二十底但人用高貴的毯子、鞍屜、與你交易。
二一 二一亞拉伯人、和基達的一切首領、都作你的客商．用羊羔、

二二 公綿羊、公山羊、與你交易。二二示巴和拉瑪的商人與你交
易．他們用各類上好的香料、各類的寶石、和黃金、兌換
二三 你的貨物。二三哈蘭人、干尼人、伊甸人、示巴的商人、和亞述
二四 人、基抹人、與你交易。二四這些商人以美好的貨物、包在繡
花藍色包袱內、又有華麗的衣服、裝在香柏木的箱子
二五 裏、用繩捆着、與你交易。二五他施的船隻接連成幫、為你運
貨．你便在海中豐富極其榮華。

傾覆淪亡不復振興

二六 二六盪槳的已經把你盪到大水之處．東風在海中將你打
二七 破。二七你的貲財、物件、貨物、水手、掌舵的、補縫的、經營交易
的、並你中間的戰士、和人民、在你破壞的日子、必都沉
二八 二九 在海中。二八你掌舵的呼號之聲一發、郊野都必震動。二九凡盪
三十 槳的、和水手、並一切泛海掌舵的、都必下船登岸。三十他們
三一 必為你放聲痛哭、把塵土撒在頭上、在灰中打滾。三一又為
三二 你使頭上光禿、用麻布束腰．號咷痛哭、苦苦悲哀。三二他們
哀號的時候、為你作起哀歌、哀哭說、有何城如推羅、有
三三 何城如他在海中成為寂寞的呢。三三你由海上運出貨物、
就使許多國民充足．你以許多貲財、貨物、使地上的君

三四 王豐富。三四你在深水中被海浪打破的時候、你的貨物、和
三五 你中間的一切人民、就都沉下去了。三五海島的居民爲你
三六 驚奇、他們的君王都甚恐慌、面帶愁容。三六各國民中的客
商、都向你發嘶聲、你令人驚恐、不再存留於世、直到永
遠。

推羅君驕侈僭稱神必受重懲

第二十八章

一 二 一耶和華的話又臨到我說、二人子阿、你
對推羅君王說、主耶和華如此說、因你心裏高傲、說、我
是神、我在海中坐神之位、你雖然居心自比神、也
三 不過是人、並不是神。三（看哪、你比但以理更有智慧、甚
四 麼祕事都不能向你隱藏。四你靠自己的智慧聰明得了
五 金銀財寶、收入庫中。五你靠自己的大智慧和貿易增添
六 貲財、又因貲財心裏高傲。）六所以主耶和華如此說、因
七 你居心自比神、七我必使外邦人、就是列國中的強暴
人、臨到你這裏。他們必拔刀砍壞你用智慧得來的美
八 物、褻瀆你的榮光。八他們必使你下坑、你必死在海中、與
九 被殺的人一樣。九在殺你的人面前、你還能說、我是神麼。
十 其實你在殺害你的人手中、不過是人、並不是神。十你必
死在外邦人手中、與未受割禮（或作不潔下同）的人一樣。因爲
這是主耶和華說的。

歎其榮美爲罪汚衊

十一 十二 十一耶和華的話臨到我說、十二人子阿、你爲推羅王作起哀歌
說、主耶和華如此說、你無所不備、智慧充足、全然美麗。
十三 十三你曾在伊甸神的園中、佩戴各樣寶石、就是紅寶石、
紅璧璽、金鋼石、水蒼玉、紅瑪瑙、碧玉、藍寶石、綠寶石、紅
玉、和黃金、又有精美的鼓笛在你那裏、都是在你受造
十四 之日豫備齊全的。十四你是那受膏遮掩約櫃的基路伯、我
將你安置在神的聖山上、你在發光如火的寶石中
十五 間往來。十五你從受造之日所行的都完全、後來在你中間
十六 又察出不義。十六因你貿易很多、就被強暴的事充滿、以致
犯罪、所以我因你褻瀆聖地、就從神的山驅逐你、遮
掩約櫃的基路伯阿、我已將你從發光如火的寶石中
十七 除滅。十七你因美麗心中高傲、又因榮光敗壞智慧、我已將
你摔倒在地、使你倒在君王面前、好叫他們目覩眼見。
十八 十八你因罪孽衆多、貿易不公、就褻瀆你那裏的聖所、故此
我使火從你中間發出、燒滅你、使你在所有觀看的人

十九 眼前、變爲地上的爐灰。十九各國民中凡認識你的、都必爲
你驚奇.你令人驚恐、不再存留於世、直到永遠。

豫言西頓之災

二十 二一 二十耶和華的話臨到我說、二一人子阿、你要向西頓豫言攻擊
二二 他說、二二主耶和華如此說、西頓哪、我與你爲敵、我必在你
中間得榮耀、我在你中間施行審判、顯爲聖的時候、人
二三 就知道我是耶和華。二三我必使瘟疫進入西頓、使血流在
他街上.被殺的必在其中仆倒、四圍有刀劍臨到他、人
二四 就知道我是耶和華。二四四圍恨惡以色列家的人、必不再
向他們作刺人的荊棘、傷人的蒺藜.人就知道我是主
耶和華。

以色列必復集振興

二五 二五主耶和華如此說、我將分散在萬民中的以色列家招
聚回來、向他們在列邦人眼前顯爲聖的時候、他們就
二六 在我賜給我僕人雅各之地、仍然居住。二六他們要在這地
上安然居住.我向四圍恨惡他們的衆人施行審判以
後、他們要蓋造房屋、栽種葡萄園、安然居住、就知道我
是耶和華他們的神。

豫言埃及王法老遭報

一 **第二十九章** 一第十年十月十二日、耶和華的話臨
二 到我說、二人子阿、你要向埃及王法老豫言攻擊他和埃
三 及全地.三說主耶和華如此說、埃及王法老阿、我與你這
臥在自己河中的大魚爲敵.你曾說、這河是我的、是我
四 爲自己造的。四我耶和華必用鉤子鉤住你的腮頰、又使
江河中的魚貼住你的鱗甲.我必將你、和所有貼住你
五 鱗甲的魚、從江河中拉上來、五把你並江河中的魚都拋
在曠野、你必倒在田間、不被收殮、不被掩埋.我已將你
六 給地上野獸空中飛鳥作食物。六埃及一切的居民、因向
七 以色列家成了蘆葦的杖、就知道我是耶和華。七他們用
手持住你、你就斷折、傷了他們的肩.他們倚靠你、你就
斷折、閃了他們的腰。

必以刀劍滅絕之

八 八所以主耶和華如此說、我必使刀劍臨到你、從你中間
九 將人與牲畜剪除。九埃及地必荒廢淒涼、他們就知道我
十 是耶和華。因爲法老說、這河是我的、是我所造的、十所以
我必與你並你的江河爲敵.使埃及地、從色弗尼塔直

十一 到古實境界、全然荒廢淒涼。十一人的腳、獸的蹄、都不經過、
十二 四十年之久並無人居住。十二我必使埃及地在荒涼的國
中成為荒涼、使埃及城在荒廢的城中變為荒廢、共有
四十年。我必將埃及人分散在列國、四散在列邦。

越四十年必使微興

十三 十三主耶和華如此說、滿了四十年、我必招聚分散在各國
十四 民中的埃及人。十四我必叫埃及被擄的人回來、使他們歸
十五 回本地巴忒羅。在那裏必成為低微的國。十五必為列國中
最低微的、也不再自高於列國之上。我必減少他們、以
十六 致不再轄制列國。十六埃及必不再作以色列家所倚靠的。
以色列家仰望埃及人的時候、便思念罪孽。他們就知
道我是主耶和華。

必以埃及地賜巴比倫王為賞勞

十七 十八 十七二十七年正月初一日、耶和華的話臨到我說、十八人子阿、
巴比倫王尼布甲尼撒使他的軍兵大大劬勞攻打推
羅、以致頭都光禿、肩都磨破。然而他和他的軍兵攻打
十九 推羅、並沒有從那裏得甚麼酬勞。十九所以主耶和華如此
說、我必將埃及地賜給巴比倫王尼布甲尼撒。他必擄

掠埃及羣眾、搶其中的財為擄物、奪其中的貨為掠物。
二十 這就可以作他軍兵的酬勞。二十我將埃及地賜給他酬他
所劬的勞、因王與軍兵是為我勤勞。這是主耶和華說
的。

以色列必復興起

二十一 二十一當那日、我必使以色列家的角發生、又必使你以西結
在他們中間得以開口。他們就知道我是耶和華。

埃及與其同盟必偕敗亡

一 二 **第三十章** 一耶和華的話又臨到我說、二人子阿、你要
發豫言說、主耶和華如此說、哀哉這日、你們應當哭號。
三 三因為耶和華的日子臨近、就是密雲之日、列國受罰之
四 期。四必有刀劍臨到埃及、在埃及被殺之人仆倒的時候、
五 古實人就有痛苦、人民必被擄掠、基址必被拆毀。五古實
人、弗人、(或作呂彼亞人)路德人、雜族的人民、並古巴人、以及同
六 盟之地的人、都要與埃及人一同倒在刀下。〇六耶和華
如此說、扶助埃及的、也必傾倒。埃及因勢力而有的驕
傲、必降低微。其中的人民從色弗尼塔起、(見二十九章十節)必
七 倒在刀下。這是主耶和華說的。七埃及地在荒涼的國中、

八 必成爲荒涼．埃及城在荒廢的城中、也變爲荒廢。八我在
九 埃及中使火燒起、幫助埃及的、都被滅絕．那時他們就
知道我是耶和華。九到那日必有使者坐船、從我面前出
去、使安逸無慮的古實人驚懼．必有痛苦臨到他們、好
十 像埃及遭災的日子一樣．看哪、這事臨近了。○十主耶和
華如此說、我必藉巴比倫王尼布甲尼撒的手、除滅埃
十一 及衆人。十一他和隨從他的人、就是列國中強暴的、必進來
毀滅這地．他們必拔刀攻擊埃及、使遍地有被殺的人。
十二 十二我必使江河乾涸、將地賣在惡人的手中．我必藉外邦
人的手、使這地和其中所有的、變爲淒涼．這是我耶和
十三 華說的。○十三主耶和華如此說、我必毀滅偶像、從挪弗除
滅神像．必不再有君王出自埃及地．我要使埃及地的
十四 人懼怕。十四我必使巴忒羅荒涼、在瑣安中使火燒起、向挪
十五 施行審判。十五我必將我的忿怒倒在埃及的保障上、就是
十六 訓上．並要剪除挪的衆人。十六我必在埃及中使火燒起、訓
十七 必大大痛苦．挪必被攻破．挪弗白日見仇敵。(白日或作終日)十七亞
文和比伯實的少年人、必倒在刀下．這些城的人、必被
十八 擄掠。十八我在答比匿折斷埃及的諸軛、使他因勢力而有

的驕傲在其中止息、那時、日光必退去．至於這城、必有
十九 密雲遮蔽、其中的女子、必被擄掠。十九我必這樣向埃及施
行審判．他們就知道我是耶和華。

耶和華折法老之臂

二十 二十一 二十十一年正月初七日、耶和華的話臨到我說、二十一人子阿、我
已打折埃及王法老的膀臂．沒有敷藥、也沒有用布纏
二十二 好、使他有力持刀。二十二所以主耶和華如此說、看哪、我與埃
及王法老爲敵、必將他有力的膀臂、和已打折的膀臂、
二十三 全行打斷．使刀從他手中墜落。二十三我必將埃及人分散在
列國、四散在列邦。

堅強巴比倫王之臂

二十四 二十四我必使巴比倫王的膀臂有力、將我的刀交在他手中．
卻要打斷法老的膀臂、他就在巴比倫王面前唉哼、如
二十五 同受死傷的人一樣。二十五我必扶持巴比倫王的膀臂、法老
的膀臂卻要下垂、我將我的刀交在巴比倫王手中、他
二十六 必舉刀攻擊埃及地．他們就知道我是耶和華。二十六我必將
埃及人分散在列國、四散在列邦．他們就知道我是耶
和華。

向法老述亞述王之榮美

一 第三十一章 十一年三月初一日耶和華的話臨
二 到我說、人子阿、你要向埃及王法老和他的眾人說、在
三 威勢上誰能與你相比呢。亞述王曾如利巴嫩中的香
四 柏樹、枝條榮美、影密如林、極其高大、樹尖插入雲中。眾
水使他生長、深水使他長大。所栽之地有江河圍流、汶
五 出的水道、延到田野諸樹。所以他高大超過田野諸樹、
六 發旺的時候、枝子繁多。因得大水之力枝條長長。空中
的飛鳥、都在枝子上搭窩。田野的走獸、都在枝條下生
七 子。所有大國的人民、都在他蔭下居住。樹大條長、成為
八 榮美、因為根在眾水之旁。神園中的香柏樹不能遮
蔽他。松樹不及他的枝子、楓樹不及他的枝條。神園
九 中的樹、都沒有他榮美。我使他的枝條蕃多、成為榮美、
以致神伊甸園中的樹都嫉妒他。

因其驕狂邪惡必遭敗亡

十 所以主耶和華如此說、因他高大、樹尖插入雲中、心驕
十一 氣傲。我就必將他交給列國中大有威勢的人。他必定
十二 辦他。我因他的罪惡、已經驅逐他。外邦人、就是列邦中
強暴的、將他砍斷棄掉。他的枝條落在山間和一切谷
中。他的枝子折斷落在地的一切河旁。地上的眾民、已
十三 經走去、離開他的蔭下。空中的飛鳥、都要宿在這敗落
十四 的樹上。田野的走獸、都要臥在他的枝條下。好使水旁
的諸樹、不因高大而自尊、也不將樹尖插入雲中、並且
那些得水滋潤有勢力的、也不得高大自立。因為他們
在世人中、和下坑的人都被交與死亡、到陰府去了。○
十五 主耶和華如此說、他下陰間的那日、我便使人悲哀。我
為他遮蓋深淵、使江河凝結、大水停流、我也使利巴嫩
十六 為他悽慘、田野的諸樹、都因他發昏。我將他扔到陰間、
與下坑的人一同下去。那時、列國聽見他墜落的響聲、
就都震動。並且伊甸的一切樹、就是利巴嫩得水滋潤
十七 最佳最美的樹、都在陰府受了安慰。他們也與他同下
陰間、到被殺的人那裏。他們曾作他的膀臂、在列國中
他的蔭下居住。

埃及亦必墮落

十八 在這樣榮耀威勢上、在伊甸園諸樹中、誰能與你相比
呢。然而你要與伊甸的諸樹一同下到陰府、在未受割

禮的人中、與被殺的人一同躺臥.法老和他的羣衆乃
是如此.這是主耶和華說的。

哀歎埃及之災

一 **第三十二章** 一十二年十二月初一日、耶和華的話
二 臨到我說、二人子阿、你要為埃及王法老作哀歌、說、從前
你在列國中、如同少壯獅子.現在你卻像海中的大魚.
三 你衝出江河、用爪攪動諸水、使江河渾濁。三主耶和華如
此說、我必用多國的人民、將我的網撒在你身上.把你
四 拉上來。四我必將你丟在地上、拋在田野、使空中的飛鳥
五 都落在你身上、使遍地的野獸喫你得飽。五我必將你的
六 肉丟在山間、用你高大的屍首填滿山谷。六我又必用你
七 的血澆灌你所游泳之地、漫過山頂、河道都必充滿。七我
將你撲滅的時候、要把天遮蔽、使衆星昏暗、以密雲遮
八 掩太陽、月亮也不放光。八我必使天上的亮光都在你以
九 上變為昏暗、使你的地上黑暗.這是主耶和華說的。九我
使你敗亡的風聲傳到你所不認識的各國、那時、我必
十 使多民的心因你愁煩。十我在許多國民和君王面前向
你掄我的刀、國民就必因你驚奇、君王也必因你極其
恐慌.在你仆倒的日子、他們各人為自己的性命時刻
戰兢。

必為巴比倫王殲滅

十一 十二 主十一耶和華如此說、巴比倫王的刀、必臨到你。十二我必藉勇
士的刀使你的衆民仆倒、這勇士都是列國中強暴的.
他們必使埃及的驕傲歸於無有.埃及的衆民必被滅
十三 絕。十三我必從埃及多水旁除滅所有的走獸、人腳獸蹄必
十四 不再攪渾這水。十四那時、我必使埃及河澄清、江河像油緩
十五 流.這是主耶和華說的。十五我使埃及地變為荒廢淒涼、這
地缺少從前所充滿的、又擊殺其中一切的居民.那時、
十六 他們就知道我是耶和華。十六人必用這哀歌去哀哭.列國
的女子為埃及和他的羣衆、也必以此悲哀、這是主耶
和華說的。

埃及之淪亡

十七 十八 十七十二年十二月十五日、耶和華的話臨到我說、十八人子阿、
你要為埃及羣衆哀號、又要將埃及、和有名之國的女
十九 子並下坑的人、一同扔到陰府去。十九你埃及的美麗勝過
二十 誰呢.你下去與未受割禮的人一同躺臥罷.二十他們必在

被殺的人中仆倒。他被交給刀劍．要把他和他的羣衆
二一 拉去。強盛的勇士、要在陰間對埃及王和幫助他的說
話．他們是未受割禮被殺的人、已經下去、躺臥不動。○
二二 亞述和他的衆民、都在那裏．他民的墳墓在他四圍．他
二三 們都是被殺倒在刀下的．他們的墳墓在坑中極深之
處．他的衆民在他墳墓的四圍．都是被殺倒在刀下的．
二四 他們曾在活人之地使人驚恐。○以攔也在那裏、他的
羣衆在他墳墓的四圍．都是被殺倒在刀下、未受割禮
而下陰府的．他們曾在活人之地使人驚恐．並且與下
二五 坑的人一同擔當羞辱。人給他和他的羣衆在被殺的
人中設立牀榻．他民的墳墓在他四圍．他們都是未受
割禮、被刀殺的．他們曾在活人之地使人驚恐．並且與
下坑的人一同擔當羞辱．以攔已經放在被殺的人中。
二六 ○米設、士巴、和他們的羣衆、都在那裏．他民的墳墓在
他四圍．他們都是未受割禮被刀殺的．他們曾在活人
二七 之地使人驚恐。他們不得與那未受割禮仆倒的勇士
一同躺臥．這些勇士帶着兵器下陰間、頭枕刀劍、骨頭
二八 上有本身的罪孽．他們曾在活人之地使勇士驚恐。法
老阿、你必在未受割禮的人中敗壞、與那些被殺的人
二九 一同躺臥。○以東也在那裏．他君王和一切首領、雖然
仗着勢力、還是放在被殺的人中．他們必與未受割禮
三十 的、和下坑的人、一同躺臥。在那裏有北方的衆王子、和
一切西頓人、都與被殺的人下去．他們雖然仗着勢力
使人驚恐、還是蒙羞．他們未受割禮、和被刀殺的一同
三一 躺臥、與下坑的人一同擔當羞辱。○法老看見他們、便
三二 爲他被殺的軍隊受安慰．這是主耶和華說的。我任憑
法老在活人之地使人驚恐．法老和他的羣衆、必放在
未受割禮、和被殺的人中．這是主耶和華說的。

第三十三章

守望者之職任

一 二 耶和華的話臨到我說、人子阿、你要
告訴本國的子民說、我使刀劍臨到那一國、那一國的
三 民從他們中間選立一人爲守望的。他見刀劍臨到那
四 地、若吹角警戒衆民。凡聽見角聲不受警戒的、刀劍若
五 來除滅了他、他的罪就必歸到自己的頭上。(罪原文作血)他
聽見角聲、不受警戒．他的罪必歸到自己的身上．他若
六 受警戒、便是救了自己的性命。倘若守望的人見刀劍

臨到、不吹角、以致民不受警戒、刀劍來殺了他們中間
的一個人、他雖然死在罪孽之中、我卻要向守望的人
討他喪命的罪。罪原文作血

立以西結爲守望者

七 七人子阿、我照樣立你作以色列家守望的人、所以你要
八 聽我口中的話、替我警戒他們。八我對惡人說、惡人哪、你
必要死、你以西結若不開口警戒惡人、使他離開所行
的道、這惡人必死在罪孽之中、我卻要向你討他喪命
九 的罪。罪原文作血九倘若你警戒惡人轉離所行的道、他仍不
轉離、他必死在罪孽之中、你卻救自己脫離了罪。

神不悅惡人死亡

十 十人子阿、你要對以色列家說、你們常說、我們的過犯罪
十一 惡在我們身上、我們必因此消滅、怎能存活呢。十一你對他
們說、主耶和華說、我指着我的永生起誓、我斷不喜悅
惡人死亡、惟喜悅惡人轉離所行的道而活、以色列家
阿、你們轉回轉回罷、離開惡道、何必死亡呢。

善惡報施主道至公

十二 十二人子阿、你要對本國的子民說、義人的義、在犯罪之日

不能救他、至於惡人的惡、在他轉離惡行之日也不能
十三 使他傾倒、義人在犯罪之日也不能因他的義存活。十三我
對義人說、你必定存活、他若倚靠他的義而作罪孽、他
十四 所行的義、都不被記念、他必因所作的罪孽死亡。十四再者、
我對惡人說、你必定死亡、他若轉離他的罪、行正直與
十五 合理的事、十五還人的當頭和所搶奪的、遵行生命的律例、
十六 不作罪孽、他必定存活、不至死亡。十六他所犯的一切罪、必
十七 不被記念、他行了正直與合理的事、必定存活。○十七你本
國的子民還說、主的道不公平、其實他們的道不公平。
十八十九 十八義人轉離他的義而作罪孽、就必因此死亡。十九惡人轉離
二十 他的惡、行正直與合理的事、就必因此存活。二十你們還說、
主的道不公平、以色列家阿、我必按你們各人所行的
審判你們。

以西結聞耶路撒冷城陷受感豫言

二一 二一我們被擄之後十二年十月初五日、有人從耶路撒冷
二二 逃到我這裏、說、城已攻破。二二逃來的人未到前一日的晚
上、耶和華的靈原文作手降在我身上、開我的口、到第二日
二三 早晨那人來到我這裏、我口就開了、不再緘默。○二三耶和

二四 華的話臨到我說、二四人子阿、住在以色列荒廢之地的人
說、亞伯拉罕獨自一人能得這地爲業。我們人數衆多、
二五 這地更是給我們爲業的。二五所以你要對他們說、主耶和
華如此說、你們喫帶血的物、仰望偶像、並且殺人流血。
二六 你們還能得這地爲業麼。二六你們倚仗自己的刀劍、行可
憎的事、人人玷汚鄰舍的妻、你們還能得這地爲業麼。
二七 二七你要對他們這樣說、主耶和華如此說、我指着我的永
生起誓、在荒塲中的必倒在刀下、在田野間的必交給
二八 野獸吞喫、在保障和洞裏的必遭瘟疫而死。二八我必使這
地荒涼、令人驚駭、他因勢力而有的驕傲也必止息、以
二九 色列的山都必荒涼、無人經過。二九我因他們所行一切可
憎的事使地荒涼、令人驚駭、那時他們就知道我是耶
和華。

妄論先知者必受懲罰

三十 三十人子阿、你本國的子民在牆垣旁邊、在房屋門口、談論
你、弟兄對弟兄彼此說、來罷、聽聽有甚麼話從耶和華
三一 而出。三一他們來到你這裏如同民來聚會、坐在你面前彷
彿是我的民、他們聽你的話卻不去行、因爲他們的口
三二 多顯愛情、心卻追隨財利。三二他們看你如善於奏樂聲音
三三 幽雅之人所唱的雅歌、他們聽你的話卻不去行。三三看哪、
所說的快要應驗、應驗了、他們就知道在他們中間有
了先知。

第三十四章

譴責牧者

一二 一耶和華的話臨到我說、二人子阿、你要
向以色列的牧人發預言攻擊他們、說、主耶和華如此
說、禍哉、以色列的牧人只知牧養自己。牧人豈不當牧
三 養羣羊麼。三你們喫脂油、穿羊毛、宰肥壯的、卻不牧養羣
四 羊。四瘦弱的你們沒有養壯、有病的你們沒有醫治、受傷
的你們沒有纏裹、被逐的你們沒有領回、失喪的你們
五 沒有尋找、但用強暴嚴嚴的轄制。五因無牧人羊就分散、
六 既分散便作了一切野獸的食物。六我的羊在諸山間、在
各高岡上流離、在全地上分散、無人去尋、無人去找。

必加懲罰

八七 七所以你們這些牧人、要聽耶和華的話。八主耶和華說、我
指着我的永生起誓、我的羊因無牧人就成爲掠物、也
作了一切野獸的食物。我的牧人不尋找我的羊、這些

牧人只知牧養自己、並不牧養我的羊．九所以你們這些
牧人要聽耶和華的話．十主耶和華如此說、我必與牧人
爲敵、必向他們的手追討我的羊、使他們不再牧放羣
羊．牧人也不再牧養自己．我必救我的羊脫離他們的
口、不再作他們的食物。

耶和華躬自作牧

十一主耶和華如此說、看哪、我必親自尋找我的羊、將他們
尋見。十二牧人在羊羣四散的日子、怎樣尋找他的羊、我必
照樣尋找我的羊．這些羊在密雲黑暗的日子散到各
處、我必從那裏救回他們來。十三我必從萬民中領出他們、
從各國內聚集他們、引導他們歸回故土．也必在以色
列山上、一切溪水旁邊、境內一切可居之處、牧養他們。
十四我必在美好的草場牧養他們．他們的圈必在以色列
高處的山上．他們必在佳美之圈中躺臥、也在以色列
山肥美的草場喫草。十五主耶和華說、我必親自作我羊的
牧人、使他們得以躺臥。十六失喪的我必尋找、被逐的我必
領回、受傷的我必纏裹、有病的我必醫治．只是肥的壯
的、我必除滅．也要秉公牧養他們。○十七我的羊羣哪、論到
你們、主耶和華如此說、我必在羊與羊中間、公綿羊與
公山羊中間施行判斷。十八你們這些肥壯的羊、在美好的
草場喫草、還以爲小事嗎．剩下的草你們竟用蹄踐踏
了．你們喝清水、剩下的水你們竟用蹄攪渾了。十九至於我
的羊、只得喫你們所踐踏的、喝你們所攪渾的。

豫言其僕必牧羣羊

二十所以主耶和華如此說、我必在肥羊和瘦羊中間施行
判斷。二一因爲你們用脅用肩擁擠一切瘦弱的、又用角牴
觸、以致使他們四散．二二所以我必拯救我的羣羊不再作
掠物．我也必在羊和羊中間施行判斷。二三我必立一牧人
照管他們、牧養他們、就是我的僕人大衛．他必牧養他
們、作他們的牧人。二四我耶和華必作他們的神、我的僕
人大衛必在他們中間作王．這是耶和華說的。○二五我必
與他們立平安的約、使惡獸從境內斷絕．他們就必安
居在曠野、躺臥在林中。二六我必使他們與我山的四圍成
爲福源．我也必叫時雨落下．必有福如甘霖而降。二七田野
的樹必結果、地也必有出產．他們必在故土安然居住．
我折斷他們所負的軛、救他們脫離那以他們爲奴之

二八 人的手。那時他們就知道我是耶和華。二八他們必不再作
外邦人的掠物、地上的野獸也不再吞喫他們、卻要安
二九 然居住、無人驚嚇。二九我必給他們興起有名的植物、他們
三十 在境內不再爲饑荒所滅、也不再受外邦人的羞辱。三十必
知道我耶和華他們的　神是與他們同在、並知道他
三一 們以色列家是我的民。這是主耶和華說的。三一你們作我
的羊、我草場上的羊、乃是以色列人、我也是你們的
神。這是主耶和華說的。

第三十五章　**預言西珥仇害以色列必遭重罰**

一 二 耶和華的話又臨到我說、二人子阿、你
三 要面向西珥山發豫言攻擊他、三對他說、主耶和華如此
說、西珥山哪、我與你爲敵、必向你伸手攻擊你、使你荒
四 涼、令人驚駭。四我必使你的城邑變爲荒塲、成爲淒涼。你
五 就知道我是耶和華。五因爲你永懷仇恨、在以色列人遭
六 災罪孽到了盡頭的時候、將他們交與刀劍。六所以主耶
和華說、我指着我的永生起誓、我必使你遭遇流血的
報應、罪（原文作血本節同）必追趕你。你既不恨惡殺人流血、所
七 以這罪必追趕你。七我必使西珥山荒涼、令人驚駭、來往
八 經過的人我必剪除。八我必使西珥山滿有被殺的人、被
九 刀殺的、必倒在你小山和山谷、並一切的溪水中。九我必
使你永遠荒涼、使你的城邑無人居住、你的民就知道
十 我是耶和華。〇十因爲你曾說、這二國、這二邦必歸於我、
十一 我必得爲業。（其實耶和華仍在那裏）十一所以主耶和
華說、我指着我的永生起誓、我必照你的怒氣和你從
仇恨中向他們所發的嫉妒待你。我審判你的時候、必
十二 將自己顯明在他們中間。十二你也必知道我耶和華聽見
了你的一切毀謗、就是你攻擊以色列山的話、說、這些
十三 山荒涼、是歸我們吞滅的。十三你們也用口向我誇大、增添
十四 與我反對的話、我都聽見了。十四主耶和華如此說、全地歡
十五 樂的時候、我必使你荒涼。十五你怎樣因以色列家的地業
荒涼而喜樂、我必照你所行的待你。西珥山哪、你和以
東全地必都荒涼、你們就知道我是耶和華。

第三十六章　**敵以色列者必受重報**

一 人子阿、你要對以色列山發豫言、說、
二 以色列山哪、要聽耶和華的話。二主耶和華如此說、因仇
三 敵說、阿哈、這永久的山岡都歸我們爲業了。三所以要發

豫言、說、主耶和華如此說、因爲敵人使你荒涼、四圍呑
喫、好叫你歸與其餘的外邦人爲業、並且多嘴多舌的
人題起你來、百姓也說你有臭名。四故此、以色列山要聽
主耶和華的話。大山小岡、水溝山谷、荒廢之地、被棄之
城、爲四圍其餘的外邦人所佔據所譏刺的。五主耶和華
對你們如此說、我眞發憤恨如火、責備那其餘的外邦
人、和以東的衆人、他們快樂滿懷、心存恨惡、將我的地
歸自己爲業、又看爲被棄的掠物。六所以你要指着以色
列地說豫言、對大山小岡、水溝山谷說、主耶和華如此
說、我發憤恨和忿怒說、因你們曾受外邦人的羞辱。七所
以我起誓說、你們四圍的外邦人總要擔當自己的羞
辱。這是主耶和華說的。

以色列地必復蒙福

八以色列山哪、你必發枝條、爲我的民以色列結果子、因
爲他們快要來到。九看哪、我是幫助你的、也必向你轉意、
使你得以耕種。十我必使以色列全家的人數在你上面
增多、城邑有人居住、荒塲再被建造。十一我必使人和牲畜
在你上面加增。他們必生養衆多。我要使你照舊有人
居住、並要賜福與你比先前更多。你就知道我是耶和
華。十二我必使人就是我的民以色列、行在你上面。他們必
得你爲業、你也不再使他們喪子。十三主耶和華如此說、因
爲人對你說、你是呑喫人的、又使國民喪子。十四所以主耶
和華說、你必不再呑喫人、也不再使國民喪子。十五我使你
不再聽見各國的羞辱、不再受萬民的辱駡、也不再使
國民絆跌。這是主耶和華說的。

以色列人因罪受鞫

十六耶和華的話又臨到我說、十七人子阿、以色列家住在本地
的時候、在行動作爲上玷汚那地。他們的行爲在我面
前、好像正在經期的婦人那樣汚穢。十八所以我因他們在
那地上流人的血、又因他們以偶像玷汚那地、就把我
的忿怒傾在他們身上。十九我將他們分散在列國、四散在
列邦、按他們的行動作爲懲罰他們。二十他們到了所去的
列國、就使我的聖名被褻瀆。因爲人談論他們說、這是
耶和華的民、是從耶和華的地出來的。二十一我卻顧惜我的
聖名、就是以色列家在所到的列國中所褻瀆的。

主緣己名仍施矜憫
二二 二二所以你要對以色列家說、主耶和華如此說、以色列家
阿、我行這事不是為你們、乃是為我的聖名、就是在你
二三 們到的列國中所褻瀆的。二三我要使我的大名顯為聖．這
名在列國中已被褻瀆、就是你們在他們中間所褻瀆
的。我在他們眼前、在你們身上顯為聖的時候、他們就
二四 知道我是耶和華．這是主耶和華說的。二四我必從各國收
二五 取你們、從列邦聚集你們、引導你們歸回本地。二五我必用
清水灑在你們身上、你們就潔淨了．我要潔淨你們、使
你們脫離一切的汚穢、棄掉一切的偶像。

許賜新心

二六 二六我也要賜給你們一個新心、將新靈放在你們裏面．又
二七 從你們的肉體中除掉石心、賜給你們肉心。二七我必將我
的靈、放在你們裏面、使你們順從我的律例、謹守遵行
二八 我的典章。二八你們必住在我所賜給你們列祖之地、你們
二九 要作我的子民、我要作你們的神。二九我必救你們脫離
三十 一切的汚穢、也必命五穀豐登、不使你們遭遇饑荒．三十我
必使樹木多結果子、田地多出土產、好叫你們不再因
饑荒受外邦人的譏誚。三一那時、你們必追想你們的惡行、
和你們不善的作為、就因你們的罪孽和可憎的事厭
三二 惡自己。三二主耶和華說、你們要知道我這樣行、不是為
三三 你們．以色列家阿、當為自己的行為、抱愧蒙羞。三三主耶和
華如此說、我潔淨你們、使你們脫離一切罪孽的日子、
三四 必使城邑有人居住、荒場再被建造。三四過路的人、雖看為
三五 荒廢之地、現今這荒廢之地、仍得耕種。三五他們必說、這先
前為荒廢之地、現在成如伊甸園．這荒廢淒涼毀壞的
三六 城邑、現在堅固有人居住。三六那時在你們四圍其餘的外
邦人、必知道我耶和華修造那毀壞之處、培植那荒廢
三七 之地．我耶和華說過、也必成就。○三七主耶和華如此說、我
要加增以色列家的人數、多如羊羣．他們必為這事向
三八 我求問、我要給他們成就。三八耶路撒冷在守節作祭物所
獻的羊羣怎樣多、照樣、荒涼的城邑必被人羣充滿．他
們就知道我是耶和華。

第三十七章

以西結感靈見枯骨復生

一 一耶和華的靈、(原文作手)降在我身上、耶和
華藉他的靈帶我出去、將我放在平原中．這平原遍滿

二 骸骨。二他使我從骸骨的四圍經過．誰知在平原的骸骨
三 甚多、而且極其枯乾。三他對我說、人子阿、這些骸骨能復
四 活麼．我說、主耶和華阿、你是知道的。四他又對我說、你向
這些骸骨發豫言、說、枯乾的骸骨阿、要聽耶和華的話。
五 五主耶和華對這些骸骨如此說、我必使氣息進入你們
六 裏面、你們就要活了。六我必給你們加上筋、使你們長肉、
又將皮遮蔽你們、使氣息進入你們裏面、你們就要活
七 了．你們便知道我是耶和華。七○於是我遵命說豫言．正
說豫言的時候、不料、有響聲、有地震．骨與骨互相聯絡。
八 八我觀看、見骸骨上有筋、也長了肉、又有皮遮蔽其上．只
九 是還沒有氣息。九主對我說、人子阿、你要發豫言、向風發
豫言、說、主耶和華如此說、氣息阿、要從四方（原文作風）而來、
十 吹在這些被殺的人身上、使他們活了。十於是我遵命說
豫言、氣息就進入骸骨、骸骨便活了、並且站起來、成為
極大的軍隊。

示以色列家絕望仍得復興

十一 十一主對我說、人子阿、這些骸骨就是以色列全家．他們說、
我們的骨頭枯乾了、我們的指望失去了、我們滅絕淨
十二 盡了。十二所以你要發豫言、對他們說、主耶和華如此說、我
的民哪、我必開你們的墳墓、使你們從墳墓中出來、領
十三 你們進入以色列地。十三我的民哪、我開你們的墳墓、使你
十四 們從墳墓中出來、你們就知道我是耶和華。十四我必將我
的靈放在你們裏面、你們就要活了．我將你們安置在
本地、你們就知道我耶和華如此說、也如此成就了．這
是耶和華說的。

命連二杖為一豫表以色列猶大必合為一

十五 十六 十五耶和華的話又臨到我說、十六人子阿、你要取一根木杖、在
其上寫為猶大和他的同伴以色列人．又取一根木杖、
在其上寫為約瑟、就是為以法蓮、又為他的同伴以色
十七 列全家。十七你要使這兩根木杖接連為一、在你手中成為
十八 一根。十八你本國的子民問你說、這是甚麼意思、你不指示
十九 我們麼。十九你就對他們說、主耶和華如此說、我要將約瑟
和他同伴以色列支派的杖、就是那在以法蓮手中的、
二十 與猶大的杖一同接連為一、在我手中成為一根。二十你所
二十一 寫的那兩根杖、要在他們眼前拿在手中。二十一要對他們說、
主耶和華如此說、我要將以色列人從他們所到的各

國收取、又從四圍聚集他們、引導他們歸回本地。

耶和華許立一王統治其國

二二我要使他們在那地在以色列山上、成爲一國、有一王
作他們衆民的王、他們不再爲二國、決不再分爲二國．
二三也不再因偶像、和可憎的物、並一切的罪過、玷汚自己．
我卻要救他們出離一切的住處、就是他們犯罪的地
方．我要潔淨他們．如此、他們要作我的子民、我要作他
們的神。

立永約

二四我的僕人大衛、必作他們的王．衆民必歸一個牧人．他
們必順從我的典章、謹守遵行我的律例．二五他們必住在
我賜給我僕人雅各的地上、就是你們列祖所住之地．
他們和他們的子孫、並子孫的子孫、都永遠住在那裏．
我的僕人大衛必作他們的王、直到永遠。二六並且我要與
他們立平安的約、作爲永約．我也要將他們安置在本
地、使他們的人數增多、又在他們中間設立我的聖所、
直到永遠。二七我的居所必在他們中間．我要作他們的
神、他們要作我的子民。二八我的聖所在以色列人中間、直
到永遠、外邦人就必知道我是叫以色列成爲聖的耶
和華。

第三十八章

豫言歌革受災之重

一耶和華的話臨到我說、二人子阿、你要
面向瑪各地的歌革、就是羅施、米設、土巴的王、發豫言
攻擊他、三說、主耶和華如此說、羅施、米設、土巴的王歌革
阿、我與你爲敵．四我必用鈎子鈎住你的腮頰、調轉你、將
你、和你的軍兵馬匹、馬兵、帶出來、都披挂整齊、成了大
隊、有大小盾牌、各拿刀劍．五波斯人、古實人、和弗人、（又作呂彼
亞）人各拿盾牌、頭上戴盔．六歌篾人、和他的軍隊、北方極處
的陀迦瑪族、和他的軍隊、這許多國的民、都同着你。

述其暴行

七那聚集到你這裏的各隊、都當準備、你自己也要準備、
作他們的大帥。八過了多日、你必被差派．到末後之年、你
必來到脫離刀劍從列國收回之地、到以色列常久荒
涼的山上．但那從列國中招聚出來的、必在其上安然
居住。九你和你的軍隊、並同着你許多國的民、必如暴風
上來、如密雲遮蓋地面。○十主耶和華如此說、到那時你

十一 心必起意念圖謀惡計、說我要上那無城牆的鄉村．我
要到那安靜的民那裏．他們都沒有城牆無門無閂安
十二 然居住。我去要搶財為擄物、奪貨為掠物、反手攻擊那
從前荒涼現在有人居住之地、又攻擊那住世界中間、
十三 從列國招聚得了牲畜財貨的民。示巴人、底但人、他施
的客商、和其間的少壯獅子、都必問你說、你來要搶財
為擄物麼．你聚集軍隊要奪貨為掠物麼．要奪取金銀、
十四 擄去牲畜財貨麼．要搶奪許多財寶為擄物麼。⊙人子
阿你要因此發豫言、對歌革說、主耶和華如此說、到我
十五 民以色列安然居住之日、你豈不知道麼．你必從本地
從北方的極處、率領許多國的民來、都騎着馬、乃一大
十六 隊極多的軍兵。歌革阿、你必上來攻擊我的民以色列、
如密雲遮蓋地面．末後的日子、我必帶你來攻擊我的
地、到我在外邦人眼前、在你身上顯為聖的時候、好叫
他們認識我。

受主烈怒

十七 主耶和華如此說、我在古時藉我的僕人以色列的先
知所說的、就是你麼．當日他們多年豫言我必帶你來
十八 攻擊以色列人。主耶和華說、歌革上來攻擊以色列地
十九 的時候、我的怒氣要從鼻孔裏發出。我發憤恨和烈怒
二十 如火說、那日在以色列地必有大震動．甚至海中的魚、
天空的鳥、田野的獸、並地上的一切昆蟲、和其上的衆
人、因見我的面就都震動、山嶺必崩裂、陡巖必塌陷、牆
二一 垣都必坍倒。主耶和華說、我必命我的諸山發刀劍來
二二 攻擊歌革．人都要用刀劍殺害弟兄。我必用瘟疫和流
血的事刑罰他．我也必將暴雨、大雹、與火、並硫磺、降與
二三 他和他的軍隊、並他所率領的衆民。我必顯為大、顯為
聖、在多國人的眼前顯現．他們就知道我是耶和華。

豫言歌革受罰

第三十九章

一 人子阿、你要向歌革發豫言攻擊他、
說、主耶和華如此說、羅施、米設、土巴的王歌革阿、我與
二 你為敵．我必調轉你、領你前往、使你從北方的極處上
三 來、帶你到以色列的山上．我必從你左手打落你的弓、
四 從你右手打掉你的箭。你和你的軍隊、並同着你的列
國人、都必倒在以色列的山上．我必將你給各類的鷙
五 鳥、和田野的走獸作食物。你必倒在田野、因為我曾說

過．這是主耶和華說的。六我要降火在瑪各、和海島安然
居住的人身上．他們就知道我是耶和華。七我要在我民
以色列中顯出我的聖名．也不容我的聖名再被褻瀆．
列國人就知道我是耶和華以色列中的聖者。

以色列人取其器械爲薪

八主耶和華說、這日事情臨近、也必成就、乃是我所說的
日子。九住以色列城邑的人必出去撿器械、就是大小盾
牌、弓箭、梃杖、槍矛、都當柴燒火、直燒七年．十甚至他們不
必從田野撿柴、也不必從樹林伐木．因爲他們要用器
械燒火．並且搶奪那搶奪他們的人、擄掠那擄掠他們
的人．這是主耶和華說的。

葬其屍於以色列地

十一當那日我必將以色列地的谷、就是海東人所經過的
谷、賜給歌革爲墳地．使經過的人到此停步．在那裏人
必葬埋歌革和他的羣衆、就稱那地爲哈們歌革谷。十二以
色列家的人、必用七個月葬埋他們、爲要潔淨全地。十三全
地的居民都必葬埋他們．當我得榮耀的日子、這事必
叫他們得名聲．這是主耶和華說的。十四他們必分派人時
常巡查遍地、與過路的人一同葬埋那剩在地面上的
屍首、好潔淨全地．過了七個月、他們還要巡查。十五巡查遍
地的人要經過全地．見有人的骸骨、就在旁邊立一標
記、等葬埋的人來將骸骨葬在哈們歌革谷。十六他們必這
樣潔淨那地．並有一城名叫哈摩那。

飛鳥食其肉飲其血

十七人子阿、主耶和華如此說、你要對各類的飛鳥、和田野
的走獸說、你們聚集來罷、要從四方聚到我爲你們獻
祭之地、就是在以色列山上獻大祭之地、好叫你們喫
肉喝血。十八你們必喫勇士的肉、喝地上首領的血、就如喫
公綿羊、羊羔、公山羊、公牛、都是巴珊的肥畜。十九你們喫我
爲你們所獻的祭、必喫飽了脂油、喝醉了血。二十你們必在
我席上飽喫馬匹和坐車的人、並勇士和一切的戰士．
這是主耶和華說的。

以色列家因罪被棄

二一我必顯我的榮耀在列國中．萬民就必看見我所行的
審判、與我在他們身上所加的手。二二這樣、從那日以後以
色列家必知道我是耶和華他們的神。二三列國人也必

知道以色列家被擄掠、是因他們的罪孽．他們得罪我、
我就掩面不顧、將他們交在敵人手中、他們便都倒在
刀下。[二四]我是照他們的污穢和罪過待他們．並且我掩面
不顧他們。

後必蒙恩復歸故土

[二五]主耶和華如此說、我要使雅各被擄的人歸回、要憐憫
以色列全家、又為我的聖名發熱心。[二六]他們[二七]在本地安然
居住、無人驚嚇、是我將他們從萬民中領回、從仇敵之
地召來．我在許多國的民眼前、在他們身上顯為聖的
時候、他們要擔當自己的羞辱、和干犯我的一切罪。[二八]因
我使他們被擄到外邦人中、後又聚集他們歸回本地、
他們就知道我是耶和華他們的神．我必不再留他
們一人在外邦．[二九]我也不再掩面不顧他們、因我已將我
的靈澆灌以色列家．這是主耶和華說的。

以西結感靈見以色列地有建城之異象

第四十章 [一]我們被擄掠第二十五年、耶路撒冷城
攻破後十四年、正在年初、月之初十日、耶和華的靈（原文
作手）降在我身上．他把我帶到以色列地。[二]在神的異象
中帶我到以色列地、安置在至高的山上．在山上的南
邊有彷彿一座城建立。[三]他帶我到那裏．見有一人、顏色（原文作
形狀）如銅、手拿麻繩、和量度的竿、站在門口。[四]那人對
我說、人子阿、凡我所指示你的、你都要用眼看、用耳聽、
並要放在心上．我帶你到這裏來、特為要指示你．凡你
所見的、你都要告訴以色列家。

東門之式度

[五]我見殿四圍有牆．那人手拿量度的竿、長六肘、每肘是
一肘零一掌．他用竿量牆、厚一竿、高一竿。[六]他到了朝東
的門、就上門的臺階、量門的這檻、寬一竿、又量門的那
檻、寬一竿。[七]又有衛房、每房長一竿、寬一竿、相隔五肘．門
檻、就是挨着向殿的廊門檻、寬一竿。[八]他又量向殿門的
廊子、寬一竿。[九]又量門廊、寬八肘、牆柱厚二肘、那門的廊
子向着殿。[十]東門洞有衛房、這旁三間、那旁三間、都是一
樣的尺寸．這邊的柱子和那邊的柱子、也是一樣的尺
寸。[十一]他量門口、寬十肘、長十三肘。[十二]衛房前展出的境界、這
邊一肘、那邊一肘、衛房這邊六肘、那邊六肘。[十三]又量門洞、
從這衛房頂的後檐到那衛房頂的後檐、寬二十五肘．

十四 衞房門與門相對。[十四]又量（量原文作造）廊子六十肘。（七十經作二十肘）
十五 牆柱外是院子、有廊爲界、在門洞兩邊。[十五]從大門口到內
十六 廊前、共五十肘。[十六]衞房和門洞兩旁柱間、並廊子、都有嚴
十七 緊的窗櫺．裏邊都有窗櫺．柱上有雕刻的棕樹。○他[十七]帶
我到外院、見院的四圍有鋪石地．鋪石地上有屋子三
十八 十間。[十八]鋪石地、就是矮鋪石地在各門洞兩旁、以門洞的
十九 長短爲度。[十九]他從下門量到內院外、共寬一百肘、東面北
面、都是如此。

外院北門之式度

二十一 他[二十]量外院朝北的門、長寬若干。[二十一]門洞的衞房、這旁三間、
二十二 那旁三間．門洞的柱子和廊子、與第一門的尺寸一樣．
門洞長五十肘、寬二十五肘。[二十二]其窗櫺、和廊子、並雕刻的
二十三 棕樹、與朝東的門、尺寸一樣．登七層臺階上到這門．前
面有廊子。[二十三]內院有門與這門相對、北面東面、都是如此．
他從這門量到那門、共一百肘。

南門之式度

二十四 他[二十四]帶我往南去、見朝南有門．又照先前的尺寸、量門洞
二十五 的柱子和廊子。[二十五]門洞兩旁與廊子的周圍、都有窗櫺、和

二十六 先量的窗櫺一樣．門洞、長五十肘、寬二十五肘。[二十六]登七層
臺階、上到這門、前面有廊子．柱上有雕刻的棕樹、這邊
二十七 一棵、那邊一棵。[二十七]內院朝南有門、從這門量到朝南的那
二十八 門、共一百肘。○他[二十八]帶我從南門到內院、就照先前的尺
二十九 寸量南門。[二十九]衞房、和柱子、並廊子、都照先前的尺寸．門洞
兩旁與廊子的周圍、都有窗櫺．門洞、長五十肘、寬二十
三十一 五肘。[三十]周圍有廊子、長二十五肘、寬五肘。[三十一]廊子朝着外院、
柱上有雕刻的棕樹．登八層臺階、上到這門。

內院東門之式度

三十三 他[三十二]帶我到內院的東面、就照先前的尺寸量東門。[三十三]衞房、
和柱子、並廊子、都照先前的尺寸．門洞兩旁與廊子的
三十四 周圍、都有窗櫺．門洞長五十肘、寬二十五肘。[三十四]廊子朝着
外院．門洞兩旁的柱子、都有雕刻的棕樹．登八層臺階、
上到這門。

北門之式度

三十五 三十六 他[三十五]帶我到北門、就照先前的尺寸量那門。[三十六]就是量衞房、
和柱子、並廊子．門洞周圍、都有窗櫺．門洞長五十肘、寬
三十七 二十五肘。[三十七]廊柱朝着外院．門洞兩旁的柱子、都有雕刻

的棕樹．登八層臺階、上到這門。

門旁備宰祭牲之桌

三八 門[三八]洞的柱旁有屋子和門．祭司（原文作他們）在那裏洗燔祭
三九 牲。[三九]在門廊內、這邊有兩張桌子、那邊有兩張桌子、在其
四十 上可以宰殺燔祭牲、贖罪祭牲、和贖愆祭牲。[四十]上到朝北
四一 的門口、這邊有兩張桌子、門廊那邊也有兩張桌子。[四一]門
這邊有四張桌子、那邊有四張桌子、共八張．在其上祭
四二 司宰殺犧牲．[四二]為燔祭牲有四張桌子、是鑿過的石頭作
成的、長一肘半、寬一肘半、高一肘．祭司將宰殺燔祭牲
四三 和平安祭牲所用的器皿、放在其上。[四三]有鈎子、寬一掌、釘
在廊內的四圍．桌子上有犧牲的肉。

謳歌者及祭司之室

四四 [四四]在北門旁內院裏有屋子、為歌唱的人而設．這屋子朝
四五 南．在南門旁、又有一間朝北。（南原文作東）[四五]他對我說、這朝南
四六 的屋子、是為看守殿宇的祭司．[四六]那朝北的屋子是為看
守祭壇的祭司．這些祭司、是利未人中撒督的子孫、近
四七 前來事奉耶和華的。[四七]他又量內院、長一百肘、寬一百肘、
是見方的．祭壇在殿前。

殿前廊之式度

四八 [四八]於是他帶我到殿前的廊子、量廊子的牆柱、這面厚五
四九 肘、那面厚五肘．門兩旁、這邊三肘、那邊三肘。[四九]廊子長二
十肘、寬十一肘．上廊子有臺階、靠近牆柱、又有柱子、這
邊一根、那邊一根。

殿之尺度

第四十一章

一 [一]他帶我到殿那裏、量牆柱、這面厚六
二 肘、那面厚六肘、寬窄與會幕相同。[二]門口寬十肘．門兩旁、
三 這邊五肘、那邊五肘．他量殿長四十肘、寬二十肘。[三]他到
內殿、量牆柱、各厚二肘．門口寬六肘．門兩旁各寬七肘。
四 [四]他量內殿、長二十肘、寬二十肘．他對我說、這是至聖所。

旁屋之式度

五六 [五]他又量殿牆、厚六肘．圍着殿有旁屋、各寬四肘。[六]旁屋有
三層、層疊而上、每層排列三十間．旁屋的梁木擱在殿
七 牆坎上、免得插入殿牆。[七]這圍殿的旁屋、越高越寬．因旁
屋圍殿、懸疊而上、所以越上越寬．從下一層由中一層、
八 到上一層。[八]我又見圍着殿有高月臺．旁屋的根基、高足
九 一竿、就是六大肘。[九]旁屋的外牆、厚五肘．旁屋之外還有

十、十一 餘地。[十]在旁屋與對面的房屋中間有空地、寬二十肘。[十一]旁
屋的門、都向餘地、一門向北、一門向南、周圍的餘地寬
十二 五肘。○[十二]在西面空地之後有房子、寬七十肘、長九十肘。
十三 牆四圍厚五肘。[十三]這樣、他量殿、長一百肘。又量空地、和那
十四 房子、並牆、共長一百肘。[十四]殿的前面、和兩旁的空地、寬一
十五 百肘。○[十五]他量空地後面的那房子、並兩旁的樓廊、共長
十六 一百肘。[十六]內殿、院廊、門檻、嚴緊的窗櫺、並對着門檻的三
十七 層樓廊、從地到窗櫺、(窗櫺都有蔽子)直[十七]到門以上、
就是到內殿和外殿內外四圍牆壁、都按尺寸用木板
十八 遮蔽。[十八]牆上雕刻基路伯和棕樹。每二基路伯中間有一
十九 棵棕樹、每基路伯有二臉。[十九]這邊有人臉向着棕樹、那邊
二十 有獅子臉向着棕樹。殿內周圍都是如此。[二十]從地至門以
二一 上、都有基路伯和棕樹。殿牆就是這樣。○[二一]殿的門柱是
二二 方的。至聖所的前面形狀和殿的形狀一樣。[二二]壇是木頭
作的、高三肘、長二肘。壇角和壇面、並四旁、都是木頭作
二三 的。他對我說、這是耶和華面前的桌子。[二三]殿和至聖所的
二四 門、各有兩扇。[二四]每扇分兩扇、這兩扇是摺疊的。這邊門分
二五 兩扇、那邊門也分兩扇。[二五]殿的門扇上雕刻基路伯和棕
二六 樹、與刻在牆上的一般。在外頭廊前有木檻。[二六]廊這邊那
邊、都有嚴緊的窗櫺和棕樹。殿的旁屋和檻、就是這樣。

聖屋之式度

一 **第四十二章** 他帶我出來向北、到外院。又帶我進
入聖屋。這聖屋一排順着空地、一排與北邊鋪石地之
二、三 屋相對。[二]這聖屋長一百肘、寬五十肘、有向北的門。[三]對着
內院那二十肘寬之空地、又對着外院的鋪石地、在第
四 三層樓上、有樓廊對着樓廊。[四]在聖屋前有一條夾道、寬
五 十肘、長一百肘、房門都向北。[五]聖屋因為樓廊佔去些地
六 方、所以上層比中下兩層窄些。[六]聖屋有三層、卻無柱子、
不像外院的屋子有柱子。所以上層比中下兩層更窄。
七、八 [七]聖屋外、東邊有牆、靠着外院、長五十肘。[八]靠着外院的聖
九 屋、長五十肘。殿北面的聖屋長一百肘。[九]在聖屋以下、東
十 頭有進入之處、就是從外院進入之處。○[十]向南(原文作東)在
內院牆裏有聖屋、一排與鋪石地之屋相對、一排順着
十一 空地。[十一]這聖屋前的夾道、與北邊聖屋的夾道、長寬一樣。
十二 出入之處、與北屋門的樣式相同。[十二]正在牆前、夾道的東
十三 頭、有門可以進入、與向南聖屋的門一樣。○[十三]他對我說、

順着空地的南屋北屋、都是聖屋．親近耶和華的祭司、
當在那裏喫至聖的物．也當在那裏放至聖的物、就是
十四 素祭、贖罪祭、和贖愆祭．因此處爲聖。十四祭司進去出了聖
所的時候、不可直到外院、但要在聖屋放下他們供職
的衣服．因爲是聖衣．要穿上別的衣服、纔可以到屬民
的外院。

四圍之式度

十五 十六 十五他量完了內殿、就帶我出朝東的門、量院的四圍。十六他用
十七 量度的竿量四圍、量東面五百肘。十七（原文作竿本章下同）用竿量北
十八 十九 面五百肘。十八用竿量南面五百肘。十九又轉到西面、用竿量五
二十 百肘。二十他量四面、四圍有牆、長五百肘、寬五百肘、爲要分
別聖地與俗地。

耶和華之榮光充盈聖殿

一 **第四十三章** 以後、他帶我到一座門、就是朝東的
二 門。二以色列　神的榮光從東而來．他的聲音如同多水
三 的聲音．地就因他的榮耀發光。三其狀如從前他來滅城
的時候我所見的異象．那異象如我在迦巴魯河邊所
四 見的異象、我就俯伏在地。四耶和華的榮光從朝東的門
五 照入殿中。五靈將我舉起、帶入內院．不料、耶和華的榮光
充滿了殿。

以色列族棄邪行耶和華永居其中

六 六我聽見有一位從殿中對我說話．有一人站在我旁邊。
七 七他對我說、人子阿、這是我寶座之地、是我腳掌所踏之
地．我要在這裏住在以色列人中、直到永遠．以色列家
和他們的君王、必不再玷污我的聖名、就是行邪淫、在
八 錫安的高處、葬埋他們君王的屍首。八使他們的門檻、挨
近我的門檻．他們的門框、挨近我的門框．他們與我中
間僅隔一牆．並且行可憎的事、玷污了我的聖名．所以
九 我發怒滅絕他們。九現在他們當從我面前遠除邪淫、和
他們君王的屍首．我就住在他們中間、直到永遠。

勸以色列人自愧其罪

十 十人子阿、你要將這殿指示以色列家、使他們因自己的
十一 罪孽慚愧．也要他們量殿的尺寸。十一他們若因自己所行
的一切事慚愧、你就將殿的規模、樣式、出入之處、和一
切形狀、典章、禮儀、法則、指示他們、在他們眼前寫上、使
十二 他們遵照殿的一切規模典章去作。十二殿的法則乃是如

此、殿在山頂上、四圍的全界要稱爲至聖．這就是殿的
法則。

祭壇之尺度

十三 以下量祭壇、是以肘爲度．（這肘是一肘零一掌）底
十四 座高一肘、邊寬一肘、四圍起邊高一掌．這是壇的座。十四從
底座到下層磴臺、高二肘、邊寬一肘．從小磴臺到大磴
十五 臺、高四肘、邊寬一肘。十五壇上的供臺、高四肘．供臺的四拐
十六 十七 角上、都有角。十六供臺、長十二肘、寬十二肘、四面見方。十七磴臺
長十四肘、寬十四肘、四面見方．四圍起邊高半肘．底座
四圍的邊、寬一肘．臺階朝東。

獻祭之禮儀

十八 他對我說、人子阿、主耶和華如此說、建造祭壇、爲要在
十九 其上獻燔祭灑血、造成的時候典章如下。十九主耶和華說、
你要將一隻公牛犢作爲贖罪祭、給祭司利未人撒督
二十 的後裔、就是那親近我事奉我的。二十你要取些公牛的血、
抹在壇的四角、和磴臺的四拐角、並四圍所起的邊上．
二一 你這樣潔淨壇、壇就潔淨了。二一你又要將那作贖罪祭的
二二 公牛犢燒在殿外聖地之外豫定之處。二二次日、要將無殘
疾的公山羊獻爲贖罪祭．要潔淨壇、像用公牛犢潔淨
二三 的一樣。二三潔淨了壇、就要將一隻無殘疾的公牛犢、和羊
二四 羣中一隻無殘疾的公綿羊、二四奉到耶和華前．祭司要撒
二五 鹽在其上、獻與耶和華爲燔祭。二五七日內、每日要豫備一
隻公山羊爲贖罪祭．也要豫備一隻公牛犢、和羊羣中
二六 的一隻公綿羊、都要沒有殘疾的。二六七日祭司潔淨壇、壇
二七 就潔淨了．要這樣把壇分別爲聖。二七滿了七日、自八日以
後、祭司要在壇上獻你們的燔祭和平安祭．我必悅納
你們．這是主耶和華說的。

第四十四章

命閉東門

一 他又帶我回到聖地朝東的外門．那
二 門關閉了。二耶和華對我說、這門必須關閉、不可敞開、誰
也不可由其中進入．因爲耶和華以色列的神已經
由其中進入、所以必須關閉。

惟君王可出入之

三 至於王、他必按王的位分、坐在其內、在耶和華面前喫
餅．他必由這門的廊而入、也必由此而出。

見主榮光充滿聖殿

四他又帶我由北門來到殿前．我觀看、見耶和華的榮光
充滿耶和華的殿．我就俯伏在地。五耶和華對我說、人子
阿、我對你所說耶和華殿中的一切典章法則、你要放
在心上、用眼看、用耳聽、並要留心殿宇和聖地一切出
入之處。

祭司因污殿遭譴

六你要對那悖逆的以色列家說、主耶和華如此說、以色
列家阿、你們行一切可憎的事、當彀了罷。七你們把我的
食物、就是脂油和血獻上的時候、將身心未受割禮的
外邦人、領進我的聖地、玷污了我的殿．又背了我的約、
在你們一切可憎的事上、加上這一層。八你們也沒有看
守我的聖物、卻派別人在聖地替你們看守我所吩咐
你們的。

未受割者不得入聖地

九主耶和華如此說、以色列中的外邦人、就是身心未受
割禮的、都不可入我的聖地。十當以色列人走迷的時候、
有利未人遠離我、就是走迷離開我隨從他們的偶像、
他們必擔當自己的罪孽。十一然而他們必在我的聖地當
僕役、照管殿門、在殿中供職．必為民宰殺燔祭牲、和平
安祭牲、必站在民前伺候他們。十二因為這些利未人曾在
偶像前伺候這民、成了以色列家罪孽的絆腳石、所以
我向他們起誓、他們必擔當自己的罪孽．這是主耶和
華說的。十三他們不可親近我、給我供祭司的職分、也不可
挨近我的一件聖物、就是至聖的物．他們卻要擔當自
己的羞辱、和所行可憎之事的報應。十四然而我要使他們
看守殿宇、辦理其中的一切事、並作其內一切當作之
工。

惟撒督裔可作祭司

十五以色列人走迷離開我的時候、祭司利未人撒督的子
孫、仍看守我的聖所．他們必親近我、事奉我、並且侍立
在我面前、將脂油與血獻給我．這是主耶和華說的。十六他
們必進入我的聖所、就近我的桌前事奉我、守我所吩
咐的。

為祭司定例

十七他們進內院門、必穿細麻衣．在內院門和殿內供職的

十八 時候、不可穿羊毛衣服。他們頭上要戴細麻布裏頭巾、
十九 腰穿細麻布褲子．不可穿使身體出汗的衣服。他們出
到外院的民那裏、當脫下供職的衣服、放在聖屋內、穿
二十 上別的衣服、免得因聖衣使民成聖。不可剃頭、也不可
二一 容髮綹長長、只可剪髮。祭司進內院的時候、都不可喝
二二 酒。不可娶寡婦和被休的婦人爲妻．只可娶以色列後
二三 裔中的處女、或是祭司遺留的寡婦。他們要使我的民
知道聖俗的分別、又使他們分辨潔淨的和不潔淨的。
二四 有爭訟的事、他們應當站立判斷．要按我的典章判斷．
在我一切的節期必守我的律法條例、也必以我的安
二五 息日爲聖日。他們不可挨近死屍沾染自己．只可爲父
二六 親、母親、兒子、女兒、弟兄、和未嫁人的姐妹、沾染自己。祭
二七 司潔淨之後、必再計算七日。當他進內院、進聖所、在聖
所中事奉的日子、要爲自己獻贖罪祭．這是主耶和華
說的。

耶和華爲其恒業

二八 祭司必有產業．我是他們的產業．不可在以色列中給
二九 他們基業．我是他們的基業。素祭、贖罪祭、和贖愆祭、他
三十 們都可以喫．以色列中一切永獻的物、都要歸他們。首
先初熟之物、和一切所獻的供物、都要歸給祭司．你們
也要用初熟的麥子磨麵給祭司、這樣福氣就必臨到
三一 你們的家了。無論是鳥、是獸、凡自死的、或是撕裂的、祭
司都不可喫。

第四十五章

歸聖所之地分

一 你們拈鬮分地爲業、要獻上一分給
耶和華爲聖供地、長二萬五千肘、寬一萬肘．這分以內、
二 四圍都爲聖地。其中有作爲聖所之地、長五百肘、寬五
三 百肘、四面見方．四圍再有五十肘爲郊野之地。要以肘
爲度量地、長二萬五千肘、寬一萬肘．其中有聖所、是至
四 聖的。這是全地的一分聖地、要歸與供聖所職事的祭
司、就是親近事奉耶和華的、作爲他們房屋之地、與聖
五 所之聖地。又有一分、長二萬五千肘、寬一萬肘、要歸與
在殿中供職的利未人、作爲二十間房屋之業。

定建城之地分

六 也要分定屬城的地業、寬五千肘、長二萬五千肘、挨着
那分聖供地．要歸以色列全家。

歸王之地分

七歸王之地要在聖供地和屬城之地的兩旁、就是聖供
地和屬城之地的旁邊、西至西頭、東至東頭、從西到東、
其長與每支派的分一樣。八這地在以色列中必歸王為
業。我所立的王、必不再欺壓我的民、卻要按支派將地
分給以色列家。

為王定例

九主耶和華如此說、以色列的王阿、你們應當知足。要除
掉強暴和搶奪的事、施行公平和公義、不再勒索我的
民。這是主耶和華說的。十你們要用公道天平、公道伊法、
公道罷特。十一伊法與罷特大小要一樣。罷特可盛賀梅珥
十分之一、伊法也可盛賀梅珥十分之一、都以賀梅珥
的大小為準。十二舍客勒是二十季拉。二十舍客勒、二十五
舍客勒、十五舍客勒為你們的彌那。◯十三你們當獻的供
物、乃是這樣。一賀梅珥麥子、要獻伊法六分之一。一賀
梅珥大麥要獻伊法六分之一。十四你們獻所分定的油、按
油的罷特、一柯珥油要獻罷特十分之一。十五原來十罷特
就是一賀梅珥。從以色列滋潤的草場上、每二百羊中、
要獻一隻羊羔。這都可作素祭、燔祭、平安祭、為民贖罪。
這是主耶和華說的。十六此地的民、都要奉上這供物給以
色列中的王。十七王的本分、是在節期、月朔、安息日、就是以
色列家一切的節期、奉上燔祭、素祭、奠祭。他要豫備贖
罪祭、素祭、燔祭、和平安祭、為以色列家贖罪。◯十八主耶和
華如此說、正月初一日、你要取無殘疾的公牛犢、潔淨
聖所。十九祭司要取些贖罪祭牲的血、抹在殿的門柱上、和
壇磴臺的四角上、並內院的門框上。二十本月初七日、七十經作
七月初一日也要為誤犯罪的、和愚蒙犯罪的如此行、為殿
贖罪。◯二一正月十四日、你們要守逾越節、守節七日、要喫
無酵餅。二二當日王要為自己和國內的眾民、豫備一隻公
牛作贖罪祭。二三這節的七日、每日他要為耶和華豫備無
殘疾的公牛七隻、公綿羊七隻、為燔祭。每日又要豫備
公山羊一隻為贖罪祭。二四他也要豫備素祭、就是為一隻
公牛同獻一伊法細麵、為一隻公綿羊同獻一伊法細
麵。每一伊法細麵加油一欣。二五七月十五日守節的時候、
七日他都要如此行、照逾越節的贖罪祭、燔祭、素祭、和
油的條例一樣。

一 **第四十六章**　**君王獻祭之例**　主耶和華如此說、內院朝東的門、在
辦理事務的六日內必須關閉、惟有安息日、和月朔、必
二 須敞開。二王要從這門的廊進入、站在門框旁邊。祭司要
爲他豫備燔祭、和平安祭、他就要在門檻那裏敬拜。然
三 後出去、這門直到晚上、不可關閉。三在安息日和月朔、國
四 內的居民、要在這門口耶和華面前敬拜。四安息日王所
獻與耶和華的燔祭、要用無殘疾的羊羔六隻、無殘疾
五 的公綿羊一隻。五同獻的素祭要爲公綿羊獻一伊法細
麵、爲羊羔照他的力量而獻、一伊法細麵加油一欣。○
六 六當月朔要獻無殘疾的公牛犢一隻、羊羔六隻、公綿羊
七 一隻。都要無殘疾的。七他也要豫備素祭、爲公牛獻一伊
法細麵、爲公綿羊獻一伊法細麵、爲羊羔照他的力量
八 而獻、一伊法細麵加油一欣。八王進入的時候、必由這門
的廊而入、也必由此而出。

庶民獻祭之例

九 九在各節期國內居民朝見耶和華的時候、從北門進入
敬拜的、必由南門而出、從南門進入的、必由北門而出。
十 不可從所入的門而出、必要直往前行、由對門而出。十民
十一 進入、王也要在民中進入、民出去、王也要一同出去。十一在
節期和聖會的日子、同獻的素祭、要爲一隻公牛獻一
伊法細麵、爲一隻公綿羊獻一伊法細麵、爲羊羔照他
十二 的力量而獻、一伊法細麵加油一欣。十二王豫備甘心獻的
燔祭或平安祭、就是向耶和華甘心獻的、當有人爲他
開朝東的門、他就豫備燔祭和平安祭、與安息日豫備
的一樣。獻畢就出去。他出去之後、當有人將門關閉。○
十三 十三每日你要豫備無殘疾一歲的羊羔一隻、獻與耶和華
十四 爲燔祭。要每早晨豫備。十四每早晨也要豫備同獻的素祭、
細麵一伊法六分之一、並油一欣三分之一、調和細麵。
十五 這素祭要常獻與耶和華爲永遠的定例。十五每早晨要這
樣豫備羊羔、素祭、並油爲常獻的燔祭。

王子承業之例

十六 十六主耶和華如此說、王若將產業賜給他的兒子、就成了
十七 他兒子的產業、那是他們承受爲業的。十七倘若王將一分
產業賜給他的臣僕、就成了他臣僕的產業、到自由之
十八 年仍要歸與王、至於王的產業、必歸與他的兒子。十八王不

可奪取民的產業、以至驅逐他們離開所承受的、他要
從自己的地業中、將產業賜給他兒子、免得我的民分
散、各人離開所承受的。

祭司烹祭牲之所

十九那帶我的、將我從門旁進入之處、領進爲祭司豫備的
聖屋、是朝北的、見後頭西邊有一塊地。二十他對我說、這是
祭司煮贖愆祭、贖罪祭、烤素祭之地、免得帶到外院、使
民成聖。二一他又帶我到外院、使我經過院子的四拐角、見
每拐角各有一個院子。二二院子四拐角的院子、周圍有牆、
每院長四十肘、寬三十肘、四拐角院子的尺寸、都是一
樣。二三其中周圍有一排房子、房子內有煮肉的地方。二四他對
我說、這都是煮肉的房子、殿內的僕役要在這裏煮民
的祭物。

第四十七章

見水由殿門下湧出

一他帶我回到殿門、見殿的門檻下有
水往東流出、（原來殿面朝東）這水從檻下、由殿的
右邊、在祭壇的南邊往下流。二他帶我出北門、又領我從
外邊轉到朝東的外門、見水從右邊流出。三○他手拿準
繩往東出去的時候、量了一千肘、使我趟過水、水到踝
子骨。四他又量了一千肘、使我趟過水、水就到膝。再量了
一千肘、使我趟過水、水便到腰。五又量了一千肘、水便成
了河、使我不能趟過、因爲水勢漲起、成爲可洑的水、不
可趟的河。

水之利用

六他對我說、人子阿、你看見了甚麼。他就帶我回到河邊。
七我回到河邊的時候、見在河這邊、與那邊的岸上、有極
多的樹木。八他對我說、這水往東方流去、必下到亞拉巴、
直到海、所發出來的水、必流入鹽海、使水變甜。（原文作得醫治
下同）九這河水所到之處、凡滋生的動物、都必生活、並且因
這流來的水、必有極多的魚、海水也變甜了。這河水所
到之處、百物都必生活。十必有漁夫站在河邊、從隱基底
直到隱以革蓮、都作曬（或作張）網之處、那魚各從其類、好
像大海的魚甚多。十一只是泥濘之地、與窪濕之處、不得治
好、必爲鹽地。十二在河這邊與那邊的岸上、必生長各類的
樹木、其果可作食物、葉子不枯乾、果子不斷絕、每月必
結新果子、因爲這水是從聖所流出來的、樹上的果子、

必作食物、葉子乃為治病。

以色列地之境界

十三 主耶和華如此說、你們要照地的境界、按以色列十二
支派分地為業．約瑟必得兩分。十四 你們承受這地為業、要
彼此均分．因為我曾起誓應許將這地賜與你們的列
祖．這地必歸你們為業。○ 十五 地的四界乃是如此．北界從
大海往希特倫、直到西達達口、十六 又往哈馬、比羅他、西伯
蓮、（西伯蓮在大馬色與哈馬兩界中間。）到浩蘭邊
界的哈撒哈提干。十七 這樣、境界從海邊往大馬色地界上
的哈薩以難、北邊以哈馬地為界．這是北界。十八 東界在浩
蘭、大馬色、基列、和以色列地的中間、就是約但河．你們
要從北界量到東海．這是東界。十九 南界是從他瑪到米利
巴加低斯的水、延到埃及小河、直到大海．這是南界。二十 西
界就是大海、從南界直到哈馬口對面之地．這是西界。

拈鬮分地

二十一 你們要按着以色列的支派、彼此分這地。二十二 要拈鬮分這
地為業、歸與自己和你們中間寄居的外人、就是在你
們中間生養兒女的外人．你們要看他們如同以色列
人中所生的一樣．他們在以色列支派中要與你們同
得地業。二十三 外人寄居在那支派中、你們就在那裏分給他
地業．這是主耶和華說的。

十二支派所得之地

第四十八章 一 眾支派按名所得之地、記在下面．從
北頭、由希特倫往哈馬口、到大馬色地界上的哈薩以
難．北邊靠着哈馬地、（各支派的地、都有東西的邊界．）
是但的一分。二 挨着但的地界、從東到西、是亞設的一分。
三 挨着亞設的地界、從東到西、是拿弗他利的一分。四 挨着
拿弗他利的地界、從東到西、是瑪拿西的一分。五 挨着瑪
拿西的地界、從東到西、是以法蓮的一分。六 挨着以法蓮
的地界、從東到西、是流便的一分。七 挨着流便的地界、從
東到西、是猶大的一分。

當獻之地

八 挨着猶大的地界、從東到西、必有你們所當獻的供地、
寬二萬五千肘．從東界到西界、長短與各分之地相同．
聖地當在其中。九 你們獻與耶和華的供地、要長二萬五
千肘、寬一萬肘。十 這聖供地要歸與祭司、北長二萬五千

肘、西寬一萬肘、東寬一萬肘、南長二萬五千肘、耶和華
十一 的聖地、當在其中。十一 這地要歸與撒督的子孫中成爲聖
的祭司、就是那守我所吩咐的。當以色列人走迷的時
十二 候、他們不像那些利未人走迷了。十二 這要歸與他們爲供
十三 地、是全地中至聖的。供地挨着利未人的地界。〇十三 利未
人所得的地、要長二萬五千肘、寬一萬肘、與祭司的地
十四 界相等、都長二萬五千肘、寬一萬肘。十四 這地不可賣、不可
換、初熟之物也不可歸與別人、因爲是歸耶和華爲聖
的。

歸城之地

十五 十五 這二萬五千肘前面所剩下五千肘寬之地、要作俗用、
十六 作爲造城蓋房郊野之地。城要在當中。十六 城的尺寸乃是
如此。北面四千五百肘、南面四千五百肘、東面四千五
十七 百肘、西面四千五百肘。十七 城必有郊野、向北二百五十肘、
向南二百五十肘、向東二百五十肘、向西二百五十肘。
十八 十八 靠着聖供地的餘地、東長一萬肘、西長一萬肘、要與聖
十九 供地相等。其中的土產、要作城內工人的食物。十九 所有以
二十 色列支派中、在城內作工的、都要耕種這地。二十 你們所獻
的聖供地、連歸城之地、是四方的長二萬五千肘、寬二
萬五千肘。

歸王之地

二一 二一 聖供地連歸城之地、兩邊的餘地、要歸與王。供地東邊、
南北二萬五千肘、東至東界、西邊南北二萬五千肘、西
至西界、與各分之地相同、都要歸王。聖供地和殿的聖
二二 地、要在其中。二二 並且利未人之地、與歸城之地的東西兩
邊延長之地、（這兩地在王地中間）就是在猶大和
二三 便雅憫兩界中間、要歸與王。〇二三 論到其餘的支派、從東
二四 到西、是便雅憫的一分。二四 挨着便雅憫的地界、從東到西、
二五 是西緬的一分。二五 挨着西緬的地界、從東到西、是以薩迦
二六 的一分。二六 挨着以薩迦的地界、從東到西、是西布倫的一
二七 二八 分。二七 挨着西布倫的地界、從東到西、是迦得的一分。二八 迦得
地的南界、是從他瑪到米利巴加低斯的水、延到埃及
二九 小河、直到大海。二九 這就是你們要拈鬮分給以色列支派
爲業之地、乃是他們各支派所得之分。這是主耶和華
說的。

城之局量

三十 城的北面四千五百肘、出城之處如下。三一 城的各門要按
以色列支派的名字。北面有三門、一爲流便門、一爲猶
大門、一爲利未門。三二 東面四千五百肘、有三門、一爲約瑟
門、一爲便雅憫門、一爲但門。三三 南面四千五百肘、有三門、
一爲西緬門、一爲以薩迦門、一爲西布倫門。三四 西面四千
五百肘、有三門、一爲迦得門、一爲亞設門、一爲拿弗他
利門。三五 城四圍共一萬八千肘。從此以後、這城的名字必
稱爲耶和華的所在。

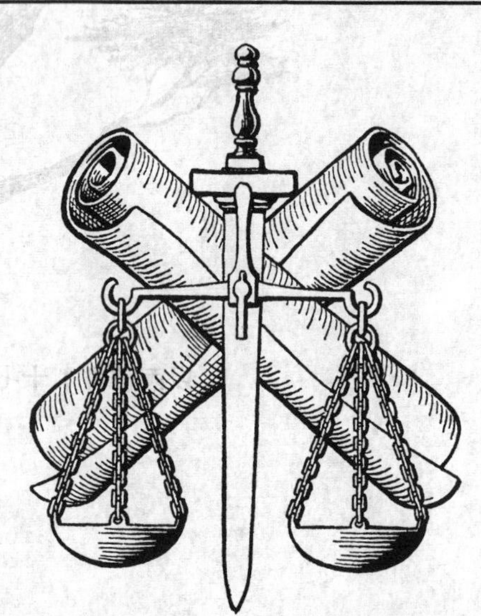

以西結書：五章六節

以西結書：十七章三節

但以理書

巴比倫王勝約雅敬

第一章
一猶大王約雅敬在位第三年、巴比倫王尼
布甲尼撒來到耶路撒冷、將城圍困。二主將猶大王約雅
敬並 神殿中器皿的幾分交付他手、他就把這器皿
帶到示拿地、收入他神的廟裏、放在他神的庫中。

選以色列宗室之俊美少年侍王

三王吩咐太監長亞施毘拿、從以色列人的宗室和貴胄
中、帶進幾個人來、四就是年少沒有殘疾、相貌俊美、通達
各樣學問、知識聰明俱備、足能侍立在王宮裏的、要教
他們迦勒底的文字言語。五王派定將自己所用的膳、和
所飲的酒、每日賜他們一分、養他們三年．滿了三年、好
叫他們在王面前侍立。六他們中間有猶大族的人、但以
理、哈拿尼雅、米沙利、亞撒利雅．七太監長給他們起名、稱
但以理為伯提沙撒、稱哈拿尼雅為沙得拉、稱米沙利
為米煞、稱亞撒利雅為亞伯尼歌。

但以理立志不用王之酒膳

八但以理卻立志、不以王的膳、和王所飲的酒、玷污自己、
所以求太監長容他不玷污自己。九神使但以理在太
監長眼前蒙恩惠、受憐憫．十太監長對但以理說、我懼怕
我主我王、他已經派定你們的飲食、倘若他見你們的
面貌、比你們同歲的少年人肌瘦、怎麼好呢、這樣、你們
就使我的頭在王那裏難保。十一但以理對太監長所派管
理但以理、哈拿尼雅、米沙利、亞撒利雅的委辦說、十二求你
試試僕人們十天、給我們素菜喫、白水喝、十三然後看看我
們的面貌、和用王膳那少年人的面貌．就照你所看的
待僕人罷。

食素飲水面容豐美

十四委辦便允准他們這件事、試看他們十天．十五過了十天、見
他們的面貌比用王膳的一切少年人更加俊美肥胖．
十六於是委辦撤去派他們用的膳、飲的酒、給他們素菜喫。

主賜以智學超羣

十七這四個少年人、神在各樣文字學問上、（學問原文作智慧）賜
給他們聰明知識．但以理又明白各樣的異象和夢兆。

十八尼布甲尼撒王豫定帶進少年人來的日期滿了、太監長就把他們帶到王面前。十九王與他們談論見少年人中無一人能比但以理、哈拿尼雅、米沙利、亞撒利雅、所以留他們在王面前侍立。二十王考問他們一切事、就見他們的智慧聰明、比通國的術士、和用法術的、勝過十倍。二一到古列王元年、但以理還在。

第二章

尼布甲尼撒王得夢遺忘迫令術士告之

一尼布甲尼撒在位第二年、他作了夢、心裏煩亂、不能睡覺。二王吩咐人將術士、用法術的、行邪術的、和迦勒底人召來、要他們將王的夢告訴王。他們就來站在王前。三王對他們說、我作了一夢、心裏煩亂、要知道這是甚麼夢。四迦勒底人用亞蘭的言語對王說、願王萬歲、請將那夢告訴僕人、僕人就可以講解。五王回答迦勒底人說、夢我已經忘了、（或作我已定命八節同）你們若不將夢和夢的講解告訴我、就必被凌遲、你們的房屋必成爲糞堆。六你們若將夢和夢的講解告訴我、就必從我這裏得贈品、和賞賜、並大尊榮、現在你們要將夢和夢的講解告訴我。七他們第二次對王說、請王將夢告訴僕人、僕人就可以講解。八王回答說、我準知道你們是故意遲延、因爲你們知道那夢我已經忘了。九你們若不將夢告訴我、只有一法待你們、因爲你們豫備了謊言亂語向我說、要等候時勢改變。現在你們要將夢告訴我、因我知道你們能將夢的講解告訴我。

術士回奏無人能告

十迦勒底人在王面前回答說、世上沒有人能將王所問的事說出來、因爲沒有君王、大臣、掌權的、向術士、或用法術的、或迦勒底人、問過這樣的事。十一王所問的事甚難、除了不與世人同居的神明、沒有人在王面前能說出來。

王怒擬殲滅之

十二因此王氣忿忿的大發烈怒、吩咐滅絕巴比倫所有的哲士。十三於是命令發出、哲士將要見殺、人就尋找但以理和他的同伴、要殺他們。

但以理求寬限

十四王的護衛長亞略出來、要殺巴比倫的哲士、但以理就用婉言回答他、十五向王的護衛長亞略說、王的命令爲何

這樣緊急呢。亞略就將情節告訴但以理。十六 但以理遂進
去求王寬限、就可以將夢的講解告訴王。

與同儕禱主蒙示以王夢與兆

十七 但以理回到他的居所、將這事告訴他的同伴哈拿尼
雅、米沙利、亞撒利雅、十八 要他們祈求天上的　神施憐憫、
將這奧祕的事指明、免得但以理和他的同伴與巴比
倫其餘的哲士、一同滅亡。十九 這奧祕的事、就在夜間異象
中給但以理顯明。但以理便稱頌天上的　神。二十 但以理
說、神的名是應當稱頌的、從亙古直到永遠、因爲智
慧能力都屬乎他。二一 他改變時候、日期、廢王、立王、將智慧
賜與智慧人、將知識賜與聰明人。二二 他顯明深奧隱祕的
事、知道暗中所有的、光明也與他同居。二三 我列祖的　神
阿、我感謝你、讚美你、因你將智慧才能賜給我、允准我
們所求的、把王的事給我們指明。二四 於是但以理進去見
亞略、就是王所派滅絕巴比倫哲士的、對他說、不要滅
絕巴比倫的哲士、求你領我到王面前、我要將夢的講
解告訴王。

但以理覲王

二五 亞略就急忙將但以理領到王面前、對王說、我在被擄
的猶大人中遇見一人、他能將夢的講解告訴王。二六 王問
稱爲伯提沙撒的但以理說、你能將我所作的夢和夢
的講解告訴我麼。二七 但以理在王面前回答說、王所問的
那奧祕事、哲士、用法術的、術士、觀兆的、都不能告訴王。
二八 只有一位在天上的　神、能顯明奧祕的事、他已將日
後必有的事、指示尼布甲尼撒王。你的夢、和你在牀上
腦中的異象、是這樣。二九 王阿、你在牀上想到後來的事、那
顯明奧祕事的主、把將來必有的事指示你。三十 至於那奧
祕的事、顯明給我、並非因我的智慧勝過一切活人、乃
爲使王知道夢的講解、和心裏的思念。

述王之夢

三一 王阿、你夢見一個大像、這像甚高、極其光耀、站在你面
前、形狀甚是可怕。三二 這像的頭是精金的、胸膛和膀臂是
銀的、肚腹和腰是銅的、三三 腿是鐵的、脚是半鐵半泥的。三四 你
觀看、見有一塊非人手鑿出來的石頭、打在這像半鐵
半泥的脚上、把脚砸碎。三五 於是金、銀、銅、鐵、泥、都一同砸得

粉碎、成如夏天禾場上的糠粃、被風吹散、無處可尋．打
碎這像的石頭變成一座大山、充滿天下。

詳解夢兆

三六 這就是那夢、我們在王面前要講解那夢．三七 王阿、你是諸
王之王、天上的神已將國度、權柄、能力、尊榮、都賜給
你．三八 凡世人所住之地的走獸、並天空的飛鳥、他都交付
你手、使你掌管這一切．你就是那金頭．三九 在你以後必另
興一國、不及於你．又有第三國、就是銅的、必掌管天下．
四十 第四國、必堅壯如鐵、鐵能打碎剋制百物、又能壓碎一
切、那國也必打碎壓制列國。四一 你既見像的腳和腳指頭、
一半是窰匠的泥、一半是鐵、那國將來也必分開．你既
見鐵與泥攙雜、那國也必有鐵的力量．四二 那腳指頭、既是
半鐵半泥、那國也必半強半弱．四三 你既見鐵與泥攙雜、那
國民也必與各種人攙雜、卻不能彼此相合、正如鐵與
泥不能相合一樣。四四 當那列王在位的時候、天上的神
必另立一國、永不敗壞、也不歸別國的人、卻要打碎滅
絕那一切國、這國必存到永遠。四五 你既看見非人手鑿出
來的一塊石頭從山而出、打碎金、銀、銅、鐵、泥、那就是至
大的神把後來必有的事給王指明．這夢準是這樣、
這講解也是確實的。

王尊崇但以理加以重賚

四六 當時尼布甲尼撒王、俯伏在地、向但以理下拜、並且吩
咐人給他奉上供物和香品。四七 王對但以理說、你既能顯
明這奧祕的事、你們的神、誠然是萬神之神、萬王之
主、又是顯明奧祕事的。四八 於是王高抬但以理、賞賜他許
多上等禮物、派他管理巴比倫全省、又立他為總理、掌
管巴比倫的一切哲士。四九 但以理求王、王就派沙得拉、米
煞、亞伯尼歌、管理巴比倫省的事務、只是但以理常在
朝中侍立。

第三章

尼布甲尼撒王製金像命通國敬拜

一 尼布甲尼撒王造了一個金像、高六十肘、
寬六肘、立在巴比倫省杜拉平原。二 尼布甲尼撒王差人
將總督、欽差、巡撫、臬司、藩司、謀士、法官、和各省的官員、
都召了來、為尼布甲尼撒王所立的像行開光之禮。三 於
是總督、欽差、巡撫、臬司、藩司、謀士、法官、和各省的官員、
都聚集了來、要為尼布甲尼撒王所立的像行開光之

禮、就站在尼布甲尼撒所立的像前。四那時傳令的、大聲呼叫說、各方各國各族的人哪、（族原文作舌下同）有令傳與你們。五你們一聽見角、笛、琵琶、琴瑟、笙、和各樣樂器的聲音、就當俯伏敬拜尼布甲尼撒王所立的金像。六凡不俯伏敬拜的、必立時扔在烈火的窰中。七因此各方、各國、各族的人民、一聽見角、笛、琵琶、琴瑟、和各樣樂器的聲音、就都俯伏敬拜尼布甲尼撒王所立的金像。

迦勒底人控沙得拉米煞亞伯尼歌不遵命拜像

八那時有幾個迦勒底人、進前來控告猶大人。九他們對尼布甲尼撒王說、願王萬歲。十王阿、你曾降旨說、凡聽見角、笛、琵琶、琴瑟、笙、和各樣樂器聲音的、都當俯伏敬拜金像。十一凡不俯伏敬拜的、必扔在烈火的窰中。十二現在有幾個猶大人、就是王所派管理巴比倫省事務的沙得拉、米煞、亞伯尼歌、王阿、這些人不理你、不事奉你的神、也不敬拜你所立的金像。

王怒譴三人

十三當時尼布甲尼撒沖沖大怒、吩咐人把沙得拉、米煞、亞伯尼歌帶過來、他們就把那些人帶到王面前。十四尼布甲尼撒問他們說、沙得拉、米煞、亞伯尼歌、你們不事奉我的神、也不敬拜我所立的金像、是故意的麼。十五你們再聽見角、笛、琵琶、琴瑟、笙、和各樣樂器的聲音、若俯伏敬拜我所造的像、卻還可以、若不敬拜、必立時扔在烈火的窰中、有何神能救你們脫離我手呢。

三人以 神必拯其脫難爲對

十六沙得拉、米煞、亞伯尼歌、對王說、尼布甲尼撒阿、這件事我們不必回答你。十七卽便如此、我們所事奉的 神能將我們從烈火的窰中救出來。王阿、他也必救我們脫離你的手。十八卽或不然、王阿、你當知道我們決不事奉你的神、也不敬拜你所立的金像。

三人被擲於火毫無傷損

十九當時尼布甲尼撒怒氣塡胸、向沙得拉、米煞、亞伯尼歌、變了臉色、吩咐人把窰燒熱、比尋常更加七倍。二十又吩咐他軍中的幾個壯士、將沙得拉、米煞、亞伯尼歌捆起來、扔在烈火的窰中。二十一這三人穿着褲子、內袍、外衣、和別的衣服、被捆起來扔在烈火的窰中。二十二因爲王命緊急、窰又甚熱、那抬沙得拉、米煞、亞伯尼歌的人、都被火燄燒死。

二三沙得拉、米煞、亞伯尼歌、這三個人都被捆着落在烈火
的窰中。

王見此異蹟稱頌　神

二四那時尼布甲尼撒王驚奇、急忙起來、對謀士說、我們捆
起來扔在火裏的不是三個人麼．他們回答王說、王阿、
二五是、王說、看哪、我見有四個人、並沒有捆綁、在火中遊行、
也沒有受傷、那第四個的相貌、好像神子。二六於是尼布甲
尼撒就近烈火窰門、說、至高　神的僕人沙得拉、米煞、
亞伯尼歌出來、上這裏來罷．沙得拉、米煞、亞伯尼歌就
從火中出來了。二七那些總督、欽差、巡撫、和王的謀士、一同
聚集看這三個人、見火無力傷他們的身體、頭髮也沒
有燒焦、衣裳也沒有變色、並沒有火燎的氣味。○二八尼布
甲尼撒說、沙得拉、米煞、亞伯尼歌的　神、是應當稱頌
的、他差遣使者救護倚靠他的僕人、他們不遵王命、捨
去己身、在他們　神以外不肯事奉敬拜別神。二九現在我
降旨、無論何方何國何族的人、謗讟沙得拉、米煞、亞伯
尼歌之　神的、必被凌遲、他的房屋必成糞堆、因為沒
有別神能這樣施行拯救。三十那時王在巴比倫省、高升了
沙得拉、米煞、亞伯尼歌。

第四章　承認　神之國乃歷世永存

一尼布甲尼撒王、曉諭住在全地各方各國
各族的人說、願你們大享平安。二我樂意將至高的　神
向我所行的神蹟奇事、宣揚出來。三他的神蹟何其大、他
的奇事何其盛、他的國是永遠的、他的權柄存到萬代。

尼布甲尼撒王自述得夢術士不能詳解

四我尼布甲尼撒安居在宮中、平順在殿內、五我作了一夢、
使我懼怕．我在牀上的思念、並腦中的異象、使我驚惶。
六所以我降旨召巴比倫的一切哲士到我面前、叫他們
把夢的講解告訴我。七於是那些術士、用法術的、迦勒底
人、觀兆的、都進來、我將那夢告訴了他們、他們卻不能
把夢的講解告訴我．

以夢告但以理

八末後那照我神的名、稱為伯提沙撒的但以理、來到我
面前、他裏頭有聖神的靈、我將夢告訴他說、九術士的領
袖伯提沙撒阿、因我知道你裏頭有聖神的靈、甚麼奧
祕的事、都不能使你為難、現在要把我夢中所見的異

十 象、和夢的講解告訴我。十我在牀上腦中的異象是這樣。
十一 我看見地當中有一棵樹、極其高大、十一那樹漸長、而且堅
十二 固、高得頂天、從地極都能看見、十二葉子華美、果子甚多、可
作衆生的食物、田野的走獸臥在蔭下、天空的飛鳥宿
十三 在枝上、凡有血氣的都從這樹得食。十三我在牀上腦中的
十四 異象、見有一位守望的聖者、從天而降、十四大聲呼叫說、伐
倒這樹、砍下枝子、搖掉葉子、拋散果子、使走獸離開樹
十五 下、飛鳥躲開樹枝、十五樹不卻要留在地內、用鐵圈和銅圈
箍住、在田野的青草中、讓天露滴濕、使他與地上的獸
十六 一同喫草、十六使他的心改變、不如人心、給他一個獸心、使
十七 他經過七期。（期或作年本章同）十七這是守望者所發的命、聖者所
出的令、好叫世人知道、至高者在人的國中掌權、要將
十八 國賜與誰、就賜與誰、或立極卑微的人執掌國權。十八這是
我尼布甲尼撒王所作的夢、伯提沙撒阿、你要說明這
夢的講解、因為我國中的一切哲士、都不能將夢的講
解告訴我、惟獨你能、因你裏頭有聖神的靈。

但以理為王解夢

十九 十九於是稱為伯提沙撒的但以理、驚訝片時、心意驚惶。王

說、伯提沙撒阿、不要因夢和夢的講解驚惶。伯提沙撒
回答說、我主阿、願這夢歸與恨惡你的人、講解歸與你
二十 的敵人。二十你所見的樹漸長、而且堅固、高得頂天、從地極
二一 都能看見、二一葉子華美、果子甚多、可作衆生的食物、田野
二二 的走獸住在其下、天空的飛鳥宿在枝上。二二王阿、這漸長
又堅固的樹就是你、你的威勢漸長及天、你的權柄管
二三 到地極。二三王既看見一位守望的聖者從天而降、說、將這
樹砍伐毀壞、樹不卻要留在地內、用鐵圈和銅圈箍住、
在田野的青草中、讓天露滴濕、使他與地上的獸一同
二四 喫草、直到經過七期。二四王阿、講解就是這樣、臨到我主我
二五 王的事、是出於至高者的命。二五你必被趕出離開世人、與
野地的獸同居、喫草如牛、被天露滴濕、且要經過七期。
等你知道至高者在人的國中掌權、要將國賜與誰、就
二六 賜與誰。二六守望者既吩咐存留樹不、等你知道諸天掌權、
二七 以後你的國必定歸你。二七王阿、求你悅納我的諫言、以施
行公義斷絕罪過、以憐憫窮人除掉罪孽、或者你的平
安可以延長。

夢兆應於王身

二八 二九 二八這事都臨到尼布甲尼撒王。二九過了十二個月、他遊行在
三十 巴比倫王宮裏、(原文作上)三十他說、這大巴比倫不是我用大能
三一 大力建為京都、要顯我威嚴的榮耀麼。三一這話在王口中
尚未說完、有聲音從天降下、說、尼布甲尼撒王阿、有話
三二 對你說、你的國位離開你了。三二你必被趕出離開世人、與
野地的獸同居、喫草如牛、且要經過七期、等你知道至
三三 高者在人的國中掌權、要將國賜與誰、就賜與誰。三三當時
這話就應驗在尼布甲尼撒的身上、他被趕出離開世
人、喫草如牛、身被天露滴濕、頭髮長長、好像鷹毛、指甲
三四 長長、如同鳥爪。○三四日子滿足、我尼布甲尼撒舉目望天、
我的聰明復歸於我、我便稱頌至高者、讚美尊敬活到
三五 永遠的神。他的權柄是永有的、他的國存到萬代。三五世
上所有的居民、都算為虛無、在天上的萬軍、和世上的
居民中、他都憑自己的意旨行事。無人能攔住他手、或
三六 問他說、你作甚麼呢。三六那時我的聰明復歸於我、為我國
的榮耀威嚴和光耀、也都復歸於我、並且我的謀士和
大臣、也來朝見我。我又得堅立在國位上、至大的權柄
三七 加增於我。三七現在我尼布甲尼撒讚美尊崇恭敬天上的
王、因為他所作的全都誠實、他所行的也都公平、那行
動驕傲的他能降為卑。

伯沙撒王設筵縱飲

第五章

一 一伯沙撒王為他的一千大臣、設擺盛筵、與
二 這一千人對面飲酒。二伯沙撒歡飲之間、吩咐人將他父
(父或作祖下同)尼布甲尼撒、從耶路撒冷殿中所掠的金銀器
三 皿拿來、王與大臣皇后妃嬪、好用這器皿飲酒。三於是他
們把耶路撒冷神殿庫房中所掠的金器皿拿來、王
四 和大臣皇后妃嬪、就用這器皿飲酒。四他們飲酒、讚美金
銀銅鐵木石所造的神。

忽現手指書文於壁

五 五當時、忽有人的指頭顯出、在王宮與燈臺相對的粉牆
六 上寫字。王看見寫字的指頭、六就變了臉色、心意驚惶、腰
七 骨好像脫節、雙膝彼此相碰。七大聲吩咐將用法術的、和
迦勒底人、並觀兆的領進來、對巴比倫的哲士說、誰能
讀這文字、把講解告訴我、他必身穿紫袍、項帶金鍊、在
八 我國中位列第三。八於是王的一切哲士都進來、卻不能

九 讀那文字、也不能把講解告訴王。九 伯沙撒王就甚驚惶、
臉色改變、他的大臣也都驚奇。

王驚憂失色太后舉召但以理

十 十 太后（或作皇后下同）因王和他大臣所說的話、就進入宴宮、說、
十一 願王萬歲、你心意不要驚惶、臉面不要變色。十一 在你國中
有一人、他裏頭有聖神的靈、你父在世的日子、這人心
中光明、又有聰明智慧、好像神的智慧。你父尼布甲尼
撒王、就是王的父、立他為術士、用法術的、和迦勒底人、
十二 並觀兆的領袖。十二 在他裏頭有美好的靈性、又有知識聰
明、能圓夢、釋謎語、解疑惑、這人名叫但以理、尼布甲尼
撒王又稱他為伯提沙撒、現在可以召他來、他必解明
十三 這意思。十三 ○但以理就被領到王前、王問但以理說、你是
被擄之猶大人中的但以理麼、就是我父王從猶大擄
十四 來的麼。十四 我聽說你裏頭有神的靈、心中光明、又有聰明
十五 和美好的智慧。十五 現在哲士和用法術的、都領到我面前、
為叫他們讀這文字、把講解告訴我、無奈他們都不能
十六 把講解說出來。十六 我聽說你善於講解、能解疑惑、現在你
若能讀這文字、把講解告訴我、就必身穿紫袍、項戴金
鍊、在我國中位列第三。

但以理責王狂傲拜像

十七 十七 但以理在王面前回答說、你的贈品可以歸你自己、你
的賞賜可以歸給別人、我卻要為王讀這文字、把講解
十八 告訴王。十八 王阿、至高的神曾將國位、大權、榮耀、威嚴、賜
十九 與你父尼布甲尼撒。十九 因神所賜他的大權、各方各國
各族的人、都在他面前戰兢恐懼、他可以隨意生殺、隨
二十 意升降。二十 但他心高氣傲、靈也剛愎、甚至行事狂傲、就被
二一 革去王位、奪去榮耀、他二一 被趕出離開世人、他的心變如
獸心、與野驢同居、喫草如牛、身被天露滴濕、等他知道
至高的神在人的國中掌權、憑自己的意旨立人治
二二 國。二二 伯沙撒阿、你是他的兒子、（或作孫子）你雖知道這一切、你
二三 心仍不自卑、二三 竟向天上的主自高、使人將他殿中的器
皿拿到你面前、你和大臣皇后妃嬪用這器皿飲酒、你
又讚美那不能看、不能聽、無知無識、金銀銅鐵木石所
造的神、卻沒有將榮耀歸與那手中有你氣息、管理你
二四 一切行動的神。二四 因此從神那裏顯出指頭來、寫這
文字。

解釋文字

二五 二六 二五所寫的文字是彌尼、彌尼、提客勒、烏法珥新。二六講解是這
二七 樣．彌尼就是神已經數算你國的年日到此完畢．二七提
二八 客勒、就是你被稱在天平裏顯出你的虧欠．二八毗勒斯、與
二九 (法珥新同義)就是你的國分裂、歸與瑪代人和波斯人。○二九伯
沙撒下令人就把紫袍給但以理穿上、把金鍊給他戴
在頸項上、又傳令使他在國中位列第三。

是夕王見殺瑪代人大利烏得其國

三十 三一 三十當夜迦勒底王伯沙撒被殺。三一瑪代人大利烏年六十二
歲、取了迦勒底國。

大利烏王立但以理爲三總長之一

一 **第六章** 一大利烏隨心所願、立一百二十個總督治
二 理通國。二又在他們以上立總長三人、(但以理在其中)
三 使總督在他們三人面前回覆事務、免得王受虧損。三因
這但以理有美好的靈性、所以顯然超乎其餘的總長
和總督、王又想立他治理通國。

衆臣妒但以理欲尋隙訟之

四 四那時總長和總督、尋找但以理誤國的把柄、爲要參他．
只是找不着他的錯誤過失、因他忠心辦事、毫無錯誤
五 過失。五那些人便說、我們要找參這但以理的把柄、除非
在他神的律法中就尋不着。

奏請降詔諭民三句內惟王是求

六 六於是總長和總督紛紛聚集來見王、說、願大利烏王萬
七 歲。七國中的總長、欽差、總督、謀士、和巡撫彼此商議、要立
一條堅定的禁令、(或作求王下旨要立一條云云)三十日內不拘何人、
若在王以外、或向神或向人求甚麼、就必扔在獅子坑
八 中。八王阿、現在求你立這禁令、加蓋玉璽、使禁令決不更
九 改、照瑪代和波斯人的例、是不可更改的。九於是大利烏
王立這禁令、加蓋玉璽。

但以理仍日三次禱告

十 十但以理知道這禁令蓋了玉璽、就到自己家裏、(他樓
上的窗戶開向耶路撒冷)一日三次雙膝跪在他
十一 神面前、禱告感謝、與素常一樣。十一那些人就紛紛聚集、見
十二 但以理在他神面前祈禱懇求。十二他們便進到王前、題
王的禁令、說、王阿、三十日內不拘何人、若在王以外、或
向神或向人求甚麼、必被扔在獅子坑中．王不是在這

十三 禁令上蓋了玉璽麽。王回答說、實有這事、照瑪代和波
斯人的例、是不可更改的。十三他們對王說、王阿、那被擄之
十四 猶大人中的但以理不理你、也不遵你蓋了玉璽的禁
令、他竟一日三次祈禱。十四王聽見這話、就甚愁煩、一心要
十五 救但以理、籌畫解救他、直到日落的時候。十五那些人就紛
紛聚集來見王、說、王阿、當知道瑪代人和波斯人有例、
凡王所立的禁令和律例、都不可更改。

王依禁令投之於獅坑

十六 十六王下令、人就把但以理帶來、扔在獅子坑中。王對但以
十七 理說、你所常事奉的神、他必救你。十七有人搬石頭放在
坑口、王用自己的璽、和大臣的印、封閉那坑、使懲辦但
十八 以理的事、毫無更改。十八王回宮、終夜禁食、無人拿樂器到
他面前、並且睡不着覺。

主護但以理不爲獅傷

十九 二十 十九次日黎明、王就起來、急忙往獅子坑那裏去、二十臨近坑邊、
哀聲呼叫但以理、對但以理說、永生神的僕人但以
二一 理阿、你所常事奉的神、能救你脫離獅子麽。二一但以理
二二 對王說、願王萬歲。二二我的神差遣使者、封住獅子的口、
叫獅子不傷我、因我在神面前無辜、我在王面前也
二三 沒有行過虧損的事。二三王就甚喜樂、吩咐人將但以理從
坑裏繫上來。於是但以理從坑裏被繫上來、身上毫無
傷損、因爲信靠他的神。

訟但以理者遭報見噬

二四 二四王下令、人就把那些控告但以理的人、連他們的妻子
兒女都帶來、扔在獅子坑中。他們還沒有到坑底、獅子
就抓住他們、(抓住原文作勝了)咬碎他們的骨頭。

王諭全國敬畏神

二五 二五那時大利烏王傳旨、曉諭住在全地各方各國各族的
二六 人、說、願你們大享平安。二六現在我降旨曉諭我所統轄的
全國人民、要在但以理的神面前、戰兢恐懼、因爲他
是永遠長存的活神、他的國永不敗壞、他的權柄永
二七 存無極。二七他護庇人、搭救人、在天上地下施行神蹟奇事、
二八 救了但以理脫離獅子的口。二八○如此、這但以理當大利
烏王在位的時候、和波斯王古列在位的時候、大享亨
通。

但以理見異象

第七章 一巴比倫王伯沙撒元年、但以理在牀上作
夢、見了腦中的異象、就記錄這夢、述說其中的大意。二但
以理說、我夜裏見異象、看見天的四風陡起、颳在大海
之上。

見四巨獸

三有四個大獸從海中上來、形狀各有不同。四頭一個像獅
子、有鷹的翅膀、我正觀看的時候、獸的翅膀被拔去、獸
從地上得立起來、用兩腳站立像人一樣、又得了人心。
五又有一獸如熊、就是第二獸、旁跨而坐、口齒內啣着三
根肋骨、有吩咐這獸的說、起來吞喫多肉。六此後、我觀看、
又有一獸如豹、背上有鳥的四個翅膀、這獸有四個頭、
又得了權柄。七其後我在夜間的異象中觀看、見第四獸
甚是可怕極其強壯大有力量、有大鐵牙、吞喫嚼碎、所
剩下的用腳踐踏、這獸與前三獸大不相同、頭有十角。
八我正觀看這些角、見其中又長起一個小角、先前的角
中、有三角在這角前、連根被他拔出來。這角有眼、像人
的眼、有口說誇大的話。◯九我觀看、見有寶座設立、上頭
坐着亙古常在者、他的衣服潔白如雪、頭髮如純淨的
羊毛、寶座乃火燄、其輪乃烈火。十從他面前有火像河發
出、事奉他的有千千、在他面前侍立的有萬萬、他坐着
要行審判、案卷都展開了。十一那時我觀看、見那獸因小角
說誇大話的聲音被殺、身體損壞、扔在火中焚燒。十二其餘
的獸、權柄都被奪去、生命卻仍存留、直到所定的時候
和日期。◯十三我在夜間的異象中觀看、見有一位像人子
的、駕着天雲而來、被領到亙古常在者面前。十四得了權柄、
榮耀、國度、使各方各國各族的人都事奉他、他的權柄
是永遠的、不能廢去、他的國必不敗壞。

解異象之義

十五至於我但以理、我的靈在我裏面愁煩、我腦中的異象
使我驚惶。十六我就近一位侍立者、問他這一切的真情、他
就告訴我、將那事的講解給我說明。十七這四個大獸就是
四王將要在世上興起。十八然而至高者的聖民必要得國
享受、直到永永遠遠。十九那時我願知道第四獸的真情、他
為何與那三獸的真情大不相同、二十甚是可怕、有鐵牙銅
爪、吞喫嚼碎、所剩下的用腳踐踏、頭有十角、和那另長

的一角在這角前有三角被他打落、這角有眼有說誇
二一 大話的口形狀強橫、過於他的同類。[二一]我觀看見這角與
二二 聖民爭戰、勝了他們、[二二]直到亙古常在者來給至高者的
二三 聖民伸冤、聖民得國的時候就到了。[二三]○那侍立者這樣
說、第四獸就是世上必有的第四國、與一切國大不相
二四 同、必吞喫全地、並且踐踏嚼碎。[二四]至於那十角就是從這
國中必興起的十王。後來又興起一王、與先前的不同、
二五 他必制伏三王。[二五]他必向至高者說誇大的話、必折磨至
高者的聖民、必想改變節期、和律法。聖民必交付他手
二六 一載、二載、半載。[二六]然而審判者必坐着行審判、他的權柄
二七 必被奪去毀壞滅絕、一直到底。[二七]國度、權柄、和天下諸國
的大權、必賜給至高者的聖民。他的國是永遠的、一切
二八 掌權的都必事奉他、順從他。[二八]那事至此完畢。至於我但
以理、心中甚是驚惶、臉色也改變了、卻將那事存記在
心。

第八章　復見異象

一 伯沙撒王在位第三年、有異象現與我但
二 以理、是在先前所見的異象之後。[二]我見了異象的時候、
我以爲在以攔省書珊城中。[城或作宮]我見異象又如在烏
萊河邊。

見公綿羊

三 [三]我舉目觀看、見有雙角的公綿羊站在河邊、兩角都高、
四 這角高過那角、更高的是後長的。[四]我見那公綿羊往西、
往北、往南牴觸、獸在他面前都站立不住、也沒有能救
護脫離他手的、但他任意而行、自高自大。

見公山羊

五 [五]我正思想的時候、見有一隻公山羊從西而來、遍行全
六 地、腳不沾塵。這山羊兩眼當中、有一非常的角。[六]他往我
所看見站在河邊有雙角的公綿羊那裏去、大發忿怒、
七 向他直闖。[七]我見公山羊就近公綿羊、向他發烈怒、牴觸
他、折斷他的兩角、綿羊在他面前站立不住、他將綿羊
八 觸倒在地、用腳踐踏、沒有能救綿羊脫離他手的。[八]這山
羊極其自高自大、正強盛的時候、那大角折斷了。又在
角根上向天的四方、[方原文作風]長出四個非常的角來。○
九 [九]四角之中、有一角長出一個小角、向南、向東、向榮美之
十 地、漸漸成爲強大。[十]他漸漸強大、高及天象、將些天象和

十一 星宿拋落在地、用脚踐踏。十一並且他自高自大、以爲高及
十二 天象之君．除掉常獻給君的燔祭、毀壞君的聖所。十二因罪
過的緣故、有軍旅和常獻的燔祭交付他．他將眞理拋
十三 在地上、任意而行、無不順利。十三我聽見有一位聖者說話、
又有一位聖者問那說話的聖者說、這除掉常獻的燔
祭、和施行毀壞的罪過、將聖所與軍旅踐踏的異象、軍旅或作以色列的軍
十四 要到幾時纔應驗呢。十四他對我說、到二千三百
日、聖所就必潔淨。

加百列爲釋異象之義

十五 十五我但以理見了這異象、願意明白其中的意思、忽有一
十六 位形狀像人的、站在我面前。十六我又聽見烏萊河兩岸中
十七 有人聲呼叫說、加百列阿、要使此人明白這異象。十七他便
來到我所站的地方．他一來、我就驚慌俯伏在地．他對
十八 我說、人子阿、你要明白、因爲這是關乎末後的異象。十八他
與我說話的時候、我面伏在地沉睡．他就摸我、扶我站
十九 起來、十九說、我要指示你惱怒臨完必有的事、因爲這是關
二十 乎末後的定期。二十你所看見雙角的公綿羊、就是瑪代和
二一 波斯王。二一那公山羊、就是希臘王．希臘原文作雅完下同兩眼當中
二二 的大角、就是頭一王。二二至於那折斷了的角、在其根上又
長出四角、這四角就是四國、必從這國裏興起來、只是
二三 權勢都不及他。二三這四國末時、犯法的人罪惡滿盈、必有
二四 一王興起、面貌兇惡、能用雙關的詐語。二四他的權柄必大、
卻不是因自己的能力．他必行非常的毀滅、事情順利、
二五 任意而行．又必毀滅有能力的和聖民。二五他用權術成就
手中的詭計、心裏自高自大．在人坦然無備的時候、毀
滅多人．又要站起來攻擊萬君之君．至終卻非因人手
二六 而滅亡。二六所說二千三百日的異象是眞的．但你要將這
二七 異象封住、因爲關乎後來許多的日子。二七於是我但以理
昏迷不醒、病了數日．然後起來辦理王的事務．我因這
異象驚奇、卻無人能明白其中的意思。

但以理閱書得知耶路撒冷必荒蕪七十年

一 **第九章** 一瑪代族亞哈隨魯的兒子大利烏立爲迦
二 勒底國的王元年、二就是他在位第一年、我但以理從書
上得知耶和華的話臨到先知耶利米、論耶路撒冷荒
涼的年數、七十年爲滿。

禁食祈禱

三 四 三我便禁食、披麻蒙灰、定意向主 神祈禱懇求。四我向耶
和華我的 神祈禱認罪、說、主阿、大而可畏的 神、向
五 愛主守主誡命的人守約施慈愛。五我們犯罪作孽、行惡
六 叛逆、偏離你的誡命典章。六沒有聽從你僕人衆先知奉
你名向我們君王首領列祖和國中一切百姓所說的
七 話。七主阿、你是公義的、我們是臉上蒙羞的、因我們猶大
人、和耶路撒冷的居民、並以色列衆人、或在近處、或在
遠處、被你趕到各國的人、都得罪了你、正如今日一樣。
八 八主阿、我們和我們的君王首領列祖、因得罪了你、就都
九 臉上蒙羞。九主我們的 神、是憐憫饒恕人的、我們卻違
十 背了他、十也沒有聽從耶和華我們 神的話、沒有遵行
十一 他藉僕人衆先知向我們所陳明的律法。十一以色列衆人
都犯了你的律法、偏行、不聽從你的話、因此在你僕人
摩西律法上所寫的咒詛、和誓言、都傾在我們身上、因
十二 我們得罪了 神。十二他使大災禍臨到我們、成就了警戒
我們和審判我們官長的話、原來在普天之下、未曾行
十三 過像在耶路撒冷所行的。十三這一切災禍臨到我們身上、

是照摩西律法上所寫的、我們卻沒有求耶和華我們
十四 神的恩典、使我們回頭離開罪孽、明白你的真理。十四所
以耶和華留意使這災禍臨到我們身上、因為耶和華
我們的 神在他所行的事上、都是公義、我們並沒有
十五 聽從他的話。十五主我們的 神阿、你曾用大能的手領你
的子民出埃及地、使自己得了名、正如今日一樣、我們
犯了罪、作了惡。

求主恢復耶路撒冷

十六 十六主阿、求你按你的大仁大義、使你的怒氣和忿怒轉離
你的城耶路撒冷、就是你的聖山。耶路撒冷和你的子
民、因我們的罪惡和我們列祖的罪孽、被四圍的人羞
十七 辱。十七我們的 神阿、現在求你垂聽僕人的祈禱懇求、為
十八 自己使臉光照你荒涼的聖所。十八我的 神阿、求你側耳
而聽、睜眼而看、眷顧我們荒涼之地、和稱為你名下的
城。我們在你面前懇求、原不是因自己的義、乃因你的
十九 大憐憫。十九求主垂聽、求主赦免、求主應允而行、為你自己
不要遲延、我的 神阿、因這城和這民、都是稱為你名
二十 下的。○二十我說話、禱告、承認我的罪、和本國之民以色列

二一 的罪、爲我神的聖山、在耶和華我神面前懇求．我二一
正禱告的時候、先前在異象中所見的那位加百列、奉
二二 命迅速飛來、約在獻晚祭的時候、按手在我身上。二二他指
教我說、但以理阿、現在我出來要使你有智慧、有聰明。
二三 二三你初懇求的時候、就發出命令、我來告訴你、因你大蒙
眷愛．所以你要思想明白這以下的事、和異象。

加百列示以七十乘七之豫言

二四 二四爲你本國之民、和你聖城、已經定了七十個七、要止住
罪過、除淨罪惡、贖盡罪孽、引進或作彰顯永義、封住異象和
二五 豫言、並膏至聖者。或作至聖所二五你當知道、當明白、從出令重新
建造耶路撒冷、直到有受膏君的時候、必有七個七、和
六十二個七．正在艱難的時候、耶路撒冷城連街帶濠、
二六 都必重新建造。二六過了六十二個七、那受膏者或作那有必被
剪除、一無所有、必有一王的民來毀滅這城、和聖所．至
終必如洪水沖沒、必有爭戰、一直到底、荒涼的事已經
二七 定了。二七一七之內、他必與許多人堅定盟約、一七之半、他
必使祭祀與供獻止息．那行毀壞可憎的或作使地荒涼的如
飛而來、並且有忿怒傾在那行毀壞的身上、或作傾在那荒涼之地
直到所定的結局。

但以理得啓示

一 **第十章** 一波斯王古列第三年、有事顯給稱爲伯提
沙撒的但以理．這事是眞的、是指着大爭戰．但以理通
二 達這事、明白這異象。二當那時、我但以理悲傷了三個七
三 日。三美味我沒有喫、酒肉沒有入我的口、也沒有用油抹
我的身、直到滿了三個七日。

見異象戰慄失色得天使慰藉

四五 四正月二十四日、我在希底結大河邊、五舉目觀看、見有一
六 人身穿細麻衣、腰束烏法精金帶．六他身體如水蒼玉、面
貌如閃電、眼目如火把、手和腳如光明的銅、說話的聲
七 音如大衆的聲音。七這異象、惟有我但以理一人看見、同
八 着我的人沒有看見他們却大大戰兢、逃跑隱藏、八只剩
下我一人、我見了這大異象便渾身無力、面貌失色、毫
九 無氣力。九我却聽見他說話的聲音、一聽見就面伏在地
十 沉睡了。十○忽然有一手按在我身上、使我用膝和手掌、
十一 支持微起。十一他對我說、大蒙眷愛的但以理阿、要明白我
與你所說的話、只管站起來、因爲我現在奉差遣來到

十二 你這裏。他對我說這話、我便戰戰兢兢的立起來。十二他就
說、但以理阿、不要懼怕、因爲從你第一日專心求明白
將來的事、又在你　神面前刻苦己心、你的言語已蒙
十三 應允、我是因你的言語而來。十三但波斯國的魔君、攔阻我
二十一日、忽然有大君（就是天使長二十一節同）中的一位米迦勒
十四 來幫助我、我就停留在波斯諸王那裏。十四現在我來要使
你明白本國之民日後必遭遇的事、因爲這異象關乎
十五 後來許多的日子。十五他向我這樣說、我就臉面朝地、啞口
十六 無聲。十六不料有一位像人的、摸我的嘴唇、我便開口向那
站在我面前的說、我主阿、因見這異象我大大愁苦、毫
十七 無氣力。十七我主的僕人怎能與我主說話呢。我一見異象
十八 就渾身無力、毫無氣息。◯有十八一位形狀像人的、又摸我
十九 使我有力量。十九他說、大蒙眷愛的人哪、不要懼怕、願你平
安、你總要堅強。他一向我說話、我便覺得有力量、說、我
二十 主請說、因你使我有力量。二十他就說、你知道我爲何來見
你麼、現在我要回去與波斯的魔君爭戰、我去後、希臘
二十一 （原文作雅完）的魔君必來。二十一但我要將那錄在眞確書上的事
告訴你。除了你們的大君米迦勒之外、沒有幫助我抵
擋這兩魔君的。

豫言波斯王將攻希臘

一 **第十一章** 又說、當瑪代王大利烏元年、我曾起來
二 扶助米迦勒、使他堅強。◯二現在我將眞事指示你、波斯
還有三王興起、第四王必富足遠勝諸王、他因富足成
三 爲強盛、就必激動大衆攻擊希臘國。三必有一個勇敢的
四 王興起、執掌大權、隨意而行。四他興起的時候、他的國必
破裂、向天的四方（方原文作風）分開、卻不歸他的後裔、治國
的權勢也都不及他、因爲他的國必被拔出、歸與他後
裔之外的人。

南王北王時爭時和

五 五南方的王必強盛、他將帥中必有一個比他更強盛、執
六 掌權柄、他的權柄甚大。六過些年後、他們必互相連合、南
方王的女兒必就了北方王來立約、但這女子幫助之
力、存立不住、王和他所倚靠之力、也不能存立、這女子
和引導他來的、並生他的、以及當時扶助他的、都必交
七 與死地。◯七但這女子的本家（本家原文作根）必另生一子（子原文作枝）
繼續王位、他必率領軍隊、進入北方王的保障、攻擊他

八 們、而且得勝。八並將他們的神像、和鑄成的偶像、與金銀
的寶器掠到埃及去。數年之內、他不去攻擊北方的王。
十九 九北方的王（原文作他）必入南方王的國、卻要仍回本地。〇十北
方王（原文作他）的二子必動干戈、招聚許多軍兵、這軍兵前
十一 去、如洪水氾濫、又必再去爭戰直到南方王的保障。十一南
方王必發烈怒出來與北方王爭戰、擺列大軍、北方王
十二 的軍兵必交付他手。十二他的衆軍高傲他的心也必自高、
十三 他雖使數萬人仆倒、卻不得常勝。十三北方王必回來擺列
大軍、比先前的更多、滿了所定的年數、他必率領大軍、
十四 帶極多的軍裝來。十四那時必有許多人起來攻擊南方王、
並且你本國的強暴人必興起、要應驗那異象他們卻
十五 要敗亡。十五北方王必來築壘攻取堅固城南方的軍兵必
十六 站立不住、就是選擇的精兵（原文作民）也無力站住。十六來攻
擊他的、必任意而行、無人在北方王（原文作他）面前站立得
十七 住。他必站在那榮美之地、用手施行毀滅。十七他必定意用
全國之力而來、立公正的約、照約而行、將自己的女兒
給南方王爲妻、想要敗壞他、（或作埃及）這計卻不得成就、與
十八 自己毫無益處。十八其後他必轉回奪取了許多海島。但有

一大帥、除掉他令人受的羞辱、並且使這羞辱歸他本
十九 身。十九他就必轉向本地的保障、卻要絆跌仆倒、歸於無有。
二十 〇二十那時必有一人興起接續他爲王、使橫征暴斂的人、
通行國中的榮美地、這王不多日就必滅亡、卻不因忿
二一 怒、也不因爭戰。二一必有一個卑鄙的人興起接續爲王、人
未曾將國的尊榮給他、他卻趁人坦然無備的時候、用
二二 諂媚的話得國。二二必有無數的軍兵勢如洪水、在他面前
二三 冲沒敗壞、同盟的君也必如此。二三與那君結盟之後、他必
二四 行詭詐、因爲他必上來以微小的軍（原文作民）成爲強盛。二四趁
人坦然無備的時候、他必來到國中極肥美之地、行他
列祖和他列祖之祖所未曾行的、將擄物、掠物、和財寶、
二五 散給衆人。又要設計攻打保障、然而這都是暫時的。二五他
必奮勇向前、率領大軍攻擊南方王、南方王也必以極
大極強的軍兵與他爭戰、卻站立不住、因爲有人設計
二六 謀害南方王。二六喫王膳的、必敗壞他、他的軍隊、必被冲沒、
二七 而且被殺的甚多。二七至於這二王、他們心懷惡計、同席說
謊、計謀卻不成就、因爲到了定期、事就了結。

北王廢棄聖約汚褻聖地

二八 二八北方王（原文作他）必帶許多財寶回往本國、他的心反對聖
二九 約、任意而行、回到本地。二九到了定期、他必返回、來到南方、
三十 後一次卻不如前一次、三十因為基提戰船、必來攻擊他、他
就喪膽而回、又要惱恨聖約、任意而行．他必回來聯絡
三一 背棄聖約的人。三一他必興兵、這兵必褻瀆聖地、就是保障、
三二 除掉常獻的燔祭、設立那行毀壞可憎的。三二作惡違背聖
約的人、他必用巧言勾引．惟獨認識 神的子民、必剛
三三 強行事。三三民間的智慧人、必訓誨多人、然而他們多日必
三四 倒在刀下、或被火燒、或被擄掠搶奪。三四他們仆倒的時候、
三五 稍得扶助、卻有許多人用諂媚的話親近他們。三五智慧人
中有些仆倒的、為要熬煉其餘的人、使他們清淨潔白、
三六 直到末了、因為到了定期、事就了結。〇三六王必任意而行、
自高自大、超過所有的神、又用奇異的話攻擊萬神之
神．他必行事亨通、直到主的忿怒完畢、因為所定的事、
三七 必然成就。三七他必不顧他列祖的神、也不顧婦女所羨慕
三八 的神、無論何神他都不顧、因為他必自大、高過一切。三八他
倒要敬拜保障的神、用金銀寶石和可愛之物、敬奉他

三九 列祖所不認識的神。三九他必靠外邦神的幫助、攻破最堅
固的保障．凡承認他的、他必將榮耀加給他們、使他們
四十 管轄許多人、又為賄賂分地與他們。〇四十到末了、南方王
要與他交戰、北方王必用戰車馬兵、和許多戰船、勢如
四一 暴風來攻擊他、也必進入列國、如洪水氾濫。四一又必進入
那榮美之地、有許多國就被傾覆、但以東人、摩押人、和
四二 一大半亞捫人、必脫離他的手。四二他必伸手攻擊列國、埃
四三 及地也不得脫離。四三他必把持埃及的金銀財寶、和各樣
四四 的寶物．呂彼亞人、和古實人、都必跟從他。四四但從東方和
北方必有消息擾亂他、他就大發烈怒出去、要將多人
四五 殺滅淨盡。四五他必在海和榮美的聖山中間、設立他如宮
殿的帳幕．然而到了他的結局、必無人能幫助他。

第十二章 米迦勒捍衛以色列．名錄於册者必蒙拯救

一 一那時保佑你本國之民的天使長（原文作大君）
米迦勒、必站起來．並且有大艱難、從有國以來直到此
時、沒有這樣的．你本國的民中、凡名錄在册上的、必得
二 拯救。二睡在塵埃中的、必有多人復醒．其中有得永生的、
三 有受羞辱永遠被憎惡的。三智慧人必發光、如同天上的

四　五　六　七　八　九　十　十一　十二　十三

光、那使多人歸義的、必發光如星、直到永永遠遠。
四 但以理阿、你要隱藏這話、封閉這書、直到末時、必有多人來往奔跑、（或作切心研究）知識就必增長。

命封閉豫言至於末期

五 我但以理觀看、見另有兩個人站立、一個在河這邊、一個在河那邊。
六 有一個問那站在河水以上穿細麻衣的、說、這奇異的事、到幾時纔應驗呢。
七 我聽見那站在河水以上穿細麻衣的、向天舉起左右手、指着活到永遠的主起誓說、要到一載、二載、半載、打破聖民權力的時候、這一切事就都應驗了。
八 我聽見這話、卻不明白、就說、我主阿、這些事的結局是怎樣呢。
九 他說、但以理阿、你只管去、因為這話已經隱藏封閉、直到末時。
十 必有許多人使自己清淨潔白、且被熬煉、但惡人仍必行惡、一切惡人都不明白、惟獨智慧人能明白。
十一 從除掉常獻的燔祭、並設立那行毀壞可憎之物的時候、必有一千二百九十日。
十二 等到一千三百三十五日的、那人便為有福。
十三 你且去等候結局、因為你必安歇、到了末期、你必起來、享受你的福分。

但以理書：五章廿四、廿五節

何西阿娶淫婦以示以色列人棄主從邪

第一章 一當烏西雅、約坦、亞哈斯、希西家作猶大王、
約阿施的兒子耶羅波安作以色列王的時候、耶和華
的話臨到備利的兒子何西阿。

生子耶斯列

二耶和華初次與何西阿說話、對他說、你去娶淫婦為妻、
也收那從淫亂所生的兒女、因為這地大行淫亂、離棄
耶和華。三於是何西阿去娶了滴拉音的女兒歌篾．這婦
人懷孕、給他生了一個兒子。四耶和華對何西阿說、給他
起名叫耶斯列、因為再過片時、我必討耶戶家在耶斯
列殺人流血的罪、也必使以色列家的國滅絕。五到那日、
我必在耶斯列平原折斷以色列的弓。

生女羅路哈瑪

六歌篾又懷孕生了一個女兒、耶和華對何西阿說、給他
起名叫羅路哈瑪、(就是不蒙憐憫的意思)七因為我必不再憐憫以
色列家、決不赦免他們。我卻要憐憫猶大家、使他們靠
耶和華他們的神得救、不使他們靠弓刀、爭戰、馬匹、
與馬兵得救。

復生子羅阿米

八歌篾給羅路哈瑪斷奶以後、又懷孕生了一個兒子。九耶
和華說、給他起名叫羅阿米、(就是非我民的意思)因為你們不作
我的子民、我也不作你們的神。

豫言猶大與以色列復興

十然而以色列的人數必如海沙、不可量、不可數．從前在
甚麼地方對他們說、你們不是我的子民、將來在那裏
必對他們說、你們是永生神的兒子。十一猶大人和以色
列人、必一同聚集、為自己立一個首領、從這地上去、(或作
從被擄之地上來)因為耶斯列的日子必為大日。

以色列人崇邪受懲

第二章 一你們要稱你們的弟兄為阿米、(就是我民的意思)
稱你們的姐妹為路哈瑪。(就是蒙憐憫的意思)○二你們要與你們
的母親大大爭辯、因為他不是我的妻子、我也不是他
的丈夫．叫他除掉臉上的淫像、和胸間的淫態、三免得我
剝他的衣服、使他赤體、與纔生的時候一樣、使他如曠

四 野、如乾旱之地、因渴而死。四我必不憐憫他的兒女、因為
五 他們是從淫亂而生的。五他們的母親行了淫亂、懷他們
的母作了可羞恥的事、因為他說、我要隨從所愛的、我
六 的餅、水、羊毛、麻、油、酒、都是他們給的。六因此、我必用荊棘
七 堵塞他的道、築牆擋住他、使他找不着路。七他必追隨所
愛的、卻追不上、他必尋找他們、卻尋不見、便說、我要歸
八 回前夫、因我那時的光景比如今還好。◯八他不知道是
我給他五穀、新酒、和油、又加增他的金銀、他卻以此供
九 奉（或作製造）巴力。九因此、到了收割的日子、出酒的時候、我必
將我的五穀新酒收回、也必將他應當遮體的羊毛和
十 麻、奪回來。十如今我必在他所愛的眼前顯露他的醜態、
十一 必無人能救他脫離我的手。十一我也必使他的宴樂、節期、
十二 月朔、安息日、並他的一切大會、都止息了。十二我也必毀壞
他的葡萄樹、和無花果樹、就是他說、這是我所愛的給
我為賞賜的、我必使這些樹變為荒林、為田野的走獸
十三 所喫。十三我必追討他素日給諸巴力燒香的罪、那時他佩
帶耳環、和別樣妝飾、隨從他所愛的、卻忘記我、這是耶
和華說的。

受罰之後復蒙眷愛

十四 十五 十四後來我必勸導他、領他到曠野、對他說安慰的話。十五他從
那裏出來、我必賜他葡萄園、又賜他亞割谷作為指望
的門、他必在那裏應聲、（或作歌唱）與幼年的日子一樣、與從
十六 埃及地上來的時候相同。十六耶和華說、那日你必稱呼我
十七 伊施、（就是我夫的意思）不再稱呼我巴力、（就是我主的意思）十七因為我必
從我民的口中除掉諸巴力的名號、這名號不再題起。
十八 十八當那日我必為我的民與田野的走獸、和空中的飛鳥、
並地上的昆蟲立約、又必在國中折斷弓刀、止息爭戰、
十九 使他們安然躺臥。十九我必聘你永遠歸我為妻、以仁義、公
二十 平、慈愛、憐憫、聘你歸我。二十也以誠實聘你歸我、你就必認
二十一 識我耶和華。◯二十一耶和華說、那日我必應允、我必應允天、
二十二 天必應允地、地必應允五穀、新酒、和油、這些必應允耶
二十三 斯列民。（耶斯列就是神栽種的意思）二十三我必將他種在這地、素不蒙憐
憫的、我必憐憫、本非我民的、我必對他說、你是我的民、
他必說、你是我的神。

第三章　何西阿復娶妻

一 一耶和華對我說、你再去愛一個淫婦、就是

他情人所愛的、好像以色列人、雖然偏向別神、喜愛葡
萄餅、耶和華還是愛他們。二我便用銀子十五舍客勒、大
麥一賀梅珥半、買他歸我。三我對他說、你當多日爲我獨
居、不可行淫、不可歸別人爲妻、我向你也必這樣。四以色
列人也必多日獨居、無君王、無首領、無祭祀、無柱像、無
以弗得、無家中的神像。

以色列歸主蒙恩

五後來以色列人必歸回、或作回心轉意尋求他們的神耶和
華、和他們的王大衛、在末後的日子、必以敬畏的心歸
向耶和華、領受他的恩惠。

民行諸惡必至傾躓

第四章

一以色列人哪、你們當聽耶和華的話。耶和
華與這地的居民爭辯、因這地上無誠實、無良善、無人
認識神。二但起假誓、不踐前言、殺害、偷盜、姦淫、行強暴、
殺人流血、接連不斷。三因此這地悲哀、其上的民、田野的
獸、空中的鳥、必都衰微、海中的魚也必消滅。四然而人都
不必爭辯、也不必指責、因爲這民與抗拒祭司的人一
樣。五你這祭司、必日間跌倒、先知也必夜間與你一同跌
倒。我必滅絕你的母親。

責祭司棄智忘律

六我的民因無知識而滅亡。你棄掉知識、我也必棄掉你、
使你不再給我作祭司。你既忘了你 神的律法、我也
必忘記你的兒女。七祭司越發增多、就越發得罪我。我必
使他們的榮耀變爲羞辱。八他們喫我民的贖罪祭、滿心
願意我民犯罪。九將來民如何、祭司也必如何、我必因他
們所行的懲罰他們、照他們所作的報應他們。十他們喫、
卻不得飽、行淫而不得立後、因爲他們離棄耶和華不
遵他的命。

責民崇邪拜偶

十一姦淫和酒、並新酒、奪去人的心。十二我的民求問木偶、以爲
木杖能指示他們、因爲他們的淫心使他們失迷、他們
就行淫離棄 神、不守約束。十三在各山頂、各高岡的橡樹、
楊樹、栗樹之下、獻祭燒香、因爲樹影美好。所以你們的
女兒淫亂、你們的新婦或作兒婦下同行淫。十四你們的女兒淫亂、
你們的新婦行淫、我卻不懲罰他們、因爲你們自己離
羣與娼妓同居、與妓女一同獻祭。這無知的民、必致傾

倒。

以色列受罰警戒猶大

十五 以色列阿、你雖然行淫、猶大卻不可犯罪。不要往吉甲
去、不要上到伯亞文、也不要指着永生的耶和華起誓。
十六 以色列倔強、猶如倔強的母牛。現在耶和華要放他們、
十七 如同放羊羔在寬闊之地。十七以法蓮親近偶像、任憑他罷。
十八 他們所喝的已經發酸。他們時常行淫、他們的官長最
十九 愛羞恥的事。十九風把他們裹在翅膀裏。他們因所獻的祭
必致蒙羞。

第五章

祭司庶民王室必因罪被鞫

一 衆祭司阿、要聽我的話、以色列家阿、要留
心聽。王家阿、要側耳而聽。審判要臨到你們、因你們在
二 米斯巴如網羅、在他泊山如鋪張的網。二這些悖逆的人、
三 肆行殺戮、罪孽極深。我卻斥責他們衆人。三以法蓮為我
所知、以色列不能向我隱藏。以法蓮哪、現在你行淫了、
四 以色列被玷污了。四他們所行的使他們不能歸向神、
五 因有淫心在他們裏面、他們也不認識耶和華。五以色列
的驕傲當面見證自己。故此、以色列和以法蓮必因自
六 己的罪孽跌倒、猶大也必與他們一同跌倒。六他們必牽
着牛羊去尋求耶和華、卻尋不見他、他已經轉去離開他
七 們。七他們向耶和華行事詭詐、生了私子。到了月朔、他們
八 與他們的地業必被吞滅。〇八你們當在基比亞吹角、在
拉瑪吹號、在伯亞文吹出大聲、說、便雅憫哪、有仇敵在
九 你後頭。九在責罰的日子、以法蓮必變為荒場。我在以色
十 列支派中、指示將來必成的事。十猶大的首領如同挪移
十一 地界的人、我必將忿怒倒在他們身上、如水一般。十一以法
十二 蓮因樂從人的命令、就受欺壓、被審判壓碎。十二我使以法
十三 蓮如蟲蛀之物、使猶大家如朽爛之木。十三以法蓮見自己
有病、猶大見自己有傷、他們就打發人往亞述去見耶
十四 雷布王。他卻不能醫治你們、不能治好你們的傷。十四我必
向以法蓮如獅子、向猶大家如少壯獅子。我必撕裂而
去、我要奪去無人搭救。

待其認罪求主乃止其禍

十五 我要回到原處、等他們自覺有罪、或作承認己罪尋求我面、他
們在急難的時候、必切切尋求我。

勸民轉而識主

第六章
一來罷、我們歸向耶和華．他撕裂我們、也必
醫治．他打傷我們、也必纏裹。二過兩天他必使我們甦醒、
第三天他必使我們興起、我們就在他面前得以存活。
三我們務要認識耶和華、竭力追求認識他．他出現確如
晨光．他必臨到我們像甘雨、像滋潤田地的春雨。

責其虛妄

四主說、以法蓮哪、我可向你怎樣行呢．猶大阿、我可向你
怎樣作呢．因為你們的良善、如同早晨的雲霧、又如速
散的甘露。五因此、我藉先知砍伐他們、以我口中的話殺
戮他們、我施行的審判如光發出。六我喜愛良善、〔或作憐恤〕不
喜愛祭祀、喜愛認識神、勝於燔祭。七他們卻如亞當背
約、在境內向我行事詭詐。八基列是作孽之人的城、被血
沾染。九強盜成羣怎樣埋伏殺人、祭司結黨、也照樣在示
劍的路上殺戮、行了邪惡。十在以色列家我見了可憎的
事、在以法蓮那裏有淫行、以色列被玷污。十一猶大阿、我使
被擄之民歸回的時候、必有為你所命定的收場。

責其作惡多端

第七章
一我想醫治以色列的時候、以法蓮的罪孽、
和撒瑪利亞的罪惡就顯露出來．他們行事虛謊、內有
賊人入室偷竊、外有強盜成羣騷擾。二他們心裏並不思
想我記念他們的一切惡、他們所行的現在纏繞他們、
都在我面前。三他們行惡使君王歡喜、說謊使首領喜樂。
四他們都是行淫的、像火爐被烤餅的燒熱、從摶麵到發
麵的時候、暫不使火熖旺。五在我們王宴樂的日子、首領
因酒的烈性成病．王與褻慢人拉手。六首領埋伏的時候、
心中熱如火爐、就如烤餅的整夜睡臥、到了早晨火氣
炎炎。七眾民也熱如火爐、燒滅他們的官長．他們的君王
都仆倒而死．他們中間無一人求告我。

責其悖逆欺誑

八以法蓮與列邦人攙雜．以法蓮是沒有翻過的餅。九外邦
人吞喫他勞力得來的、他卻不知道．頭髮斑白、他也不
覺得。十以色列的驕傲當面見證自己．雖遭遇這一切、他
們仍不歸向耶和華他們的神、也不尋求他。十一以法蓮
好像鴿子愚蠢無知．他們求告埃及、投奔亞述。十二他們去

的時候、我必將我的網撒在他們身上、我要打下他們
如同空中的鳥。我必按他們會衆所聽見的、懲罰他們。
十三 [十三]他們因離棄我、必定有禍、因違背我、必被毀滅。我雖要
十四 救贖他們、他們卻向我說謊。[十四]他們並不誠心哀求我、乃
十五 在牀上呼號。他們爲求五穀新酒聚集、仍然悖逆我。[十五]我
十六 雖教導他們、堅固他們的膀臂、他們竟圖謀抗拒我。[十六]他
們歸向、卻不歸向至上者。他們如同翻背的弓。他們的
首領必因舌頭的狂傲倒在刀下、這在埃及地必作人
的譏笑。

責其背約棄善

一 **第八章** [一]你用口吹角罷。敵人如鷹來攻打耶和華
二 的家、因爲這民違背我的約、干犯我的律法。[二]他們必呼
三 叫我說、我的神阿、我們以色列認識你了。[三]以色列丟
棄良善、(或作福分)仇敵必追逼他。

責其造像崇邪

四 [四]他們立君王、卻不由我、他們立首領、我卻不認。他們用
五 金銀爲自己製造偶像、以致被剪除。[五]撒瑪利亞阿、耶和
華已經丟棄你的牛犢、我的怒氣向拜牛犢的人發作。
六 他們到幾時方能無罪呢。[六]這牛犢出於以色列、是匠人
七 所造的、並不是神。撒瑪利亞的牛犢、必被打碎。[七]他們所
種的是風、所收的是暴風、所種的不成禾稼、就是發苗
八 也不結實、即便結實、外邦人必吞喫。[八]以色列被吞喫、
九 現今在列國中、好像人不喜悅的器皿。[九]他們投奔亞述、
十 如同獨行的野驢。以法蓮賄買朋黨。[十]他們雖在列邦中
賄買人、現在我卻要聚集懲罰他們。他們因君王和首
領所加的重擔、日漸衰微。

以色列忘其造化之主

十一 十二 [十一]以法蓮增添祭壇取罪、因此、祭壇使他犯罪。[十二]我爲他寫
十三 了律法萬條、他卻以爲與他毫無關涉。[十三]至於獻給我的
祭物、他們自食其肉、耶和華卻不悅納他們、現在必記
十四 念他們的罪孽、追討他們的罪惡、他們必歸回埃及。[十四]以
色列忘記造他的主、建造宮殿、猶大多造堅固城、我卻
要降火焚燒他的城邑、燒滅其中的宮殿。

狥欲棄主必遭懲罰

一 **第九章** [一]以色列阿、不要像外邦人歡喜快樂、因爲
你行邪淫離棄你的神、在各穀場上如妓女喜愛賞

二 賜。[二]穀塲和酒醡、都不彀以色列人使用、新酒也必缺乏。
三 [三]他們必不得住耶和華的地、以法蓮卻要歸回埃及、必
四 在亞述喫不潔淨的食物。[四]他們必不得向耶和華奠酒、
即便奠酒、也不蒙悅納．他們的祭物必如居喪者的食
物、凡喫的必被玷汚、因他們的食物只爲自己的口腹、
五 必不奉入耶和華的殿。[五]在大會的日子、到耶和華的節
六 期、你們怎樣行呢。[六]看哪、他們逃避災難、埃及人必收殮
他們的屍首、摩弗人必葬埋他們的骸骨、他們用銀子
七 作的美物上必長蒺藜、他們的帳棚中必生荊棘。[七]以色
列人必知道降罰的日子臨近、報應的時候來到．（民
說、作先知的是愚昧、受靈感的是狂妄、）皆因他們多
八 多作孽、大懷怨恨。[八]以法蓮曾作我　神守望的、至於先
知、在他一切的道上作爲捕鳥人的網羅、在他　神的
九 家中懷怨恨。[九]以法蓮深深的敗壞、如在基比亞的日子
一樣．耶和華必記念他們的罪孽、追討他們的罪惡。○
十 [十]主說、我遇見以色列如葡萄在曠野、我看見你們的列
祖、如無花果樹上春季初熟的果子．他們卻來到巴力
毘珥專拜那可羞恥的、就成爲可憎惡的、與他們所愛
十一 的一樣。[十一]至於以法蓮人、他們的榮耀必如鳥飛去、必不
十二 生產、不懷胎、不成孕。[十二]縱然養大兒女、我卻必使他們喪
十三 子、甚至不留一個．我離棄他們、他們就有禍了。[十三]我看以
法蓮如推羅栽於美地．以法蓮卻要將自己的兒女帶
十四 出來、交與行殺戮的人。[十四]耶和華阿、求你加給他們．加甚
十五 麼呢、要使他們胎墜乳乾。[十五]耶和華說、他們一切的惡事
都在吉甲、我在那裏憎惡他們、因他們所行的惡、我必
從我地上趕出他們去、不再憐愛他們、他們的首領都
十六 是悖逆的。[十六]以法蓮受責罰、根本枯乾、必不能結果、即或
十七 生產、我必殺他們所生的愛子。[十七]我的　神必棄絕他們、
因爲他們不聽從他、他們也必飄流在列國中。

第十章

嚴責以色列崇僞拜像

一 [一]以色列是茂盛的葡萄樹、結果繁多、果子
越多、就越增添祭壇．地土越肥美、就越造美麗的柱像。
二 [二]他們心懷二意、現今要定爲有罪．耶和華必拆毀他們
三 的祭壇、毀壞他們的柱像。[三]他們必說、我們沒有王、因爲
四 我們不敬畏耶和華．王能爲我們作甚麼呢。○[四]他們爲
立約說謊言、起假誓、因此、災罰如苦菜滋生在田間的

五 犂溝中。五撒瑪利亞的居民、必因伯亞文的牛犢驚恐、崇
拜牛犢的民、和喜愛牛犢的祭司、都必因榮耀離開他、
六 爲他悲哀。六人必將牛犢帶到亞述、當作禮物、獻給耶雷
七 布王。以法蓮必蒙羞、以色列必因自己的計謀慚愧。七至
八 於撒瑪利亞、他的王必滅沒、如水面的沫子一樣。八伯亞
文的邱壇、就是以色列取罪的地方、必被毀滅、荊棘和
蒺藜必長在他們的祭壇上、他們必對大山說、遮蓋我
九 們、對小山說、倒在我們身上。○九以色列阿、你從基比亞
的日子以來、時常犯罪．你們的先人曾站在那裏、現今
住基比亞的人、以爲攻擊罪孽之輩的戰事臨不到自
十 己。十我必隨意懲罰他們、他們爲兩樣的罪所纏、列邦的
十一 民必聚集攻擊他們。十一以法蓮是馴良的母牛犢、喜愛踹
轂、我卻將軛加在他肥美的頸項上、我要使以法蓮拉
十二 套、（或作被騎）猶大必耕田、雅各必耙地。○十二你們要爲自己栽
種公義、就能收割慈愛．現今正是尋求耶和華的時候、
你們要開墾荒地、等他臨到、使公義如雨降在你們身
十三 上。十三你們耕種的是奸惡、收割的是罪孽、喫的是謊話的
十四 果子、因你倚靠自己的行爲、仰賴勇士衆多。十四所以在這
民中必有鬨嚷之聲、你一切的保障必被拆毀、就如沙
勒幔在爭戰的日子拆毀伯亞比勒、將其中的母子、一
十五 同摔死。十五因他們的大惡、伯特利必使你們遭遇如此．到
了黎明、以色列的王必全然滅絕。

第十一章　責其辜負主恩

一 一以色列年幼的時候我愛他、就從埃及
二 召出我的兒子來。二先知越發招呼他們、他們越發走開、
三 向諸巴力獻祭、給雕刻的偶像燒香。三我原教導以法蓮
行走、用膀臂抱着他們、他們卻不知道是我醫治他們。
四 四我用慈繩（慈原文作人的）愛索牽引他們、我待他們如人放鬆
牛的兩腮夾板、把糧食放在他們面前。

必遭重罰

五 五他們必不歸回埃及地、亞述人卻要作他們的王、因他
六 們不肯歸向我．六刀劍必臨到他們的城邑、毀壞門閂、把
七 人吞滅、都因他們隨從自己的計謀。七我的民偏要背道
離開我、衆先知雖然招呼他們歸向至上的主、卻無人
尊崇主．

仍施矜恤

八 [八]以法蓮哪、我怎能捨棄你、以色列阿、我怎能棄絕你、我
怎能使你如押瑪、怎能使你如洗扁、我回心轉意、我的
九 憐愛大大發動。[九]我必不發猛烈的怒氣、也不再毀滅以
十 法蓮、因我是神、並非世人、是你們中間的聖者、我必
十一 不在怒中臨到你們。[十]耶和華必如獅子吼叫、子民必跟
隨他、他一吼叫、他們就從西方急速而來。[十一]他們必如雀
十二 鳥從埃及急速而來、又如鴿子從亞述地來到、我必使
他們住自己的房屋、這是耶和華說的。○[十二]以法蓮用謊
話、以色列家用詭計圍繞我、猶大卻靠　神掌權、向聖
者有忠心。(或作猶大向　神向誠實的聖者猶疑不定)

第十二章

斥責以法蓮與猶大

一 [一]以法蓮喫風、且追趕東風．時常增添虛
二 謊和強暴．與亞述立約、把油送到埃及。[二]耶和華與猶大
三 爭辯、必照雅各所行的懲罰他、按他所作的報應他。[三]他
四五 在腹中抓住哥哥的腳跟、壯年的時候與　神較力、[四][五]與
天使較力並且得勝、哭泣懇求、在伯特利遇見耶和華、
耶和華萬軍之　神在那裏曉諭我們以色列人、耶和
華是他可記念的名。

勸其歸誠神

六 [六]所以你當歸向你的　神、謹守仁愛、公平、常常等候你
的　神。

以法蓮行惡大干主怒

八七 [七]以法蓮是商人、手裏有詭詐的天平、愛行欺騙。[八]以法蓮
說、我果然成了富足、得了財寶、我所勞碌得來的、人必
九 不見有甚麼不義、可算為罪的。[九]自從你出埃及地以來、
我就是耶和華你的　神、我必使你再住帳棚、如在大
十 會的日子一樣。[十]我已曉諭眾先知、並且加增默示、藉先
十一 知設立比喻。[十一]基列人沒有罪孽麼．他們全然是虛假的．
人在吉甲獻牛犢為祭、他們的祭壇好像田間犁溝中
十二 的亂堆。[十二]從前雅各逃到亞蘭地、以色列為得妻服事人、
十三 為得妻與人放羊。[十三]耶和華藉先知領以色列從埃及上
十四 來、以色列也藉先知而得保存。[十四]以法蓮大大惹動主怒、
所以他流血的罪、必歸在他身上、主必將那因以法蓮
所受的羞辱歸還他。

以色列因造像干罪榮華消滅

一 **第十三章** 一從前以法蓮說話、人都戰兢、他在以色
列中居處高位、但他在事奉巴力的事上犯罪、就死了。
二 二現今他們罪上加罪、用銀子為自己鑄造偶像、就是照
自己的聰明製造、都是匠人的工作、有人論說、獻祭的
三 人可以向牛犢親嘴。三因此他們必如早晨的雲霧、又如
速散的甘露、像塲上的糠粃被狂風吹去、又像煙氣騰
於窗外。

因驕忘主

四 四自從你出埃及地以來、我就是耶和華你的神、在我
五 以外、你不可認識別神、除我以外並沒有救主。五我曾在
六 曠野乾旱之地認識你。六這些民照我所賜的食物得了
七 飽足、既得飽足、心就高傲、忘記了我。七因此、我向他們如
八 獅子、又如豹伏在道旁。八我遇見他們、必像丟崽子的母
熊、撕裂他們的胸膛、(或作心膜)在那裏我必像母獅吞喫他
們、野獸必撕裂他們。

責其違逆

九 九以色列阿、你與我反對、就是反對幫助你的、自取敗壞。

十 十你曾求我說、給我立王和首領、現在你的王在那裏呢、
治理你的在那裏呢、讓他在你所有的城中拯救你罷。
十一 十二 十一我在怒氣中將王賜你、又在烈怒中將王廢去。十二以法蓮
十三 的罪孽包裹、他的罪惡收藏。十三產婦的疼痛必臨到他身
十四 上、他是無智慧之子、到了產期、不當遲延。十四我必救贖他
們脫離陰間、救贖他們脫離死亡.死亡阿、你的災害在
那裏呢.陰間哪、你的毀滅在那裏呢.在我眼前決無後
悔之事。

必受慘刑

十五 十五他在弟兄中雖然茂盛、必有東風颳來、就是耶和華的
風從曠野上來、他的泉源必乾、他的源頭必竭、仇敵必
十六 擄掠他所積蓄的一切寶器。十六撒瑪利亞必擔當自己的
罪、因為悖逆他的神、他必倒在刀下、嬰孩必被摔死、
孕婦必被剖開。

勸其悔罪歸主

一 **第十四章** 一以色列阿、你要歸向耶和華你的神.
二 你是因自己的罪孽跌倒了。二當歸向耶和華、用言語禱
告他說、求你除淨罪孽、悅納善行、這樣、我們就把嘴唇

的祭代替牛犢獻上。[三]我們不向亞述求救．不騎埃及的
馬．也不再對我們手所造的說、你是我們的神、因為孤
兒在你耶和華那裏得蒙憐憫。

許復施恩眷愛

[四]我必醫治他們背道的病、甘心愛他們、因為我的怒氣
向他們轉消。[五]我必向以色列如甘露．他必如百合花開
放、如利巴嫩的樹木扎根．[六]他的枝條必延長、他的榮華
如橄欖樹、他的香氣如利巴嫩的香柏樹．[七]曾住在他蔭
下的必歸回、發旺如五穀．開花如葡萄樹．他的香氣如
利巴嫩的酒。[八]以法蓮必說、我與偶像還有甚麼關涉呢．
我耶和華回答他、也必顧念他．我如青翠的松樹、你的
果子從我而得。○[九]誰是智慧人、可以明白這些事．誰是
通達人、可以知道這一切．因為耶和華的道是正直的、
義人必在其中行走．罪人卻在其上跌倒。

他們的榮耀必如鳥飛去

何西阿書：九章十一節

何西阿書：三章二節

約珥書

第一章

約珥豫示主降重災

一 耶和華的話臨到毘土珥的兒子約珥。○
二 老年人哪、當聽我的話．國中的居民哪、都要側耳而聽．
在你們的日子、或你們列祖的日子、曾有這樣的事麼。
三 你們要將這事傳與子、子傳與孫、孫傳與後代。四 剪蟲剩
下的、蝗蟲來喫．蝗蟲剩下的、蝻子來喫．蝻子剩下的、螞
五 蚱來喫。○ 五 酒醉的人哪、要清醒哭泣．好酒的人哪、都要
六 爲甜酒哀號．因爲從你們的口中斷絕了。六 有一隊蝗蟲、
（原文作民）又強盛、又無數、侵犯我的地．他的牙齒如獅子的
七 牙齒、大牙如母獅的大牙。七 他毀壞我的葡萄樹、剝了我
無花果樹的皮、剝盡而丟棄、使枝條露白。

勸民因災哀哭

八 我的民哪、你當哀號、像處女腰束麻布、爲幼年的丈夫
九 哀號。九 素祭和奠祭從耶和華的殿中斷絕．事奉耶和華
十 的祭司都悲哀。十 田荒涼、地悲哀、因爲五穀毀壞、新酒乾
十一 竭、油也缺乏。十一 農夫阿、你們要慚愧、修理葡萄園的阿、你
們要哀號、因爲大麥小麥、與田間的莊稼、都滅絕了。十二 葡
萄樹枯乾、無花果樹衰殘、石榴樹、棕樹、蘋果樹、連田野
一切的樹木也都枯乾．衆人的喜樂盡都消滅。

集衆禁食籲主

十三 祭司阿、你們當腰束麻布痛哭．伺候祭壇的阿、你們要
哀號．事奉我　神的阿、你們要來披上麻布過夜．因爲
十四 素祭、和奠祭、從你們　神的殿中斷絕了。十四 你們要分定
禁食的日子、宣告嚴肅會、招聚長老、和國中的一切居
十五 民、到耶和華你們　神的殿、向耶和華哀求。○ 十五 哀哉、耶
和華的日子臨近了．這日來到、好像毀滅從全能者來
十六 到。十六 糧食不是在我們眼前斷絕了麼．歡喜快樂不是從
十七 我們　神的殿中止息了麼。十七 穀種在土塊下朽爛．倉也
十八 荒涼、廩也破壞．因爲五穀枯乾了。十八 牲畜哀鳴、牛羣混亂、
十九 因爲無草．羊羣也受了困苦。十九 耶和華阿、我向你求告．因
二十 爲火燒滅曠野的草塲、火燄燒盡田野的樹木。二十 田野的
走獸向你發喘．因爲溪水乾涸、火也燒滅曠野的草塲。

第二章

豫言主日將臨萬民戰懼

一 你們要在錫安吹角、在我聖山吹出大聲．

國中的居民、都要發顫．因爲耶和華的日子將到、已經
臨近。二那日是黑暗、幽冥、密雲、烏黑的日子、好像晨光鋪
滿山嶺．有一隊蝗蟲(原文作民)又大又強．從來沒有這樣的、
以後直到萬代也必沒有。三他們前面如火燒滅、後面如
火燄燒盡．未到以前、地如伊甸園、過去以後、成了荒涼
的曠野．沒有一樣能躲避他們的。◎四他們的形狀如馬、
奔跑如馬兵。五在山頂蹿跳的響聲、如車輛的響聲、又如
火燄燒碎稭的響聲、好像強盛的民擺陣豫備打仗。六他
們一來、衆民傷慟、臉都變色。七他們如勇士奔跑、像戰士
爬城．各都步行、不亂隊伍。八彼此並不擁擠、向前各行其
路．直闖兵器、不偏左右。九他們蹿上城、躥上牆、爬上房屋、
進入窗戶如同盜賊。十他們一來、地震天動、日月昏暗、星
宿無光。十一耶和華在他軍旅前發聲．他的隊伍甚大、成就
他命的、是強盛者．因爲耶和華的日子大而可畏、誰能
當得起呢。

勸以悔罪歸誠禁食哭泣

十二耶和華說、雖然如此、你們應當禁食、哭泣、悲哀、一心歸
向我。十三你們要撕裂心腸、不撕裂衣服、歸向耶和華你們
的神．因爲他有恩典、有憐憫、不輕易發怒、有豐盛的
慈愛、並且後悔不降所說的災。十四或者他轉意後悔、留下
餘福、就是留下獻給耶和華你們神的素祭和奠祭、
也未可知。

命定日集會禁食自潔

十五你們要在錫安吹角、分定禁食的日子、宣告嚴肅會．十六聚
集衆民、使會衆自潔、招聚老者、聚集孩童和喫奶的、使
新郎出離洞房、新婦出離內室。十七事奉耶和華的祭司、要
在廊子和祭壇中間哭泣、說、耶和華阿、求你顧惜你的
百姓、不要使你的產業受羞辱、列邦管轄他們．爲何容
列國的人說、他們的神在那裏呢。

許以仍施矜憫

十八耶和華就爲自己的地發熱心、憐恤他的百姓。十九耶和華
應允他的百姓說、我必賜給你們五穀、新酒、和油、使你
們飽足．我也不再使你們受列國的羞辱。二十卻要使北方
來的軍隊遠離你們、將他們趕到乾旱荒廢之地、前隊
趕入東海、後隊趕入西海．因爲他們所行的大惡、(原文作事)
臭氣上升、腥味騰空。

以耶和華將行大事慰民

二一 二一地土阿、不要懼怕、要歡喜快樂．因爲耶和華行了大事。
二二 二二田野的走獸阿、不要懼怕．因爲曠野的草發生、樹木結
二三 果、無花果樹葡萄樹、也都効力。二三錫安的民哪、你們要快
樂、爲耶和華你們的神歡喜．因他賜給你們合宜的
二四 秋雨、爲你們降下甘霖、就是秋雨春雨、和先前一樣。二四禾
二五 塲必滿了麥子、酒醡與油醡必有新酒和油盈溢。二五我打
發到你們中間的大軍隊、就是蝗蟲、蝻子、螞蚱、剪蟲、那
二六 些年所喫的、我要補還你們。二六你們必多喫而得飽足、就
讚美爲你們行奇妙事之耶和華你們神的名．我的
二七 百姓、必永遠不至羞愧。二七你們必知道我是在以色列中
間、又知道我是耶和華你們的神、在我以外並無別
神．我的百姓必永遠不至羞愧。

許賜聖靈

二八 二八以後、我要將我的靈澆灌凡有血氣的．你們的兒女要
二九 說豫言．你們的老年人要作異夢．少年人要見異象．二九在
三十 那些日子、我要將我的靈澆灌我的僕人和使女。三十在天
三一 上地下、我要顯出奇事、有血有火有煙柱．三一日頭要變爲
黑暗、月亮要變爲血、這都在耶和華大而可畏的日子
未到以前。

籲主名者必得拯救

三二 三二到那時候、凡求告耶和華名的、就必得救．因爲照耶和
華所說的、在錫安山耶路撒冷必有逃脫的人、在剩下
的人中必有耶和華所召的。

第三章　選民之敵必見鞫受懲

一 一到那日、我使猶大和耶路撒冷被擄之人
二 歸回的時候、二我要聚集萬民、帶他們下到約沙法谷、在
那裏施行審判、因爲他們將我的百姓、就是我的產業
三 以色列、分散在列國中．又分取我的地土、三且爲我的百
四 姓拈鬮、將童子換妓女、賣童女買酒喝。四推羅、西頓和非
利士四境的人哪、你們與我何干．你們要報復我麼．若
五 報復我、我必使報應速速歸到你們的頭上。五你們既然
奪取我的金銀、又將我可愛的寶物帶入你們宮殿、(或作
六 廟中)六並將猶大人和耶路撒冷人賣給希臘人(原文作雅完人)使
七 他們遠離自己的境界。七我必激動他們離開你們所賣
八 到之地、又必使報應歸到你們的頭上．八我必將你們的

兒女賣在猶大人的手中、他們必賣給遠方示巴國的
人。這是耶和華說的。

耶和華在約沙法谷鞫萬民

九當在萬民中宣告說、要豫備打仗、激動勇士。使一切戰
士上前來。十要將犂頭打成刀劍、將鐮刀打成戈矛。輭弱
的要說、我有勇力。十一四圍的列國阿、你們要速速的來、一
同聚集。耶和華阿、求你使你的大能者降臨。十二萬民都當
興起、上到約沙法谷。因為我必坐在那裏、審判四圍的
列國。十三開鐮罷、因為莊稼熟了。踐踏罷、因為酒醡滿了、酒
池盈溢。他們的罪惡甚大。○十四許多許多的人在斷定谷。
因為耶和華的日子臨近斷定谷。十五日月昏暗、星宿無光。
十六耶和華必從錫安吼叫、從耶路撒冷發聲。天地就震動。
耶和華卻要作他百姓的避難所、作以色列人的保障。
十七你們就知道我是耶和華你們的神、且又住在錫安
我的聖山。那時、耶路撒冷必成為聖、外邦人不再從其
中經過。

異邦受罰

十八到那日、大山要滴甜酒、小山要流奶子、猶大溪河、都有
水流。必有泉源從耶和華的殿中流出來、滋潤什亭谷。
十九埃及必然荒涼、以東變為悽涼的曠野、都因向猶大人
所行的強暴、又因在本地流無辜人的血。

猶大永存

二十但猶大必存到永遠、耶路撒冷必存到萬代。二十一我未曾報
復（或作洗除下同）流血的罪、現在我要報復、因為耶和華住在
錫安。

約珥書：一章四節

阿摩司書

阿摩司豫示亞蘭必受主罰

一 第一章 一當猶大王烏西雅、以色列王約阿施的兒
子耶羅波安在位的時候、大地震前二年、提哥亞牧人
二 中的阿摩司得默示論以色列。二○他說、耶和華必從錫
安吼叫、從耶路撒冷發聲、牧人的草場要悲哀、迦密的
三 山頂要枯乾。三○耶和華如此說、大馬色三番四次的犯
罪、我必不免去他的刑罰、因為他以打糧食的鐵器打
四 過基列。四我卻要降火在哈薛的家中、燒滅便哈達的宮
五 殿。五我必折斷大馬色的門閂、剪除亞文平原的居民、和
伯伊甸掌權的．亞蘭人必被擄到吉珥．這是耶和華說
的。

非利士受罰

六 六耶和華如此說、迦薩三番四次的犯罪、我必不免去他
七 的刑罰．因為他擄掠眾民交給以東。七我卻要降火在迦
八 薩的城內、燒滅其中的宮殿。八我必剪除亞實突的居民、
和亞實基倫掌權的．也必反手攻擊以革倫．非利士人
所餘剩的必都滅亡．這是主耶和華說的。

推羅受罰

九 九耶和華如此說、推羅三番四次的犯罪、我必不免去他
的刑罰．因為他將眾民交給以東、並不記念弟兄的盟
十 約。十我卻要降火在推羅的城內、燒滅其中的宮殿。

以東受罰

十一 十一耶和華如此說、以東三番四次的犯罪、我必不免去他
的刑罰．因為他拿刀追趕兄弟毫無憐憫、發怒撕裂、永
十二 懷忿怒。十二我卻要降火在提幔、燒滅波斯拉的宮殿。

亞捫受罰

十三 十三耶和華如此說、亞捫人三番四次的犯罪、我必不免去
他們的刑罰．因為他們剖開基列的孕婦、擴張自己的
十四 境界。十四我卻要在爭戰吶喊的日子、旋風狂暴的時候、點
十五 火在拉巴的城內、燒滅其中的宮殿．十五他們的王和首領、
必一同被擄去．這是耶和華說的。

摩押受罰

一 第二章 一耶和華如此說、摩押三番四次的犯罪、我
必不免去他的刑罰．因為他將以東王的骸骨焚燒成

二 灰。[二]我卻要降火在摩押、燒滅加略的宮殿．摩押必在鬨
三 嚷吶喊吹角之中死亡。[三]我必剪除摩押中的審判者、將
其中的一切首領和他一同殺戮．這是耶和華說的。

猶大受罰

四 [四]耶和華如此說、猶大人三番四次的犯罪、我必不免去
他們的刑罰．因為他們厭棄耶和華的訓誨、不遵守他
的律例．他們列祖所隨從虛假的偶像使他們走迷了。
五 [五]我卻要降火在猶大、燒滅耶路撒冷的宮殿。

以色列受罰

六 [六]耶和華如此說、以色列人三番四次的犯罪、我必不免
去他們的刑罰．因他們為銀子賣了義人、為一雙鞋賣
七 了窮人。[七]他們見窮人頭上所蒙的灰、也都垂涎．阻礙謙
八 卑人的道路．父子同一個女子行淫、褻瀆我的聖名．[八]他
們在各壇旁、鋪人所當的衣服、臥在其上．又在他們神
的廟中、喝受罰之人的酒。

責以色列負恩逆主

九 [九]我從以色列人面前除滅亞摩利人．他雖高大如香柏
十 樹、堅固如橡樹、我卻上滅他的果子、下絕他的根本。[十]我
也將你們從埃及地領上來、在曠野引導你們四十年、
十一 使你們得亞摩利人之地為業。[十一]我從你們子弟中興起
先知、又從你們少年人中興起拿細耳人．以色列人哪、
十二 不是這樣麼．這是耶和華說的。[十二]你們卻給拿細耳人酒
十三 喝、囑咐先知說、不要說預言。○[十三]看哪、在你們所住之地、
十四 我必壓你們、如同裝滿禾捆的車壓物一樣。[十四]快跑的不
十五 能逃脫、有力的不能用力、剛勇的也不能自救．[十五]拿弓的
十六 不能站立、腿快的不能逃脫、騎馬的也不能自救．[十六]到那
日勇士中最有膽量的、必赤身逃跑．這是耶和華說的。

以色列負恩干罪主加重報

第三章

一 [一]以色列人哪、你們全家是我從埃及地領
二 上來的、當聽耶和華攻擊你們的話．[二]在地上萬族中、我
三 只認識你們．因此、我必追討你們的一切罪孽。[三]二人若
四 不同心、豈能同行呢。[四]獅子若非抓食、豈能在林中咆哮
五 呢。少壯獅子若無所得、豈能從洞中發聲呢。[五]若沒有機
檻、雀鳥豈能陷在網羅裏呢．網羅若無所得、豈能從地
六 上翻起呢。[六]城中若吹角、百姓豈不驚恐呢．災禍若臨到
七 一城、豈非耶和華所降的麼。[七]主耶和華若不將奧祕指

八 示他的僕人衆先知、就一無所行。八獅子吼叫、誰不懼怕
呢。

耶和華降命先知不敢不宣

九 主耶和華發命、誰能不說豫言呢。○九要在亞實突的宮
殿中、和埃及地的宮殿裏、傳揚說、你們要聚集在撒瑪
十 利亞的山上、就看見城中有何等大的擾亂與欺壓的
事。十那些以強暴搶奪財物積蓄在自己家中的人、不知
十一 道行正直的事．這是耶和華說的。十一所以主耶和華如此
說、敵人必來圍攻這地、使你的勢力衰微、搶掠你的家
十二 宅。十二耶和華如此說、牧人怎樣從獅子口中搶回兩條羊
腿、或半個耳朵、住撒瑪利亞的以色列人躺臥在牀角
上、或鋪繡花毯的榻上、他們得救也不過如此。

伯特利壇必毁

十三 十四 十三主耶和華萬軍之神說、當聽這話、警戒雅各家。十四我討
以色列罪的日子、也要討伯特利祭壇的罪．壇角必被
十五 砍下、墜落於地。十五我要拆毀過冬和過夏的房屋、象牙的
房屋、也必毀滅、高大的房屋、都歸無有．這是耶和華說
的。

以色列虐遇貧乏必受主懲

一 **第四章** 一你們住撒瑪利亞山如巴珊母牛的、阿當
聽我的話、你們欺負貧寒的、壓碎窮乏的、對家主說、拿
二 酒來、我們喝罷。二主耶和華指着自己的聖潔起誓說、日
子快到、人必用鈎子將你們鈎去、用魚鈎將你們餘剩
三 的鈎去。三你們各人必從破口直往前行、投入哈門．這是
耶和華說的。

因獻祭非正報以飢饉

四 四以色列人哪、任你們往伯特利去犯罪、到吉甲加增罪
過．每日早晨獻上你們的祭物、每三日奉上你們的十
五 分之一。五任你們獻有酵的感謝祭、把甘心祭宣傳報告
給衆人．因爲是你們所喜愛的．這是主耶和華說的。

雖受重罰仍不歸誠

六 六我使你們在一切城中牙齒乾淨、在你們各處糧食缺
七 乏．你們仍不歸向我．這是耶和華說的。七在收割的前三
月、我使雨停止、不降在你們那裏．我降雨在這城、不降
雨在那城．這塊地有雨、那塊地無雨、無雨的就枯乾了。
八 八這樣、兩三城的人湊到一城去找水、卻喝不足．你們仍

不歸向我．這是耶和華說的。[九]我以旱風霉爛攻擊你們．
你們園中許多菜蔬、葡萄樹、無花果樹、橄欖樹、都被剪
蟲所喫．你們仍不歸向我．這是耶和華說的。[十]我降瘟疫
在你們中間、像在埃及一樣．用刀殺戮你們的少年人、
使你們的馬匹被擄掠、營中屍首的臭氣撲鼻．你們仍
不歸向我．這是耶和華說的。[十一]我傾覆你們中間的城邑、
如同我從前傾覆所多瑪蛾摩拉一樣、使你們好像從
火中抽出來的一根柴．你們仍不歸向我．這是耶和華
說的。○[十二]以色列阿、我必向你如此行．以色列阿、我既這
樣行、你當豫備迎見你的　神。[十三]那創山造風、將心意指
示人、使晨光變為幽暗、腳踏在地之高處的、他的名是
耶和華萬軍之　神。

第五章　哀歎以色列人傾覆

[一]以色列家阿、要聽我為你們所作的哀歌。
[二]以色列民（原文作處女）跌倒、不得再起．躺在地上、無人攙扶。
[三]主耶和華如此說、以色列家的城、發出一千兵的、只剩
一百．發出一百的、只剩十個。

勸其尋主得生

[四]耶和華向以色列家如此說、你們要尋求我、就必存活。
[五]不要往伯特利尋求、不要進入吉甲、不要過到別是巴．
因為吉甲必被擄掠、伯特利也必歸於無有。[六]要尋求耶
和華、就必存活．免得他在約瑟家像火發出、在伯特利
焚燒、無人撲滅。[七]你們這使公平變為茵蔯、將公義丟棄
於地的、[八]要尋求那造昴星和參星、使死蔭變為晨光、使
白日變為黑夜、命海水來澆在地上的、（耶和華是他
的名）[九]他使力強的忽遭滅亡、以致保障遭遇毀壞。○
[十]你們怨恨那在城門口責備人的、憎惡那說正直話的。
[十一]你們踐踏貧民、向他們勒索麥子．你們用鑿過的石頭
建造房屋、卻不得住在其內．栽種美好的葡萄園、卻不
得喝所出的酒。[十二]我知道你們的罪過何等多、你們的罪
惡何等大．你們苦待義人、收受賄賂、在城門口屈枉窮
乏人。[十三]所以通達人見這樣的時勢、必靜默不言．因為時
勢真惡。○[十四]你們要求善、不要求惡、就必存活．這樣、耶和
華萬軍之　神、必照你們所說的、與你們同在。[十五]要惡惡
好善、在城門口秉公行義．或者耶和華萬軍之　神向

約瑟的餘民施恩。○十六主耶和華萬軍之　神如此說、在
一切寬闊處必有哀號的聲音．在各街市上必有人說、
哀哉、哀哉．又必叫農夫來哭號、叫善唱哀歌的來舉哀。
十七在各葡萄園、必有哀號的聲音．因爲我必從你中間經
過．這是耶和華說的。○十八想望耶和華日子來到的、有禍
了．你們爲何想望耶和華的日子呢．那日黑暗沒有光
明．十九景況好像人躲避獅子又遇見熊．或是進房屋以手
靠牆、就被蛇咬。二十耶和華的日子、不是黑暗沒有光明麼．
不是幽暗毫無光輝麼。

獻祭不誠主不悅納

二十一我厭惡你們的節期、也不喜悅你們的嚴肅會。二十二你們雖
然向我獻燔祭、和素祭、我卻不悅納．也不顧你們用肥
畜獻的平安祭。二十三要使你們歌唱的聲音遠離我．因爲我
不聽你們彈琴的響聲。二十四惟願公平如大水滾滾、使公義
如江河滔滔。○二十五以色列家阿、你們在曠野四十年、豈是
將祭物和供物獻給我呢。二十六你們抬着爲自己所造之摩
洛的帳幕、和偶像的龕、並你們的神星。二十七所以我要把你
們擄到大馬色以外．這是耶和華名爲萬軍之　神說
的。

第六章

責以色列人安逸放縱

一國爲列國之首人最著名、且爲以色列家
所歸向、在錫安和撒瑪利亞山安逸無慮的有禍了。二你
們要過到甲尼察看、從那裏往大城哈馬去、又下到非
利士人的迦特、看那些國比你們的國還強麼．境界比
你們的境界還寬麼。三你們以爲降禍的日子還遠、坐在
位上盡行強暴。（或作行強暴使審判臨近）四你們躺臥在象牙牀上、舒
身在榻上、喫羣中的羊羔、棚裏的牛犢．五彈琴鼓瑟唱消
閑的歌曲、爲自己製造樂器、如同大衛所造的．六以大碗
喝酒、用上等的油抹身、卻不爲約瑟的苦難擔憂。

必先被擄

七所以這些人必在被擄的人中首先被擄．舒身的人荒
宴之樂必消滅了。八主耶和華萬軍之　神指着自己起
誓說、我憎惡雅各的榮華、厭棄他的宮殿．因此、我必將
城和其中所有的、都交付敵人。九那時若在一房之內剩
下十個人、也都必死。十死人的伯叔、就是燒他屍首的、要
將這屍首搬到房外、問房屋內間的人說、你那裏還有

十一 人沒有．他必說、沒有．又說、不要作聲、因爲我們不可題
耶和華的名。十一看哪、耶和華出令、大房就被攻破、小屋就
被打裂。

斥其虛浮變亂公義

十二 十二馬豈能在崖石上奔跑．人豈能在那裏用牛耕種呢．你
十三 們卻使公平變爲苦膽、使公義的果子變爲茵蔯。十三你們
喜愛虛浮的事、自誇說、我們不是憑自己的力量取了
角麼。

耶和華必興一國爲以色列之敵

十四 十四耶和華萬軍之　神說、以色列家阿、我必興起一國攻
擊你們．他們必欺壓你們、從哈馬口直到亞拉巴的河。

主欲降蝗災火災阿摩司禱求赦免

一 **第七章**　一主耶和華指示我一件事．爲王割草之後、
二 （草或作）菜又發生、剛發生的時候、主造蝗蟲。二蝗蟲喫盡那
地的青物、我就說、主耶和華阿、求你赦免、因爲雅各微
三 弱．他怎能站立得住呢。三耶和華就後悔、說、這災可以免
了。

耶和華允祈免災

四 四主耶和華又指示我一件事．他命火來懲罰以色列、火
五 就吞滅深淵、險些將地燒滅。五我就說、主耶和華阿、求你
六 止息、因爲雅各微弱．他怎能站立得住呢。六耶和華就後
悔、說、這災也可免了。

以準繩表以色列不復蒙赦宥

七 七他又指示我一件事．有一道牆是按準繩建築的、主手
八 拿準繩站在其上。八耶和華對我說、阿摩司阿、你看見甚
麼．我說、看見準繩。主說、我要吊起準繩在我民以色列
九 中、我必不再寬恕他們。九以撒的邱壇必然淒涼、以色列
的聖所必然荒廢．我必興起、用刀攻擊耶羅波安的家。

祭司亞瑪謝控阿摩司於以色列王

十 十伯特利的祭司亞瑪謝打發人到以色列王耶羅波安
那裏、說、阿摩司在以色列家中圖謀背叛你．他所說的
十一 一切話、這國擔當不起。十一因爲阿摩司如此說、耶羅波安
十二 必被刀殺、以色列民定被擄去離開本地。十二亞瑪謝又對
阿摩司說、你這先見哪、要逃往猶大地去、在那裏餬口、
十三 在那裏說預言。十三卻不要在伯特利再說預言．因爲這裏

有王的聖所、有王的宮殿。

阿摩司自述其奉召作先知

十四阿摩司對亞瑪謝說、我原不是先知、也不是先知的門
徒。原文作兒子我是牧人、又是修理桑樹的。十五耶和華選召我、
使我不跟從羊羣、對我說、你去向我民以色列說豫言。

豫言亞瑪謝必受重罰

十六亞瑪謝阿、現在你要聽耶和華的話。你說、不要向以色
列說豫言、也不要向以撒家滴下豫言．．．十七所以耶和華如
此說、你的妻子必在城中作妓女、你的兒女必倒在刀
下、你的地必有人用繩子量了分取。你自己必死在汚
穢之地、以色列民定被擄去離開本地。

第八章

以夏果表以色列之結局已到

一主耶和華又指示我一件事。我看見一筐
夏天的果子。二他說、阿摩司阿、你看見甚麼、我說、看見一
筐夏天的果子。耶和華說、我民以色列的結局到了．我
必不再寬恕他們。三主耶和華說、那日殿中的詩歌變爲
哀號．必有許多屍首在各處拋棄、無人作聲。

責其欺虐窮乏

四你們這些要吞喫窮乏人、使困苦人衰敗的、當聽我的
話。五你們說、月朔幾時過去、我們好賣糧．安息日幾時過
去、我們好擺開麥子、賣出用小升斗、收銀用大戥子、用
詭詐的天平欺哄人．六好用銀子買貧寒人、用一雙鞋換
窮乏之人、將壞了的麥子賣給人。七耶和華指着雅各的榮
耀起誓說、他們的一切行爲、我必永遠不忘。八地豈不因
這事震動、其上的居民、不也悲哀麼。地必全然像尼羅
河漲起、如同埃及河湧上落下。九主耶和華說、到那日、我
必使日頭在午間落下、使地在白晝黑暗。十我必使你們
的節期變爲悲哀、歌曲變爲哀歌．衆人腰束麻布、頭上
光禿、使這場悲哀如喪獨生子、至終如痛苦的日子一
樣。

民之飢渴非因無飲食乃因不得主言

十一主耶和華說、日子將到、我必命飢荒降在地上。人飢餓
非因無餅、乾渴非因無水、乃因不聽耶和華的話。十二他們
必飄流、從這海到那海、從北邊到東邊、往來奔跑尋求
耶和華的話、卻尋不着。十三當那日、美貌的處女和少年的

十四 男子、必因乾渴發昏。十四那指着撒瑪利亞牛犢(原文作罪)起誓
的說、但哪、我們指着你那裏的活神起誓．又說、我們指
着別是巴的神道(原文作活神)起誓、這些人都必仆倒、永不
再起來。

主必戮惡類無一得脫

一 第九章　一我看見主站在祭壇旁邊．他說、你要擊打
柱頂、使門檻震動、打碎柱頂落在衆人頭上．所剩下的
二 人我必用刀殺戮．無一人能逃避、無一人能逃脫。二他們
雖然挖透陰間、我的手必取出他們來．雖然爬上天去、
三 我必拿下他們來。三雖然藏在迦密山頂、我必搜尋捉出
四 他們來．雖然從我眼前藏在海底、我必命蛇咬他們。四雖
被仇敵擄去、我必命刀劍殺戮他們．我必向他們定住
五 眼目、降禍不降福。五○主萬軍之耶和華摸地、地就消化、
凡住在地上的、都必悲哀．地必全然像尼羅河漲起、如
六 同埃及河落下。六那在天上建造樓閣、在地上安定穹蒼、
七 命海水澆在地上的、耶和華是他的名。七○耶和華說、以
色列人哪、我豈不看你們如古實人麼。我豈不是領以
色列人出埃及地、領非利士人出迦斐託、領亞蘭人出

八 吉珥麼。八主耶和華的眼目察看這有罪的國．必將這國
從地上滅絕、卻不將雅各家滅絕淨盡．這是耶和華說
九 的。九我必出令、將以色列家分散在列國中、好像用篩子
十 篩穀、連一粒也不落在地上。十我民中的一切罪人說、災
禍必追不上我們、也迎不着我們．他們必死在刀下。

必復建大衛已傾之幕

十一 到那日、我必建立大衛倒塌的帳幕、堵住其中的破口、
十二 把那破壞的建立起來、重新修造、像古時一樣．十二使以色
列人得以東所餘剩的、和所有稱為我名下的國．此乃
十三 行這事的耶和華說的。十三耶和華說、日子將到、耕種的必
接續收割的、踹葡萄的必接續撒種的．大山要滴下甜
十四 酒、小山都必流奶、(原文作消化見約珥三章十八節)十四我必使我民以色
列被擄的歸回．他們必重修荒廢的城邑居住、栽種葡
十五 萄園、喝其中所出的酒．修造果木園、喫其中的果子。十五我
要將他們栽於本地、他們不再從我所賜給他們的地
上拔出來．這是耶和華你的神說的。

俄巴底亞書

論以東因驕致禍

一 俄巴底亞得了耶和華的默示。論以東、說、我從耶和華
那裏聽見信息、並有使者被差往列國去、說、起來罷、一
二 同起來與以東爭戰。二我使你以東在列國中爲最小的、
三 被人大大藐視。三住在山穴中、居所在高處的、你因狂
四 傲自欺、心裏說、誰能將我拉下地去呢。四你雖如大鷹高
飛、在星宿之間搭窩、我必從那裏拉下你來．這是耶和
五 華說的。〇五盜賊若來在你那裏、或強盜夜間而來、（你
何竟被剪除）豈不偷竊直到彀了呢．摘葡萄的若來
六 到你那裏、豈不剩下些葡萄呢。六以掃的隱密處、何竟被
七 搜尋．他隱藏的寶物、何竟被查出。七與你結盟的、都送你
上路、直到交界．與你和好的、欺騙你、且勝過你．與你一
八 同喫飯的、設下網羅陷害你．在你心裏毫無聰明。八耶和
華說、到那日、我豈不從以東除滅智慧人、從以掃山除
九 滅聰明人。九提幔哪、你的勇士必驚惶、甚致以掃山的人、
都被殺戮剪除。

因陷害雅各

十 因你向兄弟雅各行強暴、羞愧必遮蓋你、你也必永遠
十一 斷絕。十一當外人擄掠雅各的財物、外邦人進入他的城門、
爲耶路撒冷拈鬮的日子、你竟站在一旁、像與他們同
十二 夥。十二你兄弟遭難的日子、你不當瞪眼看着、猶大人被滅
的日子、你不當因此歡樂．他們遭難的日子、你不當說
十三 狂傲的話。十三我民遭災的日子、你不當進他們的城門．他
們遭災的日子、你不當瞪眼看着他們受苦．他們遭災
十四 的日子、你不當伸手搶他們的財物。十四你不當站在岔路
口、剪除他們中間逃脫的．他們遭難的日子、你不當將
十五 他們剩下的人交付仇敵。〇十五耶和華降罰的日子臨近
萬國．你怎樣行、他也必照樣向你行．你的報應必歸到
十六 你頭上。十六你們猶大人在我聖山怎樣喝了苦杯、萬國也
必照樣常常的喝．且喝且咽．他們就歸於無有。

雅各終必復承其業

十七 在錫安山必有逃脫的人、那山也必成聖．雅各家必得
十八 原有的產業。十八雅各家必成爲大火、約瑟家必爲火燄、以
掃家必如碎稭、火必將他燒着吞滅．以掃家必無餘剩

十九 的.這是耶和華說的。十九南地的人、必得以掃山、高原的人、
必得非利士地、也得以法蓮地、和撒瑪利亞地.便雅憫
二十 人必得基列。二十在迦南人中被擄的以色列衆人、必得地
直到撒勒法.在西法拉中被擄的耶路撒冷人、必得南
二一 地的城邑。二一必有拯救者上到錫安山、審判以掃山.國度
就歸耶和華了。

俄巴底亞書：四節

約拿書

第一章

約拿奉遣赴尼尼微

一耶和華的話臨到亞米太的兒子約拿說、
二你起來往尼尼微大城去、向其中的居民呼喊、因為他
們的惡達到我面前。

違命避往他施

三約拿卻起來、逃往他施去躲避耶和華。下到約帕、遇見
一隻船、要往他施去、他就給了船價、上了船、要與船上
的人同往他施去躲避耶和華。

海風大起舟人驚懼各籲其神

四然而耶和華使海中起大風、海就狂風大作、甚至船幾
乎破壞。五水手便懼怕、各人哀求自己的神。他們將船上
的貨物拋在海中、為要使船輕些。約拿已下到底艙、躺
臥、沉睡。六船主到他那裏對他說、你這沉睡的人哪、為何
這樣呢。起來、求告你的神、或者神顧念我們、使我們不
至滅亡。七船上的人彼此說、來罷、我們掣籤、看看這災臨
到我們是因誰的緣故。於是他們掣籤、掣出約拿來。八眾
人對他說、請你告訴我們、這災臨到我們是因誰的緣
故。你以何事為業、你從那裏來、你是那一國、屬那一族
的人。九他說、我是希伯來人。我敬畏耶和華那創造滄海
旱地之天上的　神。十他們就大大懼怕、對他說、你作的
是甚麼事呢。他們已經知道他躲避耶和華、因為他告
訴了他們。

約拿見投於海

十一他們問他說、我們當向你怎樣行、使海浪平靜呢。這話
是因海浪越發翻騰。十二他對他們說、你們將我抬起來、拋
在海中、海就平靜了。我知道你們遭這大風、是因我的
緣故。十三然而那些人竭力盪槳、要把船攏岸、卻是不能、因
為海浪越發向他們翻騰。十四他們便求告耶和華說、耶和
華阿、我們懇求你、不要因這人的性命使我們死亡。不
要使流無辜血的罪歸與我們。因為你耶和華是隨自
己的意旨行事。十五他們遂將約拿抬起、拋在海中、海的狂
浪就平息了。十六那些人便大大敬畏耶和華、向耶和華獻
祭、並且許願。

耶和華備巨魚吞之
十七 十七耶和華安排一條大魚吞了約拿、他在魚腹中三日三
夜。
約拿於魚腹中禱主
一二 **第二章** 一約拿在魚腹中禱告耶和華他的神、說、二
我遭遇患難求告耶和華、你就應允我。從陰間的深處
三 呼求、你就俯聽我的聲音。三你將我投下深淵、就是海的
四 深處。大水環繞我。你的波浪洪濤、都漫過我身。四我說、我
五 從你眼前雖被驅逐、我仍要仰望你的聖殿。五諸水環繞
六 我、幾乎淹沒我。深淵圍住我、海草纏繞我的頭。六我下到
山根。地的門將我永遠關住。耶和華我的神阿、你卻
七 將我的性命從坑中救出來。七我心在我裏面發昏的時
候、我就想念耶和華。我的禱告進入你的聖殿、達到你
八九 的面前。八那信奉虛無之神的人、離棄憐愛他們的主。九但
我必用感謝的聲音獻祭與你。我所許的願、我必償還。
救恩出於耶和華。
巨魚吐約拿於岸
十 十耶和華吩咐魚、魚就把約拿吐在旱地上。

約拿復奉遣往尼尼微
一二 **第三章** 一耶和華的話二次臨到約拿、說、二你起來、往
尼尼微大城去、向其中的居民宣告我所吩咐你的話。
三 三約拿便照耶和華的話起來、往尼尼微去。
警告尼尼微人
四 這尼尼微是極大的城、有三日的路程。四約拿進城走了
一日、宣告說、再等四十日、尼尼微必傾覆了。
尼尼微人信而悔改
五 五尼尼微人信服神、便宣告禁食、從最大的到至小的、
六 都穿麻衣。(或作披上麻布)六這信息傳到尼尼微王的耳中、他就
七 下了寶座、脫下朝服、披上麻布、坐在灰中。七他又使人遍
告尼尼微通城說、王和大臣有令、人不可嘗甚麼、牲畜、
八 牛羊、不可喫草、也不可喝水。八人與牲畜、都當披上麻布、
人要切切求告神、各人回頭、離開所行的惡道、丟棄
九 手中的強暴。九或者神轉意後悔、不發烈怒、使我們不
至滅亡、也未可知。
神鑒其所行不降其災
十 十於是神察看他們的行為、見他們離開惡道、他就後

悔、不把所說的災禍降與他們了。

一約拿見之不悅

第四章　這事約拿大大不悅、且甚發怒。二就禱告耶
和華說、耶和華阿、我在本國的時候、豈不是這樣說麽。
我知道你是有恩典有憐憫的神、不輕易發怒、有豐
盛的慈愛、並且後悔不降所說的災、所以我急速逃往
他施去。三耶和華阿、現在求你取我的命罷、因為我死了
比活着還好。四耶和華說、你這樣發怒合乎理麽。五於是約
拿出城、坐在城的東邊、在那裏為自己搭了一座棚、坐
在棚的蔭下、要看看那城究竟如何。○六耶和華神安
排一棵蓖麻、使其發生、高過約拿、影兒遮蓋他的頭、救
他脫離苦楚、約拿因這棵蓖麻大大喜樂。

神以蓖麻為喻責約拿惜物過於惜人

七次日黎明、神卻安排一條蟲子、咬這蓖麻、以致枯槁。
八日頭出來的時候、神安排炎熱的東風、日頭曝曬約
拿的頭、使他發昏、他就為自己求死、說、我死了比活着
還好。九神對約拿說、你因這棵蓖麻發怒合乎理麽。他
說、我發怒以至於死、都合乎理。十耶和華說、這蓖麻不是
你栽種的、也不是你培養的、一夜發生、一夜乾死、你尚
十一且愛惜、何況這尼尼微大城、其中不能分辨左手右手
的有十二萬多人、並有許多牲畜、我豈能不愛惜呢。

約帕

亞述國首都尼尼微

彌迦書

以色列與猶大崇邪拜像干罪受罰

一 第一章 當猶大王約坦、亞哈斯、希西家在位的時
候、摩利沙人彌迦得耶和華的默示、論撒瑪利亞和耶
二 路撒冷。萬民哪、你們都要聽。地和其上所有的、也都
要側耳而聽。主耶和華從他的聖殿要見證你們的不
三 四 是。看哪、耶和華出了他的居所、降臨步行地的高處。衆
山在他以下必消化、諸谷必崩裂、如蠟化在火中、如水
五 冲下山坡。這都因雅各的罪過、以色列家的罪惡。雅各
的罪過在那裏呢。豈不是在撒瑪利亞麼。猶大的邱壇、
六 在那裏呢。豈不是在耶路撒冷麼。所以我必使撒瑪利
亞變為田野的亂堆、又作為種葡萄之處。也必將他的
七 石頭倒在谷中、露出根基來。他一切雕刻的偶像必被
打碎、他所得的財物必被火燒、所有的偶像我必毀滅。
因為是從妓女雇價所聚來的、後必歸為妓女的雇價。

先知為此號咷多方居民為此哀哭

八 先知說、因此我必大聲哀號、赤脚露體而行。又要呼號
九 如野狗、哀鳴如鴕鳥。因為撒瑪利亞的傷痕無法醫治、
十 延及猶大和耶路撒冷我民的城門。不要在迦特報告
十一 這事、總不要哭泣。我在伯亞弗拉輥於灰塵之中。沙斐
的居民哪、你們要赤身蒙羞過去。撒南的居民不敢出
十二 來。伯以薛人的哀哭使你們無處可站。瑪律的居民、心
甚憂急切望得好處、因為災禍從耶和華那裏臨到耶
十三 路撒冷的城門。拉吉的居民哪、要用快馬套車。錫安民
（民原文作女子）的罪由你而起。以色列人的罪過、在你那裏顯
十四 出。猶大阿、你要將禮物送給摩利設迦特。亞革悉的衆
十五 族、必用詭詐待以色列諸王。瑪利沙的居民哪、我必使
那奪取你的來到你這裏。以色列的尊貴人（原文作榮耀）必
十六 到亞杜蘭。猶大阿、要為你所喜愛的兒女剪除你的頭
髮、使頭光禿、要大大的光禿、如同禿鷹。因為他們都被
擄去離開你。

嚴責惡人肆行欺虐必受災禍

一 第二章 禍哉、那些在牀上圖謀罪孽造作奸惡的。
二 天一發亮、因手有能力就行出來了。他們貪圖田地就
佔據、貪圖房屋便奪取。他們欺壓人、霸佔房屋和產業。

三所以耶和華如此說、我籌畫災禍降與這族、這禍在你
們的頸項上不能解脫、你們也不能昂首而行．因為這
時勢是惡的。

人必為之作諷詞發哀歌

四到那日必有人向你們題起悲慘的哀歌、譏刺說、我們
全然敗落了．耶和華將我們的分轉歸別人．何竟使這
分離開我們．他將我們的田地分給悖逆的人。五所以在
耶和華的會中你必沒有人拈鬮拉準繩。

責其多行强暴

六他們（或作假先知）說、你們不可說豫言、不可向這些人說豫
言、不住的羞辱我們。七雅各家阿、豈可說、耶和華的心不
忍耐麼．（或作心腸狹窄麼）這些事是他所行的麼．我耶和華的
言語、豈不是與行動正直的人有益麼。八然而近來我的
民興起如仇敵、從那些安然經過不願打仗之人身上
剝去外衣。九你們將我民中的婦人從安樂家中趕出、又
將我的榮耀從他們的小孩子盡行奪去。十你們起來去
罷．這不是你們安息之所．因為污穢使人（或作地）毀滅、而
且大大毀滅。十一若有人心存虛假、用謊言說、我要向你們
豫言得淸酒和濃酒．那人就必作這民的先知。

許雅各家恩旋返如羊歸牢

十二雅各家阿、我必要聚集你們、必要招聚以色列剩下的
人、安置在一處、如波斯拉的羊、又如草塲上的羊羣．因
為人數衆多、就必大大喧嘩。十三開路的（或作破城的）在他們前
面上去、他們直闖過城門、從城門出去．他們的王在前
面行、耶和華引導他們。

第三章

責牧伯肆行殘刻

一我說、雅各的首領、以色列家的官長阿、你
們要聽．你們不當知道公平麼。二你們惡善好惡、從人身
上剝皮、從人骨頭上剔肉．三喫我民的肉、剝他們的皮、打
折他們的骨頭、分成塊子、像要下鍋、又像釜中的肉。四到
了遭災的時候、這些人必哀求耶和華、他卻不應允他
們．那時他必照他們所行的惡事、向他們掩面。

責先知僞報平康

五論到使我民走差路的先知、他們牙齒有所嚼的、他們
就呼喊說、平安了．凡不供給他們喫的、他們就豫備攻
擊他．（或作豫備攻擊他說必遭遇刀兵）耶和華如此說、六你們必遭遇黑

夜、以致不見異象．又必遭遇幽暗、以致不能占卜．日頭
必向你們沉落、白晝變為黑暗。七先見必抱愧、占卜的必
蒙羞、都必摀着嘴唇、因為神不應允他們。八至於我、我
藉耶和華的靈、滿有力量公平才能、可以向雅各說明
他的過犯、向以色列指出他的罪惡。

肆行邪惡必受災罰

九雅各家的首領、以色列家的官長阿、當聽我的話．你們
厭惡公平、在一切事上屈枉正直．十以人血建立錫安、以
罪孽建造耶路撒冷．十一首領為賄賂行審判、祭司為雇價
施訓誨、先知為銀錢行占卜．他們卻倚賴耶和華、說、耶
和華不是在我們中間麼．災禍必不臨到我們。十二所以因
你們的緣故、錫安必被耕種像一塊田、耶路撒冷必變
為亂堆、這殿的山必像叢林的高處。

末日萬民必歸耶和華殿之山

第四章 一末後的日子、耶和華殿的山必堅立、超乎
諸山、高舉過於萬嶺、萬民都要流歸這山。二必有許多國
的民前往、說、來罷、我們登耶和華的山、奔雅各神的
殿．主必將他的道教訓我們、我們也要行他的路．因為
訓誨必出於錫安、耶和華的言語、必出於耶路撒冷。

主使萬民綏安國不相攻

三他必在多國的民中施行審判、為遠方強盛的國斷定
是非．他們要將刀打成犂頭、把槍打成鐮刀．這國不舉
刀攻擊那國、他們也不再學習戰事。四人人都要坐在自
己葡萄樹下、和無花果樹下、無人驚嚇．這是萬軍之耶
和華親口說的。五萬民各奉己神的名而行．我們卻永永
遠遠奉耶和華我們神的名而行。

耶和華作王錫安國祚永遠

六耶和華說、到那日我必聚集瘸腿的、招聚被趕出的、和
我所懲治的．七我必使瘸腿的為餘剩之民、使趕到遠方
的為強盛之民．耶和華要在錫安山作王治理他們、從
今直到永遠。八你這羊羣的高臺、錫安城的山哪、（城原文作女子）
從前的權柄、就是耶路撒冷民的國權、（民原文作女子）必歸與
你。

諸國集攻錫安

九現在你為何大聲哭號呢．疼痛抓住你、彷彿產難的婦
人．是因你中間沒有君王麼、你的謀士滅亡了麼．十錫安

的民哪、(民原文作女子)你要疼痛劬勞彷彿產難的婦人.因爲
你必從城裏出來、住在田野、到巴比倫去.在那裏要蒙
十一 解救、在那裏耶和華必救贖你脫離仇敵的手。[十一]現在有
許多國的民聚集攻擊你、說、願錫安被玷污、願我們親
十二 眼見他遭報。[十二]他們卻不知道耶和華的意念、也不明白
他的籌畫.他聚集他們、好像把禾捆聚到禾塲一樣。

錫安得勝

十三 [十三]錫安的民哪、(民原文作女子)起來踹穀罷.我必使你的角成爲
鐵、使你的蹄成爲銅.你必打碎多國的民.將他們的財
獻與耶和華、將他們的貨獻與普天下的主。

將有一君由猶大之伯利恆而出

第五章

一 [一]成羣的民哪、(民原文作女子)現在你要聚集成隊.
因爲仇敵圍攻我們、要用杖擊打以色列審判者的臉。
二 ○[二]伯利恆以法他阿、你在猶大諸城中爲小.將來必有
一位從你那裏出來、在以色列中爲我作掌權的.他的
三 根源從亙古、從太初就有。[三]耶和華必將以色列人交付
敵人、直等那生產的婦人生下子來.那時掌權者(原文作他)
其餘的弟兄必歸到以色列人那裏。

國權日大至於地極

四 [四]他必起來、倚靠耶和華的大能、並耶和華他神之名
的威嚴、牧養他的羊羣.他們要安然居住.因爲他必日
五 見尊大、直到地極。[五]這位必作我們的平安.當亞述人進
入我們的地境、踐踏宮殿的時候、我們就立起七個牧
六 者、八個首領攻擊他。[六]他們必用刀劍毀壞亞述地、和寧
錄地的關口.亞述人進入我們的地境、踐踏的時候、他
七 必拯救我們。[七]雅各餘剩的人必在多國的民中、如從耶
和華那裏降下的露水、又如甘霖降在草上.不仗賴人
力、也不等候世人之功。

必獲勝制敵

八 [八]雅各餘剩的人必在多國多民中、如林間百獸中的獅
子、又如少壯獅子在羊羣中.他若經過、就必踐踏撕裂、
九 無人搭救。[九]願你的手舉起高過敵人、願你的仇敵都被
十 剪除。○[十]耶和華說、到那日我必從你中間剪除馬匹、毀
十一 十二 壞車輛.[十一]也必從你國中除滅城邑、拆毀一切的保障.[十二]又
十三 必除掉你手中的邪術.你那裏也不再有占卜的.[十三]我必
從你中間除滅雕刻的偶像和柱像.你就不再跪拜自

十四 己手所造的。我必從你中間拔出木偶、又毀滅你的城
十五 邑。我也必在怒氣和忿怒中向那不聽從的列國施報。

責民負恩

一 **第六章** 以色列人哪、當聽耶和華的話。要起來向
二 山嶺爭辯、使岡陵聽你的話。山嶺和地永久的根基阿、
要聽耶和華爭辯的話。因為耶和華要與他的百姓爭
三 辯、與以色列爭論。我的百姓阿、我向你作了甚麼呢。我
四 在甚麼事上使你厭煩。你可以對我證明。我曾將你從
埃及地領出來、從作奴僕之家救贖你。我也差遣摩西
五 亞倫和米利暗在你前面行。我的百姓阿、你們當追念
摩押王巴勒所設的謀、和比珥的兒子巴蘭回答他的
話、並你們從什亭到吉甲所遇見的事、好使你們知道
耶和華公義的作為。

責民愚頑以為獻祭可蒙主悅

六 我朝見耶和華、在至高神面前跪拜、當獻上甚麼呢。
七 豈可獻一歲的牛犢為燔祭麼。耶和華豈喜悅千千的
公羊、或是萬萬的油河麼。我豈可為自己的罪過、獻我
八 的長子麼、為心中的罪惡、獻我身所生的麼。世人哪、耶
和華已指示你何為善。他向你所要的是甚麼呢。只要
你行公義、好憐憫、存謙卑的心、與你的神同行。

責其言行不義

九 耶和華向這城呼叫、智慧人必敬畏他的名。你們當聽
十 是誰派定刑杖的懲罰。惡人家中不仍有非義之財、和
十一 可惡的小升斗麼。我若用不公道的天平和囊中詭詐
十二 的法碼、豈可算為清潔呢。城裏的富戶滿行強暴、其中
十三 的居民也說謊言、口中的舌頭是詭詐的。因此、我擊打
你、使你的傷痕甚重、使你因你的罪惡荒涼。

責其從邪

十四 你要喫、卻喫不飽。你的虛弱、必顯在你中間。你必挪去、
十五 卻不得救護。所救護的、我必交給刀劍。你必撒種、卻不
十六 得收割。踹橄欖、卻不得油抹身。踹葡萄、卻不得酒喝。因
為你守暗利的惡規、行亞哈家一切所行的、順從他們
的計謀。因此、我必使你荒涼、使你的居民令人嗤笑。你
們也必擔當我民的羞辱。

哀歎義人死亡

一 **第七章** 哀哉、我（或指以色列）好像夏天的果子已被收

盡、又像摘了葡萄所剩下的沒有一挂可喫的．我心羨
二 慕初熟的無花果．二地上虔誠人滅盡世間沒有正直人．
各人埋伏要殺人流血．都用網羅獵取弟兄。

人心惟惡是趨

三 三他們雙手作惡．君王徇情面、審判官要賄賂．位分大的
四 吐出惡意、都彼此結聯行惡．四他們最好的、不過是蒺藜．
最正直的、不過是荊棘籬笆．你守望者說降罰的日子
已經來到．他們必擾亂不安。

勿恃世人惟賴神

五 五不要倚賴鄰舍．不要信靠密友．要守住你的口、不要向
六 你懷中的妻題說．六因為兒子藐視父親、女兒抗拒母親、
七 媳婦抗拒婆婆．人的仇敵、就是自己家裏的人。七〇至於
我、我要仰望耶和華、要等候那救我的神．我的神
八 必應允我。八我的仇敵阿、不要向我誇耀．我雖跌倒、卻要
九 起來．我雖坐在黑暗裏、耶和華卻作我的光．九我要忍受
耶和華的惱怒、因我得罪了他．直等他為我辨屈、為我
十 伸冤．他必領我到光明中、我必得見他的公義。十那時我
的仇敵、就是曾對我說耶和華你 神在那裏的、他一
看見這事、就被羞愧遮蓋．我必親眼見他遭報．他必被
十一 踐踏、如同街上的泥土。十一以色列阿、日子必到、你的牆垣
十二 必重修．到那日你的境界必開展、（或作命令必傳到遠方）十二當那日、
人必從亞述、從埃及的城邑、從埃及到大河、從這海到
十三 那海、從這山到那山、都歸到你這裏。十三然而這地因居民
的緣故、又因他們行事的結果、必然荒涼。

主許復施恩惠

十四 十四求耶和華在迦密山的樹林中、用你的杖牧放你獨居
的民、就是你產業的羊羣．求你容他們在巴珊和基列
十五 得食物、像古時一樣。十五耶和華說、我要把奇事顯給他們
十六 看、好像出埃及地的時候一樣。十六列國看見這事、就必為
十七 自己的勢力慚愧．他們必用手摀口、掩耳不聽．十七他們必
餂土如蛇、又如土中腹行的物、戰戰兢兢的出他們的
營寨．他們必戰懼投降耶和華、也必因我們的 神而
懼怕。

神不永蓄怒樂赦罪愆

十八 十八神阿、有何神像你、赦免罪孽、饒恕你產業之餘民的
十九 罪過．不永遠懷怒、喜愛施恩．十九必再憐憫我們、將我們的

罪孽踏在腳下、又將我們的一切罪投於深海。二十你必按
古時起誓應許我們列祖的話、向雅各發誠實、向亞伯
拉罕施慈愛。

伯利恆城的街道

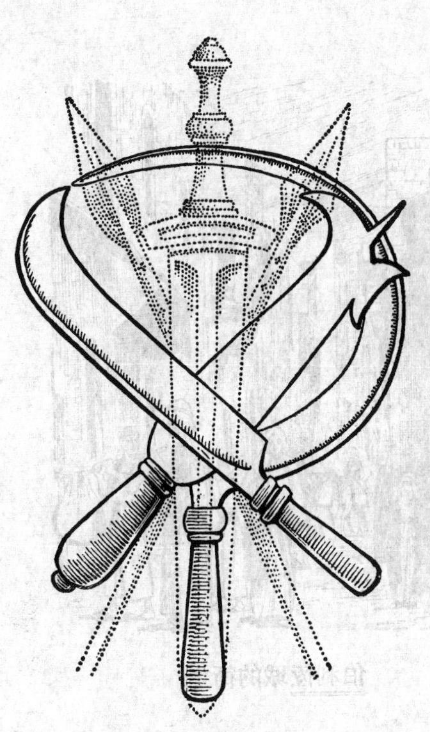

彌迦書：四章三節

第一章　耶和華以烈怒施諸敵以恩慈待己民

一 論尼尼微的默示、就是伊勒歌斯人那鴻
二 所得的默示。○耶和華是忌邪施報的　神。耶和華施
三 報大有忿怒。向他的敵人施報、向他的仇敵懷怒。耶和
華不輕易發怒、大有能力、萬不以有罪的為無罪。他乘
四 旋風和暴風而來、雲彩為他腳下的塵土。他斥責海、使
海乾了、使一切江河乾涸。巴珊和迦密的樹林衰殘、利
五 巴嫩的花草也衰殘了。大山因他震動、小山也都消化。
六 大地在他面前突起、世界和住在其間的也都如此。他
發忿恨、誰能立得住呢。他發烈怒、誰能當得起呢。他的
七 忿怒如火傾倒、磐石因他崩裂。耶和華本為善、在患難
八 的日子為人的保障、並且認得那些投靠他的人。但他
必以漲溢的洪水淹沒尼尼微、又驅逐仇敵進入黑暗。
九 ○尼尼微人哪、設何謀攻擊耶和華呢。他必將你們滅
十 絕淨盡。災難不再興起。你們像叢雜的荊棘、像喝醉了
十一 的人、又如枯乾的碎稭全然燒滅。有一人從你那裏出
十二 來、圖謀邪惡、設惡計攻擊耶和華。耶和華如此說、尼尼
微雖然勢力充足、人數繁多、也被剪除、歸於無有。猶大
十三 阿、我雖然使你受苦、卻不再使你受苦。現在我必從你
十四 頸項上折斷他的軛、扭開他的繩索。○耶和華已經出
令、指着尼尼微說、你名下的人必不留後。我必從你神
的廟中除滅雕刻的偶像、和鑄造的偶像。我必因你鄙
十五 陋使你歸於墳墓。○看哪、有報好信傳平安之人的腳
登山、說、猶大阿、可以守你的節期、還你所許的願、罷因
為那惡人不再從你中間經過、他已滅絕淨盡了。

第二章　以其得勝之軍傾覆尼尼微

一 尼尼微阿、那打碎邦國的上來攻擊你。你
二 要看守保障、謹防道路、使腰強壯、大大勉力。耶和華復
興雅各的榮華、好像以色列的榮華一樣。因為使地空
虛的、已經使雅各和以色列空虛、將他們的葡萄枝毀
三 壞了。他勇士的盾牌是紅的、精兵都穿朱紅衣服。在他
豫備爭戰的日子、戰車上的鋼鐵閃爍如火、柏木把的
四 槍也掄起來了。車輛在街上（或作城外）急行、在寬闊處奔來
五 奔去、形狀如火把、飛跑如閃電。尼尼微王招聚他的貴

六 胄．他們步行絆跌．速上城牆、豫備擋牌。六河閘開放、宮殿
七 沖沒。七王后蒙羞、被人擄去、宮女搥胸、哀鳴如鴿．此乃命
八 定之事。○八尼尼微自古以來、充滿人民、如同聚水的池
子．現在居民卻都逃跑．雖有人呼喊說、站住、站住、卻無
九 人回顧。九你們搶掠金銀罷．因為所積蓄的無窮、華美的
十 寶器無數。十尼尼微現在空虛荒涼、人心消化、雙膝相碰、
十一 腰都疼痛、臉都變色。十一獅子的洞、和少壯獅子餵養之處
在那裏呢．公獅母獅小獅遊行無人驚嚇之地在那裏
十二 呢。十二公獅為小獅撕碎許多食物、為母獅掐死活物、把撕
十三 碎的、掐死的、充滿他的洞穴。十三萬軍之耶和華說、我與你
為敵、必將你的車輛焚燒成煙、刀劍也必吞滅你的少
壯獅子．我必從地上除滅你所撕碎的、你使者的聲音、
必不再聽見。

第三章　尼尼微因惡受罰

一 禍哉、這流人血的城、充滿謊詐和強暴、搶
二 奪的事總不止息。二鞭聲響亮、車輪轟轟、馬匹踢跳、車輛
三 奔騰、三馬兵爭先、刀劍發光、槍矛閃爍、被殺的甚多、屍首
四 成了大堆、屍骸無數、人碰着而跌倒．四都因那美貌的妓
女多有淫行、慣行邪術、藉淫行誘惑列國、用邪術誘惑
五 多族。誘惑原文作賣五萬軍之耶和華說、我與你為敵、我必揭起
你的衣襟、蒙在你臉上、使列國看見你的赤體、使列邦
六 觀看你的醜陋。六我必將可憎汙穢之物拋在你身上、辱
七 沒你、為眾目所觀。七凡看見你的、都必逃跑離開你、說、尼
尼微荒涼了．有誰為你悲傷呢．我何處尋得安慰你的
八 人呢。○八你豈比挪亞們強呢．挪亞們坐落在眾河之間、
九 周圍有水、海作他的濠溝、海指尼羅河又作他的城牆。九古實
和埃及是他無窮的力量．弗人和路比族是他的幫手。
十 十但他被遷移、被擄去．他的嬰孩在各市口上也被摔死．
人為他的尊貴人拈鬮、他所有的大人、都被鍊子鎖着。
十一 十一你也必喝醉、必被埋藏．並因仇敵的緣故尋求避難所。
十二 十二你一切保障、必像無花果樹上初熟的無花果、若一搖
十三 撼、就落在想喫之人的口中。十三你地上的人民、如同婦女．
十四 你國中的關口、向仇敵敞開．你的門閂、被火焚燒。十四你要
打水豫備受困．要堅固你的保障．踹土和泥、修補磚窰。
十五 十五在那裏火必燒滅你、刀必殺戮你、吞滅你如同蝻子．任
十六 你加增人數多如蝻子、多如蝗蟲罷。十六你增添商賈、多過

天上的星．蛹子喫盡而去。十七你的首領、多如蝗蟲、你的軍
長、彷彿成羣的螞蚱、天涼的時候、齊落在籬笆上、日頭
一出、便都飛去、人不知道落在何處。十八亞述王阿、你的牧
人睡覺、你的貴胄安歇．你的人民散在山間、無人招聚。
十九你的損傷無法醫治、你的傷痕極其重大．凡聽你信息
的、必都因此向你拍掌．你所行的惡、誰沒有時常遭遇
呢。

哈巴谷書

第一章　為國認罪

一 [一]先知哈巴谷所得的默示。〇他[二]說、耶和華
二 阿、我呼求你、你不應允、要到幾時呢。我因強暴哀求你、
三 你還不拯救。[三]你為何使我看見罪孽、你為何看着奸惡
而不理呢。毀滅和強暴在我面前、又起了爭端和相鬬
四 的事。[四]因此律法放鬆、公理也不顯明、惡人圍困義人、所
以公理顯然顛倒。

示以迦勒底人必行討罰

五 [五]耶和華說、你們要向列國中觀看、大大驚奇、因為在你
們的時候、我行一件事、雖有人告訴你們、你們總是不
六 信。[六]我必興起迦勒底人、就是那殘忍暴躁之民、通行遍
七 地、佔據那不屬自己的住處。[七]他威武可畏、判斷和勢力、
八 都任意發出。[八]他的馬比豹更快、比晚上的豺狼更猛。馬
九 兵踴躍爭先、都從遠方而來。他們飛跑如鷹抓食、[九]都為
行強暴而來。定住臉面向前、將擄掠的人聚集、多如塵
十 沙。[十]他們譏誚君王、笑話首領、嗤笑一切保障、築壘攻取。
十一 [十一]他以自己的勢力為神、像風猛然掃過、顯為有罪。

哀歎迦勒底人之惡較其所討者尤甚

十二 [十二]耶和華我的神、我的聖者阿、你不是從亙古而有麼。
我們必不致死。耶和華阿、你派定他為要刑罰人。磐石
十三 阿、你設立他為要懲治人。[十三]你眼目清潔不看邪僻、不看
奸惡、行詭詐的、你為何看着不理呢。惡人吞滅比自己
十四 公義的、你為何靜默不語呢。[十四]你為何使人如海中的魚、
十五 又如沒有管轄的爬物呢。[十五]他用鈎鈎住、用網捕獲、用拉
十六 網聚集他們。因此、他歡喜快樂。[十六]就向網獻祭、向網燒香。
十七 因他由此得肥美的分、和富裕的食物。[十七]他豈可屢次倒
空網羅、將列國的人時常殺戮、毫不顧惜呢。

第二章　哈巴谷俟主啓示

一 [一]我要站在守望所、立在望樓上、觀看、看耶
和華對我說甚麼話、我可用甚麼話向他訴冤。（向他訴冤或作
二 回答所疑問的）[二]他對我說、將這默示明明的寫在版上、使讀的
三 人容易讀。（或作隨跑隨讀）[三]因為這默示有一定的日期、快要應
驗、並不虛謊。雖然遲延、還要等候、因為必然臨到、不再
遲延。

迦勒底受罰因其驕狂縱欲

四五 四迦勒底人自高自大、心不正直。惟義人因信得生。五迦勒
底人因酒詭詐、狂傲不住在家中、擴充心欲好像陰間。
六 他如死不能知足、聚集萬國、堆積萬民、都歸自己。六這些
國的民、豈不都要題起詩歌、並俗語、譏刺他說、禍哉迦
勒底人、你增添不屬自己的財物、多多取人的當頭、要
七 到幾時為止呢。七咬傷你的豈不忽然起來、擾害你的豈
八 不興起、你就作他們的擄物麼。八因你搶奪許多的國、殺
人流血、向國內的城、並城中一切居民施行強暴、所以
各國剩下的民、都必搶奪你。

因貪財不義

九 九為本家積蓄不義之財、在高處搭窩、指望免災的有禍
十 了。十你圖謀剪除多國的民、犯了罪、使你的家蒙羞、自害
十一 己命。十一牆裏的石頭必呼叫、房內的棟梁必應聲。

因肆行殘刻

十二十三 十二以人血建城、以罪孽立邑的有禍了。十三眾民所勞碌得來
的、被火焚燒、列國由勞乏而得的、歸於虛空、不都是出
十四 於萬軍之耶和華麼。十四認識耶和華榮耀的知識、要充滿
遍地、好像水充滿洋海一般。

因沉湎於酒

十五 十五給人酒喝、又加上毒物、使他喝醉、好看見他下體的有
十六 禍了。十六你滿受羞辱、不得榮耀。你也喝罷、顯出是未受割
禮的。耶和華右手的杯、必傳到你那裏、你的榮耀就變
十七 為大大的羞辱。十七你向利巴嫩行強暴、與殘害驚嚇野獸
的事、必遮蓋你。因你殺人流血、向國內的城、並城中一
切居民施行強暴。

因製像崇邪

十八 十八雕刻的偶像、人將他刻出來、有甚麼益處呢。鑄造的偶
像、就是虛謊的師傅。製造者倚靠這啞吧偶像、有甚麼
十九 益處呢。十九對木偶說、醒起、對啞吧石像說、起來、那人有禍
了。這個還能教訓人麼。看哪、是包裹金銀的、其中毫無
二十 氣息。二十惟耶和華在他的聖殿中、全地的人、都當在他面
前肅敬靜默。

第三章 哈巴谷祈禱因主威戰慄

一二 一先知哈巴谷的禱告、調用流離歌。○二耶和
華阿、我聽見你的名聲、(名聲或作言語)就懼怕。耶和華阿、求你

在這些年間復興你的作爲、在這些年間顯明出來、在
三 發怒的時候、以憐憫爲念。三神從提幔而來、聖者從巴
四 蘭山臨到。（細拉）他的榮光遮蔽諸天、頌讚充滿大地。四他的
輝煌如同日光．從他手裏射出光綫．在其中藏着他的
五 六 能力。五在他前面有瘟疫流行、在他脚下有熱症發出。六他
站立、量了大地．（或作使地震動）觀看、趕散萬民．永久的山崩裂、
七 長存的嶺塌陷．他的作爲與古時一樣。七我見古珊的帳
八 棚遭難、米甸的幔子戰兢。八耶和華阿、你乘在馬上、坐在
得勝的車上、豈是不喜悅江河、向江河發怒氣、向洋海
九 發憤恨麼。九你的弓全然顯露．向衆支派所起的誓、都是
十 可信的。（細拉）你以江河分開大地。十山嶺見你、無不戰懼．大
十一 水氾濫過去、深淵發聲、洶湧翻騰。（原文作向上舉手）十一因你的箭
十二 射出發光、你的槍閃出光耀、日月都在本宮停住。十二你發
十三 忿恨通行大地、發怒氣責打列國、如同打糧。十三你出來要
拯救你的百姓、拯救你的受膏者、打破惡人家長的頭、
十四 露出他的脚、（原文作脚根基）直到頸項。（細拉）十四你用敵人的戈矛刺
透他戰士的頭．他們來如旋風、要將我們分散．他們所
十五 喜愛的、是暗中吞喫貧民。十五你乘馬踐踏紅海、就是踐踏
洶湧的大水。

仍歡欣賴主

十六 十六我聽見耶和華的聲音、身體戰兢、嘴唇發顫、骨中朽爛．
我在所立之處戰兢．我只可安靜等候災難之日臨到、
十七 犯境之民上來。十七雖然無花果樹不發旺、葡萄樹不結果、
橄欖樹也不効力、田地不出糧食、圈中絕了羊、棚內也
十八 沒有牛．十八然而我要因耶和華歡欣、因救我的 神喜樂。
十九 十九主耶和華是我的力量．他使我的脚快如母鹿的蹄．又
使我穩行在高處。○這歌交與伶長、用絲絃的樂器。

哈巴谷書：二章一節

西番雅書

猶大作惡主必嚴懲

一 第一章 當猶大王亞們的兒子約西亞在位的時
候、耶和華的話臨到希西家的玄孫亞瑪利雅的曾孫
二 基大利的孫子古示的兒子西番雅。○耶和華說、我必
三 從地上除滅萬類。我必除滅人和牲畜、與空中的鳥、海
裏的魚、以及絆腳石和惡人．我必將人從地上剪除．這
四 是耶和華說的。我必伸手攻擊猶大和耶路撒冷的一
切居民．也必從這地方剪除所剩下的巴力、並基瑪林
五 的名和祭司、與那些在房頂上敬拜天上萬象的、並那
六 些敬拜耶和華指着他起誓、又指着瑪勒堪起誓的、與
那些轉去不跟從耶和華的、和不尋求耶和華、也不訪
七 問他的。○你要在主耶和華面前靜默無聲、因為耶和
華的日子快到．耶和華已經豫備祭物、將他的客、分別
八 為聖。到了我耶和華獻祭的日子、必懲罰首領、和王子、
九 並一切穿外邦衣服的。到那日我必懲罰一切跳過門
十 檻、將強暴和詭詐得來之物充滿主人房屋的。耶和華
說、當那日從魚門必發出悲哀的聲音、從二城發出哀
十一 號的聲音、從山間發出大破裂的響聲。瑪革提施的居
民哪、你們要哀號、因為迦南的商民都滅亡了．凡搬運
十二 銀子的都被剪除。那時、我必用燈巡查耶路撒冷．我必
懲罰那些如酒在渣滓上澄清的．他們心裏說、耶和華
十三 必不降福、也不降禍。他們的財寶必成為掠物、他們的
房屋、必變為荒場．他們必建造房屋、卻不得住在其內、
十四 栽種葡萄園、卻不得喝所出的酒。○耶和華的大日臨
近、臨近而且甚快、乃是耶和華日子的風聲．勇士必痛
十五 痛的哭號。那日是忿怒的日子、是急難困苦的日子、是
十六 荒廢淒涼的日子、是黑暗、幽冥、密雲、烏黑的日子、是吹
十七 角吶喊的日子、要攻擊堅固城、和高大的城樓。我必使
災禍臨到人身上、使他們行走如同瞎眼的、因為得罪
了我．他們的血必倒出如灰塵、他們的肉必拋棄如糞
十八 土。當耶和華發怒的日子、他們的金銀不能救他們．他
的忿怒如火、必燒滅全地、毀滅這地的一切居民、而且
大大毀滅。

勸衆乘時尋主
第二章 一二不知羞恥的國民哪、你們應當聚集．趁命
令沒有發出、日子過去如風前的糠、耶和華的烈怒未
臨到你們、他發怒的日子未到以先、你們應當聚集前
來。三世上遵守耶和華典章的謙卑人哪、你們都當尋求
耶和華．當尋求公義謙卑．或者在耶和華發怒的日子、
可以隱藏起來。

非利士必受懲罰
四迦薩必致見棄．亞實基倫必然荒涼．人在正午必趕出
亞實突的民．以革倫也被拔出根來。五住沿海之地的基
利提族有禍了．迦南非利士人之地阿、耶和華的話與
你反對、說、我必毀滅你、以致無人居住。六沿海之地要變
爲草塲、其上有牧人的住處、和羊羣的圈。七這地必爲猶
大家剩下的人所得．他們必在那裏牧放羣羊．晚上必
躺臥在亞實基倫的房屋中．因爲耶和華他們的神、
必眷顧他們、使他們被擄的人歸回。

摩押亞捫必受懲罰
八我聽見摩押人的毀謗、和亞捫人的辱罵、就是毀謗我
的百姓、自誇自大、侵犯他們的境界。九萬軍之耶和華以
色列的神說、我指着我的永生起誓、摩押必像所多
瑪、亞捫人必像蛾摩拉、都變爲刺草、鹽坑、永遠荒廢之
地．我百姓所剩下的、必擄掠他們．我國中所餘剩的、必
得着他們的地。十這事臨到他們、是因他們驕傲、自誇自
大、毀謗萬軍之耶和華的百姓。十一耶和華必向他們顯可
畏之威．因他必叫世上的諸神瘦弱．列國海島的居民、
各在自己的地方敬拜他。

古實亞述必受懲罰
十二古實人哪、你們必被我的刀所殺。十三耶和華必伸手攻擊
北方、毀滅亞述、使尼尼微荒涼、又乾旱如曠野。十四羣畜、就
是各國的走獸、（國或作類）必臥在其中．鵜鶘和箭豬要宿在
柱頂上．在窗戶內有鳴叫的聲音．門檻都必毀壞．香柏
木已經露出。十五這是素來歡樂安然居住的城、心裏說、惟
有我、除我以外再沒有別的．現在何竟荒涼、成爲野獸
躺臥之處．凡經過的人都必搖手、嗤笑他。

嚴責耶路撒冷人之諸罪
第三章 一這悖逆污穢欺壓的城、有禍了。二他不聽從

三 命令、不領受訓誨、不倚靠耶和華、不親近他的　神。三他
中間的首領是咆哮的獅子。他的審判官是晚上的豺
四 狼、一點食物也不留到早晨。四他的先知是虛浮詭詐的
五 人。他的祭司褻瀆聖所、強解律法。五耶和華在他中間是
公義的、斷不作非義的事、每早晨顯明他的公義、無日
六 不然。只是不義的人不知羞恥。六我耶和華已經除滅列
國的民。他們的城樓毀壞。我使他們的街道荒涼、以致
七 無人經過。他們的城邑毀滅、以致無人、也無居民。七我說、
你只要敬畏我、領受訓誨。如此、你的住處、不致照我所
擬定的除滅。只是你們從早起來、就在一切事上敗壞
自己。

勸俟以色列復興

八 八耶和華說、你們要等候我、直到我興起擄掠的日子。因
爲我已定意招聚列國、聚集列邦、將我的惱怒、就是我
的烈怒、都傾在他們身上。我的忿怒如火、必燒滅全地。
九 ○九那時、我必使萬民用清潔的言語、好求告我耶和華
十 的名、同心合意的事奉我。十祈禱我的、就是我所分散的
十一 民、原文作女子下同必從古實河外來、給我獻供物。十一當那日你
必不因你一切得罪我的事、自覺羞愧。因爲那時我必
從你中間除掉矜誇高傲之輩、你也不再於我的聖山
十二 狂傲。十二我卻要在你中間、留下困苦貧寒的民。他們必投
十三 靠我耶和華的名。十三以色列所剩下的人、必不作罪孽、不
說謊言、口中也沒有詭詐的舌頭。而且喫喝躺臥、無人
驚嚇。

宜歌頌主恩

十四 十四錫安的民哪、應當歌唱。以色列阿、應當歡呼。耶路撒冷
十五 的民哪、應當滿心歡喜快樂。十五耶和華已經除去你的刑
罰、趕出你的仇敵。以色列的王耶和華在你中間、你必
十六 不再懼怕災禍。十六當那日、必有話向耶路撒冷說、不要懼
十七 怕。錫安哪、不要手輭。十七耶和華你的　神、是施行拯救、大
有能力的主。他在你中間必因你歡欣喜樂、默然愛你、
十八 且因你喜樂而歡呼。十八那些屬你、爲無大會愁煩、因你擔
十九 當羞辱的、我必聚集他們。十九那時、我必罰辦一切苦待你
的人、又拯救你瘸腿的、聚集你被趕出的、那些在全地
二十 受羞辱的、我必使他們得稱讚、有名聲。二十那時、我必領你
們進來、聚集你們。我使你們被擄之人歸回的時候、就

必使你們在地上的萬民中有名聲、得稱讚‧這是耶和華說的。

西番雅書：二章十四節

哈該書

哈該責猶大人延不建殿

一 **第一章** 大利烏王第二年、六月初一日、耶和華的
話藉先知哈該、向猶大省長撒拉鐵的兒子所羅巴伯、
二 和約撒答的兒子大祭司約書亞說、[二]萬軍之耶和華如
三 此說、這百姓說、建造耶和華殿的時候尚未來到。[三]那時
四 耶和華的話臨到先知哈該說、[四]這殿仍然荒涼、你們自
五 己還住天花板的房屋麼。[五]現在萬軍之耶和華如此說、
六 你們要省察自己的行爲。[六]你們撒的種多、收的卻少．你
們喫、卻不得飽．喝、卻不得足．穿衣服、卻不得暖．得工錢
的將工錢裝在破漏的囊中。

勉其速興厥工

七八 [七]萬軍之耶和華如此說、你們要省察自己的行爲。[八]你們
要上山取木料、建造這殿．我就因此喜樂、且得榮耀．這
九 是耶和華說的。[九]你們盼望多得、所得的卻少．你們收到
家中、我就吹去．這是爲甚麼呢、因爲我的殿荒涼、你們
各人卻顧自己的房屋．（顧原文作奔）這是萬軍之耶和華說
十 的。[十]所以爲你們的緣故、天就不降甘露、地也不出土產。
十一 [十一]我命乾旱臨到地土、山岡、五穀、新酒、和油、並地上的出
產、人民、牲畜、以及人手一切勞碌得來的。

許以主必佑助

十二 [十二]那時、撒拉鐵的兒子所羅巴伯、和約撒答的兒子大祭
司約書亞、並剩下的百姓、都聽從耶和華他們　神的
話、和先知哈該奉耶和華他們　神差來所說的話．百
十三 姓也在耶和華面前存敬畏的心。[十三]耶和華的使者哈該
十四 奉耶和華差遣對百姓說、耶和華說、我與你們同在。[十四]耶
和華激動猶大省長撒拉鐵的兒子所羅巴伯、和約撒
答的兒子大祭司約書亞、並剩下之百姓的心．他們就
十五 來爲萬軍之耶和華他們　神的殿作工．[十五]這是在大利
烏王第二年、六月二十四日。

示以後建之殿較前建者榮美尤大

一 **第二章** 七月二十一日、耶和華的話臨到先知哈
二 該說、[二]你要曉諭猶大省長撒拉鐵的兒子所羅巴伯、和
三 約撒答的兒子大祭司約書亞、並剩下的百姓說、[三]你們
中間存留的、有誰見過這殿從前的榮耀呢．現在你們

四 看着如何．豈不在眼中看如無有麼。四耶和華說、所羅巴
伯阿、雖然如此、你當剛強．約撒答的兒子大祭司約書
亞阿、你也當剛強．這地的百姓、你們都當剛強作工．因
五 爲我與你們同在．這是萬軍之耶和華說的。五這是照着
你們出埃及我與你們立約的話．那時、我的靈住在你
六 們中間．你們不要懼怕。六萬軍之耶和華如此說、過不多
七 時我必再一次震動天地滄海、與旱地．七我必震動萬國．
萬國的珍寶、必都運來．（或作萬國所羨慕的必來到）我就使這殿滿
八 了榮耀．這是萬軍之耶和華說的。八萬軍之耶和華說、銀
九 子是我的、金子也是我的。九這殿後來的榮耀、必大過先
前的榮耀．在這地方我必賜平安．這是萬軍之耶和華
說的。

未建殿以前民所獻者不潔故諸事不利

十 十大利烏王第二年九月二十四日、耶和華的話臨到先
十一 知哈該說、十一萬軍之耶和華如此說、你要向祭司問律法、
十二 十二說、若有人用衣襟兜聖肉、這衣襟挨着餅、或湯、或酒、或
十三 油、或別的食物、便算爲聖麼．祭司說、不算爲聖。十三哈該又
說、若有人因摸死屍染了污穢、然後挨着這些物的那
十四 一樣、這物算污穢麼．祭司說、必算污穢。十四於是哈該說、耶
和華說、這民這國、在我面前也是如此．他們手下的各
十五 樣工作、都是如此．他們在壇上所獻的也是如此。十五現在
你們要追想此日以前、耶和華的殿沒有一塊石頭壘
十六 在石頭上的光景．十六在那一切日子、有人來到穀堆、想得
二十斗、只得了十斗．有人來到酒池、想得五十桶、只得
十七 了二十桶．十七你們手下的各樣工作、我以旱風、霉爛、
十八 冰雹、攻擊你們．你們仍不歸向我．這是耶和華說的。十八你
們要追想此日以前、就是從這九月二十四日起、追想
十九 到立耶和華殿根基的日子。十九倉裏有穀種麼．葡萄樹、無
花果樹、石榴樹、橄欖樹、都沒有結果子．從今日起、我必
賜福與你們。

主許簡所羅巴伯

二十 二十一 二十這月二十四日、耶和華的話二次臨到哈該說、二十一你要告
二十二 訴猶大省長所羅巴伯說、我必震動天地。二十二我必傾覆列
國的寶座、除滅列邦的勢力、並傾覆戰車和坐在其上
二十三 的馬必跌倒、騎馬的敗落、各人被弟兄的刀所殺。二十三萬軍
之耶和華說、我僕人撒拉鐵的兒子所羅巴伯阿、到那

日、我必以你爲印、因我揀選了你．這是萬軍之耶和華說的。

利未人的大祭司

撒迦利亞書

撒迦利亞勸民歸主

一 第一章　一大利烏王第二年八月、耶和華的話臨到
二 易多的孫子比利家的兒子先知撒迦利亞說、二耶和華
三 曾向你們列祖大大發怒。三所以你要對以色列人說、萬
軍之耶和華如此說、你們要轉向我、我就轉向你們．這
四 是萬軍之耶和華說的。四不要效法你們列祖．從前的先
知呼叫他們說、萬軍之耶和華如此說、你們要回頭離
開你們的惡道惡行．他們卻不聽、也不順從我．這是耶
五 和華說的。五你們的列祖在那裏呢．那些先知能永遠存
六 活麼．六只是我的言語和律例、就是所吩咐我僕人眾先
知的、豈不臨到你們列祖麼．他們就回頭說、萬軍之耶
和華定意按我們的行動作為向我們怎樣行、他已照
樣行了。

見乘馬者之異象

七 七大利烏第二年十一月、就是細罷特月、二十四日、耶和
華的話臨到易多的孫子比利家的兒子先知撒迦利
八 亞說、八我夜間觀看、見一人騎着紅馬、站在窪地番石榴
九 樹中間．在他身後、又有紅馬、黃馬、和白馬。九我對與我說
話的天使說、主阿、這是甚麼意思．他說、我要指示你這
十 是甚麼意思。十那站在番石榴樹中間的人說、這是奉耶
十一 和華差遣在遍地走來走去的。十一那些騎馬的、對站在番
石榴樹中間耶和華的使者說、我們已在遍地走來走
去、見全地都安息平靜。

天使為耶路撒冷祈禱耶和華許以復施憐憫

十二 十二於是耶和華的使者說、萬軍之耶和華阿、你惱恨耶路
撒冷、和猶大的城邑、已經七十年．你不施憐憫要到幾
十三 時呢。十三耶和華就用美善的安慰話、回答那與我說話的
十四 天使。十四與我說話的天使對我說、你要宣告說、萬軍之耶
十五 和華如此說、我為耶路撒冷、為錫安、心裏極其火熱。十五我
甚惱怒那安逸的列國．因我從前稍微惱怒我民、他們
十六 就加害過分。十六所以耶和華如此說、現今我回到耶路撒
冷、仍施憐憫．我的殿必重建在其中、準繩必拉在耶路
十七 撒冷之上．這是萬軍之耶和華說的。十七你要再宣告說、萬
軍之耶和華如此說、我的城邑必再豐盛發達．耶和華

必再安慰錫安、揀選耶路撒冷。

撒迦利亞見四角

十八我舉目觀看、見有四角。十九我就問與我說話的天使說、這
是甚麼意思。他回答說、這是打散猶大以色列和耶路
撒冷的角。

見四匠

二十耶和華又指四個匠人給我看。二十一我說、他們來作甚麼呢。
他說、這是打散猶大的角、使人不敢抬頭。但這些匠人
來威嚇列國、打掉他們的角。就是舉起打散猶大地的
角。

第二章

見人持準繩

一我又舉目觀看、見一人手拿準繩。二我說、你
往那裏去。他對我說、要去量耶路撒冷、看有多寬多長。
三與我說話的天使去的時候、又有一位天使迎着他來、
四對他說、你跑去告訴那少年人說、耶路撒冷必有人居
住、好像無城牆的鄉村。因為人民和牲畜甚多。五耶和華
說、我要作耶路撒冷四圍的火城、並要作其中的榮耀。

錫安得脫災害

六耶和華說、我從前分散你們在天的四方。(原文作猶如天的四風)
現在你們要從北方之地逃回。這是耶和華說的。七與巴
比倫人同住的錫安民哪、應當逃脫。八萬軍之耶和華說、
在顯出榮耀之後、差遣我去懲罰那擄掠你們的列國。
摸你們的、就是摸他眼中的瞳人。九看哪、我(或作他)要向他
們掄手、他們就必作服事他們之人的擄物、你們便知
道萬軍之耶和華差遣我了。

主許與同居

十錫安城阿、應當歡樂歌唱、因為我來要住在你中間。這
是耶和華說的。十一那時、必有許多國歸附耶和華、作他(原文
作他)的子民。他(原文作我)要住在你中間、你就知道萬軍之耶
和華差遣我到你那裏去了。十二耶和華必收回猶大作他
聖地的分、也必再揀選耶路撒冷。十三凡有血氣的、都當在
耶和華面前靜默無聲。因為他與起、從聖所出來了。

第三章

撒但敵約書亞

一天使(原文作他)又指給我看、大祭司約書亞站
在耶和華的使者面前、撒但也站在約書亞的右邊、與

二 他作對。[二]耶和華向撒但說、撒但哪、耶和華責備你、就是
揀選耶路撒冷的耶和華責備你。這不是從火中抽出
三 來的一根柴麼。[三]約書亞穿着污穢的衣服、站在使者面
四 前。[四]使者吩咐站在面前的說、你們要脫去他污穢的衣
服。又對約書亞說、我使你脫離罪孽、要給你穿上華美
五 的衣服。[五]我說、要將潔淨的冠冕戴在他頭上.他們就把
潔淨的冠冕戴在他頭上、給他穿上華美的衣服、耶和
六 華的使者在旁邊站立。〇[六]耶和華的使者誥誡約書亞
七 說、[七]萬軍之耶和華如此說、你若遵行我的道、謹守我的
命令、你就可以管理我的家、看守我的院宇.我也要使
你在這些站立的人中間來往。

主許約書亞必使名苗裔者發出

八 [八]大祭司約書亞阿、你和坐在你面前的同伴都當聽.
(他們是作豫兆的。)我必使我僕人大衛的苗裔發
九 出。[九]看哪、我在約書亞面前所立的石頭、在一塊石頭上
有七眼。萬軍之耶和華說、我要親自雕刻這石頭、並要
十 在一日之間、除掉這地的罪孽。[十]當那日你們各人要請
鄰舍坐在葡萄樹和無花果樹下.這是萬軍之耶和華
說的。

第四章

見金燈臺得知所羅巴伯建殿蒙主佑助

一 [一]那與我說話的天使又來叫醒我、好像人
二 睡覺被喚醒一樣。[二]他問我說、你看見了甚麼、我說、我看
見了一個純金的燈臺、頂上有燈盞.燈臺上有七盞燈、
三 每盞有七個管子。[三]旁邊有兩棵橄欖樹、一棵在燈盞的
四 右邊、一棵在燈盞的左邊。[四]我問與我說話的天使說、主
五 阿、這是甚麼意思。[五]與我說話的天使回答我說、你不知
六 道這是甚麼意思麼.我說、主阿、我不知道。[六]他對我說、這
是耶和華指示所羅巴伯的.萬軍之耶和華說、不是倚
七 靠勢力、不是倚靠才能、乃是倚靠我的靈、方能成事。[七]大
山哪、你算甚麼呢、在所羅巴伯面前、你必成為平地.他
必搬出一塊石頭、安在殿頂上.人且大聲歡呼說、願恩
八 九 惠恩惠歸與這殿。(殿或作石)[八]耶和華的話又臨到我說、[九]所羅
巴伯的手立了這殿的根基.他的手也必完成這工.你
十 就知道萬軍之耶和華差遣我到你們這裏來了。[十]誰藐
視這日的事為小呢.這七眼乃是耶和華的眼睛、遍察
全地.見所羅巴伯手拿綫鉈、就歡喜。

得知二橄欖樹指二受膏者
十一 我十一又問天使說、這燈臺左右的兩棵橄欖樹、是甚麼意
十二 思。十二我二次問他說、這兩根橄欖枝、在兩個流出金色油
十三 的金嘴旁邊、是甚麼意思。十三他對我說、你不知道這是甚
十四 麼意思麼。我說、主阿、我不知道。十四他說、這是兩個受膏者、
站在普天下主的旁邊。

見飛卷得知盜竊者妄誓者必如卷文見除
一 **第五章** 我一又舉目觀看、見有一飛行的書卷。他二問
二 我說、你看見甚麼。我回答說、我看見一飛行的書卷、長
三 二十肘、寬十肘。三他對我說、這是發出行在遍地上的咒
詛。凡偷竊的必按卷上這面的話除滅。凡起假誓的必
四 按卷上那面的話除滅。四萬軍之耶和華說、我必使這書
卷出去、進入偷竊人的家、和指我名起假誓人的家、必
常在他家裏、連房屋帶木石都毀滅了。

見量器中之婦
五 五與我說話的天使出來、對我說、你要舉目觀看、見所出
六 來的是甚麼。六我說、這是甚麼呢。他說、這出來的是量器。
七 他又說、這是惡人在遍地的形狀。七(我見有一片圓鉛
八 被舉起來)這坐在量器中的是個婦人。八天使說、這是
罪惡。他就把婦人扔在量器中、將那片圓鉛扔在量器
九 的口上。九我又舉目觀看、見有兩個婦人出來、在他們翅
膀中有風、飛得甚快、翅膀如同鸛鳥的翅膀。他們將量
十 器抬起來、懸在天地中間。十我問與我說話的天使說、他
十一 們要將量器抬到那裏去呢。十一他對我說、要往示拿地去、
為他蓋造房屋。等房屋齊備、就把他安置在自己的地
方。

見四車
一 **第六章** 我一又舉目觀看、見有四輛車從兩山中間
二 出來。那山是銅山。二第一輛車套着紅馬。第二輛車套着
三 黑馬。三第三輛車套着白馬。第四輛車套着有斑點的壯
四五 馬。四我就問與我說話的天使說、主阿、這是甚麼意思。五天
使回答我說、這是天的四風、是從普天下的主面前出
六 來的。六套着黑馬的車往北方去、白馬跟隨在後。有斑點
七 的馬往南方去。七壯馬出來、要在遍地走來走去。天使說、
八 你們只管在遍地走來走去。八他們就照樣行了。他又呼
叫我說、看哪、往北方去的、已在北方安慰我的心。

為約書亞製金冕以示主殿必成

九耶和華的話臨到我說、十你要從被擄之人中取黑玳、多
比雅、耶大雅的金銀‥‥這三人是從巴比倫來到西番雅
的兒子約西亞的家裏。當日你要進他的家、十一取這金銀
作冠冕、戴在約撒答的兒子大祭司約書亞的頭上、十二對
他說、萬軍之耶和華如此說、看哪、那名稱為大衛苗裔
的、他要在本處長起來、並要建造耶和華的殿。十三他要建
造耶和華的殿、並擔負尊榮、坐在位上掌王權、又必在
位上作祭司、使兩職之間籌定和平。十四這冠冕要歸希連、
（就是黑玳）多比雅、耶大雅、和西番雅的兒子賢、（賢就是約西亞）放在
耶和華的殿裏為記念。十五遠方的人也要來建造耶和華
的殿。你們就知道萬軍之耶和華差遣我到你們這裏
來。你們若留意聽從耶和華你們　神的話‥‥這事必然
成就。

被擄者詢主仍禁食否

第七章

一大利烏王第四年九月、就是基斯流月、初
四日、耶和華的話臨到撒迦利亞。二那時伯特利人已經
打發沙利色、和利堅米勒、並跟從他們的人去懇求耶
和華的恩、三並問萬軍之耶和華殿中的祭司、和先知說、
我歷年以來在五月間哭泣齋戒、現在還當這樣行麼。

撒迦利亞告以禁食非主所悅

四萬軍之耶和華的話就臨到我說、五你要宣告國內的眾
民、和祭司說、你們這七十年在五月七月禁食悲哀、豈
是絲毫向我禁食麼。六你們喫喝、不是為自己喫、為自己
喝麼。七當耶路撒冷和四圍的城邑有居民、正興盛、南地
高原有人居住的時候、耶和華藉從前的先知所宣告
的話、你們不當聽麼。

民散異邦乃因其惡

八耶和華的話又臨到撒迦利亞說、九萬軍之耶和華曾對
你們的列祖如此說、要按至理判斷、各人以慈愛憐憫
弟兄。十不可欺壓寡婦孤兒、寄居的、和貧窮人、誰都不可
心裏謀害弟兄。十一他們卻不肯聽從、扭轉肩頭、塞耳不聽。
十二使心硬如金鋼石、不聽律法、和萬軍之耶和華用靈藉
從前的先知所說的話。故此萬軍之耶和華大發烈怒。
十三萬軍之耶和華說、我曾呼喚他們、他們不聽。將來他們
呼求我、我也不聽。十四我必以旋風吹散他們到素不認識

的萬國中。這樣、他們的地就荒涼、甚至無人來往經過．
因爲他們使美好之地荒涼了。

第八章　耶路撒冷必復振興

一萬軍之耶和華的話臨到我說、二萬軍之耶
和華如此說、我爲錫安心裏極其火熱、我爲他火熱、向
他的仇敵發烈怒．三耶和華如此說、我現在回到錫安、要
住在耶路撒冷中．耶路撒冷必稱爲誠實的城．萬軍之
耶和華的山必稱爲聖山。四萬軍之耶和華如此說、將來
必有年老的男女、坐在耶路撒冷街上．因爲年紀老邁
就手拿拐杖。五城中街上、必滿有男孩女孩玩耍。六萬軍之
耶和華如此說、到那日、這事在餘剩的民眼中看爲希
奇、在我眼中也看爲希奇麼．這是萬軍之耶和華說的。
七萬軍之耶和華如此說、我要從東方從西方救回我的
民．八我要領他們來、使他們住在耶路撒冷中．他們要作
我的子民、我要作他們的神、都憑誠實和公義。

先知勗建殿者勿怯勿怠

九萬軍之耶和華如此說、當建造萬軍之耶和華的殿、立
根基之日的先知所說的話、現在你們聽見、應當手裏
強壯。十那日以先、人得不着雇價、牲畜也是如此．且因敵
人的緣故、出入之人、不得平安．乃因我使衆人互相攻
擊。十一但如今我待這餘剩的民、必不像從前．這是萬軍之
耶和華說的。十二因爲他們必平安撒種．葡萄樹必結果子、
地土必有出產、天也必降甘露．我要使這餘剩的民、享
受這一切的福。十三猶大家和以色列家阿、你們從前在列
國中怎樣成爲可咒詛的、照樣、我要拯救你們、使人稱
你們爲有福的．（或作使你們叫人得福）你們不要懼怕、手要強壯。

勉以善行

十四萬軍之耶和華如此說、你們列祖惹我發怒的時候、我
怎樣定意降禍、並不後悔．十五現在我照樣定意施恩與耶
路撒冷、和猶大家、你們不要懼怕。十六你們所當行的是這
樣．各人與鄰舍說話誠實、在城門口按至理判斷、使人
和睦．十七誰都不可心裏謀害鄰舍、也不可喜愛起假誓．因
爲這些事都爲我所恨惡．這是耶和華說的。

憂傷將易歡欣

十八萬軍之耶和華的話臨到我說、十九萬軍之耶和華如此說、
四月五月禁食的日子、七月十月禁食的日子、必變爲

猶大家歡喜快樂的日子、和歡樂的節期．所以你們要
喜愛誠實與和平。

萬民必尋求主恩

二十 二十萬軍之耶和華如此說、將來必有列國的人、和多城的
二一 居民來到．二一這城的居民、必到那城、說、我們要快去懇求
耶和華的恩、尋求萬軍之耶和華．我也要去．二二必有列邦
二二 的人、和強國的民、來到耶路撒冷尋求萬軍之耶和華、
懇求耶和華的恩。二三萬軍之耶和華如此說、在那些日子
二三 必有十個人、從列國諸族中出來、族原文作方言拉住一個猶
大人的衣襟、說、我們要與你們同去．因為我們聽見
神與你們同在了。

耶和華必懲罰哈得拉與大馬色

第九章

一 一耶和華的默示、應驗在哈得拉地大馬色
二 （世人和以色列各支派的眼目、都仰望耶和華）二和
靠近的哈馬、並推羅、西頓、因為這二城的人、大有智慧。
三 三推羅為自己修築保障、積蓄銀子如塵沙、堆起精金如
四 街上的泥土。四主必趕出他、打敗他海上的權力．他必被
五 火燒滅。五亞實基倫看見必懼怕、迦薩看見甚痛苦、以革
倫因失了盼望蒙羞．迦薩必不再有君王．亞實基倫也
六 不再有居民。六私生子或作外族人必住在亞實突．我必除滅
七 非利士人的驕傲。七我必除去他口中帶血之肉、和牙齒
內可憎之物．他必作為餘剩的人、歸與我們的神．必
八 在猶大像族長．以革倫人必如耶布斯人。八我必在我
家的四圍安營、使敵軍不得任意往來．暴虐的人也不
再經過．因為我親眼看顧我的家……。

錫安王蒞臨秉公施救

九 九錫安的民哪、應當大大喜樂．耶路撒冷的民哪、應當歡
呼．看哪、你的王來到你這裏．他是公義的、並且施行拯
十 救、謙謙和和的騎着驢、就是騎着驢的駒子。十我必除滅
以法蓮的戰車、和耶路撒冷的戰馬．爭戰的弓也必除
滅．他必向列國講和平．他的權柄必從這海管到那海、
從大河管到地極。

主許佑其民使之獲勝

十一 十一錫安哪、我因與你立約的血、將你中間被擄而囚的人、
十二 從無水的坑中釋放出來。十二你們被囚而有指望的人、都
十三 要轉回保障．我今日說明、我必加倍賜福給你們。十三我拿

猶大作上弦的弓、我拿以法蓮為張弓的箭。錫安哪、我
要激發你的衆子、攻擊希臘原文作雅完的衆子、使你如勇
十四 士的刀。十四耶和華必顯現在他們以上、他的箭必射出像
十五 閃電。主耶和華必吹角、乘南方的旋風而行。十五萬軍之耶
和華必保護他們。他們必吞滅仇敵、踐踏彈石。他們必
喝血吶喊、猶如飲酒。他們必像盛滿血的碗、又像壇的
十六 四角、滿了血。十六當那日、耶和華他們的神必看他的民、
如羣羊拯救他們、因為他們必像冠冕上的寶石、高舉
十七 在他的地以上。他高舉云云或作在他的地上發光輝十七他的恩慈何等大、他
的榮美何其盛。五穀健壯少男、新酒培養處女。

當求雨於耶和華

第十章

一 一當春雨的時候、你們要向發閃電的耶和
華求雨。他必為衆人降下甘霖、使田園生長菜蔬。二因為
二 家神所言的是虛空、卜士所見的是虛假、作夢者所說
的是假夢。他們白白的安慰人。所以衆人如羊流離、因
三 無牧人就受苦。三我的怒氣向牧人發作、我必懲罰公山
羊。因我萬軍之耶和華眷顧自己的羊羣、就是猶大家、
四 必使他們如駿馬在陣上。四房角石、釘子、爭戰的弓、和一
五 切掌權的、都從他而出。五他們必如勇士在陣上將仇敵
踐踏在街上的泥土中。他們必爭戰、因為耶和華與他
們同在。騎馬的也必羞愧。

主必拯其民使返故土

六 六我要堅固猶大家、拯救約瑟家、要領他們歸回。我要憐
恤他們。他們必像未曾棄絕的一樣。都因我是耶和華
七 他們的神。我必應允他們的禱告。七以法蓮人必如勇
士。他們心中暢快如同喝酒。他們的兒女必看見而快
八 活。他們的心必因耶和華喜樂。八我要發嘶聲聚集他
們。因我已經救贖他們。他們的人數必加增、如從前加
九 增一樣。九我雖然或作必播散他們在列國中、他們必在遠
十 方記念我。他們與兒女都必存活、且得歸回。十我必再領
他們出埃及地、招聚他們出亞述、領他們到基列和利
十一 巴嫩。這地尚且不敷他們居住。十一耶和華必經過苦海、擊
打海浪、使尼羅河的深處都枯乾。亞述的驕傲必至卑
十二 微。埃及的權柄必然滅沒。十二我必使他們倚靠我、得以堅
固。一舉一動、必奉我的名。這是耶和華說的。

第十一章　牧人見棄

一 利巴嫩哪、開開你的門、任火燒滅你的
二 香柏樹。二松樹阿、應當哀號、因為香柏樹傾倒、佳美的樹
毀壞。巴珊的橡樹阿、應當哀號、因為茂盛的樹林已經
三 倒了。三聽阿、有牧人哀號的聲音、因他們榮華的草場毀
壞了。有少壯獅子咆哮的聲音、因約但河旁的叢林荒
廢了。

命恤將殺之羊以二杖牧之

四 耶和華我的神如此說、你撒迦利亞要牧養這將宰
五 的羣羊。五買他們的宰了他們、以自己為無罪。賣他們的
說、耶和華是應當稱頌的、因我成為富足。牧養他們的、
六 並不憐恤他們。六耶和華說、我不再憐恤這地的居民。必
將這民交給各人的鄰舍、和他們王的手中。他們必毀
七 滅這地、我也不救這民脫離他們的手。七於是我牧養這
將宰的羣羊、就是羣中最困苦的羊。我拿着兩根杖、一
根我稱為榮美、一根我稱為聯索、這樣、我牧養了羣羊。
八 一月之內、我除滅三個牧人、因為我的心厭煩他們、他
九 們的心也憎嫌我。九我就說、我不牧養你們、要死的由他
死、要喪亡的、由他喪亡。餘剩的、由他們彼此相食。

折一杖以明廢與民所立之約

十 我折斷那稱為榮美的杖、表明我廢棄與萬民所立的
十一 約。十一當日就廢棄了。這樣、那些仰望我的困苦羊、就知道
十二 所說的是耶和華的話。十二我對他們說、你們若以為美、就
給我工價、不然就罷了。於是他們給了三十塊錢作為
十三 我的工價。十三耶和華吩咐我說、要把衆人所估定美好的
價值、丟給窰戶。我便將這三十塊錢、在耶和華的殿中、
丟給窰戶了。

又折一杖以明絕二國之誼

十四 我又折斷稱為聯索的那根杖、表明我廢棄猶大與以
色列弟兄的情誼。

愚牧遘禍

十五 耶和華又吩咐我說、你再取愚昧牧人所用的器具。十六因
我要在這地興起一個牧人、他不看顧喪亡的、不尋找
分散的、不醫治受傷的、也不牧養強壯的、卻要喫肥羊
十七 的肉、撕裂他的蹄子。十七無用的牧人丟棄羊羣有禍了。刀
必臨到他的膀臂、和右眼上。他的膀臂必全然枯乾、他

的右眼也必昏暗失明。

以耶路撒冷爲杯使四周之民致醉昏眩

一 **第十二章** 一耶和華論以色列的默示。◯鋪張諸天、
二 建立地基、造人裏面之靈的耶和華說、二我必使耶路撒
冷被圍困的時候、向四圍列國的民、成爲令人昏醉的
杯。這默示也論到猶大。（或作猶大也是如此）

許猶大復興

三 三那日、我必使耶路撒冷向聚集攻擊他的萬民、當作一
四 塊重石頭、凡舉起的、必受重傷。四耶和華說、到那日、我必
使一切馬匹驚惶、使騎馬的顛狂。我必看顧猶大家、使
五 列國的一切馬匹瞎眼。五猶大的族長必心裏說、耶路撒
冷的居民、倚靠萬軍之耶和華他們的　神、就作我們
六 的能力。六那日、我必使猶大的族長、如火盆在木柴中、又
如火把在禾捆裏。他們必左右燒滅四圍列國的民。耶
七 路撒冷人必仍住本處、就是耶路撒冷。七耶和華必先拯
救猶大的帳棚、免得大衛家的榮耀、和耶路撒冷居民
八 的榮耀、勝過猶大。八那日耶和華必保護耶路撒冷的居
民、他們中間輭弱的、必如大衛。大衛的家、必如　神、如
九 行在他們前面之耶和華的使者。九那日、我必定意滅絕
來攻擊耶路撒冷各國的民。

耶路撒冷居民必爲其所刺者哀哭

十 十我必將那施恩叫人懇求的靈、澆灌大衛家、和耶路撒
冷的居民。他們必仰望我、（或作他本節同）就是他們所扎的、必
十一 爲我悲哀、如喪獨生子、又爲我愁苦、如喪長子。十一那日耶
路撒冷必有大大的悲哀、如米吉多平原之哈達臨門
十二 的悲哀。十二境內、一家一家的、都必悲哀。大衛家、男的獨在
一處、女的獨在一處。拿單家、男的獨在一處、女的獨在
十三 一處。十三利未家、男的獨在一處、女的獨在一處。示每家、男
十四 的獨在一處、女的獨在一處。十四其餘的各家、男的獨在一
處、女的獨在一處。

耶路撒冷必闢一源洗罪滌污

一 **第十三章** 一那日必給大衛家和耶路撒冷的居民、
開一個泉源、洗除罪惡與污穢。

偶像僞先知均必滅絕

二 二萬軍之耶和華說、那日我必從地上除滅偶像的名、不
再被人記念。也必使這地不再有假先知、與污穢的靈。

[三]若再有人說豫言、生他的父母必對他說、你不得存活、
因爲你託耶和華的名說假豫言、生他的父母、在他說
豫言的時候、要將他刺透。[四]那日凡作先知說豫言的、必
因他所論的異象羞愧、不再穿毛衣哄騙人。[五]他必說、我
不是先知、我是耕地的。我從幼年作人的奴僕。[六]必有人
問他說、你兩臂中間是甚麼傷呢。他必回答說、這是我
在親友家中所受的傷。

豫言牧人被擊

[七]萬軍之耶和華說、刀劍哪、應當興起、攻擊我的牧人、和
我的同伴。擊打牧人、羊就分散。我必反手加在微小者
的身上。[八]耶和華說、這全地的人、三分之二、必剪除而死、
三分之一、仍必存留。[九]我要使這三分之一經火、熬煉他
們、如熬煉銀子、試煉他們、如試煉金子。他們必求告我
的名、我必應允他們。我要說、這是我的子民。他們也要
說、耶和華是我們的神。

欲滅耶路撒冷者必自滅亡

第十四章

[一]耶和華的日子臨近、你的財物、必被搶
掠、在你中間分散。[二]因爲我必聚集萬國與耶路撒冷爭
戰。城必被攻取、房屋被搶奪、婦女被玷污、城中的民一
半被擄去、剩下的民、仍在城中、不致剪除。[三]那時、耶和華
必出去與那些國爭戰、好像從前爭戰一樣。

主足必臨於橄欖山

[四]那日、他的脚必站在耶路撒冷前面朝東的橄欖山上。
這山必從中間分裂、自東至西、成爲極大的谷。山的一
半向北挪移、一半向南挪移。[五]你們要從我山的谷中逃
跑、因爲山谷必延到亞薩。你們逃跑、必如猶大王烏西
雅年間的人逃避大地震一樣。耶和華我的神必降
臨、有一切聖者同來。[六]那日必沒有光、三光必退縮。[七]那日、
必是耶和華所知道的。不是白晝、也不是黑夜、到了晚
上纔有光明。[八]那日必有活水從耶路撒冷出來、一半往
東海流、一半往西海流。冬夏都是如此。

耶和華爲全地之王

[九]耶和華必作全地的王。那日耶和華必爲獨一無二的。
他的名也是獨一無二的。[十]全地、從迦巴直到耶路撒冷
南方的臨門、要變爲亞拉巴。耶路撒冷必仍居高位、就
是從便雅憫門到第一門之處、又到角門、並從哈楠業

十一 樓、直到王的酒醡。十一人必住在其中、不再有咒詛。耶路撒
冷人必安然居住。

敵耶路撒冷者之災罰

十二 十二耶和華用災殃攻擊那與耶路撒冷爭戰的列國人、必
是這樣．他們兩脚站立的時候、肉必消沒、眼在眶中乾
十三 癟、舌在口中潰爛。十三那日、耶和華必使他們大大擾亂．他
十四 們各人彼此揪住、舉手攻擊。十四猶大也必在耶路撒冷爭
戰。那時四圍各國的財物、就是許多金銀衣服、必被收
十五 聚。十五那臨到馬匹、騾子、駱駝、驢、和營中一切牲畜的災殃
是與那災殃一般。

餘民崇主

十六 十六所有來攻擊耶路撒冷列國中剩下的人、必年年上來
十七 敬拜大君王萬軍之耶和華、並守住棚節。十七地上萬族中、
凡不上耶路撒冷敬拜大君王萬軍之耶和華的、必無
十八 雨降在他們的地上。十八埃及族若不上來、雨也不降在他
們的地上．凡不上來守住棚節的列國人、耶和華也
十九 必用這災攻擊他們。十九這就是埃及的刑罰、和那不上來
二十 守住棚節之列國的刑罰。二十當那日、馬的鈴鐺上、必有
歸耶和華爲聖的這句話．耶和華殿內的鍋、必如
二十一 祭壇前的碗一樣。二十一凡耶路撒冷和猶大的鍋、都必歸萬
軍之耶和華爲聖．凡獻祭的都必來取這鍋、煮肉在其
中。當那日、在萬軍之耶和華的殿中、必不再有迦南人。

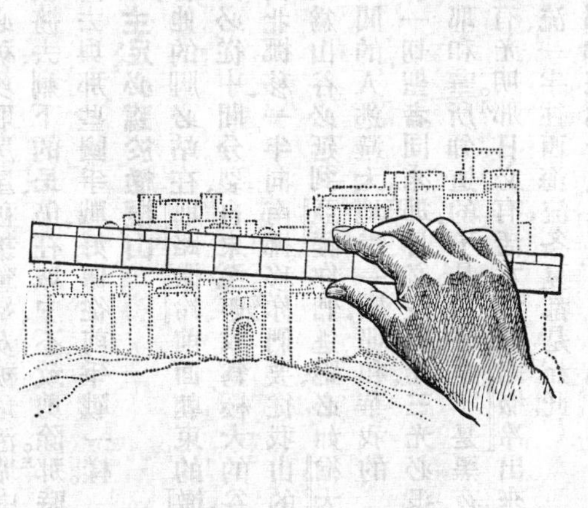

瑪拉基書

瑪拉基責以色列負恩

一 第一章 [一]耶和華藉瑪拉基傳給以色列的默示。○
二 [二]耶和華說、我曾愛你們．你們卻說、你在何事上愛我們
三 呢．耶和華說、以掃不是雅各的哥哥麼．我卻愛雅各、[三]惡
以掃、使他的山嶺荒涼、把他的地業交給曠野的野狗。
四 [四]以東人說、我們現在雖被毀壞、卻要重建荒廢之處．萬
軍之耶和華如此說、任他們建造、我必拆毀．人必稱他
們的地為罪惡之境、稱他們的民、為耶和華永遠惱怒
五 之民。[五]你們必親眼看見、也必說、願耶和華在以色列境
界之外、被尊為大。

責其不虔誠敬畏

六 [六]藐視我名的祭司阿、萬軍之耶和華對你們說、兒子尊
敬父親、僕人敬畏主人．我既為父親、尊敬我的在那裏
呢．我既為主人、敬畏我的在那裏呢．你們卻說、我們在
七 何事上藐視你的名呢。[七]你們將污穢的食物獻在我的
壇上、且說、我們在何事上污穢你呢．因你們說、耶和華
八 的桌子、是可藐視的。[八]你們將瞎眼的獻為祭物、這不為
惡麼．將瘸腿的有病的獻上、這不為惡麼．你獻給你的
省長、他豈喜悅你、豈能看你的情面麼．這是萬軍之耶
九 和華說的。[九]現在我勸你們懇求　神、他好施恩與我們．
這妄獻的事、既由你們經手、他豈能看你們的情面麼．
十 這是萬軍之耶和華說的。[十]甚願你們中間有一人關上
殿門、免得你們徒然在我壇上燒火．萬軍之耶和華說、
十一 我不喜悅你們、也不從你們手中收納供物。[十一]萬軍之耶
和華說、從日出之地、到日落之處、我的名在外邦中、必
尊為大．在各處、人必奉我的名燒香、獻潔淨的供物．因
為我的名在外邦中必尊為大。

責其獻祭不潔侮慢主名

十二 [十二]你們卻褻瀆我的名、說、耶和華的桌子是污穢的、其上
十三 的食物是可藐視的。[十三]你們又說、這些事何等煩瑣．並嗤
之以鼻．這是萬軍之耶和華說的。你們把搶奪的、瘸腿
的、有病的、拿來獻上為祭．我豈能從你們手中收納呢．
十四 這是耶和華說的。[十四]行詭詐的、在羣中有公羊、他許願卻
用有殘疾的獻給主、這人是可咒詛的．因為我是大君

王、我的名在外邦中是可畏的．這是萬軍之耶和華說
的。

第二章

嚴責祭司違命負約

一二 一眾祭司阿、這誡命是傳給你們的。二萬軍之
耶和華說、你們若不聽從、也不放在心上、將榮耀歸與
我的名、我就使咒詛臨到你們、使你們的福分、變爲咒
三 詛．因你們不把誡命放在心上、我已經咒詛你們了。三我
必斥責你們的種子、又把你們犧牲的糞、抹在你們的
四 臉上．你們要與糞一同除掉。四你們就知道我傳這誡命
給你們、使我與利未（或作利未人）所立的約、可以常存．這是
五 萬軍之耶和華說的。五我曾與他立生命和平安的約．我
將這兩樣賜給他、使他存敬畏的心．他就敬畏我、懼怕
六 我的名。六眞實的律法在他口中、他嘴裏沒有不義的話．
七 他以平安和正直與我同行、使多人回頭離開罪孽。七祭
司的嘴裏、當存知識、人也當由他口中尋求律法、因爲
八 他是萬軍之耶和華的使者。八你們卻偏離正道、使許多
人在律法上跌倒．你們廢棄我與利未所立的約．這是
九 萬軍之耶和華說的。九所以我使你們被衆人藐視、看爲
下賤、因你們不守我的道、竟在律法上瞻徇情面。

責猶大背約崇邪

十 十我們豈不都是一位父麼．豈不是一位神所造的麼．
我們各人怎麼以詭詐待弟兄、背棄了神與我們列
十一 祖所立的約呢。十一猶大人行事詭詐、並且在以色列和耶
路撒冷中行一件可憎的事．因爲猶大人褻瀆耶和華
十二 所喜愛的聖潔（或作聖地）、娶事奉外邦神的女子爲妻。十二凡行
這事的、無論何人、（何人原文作叫醒的答應的）就是獻供物給萬軍
十三 之耶和華、耶和華也必從雅各的帳棚中剪除他。十三你們
又行了一件這樣的事、使前妻歎息哭泣的眼淚、遮蓋
耶和華的壇、以致耶和華不再看顧那供物、也不樂意
從你們手中收納。

責其行詐虐妻

十四 十四你們還說、這是爲甚麼呢．因耶和華在你和你幼年所
娶的妻中間作見證．他雖是你的配偶、又是你盟約的
十五 妻、你卻以詭詐待他。十五雖然神有靈的餘力、能造多人、
他不是單造一人麼．爲何只造一人呢．乃是他願人得
虔誠的後裔．所以當謹守你們的心、誰也不可以詭詐

十六 待幼年所娶的妻。十六耶和華以色列的　神說、休妻的事、
和以強暴待妻的人、都是我所恨惡的．所以當謹守你
們的心、不可行詭詐．這是萬軍之耶和華說的。

責其煩言瀆主

十七 十七你們用言語煩瑣耶和華．你們還說、我們在何事上煩
瑣他呢．因為你們說、凡行惡的、耶和華眼看為善、並且
他喜悅他們．或說、公義的　神在那裏呢。

耶和華遣使備主之途

第三章

一 一萬軍之耶和華說、我要差遣我的使者、在
我前面豫備道路．你們所尋求的主、必忽然進入他的
殿．立約的使者、就是你們所仰慕的、快要來到。

救主蒞臨顯威施恩

二 二他來的日子、誰能當得起呢．他顯現的時候、誰能立得
三 住呢．因為他如煉金之人的火、如漂布之人的鹼。三他必
坐下如煉淨銀子的、必潔淨利未人、熬煉他們像金銀
四 一樣、他們就憑公義獻供物給耶和華。四那時猶大和耶
路撒冷所獻的供物、必蒙耶和華悅納、彷彿古時之日、
上古之年。

責民違法背道

五 五萬軍之耶和華說、我必臨近你們、施行審判．我必速速
作見證、警戒行邪術的、犯姦淫的、起假誓的、虧負人之
工價的、欺壓寡婦孤兒的、屈枉寄居的、和不敬畏我的。
六 六因我耶和華是不改變的、所以你們雅各之子沒有滅
亡。

勸民歸誠

七 七萬軍之耶和華說、從你們列祖的日子以來、你們常常
偏離我的典章、而不遵守。現在你們要轉向我、我就轉
向你們．你們卻問說、我們如何纔是轉向呢。

責民負主

八 八人豈可奪取　神之物呢．你們竟奪取我的供物、你們
卻說、我們在何事上奪取你的供物呢．就是你們在當
九 納的十分之一、和當獻的供物上。九你們通國的人、都
十 奪取我的供物、咒詛就臨到你們身上。十萬軍之耶和華
說、你們要將當納的十分之一、全然送入倉庫、使我家
有糧、以此試試我、是否為你們敞開天上的窗戶、傾福
十一 與你們、甚至無處可容。十一萬軍之耶和華說、我必為你們

斥責蝗蟲、（蝗蟲原文作吞噬者）不容他毀壞你們的土產．你們田
十二 間的葡萄樹在未熟之先、也不掉果子。十二萬軍之耶和華
說、萬國必稱你們爲有福的、因你們的地必成爲喜樂
之地。

責民悖逆

十三 十三耶和華說、你們用話頂撞我．你們還說、我們用甚麼話
十四 頂撞了你呢。十四你們說、事奉　神是徒然的．遵守　神所
吩咐的、在萬軍之耶和華面前苦苦齋戒、有甚麼益處
十五 呢。十五如今我們稱狂傲的人爲有福．並且行惡的人得建
立．他們雖然試探　神、卻得脫離災難．．．。

敬畏耶和華者必蒙眷顧

十六 十六那時敬畏耶和華的彼此談論．耶和華側耳而聽、且有
記念册在他面前、記錄那敬畏耶和華思念他名的人。
十七 十七萬軍之耶和華說、在我所定的日子、他們必屬我、特特
十八 歸我．我必憐恤他們、如同人憐恤服事自己的兒子。十八那
時你們必歸回、將善人和惡人、事奉　神的和不事奉
神的、分別出來。

第四章

主嚴懲惡人

一 一萬軍之耶和華說、那日臨近、勢如燒着的
火爐．凡狂傲的、和行惡的、必如碎稭．在那日必被燒盡、
二 根本枝條一無存留。二但向你們敬畏我名的人、必有公
義的日頭出現、其光綫有醫治之能．（光綫原文作翅膀）你們必
三 出來跳躍、如圈裏的肥犢。三你們必踐踏惡人．在我所定
的日子、他們必如灰塵在你們脚掌之下．這是萬軍之
耶和華說的。

勸衆遵律守誡

四 四你們當記念我僕人摩西的律法、就是我在何烈山爲
以色列衆人所吩咐他的律例典章。

豫言以利亞奉遣而至

五 五看哪、耶和華大而可畏之日未到以前、我必差遣先知
六 以利亞到你們那裏去。六他必使父親的心轉向兒女、兒
女的心轉向父親、免得我來咒詛遍地。

新約全書

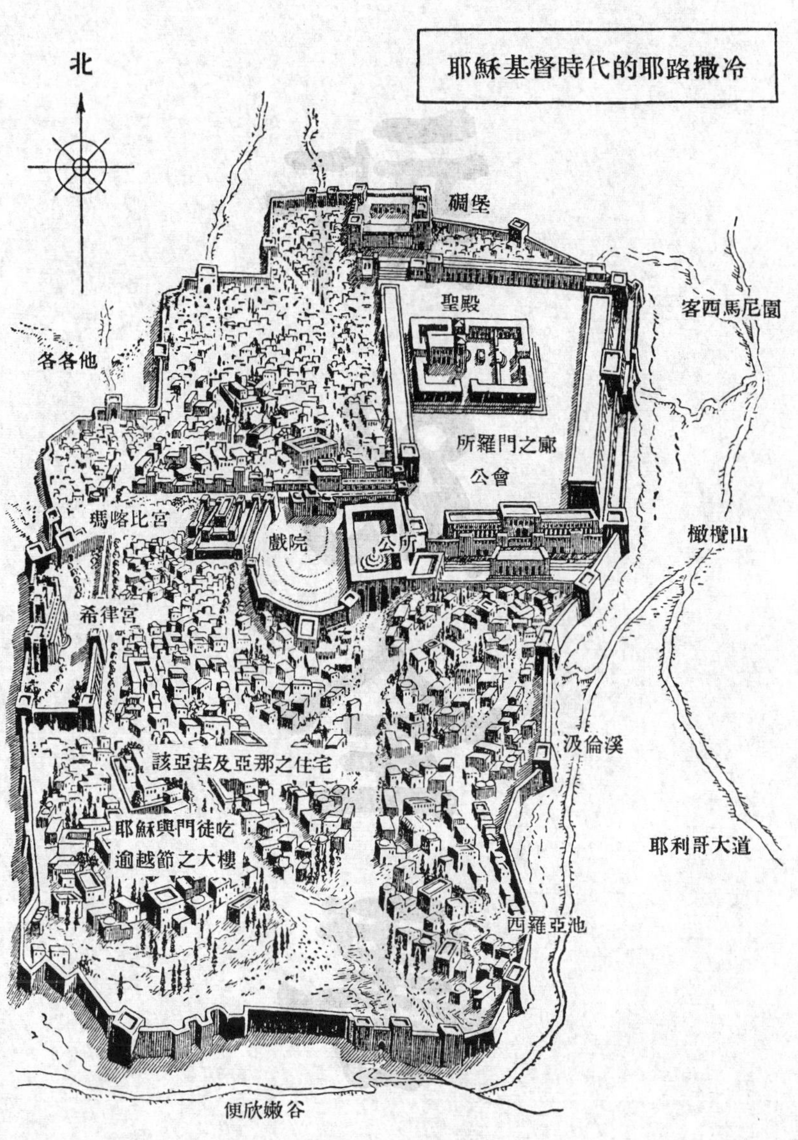
耶穌基督時代的耶路撒冷
北
碉堡
聖殿
客西馬尼園
各各他
所羅門之廊
公會
瑪喀比宮
戲院
公所
橄欖山
希律宮
汲倫溪
該亞法及亞那之住宅
耶穌與門徒吃
逾越節之大樓
耶利哥大道
西羅亞池
便欣嫩谷

新約全書

馬太福音

第一章

耶穌的家譜

一亞伯拉罕的後裔、大衛的子孫、耶穌基督
的家譜。（後裔子孫原文都作兒子下同）
二亞伯拉罕生以撒。以撒生雅各。雅各生猶大和他
的弟兄。三猶大從他瑪氏生法勒斯和謝拉。法勒斯
生希斯崙。希斯崙生亞蘭。四亞蘭生亞米拿達。亞米
拿達生拿順。拿順生撒門。五撒門從喇合氏生波阿
斯。波阿斯從路得氏生俄備得。俄備得生耶西。六耶
西生大衛王。○大衛從烏利亞的妻子生所羅門。
七所羅門生羅波安。羅波安生亞比雅。亞比雅生亞
撒。八亞撒生約沙法。約沙法生約蘭。約蘭生烏西亞。
九烏西亞生約坦。約坦生亞哈斯。亞哈斯生希西家。
十希西家生瑪拿西。瑪拿西生亞們。亞們生約西亞。
十一百姓被遷到巴比倫的時候、約西亞生耶哥尼雅
和他的弟兄。○十二遷到巴比倫之後、耶哥尼雅生撒
拉鐵。撒拉鐵生所羅巴伯。十三所羅巴伯生亞比玉。亞
比玉生以利亞敬。以利亞敬生亞所。十四亞所生撒督。
撒督生亞金。亞金生以律。十五以律生以利亞撒。以利
亞撒生馬但。馬但生雅各。十六雅各生約瑟、就是馬利
亞的丈夫、那稱爲基督的耶穌、是從馬利亞生的。
○十七這樣、從亞伯拉罕到大衛、共有十四代。從大衛
到遷至巴比倫的時候、也有十四代。從遷至巴比
倫的時候到基督、又有十四代。

馬利亞受聖靈感動懷孕

十八耶穌基督降生的事、記在下面。他母親馬利亞已經許
配了約瑟、還沒有迎娶、馬利亞就從聖靈懷了孕。十九他丈
夫約瑟是個義人、不願意明明的羞辱他、想要暗暗的
把他休了。二十正思念這事的時候、有主的使者向他夢中
顯現、說、大衛的子孫約瑟、不要怕、只管娶過你的妻子
馬利亞來。因他所懷的孕、是從聖靈來的。二十一他將要生一
個兒子。你要給他起名叫耶穌。因他要將自己的百姓
從罪惡裏救出來。二十二這一切的事成就、是要應驗主藉先
知所說的話、說、二十三『必有童女、懷孕生子、人要稱他的名

爲以馬內利。』（以馬內利繙出來就是神與我們
二四 同在。）二四約瑟醒了、起來就遵着主使者的吩咐把妻子
二五 娶過來。二五只是沒有和他同房、等他生了兒子、有古卷作等他生了
頭胎的兒子就給他起名叫耶穌。

第二章

耶穌降生博士來拜

一 當希律王的時候、耶穌生在猶太的伯利
二 恆。有幾個博士從東方來到耶路撒冷說、二那生下來作
猶太人之王的在那裏。我們在東方看見他的星、特來
三 拜他。三希律王聽見了、就心裏不安．耶路撒冷合城的人、
四 也都不安。四他就召齊了祭司長和民間的文士、問他們
五 說、基督當生在何處。五他們回答說、在猶太的伯利恆．因
六 爲有先知記着說、六『猶大地的伯利恆阿、你在猶大諸
城中、並不是最小的．因爲將來有一位君王、要從你那
七 裏出來、牧養我以色列民。』七當下希律暗暗的召了博
八 士來、細問那星是甚麼時候出現的．八就差他們往伯利
恆去、說、你們去仔細尋訪那小孩子．尋到了、就來報信、
九 我也好去拜他。九他們聽見王的話、就去了．在東方所看
見的那星、忽然在他們前頭行、直行到小孩子的地方、
十 十一 就在上頭停住了。十他們看見那星、就大大的歡喜。十一進了
房子、看見小孩子和他母親馬利亞、就俯伏拜那小孩
十二 子、揭開寶盒、拿黃金乳香沒藥爲禮物獻給他。十二博士因
爲在夢中被主指示不要回去見希律、就從別的路回
本地去了。

逃到埃及

十三 十三他們去後、有主的使者向約瑟夢中顯現、說、起來、帶着
小孩子同他母親、逃往埃及、住在那裏、等我吩咐你．因
十四 爲希律必尋找小孩子要除滅他。十四約瑟就起來、夜間帶
十五 着小孩子和他母親往埃及去．十五住在那裏、直到希律死
了．這是要應驗主藉先知所說的話、說、『我從埃及召
出我的兒子來。』

屠殺男孩

十六 十六希律見自己被博士愚弄、就大大發怒、差人將伯利恆
城裏並四境所有的男孩、照着他向博士仔細查問的
十七 時候、凡兩歲以裏的、都殺盡了。十七這就應了先知耶利米
十八 的話、說、十八『在拉瑪聽見號咷大哭的聲音、是拉結哭他
兒女、不肯受安慰、因爲他們都不在了。』

回國到拿撒勒

十九 十九希律死了以後、有主的使者、在埃及向約瑟夢中顯現、
二十 說、二十起來、帶着小孩子和他母親往以色列地去、因爲要
二十一 害小孩子性命的人已經死了。二十一約瑟就起來、把小孩子
二十二 和他母親帶到以色列地去。二十二只因聽見亞基老接着他
父親希律作了猶太王、就怕往那裏去。又在夢中被主
二十三 指示、便往加利利境內去了。二十三到了一座城、名叫拿撒勒、
就住在那裏。這是要應驗先知所說、他將稱爲拿撒勒
人的話了。

第三章

施洗約翰傳道

一 一那時、有施洗的約翰、出來在猶太的曠野
二三 傳道、說、二天國近了、你們應當悔改。三這人就是先知以賽
亞所說的、他說、『在曠野有人聲喊着說、豫備主的道、
四 修直他的路。』四這約翰身穿駱駝毛的衣服、腰束皮帶、
五 喫的是蝗蟲野蜜。五那時、耶路撒冷和猶太全地、並約但
六 河一帶地方的人、都出去到約翰那裏。六承認他們的罪、
七 在約但河裏受他的洗。七約翰看見許多法利賽人和撒
都該人、也來受洗、就對他們說、毒蛇的種類、誰指示你

八 們逃避將來的忿怒呢。八你們要結出果子來、與悔改的
九 心相稱。九不要自己心裏說、有亞伯拉罕爲我們的祖宗。
我告訴你們、　神能從這些石頭中給亞伯拉罕興起
十 子孫來。十現在斧子已經放在樹根上、凡不結好果子的
樹、就砍下來、丟在火裏。

必有聖靈與火的洗

十一 十一我是用水給你們施洗、叫你們悔改。但那在我以後來
的、能力比我更大、我就是給他提鞋、也不配。他要用聖
十二 靈與火給你們施洗。十二他手裏拿着簸箕、要揚淨他的場、
把麥子收在倉裏、把糠用不滅的火燒盡了。

耶穌受洗

十三 十三當下、耶穌從加利利來到約但河、見了約翰、要受他的
十四 洗。十四約翰想要攔住他、說、我當受你的洗、你反倒上我這
十五 裏來麼。十五耶穌回答說、你暫且許我。因爲我們理當這樣
十六 盡諸般的義。（義或作禮）於是約翰許了他。十六耶穌受了洗、隨即
從水裏上來。天忽然爲他開了、他就看見　神的靈、彷
十七 彿鴿子降下、落在他身上。十七從天上有聲音說、這是我的
愛子、我所喜悅的。

耶穌受試探

一 **第四章** 一當時耶穌被聖靈引到曠野、受魔鬼的試
二三 探。二他禁食四十晝夜、後來就餓了。三那試探人的進前來、
四 對他說、你若是神的兒子、可以吩咐這些石頭變成
食物。四耶穌卻回答說、經上記着說、『人活着不是單靠
五 食物、乃是靠神口裏所出的一切話。』五魔鬼就帶他
六 進了聖城、叫他站在殿頂上、(頂原文作翅)六對他說、你若是
神的兒子、可以跳下去。因為經上記着說、『主要為你
吩咐他的使者、用手托着你、免得你的腳碰在石頭
七 上。』七耶穌對他說、經上又記着說、『不可試探主你的
八 神。』八魔鬼又帶他上了一座最高的山、將世上的萬
九 國、與萬國的榮華、都指給他看、九對他說、你若俯伏拜我、
十 我就把這一切都賜給你。十耶穌說、撒但退去罷。(撒但就是抵擋
的意思乃魔鬼的別名)因為經上記着說、『當拜主你的神、單
十一 要事奉他。』十一於是魔鬼離了耶穌、有天使來伺候他。

有大光照耀

十二十三 十二耶穌聽見約翰下了監、就退到加利利去。十三後又離開拿
撒勒、往迦百農去、就住在那裏。那地方靠海、在西布倫

十四 和拿弗他利的邊界上。十四這是要應驗先知以賽亞的話、
十五 說、十五『西布倫地、拿弗他利地、就是沿海的路、約但河外、
十六 外邦人的加利利地。十六那坐在黑暗裏的百姓、看見了大
光、坐在死蔭之地的人、有光發現照着他們。』

耶穌召四徒

十七 十七從那時候、耶穌就傳起道來、說、天國近了、你們應當悔
十八 改。○十八耶穌在加利利海邊行走、看見弟兄二人、就是那
稱呼彼得的西門、和他兄弟安得烈、在海裏撒網。他們
十九 本是打魚的。十九耶穌對他們說、來跟從我、我要叫你們得
二十二一 人如得魚一樣。二十他們就立刻捨了網、跟從了他。二一從那裏
往前走、又看見弟兄二人、就是西庇太的兒子雅各、和
他兄弟約翰、同他們的父親西庇太在船上補網。耶穌
二二 就招呼他們。二二他們立刻捨了船、別了父親、跟從了耶穌。
二三 ○二三耶穌走遍加利利、在各會堂裏教訓人、傳天國的福
二四 音、醫治百姓各樣的病症。二四他的名聲就傳遍了敍利亞。
那裏的人把一切害病的、就是害各樣疾病各樣疼痛
的、和被鬼附的、癲癇的、癱瘓的、都帶了來、耶穌就治好
二五 了他們。二五當下、有許多人從加利利、低加波利、耶路撒冷、

猶太、約但河外、來跟着他。

第五章　登山訓衆論福

一耶穌看見這許多的人、就上了山、既已坐
下、門徒到他跟前來。二他就開口教訓他們說、三虛心的人
有福了．因爲天國是他們的。四哀慟的人有福了．因爲他
們必得安慰。五溫柔的人有福了．因爲他們必承受地土。
六飢渴慕義的人有福了．因爲他們必得飽足。七憐恤人的
人有福了．因爲他們必蒙憐恤。八淸心的人有福了．因爲
他們必得見　神。九使人和睦的人有福了．因爲他們必
稱爲　神的兒子。十爲義受逼迫的人有福了．因爲天國
是他們的。十一人若因我辱罵你們、逼迫你們、揑造各樣壞
話毀謗你們、你們就有福了。十二應當歡喜快樂．因爲你們
在天上的賞賜是大的．在你們以前的先知、人也是這
樣逼迫他們。

門徒爲鹽爲光

十三你們是世上的鹽．鹽若失了味、怎能叫他再鹹呢．以後
無用、不過丟在外面、被人踐踏了。十四你們是世上的光．城
造在山上、是不能隱藏的。十五人點燈、不放在斗底下、是放
在燈臺上、就照亮一家的人。十六你們的光也當這樣照在
人前、叫他們看見你們的好行爲、便將榮耀歸給你們
在天上的父。

耶穌來成全律法和先知的道

十七莫想我來要廢掉律法和先知．我來不是要廢掉、乃是
要成全。十八我實在告訴你們、就是到天地都廢去了、律法
的一點一畫也不能廢去、都要成全。十九所以無論何人廢
掉這誡命中最小的一條、又教訓人這樣作、他在天國
要稱爲最小的．但無論何人遵行這誡命、又教訓人遵
行、他在天國要稱爲大的。二十我告訴你們、你們的義、若不
勝於文士和法利賽人的義、斷不能進天國。

論仇恨

二十一你們聽見有吩咐古人的話、說、『不可殺人、』又說、
『凡殺人的、難免受審判。』二十二只是我告訴你們、凡向弟
兄動怒的、難免受審判。（有古卷在凡字下添無緣無故的五字）凡罵弟兄
是拉加的、難免公會的審斷．凡罵弟兄是魔利的、難免
地獄的火。二十三所以你在祭壇上獻禮物的時候、若想起弟
兄向你懷怨、二十四就把禮物留在壇前、先去同弟兄和好、然

二五 後來獻禮物。二五你同告你的對頭還在路上、就趕緊與他
和息、恐怕他把你送給審判官、審判官交付衙役、你就
二六 下在監裏了。二六我實在告訴你、若有一文錢沒有還淸、你
斷不能從那裏出來。

論姦淫

二七 二八 二七你們聽見有話說、『不可姦淫。』二八只是我告訴你們、凡
看見婦女就動淫念的、這人心裏已經與他犯姦淫了。
二九 二九若是你的右眼叫你跌倒、就剜出來丟掉。寧可失去百
三十 體中的一體、不叫全身丟在地獄裏。三十若是右手叫你跌
倒、就砍下來丟掉。寧可失去百體中的一體、不叫全身
三一 三二 下入地獄。三一又有話說、人若休妻、就當給他休書。三二只是我
告訴你們、凡休妻的、若不是爲淫亂的緣故、就是叫他
作淫婦了。人若娶這被休的婦人、也是犯姦淫了。

論起誓

三三 三三你們又聽見有吩咐古人的話、說、『不可背誓、所起的
三四 誓、總要向主謹守。』三四只是我告訴你們、甚麽誓都不可
三五 起、不可指着天起誓、因爲天是　神的座位。三五不可指着
地起誓、因爲地是他的脚凳、也不可指着耶路撒冷起
三六 誓、因爲耶路撒冷是大君的京城。三六又不可指着你的頭
三七 起誓、因爲你不能使一根頭髮變黑變白了。三七你們的話、
是、就說是、不是、就說不是、若再多說、就是出於那惡者。
或作是從惡裏出來的

論愛仇敵

三八 三九 三八你們聽見有話說、『以眼還眼、以牙還牙。』三九只是我告
訴你們、不要與惡人作對。有人打你的右臉、連左臉也
四十 轉過來由他打。四十有人想要告你、要拿你的裏衣、連外衣
四一 也由他拿去。四一有人強逼你走一里路、你就同他走二里。
四二 四三 四二有求你的、就給他。有向你借貸的、不可推辭。〇四三你們聽
四四 見有話說、『當愛你的鄰舍、恨你的仇敵。』四四只是我告
四五 訴你們、要愛你們的仇敵、爲那逼迫你們的禱告。四五這樣、
就可以作你們天父的兒子。因爲他叫日頭照好人、也
四六 照歹人、降雨給義人、也給不義的人。四六你們若單愛那愛
你們的人、有甚麽賞賜呢。就是稅吏不也是這樣行麽。
四七 四七你們若單請你弟兄的安、比人有甚麽長處呢。就是外
四八 邦人不也是這樣行麽。四八所以你們要完全、像你們的天
父完全一樣。

論施捨
第六章 一你們要小心、不可將善事行在人的面前、
故意叫他們看見．若是這樣、就不能得你們天父的賞
賜了。二所以你施捨的時候、不可在你前面吹號、像那假
冒爲善的人、在會堂裏和街道上所行的、故意要得人
的榮耀．我實在告訴你們、他們已經得了他們的賞賜。
三你施捨的時候、不要叫左手知道右手所作的．四要叫你
施捨的事行在暗中、你父在暗中察看、必然報答你。有古卷作必在明處報答你

論禱告
五你們禱告的時候、不可像那假冒爲善的人、愛站在會
堂裏、和十字路口上禱告、故意叫人看見．我實在告訴
你們、他們已經得了他們的賞賜。六你禱告的時候、要進
你的內屋、關上門、禱告你在暗中的父、你父在暗中察
看、必然報答你。七你們禱告、不可像外邦人、用許多重複
話．他們以爲話多了必蒙垂聽。八你們不可效法他們．因
爲你們沒有祈求以先、你們所需用的、你們的父早已
知道了。

主訓人的禱告
九所以你們禱告、要這樣說．我們在天上的父、願人都尊
你的名爲聖。十願你的國降臨．願你的旨意行在地上、如
同行在天上。十一我們日用的飲食、今日賜給我們。十二免我們
的債、如同我們免了人的債。十三不叫我們遇見試探．救我
們脫離兇惡。或作脫離惡者因爲國度、權柄、榮耀、全是你的直
到永遠、阿們。有古卷無因爲至阿們等字……十四你們饒恕人的過犯、你們
的天父也必饒恕你們的過犯．十五你們不饒恕人的過犯、
你們的天父也必不饒恕你們的過犯。

論禁食
十六你們禁食的時候、不可像那假冒爲善的人、臉上帶着
愁容．因爲他們把臉弄得難看、故意叫人看出他們是
禁食．我實在告訴你們、他們已經得了他們的賞賜。十七你
禁食的時候、要梳頭洗臉、十八不叫人看出你禁食來、只叫
你暗中的父看見．你父在暗中察看、必然報答你。

論眞財寶
十九不要爲自己積儹財寶在地上、地上有蟲子咬、能銹壞、
也有賊挖窟窿來偷．二十只要積儹財寶在天上、天上沒有

二十 蟲子咬、不能銹壞、也沒有賊挖窟窿來偷。二一因爲你的財
寶在那裏、你的心也在那裏。
二二**論心裏的光**
二二 二三 眼睛就是身上的燈、你的眼睛若瞭亮、全身就光明。二三你
的眼睛若昏花、全身就黑暗、你裏頭的光若黑暗了、那
黑暗是何等大呢。
勿慮衣食
二四 二四一個人不能事奉兩個主。不是惡這個愛那個、就是重
這個輕那個、你們不能又事奉　神又事奉瑪門。瑪門是財
利的意思二五 所以我告訴你們、不要爲生命憂慮、喫甚麼、喝甚
麼。身體憂慮、穿甚麼。生命不勝於飲食麼、身體不勝
二六 於衣裳麼。二六你們看那天上的飛鳥、也不種、也不收、也不
積蓄在倉裏、你們的天父尚且養活他、你們不比飛鳥
二七 貴重得多麼。二七你們那一個能用思慮、使壽數多加一刻
二八 呢。或作使身量多加一肘呢二八何必爲衣裳憂慮呢。你想野地裏的百
二九 合花、怎麼長起來、他也不勞苦、也不紡綫。二九然而我告訴
你們、就是所羅門極榮華的時候、他所穿戴的、還不如
三十 這花一朶呢。三十你們這小信的人哪、野地裏的草、今天還
在、明天就丟在爐裏、　神還給他這樣的妝飾、何況你
三一 三二 們呢。三一所以不要憂慮、說喫甚麼、喝甚麼、穿甚麼。三二這都是
外邦人所求的。你們需用的這一切東西、你們的天父
三三 是知道的。三三你們要先求他的國、和他的義、這些東西都
三四 要加給你們了。三四所以不要爲明天憂慮、因爲明天自有
明天的憂慮。一天的難處一天當就彀了。
毋論斷人
一 二 **第七章** 一你們不要論斷人、免得你們被論斷。二因爲
你們怎樣論斷人、也必怎樣被論斷。你們用甚麼量器
三 量給人、也必用甚麼量器量給你們。三爲甚麼看見你弟
四 兄眼中有刺、卻不想自己眼中有梁木呢。四你自己眼中
五 有梁木、怎能對你弟兄說、容我去掉你眼中的刺呢。五你
這假冒爲善的人、先去掉自己眼中的梁木、然後纔能
六 看得清楚、去掉你弟兄眼中的刺。〇六不要把聖物給狗、
也不要把你們的珍珠丟在豬前、恐怕他們踐踏了珍珠、
轉過來咬你們。
七**求則得之**
七 你們祈求、就給你們。尋找、就尋見。叩門、就給你們開門。

八因為凡祈求的、就得着．尋找的、就尋見．叩門的、就給他
開門。九你們中間、誰有兒子求餅、反給他石頭呢．十求魚、反
給他蛇呢。十一你們雖然不好、尚且知道拿好東西給兒女、
何況你們在天上的父、豈不更把好東西給求他的人
麼。十二所以無論何事、你們願意人怎樣待你們、你們也要
怎樣待人．因為這就是律法和先知的道理。

兩條門路

十三你們要進窄門．因為引到滅亡、那門是寬的、路是大的、
進去的人也多。十四引到永生、那門是窄的、路是小的、找着
的人也少。

兩種果樹

十五你們要防備假先知．他們到你們這裏來、外面披着羊
皮、裏面卻是殘暴的狼。十六憑着他們的果子、就可以認出
他們來。荊棘上豈能摘葡萄呢．蒺藜裏豈能摘無花果
呢。十七這樣、凡好樹都結好果子、惟獨壞樹結壞果子。十八好樹
不能結壞果子、壞樹不能結好果子。十九凡不結好果子的
樹、就砍下來、丟在火裏。二十所以憑着他們的果子、就可以
認出他們來。二一凡稱呼我主阿、主阿的人、不能都進天國．
惟獨遵行我天父旨意的人、纔能進去。二二當那日必有許
多人對我說、主阿、主阿、我們不是奉你的名傳道、奉你
的名趕鬼、奉你的名行許多異能麼。二三我就明明的告訴
他們說、我從來不認識你們、你們這些作惡的人、離開
我去罷。

兩等根基

二四所以凡聽見我這話就去行的、好比一個聰明人、把房
子蓋在磐石上。二五雨淋、水沖、風吹、撞着那房子、房子總不
倒塌．因為根基立在磐石上。二六凡聽見我這話不去行的、
好比一個無知的人、把房子蓋在沙土上。二七雨淋、水沖、風
吹、撞着那房子、房子就倒塌了．並且倒塌得很大。○二八耶
穌講完了這些話、眾人都希奇他的教訓．二九因為他教訓
他們、正像有權柄的人、不像他們的文士。

潔淨長大痳瘋的

第八章

一耶穌下了山、有許多人跟着他。二有一個長
大痳瘋的來拜他說、主若肯、必能叫我潔淨了。三耶穌伸
手摸他說、我肯、你潔淨了罷．他的大痳瘋立刻就潔淨
了。四耶穌對他說、你切不可告訴人．只要去把身體給祭

司察看、獻上摩西所吩咐的禮物、對衆人作證據。

治百夫長的僕人

五 六 五耶穌進了迦百農、有一個百夫長進前來、求他說、六主阿、
七 我的僕人害癱瘓病、躺在家裏、甚是疼苦。七耶穌說、我去
八 醫治他。八百夫長回答說、主阿、你到我舍下、我不敢當、只
九 要你說一句話、我的僕人就必好了。九因爲我在人的權
下、也有兵在我以下、對這個說、去、他就去、對那個說、來、
十 他就來、對我的僕人說、你作這事、他就去作。十耶穌聽見
就希奇、對跟從的人說、我實在告訴你們、這麼大的信
十一 心、就是在以色列中、我也沒有遇見過。十一我又告訴你們、
從東從西、將有許多人來、在天國裏與亞伯拉罕以撒、
十二 雅各、一同坐席、十二惟有本國的子民、竟被趕到外邊黑暗
十三 裏去、在那裏必要哀哭切齒了。十三耶穌對百夫長說、你回
去罷、照你的信心、給你成全了。那時、他的僕人就好了。

醫彼得岳母

十四 十五 十四耶穌到了彼得家裏、見彼得的岳母害熱病躺着。十五耶穌
十六 把他的手一摸、熱就退了。他就起來服事耶穌。十六到了晚
上、有人帶着許多被鬼附的、來到耶穌跟前、他只用一
十七 句話、就把鬼都趕出去、並且治好了一切有病的人。十七這
是要應驗先知以賽亞的話、說、『他代替我們的軟弱、
十八 擔當我們的疾病。』〇十八耶穌見許多人圍着他、就吩咐
十九 渡到那邊去。十九有一個文士來、對他說、夫子、你無論往那
二十 裏去、我要跟從你。二十耶穌說、狐狸有洞、天空的飛鳥有窩、
二一 人子卻沒有枕頭的地方。二一又有一個門徒對耶穌說、主
二二 阿、容我先回去埋葬我的父親。二二耶穌說、任憑死人埋葬
他們的死人、你跟從我罷。

平靜風和海

二三 二四 二三耶穌上了船、門徒跟着他。二四海裏忽然起了暴風、甚至船
二五 被波浪掩蓋。耶穌卻睡着了。二五門徒來叫醒了他、說、主阿、
二六 救我們、我們喪命喇。二六耶穌說、你們這小信的人哪、爲甚
麼膽怯呢。於是起來、斥責風和海、風和海就大大的平
二七 靜了。二七衆人希奇說、這是怎樣的人、連風和海也聽從他
二八 了。〇二八耶穌既渡到那邊去、來到加大拉人的地方、就有
兩個被鬼附的人、從墳塋裏出來迎着他、極其兇猛、甚
二九 至沒有人能從那條路上經過。二九他們喊着說、神的兒
子、我們與你有甚麼相干。時候還沒有到、你就上這裏

來叫我們受苦麼。

鬼入豬羣

三十 三一 [三十]離他們很遠、有一大羣豬喫食。[三一]鬼就央求耶穌說、若把
三二 我們趕出去、就打發我們進入豬羣罷。[三二]耶穌說、去罷．鬼
就出來、進入豬羣．全羣忽然闖下山崖、投在海裏淹死
三三 了。[三三]放豬的就逃跑進城、將這一切事、和被鬼附的人所
三四 遭遇的、都告訴人。[三四]合城的人、都出來迎見耶穌．既見了、
就央求他離開他們的境界。

第九章

醫治癱子

一 二 [一]耶穌上了船、渡過海、來到自己的城裏。[二]有
人用褥子抬着一個癱子、到耶穌跟前來．耶穌見他們
三 的信心、就對癱子說、小子、放心罷．你的罪赦了。[三]有幾個
四 文士心裏說、這個人說僭妄的話了。[四]耶穌知道他們的
五 心意、就說、你們爲甚麼心裏懷着惡念呢。[五]或說、你的罪
六 赦了．或說、你起來行走．那一樣容易呢。[六]但要叫你們知
道人子在地上有赦罪的權柄、就對癱子說、起來、拿你
七 八 的褥子回家去罷。[七]那人就起來、回家去了。[八]衆人看見都
驚奇、就歸榮耀與　神、因爲他將這樣的權柄賜給人。

馬太被召

九 [九]耶穌從那裏往前走、看見一個人名叫馬太、坐在稅關
十 上、就對他說、你跟從我來．他就起來、跟從了耶穌。[十]○耶
穌在屋裏坐席的時候、有好些稅吏和罪人來、與耶穌
十一 和他的門徒一同坐席。[十一]法利賽人看見、就對耶穌的門
徒說、你們的先生爲甚麼和稅吏並罪人一同喫飯呢。
十二 [十二]耶穌聽見、就說、康健的人用不着醫生、有病的人纔用
十三 得着。[十三]經上說、『我喜愛憐恤、不喜愛祭祀。』這句話的
意思、你們且去揣摩．我來本不是召義人、乃是召罪人。

新舊難合的比喻

十四 [十四]那時、約翰的門徒來見耶穌說、我們和法利賽人常常
十五 禁食、你的門徒倒不禁食、這是爲甚麼呢。[十五]耶穌對他們
說、新郎和陪伴之人同在的時候、陪伴之人豈能哀慟
呢．但日子將到、新郎要離開他們、那時候他們就要禁
十六 食。[十六]沒有人把新布補在舊衣服上、因爲所補上的、反帶
十七 壞了那衣服、破的就更大了。[十七]也沒有人把新酒裝在舊
皮袋裏．若是這樣、皮袋就裂開、酒漏出來、連皮袋也壞
了．惟獨把新酒裝在新皮袋裏、兩樣就都保全了。

醫患血漏的女人

十八耶穌說這話的時候、有一個管會堂的來拜他說、我女
兒剛纔死了、求你去按手在他身上、他就必活了。十九耶穌
便起來、跟着他去、門徒也跟了去。二十有一個女人、患了十
二年的血漏、來到耶穌背後、摸他的衣裳繸子。二一因爲他
心裏說、我只摸他的衣裳、就必痊癒。二二耶穌轉過來看見
他、就說、女兒、放心、你的信救了你。從那時候、女人就痊
癒了。

醫治管會堂者的女兒

二三耶穌到了管會堂的家裏、看見有吹手、又有許多人亂
嚷。二四就說、退去罷。這閨女不是死了、是睡着了。他們就嗤
笑他。二五衆人既被攆出、耶穌就進去、拉着閨女的手、閨女
便起來了。二六於是這風聲傳遍了那地方。

兩個瞎子得醫治

二七耶穌從那裏往前走、有兩個瞎子跟着他、喊叫說、大衛
的子孫、可憐我們罷。二八耶穌進了房子、瞎子就來到他跟
前。耶穌說、你們信我能作這事麼。他們說、主阿、我們信。
二九耶穌就摸他們的眼睛、說、照着你們的信給你們成全
了罷。三十他們的眼睛就開了。耶穌切切的囑咐他們說、你
們要小心、不可叫人知道。三一他們出去、竟把他的名聲傳
遍了那地方。

趕出啞吧鬼

三二他們出去的時候、有人將鬼所附的一個啞吧、帶到耶
穌跟前來。三三鬼被趕出去、啞吧就說出話來。衆人都希奇
說、在以色列中、從來沒有見過這樣的事。三四法利賽人卻
說、他是靠着鬼王趕鬼。〇三五耶穌走遍各城各鄉、在會堂
裏教訓人、宣講天國的福音、又醫治各樣的病症。三六他看
見許多的人、就憐憫他們、因爲他們困苦流離、如同羊
沒有牧人一般。三七於是對門徒說、要收的莊稼多、作工的
人少。三八所以你們當求莊稼的主、打發工人出去收他的
莊稼。

耶穌差遣十二使徒

第十章 一耶穌叫了十二個門徒來、給他們權柄、能
趕逐污鬼、並醫治各樣的病症。〇二這十二使徒的名、頭
一個叫西門、又稱彼得、還有他兄弟安得烈、西庇太的
兒子雅各、和雅各的兄弟約翰。三腓力、和巴多羅買、多馬、

四 和稅吏馬太、亞勒腓的兒子雅各、和達太、奮銳黨的西
五 門、還有賣耶穌的加略人猶大。◯五耶穌差這十二個人
去、吩咐他們說、外邦人的路、你們不要走、撒瑪利亞人
六 的城、你們不要進。六寧可往以色列家迷失的羊那裏去。
七八 七隨走隨傳、說天國近了。八醫治病人、叫死人復活、叫長大
痲瘋的潔淨、把鬼趕出去。你們白白的得來、也要白白
九十 的捨去。九腰袋裏不要帶金銀銅錢。十行路不要帶口袋、不
要帶兩件褂子、也不要帶鞋和枴杖。因爲工人得飲食、
十一 是應當的。十一你們無論進那一城、那一村、要打聽那裏誰
十二 是好人、就住在他家、直住到走的時候。十二進他家裏去、要
十三 請他的安。十三那家若配得平安、你們所求的平安、就必臨
十四 到那家。若不配得、你們所求的平安仍歸你們。十四凡不接
待你們、不聽你們話的人、你們離開那家、或是那城的
十五 時候、就把腳上的塵土跺下去。十五我實在告訴你們、當審
判的日子、所多瑪和蛾摩拉所受的、比那城還容易受
呢。

警戒勉勵

十六 十六我差你們去、如同羊進入狼羣、所以你們要靈巧像蛇、

十七 馴良像鴿子。十七你們要防備人、因爲他們要把你們交給
十八 公會、也要在會堂裏鞭打你們。十八並且你們要爲我的緣
十九 故、被送到諸侯君王面前、對他們和外邦人作見證。十九你
們被交的時候、不要思慮怎樣說話、或說甚麼話。到那
二十 時候、必賜給你們當說的話。二十因爲不是你們自己說的、
乃是你們父的靈在你們裏頭說的。

服事主之艱難

二一 二一弟兄要把弟兄、父親要把兒子、送到死地。兒女要與父
二二 母爲敵、害死他們。二二並且你們要爲我的名、被衆人恨惡、
二三 惟有忍耐到底的、必然得救。二三有人在這城裏逼迫你們、
就逃到那城裏去。我實在告訴你們、以色列的城邑你
們還沒有走遍、人子就到了。

學生不能高過先生◯

二四二五 二四學生不能高過先生、僕人不能高過主人。二五學生和先生
一樣、僕人和主人一樣、也就罷了。人既罵家主是別西
二六 卜、何況他的家人呢。（別西卜是鬼王的名）二六所以不要怕他們。因爲
掩蓋的事、沒有不露出來的。隱藏的事、沒有不被人知
二七 道的。二七我在暗中告訴你們的、你們要在明處說出來。你

二八 們耳中所聽的、要在房上宣揚出來。二八那殺身體不能殺
二九 靈魂的、不要怕他們．惟有能把身體和靈魂都滅在地
三十 獄裏的、正要怕他。二九兩個麻雀、不是賣一分銀子麼．若是
三一 你們的父不許、一個也不能掉在地上。三十就是你們的頭
三二 髮、也都被數過了。三一所以不要懼怕．你們比許多麻雀還
三三 貴重。三二凡在人面前認我的、我在我天上的父面前、也必
三四 認他。三三凡在人面前不認我的、我在我天上的父面前、也
三五 必不認他。○三四你們不要想我來、是叫地上太平．我來、並
三六 不是叫地上太平、乃是叫地上動刀兵。三五因為我來、是叫
三七 人與父親生疏、女兒與母親生疏、媳婦與婆婆生疏．三六人
三八 的仇敵、就是自己家裏的人。三七愛父母過於愛我的、不配
三九 作我的門徒、愛兒女過於愛我的、不配作我的門徒．三八不
背着他的十字架跟從我的、也不配作我的門徒。三九得着
生命的、將要失喪生命．為我失喪生命的、將要得着生
命。

服事主的賞賜

四十 四十人接待你們、就是接待我．接待我、就是接待那差我來
四一 的。四一人因為先知的名接待先知、必得先知所得的賞賜、

四二 人因為義人的名接待義人、必得義人所得的賞賜。四二無
論何人、因為門徒的名、只把一杯涼水給這小子裏的
一個喝、我實在告訴你們、這人不能不得賞賜。

施洗約翰差人問主

一 **第十一章** 一耶穌吩咐完了十二個門徒、就離開那
二 裏、往各城去傳道教訓人。○二約翰在監裏聽見基督所
三 作的事、就打發兩個門徒去、三問他說、那將要來的是你
四 麼、還是我們等候別人呢。四耶穌回答說、你們去把所聽
五 見所看見的事告訴約翰．五就是瞎子看見、瘸子行走、長
大痲瘋的潔淨、聾子聽見、死人復活、窮人有福音傳給
六七 他們。六凡不因我跌倒的、就有福了。七他們走的時候、耶穌
就對眾人講論約翰說、你們從前出到曠野、是要看甚
八 麼、要看風吹動的蘆葦麼。八你們出去、到底是要看甚
麼呢、要看穿細輭衣服的人麼、那穿細輭衣服的人、是在
九 王宮裏。九你們出去、究竟是為甚麼、是要看先知麼．我告
十 訴你們、是的、他比先知大多了。十經上記着說、『我要差
遣我的使者在你前面、豫備道路。』所說的就是這個
人。

耶穌稱讚施洗約翰

十一 十一我實在告訴你們、凡婦人所生的、沒有一個興起來大
十二 過施洗約翰的．然而天國裏最小的、比他還大。十二從施洗
約翰的時候到如今、天國是努力進入的、努力的人就
十三 十四 得着了。十三因為衆先知和律法說豫言、到約翰為止。十四你們
十五 若肯領受、這人就是那應當來的以利亞。十五有耳可聽的、
十六 就應當聽。十六我可用甚麼比這世代呢．好像孩童坐在街
十七 市上、招呼同伴、說、十七我們向你們吹笛、你們不跳舞．我們
十八 向你們舉哀、你們不搥胸。十八約翰來了、也不喫、也不喝、人
十九 就說他是被鬼附着的。十九人子來了、也喫也喝、人又說他
是貪食好酒的人、是稅吏和罪人的朋友．但智慧之子、
總以智慧為是。（有古卷作但智慧在行為上就顯為是）

耶穌責備那些城的人

二十 二十耶穌在諸城中行了許多異能、那些城的人終不悔改、
二一 就在那時候責備他們說、二一哥拉汛哪、你有禍了、伯賽大
阿、你有禍了．因為在你們中間所行的異能、若行在推
二二 羅西頓、他們早已披麻蒙灰悔改了。二二但我告訴你們、當
二三 審判的日子、推羅西頓所受的、比你們還容易受呢。二三迦

百農阿、你已經升到天上．（或作你將要升到天上麼）將來必墜落陰
間．因為在你那裏所行的異能、若行在所多瑪、他還可
二四 以存到今日．二四但我告訴你們、當審判的日子、所多瑪所
二五 受的、比你還容易受呢。○二五那時、耶穌說、父阿、天地的主、
我感謝你、因為你將這些事、向聰明通達人、就藏起來、
二六 向嬰孩就顯出來．二六父阿、是的、因為你的美意本是如此。
二七 二七一切所有的、都是我父交付我的．除了父、沒有人知道
二八 子．除了子和子所願意指示的、沒有人知道父。二八凡勞苦
二九 擔重擔的人、可以到我這裏來、我就使你們得安息。二九我
心裏柔和謙卑、你們當負我的軛、學我的樣式、這樣、你
三十 們心裏就必得享安息。三十因為我的軛是容易的、我的擔
子是輕省的。

人子是安息日的主

一 **第十二章**　一那時、耶穌在安息日、從麥地經過．他的
二 門徒餓了、就掐起麥穗來喫。二法利賽人看見、就對耶穌
三 說、看哪、你的門徒作安息日不可作的事了。三耶穌對他
們說、經上記着、大衛和跟從他的人飢餓之時所作的
四 事、你們沒有念過麼。四他怎麼進了　神的殿、喫了陳設

餅、這餅不是他和跟從他的人可以喫得、惟獨祭司纔
五 可以喫。五再者、律法上所記的、當安息日、祭司在殿裏犯
六 了安息日、還是沒有罪、你們沒有念過麼。六但我告訴你
七 們、在這裏有一人比殿更大。七『我喜愛憐恤、不喜愛祭
祀。』你們若明白這話的意思、就不將無罪的、當作有
八 罪的了。八因為人子是安息日的主。

在安息日治病

九 十 九耶穌離開那地方、進了一個會堂．十那裏有一個人枯乾
了一隻手。有人問耶穌說、安息日治病、可以不可以．意
十一 思是要控告他。十一耶穌說、你們中間誰有一隻羊、當安息
十二 日掉在坑裏、不把他抓住拉上來呢。十二人比羊何等貴重
十三 呢．所以在安息日作善事是可以的。十三於是對那人說、伸
十四 出手來、他把手一伸、手就復了原、和那隻手一樣。十四法利
十五 賽人出去、商議怎樣可以除滅耶穌。十五耶穌知道了、就離
開那裏、有許多人跟着他、他把其中有病的人、都治好
十六 十七 了。十六又囑咐他們、不要給他傳名。十七這是要應驗先知以賽
十八 亞的話、說、十八『看哪、我的僕人、我所揀選、所親愛、心裏所
喜悅的、我要將我的靈賜給他、他必將公理傳給外邦。
十九 二十 十九他不爭競、不喧嚷．街上也沒有人聽見他的聲音。二十壓傷
的蘆葦、他不折斷、將殘的燈火、他不吹滅．等他施行公
二一 理、叫公理得勝．二一外邦人都要仰望他的名。』

駁倒法利賽人的讒言

二二 二二當下有人將一個被鬼附着、又瞎又啞的人、帶到耶穌
那裏．耶穌就醫治他、甚至那啞吧又能說話、又能看見。
二三 二四 二三衆人都驚奇、說、這不是大衛的子孫麼。二四但法利賽人聽
二五 見、就說、這個人趕鬼、無非是靠着鬼王別西卜阿。二五耶穌
知道他們的意念、就對他們說、凡一國自相分爭、就成
二六 為荒場、一城一家自相分爭、必站立不住。二六若撒但趕逐
二七 撒但、就是自相分爭、他的國怎能站得住呢。二七我若靠着
別西卜趕鬼、你們的子弟趕鬼、又靠着誰呢．這樣、他們
二八 就要斷定你們的是非。二八我若靠着　神的靈趕鬼、這就
二九 是　神的國臨到你們了。二九人怎能進壯士家裏、搶奪他
的家具呢、除非先捆住那壯士、纔可以搶奪他的家財．
三十 三十不與我相合的、就是敵我的．不同我收聚的、就是分散
的。

褻瀆聖靈的不得赦免
三一 所以我告訴你們、人一切的罪、和褻瀆的話、都可得赦
三二 免．惟獨褻瀆聖靈、總不得赦免。凡說話干犯人子的、還
可得赦免．惟獨說話干犯聖靈的、今世來世總不得赦
三三 免。你們或以爲樹好、果子也好．樹壞、果子也壞．因爲看
三四 果子、就可以知道樹。毒蛇的種類、你們既是惡人、怎能
三五 說出好話來呢．因爲心裏所充滿的、口裏就說出來。善
人從他心裏所存的善、就發出善來．惡人從他心裏所
三六 存的惡、就發出惡來。我又告訴你們、凡人所說的閑話、
三七 當審判的日子、必要句句供出來。因爲要憑你的話、定
你爲義、也要憑你的話、定你有罪。

求神蹟的受責備
三八 當時有幾個文士和法利賽人、對耶穌說、夫子、我們願
三九 意你顯個神蹟給我們看。耶穌回答說、一個邪惡淫亂
的世代求看神蹟．除了先知約拿的神蹟以外、再沒有
四十 神蹟給他們看。約拿三日三夜在大魚肚腹中、人子也
四一 要這樣三日三夜在地裏頭。當審判的時候、尼尼微人、
要起來定這世代的罪、因爲尼尼微人聽了約拿所傳
四二 的、就悔改了．看哪、在這裏有一人比約拿更大。當審判
的時候、南方的女王、要起來定這世代的罪、因爲他從
地極而來、要聽所羅門的智慧話．看哪、在這裏有一人
四三 比所羅門更大。污鬼離了人身、就在無水之地過來過
四四 去、尋求安歇之處、卻尋不着。於是說、我要回到我所出
來的屋裏去．到了、就看見裏面空閒、打掃乾淨、修飾好
四五 了。便去另帶了七個比自己更惡的鬼來、都進去住在
那裏．那人末後的景況、比先前更不好了。這邪惡的世
代、也要如此。

信者皆爲親屬
四六 耶穌還對衆人說話的時候、不料、他母親和他弟兄站
四七 在外邊、要與他說話。有人告訴他說、看哪、你母親和你
四八 弟兄站在外邊、要與你說話。他卻回答那人說、誰是我
四九 的母親、誰是我的弟兄。就伸手指着門徒說、看哪、我的
五十 母親、我的弟兄。凡遵行我天父旨意的人、就是我的弟
兄姐妹和母親了。

第十三章

撒種的比喻
一 當那一天、耶穌從房子裏出來、坐在海

二 邊。有許多人到他那裏聚集、他只得上船坐下.衆人都
三 站在岸上。他用比喻對他們講許多道理、說、有一個撒
四 種的出去撒種.撒的時候、有落在路旁的、飛鳥來喫盡
五六 了。有落在土淺石頭地上的、土既不深、發苗最快.日頭
七 出來一曬、因爲沒有根、就枯乾了。有落在荊棘裏的、荊
八 棘長起來、把他擠住了。又有落在好土裏的、就結實、有
九 一百倍的、有六十倍的、有三十倍的。有耳可聽的、就應
當聽。

用比喻的因由

十 門徒進前來、問耶穌說、對衆人講話、爲甚麼用比喻呢。
十一 耶穌回答說、因爲天國的奧祕、只叫你們知道、不叫他
十二 們知道。凡有的、還要加給他、叫他有餘.凡沒有的、連他
十三 所有的、也要奪去。所以我用比喻對他們講、是因他們
十四 看也看不見、聽也聽不見、也不明白。在他們身上、正應
了以賽亞的豫言、說、『你們聽是要聽見、卻不明白、看
十五 是要看見、卻不曉得.因爲這百姓油蒙了心、耳朵發沉、
眼睛閉着.恐怕眼睛看見、耳朵聽見、心裏明白、回轉過
十六 來、我就醫治他們。』但你們的眼睛是有福的、因爲看
見了你們的耳朵也是有福的、因爲聽見了。

解明撒種的比喻

十七 我實在告訴你們、從前有許多先知和義人、要看你們
十八 所看的、卻沒有看見.要聽你們所聽的、卻沒有聽見。所
十九 以你們當聽這撒種的比喻。凡聽見天國道理不明白
的、那惡者就來、把所撒在他心裏的奪了去.這就是撒
二十 在路旁的了。撒在石頭地上的、就是人聽了道、當下歡
二一 喜領受.只因心裏沒有根、不過是暫時的.及至爲道遭
二二 了患難、或是受了逼迫、立刻就跌倒了。撒在荊棘裏的、
就是人聽了道、後來有世上的思慮、錢財的迷惑、把道
二三 擠住了、不能結實。撒在好地上的、就是人聽道明白了、
後來結實、有一百倍的、有六十倍的、有三十倍的。

稗子的比喻

二四 耶穌又設個比喻對他們說、天國好像人撒好種在田
二五 裏.及至人睡覺的時候、有仇敵來、將稗子撒在麥子裏、
二六二七 就走了。到長苗吐穗的時候、稗子也顯出來。田主的僕
人來告訴他說、主阿、你不是撒好種在田裏麼、從那裏
二八 來的稗子呢。主人說、這是仇敵作的。僕人說、你要我們

二九 去薅出來麼。二九主人說、不必、恐怕薅稗子、連麥子也拔出
三十 來。三十容這兩樣一齊長、等着收割。當收割的時候、我要對
收割的人說、先將稗子薅出來、捆成捆、留着燒。惟有麥
子、要收在倉裏。

芥菜種的比喻

三一 三一他又設個比喻對他們說、天國好像一粒芥菜種、有人
三二 拿去種在田裏。三二這原是百種裏最小的。等到長起來、卻
比各樣的菜都大、且成了樹、天上的飛鳥來宿在他的
枝上。

麵酵的比喻

三三 三三他又對他們講個比喻說、天國好像麵酵、有婦人拿來、
三四 藏在三斗麵裏、直等全團都發起來。三四這都是耶穌用比
三五 喻對眾人說的話。若不用比喻、就不對他們說甚麼。三五這
是要應驗先知的話、說、『我要開口用比喻、把創世以
來所隱藏的事發明出來。』

解明稗子的比喻

三六 三六當下耶穌離開眾人、進了房子。他的門徒進前來說、請
三七 把田間稗子的比喻講給我們聽。三七他回答說、那撒好種
三八 的、就是人子。三八田地、就是世界。好種、就是天國之子。稗子
三九 就是那惡者之子。三九撒稗子的仇敵、就是魔鬼。收割的時
四十 候、就是世界的末了。收割的人、就是天使。四十將稗子薅出
四一 來、用火焚燒。世界的末了、也要如此。四一人子要差遣使者、
四二 把一切叫人跌倒的、和作惡的、從他國裏挑出來、四二丟在
四三 火爐裏。在那裏必要哀哭切齒了。四三那時義人在他們父
的國裏、要發出光來、像太陽一樣。有耳可聽的、就應當
聽。

藏寶於田與尋珠的比喻

四四 四四天國好像寶貝藏在地裏。人遇見了、就把他藏起來。歡
四五 歡喜喜的去變賣一切所有的、買這塊地。四五天國又好像
四六 買賣人、尋找好珠子。四六遇見一顆重價的珠子、就去變賣
他一切所有的、買了這顆珠子。

撒網的比喻

四七四八 四七天國又好像網撒在海裏、聚攏各樣水族。四八網既滿了、人
就拉上岸來、坐下、揀好的收在器具裏、將不好的丟棄
四九 了。四九世界的末了、也要這樣。天使要出來、從義人中、把惡
五十 人分別出來、五十丟在火爐裏。在那裏必要哀哭切齒了。○

五一 五十一耶穌說、這一切的話你們都明白了麼．他們說、我們明
五二 白了、五十二他說、凡文士受教作天國的門徒、就像一個家主、
從他庫裏拿出新舊的東西來。

拿撒勒人厭棄耶穌

五三五四 五十三耶穌說完了這些比喻、就離開那裏、五十四來到自己的家鄉、
在會堂裏教訓人、甚至他們都希奇、說、這人從那裏有
五五 這等智慧、和異能呢。五十五這不是木匠的兒子麼．他母親不
是叫馬利亞麼．他弟兄們不是叫雅各、約西、（有古卷作約瑟）西
五六 門、猶大麼．五十六他妹妹們不是都在我們這裏麼．這人從那
五七 裏有這一切的事呢。五十七他們就厭棄他。（厭棄他原文作因他跌倒）耶穌
對他們說、大凡先知、除了本地本家之外、沒有不被人
五八 尊敬的。五十八耶穌因為他們不信、就在那裏不多行異能了。

第十四章

約翰責備希律被斬

一 一那時分封的王希律、聽見耶穌的名聲、
二 二就對臣僕說、這是施洗的約翰從死裏復活、所以這些
三 異能從他裏面發出來。三起先希律為他兄弟腓力的妻
四 子希羅底的緣故、把約翰拿住鎖在監裏。四因為約翰曾
五 對他說、你娶這婦人是不合理的。五希律就想要殺他、只
六 是怕百姓．因為他們以約翰為先知。六到了希律的生日、
七 希羅底的女兒在衆人面前跳舞、使希律歡喜。七希律就
八 起誓應許隨他所求的給他。八女兒被母親所使、就說、請
九 把施洗約翰的頭、放在盤子裏、拿來給我。九王便憂愁、但
十 因他所起的誓、又因同席的人、就吩咐給他。十於是打發
十一 人去、在監裏斬了約翰．十一把頭放在盤子裏、拿來給了女
十二 子．女子拿去給他母親。十二約翰的門徒來、把屍首領去埋
葬了．就去告訴耶穌。

給五千人喫飽

十三 十三耶穌聽見了、就上船從那裏獨自退到野地裏去．衆人
十四 聽見就從各城裏步行跟隨他。十四耶穌出來、見有許多的
十五 人、就憐憫他們、治好了他們的病人。十五天將晚的時候、門
徒進前來說、這是野地、時候已經過了．請叫衆人散開、
十六 他們好往村子裏去、自己買喫的。十六耶穌說、不用他們去、
十七 你們給他們喫罷。十七門徒說、我們這裏只有五個餅、兩條
十八十九 魚。十八耶穌說、拿過來給我。十九於是吩咐衆人坐在草地上．就
拿着這五個餅、兩條魚、望着天祝福、擘開餅、遞給門徒．
二十 門徒又遞給衆人。二十他們都喫、並且喫飽了．把剩下的零

二一 碎收拾起來、裝滿了十二個籃子。喫的人除了婦女孩
子、約有五千。

耶穌履海

二二 耶穌隨卽催門徒上船、先渡到那邊去、等他叫衆人散
二三 開。散了衆人以後、他就獨自上山去禱告．到了晚上、只
二四 有他一人在那裏。那時船在海中、因風不順、被浪搖撼。
二五 二六 夜裏四更天、耶穌在海面上走、往門徒那裏去。門徒看
見他在海面上走、就驚慌了、說、是個鬼怪．便害怕、喊叫
二七 二八 起來。耶穌連忙對他們說、你們放心．是我、不要怕。彼得
二九 說、主、如果是你、請叫我從水面上走到你那裏去。耶穌
說、你來罷．彼得就從船上下去、在水面上走、要到耶穌
三十 那裏去。只因見風甚大、就害怕．將要沉下去、便喊着說、
三一 主阿、救我。耶穌趕緊伸手拉住他、說、你這小信的人哪、
三二 三三 爲甚麼疑惑呢。他們上了船、風就住了。在船上的人都
三四 拜他說、你眞是神的兒子了。○他們過了海、來到革
三五 尼撒勒地方。那裏的人、一認出是耶穌．就打發人到周
三六 圍地方去、把所有的病人、帶到他那裏．只求耶穌准他
們摸他的衣裳繸子、摸着的人、就都好了。

第十五章

禮上的汚穢

一 那時有法利賽人和文士、從耶路撒冷
二 來見耶穌說、你的門徒爲甚麼犯古人的遺傳呢．因爲
三 喫飯的時候、他們不洗手。耶穌回答說、你們爲甚麼因
四 着你們的遺傳、犯神的誡命呢。神說、當孝敬父母．
五 又說、咒罵父母的、必治死他。你們倒說、無論何人對父
六 母說、我所當奉給你的、已經作了供獻．他就可以不孝
七 敬父母。這就是你們藉着遺傳、廢了神的誡命。假冒
爲善的人哪、以賽亞指着你們說的豫言、是不錯的．他
八 九 說、『這百姓用嘴唇尊敬我、心卻遠離我．他們將人的
吩咐、當作道理教導人、所以拜我也是枉然。』

心裏的汚穢

十 十一 耶穌就叫了衆人來、對他們說、你們要聽、也要明白。入
十二 口的不能汚穢人、出口的乃能汚穢人。當時門徒進前
來對他說、法利賽人聽見這話、不服、你知道麼。（不服原文作跌倒）
十三 耶穌回答說、凡栽種的物、若不是我天父栽種的、必
十四 要拔出來。任憑他們罷．他們是瞎眼領路的．若是瞎子
十五 領瞎子、兩個人都要掉在坑裏。彼得對耶穌說、請將這

十六 十七 比喻講給我們聽。耶穌說、你們到如今還不明白麽.豈
十八 不知凡入口的、是運到肚子裏、又落在茅廁裏麽。惟獨
十九 出口的、是從心裏發出來的、這纔汚穢人。因爲從心裏
二十 發出來的、有惡念、兇殺、姦淫、苟合、偸盜、妄證、謗讟.這都
是汚穢人的.至於不洗手喫飯、那卻不汚穢人。

耶穌誇奬迦南婦人的信心

二一 二二 耶穌離開那裏、退到推羅西頓的境內去。有一個迦南
婦人、從那地方出來、喊着說、主阿、大衛的子孫、可憐我.
二三 我女兒被鬼附得甚苦。耶穌卻一言不答。門徒進前來、
二四 求他說、這婦人在我們後頭喊叫、請打發他走罷。耶穌
二五 說、我奉差遣、不過是到以色列家迷失的羊那裏去。那
二六 婦人來拜他、說、主阿、幫助我。他回答說、不好拿兒女的
二七 餅、丟給狗喫。婦人說、主阿、不錯.但是狗也喫他主人桌
二八 子上掉下來的碎渣兒。耶穌說、婦人、你的信心是大的.
照你所要的、給你成全了罷。從那時候、他女兒就好了。
二九 〇耶穌離開那地方、來到靠近加利利的海邊、就上山
三十 坐下。有許多人到他那裏、帶着瘸子、瞎子、啞吧、有殘疾
的、和好些別的病人、都放在他脚前.他就治好了他們。

三一 甚至衆人都希奇.因爲看見啞吧說話、殘疾的痊癒、瘸
子行走、瞎子看見、他們就歸榮耀給以色列的神。

給四千人喫飽

三二 耶穌叫門徒來、說、我憐憫這衆人、因爲他們同我在這
裏已經三天、也沒有喫的了.我不願意叫他們餓着回
三三 去、恐怕在路上困乏。門徒說、我們在這野地、那裏有這
三四 麽多的餅、叫這許多人喫飽呢。耶穌說、你們有多少餅.
三五 他們說、有七個、還有幾條小魚。他就吩咐衆人坐在地
三六 上。拿着這七個餅和幾條魚、祝謝了、擘開、遞給門徒.門
三七 徒又遞給衆人。衆人都喫、並且喫飽了.收拾剩下的零
三八 碎、裝滿了七個筐子。喫的人、除了婦女孩子、共有四千。
三九 耶穌叫衆人散去、就上船、來到馬加丹的境界。

第十六章

求主顯神蹟

一 法利賽人和撒都該人來、試探耶穌、請
二 他從天上顯個神蹟給他們看。耶穌回答說、晚上天發
三 紅、你們就說、天必要晴。早晨天發紅、又發黑、你們就說、
今日必有風雨。你們知道分辨天上的氣色、倒不能分
四 辨這時候的神蹟。一個邪惡淫亂的世代求神蹟、除了

約拿的神蹟以外、再沒有神蹟給他看．耶穌就離開他
們去了。

防備法利賽人和撒都該人的酵

五六 五門徒渡到那邊去、忘了帶餅。六耶穌對他們說、你們要謹
七 愼、防備法利賽人和撒都該人的酵。七門徒彼此議論說、
八 這是因爲我們沒有帶餅罷。八耶穌看出來、就說、你們這
九 小信的人、爲甚麼因爲沒有餅彼此議論呢。九你們還不
明白麼、不記得那五個餅分給五千人、又收拾了多少
十 籃子的零碎麼．十也不記得那七個餅、分給四千人、又收
十一 拾了多少筐子的零碎麼．十一我對你們說、要防備法利賽
人和撒都該人的酵、這話不是指着餅說的．你們怎麼
十二 不明白呢。十二門徒這纔曉得他說的、不是叫他們防備餅
的酵、乃是防備法利賽人和撒都該人的教訓。

認耶穌爲基督

十三 十三耶穌到了該撒利亞腓立比的境內、就問門徒說、人說
十四 我人子是誰。有古卷無我字十四他們說、有人說是施洗的約翰、有
人說是以利亞．又有人說是耶利米、或是先知裏的一
十五十六 位。十五耶穌說、你們說我是誰。十六西門彼得回答說、你是基督、

十七 是永生神的兒子。十七耶穌對他說、西門巴約拿、你是有
福的．因爲這不是屬血肉的指示你的、乃是我在天上
十八 的父指示的。十八我還告訴你、你是彼得、我要把我的教會
十九 建造在這磐石上．陰間的權柄、不能勝過他。權柄原文作門十九我
要把天國的鑰匙給你．凡你在地上所捆綁的、在天上
二十 也要捆綁．凡你在地上所釋放的、在天上也要釋放。二十當
下、耶穌囑咐門徒、不可對人說他是基督。

豫言受難復活降臨

二一 二一從此耶穌纔指示門徒、他必須上耶路撒冷去、受長老
二二 祭司長文士許多的苦、並且被殺、第三日復活。二二彼得就
拉着他、勸他說、主阿、萬不可如此、這事必不臨到你身
二三 上。二三耶穌轉過來、對彼得說、撒但退我後邊去罷、你是絆
我腳的．因爲你不體貼　神的意思、只體貼人的意思。

當背起自己的十字架跟從主

二四 二四於是耶穌對門徒說、若有人要跟從我、就當捨己、背起
二五 他的十字架、來跟從我。二五因爲凡要救自己生命的、生命或作
二六 靈魂下同必喪掉生命．凡爲我喪掉生命的、必得着生命。二六人
若賺得全世界、賠上自己的生命、有甚麼益處呢．人還

二七 能拿甚麼換生命呢。二七人子要在他父的榮耀裏、同着衆
二八 使者降臨.那時候他要照各人的行爲報應各人。二八我實
在告訴你們站在這裏的、有人在沒嘗死味以前、必看
見人子降臨在他的國裏。

改變形像

一 第十七章 一過了六天耶穌帶着彼得、雅各、和雅各
二 的兄弟約翰、暗暗的上了高山.二就在他們面前變了形
三 像.臉面明亮如日頭、衣裳潔白如光。三忽然有摩西以利
四 亞、向他們顯現.同耶穌說話。四彼得對耶穌說、主阿、我們
在這裏眞好.你若願意、我就在這裏搭三座棚、一座爲
五 你、一座爲摩西、一座爲以利亞。五說話之間、忽然有一朵
光明的雲彩遮蓋他們.且有聲音從雲彩裏出來說、這
六 是我的愛子、我所喜悅的.你們要聽他。六門徒聽見就俯
七 伏在地、極其害怕。七耶穌進前來、摸他們說、起來、不要害
八 怕。八他們舉目不見一人、只見耶穌在那裏。

以約翰譬以利亞

九 九下山的時候、耶穌吩咐他們說、人子還沒有從死裏復
十 活、你們不要將所看見的告訴人。十門徒問耶穌說、文士
十一 爲甚麼說以利亞必須先來。十一耶穌回答說、以利亞固然
十二 先來、並要復興萬事.十二只是我告訴你們、以利亞已經來
了、人卻不認識他、竟任意待他.人子也將要這樣受他
十三 們的害。十三門徒這纔明白耶穌所說的、是指着施洗的約
翰。

害癲癇病的孩子

十四 十四耶穌和門徒到了衆人那裏、有一個人來見耶穌、跪下、
十五 十五說、主阿、憐憫我的兒子.他害癲癇的病很苦、屢次跌在
十六 火裏、屢次跌在水裏。十六我帶他到你門徒那裏、他們卻不
十七 能醫治他。十七耶穌說、噯、這又不信又悖謬的世代阿、我在
你們這裏要到幾時呢.我忍耐你們要到幾時呢.把他
十八 帶到我這裏來罷。十八耶穌斥責那鬼、鬼就出來、從此孩子
就痊癒了。

信心的能力

十九 十九門徒暗暗的到耶穌跟前說、我們爲甚麼不能趕出那
二十 鬼呢。二十耶穌說、是因你們的信心小.我實在告訴你們、你
們若有信心像一粒芥菜種、就是對這座山說、你從這
邊挪到那邊、他也必挪去.並且你們沒有一件不能作

二一 的事了。[二一]至於這一類的鬼、若不禱告禁食、他就不出來。
二二 或作不能趕他出來◯[二二]他們還住在加利利的時候、耶穌對門徒
二三 說、人子將要被交在人手裏。[二三]他們要殺害他、第三日他
要復活。門徒就大大的憂愁。

從魚口得稅銀

二四 [二四]到了迦百農、有收丁稅的人來見彼得、說、你們的先生
二五 不納丁稅麼。丁稅約有半塊錢[二五]彼得說、納。他進了屋子、耶穌先
向他說、西門、你的意思如何、世上的君王、向誰徵收關
二六 稅丁稅、是向自己的兒子呢、是向外人呢。[二六]彼得說、是向
二七 外人。耶穌說、既然如此、兒子就可以免稅了。[二七]但恐怕觸
犯他們、觸犯原文作絆倒你且往海邊去釣魚、把先釣上來的
魚拿起來、開了他的口、必得一塊錢、可以拿去給他們、
作你我的稅銀。

第十八章

天國裏誰爲大

一 [一]當時門徒進前來、問耶穌說、天國裏誰
二 是最大的。[二]耶穌便叫一個小孩子來、使他站在他們當
三 中、[三]說、我實在告訴你們、你們若不回轉、變成小孩子的
四 樣式、斷不得進天國。[四]所以凡自己謙卑像這小孩子的、

五 他在天國裏就是最大的。[五]凡爲我的名、接待一個像這
六 小孩子的、就是接待我。[六]凡使這信我的一個小子跌倒
的、倒不如把大磨石拴在這人的頸項上、沉在深海裏。

絆倒人的有禍

七 [七]這世界有禍了、因爲將人絆倒。絆倒人的事是免不了
八 的、但那絆倒人的有禍了。[八]倘若你一隻手、或是一隻腳、
叫你跌倒、就砍下來丟掉、你缺一隻手、或是一隻腳、進
九 入永生、強如有兩手兩腳、被丟在永火裏。[九]倘若你一隻
眼叫你跌倒、就把他剜出來丟掉、你只有一隻眼進入
十 永生、強如有兩隻眼被丟在地獄的火裏。[十]你們要小心、
不可輕看這小子裏的一個。我告訴你們、他們的使者
十一 在天上、常見我天父的面。有古卷在此有十一人子來爲要拯救失喪的人

迷路的羊

十二 [十二]一個人若有一百隻羊、一隻走迷了路、你們的意思如
何。他豈不撇下這九十九隻、往山裏去找那隻迷路的
十三 羊麼。[十三]若是找着了、我實在告訴你們、他爲這一隻羊歡
十四 喜、比爲那沒有迷路的九十九隻歡喜還大呢。[十四]你們在
十五 天上的父、也是這樣不願意這小子裏失喪一個。◯[十五]倘

若你的弟兄得罪你、你就去趁着只有他和你在一處
的時候、指出他的錯來．他若聽你、你便得了你的弟兄。
十六他若不聽、你就另外帶一兩個人同去、要憑兩三個人
十七 的口作見證、句句都可定準。十七若是不聽他們、就告訴教
十八 會．若是不聽教會、就看他像外邦人和稅吏一樣。十八我實
在告訴你們、凡你們在地上所捆綁的、在天上也要捆
十九 綁．凡你們在地上所釋放的、在天上也要釋放。十九我又告
訴你們、若是你們中間有兩個人在地上、同心合意的
二十 求甚麼事、我在天上的父必為他們成全。二十因為無論在
那裏、有兩三個人奉我的名聚會、那裏就有我在他們
中間。

饒恕七十個七次

二一那時彼得進前來、對耶穌說、主阿、我弟兄得罪我、我當
二二 饒恕他幾次呢．到七次可以麼。二二耶穌說、我對你說、不是
二三 到七次、乃是到七十個七次。二三天國好像一個王、要和他
二四 僕人算賬。二四纔算的時候、有人帶了一個欠一千萬銀子
二五 的來。二五因為他沒有甚麼償還之物、主人吩咐把他和他
二六 妻子兒女、並一切所有的都賣了償還。二六那僕人就俯伏
二七 拜他說、主阿、寬容我、將來我都要還清。二七那僕人的主人、
就動了慈心、把他釋放了、並且免了他的債。

不憐憫人的必不蒙憐憫

二八那僕人出來、遇見他的一個同伴、欠他十兩銀子、便揪
二九 着他、掐住他的喉嚨、說、你把所欠的還我。二九他的同伴就
三十 俯伏央求他說、寬容我罷、將來我必還清。三十他不肯、竟去
三一 把他下在監裏、等他還了所欠的債。三一衆同伴看見他所
三二 作的事、就甚憂愁、去把這事都告訴了主人。三二於是主人
叫了他來、對他說、你這惡奴才、你央求我、我就把你所
三三 欠的都免了．三三你不應當憐恤你的同伴、像我憐恤你麼。
三四主人就大怒、把他交給掌刑的、等他還清了所欠的債。
三五你們各人若不從心裏饒恕你的弟兄、我天父也要這
樣待你們了。

第十九章

辯論休妻

一耶穌說完了這些話、就離開加利利、來
二 到猶太的境界、約但河外。二有許多人跟着他、他就在那
三 裏把他們的病人治好了。◯三有法利賽人來試探耶穌
四 說、人無論甚麼緣故、都可以休妻麼。四耶穌回答說、那起

五 初造人的、是造男造女、[五]並且說、『因此、人要離開父母、
與妻子連合、二人成為一體。』這經你們沒有念過麼。
六 [六]既然如此、夫妻不再是兩個人、乃是一體的了．所以
七 神配合的、人不可分開。[七]法利賽人說、這樣、摩西為甚麼
八 吩咐給妻子休書、就可以休他呢。[八]耶穌說、摩西因為你
九 們的心硬、所以許你們休妻．但起初並不是這樣。[九]我告
訴你們、凡休妻另娶的、若不是為淫亂的緣故、就是犯
十 姦淫了、有人娶那被休的婦人、也是犯姦淫了。[十]門徒對
十一 耶穌說、人和妻子既是這樣、倒不如不娶。[十一]耶穌說、這話
十二 不是人都能領受的．惟獨賜給誰、誰纔能領受。[十二]因為有
生來是閹人、也有被人閹的、並有為天國的緣故自閹
的．這話誰能領受、就可以領受。

耶穌為小孩祝福

十三 [十三]那時有人帶着小孩子來見耶穌、要耶穌給他們按手
十四 禱告．門徒就責備那些人。[十四]耶穌說、讓小孩子到我這裏
十五 來、不要禁止他們．因為在天國的、正是這樣的人。[十五]耶穌
給他們按手、就離開那地方去了。

當積財寶在天上

十六 [十六]有一個人來見耶穌說、夫子、(有古卷作良善的夫子)我該作甚麼
十七 善事、纔能得永生。[十七]耶穌對他說、你為甚麼以善事問我
呢、只有一位是善的、(有古卷作你為甚麼稱我是良善的除了神以外沒有一個良善
十八 的)你若要進入永生、就當遵守誡命。[十八]他說、甚麼誡命．耶
穌說、就是不可殺人、不可姦淫、不可偷盜、不可作假見
十九 二十 證、[十九]當孝敬父母、又當愛人如己。[二十]那少年人說、這一切我
二十一 都遵守了．還缺少甚麼呢。[二十一]耶穌說、你若願意作完全人、
可去變賣你所有的、分給窮人、就必有財寶在天上．你
二十二 還要來跟從我。[二十二]那少年人聽見這話、就憂憂愁愁的走
了．因為他的產業很多。

貪財的難進天國

二十三 [二十三]耶穌對門徒說、我實在告訴你們、財主進天國是難的。
二十四 [二十四]我又告訴你們、駱駝穿過鍼的眼、比財主進 神的國
二十五 還容易呢。[二十五]門徒聽見這話、就希奇得很、說、這樣誰能得
二十六 救呢。[二十六]耶穌看着他們說、在人這是不能的．在 神凡事
二十七 都能。[二十七]彼得就對他說、看哪、我們已經撇下所有的跟從
你、將來我們要得甚麼呢。

跟從主的賞賜

二八 耶穌說、我實在告訴你們、你們這跟從我的人、到復興
的時候、人子坐在他榮耀的寶座上、你們也要坐在十
二九 二個寶座上、審判以色列十二個支派。二九凡為我的名撇
下房屋、或是弟兄、姐妹、父親、母親、（有古卷添妻子）兒女、田地的、
三十 必要得着百倍、並且承受永生。三十然而有許多在前的將
要在後、在後的將要在前。

葡萄園的比喻

一 **第二十章** 一因為天國好像家主、清早去雇人、進他
二 的葡萄園作工。二和工人講定、一天一錢銀子、就打發他
三 們進葡萄園去。三約在巳初出去、看見市上還有閒站的
四 人、四就對他們說、你們也進葡萄園去、所當給的、我必給
五 你們。他們也進去了。五約在午正和申初又出去、也是這
六 樣行。六約在酉初出去、看見還有人站在那裏．就問他們
七 說、你們為甚麼整天在這裏閒站呢。七他們說、因為沒有
八 人雇我們．他說、你們也進葡萄園去。八到了晚上、園主對
管事的說、叫工人都來、給他們工錢、從後來的起、到先
九 來的為止。九約在酉初雇的人來了、各人得了一錢銀子。
十 十及至那先雇的來了、他們以為必要多得．誰知也是各
得一錢。

被召的多選上的少

十一 十二 十一他們得了、就埋怨家主說、十二我們整天勞苦受熱、那後來
十三 的只做了一小時、你竟叫他們和我們一樣麼。十三家主回
答其中的一人說、朋友、我不虧負你．你與我講定的、不
十四 是一錢銀子麼。十四拿你的走罷．我給那後來的和給你一
十五 樣、這是我願意的。十五我的東西難道不可隨我的意思用
十六 麼．因為我作好人、你就紅了眼麼。十六這樣、那在後的將要
在前、在前的將要在後了。（有古卷在此有因為被召的人多選上的人少）

豫言受難復活

十七 耶穌上耶路撒冷去的時候、在路上把十二個門徒帶
十八 到一邊、對他們說、十八看哪、我們上耶路撒冷去、人子要被
十九 交給祭司長和文士．他們要定他死罪．十九又交給外邦人、
將他戲弄、鞭打、釘在十字架上．第三日他要復活。

誰願為首當作僕人

二十 那時、西庇太兒子的母親、同他兩個兒子上前來、拜耶
二一 穌、求他一件事。二一耶穌說、你要甚麼呢。他說、願你叫我這

兩個兒子在你國裏、一個坐在你右邊、一個坐在你左
二二 邊。二二耶穌回答說、你們不知道所求的是甚麼．我將要喝
二三 的杯、你們能喝麼．他們說、我們能。二三耶穌說、我所喝的杯、
你們必要喝．只是坐在我的左右、不是我可以賜的．乃
二四 是我父爲誰豫備的、就賜給誰。二四那十個門徒聽見、就惱
二五 怒他們弟兄二人。二五耶穌叫了他們來、說、你們知道外邦
二六 人有君王爲主治理他們、有大臣操權管束他們。二六只是
在你們中間不可這樣．你們中間誰願爲大、就必作你
二七二八 們的用人．二七誰願爲首、就必作你們的僕人．二八正如人子來、
不是要受人的服事、乃是要服事人並且要捨命、作多
人的贖價。

使兩個瞎子看見

二九三十 二九他們出耶利哥的時候、有極多的人跟隨他、三十有兩個瞎
子坐在路旁、聽說是耶穌經過、就喊着說、主阿、大衛的
三一 子孫、可憐我們罷。三一衆人責備他們、不許他們作聲．他們
三二 卻越發喊着說、主阿、大衛的子孫、可憐我們罷。三二耶穌就
三三 站住、叫他們來、說、要我爲你們作甚麼．三三他們說、主阿、要
三四 我們的眼睛能看見。三四耶穌就動了慈心、把他們的眼睛
一摸、他們立刻看見、就跟從了耶穌。

第二十一章

主騎驢進耶路撒冷

一 一耶穌和門徒將近耶路撒冷、到了伯
二 法其在橄欖山那裏．二耶穌就打發兩個門徒、對他們說、
你們往對面村子裏去、必看見一匹驢拴在那裏、還有
三 驢駒同在一處．你們解開牽到我這裏來。三若有人對你
們說甚麼、你們就說、主要用他．那人必立時讓你們牽
五四 來。四這事成就、是要應驗先知的話、說、五『要對錫安的居
民（原作文女子）說、看哪、你的王來到你這裏、是溫柔的、又騎
六 着驢、就是騎着驢駒子。』六門徒就照耶穌所吩咐的去
七 行、七牽了驢和驢駒來、把自己的衣服搭在上面、耶穌就
八 騎上。八衆人多半把衣服鋪在路上．還有人砍下樹枝來
九 鋪在路上。九前行後隨的衆人、喊着說、和散那歸於大衞
的子孫、（和散那原有求救的意思在此乃稱頌的話）奉主名來的、是應當稱
十 頌的．高高在上和散那。十耶穌既進了耶路撒冷、合城都
十一 驚動了、說、這是誰。十一衆人說、這是加利利拿撒勒的先知
耶穌。

潔淨聖殿

十二 耶十二穌進了神的殿、趕出殿裏一切作買賣的人、推倒
十三 兌換銀錢之人的桌子、和賣鴿子之人的凳子．十三對他們
說、經上記着說、『我的殿必稱爲禱告的殿．你們倒使
十四 他成爲賊窩了。』十四在殿裏有瞎子瘸子、到耶穌跟前．他
十五 就治好了他們。十五祭司長和文士、看見耶穌所行的奇事、
又見小孩子在殿裏喊着說、和散那歸於大衛的子孫．
十六 就甚惱怒、十六對他說、這些人所說的、你聽見了麼。耶穌說、
是的．經上說、『你從嬰孩和喫奶的口中、完全了讚美
十七 的話．』你們沒有念過麼。十七於是離開他們、出城到伯大
尼去、在那裏住宿。

無花果樹被咒詛

十八十九 早十八晨回城的時候、他餓了．十九看見路旁有一棵無花果樹、
就走到跟前、在樹上找不着甚麼、不過有葉子．就對樹
說、從今以後、你永不結果子。那無花果樹就立刻枯乾
二十 了。二十門徒看見了、便希奇說、無花果樹怎麼立刻枯乾了
二一 呢。二一耶穌回答說、我實在告訴你們、你們若有信心、不疑
惑、不但能行無花果樹上所行的事、就是對這座山說、
二二 你挪開此地、投在海裏、也必成就。二二你們禱告、無論求甚
麼、只要信、就必得着。

辯駁耶穌的權柄

二三 耶二三穌進了殿、正教訓人的時候、祭司長和民間的長老
來問他說、你仗着甚麼權柄作這些事．給你這權柄的
二四 是誰呢。二四耶穌回答說、我也要問你們一句話、你們若告
二五 訴我、我就告訴你們我仗着甚麼權柄作這些事。二五約翰
的洗禮是從那裏來的．是從天上來的、是從人間來的
呢。他們彼此商議說、我們若說從天上來、他必對我們
二六 說、這樣、你們爲甚麼不信他呢。二六若說從人間來、我們又
二七 怕百姓．因爲他們都以約翰爲先知。二七於是回答耶穌說、
我們不知道。耶穌說、我也不告訴你們我仗着甚麼權
柄作這些事。

兩個兒子的比喻

二八 又二八說、一個人有兩個兒子、他來對大兒子說、我兒、你今
二九 天到葡萄園裏去作工。二九他回答說、我不去．以後自己懊
三十 悔就去了。三十又來對小兒子也是這樣說、他回答說、父阿、
三一 我去．他卻不去。三一你們想這兩個兒子、是那一個遵行父

命呢。他們說、大兒子。耶穌說、我實在告訴你們、稅吏和
三二 娼妓、倒比你們先進神的國。三二因為約翰遵着義路到
你們這裏來、你們卻不信他．稅吏和娼妓倒信他．你們
看見了、後來還是不懊悔去信他。

兇惡園戶的比喻

三三 三三你們再聽一個比喻．有個家主、栽了一個葡萄園、周圍
圈上籬笆、裏面挖了一個壓酒池、蓋了一座樓、租給園
三四 戶、就往外國去了。三四收果子的時候近了、就打發僕人、到
三五 園戶那裏去收果子。三五園戶拿住僕人、打了一個、殺了一
三六 個、用石頭打死一個。三六主人又打發別的僕人去、比先前
三七 更多．園戶還是照樣待他們。三七後來打發他的兒子到他
三八 們那裏去、意思說、他們必尊敬我的兒子。三八不料、園戶看
見他兒子、就彼此說、這是承受產業的．來罷、我們殺他、
三九 四十 佔他的產業。三九他們就拿住他、推出葡萄園外、殺了。四十園主
四一 來的時候、要怎樣處治這些園戶呢。四一他們說、要下毒手
除滅那些惡人、將葡萄園另租給那按着時候交果子
四二 的園戶。四二耶穌說、經上寫着、『匠人所棄的石頭、已作了
房角的頭塊石頭．這是主所作的、在我們眼中看為希

四三 奇。』這經你們沒有念過麼。四三所以我告訴你們、神的
四四 國必從你們奪去、賜給那能結果子的百姓。四四誰掉在這
石頭上、必要跌碎．這石頭掉在誰的身上、就要把誰砸
四五 得稀爛。四五祭司長和法利賽人、聽見他的比喻、就看出他
四六 是指着他們說的。四六他們想要捉拿他、只是怕衆人．因為
衆人以他為先知。

第二十二章

娶親的筵席

一二 一耶穌又用比喻對他們說、二天國好比
三 一個王、為他兒子擺設娶親的筵席．三就打發僕人去請
四 那些被召的人來赴席．他們卻不肯來。四王又打發別的
僕人說、你們告訴那被召的人、我的筵席已經豫備好
五 了、牛和肥畜已經宰了、各樣都齊備．請你們來赴席。五那
些人不理就走了．一個到自己田裏去．一個作買賣去．
六七 六其餘的拿住僕人、凌辱他們、把他們殺了。七王就大怒、發
八 兵除滅那些兇手、燒燬他們的城。八於是對僕人說、喜筵
九 已經齊備、只是所召的人不配。九所以你們要往岔路口
十 上去、凡遇見的、都召來赴席。十那些僕人就出去到大路
上、凡遇見的、不論善惡、都召聚了來、筵席上就坐滿了

十一十二 客。十一王進來觀看賓客、見那裏有一個沒有穿禮服的。十二就
對他說、朋友、你到這裏來、怎麼不穿禮服呢。那人無言
十三 可答。十三於是王對使喚的人說、捆起他的手脚來、把他丟
十四 在外邊的黑暗裏.在那裏必要哀哭切齒了。十四因爲被召
的人多、選上的人少。

巧言盤問

十五 十五當時、法利賽人出去商議、怎樣就着耶穌的話陷害他。
十六 十六就打發他們的門徒、同希律黨的人去見耶穌說、夫子、
我們知道你是誠實人、並且誠誠實實傳　神的道、甚
十七 麼人你都不徇情面、因爲你不看人的外貌。十七請告訴我
們、你的意見如何.納稅給該撒、可以不可以。

納稅給該撒

十八 十八耶穌看出他們的惡意、就說、假冒爲善的人哪、爲甚麼
十九 試探我。十九拿一個上稅的錢給我看。他們就拿一個銀錢
二十二十一 來給他。二十耶穌說、這像和這號是誰的。二十一他們說、是該撒的。
耶穌說、這樣該撒的物當歸給該撒、　神的物當歸給
二十二 神。二十二他們聽見就希奇、離開他走了。

撒都該人辯駁復活之事

二十三 二十三撒都該人常說沒有復活的事。那天、他們來問耶穌說、
二十四 二十四夫子、摩西說、人若死了、沒有孩子、他兄弟當娶他的妻、
二十五 爲哥哥生子立後。二十五從前在我們這裏、有弟兄七人.第一
二十六 個娶了妻、死了、沒有孩子、撇下妻子給兄弟。二十六第二第三
二十七二十八 直到第七個、都是如此。二十七末後、婦人也死了。二十八這樣、當復活
的時候、他是七個人中、那一個的妻子呢.因爲他們都
二十九 娶過他。二十九耶穌回答說、你們錯了.因爲不明白聖經、也不
三十 曉得　神的大能。三十當復活的時候、人也不娶也不嫁、乃
三十一 像天上的使者一樣。三十一論到死人復活、　神在經上向你
三十二 們所說的、你們沒有念過麼。三十二他說、『我是亞伯拉罕的
神、以撒的　神、雅各的　神。』　神不是死人的
三十三 神、乃是活人的　神。三十三衆人聽見這話、就希奇他的教訓。

最大的誡命

三十四 三十四法利賽人聽見耶穌堵住了撒都該人的口、他們就聚
三十五三十六 集。三十五內中有一個人是律法師、要試探耶穌、就問他說、三十六夫
三十七 子、律法上的誡命、那一條是最大的呢。三十七耶穌對他說、你
三十八 要盡心、盡性、盡意、愛主你的　神。三十八這是誡命中的第一、

三十九 四十 且是最大的。三九其次也相倣、就是要愛人如己。四十這兩條誡
四一 命、是律法和先知一切道理的總綱。○四一法利賽人聚集
四二 的時候、耶穌問他們說、四二論到基督、你們的意見如何。他
四三 是誰的子孫呢。他們回答說、是大衛的子孫。四三耶穌說這
四四 樣、大衛被聖靈感動、怎麼還稱他爲主、說、四四『主對我主
說、你坐在我的右邊、等我把你仇敵、放在你的脚下。』
四五 四六 四五大衛既稱他爲主、他怎麼又是大衛的子孫呢。四六他們沒
有一個人能回答一言、從那日以後、也沒有人敢再問
他甚麼。

第二十三章　警戒人效法法利賽人

一 二 一那時耶穌對衆人和門徒講論、二說、文
三 士和法利賽人、坐在摩西的位上。三凡他們所吩咐你們
四 的、你們都要謹守、遵行。但不要效法他們的行爲。因爲
他們能說不能行。四他們把難擔的重擔、捆起來擱在人
五 的肩上。但自己一個指頭也不肯動。五他們一切所作的
事、都是要叫人看見。所以將佩戴的經文做寬了、衣裳
六 七 的縫子做長了。六喜愛筵席上的首座、會堂裏的高位、七又
八 喜愛人在街市上問他安、稱呼他拉比。拉比就是夫子八但你們

九 不要受拉比的稱呼。因爲只有一位是你們的夫子。你
們都是弟兄。九也不要稱呼地上的人爲父、因爲只有一
十 位是你們的父、就是在天上的父。十也不要受師尊的稱
十一 呼。因爲只有一位是你們的師尊、就是基督。十一你們中間
十二 誰爲大、誰就要作你們的用人。十二凡自高的必降爲卑、自
卑的必升爲高。

述說法利賽人的七禍

十三 十三你們這假冒爲善的文士和法利賽人有禍了。因爲你
們正當人前、把天國的門關了。自己不進去、正要進去
十四 的人、你們也不容他們進去。有古卷在此有十四你們這假冒爲善的文士和法利
十五 賽人有禍了因爲你們侵吞寡婦的家產假意作很長的禱告所以要受更重的刑罰○十五你們這
假冒爲善的文士和法利賽人有禍了。因爲你們走遍
洋海陸地、勾引一個人入教、既入了教、卻使他作地獄
十六 之子、比你們還加倍。○十六你們這瞎眼領路的有禍了。你
十七 們說、凡指着殿起誓的、這算不得甚麼。只是凡指着殿
中金子起誓的、他就該謹守。十七你們這無知瞎眼的人哪、
十八 甚麼是大的、是金子呢、還是叫金子成聖的殿呢。十八你們
又說、凡指着壇起誓的、這算不得甚麼。只是凡指着壇

上禮物起誓的、他就該謹守。十九你們這瞎眼的人哪、甚麼
是大的、是禮物呢、還是叫禮物成聖的壇呢。二十所以人指
着壇起誓、就是指着壇和壇上一切所有的起誓。二一人指
着殿起誓、就是指着殿和那住在殿裏的起誓。二二人指着
天起誓、就是指着　神的寶座和那坐在上面的起誓。
◯二三你們這假冒爲善的文士和法利賽人有禍了．因爲
你們將薄荷、茴香、芹菜、獻上十分之一．那律法上更重
的事、就是公義、憐憫、信實、反倒不行了．這更重的、是你
們當行的、那也是不可不行的。二四你們這瞎眼領路的、蠓
蟲你們就濾出來、駱駝你們倒吞下去。◯二五你們這假冒
爲善的文士和法利賽人有禍了．因爲你們洗淨杯盤
的外面、裏面卻盛滿了勒索和放蕩。二六你這瞎眼的法利
賽人、先洗淨杯盤的裏面、好叫外面也乾淨了。◯二七你們
這假冒爲善的文士和法利賽人有禍了．因爲你們好
像粉飾的墳墓、外面好看、裏面卻裝滿了死人的骨頭、
和一切的污穢。二八你們也是如此、在人前、外面顯出公義
來、裏面卻裝滿了假善和不法的事。◯二九你們這假冒爲
善的文士和法利賽人有禍了．因爲你們建造先知的
墳、修飾義人的墓、說、三十若是我們在我們祖宗的時候、必
不和他們同流先知的血。三一這就是你們自己證明、是殺
害先知者的子孫了。三二你們去充滿你們祖宗的惡貫罷。
三三你們這些蛇類、毒蛇之種阿、怎能逃脫地獄的刑罰呢。
三四所以我差遣先知和智慧人並文士、到你們這裏來．有
的你們要殺害、要釘十字架．有的你們要在會堂裏鞭
打、從這城追逼到那城．三五叫世上所流義人的血、都歸到
你們身上．從義人亞伯的血起、直到你們在殿和壇中
間所殺的巴拉加的兒子撒迦利亞的血爲止。三六我實在
告訴你們、這一切的罪、都要歸到這世代了。

歎惜耶路撒冷

三七耶路撒冷阿、耶路撒冷阿、你常殺害先知、又用石頭打
死那奉差遣到你這裏來的人．我多次願意聚集你的
兒女、好像母雞把小雞聚集在翅膀底下、只是你們不
願意。三八看哪、你們的家成爲荒場留給你們。三九我告訴你們、
從今以後、你們不得再見我、直等到你們說、奉主名來
的、是應當稱頌的。

一 ## 第二十四章

預言聖殿被毀

[一]耶穌出了聖殿、正走的時候、門徒進
二 前來、把殿宇指給他看。[二]耶穌對他們說、你們不是看見
這殿宇麼、我實在告訴你們、將來在這裏、沒有一塊石
頭留在石頭上不被拆毀了。

耶穌降臨的豫兆

三 [三]耶穌在橄欖山上坐着、門徒暗暗的來說、請告訴我們、
甚麼時候有這些事．你降臨和世界的末了、有甚麼豫
四五 兆呢。[四]耶穌回答說、你們要謹慎、免得有人迷惑你們。[五]因
為將來有好些人冒我的名來、說、我是基督、並且要迷
六 惑許多人。[六]你們也要聽見打仗和打仗的風聲、總不要
七 驚慌．因為這些事是必須有的．只是末期還沒有到。[七]民
八 要攻打民、國要攻打國、多處必有饑荒地震。[八]這都是災
九 難的起頭。(災難原文作生產之難)[九]那時、人要把你們陷在患難裏、
也要殺害你們、你們又要為我的名、被萬民恨惡。

忍耐到底必要得救

十十一 [十]那時、必有許多人跌倒、也要彼此陷害、彼此恨惡。[十一]且有
十二 好些假先知起來、迷惑多人。[十二]只因不法的事增多、許多
十三 人的愛心纔漸漸冷淡了。[十三]惟有忍耐到底的、必然得救。
十四 [十四]這天國的福音要傳遍天下、對萬民作見證、然後末期
十五 纔來到。◯[十五]你們看見先知但以理所說的、那行毀壞可
十六 憎的站在聖地．(讀這經的人須要會意)[十六]那時、在猶
十七 太的、應當逃到山上．[十七]在房上的、不要下來拿家裏的東
十八十九 西．[十八]在田裏的、也不要回去取衣裳。[十九]當那些日子、懷孕的
和奶孩子的有禍了。

為選民要減少災難的日子

二十 [二十]你們應當祈求、叫你們逃走的時候、不遇見冬天、或是
二一 安息日．[二一]因為那時、必有大災難、從世界的起頭、直到如
二二 今、沒有這樣的災難、後來也必沒有。[二二]若不減少那日子、
凡有血氣的、總沒有一個得救的．只是為選民、那日子
二三 必減少了。[二三]那時、若有人對你們說、基督在這裏、或說、基
二四 督在那裏、你們不要信。[二四]因為假基督、假先知、將要起來、
二五 顯大神蹟大奇事．倘若能行、連選民也就迷惑了。[二五]看哪、
二六 我豫先告訴你們了。[二六]若有人對你們說、看哪、基督在曠
野裏、你們不要出去．或說、看哪、基督在內屋中、你們不
二七 要信。[二七]閃電從東邊發出、直照到西邊、人子降臨、也要這

二八 二九 樣。屍首在那裏、鷹也必聚在那裏。○二九那些日子的災難
一過去、日頭就變黑了、月亮也不放光、衆星要從天上
三十 墜落、天勢都要震動。三十那時、人子的兆頭要顯在天上、地
上的萬族都要哀哭。他們要看見人子、有能力、有大榮
三一 耀、駕着天上的雲降臨。三一他要差遣使者、用號筒的大聲、
將他的選民、從四方、從天這邊、到天那邊、都招聚了來。
（方原文作風）

從無花果樹學比方

三二 三二你們可以從無花果樹學個比方。當樹枝發嫩長葉的
三三 時候、你們就知道夏天近了。三三這樣、你們看見這一切的
三四 事、也該知道人子近了、正在門口了。三四我實在告訴你們、
三五 這世代還沒有過去、這些事都要成就。三五天地要廢去、我
三六 的話卻不能廢去。三六但那日子、那時辰、沒有人知道、連天
三七 上的使者也不知道、子也不知道、惟獨父知道。三七挪亞的
三八 日子怎樣、人子降臨也要怎樣。三八當洪水以前的日子、人
三九 照常喫喝嫁娶、直到挪亞進方舟的那日。三九不知不覺洪
四十 水來了、把他們全都冲去。人子降臨也要這樣。四十那時、兩
四一 個人在田裏、取去一個、撇下一個。四一兩個女人推磨、取去
四二 一個、撇下一個。四二所以你們要儆醒、因爲不知道你們的
四三 主是那一天來到。四三家主若知道幾更天有賊來、就必儆
四四 醒、不容人挖透房屋、這是你們所知道的。四四所以你們也
要豫備、因爲你們想不到的時候、人子就來了。

善僕與惡僕的報應

四五 四五誰是忠心有見識的僕人、爲主人所派、管理家裏的人、
四六 按時分糧給他們呢。四六主人來到、看見他這樣行、那僕人
四七 就有福了。四七我實在告訴你們、主人要派他管理一切所
四八 四九 有的。四八倘若那惡僕心裏說、我的主人必來得遲。四九就動手
五十 打他的同伴、又和酒醉的人一同喫喝。五十在想不到的日
五一 子、不知道的時辰、那僕人的主人要來、五一重重的處治他、
（或作把他腰斬了）定他和假冒爲善的人同罪。在那裏必要哀
哭切齒了。

第二十五章

十童女的比喻

一 那時、天國好比十個童女、拿着燈、出
二 三 去迎接新郎。二其中有五個是愚拙的、五個是聰明的。三愚
四 拙的拿着燈、卻不豫備油。四聰明的拿着燈、又豫備油在
五 六 器皿裏。五新郎遲延的時候、他們都打盹睡着了。六半夜有

七 人喊着說、新郎來了、你們出來迎接他。七那些童女就都
八 起來收拾燈。八愚拙的對聰明的說、請分點油給我們．因
九 爲我們的燈要滅了。九聰明的回答說、恐怕不彀你我用
十 的．不如你們自己到賣油的那裏去買罷。十他們去買的
時候、新郎到了．那豫備好了的、同他進去坐席．門就關
十一 了。十一其餘的童女、隨後也來了、說、主阿、主阿、給我們開門。
十二 十三 十二他卻回答說、我實在告訴你們、我不認識你們。十三所以你
們要儆醒、因爲那日子、那時辰、你們不知道。

按才幹受責任

十四 天國．又好比一個人要往外國去、就叫了僕人來、把他
十五 的家業交給他們．十五按着各人的才幹、給他們銀子．一個
給了五千、一個給了二千、一個給了一千．就往外國去
十六 十七 了。十六那領五千的、隨即拿去做買賣、另外賺了五千。十七那領
十八 二千的也照樣另賺了二千。十八但那領一千的、去掘開地、
十九 把主人的銀子埋藏了。十九過了許久、那些僕人的主人來
二十 了、和他們算賬。二十那領五千銀子的、又帶着那另外的五
千來、說、主阿、你交給我五千銀子、請看、我又賺了五千。
二十一 主人說、好、你這又良善又忠心的僕人．你在不多的事
上有忠心、我要把許多事派你管理．可以進來享受你
二十二 主人的快樂。二十二那領二千的也來說、主阿、你交給我二千
二十三 銀子、請看、我又賺了二千。二十三主人說、好、你這又良善又忠
心的僕人．你在不多的事上有忠心、我要把許多事派
二十四 你管理．可以進來享受你主人的快樂。二十四那領一千的、也
來說、主阿、我知道你是忍心的人、沒有種的地方要收
二十五 割、沒有散的地方要聚斂．二十五我就害怕、去把你的一千銀
二十六 子埋藏在地裏．請看、你的原銀子在這裏。二十六主人回答說、
你這又惡又懶的僕人、你既知道我沒有種的地方要
二十七 收割、沒有散的地方要聚斂．二十七就當把我的銀子放給兌
二十八 換銀錢的人、到我來的時候、可以連本帶利收回。二十八奪過
二十九 他這一千來、給那有一萬的。二十九因爲凡有的、還要加給他、
三十 叫他有餘．沒有的、連他所有的、也要奪過來。三十把這無用
的僕人、丟在外面黑暗裏．在那裏必要哀哭切齒了。

論審判的日子

三十一 當人子在他榮耀裏、同着衆天使降臨的時候、要坐在
三十二 他榮耀的寶座上．三十二萬民都要聚集在他面前．他要把他
三十三 們分別出來、好像牧羊的分別綿羊山羊一般．三十三把綿羊

三四 安置在右邊、山羊在左邊。於是王要向那右邊的說、你
們這蒙我父賜福的、可來承受那創世以來爲你們所
三五 豫備的國。因爲我餓了、你們給我喫．渴了、你們給我喝．
三六 我作客旅、你們留我住．我赤身露體、你們給我穿．我病
三七 了、你們看顧我．我在監裏、你們來看我．義人就回答說、
三八 主阿、我們甚麼時候見你餓了、給你喫、渴了、給你喝．甚
三九 麼時候見你作客旅留你住、或是赤身露體給你穿．又
四十 甚麼時候見你病了、或是在監裏、來看你呢。王要回答
說、我實在告訴你們、這些事你們既作在我這弟兄中
四一 一個最小的身上、就是作在我身上了。王又要向那左
邊的說、你們這被咒詛的人、離開我、進入那爲魔鬼和
四二 他的使者所豫備的永火裏去。因爲我餓了、你們不給
四三 我喫．渴了、你們不給我喝．我作客旅、你們不留我住．我
赤身露體、你們不給我穿．我病了、我在監裏、你們不來
四四 看顧我。他們也要回答說、主阿、我們甚麼時候見你餓
了、或渴了、或作客旅、或赤身露體、或病了、或在監裏、不
四五 伺候你呢。王要回答說、我實在告訴你們、這些事你們
旣不作在我這弟兄中一個最小的身上、就是不作在

四六 我身上了。這些人要往永刑裏去．那些義人要往永生
裏去。

第二十六章

用計殺主

一 耶穌說完了這一切的話、就對門徒
二 說、你們知道過兩天是逾越節、人子將要被交給人、釘
三 在十字架上。那時、祭司長和民間的長老、聚集在大祭
四 司稱爲該亞法的院裏．大家商議、要用詭計拿住耶穌
五 殺他．只是說、當節的日子不可、恐怕民間生亂。

澆極貴的香膏

六 七 耶穌在伯大尼長大痳瘋的西門家裏、有一個女人拿
着一玉瓶極貴的香膏來、趁耶穌坐席的時候、澆在他
八 的頭上。門徒看見、就很不喜悅、說、何用這樣的枉費呢．
九 十 這香膏可以賣許多錢、賙濟窮人。耶穌看出他們的意
思、就說、爲甚麼難爲這女人呢．他在我身上作的、是一
十一 件美事。因爲常有窮人和你們同在．只是你們不常有
十二 十三 我。他將這香膏澆在我身上、是爲我安葬作的。我實在
告訴你們、普天之下、無論在甚麼地方傳這福音、也要
述說這女人所行的、作個記念。

猶大賣主

十四 十四當下、十二門徒裏有一個稱爲加略人猶大的、去見祭
十五 司長、十五說我把他交給你們、你們願意給我多少錢。他們
十六 就給了他三十塊錢。十六從那時候、他就找機會要把耶穌
交給他們。

豫備逾越節的筵席

十七 十七除酵節的第一天、門徒來問耶穌說、你喫逾越節的筵
十八 席、要我們在那裏給你豫備。十八耶穌說、你們進城去、到某
人那裏、對他說、夫子說、我的時候快到了、我與門徒要
十九 在你家裏守逾越節。十九門徒遵着耶穌所吩咐的就去豫
二十 備了逾越節的筵席。○二十到了晚上、耶穌和十二個門徒
二一 坐席。二一正喫的時候、耶穌說、我實在告訴你們、你們中間
二二 有一個人要賣我了。二二他們就甚憂愁、一個一個的問他
二三 說、主、是我麼。二三耶穌回答說、同我蘸手在盤子裏的、就是
二四 他要賣我。二四人子必要去世、正如經上指着他所寫的、但
二五 賣人子的人有禍了。那人不生在世上倒好。二五賣耶穌的
猶大問他說、拉比、是我麼。耶穌說、你說的是。

設立聖餐

二六 二六他們喫的時候、耶穌拿起餅來、祝福、就擘開、遞給門徒、
二七 說、你們拿着喫、這是我的身體。二七又拿起杯來、祝謝了、遞
二八 給他們、說、你們都喝這個。二八因爲這是我立約的血、爲多
二九 人流出來、使罪得赦。二九但我告訴你們、從今以後、我不再
喝這葡萄汁、直到我在我父的國裏同你們喝新的那
三十 日子。三十他們唱了詩、就出來往橄欖山去。

豫言彼得不認主

三一 三一那時、耶穌對他們說、今夜你們爲我的緣故、都要跌倒。
三二 因爲經上記着說、『我要擊打牧人、羊就分散了。』三二但
三三 我復活以後、要在你們以先往加利利去。三三彼得說、衆人
三四 雖然爲你的緣故跌倒、我卻永不跌倒。三四耶穌說、我實在
三五 告訴你、今夜雞叫以先、你要三次不認我。三五彼得說、我就
是必須和你同死、也總不能不認你。衆門徒都是這樣
說。

在客西馬尼禱告

三六 三六耶穌同門徒來到一個地方、名叫客西馬尼、就對他們
三七 說、你們坐在這裏、等我到那邊去禱告。三七於是帶着彼得、

三八 和西庇太的兩個兒子同去、就憂愁起來、極其難過、便三八
對他們說、我心裏甚是憂傷、幾乎要死。你們在這裏等
三九 候、和我一同儆醒。三九他就稍往前走、俯伏在地禱告說、我
父阿、倘若可行、求你叫這杯離開我。然而不要照我的
意思、只要照你的意思。

主勉勵門徒儆醒禱告

四十 四十來到門徒那裏、見他們睡着了、就對彼得說、怎麼樣、你
四一 們不能同我儆醒片時麼。四一總要儆醒禱告、免得入了迷
四二 惑。你們心靈固然願意、肉體卻輭弱了。四二第二次又去禱
告說、我父阿、這杯若不能離開我、必要我喝、就願你的
四三 意旨成全。四三又來見他們睡着了、因爲他們的眼睛困倦。
四四 四四耶穌又離開他們去了。第三次禱告、說的話還是與先
四五 前一樣。四五於是來到門徒那裏、對他們說、現在你們仍然
睡覺安歇罷。（罷或作麼）時候到了、人子被賣在罪人手裏了。
四六 四六起來、我們走罷。看哪、賣我的人近了。

盜賣和捉拿

四七 四七說話之間、那十二個門徒裏的猶大來了、並有許多人、
四八 帶着刀棒、從祭司長和民間的長老那裏、與他同來。四八那
賣耶穌的、給了他們一個暗號、說、我與誰親嘴、誰就是
四九 他。你們可以拿住他。四九猶大隨即到耶穌跟前說、請拉比
五十 安。就與他親嘴。五十耶穌對他說、朋友、你來要作的事、就作
罷。於是那些人上前、下手拿住耶穌。

凡動刀的必死於刀下

五一 五一有跟隨耶穌的一個人、伸手拔出刀來、將大祭司的僕
五二 人砍了一刀、削掉了他一個耳朵。五二耶穌對他說、收刀入
五三 鞘罷。凡動刀的、必死在刀下。五三你想我不能求我父、現在
五四 爲我差遣十二營多天使來麼。五四若是這樣、經上所說、事
五五 情必須如此的話、怎麼應驗呢。五五當時、耶穌對衆人說、你
們帶着刀棒出來拿我、如同拿強盜麼。我天天坐在殿
五六 裏教訓人、你們並沒有拿我。五六但這一切的事成就了、爲
要應驗先知書上的話。當下、門徒都離開他逃走了。

在公會前受審

五七 五七拿耶穌的人、把他帶到大祭司該亞法那裏去。文士和
五八 長老、已經在那裏聚會。五八彼得遠遠的跟着耶穌、直到大
祭司的院子、進到裏面、就和差役同坐、要看這事到底
五九 怎樣。五九祭司長和全公會、尋找假見證、控告耶穌、要治死

六十 他。[六十]雖有好些人來作假見證、總得不着實據。末後有兩
六一 個人前來說、這[六一]個人曾說、我能拆毀 神的殿、三日內
六二 又建造起來。[六二]大祭司就站起來、對耶穌說、你甚麼都不
六三 回答麼.這些人作見證告你的是甚麼呢。[六三]耶穌卻不言
語。大祭司對他說、我指着永生 神、叫你起誓告訴我
六四 們、你是 神的兒子基督不是。[六四]耶穌對他說、你說的是.
然而我告訴你們、後來你們要看見人子、坐在那權能
六五 者的右邊、駕着天上的雲降臨。[六五]大祭司就撕開衣服說、
他說了僭妄的話、我們何必再用見證人呢。這僭妄的
六六 話、現在你們都聽見了。[六六]你們的意見如何.他們回答說、
六七 他是該死的。[六七]他們就吐唾沫在他臉上、用拳頭打他.也
六八 有用手掌打他的、[六八]說、基督阿、你是先知、告訴我們打你
的是誰。

彼得三次不認主

六九 [六九]彼得在外面院子裏坐着、有一個使女前來說、你素來
七十 也是同那加利利人耶穌一夥的。[七十]彼得在衆人面前卻
七一 不承認、說、我不知道你說的是甚麼。[七一]既出去、到了門口、
又有一個使女看見他、就對那裏的人說、這個人也是

七二 同拿撒勒人耶穌一夥的。[七二]彼得又不承認、並且起誓說、
七三 我不認得那個人。[七三]過了不多的時候、旁邊站着的人前
來、對彼得說、你眞是他們一黨的.你的口音把你露出
七四 來了。[七四]彼得就發咒起誓的說、我不認得那個人.立時雞
七五 就叫了。[七五]彼得想起耶穌所說的話、雞叫以先、你要三次
不認我。他就出去痛哭。

耶穌被交給彼拉多

第二十七章

一 [一]到了早晨、衆祭司長和民間的長老、
二 大家商議、要治死耶穌。[二]就把他捆綁解去交給巡撫彼
拉多。

猶大的結局

三 [三]這時候、賣耶穌的猶大、看見耶穌已經定了罪、就後悔、
四 把那三十塊錢、拿回來給祭司長和長老說、[四]我賣了無
辜之人的血、是有罪了。他們說、那與我們有甚麼相干.
五 你自己承當罷。[五]猶大就把那銀錢丟在殿裏、出去吊死
七六 了。[六]祭司長拾起銀錢來說、這是血價、不可放在庫裏.[七]他
們商議、就用那銀錢買了窰戶的一塊田、為要埋葬外
九八 鄉人。[八]所以那塊田、直到今日還叫作血田。[九]這就應了先

知耶利米的話說『他們用那三十塊錢、就是被估定
十 之人的價錢、是以色列人中所估定的、十買了窰戶的一
塊田.這是照着主所吩咐我的。』

在彼拉多前受審

十一 十一耶穌站在巡撫面前、巡撫問他說、你是猶太人的王麼。
十二 耶穌說、你說的是。十二他被祭司長和長老控告的時候、甚
十三 麼都不回答。十三彼拉多就對他說、他們作見證告你這麼
十四 多的事、你沒有聽見麼。十四耶穌仍不回答、連一句話也不
十五 說、以致巡撫甚覺希奇。十五巡撫有一個常例、每逢這節期、
十六 隨衆人所要的、釋放一個囚犯給他們。十六當時、有一個出
十七 名的囚犯叫巴拉巴。十七衆人聚集的時候、彼拉多就對他
們說、你們要我釋放那一個給你們.是巴拉巴呢、是稱
十八 為基督的耶穌呢。十八巡撫原知道、他們是因為嫉妒纔把
十九 他解了來。十九正坐堂的時候、他的夫人打發人來說、這義
人的事、你一點不可管.因為我今天在夢中、為他受了
二十 許多的苦。二十祭司長和長老、挑唆衆人求釋放巴拉巴、除
二一 滅耶穌。二一巡撫對衆人說、這兩個人、你們要我釋放那一
二二 個給你們呢。他們說、巴拉巴。二二彼拉多說、這樣、那稱為基
二三 督的耶穌我怎麼辦他呢.他們都說、把他釘十字架。二三巡
撫說、為甚麼呢、他作了甚麼惡事呢.他們便極力的喊
二四 着說、把他釘十字架。二四彼拉多見說也無濟於事、反要生
亂、就拿水在衆人面前洗手、說、流這義人的血、罪不在
二五 我、你們承當罷。二五衆人都回答說、他的血歸到我們和我
二六 們的子孫身上。二六於是彼拉多釋放巴拉巴給他們、把耶
穌鞭打了、交給人釘十字架。

戲弄耶穌

二七 二七巡撫的兵就把耶穌帶進衙門、叫全營的兵都聚集在
二八 二九 他那裏。二八他們給他脫了衣服、穿上一件朱紅色袍子。二九用
荊棘編作冠冕、戴在他頭上、拿一根葦子放在他右手
三十 裏、跪在他面前戲弄他說、恭喜猶太人的王阿。三十又吐唾
三一 沫在他臉上、拿葦子打他的頭。三一戲弄完了、就給他脫了
袍子、仍穿上他自己的衣服、帶他出去、要釘十字架。◯
三二 三二他們出來的時候、遇見一個古利奈人、名叫西門、就勉
強他同去、好背着耶穌的十字架。

耶穌被釘十字架

三三 三四 三三到了一個地方、名叫各各他、意思就是髑髏地。三四兵丁拿

三五 苦膽調和的酒、給耶穌喝。他嘗了、就不肯喝。三五他們既將
三六 他釘在十字架上、就拈鬮分他的衣服．三六又坐在那裏看
三七 守他。三七在他頭以上安一個牌子、寫着他的罪狀、說這是
猶太人的王耶穌。

譏誚主不能救自己

三八 三八當時、有兩個強盜、和他同釘十字架、一個在右邊一個
三九 四十 在左邊。三九從那裏經過的人、譏誚他、搖着頭說、四十你這拆毀
聖殿、三日又建造起來的、可以救自己罷．你如果是
四一 神的兒子、就從十字架上下來罷。四一祭司長和文士並長
四二 老、也是這樣戲弄他、說、四二他救了別人、不能救自己。他是
以色列的王、現在可以從十字架上下來、我們就信他。
四三 四三他倚靠神、神若喜悅他、現在可以救他．因爲他曾
四四 說、我是神的兒子。四四那和他同釘的強盜、也是這樣的
四五 四六 譏誚他。○四五從午正到申初、遍地都黑暗了。四六約在申初、耶
穌大聲喊着說、以利、以利、拉馬撒巴各大尼．就是說、我
四七 的神、我的神、爲甚麼離棄我。四七站在那裏的人、有的
四八 聽見就說、這個人呼叫以利亞呢。四八內中有一個人、趕緊
四九 跑去、拿海絨蘸滿了醋、綁在葦子上、送給他喝。四九其餘的

五十 人說、且等着、看以利亞來救他不來。五十耶穌又大聲喊叫、
氣就斷了。

耶穌死的景象

五一 五一忽然殿裏的幔子、從上到下裂爲兩半．地也震動、磐石
五二 五三 也崩裂．五二墳墓也開了．已睡聖徒的身體、多有起來的．五三到
耶穌復活以後、他們從墳墓裏出來、進了聖城、向許多
五四 人顯現。五四百夫長和一同看守耶穌的人、看見地震並所
五五 經歷的事、就極其害怕、說、這眞是神的兒子了。五五有好
些婦女在那裏、遠遠的觀看．他們是從加利利跟隨耶
五六 穌來服事他的．五六內中有抹大拉的馬利亞、又有雅各和
約西的母親馬利亞、並有西庇太兩個兒子的母親。

安放耶穌於新墓

五七 五七到了晚上、有一個財主、名叫約瑟、是亞利馬太來的．他
五八 也是耶穌的門徒。五八這人去見彼拉多、求耶穌的身體．彼
五九 拉多就吩咐給他。五九約瑟取了身體、用乾淨細麻布裹好、
六十 六十安放在自己的新墳墓裏、就是他鑿在磐石裏的．他又
六一 把大石頭輥到墓門口、就去了。六一有抹大拉的馬利亞和
那個馬利亞在那裏、對着墳墓坐着。

封石妥守

六二次日、就是豫備日的第二天、祭司長和法利賽人聚集、
來見彼拉多、說、六三大人、我們記得那誘惑人的、還活着的
時候、曾說、三日後我要復活。六四因此、請吩咐人將墳墓把
守妥當、直到第三日。恐怕他的門徒來把他偷了去、就
告訴百姓說、他從死裏復活了。這樣、那後來的迷惑、比
先前的更利害了。六五彼拉多說、你們有看守的兵、去罷、盡
你們所能的、把守妥當。六六他們就帶着看守的兵同去、封
了石頭、將墳墓把守妥當。

第二十八章

從死裏復活

一安息日將盡、七日的頭一日、天快亮
的時候、抹大拉的馬利亞、和那個馬利亞、來看墳墓。二忽
然地大震動。因為有主的使者、從天上下來、把石頭輥
開、坐在上面。三他的像貌如同閃電、衣服潔白如雪。四看守
的人、就因他嚇得渾身亂戰、甚至和死人一樣。五天使對
婦女說、不要害怕、我知道你們是尋找那釘十字架的
耶穌。六他不在這裏、照他所說的、已經復活了。你們來看
安放主的地方。七快去告訴他的門徒說、他從死裏復活
了。並且在你們以先往加利利去、在那裏你們要見他。
看哪、我已經告訴你們了。八婦女們就急忙離開墳墓、又
害怕、又大大的歡喜、跑去要報給他的門徒。九忽然耶穌
遇見他們、說、願你們平安。他們就上前抱住他的脚拜
他。十耶穌對他們說、不要害怕、你們去告訴我的弟兄、叫
他們往加利利去、在那裏必見我。

公會揑造謊言

十一他們去的時候、看守的兵、有幾個進城去、將所經歷的
事都報給祭司長。十二祭司長和長老聚集商議、就拿許多
銀錢給兵丁、說、十三你們要這樣說、夜間我們睡覺的時候、
他的門徒來把他偷去了。十四倘若這話被巡撫聽見、有我
們勸他、保你們無事。十五兵丁受了銀錢、就照所囑咐他們
的去行。這話就傳說在猶太人中間、直到今日。

門徒奉差遣

十六十一個門徒往加利利去、到了耶穌約定的山上。十七他們
見了耶穌就拜他、然而還有人疑惑。十八耶穌進前來、對他
們說、天上地下所有的權柄、都賜給我了。十九所以你們要
去、使萬民作我的門徒、奉父子聖靈的名、給他們施洗。

二十 或作給他們施洗歸於父子聖靈的名。

二十 凡我所吩咐你們的、都教訓他們
遵守、我就常與你們同在、直到世界的末了。

馬太：二十三章三十七節

伯利恆

馬可福音

第一章

施洗約翰傳道

一二 一神的兒子、耶穌基督福音的起頭、二正如
先知以賽亞書上記着說、（有古卷無以賽亞三字）『看哪、我要差
三 遣我的使者在你前面、豫備道路。三在曠野有人聲喊着
四 說、豫備主的道、修直他的路。』四照這話、約翰來了、在曠
五 野施洗、傳悔改的洗禮、使罪得赦。五猶太全地和耶路撒
冷的人、都出去到約翰那裏、承認他們的罪、在約但河
六 裏受他的洗。六約翰穿駱駝毛的衣服、腰束皮帶、喫的是
七 蝗蟲野蜜。七他傳道說、有一位在我以後來的、能力比我
八 更大、我就是彎腰給他解鞋帶、也是不配的。八我是用水
給你們施洗、他卻要用聖靈給你們施洗。

耶穌受洗

九 九那時、耶穌從加利利的拿撒勒來、在約但河裏受了約
十 翰的洗。十他從水裏一上來、就看見天裂開了、聖靈彷彿
十一 鴿子、降在他身上。十一又有聲音從天上來說、你是我的愛
子、我喜悅你。

耶穌受試探

十二十三 十二聖靈就把耶穌催到曠野裏去。十三他在曠野四十天受撒
但的試探、並與野獸同在一處、且有天使來伺候他。◯
十四十五 十四約翰下監以後、耶穌來到加利利、宣傳神的福音說、十五
十六 日期滿了、神的國近了、你們當悔改、信福音。◯十六耶穌
順着加利利的海邊走、看見西門、和西門的兄弟安得
十七 烈、在海裏撒網、他們本是打魚的。十七耶穌對他們說、來跟
十八 從我、我要叫你們得人如得魚一樣。十八他們就立刻捨了
十九 網、跟從了他。十九耶穌稍往前走、又見西庇太的兒子雅各、
二十 和雅各的兄弟約翰、在船上補網。二十耶穌隨卽招呼他們
他們就把父親西庇太和雇工人留在船上、跟從耶穌
去了。

在迦百農趕逐汚鬼

二十一二十二 二十一到了迦百農、耶穌就在安息日進了會堂教訓人。二十二衆人
很希奇他的教訓、因爲他教訓他們、正像有權柄的人、
二十三 不像文士。二十三在會堂裏有一個人、被汚鬼附着、他喊叫說、
二十四 二十四拿撒勒人耶穌、我們與你有甚麼相干、你來滅我們麼、
二十五 我知道你是誰、乃是神的聖者。二十五耶穌責備他說、不要

二六 作聲、從這人身上出來罷。二六汚鬼叫那人抽了一陣瘋、大
二七 聲喊叫、就出來了。二七衆人都驚訝、以致彼此對問說、這是
甚麽事、是個新道理阿．他用權柄吩咐汚鬼、連汚鬼也
二八 聽從了他。二八耶穌的名聲、就傳遍了加利利的四方。

醫西門岳母

二九 二九他們一出會堂、就同着雅各約翰、進了西門和安得烈
三十三一 的家。三十西門的岳母、正害熱病躺着、就有人告訴耶穌。三一耶
穌進前拉着他的手、扶他起來、熱就退了、他就服事他
三二 們。○三二天晚日落的時候、有人帶着一切害病的、和被鬼
三三三四 附的、來到耶穌跟前。三三合城的人都聚集在門前。三四耶穌治
好了許多害各樣病的人、又趕出許多鬼、不許鬼說話、
因爲鬼認識他。

到曠野禱告

三五 三五次日早晨、天未亮的時候、耶穌起來、到曠野地方去、在
三六三七 那裏禱告。三六西門和同伴追了他去、三七遇見了就對他說、衆
三八 人都找你。三八耶穌對他們說、我們可以往別處去、到鄰近
的鄉村、我也好在那裏傳道．因爲我是爲這事出來的。
三九 三九於是在加利利全地、進了會堂、傳道趕鬼。

潔淨長大痳瘋的

四十 四十有一個長大痳瘋的、來求耶穌、向他跪下說、你若肯、必
四一 能叫我潔淨了。四一耶穌動了慈心、就伸手摸他、說、我肯、你
四二四三 潔淨了罷。四二大痳瘋卽時離開他、他就潔淨了。四三耶穌嚴嚴
四四 的囑咐他、就打發他走、四四對他說、你要謹愼、甚麽話都不
可告訴人．只要去把身體給祭司察看、又因爲你潔淨
四五 了、獻上摩西所吩咐的禮物、對衆人作證據。四五那人出去、
倒說許多的話、把這件事傳揚開了．叫耶穌以後不得
再明明的進城、只好在外邊曠野地方．人從各處都就
了他來。

第二章　醫治癱子

一 一過了些日子、耶穌又進了迦百農．人聽見
二 他在房子裏、二就有許多人聚集、甚至連門前都沒有空
三 地．耶穌就對他們講道。三有人帶着一個癱子來見耶穌、
四 是用四個人抬來的。四因爲人多、不得近前、就把耶穌所
在的房子、拆了房頂、既拆通了、就把癱子連所躺臥的
五 褥子都縋下來。五耶穌見他們的信心、就對癱子說、小子、
六七 你的罪赦了。六有幾個文士坐在那裏、心裏議論說、七這個

人爲甚麼這樣說呢．他說僭妄的話了．除了神以外、
八 誰能赦罪呢。八耶穌心中知道他們心裏這樣議論、就說、
九 你們心裏爲甚麼這樣議論呢。九或對癱子說、你的罪赦
十 了、或說、起來、拿你的褥子行走、那一樣容易呢。十但要叫
十一 你們知道人子在地上有赦罪的權柄、就對癱子說、十一我
十二 吩咐你起來、拿你的褥子回家去罷。十二那人就起來、立刻
拿着褥子、當眾人面前出去了．以致眾人都驚奇、歸榮
耀與神說、我們從來沒有見過這樣的事。

耶穌召利未

十三 十三耶穌又出到海邊去、眾人都就了他來、他便教訓他們。
十四 十四耶穌經過的時候、看見亞勒腓的兒子利未、坐在稅關
十五 上、就對他說、你跟從我來．他就起來跟從了耶穌。十五耶穌
在利未家裏坐席的時候、有好些稅吏和罪人與耶穌
並門徒一同坐席．因爲這樣的人多、他們也跟隨耶穌。
十六 十六法利賽人中的文士、（有古卷作和法利賽人）看見耶穌和罪人
並稅吏一同喫飯、就對他門徒說、他和稅吏並罪人一
十七 同喫喝麼。十七耶穌聽見、就對他們說、康健的人用不着醫
生、有病的人纔用得着．我來本不是召義人、乃是召罪
人。

論禁食

十八 十八當下、約翰的門徒和法利賽人禁食．他們來問耶穌說、
約翰的門徒和法利賽人的門徒禁食、你的門徒倒不
十九 禁食、這是爲甚麼呢。十九耶穌對他們說、新郎和陪伴之人
同在的時候、陪伴之人豈能禁食呢．新郎還同在、他們
二十 不能禁食。二十但日子將到、新郎要離開他們、那日他們就
要禁食。

新舊難合的比喻

二一 二一沒有人把新布縫在舊衣服上．恐怕所補上的新布、帶
二二 壞了舊衣服、破的就更大了。二二也沒有人把新酒裝在舊
皮袋裏．恐怕酒把皮袋裂開、酒和皮袋就都壞了．惟把
新酒裝在新皮袋裏。

人子是安息日的主

二三 二三耶穌當安息日從麥地經過．他門徒行路的時候、掐了
二四 麥穗。二四法利賽人對耶穌說、看哪、他們在安息日爲甚麼
二五 作不可作的事呢。二五耶穌對他們說、經上記着大衛和跟
從他的人、缺乏飢餓之時所作的事、你們沒有念過麼。

二六 二六他當亞比亞他作大祭司的時候怎麽進了神的殿、
喫了陳設餅、又給跟從他的人喫．這餅除了祭司以外、
二七 人都不可喫。二七又對他們說、安息日是爲人設立的、人不
二八 是爲安息日設立的．二八所以人子也是安息日的主。

第三章

在安息日治病

一 一耶穌又進了會堂．在那裏有一個人、枯乾
二 了一隻手。二衆人窺探耶穌、在安息日醫治不醫治、意思
三 是要控告耶穌。三耶穌對那枯乾一隻手的人說、起來、站
四 在當中。四又問衆人說、在安息日行善行惡、救命害命、那
五 樣是可以的呢．他們都不作聲。五耶穌怒目周圍看他們、
憂愁他們的心剛硬、就對那人說、伸出手來．他把手一
六 伸、手就復了原。六法利賽人出去、同希律一黨的人商議、
七 怎樣可以除滅耶穌。◯七耶穌和門徒退到海邊去．有許
八 多人從加利利跟隨他．八還有許多人聽見他所作的大
事、就從猶太、耶路撒冷、以土買、約但河外、並推羅西頓
九 的四方、來到他那裏。九他因爲人多、就吩咐門徒叫一隻
十 小船伺候着、免得衆人擁擠他。十他治好了許多人、所以
十一 凡有災病的、都擠進來要摸他。十一汚鬼無論何時看見他、
十二 就俯伏在他面前、喊着說、你是神的兒子。十二耶穌再三
的囑咐他們、不要把他顯露出來。

耶穌設立十二門徒

十三 十三耶穌上了山、隨自己的意思叫人來、他們便來到他那
十四 裏。十四他就設立十二個人、要他們常和自己同在、也要差
十五 十六 他們去傳道、十五並給他們權柄趕鬼。十六這十二個人有西門、
十七 耶穌又給他起名叫彼得．十七還有西庇太的兒子雅各、和
雅各的兄弟約翰．又給這兩個人起名叫半尼其、就是
十八 雷子的意思．十八又有安得烈、腓力、巴多羅買、馬太、多馬、亞
十九 勒腓的兒子雅各、和達太、並奮銳黨的西門。十九還有賣耶
穌的加略人猶大。

駁倒文士的讒言

二十 二十耶穌進了一個屋子、衆人又聚集、甚至他連飯也顧不
二一 得喫。二一耶穌的親屬聽見、就出來要拉住他、因爲他們說
二二 他瘋狂了。二二從耶路撒冷下來的文士說、他是被別西卜
二三 附着、又說、他是靠着鬼王趕鬼。二三耶穌叫他們來、用比喻
二四 對他們說、撒但怎能趕出撒但呢。二四若一國自相分爭、那
二五 二六 國就站立不住。二五若一家自相分爭、那家就站立不住。二六若

二七 撒但自相攻打分爭他就站立不住、必要滅亡。二七沒有人
能進壯士家裏、搶奪他的家具必先捆住那壯士、纔可
以搶奪他的家。

褻瀆聖靈永不赦免

二八 二八我實在告訴你們、世人一切的罪、和一切褻瀆的話、都
二九 可得赦免．二九凡褻瀆聖靈的、卻永不得赦免、乃要擔當永
三十 遠的罪。三十這話是因為他們說、他是被污鬼附着的。

信者皆為親屬

三一 三一當下耶穌的母親和弟兄、來站在外邊、打發人去叫他。
三二 有三二許多人在耶穌周圍坐着．他們就告訴他說、看哪、你
三三 母親、和你弟兄、在外邊找你。三三耶穌回答說、誰是我的母
三四 親、誰是我的弟兄。三四就四面觀看那周圍坐着的人、說、看
三五 哪、我的母親、我的弟兄。三五凡遵行神旨意的人、就是我
的弟兄姐妹和母親了。

第四章

撒種的比喻

一 一耶穌又在海邊教訓人．有許多人到他那
裏聚集、他只得上船坐下．船在海裏、衆人都靠近海站
二 在岸上。二耶穌就用比喻教訓他們許多道理．在教訓之

三 四 間、三對他們說、你們聽阿．有一個撒種的出去撒種。四撒的
五 時候、有落在路旁的、飛鳥來喫盡了。五有落在土淺石頭
六 地上的、土既不深、發苗最快．六日頭出來一曬、因為沒有
七 根、就枯乾了。七有落在荊棘裏的、荊棘長起來、把他擠住
八 了、就不結實。八又有落在好土裏的、就發生長大、結實有
九 三十倍的、有六十倍的、有一百倍的。九又說、有耳可聽的、
就應當聽。

用比喻的因由

十 十無人的時候、跟隨耶穌的人、和十二個門徒、問他這比
十一 喻的意思。十一耶穌對他們說、神國的奧祕、只叫你們知
十二 道、若是對外人講、凡事就用比喻．十二叫他們看是看見、卻
不曉得．聽是聽見、卻不明白．恐怕他們回轉過來、就得
赦免。

解明撒種的比喻

十三 十三又對他們說、你們不明白這比喻麼．這樣怎能明白一
十四 十五 切的比喻呢。十四撒種之人所撒的、就是道。十五那撒在路旁的、
就是人聽了道、撒但立刻來、把撒在他心裏的道奪了
十六 去。十六那撒在石頭地上的、就是人聽了道、立刻歡喜領受．

十七 [十七]但他心裏沒有根、不過是暫時的、及至爲道遭了患難、
十八 或是受了逼迫、立刻就跌倒了。[十八]還有那撒在荊棘裏的、
十九 就是人聽了道．[十九]後來有世上的思慮、錢財的迷惑、和別
二十 樣的私慾、進來把道擠住了、就不能結實。[二十]那撒在好地
上的、就是人聽道、又領受、並且結實有三十倍的、有六
二一 十倍的、有一百倍的。○[二一]耶穌又對他們說、人拿燈來、豈
二二 是要放在斗底下、牀底下、不放在燈臺上麼。[二二]因爲掩藏
二三 的事、沒有不顯出來的．隱瞞的事、沒有不露出來的．[二三]有
二四 耳可聽的、就應當聽。[二四]又說、你們所聽的要留心、你們用
甚麼量器量給人、也必用甚麼量器量給你們、並且要
二五 多給你們。[二五]因爲有的、還要給他．沒有的、連他所有的也
二六二七 要奪去。○[二六]又說、神的國、如同人把種撒在地上、[二七]黑夜
睡覺、白日起來、這種就發芽漸長、那人卻不曉得如何
二八 這樣。[二八]地生五穀、是出於自然的．先發苗、後長穗、再後穗
二九 上結成飽滿的子粒。[二九]穀既熟了、就用鐮刀去割、因爲收
成的時候到了。

芥菜種的比喻

三十 [三十]又說、神的國、我們可用甚麼比較呢．可用甚麼比喻
三一 表明呢。[三一]好像一粒芥菜種、種在地裏的時候、雖比地上
三二 的百種都小、[三二]但種上以後、就長起來比各樣的菜都大、
又長出大枝來、甚至天上的飛鳥、可以宿在他的蔭下。
三三 ○[三三]耶穌用許多這樣的比喻、照他們所能聽的、對他們
三四 講道．[三四]若不用比喻、就不對他們講．沒有人的時候就把
一切的道講給門徒聽。

平靜風和海

三五三六 [三五]當那天晚上、耶穌對門徒說、我們渡到那邊去罷。[三六]門徒
離開衆人、耶穌仍在船上、他們就把他一同帶去．也有
三七 別的船和他同行。[三七]忽然起了暴風、波浪打入船內、甚至
三八 船要滿了水。[三八]耶穌在船尾上、枕着枕頭睡覺．門徒叫醒
三九 了他、說、夫子、我們喪命、你不顧麼。[三九]耶穌醒了、斥責風、向
四十 海說、住了罷、靜了罷．風就止住、大大的平靜了。[四十]耶穌對
四一 他們說、爲甚麼膽怯、你們還沒有信心麼。[四一]他們就大大
的懼怕、彼此說、這到底是誰、連風和海也聽從他了。

第五章

鬼入豬羣

一二 [一]他們來到海那邊、格拉森人的地方。[二]耶穌
一下船、就有一個被污鬼附着的人、從墳塋裏出來迎

三 着他。[三]那人常住在墳塋裏、沒有人能捆住他、就是用鐵
四 鍊也不能．[四]因爲人屢次用脚鐐和鐵鍊捆鎖他、鐵鍊竟
被他掙斷了、脚鐐也被他弄碎了．總沒有人能制伏他。
五 六 [五]他晝夜常在墳塋裏和山中喊叫、又用石頭砍自己。[六]他
七 遠遠的看見耶穌、就跑過去拜他．[七]大聲呼叫說、至高
神的兒子耶穌、我與你有甚麼相干．我指着　神懇求
八 你、不要叫我受苦。[八]是因耶穌曾吩咐他說、汚鬼阿、從這
九 人身上出來罷。[九]耶穌問他說、你名叫甚麼．回答說、我名
十 叫羣、因爲我們多的緣故。[十]就再三的求耶穌、不要叫他
十一 十二 們離開那地方。[十一]在那裏山坡上、有一大羣豬喫食．[十二]鬼就
十三 央求耶穌說、求你打發我們往豬羣裏附着豬去。[十三]耶穌
准了他們．汚鬼就出來、進入豬裏去．於是那羣豬闖下
十四 山崖、投在海裏、淹死了．豬的數目約有二千。[十四]放豬的就
逃跑了、去告訴城裏和鄉下的人．衆人就來要看是甚
十五 麼事。[十五]他們來到耶穌那裏、看見那被鬼附着的人、就是
從前被羣鬼所附的、坐着、穿上衣服、心裏明白過來．他
十六 們就害怕。[十六]看見這事的、便將鬼附之人所遇見的、和那
十七 羣豬的事、都告訴了衆人。[十七]衆人就央求耶穌離開他們

十八 的境界。[十八]耶穌上船的時候、那從前被鬼附着的人、懇求
十九 和耶穌同在。[十九]耶穌不許、卻對他說、你回家去、到你的親
屬那裏、將主爲你所作的、是何等大的事、是怎樣憐憫
二十 你、都告訴他們。[二十]那人就走了、在低加波利傳揚耶穌爲
二一 他作了何等大的事、衆人就都希奇。〇[二一]耶穌坐船又渡
到那邊去、就有許多人到他那裏聚集．他正在海邊上。
二二 [二二]有一個管會堂的人、名叫睚魯、來見耶穌、就俯伏在他
二三 脚前、[二三]再三的求他說、我的小女兒快要死了、求你去按
二四 手在他身上、使他痊癒、得以活了。[二四]耶穌就和他同去、有
許多人跟隨擁擠他。

醫患血漏的女人

二五 二六 [二五]有一個女人、患了十二年的血漏、[二六]在好些醫生手裏、受
了許多的苦、又花盡了他所有的、一點也不見好、病勢
二七 反倒更重了。[二七]他聽見耶穌的事、就從後頭來、雜在衆人
二八 中間、摸耶穌的衣裳。[二八]意思說、我只摸他的衣裳、就必痊
二九 癒。[二九]於是他血漏的源頭、立刻乾了．他便覺得身上的災
三十 病好了。[三十]耶穌頓時心裏覺得有能力從自己身上出去、
三一 就在衆人中間轉過來、說、誰摸我的衣裳。[三一]門徒對他說、

三二 你看衆人擁擠你、還說誰摸我麽。耶穌周圍觀看、要見
三三 作這事的女人。那女人知道在自己身上所成的事、就
三四 恐懼戰兢、來俯伏在耶穌跟前、將實情全告訴他。耶穌
對他說、女兒、你的信救了你、平平安安的回去罷。你的
災病痊癒了。

耶穌叫睚魯的女兒復活

三五 還說話的時候、有人從管會堂的家裏來說、你的女兒
三六 死了、何必還勞動先生呢。耶穌聽見所說的話、就對管
三七 會堂的說、不要怕、只要信。於是帶着彼得、雅各、和雅各
三八 的兄弟約翰同去、不許別人跟隨他。他們來到管會堂
的家裏、耶穌看見那裏亂嚷、並有人大大的哭泣哀號。
三九 進到裏面、就對他們說、爲甚麽亂嚷哭泣呢、孩子不是
四十 死了、是睡着了。他們就嗤笑耶穌。耶穌把他們都攆出
去、就帶着孩子的父母和跟隨的人、進了孩子所在的
四一 地方、就拉着孩子的手、對他說、大利大古米繙出來、就
四二 是說、閨女、我吩咐你起來。那閨女立時起來走、他們就
四三 大大的驚奇。閨女已經十二歲了。耶穌切切的囑咐他
們、不要叫人知道這事、又吩咐給他東西喫。

拿撒勒人厭棄耶穌

一 第六章 耶穌離開那裏、來到自己的家鄉、門徒也
二 跟從他。到了安息日、他在會堂裏教訓人、衆人聽見、就
甚希奇、說、這人從那裏有這些事呢、所賜給他的是甚
三 麽智慧、他手所作的是何等的異能呢。這不是那木匠
麽。不是馬利亞的兒子、雅各、約西、猶大、西門的長兄麽。
他妹妹們不也是在我們這裏麽。他們就厭棄他。（厭棄他原
四 文作因他跌倒）耶穌對他們說、大凡先知、除了本地親屬本家
五 之外、沒有不被人尊敬的。耶穌就在那裏不得行甚麽
六 異能、不過按手在幾個病人身上、治好他們。他也詫異
他們不信。就往周圍鄉村教訓人去了。

耶穌差遣十二門徒

七 耶穌叫了十二個門徒來、差遣他們兩個兩個的出去。
八 也賜給他們權柄、制伏污鬼。並且囑咐他們、行路的時
候、不要帶食物和口袋、腰袋裏也不要帶錢、除了枴杖
九 十 以外、甚麽都不要帶。只要穿鞋、也不要穿兩件褂子。又
對他們說、你們無論到何處、進了人的家、就住在那裏、
十一 直到離開那地方。何處的人不接待你們、不聽你們、你

們離開那裏的時候、就把脚上的塵土踩下去、對他們
十二 十三 作見證。十二門徒就出去、傳道叫人悔改。十三又趕出許多的鬼、
用油抹了許多病人、治好他們。

約翰責備希律被斬

十四 十四耶穌的名聲傳揚出來．希律王聽見了、就說施洗的約
十五 翰從死裏復活了、所以這些異能由他裏面發出來。十五但
別人說、是以利亞．又有人說、是先知、正像先知中的一
十六 十七 位。十六希律聽見、卻說、是我所斬的約翰、他復活了。十七先是希
律爲他兄弟腓力的妻子希羅底的緣故、差人去拿住
十八 約翰、鎖在監裏．因爲希律已經娶了那婦人。十八約翰曾對
十九 希律說、你娶你兄弟的妻子、是不合理的。十九於是希羅底
二十 懷恨他、想要殺他．只是不能．二十因爲希律知道約翰是義
人、是聖人、所以敬畏他、保護他．聽他講論、就多照着行．
二一 並且樂意聽他。多照着行有古卷作游移不定二一有一天、恰巧是希律的
生日、希律擺設筵席、請了大臣和千夫長、並加利利作
二二 首領的。二二希羅底的女兒進來跳舞、使希律和同席的人
都歡喜．王就對女子說、你隨意向我求甚麼、我必給你。
二三 二三又對他起誓說、隨你向我求甚麼、就是我國的一半、我

二四 也必給你。二四他就出去、對他母親說、我可以求甚麼呢．他
二五 母親說、施洗約翰的頭。二五他就急忙進去見王、求他說、我
二六 願王立時把施洗約翰的頭、放在盤子裏給我。二六王就甚
二七 憂愁．但因他所起的誓、又因同席的人、就不肯推辭。二七隨
即差一個護衛兵、吩咐拿約翰的頭來．護衛兵就去在
二八 監裏斬了約翰、二八把頭放在盤子裏、拿來給女子、女子就
二九 給他母親。二九約翰的門徒聽見了、就來把他的屍首領去、
葬在墳墓裏。

無牧的羊

三十 三十使徒聚集到耶穌那裏、將一切所作的事、所傳的道、全
三一 告訴他。三一他就說、你們來同我暗暗的到曠野地方去歇
一歇．這是因爲來往的人多、他們連喫飯也沒有工夫。
三二 三三 三二他們就坐船、暗暗的往曠野地方去。三三衆人看見他們去、
有許多認識他們的、就從各城步行、一同跑到那裏、比
三四 他們先趕到了。三四耶穌出來、見有許多的人、就憐憫他們．
因爲他們如同羊沒有牧人一般．於是開口教訓他們
三五 許多道理。三五天已經晚了、門徒進前來說、這是野地、天已
三六 經晚了、三六請叫衆人散開、他們好往四面鄉村裏去、自己

買甚麼喫。

給五千人喫飽

三七 [三七]耶穌回答說、你們給他們喫罷。門徒說、我們可以去買
三八 二十兩銀子的餅、給他們喫麼。[三八]耶穌說、你們有多少餅、
三九 可以去看看。他們知道了、就說、五個餅、兩條魚。[三九]耶穌吩
四十 咐他們叫衆人一幫一幫的、坐在青草地上。[四十]衆人就一
四一 排一排的坐下、有一百一排的、有五十一排的。[四一]耶穌拿
着這五個餅、兩條魚、望着天祝福、擘開餅、遞給門徒擺
四二 在衆人面前。也把那兩條魚分給衆人。[四二]他們都喫、並且
四三 喫飽了。[四三]門徒就把碎餅碎魚、收拾起來、裝滿了十二個
四四 籃子。[四四]喫餅的男人、共有五千。

耶穌履海

四五 [四五]耶穌隨即催門徒上船、先渡到那邊伯賽大去、等他叫
四六四七 衆人散開。[四六]他既辭別了他們、就往山上去禱告。[四七]到了晚
四八 上、船在海中、耶穌獨自在岸上。[四八]看見門徒、因風不順、搖
櫓甚苦。夜裏約有四更天、就在海面上走、往他們那裏
四九 去、意思要走過他們去。[四九]但門徒看見他在海面上走、以
五十 爲是鬼怪、就喊叫起來。[五十]因爲他們都看見了他、且甚驚
五一 慌。耶穌連忙對他們說、你們放心。是我、不要怕。[五一]於是到
五二 他們那裏上了船、風就住了。他們心裏十分驚奇。[五二]這是
五三 因爲他們不明白那分餅的事、心裏還是愚頑。○[五三]既渡
五四 過去、來到革尼撒勒地方、就靠了岸。[五四]一下船、衆人認得
五五 是耶穌。[五五]就跑遍那一帶地方、聽見他在何處、便將有病
五六 的人、用褥子抬到那裏。[五六]凡耶穌所到的地方、或村中、或
城裏、或鄉間、他們都將病人放在街市上、求耶穌只容
他們摸他的衣裳繸子。凡摸着的人就都好了。

禮上的污穢

一 **第七章** [一]有法利賽人、和幾個文士、從耶路撒冷來、
二 到耶穌那裏聚集。[二]他們曾看見他的門徒中、有人用俗
三 手、就是沒有洗的手、喫飯。[三]（原來法利賽人、和猶太人、
四 都拘守古人的遺傳、若不仔細洗手、就不喫飯。[四]從市上
來、若不洗浴、也不喫飯、還有好些別的規矩、他們歷代
五 拘守、就是洗杯、罐、銅器、等物……。）[五]法利賽人和文士問他
說、你的門徒爲甚麼不照古人的遺傳、用俗手喫飯呢。
六 [六]耶穌說、以賽亞指着你們假冒爲善之人所說的豫言、
是不錯的、如經上說、『這百姓用嘴唇尊敬我、心卻遠

七 離我。他們將人的吩咐、當作道理教導人、所以拜我也
八九 是枉然。』你們是離棄　神的誡命、拘守人的遺傳。又
十 說、你們誠然是廢棄　神的誡命、要守自己的遺傳。摩
西說、『當孝敬父母。』又說、『咒罵父母的、必治死他。』
十一 你們倒說、人若對父母說、我所當奉給你的、已經作了
十二 各耳板、（各耳板就是供獻的意思）以後你們就不
十三 容他再奉養父母。這就是你們承接遺傳、廢了　神的
道、你們還作許多這樣的事。

心裏的汚穢

十四 耶穌又叫衆人來、對他們說、你們都要聽我的話、也要
十五 明白。從外面進去的、不能汚穢人、惟有從裏面出來的、
十六十七 乃能汚穢人。（有古卷在此有十六有耳可聽的就應當聽）耶穌離開衆人、進了
十八 屋子、門徒就問他這比喻的意思。耶穌對他們說、你們
也是這樣不明白麼。豈不曉得凡從外面進入的、不能
十九 汚穢人。因爲不是入他的心、乃是入他的肚腹、又落到
二十 茅廁裏。這是說、各樣的食物、都是潔淨的。又說、從人裏
二一 面出來的、那纔能汚穢人。因爲從裏面、就是從人心裏、
二二 發出惡念、苟合、偷盜、兇殺、姦淫、貪婪、邪惡、詭詐、淫蕩、嫉
二三 妒、謗讟、驕傲、狂妄。這一切的惡、都是從裏面出來、且能
汚穢人。

婦人信心的賞賜

二四 耶穌從那裏起身、往推羅西頓的境內去。進了一家、不
二五 願意人知道、卻隱藏不住。當下有一個婦人、他的小女
二六 兒被汚鬼附着、聽見耶穌的事、就來俯伏在他脚前。這
婦人是希利尼人、屬敍利非尼基族。他求耶穌趕出那
二七 鬼、離開他的女兒。耶穌對他說、讓兒女們先喫飽、不好
二八 拿兒女的餅、丟給狗喫。婦人回答說、主阿、不錯、但是狗
二九 在桌子底下、也喫孩子們的碎渣兒。耶穌對他說、因這
三十 句話、你回去罷。鬼已經離開你的女兒了。他就回家去、
見小孩子躺在牀上、鬼已經出去了。

醫治耳聾舌結的人

三一 耶穌又離了推羅的境界、經過西頓、就從低加波利境
三二 內、來到加利利海。有人帶着一個耳聾舌結的人、來見
三三 耶穌、求他按手在他身上。耶穌領他離開衆人、到一邊
三四 去、就用指頭探他的耳朶、吐唾沫抹他的舌頭、望天歎
三五 息、對他說、以法大、就是說、開了罷。他的耳朶就開了、舌

三六 結也解了、說話也清楚了。三六耶穌囑咐他們、不要告訴人．
三七 但他越發囑咐他們越發傳揚開了。三七衆人分外希奇、說、
他所作的事都好、他連聾子也叫他們聽見、啞吧也叫
他們說話。

第八章　給四千人喫飽

一 一那時、又有許多人聚集、並沒有甚麼喫的．
二 耶穌叫門徒來、說、二我憐憫這衆人、因爲他們同我在這
三 裏已經三天、也沒有喫的了。三我若打發他們餓着回家、
四 就必在路上困乏．因爲其中有從遠處來的。四門徒回答
五 說、在這野地、從那裏能得餅、叫這些人喫飽呢。五耶穌問
六 他們說、你們有多少餅、他們說、七個。六他吩咐衆人坐在
地上、就拿着這七個餅、祝謝了、擘開、遞給門徒、叫他們
七 擺開、門徒就擺在衆人面前。七又有幾條小魚、耶穌祝了
八 福、就吩咐也擺在衆人面前。八衆人都喫、並且喫飽了．收
九 拾剩下的零碎、有七筐子。九人數約有四千。耶穌打發他
十 們走了、十隨即同門徒上船、來到大瑪努他境內。

求主顯神蹟

十一 十一法利賽人出來盤問耶穌、求他從天上顯個神蹟給他
十二 們看、想要試探他。十二耶穌心裏深深的歎息說、這世代爲
甚麼求神蹟呢。我實在告訴你們、沒有神蹟給這世代
十三 看。十三他就離開他們、又上船往海那邊去了。

防備法利賽人和希律的酵

十四 十五 十四門徒忘了帶餅、在船上除了一個餅、沒有別的食物。十五耶
穌囑咐他們說、你們要謹慎、防備法利賽人的酵、和希
十六 十七 律的酵。十六他們彼此議論說、這是因爲我們沒有餅罷。十七耶
穌看出來、就說、你們爲甚麼因爲沒有餅就議論呢．你
十八 們還不省悟、還不明白麼．你們的心還是愚頑麼。十八你們
十九 有眼睛、看不見麼、有耳朵、聽不見麼．也不記得麼。十九我擘
開那五個餅分給五千人、你們收拾的零碎裝滿了多
二十 少籃子呢．他們說、十二個。二十又擘開那七個餅分給四千
人、你們收拾的零碎、裝滿了多少筐子呢。他們說、七個。
二一 二一耶穌說、你們還是不明白麼。

吐唾沫治好瞎子

二二 二三 二二他們來到伯賽大、有人帶一個瞎子來、求耶穌摸他。二三耶
穌拉着瞎子的手、領他到村外、就吐唾沫在他眼睛上、
二四 按手在他身上、問他說、你看見甚麼了。二四他就抬頭一看、

說、我看見人了．他們好像樹木並且行走。二五隨後又按手
在他眼睛上、他定睛一看、就復了原樣、樣樣都看得清楚
了。二六耶穌打發他回家、說、連這村子你也不要進去。

認耶穌爲基督

二七耶穌和門徒出去、往該撒利亞腓立比的村莊去。在路
上問門徒說、人說我是誰。二八他們說、有人說是施洗的約
翰．有人說是以利亞．又有人說是先知裏的一位。二九又問
他們說、你們說我是誰．彼得回答說、你是基督。

豫言受難復活降臨

三十耶穌就禁戒他們、不要告訴人。三一從此他教訓他們說、人
子必須受許多的苦、被長老祭司長和文士棄絕、並且
被殺、過三天復活。三二耶穌明明的說這話、彼得就拉着他、
勸他。三三耶穌轉過來、看着門徒、就責備彼得說、撒但、退我
後邊去罷．因爲你不體貼神的意思、只體貼人的意
思。

當背十架跟從主

三四於是叫衆人和門徒來、對他們說、若有人要跟從我、就
當捨己、背起他的十字架來跟從我。三五因爲凡要救自己
生命的、（生命或作靈魂下同）必喪掉生命．凡爲我和福音喪掉生
命的、必救了生命。三六人就是賺得全世界、賠上自己的生
命、有甚麼益處呢。三七人還能拿甚麼換生命呢。三八凡在這淫
亂罪惡的世代、把我和我的道當作可恥的、人子在他
父的榮耀裏、同聖天使降臨的時候、也要把那人當作
可恥的。

第九章

一耶穌又對他們說、我實在告訴你們、站在
這裏的、有人在沒嘗死味以前、必要看見神的國大
有能力臨到。

改變形像

二過了六天、耶穌帶着彼得、雅各、約翰、暗暗的上了高山、
就在他們面前變了形像．三衣服放光、極其潔白、地上漂
布的、沒有一個能漂得那樣白。四忽然有以利亞同摩西
向他們顯現．並且和耶穌說話。五彼得對耶穌說、拉比、（拉比
就是夫子）我們在這裏眞好、可以搭三座棚、一座爲你、一座
爲摩西、一座爲以利亞。六彼得不知道說甚麼纔好、因爲
他們甚是懼怕。七有一朵雲彩來遮蓋他們．也有聲音從
雲彩裏出來說、這是我的愛子、你們要聽他。八門徒忽然

周圍一看、不再見一人、只見耶穌同他們在那裏。

以約翰譬以利亞

九 下山的時候、耶穌囑咐他們說、人子還沒有從死裏復
十 活、你們不要將所看見的告訴人。門徒將這話存記在
十一 心、彼此議論從死裏復活是甚麼意思。他們就問耶穌
十二 說、文士為甚麼說、以利亞必須先來。耶穌說、以利亞固
然先來復興萬事。經上不是指着人子說、他要受許多
十三 的苦、被人輕慢呢。我告訴你們、以利亞已經來了、他們
也任意待他、正如經上所指着他的話。

害癲癇病的孩子

十四 耶穌到了門徒那裏、看見有許多人圍着他們、又有文
十五 士和他們辯論。眾人一見耶穌、都甚希奇、就跑上去問
十六 十七 他的安。耶穌問他們說、你們和他們辯論的是甚麼。眾
人中間有一個人回答說、夫子、我帶了我的兒子到你
十八 這裏來、他被啞吧鬼附着。無論在那裏、鬼捉弄他、把他
摔倒、他就口中流沫、咬牙切齒、身體枯乾、我請過你的
十九 門徒把鬼趕出去、他們卻是不能。耶穌說、噯、不信的世
代阿、我在你們這裏要到幾時呢。我忍耐你們要到幾

二十 時呢。把他帶到我這裏來罷。他們就帶了他來。他一見
耶穌、鬼便叫他重重的抽瘋、倒在地上、翻來覆去、口中
二一 流沫。耶穌問他父親說、他得這病、有多少日子呢。回答
二二 說、從小的時候。鬼屢次把他扔在火裏、水裏、要滅他。你
若能作甚麼、求你憐憫我們、幫助我們。

在信的人凡事都能

二三 二四 耶穌對他說、你若能信、在信的人、凡事都能。孩子的父
親立時喊着說、我信、但我信不足、求主幫助。（有古卷作立時流淚
二五 的喊着說）耶穌看見眾人都跑上來、就斥責那污鬼、說、你這
二六 聾啞的鬼、我吩咐你從他裏頭出來、再不要進去。那鬼
喊叫、使孩子大大的抽了一陣瘋、就出來了。孩子好像
二七 死了一般、以致眾人多半說、他是死了。但耶穌拉着他
二八 的手、扶他起來、他就站起來了。耶穌進了屋子、門徒就
二九 暗暗的問他說、我們為甚麼不能趕出他去呢。耶穌說、
非用禱告、（有古卷在此有禁食二字）這一類的鬼總不能出來。（或作不能
趕他出來）

豫言受難

三十 他們離開那地方、經過加利利。耶穌不願意人知道。於

是教訓門徒、說、人子將要被交在人手裏、他們要殺害
三二 他．被殺以後、過三天他要復活。三二門徒卻不明白這話、又
不敢問他。

爭論誰爲大

三三 他們來到迦百農。耶穌在屋裏問門徒說、你們在路上
三四 議論的是甚麼。三四門徒不作聲、因爲他們在路上彼此爭
三五 論誰爲大。三五耶穌坐下、叫十二個門徒來、說、若有人願意
三六 作首先的、他必作眾人末後的、作眾人的用人。三六於是領
過一個小孩子來、叫他站在門徒中間、又抱起他來、對
三七 他們說、三七凡爲我名接待一個像這小孩子的、就是接待
我．凡接待我的、不是接待我、乃是接待那差我來的。

奉主名的不易謗主

三八 約翰對耶穌說、夫子、我們看見一個人奉你的名趕鬼、
三九 我們就禁止他、因爲他不跟從我們。三九耶穌說、不要禁止
四十 他．因爲沒有人奉我名行異能、反倒輕易毀謗我。四十不敵
四一 擋我們的、就是幫助我們的。四一凡因你們是屬基督、給你
四二 們一杯水喝的、我實在告訴你們、他不能不得賞賜。四二凡
使這信我的一個小子跌倒的、倒不如把大磨石拴在
四三 這人的頸項上、扔在海裏。四三倘若你一隻手叫你跌倒、就
四四 把他砍下來．你缺了肢體進入永生、強如有兩隻手落
四五 到地獄、入那不滅的火裏去。四五倘若你一隻腳叫你跌倒、
四六 就把他砍下來．你瘸腿進入永生、強如有兩隻腳被丟
四七 在地獄裏。四七倘若你一隻眼叫你跌倒、就去掉他．你只有
一隻眼進入　神的國、強如有兩隻眼被丟在地獄裏。
四八 四九 在那裏蟲是不死的、火是不滅的。四九因爲必用火當鹽醃
五十 各人。（有古卷在此有凡祭物必用鹽醃）五十鹽本是好的、若失了味、可用甚
麼叫他再鹹呢。你們裏頭應當有鹽、彼此和睦。

辯論休妻

一 第十章　一耶穌從那裏起身、來到猶太的境界、並約
二 但河外。眾人又聚集到他那裏、他又照常教訓他們。二有
法利賽人來問他說、人休妻可以不可以、意思要試探
三 四 他。三耶穌回答說、摩西吩咐你們的是甚麼。四他們說、摩西
五 許人寫了休書便可以休妻。五耶穌說、摩西因爲你們的
六 心硬、所以寫這條例給你們。六但從起初創造的時候、
七 神造人是造男造女。七因此人要離開父母、與妻子連合、
八 二人成爲一體。八既然如此、夫妻不再是兩個人、乃是一

九十 體的了。九所以　神配合的、人不可分開。十到了屋裏、門徒
十一 就問他這事。十一耶穌對他們說、凡休妻另娶的、就是犯姦
十二 淫、辜負他的妻子．十二妻子若離棄丈夫另嫁、也是犯姦淫
了。

耶穌爲小孩祝福

十三 十三有人帶着小孩子來見耶穌、要耶穌摸他們、門徒便責
十四 備那些人。十四耶穌看見就惱怒、對門徒說、讓小孩子到我
這裏來、不要禁止他們．因爲在　神國的、正是這樣的
十五 人。十五我實在告訴你們、凡要承受　神國的、若不像小孩
十六 子、斷不能進去。十六於是抱着小孩子、給他們按手、爲他們
祝福。

當積財寶在天上

十七 十七耶穌出來行路的時候、有一個人跑來、跪在他面前問
十八 他說、良善的夫子、我當作甚麼事、纔可以承受永生。十八耶
穌對他說、你爲甚麼稱我是良善的．除了　神一位之
十九 外、再沒有良善的。十九誡命你是曉得的、不可殺人、不可姦
淫、不可偷盜、不可作假見證、不可虧負人、當孝敬父母。
二十 二十一 二十他對耶穌說、夫子、這一切我從小都遵守了。二十一耶穌看着

他、就愛他、對他說、你還缺少一件．去變賣你所有的、分
二十二 給窮人、就必有財寶在天上、你還要來跟從我。二十二他聽見
這話、臉上就變了色、憂憂愁愁的走了、因爲他的產業
很多。

靠錢財的難進天國

二十三 二十三耶穌周圍一看、對門徒說、有錢財的人進　神的國、是
二十四 何等的難哪。二十四門徒希奇他的話。耶穌又對他們說、小子、
二十五 倚靠錢財的人進　神的國、是何等的難哪。二十五駱駝穿過
二十六 鍼的眼、比財主進　神的國、還容易呢。二十六門徒就分外希
二十七 奇、對他說、這樣誰能得救呢。二十七耶穌看着他們說、在人是
不能、在　神卻不然、因爲　神凡事都能。

跟從主的賞賜

二十八 二十八彼得｜就對他說、看哪、我們已經撇下所有的跟從你了。
二十九 二十九耶穌說、我實在告訴你們、人爲我和福音、撇下房屋、或
三十 是弟兄、姐妹、父母、兒女、田地。三十沒有不在今世得百倍的、
就是房屋、弟兄、姐妹、母親、兒女、田地、並且要受逼迫、在
三十一 來世必得永生。三十一然而有許多在前的、將要在後、在後的
三十二 將要在前。○三十二他們行路上耶路撒冷去、耶穌在前頭走、

門徒就希奇、跟從的人也害怕。耶穌又叫過十二個門
三三 徒來、把自己將要遭遇的事、告訴他們說、三三看哪、我們上
耶路撒冷去、人子將要被交給祭司長和文士、他們要
三四 定他死罪、交給外邦人。三四他們要戲弄他、吐唾沫在他臉
三五 上、鞭打他、殺害他、過了三天、他要復活。三五◯西庇太的兒
子雅各、約翰、進前來、對耶穌說、夫子、我們無論求你甚
三六 三七 麼、願你給我們作。三六耶穌說、要我給你們作甚麼。三七他們說、
賜我們在你的榮耀裏、一個坐在你右邊、一個坐在你
三八 左邊。三八耶穌說、你們不知道所求的是甚麼。我所喝的杯、
三九 你們能喝麼、我所受的洗、你們能受麼。三九他們說、我們能。
耶穌說、我所喝的杯、你們也要喝。我所受的洗、你們也
四十 要受。四十只是坐在我的左右、不是我可以賜的。乃是為誰
四一 豫備的、就賜給誰。四一那十個門徒聽見、就惱怒雅各、約翰。

誰願為首必作僕人

四二 四二耶穌叫他們來、對他們說、你們知道、外邦人有尊為君
四三 王的、治理他們、有大臣操權管束他們。四三只是在你們中
間、不是這樣。你們中間、誰願為大、就必作你們的用人。
四四 四五 四四在你們中間、誰願為首、就必作眾人的僕人。四五因為人子

來、並不是要受人的服事、乃是要服事人、並且要捨命、
作多人的贖價。

瞎子巴底買得醫治

四六 四六到了耶利哥、耶穌同門徒並許多人出耶利哥的時候、
有一個討飯的瞎子、是底買的兒子巴底買、坐在路旁。
四七 四七他聽見是拿撒勒的耶穌、就喊着說、大衛的子孫耶穌
四八 阿、可憐我罷。四八有許多人責備他、不許他作聲、他卻越發
四九 大聲喊着說、大衛的子孫哪、可憐我罷。四九耶穌就站住、說、
叫過他來。他們就叫那瞎子、對他說、放心、起來、他叫你
五十 五一 喇。五十瞎子就丟下衣服、跳起來、走到耶穌那裏。五一耶穌說、要
我為你作甚麼。瞎子說、拉波尼、我要能看見。（拉波尼就是夫子）
五二 五二耶穌說、你去罷。你的信救了你了。瞎子立刻看見了、就
在路上跟隨耶穌。

第十一章

主騎驢進耶路撒冷

一 一耶穌和門徒將近耶路撒冷、到了伯法
二 其和伯大尼、在橄欖山那裏。耶穌就打發兩個門徒、二對
他們說、你們往對面村子裏去、一進去的時候、必看見
一匹驢駒拴在那裏、是從來沒有人騎過的。可以解開

三 牽來。三若有人對你們說、爲甚麼作這事、你們就說、主要
四 用他、那人必立時讓你們牽來。四他們去了、便看見一匹
五 驢駒、拴在門外街道上、就把他解開。五在那裏站着的人、
六 有幾個說、你們解驢駒作甚麼。六門徒照着耶穌所說的
七 回答、那些人就任憑他們牽去了。七他們把驢駒牽到耶
八 穌那裏、把自己的衣服搭在上面、耶穌就騎上。八有許多
人、把衣服鋪在路上、也有人把田間的樹枝砍下來、鋪
九 在路上。九前行後隨的人、都喊着說、和散那。（和散那原有求救的意思
十 在此乃是稱頌的話）奉主名來的、是應當稱頌的。十那將要來的我
十一 祖大衛之國、是應當稱頌的、高高在上、和散那。十一耶穌進
了耶路撒冷、入了聖殿、周圍看了各樣物件、天色已晚、
就和十二個門徒出城、往伯大尼去了。

無花果樹被咒詛

十二 十三 第二天、他們從伯大尼出來、耶穌餓了、十三遠遠的看見一
棵無花果樹、樹上有葉子、就往那裏去、或者在樹上可
以找着甚麼、到了樹下、竟找不着甚麼、不過有葉子、因
十四 爲不是收無花果的時候。十四耶穌就對樹說、從今以後、永
沒有人喫你的果子。他的門徒也聽見了。

潔淨聖殿

十五 他們來到耶路撒冷、耶穌進入聖殿、趕出殿裏作買賣
的人、推倒兌換銀錢之人的桌子、和賣鴿子之人的凳
十六 十七 子。十六也不許人拿着器具從殿裏經過。十七便教訓他們說、經
上不是記着說、『我的殿必稱爲萬國禱告的殿』麼。
十八 你們倒使他成爲賊窩了。十八祭司長和文士聽見這話、就
想法子要除滅耶穌、卻又怕他、因爲衆人都希奇他的
十九 教訓。◎十九每天晚上、耶穌出城去。

信心的能力

二十 早晨、他們從那裏經過、看見無花果樹連根都枯乾了。
二一 彼得想起耶穌的話來、就對他說、拉比、請看、你所咒詛
二二 的無花果樹、已經枯乾了。二二耶穌回答說、你們當信服
二三 神。二三我實在告訴你們、無論何人對這座山說、你挪開此
地、投在海裏、他若心裏不疑惑、只信他所說的必成、就
二四 必給他成了。二四所以我告訴你們、凡你們禱告祈求的、無
二五 論是甚麼、只要信是得着的、就必得着。二五你們站着禱告
的時候、若想起有人得罪你們、就當饒恕他、好叫你們
二六 在天上的父、也饒恕你們的過犯。二六你們若不饒恕人、你

們在天上的父、也不饒恕你們的過犯。有古卷無此節
辯駁耶穌的權柄
二七他們又來到耶路撒冷。耶穌在殿裏行走的時候、祭司
長和文士並長老進前來、二八問他說、你仗着甚麼權柄作
這些事、給你這權柄的是誰呢。二九耶穌對他們說、我要問
你們一句話、你們回答我、我就告訴你們、我仗着甚麼
權柄作這些事。三十約翰的洗禮、是從天上來的、是從人間
來的呢．你們可以回答我。三一他們彼此商議說、我們若說
從天上來、他必說、這樣、你們爲甚麼不信他呢。三二若說從
人間來、卻又怕百姓．因爲衆人眞以約翰爲先知。三三於是
回答耶穌說、我們不知道。耶穌說、我也不告訴你們、我
仗着甚麼權柄作這些事。
第十二章
兇惡園戶的比喻
一耶穌就用比喻對他們說、有人栽了一
個葡萄園、周圍圈上籬笆、挖了一個壓酒池、蓋了一座
樓、租給園戶、就往外國去了。二到了時候、打發一個僕人
到園戶那裏、要從園戶收葡萄園的果子。三園戶拿住他、
打了他、叫他空手回去。四再打發一個僕人到他們那裏．
他們打傷他的頭、並且凌辱他。五又打發一個僕人去．他
們就殺了他．後又打發好些僕人去．有被他們打的、有
被他們殺的。六園主還有一位、是他的愛子．末後又打發
他去、意思說、他們必尊敬我的兒子。七不料、那些園戶彼
此說、這是承受產業的．來罷、我們殺他、產業就歸我們
了。八於是拿住他、殺了他、把他丟在園外。九這樣、葡萄園的
主人要怎麼辦呢．他要來除滅那些園戶、將葡萄園轉
給別人。十經上寫着說、『匠人所棄的石頭、已作了房角
的頭塊石頭．十一這是主所作的．在我們眼中看爲希奇。』
這經你們沒有念過麼。十二他們看出這比喻是指着他們
說的、就想要捉拿他．只是懼怕百姓．於是離開他走了。
巧言盤問
十三後來他們打發幾個法利賽人和幾個希律黨的人、到
耶穌那裏、要就着他的話陷害他。十四他們來了、就對他說、
夫子、我們知道你是誠實的、甚麼人你都不徇情面．因
爲你不看人的外貌、乃是誠誠實實傳　神的道．納稅
給該撒可以不可以。

納稅給該撒

十五 十五我們該納不該納。耶穌知道他們的假意、就對他們說、
十六 你們爲甚麼試探我．拿一個銀錢來給我看。十六他們就拿
十七 了來。耶穌說、這像和這號是誰的．他們說、是該撒的。十七耶
穌說、該撒的物當歸給該撒、神的物當歸給　神。他
們就很希奇他。

撒都該人辯駁復活之事

十八 十九 十八撒都該人常說沒有復活的事．他們來問耶穌說、十九夫子、
摩西爲我們寫着說、人若死了、撇下妻子、沒有孩子、他
二十 兄弟當娶他的妻、爲哥哥生子立後。二十有弟兄七人、第一
二一 個娶了妻、死了、沒有留下孩子．二一第二個娶了他、也死了、
二二 沒有留下孩子．第三個也是這樣。二二那七個人都沒有留
二三 下孩子．末了、那婦人也死了。二三當復活的時候、他是那一
二四 個的妻子呢．因爲他們七個人都娶過他。二四耶穌說、你們
所以錯了、豈不是因爲不明白聖經、不曉得　神的大
二五 能麼。二五人從死裏復活、也不娶也不嫁、乃像天上的使者
二六 一樣。二六論到死人復活、你們沒有念過摩西的書、荆棘篇
上所載的麼．　神對摩西說、『我是亞伯拉罕的　神、

二七 以撒的　神、雅各的　神。』二七　神不是死人的　神、乃
是活人的　神．你們是大錯了。

最大的誡命

二八 二八有一個文士來、聽見他們辯論、曉得耶穌回答的好、就
二九 問他說、誡命中那是第一要緊的呢。二九耶穌回答說、第一
要緊的就是說、以色列阿、你要聽、主我們　神、是獨一
三十 三一 的主．三十你要盡心盡性盡意盡力愛主你的　神。三一其次就
三二 是說、要愛人如己。再沒有比這兩條誡命更大的了。三二那
文士對耶穌說、夫子說、　神是一位、實在不錯．除了他
三三 以外、再沒有別的　神．三三並且盡心、盡智、盡力愛他、又愛
三四 人如己、就比一切燔祭和各樣祭祀好的多。三四耶穌見他
回答的有智慧、就對他說、你離　神的國不遠了。從此
三五 以後、沒有人敢再問他甚麼。○三五耶穌在殿裏教訓人、就
三六 問他們說、文士怎麼說、基督是大衛的子孫呢．三六大衛被
聖靈感動說、『主對我主說、你坐在我的右邊、等我使
三七 你仇敵作你的脚凳。』三七大衛既自己稱他爲主、他怎麼
三八 又是大衛的子孫呢．衆人都喜歡聽他。○三八耶穌在教訓
之間、說、你們要防備文士、他們好穿長衣遊行、喜愛人

三九 在街市上問他們的安、又喜愛會堂裏的高位、筵席上[三九]
四十 的首座．[四十]他們侵吞寡婦的家產、假意作很長的禱告、這
些人要受更重的刑罰。

主稱讚寡婦的捐貲

四一 [四一]耶穌對銀庫坐着、看衆人怎樣投錢入庫．有好些財主、
四二 往裏投了若干的錢。[四二]有一個窮寡婦來、往裏投了兩個
四三 小錢、就是一個大錢。[四三]耶穌叫門徒來、說、我實在告訴你
四四 們、這窮寡婦投入庫裏的、比衆人所投的更多．[四四]因爲他
們都是自己有餘、拿出來投在裏頭．但這寡婦是自己
不足、把他一切養生的、都投上了。

豫言聖殿被毀

一 **第十三章** [一]耶穌從殿裏出來的時候、有一個門徒
二 對他說、夫子、請看、這是何等的石頭、何等的殿宇。[二]耶穌
對他說、你看見這大殿宇麼．將來在這裏、沒有一塊石
頭留在石頭上不被拆毀了。

這些事的豫兆

三 [三]耶穌在橄欖山上對聖殿而坐．彼得、雅各、約翰、和安得
四 烈、暗暗的問他說、[四]請告訴我們、甚麼時候有這些事呢．

五 這一切事將成的時候、有甚麼豫兆呢。[五]耶穌說、你們要
六 謹慎、免得有人迷惑你們。[六]將來有好些人冒我的名來、
七 說、我是基督．並且要迷惑許多人。[七]你們聽見打仗、和打
仗的風聲、不要驚慌．這些事是必須有的、只是末期還
八 沒有到。[八]民要攻打民、國要攻打國．多處必有地震、饑荒．
這都是災難的起頭。災難原文作生產之難

忍耐到底必要得救

九 [九]但你們要謹慎．因爲人要把你們交給公會、並且你們
在會堂裏要受鞭打．又爲我的緣故、站在諸侯與君王
十 十一 面前、對他們作見證．[十]然而福音必須先傳給萬民。[十一]人把
你們拉去交官的時候、不要豫先思慮說甚麼．到那時
候、賜給你們甚麼話、你們就說甚麼．因爲說話的不是
十二 你們、乃是聖靈。[十二]弟兄要把弟兄、父親要把兒子、送到死
十三 地．兒女要起來與父母爲敵、害死他們。[十三]並且你們要爲
我的名、被衆人恨惡．惟有忍耐到底的、必然得救。

爲選民要減少災難的日子

十四 [十四]你們看見那行毀壞可憎的、站在不當站的地方．（讀
這經的人須要會意）那時在猶太的、應當逃到山上．

十五十六　十五在房上的、不要下來、也不要進去拿家裏的東西．十六在田
十七　裏的、也不要回去取衣裳。十七當那些日子、懷孕的和奶孩
十八　子的有禍了。十八你們應當祈求、叫這些事不在冬天臨到。
十九　十九因為在那些日子必有災難、自從　神創造萬物直到
二十　如今、並沒有這樣的災難、後來也必沒有。二十若不是主減
少那日子、凡有血氣的、總沒有一個得救的．只是為主
二一　的選民、他將那日子減少了。二一那時若有人對你們說、看
二二　哪、基督在這裏．或說、基督在那裏．你們不要信。二二因為假
基督、假先知、將要起來、顯神蹟奇事．倘若能行、就把選
二三　民迷惑了。二三你們要謹慎．看哪、凡事我都豫先告訴你們
二四　了。○二四在那些日子、那災難以後、日頭要變黑了、月亮也
二五二六　不放光、二五眾星要從天上墜落、天勢都要震動。二六那時他們（馬太二十四章三十節作地上的萬族）
要看見人子有大能力、大榮耀駕
二七　雲降臨。二七他要差遣天使、把他的選民、從四方、從地極直
到天邊、都招聚了來。（方原文作風）

從無花果樹學比方

二八　二八你們可以從無花果樹學個比方．當樹枝發嫩長葉的
二九　時候、你們就知道夏天近了。二九這樣、你們幾時看見這些

三十　事成就、也該知道人子近了、（人子或作神的國）正在門口了。三十我
實在告訴你們、這世代還沒有過去、這些事都要成就。三一
三一三二　天地要廢去．我的話卻不能廢去。三二但那日子、那時辰、沒
有人知道、連天上的使者也不知道、子也不知道、惟有
三三　父知道。三三你們要謹慎、儆醒祈禱、因為你們不曉得那日
三四　期幾時來到。三四這事正如一個人離開本家、寄居外邦、把
權柄交給僕人、分派各人當作的工、又吩咐看門的儆
三五　醒。三五所以你們要儆醒、因為你們不知道家主甚麼時候
三六　來、或晚上、或半夜、或雞叫、或早晨．三六恐怕他忽然來到、看
三七　見你們睡着了。三七我對你們所說的話、也是對眾人說、要
儆醒。

第十四章

一　一過兩天、是逾越節、又是除酵節．祭司長
二　和文士、想法子怎麼用詭計捉拿耶穌殺他．二只是說、當
節的日子不可、恐怕百姓生亂。

澆極貴的香膏

三　三耶穌在伯大尼長大痲瘋的西門家裏坐席的時候、有
一個女人、拿着一玉瓶至貴的真哪噠香膏來、打破玉
四　瓶、把膏澆在耶穌的頭上。四有幾個人心中很不喜悅、說、

五 何用這樣枉費香膏呢。這香膏可以賣三十多兩銀子
六 賙濟窮人．他們就向那女人生氣。耶穌說、由他罷．爲甚
七 麼難爲他呢．他在我身上作的是一件美事。因爲常有
窮人和你們同在、要向他們行善、隨時都可以．只是你
八 們不常有我。他所作的、是盡他所能的．他是爲我安葬
九 的事、把香膏豫先澆在我身上。我實在告訴你們、普天
之下、無論在甚麼地方傳這福音、也要述說這女人所
作的以爲記念。

猶大賣主

十 十二門徒之中有一個加略人猶大、去見祭司長、要把
十一 耶穌交給他們。他們聽見就歡喜、又應許給他銀子．他
就尋思如何得便、把耶穌交給他們。

豫備逾越節的筵席

十二 除酵節的第一天、就是宰逾越羊羔的那一天、門徒對
耶穌說、你喫逾越節的筵席、要我們往那裏去豫備呢。
十三 耶穌就打發兩個門徒、對他們說、你們進城去、必有人
十四 拿着一瓶水、迎面而來．你們就跟着他。他進那家去、你
們就對那家的主人說、夫子說、客房在那裏、我與門徒
十五 好在那裏喫逾越節的筵席。他必指給你們擺設整齊
十六 的一間大樓、你們就在那裏爲我們豫備。門徒出去、進
了城、所遇見的、正如耶穌所說的．他們就豫備了逾越
十七 十八 節的筵席。○到了晚上、耶穌和十二個門徒都來了。他
們坐席正喫的時候、耶穌說、我實在告訴你們、你們中
十九 間有一個與我同喫的人要賣我了。他們就憂愁起來、
二十 一個一個的問他說、是我麼。耶穌對他們說、是十二個
二一 門徒中同我蘸手在盤子裏的那個人。人子必要去世、
正如經上指着他所寫的．但賣人子的人有禍了．那人
不生在世上倒好。

設立聖餐

二二 他們喫的時候、耶穌拿起餅來、祝了福、就擘開遞給他
二三 們說、你們拿着喫．這是我的身體。又拿起杯來、祝謝了、
二四 遞給他們．他們都喝了。耶穌說、這是我立約的血、爲多
二五 人流出來的。我實在告訴你們、我不再喝這葡萄汁、直
二六 到我在神的國裏、喝新的那日子。○他們唱了詩、就
出來、往橄欖山去。

豫言彼得不認主

二七 耶穌對他們說、你們都要跌倒了．因為經上記着說、
二八 『我要擊打牧人、羊就分散了。』二八但我復活以後、要在
二九 你們以先往加利利去。二九彼得說、衆人雖然跌倒、我總不
三十 能。三十耶穌對他說、我實在告訴你、就在今天夜裏、雞叫兩
三一 遍以先、你要三次不認我。三一彼得卻極力的說、我就是必
須和你同死、也總不能不認你．衆門徒都是這樣說。

在客西馬尼禱告

三二 他們來到一個地方、名叫客西馬尼．耶穌對門徒說、你
三三 們坐在這裏、等我禱告。三三於是帶着彼得、雅各、約翰同去、
三四 就驚恐起來、極其難過。三四對他們說、我心裏甚是憂傷、幾
三五 乎要死．你們在這裏等候、儆醒。三五他就稍往前走、俯伏在
三六 地、禱告說、倘若可行、便叫那時候過去。三六他說、阿爸、父阿、
在你凡事都能．求你將這杯撤去．然而不要從我的意
思、只要從你的意思。

主勉勵門徒儆醒禱告

三七 耶穌回來、見他們睡着了、就對彼得說、西門、你睡覺麼、
三八 不能儆醒片時麼。三八總要儆醒禱告、免得入了迷惑．你們
三九 心靈固然願意、肉體卻軟弱了。三九耶穌又去禱告、說的話
四十 還是與先前一樣。四十又來、見他們睡着了、因為他們的眼
四一 睛甚是困倦．他們也不知道怎麼回答。四一第三次來、對他
們說、現在你們仍然睡覺安歇罷．罷或作麼彀了．時候到了．
四二 看哪、人子被賣在罪人手裏了。四二起來、我們走罷．看哪、那
賣我的人近了。

盜賣和捉拿

四三 說話之間、忽然那十二個門徒裏的猶大來了、並有許
多人帶着刀棒、從祭司長和文士並長老那裏與他同
四四 來。四四賣耶穌的人曾給他們一個暗號、說、我與誰親嘴、誰
四五 就是他．你們把他拿住、牢牢靠靠的帶去。四五猶大來了、隨
四六 即到耶穌跟前、說、拉比、便與他親嘴。四六他們就下手拿住
四七 他。四七旁邊站着的人、有一個拔出刀來、將大祭司的僕人
四八 砍了一刀、削掉了他一個耳朵。四八耶穌對他們說、你們帶
四九 着刀棒、出來拿我、如同拿強盜麼．四九我天天教訓人、同你
們在殿裏、你們並沒有拿我．但這事成就、為要應驗經
五十 五一 上的話。五十門徒都離開他逃走了。⊖五一有一個少年人、赤身
五二 披着一塊麻布、跟隨耶穌、衆人就捉拿他．他卻丟了麻

布赤身逃走了。

在公會前受審

五三 五三他們把耶穌帶到大祭司那裏、又有衆祭司長和長老
五四 並文士都來和大祭司一同聚集。五四彼得遠遠的跟着耶
穌、一直進入大祭司的院裏、和差役一同坐在火光裏
五五 烤火。五五祭司長和全公會尋找見證控告耶穌、要治死他、
五六 却尋不着。五六因爲有好些人作假見證告他、只是他們的
五七 見證各不相合。五七又有幾個人站起來、作假見證告他說、
五八 五八我們聽見他說、我要拆毀這人手所造的殿、三日內就
五九 另造一座不是人手所造的。五九他們就是這麼作見證、也
六十 是各不相合。六十大祭司起來、站在中間、問耶穌說、你甚
六一 麼都不回答麼、這些人作見證告你的是甚麼呢。六一耶穌
却不言語、一句也不回答。大祭司又問他說、你是那當
六二 稱頌者的兒子基督不是。六二耶穌說、我是、你們必看見人
六三 子坐在那權能者的右邊、駕着天上的雲降臨。六三大祭司
六四 就撕開衣服、說、我們何必再用見證人呢。六四你們已經聽
見他這僭妄的話了、你們的意見如何、他們都定他該
六五 死的罪。六五就有人吐唾沫在他臉上、又蒙着他的臉、用拳
頭打他、對他說、你說豫言罷。差役接過他來、用手掌打
他。

彼得三次不認主

六六六七 六六彼得在下邊院子裏、來了大祭司的一個使女。六七見彼得
烤火、就看着他說、你素來也是同拿撒勒人耶穌一夥
六八 的。六八彼得却不承認、說、我不知道、也不明白你說的是甚
六九 麼。於是出來、到了前院、雞就叫了。六九那使女看見他、又對
七十 旁邊站着的人說、這也是他們一黨的。七十彼得又不承認。
過了不多的時候、旁邊站着的人又對彼得說、你眞是
七一 他們一黨的、因爲你是加利利人。七一彼得就發咒起誓的
七二 說、我不認得你們說的這個人。七二立時雞叫了第二遍。彼
得想起耶穌對他所說的話、雞叫兩遍以先、你要三次
不認我。思想起來、就哭了。

耶穌在彼拉多前受審

一 **第十五章** 一到早晨、祭司長和長老文士全公會
二 的人大家商議、就把耶穌捆綁解去、交給彼拉多。二彼拉
多問他說、你是猶太人的王麼。耶穌回答說、你說的是。
三四 三祭司長告他許多的事。四彼拉多又問他說、你看他們告

五 你這麼多的事、你甚麼都不回答麼。五耶穌仍不回答、以
致彼拉多覺得希奇。

祭司長唆衆釋放巴拉巴

六 六每逢這節期、巡撫照衆人所求的、釋放一個囚犯給他
七 們。七有一個人名叫巴拉巴、和作亂的人一同捆綁．他們
八 作亂的時候、曾殺過人。八衆人上去求巡撫照常例給他
九 們辦。九彼拉多說、你們要我釋放猶太人的王給你們麼。
十 十一 十他原曉得祭司長是因爲嫉妒纔把耶穌解了來。十一只是
十二 祭司長挑唆衆人、寧可釋放巴拉巴給他們。十二彼拉多又
十三 說、那麼樣你們所稱爲猶太人的王、我怎麼辦他呢。十三他
十四 們又喊着說、把他釘十字架。十四彼拉多說、爲甚麼呢、他作
了甚麼惡事呢。他們便極力的喊着說、把他釘十字架。
十五 十五彼拉多要叫衆人喜悅、就釋放巴拉巴給他們、將耶穌
鞭打了、交給人釘十字架。

戲弄耶穌

十六 十七 十六兵丁把耶穌帶進衙門院裏．叫齊了全營的兵。十七他們給
十八 他穿上紫袍、又用荊棘編作冠冕給他戴上．十八就慶賀他
十九 說、恭喜猶太人的王阿。十九又拿一根葦子、打他的頭、吐唾
二十 沫在他臉上、屈膝拜他。二十戲弄完了、就給他脫了紫袍、仍
穿上他自己的衣服、帶他出去、要釘十字架。

耶穌被釘十字架

二一 二十一有一個古利奈人西門、就是亞力山大和魯孚的父親、
從鄉下來、經過那地方．他們就勉強他同去、好背着耶
二二 穌的十字架。二十二他們帶耶穌到了各各他地方、（各各他
二三 繙出來、就是髑髏地）二十三拿沒藥調和的酒給耶穌、他卻
二四 不受。二十四於是將他釘在十字架上、拈鬮分他的衣服、看是
二五 二六 誰得甚麼。二十五釘他在十字架上、是巳初的時候。二十六在上面有
二七 他的罪狀、寫的是猶太人的王。二十七他們又把兩個強盜、和
二八 他同釘十字架、一個在右邊、一個在左邊。有古卷在此有二十八這就應
了經上的話說、『他被列在罪犯之中』

辱罵主不能救自己

二九 二十九從那裏經過的人辱罵他、搖着頭說、咳、你這拆毀聖殿、
三十 三日又建造起來的．三十可以救自己從十字架上下來罷。
三一 三十一祭司長和文士也是這樣戲弄他、彼此說、他救了別人、
三二 不能救自己。三十二以色列的王基督、現在可以從十字架上
下來、叫我們看見就信了。那和他同釘的人也是譏誚

○三三他從午正到申初遍地都黑暗了○三四申初的時候、耶穌大
聲喊着說、以羅伊、以羅伊、拉馬撒巴各大尼.繙出來、就
是我的神、我的神、爲甚麼離棄我○三五旁邊站着的人、
有的聽見就說、看哪、他叫以利亞呢○三六有一個人跑去、把
海絨蘸滿了醋、綁在葦子上、送給他喝、說、且等着、看以
利亞來不來把他取下○

耶穌死的景象

三七耶穌大聲喊叫、氣就斷了○三八殿裏的幔子、從上到下裂爲
兩半○三九對面站着的百夫長、看見耶穌這樣喊叫斷氣、有古
卷無喊叫二字就說、這人眞是神的兒子○四十還有些婦女遠遠
的觀看.內中有抹大拉的馬利亞、又有小雅各和約西
的母親馬利亞、並有撒羅米○四一就是耶穌在加利利的時
候、跟隨他服事他的那些人、還有同耶穌上耶路撒冷
的好些婦女在那裏觀看○

安放在墳墓裏

四二到了晚上、因爲這是豫備日、就是安息日的前一日、有四三
亞利馬太的約瑟前來、他是尊貴的議士、也是等候
神國的、他放膽進去見彼拉多、求耶穌的身體○四四彼拉多
詫異耶穌已經死了.便叫百夫長來、問他耶穌死了久
不久○四五既從百夫長得知實情、就把耶穌的屍首賜給約
瑟○四六約瑟買了細麻布、把耶穌取下來、用細麻布裹好、安
放在磐石中鑿出來的墳墓裏.又輥過一塊石頭來擋
住墓門○四七抹大拉的馬利亞、和約西的母親馬利亞、都看
見安放他的地方○

第十六章

耶穌從死裏復活

一過了安息日、抹大拉的馬利亞、和雅各
的母親馬利亞、並撒羅米、買了香膏、要去膏耶穌的身
體○二七日的第一日清早出太陽的時候、他們來到墳墓
那裏○三彼此說、誰給我們把石頭從墓門輥開呢○四那石頭
原來很大、他們抬頭一看、卻見石頭已經輥開了○五他們
進了墳墓、看見一個少年人坐在右邊、穿着白袍、就甚
驚恐○六那少年人對他們說、不要驚恐、你們尋找那釘十
字架的拿撒勒人耶穌.他已經復活了、不在這裏.請看
安放他的地方○七你們可以去告訴他的門徒和彼得說、
他在你們以先往加利利去.在那裏你們要見他、正如
他從前所告訴你們的○八他們就出來、從墳墓那裏逃跑.

又發抖、又驚奇、甚麼也不告訴人、因爲他們害怕。

耶穌顯現與抹大拉之馬利亞看

九 在七日的第一日清早、耶穌復活了、就先向抹大拉的
馬利亞顯現、耶穌從他身上曾趕出七個鬼。十 他去告訴
那向來跟隨耶穌的人、那時他們正哀慟哭泣。十一 他們聽
見耶穌活了、被馬利亞看見、卻是不信。

耶穌數次向門徒顯現

十二 這事以後、門徒中間有兩個人、往鄉下去走路的時候、
耶穌變了形像向他們顯現。十三 他們就去告訴其餘的門
徒、其餘的門徒也是不信。

門徒奉差遣

十四 後來十一個門徒坐席的時候、耶穌向他們顯現、責備
他們不信、心裏剛硬、因爲他們不信那些在他復活以
後看見他的人。十五 他又對他們說、你們往普天下去、傳福
音給萬民聽。萬民原文作凡受造的 十六 信而受洗的必然得救、不信
的必被定罪。十七 信的人必有神蹟隨着他們、就是奉我的
名趕鬼、說新方言、十八 手能拿蛇、若喝了甚麼毒物、也必不
受害、手按病人、病人就必好了。

主被接到天上

十九 主耶穌和他們說完了話、後來被接到天上、坐在神
的右邊。二十 門徒出去、到處宣傳福音、主和他們同工、用神
蹟隨着、證實所傳的道。阿們。

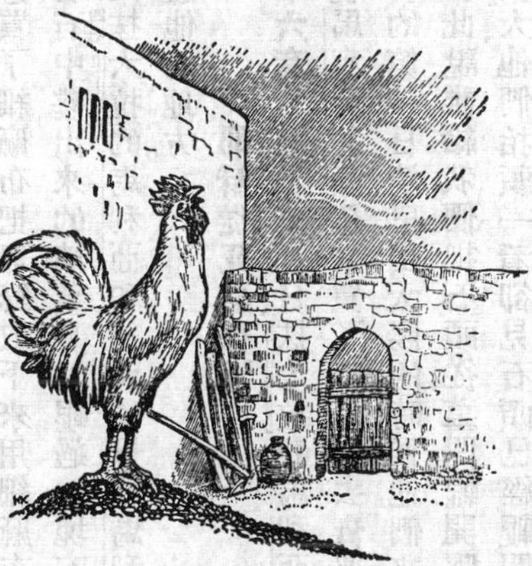

馬可：十四章三十節

路加自序

一 二 第一章 提阿非羅大人哪、有好些人提筆作書、述
說在我們中間所成就的事、是照傳道的人、從起初親
三 眼看見、又傳給我們的。這些事我既從起頭都詳細考
四 察了、就定意要按着次序寫給你、使你知道所學之道
五 都是確實的。○當猶太王希律的時候、亞比雅班裏有
一個祭司、名叫撒迦利亞、他妻子是亞倫的後人、名叫
六 以利沙伯。他們二人在神面前都是義人、遵行主的
七 一切誡命禮儀、沒有可指摘的。只是沒有孩子、因爲以
利沙伯不生育、兩個人又年紀老邁了。

豫言施洗約翰的生

八 九 撒迦利亞按班次在神面前供祭司的職分、照祭司
十 的規矩掣籤、得進主殿燒香。燒香的時候、衆百姓在外
十一 十二 面禱告。有主的使者站在香壇的右邊、向他顯現。撒迦
十三 利亞看見就驚慌害怕。天使對他說、撒迦利亞、不要害
怕、因爲你的祈禱已經被聽見了、你的妻子以利沙伯
十四 要給你生一個兒子、你要給他起名叫約翰。你必歡喜
十五 快樂。有許多人因他出世、也必喜樂。他在主面前將要
十六 爲大、淡酒濃酒都不喝、從母腹裏就被聖靈充滿了。他
十七 要使許多以色列人回轉、歸於主他們的神。他必有
以利亞的心志能力、行在主的前面、叫爲父的心轉向
兒女、叫悖逆的人轉從義人的智慧。又爲主豫備合用
十八 的百姓。撒迦利亞對天使說、我憑着甚麼可知道這事
十九 呢、我已經老了、我的妻子也年紀老邁了。天使回答說、
我是站在神面前的加百列、奉差而來、對你說話、將
二十 這好信息報給你。到了時候、這話必然應驗。只因你不
二一 信、你必啞吧不能說話、直到這事成就的日子。百姓等
二二 候撒迦利亞、詫異他許久在殿裏。及至他出來、不能和
他們說話。他們就知道他在殿裏見了異象。因爲他直
二三 向他們打手式、竟成了啞吧。他供職的日子已滿、就回
二四 家去了。○這些日子以後、他的妻子以利沙伯懷了孕、
二五 就隱藏了五個月、說主在眷顧我的日子、這樣看待我、
要把我在人間的羞恥除掉。

加百列豫言耶穌的生

二六 二六到了第六個月、天使加百列奉神的差遣、往加利利
二七 的一座城去、這城名叫拿撒勒。二七到一個童女那裏、是已
經許配大衛家的一個人、名叫約瑟。童女的名字叫馬
二八 利亞。二八天使進去、對他說、蒙大恩的女子、我問你安、主和
二九 你同在了。二九馬利亞因這話就很驚慌、又反復思想這樣
三十 問安是甚麼意思。三十天使對他說、馬利亞、不要怕、你在
三一 神面前已經蒙恩了。三一你要懷孕生子、可以給他起名叫
三二 耶穌。三二他要爲大、稱爲至高者的兒子。主神要把他祖
三三 大衛的位給他。三三他要作雅各家的王、直到永遠。他的國
三四 也沒有窮盡。三四馬利亞對天使說、我沒有出嫁、怎麼有這
三五 事呢。三五天使回答說、聖靈要臨到你身上、至高者的能力
要蔭庇你。因此所要生的聖者、必稱爲神的兒子。或作
三六 所要生的必稱爲聖稱爲神的兒子 三六況且你的親戚以利沙伯、在年老
的時候、也懷了男胎。就是那素來稱爲不生育的、現在
三七 有孕六個月了。三七因爲出於神的話、沒有一句不帶能
三八 力的。三八馬利亞說、我是主的使女、情願照你的話成就在
我身上。天使就離開他去了。

馬利亞往看以利沙伯

三九 三九那時候馬利亞起身、急忙往山地裏去、來到猶大的一
四十 四一 座城。四十進了撒迦利亞的家、問以利沙伯安。四一以利沙伯一
聽馬利亞問安、所懷的胎就在腹裏跳動、以利沙伯且
四二 被聖靈充滿。四二高聲喊着說、你在婦女中是有福的、你所
四三 懷的胎也是有福的。四三我主的母到我這裏來、這是從那
四四 裏得的呢。四四因爲你問安的聲音、一入我耳、我腹裏的胎、
四五 就歡喜跳動。四五這相信的女子是有福的、因爲主對他所
說的話、都要應驗。

馬利亞尊主爲大

四六 四七 四六馬利亞說、我心尊主爲大、四七我靈以神我的救主爲樂。
四八 四八因爲他顧念他使女的卑微。從今以後、萬代要稱我有
四九 五十 福。四九那有權能的、爲我成就了大事。他的名爲聖。五十他憐憫
五一 敬畏他的人、直到世世代代。五一他用膀臂施展大能。那狂
五二 傲的人、正心裏妄想、就被他趕散了。五二他叫有權柄的失
五三 位、叫卑賤的升高。五三叫飢餓的得飽美食、叫富足的空手
五四 五五 回去。五四他扶助了他的僕人以色列、五五爲要記念亞伯拉罕
和他的後裔施憐憫、直到永遠、正如從前對我們列祖

五六 所說的話。○馬五六利亞和以利沙伯同住、約有三個月、就
回家去了。

給施洗約翰起名

五七 五八 五七以利沙伯的產期到了、就生了一個兒子。五八鄰里親族、聽
五九 見主向他大施憐憫、就和他一同歡樂。五九到了第八日、他
們來要給孩子行割禮．並要照他父親的名字、叫他撒
六十 六一 迦利亞。六十他母親說、不可、要叫他約翰。六一他們說、你親族中
六二 沒有叫這名字的。六二他們就向他父親打手式、問他要叫
六三 這孩子甚麽名字。六三他要了一塊寫字的板、就寫上說、他
六四 的名字是約翰。他們便都希奇。六四撒迦利亞的口立時開
六五 了、舌頭也舒展了、就說出話來、稱頌神。六五周圍居住的
六六 人都懼怕、這一切的事就傳遍了猶太的山地。六六凡聽見
的人、都將這事放在心裏、說、這個孩子、將來怎麽樣呢．
因為有主與他同在。

豫言救恩臨到以色列人

六七 六八 六七他父親撒迦利亞、被聖靈充滿了、就豫言說、六八主以色列
的神、是應當稱頌的．因他眷顧他的百姓、為他們施
六九 行救贖．六九在他僕人大衛家中、為我們興起了拯救的角、

七十 （七十正如主藉着從創世以來、聖先知的口所說的話。）
七一 七二 七一拯救我們脫離仇敵、和一切恨我們之人的手．七二向我們
七三 列祖施憐憫、記念他的聖約．七三就是他對我們祖宗亞伯
七四 七五 拉罕所起的誓、七四叫我們既從仇敵手中被救出來、七五就可
七六 以終身在他面前、坦然無懼的用聖潔公義事奉他。七六孩
子阿、你要稱為至高者的先知．因為你要行在主的前
七七 面、豫備他的道路．七七叫他的百姓因罪得赦、就知道救恩．
七八 七八因我們神憐憫的心腸、叫清晨的日光從高天臨到
七九 我們、七九要照亮坐在黑暗中死蔭裏的人．把我們的脚引
八十 到平安的路上。○八十那孩子漸漸長大、心靈強健、住在曠
野、直到他顯明在以色列人面前的日子。

第二章

耶穌降生

一 一當那些日子、該撒亞古士督有旨意下來、
二 叫天下人民都報名上冊。二這是居里扭作敍利亞巡撫
三 的時候、頭一次行報名上冊的事。三衆人各歸各城、報名
四 上冊。四約瑟也從加利利的拿撒勒城上猶太去、到了大
五 衛的城、名叫伯利恆、因他本是大衛一族一家的人．五要
和他所聘之妻馬利亞、一同報名上冊．那時馬利亞的

身孕已經重了。[六]他們在那裏的時候、馬利亞的產期到
了。[七]就生了頭胎的兒子、用布包起來、放在馬槽裏、因為
客店裏沒有地方。

天使報喜信給牧羊的人

[八]在伯利恆之野地裏有牧羊的人、夜間按着更次看守
羊羣。[九]有主的使者站在他們旁邊、主的榮光四面照着
他們、牧羊的人就甚懼怕。[十]那天使對他們說、不要懼怕、
我報給你們大喜的信息、是關乎萬民的。[十一]因今天在大
衛的城裏、為你們生了救主、就是主基督。[十二]你們要看見
一個嬰孩、包着布、臥在馬槽裏、那就是記號了。[十三]忽然有
一大隊天兵、同那天使讚美　神說、[十四]在至高之處榮耀
歸與　神、在地上平安歸與他所喜悅的人。有古卷作喜悅歸與
人〇[十五]眾天使離開他們升天去了、牧羊的人彼此說、我
們往伯利恆去、看看所成的事、就是主所指示我們的。
[十六]他們急忙去了、就尋見馬利亞和約瑟、又有那嬰孩臥
在馬槽裏。[十七]既然看見、就把天使論這孩子的話傳開了。
[十八]凡聽見的、就詫異牧羊之人對他們所說的話。[十九]馬利亞
卻把這一切的事存在心裏、反復思想。[二十]牧羊的人回去
了．因所聽見所看見的一切事、正如天使向他們所說
的、就歸榮耀與　神、讚美他。〇[二一]滿了八天、就給孩子行
割禮、與他起名叫耶穌、這就是沒有成胎以前天使所
起的名。

獻頭生子與主

[二二]按摩西律法滿了潔淨的日子、他們帶着孩子上耶路
撒冷去、要把他獻與主．[二三]（正如主的律法上所記、『凡
頭生的男子、必稱聖歸主。』）[二四]又要照主的律法上所
說、或用一對班鳩、或用兩隻雛鴿獻祭。

西面見嬰孩願安然去世

[二五]在耶路撒冷有一個人名叫西面、這人又公義又虔誠、
素常盼望以色列的安慰者來到、又有聖靈在他身上。
[二六]他得了聖靈的啓示、知道自己未死以前、必看見主所
立的基督。[二七]他受了聖靈的感動、進入聖殿、正遇見耶穌
的父母抱着孩子進來、要照律法的規矩辦理。[二八]西面就
用手接過他來、稱頌　神說、[二九]主阿、如今可以照你的話、
釋放僕人安然去世．[三十]因為我的眼睛已經看見你的救
恩、[三一]就是你在萬民面前所豫備的．[三二]是照亮外邦人的光、

三三 又是你民以色列的榮耀。三三孩子的父母因這論耶穌的
三四 三五 話就希奇。三四三五西面給他們祝福、又對孩子的母親馬利亞
說、這孩子被立、是要叫以色列中許多人跌倒、許多人
興起．又要作毀謗的話柄．叫許多人心裏的意念顯露
出來．你自己的心也要被刀刺透。

女先知亞拿稱謝　神

三六 三六又有女先知名叫亞拿、是亞設支派法內力的女兒、年
紀已經老邁、從作童女出嫁的時候、同丈夫住了七年、
三七 就寡居了．三七現在已經八十四歲、（或作就寡居了八十四年）並不離開
三八 聖殿、禁食祈求、晝夜事奉　神．三八正當那時、他進前來稱
謝　神、將孩子的事、對一切盼望耶路撒冷得救贖的
三九 人講說。三九約瑟和馬利亞照主的律法、辦完了一切的事、
四十 就回加利利、到自己的城拿撒勒去了。○四十孩子漸漸長
大、強健起來、充滿智慧．又有　神的恩在他身上。

孩童耶穌在聖殿聽道

四一 四二 四一每年到逾越節、他父母就上耶路撒冷去。四二當他十二歲
四三 的時候、他們按着節期的規矩上去．四三守滿了節期、他們
回去、孩童耶穌仍舊在耶路撒冷．他的父母並不知道．
四四 四四以爲他在同行的人中間、走了一天的路程、就在親族
四五 和熟識的人中找他．四五既找不着、就回耶路撒冷去找他。
四六 四六過了三天、就遇見他在殿裏、坐在教師中間、一面聽、一
面問。

順從父母

四七 四八 四七凡聽見他的、都希奇他的聰明、和他的應對。四八他父母看
見就很希奇．他母親對他說、我兒、爲甚麼向我們這樣
四九 行呢．看哪、你父親和我傷心來找你。四九耶穌說、爲甚麼找
我呢．豈不知我應當以我父的事爲念麼。（或作豈不知我應當在我
五十 五一 父的家裏麼）五十他所說的這話、他們不明白。五一他就同他們下去、
回到拿撒勒．並且順從他們．他母親把這一切的事都
五二 存在心裏。○五二耶穌的智慧和身量、（身量或作年紀）並　神和人
喜愛他的心、都一齊增長。

施洗約翰在曠野傳道

一 **第三章**　一該撒提庇留在位第十五年、本丟彼拉多
作猶太巡撫、希律作加利利分封的王、他兄弟腓力作
以土利亞和特拉可尼地方分封的王、呂撒聶作亞比
二 利尼分封的王、二亞那和該亞法作大祭司、那時、撒迦利

三 亞的兒子約翰在曠野裏、神的話臨到他。三他就來到
四 約但河一帶地方、宣講悔改的洗禮、使罪得赦。四正如先
知以賽亞書上所記的話、說『在曠野有人聲喊着說、
五 豫備主的道、修直他的路。五一切山窪都要填滿、大小山
岡都要削平、彎彎曲曲的地方要改爲正直、高高低低
六 的道路要改爲平坦。六凡有血氣的、都要見神的救
七 恩。』〇七約翰對那出來要受他洗的衆人說、毒蛇的種
八 類、誰指示你們逃避將來的忿怒呢。八你們要結出果子
來、與悔改的心相稱。不要自己心裏說、有亞伯拉罕爲
我們的祖宗。我告訴你們、神能從這些石頭中給亞
九 伯拉罕興起子孫來。九現在斧子已經放在樹根上。凡不
十 結好果子的樹、就砍下來丟在火裏。十衆人問他說、這樣
十一 我們當作甚麼呢。十一約翰回答說、有兩件衣裳的、就分給
十二 那沒有的。有食物的、也當這樣行。十二又有稅吏來要受洗、
十三 問他說、夫子、我們當作甚麼呢。十三約翰說、除了例定的數
十四 目、不要多取。十四又有兵丁問他說、我們當作甚麼呢。約翰
說、不要以強暴待人、也不要訛詐人、自己有錢糧就當
知足。

必有聖靈與火的洗

十五 十五百姓指望基督來的時候、人都心裏猜疑、或者約翰是
十六 基督。十六約翰說、我是用水給你們施洗、但有一位能力比
我更大的要來、我就是給他解鞋帶也不配。他要用聖
十七 靈與火給你們施洗。十七他手裏拿着簸箕、要揚淨他的場、
把麥子收在倉裏、把糠用不滅的火燒盡了。

約翰責備希律被囚

十八 十九 十八約翰又用許多別的話勸百姓、向他們傳福音。十九只是分
封的王希律、因他兄弟之妻希羅底的緣故、並因他所
二十 行的一切惡事、受了約翰的責備。二十又另外添了一件就
是把約翰收在監裏。

耶穌受洗

二一 二一衆百姓都受了洗、耶穌也受了洗、正禱告的時候、天就
二二 開了、二二聖靈降臨在他身上、形狀彷彿鴿子、又有聲音從
天上來說、你是我的愛子、我喜悅你。

耶穌的家譜

二三 二三耶穌開頭傳道、年紀約有三十歲、依人看來、他是約瑟
二四 的兒子、約瑟是希里的兒子、二四希里是瑪塔的兒子、瑪塔

是利未的兒子、利未是麥基的兒子、麥基是雅拿的兒
二五 子、雅拿是約瑟的兒子、約瑟二五是瑪他提亞的兒子、瑪他
提亞是亞摩斯的兒子、亞摩斯是拿鴻的兒子、拿鴻是
二六 以斯利的兒子、以斯利是拿該的兒子、二六拿該是瑪押的
兒子、瑪押是瑪他提亞的兒子、瑪他提亞是西美的兒
子、西美是約瑟的兒子、約瑟是猶大的兒子、猶大是約
二七 亞拿的兒子、約二七亞拿是利撒的兒子、利撒是所羅巴伯
的兒子、所羅巴伯是撒拉鐵的兒子、撒拉鐵是尼利的
二八 兒子、尼利是麥基的兒子、二八麥基是亞底的兒子、亞底是
哥桑的兒子、哥桑是以摩當的兒子、以摩當是珥的兒
二九 子、珥是約細的兒子、二九約細是以利以謝的兒子、以利以
謝是約令的兒子、約令是瑪塔的兒子、瑪塔是利未的
三十 兒子、三十利未是西緬的兒子、西緬是猶大的兒子、猶大是
約瑟的兒子、約瑟是約南的兒子、約南是以利亞敬的
三一 兒子、三一以利亞敬是米利亞的兒子、米利亞是買南的兒
子、買南是瑪達他的兒子、瑪達他是拿單的兒子、拿單
三二 是大衛的兒子、三二大衛是耶西的兒子、耶西是俄備得的
兒子、俄備得是波阿斯的兒子、波阿斯是撒門的兒子、
三三 撒門是拿順的兒子、三三拿順是亞米拿達的兒子、亞米拿
達是亞蘭的兒子、亞蘭是希斯崙的兒子、希斯崙是法
三四 勒斯的兒子、法勒斯是猶大的兒子、三四猶大是雅各的兒
子、雅各是以撒的兒子、以撒是亞伯拉罕的兒子、亞伯
三五 拉罕是他拉的兒子、他拉是拿鶴的兒子、三五拿鶴是西鹿
的兒子、西鹿是拉吳的兒子、拉吳是法勒的兒子法勒
三六 是希伯的兒子、希伯是沙拉的兒子、三六沙拉是該南的兒
子、該南是亞法撒的兒子、亞法撒是閃的兒子、閃是挪
三七 亞的兒子、挪亞是拉麥的兒子、三七拉麥是瑪土撒拉的兒
子、瑪土撒拉是以諾的兒子、以諾是雅列的兒子、雅列
是瑪勒列的兒子、瑪勒列是該南的兒子、該南是以挪
三八 士的兒子、三八以挪士是塞特的兒子、塞特是亞當的兒子、
亞當是　神的兒子。

第四章　耶穌受試探

一 耶穌被聖靈充滿、從約但河回來、聖靈將
二 他引到曠野、四十天受魔鬼的試探。二那些日子沒有喫
三 甚麼、日子滿了、他就餓了。三魔鬼對他說、你若是　神的
四 兒子、可以吩咐這塊石頭變成食物。四耶穌回答說、經上

記着說、『人活着不是單靠食物、乃是靠　神口裏所
五 出的一切話。』五魔鬼又領他上了高山、霎時間把天下
六 的萬國都指給他看。六對他說、這一切權柄榮華、我都要
七 給你、因爲這原是交付我的、我願意給誰就給誰。七你若
八 在我面前下拜、這都要歸你。八耶穌說、經上記着說、『當
九 拜主你的　神、單要事奉他。』九魔鬼又領他到耶路撒
冷去、叫他站在殿頂上、(頂原文作翅)對他說、你若是　神的
十 兒子、可以從這裏跳下去。十因爲經上記着說、『主要爲
十一 你吩咐他的使者保護你。十一他們要用手托着你、免得你
十二 的腳碰在石頭上。』十二耶穌對他說、經上說、『不可試探
十三 主你的　神。』十三魔鬼用完了各樣的試探、就暫時離
十四 開耶穌。○十四耶穌滿有聖靈的能力回到加利利、他的名
十五 聲就傳遍了四方。十五他在各會堂裏教訓人、衆人都稱讚
他。

耶穌在拿撒勒傳道

十六 十六耶穌來到拿撒勒、就是他長大的地方、在安息日、照他
十七 平常的規矩進了會堂、站起來要念聖經。十七有人把先知
十八 以賽亞的書交給他、他就打開、找到一處寫着說、十八『主
的靈在我身上、因爲他用膏膏我、叫我傳福音給貧窮
的人。差遣我報告被擄的得釋放、瞎眼的得看見、叫那
十九 二十 受壓制的得自由、十九報告　神悅納人的禧年。』二十於是把
書捲起來、交還執事、就坐下、會堂裏的人都定睛看他。
二十一 二十二 二十一耶穌對他們說、今天這經應驗在你們耳中了。二十二衆人都
稱讚他、並希奇他口中所出的恩言、又說、這不是約瑟
二十三 的兒子麼。二十三耶穌對他們說、你們必引這俗語向我說、醫
生、你醫治自己罷。我們聽見你在迦百農所行的事、也
二十四 當行在你自己家鄉裏。二十四又說、我實在告訴你們、沒有先
知在自己家鄉被人悅納的。

被攆出城

二十五 二十五我對你們說實話、當以利亞的時候、天閉塞了三年零
二十六 六個月、遍地有大饑荒、那時、以色列中有許多寡婦。二十六以
利亞並沒有奉差往他們一個人那裏去、只奉差往西
二十七 頓的撒勒法、一個寡婦那裏去。二十七先知以利沙的時候、以
色列中有許多長大痲瘋的、但內中除了敍利亞國的
二十八 乃縵、沒有一個得潔淨的。二十八會堂裏的人聽見這話、都怒
二十九 氣滿胸、二十九就起來攆他出城、他們的城造在山上、他們帶

他到山崖、要把他推下去。三十 他卻從他們中間直行過去
了。

在迦百農趕逐污鬼

三一 耶穌下到迦百農、就是加利利的一座城、在安息日教
訓衆人。三二 他們很希奇他的教訓、因爲他的話裏有權柄。
三三 在會堂裏有一個人、被污鬼的精氣附着、大聲喊叫說、
三四 唉、拿撒勒的耶穌、我們與你有甚麼相干、你來滅我們
麼、我知道你是誰、乃是神的聖者。三五 耶穌責備他說、不
要作聲、從這人身上出來罷。鬼把那人摔倒在衆人中
間、就出來了、卻也沒有害他。三六 衆人都驚訝、彼此對問說、
這是甚麼道理呢。因爲他用權柄能力吩咐污鬼、污鬼
就出來。三七 於是耶穌的名聲傳遍了周圍地方。

醫西門岳母

三八 耶穌出了會堂、進了西門的家。西門的岳母害熱病甚
重、有人爲他求耶穌。三九 耶穌站在他旁邊、斥責那熱病、熱
就退了、他立刻起來服事他們。◎四十 日落的時候、凡有病
人的、不論害甚麼病、都帶到耶穌那裏。耶穌按手在他
們各人身上、醫好他們。四一 又有鬼從好些人身上出來、喊
着說、你是神的兒子。耶穌斥責他們、不許他們說話、
因爲他們知道他是基督。◎四二 天亮的時候、耶穌出來走
到曠野地方。衆人去找他、到了他那裏、要留住他、不要
他離開他們。四三 但耶穌對他們說、我也必須在別城傳
神國的福音、因我奉差原是爲此。◎四四 於是耶穌在加利
利的各會堂傳道。

在革尼撒勒湖邊教訓人

第五章 一 耶穌站在革尼撒勒湖邊、衆人擁擠他、要
聽神的道。二 他見有兩隻船灣在湖邊。打魚的人卻離
開船、洗網去了。三 有一隻船、是西門的、耶穌就上去、請他
把船撐開、稍微離岸、就坐下、從船上教訓衆人。

打魚的將來得人

四 講完了、對西門說、把船開到水深之處、下網打魚。五 西門
說、夫子、我們整夜勞力、並沒有打着甚麼、但依從你的
話、我就下網。六 他們下了網、就圈住許多魚、網險些裂開。
七 便招呼那隻船上的同伴來幫助他們。他們就來、把魚裝滿
了兩隻船、甚至船要沉下去。八 西門彼得看見、就俯伏在
耶穌膝前、說、主阿、離開我、我是個罪人。九 他和一切同在

十 的人、都驚訝這一網所打的魚．他的夥伴西庇太的兒
子雅各、約翰、也是這樣。耶穌對西門說、不要怕、從今以
十一 後你要得人了。他們把兩隻船攏了岸、就撇下所有的
跟從了耶穌。

耶穌潔淨長大痲瘋的

十二 有一回耶穌在一個城裏、有人滿身長了大痲瘋、看見
十三 他就俯伏在地、求他說、主若肯、必能叫我潔淨了。耶穌
伸手摸他說、我肯、你潔淨了罷．大痲瘋立刻就離了他
十四 的身。耶穌囑咐他、你切不可告訴人．只要去把身體給
祭司察看、又要為你得了潔淨、照摩西所吩咐的、獻上
十五 禮物、對眾人作證據。但耶穌的名聲越發傳揚出去．有
十六 極多的人聚集來聽道、也指望醫治他們的病．耶穌卻
退到曠野去禱告。

醫治癱子

十七 有一天耶穌教訓人、有法利賽人和教法師在旁邊坐
着、他們是從加利利各鄉村和猶太並耶路撒冷來的．
十八 主的能力與耶穌同在、使他能醫治病人。有人用褥子
十九 抬着一個癱子、要抬進去放在耶穌面前、卻因人多、尋
不出法子抬進去、就上了房頂、從瓦間把他連褥子縋
二十 到當中、正在耶穌面前。耶穌見他們的信心、就對癱子
二一 說、你的罪赦了。文士和法利賽人就議論說、這說僭妄
二二 話的是誰．除了神以外、誰能赦罪呢。耶穌知道他們
二三 所議論的、就說、你們心裏議論的是甚麼呢。或說、你的
二四 罪赦了、或說、你起來行走、那一樣容易呢。但要叫你們
知道人子在地上有赦罪的權柄、就對癱子說、我吩咐
二五 你起來、拿你的褥子回家去罷。那人當眾人面前、立刻
二六 起來、拿着他所躺臥的褥子回家去、歸榮耀與神。眾
人都驚奇、也歸榮耀與神、並且滿心懼怕、說、我們今
日看見非常的事了。

利未被召

二七 這事以後、耶穌出去、看見一個稅吏、名叫利未、坐在稅
二八 關上、就對他說、你跟從我來。他就撇下所有的、起來跟
二九 從了耶穌。利未在自己家裏、為耶穌大擺筵席．有許多
三十 稅吏和別人、與他們一同坐席。法利賽人和文士就向
耶穌的門徒發怨言、說、你們為甚麼和稅吏並罪人一
三一 同喫喝呢。耶穌對他們說、無病的人用不着醫生．有病

三二 的人纔用得着。三二我來本不是召義人悔改、乃是召罪人
悔改。

論禁食

三三 三三他們說、約翰的門徒屢次禁食祈禱、法利賽人的門徒、
三四 也是這樣、惟獨你的門徒又喫又喝。三四耶穌對他們說、新
郎和陪伴之人同在的時候、豈能叫陪伴之人禁食呢。
三五 三五但日子將到、新郎要離開他們、那日他們就要禁食了。

新舊難合的比喻

三六 三六耶穌又設一個比喻、對他們說、沒有人把新衣服撕下
一塊來補在舊衣服上、若是這樣、就把新的撕破了、並
三七 且所撕下來的那塊新的、和舊的也不相稱。三七也沒有人
把新酒裝在舊皮袋裏、若是這樣、新酒必將皮袋裂開、
三八 酒便漏出來、皮袋也就壞了。三八但新酒必須裝在新皮袋
三九 裏。三九沒有人喝了陳酒又想喝新的、他總說陳的好。

人子是安息日的主

一 第六章　一有一個安息日、耶穌從麥地經過、他的門
二 徒掐了麥穗、用手搓着喫。二有幾個法利賽人說、你們爲
三 甚麼作安息日不可作的事呢。三耶穌對他們說、經上記、
四 着大衛和跟從他的人、飢餓之時所作的事、連這個你
們也沒有念過麼。四他怎麼進了神的殿、拿陳設餅喫、
又給跟從的人喫、這餅除了祭司以外、別人都不可喫。
五 五又對他們說、人子是安息日的主。

在安息日治病

六 六又有一個安息日、耶穌進了會堂教訓人、在那裏有一
七 個人右手枯乾了。七文士和法利賽人窺探耶穌、在安息
八 日治病不治病、要得把柄去告他。八耶穌卻知道他們的
意念、就對那枯乾一隻手的人說、起來站在當中。那人
九 就起來站着。九耶穌對他們說、我問你們、在安息日行善
十 行惡、救命害命、那樣是可以的呢。十他就周圍看着他們
十一 衆人、對那人說、伸出手來。他把手一伸、手就復了原。十一他
們就滿心大怒、彼此商議、怎樣處治耶穌。

挑選十二門徒

十二 十三 十二那時、耶穌出去上山禱告、整夜禱告　神。十三到了天亮、叫
他的門徒來、就從他們中間挑選十二個人、稱他們爲
十四 使徒。十四這十二個人、有西門、耶穌又給他起名叫彼得、還
有他兄弟安得烈、又有雅各和約翰、腓力和巴多羅買、

十五 十六 十五馬太和多馬、亞勒腓的兒子雅各、和奮鋭黨的西門、十六雅
十七 各的兒子猶大、兒子或作兄弟和賣主的加略人猶大。十七耶穌和
他們下了山、站在一塊平地上、同站的有許多門徒、又
有許多百姓、從猶太全地、和耶路撒冷、並推羅西頓的
十八 海邊來、都要聽他講道、又指望醫治他們的病。十八還有被
十九 汚鬼纏磨的、也得了醫治。十九衆人都想要摸他、因爲有能
力從他身上發出來、醫好了他們。

論福

二十 二十耶穌舉目看着門徒說、你們貧窮的人有福了．因爲
二一 神的國是你們的。二一你們飢餓的人有福了．因爲你們將
二二 要飽足。你們哀哭的人有福了．因爲你們將要喜笑。二二人
爲人子恨惡你們、拒絕你們、辱駡你們、棄掉你們的名、
二三 以爲是惡、你們就有福了。二三當那日你們要歡喜跳躍．因
爲你們在天上的賞賜是大的．他們的祖宗待先知也
是這樣。

論禍

二四 二四但你們富足的人有禍了．因爲你們受過你們的安慰。
二五 二五你們飽足的人有禍了．因爲你們將要飢餓。你們喜笑
二六 的人有禍了．因爲你們將要哀慟哭泣。二六人都說你們好
的時候、你們就有禍了．因爲他們的祖宗待假先知也
是這樣。

論愛仇敵

二七 二七只是我告訴你們這聽道的人、你們的仇敵要愛他、恨
二八 你們的要待他好。二八咒詛你們的要爲他祝福、凌辱你們
二九 的要爲他禱告。二九有人打你這邊的臉、連那邊的臉也由
三十 他打．有人奪你的外衣、連裏衣也由他拿去。三十凡求你的、
三一 就給他．有人奪你的東西去、不用再要回來。三一你們願意
三二 人怎樣待你們、你們也要怎樣待人。三二你們若單愛那愛
你們的人、有甚麼可酬謝的呢．就是罪人也愛那愛他
三三 們的人。三三你們若善待那善待你們的人、有甚麼可酬謝
三四 的呢．就是罪人也是這樣行。三四你們若借給人、指望從他
收回、有甚麼可酬謝的呢．就是罪人也借給罪人、要如
三五 數收回。三五你們倒要愛仇敵、也要善待他們、並要借給人
不指望償還．你們的賞賜就必大了、你們也必作至高
三六 者的兒子．因爲他恩待那忘恩的和作惡的。三六你們要慈
三七 悲、像你們的父慈悲一樣。三七你們不要論斷人、就不被論

三八 斷．你們不要定人的罪、就不被定罪．你們要饒恕人、就
必蒙饒恕．(饒恕原文作釋放)三八你們要給人、就必有給你們的．並
且用十足的升斗連搖帶按上尖下流的、倒在你們懷
裏．因爲你們用甚麼量器量給人、也必用甚麼量器量
給你們。

責人之心責己

三九 三九耶穌又用比喻對他們說、瞎子豈能領瞎子、兩個人不
四十 是都要掉在坑裏麼．四十學生不能高過先生．凡學成了的
四一 不過和先生一樣。四一爲甚麼看見你弟兄眼中有刺、卻不
四二 想自己眼中有梁木呢。四二你不見自己眼中有梁木．怎能
對你弟兄說、容我去掉你眼中的刺呢．你這假冒爲善
的人、先去掉自己眼中的梁木、然後纔能看得清楚、去
掉你弟兄眼中的刺。

兩種果樹

四三 四四 四三因爲沒有好樹結壞果子．也沒有壞樹結好果子。四四凡樹
木看果子、就可以認出他來。人不是從荊棘上摘無花
四五 果、也不是從蒺藜裏摘葡萄。四五善人從他心裏所存的善、
就發出善來．惡人從他心裏所存的惡、就發出惡來．因
爲心裏所充滿的、口裏就說出來。

兩等根基

四六 四七 四六你們爲甚麼稱呼我主阿、主阿、卻不遵我的話行呢。四七凡
到我這裏來、聽見我的話就去行的、我要告訴你們他
四八 像甚麼人。四八他像一個人蓋房子、深深的挖地、把根基安
在磐石上．到發大水的時候、水沖那房子、房子總不能
四九 搖動．因爲根基立在磐石上。(有古卷作因爲蓋造得好)四九惟有聽見不
去行的、就像一個人在土地上蓋房子、沒有根基．水一
沖、隨卽倒塌了．並且那房子壞的很大。

治百夫長的僕人

第七章

一 一耶穌對百姓講完了這一切的話、就進了
二 迦百農。二有一個百夫長所寶貴的僕人、害病快要死
三 了。三百夫長風聞耶穌的事、就託猶太人的幾個長老、去
四 求耶穌來救他的僕人。四他們到了耶穌那裏、就切切的
五 求他說、你給他行這事、是他所配得的．五因爲他愛我們
六 的百姓、給我們建造會堂。六耶穌就和他們同去．離那家
不遠、百夫長託幾個朋友去見耶穌、對他說、主阿、不要
七 勞動．因你到我舍下、我不敢當．七我也自以爲不配去見

八 你、只要你說一句話、我的僕人就必好了。八因爲我在人
的權下、也有兵在我以下、對這個說去、他就去、對那個
九 說來、他就來、對我的僕人說、你作這事、他就去作。九耶穌
聽見這話、就希奇他、轉身對跟隨的衆人說、我告訴你
們、這麼大的信心、就是在以色列中、我也沒有遇見過。
十 十那託來的人回到百夫長家裏、看見僕人已經好了。

叫拿因城寡婦之子復活

十一 十一過了不多時、（有古卷作次日）耶穌往一座城去、這城名叫拿因、
十二 他的門徒和極多的人與他同行。十二將近城門、有一個死
人被抬出來。這人是他母親獨生的兒子、他母親又是
十三 寡婦、有城裏的許多人同着寡婦送殯。十三主看見那寡婦
十四 就憐憫他、對他說、不要哭。十四於是進前按着槓、抬的人就
十五 站住了。耶穌說、少年人、我吩咐你起來。十五那死人就坐起、
十六 並且說話。耶穌便把他交給他母親。十六衆人都驚奇、歸榮
耀與神說、有大先知在我們中間興起來了。又說、
十七 神眷顧了他的百姓。十七他這事的風聲就傳遍了猶太和
周圍地方。

施洗約翰差人問主

十八 十九 十八約翰的門徒把這些事都告訴約翰。十九他便叫了兩個門
徒來、打發他們到主那裏去、說、那將要來的是你麼、還
二十 是我們等候別人呢。二十那兩個人來到耶穌那裏、說、施洗
的約翰打發我們來問你、那將要來的是你麼、還是我
二一 們等候別人呢。二一正當那時候、耶穌治好了許多有疾病
的、受災患的、被惡鬼附着的、又開恩叫好些瞎子能看
二二 見。二二耶穌回答說、你們去把所看見所聽見的事告訴約
翰、就是瞎子看見、瘸子行走、長大痲瘋的潔淨、聾子聽
二三 見、死人復活、窮人有福音傳給他們。二三凡不因我跌倒的、
就有福了。

稱讚施洗約翰

二四 二四約翰所差來的人既走了、耶穌就對衆人講論約翰說、
你們從前出去到曠野、是要看甚麼呢、要看風吹動的
二五 蘆葦麼。二五你們出去到底是要看甚麼、要看穿細軟衣服
二六 的人麼。那穿華麗衣服宴樂度日的人、是在王宮裏。二六你
們出去究竟是要看甚麼、要看先知麼、我告訴你們、是
二七 的、他比先知大多了。二七經上記着說、『我要差遣我的使

二八 者在你前面、豫備道路。』所說的就是這個人。二八我告訴
你們、凡婦人所生的、沒有一個大過約翰的．然而　神
二九 國裏最小的比他還大。二九眾百姓和稅吏既受過約翰的
三十 洗、聽見這話、就以　神為義。三十但法利賽人和律法師、沒
有受過約翰的洗、竟為自己廢棄了　神的旨意。二十九三十
十兩節或作眾百姓和稅吏聽見了約翰的話就受了他的洗便以　神為義但法利賽人和律法師不受約翰的洗竟為自己廢棄了　神的旨意
三一 三一⋯⋯主又說、這樣、我可用甚麼比這世
三二 代的人呢．他們好像甚麼呢。三二好像孩童坐在街市上、彼
此呼叫說、我們向你們吹笛、你們不跳舞、我們向你們
三三 舉哀、你們不啼哭。三三施洗的約翰來、不喫餅、不喝酒、你們
三四 說他是被鬼附着的。三四人子來、也喫也喝、你們說他是貪
三五 食好酒的人、是稅吏和罪人的朋友。三五但智慧之子、都以
智慧為是。

有罪的女人用香膏抹主

三六 三六有一個法利賽人、請耶穌和他喫飯．耶穌就到法利賽
三七 人家裏去坐席。三七那城裏有一個女人、是個罪人．知道耶
三八 穌在法利賽人家裏坐席、就拿着盛香膏的玉瓶、三八站在
耶穌背後、挨着他的腳哭、眼淚溼了耶穌的腳、就用自
三九 己的頭髮擦乾、又用嘴連連親他的腳、把香膏抹上。三九請
耶穌的法利賽人看見這事、心裏說、這人若是先知、必
四十 知道摸他的是誰、是個怎樣的女人、乃是個罪人。四十耶穌
四一 對他說、西門、我有句話要對你說．西門說、夫子、請說。四一耶
穌說、一個債主有兩個人欠他的債．一個欠五十兩銀
四二 子、一個欠五兩銀子。四二因為他們無力償還、債主就開恩
四三 免了他們兩個人的債．這兩個人那一個更愛他呢。四三西
門回答說、我想是那多得恩免的人。耶穌說、你斷的不
錯。

愛大赦免也大

四四 四四於是轉過來向着那女人、便對西門說、你看見這女人
麼．我進了你的家、你沒有給我水洗腳．但這女人用眼
四五 淚溼了我的腳、用頭髮擦乾。四五你沒有與我親嘴．但這女
四六 人從我進來的時候、就不住的用嘴親我的腳。四六你沒有
四七 用油抹我的頭．但這女人用香膏抹我的腳。四七所以我告
訴你、他許多的罪都赦免了．因為他的愛多．但那赦免
四八 四九 少的、他的愛就少。四八於是對那女人說、你的罪赦免了。四九同
五十 席的人心裏說、這是甚麼人、竟赦免人的罪呢。五十耶穌對

那女人說、你的信救了你、平平安安的回去罷。

第八章

一 一過了不多日、耶穌周遊各城各鄉傳道、宣
二 講　神國的福音．和他同去的有十二個門徒、二還有被
惡鬼所附被疾病所累已經治好的幾個婦女、內中有
稱爲抹大拉的馬利亞、曾有七個鬼從他身上趕出來．
三 三又有希律的家宰苦撒的妻子約亞拿、並蘇撒拿、和好
些別的婦女、都是用自己的財物供給耶穌和門徒。

撒種的比喻

四 四當許多人聚集、又有人從各城裏出來見耶穌的時候、
五 耶穌就用比喻說、五有一個撒種的出去撒種．撒的時候、
六 有落在路旁的、被人踐踏、天上的飛鳥又來喫盡了。六有
七 落在磐石上的、一出來就枯乾了、因爲得不着滋潤。七有
八 落在荊棘裏的、荊棘一同生長、把他擠住了。八又有落在
好土裏的、生長起來、結實百倍。耶穌說了這些話、就大
聲說、有耳可聽的就應當聽。

解明撒種的比喻

九 十 九門徒問耶穌說、這比喻是甚麼意思呢。十他說、神國的
奧祕、只叫你們知道．至於別人、就用比喻、叫他們看也
十一 看不見、聽也聽不明。十一這比喻乃是這樣．種子就是神
十二 的道。十二那些在路旁的、就是人聽了道、隨後魔鬼來從他
十三 們心裏把道奪去、恐怕他們信了得救。十三那些在磐石上
的、就是人聽道、歡喜領受、但心中沒有根、不過暫時相
十四 信、及至遇見試煉就退後了。十四那落在荊棘裏的、就是人
聽了道、走開以後、被今生的思慮錢財宴樂擠住了、便
十五 結不出成熟的子粒來．十五那落在好土裏的、就是人聽了
十六 道、持守在誠實善良的心裏、並且忍耐着結實。◯十六沒有
人點燈用器皿蓋上、或放在牀底下、乃是放在燈臺上、
十七 叫進來的人看見亮光。十七因爲掩藏的事、沒有不顯出來
十八 的．隱瞞的事、沒有不露出來被人知道的。十八所以你們應
當小心怎樣聽．因爲凡有的、還要加給他．凡沒有的、連
他自以爲有的、也要奪去。

信者皆爲親屬

十九 十九耶穌的母親和他弟兄來了、因爲人多、不得到他跟前。
二十 二十一 二十有人告訴他說、你母親和你弟兄、站在外邊要見你。二十一耶
穌回答說、聽了　神之道而遵行的人、就是我的母親、
我的弟兄了。

平靜風和海

二二 有二二一天耶穌和門徒上了船、對門徒說、我們可以渡到
二三 湖那邊去．他們就開了船。二三正行的時候、耶穌睡着了．湖
二四 上忽然起了暴風、船將滿了水、甚是危險。二四門徒來叫醒
了他說、夫子、夫子、我們喪命喇。耶穌醒了、斥責那狂風
二五 大浪．風浪就止住、平靜了。二五耶穌對他們說、你們的信心
在那裏呢．他們又懼怕、又希奇、彼此說、這到底是誰、他
吩咐風和水、連風和水也聽從他了。

鬼入豬羣

二六 二六他們到了格拉森（有古卷作加大拉）人的地方、就是加利利的
二七 對面。二七耶穌上了岸、就有城裏一個被鬼附着的人、迎面
而來．這個人許久不穿衣服、不住房子、只住在墳塋裏。
二八 二八他見了耶穌、就俯伏在他面前、大聲喊叫說、至高神
的兒子耶穌、我與你有甚麼相干．求你不要叫我受苦。
二九 二九是因耶穌曾吩咐污鬼從那人身上出來．原來這鬼屢
次抓住他、他常被人看守、又被鐵鍊和脚鐐捆鎖、他竟
三十 把鎖鍊掙斷、被鬼趕到曠野去。三十耶穌問他說、你名叫甚
三一 麼．他說、我名叫羣．這是因為附着他的鬼多。三一鬼就央求

三二 耶穌、不要吩咐他們到無底坑裏去。三二那裏有一大羣豬、
在山上喫食．鬼央求耶穌、准他們進入豬裏去．耶穌准
三三 了他們。三三鬼就從那人出來、進入豬裏去．於是那羣豬闖
三四 下山崖、投在湖裏淹死了。三四放豬的看見這事就逃跑了、
三五 去告訴城裏和鄉下的人。三五衆人出來要看是甚麼事．到
了耶穌那裏、看見鬼所離開的那人、坐在耶穌脚前、穿
三六 着衣服、心裏明白過來、他們就害怕。三六看見這事的、便將
三七 被鬼附着的人怎麼得救、告訴他們。三七格拉森四圍的人、
因為害怕得很、都求耶穌離開他們．耶穌就上船回去
三八 了。三八鬼所離開的那人、懇求和耶穌同在．耶穌卻打發他
三九 回去、三九說、你回家去、傳說神為你作了何等大的事．他
四十 就去滿城裏傳揚耶穌為他作了何等大的事。○四十耶穌
四一 回來的時候、衆人迎接他．因為他們都等候他。四一有一個
管會堂的、名叫睚魯、來俯伏在耶穌脚前、求耶穌到他
四二 家裏去。四二因他有一個獨生女兒、約有十二歲、快要死了．
耶穌去的時候、衆人擁擠他。

醫患血漏的女人

四三 四三有一個女人、患了十二年的血漏、在醫生手裏花盡了

四四 他一切養生的、並沒有一人能醫好他。四四他來到耶穌背
四五 後、摸他的衣裳繸子、血漏立刻就止住了。四五耶穌說、摸我
的是誰。衆人都不承認、彼得和同行的人都說、夫子、衆
四六 人擁擁擠擠緊靠着你。（有古卷在此有你還問摸我的是誰麼）四六耶穌說、總
四七 有人摸我、因我覺得有能力從我身上出去。四七那女人知
道不能隱藏、就戰戰兢兢的來俯伏在耶穌脚前、把摸
四八 他的緣故、和怎樣立刻得好了、當着衆人都說出來。四八耶
穌對他說、女兒、你的信救了你、平平安安的去罷。

耶穌叫睚魯的女兒復活

四九 四九還說話的時候、有人從管會堂的家裏來說、你的女兒
五十 死了、不要勞動夫子。五十耶穌聽見就對他說、不要怕、只要
五一 信、你的女兒就必得救。五一耶穌到了他的家、除了彼得、約
五二 翰、雅各、和女兒的父母、不許別人同他進去。五二衆人都爲
這女兒哀哭捶胸。耶穌說、不要哭、他不是死了、是睡着
五三 五四 了。五三他們曉得女兒已經死了、就嗤笑耶穌。五四耶穌拉着他
五五 的手、呼叫說、女兒起來罷。五五他的靈魂便回來、他就立刻
五六 起來了。耶穌吩咐給他東西喫。五六他的父母驚奇得很。耶
穌囑咐他們、不要把所作的事告訴人。

差遣十二門徒

一 **第九章** 一耶穌叫齊了十二個門徒、給他們能力權
二 柄、制伏一切的鬼、醫治各樣的病。二又差遣他們去宣傳
三 神國的道、醫治病人。三對他們說、行路的時候、不要帶
枴杖、和口袋、不要帶食物、和銀子、也不要帶兩件褂子。
四 五 四無論進那一家、就住在那裏、也從那裏起行。五凡不接待
你們的、你們離開那城的時候、要把脚上的塵土跺下
六 去、見證他們的不是。六門徒就出去、走遍各鄉、宣傳福音、
七 到處治病。○七分封的王希律、聽見耶穌所作的一切事、
八 就游移不定。因爲有人說、是約翰從死裏復活。八又有人
說、是以利亞顯現。還有人說、是古時的一個先知又活
九 了。九希律說、約翰我已經斬了、這卻是甚麼人、我竟聽見
他這樣的事呢、就想要見他。

給五千人喫飽

十 十使徒回來、將所作的事告訴耶穌。耶穌就帶他們暗暗
十一 的離開那裏、往一座城去、那城名叫伯賽大。十一但衆人知
道了、就跟着他去、耶穌便接待他們、對他們講論神
十二 國的道、醫治那些需醫的人。十二日頭快要平西、十二個門

徒來對他說、請叫衆人散開、他們好往四面鄉村裏去
十三 借宿找喫的．因爲我們這裏是野地。十三耶穌說、你們給他
們喫罷。門徒說、我們不過有五個餅兩條魚．若不去爲
十四 這許多人買食物就不彀。十四那時、人數約有五千。耶穌對
門徒說、叫他們一排一排的坐下、每排大約五十個人。
十五十六 門十五徒就如此行、叫衆人都坐下。十六耶穌拿着這五個餅兩
十七 條魚、望着天祝福、擘開、遞給門徒擺在衆人面前。十七他們
就喫、並且都喫飽了．把剩下的零碎收拾起來、裝滿了
十二籃子。

認耶穌爲基督

十八 耶十八穌自己禱告的時候、門徒也同他在那裏．耶穌問他
十九 們說、衆人說我是誰。十九他們說、有人說是施洗的約翰．有
人說是以利亞．還有人說是古時的一個先知又活了。
二十 耶二十穌說、你們說我是誰。彼得回答說、是神所立的基
二一 督。二一耶穌切切的囑咐他們、不可將這事告訴人．

豫言受難

二二 又二二說、人子必須受許多的苦、被長老祭司長和文士棄
絕、並且被殺、第三日復活。

當背十架跟從主

二三 耶二三穌又對衆人說、若有人要跟從我、就當捨己、天天背
二四 起他的十字架來、跟從我．二四因爲凡要救自己生命的、（生命或作靈魂下同）
必喪掉生命．凡爲我喪掉生命的、必救了生命。
二五 人二五若賺得全世界、卻喪了自己、賠上自己、有甚麼益處
二六 呢。二六凡把我和我的道當作可恥的、人子在自己的榮耀
裏、並天父與聖天使的榮耀裏、降臨的時候、也要把那
二七 人當作可恥的。二七我實在告訴你們、站在這裏的有人在
沒嘗死味以前、必看見神的國。

改變像貌

二八 說二八了這話以後、約有八天、耶穌帶着彼得、約翰、雅各、上
二九 山去禱告。二九正禱告的時候、他的面貌就改變了、衣服潔
三十三一 白放光。三十忽然有摩西以利亞兩個人、同耶穌說話。三一他們
在榮光裏顯現、談論耶穌去世的事、就是他在耶路撒
三二 冷將要成的事。三二彼得和他的同伴都打盹、既淸醒了、就
三三 看見耶穌的榮光、並同他站着的那兩個人。三三二人正要
和耶穌分離的時候、彼得對耶穌說、夫子、我們在這裏
眞好、可以搭三座棚、一座爲你、一座爲摩西、一座爲以

利亞。他卻不知道所說的是甚麼。三四說這話的時候、有一
朵雲彩來遮蓋他們。他們進入雲彩裏就懼怕。三五有聲音
從雲彩裏出來、說、這是我的兒子、我所揀選的、(有古卷作這是
我的愛子)你們要聽他。三六聲音住了、只見耶穌一人在那裏。當
那些日子、門徒不題所看見的事、一樣也不告訴人。

害癲癇病的孩子

三七第二天、他們下了山、就有許多人迎見耶穌。三八其中有一
人喊叫說、夫子、求你看顧我的兒子、因為他是我的獨
生子。三九他被鬼抓住、就忽然喊叫。鬼又叫他抽瘋、口中流
沫、並且重重的傷害他、難以離開他。四十我求過你的門徒、
把鬼趕出去、他們卻是不能。四一耶穌說、噯、這又不信又悖
謬的世代阿、我在你們這裏、忍耐你們、要到幾時呢。將
你的兒子帶到這裏來罷。四二正來的時候、鬼把他摔倒、叫
他重重的抽瘋。耶穌就斥責那汙鬼、把孩子治好了、交
給他父親。四三眾人都詫異　神的大能。(大能或作威榮)

人子將要被交

耶穌所作的一切事、眾人正希奇的時候、耶穌對門徒
說、四四你們要把這些話存在耳中。因為人子將要被交在
人手裏。四五他們不明白這話、意思乃是隱藏的、叫他們不
能明白、他們也不敢問這話的意思。

議論誰將為大

四六門徒中間起了議論、誰將為大。四七耶穌看出他們心中的
議論、就領一個小孩子來、叫他站在自己旁邊。四八對他們
說、凡為我名接待這小孩子的、就是接待我。凡接待我
的、就是接待那差我來的。你們中間最小的、他便為大。
◯四九約翰說、夫子、我們看見一個人奉你的名趕鬼、我們
就禁止他。因為他不與我們一同跟從你。五十耶穌說、不要
禁止他。因為不敵擋你們的、就是幫助你們的。

撒瑪利亞人不接待主

五一耶穌被接上升的日子將到、他就定意向耶路撒冷去、
五二便打發使者在他前頭走。他們到了撒瑪利亞的一個
村莊、要為他預備。五三那裏的人不接待他、因他面向耶路
撒冷去。五四他的門徒雅各、約翰、看見了、就說、主阿、你要我
們吩咐火從天上降下來、燒滅他們、像以利亞所作的
麼。(有古卷無像以利亞所作的數字)五五耶穌轉身責備兩個門徒說、你們
的心如何、你們並不知道。五六人子來不是要滅人的性命、

性命或作靈魂下同是要救人的性命。說着就往別的村莊去了。
五七 有古卷只有五十五節首句五十六節末句○他們走路的時候、有一人對
五八 耶穌說、你無論往那裏去、我要跟從你。耶穌說、狐狸有
五九 洞、天空的飛鳥有窩、只是人子沒有枕頭的地方。又對
一個人說、跟從我來。那人說、主、容我先回去埋葬我的
六十 父親。耶穌說、任憑死人埋葬他們的死人。你只管去傳
六一 揚神國的道。又有一人說、主、我要跟從你。但容我先
六二 去辭別我家裏的人。耶穌說、手扶着犂向後看的、不配
進神的國。

主差遣七十人

第十章

一 這事以後、主又設立七十個人、差遣他們
兩個兩個的、在他前面往自己所要到的各城各地方
二 去。就對他們說、要收的莊稼多、作工的人少。所以你們
三 當求莊稼的主、打發工人出去收他的莊稼。你們去罷。
四 我差你們出去、如同羊羔進入狼羣。不要帶錢囊、不要
五 帶口袋、不要帶鞋。在路上也不要問人的安。無論進那
六 一家、先要說、願這一家平安。那裏若有當得平安的人、
當得平安的人原文作平安之子你們所求的平安就必臨到那家、不

七 然、就歸與你們了。你們要住在那家、喫喝他們所供給
的。因為工人得工價、是應當的。不要從這家搬到那家。

傳神的國臨近

八 無論進那一城、人若接待你們、給你們擺上甚麼、你們
九 就喫甚麼。要醫治那城裏的病人、對他們說、神的國
十 臨近你們了。無論進那一城、人若不接待你們、你們就
十一 到街上去、說、就是你們城裏的塵土、粘在我們的脚上、
我們也當着你們擦去。雖然如此、你們該知道神的
十二 國臨近了。我告訴你們、當審判的日子、所多瑪所受的、
十三 比那城還容易受呢。哥拉汛哪、你有禍了。伯賽大阿、你
有禍了。因為在你們中間所行的異能、若行在推羅西
十四 頓、他們早已披麻蒙灰坐在地上悔改了。當審判的日
十五 子、推羅西頓所受的、比你們還容易受呢。迦百農阿、你
十六 已經升到天上、或作你將要升到天上麼將來必推下陰間。又對門
徒說、聽從你們的、就是聽從我。棄絕你們的、就是棄絕
我、棄絕我的、就是棄絕那差我來的。

七十人回來

十七 那七十個人歡歡喜喜的回來說、主阿、因你的名、就是

十八 鬼也服了我們。十八耶穌對他們說、我曾看見撒但從天上
十九 墜落、像閃電一樣。十九我已經給你們權柄、可以踐踏蛇和
蠍子、又勝過仇敵一切的能力、斷沒有甚麼能害你們。
二十 然而不要因鬼服了你們就歡喜．二十要因你們的名記錄
在天上歡喜。

耶穌歡樂

二一 二一正當那時、耶穌被聖靈感動就歡樂、說、父阿、天地的主、
我感謝你、因為你將這些事、向聰明通達人就藏起來、
向嬰孩就顯出來．父阿、是的、因為你的美意本是如此。
二二 二二一切所有的、都是我父交付我的．除了父、沒有人知道
子是誰．除了子和子所願意指示的、沒有人知道父是
二三 誰。二三耶穌轉身暗暗的對門徒說、看見你們所看見的、那
二四 眼睛就有福了．二四我告訴你們、從前有許多先知和君王、
要看你們所看的、卻沒有看見．要聽你們所聽的、卻沒
有聽見。

撒瑪利亞人憐愛受傷的

二五 二五有一個律法師、起來試探耶穌說、夫子、我該作甚麼纔
二六 可以承受永生。二六耶穌對他說、律法上寫的是甚麼．你念
二七 的是怎樣呢。二七他回答說、『你要盡心、盡性、盡力、盡意、愛
二八 主你的神．又要愛鄰舍如同自己。』二八耶穌說、你回答
二九 的是．你這樣行、就必得永生。二九那人要顯明自己有理、就
三十 對耶穌說、誰是我的鄰舍呢。三十耶穌回答說、有一個人從
耶路撒冷下耶利哥去、落在強盜手中、他們剝去他的
三一 衣裳、把他打個半死、就丟下他走了。三一偶然有一個祭司、
三二 從這條路下來、看見他就從那邊過去了。三二又有一個利
三三 未人來到這地方、看見他、也照樣從那邊過去了。三三惟有
一個撒瑪利亞人、行路來到那裏．看見他就動了慈心、
三四 三四上前用油和酒倒在他的傷處、包裹好了、扶他騎上自
三五 己的牲口、帶到店裏去照應他。三五第二天拿出二錢銀子
來、交給店主說、你且照應他．此外所費用的、我回來必
三六 還你。三六你想這三個人、那一個是落在強盜手中的鄰舍
三七 呢。三七他說、是憐憫他的。耶穌說、你去照樣行罷。

馬大為事忙亂

三八 三八他們走路的時候、耶穌進了一個村莊．有一個女人名
三九 叫馬大、接他到自己家裏。三九他有一個妹子名叫馬利亞、
四十 在耶穌腳前坐着聽他的道。四十馬大伺候的事多、心裏忙

四一 亂、就進前來說、主阿、我的妹子留下我一個人伺候、你
四二 不在意麽．請吩咐他來幫助我。四一耶穌回答說、馬大、馬大、
你爲許多的事、思慮煩擾．四二但是不可少的只有一件．馬
利亞已經選擇那上好的福分、是不能奪去的。

第十一章　主訓人的禱告

一 一耶穌在一個地方禱告．禱告完了、有個
門徒對他說、求主教導我們禱告、像約翰教導他的門
二 徒。二耶穌說、你們禱告的時候、要說、我們在天上的父、（有古
卷只作父阿）願人都尊你的名爲聖。願你的國降臨。願你的
三 旨意行在地上、如同行在天上。（有古卷無願你的旨意云云）三我們日
四 用的飲食、天天賜給我們。四赦免我們的罪、因爲我們也
赦免凡虧欠我們的人。不叫我們遇見試探．救我們脫
離兇惡。（有古卷無末句）

求則得之

五 五耶穌又說、你們中間誰有一個朋友、半夜到他那裏去
六 說、朋友、請借給我三個餅．六因爲我有一個朋友行路、來
七 到我這裏、我沒有甚麽給他擺上。七那人在裏面回答說、
不要攪擾我．門已經關閉、孩子們也同我在牀上了．我

八 不能起來給你。八我告訴你們、雖不因他是朋友起來給
他、但因他情詞迫切的直求、就必起來照他所需用的
九 給他。九我又告訴你們、你們祈求就給你們．尋找就尋見．
十 叩門就給你們開門。十因爲凡祈求的就得着．尋找的就
十一 尋見．叩門的就給他開門。十一你們中間作父親的、誰有兒
十二 子求餅、反給他石頭呢．求魚、反拿蛇當魚給他呢．十二求雞
十三 蛋、反給他蠍子呢。十三你們雖然不好、尚且知道拿好東西
給兒女、何況天父、豈不更將聖靈給求他的人麽。

駁倒猶太人的讒言

十四 十四耶穌趕出一個叫人啞吧的鬼．鬼出去了、啞吧就說出
十五 話來、衆人都希奇。十五內中卻有人說、他是靠着鬼王別西
十六十七 卜趕鬼。十六又有人試探耶穌、向他求從天上來的神蹟。十七他
曉得他們的意念、便對他們說、凡一國自相分爭、就成
十八 爲荒塲．凡一家自相分爭、就必敗落。十八若撒但自相分爭、
他的國怎能站得住呢．因爲你們說我是靠着別西卜
十九 趕鬼。十九我若靠着別西卜趕鬼、你們的子弟趕鬼、又靠着
二十 誰呢．這樣、他們就要斷定你們的是非。二十我若靠着　神
二十一 的能力趕鬼、這就是　神的國臨到你們了。二十一壯士披掛

二二 整齊、看守自己的住宅、他所有的都平安無事．二二但有一
個比他更壯的來、勝過他、就奪去他所倚靠的盔甲兵
二三 器、又分了他的贓。二三不與我相合的、就是敵我的．不同我
二四 收聚的、就是分散的。二四污鬼離了人身、就在無水之地、過
來過去、尋求安歇之處．既尋不着、便說、我要回到我所
二五 出來的屋裏去。二五到了、就看見裏面打掃乾淨、修飾好了．
二六 二六便去另帶了七個比自己更惡的鬼來、都進去住在那
二七 裏．那人末後的景況、比先前更不好了。◯二七耶穌正說這
話的時候、衆人中間、有一個女人大聲說、懷你胎的和
二八 乳養你的有福了。二八耶穌說、是、卻還不如聽　神之道而
遵守的人有福。

求神蹟的受責備

二九 二九當衆人聚集的時候、耶穌開講說、這世代是一個邪惡
的世代．他們求看神蹟、除了約拿的神蹟以外、再沒有
三十 神蹟給他們看。三十約拿怎樣為尼尼微人成了神蹟、人子
三一 也要照樣為這世代的人成了神蹟。三一當審判的時候、南
方的女王、要起來定這世代的罪．因為他從地極而來、
要聽所羅門的智慧話．看哪、在這裏有一人比所羅門
三二 更大。三二當審判的時候、尼尼微人要起來定這世代的罪．
因為尼尼微人聽了約拿所傳的就悔改了．看哪、在這
裏有一人比約拿更大。

論心裏的光

三三 三三沒有人點燈放在地窨子裏、或是斗底下、總是放在燈
三四 臺上、使進來的人得見亮光。三四你眼睛就是身上的燈、你
的眼睛若瞭亮、全身就光明．眼睛若昏花、全身就黑暗。
三五 三六 三五所以你要省察、恐怕你裏頭的光、或者黑暗了。三六若是你
全身光明、毫無黑暗、就必全然光明、如同燈的明光照
三七 亮你。◯三七說話的時候、有一個法利賽人請耶穌同他喫
三八 飯．耶穌就進去坐席。三八這法利賽人看見耶穌飯前不洗
三九 手、便詫異。三九主對他說、如今你們法利賽人洗淨杯盤的
四十 外面．你們裏面卻滿了勒索和邪惡。四十無知的人哪、造外
四一 面的、不也造裏面麼。四一只要把裏面的施捨給人、凡物於
你們就都潔淨了。

述說法利賽人六禍

四二 四二你們法利賽人有禍了．因為你們將薄荷芸香、並各樣
菜蔬、獻上十分之一、那公義和愛　神的事、反倒不行

43 了．這原是你們當行的、那也是不可不行的。你們法利
賽人有禍了．因為你們喜愛會堂裏的首位、又喜愛人
44 在街市上問你們的安。你們有禍了．因為你們如同不
45 顯露的墳墓、走在上面的人並不知道。○律法師中有
46 一個回答耶穌說、夫子、你這樣說、也把我們蹧蹋了。耶
穌說、你們律法師也有禍了．因為你們把難擔的擔子、
47 放在人身上、自己一個指頭卻不肯動。你們有禍了．因
為你們修造先知的墳墓、那先知正是你們的祖宗所
48 殺的。可見你們祖宗所作的事、你們又證明又喜歡．因
49 為他們殺了先知、你們修造先知的墳墓……。所以　神用
智慧曾說、（用智慧或作的智者）我要差遣先知和使徒、到他們那
50 裏去．有的他們要殺害、有的他們要逼迫。使創世以來、
51 所流衆先知血的罪、都要問在這世代的人身上．就是
從亞伯的血起、直到被殺在壇和殿中間撒迦利亞的
血為止．我實在告訴你們、這都要問在這世代的人身
52 上。你們律法師有禍了．因為你們把知識的鑰匙奪了
53 去．自己不進去、正要進去的人、你們也阻擋他們。○耶
穌從那裏出來、文士和法利賽人就極力的催逼他、引
54 動他多說話．私下窺聽、要拿他的話柄。

第十二章　主警戒門徒

1 這時有幾萬人聚集、甚至彼此踐踏、耶
2 穌開講、先對門徒說、你們要防備法利賽人的酵、就是
3 假冒為善。掩蓋的事、沒有不露出來的．隱藏的事、沒有
不被人知道的。因此你們在暗中所說的、將要在明處
被人聽見．在內室附耳所說的、將要在房上被人宣揚。
4 我的朋友、我對你們說、那殺身體以後、不能再作甚麼
5 的、不要怕他們。我要指示你們當怕的是誰．當怕那殺
了以後、又有權柄丟在地獄裏的．我實在告訴你們、正
6 要怕他。五個麻雀、不是賣二分銀子麼．但在　神面前、
7 一個也不忘記。就是你們的頭髮也都被數過了．不要
懼怕、你們比許多麻雀還貴重。

褻瀆聖靈不得赦免

8 我又告訴你們、凡在人面前認我的、人子在　神的使
9 者面前也必認他．在人面前不認我的、人子在　神的
10 使者面前也必不認他。凡說話干犯人子的、還可得赦
11 免、惟獨褻瀆聖靈的、總不得赦免。人帶你們到會堂、並

官府、和有權柄的人面前、不要思慮怎麼分訴、說甚麼
話．十二因為正在那時候、聖靈要指教你們當說的話。

警戒貪心

十三衆人中有一個人對耶穌說、夫子、請你吩咐我的兄長
和我分開家業。十四耶穌說、你這個人、誰立我作你們斷事
的官、給你們分家業呢。十五於是對衆人說、你們要謹慎自
守、免去一切的貪心、因為人的生命、不在乎家道豐富。

無知的財主

十六就用比喻對他們說、有一個財主田產豐盛．十七自己心裏
思想說、我的出產沒有地方收藏、怎麼辦呢。十八又說、我要
這麼辦、要把我的倉房拆了、另蓋更大的、在那裏好收
藏我一切的糧食和財物。十九然後要對我的靈魂說、靈魂
哪、你有許多財物積存、可作多年的費用．只管安安逸
逸的喫喝快樂罷。二十神卻對他說、無知的人哪、今夜必
要你的靈魂、你所豫備的、要歸誰呢。二一凡為自己積財在
神面前卻不富足的、也是這樣。

勿慮衣食

二二耶穌又對門徒說、所以我告訴你們、不要為生命憂慮
喫甚麼、為身體憂慮穿甚麼。二三因為生命勝於飲食、身體
勝於衣裳。二四你想烏鴉也不種也不收、又沒有倉、又沒有
庫、神尚且養活他．你們比飛鳥是何等的貴重呢。二五你
們那一個能用思慮使壽數多加一刻呢。(或作使身量多加一肘呢)
二六這最小的事、你們尚且不能作、為甚麼還憂慮其餘的
事呢。二七你想百合花怎麼長起來．他也不勞苦、也不紡綫．
然而我告訴你們、就是所羅門極榮華的時候、他所穿
戴的、還不如這花一朵呢。二八你們這小信的人哪、野地裏
的草、今天還在、明天就丟在爐裏、神還給他這樣的
妝飾、何況你們呢。二九你們不要求喫甚麼、喝甚麼、也不要
罣心．三十這都是外邦人所求的、你們必須用這些東西、你
們的父是知道的。三一你們只要求他的國、這些東西就必
加給你們了。三二你們這小羣、不要懼怕．因為你們的父樂
意把國賜給你們。

論眞財寶

三三你們要變賣所有的、賙濟人．為自己豫備永不壞的錢
囊、用不盡的財寶在天上、就是賊不能近、蟲不能蛀的
地方。三四因為你們的財寶在那裏、你們的心也在那裏。◯

三五 三六 三五你們腰裏要束上帶、燈也要點着。三六自己好像僕人等候
主人從婚姻的筵席上回來、他來到叩門、就立刻給他
三七 開門。三七主人來了、看見僕人儆醒、那僕人就有福了。我實
在告訴你們、主人必叫他們坐席、自己束上帶、進前伺
三八 候他們。三八或是二更天來、或是三更天來、看見僕人這樣、
三九 那僕人就有福了。三九家主若知道賊甚麼時候來、就必儆
四十 醒、不容賊挖透房屋、這是你們所知道的。四十你們也要豫
備。因為你們想不到的時候、人子就來了。

善僕與惡僕的報應

四一 四一彼得說、主阿、這比喻是為我們說的呢、還是為衆人呢。
四二 四二主說、誰是那忠心有見識的管家、主人派他管理家裏
四三 的人、按時分糧給他們呢。四三主人來到、看見僕人這樣行、
四四 那僕人就有福了。四四我實在告訴你們、主人要派他管理
四五 一切所有的。四五那僕人若心裏說、我的主人必來得遲、就
四六 動手打僕人和使女、並且喫喝醉酒。四六在他想不到的日
子、不知道的時辰、那僕人的主人要來、重重的處治他、
四七 （或作把他腰斬了）定他和不忠心的人同罪。四七僕人知道主人的
意思、卻不豫備、又不順他的意思行、那僕人必多受責

四八 打。四八惟有那不知道的、作了當受責打的事、必少受責打
因為多給誰、就向誰多取、多託誰、就向誰多要。

事主和不事主的分爭

四九 四九我來要把火丟在地上。倘若已經燒起來、不也是我所
五十 願意的麼。五十我有當受的洗、還沒有成就、我是何等的迫
五一 切呢。五一你們以為我來、是叫地上太平麼、我告訴你們、不
五二 是、乃是叫人分爭。五二從今以後、一家五個人將要分爭、三
五三 個人和兩個人相爭、兩個人和三個人相爭。五三父親和兒
子相爭、兒子和父親相爭、母親和女兒相爭、女兒和母
五四 親相爭。婆婆和媳婦相爭、媳婦和婆婆相爭。○五四耶穌又
對衆人說、你們看見西邊起了雲彩、就說要下一陣雨。
五五 五六 果然就有。五五起了南風、就說將要燥熱、也就有了。五六假冒為
善的人哪、你們知道分辨天地的氣色、怎麼不知道分
五七 辨這時候呢。五七你們又為何不自己審量、甚麼是合理的
五八 呢。五八你同告你的對頭去見官、還在路上、務要盡力的和
他了結、恐怕他拉你到官面前、官交付差役、差役把你
五九 下在監裏。五九我告訴你、若有半文錢沒有還清、你斷不能
從那裏出來。

叫人悔改

一 第十三章 一正當那時、有人將彼拉多使加利利人
二 的血攙雜在他們祭物中的事、告訴耶穌。二耶穌說、你們
以為這些加利利人比衆加利利人更有罪、所以受這
三 害麼。三我告訴你們、不是的、你們若不悔改、都要如此滅
四 亡。四從前西羅亞樓倒塌了、壓死十八個人、你們以為那
五 些人比一切住在耶路撒冷的人更有罪麼。五我告訴你
們、不是的、你們若不悔改、都要如此滅亡。

不結實的無花果樹

六 六於是用比喻說、一個人有一棵無花果樹、栽在葡萄園
七 裏。他來到樹前找果子、卻找不着。七就對管園的說、看哪、
我這三年、來到這無花果樹前找果子、竟找不着、把他
八 砍了罷、何必白佔地土呢。八管園的說、主阿、今年且留着、
九 等我周圍掘開土、加上糞。九以後若結果子便罷、不然再
把他砍了。

安息日醫治疣背的女人

十一十 十安息日、耶穌在會堂裏教訓人。十一有一個女人、被鬼附着
十二 病了十八年、腰彎得一點直不起來。十二耶穌看見、便叫過
十三 他來、對他說、女人、你脫離這病了。十三於是用兩隻手按着
十四 他、他立刻直起腰來、就歸榮耀與　神。十四管會堂的因為
耶穌在安息日治病、就氣忿忿的對衆人說、有六日應
十五 當作工、那六日之內、可以來求醫、在安息日卻不可。十五主
說、假冒為善的人哪、難道你們各人在安息日不解開
十六 槽上的牛驢、牽去飲麼。十六況且這女人本是亞伯拉罕的
後裔、被撒但捆綁了這十八年、不當在安息日解開他
十七 的綁麼。十七耶穌說這話、他的敵人都慚愧了、衆人因他所
行一切榮耀的事、就都歡喜了。

芥菜種和麵酵的比喻

十八十九 十八耶穌說、神的國、好像甚麼、我拿甚麼來比較呢。十九好像
一粒芥菜種、有人拿去種在園子裏、長大成樹、天上的
二十 飛鳥宿在他的枝上。二十又說、我拿甚麼來比神的國呢。
二十一 二十一好比麵酵、有婦人拿來藏在三斗麵裏、直等全糰都發
起來。

當進窄門

二十二二十三 二十二耶穌往耶路撒冷去、在所經過的各城各鄉教訓人。二十三有
二十四 一個人問他說、主阿、得救的人少麼。二十四耶穌對衆人說、你

們要努力進窄門．我告訴你們、將來有許多人想要進
二五 去、卻是不能。二五及至家主起來關了門、你們站在外面叩
門說、主阿、給我們開門、他就回答說、我不認識你們、不
二六 曉得你們是那裏來的。二六那時、你們要說、我們在你面前
二七 喫過喝過、你也在我們的街上教訓過人。二七他要說、我告
訴你們、我不曉得你們是那裏來的、你們這一切作惡
二八 的人、離開我去罷。二八你們要看見亞伯拉罕、以撒、雅各、和
衆先知、都在　神的國裏、你們卻被趕到外面、在那裏
二九 必要哀哭切齒了。二九從東、從西、從南、從北、將有人來、在
三十 神的國裏坐席。三十只是有在後的將要在前、有在前的將
要在後。

歎惜耶路撒冷

三一 三一正當那時、有幾個法利賽人來對耶穌說、離開這裏去
三二 罷．因爲希律想要殺你。三二耶穌說、你們去告訴那個狐狸
三三 說、今天明天我趕鬼治病、第三天我的事就成全了。三三雖
然這樣、今天明天後天我必須前行．因爲先知在耶路
三四 撒冷之外喪命、是不能的。三四耶路撒冷、耶路撒冷阿、你
常殺害先知、又用石頭打死那奉差遣到你這裏來的
人．我多次願意聚集你的兒女、好像母雞把小雞聚集
三五 在翅膀底下、只是你們不願意。三五看哪、你們的家成爲荒
場留給你們．我告訴你們、從今以後、你們不得再見我、
直等到你們說、奉主名來的是應當稱頌的。

在安息日醫治脹病

第十四章

一 一安息日、耶穌到一個法利賽人的首領
二 家裏去喫飯、他們就窺探他。二在他面前有一個患水臌
三 的人。三耶穌對律法師和法利賽人說、安息日治病、可以
四五 不可以．四他們卻不言語。耶穌就治好那人、叫他走了．五便
對他們說、你們中間誰有驢或有牛、在安息日掉在井
六 裏、不立時拉他上來呢。六他們不能對答這話。

教訓爲客的

七八 七耶穌見所請的客揀擇首位、就用比喻對他們說、八你被
人請去赴婚姻的筵席、不要坐在首位上．恐怕有比你
九 尊貴的客被他請來、九那請你們的人前來對你說、讓座
十 給這一位罷．你就羞羞慚慚的退到末位上去了。十你被
請的時候、就去坐在末位上、好叫那請你的人來、對你
說、朋友、請上坐．那時你在同席的人面前、就有光彩了。

十一因爲凡自高的必降爲卑．自卑的必升爲高。

教訓爲主的

十二耶穌又對請他的人說、你擺設午飯或晚飯、不要請你
的朋友、弟兄、親屬、和富足的鄰舍、恐怕他們也請你、你
就得了報答。十三你擺設筵席、倒要請那貧窮的、殘廢的、瘸
腿的、瞎眼的、你就有福了．十四因爲他們沒有甚麽可報答
你．到義人復活的時候、你要得着報答。

窺視救恩

十五同席的有一人聽見這話、就對耶穌說、在神國裏喫
飯的有福了。十六耶穌對他說、有一人擺設大筵席、請了許
多客．十七到了坐席的時候、打發僕人去對所請的人說、請
來罷．樣樣都齊備了。十八衆人一口同音的推辭。頭一個說、
我買了一塊地、必須去看看．請你准我辭了。十九又有一個
說、我買了五對牛、要去試一試．請你准我辭了。二十又有一
個說、我纔娶了妻、所以不能去。二一那僕人回來、把這事都
告訴了主人．家主就動怒、對僕人說、快出去到城裏大
街小巷、領那貧窮的、殘廢的、瞎眼的、瘸腿的來。二二僕人說、
主阿、你所吩咐的已經辦了、還有空座。二三主人對僕人說、
你出去到路上和籬笆那裏、勉強人進來、坐滿我的屋
子。二四我告訴你們、先前所請的人沒有一個得嘗我的筵
席。

當背十架跟從主

二五有極多的人和耶穌同行．他轉過來對他們說、二六人到我
這裏來、若不愛我勝過愛自己的父母、妻子、兒女、弟兄、
姐妹、和自己的性命、就不能作我的門徒。（愛我勝過愛原文作恨）
二七凡不背着自己十字架跟從我的、也不能作我的門徒。
二八你們那一個要蓋一座樓、不先坐下算計花費、能蓋成
不能呢。二九恐怕安了地基、不能成功、看見的人都笑話他、
說、三十這個人開了工、卻不能完工。三一或是一個王、出去和別
的王打仗、豈不先坐下酌量、能用一萬兵、去敵那領二
萬兵來攻打他的麽。三二若是不能、就趁敵人還遠的時候、
派使者去求和息的條款。三三這樣、你們無論甚麽人、若不
撇下一切所有的、就不能作我的門徒。三四鹽本是好的．鹽
若失了味、可用甚麽叫他再鹹呢。三五或用在田裏、或堆在
糞裏、都不合式．只好丟在外面。有耳可聽的、就應當聽。

第十五章

主接待罪人

一衆稅吏和罪人、都挨近耶穌要聽他講
道。二法利賽人和文士私下議論說、這個人接待罪人、又
同他們喫飯。

失羊的比喻

三耶穌就用比喻、說、四你們中間誰有一百隻羊、失去一隻、
不把這九十九隻撇在曠野、去找那失去的羊、直到找
着呢。五找着了、就歡歡喜喜的扛在肩上、回到家裏。六就請
朋友鄰舍來、對他們說、我失去的羊已經找着了、你們
和我一同歡喜罷。七我告訴你們、一個罪人悔改、在天上
也要這樣爲他歡喜、較比爲九十九個不用悔改的義
人、歡喜更大。

失錢的比喻

八或是一個婦人有十塊錢、若失落一塊、豈不點上燈、打
掃屋子、細細的找、直到找着麼。九找着了、就請朋友鄰舍
來、對他們說、我失落的那塊錢已經找着了、你們和我
一同歡喜罷。十我告訴你們、一個罪人悔改、在神的使
者面前、也是這樣爲他歡喜。

浪子的比喻

十一耶穌又說、一個人有兩個兒子。十二小兒子對父親說、父親、
請你把我應得的家業分給我。他父親就把產業分給
他們。十三過了不多幾日、小兒子就把他一切所有的、都收
拾起來、往遠方去了。在那裏任意放蕩、浪費貲財。十四既耗
盡了一切所有的、又遇着那地方大遭饑荒、就窮苦起
來。十五於是去投靠那地方的一個人。那人打發他到田裏
去放豬。十六他恨不得拿豬所喫的豆莢充飢。也沒有人給
他。十七他醒悟過來、就說、我父親有多少的雇工、口糧有餘、
我倒在這裏餓死麼。十八我要起來、到我父親那裏去、向他
說、父親、我得罪了天、又得罪了你。十九從今以後、我不配稱
爲你的兒子、把我當作一個雇工罷。二十於是起來往他父
親那裏去。相離還遠、他父親看見、就動了慈心、跑去抱
着他的頸項、連連與他親嘴。二一兒子說、父親、我得罪了天、
又得罪了你、從今以後、我不配稱爲你的兒子。二二父親卻
吩咐僕人說、把那上好的袍子快拿出來給他穿。把戒
指戴在他指頭上。把鞋穿在他脚上。二三把那肥牛犢牽來
宰了、我們可以喫喝快樂。二四因爲我這個兒子、是死而復

二五 活、失而又得的。他們就快樂起來。二五那時、大兒子正在田
二六 裏。他回來離家不遠、聽見作樂跳舞的聲音．二六便叫過一
二七 個僕人來、問是甚麼事。二七僕人說、你兄弟來了．你父親因
二八 為得他無災無病的回來、把肥牛犢宰了。二八大兒子卻生
二九 氣、不肯進去．他父親就出來勸他。二九他對父親說、我服事
你這多年、從來沒有違背過你的命．你並沒有給我一
三十 隻山羊羔、叫我和朋友一同快樂．三十但你這個兒子、和娼
妓吞盡了你的產業、他一來了、你倒為他宰了肥牛犢。
三一 三一父親對他說、兒阿、你常和我同在、我一切所有的都是
三二 你的。三二只是你這個兄弟、是死而復活、失而又得的、所以
我們理當歡喜快樂。

不義的管家

一 **第十六章**　一耶穌又對門徒說、有一個財主的管家．
二 別人向他主人告他浪費主人的財物。二主人叫他來、對
他說、我聽見你這事怎麼樣呢．把你所經管的交代明
三 白。因你不能再作我的管家。三那管家心裏說、主人辭我、
不用我再作管家、我將來作甚麼．鋤地呢、無力．討飯呢、
四 怕羞。四我知道怎麼行、好叫人在我不作管家之後、接我

五 到他們家裏去。五於是把欠他主人債的、一個一個的叫
六 了來、問頭一個說、你欠我主人多少．六他說、一百簍油．每簍
七 約五十斤管家說、拿你的賬、快坐下寫五十。七又問一個說、你
八 欠多少．他說、一百石麥子．管家說、拿你的賬寫八十。八主
人就誇獎這不義的管家作事聰明．因為今世之子、在
九 世事之上、較比光明之子、更加聰明。九我又告訴你們、要
藉着那不義的錢財、結交朋友．到了錢財無用的時候、
十 他們可以接你們到永存的帳幕裏去。十人在最小的事
上忠心、在大事上也忠心．在最小的事上不義、在大事
十一 上也不義。十一倘若你們在不義的錢財上不忠心、誰還把
十二 那真實的錢財託付你們呢。十二倘若你們在別人的東西
上不忠心、誰還把你們自己的東西給你們呢。

一個僕人不能事奉兩個主

十三 一十三個僕人不能事奉兩個主．不是惡這個、愛那個．就是
重這個、輕那個．你們不能又事奉神、又事奉瑪門。○
十四 法十四利賽人是貪愛錢財的、他們聽見這一切話、就嗤笑
十五 耶穌。十五耶穌對他們說、你們是在人面前自稱為義的．你
們的心、神卻知道．因為人所尊貴的、是神看為可

憎惡的。[十六]律法和先知、到約翰爲止．從此 神國的福音
傳開了、人人努力要進去。[十七]天地廢去、較比律法的一點
一畫落空還容易。

論休妻

[十八]凡休妻另娶的、就是犯姦淫．娶被休之妻的、也是犯姦
淫。

財主和拉撒路

[十九]有一個財主、穿着紫色袍、和細麻布衣服、天天奢華宴
樂。[二十]又有一個討飯的、名叫拉撒路、渾身生瘡、被人放在
財主門口、[二一]要得財主桌子上掉下來的零碎充飢．並且
狗來餂他的瘡。[二二]後來那討飯的死了、被天使帶去放在
亞伯拉罕的懷裏．財主也死了、並且埋葬了。[二三]他在陰間
受痛苦．[二四]舉目遠遠的望見亞伯拉罕、又望見拉撒路在
他懷裏．就喊着說、我祖亞伯拉罕哪、可憐我罷、打發拉
撒路來、用指頭尖蘸點水、涼涼我的舌頭．因爲我在這
火焰裏、極其痛苦。[二五]亞伯拉罕說、兒阿、你該回想你生前
享過福、拉撒路也受過苦．如今他在這裏得安慰、你倒
受痛苦。[二六]不但這樣、並且在你我之間、有深淵限定、以致
人要從這邊過到你們那邊、是不能的．要從那邊過到
我們這邊、也是不能的。[二七]財主說、我祖阿、既是這樣、求你
打發拉撒路到我父家去．[二八]因爲我還有五個弟兄．他可
以對他們作見證、免得他們也來到這痛苦的地方。[二九]亞
伯拉罕說、他們有摩西和先知的話、可以聽從。[三十]他說、我
祖亞伯拉罕哪、不是的．若有一個從死裏復活的、到他
們那裏去的、他們必要悔改。[三一]亞伯拉罕說、若不聽從摩
西和先知的話、就是有一個從死裏復活的、他們也是
不聽勸。

第十七章

絆倒人的有禍

[一]耶穌又對門徒說、絆倒人的事是免不
了的．但那絆倒人的有禍了。[二]就是把磨石拴在這人的
頸項上、丟在海裏、還強如他把這小子裏的一個絆倒
了。[三]你們要謹慎．若是你的弟兄得罪你、就勸戒他．他若
懊悔、就饒恕他。[四]倘若他一天七次得罪你、又七次回轉
說、我懊悔了、你總要饒恕他。

信心的能力

[五]使徒對主說、求主加增我們的信心。[六]主說、你們若有信

心像一粒芥菜種、就是對這棵桑樹說、你要拔起根來
栽在海裏、他也必聽從你們。七你們誰有僕人耕地、或是
放羊、從田裏回來、就對他說、你快來坐下喫飯呢。八豈不
對他說、你給我豫備晚飯、束上帶子伺候我、等我喫喝
完了、你纔可以喫喝麼。九僕人照所吩咐的去作、主人還
謝謝他麼。十這樣、你們作完了一切所吩咐的、只當說、我
們是無用的僕人、所作的本是我們應分作的。

治好十個長大痲瘋的

十一耶穌往耶路撒冷去、經過撒瑪利亞和加利利。十二進入一
個村子、有十個長大痲瘋的迎面而來、遠遠的站着、十三高
聲說、耶穌、夫子、可憐我們罷。十四耶穌看見、就對他們說、你
們去把身體給祭司察看。他們去的時候就潔淨了。十五內
中有一個見自己已經好了、就回來大聲歸榮耀與
神。十六又俯伏在耶穌腳前感謝他。這人是撒瑪利亞人。十七耶
穌說、潔淨了的不是十個人麼、那九個在那裏呢。十八除了
這外族人、再沒有別人回來歸榮耀與　神麼。十九就對那
人說、起來走罷。你的信救了你了。

神的國在人心裏

二十法利賽人問　神的國幾時來到。耶穌回答說、　神的
國來到、不是眼所能見的。二一人也不得說、看哪、在這裏、看
哪、在那裏。因爲　神的國就在你們心裏。（心裏或作中間）

引證挪亞和羅得的事

二二他又對門徒說、日子將到、你們巴不得看見人子的一
個日子、卻不得看見。二三人將要對你們說、看哪、在那裏、看
哪、在這裏。你們不要出去、也不要跟隨他們。二四因爲人子
在他降臨的日子、好像閃電從天這邊一閃、直照到天
那邊。二五只是他必須先受許多苦、又被這世代棄絕。二六挪亞
的日子怎樣、人子的日子也要怎樣。二七那時候的人又喫
又喝、又娶又嫁、到挪亞進方舟的那日、洪水就來、把他
們全都滅了。二八又好像羅得的日子、人又喫又喝、又買又
賣、又耕種、又蓋造、二九到羅得出所多瑪的那日、就有火與
硫磺從天上降下來、把他們全都滅了。三十人子顯現的日
子、也要這樣。三一當那日、人在房上、器具在屋裏、不要下來
拿。人在田裏、也不要回家。三二你們要回想羅得的妻子。

捨生命得生命

三三凡想要保全生命的、必喪掉生命．凡喪掉生命的、必救
活生命。三四我對你們說、當那一夜、兩個人在一個牀上、要
取去一個、撇下一個。三五兩個女人一同推磨．要取去一個、
撇下一個。……（有古卷在此有三六兩個人在田裏要取去一個撇下一個）三七門徒說、主阿、在
那裏有這事呢．耶穌說、屍首在那裏、鷹也必聚在那裏。

第十八章

一耶穌設一個比喻、是要人常常禱告、不

切求的寡婦和不義的官

可灰心．二說某城裏有一個官、不懼怕神、也不尊重世
人。三那城裏有個寡婦、常到他那裏、說、我有一個對頭、求
你給我伸冤。四他多日不准．後來心裏說、我雖不懼怕
神、也不尊重世人．五只因這寡婦煩擾我、我就給他伸冤
罷．免得他常來纏磨我。六主說、你們聽這不義之官所說
的話。七神的選民、晝夜呼籲他、他縱然為他們忍了多
時、豈不終久給他們伸冤麼。八我告訴你們、要快快的給
他們伸冤了．然而人子來的時候、遇得見世上有信德
麼。

法利賽人和稅吏的禱告

九耶穌向那些仗着自己是義人、藐視別人的、設一個比
喻、十說、有兩個人上殿裏去禱告．一個是法利賽人、一個
是稅吏。十一法利賽人站着、自言自語的禱告說、神阿、我
感謝你、我不像別人、勒索、不義、姦淫、也不像這個稅吏。
十二我一個禮拜禁食兩次、凡我所得的、都捐上十分之一。
十三那稅吏遠遠的站着、連舉目望天也不敢、只捶着胸說、
神阿、開恩可憐我這個罪人。十四我告訴你們、這人回家
去、比那人倒算為義了．因為凡自高的、必降為卑、自卑
的、必升為高。

主接待小孩

十五有人抱着自己的嬰孩、來見耶穌、要他摸他們．門徒看
見就責備那些人。十六耶穌卻叫他們來、說、讓小孩子到我
這裏來、不要禁止他們．因為在神國的、正是這樣的
人。十七我實在告訴你們、凡要承受神國的、若不像小孩
子、斷不能進去。

當積財寶在天上

十八有一個官問耶穌說、良善的夫子、我該作甚麼事、纔可

十九 以承受永生。十九耶穌對他說、你爲甚麼稱我是良善的。除
二十 了　神一位之外、再沒有良善的。二十誡命你是曉得的、不
可姦淫、不可殺人、不可偷盜、不可作假見證、當孝敬父
二一 二二 母。二一那人說、這一切我從小都遵守了。二二耶穌聽見了、就說、
你還缺少一件、要變賣你一切所有的、分給窮人、就必
二三 有財寶在天上。你還要來跟從我。二三他聽見這話、就甚憂
愁、因爲他很富足。

貪財的難進天國

二四 二四耶穌看見他就說、有錢財的人進　神的國、是何等的
二五 難哪。二五駱駝穿過鍼的眼、比財主進　神的國還容易呢。
二六 二七 二六聽見的人說、這樣誰能得救呢。二七耶穌說、在人所不能的
二八 事、在　神卻能。二八彼得說、看哪、我們已經撇下自己所有
二九 的跟從你了。二九耶穌說、我實在告訴你們、人爲　神的國、
三十 撇下房屋、或是妻子、弟兄、父母、兒女、三十沒有在今世不得
百倍、在來世不得永生的。

主豫言受難

三一 三一耶穌帶着十二個門徒、對他們說、看哪、我們上耶路撒
三二 冷去、先知所寫的一切事、都要成就在人子身上。三二他將
要被交給外邦人、他們要戲弄他、凌辱他、吐唾沫在他
三三 三四 臉上。三三並要鞭打他、殺害他、第三日他要復活。三四這些事門
徒一樣也不懂得、意思乃是隱藏的、他們不曉得所說
的是甚麼。

使耶利哥的瞎子看見

三五 三五耶穌將近耶利哥的時候、有一個瞎子坐在路旁討飯。
三六 三七 三六聽見許多人經過、就問是甚麼事。三七他們告訴他、是拿撒
三八 勒人耶穌經過。三八他就呼叫說、大衛的子孫耶穌阿、可憐
三九 我罷。三九在前頭走的人、就責備他、不許他作聲。他卻越發
四十 喊叫說、大衛的子孫、可憐我罷。四十耶穌站住、吩咐把他領
四一 過來。到了跟前、就問他說、四一你要我爲你作甚麼。他說、主
四二 阿、我要能看見。四二耶穌說、你可以看見、你的信救了你了。
四三 四三瞎子立刻看見了、就跟隨耶穌、一路歸榮耀與　神。衆
人看見這事、也讚美　神。

第十九章　稅吏撒該

一 二 一耶穌進了耶利哥、正經過的時候、二有一
三 個人名叫撒該、作稅吏長、是個財主。三他要看看耶穌是
四 怎樣的人、只因人多、他的身量又矮、所以不得看見。四就

跑到前頭、爬上桑樹、要看耶穌、因爲耶穌必從那裏經
五 過。五耶穌到了那裏、抬頭一看、對他說、撒該快下來、今天
六 我必住在你家裏。六他就急忙下來、歡歡喜喜的接待耶
七 穌。七衆人看見、都私下議論說、他竟到罪人家裏去住宿。
八 八撒該站着、對主說、主阿、我把所有的一半給窮人、我若
九 訛詐了誰、就還他四倍。九耶穌說、今天救恩到了這家、因
十 爲他也是亞伯拉罕的子孫。十人子來、爲要尋找拯救失
喪的人。

交銀與十僕的比喻

十一 十一衆人正在聽見這些話的時候、耶穌因爲將近耶路撒
冷、又因他們以爲　神的國快要顯出來、就另設一個
十二十三 比喻說、十二有一個貴冑往遠方去、要得國回來。十三便叫了他
的十個僕人來、交給他們十錠銀子、錠原文作彌拿一彌拿約銀十兩
十四 說、你們去作生意、直等我回來。十四他本國的人卻恨他、打
十五 發使者隨後去說、我們不願意這個人作我們的王。十五他
既得國回來、就吩咐叫那領銀子的僕人來、要知道他
十六 們作生意賺了多少。十六頭一個上來說、主阿、你的一錠銀
十七 子、已經賺了十錠。十七主人說、好、良善的僕人、你既在最小
十八 的事上有忠心、可以有權柄管十座城。十八第二個來說、主
十九 阿、你的一錠銀子、已經賺了五錠。十九主人說、你也可以管
二十 五座城。二十又有一個來說、主阿、看哪、你的一錠銀子在這
二一 裏、我把他包在手巾裏存着。二一我原是怕你、因爲你是嚴
厲的人、沒有放下的還要去拿、沒有種下的還要去收。
二二 二二主人對他說、你這惡僕、我要憑你的口定你的罪。你既
知道我是嚴厲的人、沒有放下的還要去拿、沒有種下
二三 的還要去收。二三爲甚麼不把我的銀子交給銀行、等我來
二四 的時候、連本帶利都可以要回來呢。二四就對旁邊站着的
二五 人說、奪過他這一錠來、給那有十錠的。二五他們說、主阿、他
二六 已經有十錠了。二六主人說、我告訴你們、凡有的、還要加給
二七 他、沒有的、連他所有的、也要奪過來。二七至於我那些仇敵
不要我作他們王的、把他們拉來、在我面前殺了罷。

主騎驢進耶路撒冷

二八二九 二八耶穌說完了這話、就在前面走、上耶路撒冷去。○二九將近
伯法其、和伯大尼、在一座山、名叫橄欖山、那裏就打發
三十 兩個門徒、三十說、你們往對面村子裏去、進去的時候、必看
見一匹驢駒拴在那裏、是從來沒有人騎過的、可以解

開牽來。三一若有人問爲甚麽解他、你們就說、主要用他。三二打
發的人去了、所遇見的、正如耶穌所說的。三三他們解驢駒
的時候、主人問他們說、解驢駒作甚麽。三四他們說、主要用
他。三五他們牽到耶穌那裏、把自己的衣服搭在上面、扶着
耶穌騎上。三六走的時候、衆人把衣服鋪在路上。三七將近耶路
撒冷、正下橄欖山的時候、衆門徒因所見過的一切異
能、都歡樂起來、大聲讚美神、說、三八奉主名來的王、是應
當稱頌的．在天上有和平、在至高之處有榮光。三九衆人中
有幾個法利賽人對耶穌說、夫子、責備你的門徒罷。四十耶
穌說、我告訴你們、若是他們閉口不說、這些石頭必要
呼叫起來。

爲耶路撒冷哀哭

四一耶穌快到耶路撒冷看見城、就爲他哀哭、四二說、巴不得你
在這日子、知道關係你平安的事．無奈這事現在是隱
藏的、叫你的眼看不出來。四三因爲日子將到、你的仇敵必
築起土壘、周圍環繞你、四面困住你、四四並要掃滅你、和你
裏頭的兒女、連一塊石頭也不留在石頭上．因你不知
道眷顧你的時候。

潔淨聖殿

四五耶穌進了殿、趕出裏頭作買賣的人、四六對他們說、經上說、……
『我的殿、必作禱告的殿。』你們倒使他成爲賊窩了。
○四七耶穌天天在殿裏教訓人。祭司長、和文士、與百姓的
尊長、都想要殺他．四八但尋不出法子來、因爲百姓都側耳
聽他。

第二十章

辯駁耶穌的權柄

一有一天耶穌在殿裏教訓百姓、講福音
的時候、祭司長和文士並長老上前來、二問他說、你告訴
我們、你仗着甚麽權柄作這些事、給你這權柄的是誰
呢。三耶穌回答說、我也要問你們一句話．你們且告訴我．
四約翰的洗禮、是從天上來的、是從人間來的呢。五他們彼
此商議說、我們若說從天上來、他必說你們爲甚麽不
信他呢．六若說從人間來、百姓都要用石頭打死我們．因
爲他們信約翰是先知。七於是回答說、不知道是從那裏
來的。八耶穌說、我也不告訴你們、我仗着甚麽權柄作這
些事。

兇惡園戶的比喻

九耶穌就設比喻、對百姓說、有人栽了一個葡萄園、租給
園戶、就往外國去住了許久。十到了時候、打發一個僕人
到園戶那裏去、叫他們把園中當納的果子交給他．園
戶竟打了他、叫他空手回去。十一又打發一個僕人去．他們
也打了他、並且凌辱他、叫他空手回去。十二又打發第三個
僕人去．他們也打傷了他、把他推出去了。十三園主說、我怎
麽辦呢．我要打發我的愛子去．或者他們尊敬他。十四不料、
園戶看見他、就彼此商量說、這是承受產業的．我們殺
他罷、使產業歸於我們。十五於是把他推出葡萄園外殺了。
這樣、葡萄園的主人、要怎樣處治他們呢。十六他要來除滅
這些園戶、將葡萄園轉給別人．聽見的人說、這是萬不
可的。十七耶穌看着他們說、經上記着、『匠人所棄的石頭、
已作了房角的頭塊石頭。』這是甚麽意思呢。十八凡掉在
那石頭上的、必要跌碎．那石頭掉在誰的身上、就要把
誰砸得稀爛。

巧言盤問

十九文士和祭司長、看出這比喻是指着他們說的、當時就
想要下手拿他．只是懼怕百姓。二十於是窺探耶穌、打發奸
細裝作好人、要在他的話上得把柄、好將他交在巡撫
的政權之下。二一奸細就問耶穌說、夫子、我們曉得你所講
所傳都是正道、也不取人的外貌、乃是誠誠實實傳
神的道。二二我們納稅給該撒、可以不可以。

納稅給該撒

二三耶穌看出他們的詭詐、就對他們說、二四拿一個銀錢來給
我看．這像和這號是誰的．他們說、是該撒的。二五耶穌說、這
樣、該撒的物當歸給該撒、神的物當歸給神。二六他們
當着百姓、在這話上得不着把柄．又希奇他的應對、就
閉口無言了。

撒都該人辯駁復活之事

二七撒都該人常說沒有復活的事．有幾個來問耶穌說、二八夫
子、摩西爲我們寫着說、人若有妻無子就死了、他兄弟
當娶他的妻、爲哥哥生子立後。二九有弟兄七人．第一個娶
了妻、沒有孩子死了．三十第二個、第三個、也娶過他．三一那七個
人、都娶過他、沒有留下孩子就死了。三二後來婦人也死了。
三三這樣、當復活的時候、他是那一個的妻子呢．因爲他們

三四 三五 七個人都娶過他。[三四]耶穌說、這世界的人、有娶有嫁．[三五]惟有
算爲配得那世界、與從死裏復活的人、也不娶也不嫁．
三六 [三六]因爲他們不能再死．和天使一樣．既是復活的人、就爲
三七 神的兒子。[三七]至於死人復活、摩西在荊棘篇上、稱主是
亞伯拉罕的 神、以撒的 神、雅各的 神．就指示明
三八 白了。神原不是死人的 神、乃是活人的 神．因爲
三九 在他那裏、人都是活的。(那裏或作看來)[三九]有幾個文士說、夫子、你
四十 四一 說得好。[四十]以後他們不敢再問他甚麼。○[四一]耶穌對他們說、
四二 人怎麼說基督是大衛的子孫呢。[四二]詩篇上、大衛自己說、
四三 『主對我主說、你坐在我的右邊、[四三]等我使你仇敵作你
四四 的脚凳。』[四四]大衛既稱他爲主、他怎麼又是大衛的子孫
四五 四六 呢。○[四五]衆百姓聽的時候、耶穌對門徒說、[四六]你們要防備文
士．他們好穿長衣遊行、喜愛人在街市上問他們安、又
四七 喜愛會堂裏的高位、筵席上的首座．[四七]他們侵吞寡婦的
家產、假意作很長的禱告．這些人要受更重的刑罰。

第二十一章

主稱讚寡婦的捐貲

一 [一]耶穌抬頭觀看、見財主把捐項投在
二 三 庫裏。[二]又見一個窮寡婦、投了兩個小錢．[三]就說、我實在告
四 訴你們．這窮寡婦、所投的比衆人還多．[四]因爲衆人都是
自己有餘、拿出來投在捐項裏．但這寡婦是自己不足、
把他一切養生的都投上了。

豫言聖殿被毀

五 六 [五]有人談論聖殿、是用美石和供物妝飾的．[六]耶穌就說、論
到你們所看見的這一切、將來日子到了、在這裏沒有
一塊石頭留在石頭上、不被拆毀了。

這些事的豫兆

七 [七]他們問他說、夫子、甚麼時候有這事呢．這事將到的時
八 候、有甚麼豫兆呢。[八]耶穌說、你們要謹愼、不要受迷惑．因
爲將來有好些人冒我的名來、說、我是基督：又說、時候
九 近了．你們不要跟從他們。[九]你們聽見打仗和擾亂的事、
不要驚惶．因爲這些事必須先有．只是末期不能立時
十 就到。○[十]當時耶穌對他們說、民要攻打民、國要攻打國．
十一 [十一]地要大大震動、多處必有饑荒瘟疫．又有可怕的異象、
十二 和大神蹟、從天上顯現。[十二]但這一切的事以先、人要下手
拿住你們、逼迫你們、把你們交給會堂、並且收在監裏、
十三 又爲我的名拉你們到君王諸侯面前。[十三]但這些事終必

為你們的見證。

忍受艱難的必要得救

十四十五 十四所以你們當立定心意、不要豫先思想怎樣分訴．十五因為
我必賜你們口才智慧、是你們一切敵人所敵不住、駁
十六 不倒的。十六連你們的父母弟兄、親族、朋友、也要把你們交
十七 官．你們也有被他們害死的。十七你們要為我的名、被衆人
十八十九 恨惡．十八然而你們連一根頭髮、也必不損壞．十九你們常存忍
二十 耐、就必保全靈魂。（或作必得生命）〇二十你們看見耶路撒冷被兵
二一 圍困、就可知道他成荒塲的日子近了。二一那時、在猶太的、
應當逃到山上．在城裏的、應當出來．在鄉下的、不要進
二二二三 城。二二因為這是報應的日子、使經上所寫的都得應驗。二三當
那些日子、懷孕的和奶孩子的有禍了．因為將有大災
二四 難降在這地方、也有震怒臨到這百姓。二四他們要倒在刀
下、又被擄到各國去．耶路撒冷要被外邦人踐踏、直到
二五 外邦人的日期滿了。二五日月星辰要顯出異兆．地上的邦
二六 國也有困苦．因海中波浪的響聲、就慌慌不定。二六天勢都
要震動．人想起那將要臨到世界的事、就都嚇得魂不
二七 附體。二七那時、他們要看見人子、有能力有大榮耀、駕雲降
二八 臨。二八一有這些事、你們就當挺身昂首．因為你們得贖的
日子近了。

從無花果樹學比方

二九三十 二九三十耶穌又設比喻對他們說、你們看無花果樹、和各樣的
三一 樹．他發芽的時候、你們一看見自然曉得夏天近了。三一這
樣、你們看見這些事漸漸的成就、也該曉得　神的國
三二 近了。三二我實在告訴你們、這世代還沒有過去、這些事都
三三三四 要成就。三三天地要廢去、我的話卻不能廢去。〇三四你們要謹
慎、恐怕因貪食醉酒並今生的思慮、累住你們的心、那
三五 日子就如同網羅忽然臨到你們。三五因為那日子要這樣
三六 臨到全地上一切居住的人。三六你們要時時儆醒、常常祈
求、使你們能逃避這一切要來的事、得以站立在人子
三七 面前。〇三七耶穌每日在殿裏教訓人、每夜出城在一座山、
三八 名叫橄欖山住宿。三八衆百姓清早上聖殿、到耶穌那裏要
聽他講道。

用計殺主

二一 **第二十二章** 一除酵節、又名逾越節、近了。二祭司長和
文士、想法子怎麼纔能殺害耶穌．是因他們懼怕百姓。

猶大賣主

三這時、撒但入了那稱爲加畧人猶大的心、他本是十二
門徒裏的一個。四他去和祭司長並守殿官商量、怎麼可
以把耶穌交給他們。五他們歡喜、就約定給他銀子。六他應
允了、就找機會要趁衆人不在跟前的時候、把耶穌交
給他們。

豫備逾越節的筵席

七除酵節、須宰逾越羊羔的那一天到了。八耶穌打發彼得、
約翰、說、你們去爲我們豫備逾越節的筵席、好叫我們
喫。九他們問他說、要我們在那裏豫備。十耶穌說、你們進了
城、必有人拿着一瓶水迎面而來．你們就跟着他到他
所進的房子裏去．十一對那家的主人說、夫子說、客房在那
裏、我與門徒好在那裏喫逾越節的筵席。十二他必指給你
們擺設整齊的一間大樓、你們就在那裏豫備。十三他們去
了、所遇見的、正如耶穌所說的．他們就豫備了逾越節
的筵席。

設立聖餐

十四時候到了、耶穌坐席、使徒也和他同坐。十五耶穌對他們說、

我很願意在受害以先、和你們喫這逾越節的筵席。十六我
告訴你們、我不再喫這筵席、直到成就在 神的國裏。
十七耶穌接過杯來、祝謝了、說、你們拿這個、大家分着喝。十八我
告訴你們、從今以後、我不再喝這葡萄汁、直等 神的
國來到。十九又拿起餅來、祝謝了、就擘開遞給他們、說、這是
我的身體、爲你們捨的．你們也應當如此行、爲的是記
念我。二十飯後也照樣拿起杯來、說、這杯是用我血所立的
新約、是爲你們流出來的。二一看哪、那賣我之人的手、與我
一同在桌子上。二二人子固然要照所豫定的去世．但賣人
子的人有禍了。二三他們就彼此對問、是那一個要作這事。

爭論誰爲大

二四門徒起了爭論、他們中間那一個可算爲大。二五耶穌說、外
邦人有君王爲主治理他們．那掌權管他們的稱爲恩
主。二六但你們不可這樣．你們裏頭爲大的、倒要像年幼的．
爲首領的、倒要像服事人的。二七是誰爲大、是坐席的呢、是
服事人的呢．不是坐席的大麼．然而我在你們中間、如
同服事人的。二八我在磨煉之中、常和我同在的、就是你們。
二九我將國賜給你們、正如我父賜給我一樣。三十叫你們在我

國裏、坐在我的席上喫喝．並且坐在寶座上、審判以色
列十二個支派。

豫言彼得不認主

三一 主又說、西門、西門、撒但想要得着你們、好篩你們、像篩
三二 麥子一樣．三二但我已經為你祈求、叫你不至於失了信心．
三三 你回頭以後、要堅固你的弟兄。三三彼得說、主阿、我就是同
三四 你下監、同你受死、也是甘心。三四耶穌說、彼得、我告訴你、今
三五 日雞還沒有叫、你要三次說不認得我。○三五耶穌又對他
們說、我差你們出去的時候、沒有錢囊、沒有口袋、沒有
三六 鞋、你們缺少甚麼沒有．他們說、沒有。三六耶穌說、但如今有
錢囊的可以帶着、有口袋的也可以帶着．沒有刀的要
三七 賣衣服買刀。三七我告訴你們、經上寫着說、『他被列在罪
犯之中。』這話必應驗在我身上、因為那關係我的事、
三八 必然成就。三八他們說、主阿、請看、這裏有兩把刀．耶穌說、彀
了。

在客西馬尼禱告

三九 四十 耶穌出來、照常往橄欖山去．門徒也跟隨他。四十到了那地
四一 方、就對他們說、你們要禱告、免得入了迷惑。四一於是離開
四二 他們、約有扔一塊石頭那麼遠、跪下禱告、四二說、父阿、你若
願意、就把這杯撤去．然而不要成就我的意思、只要成
四三 就你的意思。四三有一位天使從天上顯現、加添他的力量。
四四 耶穌極其傷痛、禱告更加懇切．汗珠如大血點、滴在地
上。

主勉勵門徒儆醒禱告

四五 禱告完了、就起來、到門徒那裏、見他們因為憂愁都睡
四六 着了．四六就對他們說、你們為甚麼睡覺呢．起來禱告、免得
入了迷惑。

盜賣和捉拿

四七 說話之間、來了許多人、那十二個門徒裏名叫猶大的、
四八 走在前頭、就近耶穌、要與他親嘴。四八耶穌對他說、猶大、你
四九 用親嘴的暗號賣人子麼。四九左右的人見光景不好、就說、
五十 主阿、我們拿刀砍可以不可以。五十內中有一個人、把大祭
五一 司的僕人砍了一刀、削掉了他的右耳。五一耶穌說、到了這
五二 個地步、由他們罷．就摸那人的耳朵、把他治好了。五二耶穌
對那些來拿他的祭司長、和守殿官、並長老、說、你們帶
五三 着刀棒出來拿我、如同拿強盜麼。五三我天天同你們在殿

裏、你們不下手拿我．現在卻是你們的時候、黑暗掌權
了。

彼得三次不認主

五四他們拿住耶穌、把他帶到大祭司的宅裏．彼得遠遠的
跟着。五五他們在院子裏生了火、一同坐着、彼得也坐在他
們中間。五六有一個使女、看見彼得坐在火光裏、就定睛看
他、說、這個人素來也是同那人一夥的。五七彼得卻不承認、
說、女子、我不認得他。五八過了不多的時候、又有一個人看
見他、說、你也是他們一黨的．彼得說、你這個人、我不是。
五九約過了一小時、又有一個人極力的說、他實在是同那
人一夥的、因爲他也是加利利人．六十彼得說、你這個人、我
不曉得你說的是甚麼．正說話之間、雞就叫了。六一主轉過
身來看彼得．彼得便想起主對他所說的話、今日雞叫
以先、你要三次不認我。六二他就出去痛哭。

戲弄耶穌

六三看守耶穌的人戲弄他、打他、六四又蒙着他的眼、問他說、你
是先知、告訴我們打你的是誰。六五他們還用許多別的話
辱罵他。

在公會前受審

六六天一亮、民間的衆長老、連祭司長帶文士、都聚會．把耶
穌帶到他們的公會裏、六七說、你若是基督、就告訴我們。耶
穌說、我若告訴你們、你們也不信．六八我若問你們、你們也
不回答。六九從今以後、人子要坐在　神權能的右邊。七十他們
都說、這樣、你是　神的兒子麼．耶穌說、你們所說的是。
七一他們說、何必再用見證呢．他親口所說的、我們都親自
聽見了。

將耶穌解交彼拉多

第二十三章

一衆人都起來、把耶穌解到彼拉多面
前。二就告他說、我們見這人誘惑國民、禁止納稅給該撒、
並說自己是基督、是王。三彼拉多問耶穌說、你是猶太人
的王麼．耶穌回答說、你說的是。四彼拉多對祭司長和衆
人說、我查不出這人有甚麼罪來。五但他們越發極力的
說、他煽惑百姓、在猶太遍地傳道、從加利利起、直到這
裏了。六彼拉多一聽見、就問這人是加利利人麼．七既曉得
耶穌屬希律所管、就把他送到希律那裏去．那時希律
正在耶路撒冷。

耶穌在希律前被藐視

八 八希律看見耶穌、就很歡喜．因爲聽見過他的事、久已想
九 要見他．並且指望看他行一件神蹟。九於是問他許多的
十 話．耶穌却一言不答。十祭司長和文士都站着極力的告
十一 他。十一希律和他的兵丁就藐視耶穌、戲弄他、給他穿上華
十二 麗衣服、把他送回彼拉多那裏去。十二從前希律和彼拉多
彼此有仇．在那一天就成了朋友。

在彼拉多前受審

十三十四 十三彼拉多傳齊了祭司長、和官府、並百姓、十四就對他們說、你
們解這人到我這裏、說他是誘惑百姓的．看哪、我也曾
將你們告他的事、在你們面前審問他、並沒有查出他
十五 甚麼罪來．十五就是希律也是如此、所以把他送回來．可見
十六 他沒有作甚麼該死的事。十六故此我要責打他、把他釋放
十七 了。（有古卷在此有十七每逢這節期巡撫必須釋放一個囚犯給他們）

除掉耶穌釋放巴拉巴

十八 十八衆人却一齊喊着說、除掉這個人、釋放巴拉巴給我們。
十九二十 十九這巴拉巴是因在城裏作亂殺人下在監裏的。二十彼拉多
二十一 願意釋放耶穌、就又勸解他們．二十一無奈他們喊着說、釘他

二十二 十字架、釘他十字架．二十二彼拉多第三次對他們說、爲甚麼
呢、這人作了甚麼惡事呢、我並沒有查出他甚麼該死
二十三 的罪來．所以我要責打他、把他釋放了。二十三他們大聲催逼
二十四二十五 彼拉多、求他把耶穌釘在十字架上．他們的聲音就得
了勝．二十四彼拉多這纔照他們所求的定案．二十五把他們所求的
那作亂殺人下在監裏的、釋放了．把耶穌交給他們、任
二十六 憑他們的意思行。○二十六帶耶穌去的時候、有一個古利奈
人西門、從鄉下來、他們就抓住他、把十字架擱在他身
上、叫他背着跟隨耶穌。

許多人爲耶穌號咷痛哭

二十七 二十七有許多百姓、跟隨耶穌、內中有好些婦女、婦女們爲他
二十八 號咷痛哭。二十八耶穌轉身對他們說、耶路撒冷的女子、不要
二十九 爲我哭．當爲自己和自己的兒女哭。二十九因爲日子要到、人
必說、不生育的、和未曾懷胎的、未曾乳養嬰孩的、有福
三十 了。三十那時、人要向大山說、倒在我們身上．向小山說、遮蓋
三十一 我們。三十一這些事既行在有汁水的樹上、那枯乾的樹、將來
三十二 怎麼樣呢。○三十二又有兩個犯人、和耶穌一同帶來處死。

耶穌被釘十字架

三三 〔三三〕到了一個地方名叫髑髏地、就在那裏把耶穌釘在十
三四 字架上、又釘了兩個犯人、一個在左邊、一個在右邊。〔三四〕當
下耶穌說、父阿、赦免他們、因為他們所作的、他們不曉
三五 得。⋯⋯兵丁就拈鬮分他的衣服。〔三五〕百姓站在那裏觀看。官府
也嗤笑他說、他救了別人、他若是基督、神所揀選的、
三六 三七 可以救自己罷。〔三六〕兵丁也戲弄他、上前拿醋送給他喝、〔三七〕說
三八 你若是猶太人的王、可以救自己罷。〔三八〕在耶穌以上有一
個牌子、（有古卷在此有用希利尼羅馬希伯來的文字）寫着這是猶太人的王。

犯人求主記念

三九 〔三九〕那同釘的兩個犯人、有一個譏誚他說、你不是基督麼．
四十 可以救自己和我們罷。〔四十〕那一個就應聲責備他說、你既
四一 是一樣受刑的、還不怕神麼。〔四一〕我們是應該的．因我們
所受的、與我們所作的相稱．但這個人沒有作過一件
四二 不好的事。〔四二〕就說、耶穌阿、你得國降臨的時候、求你記念
四三 我。〔四三〕耶穌對他說、我實在告訴你、今日你要同我在樂園
裏了。

耶穌死的景象

四四 四五 〔四四〕那時約有午正、遍地都黑暗了、直到申初、〔四五〕日頭變黑了．
四六 殿裏的幔子從當中裂為兩半。〔四六〕耶穌大聲喊着說、父阿、
四七 我將我的靈魂交在你手裏．說了這話、氣就斷了。〔四七〕百夫
長看見所成的事、就歸榮耀與神說、這眞是個義人。
四八 〔四八〕聚集觀看的衆人、見了這所成的事、都搥着胸回去了。
四九 〔四九〕還有一切與耶穌熟識的人、和從加利利跟着他來的
婦女們、都遠遠的站着、看這些事。

安放在新墳墓裏

五十 五一 〔五十〕有一個人名叫約瑟、是個議士、為人善良公義．〔五一〕衆人所
謀所為、他並沒有附從．他本是猶太亞利馬太城裏素
五二 常盼望神國的人。〔五二〕這人去見彼拉多、求耶穌的身體．
五三 〔五三〕就取下來用細麻布裹好、安放在石頭鑿成的墳墓裏、
五四 那裏頭從來沒有葬過人。〔五四〕那日是豫備日、安息日也快
五五 到了。〔五五〕那些從加利利和耶穌同來的婦女、跟在後面、看
五六 見了墳墓、和他的身體怎樣安放。〔五六〕他們就回去、豫備了
香料香膏。○他們在安息日、便遵着誡命安息了。

第二十四章

從死裏復活

一 一七日的頭一日、黎明的時候、那些婦
二 女帶着所豫備的香料、來到墳墓前。二看見石頭已經從
三 四 墳墓輥開了．三他們就進去．只是不見主耶穌的身體。四正
五 在猜疑之間、忽然有兩個人站在旁邊．衣服放光。五婦女
們驚怕、將臉伏地．那兩個人就對他們說、爲甚麼在死
六 人中找活人呢。六他不在這裏、已經復活了．當記念他還
七 在加利利的時候、怎樣告訴你們、七說、人子必須被交在
八 罪人手裏、釘在十字架上、第三日復活。八他們就想起耶
九 穌的話來、九便從墳墓那裏回去、把這一切事告訴十一
十 個使徒和其餘的人。十那告訴使徒的、就是抹大拉的馬
利亞、和約亞拿、並雅各的母親馬利亞、還有與他們在
十一 一處的婦女。十一他們這些話、使徒以爲是胡言、就不相信。
十二 十二彼得起來、跑到墳墓前、低頭往裏看、見細麻布獨在一
處、就回去了、心裏希奇所成的事。

十三耶穌與兩個行路的談論

十三 正當那日、門徒中有兩個人往一個村子去、這村子名
十四 叫以馬忤斯、離耶路撒冷約有二十五里。十四他們彼此談
十五 論所遇見的這一切事。十五正談論相問的時候、耶穌親自
十六 就近他們、和他們同行。十六只是他們的眼睛迷糊了、不認
十七 識他。十七耶穌對他們說、你們走路彼此談論的是甚麼事
十八 呢．他們就站住、臉上帶着愁容。十八二人中有一個名叫革
流巴的、回答說、你在耶路撒冷作客、還不知道這幾天
十九 在那裏所出的事麼。十九耶穌說、甚麼事呢．他們說、就是拿
撒勒人耶穌的事．他是個先知、在　神和衆百姓面前、
二十 說話行事都有大能。二十祭司長和我們的官府、竟把他解
二一 去定了死罪、釘在十字架上。二一但我們素來所盼望要贖
以色列民的就是他。不但如此、而且這事成就、現在已
二二 經三天了。二二再者、我們中間有幾個婦女使我們驚奇、他
二三 們清早到了墳墓那裏．二三不見他的身體、就回來告訴我
二四 們說、看見了天使顯現、說他活了。二四又有我們的幾個人、
往墳墓那裏去、所遇見的、正如婦女們所說的．只是沒
二五 有看見他。二五耶穌對他們說、無知的人哪、先知所說的一
二六 切話、你們的心、信得太遲鈍了。二六基督這樣受害、又進入
二七 他的榮耀、豈不是應當的麼。二七於是從摩西和衆先知起、
凡經上所指着自己的話、都給他們講解明白了。

顯現在以馬忤斯

二八 二九 二八將近他們所去的村子、耶穌好像還要往前行。二九他們卻
強留他說、時候晚了、日頭已經平西了、請你同我們住
三十 下罷。耶穌就進去、要同他們住下。三十到了坐席的時候、耶
三一 穌拿起餅來、祝謝了、擘開、遞給他們。三一他們的眼睛明亮
三二 了、這纔認出他來。忽然耶穌不見了。三二他們彼此說、在路
上、他和我們說話、給我們講解聖經的時候、我們的心
三三 豈不是火熱的麼。三三他們就立時起身、回耶路撒冷去、正
三四 遇見十一個使徒、和他們的同人、聚集在一處。三四說主果
三五 然復活、已經現給西門看了。三五兩個人就把路上所遇見
和擘餅的時候怎麼被他們認出來的事、都述說了一
遍。

顯現在耶路撒冷

三六 三六正說這話的時候、耶穌親自站在他們當中、說、願你們
三七 三八 平安。三七他們卻驚慌害怕、以為所看見的是魂。三八耶穌說、你
三九 們為甚麼愁煩、為甚麼心裏起疑念呢。三九你們看我的手、
我的脚、就知道實在是我了。摸我看看、魂無骨無肉、你
四十 四一 們看我是有的。四十說了這話、就把手和脚給他們看。四一他們
正喜得不敢信、並且希奇、耶穌就說、你們這裏有甚麼
四二 四三 喫的沒有。四二他們便給他一片燒魚。(有古卷在此有和一塊蜜房)四三他接
過來、在他們面前喫了。

等候主的應許

四四 四四耶穌對他們說、這就是我從前與你們同在之時、所告
訴你們的話、說、摩西的律法、先知的書、和詩篇上所記
四五 的、凡指着我的話、都必須應驗。四五於是耶穌開他們的心
四六 竅、使他們能明白聖經。四六又對他們說、照經上所寫的、基
四七 督必受害、第三日從死裏復活。四七並且人要奉他的名傳
四八 悔改赦罪的道、從耶路撒冷起、直傳到萬邦。四八你們就是
四九 這些事的見證。四九我要將我父所應許的降在你們身上。
你們要在城裏等候、直到你們領受從上頭來的能力。

主被帶到天上

五十 五一 五十耶穌領他們到伯大尼的對面、就舉手給他們祝福。五一正
五二 祝福的時候、他就離開他們、被帶到天上去了。五二他們就
五三 拜他、大大的歡喜、回耶路撒冷去、五三常在殿裏稱頌神。

路加：十九章三十節

約翰福音

第一章

施洗約翰爲眞光作見證

一二 一太初有道、道與　神同在、道就是　神。二這
三 道太初與　神同在。三萬物是藉着他造的、凡被造的沒
四 有一樣不是藉着他造的。四生命在他裏頭。這生命就是
五六 人的光。五光照在黑暗裏、黑暗卻不接受光。六有一個人、是
七 從　神那裏差來的、名叫約翰。七這人來、爲要作見證、就
八 是爲光作見證、叫衆人因他可以信。八他不是那光、乃是
九 要爲光作見證。九那光是眞光、照亮一切生在世上的人。
十十一 十他在世界、世界也是藉着他造的、世界卻不認識他。十一他
十二 到自己的地方來、自己的人倒不接待他。十二凡接待他的、
十三 就是信他名的人、他就賜他們權柄、作　神的兒女。十三這
等人不是從血氣生的、不是從情慾生的、也不是從人
十四 意生的、乃是從　神生的。十四道成了肉身、住在我們中間、
充充滿滿的有恩典有眞理。我們也見過他的榮光、正
是父獨生子的榮光。

恩典眞理是由耶穌基督來的

十五 十五約翰爲他作見證、喊着說、這就是我曾說、那在我以後
十六 來的、反成了在我以前的、因他本來在我以前。十六從他豐
十七 滿的恩典裏我們都領受了、而且恩上加恩。十七律法本是
十八 藉着摩西傳的、恩典和眞理、都是由耶穌基督來的。十八從
來沒有人看見　神、只有在父懷裏的獨生子將他表
明出來。

約翰證明自己不是基督

十九 十九約翰所作的見證、記在下面。猶太人從耶路撒冷差祭
二十 司和利未人到約翰那裏、問他說、你是誰。二十他就明說、並
二十一 不隱瞞、明說、我不是基督。二十一他們又問他說、這樣你是誰
呢、是以利亞麼。他說、我不是。是那先知麼。他回答說、不
二十二 是。二十二於是他們說、你到底是誰、叫我們好回覆差我們來
二十三 的人。你自己說、你是誰。二十三他說、我就是那在曠野有人聲
二十四 喊着說、修直主的道路、正如先知以賽亞所說的。二十四那些
二十五 人是法利賽人差來的。(或作那差來的是法利賽人)二十五他們就問他說、
你既不是基督、不是以利亞、也不是那先知、爲甚麼施
二十六 洗呢。二十六約翰回答說、我是用水施洗、但有一位站在你們

二七 中間、是你們不認識的、就二七是那在我以後來的、我給他
二八 解鞋帶也不配。二八這是在約但河外伯大尼、（有古卷作伯大巴喇）約
翰施洗的地方作的見證。

神的羔羊

二九 二九次日、約翰看見耶穌來到他那裏、就說、看哪、神的羔
三十 羊、除去（或作背負）世人罪孽的。三十這就是我曾說、有一位在我
三一 以後來、反成了在我以前的、因他本來在我以前。三一我先
前不認識他。如今我來用水施洗、爲要叫他顯明給以
三二 色列人。三二約翰又作見證說、我曾看見聖靈彷彿鴿子從
三三 天降下、住在他的身上。三三我先前不認識他、只是那差我
來用水施洗的、對我說、你看見聖靈降下來、住在誰的
三四 身上、誰就是用聖靈施洗的。三四我看見了、就證明這是
神的兒子。

約翰的兩個門徒跟從耶穌

三五 三六 三五再次日、約翰同兩個門徒站在那裏。三六他見耶穌行走、就
三七 說、看哪、這是 神的羔羊。三七兩個門徒聽見他的話、就跟
三八 從了耶穌。三八耶穌轉過身來、看見他們跟着、就問他們說、
你們要甚麼。他們說、拉比、在那裏住。（拉比繙出來、就
三九 是夫子。）三九耶穌說、你們來看。他們就去看他在那裏住、
四十 這一天便與他同住、那時約有申正了。四十聽見約翰的話、
跟從耶穌的那兩個人、一個是西門彼得的兄弟安得
四一 烈。四一他先找着自己的哥哥西門、對他說、我們遇見彌賽
四二 亞了、（彌賽亞繙出來、就是基督）四二於是領他去見耶
穌。耶穌看着他說、你是約翰的兒子西門、（約翰馬太十六章十七節
稱約拿）你要稱爲磯法。（磯法繙出來、就是彼得。）

召腓力拿但業爲門徒

四三 四三又次日、耶穌想要往加利利去、遇見腓力、就對他說、來
四四 四五 跟從我罷。四四這腓力是伯賽大人、和安得烈彼得同城。四五腓
力找着拿但業、對他說、摩西在律法上所寫的、和衆先
知所記的那一位、我們遇見了、就是約瑟的兒子拿撒
四六 勒人耶穌。四六拿但業對他說、拿撒勒還能出甚麼好的麼。
四七 腓力說、你來看。四七耶穌看見拿但業來、就指着他說、看哪、
四八 這是個眞以色列人、他心裏是沒有詭詐的。四八拿但業對
耶穌說、你從那裏知道我呢。耶穌回答說、腓力還沒有
招呼你、你在無花果樹底下、我就看見你了。

拿但業認耶穌爲 神之子

四九拿但業說、拉比你是 神的兒子、你是以色列的王。五十耶
穌對他說因爲我說在無花果樹底下看見你、你就信
麼、你將要看見比這更大的事。五一又說、我實實在在的告
訴你們、你們將要看見天開了、 神的使者上去下來
在人子身上。

耶穌在迦拿變水爲酒

第二章 第一三日、在加利利的迦拿有娶親的筵席。
耶穌的母親在那裏。二耶穌和他的門徒也被請去赴席。
三酒用盡了、耶穌的母親對他說、他們沒有酒了。四耶穌說、
母親、(原文作婦人)我與你有甚麼相干。我的時候還沒有到。
五他母親對用人說、他告訴你們甚麼、你們就作甚麼。六照
猶太人潔淨的規矩、有六口石缸擺在那裏、每口可以
盛兩三桶水。七耶穌對用人說、把缸倒滿了水。他們就倒
滿了、直到缸口。八耶穌又說、現在可以舀出來、送給管筵
席的。他們就送了去。九管筵席的嘗了那水變的酒、並不
知道是那裏來的、只有舀水的用人知道。管筵席的便
叫新郎來、十對他說、人都是先擺上好酒、等客喝足了、纔
擺上次的。你倒把好酒留到如今。十一這是耶穌所行的頭
一件神蹟、是在加利利的迦拿行的、顯出他的榮耀來。
他的門徒就信他了。○十二這事以後、耶穌與他的母親弟
兄和門徒、都下迦百農去、在那裏住了不多幾日。

潔淨聖殿

十三猶太人的逾越節近了、耶穌就上耶路撒冷去。十四看見殿
裏有賣牛羊鴿子的、並有兌換銀錢的人坐在那裏。十五耶
穌就拿繩子作成鞭子、把牛羊都趕出殿去、倒出兌換
銀錢之人的銀錢、推翻他們的桌子。十六又對賣鴿子的說、
把這些東西拿去、不要將我父的殿當作買賣的地方。
十七他的門徒就想起經上記着說、『我爲你的殿、心裏焦
急、如同火燒。』

耶穌以殿譬己身

十八因此猶太人問他說、你既作這些事、還顯甚麼神蹟給
我們看呢。十九耶穌回答說、你們拆毀這殿、我三日內要再
建立起來。二十猶太人便說、這殿是四十六年纔造成的、你
三日內就再建立起來麼。二一但耶穌這話、是以他的身體
爲殿。二二所以到他從死裏復活以後、門徒就想起他說過

二三 這話、便信了聖經和耶穌所說的。○當二三耶穌在耶路撒
冷過逾越節的時候、有許多人看見他所行的神蹟、就
二四 信了他的名。二四耶穌卻不將自己交託他們、因爲他知道
二五 萬人。二五也用不着誰見證人怎樣、因他知道人心裏所存
的。

耶穌與尼哥底母論重生

一 第三章 有一一個法利賽人、名叫尼哥底母、是猶太
二 人的官。二這人夜裏來見耶穌、說、拉比、我們知道你是由
神那裏來作師傅的．因爲你所行的神蹟、若沒有
三 神同在、無人能行。三耶穌回答說、我實實在在的告訴你、
四 人若不重生、就不能見　神的國。四尼哥底母說、人已經
五 老了、如何能重生呢．豈能再進母腹生出來麼。五耶穌說、
我實實在在的告訴你、人若不是從水和聖靈生的、就
六 不能進　神的國。六從肉身生的、就是肉身．從靈生的、就
七八 是靈。七我說、你們必須重生、你不要以爲希奇。八風隨着意
思吹、你聽見風的響聲、卻不曉得從那裏來、往那裏去．
九 凡從聖靈生的、也是如此。九尼哥底母問他說、怎能有這
十 事呢。十耶穌回答說、你是以色列人的先生、還不明白這

十一 事麼。十一我實實在在的告訴你、我們所說的、是我們知道
的、我們所見證的、是我們見過的．你們卻不領受我們
十二 的見證。十二我對你們說地上的事、你們尚且不信、若說天
十三 上的事、如何能信呢。十三除了從天降下仍舊在天的人子、
十四 沒有人升過天。十四摩西在曠野怎樣舉蛇、人子也必照樣
十五 被舉起來．十五叫一切信他的都得永生。或作叫一切信的人在他裏面得永
生

神愛世人

十六 十六神愛世人、甚至將他的獨生子賜給他們、叫一切信
十七 他的、不至滅亡、反得永生。十七因爲　神差他的兒子降世、
不是要定世人的罪、或作審判世人下同乃是要叫世人因他得
十八 救。十八信他的人、不被定罪．不信的人、罪已經定了、因爲他
不信　神獨生子的名。

作惡的恨光

十九 十九光來到世間、世人因自己的行爲是惡的、不愛光倒愛
二十 黑暗、定他們的罪就是在此。二十凡作惡的便恨光、並不來
二一 就光、恐怕他的行爲受責備。二一但行眞理的必來就光、要
顯明他所行的是靠　神而行。

耶穌和約翰施洗

二二 這事以後、耶穌和門徒到了猶太地、在那裏居住施洗。
二三 約翰在靠近撒冷的哀嫩也施洗、因爲那裏水多、衆人
二四二五 都去受洗。二四那時約翰還沒有下在監裏。二五約翰的門徒和
二六 一個猶太人辯論潔淨的禮。二六就來見約翰說、拉比、從前
同你在約但河外、你所見證的那位、現在施洗、衆人都
二七 往他那裏去了。二七約翰說、若不是從天上賜的、人就不能
二八 得甚麼。二八我曾說、我不是基督、是奉差遣在他前面的。你
二九 們自己可以給我作見證。二九娶新婦的、就是新郎。新郎的
朋友站着聽見新郎的聲音、就甚喜樂。故此我這喜樂
三十 滿足了。三十他必興旺、我必衰微。

信者能得永生

三一 從天上來的、是在萬有之上。從地上來的、是屬乎地、他
三二 所說的、也是屬乎地。從天上來的、是在萬有之上。三二他將
三三 所見所聞的見證出來、只是沒有人領受他的見證。三三那
三四 領受他見證的、就印上印、證明 神是眞的。三四 神所差
來的、就說 神的話。因爲 神賜聖靈給他、是沒有限
三五三六 量的。三五父愛子、已將萬有交在他手裏。三六信子的人有永生。
不信子的人得不着永生、（原文作不得見永生） 神的震怒常在
他身上。

第四章 耶穌與撒瑪利亞婦人談道

一 主知道法利賽人聽見他收門徒施洗比
二 約翰還多、（二其實不是耶穌親自施洗、乃是他的門徒
三四 施洗）三他就離了猶太、又往加利利去。四必須經過撒瑪
五 利亞。五於是到了撒瑪利亞的一座城、名叫敍加、靠近雅
六 各給他兒子約瑟的那塊地。六在那裏有雅各井。耶穌因
七 走路困乏、就坐在井旁。那時約有午正。七有一個撒瑪利
八 亞的婦人來打水。耶穌對他說、請你給我水喝。八那時門
九 徒進城買食物去了。九撒瑪利亞的婦人對他說、你既是
猶太人、怎麼向我一個撒瑪利亞婦人要水喝呢。原來
十 猶太人和撒瑪利亞人沒有來往。十耶穌回答說、你若知
道 神的恩賜、和對你說給我水喝的是誰、你必早求
十一 他、他也必早給了你活水。十一婦人說、先生沒有打水的器
十二 具、井又深、你從那裏得活水呢。十二我們的祖宗雅各將這
井留給我們、他自己和兒子並牲畜、也都喝這井裏的
水、難道你比他還大麼。

喝主所賜之水永遠不渴

十三 十四 十三耶穌回答說凡喝這水的、還要再渴．十四人若喝我所賜的
水就永遠不渴．我所賜的水、要在他裏頭成爲泉源、直
十五 湧到永生。十五婦人說、先生、請把這水賜給我、叫我不渴、也
十六 不用來這麼遠打水。十六耶穌說、你去叫你丈夫也到這裏
十七 來。十七婦人說、我沒有丈夫。耶穌說、你說沒有丈夫、是不錯
十八 的．十八你已經有五個丈夫、你現在有的、並不是你的丈夫．
十九 二十 你這話是眞的。十九婦人說、先生、我看出你是先知。二十我們的
祖宗在這山上禮拜、你們倒說、應當禮拜的地方、是在
耶路撒冷。

須用心靈誠實拜父

二一 二十一耶穌說、婦人、你當信我、時候將到、你們拜父、也不在這
二二 山上、也不在耶路撒冷。二十二你們所拜的、你們不知道．我們
二三 所拜的、我們知道．因爲救恩是從猶太人出來的。二十三時候
將到、如今就是了、那眞正拜父的、要用心靈和誠實拜
二四 他、因爲父要這樣的人拜他。二十四神是個靈．或無個字所以拜
二五 他的、必須用心靈和誠實拜他．二十五婦人說、我知道彌賽亞、
（就是那稱爲基督的）要來．他來了、必將一切的事
二六 二七 都告訴我們。二十六耶穌說、這和你說話的、就是他。○二十七當下門
徒回來、就希奇耶穌和一個婦人說話．只是沒有人說、
二八 你是要甚麼．或說、你爲甚麼和他說話。二十八那婦人就留下
二九 水罐子、往城裏去、對衆人說、二十九你們來看、有一個人將我
素來所行的一切事、都給我說出來了、莫非這就是基
三十 督麼。三十衆人就出城往耶穌那裏去。

耶穌以遵行父意爲食物

三一 三二 三十一這其間門徒對耶穌說、拉比請喫。三十二耶穌說、我有食物喫、
三三 是你們不知道的。三十三門徒就彼此對問說、莫非有人拿甚
三四 麼給他喫麼。三十四耶穌說、我的食物、就是遵行差我來者的
三五 旨意、作成他的工。三十五你們豈不說、到收割的時候、還有四
個月麼．我告訴你們、舉目向田觀看、莊稼已經熟了、原文
三六 作發白可以收割了。三十六收割的人得工價、積蓄五穀到永生
三七 叫撒種的和收割的一同快樂。三十七俗語說、那人撒種、這人
三八 收割、這話可見是眞的。三十八我差你們去收你們所沒有勞
三九 苦的．別人勞苦、你們享受他們所勞苦的。○三十九那城裏有
好些撒瑪利亞人信了耶穌、因爲那婦人作見證說、他
四十 將我素來所行的一切事、都給我說出來了．四十於是撒瑪

利亞人來見耶穌、求他在他們那裏住下．他便在那裏
四一 四二 住了兩天。四一因耶穌的話、信的人就更多了。四二便對婦人說、
現在我們信、不是因為你的話、是我們親自聽見了、知
道這真是救世主。

耶穌在本地無人尊敬

四三 四四 四三過了那兩天、耶穌離了那地方、往加利利去。四四因為耶穌
四五 自己作過見證說、先知在本地是沒有人尊敬的。四五到了
加利利、加利利人既然看見他在耶路撒冷過節所行
的一切事、就接待他．因為他們也是上去過節。

醫大臣之子

四六 四六耶穌又到了加利利的迦拿、就是他從前變水為酒的
四七 地方．有一個大臣、他的兒子在迦百農患病。四七他聽見耶
穌從猶太到了加利利、就來見他、求他下去醫治他的
四八 兒子．因為他兒子快要死了。四八耶穌就對他說、若不看見
四九 神蹟奇事、你們總是不信。四九那大臣說、先生、求你趁着我
五十 的孩子還沒有死、就下去。五十耶穌對他說、回去罷．你的兒
五一 子活了。那人信耶穌所說的話、就回去了。五一正下去的時
五二 候、他的僕人迎見他、說他的兒子活了。五二他就問甚麼時
五三 候見好的。他們說、昨日未時熱就退了。五三他便知道這正
是耶穌對他說你兒子活了的時候．他自己和全家就
五四 都信了。五四這是耶穌在加利利行的第二件神蹟、是他從
猶太回去以後行的。

醫好三十八年之病者

第五章

一 一這事以後、到了猶太人的一個節期．耶穌
二 就上耶路撒冷去。二在耶路撒冷、靠近羊門、有一個池
三 子、希伯來話叫作畢士大、旁邊有五個廊子。三裏面躺着
四 瞎眼的、瘸腿的、血氣枯乾的、許多病人。有古卷在此有等候水動四因
五 為有天使按時下池子攪動那水水動之後誰先下去無論害甚麼病就痊癒了五在那裏有一
六 個人病了三十八年。六耶穌看見他躺着、知道他病了許
七 久、就問他說、你要痊癒麼。七病人回答說、先生、水動的時
候、沒有人把我放在池子裏．我正去的時候、就有別人
八 九 比我先下去。八耶穌對他說、起來、拿你的褥子走罷。九那人
立刻痊癒、就拿起褥子來走了。

猶太人責耶穌犯安息日

十 十那天是安息日．所以猶太人對那醫好的人說、今天是
十一 安息日、你拿褥子是不可的。十一他卻回答說、那使我痊癒

十二 的、對我說、拿你的褥子走罷。十二他們問他說、對你說拿褥
十三 子走的、是甚麼人。十三那醫好的人不知道是誰、因爲那裏
十四 的人多、耶穌已經躱開了。十四後來耶穌在殿裏遇見他、對
他說、你已經痊癒了。不要再犯罪、恐怕你遭遇的更加
十五 十六 利害。十五那人就去告訴猶太人、使他痊癒的是耶穌。十六所以
十七 猶太人逼迫耶穌、因爲他在安息日作了這事。十七耶穌就
十八 對他們說、我父作事直到如今、我也作事。十八所以猶太人
越發想要殺他、因他不但犯了安息日、並且稱　神爲
他的父、將自己和　神當作平等。

尊敬子如尊敬父

十九 十九耶穌對他們說、我實實在在的告訴你們、子憑着自己
不能作甚麼、惟有看見父所作的、子纔能作、父所作的
二十 事、子也照樣作。二十父愛子、將自己所作的一切事指給他
二一 看、還要將比這更大的事指給他看、叫你們希奇。二一父怎
樣叫死人起來、使他們活着、子也照樣隨自己的意思
二二 使人活着。二二父不審判甚麼人、乃將審判的事全交與子。
二三 二三叫人都尊敬子、如同尊敬父一樣。不尊敬子的、就是不
二四 尊敬差子來的父。二四我實實在在的告訴你們、那聽我話、
又信差我來者的、就有永生、不至於定罪、是已經出死
二五 入生了。二五我實實在在的告訴你們、時候將到、現在就是
了、死人要聽見　神兒子的聲音、聽見的人就要活了。
二六 二六因爲父怎樣在自己有生命、就賜給他兒子也照樣在
二七 自己有生命。二七並且因爲他是人子、就賜給他行審判的
二八 權柄。二八你們不要把這事看作希奇。時候要到、凡在墳墓
二九 裏的、都要聽見他的聲音、就出來。二九行善的復活得生、作
三十 惡的復活定罪。○三十我憑着自己不能作甚麼、我怎麼聽
見、就怎麼審判。我的審判也是公平的。因爲我不求自
三一 己的意思、只求那差我來者的意思。三一我若爲自己作見
三二 證、我的見證就不眞。三二另有一位給我作見證。我也知道
三三 他給我作的見證是眞的。三三你們曾差人到約翰那裏、他
三四 爲眞理作過見證。三四其實我所受的見證、不是從人來的。
三五 然而我說這些話、爲要叫你們得救。三五約翰是點着的明
三六 燈。你們情願暫時喜歡他的光。三六但我有比約翰更大的
見證。因爲父交給我要我成就的事、就是我所作的事、
三七 這便見證我是父所差來的。三七差我來的父、也爲我作過
見證。你們從來沒有聽見他的聲音、也沒有看見他的

三八 形像。[三八]你們並沒有他的道存在心裏．因為他所差來的、
你們不信。

聖經為耶穌的證據

三九 [三九]你們查考聖經．或作應當查考聖經因你們以為內中有永生．給
四十 我作見證的就是這經。[四十]然而你們不肯到我這裏來得
四一 四二 生命。[四一]我不受從人來的榮耀。[四二]但我知道你們心裏沒有
四三 神的愛。[四三]我奉我父的名來、你們並不接待我．若有別
四四 人奉自己的名來、你們倒要接待他。[四四]你們互相受榮耀、
卻不求從獨一之 神來的榮耀、怎能信我呢。

不信摩西怎能信主

四五 [四五]不要想我在父面前要告你們．有一位告你們的、就是
四六 你們所仰賴的摩西。[四六]你們如果信摩西、也必信我．因為
四七 他書上有指着我寫的話。[四七]你們若不信他的書、怎能信
我的話呢。

第六章　給五千人吃飽

一 [一]這事以後、耶穌渡過加利利海、就是提比
二 哩亞海。[二]有許多人、因為看見他在病人身上所行的神
三 四 蹟、就跟隨他。[三]耶穌上了山、和門徒一同坐在那裏。[四]那時
五 猶太人的逾越節近了。[五]耶穌舉目看見許多人來、就對
六 腓力說、我們從那裏買餅叫這些人喫呢。[六]他說這話、是
七 要試驗腓力．他自己原知道要怎樣行。[七]腓力回答說、就
是二十兩銀子的餅、叫他們各人喫一點、也是不彀的。
八 [八]有一個門徒、就是西門彼得的兄弟安得烈、對耶穌說、
九 [九]在這裏有一個孩童、帶着五個大麥餅、兩條魚．只是分
十 給這許多人、還算甚麼呢。[十]耶穌說、你們叫衆人坐下。原
十一 來那地方的草多．衆人就坐下、數目約有五千。[十一]耶穌拿
起餅來、祝謝了、就分給那坐着的人．分魚也是這樣、都
十二 隨着他們所要的。[十二]他們喫飽了、耶穌對門徒說、把剩下
十三 的零碎收拾起來、免得有糟蹋的。[十三]他們便將那五個大
麥餅的零碎、就是衆人喫了剩下的、收拾起來、裝滿了
十四 十二個籃子。[十四]衆人看見耶穌所行的神蹟、就說、這眞是
十五 那要到世間來的先知。[十五]◯耶穌既知道衆人要來強逼
他作王、就獨自又退到山上去了。

耶穌履海

十六 十七 [十六]到了晚上、他的門徒下海邊去、[十七]上了船、要過海往迦百
十八 農去。[十八]天已經黑了、耶穌還沒有來到他們那裏．忽然狂

十九 風大作、海就翻騰起來。門徒搖櫓約行了十里多路、看
二十 見耶穌在海面上走、漸漸近了船、他們就害怕。耶穌對
二一 他們說、是我、不要怕。門徒就喜歡接他上船、船立時到
二二 了他們所要去的地方。◎第二日站在海那邊的衆人、
知道那裏沒有別的船、只有一隻小船、又知道耶穌沒
二三 有同他的門徒上船、乃是門徒自己去的。然而有幾隻
小船從提比哩亞來、靠近主祝謝後分餅給人喫的地
方。

當爲永生的食物勞力

二四 衆人見耶穌和門徒都不在那裏、就上了船、往迦百農
二五 去找耶穌。既在海那邊找着了、就對他說、拉比、幾時
二六 到這裏來的。耶穌回答說、我實實在在的告訴你們、你
二七 們找我、並不是因見了神蹟、乃是因喫餅得飽。不要爲
那必壞的食物勞力、要爲那存到永生的食物勞力、就
是人子要賜給你們的、因爲人子是父　神所印證的。
二八二九 衆人問他說、我們當行甚麼、纔算作　神的工呢。耶穌
三十 回答說、信　神所差來的、這就是作　神的工。他們又
說、你行甚麼神蹟、叫我們看見就信你。你到底作甚麼
三一 事呢。我們的祖宗在曠野喫過嗎哪、如經上寫着說、
三二 『他從天上賜下糧來給他們喫。』耶穌說、我實實在
三三 在的告訴你們、那從天上來的糧、不是摩西賜給你們
的、乃是我父將天上來的眞糧賜給你們。因爲　神的
糧、就是那從天上降下來賜生命給世界的。

耶穌爲生命的糧

三四三五 他們說、主阿、常將這糧賜給我們。耶穌說、我就是生命
三六 的糧。到我這裏來的、必定不餓。信我的、永遠不渴。只是
三七 我對你們說過、你們已經看見我、還是不信。凡父所賜
給我的人、必到我這裏來。到我這裏來的、我總不丟棄
三八 他。因爲我從天上降下來、不是要按自己的意思行、乃
三九 是要按那差我來者的意思行。差我來者的意思就是
他所賜給我的、叫我一個也不失落、在末日卻叫他復
四十 活。因爲我父的意思、是叫一切見子而信的人得永生。
並且在末日我要叫他復活。

猶太人議論主

四一 猶太人因爲耶穌說、我是從天上降下來的糧、就私下
四二 議論他。說、這不是約瑟的兒子耶穌麼。他的父母我們

豈不認得麼．他如今怎麼說、我是從天上降下來的呢。
四三 四四 耶穌回答說、你們不要大家議論。若不是差我來的父
吸引人、就沒有能到我這裏來的．到我這裏來的、在末
四五 日我要叫他復活。在先知書上寫着說、『他們都要蒙
神的教訓。』凡聽見父之教訓、又學習的、就到我這
四六 裏來。這不是說有人看見過父、惟獨從 神來的、他看
四七 四八 見過父。我實實在在的告訴你們、信的人有永生。我就
四九 是生命的糧。你們的祖宗在曠野喫過嗎哪、還是死了。
五十 五一 這是從天上降下來的糧、叫人喫了就不死。我是從天
上降下來生命的糧．人若喫這糧、就必永遠活着．我所
五二 要賜的糧、就是我的肉、爲世人之生命所賜的。◯因此、
猶太人彼此爭論說、這個人怎能把他的肉給我們喫
五三 呢。耶穌說、我實實在在的告訴你們、你們若不喫人子
五四 的肉、不喝人子的血、就沒有生命在你們裏面。喫我肉
五五 喝我血的人就有永生．在末日我要叫他復活。我的肉
五六 眞是可喫的、我的血眞是可喝的。喫我肉喝我血的人、
五七 常在我裏面、我也常在他裏面。永活的父怎樣差我來、
五八 我又因父活着、照樣喫我肉的人、也要因我活着。這就
五九 是從天上降下來的糧．喫這糧的人、就永遠活着、不像
你們的祖宗喫過嗎哪、還是死了。這些話是耶穌在迦
百農會堂裏教訓人說的。

主的話是靈是生命

六十 他的門徒中有好些人聽見了、就說、這話甚難、誰能聽
六一 呢。耶穌心裏知道門徒爲這話議論、就對他們說、這話
六二 是叫你們厭棄麼。（厭棄原文作跌倒）倘或你們看見人子升到
六三 他原來所在之處、怎麼樣呢。叫人活着的乃是靈、肉體
六四 是無益的．我對你們所說的話、就是靈、就是生命。只是
你們中間有不信的人。耶穌從起頭就知道、誰不信他、
六五 誰要賣他。耶穌又說、所以我對你們說過、若不是蒙我
父的恩賜、沒有人能到我這裏來。

彼得認耶穌爲 神的聖者

六六 六七 從此他門徒中多有退去的、不再和他同行。耶穌就對
六八 那十二個門徒說、你們也要去麼。西門彼得回答說、主
六九 阿、你有永生之道、我們還歸從誰呢。我們已經信了、又
七十 知道你是 神的聖者。耶穌說、我不是揀選了你們十
七一 二個門徒麼、但你們中間有一個是魔鬼。耶穌這話是

指着加略人西門的兒子猶大說的．他本是十二個門
徒裏的一個、後來要賣耶穌的。

第七章

一 一這事以後、耶穌在加利利遊行、不願在猶
二 太遊行．因為猶太人想要殺他。二當時猶太人的住棚節
三 近了。三耶穌的弟兄就對他說、你離開這裏上猶太去罷、
四 叫你的門徒也看見你所行的事。四人要顯揚名聲、沒有
在暗處行事的．你如果行這些事、就當將自己顯明給
五六 世人看。五因為連他的弟兄說這話、是因為不信他。六耶穌
就對他們說、我的時候還沒有到．你們的時候常是方
七 便的。七世人不能恨你們、卻是恨我．因為我指證他們所
八 作的事是惡的。八你們上去過節罷．我現在不上去過這
九 節因為我的時候還沒有滿。九耶穌說了這話、仍舊住在
加利利。

衆人為耶穌紛紛議論

十 十但他弟兄上去以後、他也上去過節、不是明去、似乎是
十一十二 暗去的。十一正在節期、猶太人尋找耶穌說、他在那裏。十二衆人
為他紛紛議論．有的說、他是好人．有的說、不然．他是迷
十三 惑衆人的。十三只是沒有人明明的講論他、因為怕猶太人。
十四十五 ○十四到了節期、耶穌上殿裏去教訓人。十五猶太人就希奇說、
十六 這個人沒有學過、怎麼明白書呢。十六耶穌說、我的教訓不
十七 是我自己的、乃是那差我來者的。十七人若立志遵着他的
旨意行、就必曉得這教訓或是出於神、或是我憑着
十八 自己說的。十八人憑着自己說、是求自己的榮耀．惟有求那
差他來者的榮耀、這人是眞的、在他心裏沒有不義。

不可按外貌定是非

十九 十九摩西豈不是傳律法給你們麼．你們卻沒有一個人守
二十 律法．為甚麼想要殺我呢。二十衆人回答說、你是被鬼附着
二一 了．誰想要殺你。二一耶穌說、我作了一件事、你們都以為希
二二 奇。二二摩西傳割禮給你們、（其實不是從摩西起的、乃是
二三 從祖先起的）因此你們也在安息日給人行割禮。二三人
若在安息日受割禮、免得違背摩西的律法、我在安息
二四 日叫一個人全然好了、你們就向我生氣麼。二四不可按外
二五 貌斷定是非、總要按公平斷定是非。二五○耶路撒冷人中
二六 有的說、這不是他們想要殺的人麼．二六你看他還明明的
講道、他們也不向他說甚麼．難道官長眞知道這是基
二七 督麼。二七然而我們知道這個人從那裏來．只是基督來的

二八 時候、沒有人知道他從那裏來。二八那時耶穌在殿裏教訓
人、大聲說、你們也知道我、也知道我從那裏來、我來並
不是由於自己、但那差我來的是眞的．你們不認識他。
二九 二九我卻認識他、因爲我是從他來的、他也是差了我來。

打發差役捉拿耶穌

三十 三十他們就想要捉拿耶穌．只是沒有人下手、因爲他的時
三一 候還沒有到。三一但衆人中間有好些信他的、說、基督來的
三二 時候、他所行的神蹟、豈能比這人所行的更多麼。三二法利
賽人聽見衆人爲耶穌這樣紛紛議論、祭司長和法利
三三 賽人就打發差役去捉拿他。三三於是耶穌說、我還有不多
三四 的時候和你們同在、以後就回到差我來的那裏去。三四你
三五 們要找我、卻找不着．我所在的地方、你們不能到。三五猶太
人就彼此對問說、這人要往那裏去、叫我們找不着呢．
難道他要往散住希利尼中的猶太人那裏去教訓希
三六 利尼人麼。三六他說、你們要找我、卻找不着、我所在的地方、
你們不能到．這話是甚麼意思呢。

渴者當來就耶穌

三七 三七節期的末日、就是最大之日、耶穌站着高聲說、人若渴
三八 了、可以到我這裏來喝。三八信我的人、就如經上所說、從他
三九 腹中要流出活水的江河來。三九耶穌這話是指着信他之
人要受聖靈說的、那時還沒有賜下聖靈來、因爲耶穌
四十 尚未得着榮耀。四十衆人聽見這話、有的說、這眞是那先知。
四一 四一有的說、這是基督．但也有的說、基督豈是從加利利出
四二 來的麼。四二經上豈不是說、基督是大衞的後裔、從大衞本
四三 四四 鄉伯利恆出來的麼。四三於是衆人因着耶穌起了分爭。四四其
中有人要捉拿他．只是無人下手。

沒有人像耶穌說話

四五 四五差役回到祭司長和法利賽人那裏．他們對差役說、你
四六 們爲甚麼沒有帶他來呢。四六差役回答說、從來沒有像他
四七 四八 這樣說話的。四七法利賽人說、你們也受了迷惑麼。四八官長或
四九 是法利賽人、豈有信他的呢。四九但這些不明白律法的百
五十 姓、是被咒詛的。五十內中有尼哥底母、就是從前去見耶穌
五一 的、對他們說、五一不先聽本人的口供、不知道他所作的事、
五二 難道我們的律法還定他的罪麼。五二他們回答說、你也是
出於加利利麼．你且去查考、就可知道加利利沒有出
過先知。

拿淫婦來質難主

一 第八章 一於是各人都回家去了．耶穌卻往橄欖山
二 去。二清早又回到殿裏．衆百姓都到他那裏去、他就坐下
三 教訓他們。三文士和法利賽人、帶着一個行淫時被拿的
四 婦人來、叫他站在當中。四就對耶穌說、夫子、這婦人是正
五 行淫之時被拿的。五摩西在律法上吩咐我們、把這樣的
六 婦人用石頭打死．你說該把他怎麽樣呢。六他們說這話、
乃試探耶穌、要得着告他的把柄。耶穌卻彎着腰用指
七 頭在地上畫字。七他們還是不住的問他、耶穌就直起腰
來、對他們說、你們中間誰是沒有罪的、誰就可以先拿
八九 石頭打他。八於是又彎着腰用指頭在地上畫字。九他們聽
見這話、就從老到少一個一個的都出去了．只剩下耶
穌一人、還有那婦人仍然站在當中。

不要再犯罪

十 十耶穌就直起腰來、對他說、婦人、那些人在那裏呢．沒有
十一 人定你的罪麽。十一他說主阿、沒有。耶穌說、我也不定你的
罪．去罷．從此不要再犯罪了。

主是世界的光

十二 十二耶穌又對衆人說、我是世界的光．跟從我的、就不在黑
十三 暗裏走、必要得着生命的光。十三法利賽人對他說、你是爲
十四 自己作見證．你的見證不眞。十四耶穌說、我雖然爲自己作
見證、我的見證還是眞的．因我知道我從那裏來、往那
十五 裏去．你們卻不知道我從那裏來、往那裏去。十五你們是以
十六 外貌（原文作憑肉身）判斷人．我卻不判斷人。十六就是判斷人、我的
判斷也是眞的．因爲不是我獨自在這裏、還有差我來
十七 的父與我同在。十七你們的律法上也記着說、兩個人的見
十八 證是眞的。十八我是爲自己作見證、還有差我來的父也是
十九 爲我作見證。十九他們就問他說、你的父在那裏。耶穌回答
說、你們不認識我、也不認識我的父．若是認識我、也就
二十 認識我的父。二十這些話是耶穌在殿裏的庫房、教訓人時
所說的．也沒有人拿他．因爲他的時候還沒有到。

不信主的必死在罪裏

二一 二一耶穌又對他們說、我要去了．你們要找我、並且你們要
二二 死在罪中．我所去的地方、你們不能到。二二猶太人說、他說
二三 我所去的地方、你們不能到、難道他要自盡麽。二三耶穌對

他們說、你們是從下頭來的、我是從上頭來的、你們是
二四 屬這世界的、我不是屬這世界的。二四所以我對你們說、你
們要死在罪中、你們若不信我是基督、必要死在罪中。
二五 二五他們就問他說、你是誰。耶穌對他們說、就是我從起初
二六 所告訴你們的。二六我有許多事講論你們、判斷你們、但那
差我來的是真的。我在他那裏所聽見的、我就傳給世
二七 二八 人。二七他們不明白耶穌是指着父說的。二八所以耶穌說、你們
舉起人子以後、必知道我是基督、並且知道我沒有一
件事、是憑着自己作的。我說這些話、乃是照着父所教
二九 訓我的。二九那差我來的、是與我同在。他沒有撇下我獨自
三十 在這裏、因為我常作他所喜悅的事。三十耶穌說這話的時
候、就有許多人信他。

真理叫人得以自由

三一 三一耶穌對信他的猶太人說、你們若常常遵守我的道、就
三二 真是我的門徒。三二你們必曉得真理、真理必叫你們得以
三三 自由。三三他們回答說、我們是亞伯拉罕的後裔、從來沒有
三四 作過誰的奴僕。你怎麼說、你們必得以自由呢。三四耶穌回
答說、我實實在在的告訴你們、所有犯罪的、就是罪的

三五 奴僕。三五奴僕不能永遠住在家裏、兒子是永遠住在家裏。
三六 三六所以天父的兒子若叫你們自由、你們就真自由了。

誰為亞伯拉罕的真子孫

三七 三七我知道你們是亞伯拉罕的子孫、你們卻想要殺我、因
三八 為你們心裏容不下我的道。三八我所說的、是在我父那裏
三九 看見的。你們所行的、是在你們的父那裏聽見的。三九他們
說、我們的父就是亞伯拉罕。耶穌說、你們若是亞伯拉
四十 罕的兒子、就必行亞伯拉罕所行的事。四十我將在神那
裏所聽見的真理、告訴了你們、現在你們卻想要殺我。
四一 這不是亞伯拉罕所行的事。四一你們是行你們父所行的
事。他們說、我們不是從淫亂生的、我們只有一位父就
是神。

出於 神的必聽 神的話

四二 四二耶穌說、倘若 神是你們的父、你們就必愛我。因為我
本是出於 神、也是從 神而來、並不是由着自己來、
四三 乃是他差我來。四三你們為甚麼不明白我的話呢、無非是
四四 因你們不能聽我的道。四四你們是出於你們的父魔鬼、你
們父的私慾、你們偏要行、他從起初是殺人的、不守真

理。因他心裏沒有眞理、他說謊是出於自己、因他本來
四五 是說謊的、也是說謊之人的父。四五我將眞理告訴你們、你
四六 們就因此不信我。四六你們中間誰能指證我有罪呢。我既
四七 然將眞理告訴你們、爲甚麼不信我呢。四七出於神的、必
四八 聽神的話。你們不聽、因爲你們不是出於神。四八猶太
人回答說、我們說你是撒瑪利亞人、並且是鬼附着的、
四九 這話豈不正對麼。四九耶穌說、我不是鬼附着的。我尊敬我
五十 的父、你們倒輕慢我。五十我不求自己的榮耀。有一位爲我
五一 求榮耀定是非的。五一我實實在在的告訴你們、人若遵守
五二 我的道、就永遠不見死。五二猶太人對他說、現在我們知道
你是鬼附着的。亞伯拉罕死了、衆先知也死了。你還說
五三 人若遵守我的道、就永遠不嘗死味。五三難道你比我們的
祖宗亞伯拉罕還大麼。他死了、衆先知也死了。你將自
五四 己當作甚麼人呢。五四耶穌回答說、我若榮耀自己、我的榮
耀就算不得甚麼。榮耀我的乃是我的父、就是你們所
五五 說是你們的神。五五你們未曾認識他。我卻認識他。我若
說不認識他、我就是說謊的、像你們一樣、但我認識他、
也遵守他的道。

耶穌言己在亞伯拉罕之先

五六 你們的祖宗亞伯拉罕歡歡喜喜的仰望我的日子。既
五七 看見了、就快樂。五七猶太人說、你還沒有五十歲、豈見過亞
五八 伯拉罕呢。五八耶穌說、我實實在在的告訴你們、還沒有亞
五九 伯拉罕、就有了我。五九於是他們拿石頭要打他。耶穌卻躲
藏、從殿裏出去了。

一 醫好生來瞎眼的

一 **第九章** 耶穌過去的時候、看見一個人生來是瞎
二 眼的。二門徒問耶穌說、拉比、這人生來是瞎眼的、是誰犯
三 了罪、是這人呢、是他父母呢。三耶穌回答說、也不是這人
犯了罪、也不是他父母犯了罪、是要在他身上顯出
四 神的作爲來。四趁着白日、我們必須作那差我來者的工。
五 黑夜將到、就沒有人能作工了。五我在世上的時候、是世
六 上的光。六耶穌說了這話、就吐唾沫在地上、用唾沫和泥
七 抹在瞎子的眼睛上、七對他說、你往西羅亞池子裏去洗、
（西羅亞繙出來、就是奉差遣）他去一洗、回頭就看
八 見了。八他的鄰舍、和那素常見他是討飯的、就說、這不是
九 那從前坐着討飯的人麼。九有人說、是他、又有人說、不是、

十 卻是像他．他自己說、是我。十他們對他說、你的眼睛是怎
十一 麼開的呢。十一他回答說、有一個人名叫耶穌、他和泥抹我
的眼睛、對我說、你往西羅亞池子去洗．我去一洗、就看
十二 見了。十二他們說、那個人在那裏．他說、我不知道。

十三 **法利賽人盤問醫好的瞎子**

十三十四 他們把從前瞎眼的人、帶到法利賽人那裏。十四耶穌和泥
十五 開他眼睛的日子是安息日。十五法利賽人也問他是怎麼
得看見的。瞎子對他們說、他把泥抹在我的眼睛上、我
十六 去一洗、就看見了。十六法利賽人中有的說、這個人不是從
神來的、因爲他不守安息日。又有人說、一個罪人怎
十七 能行這樣的神蹟呢。他們就起了分爭。十七他們又對瞎子
說、他既然開了你的眼睛、你說他是怎樣的人呢。他說、
十八 是個先知。十八猶太人不信他從前是瞎眼、後來能看見的、
十九 等到叫了他的父母來。十九問他們說、這是你們的兒子麼．
二十 你們說他生來是瞎眼的、如今怎麼能看見了呢。二十他父
母回答說、他是我們的兒子、生來就瞎眼、這是我們知
二一 道的。二一至於他如今怎麼能看見、我們卻不知道．是誰開
了他的眼睛、我們也不知道．他已經成了人、你們問他

二二 罷．他自己必能說。二二他父母說這話、是怕猶太人、因爲猶
太人已經商議定了、若有認耶穌是基督的、要把他趕
二三二四 出會堂。二三因此他父母說、他已經成了人、你們問他罷。二四所
以法利賽人第二次叫了那從前瞎眼的人來、對他說、
二五 你該將榮耀歸給 神．我們知道這人是個罪人。二五他說
他是個罪人不是、我不知道．有一件事我知道．從前我
二六 是眼瞎的、如今能看見了。二六他們就問他說、他向你作甚
二七 麼、是怎麼開了你的眼睛呢。二七他回答說、我方纔告訴你
們、你們不聽．爲甚麼又要聽呢．莫非你們也要作他的
二八 門徒麼。二八他們就罵他說、你是他的門徒．我們是摩西的
二九 門徒。二九 神對摩西說話、是我們知道的．只是這個人、我
三十 們不知道他從那裏來。三十那人回答說、他開了我的眼睛、
三一 你們竟不知道他從那裏來、這眞是奇怪。三一我們知道
神不聽罪人．惟有敬奉 神、遵行他旨意的、 神纔聽
三二 他。三二從創世以來、未曾聽見有人把生來是瞎子的眼睛
三三三四 開了。三三這人若不是從 神來的、甚麼也不能作。三四他們回
答說、你全然生在罪孽中、還要教訓我們麼。於是把他

趕出去了。
耶穌收留被逐的瞎子
三五 三五耶穌聽說他們把他趕出去、後來遇見他、就說、你信
三六 神的兒子麼。三六他回答說、主阿、誰是 神的兒子、叫我信
三七 他呢。三七耶穌說、你已經看見他、現在和你說話的就是他。
三八三九 三八他說、主阿、我信．就拜耶穌。三九耶穌說、我為審判到這世上
四十 來、叫不能看見的、可以看見．能看見的、反瞎了眼。四十同他
在那裏的法利賽人、聽見這話、就說、難道我們也瞎了
四一 眼麼。四一耶穌對他們說、你們若瞎了眼、就沒有罪了．但如
今你們說、我們能看見．所以你們的罪還在。
羊圈的比喻
一 **第十章** 一我實實在在的告訴你們、人進羊圈、不從
二 門進去、倒從別處爬進去、那人就是賊、就是強盜。二從門
三 進去的、纔是羊的牧人。三看門的就給他開門．羊也聽他
四 的聲音．他按着名叫自己的羊、把羊領出來。四既放出自
己的羊來、就在前頭走、羊也跟着他、因為認得他的聲
五六 音。五羊不跟着生人、因為不認得他的聲音．必要逃跑。六耶
穌將這比喻告訴他們．但他們不明白所說的是甚麼
意思。
主是羊的門
七 七所以耶穌又對他們說、我實實在在的告訴你們、我就
八 是羊的門。八凡在我以先來的、都是賊、是強盜．羊卻不聽
九 他們。九我就是門．凡從我進來的、必然得救、並且出入得
十 草喫。十盜賊來、無非要偷竊、殺害、毀壞．我來了、是要叫羊
（或作人）得生命、並且得的更豐盛。
主是好牧人
十一十二 十一我是好牧人．好牧人為羊捨命。十二若是雇工、不是牧人、羊
也不是他自己的、他看見狼來、就撇下羊逃走．狼抓住
十三十四 羊、趕散了羊羣。十三雇工逃走、因他是雇工、並不顧念羊。十四我
十五 是好牧人．我認識我的羊、我的羊也認識我。十五正如父認
十六 識我、我也認識父一樣．並且我為羊捨命。十六我另外有羊、
不是這圈裏的．我必須領他們來．他們也要聽我的聲
十七 音．並且要合成一羣、歸一個牧人了。十七我父愛我、因我將
十八 命捨去、好再取回來。十八沒有人奪我的命去、是我自己捨
的。我有權柄捨了、也有權柄取回來．這是我從我父所
十九二十 受的命令。○十九猶太人為這些話、又起了分爭。二十內中有好

二一 些人說、他是被鬼附着、而且瘋了．爲甚麼聽他呢。又有
人說、這不是鬼附之人所說的話。鬼豈能叫瞎子的眼
二二 二三 睛開了呢。○在耶路撒冷有修殿節．是冬天的時候。耶
二四 穌在殿裏所羅門的廊下行走。猶太人圍着他、說、你叫
我們猶疑不定到幾時呢．你若是基督、就明明的告訴
二五 我們。耶穌回答說、我已經告訴你們、你們不信．我奉我
二六 父之名所行的事、可以爲我作見證。只是你們不信、因
二七 爲你們不是我的羊。我的羊聽我的聲音、我也認識他
二八 們、他們也跟着我。我又賜給他們永生．他們永不滅亡、
二九 誰也不能從我手裏把他們奪去。我父把羊賜給我、他
比萬有都大．誰也不能從我父手裏把他們奪去。

主與父原爲一

三十 三一 三二 我與父原爲一。猶太人又拿起石頭來要打他。耶穌對
他們說、我從父顯出許多善事給你們看、你們是爲那
三三 一件拿石頭打我呢。猶太人回答說、我們不是爲善事
拿石頭打你、是爲你說僭妄的話．又爲你是個人、反將
三四 自己當作神。耶穌說、你們的律法上豈不是寫着、
三五 『我曾說你們是神』麼。經上的話是不能廢的．若那
三六 些承受神道的人、尚且稱爲神、父所分別爲聖、又差
到世間來的、他自稱是神的兒子、你們還向他說、你
三七 說僭妄的話麼。我若不行我父的事、你們就不必信我。
三八 我若行了、你們縱然不信我、也當信這些事．叫你們又
三九 知道、又明白父在我裏面、我也在父裏面。他們又要拿
四十 他．他卻逃出他們的手走了。○耶穌又往約但河外去、
四一 到了約翰起初施洗的地方、就住在那裏。有許多人來
到他那裏．他們說、約翰一件神蹟沒有行過．但約翰指
四二 着這人所說的一切話都是眞的。在那裏信耶穌的人
就多了。

第十一章　耶穌聽見拉撒路病了

一 有一個患病的人、名叫拉撒路、住在伯
二 大尼、就是馬利亞和他姐姐馬大的村莊。這馬利亞就
是那用香膏抹主、又用頭髮擦他腳的．患病的拉撒路、
三 是他的兄弟。他姊妹兩個就打發人去見耶穌、說、主阿、
四 你所愛的人病了。耶穌聽見就說、這病不至於死、乃是
五 爲神的榮耀、叫神的兒子因此得榮耀。耶穌素來
六 愛馬大和他妹子、並拉撒路。聽見拉撒路病了、就在所

七 居之地、仍住了兩天。七然後對門徒說、我們再往猶太去
八 罷。八門徒說、拉比、猶太人近來要拿石頭打你、你還往那
九 裏去麼。九耶穌回答說、白日不是有十二小時麼。人在白
十 日走路、就不至跌倒、因爲看見這世上的光。十若在黑夜
十一 走路、就必跌倒、因爲他沒有光。十一耶穌說了這話、隨後對
十二 他們說、我們的朋友拉撒路睡了、我去叫醒他。十二門徒說、
十三 主阿、他若睡了、就必好了。十三耶穌這話是指着他死說的.
十四 他們卻以爲是說照常睡了。十四耶穌就明明的告訴他們
十五 說、拉撒路死了。十五我沒有在那裏就歡喜、這是爲你們的
十六 緣故、好叫你們相信.如今我們可以往他那裏去罷。十六多
馬、又稱爲低土馬、就對那同作門徒的說、我們也去和
他同死罷。

復活在主

十七十八 十七耶穌到了、就知道拉撒路在墳墓裏、已經四天了。十八伯大
十九 尼離耶路撒冷不遠、約有六里路。十九有好些猶太人來看
二十 馬大和馬利亞、要爲他們的兄弟安慰他們。二十馬大聽見
二一 耶穌來了、就出去迎接他.馬利亞卻仍然坐在家裏。二一馬
二二 大對耶穌說、主阿、你若早在這裏、我兄弟必不死。二二就是

現在、我也知道、你無論向　神求甚麼、　神也必賜給
二三二四 你。二三耶穌說、你兄弟必然復活。二四馬大說、我知道在末日復
二五 活的時候、他必復活。二五耶穌對他說、復活在我、生命也在
二六 我.信我的人、雖然死了、也必復活.二六凡活着信我的人、必
二七 永遠不死。你信這話麼。二七馬大說、主阿、是的.我信你是基
二八 督、是　神的兒子、就是那要臨到世界的。二八馬大說了這
話、就回去暗暗的叫他妹子馬利亞說、夫子來了、叫你。
二九三十 二九馬利亞聽見了、就急忙起來、到耶穌那裏去。三十那時、耶穌
三一 還沒有進村子、仍在馬大迎接他的地方。三一那些同馬利
亞在家裏安慰他的猶太人、見他急忙起來出去、就跟
三二 着他、以爲他要往墳墓那裏去哭。三二馬利亞到了耶穌那
裏、看見他、就俯伏在他脚前、說、主阿、你若早在這裏、我
兄弟必不死。

耶穌哭了

三三 三三耶穌看見他哭、並看見與他同來的猶太人也哭、就心
三四 裏悲歎、又甚憂愁。三四便說、你們把他安放在那裏.他們回
三五三六 答說、請主來看。三五耶穌哭了。三六猶太人就說、你看他愛這人
三七 是何等懇切。三七其中有人說、他既然開了瞎子的眼睛、豈

三八 不能叫這人不死麼。三八耶穌又心裏悲歎、來到墳墓前．那
三九 墳墓是個洞、有一塊石頭擋着。三九耶穌說、你們把石頭挪
開。那死人的姐姐馬大對他說、主阿、他現在必是臭了、
四十 因為他死了已經四天了。四十耶穌說、我不是對你說過、你
若信、就必看見神的榮耀麼。

主叫拉撒路復活

四一 他們就把石頭挪開．耶穌舉目望天、說、父阿、我感謝你、
四二 因為你已經聽我。四二我也知道你常聽我．但我說這話、是
四三 為周圍站着的衆人、叫他們信是你差了我來。四三說了這
四四 話、就大聲呼叫說、拉撒路出來。四四那死人就出來了、手脚
裹着布、臉上包着手巾．耶穌對他們說、解開、叫他走。◯
四五 那些來看馬利亞的猶太人、見了耶穌所作的事、就多
四六 有信他的．四六但其中也有去見法利賽人的、將耶穌所作
的事告訴他們。

法利賽人用計要害死耶穌

四七 祭司長和法利賽人聚集公會、說、這人行好些神蹟、我
四八 們怎麼辦呢。四八若這樣由着他、人人都要信他．羅馬人也
四九 要來奪我們的地土、和我們的百姓。四九內中有一個人名
五十 叫該亞法、本年作大祭司、對他們說、你們不知道甚麼。
五一 五十獨不想一個人替百姓死、免得通國滅亡、就是你們的
五二 益處。五一他這話不是出於自己、是因他本年作大祭司、所
五三 以豫言耶穌將要替這一國死．五二也不但替這一國死、並
要將神四散的子民、都聚集歸一。五三從那日起、他們就
五四 商議要殺耶穌。◯五四所以耶穌不再顯然行在猶太人中
間、就離開那裏往靠近曠野的地方去、到了一座城名
五五 叫以法蓮、就在那裏和門徒同住。五五猶太人的逾越節近
了．有許多人從鄉下上耶路撒冷去、要在節前潔淨自
五六 己。五六他們就尋找耶穌、站在殿裏彼此說、你們的意思如
五七 何、他不來過節麼。五七那時、祭司長和法利賽人早已吩咐
說、若有人知道耶穌在那裏、就要報明、好去拿他。

第十二章

馬利亞用香膏抹主

一 逾越節前六日、耶穌來到伯大尼、就是
二 他叫拉撒路從死裏復活之處。二有人在那裏給耶穌豫
備筵席．馬大伺候、拉撒路也在那同耶穌坐席的人中。
三 馬利亞就拿着一斤極貴的眞哪噠香膏、抹耶穌的脚、
四 又用自己頭髮去擦．屋裏就滿了膏的香氣。四有一個門

五 徒、就是那將要賣耶穌的加略人猶大、說、這香膏爲甚
六 麼不賣三十兩銀子賙濟窮人呢。他說這話、並不是掛
念窮人、乃因他是個賊、又帶着錢囊、常取其中所存的。
七 八 耶穌說、由他罷、他是爲我安葬之日存留的。因爲常有
九 窮人和你們同在、只是你們不常有我。○有許多猶太
人知道耶穌在那裏、就來了、不但是爲耶穌的緣故、也
十 是要看他從死裏所復活的拉撒路。但祭司長商議連
十一 拉撒路也要殺了。因有好些猶太人爲拉撒路的緣故、
回去信了耶穌。

主騎驢進耶路撒冷

十二 第二天有許多上來過節的人、聽見耶穌將到耶路撒
十三 冷、就拿着棕樹枝、出去迎接他、喊着說、和散那、奉主名
十四 來的以色列王、是應當稱頌的。耶穌得了一個驢駒、就
十五 騎上、如經上所記的說、『錫安的民哪、(原文作民女子)不要懼
十六 怕、你的王騎着驢駒來了。』這些事門徒起先不明白、
等到耶穌得了榮耀以後、纔想起這話是指着他寫的、
十七 並且衆人果然向他這樣行了。當耶穌呼喚拉撒路叫
他從死復活出墳墓的時候、同耶穌在那裏的衆人就

十八 十九 作見證。衆人因聽見耶穌行了這神蹟、就去迎接他。法
利賽人彼此說、看哪、你們是徒勞無益、世人都隨從他
二十 去了。○那時、上來過節禮拜的人中、有幾個希利尼人。
二一 他們來見加利利伯賽大的腓力、求他說、先生、我們願
二二 意見耶穌。腓力去告訴安得烈、安得烈同腓力去告訴
耶穌。

耶穌向百姓末了的講論

二三 二四 耶穌說、人子得榮耀的時候到了。我實實在在的告訴
你們、一粒麥子不落在地裏死了、仍舊是一粒、若是死
二五 了、就結出許多子粒來。愛惜自己生命的、就失喪生命、
二六 在這世上恨惡自己生命的、就要保守生命到永生。若
有人服事我、就當跟從我、我在那裏、服事我的人也要
二七 在那裏。若有人服事我、我父必尊重他。我現在心裏憂
愁、我說甚麼纔好呢。父阿、救我脫離這時候、但我原是
二八 爲這時候來的。父阿、願你榮耀你的名。當時就有聲音
二九 從天上來說、我已經榮耀了我的名、還要再榮耀。站在
旁邊的衆人聽見、就說、打雷了。還有人說、有天使對他
說話。

主要吸引萬人歸己
三十 三一 三十耶穌說、這聲音不是爲我、是爲你們來的。三一現在這世界
三二 受審判、這世界的王要被趕出去。三二我若從地上被舉起
三三 來、就要吸引萬人來歸我。三三耶穌這話原是指着自己將
三四 要怎樣死說的。三四衆人回答說、我們聽見律法上有話說
基督是永存的。你怎麽說人子必須被舉起來呢。這人
三五 子是誰呢。三五耶穌對他們說、光在你們中間還有不多的
時候、應當趁着有光行走、免得黑暗臨到你們。那在黑
三六 暗裏行走的、不知道往何處去。三六你們應當趁着有光、信
從這光、使你們成爲光明之子。

應驗以賽亞的豫言

三七 三七耶穌說了這話、就離開他們、隱藏了。他雖然在他們面
三八 前行了許多神蹟、他們還是不信他。三八這是要應驗先知
以賽亞的話、說、『主阿、我們所傳的、有誰信呢。主的膀
三九 臂向誰顯露呢。』三九他們所以不能信、因爲以賽亞又說、
四十 『四十主叫他們瞎了眼、硬了心、免得他們眼睛看見、心裏
四一 明白、回轉過來、我就醫治他們。』四一以賽亞因爲看見他
四二 的榮耀、就指着他說這話。四二雖然如此、官長中卻有好些
信他的。只因法利賽人的緣故、就不承認、恐怕被趕出
四三 會堂。四三這是因他們愛人的榮耀、過於愛　神的榮耀。

信子就是信父

四四 四五 四四耶穌大聲說、信我的、不是信我、乃是信那差我來的。四五
四六 看見我、就是看見那差我來的。四六我到世上來、乃是光、叫
四七 凡信我的、不住在黑暗裏。四七若有人聽見我的話不遵守、
我不審判他。我來本不是要審判世界、乃是要拯救世
四八 界。四八棄絕我不領受我話的人、有審判他的、就是我所講
四九 的道在末日要審判他。四九因爲我沒有憑着自己講、惟有
五十 差我來的父、已經給我命令、叫我說甚麽、講甚麽。五十我也
知道他的命令就是永生。故此我所講的話、正是照着
父對我所說的。

第十三章

耶穌洗門徒的脚作榜樣

一 一逾越節以前、耶穌知道自己離世歸父
的時候到了。他既然愛世間屬自己的人、就愛他們到
二 底。二喫晚飯的時候、（魔鬼已將賣耶穌的意思、放在西
三 門的兒子加略人猶大心裏）三耶穌知道父已將萬有
交在他手裏、且知道自己是從　神出來的、又要歸到

四 神那裏去、四就離席站起來脫了衣服、拿一條手巾束
五 腰。五隨後把水倒在盆裏、就洗門徒的腳、並用自己所束
六 的手巾擦乾。六挨到西門彼得、彼得對他說、主阿、你洗我
七 的腳麼。七耶穌回答說、我所作的、你如今不知道、後來必
八 明白。八彼得說、你永不可洗我的腳。耶穌說、我若不洗你、
九 你就與我無分了。九西門彼得說、主阿、不但我的腳、連手
十 和頭也要洗。十耶穌說、凡洗過澡的人、只要把腳一洗、全
十一 身就乾淨了．你們是乾淨的、然而不都是乾淨的。十一耶穌
原知道要賣他的是誰、所以說、你們不都是乾淨的。○
十二 十二耶穌洗完了他們的腳、就穿上衣服、又坐下、對他們說、
十三 我向你們所作的、你們明白麼。十三你們稱呼我夫子、稱呼
十四 我主、你們說的不錯．我本來是。十四我是你們的主、你們的
十五 夫子、尚且洗你們的腳、你們也當彼此洗腳。十五我給你們
十六 作了榜樣、叫你們照着我向你們所作的去作。十六我實實
在在的告訴你們、僕人不能大於主人、差人也不能大
十七 於差他的人。十七你們既知道這事、若是去行就有福了。

耶穌豫指賣他的人

十八 十八我這話不是指着你們眾人說的．我知道我所揀選的
是誰．現在要應驗經上的話、說、『同我喫飯的人、用腳
十九 踢我。』十九如今事情還沒有成就、我要先告訴你們、叫你
二十 們到事情成就的時候、可以信我是基督。二十我實實在在
的告訴你們、有人接待我所差遣的、就是接待我．接待
二十一 我、就是接待那差遣我的。○二十一耶穌說了這話、心裏憂愁、
就明說、我實實在在的告訴你們、你們中間有一個人
二十二 二十三 要賣我了。二十二門徒彼此對看、猜不透所說的是誰。二十三有一個
二十四 門徒、是耶穌所愛的、側身挨近耶穌的懷裏。二十四西門彼得
二十五 點頭對他說、你告訴我們、主是指着誰說的。二十五那門徒便
二十六 就勢靠着耶穌的胸膛、問他說、主阿、是誰呢。二十六耶穌回答
說、我蘸一點餅給誰、就是誰。耶穌就蘸了一點餅、遞給
二十七 加略人西門的兒子猶大。二十七他喫了以後、撒但就入了他
二十八 的心。耶穌便對他說、你所作的快作罷。二十八同席的人、沒有
二十九 一個知道是爲甚麼對他說這話。二十九有人因猶大帶着錢
囊、以爲耶穌是對他說、你去買我們過節所應用的東
三十 西．或是叫他拿甚麼賙濟窮人。三十猶大受了那點餅、立刻
就出去．那時候是夜間了。

主賜一條新命令

三一 三一他既出去、耶穌就說、如今人子得了榮耀、神在人子
三二 身上也得了榮耀。三二神要因自己榮耀人子、並且要快
三三 快的榮耀他。三三小子們、我還有不多的時候、與你們同在。
後來你們要找我、但我所去的地方、你們不能到、這話
三四 我曾對猶太人說過、如今也照樣對你們說。三四我賜給你
們一條新命令、乃是叫你們彼此相愛。我怎樣愛你們、
三五 你們也要怎樣相愛。三五你們若有彼此相愛的心、衆人因
此就認出你們是我的門徒了。

豫言彼得不認主

三六 三六西門彼得問耶穌說、主往那裏去。耶穌回答說、我所去
三七 的地方、你現在不能跟我去、後來却要跟我去。三七彼得說、
三八 主阿、我爲甚麼現在不能跟你去、我願意爲你捨命。三八耶
穌說、你願意爲我捨命麼、我實實在在的告訴你、雞叫
以先、你要三次不認我。

安慰門徒的心

一 **第十四章** 一你們心裏不要憂愁、你們信　神、也當
二 信我。二在我父的家裏有許多住處、若是沒有、我就早已
三 告訴你們了。我去原是爲你們豫備地方去。三我若去爲
你們豫備了地方、就必再來接你們到我那裏去、我在
四 那裏、叫你們也在那裏。四我往那裏去、你們知道、那條路、
五 你們也知道。（有古卷作我往那裏去你們知道那條路）五多馬對他說、主阿、我
們不知道你往那裏去、怎麼知道那條路呢。

主爲道路眞理生命

六 六耶穌說、我就是道路、眞理、生命、若不藉着我、沒有人能
七 到父那裏去。七你們若認識我、也就認識我的父、從今以
八 後、你們認識他、並且已經看見他。八腓力對他說、求主將
九 父顯給我們看、我們就知足了。九耶穌對他說、腓力、我與
你們同在這樣長久、你還不認識我麼、人看見了我、就
十 是看見了父、你怎麼說、將父顯給我們看呢。十我在父裏
面、父在我裏面、你不信麼。我對你們所說的話、不是憑
十一 着自己說的、乃是住在我裏面的父作他自己的事。十一你
們當信我、我在父裏面、父在我裏面、即或不信、也當因
十二 我所作的事信我。十二我實實在在的告訴你們、我所作的
事、信我的人也要作、並且要作比這更大的事、因爲我
十三 往父那裏去。十三你們奉我的名、無論求甚麼、我必成就、叫

十四 父因兒子得榮耀。十四你們若奉我的名求甚麽、我必成就。
十五 十五你們若愛我、就必遵守我的命令。

應許賜保惠師

十六 十六我要求父、父就另外賜給你們一位保惠師、（或作訓慰師下同）
十七 叫他永遠與你們同在、十七就是眞理的聖靈、乃世人不能
接受的、因爲不見他、也不認識他、你們卻認識他、因他
十八 常與你們同在、也要在你們裏面。十八我不撇下你們爲孤
十九 兒、我必到你們這裏來。十九還有不多的時候、世人不再看
二十 見我、你們卻看見我、因爲我活着、你們也要活着。二十到那
日、你們就知道我在父裏面、你們在我裏面、我也在你
們裏面。

愛主的必遵守主道

二一 二一有了我的命令又遵守的、這人就是愛我的。愛我的必
二二 蒙我父愛他、我也要愛他、並且要向他顯現。二二猶大（不
是加畧人猶大）問耶穌說、主阿、爲甚麽要向我們顯
二三 現、不向世人顯現呢。二三耶穌回答說、人若愛我、就必遵守
我的道、我父也必愛他、並且我們要到他那裏去、與他
二四 同住。二四不愛我的人、就不遵守我的道、你們所聽見的道

二五 不是我的、乃是差我來之父的道。〇二五我還與你們同住
二六 的時候、已將這些話對你們說了。二六但保惠師、就是父因
我的名所要差來的聖靈、他要將一切的事、指教你們、
二七 並且要叫你們想起我對你們所說的一切話。二七我留下
平安給你們、我將我的平安賜給你們、我所賜的、不像
二八 世人所賜的、你們心裏不要憂愁、也不要膽怯。二八你們聽
見我對你們說了、我去還要到你們這裏來。你們若愛
二九 我、因我到父那裏去、就必喜樂、因爲父是比我大的。二九現
在事情還沒有成就、我豫先告訴你們、叫你們到事情
三十 成就的時候、就可以信。三十以後我不再和你們多說話、因
三一 爲這世界的王將到、他在我裏面是毫無所有。三一但要叫
世人知道我愛父、並且父怎樣吩咐我、我就怎樣行。起
來、我們走罷。

主是眞葡萄樹

一二 **第十五章** 一我是眞葡萄樹、我父是栽培的人。二凡屬
我不結果子的枝子、他就剪去、凡結果子的、他就修理
三 乾淨、使枝子結果子更多。三現在你們因我講給你們的
四 道、已經乾淨了。四你們要常在我裏面、我也常在你們裏

面。枝子若不常在葡萄樹上、自己就不能結果子。你們
五 若不常在我裏面、也是這樣。五我是葡萄樹、你們是枝子。
常在我裏面的、我也常在他裏面、這人就多結果子。因
六 爲離了我、你們就不能作甚麼。六人若不常在我裏面、就
七 像枝子丟在外面枯乾、人拾起來、扔在火裏燒了。七你們
若常在我裏面、我的話也常在你們裏面、凡你們所願
八 意的、祈求就給你們成就。八你們多結果子、我父就因此
得榮耀、你們也就是我的門徒了。

當效法主的愛

十九 九我愛你們、正如父愛我一樣。你們要常在我的愛裏。十你
們若遵守我的命令、就常在我的愛裏。正如我遵守了
十一 我父的命令、常在他的愛裏。十一這些事我已經對你們說
了、是要叫我的喜樂存在你們心裏、並叫你們的喜樂
十二 可以滿足。十二你們要彼此相愛、像我愛你們一樣、這就是
十三 我的命令。十三人爲朋友捨命、人的愛心沒有比這個大的。
十四十五 十四你們若遵行我所吩咐的、就是我的朋友了。十五以後我不
再稱你們爲僕人、因僕人不知道主人所作的事。我乃
稱你們爲朋友、因我從我父所聽見的、已經都告訴你
十六 們了。十六不是你們揀選了我、是我揀選了你們、並且分派
你們去結果子、叫你們的果子常存。使你們奉我的名、
十七 無論向父求甚麼、他就賜給你們。十七我這樣吩咐你們、是
要叫你們彼此相愛。

恨主者必恨信主的

十八 十八世人若恨你們、你們知道（或作該知道）恨你們以先、已經恨
十九 我了。十九你們若屬世界、世界必愛屬自己的。只因你們不
屬世界。乃是我從世界中揀選了你們、所以世界就恨
二十 你們。二十你們要記念我從前對你們所說的話、僕人不能
大於主人。他們若逼迫了我、也要逼迫你們。若遵守了
二一 我的話、也要遵守你們的話。二一但他們因我的名、要向你
二二 們行這一切的事、因爲他們不認識那差我來的。二二我若
沒有來教訓他們、他們就沒有罪。但如今他們的罪無
二三二四 可推諉了。二三恨我的、也恨我的父。二四我若沒有在他們中間
行過別人未曾行的事、他們就沒有罪。但如今連我與
二五 我的父、他們也看見也恨惡了。二五這要應驗他們律法上
二六 所寫的話、說、『他們無故的恨我。』二六但我要從父那裏
差保惠師來、就是從父出來眞理的聖靈。他來了、就要

二七 為我作見證。二七你們也要作見證、因為你們從起頭就與
我同在。
一 第十六章　一我已將這些事告訴你們、使你們不至
二 於跌倒。二人要把你們趕出會堂。並且時候將到、凡殺你
三 們的就以為是事奉　神。三他們這樣行、是因未曾認識
四 父、也未曾認識我。四我將這事告訴你們、是叫你們到了
時候、可以想起我對你們說過了。我起先沒有將這事
五 告訴你們、因為我與你們同在。五現今我往差我來的父
六 那裏去。你們中間並沒有人問我、你往那裏去。六只因我
七 將這事告訴你們、你們就滿心憂愁。七然而我將眞情告
訴你們。我去是與你們有益的。我若不去、保惠師就不
八 到你們這裏來。我若去、就差他來。八他既來了、就要叫世
九 人為罪、為義、為審判、自己責備自己。九為罪、是因他們不
十 十一 信我。十為義、是因我往父那裏去、你們就不再見我。十一為審
判、是因這世界的王受了審判。

主要引導門徒進入眞理

十二 十二我還有好些事要告訴你們、但你們現在擔當不了。或作
十三 不能領會只十三等眞理的聖靈來了、他要引導你們明白原文作進
入一切的眞理。因為他不是憑自己說的、乃是把他所
十四 聽見的都說出來。並要把將來的事告訴你們。十四他要榮
十五 耀我。因為他要將受於我的、告訴你們。十五凡父所有的、都
十六 是我的、所以我說、他要將受於我的告訴你們。十六等不多
十七 時、你們就不得見我。再等不多時、你們還要見我。十七有幾
個門徒就彼此說、他對我們說、等不多時、你們就不得
見我。再等不多時、你們還要見我。又說、因我往父那裏
十八 去。這是甚麼意思呢。十八門徒彼此說、他說等不多時、到底
十九 是甚麼意思呢。我們不明白他所說的話。十九耶穌看出他
們要問他、就說、我說等不多時、你們就不得見我、再等
二十 不多時、你們還要見我。你們為這話彼此相問麼。二十我實
實在在的告訴你們、你們將要痛哭哀號、世人倒要喜
二一 樂。你們將要憂愁、然而你們的憂愁要變為喜樂。二一婦人
生產的時候、就憂愁、因為他的時候到了。既生了孩子、
二二 就不再記念那苦楚、因為歡喜世上生了一個人。二二你們
現在也是憂愁。但我要再見你們、你們的心就喜樂了。
這喜樂、也沒有人能奪去。

靠主名求父必要得着

二三 二三到那日、你們甚麽也就不問我了。我實實在在的告訴
二四 你們、你們若向父求甚麽、他必因我的名、賜給你們。二四向
來你們沒有奉我的名求甚麽、如今你們求就必得着、
二五 叫你們的喜樂可以滿足。○二五這些事、我是用比喻對你
們說的。時候將到、我不再用比喻對你們說、乃要將父
二六 明明的告訴你們。二六到那日、你們要奉我的名祈求。我並
二七 不對你們說、我要爲你們求父。二七父自己愛你們、因爲你
二八 們已經愛我、又信我是從父出來的。二八我從父出來、到了
二九 世界。我又離開世界、往父那裏去。二九門徒說、如今你是明
三十 說、並不用比喻了。三十現在我們曉得你凡事都知道、也不
三一 用人問你。因此我們信你是從　神出來的。三一耶穌說、現
三二 在你們信麽。三二看哪、時候將到、且是已經到了、你們要分
散、各歸自己的地方去、留下我獨自一人。其實我不是
三三 獨自一人、因爲有父與我同在。三三我將這些事告訴你們、
是要叫你們在我裏面有平安。在世上你們有苦難。但
你們可以放心、我已經勝了世界。

分離的禱告

一 第十七章 一耶穌說了這話、就舉目望天說、父阿、時
二 候到了。願你榮耀你的兒子、使兒子也榮耀你。二正如你
曾賜給他權柄、管理凡有血氣的、叫他將永生賜給你
三 所賜給他的人。三認識你獨一的眞神、並且認識你所差
四 來的耶穌基督、這就是永生。四我在地上已經榮耀你、你
五 所託付我的事、我已成全了。五父阿、現在求你使我同你
六 享榮耀、就是未有世界以先、我同你所有的榮耀。六你從
世上賜給我的人、我已將你的名顯明與他們。他們本
七 是你的、你將他們賜給我、他們也遵守了你的道。七如今
八 他們知道、凡你所賜給我的、都是從你那裏來的。八因爲
你所賜給我的道、我已經賜給他們、他們也領受了、又
九 確實知道、我是從你出來的、並且信你差了我來。九我爲
他們祈求、不爲世人祈求、卻爲你所賜給我的人祈求、
十 因他們本是你的。十凡是我的都是你的、你的也是我的。
十一 並且我因他們得了榮耀。十一從今以後、我不在世上、他們
卻在世上、我往你那裏去。聖父阿、求你因你所賜給我

十二 的名保守他們、叫他們合而爲一、像我們一樣。十二我與他
們同在的時候、因你所賜給我的名、保守了他們、我也
護衛了他們、其中除了那滅亡之子、沒有一個滅亡的．
十三 好叫經上的話得應驗。十三現在我往你那裏去．我還在世
十四 上說這話、是叫他們心裏充滿我的喜樂。十四我已將你的
道賜給他們．世界又恨他們、因爲他們不屬世界、正如
十五 我不屬世界一樣。十五我不求你叫他們離開世界、只求你
十六 保守他們脫離那惡者。或作脫離罪惡十六他們不屬世界、正如我
十七 不屬世界一樣。十七求你用眞理使他們成聖．你的道就是
十八 十九 眞理。十八你怎樣差我到世上、我也照樣差他們到世上。十九我
爲他們的緣故、自己分別爲聖、叫他們也因眞理成聖。

信主者合而爲一

二十 二十我不但爲這些人祈求、也爲那些因他們的話信我的
二一 人祈求．二一使他們都合而爲一．正如你父在我裏面、我在
你裏面、使他們也在我們裏面．叫世人可以信你差了
二二 我來。二二你所賜給我的榮耀、我已賜給他們、使他們合而
二三 爲一、像我們合而爲一。二三我在他們裏面、你在我裏面、使
他們完完全全的合而爲一．叫世人知道你差了我來、
二四 也知道你愛他們如同愛我一樣。二四父阿、我在那裏、願你
所賜給我的人、也同我在那裏、叫他們看見你所賜給
二五 我的榮耀．因爲創立世界以前、你已經愛我了。二五公義的
父阿、世人未曾認識你、我卻認識你．這些人也知道你
二六 差了我來。二六我已將你的名指示他們、還要指示他們、使
你所愛我的愛在他們裏面、我也在他們裏面。

第十八章

盜賣和捉拿

一 一耶穌說了這話、就同門徒出去、過了汲
二 淪溪、在那裏有一個園子、他和門徒進去了。二賣耶穌的
猶大也知道那地方．因爲耶穌和門徒屢次上那裏去
三 聚集。三猶大領了一隊兵、和祭司長並法利賽人的差役、
四 拿着燈籠、火把、兵器、就來到園裏。四耶穌知道將要臨到
五 自己的一切事、就出來、對他們說、你們找誰。五他們回答
說、找拿撒勒人耶穌。耶穌說、我就是．賣他的猶大也同
六 他們站在那裏。六耶穌一說我就是、他們就退後倒在地
七 上。七他又問他們說、你們找誰．他們說、找拿撒勒人耶穌。
八 八耶穌說、我已經告訴你們、我就是．你們若找我、就讓這
九 些人去罷。九這要應驗耶穌從前的話說、你所賜給我的

十 人、我沒有失落一個。十西門彼得帶着一把刀、就拔出來、
將大祭司的僕人砍了一刀、削掉他的右耳．那僕人名
十一 叫馬勒古。十一耶穌就對彼得說、收刀入鞘罷．我父所給我
的那杯、我豈可不喝呢。

拿住耶穌

十二 十二那隊兵和千夫長並猶太人的差役、就拿住耶穌、把他
十三 捆綁了。十三先帶到亞那面前．因為亞那是本年作大祭司
十四 該亞法的岳父。十四這該亞法、就是從前向猶太人發議論
說、一個人替百姓死是有益的那位。

彼得初次不認主

十五 十五西門彼得跟着耶穌、還有一個門徒跟着．那門徒是大
十六 祭司所認識的．他就同耶穌進了大祭司的院子。十六彼得
卻站在門外．大祭司所認識的那個門徒出來、和看門
十七 的使女說了一聲、就領彼得進去。十七那看門的使女對彼
十八 得說、你不也是這人的門徒麼．他說、我不是。十八僕人和差
役、因為天冷、就生了炭火、站在那裏烤火．彼得也同他
十九 們站着烤火。○十九大祭司就以耶穌的門徒和他的教訓
二十 盤問他。二十耶穌回答說、我從來是明明的對世人說話．我
常在會堂和殿裏、就是猶太人聚集的地方、教訓人．我
二十一 在暗地裏、並沒有說甚麼。二一你為甚麼問我呢．可以問那
聽見的人、我對他們說的是甚麼．我所說的、他們都知
二十二 道。二二耶穌說了這話、旁邊站着的一個差役、用手掌打他
二十三 說、你這樣回答大祭司麼。二三耶穌說、我若說的不是、你可
二十四 以指證那不是．我若說的是、你為甚麼打我呢。二四亞那就
把耶穌解到大祭司該亞法那裏、仍是捆着解去的。

彼得二次三次不認主

二十五 二五西門彼得正站着烤火、有人對他說、你不也是他的門
二十六 徒麼．彼得不承認、說、我不是。二六有大祭司的一個僕人、是
彼得削掉耳朵那人的親屬、說、我不是看見你同他在
二十七 二十八 園子裏麼。二七彼得又不承認、立時雞就叫了。○二八眾人將耶
穌從該亞法那裏往衙門內解去．那時天還早．他們自
己卻不進衙門、恐怕染了污穢、不能喫逾越節的筵席。
二十九 二九彼拉多就出來、到他們那裏、說、你們告這人是為甚麼
三十 事呢。三十他們回答說、這人若不是作惡的、我們就不把他
三十一 交給你。三一彼拉多說、你們自己帶他去、按着你們的律法
三十二 審問他罷．猶太人說、我們沒有殺人的權柄。三二這要應驗

耶穌所說、自己將要怎樣死的話了。
耶穌在彼拉多前受審
三三 三三彼拉多又進了衙門、叫耶穌來、對他說、你是猶太人的
三四 王麼。三四耶穌回答說、這話是你自己說的、還是別人論我
三五 對你說的呢。三五彼拉多說、我豈是猶太人呢、你本國的人
三六 和祭司長、把你交給我。你作了甚麼事呢。三六耶穌回答說、
我的國不屬這世界。我的國若屬這世界、我的臣僕必
要爭戰、使我不至於被交給猶太人。只是我的國不屬
三七 這世界。三七彼拉多就對他說、這樣、你是王麼。耶穌回答說、
你說我是王。我爲此而生、也爲此來到世間、特爲給眞
理作見證。凡屬眞理的人、就聽我的話。
查不出耶穌有甚麼罪
三八 三八彼拉多說、眞理是甚麼呢。說了這話、又出來到猶太人
三九 那裏、對他們說、我查不出他有甚麼罪來。三九但你們有個
規矩、在逾越節要我給你們釋放一個人、你們要我給
四十 你們釋放猶太人的王麼。四十他們又喊着說、不要這人、要
巴拉巴。這巴拉巴是個強盜。

戲弄耶穌
一 二 **第十九章** 一當下彼拉多將耶穌鞭打了。二兵丁用荊
三 棘編作冠冕、戴在他頭上、給他穿上紫袍。三又挨近他說、
四 恭喜猶太人的王阿。他們就用手掌打他。四彼拉多又出
來對衆人說、我帶他出來見你們、叫你們知道我查不
五 出他有甚麼罪來。五耶穌出來、戴着荊棘冠冕、穿着紫袍。
六 彼拉多對他們說、你們看這個人。六祭司長和差役看見
他、就喊着說、釘他十字架、釘他十字架。彼拉多說、你們
七 自己把他釘十字架罷。我查不出他有甚麼罪來。七猶太
人回答說、我們有律法、按那律法、他是該死的、因他以
八 九 自己爲　神的兒子。八彼拉多聽見這話、越發害怕。九又進
十 衙門、對耶穌說、你是那裏來的。耶穌卻不回答。十彼拉多
說、你不對我說話麼。你豈不知我有權柄釋放你、也有
十一 權柄把你釘十字架麼。十一耶穌回答說、若不是從上頭賜
給你的、你就毫無權柄辦我。所以把我交給你的那人、
十二 罪更重了。十二從此彼拉多想要釋放耶穌。無奈猶太人喊
着說、你若釋放這個人、就不是該撒的忠臣。（原文作朋友）凡
十三 以自己爲王的、就是背叛該撒了。十三彼拉多聽見這話、就

帶耶穌出來、到了一個地方、名叫鋪華石處、希伯來話
十四 叫厄巴大、就在那裏坐堂。十四那日是豫備逾越節的日子、
十五 約有午正。彼拉多對猶太人說、看哪、這是你們的王。十五他
們喊着說、除掉他、除掉他、釘他在十字架上。彼拉多說、
我可以把你們的王釘十字架麼。祭司長回答說、除了
十六 該撒、我們沒有王。十六於是彼拉多將耶穌交給他們去釘
十字架。

耶穌被釘十字架

十七 十七他們就把耶穌帶了去。耶穌背着自己的十字架出來、
十八 到了一個地方、名叫髑髏地、希伯來話叫各各他。十八他們
就在那裏釘他在十字架上、還有兩個人和他一同釘
十九 着、一邊一個、耶穌在中間。十九彼拉多又用牌子寫了一個
名號、安在十字架上、寫的是猶太人的王、拿撒勒人耶
二十 穌。二十有許多猶太人念這名號。因爲耶穌被釘十字架的
地方、與城相近、並且是用希伯來、羅馬、希利尼、三樣文
二一 字寫的。二一猶太人的祭司長、就對彼拉多說、不要寫猶太
二二 人的王。要寫他自己說、我是猶太人的王。二二彼拉多說、我
二三 所寫的、我已經寫上了。○二三兵丁既然將耶穌釘在十字
架上、就拿他的衣服分爲四分、每兵一分。又拿他的裏
二四 衣。這件裏衣原來沒有縫兒、是上下一片織成的。二四他們
就彼此說、我們不要撕開、只要拈鬮、看誰得着。這要應
驗經上的話說、『他們分了我的外衣、爲我的裏衣拈
鬮。』兵丁果然作了這事。

將母親託付約翰

二五 二五站在耶穌十字架旁邊的、有他母親、與他母親的姊妹、
二六 並革羅罷的妻子馬利亞、和抹大拉的馬利亞。二六耶穌見
母親和他所愛的那門徒站在旁邊、就對他母親說、母
二七 親、(原文作婦人)看你的兒子。二七又對那門徒說、看你的母親。從
二八 此那門徒就接他到自己家裏去了。○二八這事以後、耶穌
知道各樣的事已經成了、爲要使經上的話應驗、就說、
二九 我渴了。二九有一個器皿盛滿了醋、放在那裏。他們就拿海
三十 絨蘸滿了醋、綁在牛膝草上、送到他口。三十耶穌嘗(原文作受)了
那醋、就說、成了。便低下頭、將靈魂交付神了。

主的骨頭一根也不折斷

三一 三一猶太人因這日是豫備日、又因那安息日是個大日、就
求彼拉多叫人打斷他們的腿、把他們拿去、免得屍首

三二 當安息日留在十字架上。三二於是兵丁來、把頭一個人的

三三 腿、並與耶穌同釘第二個人的腿、都打斷了。三三只是來到

三四 耶穌那裏、見他已經死了、就不打斷他的腿。三四惟有一個

三五 兵拿槍扎他的肋旁、隨卽有血和水流出來。三五看見這事

的那人就作見證、他的見證也是眞的、並且他知道自

三六 己所說的是眞的、叫你們也可以信。三六這些事成了、爲要

三七 應驗經上的話說、『他的骨頭、一根也不可折斷。』三七經

上又有一句說、『他們要仰望自己所扎的人。』

安放在新墳墓裏

三八 三八這些事以後、有亞利馬太人約瑟、是耶穌的門徒、只因

怕猶太人、就暗暗的作門徒、他來求彼拉多、要把耶穌

的身體領去。彼拉多允准、他就把耶穌的身體領去了。

三九 三九又有尼哥底母、就是先前夜裏去見耶穌的、帶着沒藥、

四十 和沉香、約有一百斤前來。四十他們就照猶太人殯葬的規

矩、把耶穌的身體、用細麻布加上香料裹好了。四一在耶穌

四一 釘十字架的地方、有一個園子。園子裏有一座新墳墓、

四二 是從來沒有葬過人的。四二只因是猶太人的豫備日、又因

那墳墓近、他們就把耶穌安放在那裏。

第二十章

馬利亞往看墳墓

一 一七日的第一日清早、天還黑的時候、抹

大拉的馬利亞來到墳墓那裏、看見石頭從墳墓挪開

二 了。二就跑來見西門彼得、和耶穌所愛的那個門徒、對他

們說、有人把主從墳墓裏挪了去、我們不知道放在那

三 四 裏。三彼得和那門徒就出來、往墳墓那裏去。四兩個人同跑、

五 那門徒比彼得跑的更快、先到了墳墓。五低頭往裏看、就

六 見細麻布還放在那裏。只是沒有進去。六西門彼得隨後

七 也到了、進墳墓裏去、就看見細麻布還放在那裏。七又看

見耶穌的裹頭巾、沒有和細麻布放在一處、是另在一

八 九 處捲着。八先到墳墓的那門徒也進去、看見就信了。九因爲

他們還不明白聖經的意思、就是耶穌必要從死裏復

十 活。十於是兩個門徒回自己的住處去了。

見證主復活

十一 十一馬利亞却站在墳墓外面哭。哭的時候、低頭往墳墓裏

十二 看、十二就見兩個天使、穿着白衣、在安放耶穌身體的地方

十三 坐着、一個在頭、一個在脚。十三天使對他說、婦人、你爲甚麼

哭。他說、因爲有人把我主挪了去、我不知道放在那裏。

十四 說了這話、就轉過身來、看見耶穌站在那裏、卻不知道
十五 是耶穌。十五耶穌問他說、婦人、為甚麼哭、你找誰呢。馬利亞
以為是看園的、就對他說、先生、若是你把他移了去、請
十六 告訴我、你把他放在那裏、我便去取他。十六耶穌說、馬利亞。
馬利亞就轉過來、用希伯來話對他說、拉波尼。(拉波
十七 尼就是夫子的意思。) 十七耶穌說、不要摸我。因我還沒有
升上去見我的父。你往我弟兄那裏去、告訴他們說、我
要升上去、見我的父、也是你們的父、見我的神、也是
十八 你們的神。十八抹大拉的馬利亞就去告訴門徒說、我已
十九 經看見了主。他又將主對他說的這話告訴他們。○十九那
日、(就是七日的第一日) 晚上、門徒所在的地方、因
怕猶太人、門都關了。耶穌來站在當中、對他們說、願你
二十 們平安。二十說了這話、就把手和肋旁指給他們看。門徒看
二一 見主、就喜樂了。二一耶穌又對他們說、願你們平安。父怎樣
二二 差遣了我、我也照樣差遣你們。二二說了這話、就向他們吹
二三 一口氣、說、你們受聖靈。二三你們赦免誰的罪、誰的罪就赦
免了。你們留下誰的罪、誰的罪就留下了。

多馬不信

二四 二四那十二個門徒中、有稱為低土馬的多馬、耶穌來的時
二五 候、他沒有和他們同在。二五那些門徒就對他說、我們已經
看見主了。多馬卻說、我非看見他手上的釘痕、用指頭
探入那釘痕、又用手探入他的肋旁、我總不信。

多馬釋疑

二六 二六過了八日、門徒又在屋裏、多馬也和他們同在、門都關
二七 了。耶穌來站在當中說、願你們平安。二七就對多馬說、伸過
你的指頭來、摸(摸原文作看)我的手。伸出你的手來、探入我
二八 二九 的肋旁。不要疑惑、總要信。二八多馬說、我的主、我的神。二九耶
穌對他說、你因看見了我纔信、那沒有看見就信的、有
三十 福了。○三十耶穌在門徒面前、另外行了許多神蹟、沒有記
三一 在這書上。三一但記這些事、要叫你們信耶穌是基督、是
神的兒子。並且叫你們信了他、就可以因他的名得生
命。

第二十一章　**耶穌在提比哩亞海邊顯現**

一 一這些事以後、耶穌在提比哩亞海邊、
二 又向門徒顯現。他怎樣顯現記在下面。二有西門彼得、和

稱爲低士馬的多馬、並加利利的迦拿人拿但業、還有
三 西庇太的兩個兒子、又有兩個門徒、都在一處。³西門彼
得對他們說、我打魚去。他們說、我們也和你同去。他們
就出去、上了船、那一夜並沒有打着甚麼。

得滿網魚

四 天將亮的時候、耶穌站在岸上。門徒卻不知道是耶穌。
五 耶穌就對他們說、小子、你們有喫的沒有。他們回答說、
六 沒有。⁶耶穌說、你們把網撒在船的右邊、就必得着。他們
七 便撒下網去、竟拉不上來了、因爲魚甚多。⁷耶穌所愛的
那門徒對彼得說、是主。那時西門彼得赤着身子、一聽
八 見是主、就束上一件外衣、跳在海裏。⁸其餘的門徒、（離
岸不遠、約有二百肘、（古代以肘爲尺一肘約有今時尺半）就在小船上
九 把那網魚拉過來。⁹他們上了岸、就看見那裏有炭火、上
十 面有魚、又有餅。¹⁰耶穌對他們說、把剛纔打的魚拿幾條
十一 來。¹¹西門彼得就去、（或作上船）把網拉到岸上、那網滿了大魚、
十二 共一百五十三條。魚雖這樣多、網卻沒有破。¹²耶穌說、你
十三 們來喫早飯。門徒中沒有一個敢問他、你是誰、因爲知
十四 道是主。¹³耶穌就來拿餅和魚給他們。¹⁴耶穌從死裏復活

以後、向門徒顯現、這是第三次。

查彼得愛主之心

十五 他們喫完了早飯、耶穌對西門彼得說、約翰的兒子西
門、（約翰馬太十六章十七節稱約拿）你愛我比這些更深麼。彼得說、主
阿、是的。你知道我愛你。耶穌對他說、你餵養我的小羊。
十六 耶穌第二次又對他說、約翰的兒子西門、你愛我麼。彼
得說、主阿、是的。你知道我愛你。耶穌說、你牧養我的羊。
十七 第三次對他說、約翰的兒子西門、你愛我麼。彼得因爲
耶穌第三次對他說、你愛我麼、就憂愁、對耶穌說、主阿、
你是無所不知的、你知道我愛你。耶穌說、你餵養我的
十八 羊。¹⁸我實實在在的告訴你、你年少的時候、自己束上帶
子、隨意往來、但年老的時候、你要伸出手來、別人要把
十九 你束上、帶你到不願意去的地方。¹⁹耶穌說這話、是指着
彼得要怎樣死、榮耀神。說了這話、就對他說、你跟從
二十 我罷。²⁰彼得轉過來、看見耶穌所愛的那門徒跟着、就是
在晚飯的時候、靠着耶穌胸膛、說、主阿、賣你的是誰的
二十一 那門徒。²¹彼得看見他、就問耶穌說、主阿、這人將來如何。
二十二 耶穌對他說、我若要他等到我來的時候、與你何干。你

跟從我罷。二三於是這話傳在弟兄中間、說那門徒不死．其
實耶穌不是說他不死．乃是說我若要他等到我來的
時候、與你何干。〇二四為這些事作見證、並且記載這些事
的、就是這門徒．我們也知道他的見證是眞的。〇二五耶穌
所行的事、還有許多、若是一一的都寫出來、我想所寫
的書、就是世界也容不下了。

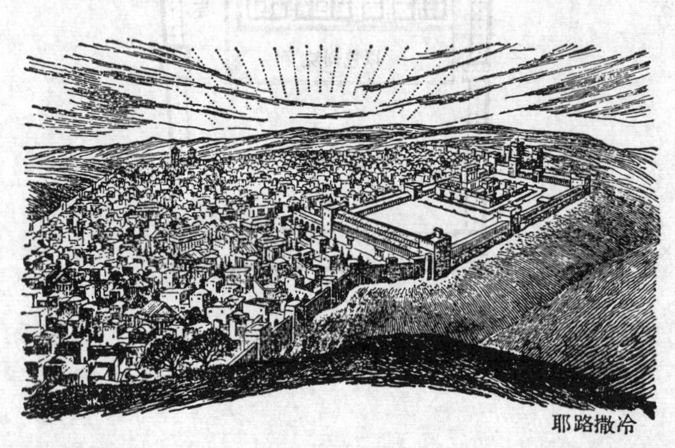

耶路撒冷

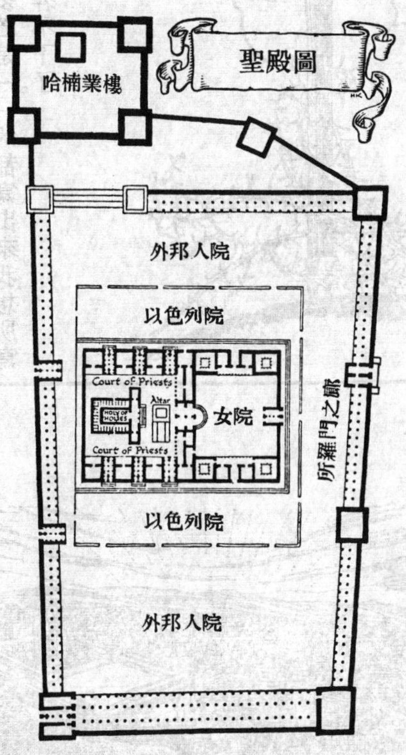
聖殿圖
哈楠業樓
外邦人院
以色列院
Court of Priests
HOLY OF HOLIES
Altar
女院
Court of Priests
所羅門之廊
以色列院
外邦人院

使徒行傳

應許得聖靈的能力

第一章
一 提阿非羅阿、我已經作了前書、論到耶穌
二 開頭一切所行所教訓的、二直到他藉着聖靈吩咐所揀
三 選的使徒、以後被接上升的日子爲止。三他受害之後、用
許多的憑據、將自己活活的顯給使徒看、四十天之久
四 向他們顯現、講說　神國的事。四耶穌和他們聚集的時
候、囑咐他們說、不要離開耶路撒冷、要等候父所應許
五 的、就是你們聽見我說過的。五約翰是用水施洗、但不多
幾日、你們要受聖靈的洗。

主被接上升

六 他們聚集的時候、問耶穌說、主阿、你復興以色列國、就
七 在這時候嗎。七耶穌對他們說、父憑着自己的權柄所定
八 的時候日期、不是你們可以知道的。八但聖靈降臨在你
們身上、你們就必得着能力、並要在耶路撒冷、猶太全
九 地、和撒瑪利亞、直到地極、作我的見證。九說了這話、他們
正看的時候、他就被取上升、有一朶雲彩把他接去、便
十 看不見他了。十當他往上去、他們定睛望天的時候、忽然
十一 有兩個人、身穿白衣、站在旁邊、說、十一加利利人哪、你們爲
甚麼站着望天呢。這離開你們被接升天的耶穌、你們
見他怎樣往天上去、他還要怎樣來。

門徒在樓房祈禱

十二 有一座山、名叫橄欖山、離耶路撒冷不遠、約有安息日
十三 可走的路程。當下門徒從那裏回耶路撒冷去。十三進了城、
就上了所住的一間樓房、在那裏有彼得、約翰、雅各、安
得烈、腓力、多馬、巴多羅買、馬太、亞勒腓的兒子雅各、奮
十四 銳黨的西門、和雅各的兒子（或作兄弟）猶大。十四這些人、同着幾
個婦人、和耶穌的母親馬利亞、並耶穌的弟兄、都同心
合意的恆切禱告。

猶大的結局

十五 那時、有許多人聚會、約有一百二十名、彼得就在弟兄
十六 中間站起來、說、十六弟兄們、聖靈藉大衛的口、在聖經上豫
十七 言領人捉拿耶穌的猶大、這話是必須應驗的。十七他本來
十八 列在我們數中、並且在使徒的職任上得了一分。十八這人
用他作惡的工價、買了一塊田、以後身子仆倒、肚腹崩

十九 裂、腸子都流出來。十九住在耶路撒冷的眾人都知道這事、
二十 所以按着他們那裏的話、給那塊田起名叫亞革大馬、
就是血田的意思。二十因為詩篇上寫着說『願他的住處
變為荒塲、無人在內居住。』又說『願別人得他的職
分。』

二一揀選馬提亞

二一二二 所以主耶穌在我們中間始終出入的時候、二二就是從約
翰施洗起、直到主離開我們被接上升的日子為止、必
須從那常與我們作伴的人中立一位與我們同作耶
二三 穌復活的見證。二三於是選舉兩個人、就是那叫作巴撒巴
二四二五 又稱呼猶士都的約瑟、和馬提亞。二四二五眾人就禱告說、主阿、
你知道萬人的心、求你從這兩個人中、指明你所揀選
的是誰、叫他得這使徒的位分。這位分猶大已經丟棄、
二六 往自己的地方去了。二六於是眾人為他們搖籤、搖出馬提
亞來。他就和十一個使徒同列。

一門徒在五旬節被聖靈充滿

第二章　五旬節到了、門徒都聚集在一處。二忽然從
二一 天上有響聲下來、好像一陣大風吹過、充滿了他們所
三 坐的屋子。三又有舌頭如火焰顯現出來、分開落在他們
四 各人頭上。四他們就都被聖靈充滿、按着聖靈所賜的口
五 才、說起別國的話來。○五那時、有虔誠的猶太人、從天下
六 各國來、住在耶路撒冷。六這聲音一響、眾人都來聚集、各
七 人聽見門徒用眾人的鄉談說話、就甚納悶。七都驚訝希
八 奇說、看哪、這說話的不都是加利利人麼。八我們各人怎
九 麼聽見他們說我們生來所用的鄉談呢。九我們帕提亞
人、瑪代人、以攔人、和住在米所波大米、猶太、加帕多家、
十 本都、亞西亞、十弗呂家、旁非利亞、埃及的人、並靠近古利
奈的呂彼亞一帶地方的人、從羅馬來的客旅中、或是
十一 猶太人、或是進猶太教的人、十一革哩底和亞拉伯人、都聽
十二 見他們用我們的鄉談、講說　神的大作為。十二眾人就都
十三 驚訝猜疑、彼此說、這是甚麼意思呢。十三還有人譏誚說、他
們無非是新酒灌滿了。

彼得的講說

十四 十四彼得和十一個使徒、站起、高聲說、猶太人、和一切住在
耶路撒冷的人哪、這件事你們當知道、也當側耳聽我
十五 的話。十五你們想這些人是醉了、其實不是醉了、因為時候

十六 十七 剛到巳初．十六這正是先知約珥所說的．『十七神說、在末後
的日子、我要將我的靈澆灌凡有血氣的．你們的兒女
要說豫言．你們的少年人要見異象．老年人要作異夢．
十八 十八在那些日子、我要將我的靈澆灌我的僕人和使女．他
十九 們就要說豫言。十九在天上我要顯出奇事、在地下我要顯
二十 出神蹟、有血有火有煙霧．二十日頭要變爲黑暗、月亮要變
二一 爲血、這都在主大而明顯的日子未到以前。二一到那時
二二 候、凡求告主名的、就必得救。』二二以色列人哪、請聽我的
話．神藉着拿撒勒人耶穌、在你們中間施行異能奇
二三 事神蹟、將他證明出來、這是你們自己知道的。二三他既按
着神的定旨先見、被交與人、你們就藉着無法之人
二四 的手、把他釘在十字架上殺了。二四神卻將死的痛苦解
二五 釋了、叫他復活．因爲他原不能被死拘禁。二五大衛指着他
說、『我看見主常在我眼前．他在我右邊、叫我不至於
二六 搖動．二六所以我心裏歡喜、我的靈原文作舌快樂．並且我的肉
二七 身要安居在指望中．二七因你必不將我的靈魂撇在陰間、
二八 也不叫你的聖者見朽壞。二八你已將生命的道路指示我、
二九 必叫我因見你的面、或作叫我在你面前得着滿足的快樂。』二九弟

兄們、先祖大衛的事、我可以明明的對你們說、他死了、
三十 也葬埋了、並且他的墳墓直到今日還在我們這裏。三十大
衛既是先知、又曉得神曾向他起誓、要從他的後裔
三一 中立一位坐在他的寶座上．三一就豫先看明這事、講論基
督復活說、他的靈魂、不撇在陰間、他的肉身也不見朽
三二 壞。三二這耶穌、神已經叫他復活了、我們都爲這事作見
三三 證。三三他既被神的右手高舉、或作他既高舉在神的右邊又從父受
了所應許的聖靈、就把你們所看見所聽見的、澆灌下
三四 來。三四大衛並沒有升到天上、但自己說、『主對我主說、你
三五 三六 坐在我的右邊、三五等我使你仇敵作你的腳凳。』三六故此、以
色列全家當確實的知道、你們釘在十字架上的這位
耶穌、神已經立他爲主爲基督了。

感動多人信主

三七 三七眾人聽見這話、覺得扎心、就對彼得和其餘的使徒說、
三八 弟兄們、我們當怎樣行。三八彼得說、你們各人要悔改、奉耶
穌基督的名受洗、叫你們的罪得赦、就必領受所賜的
三九 聖靈．三九因爲這應許是給你們和你們的兒女、並一切在
四十 遠方的人、就是主我們神所召來的。四十彼得還用許多

話作見證、勸勉他們說、你們當救自己脫離這彎曲的
四一 世代。四一於是領受他話的人、就受了洗．那一天門徒約添
四二 了三千人。四二都恆心遵守使徒的教訓、彼此交接、擘餅、祈
禱。

信徒相交日日祈禱

四三 四四 四三衆人都懼怕．使徒又行了許多奇事神蹟。四四信的人都在
四五 一處、凡物公用．四五並且賣了田產家業、照各人所需用的
四六 分給各人。四六他們天天同心合意、恆切的在殿裏、且在家
四七 中擘餅、存着歡喜誠實的心用飯、四七讚美 神、得衆民的
喜愛．主將得救的人天天加給他們。

彼得醫治瘸腿的

一 二 第三章 一申初禱告的時候、彼得、約翰、上聖殿去。二有
一個人、生來是瘸腿的、天天被人抬來、放在殿的一個
三 門口、那門名叫美門、要求進殿的人賙濟。三他看見彼得
四 約翰將要進殿、就求他們賙濟。四彼得約翰定睛看他．彼
五 六 得說、你看我們。五那人就留意看他們、指望得着甚麼。六彼
得說、金銀我都沒有、只把我所有的給你、我奉拿撒勒
七 人耶穌基督的名、叫你起來行走。七於是拉着他的右手、
八 扶他起來．他的脚和踝子骨、立刻健壯了。八就跳起來、站
九 着、又行走、同他們進了殿、走着、跳着、讚美 神。九百姓都
十 看見他行走、讚美 神。十認得他是那素常坐在殿的美
門口求賙濟的．就因他所遇着的事、滿心希奇驚訝。

彼得對衆講論醫治瘸腿的因由

十一 十一那人正在稱爲所羅門的廊下、拉着彼得、約翰、衆百姓
十二 一齊跑到他們那裏、很覺希奇。十二彼得看見、就對百姓說、
以色列人哪、爲甚麼把這事當作希奇呢、爲甚麼定睛
看我們、以爲我們憑自己的能力和虔誠、使這人行走
十三 呢。十三亞伯拉罕、以撒、雅各的 神、就是我們列祖的 神、
已經榮耀了他的僕人耶穌．（僕人或作兒子）你們卻把他交付
彼拉多．彼拉多定意要釋放他、你們竟在彼拉多面前
十四 棄絕了他。十四你們棄絕了那聖潔公義者、反求着釋放一
十五 個兇手給你們。十五你們殺了那生命的主、 神卻叫他從
十六 死裏復活了．我們都是爲這事作見證。十六我們因信他的
名、他的名便叫你們所看見所認識的這人健壯了．正
是他所賜的信心、叫這人在你們衆人面前全然好了。
十七 十七弟兄們、我曉得你們作這事、是出於不知、你們的官長

十八 也是如此。但 神曾藉衆先知的口、豫言基督將要受
十九 害、就這樣應驗了。所以你們當悔改歸正、使你們的罪
二十 得以塗抹、這樣那安舒的日子、就必從主面前來到．主
二一 也必差遣所豫定給你們的基督耶穌降臨。天必留他、
等到萬物復興的時候、就是 神從創世以來、藉着聖
二二 先知的口所說的。摩西曾說、『主 神要從你們弟兄
中間給你們興起一位先知像我、凡他向你們所說的、
二三 你們都要聽從。凡不聽從那先知的、必要從民中全然
二四 滅絕。』從撒母耳以來的衆先知、凡說豫言的、也都說
二五 到這些日子。你們是先知的子孫、也承受 神與你們
二六 祖宗所立的約、就是對亞伯拉罕說、地上萬族、都要因
你的後裔得福。 神既興起他的僕人、(或作兒子)就先差他
到你們這裏來、賜福給你們、叫你們各人回轉、離開罪
惡。

第四章

彼得約翰被拿

一 使徒對百姓說話的時候、祭司們和守殿
二 官、並撒都該人、忽然來了．因他們教訓百姓、本着耶穌、
三 傳說死人復活、就很煩惱．於是下手拿住他們．因為天
四 已經晚了、就把他們押到第二天。但聽道之人、有許多
信的、男丁數目約到五千。

到公會前被審

五 六 第二天、官府長老和文士、在耶路撒冷聚會．又有大祭
司亞那、和該亞法、約翰、亞力山大、並大祭司的親族都
七 在那裏。叫使徒站在當中、就問他們說、你們用甚麼能
八 力、奉誰的名、作這事呢。那時彼得被聖靈充滿、對他們
九 說、治民的官府、和長老阿、倘若今日因為在殘疾人身
十 上所行的善事、查問我們他是怎麼得了痊癒．你們衆
人、和以色列百姓、都當知道、站在你們面前的這人得
痊癒、是因你們所釘十字架、 神叫他從死裏復活的、
拿撒勒人耶穌基督的名。

除了耶穌別無拯救

十一 他是你們匠人所棄的石頭、已成了房角的頭塊石頭。
十二 除他以外、別無拯救．因為在天下人間、沒有賜下別的
名、我們可以靠着得救。

恐嚇而放

十三 他們見彼得約翰的膽量、又看出他們原是沒有學問

十四 的小民、就希奇、認明他們是跟過耶穌的。十四又看見那治
十五 好了的人和他們一同站着、就無話可駁。十五於是吩咐他
十六 們從公會出去、就彼此商議說、十六我們當怎樣辦這兩個
人呢、因為他們誠然行了一件明顯的神蹟、凡住耶路
十七 撒冷的人都知道、我們也不能說沒有。十七惟恐這事越發
傳揚在民間、我們必須恐嚇他們、叫他們不再奉這名
十八 對人講論。十八於是叫了他們來、禁止他們、總不可奉耶穌
十九 的名講論教訓人。十九彼得約翰說、聽從你們、不聽從神、
二十 這在神面前合理不合理、你們自己酌量罷。二十我們所
二一 看見所聽見的、不能不說。二一官長為百姓的緣故、想不出
法子刑罰他們、又恐嚇一番、把他們釋放了。這是因衆
二二 人為所行的奇事、都歸榮耀與神。二二原來藉着神蹟醫
好的那人、有四十多歲了。

門徒同心禱告讚美

二三 二三二人既被釋放、就到會友那裏去、把祭司長和長老所
二四 說的話、都告訴他們。二四他們聽見了、就同心合意的、高聲
二五 向神說、主阿、你是造天地、海、和其中萬物的。二五你曾藉
着聖靈、託你僕人我們祖宗大衛的口說、『外邦為甚
二六 麼爭鬧、萬民為甚麼謀算虛妄的事。二六世上的君王一齊
二七 起來、臣宰也聚集、要敵擋主、並主的受膏者。或作基督』二七希
律和本丟彼拉多、外邦人和以色列民、果然在這城裏
二八 聚集、要攻打你所膏的聖僕耶穌、或作僕子二八成就你手和你
二九 三十 意旨所豫定必有的事。二九他們三十恐嚇我們、現在求主鑒察。
一面叫你僕人大放膽量、講你的道、一面伸出你的手
來、醫治疾病、並且使神蹟奇事、因着你聖僕耶穌的名
三一 行出來。或作僕子三一禱告完了、聚會的地方震動。他們就都被
聖靈充滿、放膽講論神的道。

信徒財物不分彼此

三二 三二那許多信的人、都是一心一意的、沒有一人說、他的東
三三 西有一樣是自己的、都是大家公用。三三使徒大有能力、見
三四 證主耶穌復活。衆人也都蒙大恩。三四內中也沒有一個缺
乏的、因為人人將田產房屋都賣了、把所賣的價銀拿
三五 來、放在使徒脚前。三五照各人所需用的分給各人。

巴拿巴賣產捐銀

三六 三六有一個利未人、生在居比路、名叫約瑟、使徒稱他為巴
三七 拿巴。(巴拿巴繙出來、就是勸慰子)三七他有田地、也賣

了、把價銀拿來、放在使徒腳前。

亞拿尼亞和撒非喇欺哄聖靈而死

一 **第五章** 有一個人名叫亞拿尼亞、同他的妻子撒
二 非喇、賣了田產。二把價銀私自留下幾分、他的妻子也知
三 道、其餘的幾分拿來放在使徒腳前。三彼得說、亞拿尼亞
爲甚麼撒但充滿了你的心、叫你欺哄聖靈、把田地的
四 價銀私自留下幾分呢。四田地還沒有賣、不是你自己的
麼。既賣了、價銀不是你作主麼。你怎麼心裏起這意念
五 呢。你不是欺哄人、是欺哄神了。五亞拿尼亞聽見這話、
六 就仆倒斷了氣。聽見的人都甚懼怕。六有些少年人起來、
七 把他包裹抬出去埋葬了。七○約過了三小時、他的妻子
八 進來、還不知道這事。八彼得對他說、你告訴我、你們賣田
九 地的價銀、就是這些麼。他說、就是這些。九彼得說、你們爲
甚麼同心試探主的靈呢。埋葬你丈夫之人的腳、已到
十 門口、他們也要把你抬出去。十婦人立刻仆倒在彼得腳
前、斷了氣。那些少年人進來、見他已經死了、就抬出去、
十一 埋在他丈夫旁邊。十一全教會和聽見這事的人、都甚懼怕。

信者越發增添

十二 主藉使徒的手、在民間行了許多神蹟奇事、（他們或作
十三 信的人都同心合意的在所羅門的廊下。十三其餘的人、沒有
十四 一個敢貼近他們．百姓卻尊重他們。十四信而歸主的人、越
十五 發增添、連男帶女很多）十五甚至有人將病人抬到街上、
放在牀上、或褥子上、指望彼得過來的時候、或者得他
十六 的影兒照在甚麼人身上。十六還有許多人、帶着病人、和被
污鬼纏磨的、從耶路撒冷四圍的城邑來、全都得了醫
治。

使徒二次被囚

十七 大祭司和他的一切同人、就是撒都該教門的人、都起
十八 來、滿心忌恨。十八就下手拿住使徒、收在外監。

使徒出監仍然講道

十九 二十 但主的使者夜間開了監門、領他們出來、二十說、你們去站
二十一 在殿裏、把這生命的道、都講給百姓聽。二十一使徒聽了這話、
天將亮的時候、就進殿裏去教訓人。大祭司和他的同
人來了、叫齊公會的人、和以色列族的衆長老、就差人
二十二 到監裏去、要把使徒提出來。二十二但差役到了、不見他們在

二三 監裏、就回來稟報說、我們看見監牢關得極妥當、看守
二四 的人也站在門外、及至開了門、裏面一個人都不見。守
殿官和祭司長聽見這話、心裏犯難、不知這事將來如
二五 何。有一個人來稟報說、你們收在監裏的人、現在站在
二六 殿裏教訓百姓。於是守殿官和差役去帶使徒來、並沒
有用強暴．因為怕百姓用石頭打他們。

再到公會前被審

二七二八 帶到了、便叫使徒站在公會前、大祭司問他們說、我們
不是嚴嚴的禁止你們、不可奉這名教訓人麼．你們倒
把你們的道理充滿了耶路撒冷、想要叫這人的血歸
到我們身上。

彼得向官長分訴

二九 彼得和眾使徒回答說、順從　神、不順從人、是應當的。
三十 你們掛在木頭上殺害的耶穌、我們祖宗的　神已經
三一 叫他復活。神且用右手將他高舉、（或作他就是神高舉在自己的右
邊）叫他作君王、作救主、將悔改的心和赦罪的恩賜給
三二 以色列人。我們為這事作見證．神賜給順從之人的
聖靈也為這事作見證。

迦瑪列的勸戒

三三三四 公會的人聽見就極其惱怒、想要殺他們。但有一個法
利賽人、名叫迦瑪列、是眾百姓所敬重的教法師、在公
三五 會中站起來、吩咐人把使徒暫且帶到外面去．就對眾
人說、以色列人哪、論到這些人、你們應當小心怎樣辦
三六 理。從前丟大起來、自誇為大．附從他的人約有四百．他
三七 被殺後、附從他的全都散了、歸於無有。此後報名上冊
的時候、又有加利利的猶大起來、引誘些百姓跟從他、
三八 他也滅亡、附從他的人也都四散了。現在我勸你們不
要管這些人、任憑他們罷．他們所謀的、所行的、若是出
三九 於人、必要敗壞．若是出於　神、你們就不能敗壞他們．
四十 恐怕你們倒是攻擊　神了。公會的人聽從了他、便叫
使徒來、把他們打了、又吩咐他們不可奉耶穌的名講
道、就把他們釋放了。

歡喜配受辱

四一四二 他們離開公會、心裏歡喜．因被算是配為這名受辱。他
們就每日在殿裏、在家裏、不住的教訓人、傳耶穌是基
督。

第六章

揀選七人辦理供給之事

一 一那時、門徒增多、有說希利尼話的猶太人、
向希伯來人發怨言、因爲在天天的供給上忽略了他
二 們的寡婦。二十二使徒叫衆門徒來、對他們說、我們撇下
三 神的道、去管理飯食、原是不合宜的。三所以弟兄們當
從你們中間選出七個有好名聲、被聖靈充滿、智慧充
四 足的人、我們就派他們管理這事。四但我們要專心以祈
五 禱傳道爲事。五大衆都喜悅這話、就揀選了司提反、乃是
大有信心聖靈充滿的人、又揀選腓利、伯羅哥羅、尼迦
六 挪、提門、巴米拿、並進猶太教的安提阿人尼哥拉、六叫他
們站在使徒面前。使徒禱告了、就按手在他們頭上。○
七 七神的道興旺起來、在耶路撒冷門徒數目加增的甚
多、也有許多祭司信從了這道。

司提反滿得智慧和聖靈的能力

八九 八司提反滿得恩惠能力、在民間行了大奇事和神蹟。九當
時有稱利百地拿會堂的幾個人、並有古利奈、亞力山
大、基利家、亞西亞、各處會堂的幾個人、都起來、和司提
十 反辯論。十司提反是以智慧和聖靈說話、衆人敵擋不住。
十一 十一就買出人來說、我們聽見他說謗讟摩西和神的話。

被拿到公會

十二 十二他們又聳動了百姓、長老、並文士、就忽然來捉拿他、把
十三 他帶到公會去、十三設下假見證說、這個人說話、不住的蹧
十四 踐聖所和律法。十四我們曾聽見他說、這拿撒勒人耶穌要
十五 毀壞此地、也要改變摩西所交給我們的規條。十五在公會
裏坐着的人、都定睛看他、見他的面貌、好像天使的面
貌。

第七章

司提反當衆伸訴

一二 一大祭司就說、這些事果然有麼。二司提反說、
諸位父兄請聽。當日我們的祖宗亞伯拉罕在米所波
三 大米還未住哈蘭的時候、榮耀的神向他顯現、三對他
說、『你要離開本地和親族、往我所要指示你的地方
四 去。』四他就離開迦勒底人之地、住在哈蘭。他父親死了
五 以後、神使他從那裏搬到你們現在所住之地。五在這
地方神並沒有給他產業、連立足之地也沒有給他。
但應許要將這地賜給他和他的後裔爲業。那時他還
六 沒有兒子。六神說、他的後裔必寄居外邦、那裏的人要

七 叫他們作奴僕、苦待他們四百年。神又說、使他們作
奴僕的那國、我要懲罰、以後他們要出來、在這地方事
八 奉我。神又賜他割禮的約。於是亞伯拉罕生了以撒、
第八日給他行了割禮。以撒生雅各、雅各生十二位先
九 祖。先祖嫉妒約瑟、把他賣到埃及去。神卻與他同在、
十 救他脫離一切苦難、又使他在埃及王法老面前得恩
十一 典有智慧。法老就派他作埃及國的宰相兼管全家。後
來埃及和迦南全地遭遇饑荒、大受艱難、我們的祖宗、
十二 就絕了糧。雅各聽見在埃及有糧、就打發我們的祖宗、
十三 初次往那裏去。第二次約瑟與弟兄們相認、他的親族
十四 也被法老知道了。約瑟就打發弟兄請父親雅各和全
十五 家七十五個人都來。於是雅各下了埃及、後來他和我
十六 們的祖宗都死在那裏。又被帶到示劍、葬於亞伯拉罕
十七 在示劍用銀子從哈抹子孫買來的墳墓裏。及至神
應許亞伯拉罕的日期將到、以色列民在埃及興盛眾
十八 十九 多、直到有不曉得約瑟的新王興起。他用詭計待我們
的宗族、苦害我們的祖宗、叫他們丟棄嬰孩、使嬰孩不
二十 能存活。那時、摩西生下來、俊美非凡、在他父親家裏撫

二一 養了三個月。他被丟棄的時候、法老的女兒拾了去、養
二二 為自己的兒子。摩西學了埃及人一切的學問、說話行
二三 事、都有才能。他將到四十歲、心中起意、去看望他的弟
二四 兄以色列人。到了那裏、見他們一個人受冤屈、就護庇
二五 他、為那受欺壓的人報仇、打死了那埃及人。他以為弟
兄必明白神是藉他的手搭救他們。他們卻不明白。
二六 第二天、遇見兩個以色列人爭鬭、就勸他們和睦、說、你
二七 們二位是弟兄、為甚麼彼此欺負呢。那欺負鄰舍的把
二八 他推開說、『誰立你作我們的首領、和審判官呢。難道
二九 你要殺我、像昨天殺那埃及人麼。』摩西聽見這話就
三十 逃走了、寄居於米甸、在那裏生了兩個兒子。過了四十
年、在西乃山的曠野、有一位天使、從荊棘火焰中、向摩
三一 西顯現。摩西見了那異象、便覺希奇。正進前觀看的時
三二 候、有主的聲音說、『我是你列祖的神、就是亞伯拉
罕的神、以撒的神、雅各的神。』摩西戰戰兢兢、
三三 不敢觀看。主對他說、『把你腳上的鞋脫下來。因為你
三四 所站之地是聖地。我的百姓在埃及所受的困苦、我實
在看見了。他們悲歎的聲音、我也聽見了。我下來要救

三五 他們、你來、我要差你往埃及去。』三五這摩西、就是百姓棄
絕說、誰立你作我們的首領、和審判官的． 神卻藉那
在荊棘中顯現之使者的手、差派他作首領、作救贖的。
三六 三六這人領百姓出來、在埃及、在紅海、在曠野四十年間行
三七 了奇事神蹟。三七那曾對以色列人說、『 神要從你們弟
兄中間、給你們興起一位先知像我的、』就是這位
三八 摩西。三八這人曾在曠野會中、和西乃山上與那對他說話
的天使同在、又與我們的祖宗同在、並且領受活潑的
三九 聖言傳給我們。三九我們的祖宗不肯聽從、反棄絕他、心裏
四十 歸向埃及、四十對亞倫說、『你且為我們造些神像、在我們
前面引路．因為領我們出埃及地的那個摩西、我們不
四一 知道他遭了甚麼事。』四一那時、他們造了一個牛犢、又拿
四二 祭物獻給那像、歡喜自己手中的工作。四二 神就轉臉不
顧、任憑他們事奉天上的日月星辰、正如先知書上所
寫的說、『以色列家阿、你們四十年間在曠野、豈是將
四三 犧牲和祭物獻給我麼．四三你們抬着摩洛的帳幕、和理番
神的星．就是你們所造為要敬拜的像．因此、我要把你
四四 們遷到巴比倫外去。』四四我們的祖宗在曠野、有法櫃的

四五 帳幕是 神吩咐摩西叫他照所看見的樣式作的。四五這
帳幕、我們的祖宗相繼承受．當 神在他們面前趕出
外邦人去的時候、他們同約書亞把帳幕搬進承受為
四六 業之地、直存到大衛的日子。四六大衛在 神面前蒙恩、祈
四七 求為雅各的 神豫備居所．四七卻是所羅門為 神造成
四八 殿宇。四八其實至高者並不住人手所造的、就如先知所言、
四九 四九『主說、天是我的座位、地是我的腳凳．你們要為我造
五十 何等的殿宇、那裏是我安息的地方呢．五十這一切不都是
五一 我手所造的麼。』五一你們這硬着頸項、心與耳未受割禮
五二 的人、常時抗拒聖靈．你們的祖宗怎樣、你們也怎樣。五二那
一個先知不是你們祖宗逼迫呢．他們也把豫先傳說
那義者要來的人殺了．如今你們又把那義者賣了、殺
五三 了。五三你們受了天使所傳的律法、竟不遵守。

看見神的榮耀

五四五五 五四眾人聽見這話、就極其惱怒、向司提反咬牙切齒。五五但司
提反被聖靈充滿、定睛望天、看見 神的榮耀、又看見
五六 耶穌站在 神的右邊．五六就說、我看見天開了、人子站在
神的右邊。

衆人用石打死他

五七衆人大聲喊叫、摀着耳朵、齊心擁上前去、五八把他推到城
外、用石頭打他。作見證的人、把衣裳放在一個少年人
名叫掃羅的脚前。五九他們正用石頭打的時候、司提反呼
籲主說、求主耶穌接收我的靈魂。六十又跪下大聲喊着說、
主阿、不要將這罪歸於他們。說了這話、就睡了。掃羅也
喜悅他被害。

教會被害門徒分散

第八章 一從這日起、耶路撒冷的教會、大遭逼迫。除
了使徒以外、門徒都分散在猶太和撒瑪利亞各處。二有
虔誠的人、把司提反埋葬了、爲他捶胸大哭。三掃羅卻殘
害教會、進各人的家、拉着男女下在監裏。

腓利往撒瑪利亞傳道

四那些分散的人、往各處去傳道。五腓利下撒瑪利亞城去、
宣講基督。六衆人聽見了、又看見腓利所行的神蹟、就同
心合意的聽從他的話。七因爲有許多人被污鬼附着、那
些鬼大聲呼叫、從他們身上出來。還有許多癱瘓的、瘸
腿的、都得了醫治。八在那城裏、就大有歡喜。

行邪術的西門

九有一個人名叫西門、向來在那城裏行邪術、妄自尊大、
使撒瑪利亞的百姓驚奇。十無論大小、都聽從他、說、這人
就是那稱爲神的大能者。十一他們聽從他、因他久用邪
術、使他們驚奇。十二及至他們信了腓利所傳神國的福
音、和耶穌基督的名、連男帶女就受了洗。十三西門自己也
信了。既受了洗、就常與腓利在一處、看見他所行的神
蹟和大異能、就甚驚奇。

彼得約翰傳教於撒瑪利亞

十四使徒在耶路撒冷、聽見撒瑪利亞人領受了神的道、
就打發彼得約翰往他們那裏去。十五兩個人到了、就爲他
們禱告、要叫他們受聖靈。十六因爲聖靈還沒有降在他們
一個人身上。他們只奉主耶穌的名受了洗。十七於是使徒
按手在他們頭上、他們就受了聖靈。

西門貪心受責

十八西門看見使徒按手、便有聖靈賜下、就拿錢給使徒、說、十九
把這權柄也給我、叫我手按着誰、誰就可以受聖靈。二十彼
得說、你的銀子、和你一同滅亡罷。因你想神的恩賜、

二一 是可以用錢買的。二一你在這道上、無分無關。因爲在神
二二 面前、你的心不正。二二你當懊悔你這罪惡、祈求主。或者你
二三 心裏的意念可得赦免。二三我看出你正在苦膽之中、被罪
二四 惡捆綁。二四西門說、願你們爲我求主、叫你們所說的沒有
二五 一樣臨到我身上。二五○使徒旣證明主道、而且傳講、就回
耶路撒冷去、一路在撒瑪利亞好些村莊傳揚福音。

腓利傳道與埃提阿伯的太監

二六 二六有主的一個使者對腓利說、起來向南走、往那從耶路
二七 撒冷下迦薩的路上去。那路是曠野。二七腓利就起身去了。
不料、有一個埃提阿伯(即古實見以賽亞十八章一節)人、是個有大權
的太監、在埃提阿伯女王干大基的手下總管銀庫。他
二八 上耶路撒冷禮拜去了。二八現在回來、在車上坐着、念先知
二九三十 以賽亞的書。二九聖靈對腓利說、你去貼近那車走。三十腓利就
跑到太監那裏、聽見他念先知以賽亞的書、便問他說、
三一 你所念的、你明白麼。三一他說、沒有人指教我、怎能明白呢。
三二 於是請腓利上車、與他同坐。三二他所念的那段經、說、『他
像羊被牽到宰殺之地、又像羊羔在剪毛的人手下無
三三 聲、他也是這樣不開口。三三他卑微的時候、人不按公義審
判他。(原文作他的審判被奪去)誰能述說他的世代、因爲他的生命
三四 從地上奪去。』三四太監對腓利說、請問先知說這話、是指
三五 着誰、是指着自己呢、是指着別人呢。三五腓利就開口從這
經上起、對他傳講耶穌。

太監信而受洗

三六 三六二人正往前走、到了有水的地方。太監說、看哪、這裏有
三七 水、我受洗有甚麼妨礙呢。(有古卷在此有三七腓利說、你若是一心相信、就可以。他回
三八 答說、我信耶穌基督是神的兒子)三八於是吩咐車站住。腓利和太監二人
三九 同下水裏去、腓利就給他施洗。三九從水裏上來、主的靈把
腓利提了去、太監也不再見他了、就歡歡喜喜的走路。
四十 四十後來有人在亞鎖都遇見腓利。他走遍那地方、在各城
宣傳福音、直到該撒利亞。

第九章 掃羅往大馬色要害門徒在途中遇主

一 一掃羅仍然向主的門徒、口吐威嚇兇殺的
二 話、去見大祭司、二求文書給大馬色的各會堂、若是找着
信奉這道的人、無論男女、都准他捆綁帶到耶路撒冷。
三 三掃羅行路、將到大馬色、忽然從天上發光、四面照着他。
四 四他就仆倒在地、聽見有聲音對他說、掃羅掃羅、你爲甚

五 麼逼迫我。五他說、主阿、你是誰。主說、我就是你所逼迫的
七六 耶穌．六起來、進城去、你所當作的事、必有人告訴你。七同行
八 的人、站在那裏、說不出話來、聽見聲音、卻看不見人。八掃
羅從地上起來、睜開眼睛、竟不能看見甚麼．有人拉他
九 的手、領他進了大馬色．九三日不能看見、也不喫也不喝。
十 ○十當下在大馬色有一個門徒、名叫亞拿尼亞．主在異
十一 象中對他說、亞拿尼亞．他說、主、我在這裏。十一主對他說、起
來、往直街去、在猶大的家裏、訪問一個大數人名叫掃
十二 羅．他正禱告、十二又看見了一個人名叫亞拿尼亞、進來按
十三 手在他身上、叫他能看見。十三亞拿尼亞回答說、主阿、我聽
見許多人說、這人怎樣在耶路撒冷多多苦害你的聖
十四 徒．十四並且他在這裏有從祭司長得來的權柄、捆綁一切
十五 求告你名的人。十五主對亞拿尼亞說、你只管去．他是我所
揀選的器皿、要在外邦人和君王並以色列人面前宣
十六 揚我的名。十六我也要指示他、為我的名必須受許多的苦
難。

亞拿尼亞給掃羅施洗

十七 十七亞拿尼亞就去了、進入那家、把手按在掃羅身上說、兄
弟掃羅、在你來的路上、向你顯現的主、就是耶穌、打發
十八 我來、叫你能看見、又被聖靈充滿。十八掃羅的眼睛上、好像
十九 有鱗立刻掉下來、他就能看見．於是起來受了洗．十九喫過
飯就健壯了。

掃羅證明耶穌是基督

二十 掃羅和大馬色的門徒同住了些日子．二十就在各會堂裏
二一 宣傳耶穌、說他是　神的兒子。二一凡聽見的人、都驚奇說、
在耶路撒冷殘害求告這名的、不是這人麼．並且他到
二二 這裏來、特要捆綁他們、帶到祭司長那裏。二二但掃羅越發
有能力、駁倒住大馬色的猶太人、證明耶穌是基督。

猶太人謀殺掃羅

二四二三 二三過了好些日子、猶太人商議要殺掃羅。二四但他們的計謀、
二五 被掃羅知道了．他們又晝夜在城門守候要殺他．二五他的
二六 門徒就在夜間、用筐子把他從城牆上縋下去。○二六掃羅
到了耶路撒冷、想與門徒結交．他們卻都怕他、不信他
二七 是門徒。二七惟有巴拿巴接待他、領去見使徒、把他在路上
怎麼看見主、主怎麼向他說話、他在大馬色怎麼奉耶
二八 穌的名放膽傳道、都述說出來。二八於是掃羅在耶路撒冷、

二九 和門徒出入來往、奉主的名、放膽傳道．並與說希利尼
話的猶太人講論辯駁．他們卻想法子要殺他。

掃羅避害往大數去

三十 弟兄們知道了、就送他下該撒利亞、打發他往大數去。
三一 ○那時猶太、加利利、撒瑪利亞各處的教會都得平安、
被建立．凡事敬畏主、蒙聖靈的安慰、人數就增多了。

彼得醫治以尼雅

三二 彼得周流四方的時候、也到了居住呂大的聖徒那裏。
三三 遇見一個人、名叫以尼雅、得了癱瘓、在褥子上躺臥八
三四 年。彼得對他說、以尼雅、耶穌基督醫好你了．起來收拾
三五 你的褥子．他就立刻起來了。凡住呂大和沙崙的人都
看見了他、就歸服主。

彼得使多加復活

三六 在約帕有一個女徒、名叫大比大、繙希利尼話、就是多
三七 加．（多加就是羚羊的意思）他廣行善事、多施賙濟。當時他患病而
三八 死．有人把他洗了、停在樓上。呂大與約帕相近．門徒
聽見彼得在那裏、就打發兩個人去見他、央求他說、快
三九 到我們那裏去、不要躭延。彼得就起身和他們同去．到
四十 了、便有人領他上樓．眾寡婦都站在彼得旁邊哭、拿多
加與他們同在時、所做的裏衣外衣給他看。彼得叫他
們都出去、就跪下禱告、轉身對着死人說、大比大、起來、
四一 他就睜開眼睛、見了彼得、便坐起來。彼得伸手扶他起
四二 來、叫眾聖徒和寡婦進去、把多加活活的交給他們。這
四三 事傳遍了約帕、就有許多人信了主。此後彼得在約帕
一個硝皮匠西門的家裏、住了多日。

哥尼流蒙主指示

一 **第十章** 在該撒利亞有一個人、名叫哥尼流、是義
二 大利營的百夫長．他是個虔誠人、他和全家都敬畏
三 神、多多賙濟百姓、常常禱告 神。有一天、約在申初、他
在異象中、明明看見 神的一個使者進去、到他那裏、
四 說、哥尼流。哥尼流定睛看他、驚怕說、主阿、甚麼事呢。天
使說、你的禱告和你的賙濟、達到 神面前已蒙記念
五 了。現在你當打發人往約帕去、請那稱呼彼得的西門
六 來．他住在海邊一個硝皮匠西門的家裏．房子在海邊
七 上。向他說話的天使去後、哥尼流叫了兩個家人、和常
八 伺候他的一個虔誠兵來．把這事都述說給他們聽、就

打發他們往約帕去。

彼得見異象

[九]第二天、他們行路將近那城、彼得約在午正、上房頂去
禱告。[十]覺得餓了、想要喫。那家的人正豫備飯的時候、彼
得魂遊象外。[十一]看見天開了、有一物降下、好像一塊大布。
繫着四角、縋在地上。[十二]裏面有地上各樣四足的走獸、和
昆蟲、並天上的飛鳥。[十三]又有聲音向他說、彼得起來、宰了
喫。[十四]彼得卻說、主阿、這是不可的、凡俗物、和不潔淨的物、
我從來沒有喫過。[十五]第二次有聲音向他說、神所潔淨
的、你不可當作俗物。[十六]這樣一連三次、那物隨卽收回天
上去了。

哥尼流所差的人來尋彼得

[十七]彼得心裏正在猜疑之間、不知所看見的異象是甚麼
意思、哥尼流所差來的人、已經訪問到西門的家、站在
門外、[十八]喊着問、有稱呼彼得的西門住在這裏沒有。[十九]彼得
還思想那異象的時候、聖靈向他說、有三個人來找你。
[二十]起來、下去、和他們同往、不要疑惑、因爲是我差他們來
的。[二一]於是彼得下去見那些人、說、我就是你們所找的人。
你們來是爲甚麼緣故。[二二]他們說、百夫長哥尼流是個義
人、敬畏神、爲猶太通國所稱讚、他蒙一位聖天使指
示、叫他請你到他家裏去、聽你的話。[二三]彼得就請他們進
去、住了一宿。

彼得往哥尼流家傳道

次日起身、和他們同去、還有約帕的幾個弟兄同着他
去。[二四]又次日、他們進入該撒利亞、哥尼流已經請了他的
親屬密友、等候他們。[二五]彼得一進去、哥尼流就迎接他、俯
伏在他脚前拜他。[二六]彼得卻拉他、說、你起來、我也是人。[二七]彼
得和他說着話進去、見有好些人在那裏聚集、[二八]就對他
們說、你們知道猶太人和別國的人親近來往、本是不
合例的、但神已經指示我、無論甚麼人、都不可看作
俗而不潔淨的。[二九]所以我被請的時候、就不推辭而來、現
在請問、你們叫我來有甚麼意思呢。[三十]哥尼流說、前四天
這個時候、我在家中守着申初的禱告、忽然有一個人、
穿着光明的衣裳、站在我面前、[三一]說、哥尼流、你的禱告已
蒙垂聽、你的賙濟達到神面前、已蒙記念了。[三二]你當打
發人往約帕去、請那稱呼彼得的西門來、他住在海邊

三三 一個硝皮匠西門的家裏。所以我立時打發人去請你、
你來了很好。現今我們都在　神面前、要聽主所吩咐
你的一切話。

彼得宣傳耶穌

三四 三五 彼得就開口說、我眞看出　神是不偏待人。原來各國
三六 中那敬畏主行義的人、都為主所悅納。　神藉着耶穌
基督（他是萬有的主）傳和平的福音、將這道賜給
三七 以色列人。這話在約翰宣傳洗禮以後、從加利利起、傳
三八 遍了猶太。　神怎樣以聖靈和能力膏拿撒勒人耶穌、
這都是你們知道的。他周流四方行善事、醫好凡被魔
三九 鬼壓制的人。因為　神與他同在。在猶太人之地、並
耶路撒冷所行的一切事、有我們作見證。他們竟把他
四十 四一 掛在木頭上殺了。第三日　神叫他復活、顯現出來、不
是顯現給衆人看、乃是顯現給　神豫先所揀選為他
作見證的人看、就是我們這些在他從死裏復活以後、
四二 和他同喫同喝的人。他吩咐我們傳道給衆人、證明他
四三 是　神所立定的要作審判活人死人的主。衆先知也
為他作見證、說、凡信他的人、必因他的名、得蒙赦罪。

聖靈降在衆人身上

四四 彼得還說這話的時候、聖靈降在一切聽道的人身上。
四五 那些奉割禮和彼得同來的信徒、見聖靈的恩賜也澆
四六 在外邦人身上、就都希奇。因聽見他們說方言、稱讚
四七 神為大。於是彼得說、這些人既受了聖靈、與我們一樣、
四八 誰能禁止用水給他們施洗呢。就吩咐奉耶穌基督的
名給他們施洗。他們又請彼得住了幾天。

彼得辯白給外邦人施洗的事

第十一章

一 使徒和在猶太的衆弟兄、聽說外邦人
二 也領受了　神的道。及至彼得上了耶路撒冷、那些奉
三 割禮的門徒和他爭辯說、你進入未受割禮之人的家、
四 和他們一同喫飯了。彼得就開口、把這事挨次給他們
五 講解說、我在約帕城裏禱告的時候、魂遊象外、看見異
象、有一物降下、好像一塊大布、繫着四角從天縋下、直
六 來到我跟前。我定睛觀看、見內中有地上四足的牲畜、
七 和野獸、昆蟲、並天上的飛鳥。我且聽見有聲音向我說、
八 彼得、起來、宰了喫。我說、主阿、這是不可的。凡俗而不潔
九 淨的物、從來沒有入過我的口。第二次有聲音從天上

十 說、神所潔淨的、你不可當作俗物。十這樣一連三次、就
十一 都收回天上去了。十一正當那時、有三個人站在我們所住
十二 的房門前、是從該撒利亞差來見我的。十二聖靈吩咐我和
他們同去、不要疑惑。或作不要分別等類同着我去的、還有這六
十三 位弟兄。我們都進了那人的家。十三那人就告訴我們、他如
何看見一位天使、站在他屋裏、說、你打發人往約帕去、
十四 請那稱呼彼得的西門來。十四他有話告訴你、可以叫你和
十五 你的全家得救。十五我一開講、聖靈便降在他們身上、正像
十六 當初降在我們身上一樣。十六我就想起主的話說、約翰是
十七 用水施洗、但你們要受聖靈的洗。十七神既然給他們恩
賜、像在我們信主耶穌基督的時候、給了我們一樣、我
十八 是誰、能攔阻神呢。十八衆人聽見這話、就不言語了。只歸
榮耀與神說、這樣看來、神也賜恩給外邦人、叫他
們悔改得生命了。

教會興盛在安提阿

十九 十九那些因司提反的事遭患難四散的門徒、直走到腓尼
基、和居比路、並安提阿、他們不向別人講道、只向猶太
二十 人講。二十但內中有居比路、和古利奈人、他們到了安提阿、
也向希利尼人傳講主耶穌。有古卷作也向說希利尼話的猶太人傳講主耶穌
二一 二二 二一主與他們同在、信而歸主的人就很多了。二二這風聲傳到
耶路撒冷教會人的耳中、他們就打發巴拿巴出去、走
二三 到安提阿為止。二三他到了那裏、看見神所賜的恩、就歡
二四 喜、勸勉衆人、立定心志、恆久靠主。二四這巴拿巴原是個好
人、被聖靈充滿、大有信心。於是有許多人歸服了主。

門徒初次稱為基督徒是在安提阿

二五 二六 二五他又往大數去找掃羅、二六找着了、就帶他到安提阿去。他
們足有一年的工夫、和教會一同聚集、教訓了許多人。
二七 門徒稱為基督徒、是從安提阿起首。二七◯當那些日子、有
二八 幾位先知從耶路撒冷下到安提阿。二八內中有一位、名叫
亞迦布、站起來、藉着聖靈、指明天下將有大饑荒。這事
二九 到革老丟年間、果然有了。二九於是門徒定意、照各人的力
三十 量捐錢、送去供給住在猶太的弟兄。三十他們就這樣行、把
捐項託巴拿巴和掃羅、送到衆長老那裏。

第十二章

希律王殺雅各囚彼得

一 一那時希律王下手苦害教會中幾個人。
二 三 二用刀殺了約翰的哥哥雅各。三他見猶太人喜歡這事、又

四 去捉拿彼得。那時正是除酵的日子。四希律拿了彼得收
在監裏、交付四班兵丁看守、每班四個人、意思要在逾
五 越節後、把他提出來、當着百姓辦他。五於是彼得被囚在
六 監裏。教會卻爲他切切的禱告　神。六希律將要提他出
來的前一夜、彼得被兩條鐵鍊鎖着、睡在兩個兵丁當
中。看守的人也在門外看守。

天使救彼得出監

七 七忽然有主的一個使者、站在旁邊、屋裏有光照耀。天使
拍彼得的肋旁、拍醒了他、說、快快起來。那鐵鍊就從他
八 手上脫落下來。八天使對他說、束上帶子、穿上鞋。他就那
九 樣作。天使又說、披上外衣跟着我來。九彼得就出來跟着
十 他、不知道天使所作是眞的、只當見了異象。十過了第一
層第二層監牢、就來到臨街的鐵門。那門自己開了。他
十一 們出來、走過一條街、天使便離開他去了。十一彼得醒悟過
來、說、我現在眞知道主差遣他的使者、救我脫離希律
的手、和猶太百姓一切所盼望的。

十二 **述說主怎樣領他出監**

十二 想了一想、就往那稱呼馬可的約翰他母親馬利亞家
十三 去。在那裏有好些人聚集禱告。十三彼得敲外門、有一個使
十四 女名叫羅大、出來探聽。十四聽得是彼得的聲音、就歡喜的
十五 顧不得開門、跑進去告訴衆人說、彼得站在門外。十五他們
說、你是瘋了。使女極力的說、眞是他。他們說、必是他的
十六 天使。十六彼得不住的敲門。他們開了門、看見他、就甚驚奇。
十七 十七彼得擺手、不要他們作聲、就告訴他們主怎樣領他出
監。又說、你們把這事告訴雅各、和衆弟兄。於是出去往
十八 別處去了。十八到了天亮、兵丁擾亂得很、不知道彼得往那
十九 裏去了。十九希律找他、找不着、就審問看守的人、吩咐把他
們拉去殺了。後來希律離開猶太、下該撒利亞去、住在
那裏。

希律受罰被蟲咬死

二十 二十希律惱怒推羅西頓的人。他們那一帶地方、是從王的
地土得糧、因此就託了王的內侍臣伯拉斯都的情、一
二一 心來求和。二一希律在所定的日子、穿上朝服、坐在位上、對
二二 他們講論一番。二二百姓喊着說、這是神的聲音、不是人的
二三 聲音。二三希律不歸榮耀給　神、所以主的使者立刻罰他。
二四 他被蟲所咬、氣就絕了。○二四神的道日見興旺、越發廣

二五 傳。〇巴拿巴和掃羅、辦完了他們供給的事、就從耶路
撒冷回來、帶着稱呼馬可的約翰同去。

第十三章

聖靈派巴拿巴和掃羅往外傳道

一 在安提阿的教會中、有幾位先知和教
師、就是巴拿巴、和稱呼尼結的西面、古利奈人路求、與
二 分封之王希律同養的馬念、並掃羅。他們事奉主禁食
的時候、聖靈說、要為我分派巴拿巴和掃羅、去作我召
三 他們所作的工。於是禁食禱告、按手在他們頭上、就打
四 發他們去了。〇他們既被聖靈差遣、就下到西流基、從
五 那裏坐船往居比路去。到了撒拉米、就在猶太人各會
六 堂裏傳講 神的道。也有約翰作他們的幫手。經過全
島、直到帕弗、在那裏遇見一個有法術假充先知的猶
七 太人、名叫巴耶穌。這人常和方伯士求保羅同在、士求
保羅是個通達人、他請了巴拿巴和掃羅來、要聽 神
的道。

以呂馬敵擋方伯信主因而瞎眼

八 只是那行法術的以呂馬、（這名繙出來就是行法術
九 的意思）敵擋使徒、要叫方伯不信眞道。掃羅又名保
十 羅、被聖靈充滿、定睛看他、說、你這充滿各樣詭詐奸惡、
魔鬼的兒子、衆善的仇敵、你混亂主的正道還不止住
十一 麼。現在主的手加在你身上、你要瞎眼、暫且不見日光。
十二 他的眼睛、立刻昏蒙黑暗、四下裏求人拉着手領他。方
伯看見所作的事、很希奇主的道、就信了。

稱呼馬可的約翰離開保羅

十三 保羅和他的同人、從帕弗開船、來到旁非利亞的別加。
十四 約翰就離開他們、回耶路撒冷去。他們離了別加往前
十五 行、來到彼西底的安提阿、在安息日進會堂坐下。讀完
了律法和先知的書、管會堂的叫人過去、對他們說、二
位兄台、若有甚麼勸勉衆人的話、請說。

保羅述說以色列古事

十六 保羅就站起來、舉手說、以色列人、和一切敬畏 神的
十七 人、請聽。這以色列民的 神揀選了我們的祖宗、當民
寄居埃及的時候、抬舉他們、用大能的手領他們出來。
十八十九 又在曠野容忍他們約有四十年。（容忍或作撫養）既滅了迦南
二十 地七族的人、就把那地分給他們為業。此後給他們設
二一 立士師、約有四百五十年、直到先知撒母耳的時候。後

二一 來他們求一個王、神就將便雅憫支派中、基士的兒
二二 子掃羅、給他們作王四十年。二二既廢了掃羅、就選立大衛
作他們的王、又為他作見證說、『我尋得耶西的兒子
二三 大衛、他是合我心意的人、凡事要遵行我的旨意。』二三從
這人的後裔中、神已經照着所應許的、為以色列人
立了一位救主、就是耶穌。

述說耶穌在世的事

二四 二四在他沒有出來以先、約翰向以色列眾民宣講悔改的
二五 洗禮。二五約翰將行盡他的程途說、你們以為我是誰、我不
是基督、只是有一位在我以後來的、我解他腳上的鞋
二六 帶、也是不配的。二六弟兄們、亞伯拉罕的子孫、和你們中間
二七 敬畏神的人哪、這救世的道、是傳給我們的。二七耶路撒
冷居住的人、和他們的官長、因為不認識基督、也不明
白每安息日所讀眾先知的書、就把基督定了死罪、正
二八 應了先知的豫言。二八雖然查不出他有當死的罪來、還是
二九 求彼拉多殺他。二九既成就了經上指着他所記的一切話、
三十 就把他從木頭上取下來、放在墳墓裏。三十神卻叫他從
三一 死裏復活。三一那從加利利同他上耶路撒冷的人多日看
三二 見他、這些人如今在民間是他的見證。三二我們也報好信
三三 息給你們、就是那應許祖宗的話、三三神已經向我們這
作兒女的應驗、叫耶穌復活了。正如詩篇第二篇上記
三四 着說、『你是我的兒子、我今日生你。』三四論到神叫他
從死裏復活、不再歸於朽壞、就這樣說、『我必將所應
三五 許大衛那聖潔可靠的恩典、賜給你們。』三五又有一篇上
三六 說、『你必不叫你的聖者見朽壞。』三六大衛在世的時候、
遵行了神的旨意、就睡了、（或作大衛按神的旨意服事了他那一世的人就
三七 睡了）歸到他祖宗那裏、已見朽壞。三七惟獨神所復活的、他
並未見朽壞。

證明耶穌為救主

三八 三八所以弟兄們、你們當曉得、赦罪的道是由這人傳給你
三九 們的。三九你們靠摩西的律法、在一切不得稱義的事上、信
四十 靠這人、就都得稱義了。四十所以你們務要小心、免得先知
四一 書上所說的臨到你們。四一主說、『你們這輕慢的人、要觀
看、要驚奇、要滅亡、因為在你們的時候、我行一件事、雖
四二 有人告訴你們、你們總是不信。』○四二他們出會堂的時
四三 候、眾人請他們到下安息日再講這話給他們聽。四三散會

以後、猶太人和敬虔進猶太教的人、多有跟從保羅、巴
拿巴的、二人對他們講道、勸他們務要恆久在神的
四四 恩中。○到下安息日、合城的人、幾乎都來聚集、要聽
四五 神的道。但猶太人看見人這樣多、就滿心嫉妒、硬駁保
四六 羅所說的話、並且毀謗。保羅和巴拿巴放膽說、神的
道先講給你們、原是應當的、只因你們棄絕這道、斷定
四七 自己不配得永生、我們就轉向外邦人去。因爲主曾這
樣吩咐我們說、『我已經立你作外邦人的光、叫你施
四八 行救恩直到地極。』外邦人聽見這話、就歡喜了、讚美
四九 神的道．凡豫定得永生的人都信了。於是主的道、傳
遍了那一帶地方。

保羅巴拿巴被逐出境

五十 但猶太人挑唆虔敬尊貴的婦女、和城內有名望的人、
五一 逼迫保羅、巴拿巴、將他們趕出境外。二人對着衆人跺
五二 下脚上的塵土、就往以哥念去了。門徒滿心喜樂、又被
聖靈充滿。

第十四章

保羅治好生來瘸腿的

一 二人在以哥念同進猶太人的會堂、在
二 那裏講的、叫猶太人、和希利尼人、信的很多。但那不順
三 從的猶太人、聳動外邦人、叫他們心裏惱恨弟兄。二人
在那裏住了多日、倚靠主放膽講道．主藉他們的手、施
四 行神蹟奇事、證明他的恩道。城裏的衆人就分了黨、有
五 附從猶太人的、有附從使徒的。那時、外邦人和猶太人、
並他們的官長、一齊擁上來、要凌辱使徒、用石頭打他
六 們。使徒知道了、就逃往呂高尼的路司得、特庇、兩個城、
七八 和周圍地方去．在那裏傳福音。○路司得城裏、坐着一
九 個兩脚無力的人、生來是瘸腿的、從來沒有走過。他聽
十 保羅講道。保羅定睛看他、見他有信心、可得痊癒、就大
聲說、你起來兩脚站直。那人就跳起來而且行走。

衆人要向二使徒獻祭

十一 衆人看見保羅所作的事、就用呂高尼的話、大聲說、有
十二 神藉着人形降臨在我們中間了。於是稱巴拿巴爲丟
十三 斯、稱保羅爲希耳米、因爲他說話領首。有城外丟斯廟
的祭司、牽着牛、拿着花圈、來到門前、要同衆人向使徒
十四 獻祭。巴拿巴、保羅二使徒聽見、就撕開衣裳、跳進衆人
十五 中間、喊着說、諸君、爲甚麽作這事呢．我們也是人、性情

和你們一樣。我們傳福音給你們、是叫你們離棄這些
十六 虛妄歸向那創造天地、海、和其中萬物的永生神。十六他
十七 在從前的世代、任憑萬國各行其道。十七然而為自己未嘗
不顯出證據來、就如常施恩惠、從天降雨、賞賜豐年、叫
十八 你們飲食飽足、滿心喜樂。十八二人說了這些話、僅僅的攔
住衆人不獻祭與他們。

猶太人唆衆用石頭打保羅

十九 十九但有些猶太人、從安提阿和以哥念來、挑唆衆人、就用
二十 石頭打保羅、以為他是死了、便拖到城外。二十門徒正圍着
二一 他、他就起來、走進城去。第二天同巴拿巴往特庇去。二一對
那城裏的人傳了福音、使好些人作門徒、就回路司得、
二二 以哥念、安提阿去、二二堅固門徒的心、勸他們恆守所信的
二三 道。又說、我們進入 神的國、必須經歷許多艱難。二三二人
在各教會中選立了長老、又禁食禱告、就把他們交託
所信的主。

述說給外邦人開信道的門

二四 二五 二四二人經過彼西底、來到旁非利亞。二五在別加講了道、就下
二六 亞大利去。二六從那裏坐船往安提阿去。當初他們被衆人
所託蒙 神之恩、要辦現在所作之工、就是在這地方。
二七 二七到了那裏、聚集了會衆、就述說 神藉他們所行的一
二八 切事、並 神怎樣為外邦人開了信道的門。二八二人就在
那裏同門徒住了多日。

第十五章

爭論外邦門徒該守摩西的律法

一 一有幾個人從猶太下來、教訓弟兄們說、
二 你們若不按摩西的規條受割禮、不能得救。二保羅巴拿
巴與他們大大的分爭辯論。衆門徒就定規、叫保羅巴
拿巴和本會中幾個人、為所辯論的、上耶路撒冷去、見
三 使徒和長老。三於是教會送他們起行、他們經過腓尼基、
撒瑪利亞、隨處傳說外邦人歸主的事、叫衆弟兄都甚
四 歡喜。四到了耶路撒冷、教會和使徒並長老、都接待他們、
五 他們就述說 神同他們所行的一切事。五惟有幾個信
徒是法利賽教門的人、起來說、必須給外邦人行割禮、
六 吩咐他們遵守摩西的律法。六○使徒和長老、聚會商議
七 這事。七辯論已經多了、彼得就起來、說、諸位弟兄、你們知
道 神早已在你們中間揀選了我、叫外邦人從我口
八 中得聽福音之道、而且相信。八知道人心的 神、也為他

九 們作了見證．賜聖靈給他們、正如給我們一樣。九又藉着
十 信潔淨了他們的心、並不分他們我們。十現在爲甚麼試
探神、要把我們祖宗和我們所不能負的軛、放在門
十一 徒的頸項上呢。十一我們得救、乃是因主耶穌的恩、和他們
一樣、這是我們所信的。

巴拿巴和保羅述說在外邦人中所行之事

十二 十二衆人都默默無聲、聽巴拿巴和保羅、述說神藉他們
十三 在外邦人中所行的神蹟奇事。十三他們住了聲、雅各就說、
十四 諸位弟兄、請聽我的話。十四西門述說神當初怎樣
眷顧外邦人、從他們中間選取百姓、歸於自己的名下。
十五 十六 十五衆先知的話、也與這意思相合。十六正如經上所寫的、『此
後我要回來、重新修造大衛倒塌的帳幕、把那破壞的、
十七 重新修造建立起來．十七叫餘剩的人、就是凡稱爲我名下
十八 的外邦人、都尋求主．十八這話是從創世以來、顯明這事的
主說的。』

雅各定斷此事

十九 二十 十九所以據我的意見、不可難爲那歸服神的外邦人．二十只
要寫信、吩咐他們禁戒偶像的汚穢、和姦淫、並勒死的

二一 牲畜、和血。二一因爲從古以來、摩西的書在各城有人傳講、
每逢安息日、在會堂裏誦讀。

差人送信到安提阿

二二 二二那時、使徒和長老並全教會定意、從他們中間揀選人、
差他們和保羅、巴拿巴、同往安提阿去．所揀選的、就是
稱呼巴撒巴的猶大、和西拉、這兩個人在弟兄中是作
二三 首領的。二三於是寫信交付他們、內中說、使徒和作長老的
二四 弟兄們、問安提阿、敍利亞、基利家、外邦衆弟兄的安。二四我
們聽說有幾個人、從我們這裏出去、用言語攪擾你們、
惑亂你們的心．有古卷在此有你們必須受割禮守摩西的律法其實我們並
二五 沒有吩咐他們．二五所以我們同心定意、揀選幾個人、差他
二六 們同我們所親愛的巴拿巴、和保羅、往你們那裏去．二六這
二七 二人是爲我主耶穌基督的名、不顧性命的。二七我們就差
二八 了猶大和西拉、他們也要親口訴說這些事．二八因爲聖靈
和我們定意、不將別的重擔放在你們身上．惟有幾件
二九 事是不可少的、二九就是禁戒祭偶像的物、和血、並勒死的
牲畜、和姦淫．這幾件你們若能自己禁戒不犯、就好了．
願你們平安。

眾人接信便得安慰

三十 三十他們既奉了差遣、就下安提阿去、聚集眾人、交付書信。
三一 三二 三一眾人念了、因為信上安慰的話、就歡喜了。三二猶大和西拉
三三 也是先知、就用許多話勸勉弟兄、堅固他們。三三住了些日
子、弟兄們打發他們平平安安的回到差遣他們的人
三四 三五 那裏去。有古卷在此有三四惟有西拉定意仍住在那裏三五但保羅和巴拿巴仍住
在安提阿、和許多別人一同教訓人、傳主的道。

保羅巴拿巴為馬可分開

三六 三六過了些日子、保羅對巴拿巴說、我們可以回到從前宣
三七 傳主道的各城、看望弟兄們景況如何。三七巴拿巴有意要
三八 帶稱呼馬可的約翰同去。三八但保羅因為馬可從前在旁
三九 非利亞離開他們、不和他們同去作工、就以為不可帶
四十 他去。三九於是二人起了爭論、甚至彼此分開、巴拿巴帶着
四一 馬可坐船往居比路去。四十保羅揀選了西拉也出去、蒙弟
兄們把他交於主的恩中。四一他就走遍敍利亞基利家、堅
固眾教會。

第十六章

保羅揀選提摩太

一 一保羅來到特庇、又到路司得。在那裏有
二 一個門徒、名叫提摩太、是信主之猶太婦人的兒子、他
三 父親卻是希利尼人。二路司得和以哥念的弟兄、都稱讚
四 他。三保羅要帶他同去、只因那些地方的猶太人、都知道
他父親是希利尼人、就給他行了割禮。四他們經過各城、
五 把耶路撒冷使徒和長老所定的條規、交給門徒遵守。
五於是眾教會信心越發堅固、人數天天加增。

保羅見異象往馬其頓去

六 六聖靈既然禁止他們在亞西亞講道、他們就經過弗呂
七 家加拉太一帶地方。七到了每西亞的邊界、他們想要往
八 庇推尼去、耶穌的靈卻不許。八他們就越過每西亞、下到
九 特羅亞去。九在夜間有異象現與保羅、有一個馬其頓人
十 站着求他說、請你過到馬其頓來幫助我們。十保羅既看
見這異象、我們隨即想要往馬其頓去、以為神召我
們傳福音給那裏的人聽。

呂底亞信主領洗

十一 十一於是從特羅亞開船、一直行到撒摩特喇、第二天到了
十二 尼亞波利。十二從那裏來到腓立比、就是馬其頓這一方的
頭一個城、也是羅馬的駐防城。我們在這城裏住了幾

十三 天。十三當安息日、我們出城門、到了河邊、知道那裏有一個
十四 禱告的地方、我們就坐下對那聚會的婦女講道。十四有一
個賣紫色布疋的婦人名叫呂底亞、是推雅推喇城的
人、素來敬拜　神。他聽見了、主就開導他的心、叫他留
十五 心聽保羅所講的話。十五他和他一家既領了洗、便求我們
說、你們若以爲我是眞信主的、（或作你們若以爲我是忠心事主的）請到
我家裏來住。於是強留我們。

保羅逐出巫鬼

十六 後十六來、我們往那禱告的地方去、有一個使女迎着面來、
十七 他被巫鬼所附、用法術、叫他主人們大得財利。十七他跟隨
保羅和我們、喊着說、這些人是至高　神的僕人、對你
十八 們傳說救人的道。十八他一連多日這樣喊叫、保羅就心中
厭煩、轉身對那鬼說、我奉耶穌基督的名、吩咐你從他
身上出來。那鬼當時就出來了。

保羅西拉被打下監

十九 使十九女的主人們見得利的指望沒有了、便揪住保羅和
二十 西拉、拉他們到市上去見首領。二十又帶到官長面前說、這
二一 些人原是猶太人、竟騷擾我們的城、二一傳我們羅馬人所

二二 不可受、不可行的規矩。二二眾人就一同起來攻擊他們。官
二三 長吩咐剝了他們的衣裳、用棍打。二三打了許多棍、便將他
二四 們下在監裏、囑咐禁卒嚴緊看守。二四禁卒領了這樣的命、
就把他們下在內監裏、兩脚上了木狗。

夜半地震監門全開

二五 約二五在半夜、保羅和西拉、禱告唱詩讚美　神。眾囚犯也
二六 側耳而聽。二六忽然地大震動、甚至監牢的地基都搖動了。
二七 監門立刻全開、眾囚犯的鎖鍊也都鬆開了。二七禁卒一醒、
二八 看見監門全開、以爲囚犯已經逃走、就拔刀要自殺。二八保
二九 羅大聲呼叫說、不要傷害自己、我們都在這裏。二九禁卒叫
人拿燈來、就跳進去、戰戰兢兢的、俯伏在保羅西拉面
三十 前。三十又領他們出來、說、二位先生、我當怎樣行纔可以得
救。

禁卒全家信主

三一 三二 他三一們說、當信主耶穌、你和你一家都必得救。三二他們就把
三三 主的道、講給他和他全家的人聽。三三當夜、就在那時候、禁
卒把他們帶去、洗他們的傷。他和屬乎他的人、立時都
三四 受了洗。三四於是禁卒領他們上自己家裏去、給他們擺上

飯、他和全家因爲信了神、都很喜樂。
官長勸二人出監
三五三六 三五到了天亮、官長打發差役來說、釋放那兩個人罷。三六禁卒
就把這話告訴保羅說、官長打發人來叫釋放你們。如
三七 今可以出監、平平安安的去罷。三七保羅卻說、我們是羅馬
人、並沒有定罪、他們就在衆人面前打了我們、又把我
們下在監裏。現在要私下攆我們出去麼、這是不行的。
三八 叫他們自己來領我們出去罷。三八差役把這話回稟官長。
三九 官長聽見他們是羅馬人、就害怕了。三九於是來勸他們、領
四十 他們出來、請他們離開那城。四十二人出了監、往呂底亞家
裏去、見了弟兄們、勸慰他們一番、就走了。

第十七章　保羅和西拉在帖撒羅尼迦講道

一 一保羅和西拉經過暗妃波里、亞波羅尼
二 亞、來到帖撒羅尼迦、在那裏有猶太人的會堂。二保羅照
他素常的規矩進去、一連三個安息日本着聖經與他
三 們辯論、三講解陳明基督必須受害、從死裏復活。又說、我
所傳與你們的這位耶穌、就是基督。

猶太人聚匪攪亂
四 四他們中間有些人聽了勸、就附從保羅和西拉。並有許
五 多虔敬的希利尼人、尊貴的婦女也不少。五但那不信的
猶太人心裏嫉妒、招聚了些市井匪類、搭夥成羣、聳動
合城的人、闖進耶孫的家、要將保羅西拉帶到百姓那
六 裏。六找不着他們、就把耶孫和幾個弟兄拉到地方官那
七 裏、喊叫說、那攪亂天下的也到這裏來了。七耶孫收留他
八 們。這些人都違背該撒的命令、說另有一個王耶穌。八衆
九 人和地方官聽見這話、就驚慌了。九於是取了耶孫和其
餘之人的保狀、就釋放了他們。
庇哩亞人甘心受道
十 十弟兄們隨即在夜間打發保羅和西拉往庇哩亞去。二
十一 人到了、就進入猶太人的會堂。十一這地方的人、賢於帖撒
羅尼迦的人、甘心領受這道、天天考查聖經、要曉得這
十二 道、是與不是。十二所以他們中間多有相信的。又有希利尼
十三 尊貴的婦女、男子也不少。十三但帖撒羅尼迦的猶太人、知
道保羅又在庇哩亞傳神的道、也就往那裏去、聳動
十四 攪擾衆人。十四當時弟兄們便打發保羅往海邊去。西拉和

十五 提摩太仍住在庇哩亞。十五送保羅的人帶他到了雅典。既
領了保羅的命、叫西拉和提摩太速速到他這裏來、就
十六 回去了。○十六保羅在雅典等候他們的時候、看見滿城都
十七 是偶像、就心裏着急。十七於是在會堂裏、與猶太人、和虔敬
十八 的人、並每日在市上所遇見的人辯論。十八還有以彼古羅
和斯多亞兩門的學士、與他爭論。有的說、這胡言亂語
的要說甚麽。有的說、他似乎是傳說外邦鬼神的。這話
十九 是因保羅傳講耶穌與復活的道。十九他們就把他帶到亞
二十 略巴古、說、你所講的這新道、我們也可以知道麽。二十因爲
你有些奇怪的事、傳到我們耳中。我們願意知道這些
二一 事是甚麽意思。二一（雅典人、和住在那裏的客人、都不顧
別的事、只將新聞說說聽聽。）

保羅向雅典人陳說

二二 二二保羅站在亞略巴古當中、說、衆位雅典人哪、我看你們
二三 凡事很敬畏鬼神。二三我遊行的時候、觀看你們所敬拜的、
遇見一座壇、上面寫着未識之神。你們所不認識而敬
二四 拜的、我現在告訴你們。二四創造宇宙和其中萬物的神、
二五 既是天地的主、就不住人手所造的殿。二五也不用人手服
事、好像缺少甚麽、自己倒將生命氣息、萬物、賜給萬人。
二六 二六他從一本造出萬族的人、（本有古卷作血脈）住在全地上、並且
二七 豫先定準他們的年限、和所住的疆界、二七要叫他們尋求
二八 神、或者可以揣摩而得、其實他離我們各人不遠。二八我
們生活、動作、存留、都在乎他。就如你們作詩的、有人說、
二九 我們也是他所生的。二九我們既是　神所生的、就不當以
三十 爲　神的神性像人用手藝、心思、所雕刻的金、銀、石。三十世
人蒙昧無知的時候、　神並不監察、如今卻吩咐各處
三一 的人都要悔改。三一因爲他已經定了日子、要藉着他所設
立的人、按公義審判天下、並且叫他從死裏復活、給萬
人作可信的憑據。

有譏誚的有相信的

三二 三二衆人聽見從死裏復活的話、就有譏誚他的。又有人說、
三三 我們再聽你講這個罷。三三於是保羅從他們當中出去了。
三四 三四但有幾個人貼近他、信了主。其中有亞略巴古的官丟
尼修、並一個婦人名叫大馬哩、還有別人一同信從。

第十八章

一 一**許多哥林多人信而受洗**
這事以後、保羅離了雅典、來到哥林多。

二 二遇見一個猶太人、名叫亞居拉、他生在本都。因爲革老
丟命猶太人都離開羅馬、新近帶着妻百基拉、從義大
三 利來。保羅就投奔了他們。三他們本是製造帳棚爲業。保
四 羅因與他們同業、就和他們同住作工。四每逢安息日、保
五 羅在會堂裏辯論、勸化猶太人和希利尼人。五◯西拉和
提摩太從馬其頓來的時候、保羅爲道迫切、向猶太人
六 證明耶穌是基督。六他們既抗拒、毀謗、保羅就抖着衣裳
說、你們的罪歸到你們自己頭上、罪原文作血與我無干、原文
七 作我卻乾淨從今以後、我要往外邦人那裏去、七於是離開那
裏、到了一個人的家中、這人名叫提多猶士都、是敬拜
八 神的、他的家靠近會堂。八管會堂的基利司布和全家
九 都信了主。還有許多哥林多人聽了、就相信受洗。九夜間
十 主在異象中對保羅說、不要怕、只管講、不要閉口。十有我
與你同在、必沒有人下手害你、因爲在這城裏我有許
十一 多的百姓。十一保羅在那裏住了一年零六個月、將 神的
道教訓他們。

猶太人在迦流面前控告保羅

十二 十二到迦流作亞該亞方伯的時候、猶太人同心起來攻擊

十三 保羅、拉他到公堂、說、十三這個人勸人不按着律法敬拜
十四 神。十四保羅剛要開口、迦流就對猶太人說、你們這些猶太
十五 人、如果是爲寃枉或奸惡的事、我理當耐性聽你們。十五但
所爭論的、若是關乎言語、名目、和你們的律法、你們自
十六 己去辦罷。這樣的事我不願意審問。十六就把他們攆出公
十七 堂。十七衆人便揪住管會堂的所提尼、在堂前打他。這些事
十八 迦流都不管。十八◯保羅又住了多日、就辭別了弟兄、坐船
往敍利亞去、百基拉、亞居拉和他同去。他因爲許過願、
十九 就在堅革哩剪了頭髮。十九到了以弗所、保羅就把他們留
二十 在那裏、自己進了會堂、和猶太人辯論。二十衆人請他多住
二一 些日子、他卻不允。二一就辭別他們說、 神若許我、我還要
二二 回到你們這裏。於是開船離了以弗所。二二在該撒利亞下
二三 了船、就上耶路撒冷去問教會安、隨後下安提阿去。二三住
了些日子、又離開那裏、挨次經過加拉太和弗呂家地
方、堅固衆門徒。

亞波羅放膽講道

二四 二四有一個猶太人、名叫亞波羅、來到以弗所。他生在亞力
二五 山太、是有學問的、最能講解聖經。學問或作口才二五這人已經在

主的道上受了教訓、心裏火熱、將耶穌的事、詳細講論
教訓人．只是他單曉得約翰的洗禮。二六他在會堂裏放膽
講道、百基拉亞居拉聽見、就接他來、將　神的道給他
講解更加詳細。二七他想要往亞該亞去．弟兄們就勉勵他、
並寫信請門徒接待他．或作弟兄們就寫信勸門徒接待他 他到了那裏、
多幫助那蒙恩信主的人。二八在衆人面前極有能力駁倒
猶太人、引聖經證明耶穌是基督。

第十九章

保羅遇見施洗約翰的門徒

一亞波羅在哥林多的時候、保羅經過了
上邊一帶地方、就來到以弗所．在那裏遇見幾個門徒。
二問他們說、你們信的時候、受了聖靈沒有．他們回答說、
沒有．也未曾聽見有聖靈賜下來。三保羅說、這樣、你們受
的是甚麼洗呢。他們說、是約翰的洗。四保羅說、約翰所行
的是悔改的洗、告訴百姓、當信那在他以後要來的、就
是耶穌。五他們聽見這話、就奉主耶穌的名受洗。六保羅按
手在他們頭上、聖靈便降在他們身上．他們就說方言、
又說豫言。或作講道 七一共約有十二個人。

保羅在推喇奴的學房辯論

八保羅進會堂、放膽講道、一連三個月、辯論　神國的事、
勸化衆人。九後來有些人心裏剛硬不信、在衆人面前毀
謗這道、保羅就離開他們、也叫門徒與他們分離、便在
推喇奴的學房、天天辯論。十這樣有兩年之久、叫一切住
在亞西亞的、無論是猶太人、是希利尼人、都聽見主的
道。十一　神藉保羅的手、行了些非常的奇事．十二甚至有人從
保羅身上拿手巾或圍裙、放在病人身上、病就退了、惡
鬼也出去了。

被鬼附的勝了趕鬼的

十三那時、有幾個遊行各處、念咒趕鬼的猶太人、向那被惡
鬼附的人、擅自稱主耶穌的名說、我奉保羅所傳的耶
穌、勅令你們出來。十四作這事的、有猶太祭司長士基瓦的
七個兒子。十五惡鬼回答他們說、耶穌我認識、保羅我也知
道．你們卻是誰呢。十六惡鬼所附的人、就跳在他們身上、勝
了其中二人、制伏他們、叫他們赤着身子受了傷、從那
房子裏逃出去了。十七凡住在以弗所的、無論是猶太人、是
希利尼人、都知道這事、也都懼怕、主耶穌的名從此就

十八 尊大了。十八那已經信的、多有人來承認訴說自己所行的
十九 事。

行邪術的燒自己的書

十九平素行邪術的也有許多人把書拿來、堆積在衆人面
二十 前焚燒。他們算計書價、便知道共合五萬塊錢。二十主的道
二一 大大興旺而且得勝、就是這樣。〇二一這些事完了、保羅心
裏定意經過了馬其頓亞該亞、就往耶路撒冷去、又說、
二二 我到了那裏以後、也必須往羅馬去看看。二二於是從幫助
他的人中打發提摩太以拉都二人往馬其頓去、自己
暫時等在亞西亞。

底米丟和銀匠鼓噪鬧事

二三 二四 二三那時、因爲這道起的擾亂不小。二四有一個銀匠、名叫底米
丟、是製造亞底米神銀龕的、他使這樣手藝人生意發
二五 達。二五他聚集他們和同行的工人、說、衆位、你們知道我們
二六 是倚靠這生意發財。二六這保羅不但在以弗所、也幾乎在
亞西亞全地、引誘迷惑許多人、說、人手所作的不是神。
二七 二七這是你們所看見所聽見的。這樣、不獨我們這事業、被
人藐視、就是大女神亞底米的廟、也要被人輕忽、連亞
西亞全地和普天下、所敬拜的大女神之威榮、也要銷
二八 滅了。二八衆人聽見、就怒氣塡胸、喊着說、大哉以弗所人的
二九 亞底米阿。二九滿城都轟動起來、衆人拿住與保羅同行的
三十 馬其頓人該猶和亞里達古、齊心擁進戲園裏去。三十保羅
三一 想要進去、到百姓那裏、門徒卻不許他去。三一還有亞西亞
幾位首領、是保羅的朋友、打發人來勸他、不要冒險到
三二 戲園裏去。三二聚集的人、紛紛亂亂、有喊叫這個的、有喊叫
三三 那個的、大半不知道是爲甚麼聚集。三三有人把亞力山大
從衆人中帶出來、猶太人推他往前、亞力山大就擺手、
三四 要向百姓分訴。三四只因他們認出他是猶太人、就大家同
聲喊着說、大哉以弗所人的亞底米阿。如此約有兩小
時。

以弗所的書記使衆人安靜

三五 三五那城裏的書記、安撫了衆人、就說、以弗所人哪、誰不知
道以弗所人的城、是看守大亞底米的廟、和從丟斯那
三六 裏落下來的像呢。三六這事既是駁不倒的、你們就當安靜、
三七 不可造次。三七你們把這些人帶來、他們並沒有偷竊廟中
三八 之物、也沒有謗讟我們的女神。三八若是底米丟和他同行

的人、有控告人的事、自有放告的日子。或作自有公堂也有方
三九 伯、可以彼此對告。三九你們若問別的事、就可以照常例聚
四十 集斷定。四十今日的擾亂、本是無緣無故、我們難免被查問、
四一 論到這樣聚衆、我們也說不出所以然來。四一說了這話、便
叫衆人散去。

第二十章

一 一亂定之後、保羅請門徒來、勸勉他們、就
二 辭別起行、往馬其頓去。二走遍了那一帶地方、用許多話
三 勸勉門徒、或作衆人然後來到希臘。三在那裏住了三個月、將
要坐船往敍利亞去、猶太人設計要害他、他就定意從
四 馬其頓回去。四同他到亞西亞去的、有庇哩亞人畢羅斯
的兒子所巴特、帖撒羅尼迦人亞里達古、和西公都、還
有特庇人該猶、並提摩太、又有亞西亞人推基古、和特
五六 羅非摩。五這些人先走在特羅亞、等候我們。六我們過了除酵的
日子、我們從腓立比開船、五天到了特羅亞、和他們相
會、在那裏住了七天。

保羅在特羅亞使猶推古復活

七 七七日的第一日、我們聚會擘餅的時候、保羅因爲要次
八 日起行、就與他們講論、直講到半夜。八我們聚會的那座
九 樓上、有好些燈燭。九有一個少年人、名叫猶推古、坐在窗
臺上、困倦沉睡。保羅講了多時、少年人睡熟了、就從三
十 層樓上掉下去、扶起他來、已經死了。十保羅下去、伏在他
十一 身上、抱着他、說、你們不要發慌、他的靈魂還在身上。十一保
十二 羅又上去、擘餅、喫了、談論許久、直到天亮、這纔走了。十二有
十三 人把那童子活活的領來、得的安慰不小。○十三我們先上
船開往亞朔去、意思要在那裏接保羅、因爲他是這樣
十四 安排的、他自己打算要步行。十四他既在亞朔與我們相會、
十五 我們就接他上船、來到米推利尼。十五從那裏開船、次日到
了基阿的對面、又次日在撒摩靠岸、又次日來到米利
十六 都。十六乃因保羅早已定意越過以弗所、免得在亞西亞躭
十七 延他急忙前走、巴不得趕五旬節能到耶路撒冷。○十七保
十八 羅從米利都打發人往以弗所去、請教會的長老來。十八他
們來了、保羅就說、你們知道、自從我到亞西亞的日子
十九 以來、在你們中間始終爲人如何、十九服事主、凡事謙卑、眼
二十 中流淚、又因猶太人的謀害、經歷試煉。二十你們也知道、凡
與你們有益的、我沒有一樣避諱不說的、或在衆人面
二一 前、或在各人家裏、我都教導你們。二一又對猶太人和希利

二二 尼人、證明當向　神悔改、信靠我主耶穌基督。二二現在我
往耶路撒冷去、心甚迫切、（原文作心被捆綁）不知道在那裏要
二三 遇見甚麽事。但二三知道聖靈在各城裏向我指證、說有捆
二四 鎖與患難等待我。二四我卻不以性命爲念、也不看爲寶貴、
只要行完我的路程、成就我從主耶穌所領受的職事、
證明　神恩惠的福音。

謹愼勸勉

二五 二五我素常在你們中間來往、傳講　神國的道、如今我曉
二六 得你們以後都不得再見我的面了。二六所以我今日向你
們證明、你們中間無論何人死亡、罪不在我身上。（原文作我
二七 於衆人的血是潔淨的）。二七因爲　神的旨意、我並沒有一樣避諱不
二八 傳給你們的。二八聖靈立你們作全羣的監督、你們就當爲
自己謹愼、也爲全羣謹愼、牧養　神的教會、就是他用
二九 自己血所買來的。（或作贖的）二九我知道我去之後、必有兇暴
三十 的豺狼、進入你們中間、不愛惜羊羣。三十就是你們中間也
三一 必有人起來、說悖謬的話、要引誘門徒跟從他們。三一所以
你們應當儆醒、記念我三年之久、晝夜不住的流淚、勸
三二 戒你們各人。三二如今我把你們交託　神、和他恩惠的道、
這道能建立你們、叫你們和一切成聖的人同得基業。
三三 三四 三三我未曾貪圖一個人的金、銀、衣服。三四我這兩隻手常供給你
三五 我和同人的需用、這是你們自己知道的。三五我凡事給你
們作榜樣、叫你們知道應當這樣勞苦、扶助輭弱的人、
又當記念主耶穌的話、說、施比受更爲有福。

保羅同衆人禱告辭別他們

三六 三七 三六保羅說完了這話、就跪下同衆人禱告。三七衆人痛哭、抱着
三八 保羅的頸項、和他親嘴、三八叫他們最傷心的、就是他說以
後不能再見我的面那句話。於是送他上船去了。

推羅的門徒勸保羅不要上耶路撒冷

第二十一章

一 一我們離別了衆人、就開船一直行到
二 哥士、第二天到了羅底、從那裏到帕大喇。二遇見一隻船、
三 要往腓尼基去、就上船起行。三望見居比路、就從南邊行
過、往敍利亞去、我們就在推羅上岸、因爲船要在那裏
四 卸貨。四找着了門徒、就在那裏住了七天、他們被聖靈感
五 動、對保羅說、不要上耶路撒冷去。五過了這幾天、我們就
起身前行、他們衆人同妻子兒女、送我們到城外、我們
六 都跪在岸上禱告、彼此辭別。六我們上了船、他們就回家

去了。
亞迦布豫言保羅必被捆綁
七 七我們從推羅行盡了水路、來到多利買、就問那裏的弟
八 兄安、和他們同住了一天。八第二天、我們離開那裏、來到
該撒利亞、就進了傳福音的腓利家裏、和他同住。他是
九 那七個執事裏的一個。九他有四個女兒、都是處女、是說
十 豫言的。十我們在那裏多住了幾天、有一個先知名叫亞
十一 迦布、從猶太下來。十一到了我們這裏、就拿保羅的腰帶、捆
上自己的手腳、說、聖靈說、猶太人在耶路撒冷、要如此
十二 捆綁這腰帶的主人、把他交在外邦人手裏。十二我們和那
本地的人聽見這話、都苦勸保羅不要上耶路撒冷去。
十三 十三保羅說、你們爲甚麼這樣痛哭、使我心碎呢。我爲主耶
穌的名、不但被人捆綁、就是死在耶路撒冷、也是願意
十四 的。十四保羅既不聽勸、我們便住了口、只說、願主的旨意成
十五十六 就便了。〇十五過了幾日、我們收拾行李、上耶路撒冷去。十六有
該撒利亞的幾個門徒和我們同去、帶我們到一個久
爲(久爲或作老)門徒的家裏、叫我們與他同住、他名叫拿孫、
是居比路人。

在耶路撒冷的門徒歡歡喜喜接待保羅
十七十八 十七到了耶路撒冷、弟兄們歡歡喜喜的接待我們。十八第二天、
十九 保羅同我們去見雅各、長老們也都在那裏。十九保羅問了
他們安、便將　神用他傳教在外邦人中間所行之事、
二十 一一的述說了。二十他們聽見、就歸榮耀與　神、對保羅說、
兄台、你看猶太人中信主的有多少萬、並且都爲律法
二一 熱心。二一他們聽見人說、你教訓一切在外邦的猶太人、離
棄摩西、對他們說、不要給孩子行割禮、也不要遵行條
二二二三 規。二二衆人必聽見你來了、這可怎麼辦呢。二三你就照着我們
二四 的話行罷、我們這裏有四個人、都有願在身。二四你帶他們
去、與他們一同行潔淨的禮、替他們拿出規費、叫他們
得以剃頭、這樣、衆人就可知道、先前所聽見你的事都
二五 是虛的、並可知道你自己爲人循規蹈矩、遵行律法。二五至
於信主的外邦人、我們已經寫信擬定、叫他們謹忌那
二六 祭偶像之物、和血、並勒死的牲畜、與姦淫。二六於是保羅帶
着那四個人、第二天與他們一同行了潔淨的禮、進了
殿、報明潔淨的日期滿足、只等祭司爲他們各人獻祭。

猶太人聳動衆人捉拿保羅
二七 那七日將完、從亞西亞來的猶太人、看見保羅在殿裏、
二八 就聳動了衆人下手拿他、二八喊叫說、以色列人來幫助、這
就是在各處教訓衆人蹧踐我們百姓、和律法、並這地
二九 方的．他又帶着希利尼人進殿、汚穢了這聖地。二九這話是
因他們曾看見以弗所人特羅非摩同保羅在城裏、以
三十 爲保羅帶他進了殿。三十合城都震動、百姓一齊跑來、拿住
保羅、拉他出殿、殿門立刻都關了。

千夫長解救保羅

三一 他們正想要殺他、有人報信給營裏的千夫長說、耶路
三二 撒冷合城都亂了。三二千夫長立時帶着兵丁、和幾個百夫
長、跑下去到他們那裏．他們見了千夫長和兵丁、就止
三三 住不打保羅。三三於是千夫長上前拿住他、吩咐用兩條鐵
三四 鍊捆鎖．又問他是甚麼人、作的是甚麼事。三四衆人有喊叫
這個的、有喊叫那個的．千夫長因爲這樣亂嚷、得不着
三五 實情、就吩咐人將保羅帶進營樓去。三五到了臺階上、衆人
三六 擠得兇猛、兵丁只得將保羅抬起來。三六衆人跟在後面、喊
三七 着說、除掉他。○三七將要帶他進營樓、保羅對千夫長說、我
三八 對你說句話、可以不可以．他說、你懂得希利尼話麼．三八你
莫非是從前作亂、帶領四千兇徒、往曠野去的那埃及
三九 人麼。三九保羅說、我本是猶太人、生在基利家的大數、並不
四十 是無名小城的人．求你准我對百姓說話。四十千夫長准了、
保羅就站在臺階上、向百姓擺手．他們都靜默無聲、保
羅便用希伯來話對他們說．

保羅向百姓聲明

一 **第二十二章**　一諸位父兄請聽、我現在對你們分訴。
二 三 二衆人聽他說的是希伯來話、就更加安靜了。○三保羅說、
我原是猶太人、生在基利家的大數、長在這城裏、在迦
瑪列門下、按着我們祖宗嚴緊的律法受教、熱心事奉
四 神、像你們衆人今日一樣。四我也曾逼迫奉這道的人、
五 直到死地、無論男女都鎖拿下監。五這是大祭司和衆長
老、都可以給我作見證的．我又領了他們達與弟兄的
書信、往大馬色去、要把在那裏奉這道的人鎖拿、帶到
六 耶路撒冷受刑。六我將到大馬色、正走的時候、約在晌午、
七 忽然從天上發大光、四面照着我。七我就仆倒在地、聽見
八 有聲音對我說、掃羅、掃羅、你爲甚麼逼迫我。八我回答說、

主阿、你是誰。他說、我就是你所逼迫的拿撒勒人耶穌。
九 九與我同行的人、看見了那光、卻沒有聽明那位對我說
十 話的聲音。十我說、主阿、我當作甚麼。主說、起來、進大馬色
十一 去、在那裏要將所派你作的一切事、告訴你。十一我因那光
的榮耀、不能看見、同行的人、就拉着我手、進了大馬色。
十二 十二那裏有一個人名叫亞拿尼亞、按着律法是虔誠人、為
十三 一切住在那裏的猶太人所稱讚。十三他來見我、站在旁邊、
對我說、兄弟掃羅、你可以看見。我當時往上一看、就看
十四 見了他。十四他又說、我們祖宗的神、揀選了你、叫你明白
十五 他的旨意、又得見那義者、聽他口中所出的聲音。十五因為
十六 你要將所看見的、所聽見的、對着萬人為他作見證。十六現
在你為甚麼躭延呢、起來、求告他的名受洗、洗去你的
罪。

述說奉主命往外邦

十七 十七後來我回到耶路撒冷、在殿裏禱告的時候、魂遊象外、
十八 十八看見主向我說、你趕緊的離開耶路撒冷、不可遲延、因
十九 你為我作的見證、這裏的人、必不領受。十九我就說、主阿、他
們知道我從前把信你的人、收在監裏、又在各會堂裏

二十 鞭打他們。二十並且你的見證人司提反被害流血的時候、
二一 我也站在旁邊歡喜、又看守害死他之人的衣裳。二一主向
我說、你去罷。我要差你遠遠的往外邦人那裏去。

眾人就喧嚷要除滅他

二二 二二眾人聽他說到這句話、就高聲說、這樣的人、從世上除
二三 掉他罷。他是不當活着的。二三眾人喧嚷、摔掉衣裳、把塵土
二四 向空中揚起來。二四千夫長就吩咐將保羅帶進營樓去、叫
人用鞭子拷問他、要知道他們向他這樣喧嚷、是為甚
麼緣故。

因羅馬民籍免受鞭打

二五 二五剛用皮條捆上、保羅對旁邊站着的百夫長說、人是羅
二六 馬人、又沒有定罪、你們就鞭打他、有這個例麼。二六百夫長
聽見這話、就去見千夫長、告訴他說、你要作甚麼。這人
二七 是羅馬人。二七千夫長就來問保羅說、你告訴我、你是羅馬
二八 人麼。保羅說、是。二八千夫長說、我用許多銀子、纔入了羅馬
二九 的民籍。保羅說、我生來就是。二九於是那些要拷問保羅的
人、就離開他去了。千夫長既知道他是羅馬人、又因為
三十 捆綁了他、也害怕了。○三十第二天、千夫長為要知道猶太

人控告保羅的實情、便解開他、吩咐祭司長和全公會
的人、都聚集將保羅帶下來、叫他站在他們面前。

第二十三章

保羅在公會前聲明

一 一保羅定睛看着公會的人、說、弟兄們、
二 我在　神面前行事為人、都是憑着良心直到今日。二大
三 祭司亞拿尼亞就吩咐旁邊站着的人打他的嘴。三保羅
對他說、你這粉飾的牆、神要打你．你坐堂為的是按
四 律法審問我、你竟違背律法、吩咐人打我麼。四站在旁邊
五 的人說、你辱罵　神的大祭司麼。五保羅說、弟兄們、我不
曉得他是大祭司．經上記着說、『不可毀謗你百姓的
六 官長。』六保羅看出大衆、一半是撒都該人、一半是法利
賽人、就在公會中大聲說、弟兄們、我是法利賽人、也是
法利賽人的子孫．我現在受審問、是為盼望死人復活。
七 七說了這話、法利賽人和撒都該人就爭論起來、會衆分
八 為兩黨。八因為撒都該人說、沒有復活、也沒有天使、和鬼
九 魂．法利賽人卻說、兩樣都有。九於是大大的喧嚷起來、有
幾個法利賽黨的文士站起來、爭辯說、我們看不出這
人有甚麼惡處、倘若有鬼魂、或是天使、對他說過話、怎
十 麼樣呢。十那時大起爭吵、千夫長恐怕保羅被他們扯碎
了、就吩咐兵丁下去、把他從衆人當中搶出來、帶進營
十一 樓去。◎十一當夜、主站在保羅旁邊說、放心罷．你怎樣在耶
路撒冷為我作見證、也必怎樣在羅馬為我作見證。

四十多人同謀殺害保羅

十二 十二到了天亮、猶太人同謀起誓、說若不先殺保羅、就不喫
十三 十四 不喝。十三這樣同心起誓的、有四十多人。十四他們來見祭司長
和長老說、我們已經起了一個大誓、若不先殺保羅、就
十五 不喫甚麼。十五現在你們和公會要知會千夫長、叫他帶下
保羅到你們這裏來、假作要詳細察考他的事．我們已
經豫備好了、不等他來到跟前就殺他。

計謀洩漏

十六 十六保羅的外甥聽見他們設下埋伏、就來到營樓裏告訴
十七 保羅。十七保羅請一個百夫長來、說、你領這少年人去見千
十八 夫長、他有事告訴他。十八於是把他領去見千夫長說、被囚
的保羅請我到他那裏、求我領這少年人來見你．他有
十九 事告訴你。十九千夫長就拉着他的手、走到一旁、私下問他
二十 說、你有甚麼事告訴我呢。二十他說、猶太人已經約定、要求

你明天帶下保羅到公會裏去、假作要詳細查問他的
二一 事。二一你切不要隨從他們、因爲他們有四十多人埋伏、已
經起誓、說若不先殺保羅、就不喫不喝。現在豫備好了、
二二 只等你應允。二二於是千夫長打發少年人走、囑咐他說、不
二三 要告訴人你將這事報給我了。二三千夫長便叫了兩個百
夫長來、說、豫備步兵二百、馬兵七十、長槍手二百、今夜
二四 亥初往該撒利亞去。二四也要豫備牲口、叫保羅騎上、護送
到巡撫腓力斯那裏去。

革老丟呂文書給腓力斯

二五二六 二五千夫長又寫了文書、二六大略說、革老丟呂西亞、請巡撫腓
二七 力斯大人安。二七這人被猶太人拿住、將要殺害、我得知他
二八 是羅馬人、就帶兵丁下去救他出來。二八因要知道他們告
二九 他的緣故、我就帶他下到他們的公會去。二九便查知他被
告、是因他們律法的辯論、並沒有甚麼該死該綁的罪
三十 名。三十後來有人把要害他的計謀告訴我、我就立時解他
到你那裏去、又吩咐告他的人、在你面前告他。有古卷在此有願你平安

保羅在該撒利亞被看守

三一 三一於是兵丁照所吩咐他們的、將保羅夜裏帶到安提帕
三二三三 底。三二第二天、讓馬兵護送、他們就回營樓去。三三馬兵來到該
三四 撒利亞、把文書呈給巡撫、便叫保羅站在他面前。三四巡撫
看了文書、問保羅是那省的人、既曉得他是基利家人、
三五 就說、三五等告你的人來到、我要細聽你的事、便吩咐人把
他看守在希律的衙門裏。

第二十四章

保羅在腓力斯前爲自己分訴

一 一過了五天、大祭司亞拿尼亞、同幾個
二 長老、和一個辯士帖土羅、下來、向巡撫控告保羅。二保羅
三 被提了來、帖土羅就告他說、三腓力斯大人、我們因你得
以大享太平、並且這一國的弊病、因着你的先見、得以
四 更正了。我們隨時隨地、滿心感謝不盡。四惟恐多說、你嫌
五 煩絮、只求你寬容聽我們說幾句話。五我們看這個人、如
同瘟疫一般、是鼓動普天下衆猶太人生亂的、又是拿
六 撒勒教黨裏的一個頭目。六連聖殿他也想要汚穢。我們
七 把他捉住了。有古卷在此有要按我們的律法審問七不料千夫長呂西亞前來甚是強橫從我
八 們手中把他奪去吩咐告他的人到你這裏來八你自己究問他、就可以知道我

九 們告他的一切事了。衆猶太人也隨着告他說、事情誠
十 然是這樣。○巡撫點頭叫保羅說話、他就說、我知道你
十一 在這國裏斷事多年、所以我樂意爲自己分訴。你查問
就可以知道、從我上耶路撒冷禮拜、到今日、不過有十
十二 二天。他們並沒有看見我在殿裏、或是在會堂裏、或是
十三 在城裏、和人辯論、聳動衆人。他們現在所告我的事、並
十四 不能對你證實了。但有一件事、我向你承認、就是他們
所稱爲異端的道、我正按着那道事奉我祖宗的 神、
十五 又信合乎律法的、和先知書上一切所記載的。並且靠
着 神、盼望死人、無論善惡、都要復活、就是他們自己
十六 也有這個盼望。我因此自己勉勵、對 神對人、常存無
十七 虧的良心。過了幾年、我帶着賙濟本國的捐項和供獻
十八 的物上去。正獻的時候、他們看見我在殿裏已經潔淨
了、並沒有聚衆、也沒有吵嚷。惟有幾個從亞西亞來的
十九 猶太人。他們若有告我的事、就應當到你面前來告我。
二十 即或不然、這些人若看出我站在公會前有妄爲的地
方、他們自己也可以說明。縱然有、也不過一句話、就是
二一 我站在他們中間大聲說、我今日在你們面前受審、是
二二 爲死人復活的道理。○腓力斯本是詳細曉得這道、就
支吾他們說、且等千夫長呂西亞下來、我要審斷你們
二三 的事。於是吩咐百夫長看守保羅、並且寬待他、也不攔
阻他的親友來供給他。

腓力斯留保羅在監裏

二四 過了幾天、腓力斯和他夫人猶太的女子土西拉、一同
二五 來到、就叫了保羅來、聽他講論信基督耶穌的道。保羅
講論公義節制和將來的審判、腓力斯甚覺恐懼、說、你
二六 暫且去罷、等我得便再叫你來。腓力斯又指望保羅送
二七 他銀錢、所以屢次叫他來、和他談論。過了兩年、波求非
斯都接了腓力斯的任。腓力斯要討猶太人的喜歡、就
留保羅在監裏。

第二十五章

猶太人的控告和央求

一 非斯都到了任、過了三天、就從該撒
二 利亞上耶路撒冷去。祭司長、和猶太人的首領、向他控
三 告保羅、又央告他、求他的情、將保羅提到耶路撒冷來。
四 他們要在路上埋伏殺害他。非斯都卻回答說、保羅押
五 在該撒利亞、我自己快要往那裏去。又說、你們中間有

權勢的人、與我一同下去、那人若有甚麼不是、就可以
告他。

保羅上控該撒

六 六非斯都在他們那裏、住了不過十天八天、就下該撒利
七 亞去、第二天坐堂、吩咐將保羅提上來。七保羅來了、那些
從耶路撒冷下來的猶太人、周圍站着、將許多重大的
八 事控告他、都是不能證實的。八保羅分訴說、無論猶太人
九 的律法、或是聖殿、或是該撒、我都沒有干犯。九但非斯都
要討猶太人的喜歡、就問保羅說、你願意上耶路撒冷
十 去、在那裏聽我審斷這事麼。十保羅說、我站在該撒的堂
前、這就是我應當受審的地方、我向猶太人並沒有行
十一 過甚麼不義的事、這也是你明明知道的。十一我若行了不
義的事、犯了甚麼該死的罪、就是死、我也不辭。他們所
告我的事若都不實、就沒有人可以把我交給他們。我
十二 要上告於該撒。十二非斯都和議會商量了、就說、你既上告
於該撒、可以往該撒那裏去。

亞基帕要聽保羅

十三 十三過了些日子、亞基帕王、和百尼基氏、來到該撒利亞、問
十四 非斯都安。十四在那裏住了多日、非斯都將保羅的事告訴
十五 王、說、這裏有一個人、是腓力斯留在監裏的。十五我在耶路
撒冷的時候、祭司長和猶太的長老、將他的事稟報了
十六 我、求我定他的罪。十六我對他們說、無論甚麼人、被告還沒
有和原告對質、未得機會分訴所告他的事、就先定他
十七 的罪、這不是羅馬人的條例。十七及至他們都來到這裏、我
十八 就不躭延、第二天便坐堂、吩咐把那人提上來。十八告他的
十九 人站着告他、所告的、並沒有我所逆料的那等惡事。十九不
過是有幾樣辯論、為他們自己敬鬼神的事、又為一個
二十 人名叫耶穌、是已經死了、保羅卻說他是活着的。二十這些
事當怎樣究問、我心裏作難、所以問他說、你願意上耶
二一 路撒冷去、在那裏為這些事聽審麼。二一但保羅求我留下
他要聽皇上審斷、我就吩咐把他留下、等我解他到該
二二 撒那裏去。二二亞基帕對非斯都說、我自己也願聽這人辯
二三 論。非斯都說、明天你可以聽。○二三第二天、亞基帕和百尼
基大張威勢而來、同着衆千夫長、和城裏的尊貴人、進
二四 了公廳。非斯都吩咐一聲、就有人將保羅帶進來。二四非斯
都說、亞基帕王、和在這裏的諸位阿、你們看這人、就是

一切猶太人在耶路撒冷、和這裏、曾向我懇求、呼叫說、
不可容他再活着。[二五]但我查明他沒有犯甚麼該死的罪。
並且他自己上告於皇帝、所以我定意把他解去。[二六]論到
這人、我沒有確實的事、可以奏明主上。因此我帶他到
你們面前、也特意帶他到你亞基帕王面前、為要在查
問之後、有所陳奏。[二七]據我看來、解送囚犯、不指明他的罪
案、是不合理的。

第二十六章　保羅在亞基帕前為自己分訴

[一]亞基帕對保羅說、准你為自己辯明。
於是保羅伸手分訴說、[二]亞基帕王阿、猶太人所告我的
一切事、今日得在你面前分訴、實為萬幸。[三]更可幸的、是
你熟悉猶太人的規矩、和他們的辯論、所以求你耐心
聽我。[四]我從起初在本國的民中、並在耶路撒冷、自幼為
人如何、猶太人都知道。[五]他們若肯作見證、就曉得我從
起初是按着我們教中最嚴緊的教門、作了法利賽人。
[六]現在我站在這裏受審、是因為指望　神向我們祖宗
所應許的、[七]這應許、我們十二個支派、晝夜切切的事奉
神、都指望得着。王阿、我被猶太人控告、就是因這指
望。[八]　神叫死人復活、你們為甚麼看作不可信的呢。[九]從
前我自己以為應當多方攻擊拿撒勒人耶穌的名。[十]我
在耶路撒冷也曾這樣行了。既從祭司長得了權柄、我
就把許多聖徒囚在監裏。他們被殺、我也出名定案。[十一]在
各會堂、我屢次用刑、強逼他們說褻瀆的話。又分外惱
恨他們、甚至追逼他們、直到外邦的城邑。[十二]那時、我領了
祭司長的權柄和命令、往大馬色去。[十三]王阿、我在路上、晌
午的時候、看見從天發光、比日頭還亮、四面照着我、並
與我同行的人。[十四]我們都仆倒在地、我就聽見有聲音、用
希伯來話、向我說、掃羅、掃羅、為甚麼逼迫我。你用腳踢
刺是難的。[十五]我說、主阿、你是誰。主說、我就是你所逼迫的
耶穌。

蒙派到外邦傳道

[十六]你起來站着、我特意向你顯現、要派你作執事、作見證、
將你所看見的事、和我將要指示你的事、證明出來。[十七]我
也要救你脫離百姓和外邦人的手。[十八]我差你到他們那
裏去、要叫他們的眼睛得開、從黑暗中歸向光明、從撒
但權下歸向　神、又因信我、得蒙赦罪、和一切成聖的

十九 人同得基業。亞基帕王阿、我故此沒有違背那從天上
二十 來的異象、先在大馬色、後在耶路撒冷、和猶太全地、以
及外邦、勸勉他們應當悔改歸向神、行事與悔改的
二一 二二 心相稱。因此、猶太人在殿裏拿住我、想要殺我。然而我
蒙神的幫助、直到今日還站得住、對着尊貴卑賤老
幼作見證。所講的並不外乎衆先知和摩西所說、將來
二三 必成的事。就是基督必須受害、並且因從死裏復活、要
首先把光明的道、傳給百姓和外邦人。

非斯都說保羅癲狂

二四 保羅這樣分訴、非斯都大聲說、保羅、你癲狂了罷、你的
二五 學問太大、反叫你癲狂了。保羅說、非斯都大人、我不是
二六 癲狂、我說的乃是眞實明白話。王也曉得這些事、所以
我向王放膽直言、我深信這些事、沒有一件向王隱藏
二七 的。因都不是在背地裏作的。亞基帕王阿、你信先知麼、
二八 我知道你是信的。亞基帕對保羅說、你想少微一勸便
二九 叫我作基督徒阿。(或作你這樣勸我幾乎叫我作基督徒了)保羅說、無論是
少勸、是多勸、我向神所求的、不但你一個人、就是今
天一切聽我的、都要像我一樣、只是不要像我有這些

三十 鎖鍊。〇於是王、和巡撫、並百尼基、與同坐的人、都起來、
三一 退到裏面、彼此談論說、這人並沒有犯甚麼該死該綁
三二 的罪。亞基帕又對非斯都說、這人若沒有上告於該撒、
就可以釋放了。

保羅坐船往義大利去

第二十七章

一 非斯都既然定規了、叫我們坐船往
義大利去、便將保羅、和別的囚犯、交給御營裏的一個
二 百夫長、名叫猶流。有一隻亞大米田的船、要沿着亞西
亞一帶地方的海邊走、我們就上了那船開行、有馬其
三 頓的帖撒羅尼迦人亞里達古、和我們同去。第二天、到
了西頓。猶流寬待保羅、准他往朋友那裏去、受他們的
四 照應。從那裏又開船、因爲風不順、就貼着居比路背風
五 岸行去。過了基利家旁非利亞前面的海、就到了呂家
六 的每拉。在那裏百夫長遇見一隻亞力山太的船、要往
七 義大利去、便叫我們上了那船。一連多日、船行得慢、僅
僅來到革尼土的對面、因爲被風攔阻、就貼着革哩底
八 背風岸、從撒摩尼對面行過。我們沿岸行走、僅僅來到
一個地方、名叫佳澳、離那裏不遠、有拉西亞城。

保羅勸衆

九 [九]走的日子多了、已經過了禁食的節期、行船又危險、保
十 羅就勸衆人說、[十]衆位、我看這次行船、不但貨物和船要
十一 受傷損、大遭破壞、連我們的性命也難保。[十一]但百夫長信
十二 從掌船的和船主、不信從保羅所說的。[十二]且因在這海口
過冬不便、船上的人、就多半說不如開船離開這地方、
十三 或者能到非尼基過冬。[十三]非尼基是革哩底的一個海口、
一面朝東北、一面朝東南。這時微微起了南風、他們以
爲得意、就起了錨、貼近革哩底行去。

水路的危險

十四 十五 [十四]不多幾時、狂風從島上撲下來、那風名叫友拉革羅。[十五]船
十六 被風抓住、敵不住風、我們就任風颳去。[十六]貼着一個小島
的背風岸奔行、那島名叫高大、在那裏僅僅收住了小
十七 船。[十七]既然把小船拉上來、就用纜索捆綁船底。又恐怕在
十八 賽耳底沙灘上擱了淺、就落下篷來、任船飄去。[十八]我們被
十九 風浪逼得甚急、第二天衆人就把貨物拋在海裏。[十九]到第
二十 三天他們又親手把船上的器具拋棄了。[二十]太陽和星辰
多日不顯露、又有狂風大浪催逼、我們得救的指望就
都絕了。

安慰衆人

二一 [二一]衆人多日沒有喫甚麼、保羅就出來站在他們中間說、
衆位、你們本該聽我的話、不離開革哩底、免得遭這樣
二二 的傷損破壞。[二二]現在我還勸你們放心、你們的性命、一個
二三 也不失喪、惟獨失喪這船。[二三]因我所屬所事奉的神、他
二四 的使者昨夜站在我旁邊說、[二四]保羅、不要害怕、你必定站
二五 在該撒面前．並且與你同船的人、神都賜給你了。[二五]所
以衆位可以放心、我信 神他怎樣對我說、事情也要
二六 怎樣成就。[二六]只是我們必要撞在一個島上。

水手想逃

二七 [二七]到了第十四天夜間、船在亞底亞海飄來飄去、約到半
二八 夜、水手以爲漸近旱地、[二八]就探深淺、探得有十二丈稍往
二九 前行、又探深淺、探得有九丈。[二九]恐怕撞在石頭上、就從船
三十 尾拋下四個錨、盼望天亮。[三十]水手想要逃出船去、把小船
三一 放在海裏、假作要從船頭拋錨的樣子。[三一]保羅對百夫長
三二 和兵丁說、這些人若不等在船上、你們必不能得救。[三二]於
三三 是兵丁砍斷小船的繩子、由他飄去。[三三]天漸亮的時候、保

羅勸衆人都喫飯說、你們懸望忍餓不喫甚麽、已經十
三四 四天了。三四所以我勸你們喫飯、這是關乎你們救命的事。
三五 因爲你們各人連一根頭髮也不至於損壞。三五保羅說了
三六 這話、就拿着餅、在衆人面前祝謝了　神、擘開喫。三六於是
他們都放下心、也就喫了。

船被大浪損壞

三七 三八 三七我們在船上的、共有二百七十六個人。三八他們喫飽了、就
三九 把船上的麥子拋在海裏、爲要叫船輕一點。三九到了天亮、
他們不認識那地方、但見一個海灣、有岸可登、就商議
四十 能把船攏進去不能。四十於是砍斷纜索、棄錨在海裏、同時
四一 也鬆開舵繩、拉起頭篷、順着風向岸行去。四一但遇着兩水
夾流的地方、就把船擱了淺、船頭膠住不動、船尾被浪
的猛力衝壞。

衆人得救

四二 四三 四二兵丁的意思、要把囚犯殺了、恐怕有泅水脫逃的。四三但百
夫長要救保羅、不准他們任意而行、就吩咐會泅水的、
四四 跳下水去、先上岸。四四其餘的人、可以用板子、或船上的零
碎東西上岸。這樣、衆人都得了救上了岸。

第二十八章

土人的接待

一 一我們既已得救、纔知道那島名叫米
二 利大。二土人看待我們、有非常的情分、因爲當時下雨、天
三 氣又冷、就生火接待我們衆人。三那時、保羅拾起一捆柴、
四 放在火上、有一條毒蛇、因爲熱了出來、咬住他的手。四土
人看見那毒蛇、懸在他手上、就彼此說、這人必是個兇
五 手、雖然從海裏救上來、天理還不容他活着。五保羅竟把
六 那毒蛇甩在火裏、並沒有受傷。六土人想他必要腫起來、
或是忽然仆倒死了、看了多時、見他無害、就轉念說他
是個神。

部百流欵待保羅

七 七離那地方不遠、有田產、是島長部百流的。他接納我們、
八 盡情款待三日。八當時、部百流的父親患熱病和痢疾躺
九 着。保羅進去、爲他禱告、按手在他身上、治好了他。九從此、
十 島上其餘的病人、也來得了醫治。十他們又多方的尊敬
我們。到了開船的時候、也把我們所需用的送到船上。

再行水程

十一 十一過了三個月、我們上了亞力山太的船、往前行。這船以

十二 丟斯雙子爲記、是在那海島過了冬的。十二到了敍拉古、我
十三 們停泊三日。十三又從那裏繞行、來到利基翁。過了一天、起
十四 了南風、第二天就來到部丟利。十四在那裏遇見弟兄們、請
十五 我們與他們同住了七天。這樣、我們來到羅馬。十五那裏的
弟兄們、一聽見我們的信息、就出來到亞比烏市、和三
館地方迎接我們。保羅見了他們、就感謝 神、放心壯
膽。

進了羅馬城

十六 十六進了羅馬城、（有古卷在此有百夫長把衆囚犯交給御營的統領惟有）保羅蒙准和
一個看守他的兵、另住在一處。

十七 **保羅請猶太的首領來聲明上控的緣由**

十七過了三天、保羅請猶太人的首領來。他們來了、就對他
們說、弟兄們、我雖沒有作甚麼事干犯本國的百姓、和
我們祖宗的規條、卻被鎖綁、從耶路撒冷解在羅馬人
十八 的手裏。十八他們審問了我、就願意釋放我、因爲在我身上、
十九 並沒有該死的罪。十九無奈猶太人不服、我不得已、只好上
二十 告於該撒、並非有甚麼事、要控告我本國的百姓。二十因此、
我請你們來見面說話、我原爲以色列人所指望的、被

二一 這鍊子捆鎖。二一他們說、我們並沒有接着從猶太來論你
的信、也沒有弟兄到這裏來、報給我們說你有甚麼不
二二 好處。二二但我們願意聽你的意見、如何、因爲這教門、我們
二三 曉得是到處被毀謗的。二三○他們和保羅約定了日子、就
有許多人到他的寓處來、保羅從早到晚、對他們講論
這事、證明 神國的道、引摩西的律法和先知的書、以
二四二五 耶穌的事、勸勉他們。二四他所說的話、有信的、有不信的。二五他
們彼此不合、就散了。未散以先、保羅說了一句話、說、聖
二六 靈藉先知以賽亞、向你們祖宗所說的話、是不錯的。二六他
說、『你去告訴這百姓說、你們聽是要聽見、卻不明白、
二七 看是要看見、卻不曉得。二七因爲這百姓、油蒙了心、耳朶發
沉、眼睛閉着。恐怕眼睛看見、耳朶聽見、心裏明白、回轉
二八 過來、我就醫治他們。』二八所以你們當知道、 神這救恩、
二九 如今傳給外邦人、他們也必聽受。（有古卷在此有二九保羅說了這話猶太人議論紛紛的就走了）

保羅在羅馬傳道足足兩年

三十 三十保羅在自己所租的房子裏、住了足足兩年。凡來見他
三一 的人、他全都接待。三一放膽傳講 神國的道、將主耶穌基

督的事教導人、並沒有人禁止。

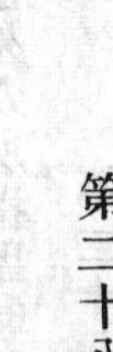

使徒行傳：九章二十五節

保羅達羅馬人書

第一章

祝福

一 一耶穌基督的僕人保羅、奉召爲使徒、特派
二 傳　神的福音。二這福音是　神從前藉衆先知在聖經
三 上所應許的、三論到他兒子我主耶穌基督。按肉體說、是
四 從大衞後裔生的、四按聖善的靈說、因從死裏復活、以大
五 能顯明是　神的兒子。五我們從他受了恩惠、並使徒的
六 職分、在萬國之中叫人爲他的名信服眞道。六其中也有
七 你們這蒙召屬耶穌基督的人。七我寫信給你們在羅馬
爲　神所愛、奉召作聖徒的衆人。願恩惠平安、從我們
的父　神、並主耶穌基督、歸與你們。

述說自己的景況

八 八第一、我靠着耶穌基督、爲你們衆人感謝我的　神。因
九 你們的信德傳遍了天下。九我在他兒子福音上、用心靈
十 所事奉的　神、可以見證我怎樣不住的題到你們。十在
禱告之間、常常懇求、或者照　神的旨意、終能得平坦
十一 的道路往你們那裏去。十一因爲我切切的想見你們、要把
十二 些屬靈的恩賜分給你們、使你們可以堅固。十二這樣我在
你們中間、因你與我彼此的信心、就可以同得安慰。

情願盡力傳福音

十三 十三弟兄們、我不願意你們不知道、我屢次定意往你們那
裏去、要在你們中間得些果子、如同在其餘的外邦人
十四 中一樣．只是到如今仍有阻隔。十四無論是希利尼人、化外
十五 人、聰明人、愚拙人、我都欠他們的債。十五所以情願盡我的
力量、將福音也傳給你們在羅馬的人。

福音是　神的大能

十六 十六我不以福音爲恥．這福音本是　神的大能、要救一切
十七 相信的、先是猶太人、後是希利尼人。十七因爲　神的義、正
在這福音上顯明出來．這義是本於信、以致於信．如經
十八 上所記、『義人必因信得生。』○十八原來　神的忿怒、從
天上顯明在一切不虔不義的人身上、就是那些行不
十九 義阻擋眞理的人。十九　神的事情、人所能知道的、原顯明
二十 在人心裏．因爲　神已經給他們顯明。二十自從造天地以
來、　神的永能和神性、是明明可知的、雖是眼不能見、
二十一 但藉着所造之物、就可以曉得、叫人無可推諉。二十一因爲他

們雖然知道　神、卻不當作　神榮耀他、也不感謝他．
二二 他們的思念變爲虛妄、無知的心就昏暗了．二二自稱爲聰
二三 明、反成了愚拙、二三將不能朽壞之　神的榮耀、變爲偶像、
二四 彷彿必朽壞的人、和飛禽走獸昆蟲的樣式。○二四所以
神任憑他們逞着心裏的情慾行汚穢的事、以致彼此
二五 玷辱自己的身體．二五他們將　神的眞實變爲虛謊、去敬
拜事奉受造之物、不敬奉那造物的主．主乃是可稱頌
的、直到永遠。阿們。

外邦種種罪惡

二六 二六因此　神任憑他們放縱可羞恥的情慾．他們的女人、
二七 把順性的用處、變爲逆性的用處．二七男人也是如此、棄了
女人順性的用處、慾火攻心、彼此貪戀、男和男行可羞
二八 恥的事、就在自己身上受這妄爲當得的報應。○他們二八
既然故意不認識　神、　神就任憑他們存邪僻的心、
二九 行那些不合理的事．二九裝滿了各樣不義、邪惡、貪婪、惡毒．
三十 （或作陰毒）滿心是嫉妒、兇殺、爭競、詭詐、毒恨．三十又是讒毀的、背
後說人的、怨恨　神的、（或作被　神所憎惡的）侮慢人的、狂傲的、
三一 自誇的、揑造惡事的、違背父母的、三一無知的、背約的、無親
三二 情的、不憐憫人的．三二他們雖知道　神判定、行這樣事的
人是當死的、然而他們不但自己去行、還喜歡別人去
行。

第二章

主照各人行爲施行報應

一你這論斷人的、無論你是誰、也無可推諉、
一 你在甚麼事上論斷人、就在甚麼事上定自己的罪．因
二 你這論斷人的、自己所行卻和別人一樣．二我們知道這
三 樣行的人、　神必照眞理審判他．三你這人哪、你論斷行
這樣事的人、自己所行的卻和別人一樣、你以爲能逃
四 脫　神的審判麼．四還是你藐視他豐富的恩慈寬容忍
五 耐、不曉得他的恩慈是領你悔改呢．五你竟任着你剛硬
不悔改的心、爲自己積蓄忿怒、以致　神震怒顯他公
六 七 義審判的日子來到．六他必照各人的行爲報應各人．七凡
恆心行善、尋求榮耀尊貴和不能朽壞之福的、就以永
八 生報應他們．八惟有結黨不順從眞理、反順從不義的、就
九 以忿怒惱恨報應他們．九將患難困苦、加給一切作惡的
十 人、先是猶太人、後是希利尼人．十卻將榮耀、尊貴、平安、加
十一 給一切行善的人、先是猶太人、後是希利尼人．十一因爲

神不偏待人。

必要行律法纔得稱義

十二 十二凡沒有律法犯了罪的、也必不按律法滅亡.凡在律法
十三 以下犯了罪的、也必按律法受審判、十三(原來在神面
十四 前、不是聽律法的爲義、乃是行律法的稱義.十四沒有律法
的外邦人若順着本性行律法上的事、他們雖然沒有
十五 律法、自己就是自己的律法.十五這是顯出律法的功用刻
在他們心裏、他們是非之心同作見證、並且他們的思
十六 念互相較量、或以爲是、或以爲非、)十六就在神藉耶穌
基督審判人隱祕事的日子、照着我的福音所言。

責人當責己

十七十八 十七你稱爲猶太人、又倚靠律法、且指着神誇口.十八既從律
法中受了教訓、就曉得神的旨意、也能分別是非、(或作
十九 也喜愛那美好的事)十九又深信自己是給瞎子領路的、是黑暗中人
二十 的光、二十是蠢笨人的師傅、是小孩子的先生、在律法上有
二一 知識和眞理的模範。二一你既是教導別人、還不教導自己
二二 麼.你講說人不可偷竊、自己還偷竊麼.二二你說人不可姦
淫、自己還姦淫麼.你厭惡偶像、自己還偷竊廟中之物
二三二四 麼。二三你指着律法誇口、自己倒犯律法、玷辱神麼。二四神
的名在外邦人中因你們受了褻瀆、正如經上所記的。

惟獨心裏的割禮纔有益處

二五 二五你若是行律法的、割禮固然於你有益.若是犯律法的、
二六 你的割禮就算不得割禮。二六所以那未受割禮的、若遵守
二七 律法的條例、他雖然未受割禮、豈不算是有割禮麼。二七而
且那本來未受割禮的、若能全守律法、豈不是要審判
二八 你這有儀文和割禮竟犯律法的人麼。二八因爲外面作猶
太人的、不是眞猶太人、外面肉身的割禮、也不是眞割
二九 禮。二九惟有裏面作猶太人的、纔是眞猶太人、眞割禮也是心裏的、
在乎靈、不在乎儀文.這人的稱讚、不是從人來的、乃是
從神來的。

一猶太人的長處

一 **第三章** 一這樣說來、猶太人有甚麼長處、割禮有甚
二 麼益處呢。二凡事大有好處.第一是神的聖言交託他
三 們。三即便有不信的、這有何妨呢.難道他們的不信、就廢
四 掉神的信麼.四斷乎不能.不如說、神是眞實的人都
是虛謊的.如經上所記、『你責備人的時候、顯爲公義.

五 被人議論的時候、可以得勝。』五我且照着人的常話說、
我們的不義、若顯出神的義來、我們可以怎麼說呢。
六 神降怒、是他不義麼。六斷乎不是。若是這樣、神怎能
七 審判世界呢。七若神的眞實、因我的虛謊、越發顯出他
八 的榮耀、爲甚麼我還受審判、好像罪人呢。八爲甚麼不說、
我們可以作惡以成善呢、這是毀謗我們的人說我們
有這話。這等人定罪、是該當的。

引證猶太和外邦都在罪惡之下

九 九這卻怎麼樣呢。我們比他們強麼。決不是的。因我們已
十 經證明、猶太人和希利尼人都在罪惡之下。十就如經上
十一 所記、『沒有義人、連一個也沒有。十一沒有明白的、沒有尋
十二 求神的。十二都是偏離正路、一同變爲無用。沒有行善的、
十三 連一個也沒有。十三他們的喉嚨是敞開的墳墓。他們用舌
十四 十五 頭弄詭詐。嘴唇裏有虺蛇的毒氣。十四滿口是咒罵苦毒。十五殺
十六 人流血他們的腳飛跑。十六所經過的路、便行殘害暴虐的
十七 十八 十九 事。十七平安的路、他們未曾知道。十八他們眼中不怕神。』十九我
們曉得律法上的話、都是對律法以下之人說的、好塞
二十 住各人的口、叫普世的人都伏在神審判之下。二十所以

凡有血氣的、沒有一個因行律法、能在神面前稱義。
因爲律法本是叫人知罪。

信靠耶穌乃得稱義

二一 二一但如今神的義在律法以外已經顯明出來、有律法
二二 和先知爲證。二二就是神的義、因信耶穌基督加給一切
二三 相信的人、並沒有分別。二三因爲世人都犯了罪、虧缺了
二四 神的榮耀。二四如今卻蒙神的恩典、因基督耶穌的救贖、
二五 就白白的稱義。二五神設立耶穌作挽回祭、是憑着耶穌
的血、藉着人的信、要顯明神的義。因爲他用忍耐的
二六 心、寬容人先時所犯的罪。二六好在今時顯明他的義、使人
二七 知道他自己爲義也稱信耶穌的人爲義。二七既是這樣、那
裏能誇口呢。沒有可誇的了。用何法沒有的呢、是用立
二八 功之法麼。不是、乃用信主之法。二八所以（有古卷作因爲）我們看定
二九 了、人稱義是因着信、不在乎遵行律法。二九難道神只作
猶太人的神麼、不也是作外邦人的神麼。是的、也
三十 作外邦人的神。三十神既是一位、他就要因信稱那受
三一 割禮的爲義、也要因信稱那未受割禮的爲義。三一這樣、我
們因信廢了律法麼。斷乎不是、更是堅固律法。

一　二　三　四　五　六　七　八　九　十　十一　十二

亞伯拉罕作因信稱義的表樣

第四章　一如此說來、我們的祖宗亞伯拉罕、憑着肉
體得了甚麼呢。二倘若亞伯拉罕是因行爲稱義、就有可
誇的、只是在　神面前並無可誇。三經上說甚麼呢、說、
『亞伯拉罕信　神、這就算爲他的義。』四作工的得工
價、不算恩典、乃是該得的、五惟有不作工的、只信稱罪人
爲義的　神、他的信就算爲義。六正如大衞稱那在行爲
以外、蒙　神算爲義的人是有福的。七他說、『得赦免其
過、遮蓋其罪的、這人是有福的。八主不算爲有罪的、這人
是有福的。』九如此看來、這福是單加給那受割禮的人
麼、不也是加給那未受割禮的人麼。因我們所說、亞伯
拉罕的信、就算爲他的義。十是怎麼算的呢。是在他受割
禮的時候呢、是在他未受割禮的時候呢。不是在受割
禮的時候、乃是在未受割禮的時候。十一並且他受了割禮
的記號、作他未受割禮的時候因信稱義的印證、叫他
作一切未受割禮而信之人的父、使他們也算爲義。十二又
作受割禮之人的父、就是那些不但受割禮、並且按我
們的祖宗亞伯拉罕、未受割禮而信之蹤跡去行的人。

十三　十四　十五　十六　十七　十八　十九　二十　二十一　二十二　二十三　二十四

十三因爲　神應許亞伯拉罕和他後裔、必得承受世界、不
是因律法、乃是因信而得的義。十四若是屬乎律法的人纔
得爲後嗣、信就歸於虛空、應許也就廢棄了。十五因爲律法
是惹動忿怒的．〔或作叫人受刑的〕那裏沒有律法、那裏就沒有
過犯。十六所以人得爲後嗣、是本乎信、因此就屬乎恩、叫應
許定然歸給一切後裔、不但歸給那屬乎律法的、也歸
給那效法亞伯拉罕之信的。

亞伯拉罕爲衆信者之祖

十七亞伯拉罕所信的、是那叫死人復活、使無變爲有的
神、他在主面前作我們世人的父．如經上所記、『我已
經立你作多國的父。』十八他在無可指望的時候、因信仍
有指望、就得以作多國的父、正如先前所說、『你的後
裔將要如此。』十九他將近百歲的時候、雖然想到自己的
身體如同已死、撒拉的生育已經斷絕、他的信心還是
不軟弱．二十並且仰望　神的應許、總沒有因不信、心裏起
疑惑、反倒因信、心裏得堅固、將榮耀歸給　神．二十一且滿心
相信、　神所應許的必能作成。二十二所以這就算爲他的義。
二十三算爲他義的這句話、不是單爲他寫的、二十四也是爲我們將

來得算爲義之人寫的。就是我們這信　神使我們的
二五 主耶穌從死裏復活的人。耶穌被交給人、是爲我們的
過犯、復活是爲叫我們稱義。（或作耶穌是爲我們的過犯交付了是爲我們稱義復活了）

第五章　因信稱義的福

一 我們既因信稱義、就藉着我們的主耶穌
二 基督、得與　神相和。我們又藉着他因信得進入現在
三 所站的這恩典中、並且歡歡喜喜盼望　神的榮耀。不
但如此、就是在患難中、也是歡歡喜喜的．因爲知道患
四五 難生忍耐．忍耐生老練．老練生盼望．盼望不至於羞恥．
因爲所賜給我們的聖靈、將　神的愛澆灌在我們心
裏。

基督爲罪人死顯明　神的愛

六 因我們還輭弱的時候、基督就按所定的日期爲罪人
七八 死。爲義人死、是少有的、爲仁人死、或者有敢作的．惟有
基督在我們還作罪人的時候爲我們死、　神的愛就
九 在此向我們顯明了。現在我們既靠着他的血稱義、就
十 更要藉着他免去　神的忿怒。因爲我們作仇敵的時
候、且藉着　神兒子的死、得與　神和好、既已和好、就
十一 更要因他的生得救了。不但如此、我們既藉着我主耶
穌基督、得與　神和好、也就藉着他以　神爲樂。

罪由亞當而來恩由基督而得

十二 這就如罪是從一人入了世界、死又是從罪來的、於是
十三 死就臨到衆人、因爲衆人都犯了罪。沒有律法之先、罪
十四 已經在世上．但沒有律法、罪也不算罪。然而從亞當到
摩西、死就作了王、連那些不與亞當犯一樣罪過的、也
十五 在他的權下．亞當乃是那以後要來之人的豫像。只是
過犯不如恩賜．若因一人的過犯、衆人都死了、何況
神的恩典、與那因耶穌基督一人恩典中的賞賜、豈不
十六 更加倍的臨到衆人麼。因一人犯罪就定罪、也不如恩
賜．原來審判是由一人而定罪、恩賜乃是由許多過犯
十七 而稱義。若因一人的過犯、死就因這一人作了王、何況
那些受洪恩又蒙所賜之義的、豈不更要因耶穌基督
十八 一人在生命中作王麼。如此說來、因一次的過犯、衆人
都被定罪、照樣因一次的義行、衆人也就被稱義得生
十九 命了。因一人的悖逆、衆人成爲罪人．照樣因一人的順

二十 從、衆人也成爲義了。[二十]律法本是外添的、叫過犯顯多．只
二十一 是罪在那裏顯多、恩典就更顯多了。[二十一]就如罪作王叫人
死、照樣、恩典也藉着義作王、叫人因我們的主耶穌基
督得永生。

信徒向罪而死向　神活着

一 **第六章**　[一]這樣、怎麼說呢．我們可以仍在罪中、叫恩
二 典顯多麼。[二]斷乎不可．我們在罪上死了的人、豈可仍在
三 罪中活着呢。[三]豈不知我們這受洗歸入基督耶穌的人、
四 是受洗歸入他的死麼。[四]所以我們藉着洗禮歸入死、和
他一同埋葬．原是叫我們一舉一動有新生的樣式、像
五 基督藉着父的榮耀、從死裏復活一樣。[五]我們若在他死
的形狀上與他聯合、也要在他復活的形狀上與他聯
六 合．[六]因爲知道我們的舊人和他同釘十字架、使罪身滅
七 絕、叫我們不再作罪的奴僕．[七]因爲已死的人、是脫離了
八九 罪。[八]我們若是與基督同死、就信必與他同活．[九]因爲知道
基督既從死裏復活、就不再死、死也不再作他的主了。
十 [十]他死是向罪死了、只有一次．他活是向　神活着。[十一]這樣、
十一 你們向罪也當看自己是死的．向　神在基督耶穌裏、

十二 卻當看自己是活的。○[十二]所以不要容罪在你們必死的
十三 身上作王、使你們順從身子的私慾．[十三]也不要將你們的
肢體獻給罪作不義的器具．倒要像從死裏復活的人、
十四 將自己獻給　神．並將肢體作義的器具獻給　神。[十四]罪
必不能作你們的主．因你們不在律法之下、乃在恩典
之下。

罪與恩的結局

十五 [十五]這卻怎麼樣呢．我們在恩典之下、不在律法之下、就可
十六 以犯罪麼．斷乎不可。[十六]豈不曉得你們獻上自己作奴僕、
順從誰、就作誰的奴僕麼．或作罪的奴僕、以至於死．或
十七 作順命的奴僕、以至成義。[十七]感謝　神、因爲你們從前雖
然作罪的奴僕、現今卻從心裏順服了所傳給你們道
十八 理的模範。[十八]你們既從罪裏得了釋放、就作了義的奴僕。
十九 [十九]我因你們肉體的輭弱、就照人的常話對你們說．你們
從前怎樣將肢體獻給不潔不法作奴僕、以至於不法．
二十 現今也要照樣將肢體獻給義作奴僕、以至於成聖。[二十]因
爲你們作罪之奴僕的時候、就不被義約束了。[二十一]你們現
二十一 今所看爲羞恥的事、當日有甚麼果子呢．那些事的結

二二 局就是死。二二但現今你們既從罪裏得了釋放、作了 神
二三 的奴僕、就有成聖的果子、那結局就是永生。二三因爲罪的
工價乃是死．惟有 神的恩賜、在我們的主基督耶穌
裏、乃是永生。

一 **第七章** 一弟兄們、我現在對明白律法的人說、你們
二 豈不曉得律法管人是在活着的時候麼．二就如女人有
了丈夫、丈夫還活着、就被律法約束．丈夫若死了、就脫
三 離了丈夫的律法。三所以丈夫活着、他若歸於別人便叫
淫婦．丈夫若死了、他就脫離了丈夫的律法、雖然歸於
四 別人、也不是淫婦。四我的弟兄們、這樣說來、你們藉着基
督的身體、在律法上也是死了．叫你們歸於別人、就是
五 歸於那從死裏復活的、叫我們結果子給 神。五因爲我
們屬肉體的時候、那因律法而生的惡慾、就在我們肢
六 體中發動、以致結成死亡的果子．六但我們既然在捆我
們的律法上死了、現今就脫離了律法．叫我們服事主、
要按着心靈的新樣、不按着儀文的舊樣。(心靈或作聖靈)

律法使人知罪

七 七這樣、我們可說甚麼呢．律法是罪麼．斷乎不是．只是非
因律法、我就不知何爲罪．非律法說、『不可起貪心。』
八 我就不知何爲貪心。八然而罪趁着機會、就藉着誡命叫
諸般的貪心在我裏頭發動．因爲沒有律法罪是死的。
九 九我以前沒有律法是活着的、但是誡命來到、罪又活了、
十 十一 我就死了。十那本來叫人活的誡命、反倒叫我死．十一因爲罪
十二 趁着機會、就藉着誡命引誘我、並且殺了我。十二這樣看來、
十三 律法是聖潔的、誡命也是聖潔、公義、良善的。十三既然如此、
那良善的是叫我死麼．斷乎不是．叫我死的乃是罪．但
罪藉着那良善的叫我死、就顯出眞是罪．叫罪因着誡
十四 命更顯出是惡極了。十四我們原曉得律法是屬乎靈的．但
十五 我是屬乎肉體的、是已經賣給罪了。十五因爲我所作的、我
自己不明白．我所願意的、我並不作．我所恨惡的、我倒
十六 去作。十六若我所作的、是我所不願意的、我就應承律法是
十七 善的。十七既是這樣、就不是我作的、乃是住在我裏頭的罪
作的。

良心與情欲交戰

十八 十八我也知道、在我裏頭、就是我肉體之中、沒有良善．因爲
十九 立志爲善由得我、只是行出來由不得我。十九故此、我所願

二十 意的善、我反不作．我所不願意的惡、我倒去作。二十若我去
作所不願意作的、就不是我作的、乃是住在我裏頭的
二一 罪作的。二一我覺得有個律、就是我願意爲善的時候、便有
二二 惡與我同在。二二因爲按着我裏面的意思、(原文作人)我是喜歡
二三 神的律．二三但我覺得肢體中另有個律、和我心中的律
二四 交戰、把我擄去叫我附從那肢體中犯罪的律。二四我眞是
二五 苦阿、誰能救我脫離這取死的身體呢。二五感謝　神、靠着
我們的主耶穌基督就能脫離了。這樣看來、我以內心
順服　神的律．我肉體卻順服罪的律了。

第八章

一 一如今那些在基督耶穌裏的、就不定罪了。
二 二因爲賜生命聖靈的律、在基督耶穌裏釋放了我、使我
三 脫離罪和死的律了。三律法既因肉體輭弱、有所不能行
的、神就差遣自己的兒子、成爲罪身的形狀、作了贖
四 罪祭、在肉體中定了罪案．四使律法的義、成就在我們這
不隨從肉體、只隨從聖靈的人身上。

隨從肉體與隨從聖靈的比較

五 五因爲隨從肉體的人、體貼肉體的事．隨從聖靈的人、體
六 貼聖靈的事。六體貼肉體的就是死．體貼聖靈的乃是生
七 命平安．七原來體貼肉體的、就是與　神爲仇．因爲不服
八 神的律法、也是不能服。八而且屬肉體的人、不能得
九 神的喜歡。九如果　神的靈住在你們心裏、你們就不屬
肉體、乃屬聖靈了．人若沒有基督的靈、就不是屬基督
十 的。十基督若在你們心裏、身體就因罪而死、心靈卻因義
十一 而活．十一然而叫耶穌從死裏復活者的靈、若住在你們心
裏、那叫基督耶穌從死裏復活的、也必藉着住在你們
心裏的聖靈、使你們必死的身體又活過來。

奴僕的心與兒子的心比較

十二 十二弟兄們、這樣看來、我們並不是欠肉體的債、去順從肉
十三 體活着。十三你們若順從肉體活着必要死．若靠着聖靈治
十四 死身體的惡行必要活着。十四因爲凡被　神的靈引導的、
十五 都是　神的兒子。十五你們所受的不是奴僕的心、仍舊害
十六 怕、所受的乃是兒子的心、因此我們呼叫阿爸、父。十六聖靈
十七 與我們的心同證我們是　神的兒女．十七既是兒女、便是
後嗣、就是　神的後嗣、和基督同作後嗣．如果我們和
他一同受苦、也必和他一同得榮耀。

得贖的盼望

十八我想現在的苦楚、若比起將來要顯於我們的榮耀、就
不足介意了。十九受造之物切望等候神的衆子顯出來。
二十因爲受造之物服在虛空之下、不是自己願意、乃是因
那叫他如此的。二一但受造之物仍然指望脫離敗壞的轄
制、得享神兒女自由的榮耀。（享原文作入）二二我們知道一切
受造之物、一同歎息勞苦、直到如今。二三不但如此、就是我
們這有聖靈初結果子的、也是自己心裏歎息、等候得
着兒子的名分、乃是我們的身體得贖。二四我們得救是在
乎盼望．只是所見的盼望不是盼望．誰還盼望他所見
的呢。（有古卷作人所看見的何必再盼望呢）二五但我們若盼望那所不見的、
就必忍耐等候。

愛神者萬事得益

二六況且我們的輭弱有聖靈幫助、我們本不曉得當怎樣
禱告、只是聖靈親自用說不出來的歎息、替我們禱告。
二七鑒察人心的、曉得聖靈的意思．因爲聖靈照着神的
旨意替聖徒祈求。二八我們曉得萬事都互相效力、叫愛
神的人得益處、就是按他旨意被召的人。二九因爲他豫先
所知道的人、就豫先定下效法他兒子的模樣、使他兒
子在許多弟兄中作長子．三十豫先所定下的人、又召他們
來．所召來的人、又稱他們爲義．所稱爲義的人、又叫他
們得榮耀。

信靠主的必能得勝

三一既是這樣、還有甚麼說的呢．神若幫助我們、誰能敵
擋我們呢。三二神旣不愛惜自己的兒子、爲我們衆人捨
了、豈不也把萬物和他一同白白的賜給我們麼．三三誰能
控告神所揀選的人呢．有神稱他們爲義了。（或作是稱他們爲義的神麼）
三四誰能定他們的罪呢．有基督耶穌已經死了、
而且從死裏復活、現今在神的右邊、也替我們祈求。（有基督云云或作是已經死了而且從死裏復活現今在神的右邊也替我們祈求的基督耶穌麼）三五誰
能使我們與基督的愛隔絕呢．難道是患難麼、是困苦
麼、是逼迫麼、是飢餓麼、是赤身露體麼、是危險麼、是刀
劍麼。三六如經上所記『我們爲你的緣故、終日被殺．人看
我們如將宰的羊。』三七然而靠着愛我們的主、在這一切
的事上、已經得勝有餘了。三八因爲我深信無論是死、是生、
是天使、是掌權的、是有能的、是現在的事、是將來的事、

三九是高處的、是低處的、是別的受造之物、都不能叫我們
與 神的愛隔絕．這愛是在我們的主基督耶穌裏的。

保羅憂愁以色列人不信

第九章

一我在基督裏說眞話、並不謊言、有我良心
被聖靈感動、給我作見證．二我是大有憂愁、心裏時常傷
痛。三為我弟兄、我骨肉之親、就是自己被咒詛、與基督分
離、我也願意。四他們是以色列人．那兒子的名分、榮耀、諸
約、律法、禮儀、應許、都是他們的．五列祖就是他們的祖宗、
按肉體說、基督也是從他們出來的、他是在萬有之上、
永遠可稱頌的 神。阿們。六這不是說 神的話落了空．
因為從以色列生的、不都是以色列人．七也不因為是亞
伯拉罕的後裔、就都作他的兒女．惟獨『從以撒生的、
纔要稱為你的後裔。』八這就是說、肉身所生的兒女、不
是 神的兒女．惟獨那應許的兒女纔算是後裔。九因為
所應許的話是這樣說、『到明年這時候我要來、撒拉
必生一個兒子。』十不但如此、還有利百加既從一個人、
就是從我們的祖宗以撒懷了孕．十一（雙子還沒有生下
來、善惡還沒有作出來、只因要顯明 神揀選人的旨
意、不在乎人的行為、乃在乎召人的主．）十二 神就對利
百加說、『將來大的要服事小的。』十三正如經上所記、
『雅各是我所愛的、以掃是我所惡的。』

隨意憐憫慈悲

十四這樣、我們可說甚麼呢．難道 神有甚麼不公平麼．斷
乎沒有。十五因他對摩西說、『我要憐憫誰、就憐憫誰、要恩
待誰、就恩待誰。』十六據此看來、這不在乎那定意的、也不
在乎那奔跑的、只在乎發憐憫的 神。十七因為經上有話
向法老說、『我將你興起來、特要在你身上彰顯我的
權能、並要使我的名傳遍天下。』十八如此看來、 神要憐
憫誰、就憐憫誰、要叫誰剛硬、就叫誰剛硬。

豫言外邦人蒙愛

十九這樣、你必對我說、他為甚麼還指責人呢．有誰抗拒他
的旨意呢．二十你這個人哪、你是誰、竟敢向 神強嘴呢．受
造之物豈能對造他的說、你為甚麼這樣造我呢．二十一窰匠
難道沒有權柄、從一團泥裏拿一塊作成貴重的器皿、
又拿一塊作成卑賤的器皿麼。二十二倘若 神要顯明他的
忿怒、彰顯他的權能、就多多忍耐寬容那可怒豫備遭

二三 毀滅的器皿。二三又要將他豐盛的榮耀、彰顯在那蒙憐憫
二四 早豫備得榮耀的器皿上。二四這器皿就是我們被 神所
召的、不但是從猶太人中、也是從外邦人中、這有甚麼
二五 不可呢。二五就像 神在何西阿書上說、『那本來不是我
子民的、我要稱為我的子民．本來不是蒙愛的、我要稱
二六 為蒙愛的。二六從前在甚麼地方對他們說、你們不是我的
二七 子民、將來就在那裏稱他們為永生 神的兒子。』二七以
賽亞指着以色列人喊着說、『以色列人雖多如海沙、
二八 得救的不過是剩下的餘數．二八因為主要在世上施行他
二九 的話、叫他的話都成全、速速的完結。』二九又如以賽亞先
前說過、『若不是萬軍之主給我們存留餘種、我們早
已像所多瑪、蛾摩拉的樣子了。』

律法的義和信心的義相比

三十 這樣、我們可說甚麼呢．那本來不追求義的外邦人、反
三一 得了義、就是因信而得的義．三一但以色列人追求律法的
三二 義、反得不着律法的義。三二這是甚麼緣故呢．是因為他們
不憑着信心求、只憑着行為求．他們正跌在那絆腳石
三三 上．三三就如經上所記、『我在錫安放一塊絆腳的石頭、跌
人的磐石信靠他的人必不至於羞愧。』

律法的總結就是基督

第十章
一 弟兄們、我心裏所願的、向 神所求的、是
二 要以色列人得救。二我可以證明他們向 神有熱心、但
三 不是按着真知識．三因為不知道 神的義、想要立自己
四 的義、就不服 神的義了。四律法的總結就是基督、使凡
五 信他的都得着義。五摩西寫着說、『人若行那出於律法
六 的義、就必因此活着。』六惟有出於信心的義如此說、『
你不要心裏說、誰要升到天上去呢．就是要領下基督
七 來。七誰要下到陰間去呢．就是要領基督從死裏上來。』
八 他到底怎麼說呢．他說、『這道離你不遠、正在你口裏、
在你心裏。』就是我們所傳信主的道。

求告主名的必要得救

九 你若口裏認耶穌為主、心裏信 神叫他從死裏復活、
十 就必得救。十因為人心裏相信、就可以稱義．口裏承認就
十一 十二 可以得救。十一經上說、『凡信他的人、必不至於羞愧。』十二猶
太人和希利尼人、並沒有分別．因為眾人同有一位主、
十三 他也厚待一切求告他的人。十三因為『凡求告主名的、就

十四 必得救。』十四然而人未曾信他、怎能求他呢。未曾聽見他、
十五 怎能信他呢。沒有傳道的、怎能聽見呢。十五若沒有奉差遣、
怎能傳道呢。如經上所記、『報福音傳喜信的人、他們
十六 的腳蹤、何等佳美。』〇十六只是人沒有都聽從福音。因爲
十七 以賽亞說、『主阿、我們所傳的有誰信呢。』十七可見信道
十八 是從聽道來的、聽道是從基督的話來的。十八但我說、人沒
有聽見麼。誠然聽見了。『他們的聲音傳遍天下、他們
十九 的言語傳到地極。』十九我再說、以色列人不知道麼。先有
摩西說、『我要用那不成子民的、惹動你們的憤恨。我
二十 要用那無知的民、觸動你們的怒氣。』二十又有以賽亞放
膽說、『沒有尋找我的、我叫他們遇見。沒有訪問我的、
二一 我向他們顯現。』二一至於以色列人、他說、『我整天伸手
招呼那悖逆頂嘴的百姓。』

以色列人不全被棄

第十一章
一 我且說、神棄絕了他的百姓麼。斷乎
沒有。因爲我也是以色列人、亞伯拉罕的後裔、屬便雅
二 憫支派的。二神並沒有棄絕他豫先所知道的百姓。你
們豈不曉得經上論到以利亞是怎麼說的呢。他在

三 神面前怎樣控告以色列人說、三『主阿、他們殺了你的
先知、拆了你的祭壇、只剩下我一個人、他們還要尋索
四 我的命。』四神的回話是怎麼說的呢。他說、『我爲自
五 己留下七千人、是未曾向巴力屈膝的。』五如今也是這
六 樣、照着揀選的恩典還有所留的餘數。六既是出於恩典、
七 就不在乎行爲。不然、恩典就不是恩典了。七這是怎麼樣
呢。以色列人所求的、他們沒有得着。惟有蒙揀選的人
八 得着了、其餘的就成了頑梗不化的。八如經上所記、『
神給他們昏迷的心、眼睛不能看見、耳朵不能聽見、直
九 到今日。』九大衛也說、『願他們的筵席變爲網羅、變爲
十 機檻、變爲絆腳石、作他們的報應。十願他們的眼睛昏矇、
不得看見。願你時常彎下他們的腰。』

猶太人所失爲外邦人所得

十一 我且說、他們失腳是要他們跌倒麼。斷乎不是。反倒因
十二 他們的過失、救恩便臨到外邦人、要激動他們發憤。十二若
他們的過失、爲天下的富足、他們的缺乏、爲外邦人的
十三 富足、何況他們的豐滿呢。〇十三我對你們外邦人說這話、
因我是外邦人的使徒、所以敬重我的職分、(敬重原文作榮耀)

十四 十五 或十四者可以激動我骨肉之親發憤、好救他們一些人。十五若
他們被丟棄、天下就得與 神和好、他們被收納、豈不
十六 是死而復生麼。十六所獻的新麵、若是聖潔、全團也就聖潔
十七 了。樹根若是聖潔、樹枝也就聖潔了。十七若有幾根枝子被
十八 折下來、你這野橄欖得接在其中、一同得着橄欖根的
肥汁。十八你就不可向舊枝子誇口、若是誇口、當知道、不是
十九 你托着根、乃是根托着你。十九你若說、那枝子被折下來、是
二十 特為叫我接上。二十不錯、他們因為不信、所以被折下來、你
二一 因為信、所以立得住、你不可自高、反要懼怕。二一 神既不
二二 愛惜原來的枝子、也必不愛惜你。二二可見 神的恩慈和
嚴厲。向那跌倒的人、是嚴厲的。向你是有恩慈的。只要
二三 你長久在他的恩慈裏。不然、你也要被砍下來。二三而且他
們若不是長久不信、仍要被接上。因為 神能彀把他
二四 們從新接上。二四你是從那天生的野橄欖上砍下來的、尚
且逆着性得接在好橄欖上、何況這本樹的枝子、要接
在本樹上呢。

猶太人暫時被棄終必得救

二五 二五弟兄們、我不願意你們不知道這奧祕、(恐怕你們自

以為聰明)就是以色列人有幾分是硬心的、等到外
二六 邦人的數目添滿了。二六於是以色列全家都要得救、如經
二七 上所記、『必有一位救主從錫安出來、要消除雅各家
二八 的一切罪惡。』二七又說、『我除去他們罪的時候、這就是
我與他們所立的約。』二八就着福音說、他們為你們的緣
二九 故是仇敵、就着揀選說、他們為列祖的緣故是蒙愛的。
三十 二九因為 神的恩賜和選召、是沒有後悔的。三十你們從前不
三一 順服 神、如今因他們的不順服、你們倒蒙了憐恤。三一這
樣、他們也是不順服、叫他們因着施給你們的憐恤、現
三二 在也就蒙憐恤。三二因為 神將眾人都圈在不順服之中、
特意要憐恤眾人。

主智無窮主道難尋

三三 三三深哉、 神豐富的智慧和知識。他的判斷、何其難測、他
三四 的蹤跡、何其難尋。三四誰知道主的心、誰作過他的謀士呢、
三五 三六 三五誰是先給了他、使他後來償還呢。三六因為萬有都是本於
他、倚靠他、歸於他。願榮耀歸給他、直到永遠。阿們。

第十二章

獻己與主當作活祭

一 一所以弟兄們、我以 神的慈悲勸你們、

將身體獻上、當作活祭、是聖潔的、是 神所喜悅的．你
二 們如此事奉、乃是理所當然的。[二]不要效法這個世界．只
要心意更新而變化、叫你們察驗何爲 神的善良、純
三 全可喜悅的旨意。〇[三]我憑着所賜我的恩、對你們各人
說、不要看自己過於所當看的．要照着 神所分給各
四 人信心的大小、看得合乎中道。[四]正如我們一個身子上
五 有好些肢體、肢體也不都是一樣的用處。[五]我們這許多
六 人、在基督裏成爲一身、互相聯絡作肢體、也是如此。[六]按
我們所得的恩賜、各有不同、或說豫言、就當照着信心
七 的程度說豫言．[七]或作執事、就當專一執事．或作教導的、
八 就當專一教導．[八]或作勸化的、就當專一勸化．施捨的、就
當誠實．治理的、就當殷勤．憐憫人的、就當甘心。

聖徒的品行

九十 [九]愛人不可虛假．惡要厭惡、善要親近。[十]愛弟兄、要彼此親
十一 熱．恭敬人、要彼此推讓。[十一]殷勤不可懶惰．要心裏火熱、常
十二 常服事主。[十二]在指望中要喜樂、在患難中要忍耐。禱告要
十三十四 恆切．[十三]聖徒缺乏要幫補．客要一味的款待。[十四]逼迫你們的、
十五 要給他們祝福．只要祝福、不可咒詛。[十五]與喜樂的人要同
十六 樂．與哀哭的人要同哭。[十六]要彼此同心．不要志氣高大、倒
要俯就卑微的人。(人或作事) 不要自以爲聰明。

不要以惡報惡

十七十八 [十七]不要以惡報惡、衆人以爲美的事、要留心去作。[十八]若是能
十九 行、總要盡力與衆人和睦。[十九]親愛的弟兄、不要自己伸冤、
寧可讓步、聽憑主怒．(或作讓人發怒) 因爲經上記着、『主說、伸
二十 冤在我．我必報應。』[二十]所以『你的仇敵若餓了、就給他
喫．若渴了、就給他喝．因爲你這樣行、就是把炭火堆在
二十一 他的頭上。』[二十一]你不可爲惡所勝、反要以善勝惡。

第十三章

要順服掌權者

[一]在上有權柄的、人人當順服他．因爲沒
一 有權柄不是出於 神的．凡掌權的都是 神所命的。
二 [二]所以抗拒掌權的、就是抗拒 神的命．抗拒的必自取
三 刑罰。[三]作官的原不是叫行善的懼怕、乃是叫作惡的懼
怕。你願意不懼怕掌權的麼、你只要行善、就可得他的
四 稱讚。[四]因爲他是 神的用人、是與你有益的。你若作惡、
卻當懼怕．因爲他不是空空的佩劍．他是 神的用人、
五 是伸冤的、刑罰那作惡的。[五]所以你們必須順服、不但是

六 因爲刑罰、也是因爲良心。[6]你們納糧、也爲這個緣故．因
七 他們是 神的差役、常常特管這事。[7]凡人所當得的、就
給他．當得糧的、給他納糧．當得稅的、給他上稅．當懼怕
的、懼怕他．當恭敬的、恭敬他。

愛心完全律法

八 [8]凡事都不可虧欠人、惟有彼此相愛、要常以爲虧欠．因
九 爲愛人的就完全了律法。[9]像那不可姦淫、不可殺人、不
可偷盜、不可貪婪、或有別的誡命、都包在愛人如己這
十 一句話之內了。[10]愛是不加害與人的、所以愛就完全了
律法。

當趁早醒悟

十一 [11]再者、你們曉得現今就是該趁早睡醒的時候、因爲我
十二 們得救、現今比初信的時候更近了。[12]黑夜已深、白晝將
十三 近．我們就當脫去暗昧的行爲、帶上光明的兵器。[13]行事
爲人要端正、好像行在白晝．不可荒宴醉酒．不可好色
十四 邪蕩．不可爭競嫉妒。[14]總要披戴主耶穌基督、不要爲肉
體安排、去放縱私慾。

第十四章

不要辯論信心輭弱的

一 [1]信心輭弱的、你們要接納、但不要辯論
二 所疑惑的事。[2]有人信百物都可喫．但那輭弱的、只喫蔬
三 菜。[3]喫的人不可輕看不喫的人．不喫的人不可論斷喫
四 的人．因爲 神已經收納他了。[4]你是誰、竟論斷別人的
僕人呢．他或站住、或跌倒、自有他的主人在．而且他也
五 必要站住．因爲主能使他站住。[5]有人看這日比那日強、
六 有人看日日都是一樣．只是各人心裏要意見堅定。[6]守
日的人、是爲主守的．喫的人、是爲主喫的、因他感謝
神．不喫的人、是爲主不喫的、也感謝 神。

活爲主活死爲主死

七 [7]我們沒有一個人爲自己活、也沒有一個人爲自己死。
八 [8]我們若活着、是爲主而活．若死了、是爲主而死．所以我
九 們或活或死、總是主的人。[9]因此基督死了、又活了、爲要
十 作死人並活人的主。[10]你這個人、爲甚麼論斷弟兄呢．又
十一 爲甚麼輕看弟兄呢．因我們都要站在 神的臺前。[11]經
上寫着『主說、我憑着我的永生起誓、萬膝必向我跪
十二 拜、萬口必向我承認。』[12]這樣看來、我們各人必要將自

己的事、在 神面前說明。
不可使弟兄跌倒
十三 所以我們不可再彼此論斷．寧可定意、誰也不給弟兄
十四 放下絆腳跌人之物。我憑着主耶穌確知深信、凡物本
來沒有不潔淨的．惟獨人以為不潔淨的、在他就不潔
十五 淨了。你若因食物叫弟兄憂愁、就不是按着愛人的道
理行。基督已經替他死、你不可因你的食物叫他敗壞。
十六 十七 不可叫你的善被人毀謗．因為 神的國、不在乎喫喝、
十八 只在乎公義、和平、並聖靈中的喜樂。在這幾樣上服事
十九 基督的、就為 神所喜悅、又為人所稱許。所以我們務
二十 要追求和睦的事、與彼此建立德行的事。不可因食物
毀壞 神的工程．凡物固然潔淨、但有人因食物叫人
二一 跌倒、就是他的罪了。無論是喫肉、是喝酒、是甚麼別的
二二 事、叫弟兄跌倒、一概不作纔好。你有信心、就當在 神
面前守着。人在自己以為可行的事上、能不自責、就有
二三 福了。若有疑心而喫的、就必有罪．因為他喫、不是出於
信心．凡不出於信心的都是罪。

第十五章

當效基督勿求己悅

一 我們堅固的人、應該擔代不堅固人的
二 軟弱、不求自己的喜悅。我們各人務要叫鄰舍喜悅、使
三 他得益處、建立德行。因為基督也不求自己的喜悅、如
四 經上所記、『辱罵你人的辱罵、都落在我身上。』從前
所寫的聖經、都是為教訓我們寫的、叫我們因聖經所
五 生的忍耐和安慰、可以得着盼望。但願賜忍耐安慰的
六 神、叫你們彼此同心、效法基督耶穌．一心一口、榮耀
七 神我們主耶穌基督的父。所以你們要彼此接納、如
八 同基督接納你們一樣、使榮耀歸與 神。我說、基督是
為 神真理作了受割禮人的執事、要證實所應許列
九 祖的話．並叫外邦人因他的憐憫、榮耀 神．如經上所
十 記、『因此我要在外邦中稱讚你、歌頌你的名。』又說、
十一 『你們外邦人、當與主的百姓一同歡樂。』又說、『外
十二 邦阿、你們當讚美主．萬民哪、你們都當頌讚他。』又有
以賽亞說、『將來有耶西的根、就是那興起來要治理
十三 外邦的．外邦人要仰望他。』但願使人有盼望的 神、
因信、將諸般的喜樂平安、充滿你們的心、使你們藉着

聖靈的能力、大有盼望。

為外邦人作基督的僕役

十四弟兄們、我自己也深信你們是滿有良善、充足了諸般
的知識、也能彼此勸戒。十五但我稍微放膽寫信給你們、是
要題醒你們的記性、特因 神所給我的恩典、十六使我為
外邦人作基督耶穌的僕役、作 神福音的祭司、叫所
獻上的外邦人、因着聖靈成為聖潔、可蒙悅納。十七所以論
到 神的事、我在基督耶穌裏有可誇的。十八除了基督藉
我作的那些事、我甚麼都不敢題。只題他藉我言語作
為、用神蹟奇事的能力、並聖靈的能力、使外邦人順服。
十九甚至我從耶路撒冷、直轉到以利哩古、到處傳了基督
的福音。

不建造在別人的根基上

二十我立了志向、不在基督的名被稱過的地方傳福音、免
得建造在別人的根基上。二一就如經上所記、『未曾聞知
他信息的、將要看見、未曾聽過的、將要明白。』○二二我因
多次被攔阻、總不得到你們那裏去。二三但如今在這裏再
沒有可傳的地方、而且這好幾年、我切心想望到士班
雅去的時候、可以到你們那裏。二四盼望從你們那裏經過、
得見你們、先與你們彼此交往、心裏稍微滿足、然後蒙
你們送行。二五但現在我往耶路撒冷去、供給聖徒。二六因為馬
其頓、和亞該亞人樂意湊出捐項、給耶路撒冷聖徒中
的窮人。二七這固然是他們樂意的、其實也算是所欠的債。
因外邦人既然在他們屬靈的好處上有分、就當把養
身之物供給他們。二八等我辦完了這事、把這善果向他們
交付明白、我就要路過你們那裏、往士班雅去。二九我也曉
得去的時候、必帶着基督豐盛的恩典而去。

保羅求羅馬弟兄為己祈禱

三十弟兄們、我藉着我們主耶穌基督、又藉着聖靈的愛、勸
你們與我一同竭力、為我祈求 神。三一叫我脫離在猶太
不順從的人、也叫我為耶路撒冷所辦的捐項、可蒙聖
徒悅納。三二並叫我順着 神的旨意、歡歡喜喜的到你們
那裏、與你們同得安息。三三願賜平安的 神、常和你們眾
人同在。阿們。

第十六章

舉薦非比

一我對你們舉薦我們的姊妹非比、他是

堅革哩教會中的女執事．二請你們爲主接待他、合乎聖
徒的體統．他在何事上要你們幫助、你們就幫助他．因
他素來幫助許多人、也幫助了我。

幾樣的問安

三問百基拉和亞居拉安．他們在基督耶穌裏與我同工、
四也爲我的命將自己的頸項置之度外．不但我感謝他
們、就是外邦的衆教會也感謝他們．五又問在他們家中
的教會安。問我所親愛的以拜尼土安．他在亞西亞是
歸基督初結的果子．六又問馬利亞安．他爲你們多受勞
苦．七又問我親屬與我一同坐監的安多尼古和猶尼亞
安．他們在使徒中是有名望的、也是比我先在基督裏。
八又問我在主裏面所親愛的暗伯利安。九又問在基督裏
與我們同工的耳巴奴、並我所親愛的士大古安。十又問
在基督裏經過試驗的亞比利安。問亞利多布家裏的
人安。十一又問我親屬希羅天安。問拿其數家在主裏的人
安。十二又問爲主勞苦的士非拿氏和士富撒氏安。問可親
愛爲主多受勞苦的彼息氏安。十三又問在主蒙揀選的魯
孚和他母親安．他的母親就是我的母親。十四又問亞遜其
士、弗勒干、黑米、八羅巴、黑馬、並與他們在一處的弟兄
們安。十五又問非羅羅古、和猶利亞、尼利亞、和他姊妹、同阿
林巴、並與他們在一處的衆聖徒安。十六你們親嘴問安、彼
此務要聖潔。基督的衆教會都問你們安。

防避背道者的誘惑

十七弟兄們、那些離間你們、叫你們跌倒、背乎所學之道的
人、我勸你們要留意躲避他們。十八因爲這樣的人不服事
我們的主基督、只服事自己的肚腹、用花言巧語、誘惑
那些老實人的心。十九你們的順服、已經傳於衆人、所以我
爲你們歡喜．但我願意你們在善上聰明、在惡上愚拙。
二十賜平安的　神、快要將撒但踐踏在你們腳下。願我主
耶穌基督的恩、常和你們同在。〇二一與我同工的提摩太、
和我的親屬路求、耶孫、所西巴德、問你們安。二二我這代筆
寫信的德丟、在主裏面問你們安。二三那接待我、也接待全
教會的該猶、問你們安。二四城內管銀庫的以拉都、和兄弟
括土、問你們安。〇二五惟有　神能照我所傳的福音、和所
講的耶穌基督、並照永古隱藏不言的奧祕、堅固你們
的心。二六這奧祕如今顯明出來、而且按着永生　神的命、

二七 藉眾先知的書指示萬國的民、使他們信服眞道。二七願榮
耀因耶穌基督歸與獨一全智的神、直到永遠。阿們。

羅馬國徽（鷹）

保羅達哥林多人前書

祝福

一 第一章　奉　神旨意、蒙召作耶穌基督使徒的保
二 羅、同兄弟所提尼、寫信給在哥林多　神的教會、就是
在基督耶穌裏成聖、蒙召作聖徒的、以及所有在各處
求告我主耶穌基督之名的人、基督是他們的主、也是
三 我們的主。願恩惠平安、從　神我們的父、並主耶穌基
督、歸與你們。

感謝

四 我常為你們感謝我的　神、因　神在基督耶穌裏所
五 賜給你們的恩惠。又因你們在他裏面凡事富足、口才
六 知識都全備。正如我為基督作的見證、在你們心裏得
七 以堅固。以致你們在恩賜上沒有一樣不及人的、等候
八 我們的主耶穌基督顯現。他也必堅固你們到底、叫你
九 們在我們主耶穌基督的日子、無可責備。　神是信實
的、你們原是被他所召、好與他兒子我們的主耶穌基
督、一同得分。

勸弟兄相合

十 弟兄們、我藉我們主耶穌基督的名、勸你們都說一樣
的話。你們中間也不可分黨。只要一心一意彼此相合。
十一 因為革來氏家裏的人、曾對我題起弟兄們來、說你們
十二 中間有分爭。我的意思就是你們各人說、我是屬保羅
十三 的。我是屬亞波羅的。我是屬磯法的。我是屬基督的。基
督是分開的麼。保羅為你們釘了十字架麼。你們是奉
十四 保羅的名受了洗麼。我感謝　神、除了基利司布並該
十五 猶以外、我沒有給你們一個人施洗。免得有人說、你們
十六 是奉我的名受洗。我也給司提反家施過洗。此外給別
十七 人施洗沒有、我卻記不清。基督差遣我、原不是為施洗、
乃是為傳福音。並不用智慧的言語、免得基督的十字
架落了空。

基督是　神的能力和智慧

十八 因為十字架的道理、在那滅亡的人為愚拙。在我們得
十九 救的人卻為　神的大能。就如經上所記、『我要滅絕
二十 智慧人的智慧、廢棄聰明人的聰明。』智慧人在那裏。
文士在那裏。這世上的辯士在那裏。　神豈不是叫這

二一 世上的智慧變成愚拙麼。[二一]世人憑自己的智慧、既不認
識神、神就樂意用人所當作愚拙的道理、拯救那
二二 些信的人。這就是神的智慧了。[二二]猶太人是要神蹟、希
二三 利尼人是求智慧。[二三]我們卻是傳釘十字架的基督、在猶
二四 太人為絆腳石、在外邦人為愚拙。[二四]但在那蒙召的、無論
是猶太人希利尼人、基督總為神的能力、神的智
二五 慧。[二五]因神的愚拙總比人智慧、神的軟弱總比人強
壯。

世人厭惡的乃神所揀選

二六 [二六]弟兄們哪、可見你們蒙召的、按着肉體有智慧的不多、
二七 有能力的不多、有尊貴的也不多。[二七]神卻揀選了世上
愚拙的、叫有智慧的羞愧。又揀選了世上軟弱的、叫那
二八 強壯的羞愧。[二八]神也揀選了世上卑賤的、被人厭惡的、
二九 以及那無有的、為要廢掉那有的。[二九]使一切有血氣的、在
三十 神面前一個也不能自誇。[三十]但你們得在基督耶穌裏、
是本乎神、神又使他成為我們的智慧、公義、聖潔、
三一 救贖。[三一]如經上所記、『誇口的當指着主誇口。』
一 **第二章** [一]弟兄們、從前我到你們那裏去、並沒有用

二 高言大智對你們宣傳神的奧祕。[二]因為我曾定了主
意、在你們中間不知道別的、只知道耶穌基督、並他釘
三四 十字架。[三]我在你們那裏、又軟弱、又懼怕、又甚戰兢。[四]我說
的話講的道、不是用智慧委婉的言語、乃是用聖靈和
五 大能的明證。[五]叫你們的信不在乎人的智慧、只在乎
神的大能。

神的智慧和世俗的智慧比較

六 [六]然而在完全的人中、我們也講智慧。但不是這世上的
智慧、也不是這世上有權有位將要敗亡之人的智慧。
七 [七]我們講的、乃是從前所隱藏、神奧祕的智慧、就是
八 神在萬世以前、預定使我們得榮耀的。[八]這智慧世上有
權有位的人、沒有一個知道的。他們若知道、就不把榮
九 耀的主釘在十字架上了。[九]如經上所記、『神為愛他
的人所豫備的、是眼睛未曾看見、耳朵未曾聽見、人心
十 也未曾想到的。』[十]只有神藉着聖靈向我們顯明了。
十一 因為聖靈參透萬事、就是神深奧的事也參透了。[十一]除
了在人裏頭的靈、誰知道人的事、像這樣、除了神的
十二 靈、也沒有人知道神的事。[十二]我們所領受的、並不是世

上的靈、乃是從 神來的靈、叫我們能知道 神開恩
十三 賜給我們的事。十三並且我們講說這些事、不是用人智慧
所指教的言語、乃是用聖靈所指教的言語、將屬靈的
話、解釋屬靈的事。或作將屬靈的事講與屬靈的人

屬靈的人領會 神的事

十四 十四然而屬血氣的人不領會 神聖靈的事、反倒以為愚
拙。並且不能知道。因為這些事惟有屬靈的人纔能看
十五十六 透。十五屬靈的人能看透萬事、卻沒有一人能看透了他。十六誰
曾知道主的心去教導他呢。但我們是有基督的心了。

保羅不以哥林多教會為屬靈的

一 **第三章** 一弟兄們、我從前對你們說話、不能把你們
當作屬靈的、只得把你們當作屬肉體、在基督裏為嬰
二 孩的。二我是用奶餵你們、沒有用飯餵你們。那時你們不
三 能喫、就是如今還是不能。三你們仍是屬肉體的。因為在
你們中間有嫉妒分爭、這豈不是屬乎肉體、照着世人
四 的樣子行麼。四有說、我是屬保羅的。有說、我是屬亞波羅
五 的。這豈不是你們和世人一樣麼。五亞波羅算甚麼。保羅
算甚麼。無非是執事、照主所賜給他們各人的、引導你
們相信。

使徒與 神同工

六七 六我栽種了、亞波羅澆灌了。惟有 神叫他生長。七可見栽
種的算不得甚麼、澆灌的也算不得甚麼。只在那叫他
八 生長的 神。八栽種的和澆灌的都是一樣。但將來各人
九 要照自己的工夫、得自己的賞賜。九因為我們是與 神
同工的。你們是 神所耕種的田地、所建造的房屋。

惟有基督是教會的根基

十 十我照 神所給我的恩、好像一個聰明的工頭、立好了
根基、有別人在上面建造。只是各人要謹慎怎樣在上
十一 面建造。十一因為那已經立好的根基、就是耶穌基督。此外
十二 沒有人能立別的根基。十二若有人用金、銀、寶石、草木、禾稭、
十三 在這根基上建造。十三各人的工程必然顯露。因為那日子
要將他表明出來、有火發現。這火要試驗各人的工程
十四 怎樣。十四人在那根基上所建造的工程、若存得住、他就要
十五 得賞賜。十五人的工程若被燒了、他就要受虧損、自己卻要
得救、雖然得救乃像從火裏經過的一樣。

門徒是 神之殿應當聖潔

十六 豈[十六]不知你們是 神的殿、 神的靈住在你們裏頭麼。
十七 若[十七]有人毀壞 神的殿、 神必要毀壞那人．因爲 神
十八 的殿是聖的、這殿就是你們。○人[十八]不可自欺、你們中間
若有人、在這世界自以爲有智慧、倒不如變作愚拙、好
十九 成爲有智慧的。[十九]因這世界的智慧、在 神看是愚拙．[二十]如
二十 經上記着說、『主叫有智慧的中了自己的詭計。』又
二一 說、『主知道智慧人的意念是虛妄的。』[二一]所以無論誰、
二二 都不可拿人誇口．因爲萬有全是你們的．[二二]或保羅、或亞
波羅、或磯法、或世界、或生、或死、或現今的事、或將來的
二三 事、全是你們的．[二三]並且你們是屬基督的．基督又是屬
神的。

使徒是 神的管家

一 **第四章** [一]人應當以我們爲基督的執事、爲 神奥
二三 祕事的管家。[二]所求於管家的、是要他有忠心。[三]我被你們
論斷、或被別人論斷、我都以爲極小的事．連我自己也
四 不論斷自己。[四]我雖不覺得自己有錯、卻也不能因此得
五 以稱義．但判斷我的乃是主。[五]所以時候未到、甚麼都不
要論斷、只等主來、他要照出暗中的隱情、顯明人心的
六 意念．那時各人要從 神那裏得着稱讚。○弟[六]兄們、我
爲你們的緣故、拿這些事轉比自己和亞波羅、叫你們
效法我們不可過於聖經所記、免得你們自高自大、貴
七 重這個、輕看那個。[七]使你與人不同的是誰呢．你有甚麼
不是領受的呢．若是領受的、爲何自誇、彷彿不是領受
八 的呢。[八]你們已經飽足了、已經豐富了、不用我們、自己就
作王了．我願意你們果眞作王、叫我們也得與你們一
九 同作王。[九]我想 神把我們使徒明明列在末後、好像定
死罪的囚犯．因爲我們成了一臺戲、給世人和天使觀
十 看。[十]我們爲基督的緣故算是愚拙的、你們在基督裏倒
是聰明的．我們軟弱、你們倒強壯．你們有榮耀、我們倒
十一 被藐視。[十一]直到如今、我們還是又飢、又渴、又赤身露體、又
十二 挨打、又沒有一定的住處．[十二]並且勞苦、親手作工．被人咒
十三 駡、我們就祝福．被人逼迫、我們就忍受．[十三]被人毀謗、我們
就善勸．直到如今、人還把我們看作世界上的污穢、萬
物中的渣滓。

當效法保羅

十四 十四我寫這話、不是叫你們羞愧、乃是警戒你們、好像我所
十五 親愛的兒女一樣。十五你們學基督的師傅、雖有一萬、爲父
十六 的卻是不多、因我在基督耶穌裏用福音生了你們。十六所
十七 以我求你們效法我。十七因此我已打發提摩太到你們那
裏去．他在主裏面是我所親愛有忠心的兒子．他必題
醒你們、記念我在基督裏怎樣行事、在各處各教會中
十八 怎樣教導人。十八有些人自高自大、以爲我不到你們那裏
十九 去。十九然而主若許我、我必快到你們那裏去、並且我所要
知道的、不是那些自高自大之人的言語、乃是他們的
二十 二十一 權能。二十因爲 神的國不在乎言語、乃在乎權能。二十一你們願
意怎麽樣呢．是願意我帶着刑杖到你們那裏去呢、還
是要我存慈愛溫柔的心呢。

第五章　教會容忍淫亂的事

一 一風聞在你們中間有淫亂的事．這樣的淫
二 亂、連外邦人中也沒有、就是有人收了他的繼母。二你們
還是自高自大、並不哀痛、把行這事的人從你們中間
三 趕出去。三我身子雖不在你們那裏、心卻在你們那裏、好
四 像我親自與你們同在、已經判斷了行這事的人、四就是
你們聚會的時候、我的心也同在、奉我們主耶穌的名、
五 並用我們主耶穌的權能、五要把這樣的人交給撒但、敗
壞他的肉體、使他的靈魂在主耶穌的日子可以得救。
六 六你們這自誇是不好的．豈不知一點麵酵能使全團發
七 起來麼。七你們既是無酵的麵、應當把舊酵除淨、好使你
們成爲新團．因爲我們逾越節的羔羊基督、已經被殺
八 獻祭了。八所以我們守這節不可用舊酵、也不可用惡毒
或作陰毒 邪惡的酵、只用誠實眞正的無酵餅。

不可和不潔的人相交

九 十 九我先前寫信給你們說、不可與淫亂的人相交。十此話不
是指這世上一概行淫亂的、或貪婪的、勒索的、或拜偶
十一 像的、若是這樣、你們除非離開世界方可。十一但如今我寫
信給你們說、若有稱爲弟兄、是行淫亂的、或貪婪的、或
拜偶像的、或辱罵的、或醉酒的、或勒索的、這樣的人不
十二 可與他相交．就是與他喫飯都不可。十二因爲審判教外的
十三 人與我何干．教內的人豈不是你們審判的麼。十三至於外
人有 神審判他們．你們應當把那惡人從你們中間

趕出去。

第六章　不宜爭訟

一 你們中間有彼此相爭的事、怎敢在不義
二 的人面前求審、不在聖徒面前求審呢。豈不知聖徒要
審判世界麼。若世界爲你們所審、難道你們不配審判
三 這最小的事麼。豈不知我們要審判天使麼、何況今生
四 的事呢。既是這樣、你們若有今生的事當審判、是派教
五 會所輕看的人審判麼。我說這話、是要叫你們羞恥。難
道你們中間沒有一個智慧人、能審斷弟兄們的事麼。
六 你們竟是弟兄與弟兄告狀、而且告在不信主的人面
七 前。你們彼此告狀、這已經是你們的大錯了。爲甚麼不
八 情願受欺呢、爲甚麼不情願喫虧呢。你們倒是欺壓人、
虧負人、況且所欺壓所虧負的就是弟兄。

不義的人不能承受神的國

九 你們豈不知、不義的人不能承受神的國麼。不要自
欺、無論是淫亂的、拜偶像的、姦淫的、作孌童的、親男色
十 的、偷竊的、貪婪的、醉酒的、辱罵的、勒索的、都不能承受
十一 神的國。你們中間也有人從前是這樣。但如今你們
奉主耶穌基督的名、並藉着我們神的靈、已經洗淨、
十二 成聖稱義了。○凡事我都可行、但不都有益處。凡事我
十三 都可行、但無論那一件、我總不受他的轄制。食物是爲
肚腹、肚腹是爲食物。但神要叫這兩樣都廢壞。身子
十四 不是爲淫亂、乃是爲主、主也是爲身子。並且神已經
十五 叫主復活、也要用自己的能力叫我們復活。豈不知你
們的身子是基督的肢體麼。我可以將基督的肢體作
十六 爲娼妓的肢體麼。斷乎不可。豈不知與娼妓聯合的便
是與他成爲一體麼。因爲主說、『二人要成爲一體。』
十七 但與主聯合的、便是與主成爲一靈。

要在身子上榮耀神

十八 你們要逃避淫行。人所犯的、無論甚麼罪、都在身子以
十九 外。惟有行淫的、是得罪自己的身子。豈不知你們的身
子就是聖靈的殿麼。這聖靈是從神而來、住在你們
二十 裏頭的。並且你們不是自己的人。因爲你們是重價買
來的。所以要在你們的身子上榮耀神。

第七章

一 論到你們信上所題的事、我說、男不近女
二 倒好。但要免淫亂的事、男子當各有自己的妻子、女子

三 也當各有自己的丈夫。丈夫當用合宜之分待妻子、妻
四 子待丈夫也要如此。妻子沒有權柄主張自己的身子、
乃在丈夫。丈夫也沒有權柄主張自己的身子、乃在妻
五 子。夫妻不可彼此虧負、除非兩相情願、暫時分房、為要
專心禱告、方可以後仍要同房、免得撒但趁着你們情
六 不自禁、引誘你們。我說這話、原是准你們的、不是命你
七 們的。我願意眾人像我一樣、只是各人領受 神的恩
賜、一個是這樣、一個是那樣。

論嫁娶的事

八九 我對着沒有嫁娶的和寡婦說、若他們常像我就好。倘
若自己禁止不住、就可以嫁娶。與其慾火攻心、倒不如
十 嫁娶為妙。至於那已經嫁娶的、我吩咐他們、其實不是
十一 我吩咐、乃是主吩咐、說、妻子不可離開丈夫。若是離開
了、不可再嫁、或是仍同丈夫和好。丈夫也不可離棄妻
十二 子。我對其餘的人說、不是主說、倘若某弟兄有不信的
十三 妻子、妻子也情願和他同住、他就不要離棄妻子。妻子
有不信的丈夫、丈夫也情願和他同住、他就不要離棄
十四 丈夫。因為不信的丈夫、就因着妻子成了聖潔、並且不
信的妻子、就因着丈夫成了聖潔。（丈夫原文作弟兄）不然、你們
十五 的兒女就不潔淨、但如今他們是聖潔的了。倘若那不
信的人要離去、就由他離去罷。無論是弟兄、是姐妹、遇
着這樣的事、都不必拘束。 神召我們原是要我們和
十六 睦。你這作妻子的、怎麼知道不能救你的丈夫呢。你這
十七 作丈夫的、怎麼知道不能救你的妻子呢。只要照主所
分給各人的、和 神所召各人的而行。我吩咐各教會
十八 都是這樣。有人已受割禮蒙召呢、就不要廢割禮。有人
十九 未受割禮蒙召呢、就不要受割禮。受割禮算不得甚麼、
不受割禮也算不得甚麼、只要守 神的誡命就是了。

當各守身分

二十 二一 各人蒙召的時候是甚麼身分、仍要守住這身分。你是
作奴隸蒙召的麼、不要因此憂慮。若能以自由、就求自
二二 由更好。因為作奴僕蒙召於主的、就是主所釋放的人。
二三 作自由之人蒙召的、就是基督的奴僕。你們是重價買
二四 來的。不要作人的奴僕。弟兄們、你們各人蒙召的時候
是甚麼身分、仍要在 神面前守住這身分。

論守童身

二五 二五論到童身的人、我沒有主的命令、但我既蒙主憐恤、能
二六 作忠心的人、就把自己的意見告訴你們……二六因現今的艱
二七 難、據我看來、人不如守素安常纔好。二七你有妻子纏着呢、
二八 就不要求脫離。你沒有妻子纏着呢、就不要求妻子。二八你
若娶妻、並不是犯罪．處女若出嫁、也不是犯罪．然而這
二九 等人肉身必受苦難．我卻願意你們免這苦難。二九弟兄們、
我對你們說、時候減少了．從此以後、那有妻子的、要像
三十 沒有妻子．三十哀哭的、要像不哀哭．快樂的、要像不快樂．置
三一 買的、要像無有所得．三一用世物的、要像不用世物．因為這
三二 世界的樣子將要過去了。三二我願你們無所罣慮。沒有娶
三三 妻的、是為主的事罣慮、想怎樣叫主喜悅。三三娶了妻的、是
三四 為世上的事罣慮、想怎樣叫妻子喜悅。三四婦人和處女也
有分別。沒有出嫁的、是為主的事罣慮、要身體靈魂都
聖潔．已經出嫁的、是為世上的事罣慮、想怎樣叫丈夫
三五 喜悅。三五我說這話、是為你們的益處．不是要牢籠你們、乃
是要叫你們行合宜的事、得以殷勤服事主、沒有分心
三六 的事。三六若有人以為自己待他的女兒不合宜、女兒也過
了年歲、事又當行、他就可隨意辦理、不算有罪、叫二人
三七 成親就是了。三七倘若人心裏堅定、沒有不得已的事、並且
由得自己作主、心裏又決定了留下女兒不出嫁……如此
三八 行也好。三八這樣看來、叫自己的女兒出嫁是好．不叫他出
三九 嫁更是好。三九丈夫活着的時候、妻子是被約束的．丈夫若
死了、妻子就可以自由、隨意再嫁．只是要嫁這在主裏
四十 面的人。四十然而按我的意見、若常守節更有福氣．我也想
自己是被　神的靈感動了。

第八章　禁喫祭偶像之物

一 一論到祭偶像之物、我們曉得我們都有知
二 識．但知識是叫人自高自大、惟有愛心能造就人。二若有
人以為自己知道甚麼、按他所當知道的、他仍是不知
三四 道。三若有人愛　神、這人乃是　神所知道的。四論到喫祭
偶像之物、我們知道偶像在世上算不得甚麼．也知道
五 神只有一位、再沒有別的神。五雖有稱為神的、或在天、或
六 在地．就如那許多的神、許多的主．六然而我們只有一位
神、就是父、萬物都本於他、我們也歸於他．並有一位主、
就是耶穌基督、萬物都是藉着他有的、我們也是藉着

七 他有的。七但人不都有這等知識．有人到如今因拜慣了
偶像、就以為所喫的是祭偶像之物．他們的良心既然
八 軟弱、也就污穢了。八其實食物不能叫　神看中我們．因
為我們不喫也無損、喫也無益。

門徒不可藉自由成別人的絆腳石

九 九只是你們要謹慎、恐怕你們這自由竟成了那軟弱人
十 的絆腳石。十若有人見你這有知識的、在偶像的廟裏坐
席、這人的良心若是軟弱、豈不放膽去喫那祭偶像之
十一 物麼。十一因此基督為他死的那軟弱弟兄、也就因你的知
十二 識沉淪了。十二你們這樣得罪弟兄們、傷了他們軟弱的良
十三 心、就是得罪基督。十三所以食物若叫我弟兄跌倒、我就永
遠不喫肉、免得叫我弟兄跌倒了。

保羅在何事不用自由

一 **第九章** 一我不是自由的麼．我不是使徒麼．我不是
見過我們的主耶穌麼．你們不是我在主裏面所作之
二 工麼。二假若在別人我不是使徒、在你們我總是使徒．因
三 為你們在主裏正是我作使徒的印證。三我對那盤問我
四 的人、就是這樣分訴。四難道我們沒有權柄靠福音喫喝
五 麼。五難道我們沒有權柄娶信主的姊妹為妻、帶着一同
六 往來、彷彿其餘的使徒、和主的弟兄、並磯法一樣麼。六獨
七 有我與巴拿巴沒有權柄不作工麼。七有誰當兵自備糧
餉呢．有誰栽葡萄園、不喫園裏的果子呢．有誰牧養牛
八 羊、不喫牛羊的奶呢。八我說這話、豈是照人的意見．律法
九 不也是這樣說麼。九就如摩西的律法記着說、『牛在場
上踹穀的時候、不可籠住他的嘴。』難道　神所掛念
十 的是牛麼。十不全是為我們說的麼．分明是為我們說的．
因為耕種的當存着指望去耕種．打場的也當存得糧
十一 的指望去打場。十一我們若把屬靈的種子撒在你們中間、
十二 就是從你們收割奉養肉身之物、這還算大事麼。十二若別
人在你們身上有這權柄、何況我們呢．然而我們沒有
用過這權柄、倒凡事忍受、免得基督的福音被阻隔。

傳福音的當靠福音養生

十三 十三你們豈不知為聖事勞碌的、就喫殿中的物麼．伺候祭
十四 壇的、就分領壇上的物麼。十四主也是這樣命定、叫傳福音
十五 的靠着福音養生。十五但這權柄我全沒有用過．我寫這話、
並非要你們這樣待我．因為我寧可死、也不叫人使我

十六 所誇的落了空。十六我傳福音原沒有可誇的．因爲我是不
十七 得已的．若不傳福音、我便有禍了。十七我若甘心作這事、就
十八 有賞賜．若不甘心、責任卻已經託付我了。十八既是這樣、我
的賞賜是甚麼呢．就是我傳福音的時候、叫人不花錢
十九 得福音、免得用盡我傳福音的權柄。十九我雖是自由的、無
二十 人轄管、然而我甘心作了眾人的僕人、爲要多得人。二十向
猶太人、我就作猶太人、爲要得猶太人．向律法以下的
人、我雖不在律法以下、還是作律法以下的人、爲要得
二一 律法以下的人。二一向沒有律法的人、我就作沒有律法的
人、爲要得沒有律法的人．其實我在神面前、不是沒
二二 有律法、在基督面前、正在律法之下。二二向輭弱的人、我就
作輭弱的人、爲要得輭弱的人．向甚麼樣的人、我就作
二三 甚麼樣的人．無論如何、總要救些人。二三我所行的、都是
爲福音的緣故、爲要與人同得這福音的好處。

當爲不壞的冠冕賽跑

二四 二四豈不知在塲上賽跑的都跑、但得獎賞的只有一人．你
二五 們也當這樣跑、好叫你們得着獎賞。二五凡較力爭勝的、諸
事都有節制．他們不過是要得能壞的冠冕．我們卻是
二六 要得不能壞的冠冕。二六所以我奔跑、不像無定向的．我鬭
二七 拳、不像打空氣的。二七我是攻克己身、叫身服我．恐怕我傳
福音給別人、自己反被棄絕了。

第十章

述說古事以爲鑑戒

一 一弟兄們、我不願意你們不曉得、我們的祖
二 宗從前都在雲下、都從海中經過。二都在雲裏海裏受洗
三 四 歸了摩西．三並且都喫了一樣的靈食．四也都喝了一樣的
靈水．所喝的是出於隨着他們的靈磐石．那磐石就是
五 基督。五但他們中間、多半是神不喜歡的人、所以在曠
六 野倒斃。六這些事都是我們的鑑戒、叫我們不要貪戀惡
七 事、像他們那樣貪戀的。七也不要拜偶像、像他們有人拜
八 的．如經上所記、『百姓坐下喫喝、起來玩耍。』八我們也
不要行姦淫、像他們有人行的、一天就倒斃了二萬三
九 千人。九也不要試探主、（主有古卷作基督）像他們有人試探的、就
十 被蛇所滅。十你們也不要發怨言、像他們有發怨言的、就
十一 被滅命的所滅。十一他們遭遇這些事、都要作爲鑑戒、並且
十二 寫在經上、正是警戒我們這末世的人。十二所以自己以爲
十三 站得穩的、須要謹慎、免得跌倒。十三你們所遇見的試探、無

非是人所能受的．神是信實的、必不叫你們受試探過於所能受的．在受試探的時候、總要給你們開一條出路、叫你們能忍受得住。

當逃避拜偶像的事

十四我所親愛的弟兄阿、你們要逃避拜偶像的事。十五我好像對明白人說的、你們要審察我的話。十六我們所祝福的杯、豈不是同領基督的血麼．我們所擘開的餅、豈不是同領基督的身體麼。十七我們雖多、仍是一個餅、一個身體．因為我們都是分受這一個餅。十八你們看屬肉體的以色列人．那喫祭物的、豈不是在祭壇上有分麼。十九我是怎麼說呢．豈是說祭偶像之物算得甚麼呢．或說偶像算得甚麼呢。二十我乃是說、外邦人所獻的祭、是祭鬼、不是祭神．我不願意你們與鬼相交。二一你們不能喝主的杯、又喝鬼的杯．不能喫主的筵席、又喫鬼的筵席。二二我們可惹主的憤恨麼．我們比他還有能力麼。

不可妄用自由

二三凡事都可行．但不都有益處。凡事都可行．但不都造就人。二四無論何人、不要求自己的益處、乃要求別人的益處。二五凡市上所賣的、你們只管喫、不要為良心的緣故問甚麼話．二六因為地和其中所充滿的、都屬乎主。二七倘有一個不信的人請你們赴席、你們若願意去、凡擺在你們面前的、只管喫、不要為良心的緣故問甚麼話。二八若有人對你們說、這是獻過祭的物、就要為那告訴你們的人、並為良心的緣故不喫。二九我說的良心、不是你的、乃是他的．我這自由、為甚麼被別人的良心論斷呢。三十我若謝恩而喫、為甚麼因我謝恩的物被人毀謗呢。三一所以你們或喫或喝、無論作甚麼、都要為榮耀神而行。三二不拘是猶太人、是希利尼人、是神的教會、你們都不要使他跌倒．三三就好像我凡事都叫衆人喜歡、不求自己的益處、只求衆人的益處、叫他們得救。

第十一章

一你們該效法我、像我效法基督一樣。

論女人蒙頭

二我稱讚你們、因你們凡事記念我、又堅守我所傳給你們的。三我願意你們知道、基督是各人的頭、男人是女人的頭、神是基督的頭。四凡男人禱告或是講道、（講道或作說豫言下同）若蒙着頭、就羞辱自己的頭。五凡女人禱告或是講

道、若不蒙着頭、就羞辱自己的頭。因爲這就如同剃了
六 頭髮一樣。六女人若不蒙着頭、就該剪了頭髮。女人若以
七 剪髮剃髮爲羞愧、就該蒙着頭。七男人本不該蒙着頭、因
八 爲他是　神的形像和榮耀、但女人是男人的榮耀。八起
九 初、男人不是由女人而出、女人乃是由男人而出。九並且
十 男人不是爲女人造的、女人乃是爲男人造的。十因此、女
十一 人爲天使的緣故、應當在頭上有服權柄的記號。……十一然而
十二 照主的安排、女也不是無男、男也不是無女。十二因爲女人
原是由男人而出、男人也是由女人而出、但萬有都是
十三 出乎　神。十三你們自己審察、女人禱告　神不蒙着頭、是
十四 合宜的麽。十四你們的本性不也指示你們、男人若有長頭
十五 髮、便是他的羞辱麽。十五但女人有長頭髮、乃是他的榮耀。
十六 因爲這頭髮是給他作蓋頭的。十六若有人想要辯駁、我們
却沒有這樣的規矩、　神的衆教會也是沒有的。

責備混亂聖餐的人

十七 十七我現今吩咐你們的話、不是稱讚你們。因爲你們聚會
十八 不是受益、乃是招損。十八第一、我聽說你們聚會的時候、彼
十九 此分門別類。我也稍微的信這話。十九在你們中間不免有
二十 分門結黨的事、好叫那些有經驗的人、顯明出來。二十你們
二一 聚會的時候、算不得喫主的晚餐。二一因爲喫的時候、各人
二二 先喫自己的飯、甚至這個飢餓、那個酒醉。二二你們要喫喝、
難道沒有家麽、還是藐視　神的教會、叫那沒有的羞
愧呢。我向你們可怎麽說呢。可因此稱讚你們麽。我不
二三 稱讚。二三我當日傳給你們的、原是從主領受的、就是主耶
二四 穌被賣的那一夜、拿起餅來、二四祝謝了、就擘開、說、這是我
的身體、爲你們捨的。捨有古卷作擘開你們應當如此行、爲的
二五 是記念我。二五飯後、也照樣拿起杯來、說、這杯是用我的血
所立的新約。你們每逢喝的時候、要如此行、爲的是記
二六 念我。二六你們每逢喫這餅、喝這杯、是表明主的死、直等到
二七 他來。二七所以無論何人、不按理喫主的餅、喝主的杯、就是
二八 干犯主的身主的血了。二八人應當自己省察、然後喫這餅、
二九 喝這杯。二九因爲人喫喝、若不分辨是主的身體、就是喫喝
三十 自己的罪了。三十因此、在你們中間有好些軟弱的、與患病
三一 的、死的也不少。死原文作睡三一我們若是先分辨自己、就不至
三二 於受審。三二我們受審的時候、乃是被主懲治、免得我們和
三三 世人一同定罪。三三所以我弟兄們、你們聚會喫的時候、要

彼此等待。三四若有人飢餓、可以在家裏先喫．免得你們聚
會自己取罪。其餘的事、我來的時候再安排。

論屬靈的恩賜

第十二章。一弟兄們、論到屬靈的恩賜、我不願意你
們不明白。二你們作外邦人的時候、隨事被牽引受迷惑、
去服事那啞吧偶像．這是你們知道的。三所以我告訴你
們、被 神的靈感動的、沒有說耶穌是可咒詛的．若不
是被聖靈感動的、也沒有能說耶穌是主的。

恩賜原有分別聖靈卻是一位

四恩賜原有分別、聖靈卻是一位。五職事也有分別、主卻是
一位。六功用也有分別、 神卻是一位、在衆人裏面運行
一切的事。七聖靈顯在各人身上、是叫人得益處。八這人蒙
聖靈賜他智慧的言語．那人也蒙這位聖靈賜他知識
的言語．九又有一人蒙這位聖靈賜他信心．還有一人蒙
這位聖靈賜他醫病的恩賜．十又叫一人能行異能．又叫
一人能作先知．又叫一人能辨別諸靈．又叫一人能說
方言．又叫一人能繙方言。十一這一切都是這位聖靈所運
行、隨己意分給各人的。

門徒屬基督譬如肢體屬身子

十二就如身子是一個、卻有許多肢體．而且肢體雖多、仍是
一個身子．基督也是這樣。十三我們不拘是猶太人、是希利
尼人、是爲奴的、是自主的、都從一位聖靈受洗、成了一
個身體、飲於一位聖靈。十四身子原不是一個肢體、乃是許
多肢體。十五設若脚說、我不是手、所以不屬乎身子．他不能
因此就不屬乎身子。十六設若耳說、我不是眼、所以不屬乎
身子．他也不能因此就不屬乎身子。十七若全身是眼、從那
裏聽聲呢．若全身是耳、從那裏聞味呢。十八但如今 神隨
自己的意思、把肢體俱各安排在身上了。十九若都是一個
肢體、身子在那裏呢。二十但如今肢體是多的、身子卻是一
個。二一眼不能對手說、我用不着你．頭也不能對脚說、我用
不着你。二二不但如此、身上肢體人以爲軟弱的、更是不可
少的．二三身上肢體、我們看爲不體面的、越發給他加上體
面．不俊美的、越發得着俊美．二四我們俊美的肢體、自然用
不着裝飾．但 神配搭這身子、把加倍的體面給那有
缺欠的肢體．二五免得身上分門別類．總要肢體彼此相顧。
二六若一個肢體受苦、所有的肢體就一同受苦．若一個肢

二七 體得榮耀、所有的肢體就一同快樂。你們就是基督的
二八 身子、並且各自作肢體。神在教會所設立的、第一是
使徒、第二是先知、第三是教師、其次是行異能的、再次
二九 是得恩賜醫病的、幫助人的、治理事的、說方言的。豈都
是使徒麼、豈都是先知麼、豈都是教師麼、豈都是行異
三十 能的麼、豈都是得恩賜醫病的麼、豈都是說方言的麼、
三一 豈都是繙方言的麼。你們要切切的求那更大的恩賜、
我現今把最妙的道指示你們。

愛是無可比的

一 第十三章　我若能說萬人的方言、並天使的話語、
二 卻沒有愛、我就成了鳴的鑼、響的鈸一般。我若有先知
講道之能、也明白各樣的奧祕、各樣的知識、而且有全
三 備的信、叫我能彀移山、卻沒有愛、我就算不得甚麼。我
若將所有的賙濟窮人、又捨己身叫人焚燒、卻沒有愛、
四 仍然與我無益。愛是恆久忍耐、又有恩慈。愛是不嫉妒。
五 愛是不自誇、不張狂、不作害羞的事、不求自己的益處、
六 不輕易發怒、不計算人的惡、不喜歡不義、只喜歡真理。
七八 凡事包容、凡事相信、凡事盼望、凡事忍耐。愛是永不止
息、先知講道之能、終必歸於無有、說方言之能、終必停
九 止、知識也終必歸於無有。我們現在所知道的有限、先
十 知所講的也有限、等那完全的來到、這有限的必歸於
十一 無有了。我作孩子的時候、話語像孩子、心思像孩子、意
十二 念像孩子、既成了人、就把孩子的事丟棄了。我們如今
彷彿對着鏡子觀看、模糊不清、(模糊不清原文作如同猜謎)到那時、
就要面對面了。我如今所知道的有限、到那時就全知
道、如同主知道我一樣。

信望皆不如愛

十三 如今常存的有信、有望、有愛、這三樣、其中最大的是愛。

作先知講道勝於說方言

一 第十四章　你們要追求愛、也要切慕屬靈的恩賜、
二 其中更要羨慕的、是作先知講道。(原文作是說豫言下同)那說方
言的、原不是對人說、乃是對　神說、因為沒有人聽出
三 來、然而他在心靈裏、卻是講說各樣的奧祕。但作先知
四 講道的、是對人說、要造就、安慰、勸勉人。說方言的、是造
五 就自己、作先知講道的、乃是造就教會。我願意你們都
說方言、更願意你們作先知講道、因為說方言的、若不

緐出來、使教會被造就、那作先知講道的就比他強了。
六 六弟兄們、我到你們那裏去、若只說方言、不用啓示、或知
識、或豫言、或教訓、給你們講解、我與你們有甚麼益處
七 呢。七就是那有聲無氣的物、或簫、或琴、若發出來的聲音、
八 沒有分別、怎能知道所吹所彈的是甚麼呢。八若吹無定
九 的號聲、誰能豫備打仗呢。九你們也是如此、舌頭若不說
容易明白的話、怎能知道所說的是甚麼呢。這就是向
十 空說話了。十世上的聲音、或者甚多、卻沒有一樣是無意
十一 思的。十一我若不明白那聲音的意思、這說話的人必以我
爲化外之人、我也以他爲化外之人。

當求多得造就教會的恩賜

十二 十二你們也是如此、既是切慕屬靈的恩賜、就當求多得造
十三 就教會的恩賜。十三所以那說方言的、就當求着能緐出來。
十四 十四我若用方言禱告、是我的靈禱告、但我的悟性沒有果
十五 效。十五這卻怎麼樣呢、我要用靈禱告、也要用悟性禱告、我
十六 要用靈歌唱、也要用悟性歌唱。十六不然、你用靈祝謝、那在
座不通方言的人、既然不明白你的話、怎能在你感謝
十七 的時候說阿們呢。十七你感謝的固然是好、無奈不能造就

十八 十九 別人。十八我感謝 神、我說方言比你們眾人還多。十九但在教
會中、寧可用悟性說五句教導人的話、強如說萬句方
二十 言。○二十弟兄們、在心志上不要作小孩子。然而在惡事上
二一 要作嬰孩、在心志上總要作大人。二一律法上記着、『主說、
我要用外邦人的舌頭、和外邦人的嘴唇、向這百姓說
二二 話。雖然如此、他們還是不聽從我。』二二這樣看來、說方言、
不是爲信的人作證據、乃是爲不信的人、作先知講道、
二三 不是爲不信的人作證據、乃是爲信的人。二三所以全教會
聚在一處的時候、若都說方言、偶然有不通方言的、或
二四 是不信的人進來、豈不說你們顛狂了麼。二四若都作先知
講道、偶然有不信的、或是不通方言的人進來、就被眾
二五 人勸醒、被眾人審明。二五他心裏的隱情顯露出來、就必將
臉伏地、敬拜 神、說、 神眞是在你們中間了。

用恩賜當合宜

二六 二六弟兄們、這卻怎麼樣呢。你們聚會的時候、各人或有詩
歌、或有教訓、或有啓示、或有方言、或有緐出來的話、凡
二七 事都當造就人。二七若有說方言的、只好兩個人、至多三個
二八 人、且要輪流着說、也要一個人緐出來。二八若沒有人緐、就

當在會中閉口．只對自己和 神說、就是了。〇二九至於作先
知講道的、只好兩個人、或是三個人、其餘的就當慎思
明辨。三十若旁邊坐着的得了啓示、那先說話的就當閉口
不言。三一因爲你們都可以一個一個的作先知講道、叫衆
人學道理、叫衆人得勸勉。三二先知的靈、原是順服先知的．
三三因爲 神不是叫人混亂、乃是叫人安靜。

婦女不宜在會中講道

三四婦女在會中要閉口不言、像在聖徒的衆教會一樣．因
爲不准他們說話．他們總要順服、正如律法所說的。三五他
們若要學甚麼、可以在家裏問自己的丈夫．因爲婦女
在會中說話原是可恥的。三六 神的道理、豈是從你們出
來麼．豈是單臨到你們麼。〇三七若有人以爲自己是先知、
或是屬靈的、就該知道、我所寫給你們的是主的命令。
三八若有不知道的、就由他不知道罷。〇三九所以我弟兄們、你
們要切慕作先知講道、也不要禁止說方言。四十凡事都要
規規矩矩的按着次序行。

第十五章

述說基督復活

一弟兄們、我如今把先前所傳給你們的
福音、告訴你們知道、這福音你們也領受了、又靠着站
立得住．二並且你們若不是徒然相信、能以持守我所傳
給你們的、就必因這福音得救。三我當日所領受又傳給
你們的、第一、就是基督照聖經所說、爲我們的罪死了．
四而且埋葬了．又照聖經所說、第三天復活了．五並且顯給
磯法看．然後顯給十二使徒看．六後來一時顯給五百多
弟兄看、其中一大半到如今還在、卻也有已經睡了的．
七以後顯給雅各看．再顯給衆使徒看．八末了也顯給我看．
我如同未到產期而生的人一般。九我原是使徒中最小
的、不配稱爲使徒、因爲我從前逼迫 神的教會。十然而
我今日成了何等人、是蒙 神的恩纔成的．並且他所
賜我的恩、不是徒然的．我比衆使徒格外勞苦．這原不
是我、乃是 神的恩與我同在。十一不拘是我、是衆使徒、我
們如此傳、你們也如此信了。

基督復活作得救的憑據

十二既傳基督是從死裏復活了、怎麼在你們中間、有人說
沒有死人復活的事呢。十三若沒有死人復活的事、基督也
就沒有復活了。十四若基督沒有復活、我們所傳的便是枉

然、你們所信的也是枉然。十五並且明顯我們是爲　神妄
作見證的。因我們見證　神是叫基督復活了。若死人
眞不復活、神也就沒有叫基督復活了。十六因爲死人若
不復活、基督也就沒有復活了。十七基督若沒有復活、你們
的信便是徒然。你們仍在罪裏。十八就是在基督裏睡了的
人也滅亡了。十九我們若靠基督只在今生有指望、就算比
衆人更可憐。

在基督裏都要復活

二十但基督已經從死裏復活、成爲睡了之人初熟的果子。
死二一既是因一人而來、死人復活也是因一人而來。二二在亞
當裏衆人都死了。照樣、在基督裏衆人也都要復活。但二三
各人是按着自己的次序復活。初熟的果子是基督。以
後在他來的時候、是那些屬基督的。二四再後末期到了、那
時、基督既將一切執政的、掌權的、有能的、都毀滅了、就
把國交與父　神。二五因爲基督必要作王、等　神把一切
仇敵、都放在他的腳下。二六儘末了所毀滅的仇敵、就是死。
二七因爲經上說、『　神叫萬物都服在他的腳下。』既說
萬物都服了他、明顯那叫萬物服他的不在其內了。二八萬
物既服了他、那時、子也要自己服那叫萬物服他的、叫
神在萬物之上、爲萬物之主。○二九不然、那些爲死人受
洗的、將來怎樣呢。若死人總不復活、因何爲他們受洗
呢。三十我們又因何時刻冒險呢。三一弟兄們、我在我主基督耶
穌裏、指着你們所誇的口、極力的說、我是天天冒死。三二我
若當日像尋常人、在以弗所同野獸戰鬭、那於我有甚
麼益處呢。若死人不復活、我們就喫喫喝喝罷。因爲明
天要死了。三三你們不要自欺。濫交是敗壞善行。三四你們要醒
悟爲善、不要犯罪。因爲有人不認識　神。我說這話、是
要叫你們羞愧。

論復活之體如何

三五或有人問、死人怎樣復活、帶着甚麼身體來呢。三六無知的
人哪、你所種的、若不死就不能生。三七並且你所種的、不是
那將來的形體、不過是子粒、即如麥子、或是別樣的穀。
三八但　神隨自己的意思、給他一個形體、並叫各等子粒、
各有自己的形體。三九凡肉體各有不同。人是一樣、獸又是
一樣、鳥又是一樣、魚又是一樣。四十有天上的形體、也有地
上的形體。但天上形體的榮光是一樣、地上形體的榮

四一 光又是一樣。四一日有日的榮光、月有月的榮光、星有星的
四二 榮光。這星和那星的榮光、也有分別。四二死人復活也是這
四三 樣。所種的是必朽壞的、復活的是不朽壞的。四三所種的是
羞辱的、復活的是榮耀的。所種的是輭弱的、復活的是
四四 強壯的。四四所種的是血氣的身體、復活的是靈性的身體。
四五 若有血氣的身體、也必有靈性的身體。四五經上也是這樣
記着說、『首先的人亞當成了有靈的活人。』靈或作血氣
四六 末後的亞當成了叫人活的靈。四六但屬靈的不在先、屬血
四七 氣的在先。以後纔有屬靈的。四七頭一個人是出於地、乃屬
四八 土。第二個人是出於天。四八那屬土的怎樣、凡屬土的也就
四九 怎樣。屬天的怎樣、凡屬天的也就怎樣。四九我們既有屬土
的形狀、將來也必有屬天的形狀。

血肉之體不能承受神的國

五十 五十弟兄們、我告訴你們說、血肉之體、不能承受神的國。
五一 必朽壞的、不能承受不朽壞的。五一我如今把一件奧祕的
五二 事告訴你們。我們不是都要睡覺、乃是都要改變、五二就在
一霎時、眨眼之間、號筒末次吹響的時候。因號筒要響、
五三 死人要復活成為不朽壞的、我們也要改變。五三這必朽壞
的、總要變成不朽壞的。變成原文作穿下同這必死的、總要變成
五四 不死的。五四這必朽壞的既變成不朽壞的、這必死的既變
成不死的。那時經上所記、死被得勝吞滅的話就應驗
了。

罪是死的毒鉤惟獨靠基督得勝

五五 五六 死五五阿、你得勝的權勢在那裏。死阿、你的毒鉤在那裏。五六死
五七 的毒鉤就是罪。罪的權勢就是律法。五七感謝神、使我們
五八 藉着我們的主耶穌基督得勝。五八所以我親愛的弟兄們、
你們務要堅固不可搖動、常常竭力多作主工、因為知
道你們的勞苦在主裏面不是徒然的。

論為聖徒的捐項

一 **第十六章** 一論到為聖徒捐錢、我從前怎樣吩咐加
二 拉太的眾教會、你們也當怎樣行。二每逢七日的第一日、
各人要照自己的進項抽出來留着、免得我來的時候
三 現湊。三及至我來到了、你們寫信舉薦誰、我就打發他們、
四 把你們的捐貲送到耶路撒冷去。四若我也該去、他們可
五 以和我同去。五我要從馬其頓經過、既經過了、就要到你
六 們那裏去。六或者和你們同住幾時、或者也過冬、無論我

七 往那裏去、你們就可以給我送行。七我如今不願意路過
八 見你們。主若許、我就指望和你們同住幾時。八但我要
九 仍舊住在以弗所、直等到五旬節。九因為有寬大又有功
十 效的門、為我開了。並且反對的人也多。○十若是提摩太
來到、你們要留心、叫他在你們那裏無所懼怕、因為他
十一 勞力作主的工、像我一樣。十一所以無論誰、都不可藐視他。
只要送他平安前行、叫他到我這裏來、因我指望他和
十二 弟兄們同來。十二至於兄弟亞波羅、我再三的勸他同弟兄
們到你們那裏去、但這時他決不願意去、幾時有了機
會他必去。

勸勉

十三 十三你們務要儆醒、在真道上站立得穩、要作大丈夫、要剛
十四 十五 強。十四凡你們所作的、都要憑愛心而作。○十五弟兄們、你們曉
得司提反一家、是亞該亞初結的果子、並且他們專以
十六 服事聖徒為念。十六我勸你們順服這樣的人、並一切同工
十七 同勞的人。十七司提反、和福徒拿都、並亞該古、到這裏來、我
十八 很喜歡。因為你們待我有不及之處、他們補上了。十八他們
叫我和你們心裏都快活。這樣的人、你們務要敬重。

問安

十九 十九亞西亞的眾教會問你們安。亞居拉和百基拉、並在他
二十 們家裏的教會、因主多多的問你們安。二十眾弟兄都問你
二十一 們安。你們要親嘴問安、彼此務要聖潔。○二十一我保羅親筆
二十二 二十三 問安。二十二若有人不愛主、這人可詛可咒。主必要來。二十三願主耶
二十四 穌基督的恩常與你們眾人同在。二十四我在基督耶穌裏的
愛、與你們眾人同在。阿們。

哥林多前書：九章廿五節

保羅達哥林多人後書

一 第一章 奉一 神旨意、作基督耶穌使徒的保羅、和
兄弟提摩太、寫信給在哥林多 神的教會、並亞該亞
二 遍處的眾聖徒。二願恩惠平安、從 神我們的父和主耶
穌基督歸與你們。

門徒受苦蒙 神安慰

三 三願頌讚歸與我們的主耶穌基督的父 神、就是發慈
四 悲的父、賜各樣安慰的 神。四我們在一切患難中他就
安慰我們、叫我們能用 神所賜的安慰、去安慰那遭
五 各樣患難的人。五我們既多受基督的苦楚、就靠基督多
六 得安慰。六我們受患難呢、是為叫你們得安慰得拯救．我
們得安慰呢、也是為叫你們得安慰．這安慰能叫你們
七 忍受我們所受的那樣苦楚。七我們為你們所存的盼望
是確定的．因為知道你們既是同受苦楚、也必同得安
八 慰。八弟兄們、我們不要你們不曉得我們從前在亞西亞
遭遇苦難、被壓太重、力不能勝、甚至連活命的指望都
九 絕了．九自己心裏也斷定是必死的、叫我們不靠自己、只
十 靠叫死人復活的 神．十他曾救我們脫離那極大的死
亡、現在仍要救我們、並且我們指望他將來還要救我
十一 們。十一你們以祈禱幫助我們、好叫許多人為我們謝恩、就
是為我們因許多人所得的恩。

保羅所誇的是憑着 神

十二 十二我們所誇的、是自己的良心見證我們憑着 神的聖
潔和誠實在世為人、不靠人的聰明、乃靠 神的恩惠、
十三 向你們更是這樣。十三我們現在寫給你們的話、並不外乎
你們所念的、所認識的、我也盼望你們到底還是要認
十四 識．十四正如你們已經有幾分認識我們．以我們誇口、好像
我們在我們主耶穌的日子、以你們誇口一樣。

保羅未到哥林多的緣由有寬容之意

十五 十五我既然這樣深信、就早有意到你們那裏去、叫你們再
十六 得益處、十六也要從你們那裏經過、往馬其頓去、再從馬其
十七 頓回到你們那裏、叫你們給我送行往猶太去。十七我有此
意、豈是反復不定麼．我所起的意、豈是從情慾起的、叫
十八 我忽是忽非麼。十八我指着信實的 神說、我們向你們所
十九 傳的道、並沒有是而又非的。十九因為我和西拉、並提摩太、

在你們中間所傳　神的兒子耶穌基督、總沒有是而
又非的、在他只有一是。[二十]　神的應許、不論有多少、在基
督都是是的．所以藉着他也都是實在的、(實在原文作阿們)叫
神因我們得榮耀。[二一]那在基督裏堅固我們和你們、並
且膏我們的就是　神．[二二]他又用印印了我們、並賜聖靈
在我們心裏作憑據。(原文作質)○[二三]我呼籲　神給我的心作
見證、我沒有往哥林多去、是為要寬容你們。[二四]我們並不
是轄管你們的信心、乃是幫助你們的快樂．因為你們
憑信纔站立得住。

第二章

[一]我自己定了主意、再到你們那裏去、必須
大家沒有憂愁。[二]倘若我叫你們憂愁、除了我叫那憂愁
的人以外、誰能叫我快樂呢。[三]我曾把這事寫給你們、恐
怕我到的時候、應該叫我快樂的那些人、反倒叫我憂
愁．我也深信你們眾人都以我的快樂為自己的快樂。
[四]我先前心裏難過痛苦、多多的流淚寫信給你們．不是
叫你們憂愁、乃是叫你們知道我格外的疼愛你們。

當赦免受責的人

[五]若有叫人憂愁的、他不但叫我憂愁、也是叫你們眾人
有幾分憂愁、我說幾分、恐怕說得太重。[六]這樣的人受了
眾人的責罰、也就彀了．[七]倒不如赦免他安慰他、免得他
憂愁太過、甚至沉淪了。[八]所以我勸你們要向他顯出堅
定不移的愛心來。[九]為此我先前也寫信給你們、要試驗
你們、看你們凡事順從不順從。[十]你們赦免誰、我也赦免
誰、我若有所赦免的、是在基督面前為你們赦免的．[十一]免
得撒但趁着機會勝過我們．因我們並非不曉得他的
詭計。○[十二]我從前為基督的福音到了特羅亞、主也給我
開了門．[十三]那時因為沒有遇見兄弟提多、我心裏不安便
辭別那裏的人往馬其頓去了。

保羅為基督的香氣

[十四]感謝　神、常帥領我們在基督裏誇勝、並藉着我們在
各處顯揚那因認識基督而有的香氣。[十五]因為我們在
神面前、無論在得救的人身上、或滅亡的人身上、都有
基督馨香之氣．[十六]在這等人、就作了死的香氣叫他死．在
那等人、就作了活的香氣叫他活．這事誰能當得起呢。
[十七]我們不像那許多人、為利混亂　神的道．乃是由於誠
實、由於　神、在　神面前憑着基督講道。

門徒爲保羅的薦書

一 第三章　我們豈是又舉薦自己麼。豈像別人、用人
二 的薦信給你們、或用你們的薦信給人麼。你們就是我
們的薦信、寫在我們的心裏、被衆人所知道所念誦的。
三 你們明顯是基督的信、藉着我們修成的、不是用墨寫
的、乃是用永生　神的靈寫的。不是寫在石版上、乃是
四 寫在心版上。我們因基督所以在　神面前纔有這樣
五 的信心。並不是我們憑自己能承擔甚麼事、我們所能
六 承擔的、乃是出於　神。他叫我們能承當這新約的執
事。不是憑着字句、乃是憑着精意。因爲那字句是叫人
七 死、精意是叫人活。(精意或作聖靈)那用字刻在石頭上屬死的
職事、尚且有榮光、甚至以色列人因摩西面上的榮光、
八 不能定睛看他的臉。這榮光原是漸漸退去的。何況那
九 屬靈的職事、豈不更有榮光麼。若是定罪的職事有榮
十 光、那稱義的職事、榮光就越發大了。那從前有榮光的、
十一 因這極大的榮光、就算不得有榮光了。若那廢掉的有
榮光、這長存的就更有榮光了。

主的靈在那裏那裏就得以自由

十二 十三 我們既有這樣的盼望、就大膽講說、不像摩西將帕子
蒙在臉上、叫以色列人不能定睛看到那將廢者的結
十四 局。但他們的心地剛硬。直到今日誦讀舊約的時候、這
十五 帕子還沒有揭去。這帕子在基督裏已經廢去了。然而
直到今日每逢誦讀摩西書的時候、帕子還在他們心
十六 十七 上。但他們的心幾時歸向主、帕子就幾時除去了。主就
十八 是那靈。主的靈在那裏、那裏就得以自由。我們衆人既
然敞着臉、得以看見主的榮光、好像從鏡子裏返照、就
變成主的形狀、榮上加榮、如同從主的靈變成的。

保羅不傳自己只傳基督

一 第四章　我們既然蒙憐憫、受了這職分、就不喪膽。
二 乃將那些暗昧可恥的事棄絕了、不行詭詐、不謬講
神的道理。只將眞理表明出來、好在　神面前把自己
三 薦與各人的良心。如果我們的福音蒙蔽、就是蒙蔽在
四 滅亡的人身上。此等不信之人、被這世界的神弄瞎了
心眼、不叫基督榮耀福音的光照着他們。基督本是
五 神的像。我們原不是傳自己、乃是傳基督耶穌爲主、並

六 且自己因耶穌作你們的僕人。六那吩咐光從黑暗裏照
出來的、神已經照在我們心裏、叫我們得知神榮
七 耀的光、顯在耶穌基督的面上。○七我們有這寶貝放在
瓦器裏、要顯明這莫大的能力、是出於神、不是出於
八 我們。八我們四面受敵、却不被困住。心裏作難、却不至失
九十 望。九遭逼迫、却不被丟棄。打倒了、却不至死亡。十身上常帶
十一 着耶穌的死、使耶穌的生、也顯明在我們身上。十一因爲我
們這活着的人、是常爲耶穌被交於死地、使耶穌的生、
十二 在我們這必死的身上顯明出來。十二這樣看來、死是在我
十三 們身上發動、生却在你們身上發動。十三但我們既有信心、
正如經上記着說、『我因信、所以如此說話。』我們也
十四 信、所以也說話。十四自己知道、那叫主耶穌復活的、也必叫
我們與耶穌一同復活、並且叫我們與你們一同站在
十五 他面前。十五凡事都是爲你們、好叫恩惠因人多越發加增、
感謝格外顯多、以致榮耀歸與神。

外體毀壞內心日新

十六 所十六以我們不喪膽。外體雖然毀壞、內心却一天新似一
十七 天。十七我們這至暫至輕的苦楚、要爲我們成就極重無比
十八 永遠的榮耀。十八原來我們不是顧念所見的、乃是顧念所
不見的。因爲所見的是暫時的、所不見的是永遠的。

第五章

憑信心不憑眼見

一 我一們原知道、我們這地上的帳棚若拆毀
了、必得神所造、不是人手所造、在天上永存的房屋。
二 我二們在這帳棚裏歎息、深想得那從天上來的房屋、好
三 像穿上衣服。三倘若穿上、被遇見的時候就不至於赤身
四 了。四我們在這帳棚裏歎息勞苦、並非願意脫下這個、乃
五 是願意穿上那個、好叫這必死的被生命吞滅了。五爲此
培植我們的就是神、他又賜給我們聖靈作憑據。原文
六 作質所六以我們時常坦然無懼、並且曉得我們住在身內
七 便與主相離。七因我們行事爲人、是憑着信心、不是憑着
八九 眼見。八我們坦然無懼、是更願意離開身體與主同住。九所
以無論是住在身內、離開身外、我們立了志向、要得主
十 的喜悅。十因爲我們衆人、必要在基督臺前顯露出來、叫
各人按着本身所行的、或善或惡受報。

基督的愛激勵我們

十一 我十一們既知道主是可畏的、所以勸人、但我們在神面

十二 前是顯明的、盼望在你們的良心裏、也是顯明的。十二我們
不是向你們再舉薦自己、乃是叫你們因我們有可誇
十三 之處、好對那憑外貌不憑內心誇口的人、有言可答。十三我
十四 們若果顛狂、是爲神、若果謹守、是爲你們。十四原來基督
的愛激勵我們。因我們想一人既替衆人死、衆人就都
十五 死了。十五並且他替衆人死、是叫那些活着的人不再爲自
十六 己活、乃爲替他們死而復活的主活。十六所以我們從今以
後、不憑着外貌(原文作肉體本節同)認人了。雖然憑着外貌認過
十七 基督、如今卻不再這樣認他了。十七若有人在基督裏、他就
十八 是新造的人、舊事已過、都變成新的了。十八一切都是出於
神、他藉着基督使我們與他和好、又將勸人與他和
十九 好的職分賜給我們。十九這就是神在基督裏、叫世人與
自己和好、不將他們的過犯歸到他們身上、並且將這
和好的道理託付了我們。

替基督勸人

二十 二十所以我們作基督的使者、就好像神藉我們勸你們
二一 一般。我們替基督求你們與神和好。二一神使那無罪
的、(無罪原文作不知罪)替我們成爲罪、好叫我們在他裏面成爲
神的義。

第六章　在各樣事上表明自己是神的用人

一 一我們與神同工的、也勸你們、不可徒受
二 他的恩典。二因爲他說、『在悅納的時候、我應允了你、在
拯救的日子、我搭救了你。』看哪、現在正是悅納的時
三 候、現在正是拯救的日子。三我們凡事都不叫人有妨礙、
四 免得這職分被人毀謗。四反倒在各樣的事上、表明自己
五 是神的用人、就如在許多的忍耐、患難、窮乏、困苦、五鞭
六 打、監禁、擾亂、勤勞、儆醒、不食、六廉潔、知識、恆忍、恩慈、聖靈
七 的感化、無僞的愛心、七眞實的道理、神的大能、仁義的
八 兵器在左在右、八榮耀羞辱、惡名美名。似乎是誘惑人的、
九 卻是誠實的。九似乎不爲人所知、卻是人所共知的。十似乎
十 要死、卻是活着的。似乎受責罰、卻是不至喪命的。似乎
憂愁、卻是常常快樂的。似乎貧窮、卻是叫許多人富足
十一 的。似乎一無所有、卻是樣樣都有的。十一〇哥林多人哪、我
十二 們向你們、口是張開的、心是寬宏的。十二你們狹窄原不在
十三 乎我們、是在乎自己的心腸狹窄。十三你們也要照樣用寬
宏的心報答我。我這話正像對自己的孩子說的。

不可與惡相交

十四 你們和不信的原不相配、不要同負一軛。義和不義有
十五 甚麼相交呢。光明和黑暗有甚麼相通呢。基督和彼列
(彼列就是撒但的別名)有甚麼相和呢。信主的和不信主的有甚
十六 麼相干呢。神的殿和偶像有甚麼相同呢。因為我們
是永生 神的殿。就如 神曾說、『我要在他們中間
居住、在他們中間來往。我要作他們的 神、他們要作
十七 我的子民。』又說、『你們務要從他們中間出來、與他
十八 們分別、不要沾不潔淨的物。我就收納你們。我要作你
們的父、你們要作我的兒女。』這是全能的主說的。

第七章

當潔除身魂一切汚穢

一 親愛的弟兄阿、我們既有這等應許、就當
潔淨自己、除去身體靈魂一切的汚穢、敬畏 神、得以
二 成聖。○你們要心地寬大收納我們。我們未曾虧負誰、
三 未曾敗壞誰、未曾佔誰的便宜。我說這話、不是要定你
們的罪。我已經說過、你們常在我們心裏、情願與你們
四 同生同死。我大大的放膽、向你們說話。我因你們多多
五 誇口、滿得安慰。我們在一切患難中分外的快樂。○我
們從前就是到了馬其頓的時候、身體也不得安寧、周
六 圍遭患難、外有爭戰、內有懼怕。但那安慰喪氣之人的
七 神、藉着提多來安慰了我們。不但藉着他來、也藉着
他從你們所得的安慰、安慰了我們。因他把你們的想
念、哀慟、和向我的熱心、都告訴了我、叫我更加歡喜。

依着 神的意思憂愁就生出懊悔來

八 我先前寫信叫你們憂愁、我後來雖然懊悔、如今卻不
九 懊悔。因我知道那信叫你們憂愁、不過是暫時的。如今
我歡喜、不是因你們憂愁、是因你們從憂愁中生出懊
悔來。你們依着 神的意思憂愁、凡事就不至於因我
十 們受虧損了。因為依着 神的意思憂愁、就生出沒有
十一 後悔的懊悔來、以致得救。但世俗的憂愁、是叫人死。你
看、你們依着 神的意思憂愁、從此就生出何等的殷
勤、自訴、自恨、恐懼、想念、熱心、責罰。(或作自責)在這一切事上
十二 你們都表明自己是潔淨的。我雖然從前寫信給你們、
卻不是為那虧負人的、也不是為那受人虧負的、乃要
十三 在 神面前、把你們顧念我們的熱心、表明出來。故此
我們得了安慰、並且在安慰之中、因你們眾人使提多

十四 心裏暢快歡喜、我們就更加歡喜了。十四我若對提多誇獎
了你們甚麼、也覺得沒有慚愧．因我對提多誇獎你們
的話、成了眞的．正如我對你們所說的話、也都是眞的。
十五 並且提多想起你們衆人的順服、是怎樣恐懼戰兢的
十六 接待他、他愛你們的心腸就越發熱了。十六我如今歡喜能
在凡事上爲你們放心。

第八章

當效法馬其頓教會樂捐

一 弟兄們、我把 神賜給馬其頓衆教會的
二 恩告訴你們．二就是他們在患難中受大試煉的時候、仍
有滿足的快樂、在極窮之間、還格外顯出他們樂捐的
三 厚恩。三我可以證明他們是按着力量、而且也過了力量、
四 自己甘心樂意的捐助．四再三的求我們、准他們在這供
五 給聖徒的恩情上有分．五並且他們所作的、不但照我們
所想望的、更照 神的旨意、先把自己獻給主、又歸附
六 了我們。六因此我勸提多、既然在你們中間開辦這慈惠
七 的事、就當辦成了。七你們既然在信心、口才、知識、熱心、和
待我們的愛心上、都格外顯出滿足來、就當在這慈惠
八 的事上、也格外顯出滿足來。八我說這話、不是吩咐你們、
乃是藉着別人的熱心、試驗你們愛心的實在。

當效基督捨富爲貧

九 你們知道我們主耶穌基督的恩典．他本來富足、卻爲
十 你們成了貧窮、叫你們因他的貧窮、可以成爲富足。十我
在這事上把我的意見告訴你們、是與你們有益．因爲
十一 你們下手辦這事、而且起此心意、已經有一年了。十一如今
就當辦成這事．既有願作的心、也當照你們所有的去
十二 辦成。十二因爲人若有願作的心、必蒙悅納、乃是照他所有
十三 的、並不是照他所無的。十三我原不是要別人輕省、你們受
十四 累．十四乃要均平．就是要你們的富餘、現在可以補他們的
不足、使他們的富餘、將來也可以補你們的不足、這就
十五 均平了。十五如經上所記、『多收的也沒有餘、少收的也沒
有缺。』

稱讚提多

十六 多謝 神、感動提多的心、叫他待你們殷勤、像我一樣。
十七 他固然是聽了我的勸．但自己更是熱心、情願往你們
十八 那裏去。十八我們還打發一位兄弟和他同去．這人在福音
十九 上得了衆教會的稱讚．十九不但這樣、他也被衆教會挑選、

和我們同行、把所託與我們的這捐貲送到了、可以榮
二十 耀主、又表明我們樂意的心。二十這就免得有人因我們收
二一 的捐銀很多、就挑我們的不是。二一我們留心行光明的事、
二二 不但在主面前、就在人面前、也是這樣。二二我們又打發一
位兄弟同去．這人的熱心、我們在許多事上、屢次試驗
二三 過、現在他因為深信你們、就更加熱心了。二三論到提多、他
是我的同伴、一同為你們勞碌的．論到那兩位兄弟、他
二四 們是衆教會的使者、是基督的榮耀。二四所以你們務要在
衆教會面前、顯明你們愛心的憑據、並我所誇獎你們
的憑據。

第九章

誇獎亞該亞信徒的熱心

一 一論到供給聖徒的事、我不必寫信給你們．
二 二因為我知道你們樂意的心、常對馬其頓人誇獎你們、
說亞該亞人豫備好了、已經有一年了．並且你們的熱
三 心激動了許多人。三但我打發那幾位弟兄去、要叫你們
照我的話豫備妥當．免得我們在這事上誇獎你們的
四 話落了空。四萬一有馬其頓人與我同去、見你們沒有豫
備、就叫我們所確信的、反成了羞愧．你們羞愧更不用
五 說了。五因此、我想不得不求那幾位弟兄、先到你們那裏
去、把從前所應許的捐貲、豫備妥當、就顯出你們所捐
的、是出於樂意、不是出於勉強。

少種少收多種多收

六七 六少種的少收、多種的多收．這話是真的。七各人要隨本心
所酌定的、不要作難、不要勉強、因為捐得樂意的人、是
八 神所喜愛的。八神能將各樣的恩惠、多多的加給你
九 們．使你們凡事常常充足、能多行各樣善事。九如經上所
記、『他施捨錢財、賙濟貧窮．他的仁義存到永遠。』

增添仁義的果子

十 十那賜種給撒種的、賜糧給人喫的、必多多加給你們種
十一 地的種子、又增添你們仁義的果子。十一叫你們凡事富足、
十二 可以多多施捨、就藉着我們使感謝歸於 神。十二因為辦
這供給的事、不但補聖徒的缺乏、而且叫許多人越發
十三 感謝 神。十三他們從這供給的事上得了憑據、知道你們
承認基督順服他的福音、多多的捐錢給他們和衆人、
十四 便將榮耀歸與 神．十四他們也因 神極大的恩賜顯在
十五 你們心裏、就切切的想念你們、為你們祈禱。十五感謝 神、

一　二　三　四　五　六　七　八　九　十

因他有說不盡的恩賜。

第十章　不憑血氣爭戰

[一]我保羅、就是與你們見面的時候是謙卑
的、不在你們那裏的時候向你們是勇敢的、如今親自
藉着基督的溫柔和平、勸你們。[二]有人以爲我是憑着血
氣行事、我也以爲必須用勇敢待這等人、求你們不要
叫我在你們那裏的時候、有這樣的勇敢。[三]因爲我們雖
然在血氣中行事、卻不憑着血氣爭戰。[四]我們爭戰的兵
器、本不是屬血氣的、乃是在　神面前有能力、可以攻
破堅固的營壘、[五]將各樣的計謀、各樣攔阻人認識　神
的那些自高之事、一概攻破了、又將人所有的心意奪
回、使他都順服基督。[六]並且我已經豫備好了、等你們十
分順服的時候、要責罰那一切不順服的人。[七]你們是看
眼前的麼。倘若有人自信是屬基督的、他要再想想他
如何屬基督、我們也是如何屬基督的。[八]主賜給我們權
柄、是要造就你們、並不是要敗壞你們。我就是爲這權
柄稍微誇口、也不至於慚愧。[九]我說這話、免得你們以爲
我寫信是要威嚇你們。[十]因爲有人說、他的信、又沉重、又

十一　十二　十三　十四　十五　十六　十七　十八　一　二

利害及至見面、卻是氣貌不揚、言語粗俗的。[十一]這等人當
想、我們不在那裏的時候、信上的言語如何、見面的時
候、行事也必如何。[十二]因爲我們不敢將自己和那自薦的
人同列相比。他們用自己度量自己、用自己比較自己、
乃是不通達的。[十三]我們不願意分外誇口、只要照　神所
量給我們的界限、搆到你們那裏。[十四]我們並非過了自己
的界限、好像搆不到你們那裏。因爲我們早到你們那
裏、傳了基督的福音。

當指着主誇口

[十五]我們不仗着別人所勞碌的、分外誇口。但指望你們信
心增長的時候、所量給我們的界限、就可以因着你們
更加開展、[十六]得以將福音傳到你們以外的地方、並不是
在別人界限之內、藉着他現成的事誇口。[十七]但誇口的當
指着主誇口。[十八]因爲蒙悅納的不是自己稱許的、乃是主
所稱許的。

保羅怕信徒失去純一的心

第十一章

[一]但願你們寬容我這一點愚妄。其實你
們原是寬容我的。[二]我爲你們起的憤恨、原是　神那樣

的憤恨．因為我曾把你們許配一個丈夫、要把你們如
三 同貞潔的童女、獻給基督。三我只怕你們的心或偏於邪、
失去那向基督所存純一清潔的心、就像蛇用詭詐誘
四 惑了夏娃一樣。四假如有人來、另傳一個耶穌、不是我們
所傳過的．或者你們另受一個靈、不是你們所受過的．
或者另得一個福音、不是你們所得過的．你們容讓他
五 也就罷了。五但我想、我一點不在那些最大的使徒以下。
六 六我的言語雖然粗俗、我的知識卻不粗俗．這是我們在
凡事上、向你們眾人顯明出來的。

言己傳教不索費用

七 七我因為白白傳　神的福音給你們、就自居卑微、叫你
八 們高升、這算是我犯罪麼。八我虧負了別的教會、向他們
九 取了工價來、給你們效力。九我在你們那裏缺乏的時候、
並沒有累着你們一個人．因我所缺乏的、那從馬其頓
來的弟兄們都補足了．我向來凡事謹守、後來也必謹
十 守、總不至於累着你們。十既有基督的誠實在我裏面、就
十一 無人能在亞該亞一帶地方阻擋我這自誇。十一為甚麼呢．
十二 是因我不愛你們麼．這有　神知道。十二我現在所作的、後
來還要作、為要斷絕那些尋機會人的機會、使他們在
十三 所誇的事上、也不過與我們一樣。十三那等人是假使徒、行
十四 事詭詐、裝作基督使徒的模樣。十四這也不足為怪．因為連
十五 撒但也裝作光明的天使。十五所以他的差役、若裝作仁義
的差役、也不算希奇．他們的結局、必然照着他們的行
十六 為。十六○我再說、人不可把我看作愚妄的．縱然如此、也要
十七 把我當作愚妄人接納、叫我可以略略自誇。十七我說的話、
十八 不是奉主命說的、乃是像愚妄人放膽自誇。十八既有好些
十九 人憑着血氣自誇、我也要自誇了。十九你們既是精明人、就
二十 能甘心忍耐愚妄人。二十假若有人強你們作奴僕、或侵吞
你們、或擄掠你們、或侮慢你們、或打你們的臉、你們都
二一 能忍耐他。二一我說這話、是羞辱自己．好像我們從前是輭
弱的．然而人在何事上勇敢、（我說句愚妄話）我也
二二 勇敢。二二他們是希伯來人麼．我也是．他們是以色列人麼．
二三 我也是。他們是亞伯拉罕的後裔麼．我也是。二三他們是基
督的僕人麼．（我說句狂話）我更是。

保羅以諸般患難為榮

我比他們多受勞苦、多下監牢、受鞭打是過重的、冒死

二四 是屢次有的。二四猶太人鞭打五次、每次四十、減去一下。
二五 被二五棍打了三次、被石頭打了一次、遇着船壞三次、一晝
二六 一夜在深海裏。二六又屢次行遠路、遭江河的危險、盜賊的
危險、同族的危險、外邦人的危險、城裏的危險、曠野的
二七 危險、海中的危險、假弟兄的危險。二七受勞碌、受困苦、多次
二八 不得睡、又飢又渴、多次不得食、受寒冷、赤身露體。二八除了
這外面的事、還有爲衆教會掛心的事、天天壓在我身
二九 三十 上。二九有誰輭弱、我不輭弱呢。有誰跌倒、我不焦急呢。三十我若
三一 必須自誇、就誇那關乎我輭弱的事便了。三一那永遠可稱
三二 頌之主耶穌的父、　神、知道我不說謊。三二在大馬色亞哩
三三 達王手下的提督、把守大馬色城要捉拿我。三三我就從窗
戶中、在筐子裏、從城牆上被人縋下去、脫離了他的手。

第十二章　保羅所得的啓示

一 一我自誇固然無益、但我是不得已的。如
二 今我要說到主的顯現和啓示。二我認得一個在基督裏
的人、他前十四年被提到第三層天上去、或在身內、我
三 不知道、或在身外、我也不知道。只有　神知道。三我認得
這人、或在身內、或在身外、我都不知道。只有　神知道。
四 五 他四被提到樂園裏、聽見隱祕的言語、是人不可說的。五爲
這人、我要誇口、但是爲我自己、除了我的輭弱以外、我
六 並不誇口。六我就是願意誇口、也不算狂、因爲我必說實
話。只是我禁止不說、恐怕有人把我看高了、過於他在
七 我身上所看見所聽見的。七又恐怕我因所得的啓示甚
大、就過於自高、所以有一根刺加在我肉體上、就是撒
八 但的差役、要攻擊我、免得我過於自高。八爲這事、我三次
九 求過主、叫這刺離開我。九他對我說、我的恩典穀你用的。
因爲我的能力、是在人的輭弱上顯得完全。所以我更
十 喜歡誇自己的輭弱、好叫基督的能力覆庇我。十我爲基
督的緣故、就以輭弱、凌辱、急難、逼迫、困苦、爲可喜樂的。
因我甚麼時候輭弱、甚麼時候就剛強了。

明顯使徒的憑據

十一 十一我成了愚妄人、是被你們強逼的。我本該被你們稱許
纔是。我雖算不了甚麼、卻沒有一件事在那些最大的
十二 使徒以下。十二我在你們中間、用百般的忍耐、藉着神蹟奇
十三 事、異能、顯出使徒的憑據來。十三除了我不累着你們這一
件事、你們還有甚麼事不及別的教會呢。這不公之處、

十四 求你們饒恕我罷。○十四如今我打算第三次到你們那裏
去、也必不累着你們．因我所求的是你們、不是你們的
十五 財物兒女不該爲父母積財、父母該爲兒女積財。十五我也
甘心樂意爲你們的靈魂費財費力。難道我越發愛你
十六 們、就越發少得你們的愛麽。十六罷了、我自己並沒有累着
十七 你們．你們卻有人說、我是詭詐、用心計牢籠你們。十七我所
差到你們那裏去的人、我藉着他們一個人佔過你們
十八 的便宜麽。十八我勸了提多到你們那裏去、又差那位兄弟
與他同去．提多佔過你們的便宜麽．我們行事、不同是
一個心靈麽．不同是一個腳蹤麽。（心靈或作聖靈）

一切的事都爲造就信徒

十九 十九你們到如今、還想我們是向你們分訴．我們本是在基
督裏當　神面前說話。親愛的弟兄阿、一切的事、都是
二十 爲造就你們。二十我怕我再來的時候、見你們不合我所想
望的、你們見我也不合你們所想望的．又怕有分爭、嫉
二一 妒、惱怒、結黨、毀謗、讒言、狂傲、混亂的事．二一且怕我來的時
候、我的　神叫我在你們面前慚愧．又因許多人從前
犯罪、行汚穢姦淫邪蕩的事、不肯悔改、我就憂愁。

一 **第十三章**　一這是我第三次要到你們那裏去。憑兩
二 三個人的口作見證、句句都要定準。二我從前說過、如今
不在你們那裏又說、正如我第二次見你們的時候所
說的一樣、就是對那犯了罪的、和其餘的人說、我若再
三 來必不寬容．三你們既然尋求基督在我裏面說話的憑
據、我必不寬容．因爲基督在你們身上、不是輭弱的、在
四 你們裏面、是有大能的。四他因輭弱被釘在十字架上、卻
因　神的大能、仍然活着．我們也是這樣同他輭弱、但
因　神向你們所顯的大能、也必與他同活。

勸門徒自省

五 五你們總要自己省察有信心沒有．也要自己試驗．豈不
知你們若不是可棄絕的、就有耶穌基督在你們心裏
六七 麽。六我卻盼望你們曉得我們不是可棄絕的人。七我們求
　神叫你們一件惡事都不作．這不是要顯明我們是
蒙悅納的、是要你們行事端正、任憑人看我們是被棄
八九 絕的罷。八我們凡事不能敵擋眞理、只能扶助眞理。九卽使
我們輭弱、你們剛強、我們也歡喜．並且我們所求的、就
十 是你們作完全人。十所以我不在你們那裏的時候、把這

話寫給你們、好叫我見你們的時候、不用照主所給我
的權柄、嚴厲的待你們．這權柄原是為造就人、並不是
為敗壞人。

勸勉

十一 還有末了的話、願弟兄們都喜樂．要作完全人．要受安
慰．要同心合意．要彼此和睦．如此仁愛和平的神、必
常與你們同在。十二 你們親嘴問安．彼此務要聖潔。○十三 眾聖
徒都問你們安。

祝福

十四 願主耶穌基督的恩惠、神的慈愛、聖靈的感動、常與
你們眾人同在。

保羅達加拉太人書

第一章　一作使徒的保羅、（不是由於人、也不是藉
着人、二乃是藉着耶穌基督、與叫他從死裏復活的父
神）和一切與我同在的衆弟兄、寫信給加拉太的各
教會。三願恩惠平安、從父　神與我們的主耶穌基督、歸
與你們。四基督照我們父　神的旨意、爲我們的罪捨己、
要救我們脫離這罪惡的世代。五但願榮耀歸於　神直
到永永遠遠。阿們。

希奇加拉太人速離正道

六我希奇你們這麼快離開那藉着基督之恩召你們的、
去從別的福音。七那並不是福音、不過有些人攪擾你們、
要把基督的福音更改了。八但無論是我們、是天上來的
使者、若傳福音給你們、與我們所傳給你們的不同、他
就應當被咒詛。九我們已經說了、現在又說、若有人傳福
音給你們、與你們所領受的不同、他就應當被咒詛。十我
現在是要得人的心呢、還是要得　神的心呢。我豈是
討人的喜歡麼．若仍舊討人的喜歡、我就不是基督的
僕人了。

保羅傳的福音是從　神來的

十一弟兄們、我告訴你們、我素來所傳的福音、不是出於人
的意思。十二因爲我不是從人領受的、也不是人教導我的、
乃是從耶穌基督啓示來的。十三你們聽見我從前在猶太
教中所行的事、怎樣極力逼迫殘害　神的教會。十四我又
在猶太教中、比我本國許多同歲的人更有長進、爲我
祖宗的遺傳更加熱心。十五然而那把我從母腹裏分別出
來、又施恩召我的　神、十六既然樂意將他兒子啓示在我
心裏、叫我把他傳在外邦人中、我就沒有與屬血氣的
人商量、十七也沒有上耶路撒冷去、見那些比我先作使徒
的、惟獨往亞拉伯去．後又回到大馬色。

不是在耶路撒冷學的

十八過了三年、纔上耶路撒冷去見磯法、和他同住了十五
天。十九至於別的使徒、除了主的兄弟雅各、我都沒有看見。
二十我寫給你們的、不是謊話、這是我在　神面前說的。二十一以
後我到了敍利亞和基利家境內。二十二那時、猶太信基督的
各教會都沒有見過我的面。二十三不過聽說、那從前逼迫我

二四 們的、現在傳揚他原先所殘害的眞道。二四他們就爲我的
緣故、歸榮耀給　神。

保羅巴拿巴奉啓示再往耶路撒冷

一 第二章 一過了十四年、我同巴拿巴又上耶路撒冷
二 去、並帶着提多同去。二我是奉啓示上去的、把我在外邦
人中所傳的福音、對弟兄們陳說．卻是背地裏對那有
三 名望之人說的．惟恐我現在、或是從前、徒然奔跑。三但與
我同去的提多、雖是希利尼人、也沒有勉強他受割禮．
四 四因爲有偷着引進來的假弟兄、私下窺探我們在基督
五 耶穌裏的自由、要叫我們作奴僕．五我們就是一刻的工
夫、也沒有容讓順服他們、爲要叫福音的眞理仍存在
六 你們中間。六至於那些有名望的、不論他是何等人、都與
我無干．神不以外貌取人。那些有名望的、並沒有加
七 增我甚麽．七反倒看見了主託我傳福音給那未受割禮
八 的人、正如託彼得傳福音給那受割禮的人．八（那感動
彼得、叫他爲受割禮之人作使徒的、也感動我、叫我爲
外邦人作使徒）

雅各磯法約翰向保羅巴拿巴行相交之禮

九 九又知道所賜給我的恩典、那稱爲教會柱石的雅各、磯
法、約翰、就向我和巴拿巴用右手行相交之禮、叫我們
十 往外邦人那裏去、他們往受割禮的人那裏去．十只是願
意我們記念窮人．這也是我本來熱心去行的。

保羅責備磯法與外邦人隔開

十一 十一後來磯法到了安提阿、因他有可責之處、我就當面抵
十二 擋他。十二從雅各那裏來的人、未到以先、他和外邦人一同
喫飯．及至他們來到、他因怕奉割禮的人、就退去與外
十三 邦人隔開了。十三其餘的猶太人、也都隨着他裝假．甚至連
十四 巴拿巴也隨夥裝假。十四但我一看見他們行的不正、與福
音的眞理不合、就在衆人面前對磯法說、你既是猶太
人、若隨外邦人行事、不隨猶太人行事、怎麽還勉強外
十五 邦人隨猶太人呢。十五我們這生來的猶太人、不是外邦的
十六 罪人、十六既知道人稱義、不是因行律法、乃是因信耶穌基
督、連我們也信了基督耶穌、使我們因信基督稱義、不
因行律法稱義．因爲凡有血氣的、沒有一人因行律法
十七 稱義。十七我們若求在基督裏稱義、卻仍舊是罪人、難道基

督是叫人犯罪的麼．斷乎不是。[十八]我素來所拆毀的、若重
新建造、這就證明自己是犯罪的人。[十九]我因律法、就向律
法死了、叫我可以向　神活着。

基督在保羅裏面活着

[二十]我已經與基督同釘十字架．現在活着的、不再是我、乃
是基督在我裏面活着．並且我如今在肉身活着、是因
信　神的兒子而活、他是愛我、爲我捨己。[二十一]我不廢掉
神的恩．義若是藉着律法得的、基督就是徒然死了。

責備加拉太人受了迷惑

第三章

[一]無知的加拉太人哪、耶穌基督釘十字架、
已經活畫在你們眼前、誰又迷惑了你們呢。[二]我只要問
你們這一件、你們受了聖靈、是因行律法呢、是因聽信
福音呢。[三]你們既靠聖靈入門、如今還靠肉身成全麼．你
們是這樣的無知麼。[四]你們受苦如此之多、都是徒然的
麼．難道果眞是徒然的麼。

信與律法相比

[五]那賜給你們聖靈、又在你們中間行異能的、是因你們
行律法呢、是因你們聽信福音呢。[六]正如『亞伯拉罕信
神、這就算爲他的義。』[七]所以你們要知道那以信爲
本的人、就是亞伯拉罕的子孫。[八]並且聖經既然豫先看
明、神要叫外邦人因信稱義、就早已傳福音給亞伯
拉罕說、『萬國都必因你得福。』[九]可見那以信爲本的
人、和有信心的亞伯拉罕一同得福。[十]凡以行律法爲本
的、都是被咒詛的．因爲經上記着、『凡不常照律法書
上所記一切之事去行的、就被咒詛。』

義人必因信得生

[十一]沒有一個人靠着律法在　神面前稱義、這是明顯的．
因爲經上說、『義人必因信得生。』[十二]律法原不本乎信、
只說、『行這些事的、就必因此活着。』[十三]基督既爲我們
受了咒詛、(受原文作成)就贖出我們脫離律法的咒詛．因爲
經上記着、『凡掛在木頭上都是被咒詛的。』[十四]這便叫
亞伯拉罕的福、因基督耶穌可以臨到外邦人、使我們
因信得着所應許的聖靈。○[十五]弟兄們、我且照着人的常
話說、雖然是人的文約、若已經立定了、就沒有能廢棄
或加增的。[十六]所應許的原是向亞伯拉罕和他子孫說的．
神並不是說衆子孫、指着許多人、乃是說你那一個

十七 子孫、指着一個人、就是基督。十七我是這麼說、　神豫先所
立的約、不能被那四百三十年以後的律法廢掉、叫應
十八 許歸於虛空。十八因爲承受產業、若本乎律法、就不本乎應
十九 許．但　神是憑着應許、把產業賜給亞伯拉罕。十九這樣說
來、律法是爲甚麼有的呢．原是爲過犯添上的、等候那
蒙應許的子孫來到．並且是藉天使經中保之手設立
二十 二十一 的。二十但中保本不是爲一面作的．　神卻是一位。二十一這樣、律
法是與　神的應許反對麼．斷乎不是．若曾傳一個能
二十二 叫人得生的律法、義就誠然本乎律法了。二十二但聖經把衆
人都圈在罪裏、使所應許的福因信耶穌基督、歸給那
信的人。

律法是福音的先聲

二十三 二十三但這因信得救的理還未來以先、我們被看守在律法
二十四 之下、直圈到那將來的眞道顯明出來。二十四這樣、律法是我
們訓蒙的師傅、引我們到基督那裏、使我們因信稱義。二十五
二十五 但這因信得救的理、既然來到、我們從此就不在師傅
二十六 的手下了。二十六所以你們因信基督耶穌、都是　神的兒子。二十七
二十七 二十八 你們受洗歸入基督的、都是披戴基督了。二十八並不分猶太
人、希利尼人、自主的、爲奴的、或男或女、因爲你們在基
二十九 督耶穌裏、都成爲一了。二十九你們既屬乎基督、就是亞伯拉
罕的後裔、是照着應許承受產業的了。

第四章　被贖的人得兒子的名分

一 一我說那承受產業的、雖然是全業的主人、
二 但爲孩童的時候、卻與奴僕毫無分別．二乃在師傅和管
三 家的手下、直等他父親豫定的時候來到。三我們爲孩童
四 的時候、受管於世俗小學之下、也是如此。四及至時候滿
足、　神就差遣他的兒子、爲女子所生、且生在律法以
五 下、五要把律法以下的人贖出來、叫我們得着兒子的名
六 分。六你們既爲兒子、　神就差他兒子的靈、進入你們原文
七 作我們的心、呼叫阿爸、父。七可見從此以後、你不是奴僕、乃
八 是兒子了．既是兒子、就靠着　神爲後嗣。八○但從前你
們不認識　神的時候、是給那些本來不是神的作奴
九 僕。九現在你們既然認識　神、更可說是被　神所認識
的、怎麼還要歸回那懦弱無用的小學、情願再給他作
十 十一 奴僕呢。十你們謹守日子、月分、節期、年分。十一我爲你們害怕．
惟恐我在你們身上是枉費了工夫。

激勵門徒

十二 弟十二兄們、我勸你們要像我一樣、因爲我也像你們一樣.
十三 你們一點沒有虧負我。十三你們知道我頭一次傳福音給
十四 你們、是因爲身體有疾病。十四你們爲我身體的緣故受試
煉、沒有輕看我、也沒有厭棄我.反倒接待我、如同 神
十五 的使者、如同基督耶穌。十五你們當日所誇的福氣在那裏
呢.那時你們若能行、就是把自己的眼睛剜出來給我、
十六 也都情願.這是我可以給你們作見證的。十六如今我將眞
十七 理告訴你們、就成了你們的仇敵麽。十七那些人熱心待你
們、卻不是好意、是要離間〔原文作把你們關在外面〕你們、叫你們熱
十八 心待他們。十八在善事上、常用熱心待人、原是好的、卻不單
十九 我與你們同在的時候纔這樣。十九我小子阿、我爲你們再
二十 受生產之苦、直等到基督成形在你們心裏。二十我巴不得
現今在你們那裏、改換口氣、因我爲你們心裏作難。

兩個婦人豫表兩約

二一 二一你們這願意在律法以下的人、請告訴我、你們豈沒有
二二 聽見律法麽。二二因爲律法上記着、亞伯拉罕有兩個兒子、
二三 一個是使女生的、一個是自主之婦人生的。二三然而那使

女所生的、是按着血氣生的.那自主之婦人所生的、是
二四 憑着應許生的。二四這都是比方.那兩個婦人、就是兩約.一
二五 約是出於西乃山、生子爲奴、乃是夏甲。二五這夏甲二字是
指着亞拉伯的西乃山、與現在的耶路撒冷同類.因耶
二六 路撒冷和他的兒女都是爲奴的。二六但那在上的耶路撒
二七 冷是自主的、他是我們的母。二七因爲經上記着、『不懷孕
不生養的、你要歡樂.未曾經過產難的、你要高聲歡呼、
二八 因爲沒有丈夫的、比有丈夫的兒女更多。』二八弟兄們、我
二九 們是憑着應許作兒女、如同以撒一樣。二九當時那按着血
三十 氣生的、逼迫了那按着聖靈生的.現在也是這樣。三十然而
經上是怎麽說的呢.是說、『把使女和他兒子趕出去.
因爲使女的兒子、不可與自主婦人的兒子一同承受
三一 產業。』三一弟兄們、這樣看來、我們不是使女的兒女、乃是
自主婦人的兒女了。

基督使人得自由

第五章
一 一基督釋放了我們、叫我們得以自由、所以
要站立得穩、不要再被奴僕的軛挾制。

在基督裏割禮無功效

二我保羅告訴你們、若受割禮、基督就與你們無益了。三我
再指着凡受割禮的人確實的說、他是欠着行全律法
的債。四你們這要靠律法稱義的、是與基督隔絕、從恩典
中墜落了。五我們靠着聖靈、憑着信心、等候所盼望的義。
六原來在基督耶穌裏、受割禮不受割禮、全無功效。惟獨
使人生發仁愛的信心、纔有功效。七你們向來跑得好、有
誰攔阻你們、叫你們不順從眞理呢。八這樣的勸導、不是
出於那召你們的。九一點麵酵能使全團都發起來。十我在
主裏很信你們必不懷別樣的心、但攪擾你們的、無論
是誰、必擔當他的罪名。十一弟兄們、我若仍舊傳割禮、爲甚
麼還受逼迫呢。若是這樣、那十字架討厭的地方就沒
有了。十二恨不得那攪亂你們的人、把自己割絕了。

愛心乃包括全律法的義

十三弟兄們、你們蒙召、是要得自由。只是不可將你們的自
由當作放縱情慾的機會。總要用愛心互相服事。十四因爲
全律法都包在愛人如己這一句話之內了。十五你們要謹
愼、若相咬相吞、只怕要彼此消滅了。

聖靈和情慾爲敵

十六我說、你們當順着聖靈而行、就不放縱肉體的情慾了。
十七因爲情慾和聖靈相爭、聖靈和情慾相爭、這兩個是彼
此相敵、使你們不能作所願意作的。十八但你們若被聖靈
引導、就不在律法以下。十九情慾的事、都是顯而易見的、就
如姦淫、汚穢、邪蕩、二十拜偶像、邪術、仇恨、爭競、忌恨、惱怒、結
黨、紛爭、異端、二十一嫉妒、（有古卷在此有兇殺二字）醉酒、荒宴等類。我從前
告訴你們、現在又告訴你們、行這樣事的人、必不能承
受　神的國。二十二聖靈所結的果子、就是仁愛、喜樂、和平、忍
耐、恩慈、良善、信實、二十三溫柔、節制。這樣的事、沒有律法禁止。
二十四凡屬基督耶穌的人、是已經把肉體連肉體的邪情私
慾、同釘在十字架上了。○二十五我們若是靠聖靈得生、就當
靠聖靈行事。二十六不要貪圖虛名、彼此惹氣、互相嫉妒。

第六章

各人的重擔要互相擔當

一弟兄們、若有人偶然被過犯所勝、你們屬
靈的人、就當用溫柔的心、把他挽回過來。又當自己小
心、恐怕也被引誘。二你們各人的重擔要互相擔當、如此、
就完全了基督的律法。三人若無有、自己還以爲有、就是

四　五　六七　八　九　十　十一　十二　十三　十四　十五

自欺了。四各人應當察驗自己的行爲、這樣他所誇的就
專在自己、不在別人了。五因爲各人必擔當自己的擔子。

種甚麽收甚麽

六在道理上受教的、當把一切需用的供給施教的人。七不
要自欺、神是輕慢不得的．人種的是甚麽、收的也是
甚麽。八順着情慾撒種的、必從情慾收敗壞．順着聖靈撒
種的、必從聖靈收永生。九我們行善、不可喪志．若不灰心、
到了時候、就要收成。十所以有了機會、就當向衆人行善．
向信徒一家的人更當這樣。十一○請看我親手寫給你們
的字、是何等的大呢。十二凡希圖外貌體面的人、都勉強你
們受割禮．無非是怕自己爲基督的十字架受逼迫。十三他
們那些受割禮的、連自己也不守律法．他們願意你們
受割禮、不過要藉着你們的肉體誇口．十四但我斷不以別
的誇口、只誇我們主耶穌基督的十字架．因這十字架、
就我而論、世界已經釘在十字架上．就世界而論、我已
經釘在十字架上。

當作新造的人

十五受割禮、不受割禮、都無關緊要、要緊的就是作新造的

十六　十七　十八

人。十六凡照此理而行的、願平安憐憫加給他們、和神的
以色列民。○十七從今以後、人都不要攪擾我．因爲我身上
帶着耶穌的印記。○十八弟兄們、願我主耶穌基督的恩常
在你們心裏。阿們。

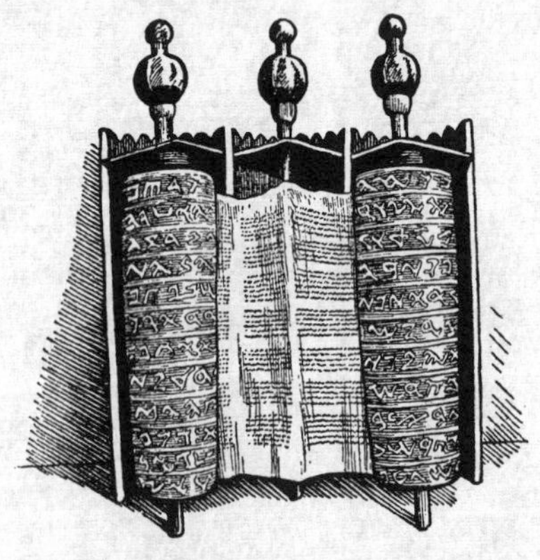

加拉太書：六章十一節

保羅達以弗所人書

第一章 一奉神旨意、作基督耶穌使徒的保羅、寫
信給在以弗所的聖徒、就是在基督耶穌裏有忠心的
．二人願恩惠平安從神我們的父、和主耶穌基督、歸與
你們。

蒙救贖的恩

三願頌讚歸與我們主耶穌基督的父神、他在基督裏、
曾賜給我們天上各樣屬靈的福氣．四就如神從創立
世界以前、在基督裏揀選了我們、使我們在他面前成
爲聖潔、無有瑕疵．五又因愛我們、就按着自己意旨所喜
悅的、豫定我們藉着耶穌基督得兒子的名分、六使他榮
耀的恩典得着稱讚．這恩典是他在愛子裏所賜給我
們的。七我們藉這愛子的血、得蒙救贖、過犯得以赦免、乃
是照他豐富的恩典．八這恩典是神用諸般智慧聰明、
充充足足賞給我們的、九都是照他自己所豫定的美意、
叫我們知道他旨意的奧祕、十要照所安排的、在日期滿
足的時候、使天上地上一切所有的、都在基督裏面同
歸於一。十一我們也在他裏面得了基業、(得或作成)這原是那位
隨己意行作萬事的、照着他旨意所豫定的．十二叫他的榮
耀、從我們這首先在基督裏有盼望的人、可以得着稱
讚。十三你們既聽見眞理的道、就是那叫你們得救的福音、
也信了基督、既然信他、就受了所應許的聖靈爲印記．
十四這聖靈、是我們得基業的憑據、(原文作質)直等到神之民
(原文作產業)被贖、使他的榮耀得着稱讚。

指望天上的基業

十五因此、我既聽見你們信從主耶穌、親愛衆聖徒、十六就爲你
們不住的感謝神、禱告的時候、常題到你們．十七求我們
主耶穌基督的神、榮耀的父、將那賜人智慧和啓示
的靈、賞給你們、使你們眞知道他．十八並且照明你們心中
的眼睛、使你們知道他的恩召有何等指望．他在聖徒
中得的基業、有何等豐盛的榮耀．十九並知道他向我們這
信的人所顯的能力、是何等浩大．二十就是照他在基督身
上所運行的大能大力、使他從死裏復活、叫他在天上
坐在自己的右邊、二十一遠超過一切執政的、掌權的、有能的、
主治的、和一切有名的．不但是今世的、連來世的也都

二二 超過了。[二二]又將萬有服在他的腳下、使他爲教會作萬有
二三 之首。[二三]教會是他的身體、是那充滿萬有者所充滿的。

得救是本乎恩也因着信……

一 **第二章** [一]你們死在過犯罪惡之中、他叫你們活過
二 來。[二]那時、你們在其中行事爲人隨從今世的風俗、順服
空中掌權者的首領、就是現今在悖逆之子心中運行
三 的邪靈。[三]我們從前也都在他們中間、放縱肉體的私慾、
隨着肉體和心中所喜好的去行、本爲可怒之子、和別
四 人一樣。[四]然而 神既有豐富的憐憫、因他愛我們的大
五 愛、[五]當我們死在過犯中的時候、便叫我們與基督一同
六 活過來。(你們得救是本乎恩)[六]他又叫我們與基督
七 耶穌一同復活、一同坐在天上、[七]要將他極豐富的恩典、
就是他在基督耶穌裏向我們所施的恩慈、顯明給後
八 來的世代看。[八]你們得救是本乎恩、也因着信、這並不是
九 出於自己、乃是 神所賜的、[九]也不是出於行爲、免得有
十 人自誇。[十]我們原是他的工作、在基督耶穌裏造成的、爲
要叫我們行善、就是 神所豫備叫我們行的。

從前門徒不知道 神

十一 [十一]所以你們應當記念、你們從前按肉體是外邦人、是稱
爲沒受割禮的、這名原是那些憑人手在肉身上稱爲
十二 受割禮之人所起的。[十二]那時、你們與基督無關、在以色列
國民以外、在所應許的諸約上是局外人。並且活在世
十三 上沒有指望、沒有 神。[十三]你們從前遠離 神的人、[十四]如今
十四 卻在基督耶穌裏、靠着他的血、已經得親近了。因他使
我們和睦、(原文作因他是我們的和睦)將兩下合而爲一、拆毀了中
十五 間隔斷的牆。[十五]而且以自己的身體、廢掉冤仇、就是那記
在律法上的規條。爲要將兩下、藉着自己造成一個新
十六 人、如此便成就了和睦。[十六]既在十字架上滅了冤仇、便藉
十七 這十字架、使兩下歸爲一體、與 神和好了。[十七]並且來傳
十八 和平的福音給你們遠處的人、也給那近處的人。[十八]因爲
我們兩下藉着他被一個聖靈所感、得以進到父面前。

如今是 神家裏的人

十九 [十九]這樣、你們不再作外人和客旅、是與聖徒同國、是 神
二十 家裏的人了。[二十]並且被建造在使徒和先知的根基上、有
二一 基督耶穌自己爲房角石。[二一]各(或作全)房靠他聯絡得合式、

二二 漸漸成爲主的聖殿。你們也靠他同被建造成爲　神
藉着聖靈居住的所在。

奉命傳福音於外邦人

一 **第三章**　因此、我保羅爲你們外邦人作了基督耶
二 穌被囚的替你們祈禱．（此句乃照對十四節所加）諒必你們曾聽見
三 神賜恩給我、將關切你們的職分託付我、用啓示使
四 我知道福音的奧祕、正如我以前略略寫過的．你們念
五 了、就能曉得我深知基督的奧祕．這奧祕在以前的世
代、沒有叫人知道、像如今藉着聖靈啓示他的聖使徒
六 和先知一樣．這奧祕就是外邦人在基督耶穌裏、藉着
七 福音得以同爲後嗣、同爲一體、同蒙應許。我作了這福
音的執事、是照　神的恩賜．這恩賜是照他運行的大
八 能賜給我的。我本來比衆聖徒中最小的還小．然而他
還賜我這恩典、叫我把基督那測不透的豐富、傳給外
九 邦人．又使衆人都明白、這歷代以來隱藏在創造萬物
十 之　神裏的奧祕、是如何安排的．爲要藉着教會、使天
十一 上執政的、掌權的、現在得知　神百般的智慧．這是照
神從萬世以前在我們主基督耶穌裏所定的旨意。

十二 十三 我們因信耶穌、就在他裏面放膽無懼、篤信不疑的來
到　神面前。所以我求你們、不要因我爲你們所受的
患難喪膽．這原是你們的榮耀。

基督有莫測之愛

十四 十五 因此、我在父面前屈膝、（天上地上的各（或作全）家、都是
十六 從他得名）求他按着他豐盛的榮耀、藉着他的靈、叫
十七 你們心裏的力量剛強起來、使基督因你們的信、住在
十八 你們心裏、叫你們的愛心有根有基、能以和衆聖徒一
十九 同明白基督的愛、是何等長闊高深、並知道這愛是過
於人所能測度的、便叫　神一切所充滿的、充滿了你
二十 們。◯　神能照着運行在我們心裏的大力、充充足足
二一 的成就一切超過我們所求所想的．但願他在教會中、
並在基督耶穌裏、得着榮耀、直到世世代代、永永遠遠。
阿們。

勸門徒合而爲一

一 **第四章**　我爲主被囚的勸你們、既然蒙召、行事爲
二 人就當與蒙召的恩相稱。凡事謙虛、溫柔、忍耐、用愛心
三 互相寬容、用和平彼此聯絡、竭力保守聖靈所賜合而

四 為一的心。[四]身體只有一個、聖靈只有一個、正如你們蒙
六五 召同有一個指望。[五]一主、一信、一洗、[六]一神、就是衆人的
七 父、超乎衆人之上、貫乎衆人之中、也住在衆人之內。[七]我
八 們各人蒙恩、都是照基督所量給各人的恩賜。[八]所以經
上說、『他升上高天的時候、擄掠了仇敵、將各樣的恩
十九 賜賞給人。』[九]（既說升上、豈不是先降在地下麼．[十]那降
下的、就是遠升諸天之上要充滿萬有的。）

滿有基督長成的身量

十一 [十一]他所賜的有使徒、有先知、有傳福音的．有牧師和教師．
十三十二 [十二]為要成全聖徒、各盡其職、建立基督的身體．[十三]直等到我
們衆人在眞道上同歸於一、認識 神的兒子、得以長
十四 大成人、滿有基督長成的身量．[十四]使我們不再作小孩子、
中了人的詭計、和欺騙的法術、被一切異教之風搖動、
十五 飄來飄去、就隨從各樣的異端．[十五]惟用愛心說誠實話、凡
十六 事長進、連於元首基督．[十六]全身都靠他聯絡得合式、百節
各按各職、照着各體的功用、彼此相助、便叫身體漸漸
增長、在愛中建立自己。

凡事效法基督

十七 [十七]所以我說、且在主裏確實的說、你們行事、不要再像外
十八 邦人存虛妄的心行事．[十八]他們心地昏昧、與 神所賜的
十九 生命隔絕了、都因自己無知、心裏剛硬．[十九]良心既然喪盡、
就放縱私慾、貪行種種的汚穢。

穿上新人

二十二十一 [二十]你們學了基督、卻不是這樣．[二十一]如果你們聽過他的道、領
二十二 了他的教、學了他的眞理、[二十二]就要脫去你們從前行為上
二十三 的舊人．這舊人是因私慾的迷惑、漸漸變壞的．[二十三]又要將
二十四 你們的心志改換一新．[二十四]並且穿上新人．這新人是照着
神的形像造的、有眞理的仁義和聖潔。

不可給魔鬼留地步

二十五 [二十五]所以你們要棄絕謊言、各人與鄰舍說實話．因為我們
二十六二十七 是互相為肢體。[二十六]生氣卻不要犯罪．不可含怒到日落．[二十七]也
二十八 不可給魔鬼留地步。[二十八]從前偷竊的、不要再偷．總要勞力、
親手作正經事、就可有餘分給那缺少的人。

不要叫聖靈擔憂

二十九 [二十九]汚穢的言語、一句不可出口、只要隨事說造就人的好

話、叫聽見的人得益處。三十不要叫 神的聖靈擔憂．你們
原是受了他的印記、等候得贖的日子來到。三一一切苦毒、
惱恨、忿怒、嚷鬧、毀謗、並一切的惡毒、（或作陰毒）都當從你們
中間除掉．三二並要以恩慈相待、存憐憫的心、彼此饒恕、正
如 神在基督裏饒恕了你們一樣。

第五章

當憑愛心行事

一所以你們該效法 神、好像蒙慈愛的兒
女一樣．二也要憑愛心行事、正如基督愛我們、為我們捨
了自己、當作馨香的供物和祭物、獻與 神。三至於淫亂、
並一切污穢、或是貪婪、在你們中間連題都不可、方合
聖徒的體統。四淫詞、妄語和戲笑的話都不相宜、總要說
感謝的話。五因為你們確實的知道、無論是淫亂的、是污
穢的、是有貪心的、在基督和 神的國裏、都是無分的．
有貪心的、就與拜偶像的一樣。六不要被人虛浮的話欺
哄、因這些事、 神的忿怒必臨到那悖逆之子。七所以你
們不要與他們同夥。

當像光明的子女

八從前你們是暗昧的、但如今在主裏面是光明的、行事
為人就當像光明的子女．九光明所結的果子、就是一切
良善、公義、誠實．十總要察驗何為主所喜悅的事。十一那暗昧
無益的事、不要與人同行、倒要責備行這事的人。十二因為
他們暗中所行的、就是題起來也是可恥的。十三凡事受了
責備、就被光顯明出來．因為一切能顯明的、就是光。十四所
以主說、你這睡着的人、當醒過來、從死裏復活、基督就
要光照你了。

愛惜光陰

十五你們要謹慎行事、不要像愚昧人、當像智慧人．十六要愛惜
光陰、因為現今的世代邪惡。十七不要作糊塗人、要明白主
的旨意如何。十八不要醉酒、酒能使人放蕩、乃要被聖靈充
滿。十九當用詩章、頌詞、靈歌、彼此對說、口唱心和的讚美主。
二十凡事要奉我們主耶穌基督的名、常常感謝父 神。二一又
當存敬畏基督的心、彼此順服。

夫妻的本分

二二你們作妻子的、當順服自己的丈夫、如同順服主。二三因為
丈夫是妻子的頭、如同基督是教會的頭．他又是教會
全體的救主。二四教會怎樣順服基督、妻子也要怎樣凡事

二五 順服丈夫。[二五]你們作丈夫的、要愛你們的妻子、正如基督
二六 愛教會、爲教會捨己。[二六]要用水藉着道、把教會洗淨、成爲
二七 聖潔、[二七]可以獻給自己、作個榮耀的教會、毫無玷污皺紋
二八 等類的病、乃是聖潔沒有瑕疵的。[二八]丈夫也當照樣愛妻
二九 子、如同愛自己的身子。愛妻子、便是愛自己了。[二九]從來沒
有人恨惡自己的身子、總是保養顧惜、正像基督待教
三十 會一樣。[三十]因我們是他身上的肢體。（有古卷在此有就是他的骨他的肉）[三一]爲
三一 這個緣故、人要離開父母、與妻子連合、二人成爲一體。
三二 這[三二]是極大的奧祕、但我是指着基督和教會說的。[三三]然而
三三 你們各人都當愛妻子、如同愛自己一樣、妻子也當敬
重他的丈夫。

第六章

父母和兒女的本分

一 [一]你們作兒女的、要在主裏聽從父母、這是
二三 理所當然的。[二]要孝敬父母、使你得福、[三]在世長壽。這是第
四 一條帶應許的誡命。[四]你們作父親的、不要惹兒女的氣、
只要照着主的教訓和警戒、養育他們。

主人和僕人的本分

五 [五]你們作僕人的、要懼怕戰兢、用誠實的心、聽從你們肉
六 身的主人、好像聽從基督一般。[六]不要只在眼前事奉、像
是討人喜歡的、要像基督的僕人、從心裏遵行　神的
七八 旨意。[七]甘心事奉、好像服事主、不像服事人。[八]因爲曉得各
人所行的善事、不論是爲奴的、是自主的、都必按所行
九 的得主的賞賜。[九]你們作主人的、待僕人也是一理、不要
威嚇他們。因爲知道他們和你們同有一位主在天上、
他並不偏待人。

須穿戴　神所賜的全副軍裝

十 [十]我還有末了的話、你們要靠着主、倚賴他的大能大力、
十一 作剛強的人。[十一]要穿戴　神所賜的全副軍裝、就能抵擋
十二 魔鬼的詭計。[十二]因我們並不是與屬血氣的爭戰、乃是與
那些執政的、掌權的、管轄這幽暗世界的、以及天空屬
十三 靈氣的惡魔爭戰。（兩爭戰原文都作摔跤）[十三]所以要拿起　神所賜
的全副軍裝、好在磨難的日子、抵擋仇敵、並且成就了
十四 一切、還能站立得住。[十四]所以要站穩了、用眞理當作帶子
十五 束腰、用公義當作護心鏡遮胸。[十五]又用平安的福音、當作
十六 豫備走路的鞋穿在脚上。[十六]此外又拿着信德當作籐牌、
十七 可以滅盡那惡者一切的火箭。[十七]並戴上救恩的頭盔、拿

着聖靈的寶劍、就是　神的道。
當隨時儆醒禱告
十八 十八靠着聖靈、隨時多方禱告祈求、並要在此儆醒不倦、爲
十九 衆聖徒祈求、十九也爲我祈求使我得着口才、能以放膽開
二十 口講明福音的奧祕、二十（我爲這福音的奧祕作了帶鎖
二一 鍊的使者）並使我照着當盡的本分、放膽講論。○二一今
有所親愛忠心事奉主的兄弟推基古、他要把我的事
二二 情並我的景況如何、全告訴你們叫你們知道。二二我特意
打發他到你們那裏去、好叫你們知道我們的光景、又
二三 叫他安慰你們的心。○二三願平安仁愛信心從父　神和
二四 主耶穌基督、歸與弟兄們。二四並願所有誠心愛我們主耶
穌基督的人、都蒙恩惠。

以弗所書：六章十一節

DIANA

保羅達腓立比人書

一 **第一章** 一基督耶穌的僕人保羅、和提摩太、寫信給
凡住腓立比、在基督耶穌裏的衆聖徒、和諸位監督、諸
二 位執事。二願恩惠平安、從 神我們的父、並主耶穌基督、
歸與你們。

爲門徒祈求感謝

三四 三我每逢想念你們、就感謝我的 神．四（每逢爲你們衆
五 人祈求的時候、常是歡歡喜喜的祈求）五因爲從頭一
六 天直到如今、你們是同心合意的興旺福音。六我深信那
在你們心裏動了善工的、必成全這工、直到耶穌基督
七 的日子．七我爲你們衆人有這樣的意念、原是應當的．因
你們常在我心裏、無論我是在捆鎖之中、是辯明證實
八 福音的時候、你們都與我一同得恩。八我體會基督耶穌
的心腸、切切的想念你們衆人．這是 神可以給我作
九 見證的。九我所禱告的、十就是要你們的愛心在知識和各
十 樣見識上、多而又多．使你們能分別是非、（或作喜愛那美好的事）
十一 作誠實無過的人、直到基督的日子．十一並靠着耶穌基督
結滿了仁義的果子、叫榮耀稱讚歸與 神。

保羅因捆鎖興旺福音

十二 十二弟兄們、我願意你們知道、我所遭遇的事、更是叫福音
十三 興旺．十三以致我受的捆鎖、在御營全軍、和其餘的人中、已
十四 經顯明是爲基督的緣故。十四並且那在主裏的弟兄、多半
因我受的捆鎖、就篤信不疑、越發放膽傳 神的道、無
十五 所懼怕。十五有的傳基督是出於嫉妒分爭．也有的是出於
十六 好意．十六這一等是出於愛心、知道我是爲辯明福音設立
十七 的．十七那一等傳基督、是出於結黨、並不誠實、意思要加增
十八 我捆鎖的苦楚。十八這有何妨呢．或是假意、或是眞心、無論
怎樣、基督究竟被傳開了．爲此我就歡喜、並且還要歡
十九 喜。十九因爲我知道這事藉着你們的祈禱、和耶穌基督之
二十 靈的幫助、終必叫我得救．二十照着我所切慕所盼望的、沒
有一事叫我羞愧．只要凡事放膽．無論是生、是死、總叫
基督在我身上照常顯大。

活着就是基督死了就有益處

二一二二 二十一因我活着就是基督、我死了就有益處。二十二但我在肉身活
二三 着、若成就我工夫的果子、我就不知道該挑選甚麼．二十三我

正在兩難之間、情願離世與基督同在。因爲這是好得
二四 二五 無比的。二四然而我在肉身活着、爲你們更是要緊的。二五我既
然這樣深信、就知道仍要住在世間、且與你們衆人同
二六 住、使你們在所信的道上、又長進又喜樂。二六叫你們在基
督耶穌裏的歡樂、因我再到你們那裏去、就越發加增。
二七 二七只要你們行事爲人與基督的福音相稱、叫我或來見
你們、或不在你們那裏、可以聽見你們的景況、知道你
們同有一個心志、站立得穩、爲所信的福音齊心努力。
二八 二八凡事不怕敵人的驚嚇。這是證明他們沉淪、你們得救、
二九 都是出於　神。二九因爲你們蒙恩、不但得以信服基督、並
三十 要爲他受苦。三十你們的爭戰、就與你們在我身上從前所
看見、現在所聽見的一樣。

第二章

當以基督的心爲心

一 一所以在基督裏若有甚麼勸勉、愛心有甚
二 麼安慰、聖靈有甚麼交通、心中有甚麼慈悲憐憫、二你們
就要意念相同、愛心相同、有一樣的心思、有一樣的意
三 念、使我的喜樂可以滿足。三凡事不可結黨、不可貪圖虛
四 浮的榮耀。只要存心謙卑、各人看別人比自己強。四各人
五 不要單顧自己的事、也要顧別人的事。五你們當以基督
六 耶穌的心爲心。六他本有　神的形像、不以自己與　神
七 同等爲強奪的。七反倒虛己、取了奴僕的形像、成爲人的
八 樣式。八既有人的樣子、就自己卑微、存心順服、以至於死、
且死在十字架上。

無不口稱耶穌爲主

九 九所以　神將他升爲至高、又賜給他那超乎萬名之上
十 的名、十叫一切在天上的、地上的、和地底下的、因耶穌的
十一 名、無不屈膝、十一無不口稱耶穌基督爲主、使榮耀歸與父
十二 神。○十二這樣看來、我親愛的弟兄、你們既是常順服的、
不但我在你們那裏、就是我如今不在你們那裏、更是
十三 順服的、就當恐懼戰兢、作成你們得救的工夫。十三因爲你
們立志行事、都是　神在你們心裏運行、爲要成就他
的美意。

門徒如明光照耀

十四 十五 十四凡所行的、都不要發怨言、起爭論、十五使你們無可指摘、誠
實無僞、在這彎曲悖謬的世代作　神無瑕疵的兒女。
十六 十六你們顯在這世代中、好像明光照耀、將生命的道表明

出來、叫我在基督的日子、好誇我沒有空跑、也沒有徒
十七 勞。十七我以你們的信心為供獻的祭物、我若被澆奠在其
十八 上、也是喜樂、並且與你們衆人一同喜樂。十八你們也要照
樣喜樂、並且與我一同喜樂。

保羅稱讚提摩太

十九 十九我靠主耶穌指望快打發提摩太去見你們、叫我知道
二十 你們的事、心裏就得着安慰。二十因為我沒有別人與我同
二一 心、實在罣念你們的事。二一別人都求自己的事、並不求耶
二二 穌基督的事。二二但你們知道提摩太的明證、他與我為福音
二三 與我同勞、待我像兒子待父親一樣。二三所以我一看出我
二四 的事要怎樣了結、就盼望立刻打發他去。二四但我靠着主
二五 自信我也必快去。二五然而我想必須打發以巴弗提到你
們那裏去。他是我的兄弟、與我一同作工、一同當兵、是
二六 你們所差遣的、也是供給我需用的。二六他很想念你們衆
二七 人、並且極其難過、因為你們聽見他病了。二七他實在是病
了、幾乎要死。然而　神憐恤他、不但憐恤他、也憐恤我、
二八 免得我憂上加憂。二八所以我越發急速打發他去、叫你們
二九 再見他、就可以喜樂、我也可以少些憂愁。二九故此你們要
三十 在主裏歡歡樂樂的接待他、而且要尊重這樣的人。三十因
他為作基督的工夫、幾乎至死、不顧性命、要補足你們
供給我的不及之處。

保羅只在基督裏誇口

一 **第三章**　一弟兄們、我還有話說、你們要靠主喜樂。我
把這話再寫給你們、於我並不為難、於你們卻是妥當。
二三 二應當防備犬類、防備作惡的、防備妄自行割的。三因為眞
受割禮的、乃是我們這以　神的靈敬拜、在基督耶穌
四 裏誇口、不靠着肉體的。四其實我也可以靠肉體、若是別
五 人想他可以靠肉體、我更可以靠着了。五我第八天受割
禮、我是以色列族、便雅憫支派的人、是希伯來人所生
六 的希伯來人、就律法說、我是法利賽人、六就熱心說、我是
七 逼迫教會的、就律法上的義說、我是無可指摘的。七只是
我先前以為與我有益的、我現在因基督都當作有損
八 的。八不但如此、我也將萬事當作有損的、因我以認識我
主基督耶穌為至寶。

為基督丟棄萬事

九 我為他已經丟棄萬事、看作糞土、為要得着基督。九並且

得以在他裏面、不是有自己因律法而得的義、乃是有
十 信基督的義、就是因信　神而來的義。十使我認識基督、
曉得他復活的大能、並且曉得和他一同受苦、效法他
十一 十二 的死、十一或者我也得以從死裏復活。十二這不是說、我已經得
着了、已經完全了。我乃是竭力追求、或者可以得着基
督耶穌所以得着我的。（所以得着我的、或作所要我得的）

忘記背後努力面前的

十三 十三弟兄們、我不是以為自己已經得着了。我只有一件事、
十四 就是忘記背後、努力面前的、十四向着標竿直跑、要得　神
十五 在基督耶穌裏從上面召我來得的獎賞。十五所以我們中
間凡是完全人、總要存這樣的心。若在甚麼事上、存別
十六 樣的心、　神也必以此指示你們。十六然而我們到了甚麼
十七 地步、就當照着甚麼地步行。○十七弟兄們、你們要一同效
十八 法我、也當留意看那些照我們榜樣行的人。十八因為有許
多人行事、是基督十字架的仇敵。我屢次告訴你們、現
十九 在又流淚的告訴你們。十九他們的結局就是沉淪、他們的
神就是自己的肚腹、他們以自己的羞辱為榮耀、專以
地上的事為念。

門徒是天上的國民

二十 二十我們卻是天上的國民、並且等候救主、就是主耶穌基
二十一 督從天上降臨。二十一他要按着那能叫萬有歸服自己的大
能、將我們這卑賤的身體改變形狀、和他自己榮耀的
身體相似。

一 **第四章** 一我所親愛所想念的弟兄們、你們就是我
的喜樂、我的冠冕。我親愛的弟兄、你們應當靠主站立
二 三 得穩。○二我勸友阿爹和循都基、要在主裏同心。三我也求
你這真實同負一軛的、幫助這兩個女人、因為他們在
福音上曾與我一同勞苦、還有革利免、並其餘和我一
同作工的。他們的名字都在生命冊上。

門徒當在主裏喜樂

四 五 四你們要靠主常常喜樂。我再說、你們要喜樂。五當叫眾人
六 知道你們謙讓的心。主已經近了。六應當一無罣慮、只要
凡事藉着禱告、祈求、和感謝、將你們所要的告訴　神。
七 七　神所賜出人意外的平安、必在基督耶穌裏、保守你
們的心懷意念。

凡可稱讚的都要思念

八 八弟兄們、我還有未盡的話．凡是眞實的、可敬的、公義的、
清潔的、可愛的、有美名的．若有甚麼德行、若有甚麼稱
九 讚、這些事你們都要思念。九你們在我身上所學習的、所
領受的、所聽見的、所看見的、這些事你們都要去行．賜
平安的　神就必與你們同在。

無論甚麼景況都可知足

十 十我靠主大大的喜樂、因爲你們思念我的心、如今又發
十一 生．你們向來就思念我、只是沒得機會。十一我並不是因缺
乏說這話、我無論在甚麼景況、都可以知足、這是我已
十二 經學會了。十二我知道怎樣處卑賤、也知道怎樣處豐富、或
飽足、或飢餓、或有餘、或缺乏、隨事隨在、我都得了祕訣。
十三十四 我靠着那加給我力量的、凡事都能作。十四然而你們和我
十五 同受患難、原是美事。十五腓立比人哪、你們也知道我初傳
福音、離了馬其頓的時候、論到授受的事、除了你們以
十六 外、並沒有別的教會供給我．十六就是我在帖撒羅尼迦、你
十七 們也一次兩次的打發人供給我的需用。十七我並不求甚
麼餽送、所求的就是你們的果子漸漸增多、歸在你們

十八 的賬上。十八但我樣樣都有、並且有餘．我已經充足、因我從
以巴弗提受了你們的餽送、當作極美的香氣、爲　神
十九 所收納所喜悅的祭物。十九我的　神必照他榮耀的豐富、
二十 在基督耶穌裏、使你們一切所需用的都充足。二十願榮耀
二一 歸給我們的父　神、直到永永遠遠。阿們。○二十一請問在基
督耶穌裏的各位聖徒安。在我這裏的衆弟兄都問你
二二 們安。二十二衆聖徒都問你們安．在該撒家裏的人特特的問
二三 你們安。○二十三願主耶穌基督的恩常在你們心裏。

提摩太後書：一章十六節

腓立比書：二章十五節

保羅達歌羅西人書

一 第一章 奉[一]神旨意、作基督耶穌使徒的保羅、和
二 兄弟提摩太、[二]寫信給歌羅西的聖徒、在基督裏有忠心
的弟兄。願恩惠平安、從 神我們的父、歸與你們。

爲門徒的信與愛與望感謝 神

三 [三]我們感謝 神我們主耶穌基督的父、常常爲你們禱
四 告。[四]因聽見你們在基督耶穌裏的信心、並向衆聖徒的
五 愛心。[五]是爲那給你們存在天上的盼望。這盼望就是你
六 們從前在福音眞理的道上所聽見的。[六]這福音傳到你
們那裏、也傳到普天之下、並且結果增長、如同在你們
中間、自從你們聽見福音、眞知道 神恩惠的日子一
七 樣。[七]正如你們從我們所親愛、一同作僕人的以巴弗所
八 學的。他爲我們(有古卷作你們)作了基督忠心的執事。[八]也把你
們因聖靈所存的愛心告訴了我們。

爲門徒加增智慧力量忍耐禱告 神

九 [九]因此、我們自從聽見的日子、也就爲你們不住的禱告
祈求、願你們在一切屬靈的智慧悟性上、滿心知道

十 神的旨意。[十]好叫你們行事爲人對得起主、凡事蒙他喜
十一 悅、在一切善事上結果子、漸漸的多知道 神。[十一]照他榮
耀的權能、得以在各樣的力上加力、好叫你們凡事歡
十二 歡喜喜的忍耐寬容。[十二]又感謝父、叫我們能與衆聖徒在
十三 光明中同得基業。[十三]他救了我們脫離黑暗的權勢、把我
十四 們遷到他愛子的國裏。[十四]我們在愛子裏得蒙救贖罪過
得以赦免。

愛子是不能看見之 神的像

十五 [十五]愛子是那不能看見之 神的像、是首生的、在一切被
十六 造的以先。[十六]因爲萬有都是靠他造的、無論是天上的、地
上的、能看見的、不能看見的、或是有位的、主治的、執政
十七 的、掌權的、一概都是藉着他造的、又是爲他造的。[十七]他在
十八 萬有之先。萬有也靠他而立。[十八]他也是教會全體之首。他
是元始、是從死裏首先復生的、使他可以在凡事上居
十九 二十 首位。[十九]因爲父喜歡叫一切的豐盛、在他裏面居住。[二十]既然
藉着他在十字架上所流的血、成就了和平、便藉着他
二十一 叫萬有、無論是地上的、天上的、都與自己和好了。[二十一]你們
二十二 從前與 神隔絕、因着惡行、心裏與他爲敵。[二十二]但如今他

藉着基督的肉身受死、叫你們與自己和好、都成了聖
潔、沒有瑕疵、無可責備、把你們引到自己面前。

應當穩固不離開福音的盼望

二三 二三只要你們在所信的道上恆心、根基穩固、堅定不移、不
至被引動失去(原文作離開)福音的盼望、這福音就是你們
所聽過的、也是傳與普天下萬人聽的、(萬人原文作凡受造的)我
二四 保羅也作了這福音的執事。○二四現在我為你們受苦、倒
覺歡樂、並且為基督的身體、就是為教會、要在我肉身
二五 上補滿基督患難的缺欠。二五我照 神為你們所賜我的
二六 職分、作了教會的執事、要把 神的道理傳得全備。二六這
道理就是歷世歷代所隱藏的奧祕、但如今向他的聖
二七 徒顯明了。二七 神願意叫他們知道、這奧祕在外邦人中
有何等豐盛的榮耀、就是基督在你們心裏成了有榮
耀的盼望。

使各人在基督裏完全

二八 二八我們傳揚他、是用諸般的智慧、勸戒各人、教導各人、要
二九 把各人在基督裏完完全全的引到 神面前。二九我也為
此勞苦、照着他在我裏面運用的大能、盡心竭力。

一 **第二章** 一我願意你們曉得我為你們和老底嘉人、
並一切沒有與我親自見面的人、是何等的盡心竭力。
二 二要叫他們的心得安慰、因愛心互相聯絡、以致豐豐足
足在悟性中有充足的信心、使他們真知 神的奧祕、
三 就是基督。三所積蓄的一切智慧知識、都在他裏面藏着。
四五 四我說這話、免得有人用花言巧語迷惑你們。五我身子雖
與你們相離、心卻與你們同在、見你們循規蹈矩、信基
六 督的心也堅固、我就歡喜了。○六你們既然接受了主基
七 督耶穌、就當遵他而行。七在他裏面生根建造、信心堅固、
正如你們所領的教訓、感謝的心也更增長了。

防避不合真理的學問

八 八你們要謹慎、恐怕有人用他的理學、和虛空的妄言、不
照着基督、乃照人間的遺傳、和世上的小學、就把你們
九 擄去。九因為 神本性一切的豐盛、都有形有體的居住
十 在基督裏面。十你們在他裏面也得了豐盛。他是各樣執
十一 政掌權者的元首。十一你們在他裏面也受了不是人手所
十二 行的割禮、乃是基督使你們脫去肉體情慾的割禮。十二你
們既受洗與他一同埋葬、也就在此與他一同復活、都

因信那叫他從死裏復活　神的功用。
在罪中死蒙恩得活
十三 [13]你們從前在過犯、和未受割禮的肉體中死了、神赦
免了你們（或作我們）一切過犯、便叫你們與基督一同活過
十四 來。[14]又塗抹了在律例上所寫、攻擊我們有礙於我們的
十五 字據、把他撤去、釘在十字架上。[15]既將一切執政的掌權
十六 的擄來、明顯給衆人看、就仗着十字架誇勝。〇[16]所以不
拘在飲食上、或節期、月朔、安息日、都不可讓人論斷你
十七 十八 們。[17]這些原是後事的影兒、那形體卻是基督。[18]不可讓人
因着故意謙虛、和敬拜天使、就奪去你們的獎賞。這等
人拘泥在所見過的、（有古卷作這等人窺察所沒有見過的）隨着自己的
十九 慾心、無故的自高自大、[19]不持定元首、全身既然靠着他
筋節得以聯絡、就因　神大得長進。
不要在世俗中活着
二十 二十一 [20]你們若是與基督同死、脫離了世上的小學、為甚麼仍
像在世俗中活着、服從那不可拿、不可嘗、不可摸、等類
二十二 的規條呢。[22]這都是照人所吩咐所教導的、說到這一切、
二十三 正用的時候就都敗壞了。[23]這些規條、使人徒有智慧之

名、用私意崇拜、自表謙卑、苦待己身、其實在克制肉體
的情慾上、是毫無功效。
第三章　勸門徒思念上面的事
一 [1]所以你們若真與基督一同復活、就當求
二 在上面的事。那裏有基督坐在　神的右邊。[2]你們要思
三 念上面的事、不要思念地上的事。[3]因為你們已經死了、
四 你們的生命與基督一同藏在　神裏面。[4]基督是我們
的生命、他顯現的時候、你們也要與他一同顯現在榮
耀裏。
棄舊更新
五 [5]所以要治死你們在地上的肢體、就如淫亂、污穢、邪情、
六 惡慾、和貪婪、貪婪就與拜偶像一樣。[6]因這些事、神的
七 忿怒必臨到那悖逆之子。[7]當你們在這些事中活着的
八 時候、也曾這樣行過。[8]但現在你們要棄絕這一切的事、
九 以及惱恨、忿怒、惡毒、（或作陰毒）毀謗、並口中污穢的言語。[9]不
十 要彼此說謊。因你們已經脫去舊人和舊人的行為、[10]穿
上了新人。這新人在知識上漸漸更新、正如造他主的
十一 形像。[11]在此並不分希利尼人、猶太人、受割禮的、未受割

禮的、化外人、西古提人、爲奴的、自主的．惟有基督是包
括一切、又住在各人之內。

愛心是聯絡全德的

十二 十二所以你們既是神的選民、聖潔蒙愛的人、就要存（原文
十三 作穿下同）憐憫、恩慈、謙虛、溫柔、忍耐的心。十三倘若這人與那人
有嫌隙、總要彼此包容、彼此饒恕．主怎樣饒恕了你們、
十四 你們也要怎樣饒恕人。十四在這一切之外、要存着愛心．愛
十五 心就是聯絡全德的。十五又要叫基督的平安在你們心裏
十六 作主．你們也爲此蒙召、歸爲一體．且要存感謝的心。十六當
用各樣的智慧、把基督的道理、豐豐富富的存在心裏、
（或作當把基督的道理豐豐富富的存在心裏以各樣的智慧）用詩章、頌詞、靈歌、彼此
十七 教導、互相勸戒、心被恩感、歌頌神。十七無論作甚麼、或說
話、或行事、都要奉主耶穌的名、藉着他感謝父神。

勸夫婦父子主僕各盡其分

十八 十八你們作妻子的、當順服自己的丈夫、這在主裏面是相
十九 宜的。十九你們作丈夫的、要愛你們的妻子、不可苦待他們。
二十 二十你們作兒女的、要凡事聽從父母、因爲這是主所喜悅
二一 的。二一你們作父親的、不要惹兒女的氣、恐怕他們失了志
二二 氣。二二你們作僕人的、要凡事聽從你們肉身的主人、不要
只在眼前事奉、像是討人喜歡的、總要存心誠實敬畏
二三 主。二三無論作甚麼、都要從心裏作、像是給主作的．不是給
二四 人作的。二四因你們知道從主那裏必得着基業爲賞賜．你
二五 們所事奉的乃是主基督。二五那行不義的、必受不義的報
應．主並不偏待人。

一 **第四章** 一你們作主人的、要公公平平的待僕人、因
爲知道你們也有一位主在天上。

應當恆切禱告儆醒感恩

二 三 二你們要恆切禱告、在此儆醒感恩．三也要爲我們禱告、求
神給我們開傳道的門、能以講基督的奧祕、（我爲
四 此被捆鎖）四叫我按着所該說的話、將這奧祕發明出
來。

當用智慧與外人交往

五 六 五你們要愛惜光陰、用智慧與外人交往。六你們的言語要
常常帶着和氣、好像用鹽調和、就可知道該怎樣回答
七 各人。○七有我親愛的兄弟推基古、要將我一切的事都
八 告訴你們．他是忠心的執事、和我一同作主的僕人。八我

特意打發他到你們那裏去、好叫你們知道我們的光
九 景、又叫他安慰你們的心。我又打發一位親愛忠心的
兄弟阿尼西母同去．他也是你們那裏的人。他們要把
十 這裏一切的事都告訴你們。○與我一同坐監的亞里
達古問你們安。巴拿巴的表弟馬可也問你們安。（說
到這馬可、你們已經受了吩咐．他若到了你們那裏、你
十一 們就接待他。）耶數又稱爲猶士都、也問你們安．奉割
禮的人中、只有這三個人、是爲　神的國與我一同作
十二 工的、也是叫我心裏得安慰的。有你們那裏的人、作基
督耶穌僕人的以巴弗問你們安。他在禱告之間、常爲
你們竭力的祈求、願你們在　神一切的旨意上、得以
十三 完全、信心充足、能站立得穩．他爲你們和老底嘉並希
拉波立的弟兄、多多的勞苦．這是我可以給他作見證
十四 十五 的。所親愛的醫生路加、和底馬問你們安。請問老底嘉
十六 的弟兄、和寧法、並他家裏的教會安．你們念了這書信、
便交給老底嘉的教會、叫他們也念．你們也要念從老
十七 底嘉來的書信。要對亞基布說、務要謹慎、盡你從主所
十八 受的職分。○我保羅親筆問你們安．你們要記念我的
捆鎖。願恩惠常與你們同在。

初世紀的航船

保羅達帖撒羅尼迦人前書

第一章

一保羅、西拉、提摩太、寫信給帖撒羅尼迦在
父神和主耶穌基督裏的教會。願恩惠平安歸與你
們。

門徒深信福音得蒙聖靈

二我們爲你們衆人常常感謝 神、禱告的時候題到你
們。三在 神我們的父面前、不住的記念你們因信心所
作的工夫、因愛心所受的勞苦、因盼望我們主耶穌基
督所存的忍耐。四被 神所愛的弟兄阿、我知道你們是
蒙揀選的。五因爲我們的福音傳到你們那裏、不獨在乎
言語、也在乎權能、和聖靈、並充足的信心。正如你們知
道我們在你們那裏、爲你們的緣故是怎樣爲人。六並且
你們在大難之中、蒙了聖靈所賜的喜樂、領受眞道、就
效法我們、也效法了主。七甚至你們作了馬其頓和亞該
亞、所有信主之人的榜樣。八因爲主的道從你們那裏已
經傳揚出來、你們向 神的信心不但在馬其頓和亞
該亞、就是在各處也都傳開了。所以不用我們說甚麼
話。

離棄偶像歸向神

九因爲他們自己已經報明我們是怎樣進到你們那裏、
你們是怎樣離棄偶像歸向 神、要服事那又眞又活
的 神、十等候他兒子從天降臨、就是他從死裏復活的、
那位救我們脫離將來忿怒的耶穌。

第二章 保羅在腓立比受辱被害

一弟兄們、你們自己原曉得我們進到你們
那裏、並不是徒然的。二我們從前在腓立比被害受辱、這
是你們知道的。然而還是靠我們的 神放開膽量、在
大爭戰中把 神的福音傳給你們。三我們的勸勉、不是
出於錯誤、不是出於污穢、也不是用詭詐。四但 神旣然
驗中了我們、把福音託付我們、我們就照樣講、不是要
討人喜歡、乃是要討那察驗我們心的 神喜歡。五因爲
我們從來沒有用過諂媚的話、這是你們知道的。也沒
有藏着貪心、這是 神可以作見證的。六我們作基督的
使徒、雖然可以叫人尊重、卻沒有向你們或向別人求
榮耀、七只在你們中間存心溫柔、如同母親乳養自己的

八 孩子。八、我們既是這樣愛你們、不但願意將 神的福音
給你們、連自己的性命也願意給你們、因你們是我們
所疼愛的。

保羅的辛苦勞碌

九 九弟兄們、你們記念我們的辛苦勞碌、晝夜作工、傳 神
十 的福音給你們、免得叫你們一人受累。十我們向你們信
主的人、是何等聖潔、公義、無可指摘、有你們作見證、也
十一 有 神作見證。十一你們也曉得我們怎樣勸勉你們、安慰
十二 你們、囑咐你們各人、好像父親待自己的兒女一樣．十二要
叫你們行事對得起那召你們進他國得他榮耀的
神。

門徒忍受本地人的苦害

十三 十三為此、我們也不住的感謝 神、因你們聽見我們所傳
神的道、就領受了、不以為是人的道、乃以為是 神
的道．這道實在是 神的、並且運行在你們信主的人
十四 心中。十四弟兄們、你們曾效法猶太中、在基督耶穌裏 神
的各教會．因為你們也受了本地人的苦害、像他們受
十五 了猶太人的苦害一樣。十五這猶太人殺了主耶穌和先知、

十六 又把我們趕出去、他們不得 神的喜悅、且與眾人為
敵．十六不許我們傳道給外邦人使外邦人得救、常常充滿
自己的罪惡． 神的忿怒臨在他們身上、已經到了極
處。

保羅以門徒為榮耀喜樂

十七 十七弟兄們、我們暫時與你們離別、是面目離別、心裏卻不
十八 離別、我們極力的想法子、很願意見你們的面．十八所以我
們有意到你們那裏、我保羅有一兩次要去、只是撒但
十九 阻擋了我們。十九我們的盼望和喜樂、並所誇的冠冕、是甚
二十 麼呢．豈不是我們主耶穌來的時候、你們在他面前站
立得住麼。二十因為你們就是我們的榮耀、我們的喜樂。

第三章　保羅因門徒穩固感謝 神

一 一我們既不能再忍、就願意獨自等在雅典．
二 二打發我們的兄弟在基督福音上作 神執事的提摩
太前去、（作神執事的有古卷作與神同工的）堅固你們、並在你們所信
三 的道上勸慰你們．三免得有人被諸般患難搖動．因為你
四 們自己知道我們受患難原是命定的。四我們在你們那
裏的時候、豫先告訴你們、我們必受患難、以後果然應

五 驗了、你們也知道。[五]為此、我既不能再忍、就打發人去、要
曉得你們的信心如何、恐怕那誘惑人的到底誘惑了
六 你們、叫我們的勞苦歸於徒然。[六]但提摩太剛纔從你們
那裏回來、將你們信心和愛心的好消息報給我們、又
說你們常常記念我們、切切的想見我們、如同我們想
七 見你們一樣。[七]所以弟兄們、我們在一切困苦患難之中、
八 因着你們的信心就得了安慰。[八]你們若靠主站立得穩、
九 我們就活了。[九]我們在　神面前、因着你們甚是喜樂、為
十 這一切喜樂、可用何等的感謝、為你們報答　神呢。[十]我
們晝夜切切的祈求、要見你們的面、補滿你們信心的
不足。

代門徒禱告

十一 [十一]願　神我們的父、和我們的主耶穌、一直引領我們到
十二 你們那裏去。[十二]又願主叫你們彼此相愛的心、並愛眾人
十三 的心、都能增長充足、如同我們愛你們一樣。[十三]好使你們、
當我們主耶穌同他眾聖徒來的時候、在我們父　神
面前、心裏堅固、成為聖潔、無可責備。

第四章

勸門徒遠避淫行

一 [一]弟兄們、我還有話說。我們靠着主耶穌求
你們、勸你們、你們既然受了我們的教訓、知道該怎樣
行、可以討　神的喜悅、就要照你們現在所行的、更加
二 勉勵。[二]你們原曉得我們憑主耶穌傳給你們甚麼命令。
三四 [三]神的旨意就是要你們成為聖潔、遠避淫行。[四]要你們
五 各人曉得怎樣用聖潔尊貴守着自己的身體。[五]不放縱
六 私慾的邪情、像那不認識　神的外邦人。[六]不要一個人
在這事上越分、欺負他的弟兄。因為這一類的事、主必
報應、正如我豫先對你們說過、又切切囑咐你們的。
七 [七]神召我們、本不是要我們沾染污穢、乃是要我們成為
八 聖潔。[八]所以那棄絕的、不是棄絕人、乃是棄絕那賜聖靈
給你們的　神。

蒙　神教訓彼此相愛

九 [九]論到弟兄們相愛、不用人寫信給你們。因為你們自己
十 蒙了　神的教訓、叫你們彼此相愛。[十]你們向馬其頓全
地的眾弟兄、固然是這樣行、但我勸弟兄們要更加勉
十一 勵。[十一]又要立志作安靜人、辦自己的事、親手作工、正如我

十二 們從前所吩咐你們的．十二你們可以向外人行事端正、
自己也就沒有甚麼缺乏了。

為信徒死了的安慰話

十三 十三論到睡了的人、我們不願意弟兄們不知道、恐怕你們
十四 憂傷、像那些沒有指望的人一樣。十四我們若信耶穌死而
復活了、那已經在耶穌裏睡了的人、 神也必將他與
十五 耶穌一同帶來。十五我們現在照主的話告訴你們一件事．
我們這活着還存留到主降臨的人、斷不能在那已經
十六 睡了的人之先．十六因為主必親自從天降臨、有呼叫的聲
音、和天使長的聲音、又有 神的號吹響．那在基督裏
十七 死了的人必先復活。十七以後我們這活着還存留的人、必
和他們一同被提到雲裏、在空中與主相遇．這樣、我們
十八 就要和主永遠同在。十八所以你們當用這些話彼此勸慰。

勸門徒儆醒謹守

一 第五章 一弟兄們、論到時候日期、不用寫信給你們．
二 二因為你們自己明明曉得、主的日子來到、好像夜間的
三 賊一樣。三人正說平安穩妥的時候、災禍忽然臨到他們、
四 如同產難臨到懷胎的婦人一樣．他們絕不能逃脫。四弟
兄們、你們卻不在黑暗裏、叫那日子臨到你們像賊一
五 樣。五你們都是光明之子、都是白晝之子、我們不是屬黑
六 夜的、也不是屬幽暗的．六所以我們不要睡覺、像別人一
七 樣、總要儆醒謹守。七因為睡了的人是在夜間睡、醉了的
八 人是在夜間醉。八但我們既然屬乎白晝、就應當謹守、把
信和愛當作護心鏡遮胸、把得救的盼望當作頭盔戴
九 上。九因為 神不是豫定我們受刑、乃是豫定我們藉着
十 我們主耶穌基督得救．十他替我們死、叫我們無論醒着
十一 睡着、都與他同活。十一所以你們該彼此勸慰、互相建立、正
十二 如你們素常所行的。十二◯弟兄們、我們勸你們敬重那在
你們中間勞苦的人、就是在主裏面治理你們、勸戒你
十三 們的．十三又因他們所作的工、用愛心格外尊重他們．你們
十四 也要彼此和睦。十四我們又勸弟兄們、要警戒不守規矩的
人、勉勵灰心的人、扶助輭弱的人、也要向衆人忍耐。

毋以惡報惡

十五 十五你們要謹慎、無論是誰都不可以惡報惡．或是彼此相
十六 十七 待、或是待衆人、常要追求良善。十六要常常喜樂．十七不住的禱
十八 告．十八凡事謝恩．因為這是 神在基督耶穌裏向你們所

十九 二十 定的旨意。十九不要銷滅聖靈的感動。二十不要藐視先知的講
二一 二二 論．二一但要凡事察驗．善美的要持守。二二各樣的惡事要禁戒
二三 不作。〇二三願賜平安的　神、親自使你們全然成聖．又願
你們的靈、與魂、與身子、得蒙保守、在我主耶穌基督降
二四 臨的時候、完全無可指摘。二四那召你們的本是信實的、他
二五 二六 必成就這事。〇二五請弟兄們爲我們禱告。二六與衆弟兄親嘴
二七 問安、務要聖潔。二七我指着主囑咐你們、要把這信念給衆
二八 弟兄聽。〇二八願我主耶穌基督的恩常與你們同在。

保羅達帖撒羅尼迦人後書

一 第一章　一保羅、西拉、提摩太、寫信給帖撒羅尼迦在
二 神我們的父與主耶穌基督裏的教會。二願恩惠平安、
從父　神和主耶穌基督、歸與你們。

保羅爲門徒感謝　神

三 三弟兄們、我們該爲你們常常感謝　神、這本是合宜的．
因你們的信心格外增長、並且你們衆人彼此相愛的
四 心也都充足．四甚至我們在　神的各教會裏爲你們誇
口、都因你們在所受的一切逼迫患難中、仍舊存忍耐
五 和信心．五這正是　神公義判斷的明證．叫你們可算配
六 得　神的國、你們就是爲這國受苦。六神既是公義的、
七 就必將患難報應那加患難給你們的人．七也必使你們
這受患難的人與我們同得平安．那時、主耶穌同他有
八 能力的天使、從天上在火焰中顯現．八要報應那不認識
九 神、和那不聽從我主耶穌福音的人．九他們要受刑罰、
十 就是永遠沉淪、離開主的面和他權能的榮光．十這正是
主降臨要在他聖徒的身上得榮耀、又在一切信的人

身上顯爲希奇的那日子。（我們對你們作的見證你
們也信了。）

主在門徒身上得榮耀之名

十一 十一因此、我們常爲你們禱告、願我們的 神看你們配得
過所蒙的召。又用大能成就你們一切所羡慕的良善、
十二 和一切因信心所作的工夫。十二叫我們主耶穌的名、在你
們身上得榮耀、你們也在他身上得榮耀、都照着我們
的 神並主耶穌基督的恩。

主未降臨必有不法者顯露

一 **第二章** 一弟兄們、論到我們主耶穌基督降臨、和我
二 們到他那裏聚集、二我勸你們、無論有靈有言語有冒我
名的書信、說主的日子現在到了、（現在或作就）不要輕易動
三 心、也不要驚慌。三人不拘用甚麼法子、你們總不要被他
誘惑。因爲那日子以前、必有離道反教的事、並有那大
四 罪人、就是沉淪之子、顯露出來。四他是抵擋主、高抬自己、
超過一切稱爲神的、和一切受人敬拜的。甚至坐在
五 神的殿裏、自稱是 神。五我還在你們那裏的時候、曾把
六 這些事告訴你們、你們不記得麼。六現在你們也知道那
七 攔阻他的是甚麼、是叫他到了的時候、纔可以顯露。七因
爲那不法的隱意已經發動。只是現在有一個攔阻的、
八 等到那攔阻的被除去。八那時這不法的人、必顯露出來。
主耶穌要用口中的氣滅絕他、用降臨的榮光廢掉他。
九 九這不法的人來、是照撒但的運動、行各樣的異能神蹟、
十 和一切虛假的奇事。十並且在那沉淪的人身上、行各樣
出於不義的詭詐。因他們不領受愛眞理的心、使他們
十一 得救。十一故此、 神就給他們一個生發錯誤的心、叫他們
十二 信從虛謊。十二使一切不信眞理、倒喜愛不義的人都被定
罪。

門徒當堅守保羅之教訓

十三 十三主所愛的弟兄們哪、我們本該常爲你們感謝 神。因
爲他從起初揀選了你們、叫你們因信眞道、又被聖靈
十四 感動成爲聖潔、能以得救。十四 神藉我們所傳的福音、召
十五 你們到這地步、好得着我們主耶穌基督的榮光。十五所以
弟兄們、你們要站立得穩、凡所領受的教訓、不拘是我
十六 們口傳的、是信上寫的、都要堅守。○十六但願我們主耶穌
基督、和那愛我們、開恩將永遠的安慰、並美好的盼望、

十七 賜給我們的父 神、十七安慰你們的心、並且在一切善行
善言上、堅固你們。

要主的道快快行開

第三章

一 一弟兄們、我還有話說、請你們為我們禱告、
好叫主的道理快快行開、得着榮耀、正如在你們中間
二 一樣。二也叫我們脫離無理之惡人的手。因為人不都是
三 有信心。三但主是信實的、要堅固你們、保護你們脫離那
四 惡者。或作脫離兇惡四我們靠主深信你們現在是遵行我們所
五 吩咐的、後來也必要遵行。五願主引導你們的心、叫你們
愛 神、並學基督的忍耐。

不作工的不可喫飯

六 六弟兄們、我們奉主耶穌基督的名吩咐你們、凡有弟兄
不按規矩而行、不遵守從我們所受的教訓、就當遠離
七 他。七你們自己原知道應當怎樣效法我們、因為我們在
八 你們中間、未嘗不按規矩而行、八也未嘗白喫人的飯。倒
九 是辛苦勞碌、晝夜作工、免得叫你們一人受累。九這並不
是因我們沒有權柄、乃是要給你們作榜樣、叫你們效
十 法我們。十我們在你們那裏的時候、曾吩咐你們說、若有
十一 人不肯作工、就不可喫飯。十一因我們聽說、在你們中間有
十二 人不按規矩而行、甚麼工都不作、反倒專管閒事。十二我們
靠主耶穌基督、吩咐勸戒這樣的人、要安靜作工、喫自
己的飯。

行善不可喪志

十三 十四 十三弟兄們、你們行善不可喪志。十四若有人不聽從我們這信
十五 上的話、要記下他、不和他交往、叫他自覺羞愧。十五但不要
十六 以他為仇人、要勸他如弟兄。○十六願賜平安的主、隨時隨
十七 事親自給你們平安。願主常與你們眾人同在。○十七我保
羅親筆問你們安。凡我的信都以此為記。我的筆跡就
十八 是這樣。十八願我們主耶穌基督的恩、常與你們眾人同在。

東方的商賈

保羅達提摩太前書

第一章　[一]奉我們救主　神、和我們的盼望基督耶
穌之命、作基督耶穌使徒的保羅、[二]寫信給那因信主作
我眞兒子的提摩太、願恩惠憐憫平安、從父　神和我
們主基督耶穌、歸與你。

愛是命令的總歸

[三]我往馬其頓去的時候、曾勸你仍住在以弗所、好囑咐
那幾個人、不可傳異教、[四]也不可聽從荒渺無憑的話語、
和無窮的家譜、這等事只生辯論、並不發明　神在信
上所立的章程。[五]但命令的總歸就是愛、這愛是從清潔
的心、和無虧的良心、無僞的信心、生出來的。[六]有人偏離
這些、反去講虛浮的話、[七]想要作教法師、卻不明白自己
所講說的、所論定的。[八]我們知道律法原是好的、只要人
用得合宜。[九]因爲律法不是爲義人設立的、乃是爲不法
和不服的、不虔誠和犯罪的、不聖潔和戀世俗的、弒父
母和殺人的、[十]行淫和親男色的、搶人口和說謊話的、並
起假誓的、或是爲別樣敵正道的事設立的。[十一]這是照着
可稱頌之　神交託我榮耀福音說的。

保羅以自己爲罪魁還是蒙恩

[十二]我感謝那給我力量的我們主基督耶穌、因他以我有
忠心、派我服事他。[十三]我從前是褻瀆　神的、逼迫人的、侮
慢人的、然而我還蒙了憐憫、因我是不信不明白的時
候而作的。[十四]並且我主的恩是格外豐盛、使我在基督耶
穌裏有信心和愛心。[十五]基督耶穌降世、爲要拯救罪人、這
話是可信的、是十分可佩服的。在罪人中我是個罪魁。
[十六]然而我蒙了憐憫、是因耶穌基督要在我這罪魁身上、
顯明他一切的忍耐、給後來信他得永生的人作榜樣。
[十七]但願尊貴榮耀歸與那不能朽壞不能看見永世的君
王、獨一的　神、直到永永遠遠。阿們。

勸勉提摩太打美好的仗

[十八]我兒提摩太阿、我照從前指着你的豫言、將這命令交
託你、叫你因此可以打那美好的仗、[十九]常存信心和無虧
的良心、有人丟棄良心、就在眞道上如同船破壞了一
般。[二十]其中有許米乃和亞力山大、我已經把他們交給撒
但、使他們受責罰、就不再謗瀆了。

當代在位的人禱告

第二章　一我勸你第一要為萬人懇求、禱告、代求、祝
謝。二為君王和一切在位的也該如此、使我們可以敬虔
端正、平安無事的度日。三這是好的、在 神我們救主面
前可蒙悅納。四他願意萬人得救、明白眞道。五因為只有一
位 神、在 神和人中間、只有一位中保、乃是降世為
人的基督耶穌。六他捨自己作萬人的贖價、到了時候、這
事必證明出來。七我為此奉派、作傳道的、作使徒、作外邦
人的師傅、教導他們相信、學習眞道。我說的是眞話、並
不是謊言。

女人當以正派衣裳為妝飾

八我願男人無忿怒、無爭論、（爭論或作疑惑）舉起聖潔的手、隨處
禱告。九又願女人廉恥、自守、以正派衣裳為妝飾、不以編
髮、黃金、珍珠、和貴價的衣裳為妝飾。十只要有善行、這纔
與自稱是敬 神的女人相宜。十一女人要沉靜學道、一味
的順服。十二我不許女人講道、也不許他轄管男人、只要沉
靜。十三因為先造的是亞當、後造的是夏娃。十四且不是亞當被
引誘、乃是女人被引誘、陷在罪裏。十五然而女人若常存信
心愛心、又聖潔自守、就必在生產上得救。

論監督當如何為人

第三章　一人若想要得監督的職分、就是羨慕善工。
這話是可信的。二作監督的、必須無可指責、只作一個婦
人的丈夫、有節制、自守、端正、樂意接待遠人、善於教導。
三不因酒滋事、不打人、只要溫和、不爭競、不貪財。四好好管
理自己的家、使兒女凡事端莊順服。（或作使兒女端端莊莊的順服）五人
若不知道管理自己的家、焉能照管 神的教會呢。六初
入教的不可作監督、恐怕他自高自大、就落在魔鬼所
受的刑罰裏。七監督也必須在教外有好名聲、恐怕被人
毀謗、落在魔鬼的網羅裏。

論執事當如何為人

八作執事的也是如此、必須端莊、不一口兩舌、不好喝酒、
不貪不義之財。九要存清潔的良心、固守眞道的奧祕。十這
等人也要先受試驗、若沒有可責之處、然後叫他們作
執事。十一女執事（原文作女人）也是如此、必須端莊、不說讒言、有
節制、凡事忠心。十二執事只要作一個婦人的丈夫、好好管
理兒女和自己的家。十三因為善作執事的、自己就得到美

好的地步、並且在基督耶穌裏的眞道上大有膽量。

教會是眞理的柱石和根基

十四我指望快到你那裏去、所以先將這些事寫給你．十五倘若
我躭延日久、你也可以知道在　神的家中當怎樣行．
這家就是永生　神的教會、眞理的柱石和根基。十六大哉、
敬虔的奥祕、無人不以爲然．就是　神在肉身顯現、被
聖靈稱義、（或作在靈性稱義）被天使看見、被傳於外邦、被世人
信服、被接在榮耀裏。

第四章　**豫言有人離棄眞道**

一聖靈明說、在後來的時候、必有人離棄眞
道、聽從那引誘人的邪靈、和鬼魔的道理。二這是因爲說
謊之人的假冒．這等人的良心、如同被熱鐵烙慣了一
般。三他們禁止嫁娶、又禁戒食物、（或作又叫人戒葷）就是　神所
造叫那信而明白眞道的人、感謝着領受的。四凡　神所
造的物、都是好的．若感謝着領受、就沒有一樣可棄的．
五都因　神的道和人的祈求、成爲聖潔了。

勸提摩太作信徒的榜樣

六你若將這些事題醒弟兄們、便是基督耶穌的好執事、
在眞道的話語、和你向來所服從的善道上、得了教育。
七只是要棄絕那世俗的言語、和老婦荒渺的話、在敬虔
上操練自己。八操練身體、益處還少．惟獨敬虔、凡事都有
益處．因有今生和來生的應許。九這話是可信的、是十分
可佩服的。十我們勞苦努力、正是爲此．因我們的指望在
乎永生的　神．他是萬人的救主、更是信徒的救主。十一這
些事你要吩咐人、也要教導人。十二不可叫人小看你年輕．
總要在言語、行爲、愛心、信心、清潔上、都作信徒的榜樣。
十三你要以宣讀、勸勉、教導爲念、直等到我來。十四你不要輕忽
所得的恩賜、就是從前藉着豫言、在衆長老按手的時
候、賜給你的。十五這些事你要殷勤去作、並要在此專心、使
衆人看出你的長進來。十六你要謹愼自己和自己的教訓、
要在這些事上恆心．因爲這樣行、又能救自己、又能救
聽你的人。

當如何規勸老幼男女

第五章

一不可嚴責老年人、只要勸他如同父親．勸
少年人如同弟兄．二勸老年婦女如同母親．勸少年婦女
如同姐妹．總要清清潔潔的。三要尊敬那眞爲寡婦的．四若

寡婦有兒女、或有孫子孫女、便叫他們先在自己家中
學着行孝報答親恩、因爲這在　神面前是可悅納的。
五 五那獨居無靠眞爲寡婦的、是仰賴　神、晝夜不住的祈
六 求禱告。六但那好宴樂的寡婦、正活着的時候、也是死的。
七 八 七這些事你要囑咐他們、叫他們無可指責。八人若不看顧
親屬、就是背了眞道、比不信的人還不好。不看顧自己
家裏的人、更是如此。

寡婦如何始登册

九 九寡婦記在册子上、必須年紀到六十歲、從來只作一個
十 丈夫的妻子、十又有行善的名聲、就如養育兒女、接待遠
十一 人、洗聖徒的脚、救濟遭難的人、竭力行各樣善事。十一至於
年輕的寡婦、就可以辭他、因爲他們的情慾發動、違背
十二 基督的時候、就想要嫁人。十二他們被定罪、是因廢棄了當
十三 初所許的願。十三並且他們又習慣懶惰、挨家閒遊。不但是
十四 懶惰、又說長道短、好管閒事、說些不當說的話。十四所以我
願意年輕的寡婦嫁人、生養兒女、治理家務、不給敵人
十五 十六 辱罵的把柄。十五因爲已經有轉去隨從撒但的。十六信主的婦
女、若家中有寡婦、自己就當救濟他們、不可累着教會、
好使教會能救濟那眞無倚靠的寡婦。

當敬奉善於管理教會的長老

十七 十七那善於管理教會的長老、當以爲配受加倍的敬奉。那
十八 勞苦傳道教導人的、更當如此。十八因爲經上說、『牛在場
上踹穀的時候、不可籠住他的嘴。』又說、『工人得工
十九 價是應當的。』十九控告長老的呈子、非有兩三個見證就
二十 不要收。二十犯罪的人、當在衆人面前責備他、叫其餘的人
二一 也可以懼怕。二一我在　神和基督耶穌並蒙揀選的天使
面前囑咐你、要遵守這些話、不可存成見、行事也不可
二二 有偏心。二二給人行按手的禮、不可急促、不要在別人的罪
二三 上有分、要保守自己淸潔。二三因你胃口不淸、屢次患病、再
二四 不要照常喝水、可以稍微用點酒。二四有些人的罪是明顯
的、如同先到審判案前、有些人的罪是隨後跟了去的。
二五 二五這樣、善行也有明顯的、那不明顯的也不能隱藏。

第六章

僕人當恭敬主人

一 一凡在軛下作僕人的、當以自己主人配受
二 十分的恭敬、免得　神的名和道理被人褻瀆。二僕人有
信道的主人、不可因爲與他是弟兄就輕看他、更要加

意服事他。因為得服事之益處的、是信道蒙愛的。你要
以此教訓人、勸勉人。

當遠避爭辯言詞的人

三若有人傳異教、不服從我們主耶穌基督純正的話、與
那合乎敬虔的道理。四他是自高自大、一無所知、專好問
難、爭辯言詞。從此就生出嫉妒、分爭、毀謗、妄疑、五並那壞
了心術、失喪真理之人的爭競。他們以敬虔為得利的
門路。六然而敬虔加上知足的心便是大利了。七因為我們
沒有帶甚麼到世上來、也不能帶甚麼去。八只要有衣有
食、就當知足。

貪財是萬惡之根

九但那些想要發財的人、就陷在迷惑、落在網羅、和許多
無知有害的私慾裏、叫人沉在敗壞和滅亡中。十貪財是
萬惡之根。有人貪戀錢財、就被引誘離了真道、用許多
愁苦把自己刺透了。

當持定永生

十一但你這屬　神的人、要逃避這些事、追求公義、敬虔、信
心、愛心、忍耐、溫柔。十二你要為真道打那美好的仗、持定永
生。你為此被召、也在許多見證人面前、已經作了那美
好的見證。十三我在叫萬物生活的　神面前、並在向本丟
彼拉多作過那美好見證的基督耶穌面前囑咐你、十四要
守這命令、毫不玷污、無可指責、直到我們的主耶穌基
督顯現。十五到了日期、那可稱頌獨有權能的萬王之王、萬
主之主、十六就是那獨一不死、住在人不能靠近的光裏、是
人未曾看見、也是不能看見的、要將他顯明出來。但願
尊貴和永遠的權能、都歸給他。阿們。

勸人在好事上富足

十七你要囑咐那些今世富足的人、不要自高、也不要倚靠
無定的錢財。只要倚靠那厚賜百物給我們享受的
神。十八又要囑咐他們行善、在好事上富足、甘心施捨、樂意
供給人、(供給或作體貼)十九為自己積成美好的根基、豫備將來、叫
他們持定那真正的生命。〇二十提摩太阿、你要保守所託
付你的、躲避世俗的虛談、和那敵真道似是而非的學
問。二一已經有人自稱有這學問、就偏離了真道。〇願恩惠
常與你們同在。

保羅達提摩太後書

一 第一章　奉[一]　神旨意、照着在基督耶穌裏生命的
二 應許、作基督耶穌使徒的保羅、[二]寫信給我親愛的兒子
提摩太、願恩惠憐憫平安、從父　神和我們主基督耶
穌、歸與你。

當興旺從　神來的恩賜

三 [三]我感謝　神、就是我接續祖先、用清潔的良心所事奉
四 的　神、祈禱的時候、不住的想念你、[四]記念你的眼淚、晝
五 夜切切的想要見你、好叫我滿心快樂。[五]想到你心裏無
僞之信、這信是先在你外祖母羅以、和你母親友尼基
六 心裏的、我深信也在你的心裏。[六]爲此我題醒你、使你將
七 神藉我按手所給你的恩賜、再如火挑旺起來。[七]因爲
神賜給我們、不是膽怯的心、乃是剛強、仁愛、謹守的
心。

爲福音受苦不以爲恥

八 [八]你不要以給我們的主作見證爲恥、也不要以我這爲
主被囚的爲恥、總要按　神的能力、與我爲福音同受
九 苦難。[九]神救了我們、以聖召召我們、不是按我們的行
爲、乃是按他的旨意、和恩典、這恩典是萬古之先、在基
十 督耶穌裏賜給我們的、[十]但如今藉着我們救主基督耶
穌的顯現、纔表明出來了。他已經把死廢去、藉着福音、
十一 將不能壞的生命、彰顯出來。[十一]我爲這福音奉派作傳道
十二 的、作使徒、作師傅。[十二]爲這緣故、我也受這些苦難。然而我
不以爲恥、因爲知道我所信的是誰、也深信他能保全
十三 我所交付他的、(或作他所交託我的)直到那日。[十三]你從我聽的那純
正話語的規模、要用在基督耶穌裏的信心和愛心、常
十四 常守着。[十四]從前所交託你的善道、你要靠着那住在我們
裏面的聖靈、牢牢的守着。

稱讚阿尼色弗

十五 [十五]凡在亞西亞的人都離棄我、這是你知道的。其中有腓
十六 吉路和黑摩其尼。[十六]願主憐憫阿尼色弗一家的人。因他
十七 屢次使我暢快、不以我的鎖鍊爲恥、[十七]反倒在羅馬的時
十八 候、殷勤的找我、並且找着了。[十八]願主使他在那日得主的
憐憫。他在以弗所怎樣多多的服事我、是你明明知道
的。

當作基督的精兵

第二章 一我兒阿、你要在基督耶穌的恩典上剛強起來。二你在許多見證人面前聽見我所教訓的、也要交託那忠心能教導別人的人。三你要和我同受苦難、好像基督耶穌的精兵。四凡在軍中當兵的、不將世務纏身、好叫那招他當兵的人喜悅。五人若在塲上比武、非按規矩、就不能得冠冕。六勞力的農夫理當先得糧食。七我所說的話你要思想．因爲凡事主必給你聰明。八你要記念耶穌基督乃是大衛的後裔．他從死裏復活、正合乎我所傳的福音。

神的道不被捆綁

九我爲這福音受苦難、甚至被捆綁、像犯人一樣．然而
神的道、卻不被捆綁。十所以我爲選民凡事忍耐、叫他們
也可以得着那在基督耶穌裏的救恩、和永遠的榮耀。十一
有可信的話、說、我們若與基督同死、也必與他同活．十二我
們若能忍耐、也必和他一同作王．我們若不認他、他也
必不認我們．十三我們縱然失信、他仍是可信的．因爲他不
能背乎自己。

當作無慚愧的工人

十四你要使衆人回想這些事、在主面前囑咐他們、不可爲
言語爭辯．這是沒有益處的、只能敗壞聽見的人。十五你當
竭力、在　神面前得蒙喜悅、作無愧的工人、按着正意
分解眞理的道。十六但要遠避世俗的虛談．因爲這等人必
進到更不敬虔的地步．十七他們的話如同毒瘡、越爛越大．
其中有許米乃和腓理徒．十八他們偏離了眞道、說復活的
事已過、就敗壞好些人的信心。

稱呼主名的要離開不義

十九然而　神堅固的根基立住了．上面有這印記、說、主認
識誰是他的人．又說、凡稱呼主名的人、總要離開不義。
二十在大戶人家、不但有金器銀器、也有木器瓦器．有作爲
貴重的、有作爲卑賤的。二一人若自潔、脫離卑賤的事、就必
作貴重的器皿、成爲聖潔、合乎主用、豫備行各樣的善
事。二二你要逃避少年的私慾、同那清心禱告主的人、追求
公義、信德、仁愛、和平。二三惟有那愚拙無學問的辯論、總要
棄絕．因爲知道這等事是起爭競的。

當善於教導

二四 然而主的僕人不可爭競、只要溫溫和和的待衆人、善
二五 於教導、存心忍耐、用溫柔勸戒那抵擋的人．或者 神
二六 給他們悔改的心、可以明白眞道．叫他們這已經被魔
鬼任意擄去的、可以醒悟、脫離他的網羅。

第三章 將來必有人背道行惡

一二 你該知道、末世必有危險的日子來到．因
爲那時人要專顧自己、貪愛錢財、自誇、狂傲、謗讟、違背
三 父母、忘恩負義、心不聖潔、無親情、不解怨、好說讒言、不
四 能自約、性情兇暴、不愛良善、賣主賣友、任意妄爲、自高
五 自大、愛宴樂不愛 神．有敬虔的外貌、卻背了敬虔的
六 實意．這等人你要躲開。那偷進人家、牢籠無知婦女的、
正是這等人．這些婦女擔負罪惡、被各樣的私慾引誘、
七八 常常學習、終久不能明白眞道。從前雅尼和佯庇怎樣
敵擋摩西、這等人也怎樣敵擋眞道．他們的心地壞了、
九 在眞道上是可廢棄的。然而他們不能再這樣敵擋、因
爲他們的愚昧、必在衆人面前顯露出來、像那二人一
十 樣。但你已經服從了我的教訓、品行、志向、信心、寬容、愛
十一 心、忍耐、以及我在安提阿、以哥念、路司得、所遭遇的逼
迫苦難．我所忍受是何等的逼迫．但從這一切苦難中、
十二 主都把我救出來了。不但如此、凡立志在基督耶穌裏
十三 敬虔度日的、也都要受逼迫。只是作惡的、和迷惑人的、
十四 必越久越惡、他欺哄人也被人欺哄。但你所學習的、所
十五 確信的、要存在心裏．因爲你知道是跟誰學的．並且知
道你是從小明白聖經．這聖經能使你因信基督耶穌
有得救的智慧。

聖經都是有益的

十六 聖經都是 神所默示的、（或作凡 神所默示的聖經）於教訓、督責、
十七 使人歸正、教導人學義、都是有益的．叫屬 神的人得
以完全、豫備行各樣的善事。

第四章 當專一傳道

一 我在 神面前、並在將來審判活人死人
的基督耶穌面前、憑着他的顯現和他的國度囑咐你．
二 務要傳道．無論得時不得時、總要專心．並用百般的忍
三 耐、各樣的教訓、責備人、警戒人、勸勉人。因爲時候要到、
人必厭煩純正的道理．耳朶發癢、就隨從自己的情慾、

增添好些師傅。[四]並且掩耳不聽眞道、偏向荒渺的言語。
[五]你卻要凡事謹愼、忍受苦難、作傳道的工夫、盡你的職
分。[六]我現在被澆奠、我離世的時候到了。

有公義的冠冕存留

[七]那美好的仗我已經打過了。當跑的路我已經跑盡了。
所信的道我已經守住了。[八]從此以後、有公義的冠冕爲
我存留、就是按着公義審判的主到了那日要賜給我
的。不但賜給我、也賜給凡愛慕他顯現的人。○[九]你要趕
緊的到我這裏來。因爲底馬貪愛現今的世界、就離棄
我往帖撒羅尼迦去了。[十]革勒士往加拉太去。提多往撻
馬太去。[十一]獨有路加在我這裏。你來的時候要把馬可帶
來。因爲他在傳道的事上於我有益處。(傳道或作服事我)[十二]我已
經打發推基古往以弗所去。[十三]我在特羅亞留於加布的
那件外衣、你來的時候可以帶來。那些書也要帶來。更
要緊的是那些皮卷。[十四]銅匠亞力山大多多的害我。主必
照他所行的報應他。[十五]你也要防備他。因爲他極力敵擋
了我們的話。

蒙主力量傳揚福音

[十六]我初次申訴、沒有人前來幫助、竟都離棄我。但願這罪
不歸與他們。[十七]惟有主站在我旁邊、加給我力量、使福音
被我盡都傳明、叫外邦人都聽見。我也從獅子口裏被
救出來。[十八]主必救我脫離諸般的兇惡、也必救我進他的
天國。願榮耀歸給他、直到永永遠遠。阿們。○[十九]問百基拉、
亞居拉、和阿尼色弗一家的人安。[二十]以拉都在哥林多住
下了。特羅非摩病了、我就留他在米利都。[二十一]你要趕緊在
冬天以前到我這裏來。有友布羅、布田、利奴、革老底亞、
和衆弟兄、都問你安。○[二十二]願主與你的靈同在。願恩惠常
與你們同在。

保羅達提多書

第一章

為提多祝福

一 神的僕人、耶穌基督的使徒保羅、憑着
二 神選民的信心、與敬虔眞理的知識、盼望那無謊言
三 的 神在萬古之先所應許的永生、到了日期、藉着傳
揚的工夫、把他的道顯明了．這傳揚的責任是按着
四 神我們救主的命令交託了我。現在寫信給提多、就是
照着我們共信之道作我眞兒子的．願恩惠平安從父
神和我們的救主基督耶穌歸與你。

論監督當如何為人

五 我從前留你在革哩底、是要你將那沒有辦完的事都
六 辦整齊了、又照我所吩咐你的、在各城設立長老．若有
無可指責的人、只作一個婦人的丈夫、兒女也是信主
七 的、沒有人告他們是放蕩不服約束的．就可以設立。監
督既是 神的管家、必須無可指責、不任性、不暴躁、不
八 因酒滋事、不打人、不貪無義之財、樂意接待遠人、好善、
九 莊重、公平、聖潔、自持．堅守所教眞實的道理、就能將純
正的教訓勸化人、又能把爭辯的人駁倒了。

當斥責傳異教者

十 因為有許多人不服約束、說虛空話、欺哄人．那奉割禮
十一 的、更是這樣。這些人的口總要堵住．他們因貪不義之
十二 財、將不該教導的教導人、敗壞人的全家。有革哩底人
中的一個本地先知說、『革哩底人常說謊話、乃是惡
十三 獸、又饞又懶．』這個見證是眞的。所以你要嚴嚴的責
十四 備他們、使他們在眞道上純全無疵．不聽猶太人荒渺
的言語、和離棄眞道之人的誡命。

在潔淨者凡物都潔淨

十五 在潔淨的人、凡物都潔淨．在汚穢不信的人、甚麼都不
十六 潔淨、連心地和天良也都汚穢了。他們說是認識 神、
行事卻和他相背．本是可憎惡的、是悖逆的、在各樣善
事上是可廢棄的。

第二章

當如何規勸老幼男女和僕人

一 但你所講的、總要合乎那純正的道理．勸
二 老年人要有節制、端莊、自守、在信心愛心忍耐上、都要
三 純全無疵。又勸老年婦人、舉止行動要恭敬、不說讒言、

四 不給酒作奴僕、用善道教訓人。[四]好指教少年婦人愛丈
五 夫、愛兒女、[五]謹守貞潔、料理家務、待人有恩、順服自己的
六七 丈夫、免得　神的道理被毀謗。[六]又勸少年人要謹守。[七]你
自己凡事要顯出善行的榜樣、在教訓上要正直、端莊、
八 [八]言語純全、無可指責、叫那反對的人既無處可說我們
九 的不是、便自覺羞愧。[九]勸僕人要順服自己的主人、凡事
十 討他的喜歡。不可頂撞他。[十]不可私拿東西。要顯為忠誠、
十一 以致凡事尊榮我們救主　神的道。[十一]因為　神救衆人
十二 的恩典已經顯明出來。[十二]教訓我們除去不敬虔的心、和
十三 世俗的情慾、在今世自守、公義、敬虔度日。[十三]等候所盼望
的福、並等候至大的　神、和（或作無和字）我們救主耶穌基
督的榮耀顯現。

救主捨己的緣故

十四 [十四]他為我們捨了自己、要贖我們脫離一切罪惡、又潔淨
十五 我們、特作自己的子民、熱心為善。[十五]○這些事你要講明、
勸戒人、用各等權柄責備人。不可叫人輕看你。

當順服掌權者

第三章

一 [一]你要題醒衆人、叫他們順服作官的、掌權
二 的、遵他的命、豫備行各樣的善事、[二]不要毀謗、不要爭競、
三 總要和平、向衆人大顯溫柔。[三]我們從前也是無知、悖逆、
受迷惑、服事各樣私慾和宴樂、常存惡毒（或作陰毒）嫉妒的
四 心、是可恨的、又是彼此相恨。[四]但到了　神我們救主的
五 恩慈、和他向人所施的慈愛顯明的時候、[五]他便救了我
們、並不是因我們自己所行的義、乃是照他的憐憫、藉
六 着重生的洗、和聖靈的更新。[六]聖靈就是　神藉着耶穌
七 基督我們救主厚厚澆灌在我們身上的。[七]好叫我們因
他的恩得稱為義、可以憑着永生的盼望成為後嗣。（或作可以憑着盼望承受永生）

信徒當作正經事業

八 [八]這話是可信的、我也願你把這些事、切切實實的講明、
使那些已信　神的人、留心作正經事業。（或作留心行善）這都
九 是美事、並且與人有益。[九]要遠避無知的辯論、和家譜的、
空談、以及分爭、並因律法而起的爭競、因為這都是虛
十 妄無益的。[十]分門結黨的人、警戒過一兩次、就要棄絕他。
十一 [十一]因為知道這等人已經背道、犯了罪、自己明知不是、還
十二 是去作。[十二]○我打發亞提馬、或是推基古、到你那裏去的

時候、你要趕緊往尼哥波立去見我．因爲我已經定意
十三 在那裏過冬。十三你要趕緊給律師西納和亞波羅送行、叫
十四 他們沒有缺乏。十四並且我們的人要學習正經事業、（或作要學
十五 習行善）豫備所需用的、免得不結果子。○十五同我在一處的
人都問你安。請代問那些因有信心愛我們的人安。願
恩惠常與你們衆人同在。

提摩太後書：二章二十節

古代的圖書館

保羅達腓利門書

一 一為基督耶穌被囚的保羅、同兄弟提摩太寫信給我們
二 所親愛的同工腓利門、二和妹子亞腓亞、並與我們同當
三 兵的亞基布、以及在你家的教會。三願恩惠平安、從　神
我們的父和主耶穌基督、歸與你們。

保羅為腓利門的愛心感謝　神

四五 四我禱告的時候題到你、常為你感謝我的　神。五因聽說
你的愛心、並你向主耶穌和衆聖徒的信心。（或作因聽說你向主
六 耶穌和衆聖徒有愛心有信心）六願你與人所同有的信心顯出功效、使
七 人知道你們各樣善事都是為基督作的。七兄弟阿、我為
你的愛心、大有快樂、大得安慰、因衆聖徒的心從你得
了暢快。

為阿尼西母求腓利門

八九 八我雖然靠着基督能放膽吩咐你合宜的事。九然而像我
這有年紀的保羅、現在又是為基督耶穌被囚的、寧可
十 憑着愛心求你。十就是為我在捆鎖中所生的兒子阿尼
十一 西母（此名就是有益處的意思）求你。十一他從前與你沒有益處、但如今
十二 與你我都有益處。十二我現在打發他親自回你那裏去。他
十三 是我心上的人。十三我本來有意將他留下、在我為福音所
十四 受的捆鎖中替你伺候我。十四但不知道你的意思我就不
願意這樣行、叫你的善行不是出於勉強、乃是出於甘
心。

當接納如親愛的弟兄

十五十六 十五他暫時離開你、或者是叫你永遠得着他。十六不再是奴僕、
乃是高過奴僕、是親愛的兄弟、在我實在是如此、何況
十七 在你呢。這也不拘是按肉體說、是按主說。十七你若以我為
十八 同伴、就收納他、如同收納我一樣。十八他若虧負你、或欠你
十九 甚麼、都歸在我的賬上。十九我必償還。這是我保羅親筆寫
二十 的。我並不用對你說、連你自己也是虧欠於我。二十兄弟阿、
望你使我在主裏因你得快樂。（或作益處）並望你使我的心
二十一 在基督裏得暢快。〇二十一我寫信給你、深信你必順服、知道
二十二 你所要行的、必過於我所說的。二十二此外你還要給我豫備
住處、因為我盼望藉着你們的禱告、必蒙恩到你們那
二十三二十四 裏去。〇二十三為基督耶穌與我同坐監的以巴弗問你安。二十四與
二十五 我同工的馬可、亞里達古、底馬、路加、也都問你安。〇二十五願

腓利門書

我們主耶穌基督的恩、常在你的心裏。阿們。

腓利門書：九節

利未人的大祭司

希伯來書七章十七節

希伯來書

神在末世藉他兒子曉諭世人

一 第一章 [一]神既在古時藉着衆先知、多次多方的
二 曉諭列祖、[二]就在這末世藉着他兒子曉諭我們、又早已
三 立他爲承受萬有的、也曾藉着他創造諸世界。[三]他是
神榮耀所發的光輝、是神本體的眞像、常用他權能
的命令托住萬有、他洗淨了人的罪、就坐在高天至大
四 者的右邊。[四]他所承受的名、既比天使的名更尊貴、就遠
五 超過天使。[五]所有的天使、神從來對那一個說、『你是
我的兒子、我今日生你。』又指着那一個說、『我要作
六 他的父、他要作我的子。』[六]再者、神使長子到世上來
的時候、（或作神再使長子到世上來的時候）就說、『神的使者都要
七 拜他。』[七]論到使者、又說、『神以風爲使者、以火焰爲
八 僕役。』[八]論到子卻說、『神阿、你的寶座是永永遠遠
九 的、你的國權是正直的。[九]你喜愛公義、恨惡罪惡、所以
神、就是你的神、用喜樂油膏你、勝過膏你的同伴。』

天地都要滅沒惟主永遠長存

十 [十]又說、『主阿、你起初立了地的根基、天也是你手所造
十一 的。[十一]天地都要滅沒、你卻要長存。天地都要像衣服漸漸
十二 舊了。[十二]你要將天地捲起來、像一件外衣、天地就都改變
十三 了。惟有你永不改變、你的年數沒有窮盡。』[十三]所有的天
使、神從來對那一個說、『你坐在我的右邊、等我使
十四 你仇敵作你的脚凳。』[十四]天使豈不都是服役的靈、奉差
遣爲那將要承受救恩的人効力麽。

忽略主恩怎能逃罪

一 第二章 [一]所以我們當越發鄭重所聽見的道理、恐
二 怕我們隨流失去。[二]那藉着天使所傳的話、既是確定的、
三 凡干犯悖逆的、都受了該受的報應。[三]我們若忽略這麽
大的救恩、怎能逃罪呢。這救恩起先是主親自講的、後
四 來是聽見的人給我們證實了。[四]神又按自己的旨意、
用神蹟奇事、和百般的異能、並聖靈的恩賜、同他們作
見證。

救人的元帥因受苦難得以完全

五六 [五]我們所說將來的世界、神原沒有交給天使管轄。[六]但

有人在經上某處證明說、『人算甚麼、你竟顧念他、世
七 人算甚麼、你竟眷顧他。七你叫他比天使微小一點、或作你叫
他暫時比天使小賜他榮耀尊貴爲冠冕、並將你手所造的都
八 派他管理。八叫萬物都服在他的腳下。』既叫萬物都服
他、就沒有剩下一樣不服他的。只是如今我們還不見
九 萬物都服他。九惟獨見那成爲比天使小一點的耶穌、或作
惟獨見耶穌暫時比天使小因爲受死的苦、就得了尊貴榮耀爲冠
十 冕、叫他因着神的恩、爲人人嘗了死味。十原來那爲萬
物所屬、爲萬物所本的、要領許多的兒子進榮耀裏去、
十一 使救他們的元帥、因受苦難得以完全、本是合宜的。十一因
那使人成聖的、和那些得以成聖的、都是出於一。所以
十二 他稱他們爲弟兄、也不以爲恥、十二說、『我要將你的名傳
十三 與我的弟兄、在會中我要頌揚你。』十三又說、『我要倚賴
十四 他。』又說、『看哪、我與神所給我的兒女。』十四兒女既
同有血肉之體、他也照樣親自成了血肉之體、特要藉
十五 着死、敗壞那掌死權的、就是魔鬼。十五並要釋放那些一生
因怕死而爲奴僕的人。

耶穌既受試探就能搭救受試探的人

十六十七 十六他並不救拔天使、乃是救拔亞伯拉罕的後裔。十七所以他
凡事該與他的弟兄相同、爲要在神的事上、成爲慈
十八 悲忠信的大祭司、爲百姓的罪獻上挽回祭。十八他自己既
然被試探而受苦、就能搭救被試探的人。

第三章

耶穌比摩西更配得榮耀

一 一同蒙天召的聖潔弟兄阿、你們應當思想
二 我們所認爲使者、爲大祭司的耶穌。二他爲那設立他的
三 盡忠、如同摩西在神的全家盡忠一樣。三他比摩西算
四 是更配多得榮耀、好像建造房屋的比房屋更尊榮。四因
五 爲房屋都必有人建造。但建造萬物的就是神。五摩西
爲僕人、在神的全家誠然盡忠、爲要證明將來必傳
六 說的事。六但基督爲兒子、治理神的家。我們若將可誇
的盼望和膽量、堅持到底、便是他的家了。

當警戒硬心

七八 七聖靈有話說、『你們今日若聽他的話、八就不可硬着心、
九 像在曠野惹他發怒、試探他的時候、九一樣。在那裏你們
的祖宗試我探我、並且觀看我的作爲、有四十年之久。

十 所以我厭煩那世代的人、說、他們心裏常常迷糊、竟不
十一 曉得我的作爲、我就在怒中起誓說、他們斷不可進入
十二 我的安息。』弟兄們、你們要謹愼、免得你們中間、或有
十三 人存着不信的惡心、把永生　神離棄了。總要趁着還
有今日、天天彼此相勸、免得你們中間有人被罪迷惑、
十四 心裏就剛硬了。我們若將起初確實的信心、堅持到底、
十五 就在基督裏有分了。經上說、『你們今日若聽他的話、
就不可硬着心、像惹他發怒的日子一樣。』

不信之人不能享受安息

十六 那時聽見他話惹他發怒的是誰呢．豈不是跟着摩西
十七 從埃及出來的衆人麽。神四十年之久、又厭煩誰呢．
十八 豈不是那些犯罪屍首倒在曠野的人麽。又向誰起誓、
不容他們進入他的安息呢．豈不是向那些不信從的
十九 人麽。這樣看來、他們不能進入安息是因爲不信的緣
故了。

只有信的人得享安息

一 **第四章**　我們既蒙留下有進入他安息的應許、就
當畏懼、免得我們中間、[我們原文作你們]或有人似乎是趕不
二 上了。因爲有福音傳給我們、像傳給他們一樣．只是所
聽見的道與他們無益、因爲他們沒有信心與所聽見
三 的道調和。但我們已經相信的人、得以進入那安息、正
如　神所說、『我在怒中起誓說、他們斷不可進入我
四 的安息。』其實造物之工、從創世以來已經成全了。論
到第七日、有一處說、『到第七日　神就歇了他一切
五 的工。』又有一處說、『他們斷不可進入我的安息。』
六 既有必進安息的人、那先前聽見福音的、因爲不信從、
七 不得進去．所以過了多年、就在大衛的書上、又限定一
日、如以上所引的說、『你們今日若聽他的話、就不可
八 硬着心。』若是約書亞已叫他們享了安息、後來　神
九 就不再題別的日子了。這樣看來、必另有一安息日的
十 安息、爲　神的子民存留。因爲那進入安息的、乃是歇
十一 了自己的工、正如　神歇了他的工一樣。所以我們務
必竭力進入那安息、免得有人學那不信從的樣子跌
倒了。

神的道是有功效的

十二 神的道是活潑的、是有功效的、比一切兩刃的劍更

十三 快、甚至魂與靈、骨節與骨髓、都能刺入剖開、連心中的
思念和主意、都能辨明。[13]並且被造的、沒有一樣在他面
前不顯然的。原來萬物、在那與我們有關係的主眼前、
都是赤露敞開的。

大祭司耶穌能體恤人的軟弱

十四 [14]我們既然有一位已經升入高天尊榮的大祭司、就是
十五 神的兒子耶穌、便當持定所承認的道。[15]因我們的大
祭司、並非不能體恤我們的軟弱．他也曾凡事受過試
十六 探、與我們一樣．只是他沒有犯罪。[16]所以我們只管坦然
無懼的、來到施恩的寶座前、為要得憐恤、蒙恩惠作隨
時的幫助。

基督不榮耀自己

一 **第五章** [1]凡從人間挑選的大祭司、是奉派替人辦
理屬　神的事、為要獻上禮物、和贖罪祭．（或作要為罪獻上禮物和
二 祭物）[2]他能體諒那愚蒙的、和失迷的人、因為他自己也是
三四 被軟弱所困．[3]故此他理當為百姓和自己獻祭贖罪。[4]這
大祭司的尊榮、沒有人自取、惟要蒙　神所召、像亞倫
一樣。[5]如此、基督也不是自取榮耀作大祭司、乃是在乎

六 向他說、『你是我的兒子、我今日生你。』的那一位．[6]就
如經上又有一處說、『你是照着麥基洗德的等次永
遠為祭司。』

因苦難學了順從

七 [7]基督在肉體的時候、既大聲哀哭、流淚禱告、懇求那能
八 救他免死的主、就因他的虔誠、蒙了應允。[8]他雖然為兒
九 子、還是因所受的苦難學了順從。[9]他既得以完全、就為
十 凡順從他的人、成了永遠得救的根源．[10]並蒙　神照着
十一 麥基洗德的等次稱他為大祭司。◎[11]論到麥基洗德、我
十二 們有好些話、並且難以解明、因為你們聽不進去。[12]看你
們學習的工夫、本該作師傅、誰知還得有人將　神聖
言小學的開端、另教導你們．並且成了那必須喫奶、不
十三 能喫乾糧的人。[13]凡只能喫奶的、都不熟練仁義的道理．
十四 因為他是嬰孩．[14]惟獨長大成人的、纔能喫乾糧．他們的
心竅、習練得通達、就能分辨好歹了。

當竭力進到完全的地步

一 **第六章** [1]所以我們應當離開基督道理的開端、竭
力進到完全的地步、不必再立根基、就如那懊悔死行、

信靠　神、二各樣洗禮、按手之禮、死人復活、以及永遠審
判、各等教訓。三　神若許我們、我們必如此行。四論到那些
已經蒙了光照、嘗過天恩的滋味、又於聖靈有分、五並嘗
過　神善道的滋味、覺悟來世權能的人、六若是離棄道
理、就不能叫他們從新懊悔了．因為他們把　神的兒
子重釘十字架、明明的羞辱他。七就如一塊田地、喫過屢
次下的雨水、生長菜蔬、合乎耕種的人用、就從　神得
福．八若長荊棘和蒺藜、必被廢棄、近於咒詛、結局就是焚
燒。

當效法承受應許之人

九親愛的弟兄們、我們雖是這樣說、卻深信你們的行為
強過這些、而且近乎得救。十因為　神並非不公義、竟忘
記你們所作的工、和你們為他名所顯的愛心、就是先
前伺候聖徒、如今還是伺候。十一我們願你們各人都顯出
這樣的殷勤、使你們有滿足的指望、一直到底。十二並且不
懈怠、總要效法那些憑信心和忍耐承受應許的人。

務要持定面前的指望

十三當初　神應許亞伯拉罕的時候、因為沒有比自己更
大可以指着起誓的、就指着自己起誓、說、『十四論福、我必
賜大福給你．論子孫、我必叫你的子孫多起來。』十五這樣、
亞伯拉罕既恆久忍耐、就得了所應許的。十六人都是指着
比自己大的起誓．並且以起誓為實據、了結各樣的爭
論。十七照樣、　神願意為那承受應許的人格外顯明他的
旨意是不更改的、就起誓為證．十八藉這兩件不更改的事、
神決不能說謊、好叫我們這逃往避難所、持定擺在
我們前頭指望的人、可以大得勉勵．十九我們有這指望如
同靈魂的錨、又堅固又牢靠、且通入幔內。二十作先鋒的耶
穌、既照着麥基洗德的等次、成了永遠的大祭司、就為
我們進入幔內。

麥基洗德為祭司與　神的兒子相似

第七章　一這麥基洗德、就是撒冷王、又是至高　神
的祭司、本是長遠為祭司的．他當亞伯拉罕殺敗諸王
回來的時候、就迎接他、給他祝福。二亞伯拉罕也將自己
所得來的、取十分之一給他．他頭一個名繙出來、就是
仁義王．他又名撒冷王、就是平安王的意思．三他無父、無
母、無族譜、無生之始、無命之終、乃是與　神的兒子相

似。◯[四]你們想一想、先祖亞伯拉罕、將自己所擄來上等
之物取十分之一給他、這人是何等尊貴呢。[五]那得祭司
職任的利未子孫、領命照例向百姓取十分之一、這百
姓是自己的弟兄、雖是從亞伯拉罕身中生的、(原文作身腰)
還是照例取十分之一。[六]獨有麥基洗德不與他們同譜、
倒收納亞伯拉罕的十分之一、為那蒙應許的亞伯拉
罕祝福。[七]從來位分大的給位分小的祝福、這是駁不倒
的理。[八]在這裏收十分之一的都是必死的人、但在那裏
收十分之一的、有為他作見證的說、他是活的。[九]並且可
說那受十分之一的利未、也是藉着亞伯拉罕納了十
分之一。[十]因為麥基洗德迎接亞伯拉罕的時候、利未已
經在他先祖的身中。(原文作身腰)◯[十一]從前百姓在利未人祭
司職任以下受律法、倘若藉這職任能得完全、又何用
另外興起一位祭司、照麥基洗德的等次、不照亞倫的
等次呢。[十二]祭司的職任既已更改、律法也必須更改。[十三]因為
這話所指的人、本屬別的支派、那支派裏從來沒有一
人伺候祭壇。[十四]我們的主分明是從猶大出來的、但這支
派、摩西並沒有題到祭司。[十五]倘若照麥基洗德的樣式、另
外興起一位祭司來、我的話更是顯而易見的了。[十六]他成
為祭司、並不是照屬肉體的條例、乃是照無窮之生命
的大能。(無窮原文作不能毀壞)[十七]因為有給他作見證的說、『你是
照着麥基洗德的等次永遠為祭司。』[十八]先前的條例、因
軟弱無益、所以廢掉了。[十九](律法原來一無所成)就引
進了更美的指望、靠這指望我們便可以進到神面
前。

耶穌長遠活着替人祈求

[二十]再者、耶穌為祭司、並不是不起誓立的。[二十一]至於那些祭司、
原不是起誓立的、只有耶穌是起誓立的、因為那立他
的對他說、『主起了誓決不後悔、你是永遠為祭司。』
[二十二]既是起誓立的、耶穌就作了更美之約的中保。[二十三]那些成
為祭司的、數目本來多、是因為有死阻隔不能長久。[二十四]這
位既是永遠常存的、他祭司的職任、就長久不更換。[二十五]凡
靠着他進到神面前的人、他都能拯救到底、因為他
是長遠活着、替他們祈求。◯[二十六]像這樣聖潔、無邪惡、無玷
汙、遠離罪人、高過諸天的大祭司、原是與我們合宜的。
[二十七]他不像那些大祭司、每日必須先為自己的罪、後為百

二八 姓的罪獻祭、因爲他只一次將自己獻上、就把這事成
全了。二八律法本是立輭弱的人爲大祭司．但在律法以後
起誓的話、是立兒子爲大祭司、乃是成全到永遠的。

耶穌在眞帳幕裏作執事

一 **第八章** 一我們所講的事、其中第一要緊的、就是我
們有這樣的大祭司、已經坐在天上至大者寶座的右
二 邊、二在聖所、就是眞帳幕裏、作執事．這帳幕是主所支的、
三 不是人所支的。三凡大祭司都是爲獻禮物和祭物設立
四 的．所以這位大祭司也必須有所獻的。四他若在地上、必
五 不得爲祭司．因爲已經有照律法獻禮物的祭司．五他們
供奉的事、本是天上事的形狀和影像、正如摩西將要
造帳幕的時候、蒙 神警戒他說、『你要謹愼、作各樣
的物件、都要照着在山上指示你的樣式。』

作更美之約的中保

六 六如今耶穌所得的職任是更美的、正如他作更美之約
七 的中保．這約原是憑更美之應許立的。七那前約若沒有
八 瑕疵、就無處尋求後約了。八所以主指責他的百姓說、或作所以主指前約的缺欠說
『日子將到、我要與以色列家、和猶大家、

九 另立新約．九不像我拉着他們祖宗的手、領他們出埃及
的時候、與他們所立的約．因爲他們不恆心守我的約、
我也不理他們．這是主說的。』

神不再記念以色列家的罪愆

十 十主又說、『那些日子以後、我與以色列家所立的約、乃
是這樣．我要將我的律法放在他們裏面、寫在他們心
十一 上、我要作他們的 神、他們要作我的子民．十一他們不用
各人教導自己的鄉鄰、和自己的弟兄、說、你該認識主．
十二 因爲他們從最小的到至大的、都必認識我。十二我要寬恕
十三 他們的不義、不再記念他們的罪愆。』十三既說新約、就以
前約爲舊了．但那漸舊漸衰的、就必快歸無有了。

論前約的條例

一 **第九章** 一原來前約有禮拜的條例、和屬世界的聖
二 幕。二因爲有豫備的帳幕、頭一層叫作聖所、裏面有燈臺、
三 桌子、和陳設餅．三第二幔子後、又有一層帳幕、叫作至聖
四 所．四有金香爐、爐或作壇有包金的約櫃、櫃裏有盛嗎哪的金
五 罐、和亞倫發過芽的杖、並兩塊約版．五櫃上面有榮耀基
路伯的影罩着施恩座．施恩原文作蔽罪這幾件我現在不能

一一細說。[六]這些物件既如此豫備齊了、衆祭司就常進
頭一層帳幕行拜神的禮。[七]至於第二層帳幕、惟有大
祭司一年一次獨自進去、沒有不帶着血、爲自己和百
姓的過錯獻上。[八]聖靈用此指明、頭一層帳幕仍存的時
候、進入至聖所的路還未顯明。[九]那頭一層帳幕作現今
的一個表樣、所獻的禮物和祭物、就着良心說、都不能
叫禮拜的人得以完全。[十]這些事連那飲食和諸般洗濯
的規矩、都不過是屬肉體的條例、命定到振興的時候
爲止。

耶穌一次獻上自己成了永遠贖罪的祭

[十一]但現在基督已經來到、作了將來美事的大祭司、經過
那更大更全備的帳幕、不是人手所造也不是屬乎這
世界的、[十二]並且不用山羊和牛犢的血、乃用自己的血、只
一次進入聖所、成了永遠贖罪的事。[十三]若山羊和公牛的
血、並母牛犢的灰、灑在不潔的人身上、尚且叫人成聖、
身體潔淨、[十四]何況基督藉着永遠的靈、將自己無瑕無疵
獻給神、他的血豈不更能洗淨你們的心（原文作良心）除
去你們的死行、使你們事奉那永生神麽。[十五]爲此他作
了新約的中保、既然受死贖了人在前約之時所犯的
罪過、便叫蒙召之人得着所應許永遠的產業。[十六]凡有遺
命、必須等到留遺命的人死了。（遺命原文與約字同）[十七]因爲人死了、
遺命纔有效力、若留遺命的尚在、那遺命還有用處麽。
[十八]所以前約也不是不用血立的。[十九]因爲摩西當日照着律
法、將各樣誡命傳給衆百姓、就拿朱紅色絨和牛膝草、
把牛犢山羊的血和水、灑在書上、又灑在衆百姓身上、
說、『[二十]這血就是神與你們立約的憑據。』[二一]他又照樣
把血灑在帳幕和各樣器皿上。[二二]按着律法、凡物差不多
都是用血潔淨的、若不流血、罪就不得赦免了。◯[二三]照着
天上樣式作的物件、必須用這些祭物去潔淨、但那天
上的本物、自然當用更美的祭物去潔淨。[二四]因爲基督並
不是進了人手所造的聖所、（這不過是眞聖所的影
像）乃是進了天堂、如今爲我們顯在神面前。[二五]也不
是多次將自己獻上、像那大祭司每年帶着牛羊的血
進入聖所。（牛羊的血原文作不是自己的血）[二六]如果這樣、他從創世以來、
就必多次受苦了。但如今在這末世顯現一次、把自己
獻爲祭、好除掉罪。[二七]按着定命、人人都有一死、死後且有

二八 審判。[二八]像這樣、基督既然一次被獻、擔當了多人的罪、將
來要向那等候他的人第二次顯現、並與罪無關、乃是
爲拯救他們。

律法是將來美事的影兒

一 **第十章** [一]律法既是將來美事的影兒、不是本物的
眞像、總不能藉着每年常獻一樣的祭物、叫那近前來
二 的人得以完全。[二]若不然、獻祭的事豈不早已止住了麼。
三 因爲禮拜的人、良心既被潔淨、就不再覺得有罪了。[三]但
四 這些祭物……是叫人每年想起罪來。[四]因爲公牛和山羊的
五 血、斷不能除罪。[五]所以基督到世上來的時候、就說、『
神、阿、祭物和禮物是你不願意的、你曾給我豫備了身
七六 體。[六]燔祭和贖罪祭是你不喜歡的。[七]那時我說、神阿、我
來了、爲要照你的旨意行。我的事在經卷上已經記載
八 了。』[八]以上說、祭物和禮物、燔祭和贖罪祭、是你不願意
九 的、也是你不喜歡的、(這都是按着律法獻的)[九]後又
說、我來了爲要照你的旨意行。可見他是除去在先的、
十 爲要立定在後的。[十]我們憑這旨意、靠耶穌基督只一次
十一 獻上他的身體、就得以成聖。[十一]凡祭司天天站着事奉

十二 神、屢次獻上一樣的祭物、這祭物永不能除罪。[十二]但基督
十三 獻了一次永遠的贖罪祭、就在 神的右邊坐下了。[十三]從
十四 此等候他仇敵成了他的脚凳。[十四]因爲他一次獻祭、便叫
十五 那得以成聖的人永遠完全。[十五]聖靈也對我們作見證、因
十六 爲他既已說過、[十六]『主說、那些日子以後、我與他們所立
的約乃是這樣。我要將我的律法寫在他們心上、又要
十七 放在他們的裏面。』[十七]以後就說、『我不再記念他們的
十八 罪愆、和他們的過犯。』[十八]這些罪過既已赦免、就不用再
爲罪獻祭了。

當存誠心和充足的信心來到 神面前

十九二十 [十九]弟兄們、我們既因耶穌的血、得以坦然進入至聖所、是[二十]
藉着他給我們開了一條又新又活的路、從幔子經過、
二一 這幔子就是他的身體。[二一]又有一位大祭司治理 神的
二二 家。[二二]並我們心中天良的虧欠已經灑去、身體用淸水洗
二三 淨了、就當存着誠心和充足的信心來到 神面前。也[二三]
要堅守我們所承認的指望、不至搖動。因爲那應許我
二四二五 們的是信實的。[二四]又要彼此相顧、激發愛心、勉勵行善。[二五]你
們不可停止聚會、好像那些停止慣了的人、倒要彼此

勸勉．既知道原文作看見那日子臨近、就更當如此。

警戒故意犯罪

二六 二六因為我們得知真道以後、若故意犯罪、贖罪的祭就再
二七 沒有了。二七惟有戰懼等候審判和那燒滅眾敵人的烈火。
二八 二八人干犯摩西的律法、憑兩三個見證人、尚且不得憐恤
二九 而死。二九何況人踐踏　神的兒子、將那使他成聖之約的
血當作平常、又褻慢施恩的聖靈、你們想、他要受的刑
三十 罰該怎樣加重呢。三十因為我們知道誰說、『伸冤在我、我
三一 必報應。』又說、『主要審判他的百姓。』三一落在永生
神的手裏、真是可怕的。

義人必因信得生

三二 三二你們要追念往日、蒙了光照以後、所忍受大爭戰的各
三三 樣苦難。三三一面被毀謗、遭患難、成了戲景、叫眾人觀看．一
三四 面陪伴那些受這樣苦難的人。三四因為你們體恤了那些
被捆鎖的人、並且你們的家業被人搶去、也甘心忍受、
三五 知道自己有更美長存的家業。三五所以你們不可丟棄勇
三六 敢的心．存這樣的心必得大賞賜。三六你們必須忍耐、使你
三七 們行完了　神的旨意、就可以得着所應許的。三七『因為

三八 還有一點點時候、那要來的就來、並不遲延。三八只是義人
必因信得生．義人古卷作我的義人他若退後、我心裏就不喜歡
三九 他。』三九我們卻不是退後入沉淪的那等人、乃是有信心
以致靈魂得救的人。

人非有信不能得神的喜悅

第十一章 一信就是所望之事的實底、是未見之事
一 的確據。二古人在這信上得了美好的證據。三我們因着信、
二三 就知道諸世界是藉　神話造成的．這樣、所看見的、並
四 不是從顯然之物造出來的。四亞伯因着信獻祭與　神、
比該隱所獻的更美、因此便得了稱義的見證、就是
神指他禮物作的見證．他雖然死了、卻因這信仍舊說
五 話。五以諾因着信被接去、不至於見死、人也找不着他、因
為　神已經把他接去了．只是他被接去以先、已經得
六 了　神喜悅他的明證。六人非有信、就不能得　神的喜
悅．因為到　神面前來的人、必須信有　神、且信他賞
七 賜那尋求他的人。七挪亞因着信、既蒙　神指示他未見
的事、動了敬畏的心、豫備了一隻方舟、使他全家得救．
因此就定了那世代的罪、自己也承受了那從信而來

的義。

盼望有根基之城

八 八亞伯拉罕因着信、蒙召的時候、就遵命出去、往將來要
九 得爲業的地方去．出去的時候、還不知往那裏去。九他因
着信、就在所應許之地作客、好像在異地居住帳棚、與
十 那同蒙一個應許的以撒、雅各一樣。十因爲他等候那座
十一 有根基的城、就是 神所經營所建造的。十一因着信、連撒
拉自己、雖然過了生育的歲數、還能懷孕．因他以爲那
十二 應許他的是可信的．十二所以從一個彷彿已死的人就生
出子孫、如同天上的星那樣衆多、海邊的沙那樣無數。
十三 ○十三這些人都是存着信心死的、並沒有得着所應許的、
卻從遠處望見、且歡喜迎接、又承認自己在世上是客
十四 旅、是寄居的。十四說這樣話的人、是表明自己要找一個家
十五 鄉。十五他們若想念所離開的家鄉、還有可以回去的機會。
十六 十六他們卻羨慕一個更美的家鄉、就是在天上的．所以
神被稱爲他們的 神、並不以爲恥．因爲他已經給他
們豫備了一座城。

信心的試驗

十七 十七亞伯拉罕因着信、被試驗的時候、就把以撒獻上．這便
十八 是那歡喜領受應許的、將自己獨生的兒子獻上。十八論
到這兒子曾有話說、『從以撒生的纔要稱爲你的後
十九 裔．』十九他以爲 神還能叫人從死裏復活．他也彷彿從
二十 死中得回他的兒子來。二十以撒因着信、就指着將來的事、
二一 給雅各以掃祝福。二一雅各因着信、臨死的時候、給約瑟的
二二 兩個兒子各自祝福、扶着杖頭敬拜 神。二二約瑟因着信、
臨終的時候、題到以色列族將來要出埃及、並爲自己
二三 的骸骨留下遺命。二三摩西生下來、他的父母見他是個俊
美的孩子、就因着信把他藏了三個月、並不怕王命。

摩西看爲基督受凌辱勝於埃及的寶貝

二四二五 二四摩西因着信、長大了就不肯稱爲法老女兒之子．二五他寧
可和 神的百姓同受苦害、也不願暫時享受罪中之
二六 樂．二六他看爲基督受的凌辱、比埃及的財物更寶貴．因他
二七 想望所要得的賞賜。二七他因着信、就離開埃及、不怕王怒．
二八 因爲他恆心忍耐、如同看見那不能看見的主。二八他因着
信、就守逾越節、（守或作立）行灑血的禮、免得那滅長子的臨

近以色列人。

以色列人因信過紅海

二九他們因着信過紅海．如行乾地埃及人試着要過去、就
被吞滅了。三十以色列人因着信圍繞耶利哥城七日、城牆
就倒塌了。三一妓女喇合因着信曾和和平平的接待探子、
就不與那些不順從的人一同滅亡。○三二我又何必再說
呢．若要一一細說、基甸、巴拉、參孫、耶弗他、大衞、撒母耳、
和衆先知的事、時候就不彀了。三三他們因着信、制伏了敵
國、行了公義、得了應許、堵了獅子的口。三四滅了烈火的猛
勢、脫了刀劍的鋒刃、輭弱變為剛強、爭戰顯出勇敢、打
退外邦的全軍。

被害的信徒因信得了美好的證據

三五有婦人得自己的死人復活、又有人忍受嚴刑、不肯苟
且得釋放、(釋放原文作贖)為要得着更美的復活．三六又有人忍受
戲弄、鞭打、捆鎖、監禁、各等的磨煉、三七被石頭打死、被鋸鋸
死、受試探、被刀殺．披着綿羊山羊的皮各處奔跑、受窮
乏、患難、苦害、三八在曠野、山嶺、山洞、地穴、飄流無定．本是世
界不配有的人。三九這些人都是因信得了美好的證據、卻
仍未得着所應許的．四十因為神給我們豫備了更美的
事、叫他們若不與我們同得、就不能完全。

第十二章

主所愛的他必管教

一我們既有這許多的見證人、如同雲彩
圍着我們、就當放下各樣的重擔、脫去容易纏累我們
的罪、存心忍耐奔那擺在我們前頭的路程、二仰望為我
們信心創始成終的耶穌．(或作仰望那將真道創始成終的耶穌)他因那
擺在前面的喜樂、就輕看羞辱、忍受了十字架的苦難、
便坐在神寶座的右邊。三那忍受罪人這樣頂撞的、你
們要思想、免得疲倦灰心。四你們與罪惡相爭、還沒有抵
擋到流血的地步。五你們又忘了那勸你們如同勸兒子
的話、說、『我兒、你不可輕看主的管教、被他責備的時
候、也不可灰心．六因為主所愛的他必管教、又鞭打凡所
收納的兒子。』七你們所忍受的、是神管教你們、待你
們如同待兒子．焉有兒子不被父親管教的呢。八管教原
是衆子所共受的、你們若不受管教、就是私子、不是兒
子了。

受管教的結果

九 九再者、我們曾有生身的父管教我們、我們尚且敬重他、
十 何況萬靈的父、我們豈不更當順服他得生麼。十生身的
父都是暫隨己意管教我們．惟有萬靈的父管教我們、
十一 是要我們得益處、使我們在他的聖潔上有分。十一凡管教
的事、當時不覺得快樂、反覺得愁苦．後來卻為那經練
十二 過的人、結出平安的果子、就是義。十二所以你們要把下垂
十三 的手、發酸的腿、挺起來．十三也要為自己的腳把道路修直
了、使瘸子不至歪腳、反得痊癒。歪腳或作差路

當拿以掃為警戒

十四 十四你們要追求與眾人和睦、並要追求聖潔．非聖潔沒有
十五 人能見主．十五又要謹慎、恐怕有人失了　神的恩．恐怕有
十六 毒根生出來擾亂你們、因此叫眾人沾染汙穢．十六恐怕有
淫亂的、有貪戀世俗如以掃的．他因一點食物把自己
十七 長子的名分賣了。十七後來想要承受父所祝的福、竟被棄
絕、雖然號哭切求、卻得不著門路、使他父親的心意回
十八 轉．這是你們知道的。⊙十八你們原不是來到那能摸的山、
十九 此山有火焰、密雲、黑暗、暴風、十九角聲與說話的聲音．那些

二十 聽見這聲音的、都求不要再向他們說話．二十因為他們當
不起所命他們的話、說、『靠近這山的、即便是走獸也
二一 要用石頭打死。』二一所見的極其可怕、甚至摩西說、『我
二二 甚是恐懼戰兢。』二二你們乃是來到錫安山、永生　神的
二三 城邑、就是天上的耶路撒冷．那裡有千萬的天使、二三有名
錄在天上諸長子之會所共聚的總會、有審判眾人的
二四 神、和被成全之義人的靈魂、二四並新約的中保耶穌、以
二五 及所灑的血．這血所說的比亞伯的血所說的更美。二五你
們總要謹慎、不可棄絕那向你們說話的．因為那些棄
絕在地上警戒他們的、尚且不能逃罪、何況我們違背
二六 那從天上警戒我們的呢。二六當時他的聲音震動了地．但
如今他應許說、『再一次我不單要震動地、還要震動
二七 天。』二七這再一次的話、是指明被震動的、就是受造之物、
二八 都要挪去、使那不被震動的常存。二八所以我們既得了不
能震動的國、就當感恩、照　神所喜悅的、用虔誠敬畏
二九 的心事奉　神。二九因為我們的　神乃是烈火。

要存弟兄相愛的心

一 第十三章　一你們務要常存弟兄相愛的心。二不可忘

記用愛心接待客旅．因爲曾有接待客旅的、不知不覺
三 就接待了天使。三你們要記念被捆綁的人、好像與他們
同受捆綁、也要記念遭苦害的人、想到自己也在肉身
四 之內。四婚姻人人都當尊重、牀也不可汚穢．因爲苟合行
五 淫的人 神必要審判。五你們存心不可貪愛錢財．要以
自己所有的爲足．因爲主曾說、『我總不撇下你、也不
六 丟棄你。』六所以我們可以放膽說、『主是幫助我的．我
必不懼怕．人能把我怎麽樣呢。』

基督是永遠不改變的

七 七從前引導你們、傳 神之道給你們的人、你們要想念
八 他們、效法他們的信心、留心看他們爲人的結局。八耶穌
九 基督、昨日今日、一直到永遠、是一樣的。九你們不要被那
諸般怪異的教訓勾引了去．因爲人心靠恩得堅固纔
是好的．並不是靠飲食．那在飲食上專心的、從來沒有
十 得着益處。十我們有一祭壇、上面的祭物、是那些在帳幕
十一 中供職的人不可同喫的。十一原來牲畜的血、被大祭司帶
十二 入聖所作贖罪祭、牲畜的身子、被燒在營外。十二所以耶穌
十三 要用自己的血叫百姓成聖、也就在城門外受苦。十三這樣、

十四 我們也當出到營外、就了他去、忍受他所受的凌辱。十四我
十五 們在這裏本沒有常存的城、乃是尋求那將來的城。十五我
們應當靠着耶穌、常常以頌讚爲祭、獻給 神、這就是
十六 那承認主名之人嘴唇的果子。十六只是不可忘記行善、和
捐輸的事．因爲這樣的祭、是 神所喜悅的。

應當順從爲你們靈魂儆醒的人

十七 十七你們要依從那些引導你們的、且要順服．因他們爲你
們的靈魂時刻儆醒、好像那將來交賬的人．你們要使
他們交的時候有快樂、不至憂愁．若憂愁就與你們無
十八 益了。◯十八請你們爲我們禱告．因我們自覺良心無虧、願
十九 意凡事按正道而行。十九我更求你們爲我禱告、使我快些
回到你們那裏去。

祝福

二十 二十但願賜平安的 神、就是那憑永約之血、使羣羊的大
二一 牧人我主耶穌、從死裏復活的 神、二一在各樣善事上、成
全你們、叫你們遵行他的旨意、又藉着耶穌基督在你
們心裏行他所喜悅的事．願榮耀歸給他、直到永永遠
二二 遠。阿們。◯二二弟兄們、我略略寫信給你們、望你們聽我勸

勉的話。二三你們該知道我們的兄弟提摩太已經釋放了.
他若快來、我必同他去見你們。

問安

二四請你們問引導你們的諸位和衆聖徒安。從義大利來
的人也問你們安。二五願恩惠常與你們衆人同在。阿們。

希伯來書：九章九節

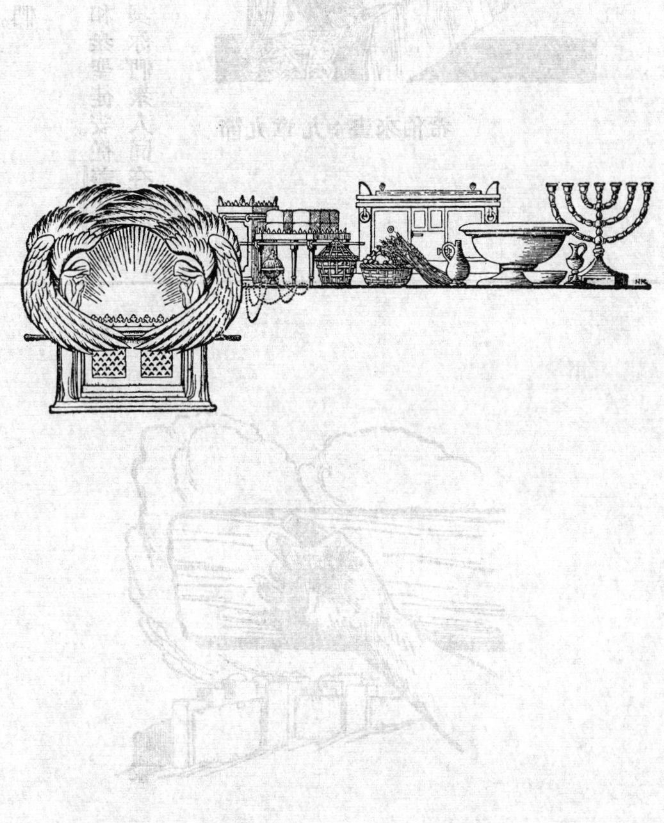

雅各書

第一章

門徒當以試煉為喜樂

一作 神和主耶穌基督僕人的雅各、請散
住十二個支派之人的安。二◯我的弟兄們、你們落在百
般試煉中、都要以為大喜樂。三因為知道你們的信心經
過試驗、就生忍耐。四但忍耐也當成功、使你們成全完備、
毫無缺欠。

要憑着信心求

五你們中間若有缺少智慧的、應當求那厚賜與衆人、也
不斥責人的 神、主就必賜給他。六只要憑着信心求、一
點不疑惑、因為那疑惑的人、就像海中的波浪、被風吹
動翻騰。七這樣的人、不要想從主那裏得甚麽。八心懷二意
的人、在他一切所行的路上、都沒有定見。◯九卑微的弟
兄升高、就該喜樂。十富足的降卑、也該如此、因為他必要
過去、如同草上的花一樣。十一太陽出來、熱風颳起、草就枯
乾、花也凋謝、美容就消沒了。那富足的人、在他所行的
事上、也要這樣衰殘。

忍受試探的人是有福的

十二忍受試探的人、是有福的、因為他經過試驗以後、必得
生命的冠冕、這是主應許給那些愛他之人的。十三人被試
探、不可說、我是被 神試探。因為 神不能被惡試探、
他也不試探人。十四但各人被試探、乃是被自己的私慾牽
引誘惑的。十五私慾既懷了胎、就生出罪來。罪既長成、就生
出死來。十六我親愛的弟兄們、不要看錯了。十七各樣美善的恩
賜、和各樣全備的賞賜、都是從上頭來的、從衆光之父
那裏降下來的、在他並沒有改變、也沒有轉動的影兒。
十八他按自己的旨意、用真道生了我們、叫我們在他所造
的萬物中、好像初熟的果子。

要行道不要單聽道

十九我親愛的弟兄們、這是你們所知道的。但你們各人要
快快的聽、慢慢的說、慢慢的動怒。二十因為人的怒氣、並不
成就 神的義。二十一所以你們要脫去一切的污穢、和盈餘
的邪惡、存溫柔的心、領受那所栽種的道、就是能救你
們靈魂的道。二十二只是你們要行道、不要單單聽道、自己欺
哄自己。二十三因為聽道而不行道的、就像人對着鏡子看自

二四 二五 己本來的面目。二四看見、走後、隨卽忘了他的相貌如何。二五惟
有詳細察看那全備使人自由之律法的、並且時常如
此、這人既不是聽了就忘、乃是實在行出來、就在他所
行的事上必然得福。

何爲眞實的虔誠

二六 若二六有人自以爲虔誠、卻不勒住他的舌頭、反欺哄自己
二七 的心、這人的虔誠是虛的。二七在　神我們的父面前、那清
潔沒有玷污的虔誠、就是看顧在患難中的孤兒寡婦、
並且保守自己不沾染世俗。

不要重富輕貧

一 第二章　一我的弟兄們、你們信奉我們榮耀的主耶
二 穌基督、便不可按着外貌待人。二若有一個人帶着金戒
指、穿着華美衣服、進你們的會堂去、又有一個窮人、穿
三 着骯髒衣服也進去。三你們就重看那穿華美衣服的人、
說、請坐在這好位上。又對那窮人說、你站在那裏、或坐
四 在我腳凳下邊。四這豈不是你們偏心待人、用惡意斷定
五 人麼。五我親愛的弟兄們請聽、　神豈不是揀選了世上
的貧窮人、叫他們在信上富足、並承受他所應許給那

六 些愛他之人的國麼。六你們反倒羞辱貧窮人。那富足人
七 豈不是欺壓你們、拉你們到公堂去麼。七他們不是褻瀆
八 你們所敬奉的尊名麼。（所敬奉或作被稱）八經上記着說、『要愛
人如己。』

當遵守全律法

九 你們若全守這至尊的律法、纔是好的。九但你們若按外
十 貌待人、便是犯罪、被律法定爲犯法的。十因爲凡遵守全
十一 律法的、只在一條上跌倒、他就是犯了衆條。十一原來那說
不可姦淫的、也說不可殺人。你就是不姦淫、卻殺人、仍
十二 是成了犯律法的。十二你們既然要按使人自由的律法受
十三 審判、就該照這律法說話行事。十三因爲那不憐憫人的、也
要受無憐憫的審判。憐憫原是向審判誇勝。

信無善行乃是死的

十四 十四我的弟兄們、若有人說、自己有信心、卻沒有行爲、有甚
十五 麼益處呢。這信心能救他麼。十五若是弟兄、或是姐妹、赤身
十六 露體、又缺了日用的飲食、十六你們中間有人對他們說、平
平安安的去罷、願你們穿得煖喫得飽、卻不給他們身
十七 體所需用的、這有甚麼益處呢。十七這樣、信心若沒有行爲

十八 就是死的。十八必有人說、你有信心、我有行爲。你將你沒有
十九 行爲的信心指給我看、我便藉着我的行爲、將我的信
二十 心指給你看。十九你信　神只有一位、你信的不錯。鬼魔也
信、卻是戰驚。二十虛浮的人哪、你願意知道沒有行爲的信
心是死的麼。

亞伯拉罕稱義是因行爲不是單因信

二一 二一我們的祖宗亞伯拉罕、把他兒子以撒獻在壇上、豈不
二二 是因行爲稱義麼。二二可見信心是與他的行爲並行、而且
二三 信心因着行爲纔得成全。二三這就應驗經上所說、『亞伯
拉罕信　神、這就算爲他的義。』他又得稱爲　神的
二四二五 朋友。二四這樣看來、人稱義是因着行爲、不是單因着信。二五妓
女喇合接待使者、又放他們從別的路上出去、不也是
二六 一樣因行爲稱義麼。二六身體沒有靈魂是死的、信心沒有
行爲也是死的。

舌頭最難制伏

一 **第三章** 一我的弟兄們、不要多人作師傅、因爲曉得
二 我們要受更重的判斷。二原來我們在許多事上都有過
失。若有人在話語上沒有過失、他就是完全人、也能勒

三 住自己的全身。三我們若把嚼環放在馬嘴裏、叫他順服、
四 就能調動他的全身。四看哪、船隻雖然甚大、又被大風催
五 逼、只用小小的舵、就隨着掌舵的意思轉動。五這樣、舌頭
在百體裏也是最小的、卻能說大話。看哪、最小的火、能
六 點着最大的樹林。六舌頭就是火、在我們百體中、舌頭是
個罪惡的世界、能汚穢全身、也能把生命的輪子點起
七 來。並且是從地獄裏點着的。七各類的走獸、飛禽、昆蟲、水
八 族、本來都可以制伏、也已經被人制伏了。八惟獨舌頭沒
九 有人能制伏、是不止息的惡物、滿了害死人的毒氣。九我
們用舌頭頌讚那爲主爲父的、又用舌頭咒詛那照着
十 神形像被造的人。十頌讚和咒詛從一個口裏出來、我
十一 的弟兄們、這是不應當的。十一泉源從一個眼裏能發出甜
十二 苦兩樣的水麼。十二我的弟兄們、無花果樹能生橄欖麼、葡
萄樹能結無花果麼。鹹水裏也不能發出甜水來。

論從上頭來的智慧

十三 十三你們中間誰是有智慧有見識的呢。他就當在智慧的
十四 溫柔上、顯出他的善行來。十四你們心裏若懷着苦毒的嫉
十五 妒和分爭、就不可自誇、也不可說謊話抵擋眞道。十五這樣

的智慧、不是從上頭來的、乃是屬地的、屬情慾的、屬鬼
十六 魔的。[十六]在何處有嫉妒分爭、就在何處有擾亂、和各樣的
十七 壞事。[十七]惟獨從上頭來的智慧、先是清潔、後是和平、溫良
十八 柔順、滿有憐憫、多結善果、沒有偏見、沒有假冒。[十八]並且使
人和平的、是用和平所栽種的義果。

與世俗爲友就是與　神爲敵

一 **第四章** [一]你們中間的爭戰鬬毆、是從那裏來的呢．
二 不是從你們百體中戰鬬之私慾來的麼．[二]你們貪戀、還
是得不着．你們殺害嫉妒、又鬬毆爭戰、也不能得．你們
三 得不着、是因爲你們不求．[三]你們求也得不着、是因爲你
四 們妄求、要浪費在你們的宴樂中．[四]你們這些淫亂的人
哪、（淫亂的人原文作淫婦）豈不知與世俗爲友、就是與　神爲敵
五 麼．所以凡想要與世俗爲友的、就是與　神爲敵了．[五]你
們想經上所說、是徒然的麼．　神所賜住在我們裏面
六 的靈、是戀愛至於嫉妒麼。[六]但他賜更多的恩典．所以經
上說、『　神阻擋驕傲的人、賜恩給謙卑的人。』

當抵擋魔鬼親近　神

七 [七]故此你們要順服　神．務要抵擋魔鬼、魔鬼就必離開
八 你們逃跑了。[八]你們親近　神、　神就必親近你們。有罪
的人哪、要潔淨你們的手。心懷二意的人哪、要清潔你
九 們的心。[九]你們要愁苦、悲哀、哭泣．將喜笑變作悲哀、歡樂
十 變作愁悶。[十]務要在主面前自卑、主就必叫你們升高。

不可彼此批評

十一 [十一]弟兄們、你們不可彼此批評．人若批評弟兄、論斷弟
兄、就是批評律法、論斷律法．你若論斷律法、就不是遵
十二 行律法、乃是判斷人的。[十二]設立律法和判斷人的、只有一
位、就是那能救人也能滅人的．你是誰、竟敢論斷別人
呢。

知道行善不去行的就是罪

十三 [十三]嗐、你們有話說、今天明天我們要往某城裏去、在那裏
十四 住一年、作買賣得利．[十四]其實明天如何、你們還不知道．你
們的生命是甚麼呢．你們原來是一片雲霧、出現少時
十五 就不見了。[十五]你們只當說、主若願意、我們就可以活着、也
十六 可以作這事、或作那事。[十六]現今你們竟以張狂誇口．凡這
十七 樣誇口都是惡的。[十七]人若知道行善、卻不去行、這就是他
的罪了。

第五章

一 嗐、你們這些富足人哪、應當哭泣、號咷、因
二 爲將有苦難臨到你們身上。你們的財物壞了、衣服也
三 被蟲子咬了。你們的金銀都長了銹、那銹要證明你們
的不是、又要喫你們的肉、如同火燒。你們在這末世只
四 知積儹錢財。工人給你們收割莊稼、你們虧欠他們的
工錢．這工錢有聲音呼叫．並且那收割之人的寃聲、已
五 經入了萬軍之主的耳了。你們在世上享美福、好宴樂、
六 當宰殺的日子竟嬌養你們的心。你們定了義人的罪、
把他殺害他也不抵擋你們。

忍耐候主

七 弟兄們哪、你們要忍耐、直到主來。看哪、農夫忍耐等候
八 地裏寶貴的出產、直到得了秋雨春雨。你們也當忍耐、
九 堅固你們的心因爲主來的日子近了。○弟兄們、你們
不要彼此埋怨、免得受審判．看哪、審判的主站在門前
十 了。弟兄們、你們要把那先前奉主名說話的衆先知、當
十一 作能受苦能忍耐的榜樣。那先前忍耐的人、我們稱他
們是有福的．你們聽見過約伯的忍耐、也知道主給他
的結局明顯主是滿心憐憫、大有慈悲。

不可起誓

十二 我的弟兄們、最要緊的是不可起誓．不可指着天起誓、
也不可指着地起誓、無論何誓都不可起．你們說話是
就說是、不是就說不是、免得你們落在審判之下。

信心的祈禱是大有功效的

十三 你們中間有受苦的呢、他就該禱告。有喜樂的呢、他就
十四 該歌頌。你們中間有病了的呢、他就該請教會的長老
十五 來．他們可以奉主的名用油抹他、爲他禱告．出於信心
的祈禱、要救那病人、主必叫他起來．他若犯了罪、也必
十六 蒙赦免。所以你們要彼此認罪、互相代求、使你們可以
十七 得醫治。義人祈禱所發的力量、是大有功效的。以利亞
與我們是一樣性情的人、他懇切禱告、求不要下雨、雨
十八 就三年零六個月不下在地上。他又禱告、天就降下雨
來、地也生出土產。

叫一罪人轉回便遮蓋多罪

十九 我的弟兄們、你們中間若有失迷眞道的、有人使他回
二十 轉．這人該知道叫一個罪人從迷路上轉回、便是救一
個靈魂不死、並且遮蓋許多的罪。

雅各書：三章三節

彼得前書

第一章　一耶穌基督的使徒彼得、寫信給那分散在
本都、加拉太、加帕多家、亞西亞、庇推尼寄居的、二就是照
父　神的先見被揀選、藉着聖靈得成聖潔、以致順服
耶穌基督、又蒙他血所灑的人、願恩惠平安、多多的加
給你們。

可以得着不朽壞不衰殘的基業

三願頌讚歸與我們主耶穌基督的父　神、他曾照自己
的大憐憫、藉耶穌基督從死裏復活、重生了我們、叫我
們有活潑的盼望、四可以得着不能朽壞、不能玷汚、不能
衰殘、爲你們存留在天上的基業。五你們這因信蒙　神
能力保守的人、必能得着所豫備、到末世要顯現的救
恩。六因此、你們是大有喜樂、但如今在百般的試煉中暫
時憂愁、七叫你們的信心既被試驗、就比那被火試驗、仍
然能壞的金子、更顯寶貴、可以在耶穌基督顯現的時
候、得着稱讚榮耀尊貴。

未見基督卻是愛他

八你們雖然沒有見過他、卻是愛他。如今雖不得看見、卻
因信他就有說不出來、滿有榮光的大喜樂、九並且得着
你們信心的果效、就是靈魂的救恩。十論到這救恩、那豫
先說你們要得恩典的衆先知、早已詳細的尋求考察、
十一就是考察在他們心裏基督的靈、豫先證明基督受苦
難、後來得榮耀、是指着甚麼時候、並怎樣的時候。十二他們
得了啓示、知道他們所傳講的一切事、（傳講原文作服事）不是
爲自己、乃是爲你們。那靠着從天上差來的聖靈傳福
音給你們的人、現在將這些事報給你們。天使也願意
詳細察看這些事。

應當聖潔因主是聖潔的

十三所以要約束你們的心、（原文作束上你們心中的腰）謹愼自守、專心
盼望耶穌基督顯現的時候所帶來給你們的恩。十四你們
既作順命的兒女、就不要效法從前蒙昧無知的時候、
那放縱私慾的樣子。十五那召你們的既是聖潔、你們在一
切所行的事上也要聖潔。十六因爲經上記着說、『你們要
聖潔、因爲我是聖潔的。』十七你們既稱那不偏待人、按各

人行爲審判人的主爲父、就當存敬畏的心、度你們在
十八 世寄居的日子．知道你們得贖、脫去你們祖宗所傳流
十九 虛妄的行爲、不是憑着能壞的金銀等物．乃是憑着基
二十 督的寶血、如同無瑕疵無玷汚的羔羊之血．基督在創
世以前、是豫先被　神知道的、卻在這末世纔爲你們
二一 顯現．你們也因着他、信那叫他從死裏復活、又給他榮
耀的　神、叫你們的信心和盼望、都在於　神。

藉着　神的道得重生

二二 你們既因順從眞理、潔淨了自己的心、以致愛弟兄沒
二三 有虛假、就當從心裏彼此切實相愛．（從心裏有古卷作從清潔的心）你
們蒙了重生、不是由於能壞的種子、乃是由於不能壞
二四 的種子、是藉着　神活潑常存的道。因爲『凡有血氣
的、盡都如草．他的美榮、都像草上的花．草必枯乾、花必
二五 凋謝．惟有主的道是永存的。』所傳給你們的福音就
是這道。

基督被人厭棄被　神揀選

一 **第二章**　所以你們既除去一切的惡毒、（或作陰毒）詭詐、
二 並假善、嫉妒、和一切毀謗的話、就要愛慕那純淨的靈
奶、像纔生的嬰孩愛慕奶一樣、叫你們因此漸長、以致
三 四 得救．你們若嘗過主恩的滋味、就必如此。主乃活石、固
五 然是被人所棄的、卻是被　神所揀選所寶貴的．你們
來到主面前、也就像活石、被建造成爲靈宮、作聖潔的
六 祭司、藉着耶穌基督奉獻　神所悅納的靈祭。因爲經
上說、『看哪、我把所揀選所寶貴的房角石、安放在錫
七 安．信靠他的人、必不至於羞愧。』所以他在你們信的
人就爲寶貴、在那不信的人有話說、『匠人所棄的石
八 頭、已作了房角的頭塊石頭。』又說、『作了絆脚的石
頭、跌人的磐石。』

門徒是被揀選的族類君尊的祭司聖潔的國民

他們既不順從、就在道理上絆跌．（或作他們絆跌都因不順從道理）他
九 們這樣絆跌、也是豫定的。惟有你們是被揀選的族類、
是有君尊的祭司、是聖潔的國度、是屬　神的子民、要
叫你們宣揚那召你們出黑暗入奇妙光明者的美德。
十 你們從前算不得子民、現在卻作了　神的子民．從前
未曾蒙憐恤、現在卻蒙了憐恤。

私慾與靈魂爭戰

十一 十一親愛的弟兄阿、你們是客旅、是寄居的。我勸你們要禁
十二 戒肉體的私慾。這私慾是與靈魂爭戰的。十二你們在外邦
人中、應當品行端正、叫那些毀謗你們是作惡的、因看
十三 見你們的好行爲、便在鑒察的日子、(鑒察或作眷顧)歸榮耀給
十四十五 神。○十三你們爲主的緣故、要順服人的一切制度、或是
在上的君王、十四或是君王所派罰惡賞善的臣宰。十五因爲
十六 神的旨意原是要你們行善、可以堵住那糊塗無知人
的口。十六你們雖是自由的、却不可藉着自由遮蓋惡毒、(或作
十七 陰毒)總要作 神的僕人。十七務要尊敬衆人、親愛教中的弟
兄。敬畏 神。尊敬君王。

教導作僕人的

十八 十八你們作僕人的、凡事要存敬畏的心順服主人。不但順
十九 服那善良溫和的、就是那乖僻的也要順服。十九倘若人爲
叫良心對得住 神、就忍受冤屈的苦楚、這是可喜愛
二十 的。二十你們若因犯罪受責打、能忍耐、有甚麼可誇的呢。但
你們若因行善受苦、能忍耐、這在 神看是可喜愛的。
二十一 二十一你們蒙召原是爲此。因基督也爲你們受過苦、給你們
二十二 留下榜樣、叫你們跟隨他的腳蹤行。二十二他並沒有犯罪、口
二十三 裏也沒有詭詐。二十三他被罵不還口、受害不說威嚇的話、只
二十四 將自己交託那按公義審判人的主。二十四他被掛在木頭上
親身擔當了我們的罪、使我們既然在罪上死、就得以
二十五 在義上活。因他受的鞭傷、你們便得了醫治。二十五你們從前
好像迷路的羊。如今却歸到你們靈魂的牧人監督了。

教導作妻子的

一 **第三章** 一你們作妻子的、要順服自己的丈夫。這樣、
若有不信從道理的丈夫、他們雖然不聽道、也可以因
二 妻子的品行被感化過來。二這正是因看見你們有貞潔
三 的品行、和敬畏的心。三你們不要以外面的辮頭髮、戴金
四 飾、穿美衣、爲妝飾。四只要以裏面存着長久溫柔安靜的
五 心爲妝飾。這在 神面前是極寶貴的。五因爲古時仰賴
神的聖潔婦人、正是以此爲妝飾、順服自己的丈夫。
六 六就如撒拉聽從亞伯拉罕、稱他爲主。你們若行善、不因
恐嚇而害怕、便是撒拉的女兒了。

教導作丈夫的

七 七你們作丈夫的、也要按情理(情理原文作知識)和妻子同住。因

他比你軟弱、（比你軟弱原文作是比你軟弱的器皿）與你一同承受生命之
恩的、所以要敬重他．這樣便叫你們的禱告沒有阻礙。

教導衆人

八 八總而言之、你們都要同心、彼此體恤、相愛如弟兄、存慈
九 憐謙卑的心．九不以惡報惡、以辱罵還辱罵、倒要祝福．因
十 你們是為此蒙召、好叫你們承受福氣。十因為經上說、
『人若愛生命、願享美福、須要禁止舌頭不出惡言、嘴
十一 唇不說詭詐的話．十一也要離惡行善．尋求和睦、一心追趕。

為義受苦是有福的

十二 十二因為主的眼看顧義人、主的耳聽他們的祈禱．惟有行
十三 惡的人、主向他們變臉。』十三你們若是熱心行善、有誰害
十四 你們呢。十四你們就是為義受苦、也是有福的．不要怕人的
十五 威嚇、也不要驚慌．（的威嚇或作所怕的）十五只要心裏尊主基督為聖．
有人問你們心中盼望的緣由、就要常作準備、以溫柔
十六 敬畏的心回答各人．十六存着無虧的良心、叫你們在何事
上被毀謗、就在何事上、可以叫那誣賴你們在基督裏
有好品行的人、自覺羞愧。

基督受苦是義的代替不義的

十七 十七　神的旨意若是叫你們因行善受苦、總強如因行惡
十八 受苦。十八因基督也曾一次為罪受苦、（受苦有古卷作受死）就是義的
代替不義的、為要引我們到　神面前．按着肉體說他
十九 被治死．按着靈性說他復活了。十九他藉這靈曾去傳道給
二十 那些在監獄裏的靈聽、二十就是那從前在挪亞豫備方舟、
　神容忍等待的時候、不信從的人．當時進入方舟、藉
二十一 着水得救的不多、只有八個人．二十一這水所表明的洗禮、現
在藉着耶穌基督復活、也拯救你們．這洗禮本不在乎
二十二 除掉肉體的污穢、只求在　神面前有無虧的良心。二十二耶
穌已經進入天堂、在　神的右邊．衆天使和有權柄的、
並有能力的、都服從了他。

不可從人的情慾只從　神的旨意

一 **第四章** 一基督既在肉身受苦、你們也當將這樣的
心志作為兵器．因為在肉身受過苦的、就已經與罪斷
二 絕了．二你們存這樣的心、從今以後、就可以不從人的情
三 慾、只從　神的旨意、在世度餘下的光陰。三因為往日隨
從外邦人的心意行邪淫、惡慾、醉酒、荒宴、羣飲、並可惡

四 拜偶像的事、時候已經彀了。他們在這些事上、見你們
不與他們同奔那放蕩無度的路、就以為怪、毀謗你們。
五六 他們必在那將要審判活人死人的主面前交賬。為此、
就是死人也曾有福音傳給他們、要叫他們的肉體按
着人受審判、他們的靈性卻靠　神活着。

愛能遮罪

七八 萬物的結局近了。所以你們要謹慎自守、儆醒禱告。最
九 要緊的是彼此切實相愛。因為愛能遮掩許多的罪。你
十 們要互相款待、不發怨言。各人要照所得的恩賜彼此
十一 服事、作　神百般恩賜的好管家。若有講道的、要按着
神的聖言講。若有服事的、要按着　神所賜的力
量服事。叫　神在凡事上因耶穌基督得榮耀。原來榮
耀權能都是他的、直到永永遠遠。阿們。

與基督一同受苦倒要歡喜

十二 親愛的弟兄阿、有火煉的試驗臨到你們、不要以為奇
十三 怪、(似乎是遭遇非常的事)倒要歡喜。因為你們是
與基督一同受苦、使你們在他榮耀顯現的時候、也可
十四 以歡喜快樂。你們若為基督的名受辱罵、便是有福的。
十五 因為　神榮耀的靈、常住在你們身上。你們中間卻不
十六 可有人因為殺人、偷竊、作惡、好管閒事而受苦。若為作
基督徒受苦、卻不要羞恥、倒要因這名歸榮耀給　神。
十七 因為時候到了、審判要從　神的家起首。若是先從我
們起首、那不信從　神福音的人、將有何等的結局呢。
十八 若是義人僅僅得救、那不虔敬和犯罪的人、將有何地
十九 可站呢。所以那照　神旨意受苦的人、要一心為善、將
自己靈魂交與那信實的造化之主。

勸勉作長老的

一 **第五章**　我這作長老、作基督受苦的見證、同享後
來所要顯現之榮耀的、勸你們中間與我同作長老的
二 人。務要牧養在你們中間　神的羣羊、按着　神旨意
照管他們。不是出於勉強、乃是出於甘心。也不是因為
三 貪財、乃是出於樂意。也不是轄制所託付你們的、乃是
四 作羣羊的榜樣。到了牧長顯現的時候、你們必得那永
不衰殘的榮耀冠冕。

勸年幼的當以謙卑束腰

五 你們年幼的、也要順服年長的。就是你們衆人、也都要

以謙卑束腰、彼此順服。因爲神阻擋驕傲的人、賜恩
六 給謙卑的人。所以你們要自卑、服在神大能的手下、
到了時候他必叫你們升高。

須將憂慮卸給神

七八 你們要將一切的憂慮卸給神、因爲他顧念你們。務
要謹守、儆醒。因爲你們的仇敵魔鬼、如同吼叫的獅子、
九 遍地游行、尋找可吞喫的人。你們要用堅固的信心抵
擋他、因爲知道你們在世上的衆弟兄、也是經歷這樣
十 的苦難。那賜諸般恩典的神、曾在基督裏召你們、得
享他永遠的榮耀、等你們暫受苦難之後、必要親自成
十一 全你們、堅固你們、賜力量給你們。願權能歸給他、直到
十二 永永遠遠。阿們。我略略的寫了這信、託我所看爲忠
心的兄弟西拉轉交你們、勸勉你們、又證明這恩是
十三 神的眞恩。你們務要在這恩上站立得住。在巴比倫與
你們同蒙揀選的教會問你們安。我兒子馬可也問你
十四 們安。你們要用愛心彼此親嘴問安。願平安歸與你們
凡在基督裏的人。

彼得後書

一 **第一章** 一作耶穌基督僕人和使徒的西門彼得、寫
信給那因我們的 神、和(有古卷無和字)救主耶穌基督之義、
二 與我們同得一樣寶貴信心的人。二願恩惠平安、因你們
認識 神和我們主耶穌、多多的加給你們。

當在各等德行上求進步

三 三神的神能已將一切關乎生命和虔敬的事賜給我
們、皆因我們認識那用自己榮耀和美德召我們的主。
四 四因此他已將又寶貴又極大的應許賜給我們、叫我們
既脫離世上從情慾來的敗壞、就得與 神的性情有
五 分。五正因這緣故、你們要分外的殷勤、有了信心、又要加
六 上德行、有了德行、又要加上知識、六有了知識、又要加上
節制、有了節制、又要加上忍耐、有了忍耐、又要加上虔
七 敬、七有了虔敬、又要加上愛弟兄的心、有了愛弟兄的心、
八 又要加上愛衆人的心……。八你們若充充足足的有這幾樣、
就必使你們在認識我們的主耶穌基督上、不至於閒
九 懶不結果子了。九人若沒有這幾樣、就是眼瞎、只看見近
十 處的、忘了他舊日的罪已經得了潔淨。十所以弟兄們、應
當更加殷勤、使你們所蒙的恩召和揀選堅定不移。你
十一 們若行這幾樣、就永不失腳。十一這樣、必叫你們豐豐富富
的得以進入我們主救主耶穌基督永遠的國。

使徒親眼見過主的威榮

十二 十二你們雖然曉得這些事、並且在你們已有的眞道上堅
十三 固、我卻要將這些事常常題醒你們。十三我以爲應當趁我
十四 還在這帳棚的時候題醒你們、激發你們。十四因爲知道我
脫離這帳棚的時候快到了、正如我們主耶穌基督所
十五 指示我的。十五並且我要盡心竭力使你們在我去世以後、
十六 時常記念這些事。十六我們從前將我們主耶穌基督的大
能和他降臨的事、告訴你們、並不是隨從乖巧揑造的
十七 虛言、乃是親眼見過他的威榮。十七他從父 神得尊貴榮
耀的時候、從極大榮光之中、有聲音出來向他說、這是
十八 我的愛子、我所喜悅的。十八我們同他在聖山的時候、親自
聽見這聲音從天上出來。

豫言如照在暗處的燈

十九 十九我們並有先知更確的豫言、如同燈照在暗處、你們在

這豫言上留意、直等到天發亮晨星在你們心裏出現
的時候、纔是好的。二十 第一要緊的該知道經上所有的豫
言、沒有可隨私意解說的。二一 因爲豫言從來沒有出於人
意的、乃是人被聖靈感動說出神的話來。

第二章

豫言將來必有假師傅

一 從前在百姓中有假先知起來、將來在你
們中間、也必有假師傅、私自引進陷害人的異端、連買
他們的主他們也不承認、自取速速的滅亡。二 將有許多
人隨從他們邪淫的行爲、便叫眞道、因他們的緣故被
毀謗。三 他們因有貪心、要用揑造的言語、在你們身上取
利、他們的刑罰、自古以來並不遲延、他們的滅亡也必
速速來到。原文作也不打盹 四 就是天使犯了罪、神也沒有寬
容、曾把他們丟在地獄、交在黑暗坑中、等候審判。五 神
也沒有寬容上古的世代、曾叫洪水臨到那不敬虔的
世代、卻保護了傳義道的挪亞一家八口。六 又判定所多
瑪、蛾摩拉、將二城傾覆、焚燒成灰、作爲後世不敬虔人
的鑑戒。七 只搭救了那常爲惡人淫行憂傷的義人羅得。
八 因爲那義人住在他們中間、看見聽見他們不法的事、
他的義心就天天傷痛。

主能救敬虔的人脫離試探

九 主知道搭救敬虔的人脫離試探、把不義的人留在刑
罰之下、等候審判的日子。十 那些隨肉身、縱汚穢的情慾、
輕慢主治之人的、更是如此、他們膽大任性、毀謗在尊
位的也不知懼怕。十一 就是天使雖然力量權能更大、還不
用毀謗的話在主面前告他們。

行不義的得不義之工價

十二 但這些人好像沒有靈性、生來就是畜類、以備捉拿宰
殺的。他們毀謗所不曉得的事、正在敗壞人的時候、自
己必遭遇敗壞。十三 行的不義、就得了不義的工價、這些人
喜愛白晝宴樂、他們已被玷汚、又有瑕疵、正與你們一
同坐席、就以自己的詭詐爲快樂。十四 他們滿眼是淫色、淫色
原文作淫婦 止不住犯罪、引誘那心不堅固的人、心中習慣
了貪婪、正是被咒詛的種類。十五 他們離棄正路、就走差了、
隨從比珥之子巴蘭的路、巴蘭就是那貪愛不義之工
價的先知、十六 他卻爲自己的過犯受了責備、那不能說話
的驢、以人言攔阻先知的狂妄。

假師傅是敗壞的奴僕

十七 這些人是無水的井、是狂風催逼的霧氣、有墨黑的幽
十八 暗為他們存留。他們說虛妄矜誇的大話、用肉身的情
十九 慾、和邪淫的事、引誘那些剛纔脫離妄行的人。他們應
許人得以自由、自己卻作敗壞的奴僕。因為人被誰制
二十 伏、就是誰的奴僕。倘若他們因認識主救主耶穌基督、
得以脫離世上的污穢、後來又在其中被纏住制伏、他
二一 們末後的景況、就比先前更不好了。他們曉得義路、竟
二二 背棄了傳給他們的聖命、倒不如不曉得為妙。俗語說、
得眞不錯、狗所吐的他轉過來又喫、豬洗淨了又回到
泥裏去輥。這話在他們身上正合式。

好譏誚的並他們的結局

一 **第三章** 親愛的弟兄阿、我現在寫給你們的、是第
二 二封信。這兩封都是題醒你們、激發你們誠實的心、叫
你們記念聖先知豫先所說的話、和主救主的命令、就
三 是使徒所傳給你們的。第一要緊的、該知道在末世必
四 有好譏誚的人、隨從自己的私慾出來譏誚、說主要降
臨的應許在那裏呢。因為從列祖睡了以來、萬物與起
五 初創造的時候仍是一樣。他們故意忘記、從太古憑
六 神的命有了天、並從水而出藉水而成的地。故此、當時
七 的世界被水淹沒就消滅了。但現在的天地、還是憑着
那命存留、直留到不敬虔之人受審判遭沉淪的日子、
用火焚燒。

主的日子要像賊來到

八 親愛的弟兄阿、有一件事你們不可忘記、就是主看一
九 日如千年、千年如一日。主所應許的尚未成就、有人以
為他是躭延、其實不是躭延、乃是寬容你們、不願有一
十 人沉淪、乃願人人都悔改。但主的日子要像賊來到一
樣。那日天必大有響聲廢去、有形質的都要被烈火銷
十一 化、地和其上的物都要燒盡了。這一切既然都要如此
十二 銷化、你們為人該當怎樣聖潔、怎樣敬虔、切切仰望
神的日子來到。在那日天被火燒就銷化了、有形質的
十三 都要被烈火鎔化。但我們照他的應許、盼望新天新地、
有義居在其中。

要在主的恩典和知識上有長進

十四 親愛的弟兄阿、你們既盼望這些事、就當殷勤、使自己

十五 沒有玷污、無可指摘、安然見主。十五並且要以我主長久忍
耐爲得救的因由、就如我們所親愛的兄弟保羅、照着
十六 所賜給他的智慧、寫了信給你們。十六他一切的信上、也都
是講論這事、信中有些難明白的、那無學問不堅固的
十七 人強解、如強解別的經書一樣、就自取沉淪。十七親愛的弟
兄阿、你們既然豫先知道這事、就當防備、恐怕被惡人
十八 的錯謬誘惑、就從自己堅固的地步上墜落。十八你們卻要
在我們主救主耶穌基督的恩典和知識上有長進。願
榮耀歸給他、從今直到永遠。阿們。

約翰一書

第一章 一論到從起初原有的生命之道、就是我們
二 所聽見所看見、親眼看過、親手摸過的．二(這生命已經
顯現出來、我們也看見過、現在又作見證、將原與父同
三 在、且顯現與我們那永遠的生命、傳給你們．)三我們將
所看見、所聽見的、傳給你們、使你們與我們相交、我們
四 乃是與父並他兒子耶穌基督相交的．四我們將這些話
寫給你們、使你們(有古卷作我們)的喜樂充足。

耶穌的血洗淨一切的罪

五 五神就是光、在他毫無黑暗．這是我們從主所聽見、又
六 報給你們的信息。六我們若說是與 神相交、卻仍在黑
七 暗裏行、就是說謊話、不行真理了．七我們若在光明中行、
如同 神在光明中、就彼此相交、他兒子耶穌的血也
八 洗淨我們一切的罪。八我們若說自己無罪、便是自欺、真
九 理不在我們心裏了．九我們若認自己的罪、 神是信實
的、是公義的、必要赦免我們的罪、洗淨我們一切的不
十 義。十我們若說自己沒有犯過罪、便是以 神為說謊的、
他的道也不在我們心裏了。

耶穌為天下人作挽回的祭

一 第二章 一我小子們哪、我將這些話寫給你們、是要
叫你們不犯罪。若有人犯罪、在父那裏我們有一位中
二 保、就是那義者耶穌基督．二他為我們的罪作了挽回祭．
三 不是單為我們的罪、也是為普天下人的罪。三我們若遵
四 守他的誡命、就曉得是認識他。四人若說我認識他、卻不
遵守他的誡命、便是說謊話的、真理也不在他心裏了。
五 五凡遵守主道的、愛 神的心在他裏面實在是完全的、
六 從此我們知道我們是在主裏面．六人若說他住在主裏
面、就該自己照主所行的去行。

黑暗光明的反對

七 七親愛的弟兄阿、我寫給你們的、不是一條新命令、乃是
你們從起初所受的舊命令．這舊命令就是你們所聽
八 見的道。八再者、我寫給你們的、是一條新命令、在主是真
的、在你們也是真的．因為黑暗漸漸過去、真光已經照
九 耀。九人若說自己在光明中、卻恨他的弟兄、他到如今還
十 是在黑暗裏。十愛弟兄的就是住在光明中、在他並沒有

十一 絆跌的緣由。十一惟獨恨弟兄的是在黑暗裏、且在黑暗裏
十二 行、也不知道往那裏去、因爲黑暗叫他眼睛瞎了。○小十二
子們哪、我寫信給你們、因爲你們的罪藉着主名得了
十三 赦免。十三父老阿、我寫信給你們、因爲你們認識那從起初
原有的。少年人哪、我寫信給你們、因爲你們勝了那惡
者。小子們哪、我曾寫信給你們、因爲你們認識父。

愛世和愛父的反對

十四 父十四老阿、我曾寫信給你們、因爲你們認識那從起初原
有的。少年人哪、我曾寫信給你們、因爲你們剛強、神
十五 的道常存在你們心裏、你們也勝了那惡者。十五不要愛世
界、和世界上的事。人若愛世界、愛父的心就不在他裏
十六 面了。十六因爲凡世界上的事、就像肉體的情慾、眼目的情
慾、並今生的驕傲、都不是從父來的、乃是從世界來的。
十七 這十七世界、和其上的情慾、都要過去、惟獨遵行神旨意
十八 的、是永遠常存。○小十八子們哪、如今是末時了。你們曾聽
見說、那敵基督的要來、現在已經有好些敵基督的出
十九 來了。從此我們就知道如今是末時了。十九他們從我們中
間出去、卻不是屬我們的。若是屬我們的、就必仍舊與

二十 我們同在。他們出去、顯明都不是屬我們的。二十你們從那
二一 聖者受了恩膏、並且知道這一切的事。或作都有知識二一我寫信
給你們、不是因你們不知道眞理、正是因你們知道、並
二二 且知道沒有虛謊是從眞理出來的。二二誰是說謊話的呢。
不是那不認耶穌爲基督的麼。不認父與子的、這就是
二三 敵基督的。二三凡不認子的就沒有父。認子的連父也有了。

主應許永生

二四 論二四到你們、務要將那從起初所聽見的常存在心裏。若
將從起初所聽見的存在心裏、你們就必住在子裏面、
二五 二六 也必住在父裏面。二五主所應許我們的就是永生。二六我將這
二七 些話寫給你們、是指着那引誘你們的人說的。二七你們從
主所受的恩膏常存在你們心裏、並不用人教訓你們。
自有主的恩膏在凡事上教訓你們、這恩膏是眞的、不
是假的。你們要按這恩膏的教訓、住在主裏面。

行公義的都是主所生的

二八 小二八子們哪、你們要住在主裏面。這樣、他若顯現、我們就
可以坦然無懼。當他來的時候、在他面前也不至於慚
二九 愧。二九你們若知道他是公義的、就知道凡行公義之人都

是他所生的。

稱爲神的兒女是蒙父何等慈愛

一 **第三章** 一你看父賜給我們是何等的慈愛、使我們
得稱爲 神的兒女．我們也眞是他的兒女．世人所以
二 不認識我們、是因未曾認識他。二親愛的弟兄阿、我們現
在是 神的兒女．將來如何還未顯明．但我們知道主
三 若顯現、我們必要像他．因爲必得見他的眞體。三凡向他
四 有這指望的、就潔淨自己、像他潔淨一樣。四凡犯罪的、就
五 是違背律法．違背律法就是罪。五你們知道主曾顯現、是
六 要除掉人的罪．在他並沒有罪。六凡住在他裏面的、就不
犯罪．凡犯罪的、是未曾看見他、也未曾認識他。

神的兒子要除滅魔鬼所行的事

七 七小子們哪、不要被人誘惑、行義的纔是義人．正如主是
八 義的一樣。八犯罪的是屬魔鬼、因爲魔鬼從起初就犯罪。
九 神的兒子顯現出來、爲要除滅魔鬼的作爲。九凡從
神生的、就不犯罪、因 神的道原文作種存在他心裏．他也
十 不能犯罪、因爲他是由 神生的。十從此就顯出誰是
神的兒女、誰是魔鬼的兒女．凡不行義的、就不屬 神．

十一 不愛弟兄的也是如此。十一我們應當彼此相愛．這就是你
十二 們從起初所聽見的命令。十二不可像該隱．他是屬那惡者、
殺了他的兄弟．爲甚麼殺了他呢．因自己的行爲是惡
的、兄弟的行爲是善的。

沒有愛心的就住在死中

十三 十四 十三弟兄們、世人若恨你們、不要以爲希奇。十四我們因爲愛弟
兄、就曉得是已經出死入生了。沒有愛心的、仍住在死
十五 中。十五凡恨他弟兄的、就是殺人的．你們曉得凡殺人的、沒
十六 有永生存在他裏面。十六主爲我們捨命、我們從此就知道
十七 何爲愛．我們也當爲弟兄捨命。十七凡有世上財物的、看見
弟兄窮乏、卻塞住憐恤的心、愛 神的心怎能存在他
十八 裏面呢。十八小子們哪、我們相愛、不要只在言語和舌頭上．
十九 總要在行爲和誠實上。十九從此就知道我們是屬眞理的、
二十 並且我們的心在 神面前可以安穩。二十我們的心若責
備我們、 神比我們的心大、一切事沒有不知道的。

心若不自責就可以向神坦然無懼

二一 二一親愛的弟兄阿、我們的心若不責備我們、就可以向
二二 神坦然無懼了．並且我們一切所求的、就從他得着．因

二三 為我們遵守他的命令、行他所喜悅的事。二三神的命令
就是叫我們信他兒子耶穌基督的名、且照他所賜給
二四 我們的命令彼此相愛。二四遵守神命令的、就住在神
裏面．神也住在他裏面。我們所以知道神住在我
們裏面、是因他所賜給我們的聖靈。

眞理的靈和謬妄的靈

一 第四章 一親愛的弟兄阿、一切的靈、你們不可都信．
總要試驗那些靈是出於神的不是．因為世上有許
二 多假先知已經出來了。二凡靈認耶穌基督是成了肉身
來的、就是出於神的．從此你們可以認出神的靈
三 來。三凡靈不認耶穌、就不是出於神．這是那敵基督者
四 的靈．你們從前聽見他要來、現在已經在世上了。四小子
們哪、你們是屬神的、並且勝了他們．因為那在你們
五 裏面的、比那在世界上的更大。五他們是屬世界的．所以
六 論世界的事、世人也聽從他們。六我們是屬神的．認識
神的就聽從我們．不屬神的就不聽從我們．從此
我們可以認出眞理的靈、和謬妄的靈來。

神就是愛

七 親愛的弟兄阿、我們應當彼此相愛．因為愛是從神
八 來的．凡有愛心的、都是由神而生、並且認識神。八神沒
九 有愛心的、就不認識神．因為神就是愛。九神差他
獨生子到世間來、使我們藉着他得生、神愛我們的
十 心、在此就顯明了。十不是我們愛神、乃是神愛我們、
十一 差他的兒子、為我們的罪作了挽回祭、這就是愛了。十一親
愛的弟兄阿、神既是這樣愛我們、我們也當彼此相
十二 愛。十二從來沒有人見過神．我們若彼此相愛、神就住
十三 在我們裏面、愛他的心在我們裏面得以完全了．十三神
將他的靈賜給我們、從此就知道我們是住在他裏面、
十四 他也住在我們裏面。十四父差子作世人的救主、這是我們
十五 所看見且作見證的。十五凡認耶穌為神兒子的、神就
十六 住在他裏面、他也住在神裏面。十六神愛我們的心、我
們也知道也信。神就是愛．住在愛裏面的、就是住在
十七 神裏面、神也住在他裏面。十七這樣、愛在我們裏面得
以完全、我們就可以在審判的日子、坦然無懼．因為他
十八 如何、我們在這世上也如何。十八愛裏沒有懼怕．愛既完全、

就把懼怕除去因爲懼怕裏含着刑罰．懼怕的人在愛
裏未得完全。
十九 二十 十九我們愛、因爲神先愛我們。二十人若說、我愛神、卻恨他
的弟兄、就是說謊話的．不愛他所看見的弟兄、就不能
二十一 愛沒有看見的神。有古卷作怎能愛沒有看見的神呢二十一愛神的、也
當愛弟兄、這是我們從神所受的命令。

第五章 一勝了世界的就是信心

一 凡信耶穌是基督的、都是從神而生．凡
二 愛生他之神的、也必愛從神生的。二我們若愛神、
三 又遵守他的誡命、從此就知道我們愛神的兒女。三我
們遵守神的誡命、這就是愛他了．並且他的誡命不
四 是難守的。四因爲凡從神生的、就勝過世界．使我們勝
五 了世界的、就是我們的信心。五勝過世界的是誰呢．不是
六 那信耶穌是神兒子的麼。六這藉着水和血而來的就
七 是耶穌基督．不是單用水、乃是用水又用血。七並且有聖
八 靈作見證、因爲聖靈就是眞理。八作見證的原來有三、就
九 是聖靈、水、與血．這三樣也都歸於一。九我們既領受人的
見證、神的見證更該領受了．該領受原文作大因神的見
十 證、是爲他兒子作的。十信神兒子的、就有這見證在他
心裏．不信神的、就是將神當作說謊的、因不信
十一 神爲他兒子作的見證。十一這見證、就是神賜給我們永
十二 生、這永生也是在他兒子裏面。十二人有了神的兒子就
有生命．沒有神的兒子就沒有生命。

若照着主的旨意求主就聽我們

十三 十三我將這些話寫給你們信奉神兒子之名的人、要叫
十四 你們知道自己有永生。十四我們若照他的旨意求甚麼、他
十五 就聽我們．這是我們向他所存坦然無懼的心。十五既然知
道他聽我們一切所求的、就知道我們所求於他的無
十六 不得着。十六人若看見弟兄犯了不至於死的罪、就當爲他
祈求、神必將生命賜給他．有至於死的罪、我不說當
十七 爲這罪祈求。十七凡不義的事都是罪．也有不至於死的罪。

當遠避偶像

十八 十八我們知道凡從神生的必不犯罪．從神生的必保
十九 守自己、有古卷作那從神生的必保護他那惡者也就無法害他。十九我們
二十 知道我們是屬神的、全世界都臥在那惡者手下。二十我

們也知道神的兒子已經來到、且將智慧賜給我們、
使我們認識那位眞實的、我們也在那位眞實的裏面、
就是在他兒子耶穌基督裏面。這是眞神、也是永生。二十一小
子們哪、你們要自守遠避偶像。

約翰二書

一作長老的寫信給蒙揀選的太太、（太太或作教會下同）和他的兒
女、就是我誠心所愛的．不但我愛、也是一切知道眞理
之人所愛的．二愛你們是爲眞理的緣故、這眞理存在我
們裏面、也必永遠與我們同在。三恩惠、憐憫、平安、從父
神和他兒子耶穌基督、在眞理和愛心上、必常與我們
同在。

照神的誡命行就是愛

四我見你的兒女、有照我們從父所受之命令遵行眞理
的、就甚歡喜。五太太阿、我現在勸你、我們大家要彼此相
愛．這並不是我寫一條新命令給你、乃是我們從起初．
所受的命令。六我們若照他的命令行、這就是愛。你們從
起初所聽見當行的、就是這命令。七因爲世上有許多迷
惑人的出來、他們不認耶穌基督是成了肉身來的．這
就是那迷惑人、敵基督的。八你們要小心、不要失去你們
（有古卷作我們）所作的工、乃要得着滿足的賞賜。

越過基督教訓的就沒有神

九凡越過基督的教訓、不常守着的、就沒有神．常守這
教訓的、就有父又有子。十若有人到你們那裏、不是傳這
教訓、不要接他到家裏、也不要問他的安．因爲問他安
的、就在他的惡行上有分。◎十二我還有許多事要寫給你
們、卻不願意用紙墨寫出來．但盼望到你們那裏、與你
們當面談論、使你們的喜樂滿足。十三你那蒙揀選之姊妹
的兒女都問你安。

約翰三書

一作長老的寫信給親愛的該猶、就是我誠心所愛的。二親
愛的兄弟阿、我願你凡事興盛、身體健壯、正如你的靈
魂興盛一樣。三有弟兄來證明你心裏存的眞理、正如你
按眞理而行、我就甚喜樂。四我聽見我的兒女們按眞理
而行、我的喜樂就沒有比這個大的。

該猶厚待客旅

五親愛的兄弟阿、凡你向作客旅之弟兄所行的、都是忠
心的。六他們在教會面前證明了你的愛。你若配得過
神、幫助他們往前行、這就好了。七因他們是爲主的名〔原文
作那名〕出外、對於外邦人一無所取。八所以我們應該接待
這樣的人、叫我們與他們一同爲眞理作工。〇九我曾略
略的寫信給教會。但那在教會中好爲首的丟特腓不
接待我們。十所以我若去、必要題說他所行的事、就是他
用惡言妄論我們。還不以此爲足、他自己不接待弟兄、
有人願意接待他也禁止、並且將接待弟兄的人趕出
教會。

行善的屬乎神

十一親愛的兄弟阿、不要效法惡、只要效法善。行善的屬乎
神。行惡的未曾見過 神。十二低米丟行善、有衆人給他
作見證、又有眞理給他作見證。就是我們也給他作見
證。你也知道我們的見證是眞的。〇十三我原有許多事要
寫給你、卻不願意用筆墨寫給你。十四但盼望快快的見你、
我們就當面談論。十五願你平安。衆位朋友都問你安。請你
替我按着姓名問衆位朋友安。

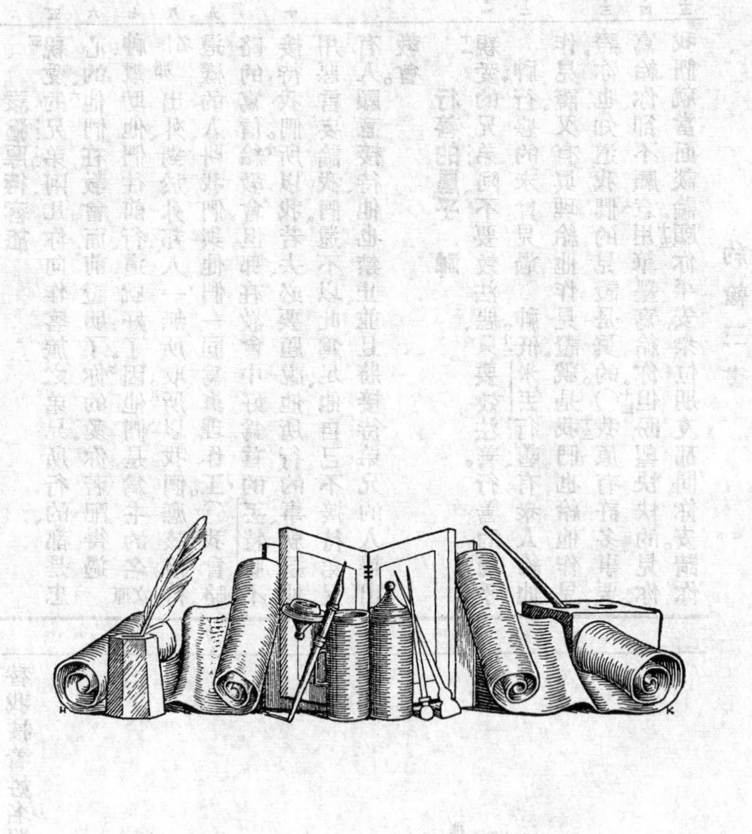

猶大書

一耶穌基督的僕人、雅各的弟兄猶大、寫信給那被召、在
父神裏蒙愛、為耶穌基督保守的人。二願憐恤、平安、慈
愛、多多的加給你們。

當為眞道竭力爭辯

三親愛的弟兄阿、我想盡心寫信給你們、論我們同得救
恩的時候、就不得不寫信勸你們、要為從前一次交付
聖徒的眞道、竭力的爭辯。四因為有些人偷着進來、就是
自古被定受刑罰的、是不虔誠的、將我們神的恩變
作放縱情慾的機會、並且不認獨一的主宰我們（我們或作和我們）
主耶穌基督。

以古時不虔誠的為鑑戒

五從前主救了他的百姓出埃及地、後來就把那些不信
的滅絕了。這一切的事、你們雖然都知道、我卻仍要題
醒你們。六又有不守本位、離開自己住處的天使、主用鎖
鍊把他們永遠拘留在黑暗裏、等候大日的審判。七又如
所多瑪、蛾摩拉、和周圍城邑的人、也照他們一味的行
淫、隨從逆性的情慾、就受永火的刑罰、作為鑑戒。八這些
作夢的人、也像他們汚穢身體、輕慢主治的、毀謗在尊
位的。九天使長米迦勒、為摩西的屍首與魔鬼爭辯的時
候、尚且不敢用毀謗的話罪責他、只說、主責備你罷。十但
這些人毀謗他們所不知道的．他們本性所知道的事
與那沒有靈性的畜類一樣、在這事上竟敗壞了自己。
十一他們有禍了．因為走了該隱的道路、又為利往巴蘭的
錯謬裏直奔、並在可拉的背叛中滅亡了。十二這樣的人、在
你們的愛席上、與你們同喫的時候、正是礁石．（或作玷汚）他
們作牧人、只知餵養自己、無所懼怕．是沒有雨的雲彩、
被風飄蕩．是秋天沒有果子的樹、死而又死、連根被拔
出來．十三是海裏的狂浪、湧出自己可恥的沫子來．是流蕩
的星、有墨黑的幽暗為他們永遠存留。十四亞當的七世孫
以諾、曾豫言這些人說、看哪、主帶着他的千萬聖者降
臨、十五要在衆人身上行審判、證實那一切不敬虔的人所
妄行一切不敬虔的事、又證實不敬虔之罪人所說頂
撞他的剛愎話。十六這些人是私下議論、常發怨言的、隨從
自己的情慾而行、口中說誇大的話、為得便宜諂媚人。

要常在神的愛中

十七 親愛的弟兄阿、你們要記念我們主耶穌基督之使徒
十八 從前所說的話。十八他們曾對你們說過、末世必有好譏誚
十九 的人、隨從自己不敬虔的私慾而行。十九這就是那些引人
二十 結黨、屬乎血氣、沒有聖靈的人。二十親愛的弟兄阿、你們卻
二一 要在至聖的眞道上造就自己、在聖靈裏禱告、二一保守自
己常在神的愛中、仰望我們主耶穌基督的憐憫直
二二 二三 到永生。二二有些人存疑心、你們要憐憫他們。二三有些人你們
要從火中搶出來搭救他們。有些人你們要存懼怕的
心憐憫他們、連那被情慾沾染的衣服也當厭惡。

祝福

二四 二四那能保守你們不失脚、叫你們無瑕無疵、歡歡喜喜站
二五 在他榮耀之前的、我們的救主獨一的二五神、願榮耀、威
嚴、能力、權柄、因我們的主耶穌基督、歸與他、從萬古以
前、並現今、直到永永遠遠。阿們。

拔摩島

啓示錄：一章九節

念誦的聽見的遵守的有福了

一 **第一章** 一耶穌基督的啓示、就是神賜給他、叫他
將必要快成的事指示他的衆僕人．他就差遣使者、曉
二 諭他的僕人約翰、二約翰便將神的道、和耶穌基督的
三 見證、凡自己所看見的、都證明出來。三念這書上豫言的、
四 和那些聽見又遵守其中所記載的、都是有福的．因爲
日期近了。○四約翰寫信給亞西亞的七個教會．但願從
五 那昔在今在以後永在的神、和他寶座前的七靈、五並
那誠實作見證的、從死裏首先復活、爲世上君王元首
的耶穌基督、有恩惠平安歸與你們。他愛我們、用自己
六 的血使我們脫離罪惡．（脫離有古卷作洗去）六又使我們成爲國民、
作他父神的祭司．但願榮耀權能歸給他、直到永永
遠遠。阿們。

論主降臨的情形

七 七看哪、他駕雲降臨．衆目要看見他、連刺他的人也要看
見他．地上的萬族都要因他哀哭。這話是眞實的。阿們。

八 ○八主神說、我是阿拉法、我是俄梅戛、（阿拉法俄梅戛乃希臘字母首
九 末二字）是昔在今在以後永在的全能者。○九我約翰就是
你們的弟兄、和你們在耶穌的患難、國度、忍耐裏、一同
十 有分．爲神的道、並爲給耶穌作的見證、曾在那名叫
拔摩的海島上。十當主日我被聖靈感動、聽見在我後面
十一 有大聲音如吹號、說、十一你所看見的、當寫在書上、達與以
弗所、士每拿、別迦摩、推雅推喇、撒狄、非拉鐵非、老底嘉、
那七個教會。

救主的榮威

十二 十二我轉過身來、要看是誰發聲與我說話．既轉過來、就看
十三 見七個金燈臺．十三燈臺中間、有一位好像人子、身穿長衣、
十四 直垂到腳、胸間束着金帶。十四他的頭與髮皆白、如白羊毛、
十五 如雪．眼目如同火焰。十五腳好像在爐中煅煉光明的銅．聲
十六 音如同衆水的聲音。十六他右手拿着七星．從他口中出來
一把兩刃的利劍．面貌如同烈日放光。

主拿着死亡和陰間的鑰匙

十七 十七我一看見、就仆倒在他腳前、像死了一樣。他用右手按
十八 着我說、不要懼怕．我是首先的、我是末後的、十八又是那存

活的我曾死過、現在又活了、直活到永永遠遠．並且拿
十九 着死亡和陰間的鑰匙。十九所以你要把所看見的、和現在
二十 的事、並將來必成的事、都寫出來。二十論到你所看見在我
右手中的七星、和七個金燈臺的奧祕．那七星就是七
個教會的使者．七燈臺就是七個教會。

寄信給以弗所

一 第二章　你要寫信給以弗所教會的使者、說、那右
二 手拿着七星、在七個金燈臺中間行走的、說、二我知道你
的行爲、勞碌、忍耐、也知道你不能容忍惡人、你也曾試
驗那自稱爲使徒卻不是使徒的、看出他們是假的來。
三 你也能忍耐、曾爲我的名勞苦、並不乏倦。

丟了起初的愛心

四 然而有一件事我要責備你、就是你把起初的愛心離
五 棄了。五所以應當回想你是從那裏墜落的．並要悔改、行
起初所行的事．你若不悔改、我就臨到你那裏、把你的
六 燈臺從原處挪去。六然而你還有一件可取的事、就是你
七 恨惡尼哥拉一黨人的行爲、這也是我所恨惡的。七聖靈
向衆教會所說的話、凡有耳的、就應當聽。得勝的、我必
將　神樂園中生命樹的果子賜給他喫。

寄信給士每拿

八 你要寫信給士每拿教會的使者、說、那首先的、末後的、
九 死過又活的、說、九我知道你的患難、你的貧窮、（你卻是
富足的）也知道那自稱是猶太人所說的毀謗話、其
實他們不是猶太人、乃是撒但一會的人。

至死忠心必得生命冠冕

十 你將要受的苦你不用怕．魔鬼要把你們中間幾個人
下在監裏、叫你們被試煉．你們必受患難十日。你務要
十一 至死忠心、我就賜給你那生命的冠冕。十一聖靈向衆教會
所說的話、凡有耳的、就應當聽。得勝的、必不受第二次
死的害。

寄信給別迦摩

十二 你要寫信給別迦摩教會的使者、說、那有兩刃利劍的
十三 說、十三我知道你的居所、就是有撒但座位之處．當我忠心
的見證人安提帕在你們中間、撒但所住的地方被殺
十四 之時、你還堅守我的名、沒有棄絕我的道。十四然而有幾件
事我要責備你、因爲在你那裏、有人服從了巴蘭的教

十五 訓。這巴蘭曾教導巴勒將絆脚石放在以色列人面前、
叫他們喫祭偶像之物、行姦淫的事。十五你那裏也有人照
様服從了尼哥拉一黨人的教訓。

當悔改

十六 十六所以你當悔改。若不悔改、我就快臨到你那裏、用我口
十七 中的劍、攻擊他們。十七聖靈向衆教會所說的話、凡有耳的、
就應當聽。得勝的、我必將那隱藏的嗎哪賜給他。並賜
他一塊白石、石上寫着新名。除了那領受的以外、沒有
人能認識。

寄信給推雅推喇

十八 十八你要寫信給推雅推喇教會的使者、說、那眼目如火焰、
十九 脚像光明銅的 神之子、說、十九我知道你的行爲、愛心、信
心、勤勞、忍耐。又知道你末後所行的善事、比起初所行
二十 的更多。二十然而有一件事我要責備你、就是你容讓那自
稱是先知的婦人耶洗別教導我的僕人、引誘他們行
二一 姦淫、喫祭偶像之物。二一我曾給他悔改的機會、他卻不肯
二二 悔改他的淫行。二二看哪、我要叫他病臥在牀、那些與他行
淫的人、若不悔改所行的、我也要叫他們同受大患難。

二三 二三我又要殺死他的黨類、（黨類原文作兒女）叫衆教會知道、我是
那察看人肺腑心腸的、並要照你們的行爲報應你們
各人。

當持守等到主來

二四 二四至於你們推雅推喇其餘的人、就是一切不從那教訓、
不曉得他們素常所說撒但深奧之理的人、我告訴你
二五 們、我不將別的擔子放在你們身上。二五但你們已經有的、
二六 總要持守、直等到我來。二六那得勝又遵守我命令到底的、
二七 我要賜給他權柄制伏列國。二七他必用鐵杖轄管他們、（轄原文作牧）
將他們如同窰戶的瓦器打得粉碎。二八像我從我父
二八 二九 領受的權柄一様。我又要把晨星賜給他。二九聖靈向衆教
會所說的話、凡有耳的、就應當聽。

第三章

寄信給撒狄

一 一你要寫信給撒狄教會的使者、說、那有
神的七靈、和七星的、說、我知道你的行爲、按名你是活
二 的、其實是死的。二你要儆醒、堅固那剩下將要衰微的、（衰微原文作死）
因我見你的行爲、在我 神面前、沒有一様是完
全的。

當回想所聽見所領受的

三 三所以要回想你是怎樣領受、怎樣聽見的．又要遵守、並
要悔改。若不儆醒、我必臨到你那裏如同賊一樣．我幾
四 時臨到、你也決不能知道。四然而在撒狄你還有幾名是
未曾汙穢自己衣服的．他們要穿白衣與我同行．因為
五 他們是配得過的。五凡得勝的、必這樣穿白衣．我也必不
從生命冊上塗抹他的名．且要在我父面前、和我父眾
六 使者面前、認他的名。六聖靈向眾教會所說的話、凡有耳
的、就應當聽。

寄信給非拉鐵非

七 七你要寫信給非拉鐵非教會的使者、說、那聖潔、眞實、拿
着大衛的鑰匙、開了就沒有人能關、關了就沒有人能
八 開的、說、八我知道你的行為、你略有一點力量、也曾遵守
我的道、沒有棄絕我的名。看哪、我在你面前給你一個
九 敞開的門、是無人能關的。九那撒但一會的、自稱是猶太
人、其實不是猶太人、乃是說謊話的、我要使他們來在
你腳前下拜、也使他們知道我是已經愛你了。

要持守免得失去冠冕

十 十你既遵守我忍耐的道、我必在普天下人受試煉的時
十一 候、保守你免去你的試煉。十一我必快來．你要持守你所有
十二 的、免得人奪去你的冠冕。十二得勝的、我要叫他在我　神
殿中作柱子、他也必不再從那裏出去．我又要將我
神的名、和我　神城的名、（這城就是從天上從我
神那裏降下來的新耶路撒冷）並我的新名、都寫在
十三 他上面。十三聖靈向眾教會所說的話、凡有耳的就應當聽。

寄信給老底嘉

十四 十四你要寫信給老底嘉教會的使者、說、那為阿們的、為誠
十五 信眞實見證的、在　神創造萬物之上為元首的、說、十五我
知道你的行為、你也不冷也不熱．我巴不得你或冷或
十六 熱。十六你既如溫水、也不冷也不熱、所以我必從我口中把
你吐出去。

當買火煉金子

十七 十七你說、我是富足、已經發了財、一樣都不缺．卻不知道你
十八 是那困苦、可憐、貧窮、瞎眼、赤身的．十八我勸你向我買火煉
的金子、叫你富足．又買白衣穿上、叫你赤身的羞恥不

露出來．又買眼藥擦你的眼睛、使你能看見。
十九 凡我所疼愛的、我就責備管教他．所以你要發熱心、也要悔改。
二十 看哪、我站在門外叩門．若有聽見我聲音就開門的、我要進到他那裏去、我與他他與我一同坐席。
二一 得勝的、我要賜他在我寶座上與我同坐、就如我得了勝在我父的寶座上與他同坐一般。
二二 聖靈向衆教會所說的話、凡有耳的、就應當聽。

第四章　約翰見天上有一個寶座

一 此後、我觀看、見天上有門開了、我初次聽見好像吹號的聲音、對我說、你上到這裏來、我要將以後必成的事指示你。
二 我立刻被聖靈感動、見有一個寶座安置在天上、又有一位坐在寶座上。
三 看那坐着的、好像碧玉和紅寶石．又有虹圍着寶座、好像綠寶石。
四 寶座的周圍、又有二十四個座位、其上坐着二十四位長老、身穿白衣、頭上戴着金冠冕。
五 有閃電、聲音、雷轟、從寶座中發出。又有七盞火燈在寶座前點着、這七燈就是　神的七靈。
六 寶座前好像一個玻璃海、如同水晶．寶座中、和寶座周圍有四個活物、前後遍體都滿了眼睛。
七 第一個活物像獅子、第二個像牛犢、第三個臉面像人、第四個像飛鷹。
八 四活物各有六個翅膀、遍體內外都滿了眼睛．他們晝夜不住的說、聖哉、聖哉、聖哉、主　神是昔在今在以後永在的全能者。

敬拜和頌讚

九 每逢四活物將榮耀、尊貴、感謝、歸給那坐在寶座上、活到永永遠遠者的時候、
十 那二十四位長老、就俯伏在坐寶座的面前、敬拜那活到永永遠遠的、又把他們的冠冕放在寶座前、說、
十一 我們的主、我們的　神、你是配得榮耀尊貴權柄的．因爲你創造了萬物、並且萬物是因你的旨意被創造而有的。

第五章　七印封嚴的書卷

一 我看見坐寶座的右手中有書卷、裏外都寫着字、用七印封嚴了。
二 我又看見一位大力的天使、大聲宣傳說、有誰配展開那書卷、揭開那七印呢。
三 在天上、地上、地底下、沒有能展開能觀看那書卷的。
四 因爲沒有配展開、配觀看那書卷的、我就大哭。
五 長老中有一位對我說、不要哭．看哪、猶大支派中的獅子、大衛的根、他已

得勝、能以展開那書卷、揭開那七印。

惟有羔羊配開

六 [六]我又看見寶座與四活物並長老之中、有羔羊站立、像
是被殺過的、有七角七眼、就是　神的七靈、奉差遣往
七 普天下去的。[七]這羔羊前來、從坐寶座的右手裏拿了書
八 卷。[八]他既拿了書卷、四活物和二十四位長老、就俯伏在
羔羊面前、各拿着琴、和盛滿了香的金爐．這香就是衆
九 聖徒的祈禱。[九]他們唱新歌、說、你配拿書卷、配揭開七印．
因爲你曾被殺、用自己的血、從各族各方各民各國中
十 買了人來、叫他們歸於　神、[十]又叫他們成爲國民、作祭
司、歸於　神、在地上執掌王權。

稱讚神和羔羊

十一 [十一]我又看見、且聽見、寶座與活物並長老的周圍、有許多
十二 天使的聲音、他們的數目有千千萬萬．[十二]大聲說、曾被殺
的羔羊、是配得權柄、豐富、智慧、能力、尊貴、榮耀、頌讚的。
十三 [十三]我又聽見在天上、地上、地底下、滄海裏、和天地間一切
所有被造之物、都說、但願頌讚、尊貴、榮耀、權勢、都歸給
十四 坐寶座的和羔羊、直到永永遠遠。[十四]四活物就說、阿們。衆
長老也俯伏敬拜。

開第一印

一 **第六章** [一]我看見羔羊揭開七印中第一印的時候、
二 就聽見四活物中的一個活物、聲音如雷、說、你來。[二]我就
觀看、見有一匹白馬、騎在馬上的、拿着弓、並有冠冕賜
給他．他便出來、勝了又要勝。

開第二印

三四 [三]揭開第二印的時候、我聽見第二個活物說、你來。[四]就另
有一匹馬出來、是紅的．有權柄給了那騎馬的、可以從
地上奪去太平、使人彼此相殺．又有一把大刀賜給他。

開第三印

五 [五]揭開第三印的時候、我聽見第三個活物說、你來。我就
六 觀看、見有一匹黑馬、騎在馬上的手裏拿着天平。[六]我聽
見在四活物中似乎有聲音說、一錢銀子買一升麥子、
一錢銀子買三升大麥．油和酒不可蹧蹋。

開第四印

七八 [七]揭開第四印的時候、我聽見第四個活物說、你來。[八]我就
觀看、見有一匹灰色馬．騎在馬上的、名字叫作死．陰府

也隨着他．有權柄賜給他們、可以用刀劍、饑荒、瘟疫、瘟疫或作
死亡野獸殺害地上四分之一的人。

開第五印

九 揭開第五印的時候、我看見在祭壇底下、有爲　神的
十 道、並爲作見證、被殺之人的靈魂．大聲喊着說、聖潔眞
實的主阿、你不審判住在地上的人給我們伸流血的
十一 寃、要等到幾時呢。於是有白衣賜給他們各人．又有話
對他們說、還要安息片時、等着一同作僕人的、和他們
的弟兄、也像他們被殺、滿足了數目。

開第六印

十二 揭開第六印的時候、我又看見地大震動．日頭變黑像
十三 毛布、滿月變紅像血．天上的星辰墜落於地、如同無花
十四 果樹被大風搖動、落下未熟的果子一樣。天就挪移、好
像書卷被捲起來．山嶺海島都被挪移離開本位。

躲避羔羊的忿怒

十五 地上的君王、臣宰、將軍、富戶、壯士、和一切爲奴的、自主
十六 的、都藏在山洞和巖石穴裏．向山和巖石說、倒在我們
身上罷、把我們藏起來、躲避坐寶座者的面目、和羔羊
十七 的忿怒．因爲他們忿怒的大日到了、誰能站得住呢。

第七章

印了　神僕人的額

一 此後我看見四位天使站在地的四角、執
二 掌地上四方的風、叫風不吹在地上、海上、和樹上。我又
看見另有一位天使、從日出之地上來、拿着永生　神
的印．他就向那得着權柄能傷害地和海的四位天使、
三 大聲喊着說、地與海並樹木、你們不可傷害、等我們印
四 了我們　神衆僕人的額。我聽見以色列人各支派中
五 受印的數目、有十四萬四千。猶大支派中受印的有一
萬二千．流便支派中有一萬二千．迦得支派中有一萬
六 二千．亞設支派中有一萬二千．拿弗他利支派中有一
萬二千．瑪拿西支派中有一萬二千．西緬支派中有一
七 萬二千．利未支派中有一萬二千．以薩迦支派中有一
八 萬二千．西布倫支派中有一萬二千．約瑟支派中有一
萬二千．便雅憫支派中受印的有一萬二千。

無數的人站於寶座前

九 此後、我觀看、見有許多的人、沒有人能數過來、是從各
國各族各民各方來的、站在寶座和羔羊面前、身穿白

十 衣、手拿棕樹枝。十大聲喊着說、願救恩歸與坐在寶座上
十一 我們的神、也歸與羔羊。十一衆天使都站在寶座和衆長
十二 老並四活物的周圍、在寶座前面伏於地、敬拜神、說、十二
阿們、頌讚、榮耀、智慧、感謝、尊貴、權柄、大力、都歸與我們
的神、直到永永遠遠。阿們。

神必擦去一切人的眼淚

十三 十三長老中有一位問我說、這些穿白衣的是誰、是從那裏
十四 來的。十四我對他說、我主、你知道。他向我說、這些人是從大
十五 患難中出來的、曾用羔羊的血、把衣裳洗白淨了。十五所以
他們在神寶座前、晝夜在他殿中事奉他。坐寶座的
十六 要用帳幕覆庇他們。十六他們不再飢、不再渴。日頭和炎熱、
十七 也必不傷害他們。十七因爲寶座中的羔羊必牧養他們、領
他們到生命水的泉源。神也必擦去他們一切的眼
淚。

第八章　開第七印

一 一羔羊揭開第七印的時候、天上寂靜約有
二 二刻。二我看見那站在神面前的七位天使、有七枝號
賜給他們。

天使獻上香爐和聖徒的祈禱

三 三另有一位天使拿着金香爐、來站在祭壇旁邊。有許多
香賜給他、要和衆聖徒的祈禱一同獻在寶座前的金
四 壇上。四那香的煙、和衆聖徒的祈禱、從天使的手中一同
五 升到神面前。五天使拿着香爐、盛滿了壇上的火、倒在
六 地上。隨有雷轟、大聲、閃電、地震。○六拿着七枝號的七位
天使、就豫備要吹。

第一天使吹號

七 七第一位天使吹號、就有雹子與火攙着血、丟在地上。地
的三分之一和樹的三分之一被燒了、一切的青草也
被燒了。

第二天使吹號

八 八第二位天使吹號、就有彷彿火燒着的大山扔在海中。
九 海的三分之一變成血。九海中的活物死了三分之一。船
隻也壞了三分之一。

第三天使吹號

十 十第三位天使吹號、就有燒着的大星、好像火把從天上
十一 落下來、落在江河的三分之一、和衆水的泉源上。十一這星

名叫茵蔯．衆水的三分之一變爲茵蔯、因水變苦、就死
了許多人。

第四天使吹號

十二 [十二]第四位天使吹號、日頭的三分之一、月亮的三分之一、
星辰的三分之一、都被擊打．以致日月星的三分之一
十三 黑暗了、白晝的三分之一沒有光、黑夜也是這樣。○[十三]我
又看見一個鷹飛在空中、並聽見他大聲說、三位天使
要吹那其餘的號、你們住在地上的民、禍哉、禍哉、禍哉。

第五天使吹號

第九章

一 [一]第五位天使吹號、我就看見一個星從天
二 落到地上、有無底坑的鑰匙賜給他。[二]他開了無底坑、便
有煙從坑裏往上冒、好像大火爐的煙．日頭和天空、都
因這煙昏暗了。

蝗蟲傷害沒有神印記的人

三 [三]有蝗蟲從煙中出來飛到地上、有能力賜給他們、好像
四 地上蠍子的能力一樣。[四]並且吩咐他們說、不可傷害地
上的草、和各樣青物、並一切樹木、惟獨要傷害額上沒
五 有神印記的人。[五]但不許蝗蟲害死他們、只叫他們受
六 痛苦五個月．這痛苦就像蠍子螫人的痛苦一樣。[六]在那
七 些日子、人要求死、決不得死．願意死、死卻遠避他們。[七]蝗
蟲的形狀、好像豫備出戰的馬一樣、頭上戴的好像金
八 冠冕、臉面好像男人的臉面．[八]頭髮像女人的頭髮、牙齒
九 像獅子的牙齒。[九]胸前有甲、好像鐵甲．他們翅膀的聲音、
十 好像許多車馬奔跑上陣的聲音。[十]有尾巴像蠍子．尾巴
十一 上的毒鉤能傷人五個月。[十一]有無底坑的使者作他們的
王．按着希伯來話、名叫亞巴頓．希利尼話、名叫亞玻倫。
十二 ○[十二]第一樣災禍過去了、還有兩樣災禍要來。

第六天使吹號

十三 [十三]第六位天使吹號、我就聽見有聲音從神面前金壇
十四 的四角出來、[十四]吩咐那吹號的第六位天使說、把那捆綁
在伯拉大河的四個使者釋放了。

殺害人的三分之一

十五 [十五]那四個使者就被釋放．他們原是豫備好了、到某年某
十六 月某日某時、要殺人的三分之一。[十六]馬軍有二萬萬．他們
十七 的數目我聽見了。[十七]我在異象中看見那些馬、和騎馬的、
騎馬的胸前有甲如火、與紫瑪瑙、並硫磺．馬的頭好像

十八 獅子頭、有火、有煙、有硫磺、從馬的口中出來。十八口中所出
十九 來的火與煙並硫磺、這三樣災殺了人的三分之一。十九這
馬的能力是在口裏、和尾巴上因這尾巴像蛇、並且有
二十 頭用以害人。二十其餘未曾被這些災所殺的人、仍舊不悔
改自己手所作的、還是去拜鬼魔、和那些不能看不能
二一 聽、不能走、金、銀、銅、木、石、的偶像。二一又不悔改他們那些凶
殺、邪術、姦淫、偷竊的事。

第十章　天使拿着小卷

一 一我又看見另有一位大力的天使、從天降
二 下、披着雲彩、頭上有虹。臉面像日頭、兩腳像火柱。二他手
三 裏拿着小書卷是展開的。他右腳踏海、左腳踏地。三大聲
四 呼喊、好像獅子吼叫、呼喊完了、就有七雷發聲。四七雷發
聲之後、我正要寫出來就聽見從天上有聲音說、七雷
五 所說的你要封上、不可寫出來。五我所看見的那踏海踏
六 地的天使、向天舉起右手來、六指着那創造天和天上之
物、地和地上之物、海和海中之物、直活到永永遠遠的、
七 起誓說、不再有時日了。(或作不再耽延了)七但在第七位天使吹
號發聲的時候、　神的奧祕就成全了、正如　神所傳
給他僕人衆先知的佳音。

約翰喫小卷

八 八我先前從天上所聽見的那聲音、又吩咐我說、你去把
九 那踏海踏地之天使手中展開的小書卷取過來。九我就
走到天使那裏、對他說、請你把小書卷給我。他對我說、
你拿着喫盡了、便叫你肚子發苦、然而在你口中要甜
十 如蜜。十我從天使手中把小書卷接過來、喫盡了、在我口
十一 中果然甜如蜜、喫了以後、肚子覺得發苦了。十一天使(原文作他)
們對我說、你必指着多民多國多方多王再說豫言。

第十一章　聖城遭遇踐踏

一 一有一根葦子賜給我、當作量度的杖。且
有話說、起來將　神的殿、和祭壇、並在殿中禮拜的人、
二 都量一量。二只是殿外的院子、要留下不用量。因爲這是
三 給了外邦人的。他們要踐踏聖城四十二個月。三我要使
四 我那兩個見證人、穿着毛衣、傳道一千二百六十天。四他
們就是那兩棵橄欖樹、兩個燈臺、立在世界之主面前
五 的。五若有人想要害他們、就有火從他們口中出來、燒滅
六 仇敵。凡想要害他們的、都必這樣被殺。六這二人有權柄、

在他們傳道的日子叫天閉塞不下雨．又有權柄、叫水
變爲血．並且能隨時隨意用各樣的災殃攻擊世界。七他
們作完見證的時候、那從無底坑裏上來的獸、必與他
們交戰．並且得勝、把他們殺了。

屍首倒在街道上

八他們的屍首就倒在大城裏的街上．這城按着靈意叫
所多瑪、又叫埃及、就是他們的主釘十字架之處。九從各
民各族各方各國中、有人觀看他們的屍首三天半、又
不許把屍首放在墳墓裏。十住在地上的人、就爲他們歡
喜快樂、互相餽送禮物、因這兩位先知曾叫住在地上
的人受痛苦。

過三天半復生

十一過了這三天半、有生氣從　神那裏進入他們裏面、他
們就站起來、看見他們的人甚是害怕。十二兩位先知聽見
有大聲音從天上來、對他們說、上到這裏來。他們就駕
着雲上了天．他們的仇敵也看見了。十三正在那時候、地大
震動、城就倒塌了十分之一．因地震而死的有七千人．
其餘的都恐懼、歸榮耀給天上的　神。○十四第二樣災禍
過去．第三樣災禍快到了。

第七天使吹號

十五第七位天使吹號、天上就有大聲音說、世上的國、成了
我主和主基督的國．他要作王、直到永永遠遠。十六在　神
面前、坐在自己位上的二十四位長老、就面伏於地、敬
拜　神、十七說、昔在今在的主　神、全能者阿、我們感謝你、
因你執掌大權作王了。十八外邦發怒、你的忿怒也臨到了．
審判死人的時候也到了、你的僕人衆先知、和衆聖徒、
凡敬畏你名的人、連大帶小、得賞賜的時候也到了．你
敗壞那些敗壞世界之人的時候也就到了。○十九當時
　神天上的殿開了、在他殿中現出他的約櫃．隨後有閃
電、聲音、雷轟、地震、大雹。

懷孕的婦人

第十二章

一天上現出大異象來．有一個婦人、身披
日頭、腳踏月亮、頭戴十二星的冠冕．二他懷了孕、在生產
的艱難中疼痛呼叫。

大紅龍要吞婦人的孩子

三天上又現出異象來、有一條大紅龍、七頭十角、七頭上

四 戴着七個冠冕。[四]他的尾巴拖拉着天上星辰的三分之
五 一、摔在地上。龍就站在那將要生產的婦人面前、等他
生產之後、要吞喫他的孩子。[五]婦人生了一個男孩子、是
將來要用鐵杖轄管萬國的。（轄管原文作牧）他的孩子被提到
六 神寶座那裏去了。[六]婦人就逃到曠野、在那裏有神
給他豫備的地方、使他被養活一千二百六十天。

天上有爭戰龍就被摔於地

七 [七]在天上就有了爭戰。米迦勒同他的使者與龍爭戰。龍
八 也同他的使者去爭戰。[八]並沒有得勝、天上再沒有他們
九 的地方。[九]大龍就是那古蛇、名叫魔鬼、又叫撒但、是迷惑
普天下的。他被摔在地上、他的使者也一同被摔下去。
十 [十]我聽見在天上有大聲音說、我　神的救恩、能力、國度、
並他基督的權柄、現在都來到了。因為那在我們　神
十一 面前晝夜控告我們弟兄的、已經被摔下去了。[十一]弟兄勝
過他、是因羔羊的血、和自己所見證的道。他們雖至於
十二 死、也不愛惜性命。[十二]所以諸天和住在其中的、你們都快
樂罷。只是地與海有禍了、因為魔鬼知道自己的時候
不多、就氣忿忿的下到你們那裏去了。

撫養婦人一載二載半載

十三 十四 [十三]龍見自己被摔在地上、就逼迫那生男孩子的婦人。[十四]於
是有大鷹的兩個翅膀賜給婦人、叫他能飛到曠野、到
自己的地方、躲避那蛇。他在那裏被養活一載二載半
十五 載。[十五]蛇就在婦人身後、從口中吐出水來、像河一樣、要將
十六 婦人沖去。[十六]地卻幫助婦人、開口吞了從龍口吐出來的
十七 水。（水原文作河）[十七]龍向婦人發怒、去與他其餘的兒女爭戰、這兒
女就是那守　神誡命、為耶穌作見證的。那時龍就站
在海邊的沙上。

一獸從海中上來

第十三章

一 [一]我又看見一個獸從海中上來、有十角
七頭、在十角上戴着十個冠冕、七頭上有褻瀆的名號。
二 [二]我所看見的獸、形狀像豹、腳像熊的腳、口像獅子的口。
三 那龍將自己的能力、座位、和大權柄、都給了他。[三]我看見
獸的七頭中、有一個似乎受了死傷、那死傷卻醫好了。
四 全地的人、都希奇跟從那獸。[四]又拜那龍、因為他將自己
的權柄給了獸。也拜獸說、誰能比這獸、誰能與他交戰
五 呢。[五]又賜給他說誇大褻瀆話的口、又有權柄賜給他、可

六 以任意而行四十二個月。六獸就開口向　神說褻瀆的
話、褻瀆　神的名、並他的帳幕以及那些住在天上的。

任憑獸與聖徒爭戰

七 七又任憑他與聖徒爭戰、並且得勝．也把權柄賜給他、制
八 伏各族各民各方各國。八凡住在地上、名字從創世以來、
九 沒有記在被殺之羔羊生命冊上的人、都要拜他。九凡有
十 耳的、就應當聽。十擄掠人的必被擄掠．用刀殺人的、必被
刀殺。聖徒的忍耐和信心、就是在此。

一獸從地中上來

十一 十一我又看見另有一個獸從地中上來．有兩角如同羊羔、
十二 說話好像龍。十二他在頭一個獸面前、施行頭一個獸所有
的權柄．並且叫地和住在地上的人、拜那死傷醫好的
十三 頭一個獸。十三又行大奇事、甚至在人面前、叫火從天降在
十四 地上。十四他因賜給他權柄在獸面前能行奇事、就迷惑住
十五 在地上的人、說要給那受刀傷還活着的獸作個像。十五又
有權柄賜給他叫獸像有生氣、並且能說話、又叫所有
不拜獸像的人都被殺害。

手受印記

十六 十六他又叫衆人、無論大小貧富、自主的為奴的、都在右手
十七 上、或是在額上、受一個印記。十七除了那受印記、有了獸名、
十八 或有獸名數目的、都不得作買賣。十八在這裏有智慧。凡有
聰明的、可以算計獸的數目．因為這是人的數目、他的
數目是六百六十六。

唱天上的新歌

一 **第十四章**　一我又觀看、見羔羊站在錫安山、同他又
有十四萬四千人、都有他的名、和他父的名、寫在額上。
二 二我聽見從天上有聲音、像衆水的聲音、和大雷的聲音．
三 並且我所聽見的好像彈琴的所彈的琴聲。三他們在寶
座前、並在四活物和衆長老前唱歌、彷彿是新歌．除了
從地上買來的那十四萬四千人以外、沒有人能學這
四 歌。四這些人未曾沾染婦女、他們原是童身．羔羊無論往
那裏去、他們都跟隨他。他們是從人間買來的、作初熟
五 的果子歸與　神和羔羊。五在他們口中察不出謊言來．
他們是沒有瑕疵的。

天使傳福音

六我又看見另有一位天使飛在空中、有永遠的福音要
傳給住在地上的人、就是各國各族各方各民。七他大聲
說、應當敬畏 神、將榮耀歸給他因他施行審判的時
候已經到了。應當敬拜那創造天地海和衆水泉源的。
○八又有第二位天使、接着說、叫萬民喝邪淫大怒之酒
的巴比倫大城傾倒了、傾倒了。○九又有第三位天使接
着他們、大聲說、若有人拜獸和獸像、在額上、或在手上、
受了印記、十這人也必喝 神大怒的酒、此酒斟在 神
忿怒的杯中純一不雜。他要在聖天使和羔羊面前、在
火與硫磺之中受痛苦。十一他受痛苦的煙往上冒、直到永
永遠遠。那些拜獸和獸像受他名之印記的、晝夜不得
安寧。十二聖徒的忍耐就在此。他們是守 神誡命和耶穌
眞道的。

在主裏死的人有福了

十三我聽見從天上有聲音說、你要寫下、從今以後、在主裏
面而死的人有福了。聖靈說、是的、他們息了自己的勞
苦、作工的果效也隨着他們。○十四我又觀看、見有一片白
雲、雲上坐着一位好像人子、頭上戴着金冠冕、手裏拿
着快鐮刀。十五又有一位天使從殿中出來、向那坐在雲上
的大聲喊着說、伸出你的鐮刀來收割。因爲收割的時
候已經到了、地上的莊稼已經熟透了。十六那坐在雲上的、
就把鐮刀扔在地上。地上的莊稼就被收割了。○十七又有
一位天使從天上的殿中出來、他也拿着快鐮刀。十八又有
一位天使從祭壇中出來、是有權柄管火的、向拿着快
鐮刀的大聲喊着說、伸出快鐮刀來收取地上葡萄樹
的果子。因爲葡萄熟透了。十九那天使就把鐮刀扔在地上、
收取了地上的葡萄、丟在 神忿怒的大酒醡中。二十那酒
醡踹在城外、就有血從酒醡裏流出來、高到馬的嚼環、
遠有六百里。

第十五章

一我又看見在天上有異象、大而且奇、就
是七位天使掌管末了的七災。因爲 神的大怒在這
七災中發盡了。

唱摩西和羔羊的歌

二我看見彷彿有玻璃海、其中有火攙雜。又看見那些勝
了獸和獸的像、並他名字數目的人、都站在玻璃海上、

三 拿着　神的琴。三唱　神僕人摩西的歌、和羔羊的歌、說、
主　神、全能者阿、你的作爲大哉、奇哉、萬世之王阿、世或
四 作國你的道途義哉、誠哉。四主阿、誰敢不敬畏你、不將榮耀
歸與你的名呢。因爲獨有你是聖的。萬民都要來在你
五 面前敬拜因你公義的作爲已經顯出來了。○五此後、我
六 看見在天上那存法櫃的殿開了。六那掌管七災的七位
七 天使從殿中出來、穿着潔白光明的細麻衣、細麻衣有古卷作寶
石胸間束着金帶。七四活物中有一個把盛滿了活到永
八 永遠遠之　神大怒的七個金碗給了那七位天使。八因
神的榮耀、和能力殿中充滿了煙。於是沒有人能以
進殿直等到那七位天使所降的七災完畢了。

第十六章

一 一我聽見有大聲音從殿中出來、向那七
位天使說、你們去、把盛　神大怒的七碗倒在地上。

天使把盛　神大怒的碗倒在地上

二 二第一位天使便去、把碗倒在地上、就有惡而且毒的瘡、
生在那些有獸印記、拜獸像的人身上。

倒在海裏

三 三第二位天使把碗倒在海裏、海就變成血、好像死人的
血。海中的活物都死了。

倒在江河與衆水裏

四 四第三位天使把碗倒在江河與衆水的泉源裏、水就變
五 成血了。五我聽見掌管衆水的天使說、昔在今在的聖者
六 阿、你這樣判斷是公義的。六他們曾流聖徒與先知的血、
七 現在你給他們血喝、這是他們所該受的。七我又聽見祭
壇中有聲音說、是的、主　神、全能者阿、你的判斷義哉、
誠哉。

倒在日頭上

八 八第四位天使把碗倒在日頭上、叫日頭能用火烤人。九人
九 被大熱所烤、就褻瀆那有權掌管這些災的　神之名、
並不悔改將榮耀歸給　神。

倒在獸的座位上

十 十第五位天使把碗倒在獸的座位上、獸的國就黑暗了。
十一 人因疼痛就咬自己的舌頭。十一又因所受的疼痛、和生的
瘡、就褻瀆天上的　神、並不悔改所行的。

倒在伯拉大河上

十二 十二第六位天使把碗倒在伯拉大河上、河水就乾了、要給

十三 那從日出之地所來的衆王豫備道路。[十三]我又看見三個
十四 污穢的靈、好像青蛙、從龍口獸口並假先知的口中出
十五 來。[十四]他們本是鬼魔的靈、施行奇事、出去到普天下衆王
那裏、叫他們在　神全能者的大日聚集爭戰。[十五]（看哪、
我來像賊一樣。那儆醒、看守衣服、免得赤身而行、叫人
十六 見他羞恥的有福了。）[十六]那三個鬼魔便叫衆王聚集在
一處、希伯來話叫作哈米吉多頓。

倒在空中

十七 [十七]第七位天使把碗倒在空中、就有大聲音從殿中的寶
十八 座上出來、說、成了。[十八]又有閃電、聲音、雷轟、大地震、自從地
十九 上有人以來、沒有這樣大這樣利害的地震。[十九]那大城裂
爲三段、列國的城也都倒塌了。　神也想起巴比倫大
二十 城來、要把那盛自己烈怒的酒杯遞給他。[二十]各海島都逃
二十一 避了、衆山也不見了。[二十一]又有大雹子從天落在人身上、每
一個約重一他連得。（一他連得約有九十斤）爲這雹子的災極大、
人就褻瀆　神。

大淫婦的刑罰

一 **第十七章** [一]拿着七碗的七位天使中、有一位前來
二 對我說、你到這裏來、我將坐在衆水上的大淫婦所要
受的刑罰指給你看。[二]地上的君王與他行淫、住在地上
三 的人喝醉了他淫亂的酒。[三]我被聖靈感動、天使帶我到
曠野去。我就看見一個女人騎在朱紅色的獸上。那獸
四 有七頭十角、遍體有褻瀆的名號。[四]那女人穿着紫色和
朱紅色的衣服、用金子寶石珍珠爲妝飾、手拿金杯、杯
五 中盛滿了可憎之物、就是他淫亂的污穢。[五]在他額上有
名寫着說、奧祕哉、大巴比倫、作世上的淫婦和一切可
六 憎之物的母。[六]我又看見那女人喝醉了聖徒的血、和爲
耶穌作見證之人的血。我看見他、就大大的希奇。

解明女人和所騎之獸的奧祕

七 [七]天使對我說、你爲甚麼希奇呢。我要將這女人和馱着
八 他的那七頭十角獸的奧祕告訴你。[八]你所看見的獸、先
前有、如今沒有、將要從無底坑裏上來、又要歸於沉淪。
凡住在地上名字從創世以來沒有記在生命册上的、
九 見先前有、如今沒有、以後再有的獸、就必希奇。[九]智慧的
十 心在此可以思想。那七頭就是女人所坐的七座山。[十]又
是七位王。五位已經傾倒了、一位還在、一位還沒有來

十一 到、他來的時候、必須暫時存留。十一那先前有、如今沒有的
十二 獸、就是第八位.他也和那七位同列、並且歸於沉淪。十二你
所看見的那十角、就是十王.他們還沒有得國.但他們
十三 一時之間要和獸同得權柄與王一樣。十三他們同心合意、
將自己的能力權柄給那獸。

羔羊得勝

十四 十四他們與羔羊爭戰、羔羊必勝過他們、因為羔羊是萬主
之主、萬王之王.同着羔羊的、就是蒙召被選有忠心的、
十五 也必得勝。十五天使又對我說、你所看見那淫婦坐的眾水、
十六 就是多民多人多國多方。十六你所看見的那十角、與獸、必
恨這淫婦、使他冷落赤身、又要喫他的肉、用火將他燒
十七 盡。十七因為神使諸王同心合意、遵行他的旨意、把自己
十八 的國給那獸、直等到神的話都應驗了。十八你所看見的
那女人就是管轄地上眾王的大城。

第十八章

巴比倫傾倒

一 一此後、我看見另有一位有大權柄的天
二 使從天降下.地就因他的榮耀發光。二他大聲喊着說、巴
比倫大城傾倒了、傾倒了、成了鬼魔的住處、和各樣汚
穢之靈的巢穴、(獄或作牢下同)並各樣汚穢可憎之雀鳥的巢
三 穴。三因為列國都被他邪淫大怒的酒傾倒了.地上的君
王與他行淫、地上的客商因他奢華太過就發了財。

先有榮耀奢華後受悲哀痛苦

四 四我又聽見從天上有聲音說、我的民哪、你們要從那城
五 出來、免得與他一同有罪、受他所受的災殃.五因他的罪
六 惡滔天、他的不義　神已經想起來了。六他怎樣待人、也
要怎樣待他、按他所行的加倍的報應他.用他調酒的
七 杯、加倍的調給他喝。七他怎樣榮耀自己、怎樣奢華、也當
叫他照樣痛苦悲哀.因他心裏說、我坐了皇后的位、並
八 不是寡婦、決不至於悲哀。八所以在一天之內、他的災殃
要一齊來到、就是死亡、悲哀、饑荒.他又要被火燒盡了.
九 因為審判他的主　神大有能力。九地上的君王、素來與
他行淫一同奢華的、看見燒他的煙、就必為他哭泣哀
十 號.十因怕他的痛苦、就遠遠的站着說、哀哉、哀哉、巴比倫
十一 大城、堅固的城阿、一時之間你的刑罰就來到了。十一地上
的客商也都為他哭泣悲哀、因為沒有人再買他們的
十二 貨物了.十二這貨物就是金銀寶石珍珠細麻布紫色料綢

子、朱紅色料、各樣香木、各樣象牙的器皿、各樣極寶貴
十三 的木頭和銅、鐵、漢白玉的器皿、並肉桂、荳蔻、香料、香膏、
乳香、酒、油、細麵、麥子、牛、羊、車、馬、和奴僕、人口。

因大城受報應聖徒都歡喜

十四 巴比倫哪、你所貪愛的果子離開了你．你一切的珍饈
美味、和華美的物件、也從你中間毀滅、決不能再見了。
十五 販賣這些貨物、藉着他發了財的客商、因怕他的痛苦、
十六 就遠遠的站着哭泣悲哀、說、哀哉、哀哉、這大城阿、素常
穿着細麻、紫色、朱紅色的衣服、又用金子、寶石、和珍珠
十七 爲妝飾．一時之間、這麼大的富厚就歸於無有了。凡船
主、和坐船往各處去的、並衆水手、連所有靠海爲業的、
十八 都遠遠的站着、看見燒他的煙、就喊着說、有何城能比
十九 這大城呢。他們又把塵土撒在頭上、哭泣悲哀、喊着說、
哀哉、哀哉、這大城阿．凡有船在海中的、都因他的珍寶
二十 成了富足．他在一時之間就成了荒塌。天哪、衆聖徒衆
使徒衆先知阿、你們都要因他歡喜．因爲 神已經在
二十一 他身上伸了你們的冤。〇有一位大力的天使舉起一
塊石頭、好像大磨石、扔在海裏、說、巴比倫大城也必這
二二 樣猛力的被扔下去、決不能再見了。彈琴、作樂、吹笛、吹
號的聲音、在你中間決不能再聽見．各行手藝人在你
中間決不能再遇見．推磨的聲音在你中間決不能再
二三 聽見．燈光在你中間決不能再照耀．新郎和新婦的聲
音、在你中間決不能再聽見．你的客商原來是地上的
二四 尊貴人．萬國也被你的邪術迷惑了。先知和聖徒、並地
上一切被殺之人的血、都在這城裏看見了。

神伸討大淫婦流人血之罪

一 **第十九章** 此後、我聽見好像羣衆在天上大聲說、
哈利路亞、(就是要讚美耶和華的意思)救恩、榮耀、權能、都屬乎我們
二 的 神．他的判斷是眞實公義的．因他判斷了那用淫
行敗壞世界的大淫婦、並且向淫婦討流僕人血的罪、
三 給他們伸冤。又說、哈利路亞、燒淫婦的煙往上冒、直到
四 永永遠遠。那二十四位長老與四活物、就俯伏敬拜坐
五 寶座的 神、說、阿們、哈利路亞。有聲音從寶座出來說、
神的衆僕人哪、凡敬畏他的、無論大小、都要讚美我
六 們的 神。我聽見好像羣衆的聲音、衆水的聲音、大雷
的聲音、說、哈利路亞．因爲主我們的 神全能者作王

了。

赴羔羊婚筵的有福了

七 七我們要歡喜、快樂、將榮耀歸給他．因爲羔羊婚娶的時
八 候到了、新婦也自己豫備好了。八就蒙恩得穿光明潔白
九 的細麻衣、這細麻衣就是聖徒所行的義。九天使吩咐我
說、你要寫上、凡被請赴羔羊之婚筵的有福了。又對我
十 說、這是神眞實的話。十我就俯伏在他脚前要拜他．他
說、千萬不可．我和你並你那些爲耶穌作見證的弟兄
同是作僕人的．你要敬拜神．因爲豫言中的靈意、乃
是爲耶穌作見證。

有名寫着萬王之王萬主之主

十一 十一我觀看、見天開了．有一匹白馬．騎在馬上的、稱爲誠信
十二 眞實．他審判爭戰都按着公義。十二他的眼睛如火焰、他頭
上戴着許多冠冕．又有寫着的名字、除了他自己沒有
十三 人知道。十三他穿着濺了血的衣服．他的名稱爲神之道。
十四 十四在天上的衆軍、騎着白馬、穿着細麻衣、又白又潔、跟隨
十五 他。十五有利劍從他口中出來、可以擊殺列國．他必用鐵杖
十六 轄管他們．（轄管原文作牧）並要踹全能神烈怒的酒醡。十六在他

衣服和大腿上、有名寫着說、萬王之王、萬主之主。

請飛鳥來赴大筵席

十七 十七我又看見一位天使站在日頭中、向天空所飛的鳥、大
十八 聲喊着說、你們聚集來赴神的大筵席．十八可以喫君王
與將軍的肉、壯士與馬和騎馬者的肉、並一切自主的
十九 爲奴的、以及大小人民的肉。○十九我看見那獸、和地上的
君王、並他們的衆軍、都聚集、要與騎白馬的、並他的軍
二十 兵爭戰。二十那獸被擒拿、那在獸面前曾行奇事、迷惑受獸
印記和拜獸像之人的假先知、也與獸同被擒拿．他們
二一 兩個就活活的被扔在燒着硫磺的火湖裏．二一其餘的被
騎白馬者口中出來的劍殺了．飛鳥都喫飽了他們的
肉。

第二十章　撒但被捆綁一千年

一 一我又看見一位天使從天降下、手裏拿
二 着無底坑的鑰匙、和一條大鍊子。二他捉住那龍、就是古
三 蛇、又叫魔鬼、也叫撒但、把他捆綁一千年、三扔在無底坑
裏、將無底坑關閉、用印封上、使他不得再迷惑列國、等
到那一千年完了．以後必須暫時釋放他。

未受獸印記的同基督作王一千年

四我又看見幾個寶座、也有坐在上面的、並有審判的權
柄賜給他們．我又看見那些因爲給耶穌作見證、並爲
神之道被斬者的靈魂、和那沒有拜過獸與獸像、也
沒有在額上和手上受過他印記之人的靈魂．他們都
五復活了、與基督一同作王一千年。五這是頭一次的復活。
六其餘的死人還沒有復活、直等那一千年完了。六在頭一
次復活有分的有福了、聖潔了．第二次的死在他們身
上沒有權柄．他們必作 神和基督的祭司、並要與基
督一同作王一千年。

撒但被釋放

七八那一千年完了、撒但必從監牢裏被釋放、八出來要迷惑
地上四方的列國、(方原文作角)就是歌革和瑪各、叫他們聚
九集爭戰．他們的人數多如海沙。九他們上來遍滿了全地、
圍住聖徒的營、與蒙愛的城．就有火從天降下、燒滅了
十他們。十那迷惑他們的魔鬼、被扔在硫磺的火湖裏、就是
獸和假先知所在的地方．他們必晝夜受痛苦、直到永
永遠遠。

末日的審判

十一我又看見一個白色的大寶座、與坐在上面的．從他面
十二前、天地都逃避、再無可見之處了。十二我又看見死了的人、
無論大小、都站在寶座前．案卷展開了．並且另有一卷
展開、就是生命冊．死了的人都憑着這些案卷所記載
十三的、照他們所行的受審判。十三於是海交出其中的死人．死
亡和陰間也交出其中的死人．他們都照各人所行的
十四受審判。十四死亡和陰間也被扔在火湖裏．這火湖就是第
十五二次的死。十五若有人名字沒記在生命冊上、他就被扔在
火湖裏。

第二十一章

新天新地

一我又看見一個新天新地．因爲先前
二的天地已經過去了．海也不再有了。二我又看見聖城新
耶路撒冷由 神那裏從天而降、豫備好了、就如新婦
妝飾整齊、等候丈夫。

不再有死

三我聽見有大聲音從寶座出來說、看哪、 神的帳幕在
人間．他要與人同住、他們要作他的子民、 神要親自

四 與他們同在、作他們的神。四神要擦去他們一切的
眼淚不再有死亡、也不再有悲哀、哭號、疼痛、因爲以前
五 的事都過去了。五坐寶座的說、看哪、我將一切都更新了。
又說、你要寫上．因這些話是可信的、是眞實的。

主必將生命泉源的水白白賜給口渴的人喝

六 六他又對我說、都成了。我是阿拉法、我是俄梅戛、我是初、
我是終。我要將生命泉的水白白賜給那口渴的人喝。
七 七得勝的、必承受這些爲業．我要作他的神、他要作我
八 的兒子。八惟有膽怯的、不信的、可憎的、殺人的、淫亂的、行
邪術的、拜偶像的、和一切說謊話的、他們的分就在燒
着硫磺的火湖裏．這是第二次的死。

聖城的榮耀

九 九拿着七個金碗、盛滿末後七災的七位天使中、有一位
來對我說、你到這裏來、我要將新婦、就是羔羊的妻、指
十 給你看。十我被聖靈感動、天使就帶我到一座高大的山、
將那由神那裏從天而降的聖城耶路撒冷指示我。
十一 十一城中有神的榮耀．城的光輝如同極貴的寶石、好像
十二 碧玉、明如水晶．十二有高大的牆．有十二個門、門上有十二
十三 位天使．門上又寫着以色列十二個支派的名字．十三東邊
十四 有三門．北邊有三門．南邊有三門．西邊有三門。十四城牆有
十五 十二根基、根基上有羔羊十二使徒的名字。十五對我說話
十六 的拿着金葦子當尺、要量那城、和城門城牆。十六城是四方
的、長寬一樣．天使用葦子量那城、共有四千里．長寬高
十七 都是一樣。十七又量了城牆、按着人的尺寸、就是天使的尺
十八 寸、共有一百四十四肘。十八牆是碧玉造的．城是精金的、如
十九 同明淨的玻璃。十九城牆的根基是用各樣寶石修飾的．第
一根基是碧玉．第二是藍寶石．第三是綠瑪瑙．第四是
二十 綠寶石．二十第五是紅瑪瑙．第六是紅寶石．第七是黃璧璽．
第八是水蒼玉．第九是紅璧璽．第十是翡翠．第十一是
紫瑪瑙．第十二是紫晶。

神和羔羊爲城的殿

二十一 二十一十二個門是十二顆珍珠．每門是一顆珍珠．城內的街
二十二 道是精金、好像明透的玻璃。二十二我未見城內有殿、因主
二十三 神全能者、和羔羊、爲城的殿。二十三那城內又不用日月光照．
二十四 因有神的榮耀光照、又有羔羊爲城的燈。二十四列國要在
城的光裏行走．地上的君王必將自己的榮耀歸與那

二五 二六 城。二五城門白晝總不關閉．在那裏原沒有黑夜．人二六必將列
二七 國的榮耀尊貴、歸與那城。二七凡不潔淨的、並那行可憎與
虛謊之事的、總不得進那城．只有名字寫在羔羊生命
冊上的纔……得進去。

生命水和生命樹

一 **第二十二章** 一天使又指示我在城內街道當中一
道生命水的河、明亮如水晶、從　神和羔羊的寶座流
二 出來。二在河這邊與那邊有生命樹、結十二樣果子、樣或作回
三 每月都結果子．樹上的葉子乃為醫治萬民。三以後再沒
有咒詛．在城裏有　神和羔羊的寶座．他的僕人都要
四 事奉他．四也要見他的面．他的名字必寫在他們的額上。

不再有黑夜

五 五不再有黑夜．他們也不用燈光日光．因為主　神要光
照他們．他們要作王、直到永永遠遠。

遵守這書上豫言的有福了

六 六天使又對我說、這些話是真實可信的．主就是眾先知
被感之靈的　神、差遣他的使者、將那必要快成的事
七 指示他僕人。七看哪、我必快來．凡遵守這書上豫言的有

八 福了。○八這些事是我約翰所聽見所看見的．我既聽見
九 看見了、就在指示我的天使腳前俯伏要拜他。九他對我
說、千萬不可．我與你、和你的弟兄眾先知、並那些守這
書上言語的人同是作僕人的．你要敬拜　神。

賞罰在主主必報應

十 十他又對我說、不可封了這書上的豫言．因為日期近了。
十一 十一不義的、叫他仍舊不義．污穢的、叫他仍舊污穢．為義的、
十二 叫他仍舊為義．聖潔的、叫他仍舊聖潔。十二看哪、我必快來．
十三 賞罰在我、要照各人所行的報應他。十三我是阿拉法、我是
十四 俄梅戛、我是首先的、我是末後的、我是初、我是終。十四那些
洗淨自己衣服的有福了、可得權柄能到生命樹那裏、
十五 也能從門進城。十五城外有那些犬類、行邪術的、淫亂的、殺
十六 人的、拜偶像的、並一切喜好說謊言編造虛謊的。○十六我
耶穌差遣我的使者為眾教會將這些事向你們證明。
十七 我是大衛的根、又是他的後裔．我是明亮的晨星。○十七聖
靈和新婦都說來。聽見的人也該說來。口渴的人也當
來．願意的都可以白白取生命的水喝。……

警戒增減這書上的豫言

十八 ○我十八向一切聽見這書上豫言的作見證、若有人在這
豫言上加添甚麼、神必將寫在這書上的災禍加在
十九 他身上。十九這書上的豫言、若有人刪去甚麼、神必從這
二十 書上所寫的生命樹、和聖城、刪去他的分。○二十證明這事
二一 的說、是了。我必快來。阿們。主耶穌阿、我願你來。○二一願主
耶穌的恩惠、常與衆聖徒同在。阿們。

沒有人再買他們的貨物了.

啓示錄：十八章十一節

地圖

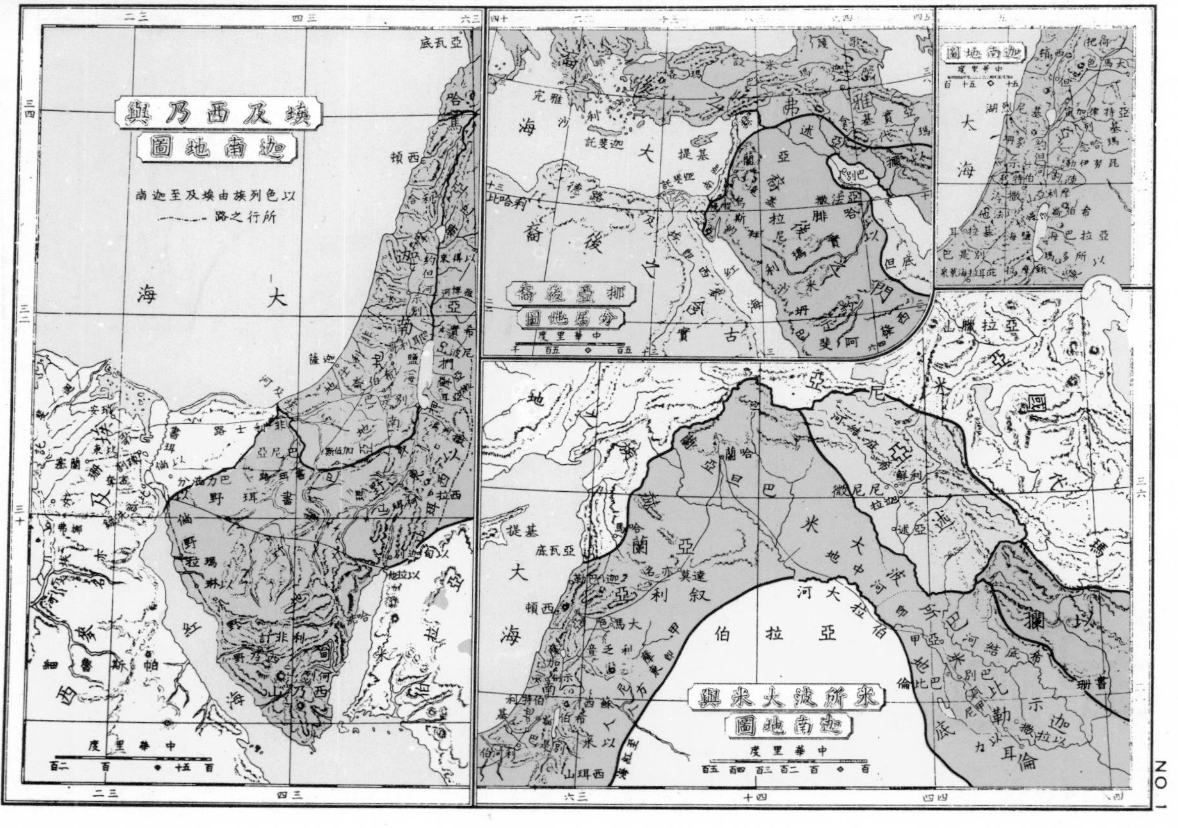
埃及西乃與迦南地圖
以色列族由埃及至迦南所行之路
中華里度
挪亞後裔分居地圖
中華里度
迦南地圖
中華里度
米所波大米與迦南地圖
中華里度

NO.2

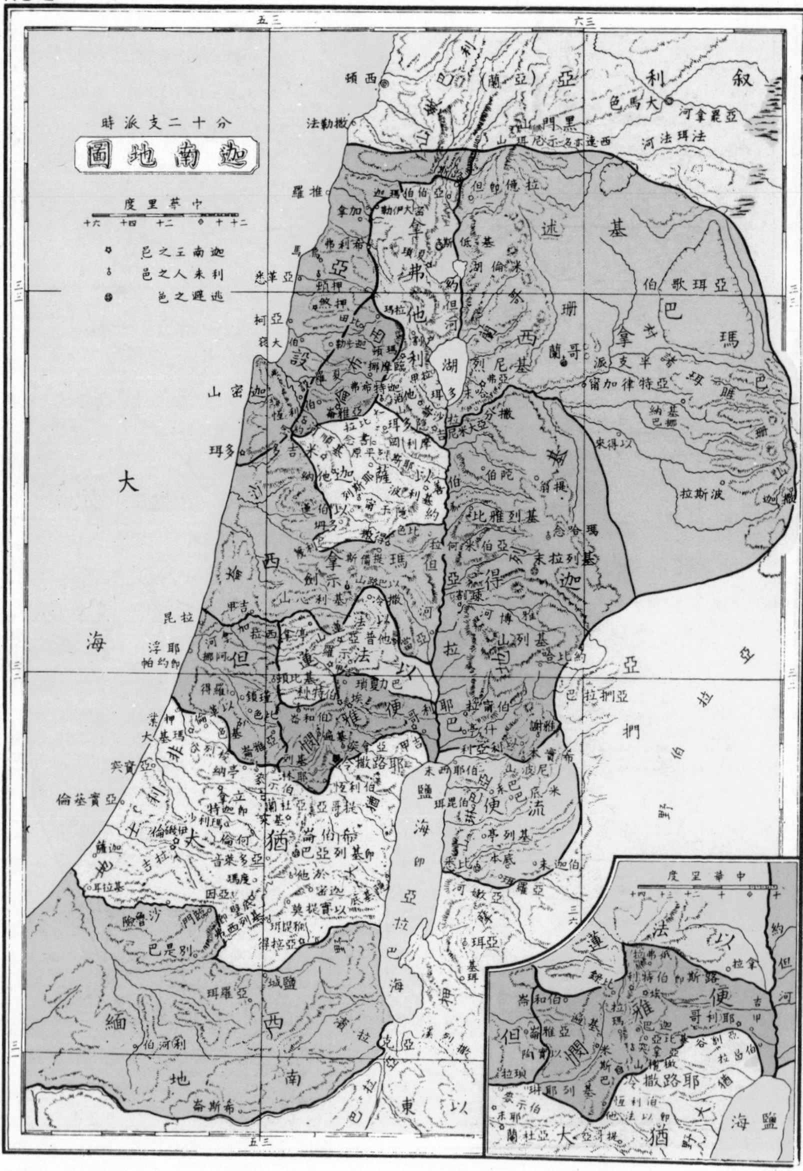

迦南地圖

分十二支派時

中華里度

二十　十　〇　二十　四十　六十

迦南王之邑

利未人之邑

逃避之邑

大海

鹽海

亞拉巴海

叙利亞

巴珊

基列

摩押

以東

猶大

便雅憫

以法蓮

瑪拿西

亞設

拿弗他利

西布倫

以薩迦

但

西緬

流便

迦得

非利士地

西南地

約但河

哥尼烈湖

耶路撒冷

中華里度

猶大與以色列地圖

中華里度

耶路撒冷

中華里度

大衛逃難之地圖

中華里度

所羅門王時猶太地圖

中華里度

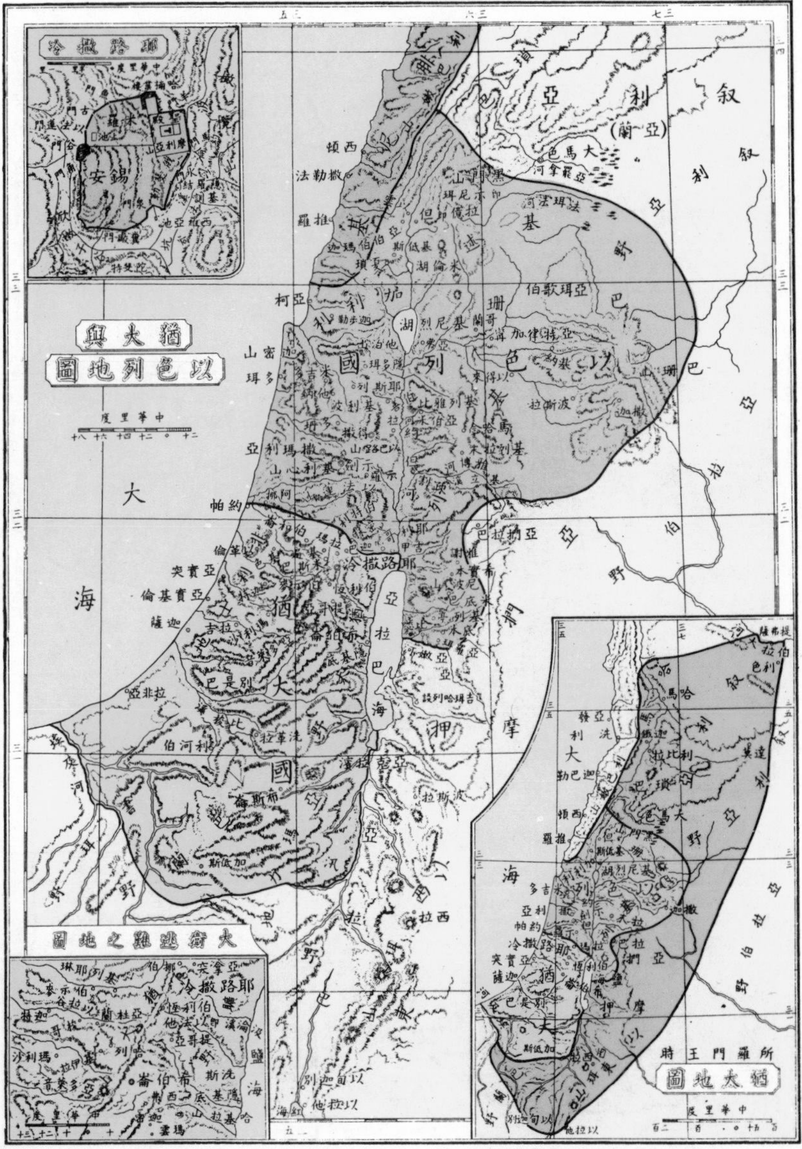

NO. 4

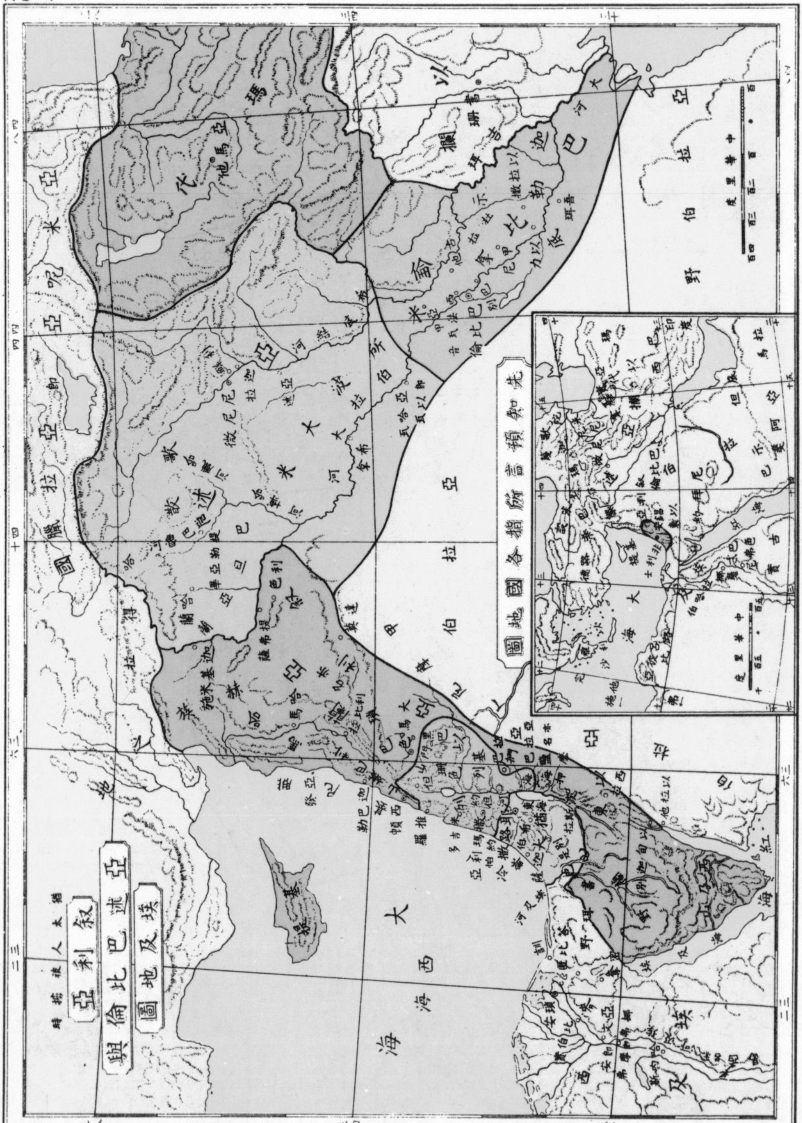

猶太人被擄時

敘利亞
亞述巴比倫與
埃及地圖

先知預言所指各國地圖

中華里度

主耶穌降生時

猶太地圖

中華里度

耶路撒冷

NO.6

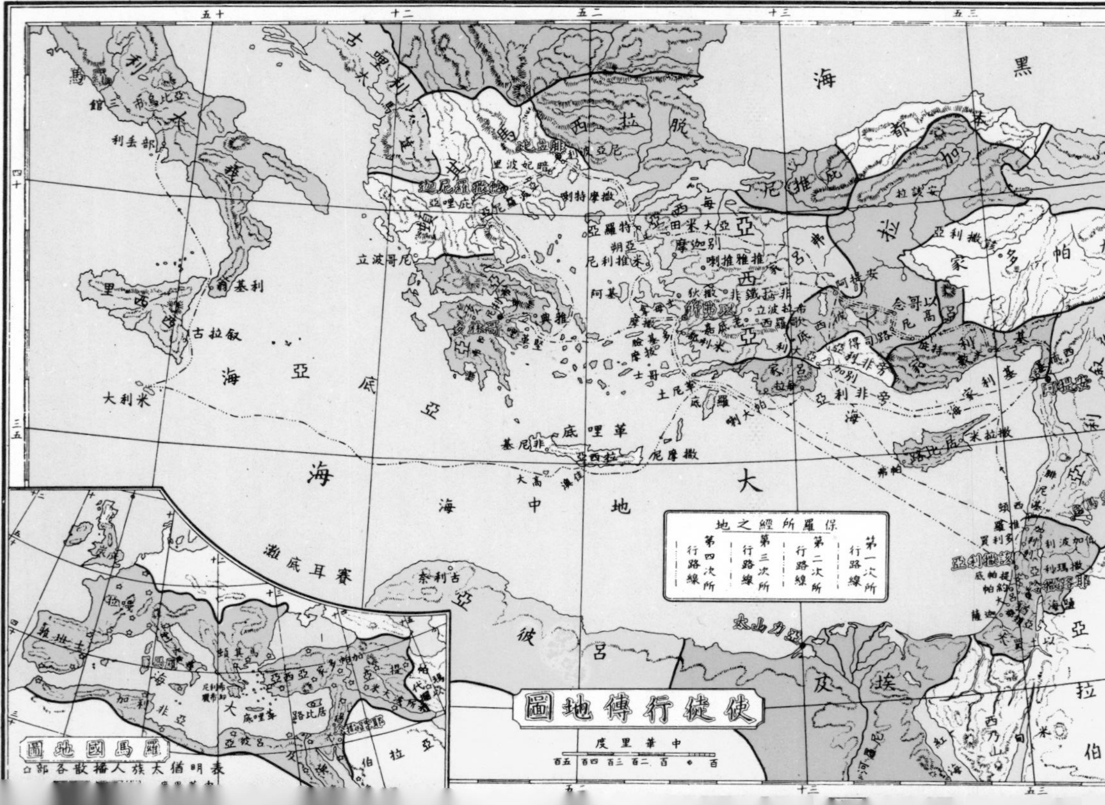

使徒行傳地圖
保羅所經之地
第一次所行路線
第二次所行路線
第三次所行路線
第四次所行路線
中華里度
羅馬國地圖
表明猶太人播散各部

CU63A
ISBN 962 293 010 7

The Holy Bible in Chinese Union Version
(Shen Edition)

新舊約全書（神版）